LE GRAND GUIDE DES VINS DE FRANCE

BETTANE & DESSEAUVE

2011

Auteurs
Michel Bettane et Thierry Desseauve

Direction d'ouvrage
Alain Chameyrat et Florence Lécuyer

Dégustations
Michel Bettane, Alain Chameyrat, Guy Charneau, Thierry Desseauve, Hélène Durand, Denis Hervier, Amy Lillard, Thierry Meyer, Guillaume Puzo et Barbara Shroeder

Coordination éditoriale
Éditions de La Martinière : Antoine Cam
BDT Médias : Béatrice Boullier, Céline Triqueneaux, Andrée Virlouvet
SANVIC, assistés de Valentine Lerebour, Sirine Mechban, Caroline Pan et Victoria Rosi

Conception base de données
Jean-Paul Viau

Développement informatique et conception du site internet des producteurs
VG InfoService : Vincent Guilbert

Conception graphique
FMDA

Réalisation
Hicham Abou Raad

Couverture
Photographie ©Mathieu Garçon

Portraits auteurs
Photographie ©Mathieu Garçon

Cartographie
Légendes Cartographie

Fabrication
Marie-Hélène Lafin

Opendisc®
Guillaume Ballandonne et Guillaume Doret

Site internet
Conception graphique : Anne Schlaffmann
Développement : Nadège Leroy (Dapé)
Éditorial : Véronique Raisin
Vidéos : Isabelle Rozenbaum

Connectez-vous sur :
www.lamartinièregroupe.com
www.bettanedesseauve.com

ISBN : 978-2-7324-4282-2

LE GRAND GUIDE DES VINS DE FRANCE

BETTANE & DESSEAUVE

2011

Éditions
de La Martinière

Sommaire

L' ANNÉE DU VIN

GUIDE DES VINS

Les vignobles de France

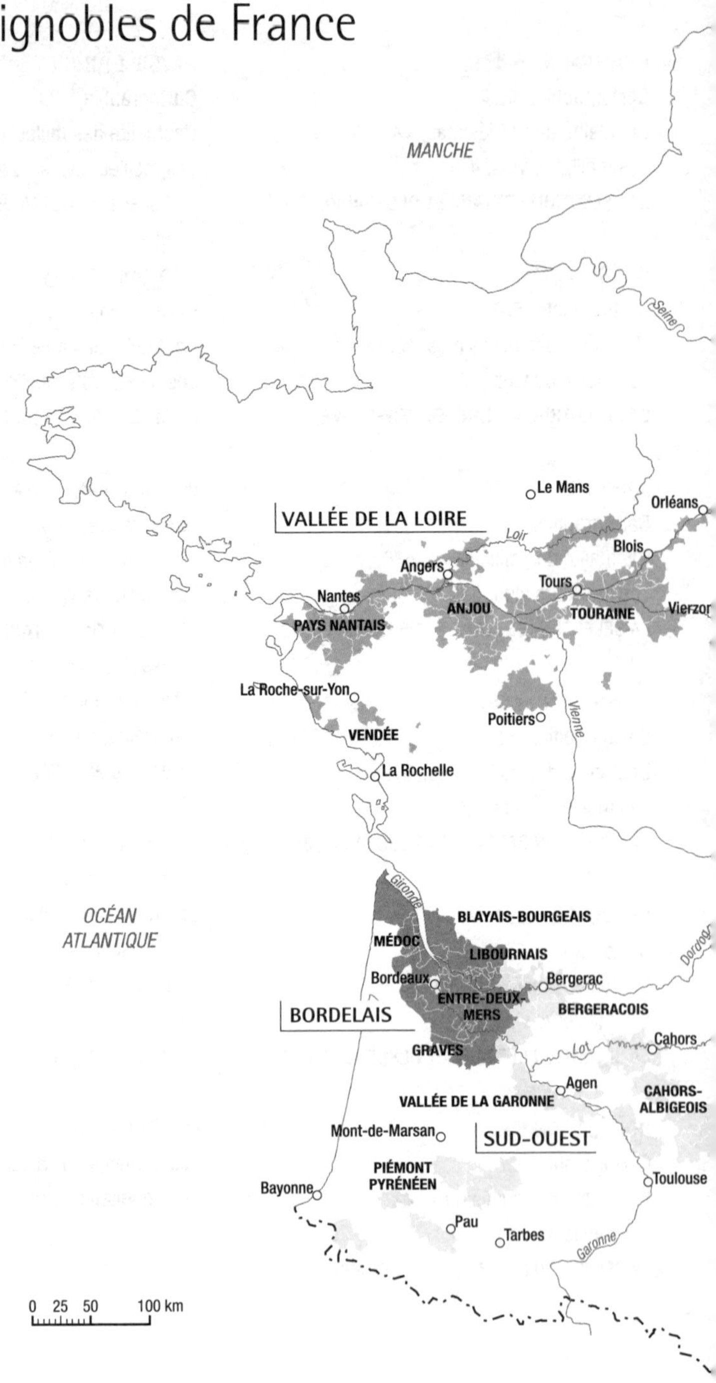

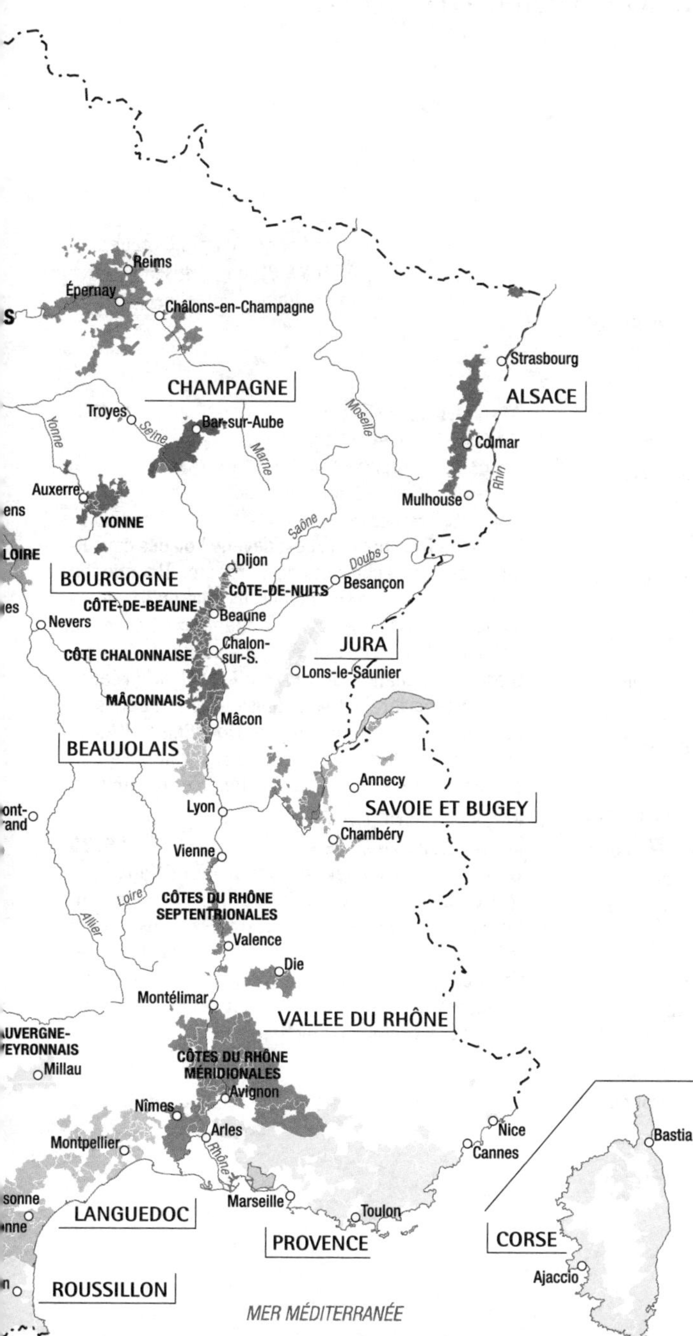
Reims
Épernay
Châlons-en-Champagne
CHAMPAGNE
Strasbourg
ALSACE
Troyes
Seine
Bar-sur-Aube
Yonne
Marne
Moselle
Colmar
Rhin
Mulhouse
Auxerre
YONNE
Saône
Dijon
Doubs
BOURGOGNE
CÔTE-DE-NUITS
Besançon
CÔTE-DE-BEAUNE
Beaune
Nevers
CÔTE CHALONNAISE
Chalon-sur-S.
JURA
Lons-le-Saunier
MÂCONNAIS
Mâcon
BEAUJOLAIS
Annecy
Lyon
SAVOIE ET BUGEY
Chambéry
Vienne
Loire
Allier
CÔTES DU RHÔNE SEPTENTRIONALES
Valence
Die
Montélimar
VALLEE DU RHÔNE
CÔTES DU RHÔNE MÉRIDIONALES
Millau
Avignon
Nîmes
Arles
Rhône
Nice
Montpellier
Cannes
Bastia
Marseille
Toulon
LANGUEDOC
PROVENCE
CORSE
Ajaccio
ROUSSILLON
MER MÉDITERRANÉE

Le mode d'emploi du guide

> Les meilleurs producteurs de France

Classification du producteur de 0 BD à 5 BD pour l'ensemble de sa production actuelle.

Nom du domaine, de la cave ou de la maison : les producteurs sont classés par ordre alphabétique.

Coordonnées complètes.

Notre commentaire sur le producteur : sa situation, son actualité, le style de ses vins.

Notre sélection des meilleurs vins actuellement disponibles chez ce producteur.

Nom du vin, de la cuvée et du millésime.

☺ « Le bonheur tout de suite ! » : indique un vin particulièrement savoureux et accessible dès maintenant.

Couleur et catégorie (moelleux, sec...) du vin.

Date d'apogée de consommation prévisible.

Prix indicatif d'une bouteille dans le commerce de détail ou à la propriété.

Note B&D du vin sur 20.

Notre commentaire sur ce vin.

DOMAINE DE L'A ▪▪▪

Lieu-dit Fillol • 33350 Sainte-Colombe
Tél. 05 57 24 60 29 • Fax : 05 57 24 75 95
contact@vigneronsconsultants.com
Visite : Sur rendez-vous.

Stéphane Derenoncourt est devenu l'un des consultants les plus recherchés de Bordeaux. Il a mis son talent au service de très nombreux crus, qu'il s'agisse d'appellations modestes ou de châteaux célèbres de Saint-Émilion ou de Pomerol, mais aussi du Médoc. Il est passionnant d'observer le travail qu'il réalise dans la propriété qu'il a acquise avec son épouse à Castillon, et qu'ils ont nommée Domaine de l'A. En moins d'une demi-décennie, le cru a imposé une personnalité très élégante, profonde et onctueuse.

Côtes de Castillon 2007
Rouge | 2012 à 2017 | 28 € **15/20**

Un vin très personnel, issu de raisins de haute maturité, délivrant des arômes de prune et de chocolat noir, doté d'une riche texture. Pour le moment le boisé se montre encore insistant, avec des notes vanillées fortes, et le sucre venu du bois renforce l'impression de moelleux. Il faut le boire à table, à température pas trop chambrée.

Éditorial

Cette quatrième édition du *Grand Guide des Vins de France* marque une nouvelle étape pour notre ouvrage : nous avons souhaité qu'il conserve toute sa richesse en étant aussi plus pratique, plus économique et plus moderne.

Conserver sa richesse, c'est déguster toujours plus de 50 000 vins dans tous les vignobles de France pour n'en sélectionner que le meilleur et réaliser un travail d'enquête sans équivalent pour composer ce guide : vous découvrirez en détail p. 30 les étapes de la réalisation de ce marathon !

Plus pratique, car nous avons voulu faire de cette édition un véritable palmarès des meilleurs vins disponibles actuellement, soit en direct à la propriété, soit chez un caviste ou en grande surface. Qu'ils soient célèbres ou inconnus, qu'ils constituent un précieux investissement pour votre cave ou un bon petit vin à apprécier tout de suite, notre sélection vous propose un guide d'achat complet et renouvelé à 100%.

Plus économique : cet ouvrage coûte désormais cinq euros de moins que l'édition précédente ! Pour réussir ce tour de force, nous avons dû abandonner notre format originel et adapter la mise en page, mais un tel objectif méritait ces efforts.

Plus moderne : en ouvrant ce livre, vous accédez aussi à de multiples autres contenus disponibles sur internet. Ils vous sont décrits en détail p. 20. Cette continuation du guide par d'autres moyens permet depuis notre première édition à des milliers de lecteurs de bénéficier de nos découvertes et de nos nouvelles dégustations tout au long de l'année : si vous n'en faites pas encore partie, connectez-vous à notre site privé www.bettanedesseauve.com et saisissez le code imprimé sur le rabat de couverture de votre guide.

Bonne lecture et large soif !

Michel Bettane et Thierry Desseauve

L'année du vin

La tradition, cul par-dessus tête.
Trop souvent, les livres et les guides récents sur les vins français reproduisent des informations et des jugements fondés sur un passé plus ou moins récent et ne donnent pas une idée juste des importants changements survenus depuis vingt ans. La plupart des appellations d'origine contrôlée restent marquées par leur histoire et des traditions plusieurs fois centenaires, mais elles évoluent en accord avec notre époque et sont à l'écoute des désirs et des goûts d'une nouvelle génération de consommateurs. Les meilleurs de nos viticulteurs ont su adapter les techniques ancestrales de culture et de vinification pour produire des vins différents de ceux d'autrefois. L'accélération impitoyable des rythmes de vie conduit à boire les vins de plus en plus jeunes, souvent le mois, la semaine ou le jour même où ils sont achetés. Il n'est plus question d'attendre de longues années pour que la force ou l'intensité initiale du produit s'apaise : la science œnologique, aidée par le perfectionnement des outils de vinification permet aujourd'hui de produire des vins jeunes plus fruités, plus souples, plus aimables dès leur naissance. Il suffit de vendanger des raisins aussi mûrs que possible, de le respecter pendant les vinifications et de contrôler les extractions d'arômes et de tanin pour éviter les excès ou les déséquilibres qui marquaient les vins du passé. Si les raisins sont de première qualité, issus d'une viticulture intelligente, les vins conserveront intégralement le caractère des terroirs et une aptitude au vieillissement aussi grande, même s'ils sont plus agréables à boire dès leur mise sur le marché. Les vins médiocres, dilués, banalisés par des producteurs sans talent n'ont pas disparu, on s'en doute, mais c'est bien le rôle d'un guide comme le nôtre d'indiquer au consommateur quels sont les meilleurs vignerons !

Bons aujourd'hui, bons demain.
On peut aujourd'hui se régaler avec un Château Latour 2003, vieux de sept ans, mais nous vous garantissons que dans vingt ans il sera encore grandiose et digne d'être comparé aux millésimes légendaires du XXe siècle, si le bouchon ne le trahit pas. Il faut donc complètement revoir les dates d'apogée, et les adapter au caractère des millésimes. Plus le millésime est mûr, plus on peut boire les vins jeunes, même s'ils sont très puissants et concentrés, mais dans des millésimes moins favorables il faut attendre un peu plus, ce qui est le contraire de ce que font de très nombreux amateurs. Ils pensent en effet à tort qu'il faut faire vieillir plus longtemps les millésimes réputés. Beaucoup de critiques bornés ne les

aident pas et continuent à concevoir la hiérarchie des millésimes comme autrefois. Ils décrètent quelles sont les grandes années, celles où il faut acheter tout ce que l'on peut, même au prix le plus élevé, quelles sont les années moyennes, celles où il faut être malin et savoir acheter le meilleur au meilleur prix, et quelles sont les petites années, celles qu'il faut fuir car elles sont indignes de la cave de tout amateur. Cela ne correspond plus à la réalité. Il y a encore trente ans, les viticulteurs étaient impuissants à réussir de beaux vins dans les années pluvieuses ou moins ensoleillées, et encore moins celles où la récolte était abîmée par des maladies ou par la pourriture. Aujourd'hui, le contrôle des volumes de production, de l'état sanitaire des raisins, et plus que tout le tri méticuleux du raisin changent complètement notre vision des millésimes. Si on ne garde que les meilleures grappes issues de vieilles vignes pour les cuvées de prestige, dans chaque millésime ou presque on peut produire des vins de belle qualité. Les différences entre les années ne concernent plus que le caractère des vins, plus ou moins corsés ou délicats. On choisira donc l'année pour son style et selon son propre goût : le vrai amateur s'amusera beaucoup plus à boire les vins réussis dans des années intermédiaires qu'à collectionner tous les crus dans les « grands » millésimes, d'autant plus que le vieillissement sera comparable. Mais ce fut aussi le cas dans le passé où parfois les 1948 ont mieux vieilli que les 1947 et les 1950 que les 1949 !

L'autre décentralisation.

La plus grande évolution est pourtant encore la plus méconnue : elle modifie spectaculairement la hiérarchie entre les crus et les régions viticoles. La suprématie de la Bourgogne pour les vins blancs, ou de Bordeaux pour les vins rouges est remise en question par le développement de vins de très grande qualité et de forte personnalité, avec tous les caractères qui définissent un cru, dans les vignobles moins réputés de la Loire, du Rhône, du Languedoc-Roussillon, du vaste Sud-Ouest, de Provence, de Corse, d'Alsace, du Jura ou de Savoie. De nombreuses dégustations comparatives à l'aveugle montrent que les meilleurs vins de chacune de ces régions ont autant de personnalité et de complexité que les grands crus historiques et traditionnels et donnent des plaisirs comparables malgré des différences de prix parfois considérables. Et il ne faut pas cacher que dans les vignobles prestigieux beaucoup de vignerons ont perdu la passion de leur métier : ils vendent trop facilement leur vin et se contentent d'une routine, incapables de donner à leur vin toute la qualité qu'il faut

L'année du vin

exiger. Seul le buveur snob et idiot (et souvent trop riche) se limitera à la Romanée-Conti, Dom Pérignon ou Château Lafite. Ces vins et leurs pairs restent extraordinaires, surtout si on les boit au juste moment, à la bonne température, avec les verres et dans les conditions de service qu'ils méritent. Mais ne boire qu'eux conduit à se limiter le goût en ignorant d'autres caractères aromatiques, d'autres saveurs, d'autres équilibres, et surtout l'émerveillement de la découverte. Les vins de tous ces vignobles régionaux tiennent une place importante dans notre guide et nous sommes fiers de contribuer à les faire mieux connaître.

La France, une référence ?

Le vignoble français, comme ses voisins italiens, espagnols, portugais, suisses, allemands, autrichiens, et de nombreux pays d'Europe centrale, est issu d'une même tradition, très ancienne, initlée par les Grecs et les Romains renouvelée après eux par les moines du Moyen-Âge. Malgré tous les cas particuliers faciles à imaginer, cette tradition commune a façonné le goût du public et le style des produits. Les Français ont simplement la chance d'avoir une plus grande diversité de sols et de climats qui a donné naissance à une plus large palette de saveurs et de couleurs. A cette diversité s'est ajoutée au XIXe siècle une supériorité dans la culture et la vinification qui a permis de produire des vins plus recherchés du commerce, car plus appréciés du public. Cette supériorité diminue régulièrement avec les progrès continus des autres vignobles, et l'adoption par eux des mêmes techniques, mais nos vins continuent à servir de référence et de source d'émulation parce qu'ils possèdent, quand ils sont vraiment eux-mêmes, une assurance de style qu'il faut absolument préserver au moment où de nouveaux consommateurs sans aucune tradition ni expérience risquent de simplifier partout dans le monde le goût du produit.

Éloge de la soif.

Comment définir le style que les meilleurs viticulteurs français perpétuent et continuent à perfectionner, et qui nous sert de référence dans les jugements que nous portons sur tous les vins figurant dans ce guide ? Nous dirons qu'il repose sur trois exigences fondamentales : le respect de l'origine, la recherche de l'équilibre et la buvabilité. Le grand œnologue Jacques Puisais a une magnifique formule pour comprendre ce que nous voulons dire par respect de l'origine : « Un bon vin doit avoir la gueule de l'endroit et de celui qui le fait. » Né du sol, du vent, de la pluie, du soleil, un vin doit rappeler tout cela, tout comme il doit porter la marque du caractère, du goût, des désirs et des capacités de son producteur. À chaque consommateur de faire pour le vin ce qu'il fait pour un bon film, choisir celui qui lui plait le plus ou correspond le plus à sa sensibilité. Mais pour éviter de faire n'importe quoi ou d'aimer n'importe quoi, il vaut mieux se donner un idéal esthétique : cet idéal, lié au climat tempéré de la plupart de nos vignobles est celui de la recherche de l'équilibre. Le mot équilibre se définit négativement par le refus des excès, ce qu'on peut résumer par la formule « rien de trop », et positivement par la recherche d'une unité dans chaque vin entre ses divers constituants (alcool, acidité, tanin, boisé, relation entre le nez et la saveur). Mais pourquoi avoir choisi l'équilibre plutôt que la performance ? Tout simplement pour préserver la buvabilité de ce que nous considérons toujours comme la plus saine, la plus hygiénique et la plus délicieuse de toutes les boissons ! Dans notre tradition, le vin fait partie intégrante de la gastronomie, et donc de nos habitudes alimentaires, quotidiennes ou festives. Nous le dégustons parce que nous le buvons et non pas l'inverse comme cela se fait de plus en plus souvent et ridiculement.

Anti bling-bling.

C'est le seul danger de la mondialisation de la production et de la consommation du vin : les vins présents sur les marchés sont jugés par les critiques de plus en plus vite, sur leur impact immédiat et sur de très petites quantités : plus ils sont spectaculaires, plus ils reçoivent des notes élevées. Le danger est qu'on les boit moins souvent car les notes élevées entraînent des prix absurdement élevés, vingt, trente, cent fois (ou plus) supérieurs aux prix de revient ! Moins on les boit, plus on veut de l'éclat ou de la violence, comme s'il s'agissait d'une drogue ou d'un effet spécial de cinéma. Mais un jour cette violence lasse car elle conduit tous les vins à se ressembler et le consommateur se détourne de la consommation de vin. Nous préférons néanmoins de beaucoup une autre fin au scénario du film et cette autre fin passe par une meilleure connaissance et appréciation des vins équilibrés conseillés dans ce guide et de tous ceux qui leur ressemblent dans le monde : la partie semble gagnée en Asie, où les traditions gastronomiques sont raffinées et où le physique des buveurs est plus sensible aux excès d'alcool. Ailleurs il faut toujours se montrer vigilant !

Notre engagement

Cinq principes essentiels

Si *Le Grand Guide des Vins de France* s'est imposé dès ses débuts comme une nouvelle référence pour tous les amateurs de bons vins, c'est parce qu'il est le seul guide à appliquer rigoureusement les cinq points de sa charte de qualité :

1> Un guide vraiment écrit par ceux qui ont dégusté les vins !

Ce guide n'est pas une réécriture d'une compilation de commentaires anonymes : nous nous engageons et assumons personnellement les commentaires de chaque vin dégusté.

2> Des auteurs experts

Pas de jurys composés à la va-vite, pas de « professionnels de la profession » dégustant leurs propres vins, mais deux journalistes dégustateurs consacrés internationalement depuis plus de vingt ans et travaillant avec une équipe soudée de huit experts, tous recrutés pour leur compétence reconnue.

3> 50 000 vins dégustés chaque année pour repérer tous les meilleurs, mais seulement les meilleurs vins.

Le guide est ouvert à tous les producteurs de France et à leurs vins, mais seuls les meilleurs sont sélectionnés : pas de quotas pour représenter toutes les appellations mêmes les plus médiocres, pas de *short list* oubliant les nouveaux venus de talent, pas de région occultée par manque de temps ou par volonté…

4> Une information complète et claire sur le producteur et ses vins

Tous les producteurs sont classés de 0 à 5 ⌶. Les producteurs classés de 1 ⌶ à 5 ⌶ sont présentés par un texte spécifique. Quel que soit le classement du producteur, tous les vins sont décrits, notés et leur date idéale de consommation est précisée. Prix, coordonnées, détails techniques et conditions de visite sont signalés.

5> Nous associons nos lecteurs à nos choix

Pour la deuxième fois, les lecteurs des éditions précédentes du *Grand Guide des Vins de France* ont dégusté avec nous les vins qui offrent « le bonheur tout de suite ». Découvrez le palmarès des consommateurs… qui nous permettent aussi de valider nos choix.

Nos principes de notation

Ce guide répertorie et classe en six niveaux les meilleurs producteurs de vins de notre pays. Tous les vins sélectionnés sont notés sur une échelle de vingt points.

Que signifie l'échelle de notation de la qualité globale d'un producteur ?

Les producteurs cités dans ce guide sont notés sur une échelle de zéro à cinq . La réunion de tous les producteurs cités constitue l'élite du vin français, du moins pour ce que nous pouvons connaître de lui. Chacun d'entre eux propose un ou plusieurs vins dignes de faire partie des caves de tout amateur ou professionnel sérieux. Les ont une valeur universelle, tout vignoble et tout prix de vente confondus. Cela veut dire qu'un producteur de Loire, de Corse ou d'Alsace classé 3 produit des vins de qualité globalement analogue, en tenant compte bien entendu des différences de climat ou de cépages.

La notation générale du producteur

Absence de notation / Indique un domaine ou une maison qui nous a séduits avec un ou plusieurs vins de sa production, sans que nous puissions donner un avis général sur le style de l'ensemble de la gamme. Pour cette raison, nous n'avons pas écrit de texte d'introduction pour ces producteurs.

/ Signale une production sérieuse, recommandable, conforme à ce qu'on est en droit d'attendre de son ou de ses appellations.

/ Signale une production sérieuse et recommandable mais un peu plus régulière et homogène que la précédente.

/ Signale une production de haute qualité, pouvant servir de référence dans son secteur.

/ Signale les producteurs de très haute qualité, ceux qui sont les gloires du vignoble français.

/ Signale les producteurs exceptionnels, ceux qui représentent le sommet absolu de la qualité en France et dans le monde.

Notre engagement

Comment avons-nous établi notre notation des vins ?
Chaque vin recommandé est décrit dans un commentaire de dégustation, accompagné de la mention de la meilleure période où le boire, et reçoit une note sur 20 échelonnée de demi-point en demi-point. Nous n'avons conservé dans cette édition que les vins méritant une note égale ou supérieure à 13/20, sauf lorsque la célébrité du producteur ou d'une cuvée interdit que nous cachions une note inférieure.

Valeur des notes

> 13/20 à 14,5/20	bon vin, bien fait, représentatif de son origine.
> 15/20 à 16/20	très bon vin, hautement représentatif de la qualité de son origine.
> 16,5 à 18/20	vin de référence dans son appellation et son millésime.
> 18,5 à 19,5/20	vin de qualité exceptionnelle, digne des plus grandes occasions mais exigeant une conservation en cave et un niveau de service digne de lui.
> 20/20	une idée de la perfection le jour où nous l'avons dégusté !

Quels sont les vins qui vous offrent « le bonheur tout de suite » ☺ ?
On n'a pas forcément envie de choisir le même vin pour toutes les occasions. De la même façon que l'on peut prendre un plaisir différent mais majeur devant un bon saucisson et une baguette de pain bien croustillante que dans un trois étoiles, on se régalera parfois d'un vin souple, gouleyant et plein de fruit, que l'on débouche aussitôt acheté. Nous avons voulu indiquer ces vins faciles et souvent bon marché qui nous offrent un plaisir sans façon et immédiat. Ces vins qui vous assurent « le bonheur tout de suite ! », nous les avons catégorisés par le symbole ☺, aisément reconnaissable dans la succession des cuvées présentées.

Quels vins avons-nous dégustés ?
Nous avons cherché le plus possible à vous présenter les vins commercialisés à partir de la date de parution de ce guide (fin août 2010). Selon les régions, il s'agit essentiellement des millésimes 2007, 2008 et 2009. Nous avons dégustés ces vins après leur mise en bouteille, parfois juste avant cette mise.

A combien de vins avez-vous accès avec ce guide ?
> 6 760 dans le livre complétés par 1 500 supplémentaires sur www.bettanedesseauve.com. Ce sont les meilleurs vins des meilleurs producteurs de France ! 100 % des notes de dégustation publiées dans ce guide proviennent de dégustations réalisées entre septembre 2009 et juin 2010.

> L'ensemble de nos dégustations réalisées depuis la première édition de ce guide, en 2007, est consultable gratuitement par tout acheteur de ce guide en s'inscrivant sur notre site internet privé (comment le faire : voir p. 25) : vous y trouverez près de 30 000 vins dégustés et commentés pendant cette période ! Tous avec commentaire, note sur 20 et date d'apogée prévisible...

Les fourchettes d'apogée
En matière de mauvaises expériences œnophiles, il n'existe qu'une chose qui soit pire que de goûter un vin trop jeune : déguster un vin trop vieux ! Aussi, nous mentionnons pour chaque vin présenté dans ce guide une « fourchette d'apogée ». Cela signifie qu'à notre avis, le vin sera à son optimum de consommation entre les deux années mentionnées. Bien évidemment, le vin peut être bon avant ou après ces dates : il s'agit simplement d'un « idéal » de consommation.

A quoi correspond le prix cité pour les vins commentés ?
Dans la plupart des cas, il s'agit d'un tarif public départ propriété TTC qui nous a été communiqué par le producteur. Si vous achetez à la propriété, vous devrez ajouter le plus souvent des frais de port. Ce tarif correspond en outre souvent à celui auquel le vin sera proposé par un caviste, les producteurs sérieux tentant de ne pas pénaliser ces distributeurs en les concurrençant directement. Pour les grands crus de Bordeaux, les prix relevés des 2007 sont ceux du commerce (« cav. ») ; à partir du millésime 2006 et en deçà, notre partenaire iDealwine nous a transmis le prix moyen relevé dans les transactions aux enchères (« ench. »).

Pourquoi le prix de certains vins n'est-il pas mentionné ?
Soit parce que le producteur n'a pas encore fixé son prix, soit parce qu'il ne le connaît pas et que nous n'avons pas pu établir une cote cohérente, soit parce qu'il se refuse à communiquer celui-ci. Dans ces trois cas, nous communiquerons le tarif sur notre site dès que nous aurons l'information. Vous pouvez donc disposer en « temps réel » de ces informations sur le site Internet www.bettanedesseauve.com

Notre engagement

Comment déguster les vins et rencontrer les vignerons présents dans ce guide ?
Outre toutes les occasions que vous procurent les visites chez un bon caviste ou les équipées dans les vignobles, nous avons souhaité créer un grand rendez-vous qui permette à tous les amateurs (et aussi aux professionnels) de rencontrer les meilleurs producteurs et de déguster leurs vins. C'est ainsi qu'est né le Grand Tasting, un salon de dégustation qui se déroulera les 10 et 11 décembre 2010 au Carrousel du Louvre, à Paris. Vous pourrez y rencontrer un exceptionnel plateau de plus de 400 producteurs français et étrangers, participer à des dégustations d'exception et découvrir d'originales et conviviales animations. La sélection des producteurs se fait sur les notes obtenues au cours de nos dégustations, afin de célébrer le meilleur de la production. Vous trouverez sur votre site privé accessible avec ce guide et sur le site www.grandtasting.com toutes les informations sur cet événement.

Le Grand Prix des lecteurs !

Après avoir dégusté les vins de cette édition, nous avons souhaité proposer à nos lecteurs abonnés à notre site privé d'élire leurs meilleurs vins offrant « le bonheur tout de suite ! » Ainsi, nous avons réuni chez notre partenaire Grains Nobles plus d'une centaine d'amateurs qui ont dégusté les vins de toutes les régions de France ayant obtenu dans cette édition une notation supérieure ou égale à 14/20 ainsi qu'un ☺ et étant commercialisés à un prix public inférieur à 15 €.

© Ludovic Biron

En juin 2010, plus de 600 vins ont été ainsi dégustés par des jurys de cinq à sept personnes. Ceux-ci dégustaient une série de 12 vins à l'aveugle, assistés de nous-mêmes ou de l'un de nos collaborateurs : nous ne participions en aucun cas aux délibérations du jury mais pouvions donner des éclairages techniques sur tel ou tel point et animions les débats et les choix, qui furent parfois complexes à établir ! Chaque jury avait pour mission de valider ou non les vins dégustés au sein du palmarès que vous retrouverez en introduction de chaque chapitre consacré à une région. La question posée était simple : « Seriez-vous fiers de faire découvrir cette bouteille à vos amis lors d'un prochain dîner ? »

Nous leur avons également proposé de sélectionner les deux vins parmi ces douze qui leur paraissaient les plus intéressants. Ces vins ont ensuite été dégustés par de nouveaux jurys jusqu'à une grande finale qui a permis d'établir les Grands Prix 2011 de nos lecteurs pour les vins blancs secs, pétillants, moelleux, rouges et rosés et d'élire enfin le Grand Prix annuel : découvrez le lauréat p. 36 !

De gauche à droite les dégustateurs de la finale : Ludovic Biron, Philippe Joseph, Olivier Frémy, Olivier Devulder, Luc Brion, Nicolas Rungeard, Claude Vacheret, Eric Lebrasseur, Patrick Kiefer, Ludovic Rossiaud, Laurent Ollier.

Un guide + un site

Bénéficiez des avantages exclusifs de votre site privé !

Vous venez d'acquérir l'édition 2011 du *Grand Guide des Vins de France*, de Bettane et Desseauve. Ce livre vous permet d'accéder à de très nombreux contenus exclusifs qui vous sont réservés sur notre site www.bettanedesseauve.com.

Sur le rabat avant de la couverture du guide, vous disposez d'un code **Opendisc®**. Ce code vous est uniquement destiné ; il constitue le sésame qui vous permettra de vous connecter pendant toute une année, jusqu'à la parution du nouveau guide, à votre site privé vous mettant en relation directe avec les auteurs.

Sur ce site, vous accéderez à des informations et des services exclusifs complémentaires à ceux délivrés dans ce livre.

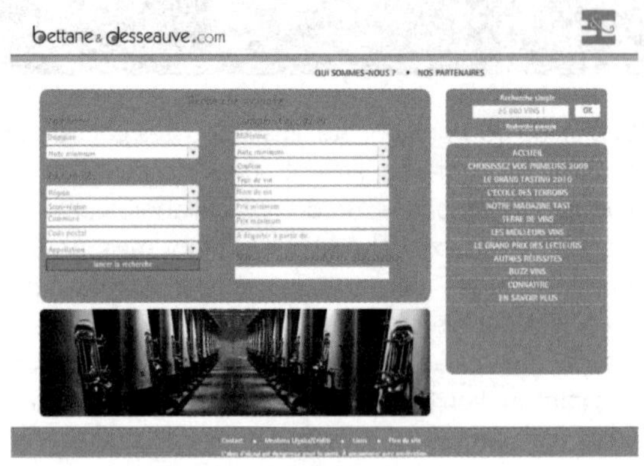

L'accès à l'intégrale de nos dégustations : plus de 30 000 vins et 3 500 domaines analysés et notés.

Plus de 6 750 vins sont notés et commentés dans cet ouvrage, mais vous pourrez en retrouver plus du triple grâce au moteur de recherche inclus dans le site. Celui-ci permet une recherche multi-critères, idéale pour sélectionner un vin en fonction de son type, de son prix, de sa note, ou du bon moment pour le boire.

Des dossiers pour vous accompagner tout au long de l'année.
Parmi les incontournables, prenez date pour :

Le guide complet des foires aux vins de votre région

Les foires aux vins constituent un rendez-vous incontournable pour tous les amateurs de vins. Mais parmi les centaines de vins proposés par les enseignes de grandes surfaces et les sites de vente en ligne, le choix est particulièrement difficile. Nous avons étudié tous les catalogues y compris les suppléments régionaux. Le résultat ? Notre sélection exclusive de chaque magasin, personnalisée en fonction de votre région. Sans oublier un moteur de rechercher pour faciliter vos choix.

Le guide complet des primeurs de Bordeaux

L'autre temps fort de l'année pour tous les amateurs de vins est certainement la sortie des grands crus de Bordeaux en vente primeurs. Dans ce millésime exceptionnel que constitue 2009 vous avez accès à nos notes et commentaires de dégustation de plus des 500 plus grands vins de Bordeaux. Et dès avril 2011, vous pourrez trouver en exclusivité nos appréciations du millésime 2010.

Un guide + un site

Le grand dossier du mois

Chaque mois, nous vous proposons un dossier thématique – une région ou une grande appellation décryptée, une tendance importante comme le bio, des sujets d'art de vivre ou de modes de consommation, etc. – décliné sous de multiples angles : guide d'achat multi-critères, vidéos, école du vin...

Buzz Vin, le multimédia du vin
Chaque semaine, retrouvez le vin de la semaine (en partenariat avec Le Monde Magazine), écoutez Buzz Vin (en partenariat avec LCI radio), l'émission de radio 100 % vin animée par Véronique Raisin, Thierry Desseauve et Michel Bettane, et regardez les vidéos tournées au cœur des vignobles.

Pour l'édition 2010 du Grand Guide des Vins de France, les abonnés au site ont ainsi pu profiter :
> D'offres commerciales exclusives de partenaires que nous avons sélectionnés pour leur qualité de service.
Les primeurs 2009 étant une année exceptionnelle, nous avons permis à nos abonnés de faire leur choix à partir de notre dossier spécial puis, s'ils le souhaitaient, de passer commande chez LAVINIA pour les vins qui les intéressaient.

> De nos offres spéciales Grand Tasting
En avant première, le détail du programme du Grand Tasting, notre festival des grands vins. Nos abonnés ont ainsi pu accéder à des places réservées dans les *Master Class* les plus recherchés !
En 2010, il se déroulera les 10 et 11 décembre au Carrousel du Louvre à Paris : producteurs présents, pavillons étrangers, programme des *Master class*, école des terroirs, Ateliers du goût, etc.

> De participer à nos jurys de dégustations…
Passer deux heures à tester vos connaissances en termes de dégustation, et réussir son « examen » pour faire partie d'un jury de consommateurs encadré par nous-même, c'est une des expériences que nous proposons à nos abonnés…

Et pour 2011 ?
Nous avons encore de nombreuses idées à vous proposer mais… vous les découvrirez tout au long de l'année en vous inscrivant grâce à votre code Opendisc® situé sur le rabat de couverture du guide sur www.bettanedesseauve.com.

A très bientôt

Michel Bettane et Thierry Desseauve

Comment accéder aux contenus privés du site www.bettanedesseauve.com ?

La démarche à suivre se découpe en étapes très simples :

1.

Connectez-vous au site www.bettanedesseauve.com et dans la partie « Accès Privé », cliquez sur « S'inscrire » puis saisissez le code qui figure sur le rabat avant de la couverture de votre guide.

2.

Suivez les différentes étapes de l'enregistrement préalable, qui seront automatiquement affichées à l'écran. Dès que celles-ci seront effectuées, vous aurez automatiquement accès au contenu privé du site.

3.

Lors de cette inscription, il vous sera demandé de paramétrer un mot de passe. Chaque fois que vous souhaiterez accéder au site privé, vous devrez saisir l'adresse mail avec laquelle vous vous êtes inscrit (qui vous servira d'identifiant) et ce mot de passe dans l'espace « Déjà membre » du site www.bettanedesseauve.com. Vous serez alors reconnu immédiatement. Vous pourrez également accéder aux contenus privés du site depuis nos newsletters en utilisant les mêmes identifiants.

BENE &

Les auteurs

Michel Bettane fut longtemps professeur agrégé de lettres classiques. Il a eu la bonne idée d'agrémenter ses loisirs en suivant les cours de dégustation de l'Académie du Vin à Paris en 1977 puis en y devenant rapidement professeur et, dès le début des années 1980, collaborateur principal de La Revue du Vin de France.

Journaliste de formation, **Thierry Desseauve** a été rédacteur en chef puis directeur de La revue du vin de France de 1989 à 2005. Premier lauréat du prix Edmond de Rothschild du meilleur livre sur le vin (Le livre du vin, Flammarion), il crée en 1995 le Classement annuel des meilleurs vins et domaines de France avec Michel Bettane..

Bettane et Desseauve ont créé en 2005 leur propre entreprise pour informer et conseiller le public des amateurs de vin en France et à l'étranger. Ils apportent notamment leur expertise au Monde Magazine, à l'Express, aux Echos-Série Limitée, au Journal du Dimanche, à ELLE à table et Terres de Vin et ont créé le magazine en ligne TAST et le site internet www.bettanedesseauve.com.

En 2006, ils ont créé avec Sylvie Douce et François Jeantet, les créateurs du Salon du Chocolat, le Grand Tasting, le premier festival de dégustation des grands vins. La cinquième édition se déroulera les 10 et 11 décembre 2010 au Carrousel du Louvre. Le Grand Tasting a désormais chaque année une édition internationale à Hong Kong : sa deuxième édition se tiendra du 4 au 6 novembre 2010 au HK Convention Center. Toujours à Honk Kong, ils ont lancé avec le spécialiste vin chinois le plus connu, Simon Tam, une revue en ligne, Bon Vivant.

Aux éditions de La Martinière, ils publient chaque année le *Grand Guide des Vins de France* depuis 2007. Ils ont également réalisé la collection des petits guides du vin et, en octobre 2010, proposeront avec le chef Guy Martin, *Papilles*, 50 mariages entre les mets et les vins, et *Leçons de dégustation*.

L'équipe : ils ont participé à cette édition

Alain Chameyrat

La première fois que nous avons rencontré Alain, c'était il y a une quinzaine d'années, lors du premier championnat de France des dégustateurs que nous organisions. Il remporta, haut la main, le titre. Les années suivantes, nous le rencontrâmes lors de chaque nouvelle édition de ces joutes où les compétiteurs doivent reconnaître, à l'aveugle, l'appellation, les cépages, le domaine, la cuvée, le millésime des vins. Il *trustait* les places d'honneur ou les titres. Quand il nous a proposé d'abandonner son premier métier de directeur financier pour se lancer dans l'aventure du vin, nous n'avons pas hésité à lui demander de nous rejoindre… Alain a suivi en particulier le Languedoc-Roussillon, le Val-de-Loire et la Provence.

Guy Charneau

Le premier métier de Guy est photographe. À ce titre, il suit depuis de nombreuses années le vignoble bordelais et, l'amour du vin s'ajoutant à celui de son métier, il a acquis une connaissance remarquable de la région et de ses producteurs. Très naturellement, il a apporté son concours à nos dégustations de la rive gauche bordelaise, ainsi que le Marmandais et Buzet.

Hélène Durand

Œnologue de formation et ingénieur Enita, Hélène est une professionnelle reconnue et l'une de nos fidèles collaboratrices depuis près de vingt ans. Elle a travaillé avec nous pour toutes les appellations de la région de l'Entre-deux-mers ainsi que du Bergeracois.

Denis Hervier

Homme de radio et écrivain du vin, Denis Hervier est notre homme dans le Berry. Il court d'un vigneron à l'autre, palais aux aguets et micro en main. Ce gourmet curieux et exigeant a suivi l'ensemble des dégustations de la vallée de la Loire, de la Provence et du Mâconnais.

Amy Lillard

Après avoir quitté son Colorado natal pour apprendre le vin à Gevrey-Chambertin, Amy est devenue vigneronne, à Saint-Quentin-la-Poterie dans le Gard ! Avec nous, elle a assuré l'ensemble des dégustations du sud de la vallée du Rhône. Pour des raisons faciles à comprendre, nous ne présentons pas son vin dans le guide, mais nous ne saurions trop vous conseiller de découvrir son Domaine la Gramière ou de lire ses aventures de « *wine girl* » sur son blog : http://lagramiere.typepad.com.

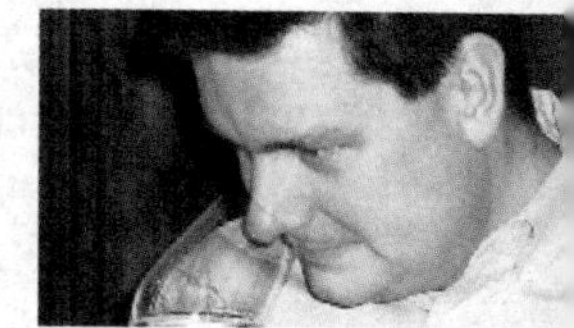

Thierry Meyer

En 2000, alors que l'Internet connaissait sa première apogée, nous avons créé l'un des premiers forums de discussion sur le vin. Les interventions ont été immédiatement nombreuses, passionnées, parfois emportées, toujours instructives. Parmi tous les internautes participant, nous avons vite remarqué les interventions calmes, constructives et surtout extrêmement précises de Thierry. Nous n'avons jamais perdu le contact depuis et nous avons naturellement demandé à cet Alsacien d'explorer de fond en comble sa région mais aussi le Jura et la Savoie. Ingénieur informatique de profession, Thierry a également créé son site : www.oenoalsace.com.

Guillaume Puzo

Guillaume est un homme de presse et du vin. Après avoir travaillé avec nous à *La Revue du vin de France* puis dirigé une autre revue vinicole, il a participé avec son enthousiasme communicatif à notre nouvelle aventure dès son origine. Il a vagabondé pour ce guide de Chablis au nord de la vallée du Rhône en s'arrêtant également en Côte chalonnaise, en Beaujolais, ainsi qu'en Gaillacois et Frontonnais.

Barbara Schroeder

Allemande vivant au cœur des Côtes de Blaye et collaboratrice de *Vinum*, la principale revue de vin en Suisse, Barbara est une vraie Européenne aux talents multiples puisque, outre ses qualités de dégustatrice, elle est également une artiste peintre reconnue. La finesse de son jugement nous a été d'une grande aide pour les vins des côtes de Bordeaux.

L'ÉPICUVIN

La réalisation du *Grand Guide des Vins de France* en cinq étapes

De novembre à février : présélections et sélections...

La réalisation du guide commence par un interminable marathon ! Dans toutes les régions de France, nos dégustateurs dégustent des centaines de vins de chaque appellation pour sélectionner les meilleurs d'entre eux. Cette présélection est ouverte à tous les producteurs. Nous nous appuyons sur les différents syndicats viticoles et comités interprofessionnels qui effectuent un appel à échantillons des millésimes qui seront en vente dans le courant de l'année 2010 et en 2011.

50 000 vins dégustés pour en conserver 8 300 !

De janvier à avril : opération découvertes !

Chaque année, nous découvrons au cours de nos dégustations des dizaines de nouveaux domaines. La qualité de leurs vins nous a intéressés. Pour confirmer cette impression, nous allons enquêter sur place en rencontrant le vigneron pour comprendre son travail : l'exposition et la tenue de ses vignes, ses choix de vinification et d'élevage, sa vision du vin. Notre enquête doit confirmer, ou pas, notre première impression.

Un travail d'enquête qui s'ajoute à la dégustation

Tout au long de l'année : un travail de fond dans le vignobles.
Du 1er janvier au 31 décembre, depuis de très nombreuses années, nous sillonnons tous les vignobles pour rencontrer grands et petits vignerons de France, goûter leurs vins et suivre au plus près leur production. Cette activité permanente nous permet d'affiner encore nos informations et nos appréciations, et d'écrire un commentaire spécifique sur chaque producteur.

30 ans de connaissance et d'exploration des vignobles de France.

D'avril à mai : les producteurs sélectionnés fournissent leurs informations
Cet ouvrage est aussi un guide d'achat pratique : chaque producteur sélectionné reçoit par internet un questionnaire complet qu'il remplit. Coordonnées complètes, horaires et modalités de visite, mode de commercialisation et bien sûr tarif des vins sont renseignés par le producteur lui-même, plus une foule d'autres renseignements techniques qui sont accessibles sur le site. Une équipe de correcteurs complète et vérifie ces informations.

Tous les renseignements pratiques et tous les prix.

De février à juin : le nouveau guide s'écrit !
Tous les vins de cette édition ont été dégustés cette année et suscitent un commentaire original. Ce travail d'écriture et de notation permet de vous présenter un véritable palmarès complet des meilleurs vins de France dans les millésimes disponibles actuellement. Toutes nos dégustations des éditions précédentes, très utiles pour gérer votre cave et disposer d'informations sur des vins plus anciens, sont accessibles sur le moteur de recherche du site internet privé auquel vous avez accès avec le code personnel qui est imprimé sur le rabat de la couverture de votre guide.

Une sélection 100% fiable,
100% d'actualité et 100% renouvelée

L'homme de l'année

PIERRE LURTON

Château Cheval Blanc, Château d'Yquem, Château Marjosse

Le bien aimé. En d'autres temps, en d'autres lieux, il aurait fait un cardinal de légende, plutôt Mazarin que Richelieu. La détestation de ses concurrents, voisins ou clients en moins : Pierre Lurton est un régent qui sait se faire aimer. Il faut dire qu'il ne manque pas d'atouts pour cela. Il y a d'abord l'humour dont il sait, à tout moment y compris dans les plus tendus, faire preuve – Pierre Lurton manie le calembour encore plus rapidement qu'un footballeur de l'équipe de France, l'injure. Il y a surtout le royaume dont il a la charge : rien moins que Cheval Blanc et Yquem, le yin rouge et le yang blanc du luxe bordelais.

Tonton. L'art de la négociation n'a pas de secrets pour lui : fils de Dominique, le seul des trois Lurton qui ne s'intéressa pas au vin, il fit ses classes en dirigeant Clos Fourtet, cru classé de Saint-Emilion à l'époque appartenant aux trois frères, le bouillant André (La Louvière, Rochemorin, Bonnet, Couhins Lurton, etc.) étant l'antithèse du taciturne Lucien (Brane Cantenac, Durfort Vivens, Climens, etc.). Au début des années 1990, le sémillant Pierre décroche le premier job de sa vie : directeur de Cheval Blanc, à l'époque propriété depuis un siècle et demi d'une vieille famille du cru, les Fourcaud-Laussac. Tout ayant une fin, les Fourcaud Laussac vendent bientôt leur perle. A un attelage aussi impressionnant qu'improbable : Bernard Arnault et Albert Frère. L'aigle du luxe et le lion de la finance, à la surprise du tout-Bordeaux, Lurton a tôt fait de les apprivoiser. Si bien qu'au tournant du millénaire, Arnaud lui confie la présidence d'Yquem. Lurton est devenu incontournable auprès de ses puissants actionnaires. Ne les appelle-t-il pas « tonton Bernard » et « tonton Albert », ne leur permet-il pas de comprendre les arcanes de l'opaque univers des grands bordeaux, de rassurer la place de Bordeaux et surtout de transformer ces deux icônes un brin figées en locomotives du *star system* bordelais ?

L'esprit d'équipe. L'air de rien, Pierre Lurton possède une autre qualité, très peu entretenue dans le microcosme bordelais : savoir s'entourer en repérant et en donnant de vraies responsabilités à de jeunes talents, de Pierre-Olivier Clouet, le directeur technique de Cheval, à Sandrine Garbai, maître de chai d'Yquem en passant par l'équipe douée du chilien Cheval des Andes. Homme du vin, il sait que rien n'est possible sans une totale exigence qualitative. Cheval fut irrégulier et, parfois, décevant : il a obtenu que le cru dispose d'un nouveau et extraordinaire chai (signé par l'architecte Portzamparc, disponible aux vendanges 2011) et a renouvelé les cadres pour, depuis deux ans, renouer avec la classe folle des grands Cheval. Il a pareillement lâché la bride au merveilleux groupe d'Yquem, produisant désormais un vin qui à notre sens n'a jamais été aussi parfait (et régulier dans la perfection !) qu'aujourd'hui. Et discrètement, ce spécialiste du luxe fait de sa jolie propriété de Marjosse, dans l'Entre-deux-mers, un modèle de « petit » bordeaux…

La révélation de l'année

CÉCILE TREMBLAY

Domaine Cécile Tremblay

Du côté de chez Jayer. Les Jayer sont la légende même de Vosne-Romanée : bon sang ne saurait mentir et quelque part le bébé Cécile, petite fille d'Edouard Jayer, est née avec un don spécial pour la vigne et le vin. Terrienne, aimant le plein-air même dans les pires conditions (ces lignes s'écrivent par un temps extraordinairement menaçant pour le vignoble), elle a certainement désespéré ses parents pendant son parcours scolaire mais ils ont vite compris qu'à la vigne c'était autre chose ! Elle y fait briller les qualités typiquement Jayer de respect du terroir, précision dans le travail et vision à long terme de la qualité. Son petit vignoble actuel de quatre hectares, avec comme bijoux de famille deux Echezeaux (excusez du peu) et un Chapelle Chambertin, est tenu comme un jardin, avec pour chaque pied la juste charge en raisin et en feuilles et une attention sans faille à ce qui donnera au raisin la maturité la plus accomplie, qui n'est pas obligatoirement la plus grande richesse en sucre !

Du côté de chez Corbet. L'autre moitié de la famille a tout autant réussi que la première mais dans un registre plus sulfureux de négociant « améliorateur » ! Son grand-père Corbet a en effet longtemps dirigé de main de maître un établissement situé en plein milieu des grands terroirs du nord de la côte et qui passait pour fournir au vigneron toute l'aide dont les plus faibles de ses vins avaient besoin. Le « crime » en viticulture payant plutôt bien, en dehors de l'héritage de quelques vignes prestigieuses présentes ou futures, Cécile a très vite compris que la meilleure des aides restait celle que l'on donne à la vigne par une bonne viticulture ! Mais son don extraordinaire de dégustation, à la fois analytique et synthétique, elle le doit peut-être à ce grand père habile assembleur et « arrangeur », ainsi qu'un idéalisme moral, qu'elle partage avec beaucoup de vignerons de sa génération, né d'une volonté de réparer les fautes du passé.

La nouvelle Lalou ? Les femmes, en viticulture comme en de nombreux autres domaines, n'aiment pas le compromis. Cécile va donc jusqu'au bout de sa vision du grand vin de Bourgogne, affirmant la suprématie de la finesse et de l'élégance aromatique sur le corps, la couleur et l'intensité immédiates, et préférant la vérité forcément inégale et compliquée du terroir et du millésime au confort permis par l'œnologie moderne. Elle reste persuadée comme Lalou Bize Leroy, qu'elle rappelle irrésistiblement par son entêtement à ne jamais rien céder sur rien, et à l'opposé sur ce point d'Henri Jayer, que seul un raisin entier exprime à plein son cru. Comme sa grande devancière elle sait instinctivement et infailliblement comprendre les plus subtiles et mystérieuses différences de caractère entre chacune de ses parcelles de vigne et les reproduire miraculeusement d'une année sur l'autre. Elle a la chance désormais de vinifier sa petite production dans de grandes caves tranquilles et à l'hygrométrie parfaite de Gevrey-Chambertin, et ses deux derniers millésimes affirment une maîtrise qui en font désormais une référence pour tous les amoureux du grand vin.

Le grand prix des lecteurs

JACKY BLOT

Vouvray 2008, Le clos de Venise du domaine de la Taille aux Loups

Le prix des lecteurs nous permet de vous proposer en juin une dégustation des vins particulièrement gourmands mais de prix raisonnable que nous avons aimés au cours de nos périples dans le vignoble. La liste des vins les plus appréciés par nos jurys de lecteurs figure dans les pages d'introduction de chaque région du guide. Des demi-finales puis une grande finale acharnées vous ont ensuite permis de sélectionner parmi tous ces vins, le meilleur blanc sec, le meilleur rouge, le meilleur vin doux ou liquoreux, le meilleur rosé et la meilleure bulle. Parmi toutes ces réussites brillantes, vous avez ensuite élu le grand prix du grand prix des lecteurs toutes catégories confondues.

Le Clos de Venise, vin magique. Cette année, c'est le clos de Venise, un magnifique Vouvray blanc du domaine de la Taille aux Loups qui a emporté tous les suffrages. Ce blanc sec (le clos de Venise existe également en moelleux quand les conditions climatiques le permettent) est réalisé à partir de chenin d'une moyenne d'âge de trente ans. Ce clos d'un hectare est une pente plein sud qui dévale vers la Loire. Entouré de bois, il permet des vins d'un tranchant superbe. C'est la qualité et la précision de cette acidité, parfait support de la minéralité de ce montlouis, qui ont ravi nos jurys successifs de lecteurs.

Jacky Blot, passionnant passionné. Le domaine de la Taille aux Loups est la création de Jacky Blot. Sa toute première carrière professionnelle était très éloignée du vin. Ensuite, une première aventure de courtier en vin a naturellement appelé une seconde carrière de vigneron. L'histoire a commencé en blanc par le domaine de la Taille aux Loups qui produit du Montlouis et du Vouvray. Elle se poursuit en rouge depuis quelques millésimes à Bourgueil, au domaine de la Butte. Jacky a découpé sa butte en tranches, avec une cuvée du pied de la butte, de la mi-pente et du haut de la butte sans parler de la cuvée des Perrières, tout aussi passionnante.

Les brebis de la Taille aux Loups. La qualité première du vigneron Blot a été de croire en ses terroirs, à commencer par celui de Montlouis. De notoriété ancienne, l'appellation somnolait avec son lot de réussites, en années fortes, et d'à peu près en années plus compliquées. Jacky a beaucoup réfléchi au travail des sols, aux vinifications et aux élevages pour redonner tout leur lustre à ces deux appellations qui auraient du rester au sommet de la planète blanc. Son énergie, son charisme et surtout la qualité de ses vins ont déclenché les talents. Montlouis est aujourd'hui l'appellation qui compte le plus de jeunes vignerons inspirés.

L'appellation de l'année
LES TERRASSES DU LARZAC

Un travail de trente ans. La dénomination Terrasses du Larzac est née de l'imagination des « professionnels de la profession », lorsqu'ils décidèrent de distinguer certains terroirs méritants de l'immense AOC côteaux-du-languedoc. Ce type de décision est souvent plus dictée par des impératifs politiques que par une réelle évidence qualitative. Rien de tout cela ici : cette zone géologique de fracture entre le Causse du Larzac et la mer Méditerranée, située au nord du département de l'Hérault, possède un potentiel incroyable, illustré d'ailleurs dès la fin des années 1970 par un vin qui n'a jamais sollicité l'AOC, le fameux Daumas Gassac. Aujourd'hui rejoint par d'autres vins cultes, en appellation comme en vin de pays, ce secteur mériterait très largement un statut à part.

Un terroir, un vrai. Si la culture de la vigne en Languedoc n'est pas récente - elle remonte à l'époque gallo-romaine - la qualité a beaucoup varié. Elle s'était perdue dans une approche volumique dès les débuts de l'ère industrielle au XIXe siècle. La prise de conscience du potentiel qualitatif date du début des années 1980. Certes, identifier précisément la qualité de toutes les parcelles n'est pas possible en trente ans : les moines bourguignons ont mis un millénaire pour y parvenir au rythme d'un essai par an, à chaque vendange. On commence néanmoins en Languedoc à constituer une cartographie assez précise des meilleurs terroirs. Ce relèvement brutal du Massif Central, suite méridionale de celui de la bordure rhodanienne puis des Cévennes, possède de très nombreux atouts : des expositions en coteaux et terrasses, des sols et sous-sols diversifiés (argilo-calcaires, sables granitiques, schistes…) et une altitude moyenne qui autorise des nuits plus fraîches qu'au cœur du Languedoc.

L'évidence du talent. Un grand terroir n'est rien sans grands vignerons pour l'interpréter. Le secteur n'en manque pas. Olivier Jullien, pourtant en pleine force de l'âge, fait figure de vétéran de la qualité en Terrasses. Il a fait des émules. A commencer par Vincent Goumard du Mas Cal Demoura, consultant parisien qui a repris le domaine du père d'Olivier Jullien et l'a porté à un niveau inconnu jusque là. Toujours à Jonquières, le château éponyme est lui aussi en forte progression qualitative. Pour n'en citer que quelques uns, le domaine du Pas de l'Escalette perché dans la montagne conjugue la fraîcheur. Plus bas, le Causse d'Arboras s'était illustré l'an passé en remportant notre prix des lecteurs des rouges français. Bien des styles de vins sont représentés en Terrasses. Le mas Conscience recherche la finesse des tanins. A l'opposé, le mas Fabregous réalise des vins d'une gourmandise étonnante. Le secteur d'Aniane, mis en avant par Aimé Guibert de Daumas-Gassac puis la Grange des Pères, est devenu un exceptionnel réservoir de talents qui ont dépassé le maître : le domaine de Montcalmès, le mas des Brousses, le mas Laval, le mas de la Seranne et le petit dernier rentré cette année dans le Guide, le domaine Vaisse.

Vive la civilisation du vin !

JACQUES PUISAIS

Tous les ans nous rendrons désormais hommage à une femme ou un homme qui n'a cessé d'illustrer et de défendre la civilisation du vin, qui a montré et montre encore que, loin d'être uniquement une boisson alcoolisée dont il faut combattre l'abus, le vin est l'une des rares créations humaines qui associe à ce point homme et nature, plaisir et pédagogie, exigence et passion. L'œnologue et humaniste tourangeau mérite à notre sens, mieux que quiconque, d'être ainsi célébré.

La science du goût. Natif de Poitiers en 1927 sous le signe du cabernet, Jacques Puisais est le fils d'un représentant en vins. Docteur es-sciences, il dirige en 1959 le laboratoire d'analyses de Tours où il se passionne aussi bien pour les asperges que pour le vin. Créateur de l'institut français du goût, il devient le pionnier des accords mets-vins : « Chaque cru donne du mouvement à un plat, une dynamique, sans cela une cuisine reste figée, il est le seigneur dont les mets doivent être les vassaux : Je choisis d'abord la bouteille, elle détermine le repas. »

La gueule et les tripes. Cet empêcheur de boire et de manger en rond organise à partir des années 1970 les premiers séminaires pour les chefs, sommeliers et amateurs éclairés : toute la France de la gastronomie y défile, les frères Troisgros, Alain Chapel, Michel Guérard, Christian Millau, Alain Senderens... Le style est brillant, le geste onctueux et les marques de courtoisie nombreuses, ses termes se marient si bien entre eux qu'on les mord jusqu'à la pulpe : « Un vin et un met ne sont pas bons, ils sont justes. Avant d'être du plaisir pur, le vin est d'abord de la culture émotionnelle. Le vin reste une matière comme une autre si celui qui le boit ne lui confère pas un sens, un langage. Il doit avoir la gueule de l'endroit et les tripes de l'homme. Au fond du verre, je veux retrouver le paysage du lieu où je suis. Lorsque je déguste s'il n'y a pas de désir d'en reprendre, cela n'est pas bon signe ; sans redemande, le produit n'a aucune espérance sociale et culturelle. »

L'honnête homme. Dans ses ateliers Jacques Puisais aime associer le vin et la musique, la peinture, ou la mode. On est dans la création qui nait de l'imaginaire, celui-ci ne vient qu'à partir d'un vécu gustatif, « c'est pour cela que le goût ne s'achète pas, il se vit. » insiste-t-il. « Un vin adapté à une situation n'est pas cher, s'il coïncide avec l'instant, un grand vosne pour un repas d'amoureux ne sera jamais exorbitant si les yeux viennent à briller dès le premier verre ». Les pieds dans les vignes et le cœur dans la cuisine, cet octogénaire alerte continue en 2010 d'humer chaque paysage du monde dans ses moindres replis. De A à V comme vin, nous sommes tous quelque part des fils de Jacques Puisais.

Le vin de l'année

DOMAINE GOURT DE MAUTENS

Côtes-du-rhône-villages Rasteau, rouge, 2007

Le prix de l'émotion. Pour la première fois depuis la création de ce guide, nous avons choisi de distinguer, au plus haut de notre palmarès, un vin, un seul. Non celui qui a atteint la plus haute notation, mais celui qui, parmi les dizaines de milliers de crus dégustés, nous a le plus saisi. D'admiration. D'émotion. D'étonnement. De bonheur. A cette aune, celui qui nous ainsi ébloui n'est pas un vin issu d'une illustre appellation – on en reparlera néanmoins – ni une bouteille hors de prix – certes avec des quantités limitées – encore moins un vin à boire dans vingt ans. En revanche, le rasteau 2007 qu'a composé Jérôme Bressy dans son domaine de Gourt de Mautens est un vin proprement inoubliable à plus d'un titre.

Le triomphe de l'exigence. Dès la robe, d'un velours cramoisi, on perçoit la singularité du vin : opaque, profond, onctueux. Habité, poursuivant une quête d'absolu vigneron, Bressy est parfois allé trop loin dans la maturité de raisins issus de rendements minuscules. Ici, le fruit est intense, précis, d'une fraîcheur d'expression parfaite. On est dans le compoté, surtout pas le confituré. Et puis vient la texture, ces tanins de soie, ou plutôt de velours, car l'étoffe est riche, ample, à la fois confortable et fichtrement élégante. Une épatante sensation de plénitude envahit la bouche, mêlant les nuances d'un bouquet aromatique finement épicé aux impressions tactiles étonnamment diversifiées, une longueur suave, tapissant...

Un cru, un grand. Une telle ambition, une telle expression, tout cela est l'expression d'un grand cru. Pourtant, Rasteau, merveilleux terroir situé au cœur de ce Vaucluse viticole qui est un paradis des grenaches hors norme, n'avait droit encore, jusqu'à cette année, qu'à ajouter son nom à la fin de la terminologie côtes-du-rhône villages. Cette injustice enfin réparée, il se murmure qu'une autre poindrait : une partie des vignes de Bressy n'auraient pas droit à l'appellation... Ces situations ubuesques où, sous couvert d'administration, on cherche à brimer un vigneron doué et exigeant, donc jalousé, sont hélas trop fréquentes pour s'en étonner. N'empêche, quel vin, quelle émotion !

Les plus belles progressions de l'année

NOUVELLE ENTRÉE À 4 (symboles)

DOMAINE CÉCILE TREMBLAY
Bourgogne

DE 4 (symboles) À 5 (symboles)

DOMAINE WEINBACH
Alsace

DOMAINE DEISS
Alsace

DOMAINE WILLIAM FÈVRE
Bourgogne

CHÂTEAU CHEVAL BLANC
Bordeaux

CLOS ROUGEARD
vallée de la Loire

M. CHAPOUTIER
vallée du Rhône

DE 3 (symboles) À 4 (symboles)

DOMAINE MARC TEMPÉ
Alsace

CHÂTEAU L'ARROSÉE
Bordeaux

CHÂTEAU PAVIE DECESSE
Bordeaux

CHÂTEAU NAIRAC
Bordeaux

DE À

CHÂTEAU LYNCH BAGES
Bordeaux

CHÂTEAU LASCOMBES
Bordeaux

CHÂTEAU LANGOA BARTON
Bordeaux

DOMAINE MÉO-CAMUZET
Bourgogne

DOMAINE LEJEUNE
Bourgogne

DOMAINE JEAN GRIVOT
Bourgogne

DOMAINE FAIVELEY
Bourgogne

CHANSON PÈRE ET FILS
Bourgogne

TAITTINGER
Champagne

PIERRE GIMONNET ET FILS
Champagne

DOMAINE ANDRÉ ET MIREILLE TISSOT
Jura

DOMAINE GANEVAT
Jura

MAS JULLIEN
Languedoc

CHÂTEAU DE PIBARNON
Provence

DOMAINE TEMPIER
Provence

DOMAINE PIERRE BISE
Vallée de la Loire

DOMAINE GOURT DE MAUTENS
Vallée du Rhône

Les meilleurs vins de l'année

DOMAINE WEINBACH
COLETTE, CATHERINE ET LAURENCE FALLER
Alsace, Alsace grand cru, Mambourg gewurztraminer
Quintessence de Grains Nobles, blanc, 2008

DOMAINE D'AUVENAY
Bourgogne, Chevalier-Montrachet grand cru, blanc, 2008

DOMAINE DE LA ROMANÉE-CONTI
Bourgogne, Romanée-Conti grand cru, rouge, 2008

DOMAINE LEROY
Bourgogne, Musigny grand cru, rouge, 2008

CLOS ROUGEARD
Val de Loire, Saumur-Champigny, Clos du Bourg, rouge, 2009

DOMAINE ALBERT MANN
Alsace, Alsace grand cru, Schlossberg riesling L'Épicentre, blanc, 2008

DOMAINE MARCEL DEISS
Alsace, Alsace grand cru, Altenberg de Bergheim, blanc, 2008

DOMAINE ZIND-HUMBRECHT
Alsace, Clos Windsbuhl Riesling, blanc, 2008

CHÂTEAU AUSONE
Bordeaux, Saint-Émilion grand cru, rouge, 2008

BOUCHARD PÈRE ET FILS,
Bourgogne, Corton - Charlemagne grand cru, blanc, 2008

DOMAINE RENÉ ET VINCENT DAUVISSAT
Bourgogne, Chablis grand cru, Les Clos, blanc, 2008

DOMAINE WILLIAM FÈVRE,
Bourgogne, Chablis grand cru, Les Clos, blanc, 2008

LOUIS JADOT
Bourgogne, Chevalier-Montrachet grand cru, Demoiselles, blanc, 2008

ROEDERER
Champagne, Cristal, blanc, 2002

DOMAINE DIDIER DAGUENEAU
Val de Loire, Pouilly-Fumé, Silex, blanc, 2008

Les meilleurs vins de marque

DOURTHE
Bordeaux, Bordeaux N°1, rouge, 2008

COLLECTION PRIVÉE CORDIER
Bordeaux, Collection Privée, rouge, 2008

BOUCHARD PÈRE ET FILS
Bourgogne, Bourgogne Les Coteaux des Moines, blanc, 2008

DOMAINE LAROCHE
Bourgogne, Chablis, Saint-Martin, blanc, 2008

GEORGES DUBŒUF
Beaujolais, Beaujolais-Villages, rouge, 2009

MOËT & CHANDON
Champagne, Moët Impérial, blanc

LAURENT-PERRIER
Champagne, Brut L.P., blanc

RIGAL ET FILS
Sud-Ouest, Cahors, Les Terrasses, rouge, 2007

PRODUCTEURS PLAIMONT
Sud-Ouest, Madiran, Maestria, rouge, 2008

CHÂTEAU DE GUEYZE
Sud-Ouest, Buzet, Domaine de la Croix, rosé, 2009

PERRIN ET FILS
Vallée du Rhône, Côtes du Ventoux, La Vieille Ferme, rouge, 2009

E. GUIGAL
Vallée du Rhône, Côtes du Rhône, Rouge, 2006

DAUVERGNE & RANVIER
Vallée du Rhône, Côtes du Rhône-Villages, rouge, 2009

CHAPOUTIER
Vallée du Rhône, Côtes du Rhône, Belleruche, rouge, 2008

OGIER
Vallée du Rhône, Côtes du Rhône Oratorio, rouge, 2009

Une cave idéale : top 15 des vins

DOMAINE PFISTER,
ALSACE, ALSACE GRAND CRU, ENGELBERG GEWURZTRAMINER, BLANC, 2008

CHÂTEAU LÉOVILLE-LAS CASES
BORDEAUX, SAINT-JULIEN, ROUGE, 2007

CHÂTEAU LYNCH-BAGES
BORDEAUX, PAUILLAC, ROUGE, 2007

CHÂTEAU MALARTIC-LAGRAVIÈRE
BORDEAUX, PESSAC-LÉOGNAN, ROUGE, 2007

CHÂTEAU NAIRAC
BORDEAUX, BARSAC, BLANC, 2007

CHANSON PÈRE ET FILS
BOURGOGNE, POMMARD, PREMIER CRU ÉPENOTS, ROUGE, 2008

JOSEPH DROUHIN
BOURGOGNE, CLOS DE VOUGEOT GRAND CRU, ROUGE, 2008

DOMAINE DAVID DUBAND
BOURGOGNE, NUITS-SAINT-GEORGES, PREMIER CRU LES PRÛLIERS, ROUGE, 2008

à mettre en cave 10 ans

DOMAINE MÉO-CAMUZET
Bourgogne, Vosne-Romanée, premier cru Cros Parentoux, rouge, 2008

NICOLAS ROSSIGNOL
Bourgogne, Pommard, premier cru Frémiers, rouge, 2008

MAS AMIEL
Roussillon, Maury, Vintage Charles Dupuy, rouge, 2007

CHÂTEAU TIRECUL LA GRAVIÈRE
Sud-Ouest, Monbazillac, Madame, blanc, 2006

DOMAINE DU CLOS NAUDIN
Val de Loire, Vouvray, Réserve, blanc, 2009

DELAS
Vallée du Rhône, Hermitage, Les Bessards, rouge, 2007

TARDIEU-LAURENT
Vallée du Rhône, Châteauneuf-du-Pape, vieilles vignes, rouge, 2008

Une cave idéale : top 15 des vins

RENÉ MURÉ - CLOS SAINT-LANDELIN

Alsace, Clos Saint-Landelin pinot gris
Sélection de Grains Nobles, blanc, 2007

CHÂTEAU MOUTON-ROTHSCHILD

Bordeaux, Pauillac, rouge, 2006

CHÂTEAU LAFAURIE-PEYRAGUEY

Bordeaux, Sauternes, blanc, 2007

CHÂTEAU RIEUSSEC

Bordeaux, Sauternes, blanc, 2007

CHÂTEAU SUDUIRAUT

Bordeaux, Sauternes, blanc, 2007

CHÂTEAU D'YQUEM

Bordeaux, Sauternes, blanc, 2007

BOUCHARD PÈRE ET FILS

Bourgogne, Corton - Le Corton grand cru, rouge, 2008

à mettre en cave 20 ans

BOUCHARD PÈRE ET FILS
Bourgogne, Volnay, premier cru Clos des Chênes, rouge, 2008

CAMILLE GIROUD
Bourgogne, Chambertin grand cru, rouge, 2008

DOMAINE BRUNO CLAIR
Bourgogne, Chambertin-Clos de Bèze grand cru, rouge, 2008

DOMAINE ANNE GROS
Bourgogne, Richebourg grand cru, rouge, 2008

LOUIS JADOT, BOURGOGNE
Clos de Vougeot grand cru, rouge, 2008

DOMAINE ARMAND ROUSSEAU
Bourgogne, Chambertin-Clos de Bèze grand cru, rouge, 2008

DOMAINE JACQUES PUFFENEY
Jura, Arbois, Vin Jaune, blanc, 2000

CHÂTEAU PIERRE-BISE
Val de Loire, Quarts de Chaume, blanc, 2009

Le top 20 des vins qui offrent

DOMAINE PFISTER
Alsace, Crémant d'Alsace, blanc

TRENEL
Beaujolais, Saint-Amour, rouge, 2009

DOMAINE PIRON
Beaujolais, Chénas, Domaine Piron-Lameloise cuvée Quartz, rouge, 2008

CHÂTEAU RESPIDE-MÉDEVILLE
Bordeaux, Graves, rouge, 2007

DOMAINE LAROCHE
Bourgogne, Chablis, Saint-Martin, blanc, 2008

JOSEPH DROUHIN
Bourgogne, La Forêt, blanc, 2008

LES CHAMPS DE L'ABBAYE
Bourgogne, blanc, 2008

JEAN-MARC BROCARD
Bourgogne, pinot noir Ica-Onna, rouge, 2008

PALMER & CO
Champagne, Brut, blanc

DOMAINE CULOMBU
Corse, Clos Culombu, blanc, 2009

le bonheur tout de suite!

DOMAINE ANDRÉ ET MIREILLE TISSOT - STÉPHANE TISSOT
Jura, Arbois, chardonnay, blanc, 2008

LES FUSIONELS
Languedoc, Faugères, Le Rêve, rouge, 2008

CHÂTEAU DE L'ENGARRAN
Languedoc, Vin de pays d'Oc, Cuvée Adelys, blanc, 2008

MAS CAL DEMOURA
Languedoc, Coteaux du Languedoc, L'Infidèle, rouge, 2007

COUME DEL MAS
Roussillon, Collioure, Schiste, rouge, 2008

DOMAINE PLAGEOLES
Sud-Ouest, Gaillac, len de lel, blanc, 2009

DOMAINES JOSEPH LANDRON
Val de Loire, Muscadet Sèvre-et-Maine, Amphibolite, blanc, 2009

DOMAINE DE LA CHEVALERIE
Val de Loire, Bourgueil, Galichets, rouge, 2009

DAUVERGNE & RANVIER
Vallée du Rhône, Côtes du Rhône, Séléctions Parcellaires-Terre de fruits, rouge, 2009

DOMAINE COMBIER
Vallée du Rhône, Crozes-Hermitage, Laurent Combier, rouge, 2009

Les meilleurs vins issus de domaines

DOMAINE ANDRÉ OSTERTAG
ALSACE, HEISSENBERG RIESLING, BLANC, 2008

DOMAINE RÉMY GRESSER
ALSACE, ALSACE GRAND CRU, KASTELBERG RIESLING, BLANC, 2007

DOMAINE AUBERT ET PAMÉLA DE VILLAINE
BOURGOGNE, CÔTE CHALONNAISE, LA FORTUNE, ROUGE, 2008

DOMAINE ERIC FOREST
BOURGOGNE, POUILLY-FUISSÉ, L'AME FOREST, BLANC, 2008

CHARTOGNE-TAILLET
CHAMPAGNE, FIACRE, BLANC

DOMAINE COMTE ABBATUCCI
CORSE, AJACCIO, FAUSTINE, ROUGE, 2007

DOMAINE ANDRÉ ET MIREILLE TISSOT - STÉPHANE TISSOT
JURA, ARBOIS, CHARDONNAY LA MAILLOCHE, BLANC, 2007

CLOS MARIE
LANGUEDOC, COTEAUX DU LANGUEDOC PIC SAINT-LOUP, SIMON, ROUGE, 2008

DOMAINE MAXIME MAGNON
LANGUEDOC, CORBIÈRES, ROZETA, ROUGE, 2009

…cultivés en agriculture biologique

BORIE LA VITARÈLE
Languedoc, Saint-Chinian, Les Crès, rouge, 2007

DOMAINE DE LA BASTIDE BLANCHE
Provence, Bandol, Fontanéou, rouge, 2008

DOMAINE DE SOLÉYANE
Savoie-Bugey, Bugey, Le Lièvre d'Automne, blanc, 2008

CHÂTEAU BOUISSEL
Sud-Ouest, Fronton, Le Bouissel, rouge, 2008

DOMAINE ARRETXEA
Sud-Ouest, Irouleguy, Hegoxuri, blanc, 2009

DOMAINE ERIC MORGAT
Val de Loire, Savennières, L'Enclos, blanc, 2008

DOMAINE DE JUCHEPIE
Val de Loire, Coteaux du Layon Faye d'Anjou, La Passion, blanc, 2002

DOMAINE DE FONDRÈCHE
Vallée du Rhône, Côtes du Ventoux, Fayard, rouge, 2009

Le top 20 des vins

CAVE DE BEBLENHEIM,
Alsace, Alsace grand cru, sylvaner Vieilles Vignes, blanc, 2008

DOMAINE FRANÇOIS SCHMITT
Alsace, Bollenberg sylvaner, blanc, 2008

CHÂTEAU BELLEVUE
Bordeaux, blanc, 2009

CHÂTEAU DE L'HURBE
Bordeaux, blanc, 2009

CHÂTEAU LA FREYNELLE
Bordeaux, rouge, 2008

CHÂTEAU VILATTE
Bordeaux, Bordeaux Supérieur, Château Vilatte, rouge, 2007

CHÂTEAU CESSERAS
Languedoc, Vin de pays d'Oc, Domaine Coudoulet, viognier, blanc, 2009

CHÂTEAU DE VAUGELAS
Languedoc, Corbières, Le Prieuré, rouge, 2008

CHÂTEAU VIEUX MOULIN,
Languedoc, Corbières, rouge, 2007

DOMAINE DE ROQUE-SESTIÈRE
Languedoc, Corbières, A l'orée des pins, rouge, 2007

à moins de 6 €

LORGERIL - CHÂTEAU DE PENNAUTIER
Languedoc, Minervois, La Borie Blanche, rouge, 2009

DOMAINE BOUDAU
Roussillon, Vin de pays des Côtes catalanes, blanc

DOMAINE GRISARD
Savoie - Bugey, Vin de Savoie, mondeuse vieilles vignes, rouge, 2009

DOMAINE SAINT-GERMAIN
Savoie - Bugey, Vin de Savoie, Gamay vieilles vignes, rouge, 2009

DOMAINE BRÉGEON
Val de Loire, Muscadet Sèvre-et-Maine, sur lie, blanc, 2007

DOMAINE DE LA PÉPIÈRE
Val de Loire, Muscadet Sèvre-et-Maine, Clos des Briores Vieilles Vignes, blanc, 2009

DOMAINE DES GUYONS
Val de Loire, Cabernet d'Anjou, Free Vol, rosé, 2009

CHAPOUTIER
Vallée du Rhône, Luberon La Ciboise, blanc, 2009

LES VIGNERONS D'ESTÉZARGUES
Vallée du Rhône, Côtes du Rhône-Villages Signargues,
Domaine de Perillère Vieilles Vignes, rouge, 2009

Les meilleurs vins produits par des

DOMAINE WEINBACH
COLETTE, CATHERINE ET LAURENCE FALLER

Alsace, Alsace grand cru, Schlossberg riesling
cuvée Sainte-Catherine l'Inédit, blanc, 2008

DOMAINE AGATHE BURSIN

Alsace, Lutzeltal gewurztraminer, blanc, 2008

CHÂTEAU SOUTARD

Bordeaux, Saint-Émilion grand cru, rouge, 2007

CHÂTEAU CLIMENS

Bordeaux, Barsac, blanc, 2006

CHÂTEAU CHASSE-SPLEEN

Bordeaux, Moulis, rouge, 2006

MARIE-NOËLLE LEDRU

Champagne, cuvée du Goulté Blanc de Noirs, blanc, 2006

DUVAL-LEROY

Champagne, Authentis Clos des Bouveries, blanc, 2004

DOMAINE PIERETTI

Corse, Coteaux du Cap Corse, A Murteda, rouge, 2008

DOMAINE PEYRE ROSE

Languedoc, Coteaux du Languedoc, Clos des Cistes, rouge, 2003

domaines dirigés par une femme...

LORGERIL - CHÂTEAU DE PENNAUTIER

Languedoc, Côtes du Roussillon-Villages, Mas des Montagnes, terroirs d'altitude, rouge, 2008

CHÂTEAU DE L'ENGARRAN

Languedoc, Coteaux du Languedoc, Quetton Saint-Georges, rouge, 2007

MAS D'AUZIÈRES

Languedoc, Coteaux du Languedoc, Les Éclats, rouge, 2007

CHÂTEAU SAINTE-ROSELINE

Provence, Côtes de Provence, Lampe de Méduse, rosé, 2009

CHÂTEAU LA CALISSE

Provence, Coteaux Varois en Provence, Patricia Ortelli, blanc, 2008

DOMAINE LE ROC DES ANGES

Roussillon, Passerillé, blanc, 2008

DOMAINE DE SOUCH

Sud-Ouest, Jurançon, Mary Kattalin, blanc, 2007

DOMAINES VÉRONIQUE GÜNTHER-CHÉREAU

Val de Loire, Muscadet Sèvre-et-Maine, Château du Coing de Saint-Fiacre Comte de Saint-Hubert, blanc, 2005

DOMAINES PAUL JABOULET AÎNÉ

Vallée du Rhône, Hermitage, Chevalier de Sterimberg, blanc, 2008

Les meilleurs vins produits par des domaines appartenant à un homme d'affaires

FRANÇOIS PINAULT (PPR)
Château Latour, Bordeaux, Pauillac, rouge, 2007

JEAN GERVOSON (ANDROS)
Château Larrivet Haut-Brion, Bordeaux, Pessac-Léognan, rouge, 2007

CLÉMENT FAYAT (GROUPE FAYAT)
Château La Dominique, Bordeaux, Saint-Émilion grand cru, rouge, 2008

LAURENT DASSAULT (DASSAULT)
Château Dassault, Bordeaux, Saint-Émilion, rouge, 2008

BERNARD ARNAUD (LVMH) ET ALBERT FRÈRE
Château Cheval Blanc, Bordeaux, Saint-Émilion grand cru, rouge, 2007

PIERRE GUÉNANT (PGA)
Château Beaulieu, Provence, Coteaux d'Aix-en-Provence, rosé, 2009

CHRISTOPHER ET GÉRARD DESCOURS (EPI)
Château La Verrerie, Vallée du Rhône, Côtes du Luberon, Grand Deffand, rouge, 2006

PAUL DUBRULE (ACCOR)
Domaine de la Cavale, Vallée du Rhône, Côtes du Luberon, L'Origine, rouge, 2006

MARTIN BOUYGUES (GROUPE BOUYGUES)
Château Montrose, Bordeaux, Saint-Estèphe, rouge, 2007

JACKY LORENZETTI (OVALTO INVESTISSEMENT)
Château Pédesclaux, Bordeaux, Pauillac, rouge, 2007.

Nos partenaires : idealwine

iDealwine.com, le site de référence des amateurs de vin

Créée en 2000 par trois anciens d'Euronext (Bourse de Paris), iDealwine.com propose une plate-forme sécurisée d'achat et de revente de grands crus ainsi qu'une gamme unique d'outils de gestion et de valorisation de votre cave.

Quatre types de ventes sont proposés sur iDealwine :

• Les ventes aux enchères en salle

250 ventes couvertes par an dans toute l'Europe pour le compte de nos clients

• Les ventes aux enchères « on-line »

Un « marteau » électronique permettant à nos clients d'enchérir en ligne

• Les ventes à Prix Fixe

Des ventes sans enchères, d'une durée limitée. Premier arrivé, premier servi !

• Les Offres iDéales

Des ventes événementielles, en direct des domaines, à prix spécial.

Sur iDealwine, les services de gestion de cave en ligne comportent :

• La cote iDealwine : un vrai argus du vin

60.000 références, 3 millions de cotations, une fiche détaillée par vin

• Une valorisation de votre cave en temps réel

• Un service d'alertes sur vos vins préférés

• Des services d'information sur le monde du vin et des conseils sur l'achat/vente de vin

• La revente de vos vins en quelques clics

Estimation gratuite, transaction sécurisée

Une exposition unique : 250.000 amateurs connectés

Prolonger l'instant

Dans notre bar à dégustation, vous pourrez continuer à découvrir et approfondir les vins en choisissant parmi la trentaine de vins servis au verre.

iDealwine
190, rue d'Estienne d'Orves
92700 Colombes
Tel : 01.56.05.86.10 – Fax : 01.56.05.86.11
www.idealwine.com – contact@idealwine.com

Nos partenaires : Riedel

Cristallerie autrichienne familiale, Riedel, qui a vu le jour il y a 250 ans, est aujourd'hui le leader mondial incontesté des verres œnologiques.
Grand amateur de vin, Claus Riedel (9e génération) constate qu'un même vin peut développer des caractéristiques très différentes selon le contenant dans lequel il est présenté. Il décide d'explorer cette voie et en 1973 nait la ligne Sommeliers : des verres aux formes spécifiques selon les cépages qui permettent d'exalter les grands vins.

Pourquoi des verres œnologiques ?
Bien que véritable intermédiaire entre l'amateur et le breuvage, le verre est souvent sous-estimé quant à ses capacités à exalter un vin. Pourtant, un même vin se présente tellement différemment selon la forme du verre que même des dégustateurs expérimentés peuvent envisager des vins différents !

Règles générales
Riedel a toujours considéré le verre à vin comme un instrument destiné à transmettre le message du vinificateur et à restituer la personnalité du vin, son nez et son goût (sans oublier la beauté de l'objet). Parce que la forme du verre détermine la qualité de la transmission des messages du vin, il est essentiel d'utiliser le verre qui convient.
Pour le dégustateur, le point initial de contact du vin dans la bouche dépend de la forme et du volume du verre, du diamètre du bord et de sa finition (a-t-il été coupé et poli ou a-t-il un bourrelet ?) aussi bien que de l'épaisseur du cristal.
Quand on porte un verre à ses lèvres, les papilles sont en alerte. Le flux du vin est dirigé vers les capteurs concernés par tel ou tel goût, ce qui conduit à différentes interprétations. Quand la langue est en contact avec le vin, trois messages sont transmis en même temps: température, texture et goût.

La Température
La qualité et l'intensité des arômes ne sont pas uniquement déterminées par le vin mais aussi par leur adéquation à la forme du verre. Le bouquet ne pouvant se développer correctement que dans une zone de température déterminée, la démonstration ne sera valide que si le vin est servi à bonne température et dans des proportions correctes (les basses températures diminuent l'intensité du bouquet, et l'alcool se fait plus présent lorsque la température augmente).

Sentir - le nez

Quand le vin est versé, il commence immédiatement à s'évaporer. Ses arômes emplissent le verre graduellement selon leur propre densité. La taille et la forme du verre peuvent donc être finement adaptées aux arômes spécifiques du cépage.
Les arômes les plus légers, les plus fragiles, rappellent les fleurs et les fruits. Ce sont ceux qui occupent la partie supérieure du verre. Au milieu se concentrent les senteurs végétales, minérales et tout ce qui évoque les sous-bois, la terre et les champignons. Les arômes les plus lourds, typiques du bois et de l'alcool, se situent au fond du verre. Faire tourner le vin dans son verre a pour effet d'augmenter l'évaporation des arômes et leur intensité. Mais ceci n'assemble pas les divers éléments aromatiques entre eux. Ce qui explique que le même vin dans des verres différents exprime des arômes différents. Le même vin peut ainsi faire ressortir des arômes fruités dans un verre et des notes végétales dans un autre. La seule façon de percevoir des arômes unifiés serait de secouer vigoureusement le verre.

Goûter - La bouche

Chacun son goût! Nous ne pouvons donc qu'énoncer quelques repères communs...
La forme du verre elle-même implique une position de la tête telle que l'on puisse boire sans baver. Les verres largement ouverts nous forcent à baisser la tête alors que ceux plus étroits nous obligent à mettre la tête en arrière. Ceci conditionne l'arrivée du liquide sur les zones sensibles du palais.
Si l'on boit d'un trait, pour satisfaire une soif, on ne perçoit que l'arrière goût. Selon leur degré, les boissons alcooliques sont bues à petites ou très petites gorgées. C'est ainsi que l'on contrôle l'agressivité du contact de l'alcool sur la langue. La sensation perçue est transmise au cerveau à la vitesse de 400 mètres par seconde. C'est ce que nous appelons la première impression. Dans la plupart des cas nous sommes déçus si le fruit est absent ou dominé. Quand cela arrive on a tendance à dire que le vin n'est pas bon alors que, souvent, il s'agit d'un verre qui n'a pas la forme appropriée.
Chaque vin a sa propre combinaison : fruité, acidité, minéralité, astringence, alcool. Elle varie selon le cépage, le climat et le terroir dont il est issu. La finale joue un rôle important dans l'impression que laisse le vin et ceci est également déterminé par le dessin du contenant. Il faudra du temps pour comprendre qu'un verre n'est pas seulement un verre mais un instrument capable de multiplier le plaisir de la dégustation.

Nos partenaires : Grains Nobles

Grains Nobles s'adresse à tous ceux qui rêvent d'un espace entièrement consacré au vin pour y vivre pleinement leur passion. Une approche complète et originale du vin qui enchantera tous les amateurs avides d'expériences œnologiques hors du commun.

Le Cadre : un espace consacré au vin

Situé dans le cœur historique de Paris, en plein centre du Quartier latin, le nouveau caveau fait perdurer l'esprit qui anime Grains Nobles depuis 18 ans. Tout y est conçu et pensé pour la dégustation, depuis l'espace chaleureux du bar à vin jusqu'à l'ancienne cave en pierre du XIIIe siècle, théâtre de nos soirées et où dorment de magnifiques flacons...

Intimité, fraîcheur, convivialité : un îlot de sérénité qui appelle à la découverte et aux plaisirs de la dégustation !

La Philosophie

À Grains Nobles, la connaissance du vin s'acquiert dans l'excellence. L'atmosphère des cours se veut à la fois professionnelle et conviviale.

Le vin, fascinant produit de culture et de patrimoine, mérite d'être considéré come un sujet d'étude important. L'ambiance conviviale et ludique des soirées de dégustation favorise les rencontres et les échanges qui permettent à tous de partager des expériences et des connaissances toujours enrichissantes.

Depuis toujours, Grains Nobles s'est donné l'ambition d'accueillir et d'accompagner tous les amateurs de vins, du débutant au fin connaisseur. Lors des cours, on peut tout autant découvrir et apprendre que consolider ses connaissances.

Une équipe de grands professionnels

Nos soirées sont animées par des journalistes et dégustateurs de renom, tels Michel Bettane et Bernard Burtschy, ainsi qu'Olivier Poussier, meilleur sommelier du monde : leurs connaissances, leur expertise, et le plaisir qu'ils ont de les faire partager, font de chaque soirée de dégustation un évènement unique et merveilleux.

En dégustant à leurs côtés, chacun se donne la chance de mieux comprendre toutes les subtilités du vin et de progresser rapidement pour devenir un amateur éclairé et toujours plus passionné.

Prolonger l'instant

Dans notre bar à dégustation, vous pourrez continuer à découvrir et approfondir les vins en choisissant parmi la trentaine de vins servis au verre.

Grains Nobles - 8 rue Boutebrie, 75005 Paris
tél : 01 75 57 89 07 - fax : 01 75 57 89 05

Terre de Vins
LA ROUTE DU SOLEIL
Escapades, concerts...
La saga des Sichel
DORMIR dans les vignes
DES BORDEAUX POUR L'ÉTÉ
à moins de 7 €
LES VINS STARS DU SUD-OUEST
SAINT-ÉMILION

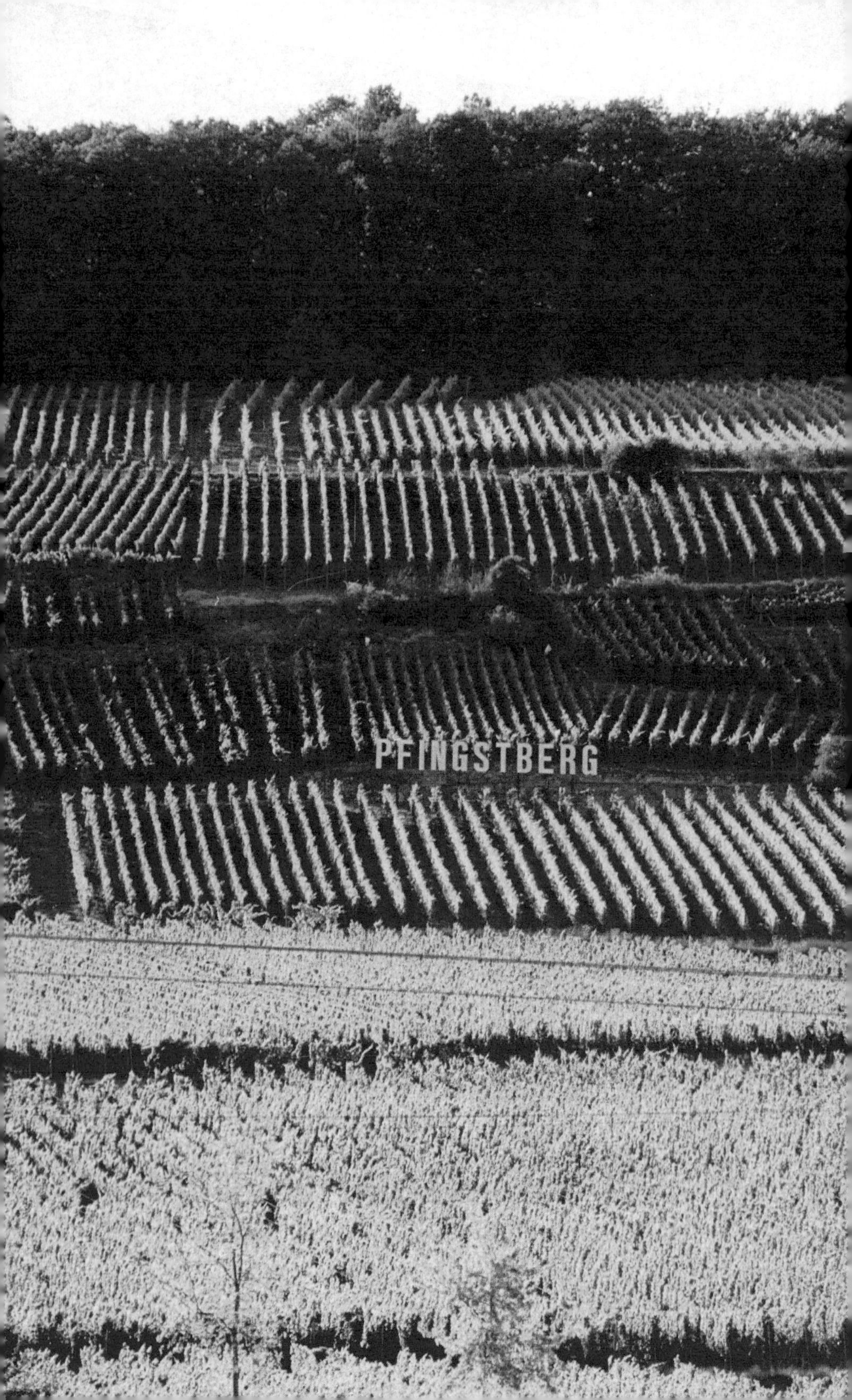
PFINGSTBERG

La sélection Bettane et Desseauve pour l'Alsace

Le vignoble de l'Alsace

Cette côte tournée vers l'Est produit quelques-uns des plus grands vins blancs de France. On connaît les cépages qui s'y épanouissent –le racé riesling, l'exubérant gewurztraminer, le profond pinot gris ou encore le souple sylvaner– les caractères secs ou au contraire issus de vendanges tardives qui en expriment la quintessence, on se perd un peu dans l'écheveau des crus, mais on doit absolument considérer les grands vins d'Alsace pour ce qu'ils sont : quelques-uns des meilleurs vins blancs du monde.

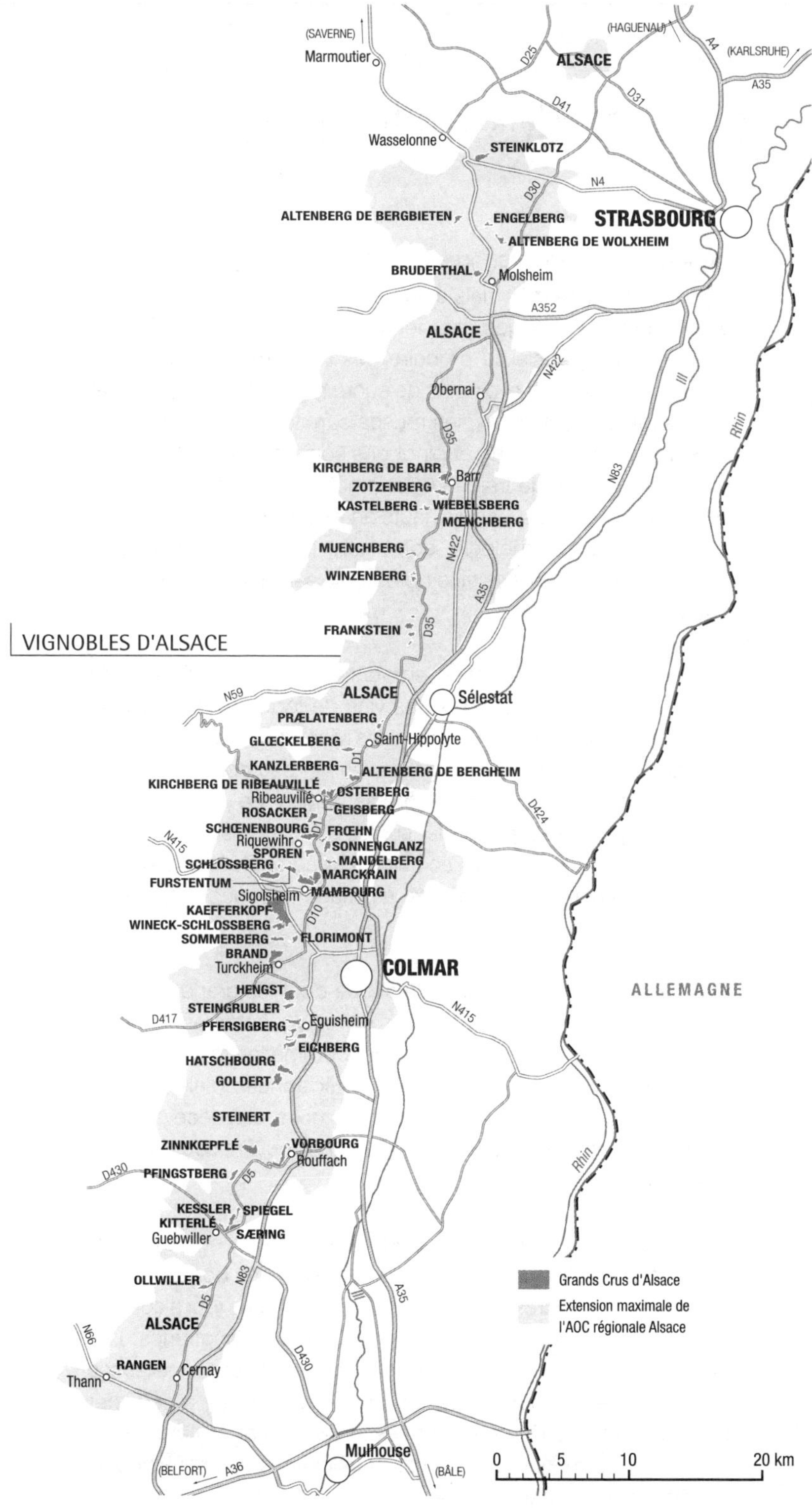
VIGNOBLES D'ALSACE
(SAVERNE)
Marmoutier
(HAGUENAU)
ALSACE
(KARLSRUHE)
A4
A35
D25
D41
D31
Wasselonne
STEINKLOTZ
N4
D30
ALTENBERG DE BERGBIETEN
ENGELBERG
STRASBOURG
ALTENBERG DE WOLXHEIM
BRUDERTHAL
Molsheim
A352
ALSACE
N422
Obernai
Ill
Rhin
D35
KIRCHBERG DE BARR
Barr
ZOTZENBERG
KASTELBERG
WIEBELSBERG
MŒNCHBERG
N83
MUENCHBERG
N422
WINZENBERG
A35
FRANKSTEIN
D35
N59
ALSACE
Sélestat
PRÆLATENBERG
GLŒCKELBERG
Saint-Hippolyte
D1
KANZLERBERG
ALTENBERG DE BERGHEIM
KIRCHBERG DE RIBEAUVILLÉ
Ribeauvillé
OSTERBERG
ROSACKER
GEISBERG
D424
SCHŒNENBOURG
FRŒHN
N415
Riquewihr
SONNENGLANZ
SPOREN
MANDELBERG
SCHLOSSBERG
MARCKRAIN
FURSTENTUM
Sigolsheim
MAMBOURG
KAEFFERKOPF
WINECK-SCHLOSSBERG
D10
SOMMERBERG
FLORIMONT
BRAND
Turckheim
COLMAR
ALLEMAGNE
HENGST
STEINGRUBLER
N415
D417
PFERSIGBERG
Eguisheim
EICHBERG
HATSCHBOURG
GOLDERT
STEINERT
ZINNKŒPFLÉ
VORBOURG
Rouffach
D430
PFINGSTBERG
D5
Rhin
KESSLER
SPIEGEL
KITTERLÉ
Guebwiller
SÆRING
OLLWILLER
N83
D5
A35
ALSACE
Grands Crus d'Alsace
Extension maximale de l'AOC régionale Alsace
N66
RANGEN
Thann
Cernay
D430
Mulhouse
(BELFORT)
A36
(BÂLE)
0
5
10
20 km

L'actualité des millésimes

Chaud. Le millésime 2009 arrive sur les marchés en 2010. Le millésime est très mûr mais a su conserver de la fraîcheur dans une majorité de villages alsaciens, il résulte d'une fin d'année chaude qui a permis de produire des vins amples et souples, gras sans forcément avoir plus de sucre résiduel que d'ordinaire. Les sylvaners sont riches, les muscats fruités, les gewurztraminers très épicés. Riesling et pinot gris sont souvent très mûrs et manquent parfois de fraîcheur. Le pinot noir a donné de beaux vins riches et colorés, parfois hauts en alcool, mais les meilleures cuvées seront d'anthologie, combinant les qualités des millésimes 2003 et 2005. Les vins de botrytis seront plus rares qu'en 2008.

Frais. Le principal millésime en vente est 2008, millésime de bonne maturité qui a produit des vins de forte acidité. Lorsque les raisins ont été récoltés mûrs, les vins sont magnifiques de finesse et seront de grande garde, en vin sec comme en vendange tardive ou sélection de grains nobles. La production de muscat est faible, en particulier sur les grands crus, et les pinots noirs révèlent une fraîcheur acidulée très agréable lorsqu'elle est combinée à une bonne maturité, à l'image des rouges typés Alsace.

De garde. 2007 est une grande année dont les grands crus se sont parfois refermés en 2010. Les cuvées génériques de l'AOC Alsace seront à boire en priorité, tout comme les très bons crémants millésimés dégorgés après deux années d'élevage sur lattes. La qualité moyenne des pinots noirs est décevante, le manque de maturité ayant donné des vins souvent secs et manquant de fruit.

À suivre. Les quelques rares 2006 mis en vente en 2010 sont souvent issus d'élevages longs, et proposent une bonne qualité, les cuvées médiocres produites dans ce millésime (qui a souffert de pourriture grise) étant consommées depuis longtemps. Les crémants sont magnifiques, tout comme les cuvées moelleuses récoltées avec un botrytis de qualité. Ne pas hésiter à déguster les vins. Les vins du grand millésime 2005 sont à maturité, en particulier les vendanges tardives et sélections de grains nobles qui atteignent un bel équilibre.

MEILLEURS VINS TOUTES CATÉGORIES

Domaine Marcel Deiss,
Alsace grand cru, Altenberg de Bergheim, blanc, 2008

Domaine Schlumberger,
Alsace gewurztraminer cuvée Anne
Sélection de Grains Nobles, blanc, 2007

Domaine Weinbach - Colette, Catherine et Laurence Faller,
Alsace grand cru, Mambourg gewurztraminer
Quintessence de Grains Nobles, blanc, 2008

Domaine Zind-Humbrecht,
Alsace Clos Windsbuhl riesling, blanc, 2008

Trimbach,
Alsace riesling Clos Sainte-Hune, blanc, 2005

LE BONHEUR TOUT DE SUITE

Cave de Ribeauvillé,
Alsace, riesling Vieilles Vignes, blanc, 2008

Domaine Jean-Marc et Frédéric Bernhard,
Alsace grand cru, Wineck-Schlossberg riesling, blanc, 2008

Domaine Klipfel,
Alsace grand cru, Kirchberg de Barr muscat, blanc, 2008

Domaine Louis Scherb et Fils,
Alsace grand cru, Goldert riesling, blanc, 2008

Domaine Marc Tempé,
Alsace, Zellenberg pinot blanc, blanc, 2007

MEILLEURS VINS À MOINS DE 6 €

Cave de Beblenheim,
Alsace, sylvaner Vieilles Vignes, blanc, 2008

Domaine François Schmitt,
Alsace, Bollenberg sylvaner, blanc, 2008

Domaine Haegi,
Alsace, Mittelbergheim sylvaner, blanc, 2008

Domaine Henry Fuchs,
Alsace, sylvaner Vieilles Vignes, blanc, 2008

Domaine Paul Buecher,
Alsace, sylvaner, blanc, 2007

MEILLEURS VINS MOINS DE 10 €

Domaine Agathe Bursin,
Alsace, sylvaner Éminence, blanc, 2008

Domaine du Manoir,
Alsace, Clos du Letzenberg pinot gris, blanc, 2008

Domaine Haegi,
Alsace grand cru, Zotzenberg sylvaner, blanc, 2008

Domaine Henri Schoenheitz,
Alsace, Holder riesling, blanc, 2008

Jean-Claude Buecher,
Crémant d'Alsace, Rotenberg chardonnay, blanc, 2006

MEILLEURS VINS À METTRE EN CAVE

Cave de Ribeauvillé,
Alsace, Clos du Zahnacker, blanc, 2008

Domaine Agathe Bursin,
Alsace grand cru, Zinnkoepflé riesling Vendanges Tardives, blanc, 2008

Domaine Léon Beyer,
Alsace, riesling Comtes d'Eguisheim, blanc, 2008

Louis Sipp,
Alsace grand cru, Kirchberg de Ribeauvillé pinot gris, blanc, 2008

Domaine Hering,
Alsace grand cru, Kirchberg de Barr Clos Gaensbronnel, gewurztraminer, blanc, 2008

MEILLEURS GEWURZTRAMINERS

Domaine Laurent Barth,
Alsace grand cru, Marckrain gewurztraminer, blanc, 2008

Domaine Meyer-Fonné,
Alsace grand cru, Sporen gewurztraminer, blanc, 2008

Domaine Paul Blanck,
Alsace grand cru, Mambourg gewurztraminer, blanc, 2007

Domaine Weinbach - Colette, Catherine et Laurence Faller,
Alsace grand cru, Furstentum gewurztraminer, blanc, 2008

Domaine Zind-Humbrecht,
Alsace grand cru, Rangen gewurztraminer, blanc, 2008

MEILLEURS MUSCATS

Domaine Albert Boxler,
Alsace grand cru, Brand muscat, blanc, 2008

Domaine Maurice Schoech et Fils,
Alsace grand cru, Mambourg muscat, blanc, 2009

Domaine Rolly-Gassmann,
Alsace, Moenchreben muscat, blanc, 2008

Domaine Zind-Humbrecht,
Alsace grand cru, Goldert muscat, blanc, 2008

Jean Becker,
Alsace grand cru, Froehn muscat, blanc, 2009

MEILLEURS PINOTS GRIS

Domaine André Ostertag,
Alsace grand cru, Muenchberg pinot gris cuvée A360P, blanc, 2008

Domaine Fleith-Eschard,
Alsace grand cru, Furstentum pinot gris, blanc, 2008

Domaine Schlumberger,
Alsace grand cru, Kitterlé pinot gris, blanc, 2007

Domaine Zind-Humbrecht,
Alsace, Clos Windsbuhl pinot gris, blanc, 2008

Josmeyer,
Alsace grand cru, Hengst pinot gris, blanc, 2008

MEILLEURS RIESLINGS

Domaine Albert Mann,
Alsace grand cru, Schlossberg riesling, blanc, 2008

Domaine Bott-Geyl,
Alsace grand cru, Schlossberg riesling, blanc, 2008

Domaine Dirler-Cadé,
Alsace grand cru, Kessler riesling Heisse Wanne, blanc, 2008

Domaine Marc Kreydenweiss,
Alsace grand cru, Kastelberg riesling, blanc, 2008

Domaine Zind-Humbrecht,
Alsace grand cru, Rangen riesling, blanc, 2008

Josmeyer,
Alsace grand cru, Hengst riesling Samain, blanc, 2008

MEILLEURS PINOTS NOIRS

Domaine Albert Mann,
Alsace, pinot noir Grand P, rouge, 2008

Domaine Barmès-Buecher,
Alsace, pinot noir H Vieilles Vignes, rouge, 2008

Domaine François Schmitt,
Alsace, pinot noir Cœur de Bollenberg, rouge, 2008

Domaine Marcel Deiss,
Alsace, Burlenberg, rouge, 2007

Jean-Paul Schmitt,
Alsace, Rittersberg pinot noir Grande Réserve, rouge, 2008

MEILLEURES VENDANGES TARDIVES

Domaine Albert Mann,
Alsace, Altenbourg pinot gris Vendanges Tardives, blanc, 2008

Domaine André Kientzler,
Alsace grand cru, Geisberg riesling Vendanges Tardives, blanc, 2007

Domaine Barmès-Buecher,
Alsace grand cru, Hengst gewurztraminer
Vendanges Tardives, blanc, 2008

Domaine Ernest Burn,
Alsace grand cru, Goldert Clos Saint-Imer gewurztraminer
Vendanges Tardives, blanc, 2007

Domaine Weinbach - Colette, Catherine et Laurence Faller,
Alsace, Altenbourg pinot gris Vendanges Tardives
Trie Spéciale, blanc, 2008

MEILLEURES SÉLECTIONS DE GRAINS NOBLES

Domaine Léon Boesch,
Alsace grand cru, Zinnkoepflé gewurztraminer
Sélection de Grains Nobles, blanc, 2007

Domaine Seppi Landmann,
Alsace grand cru, Zinnkoepflé riesling
Sélection de Grains Nobles, blanc, 2007

Domaine Weinbach - Colette, Catherine et Laurence Faller,
Alsace, Altenbourg gewurztraminer
Sélection de Grains Nobles, blanc, 2008

Domaine Zind-Humbrecht,
Alsace grand cru, Hengst gewurztraminer
Sélection de Grains Nobles, blanc, 2008

Hugel et Fils,
Alsace, pinot gris Sélection de Grains Nobles, blanc, 2008

Palmarès des lecteurs

DOMAINE LÉON BEYER
Alsace muscat réserve, blanc, 2009

DOMAINE SCHOFFIT
Alsace muscat Tradition, blanc, 2008

DOMAINE MARC TEMPÉ
Alsace Zellenberg pinot blanc, blanc, 2007

DOMAINE WEINBACH - COLETTE, CATHERINE ET LAURENCE FALLER
Alsace pinot gris cuvée Sainte-Catherine, blanc, 2008

JEAN-BAPTISTE ADAM

5, rue de l'Aigle • 68770 Ammerschwihr
Tél. 03 89 78 23 21 • Fax : 03 89 47 35 91
jbadam@jb-adam.fr • www.jb-adam.fr
Visite : Sur rendez-vous.

Derrière les cuvées issues de raisins d'achat, les quatorze hectares de vignes propres au domaine sont cultivés en biodynamie depuis près de dix ans, produisant des vins d'une pureté et d'une expression minérale remarquables. Sur le grand cru Kaefferkopf et le lieu-dit Letzenberg, les cuvées maison sont clairement identifiées par la mention «de Jean-Baptiste Adam», à ne pas confondre avec les cuvées prestige cuvée-Jean-Baptiste de la gamme négoce.

Alsace grand cru Kaefferkopf 2008
Blanc Demi-sec | 2012 à 2028 | 12,80 € **16,5/20**
Assemblage de gewurztraminer et de riesling pour un tiers, c'est un vin particulièrement expressif du caractère exotique et aérien du Kaefferkopf, avec une acidité très présente qui renforce son caractère fin. Gastronomique, de grande garde.

Alsace grand cru Kaefferkopf gewurztraminer Vieilles Vignes 2008
Blanc Demi-sec | 2012 à 2023 | 16,50 € **16/20**
Élégant, au nez de vanille et d'épices grillées, corsé en bouche avec un équilibre demi-sec. La trame serrée appelle une garde de quelques années.

Alsace grand cru Kaefferkopf riesling Vieilles Vignes 2008
Blanc | 2012 à 2023 | 16,50 € **17/20**
Grand riesling du Kaefferkopf avec ce vin très salin, ample et très pur en bouche.

Letzenberg pinot gris 2008
Blanc Doux | 2010 à 2018 | 16 € **15,5/20**
Mûr, nez de fruits à chair blanche, ample et profond en bouche avec une finale sur le coing.

DOMAINE AGAPÉ

10, rue des Tuileries • 68340 Riquewihr
Tél. 03 89 47 94 23 • Fax : 03 89 47 89 34
domaine@alsace-agape.fr • www.alsace-agape.fr
Visite : Du lundi au samedi: de 10h à 12h30 et de 13h30 à 18h.

Vincent Sipp a quitté le domaine familial Sipp-Mack en 2007 pour s'établir à Riquewihr, sur sa propre exploitation, en compagnie de son épouse Isabelle. En 2007, tout est vinifié à Riquewihr, les vins continuent d'être profonds avec des expressions minérales à la hauteur des terroirs de Riquewihr, Hunawihr et Ribeauvillé.

Alsace grand cru Rosacker riesling 2008
Blanc | 2011 à 2028 | 20,40 € **18/20**
Un vin particulièrement réussi, déjà ouvert au nez avec des notes de citron et de fleurs blanches, puis profond et minéral en bouche avec une acidité nette qui donne une pureté cristalline au vin. De grande garde et approchable jeune s'il ne se referme pas.

pinot noir 2008
Rouge | 2011 à 2018 | 8,70 € **15,5/20**
Concentré, au fruité très mûr, enrobé par des tanins gras qui lui donnent une bouche gourmande. Bel élevage.

DOMAINE LUCIEN ALBRECHT

9, Grand-Rue • 68500 Orschwihr
Tél. 03 89 76 95 18 • Fax : 03 89 76 20 22
lucien.albrecht@wanadoo.fr • www.lucien-albrecht.fr
Visite : Du lundi au samedi de 8h à 19h.

Le haut de la gamme de la maison est tiré par deux cuvées de riesling situées sur et autour du grand cru Pfingstberg. Les vins de propriété proviennent des alentours du village d'Orschwihr, avec une partie importante de ce même grand cru, mais aussi sur le Bollenberg voisin. Pour compléter la gamme, des achats de raisin produisent des crémants au style plaisant, mais aussi des vins de cépage signés Réserve-Lucien-Albrecht, plus hétérogènes que les vins de propriété, qui mériteraient d'être séparés de la production du domaine par un étiquetage plus clair.

gewurztraminer cuvée Martine Albrecht 2008
Blanc Demi-sec | 2011 à 2023 | 12,65 € **15/20**
Ample, nez intense sur les épices, moelleux en bouche avec une fine salinité qui apporte de la légèreté.

gewurztraminer Réserve Lucien Albrecht 2008
Blanc Demi-sec | 2010 à 2014 | 8,75 € **14,5/20**
Une cuvée nette au nez d'épices et de litchi, tendre en bouche avec un moelleux bien intégré. Facile à boire.

PINOT NOIR WEID 2007

Rouge | 2012 à 2022 | 18,45 € **15/20**

Élevé en barriques en partie neuves, marqué par le toasté au nez, ample et de bonne pureté avec une concentration moyenne qui fait la part belle au fruit dans le délicat millésime 2007.

ALLIMANT-LAUGNER

10, Grand'Rue • 67600 Orschwiller
Tél. 03 88 92 06 52 • Fax : 03 88 82 76 38
alaugner@terre-net.fr • www.allimant-laugner.com
Visite : Du lundi au vendredi de 9h à 12h et de 14h à 18h. Le samedi de 8h à 12h et de 14h à 18h.
Le dimanche matin sur rendez-vous

CRÉMANT D'ALSACE 2008

Rosé Brut effervescent | 2010 à 2012 | 6,80 € **14/20**

Frais, nez de petits fruits rouges, dense en bouche avec de la pureté.

DOMAINE BARMÈS-BUECHER

30, rue Sainte-Gertrude • 68920 Wettolsheim
Tél. 03 89 80 62 92 • Fax : 03 89 79 30 80
barmesbuecher@terre-net.fr • www.barmes-buecher.com

Geneviève Buecher et François Barmès ont uni leurs domaines familiaux et créé le domaine en 1985. Avec un passage en biodynamie dès 1998, le domaine a progressivement affiné les vinifications, effectuant des élevages longs parfois en demi-muids, pour proposer des équilibres secs qui exaltent la minéralité des terroirs autour de Wettolsheim. 2008 illustre parfaitement ce style, avec des vins francs et très purs. Les rieslings ont une maturité parfois juste.

ALSACE GRAND CRU HENGST GEWURZTRAMINER VENDANGES TARDIVES 2008

Blanc liquoreux | 2015 à 2033 | 26 € **19/20**

Ample, marqué par le moelleux, puissant avec une acidité fine. Encore sur la réserve, la longue finale sur les épices et le cuir signe l'énorme potentiel de ce vin de grande garde.

ALSACE GRAND CRU PFERSIGBERG GEWURZTRAMINER 2008

Blanc liquoreux | 2013 à 2028 | 23 € **18,5/20**

Ample et riche, parfaitement équilibré, le moelleux important issu de la surmaturité se combinant avec une forte minéralité. À garder pour qu'il se dévoile entièrement.

PINOT NOIRH VIEILLES VIGNES 2008

Rouge | 2013 à 2028 | 27 € **17/20**

Originaire d'une vieille vigne sur le Hengst et élevé sous bois neuf, c'est un vin très concentré doté de tanins gras d'une grande finesse. Déjà facile à boire jeune, il faudra l'attendre pour qu'il donne toute sa mesure. Une grande réussite.

ROSENBERG SYLVANER VIEILLE VIGNE 2008

Blanc | 2011 à 2018 | 9 € **15,5/20**

Élevé en demi-muids, c'est un vin ample au nez floral avec une pointe boisée, très pur en bouche avec une finale nette légèrement tannique. Magnifique pour accompagner la table.

DOMAINE LAURENT BARTH

3, rue du Maréchal-de-Lattre • 68630 Bennwihr
Tél. 03 89 47 96 06 • Fax : 03 89 47 96 06
laurent.barth@wanadoo.fr
Visite : Du lundi au vendredi sur rendez-vous.
Le samedi de 9h à 19h.

En quittant la cave coopérative, Laurent Barth a vinifié et produit sa première récolte en 2004. La grêle de juin 2007 a détruit la quasi-totalité de la récolte, seuls 3,7 hectolitres de gewurztraminer grand cru marckrain ayant été produits. 2008 signe un retour sur le parcellaire du domaine, avec la profondeur du Marckrain et la finesse des autres cuvées, ainsi que les grands pinots noirs.

ALSACE GRAND CRU MARCKRAIN GEWURZTRAMINER 2008

Blanc Demi-sec | 2012 à 2033 | 20 € **19/20**

Une récolte très mûre a donné un vin ample et profond, moelleux en bouche avec une longue finale sur les épices et le miel. La race est évidente sur ce terroir, et l'acidité intense équilibre le moelleux encore très présent. De grande garde.

MUSCAT 2008

Blanc | 2010 à 2015 | 8 € **15/20**

Originaire pour moitié du Marckrain, c'est un muscat sec, aromatique au nez et tonique en bouche avec une bonne minéralité.

PINOT GRIS 2008

Blanc Demi-sec | 2011 à 2023 | 11 € **16/20**

Ample, nez de fruits compotés, puissant en bouche avec un équilibre demi-sec et une longue finale légèrement fumée. Il vieillira bien.

RIESLING VIEILLES VIGNES 2008
Blanc | 2010 à 2018 | 9 € **15/20**
Ample et acidulé, fruité en bouche avec une fine salinité.

CAVE DE BEBLENHEIM

14, rue de Hoen • 68980 Beblenheim
Tél. 03 89 47 90 02 • Fax : 03 89 47 86 85
info@cave-beblenheim.com • www.cave-beblenheim.com
Visite : Du lundi au vendredi de 9h à 12h et de 14h à 18h. Le samedi de 9h à 12h et de 14h30 à 18h. Le dimanche de 10h à 12h et de 15h à 18h.

ALSACE GRAND CRU SONNENGLANZ PINOT GRIS 2008 ☺
Blanc liquoreux | 2011 à 2023 | 11 € **15,5/20**
Un sonnenglanz mûr et aérien, bien équilibré en bouche avec un moelleux bien intégré qui souligne la fine salinité.

ALSACE GRAND CRU SYLVANER
VIEILLES VIGNES 2008 ☺
Blanc | 2010 à 2023 | 4,50 € **15/20**
Originaire d'une parcelle proche du Sonnenglanz, il est sec et profond, avec une belle minéralité et du gras. Plus qu'un simple vin de soif, c'est un vin de terroir qui vieillira bien.

CRÉMANT D'ALSACE ☺
Rosé Brut effervescent | 2010 à 2012 | 5,70 € **16/20**
La robe saumonée annonce un vin net au nez de petits fruits rouges, vineux, avec un fruité de grande pureté en bouche. Le dosage est marqué mais équilibré par une bonne acidité. Une grande réussite en rosé, et un superbe rapport qualité-prix.

CRÉMANT D'ALSACE BLANC DE NOIRS
Blanc Brut effervescent | 2010 à 2014 | 6,45 € **15/20**
La robe paille laisse place à un nez élégant et à une bouche vineuse, ample avec une bulle fine. Il passera facilement à table.

CRÉMANT D'ALSACE SUB ROSA
Blanc Brut effervescent | 2010 à 2013 | 11 € **16/20**
La première cuvée de ce cru était issue du millésime 2004, la deuxième vient du millésime 2005 après quatre années d'élevage sur lattes. Assemblage de chardonnay et pinot noir, c'est un crémant dense au fruité mûr, élégant en bouche avec une mousse compacte. La vinosité importante permet un dosage modéré pour ce vin qui accompagnera tout un repas.

PIERRE ET FRÉDÉRIC BECHT

26, faubourg des Vosges • 67120 Dorlisheim
Tél. 03 88 38 18 22 • Fax : 03 88 38 87 81
info@domaine-becht.com • www.domaine-becht.com
Visite : Du lundi au samedi: de 8h30 à 11h et de 14h à 18h. Le dimanche sur rendez-vous

PINOT NOIR ALTITUDE 333 2007
Rouge | 2011 à 2017 | 12,70 € **15/20**
Récolté très mûr, élégant nez de griotte, souple en bouche avec de la vinosité et des tanins gras encore présents.

PINOT NOIR FRÉDÉRIC 2008
Rouge | 2010 à 2015 | 9,70 € **14/20**
Élevé sous bois, c'est un pinot noir fruité de corps léger, souple en bouche avec une fine acidité. Une cuvée gourmande à boire jeune.

STIERKOPF RIESLING CUVÉE CHRISTINE 2008
Blanc Demi-sec | 2010 à 2015 | 8,70 € **14/20**
Nez de fruits mûrs, franc et de bonne densité en bouche, avec une légère douceur qui devra encore se fondre.

DOMAINE BECK-HARTWEG

5, rue Clemenceau • 67650 Dambach-la-Ville
Tél. 09 53 52 08 40 • Fax : 03 88 92 63 44
beckhartweg@aliceadsl.fr • www.beckhartweg.free.fr
Visite : Sur rendez-vous de préférence

Prenant progressivement la suite de ses parents, le jeune Florian Hartweg a repris les vinifications et une partie du travail dans les vignes du domaine familial, effectuant un travail important sur le grand cru Frankstein qu'il contribue à sortir de l'anonymat. Les résultats se font sentir dès 2006, et en 2007 et 2008 les cuvées ont franchi un palier qui les font entrer dans une dimension nouvelle. La commercialisation devra désormais suivre ce nouveau statut.

ALSACE GRAND CRU FRANKSTEIN
GEWURZTRAMINER 2007
Blanc Doux | 2011 à 2022 | 13,10 € **16/20**
Bien structuré, surmûri et acidulé avec une touche saline qui lui donne toute sa finesse. Longue finale sur le girofle et le miel, il vieillira bien.

ALSACE GRAND CRU FRANKSTEIN PINOT GRIS 2008
Blanc Demi-sec | 2012 à 2018 | 10,80 € **16/20**
Un demi-sec de grande pureté, élégant en bouche avec une note de fruits compotés et un équilibre acidulé qui le rend très gastronomique.

PINOT BLANC 2008
Blanc | 2010 à 2013 | 4,90 € **14/20**
Nez de fruits à chair blanche, équilibre sec en bouche, avec du gras. Une vieille vigne qui a donné un beau vin.

PINOT NOIR «F» 2007
Rouge | 2010 à 2017 | 9,90 € **15/20**
Les pinots noirs situés sur le Frankstein ont été vinifiés et élevés à part en 2007, donnant un vin concentré, ample et profond avec des tanins fondus et une acidité mûre bien présente. Charpentés, ses arômes poivrés se développeront avec le temps.

JEAN BECKER

4, route d'Ostheim - Zellenberg,
B.P. 24 • 68340 Riquewihr
Tél. 03 89 47 90 16 • Fax : 03 89 47 99 57
vinsbecker@aol.com • www.vinsbecker.com
Visite : Du lundi au samedi de 8h à 12h et de 14h à 18h. Ouverture à 10h dimanches et jours fériés de Pâques à fin décembre et sur rendez-vous le reste de l'année.

Le groupe Becker se compose d'une société de négoce et d'un domaine familial pratiquant la culture biologique. Nous regroupons cette année les deux dénominations pour éviter la confusion. La gamme est vaste et parfois hétérogène, les meilleures cuvées sont cependant produites à partir des vignes de la maison, conduites en viticulture biologique, en particulier le grand cru Froehn qui livre ses meilleures cuvées.

ALSACE GRAND CRU FROEHN MUSCAT 2009
Blanc | 2011 à 2024 | 11,05 € **16/20**
Ouvert, au nez de fleurs blanches, ample et profond en bouche avec un caractère sec qui possède du gras. Ouvert, à boire jeune sur son fruit ou à laisser vieillir pour qu'il gagne en minéralité.

ALSACE GRAND CRU FROEHN PINOT GRIS VENDANGES TARDIVES 2008
Blanc liquoreux | 2012 à 2028 | 22,75 € **17/20**
Ample et minéral, doté d'un moelleux bien intégré, dense en bouche avec une longue finale sur la noisette.

ALSACE GRAND CRU SONNENGLANZ GEWURZTRAMINER SÉLECTION DE GRAINS NOBLES 2008
Blanc Liquoreux | 2010 à 2028 | 37,50 € **17/20**
Nez de miel et de fruits confits, liquoreux en bouche avec une finale façon pâte de fruits. Riche et onctueux, à savourer pour lui seul s'il est bu jeune.

DOMAINE JEAN-MARC ET FRÉDÉRIC BERNHARD

21, Grand-Rue • 68230 Katzenthal
Tél. 03 89 27 05 34 • Fax : 03 89 27 58 72
vins@jeanmarcbernhard.fr
Visite : Du lundi au samedi de 9h à 12h et de 13h30 à 18h.

Basé à Katzenthal, avec un patrimoine de terroirs à la variété peu commune, le domaine familial gagne progressivement en notoriété. Ne tardez pas pour obtenir quelques précieux flacons du muscat, du gewurztraminer vieilles-vignes ou encore de l'excellent gewurztraminer grand cru mambourg. 2008 suit le bon millésime 2007 avec de fortes salinités qui montrent la progression qualitative du domaine ces dernières années.

ALSACE GRAND CRU FURSTENTUM PINOT GRIS 2008
Blanc Demi-sec | 2011 à 2023 | 13 € **16/20**
Élevé en partie en barrique, c'est un demi-sec très élégant, porté par une forte salinité qui le rend gastronomique. Après quelques années de garde, le vin se goûtera sec.

ALSACE GRAND CRU KAEFFERKOPF GEWURZTRAMINER 2008
Blanc Demi-sec | 2010 à 2023 | 10 € **16,5/20**
Un vin rond et parfumé, élégant en bouche avec une longue finale sur le miel et les épices.

ALSACE GRAND CRU MAMBOURG GEWURZTRAMINER 2008
Blanc Doux | 2013 à 2028 | 13 € **17/20**
Le nez est déjà net et précis sur des arômes de miel et d'épices grillées. La bouche est riche, ample et profonde, avec un moelleux intense bien fondu. Un vin de grande garde qu'il faudra attendre.

ALSACE GRAND CRU WINECK-SCHLOSSBERG RIESLING 2008
Blanc | 2010 à 2018 | 12 € **17/20**
Le vin offre un nez élégant sur la fleur d'églantier, puis une trame acidulée et minérale de toute beauté, finissant sur des amers nobles. Un grand wineck-schlossberg.

DOMAINE BERNHARD & REIBEL

20, rue de Lorraine • 67730 Châtenois
Tél. 03 88 82 04 21 • Fax : 03 88 82 59 65
bernhard-reibel@wanadoo.fr
www.domaine-bernhard-reibel.fr
Visite : Le week-end sur rendez-vous, la semaine ouvert de 8h à 12h et de 13h30 à 19h.

Cécile Bernhard a propulsé le domaine sur le devant de la scène, et désormais aidée de son fils Pierre, poursuit de nouvelles ambitions. Ancrés sur les terroirs granitiques entre Scherwiller et Châtenois, les vins sont cristallins, avec la finesse des granits de Dambach-la-Ville et de Thannenkirch qui se déclinent sur plusieurs terroirs.

GEWURZTRAMINER CUVÉE FÉLICIE 2008
Blanc Doux | 2012 à 2023 | 13 € **14,5/20**
Une vieille vigne originaire du Rittersberg a donné un vin surmûri, déjà ouvert au nez avec une bouche ample et moelleuse qui termine sur une note épicée plus sèche. À garder.

HAHNENBERG GEWURZTRAMINER 2008
Blanc Demi-sec | 2011 à 2018 | 10 € **15,5/20**
Une cuvée élégante, au nez de rose et de pivoine, ample et épicée en bouche avec de la salinité et un moelleux parfaitement intégré.

HAHNENBERG PINOT GRIS 2008
Blanc | 2011 à 2018 | 8 € **15/20**
Un équilibre presque sec, gras et salin en bouche avec une acidité fine. Idéal sur une cuisine riche.

SYLVANER 2008
Blanc | 2010 à 2013 | 5 € **14/20**
Franc et techniquement sec, il possède du gras et une grande pureté en bouche. Délicieux sur les tables de tous les jours.

BESTHEIM

3, rue du Général-de-Gaulle • 68630 Bennwihr
Tél. 03 89 49 09 29 • Fax : 03 89 49 09 20
alsace@bestheim.com • www.bestheim.com
Visite : Caveau de Bennwihr: du lundi au samedi de 14h à 17h45.
Caveau de Westhalten: du lundi au samedi de 9h à 11h45 et de 14h30 à 18h15.

Né de la fusion des caves coopératives de Bennwihr et Westhalten, Bestheim est devenu un groupe important dans la production de vins tranquilles et de crémants. Si les vins tranquilles sont légers dans l'entrée de gamme, quelques crus de la Vallée Noble et du secteur de Bennwihr permettent de gagner en puissance et en profondeur. Les crémants sont malheureusement trop dosés.

ALSACE GRAND CRU ZINNKOEPFLÉ RIESLING VENDANGES TARDIVES 2007
Blanc Doux | 2012 à 2022 | 20,60 € **15,5/20**
Un vin élégant au nez frais d'agrumes et de fruits exotiques, moelleux en bouche avec de l'élégance et de la fraîcheur. Loin d'une vendange tardive sucrée, l'équilibre sera parfait à table sur des poissons en sauce après quelques années de garde.

BOLLENBERG MUSCAT 2008
Blanc | 2010 à 2012 | 6,90 € **14/20**
Une cuvée parfumée et élégante, au nez de sureau, ample et nette en bouche, avec de la pureté.

DOMAINE ÉMILE BEYER

7, place du Château • 68420 Eguisheim
Tél. 03 89 41 40 45 • Fax : 03 89 41 64 21
info@emile-beyer.fr/ • www.emile-beyer.fr
Visite : Du lundi au vendredi: de 8h à 12h et de 14h à 18h. Le samedi de 9h à 18h, le dimanche sur rendez-vous.

ALSACE GRAND CRU PFERSIGBERG RIESLING 2008
Blanc | 2012 à 2028 | 15 € **17/20**
Sec et minéral, avec de la profondeur, pur en bouche, avec du gras. À garder.

GEWURZTRAMINER CUVÉE DE L'HOSTELLERIE 2008
Blanc Demi-sec | 2011 à 2018 | 9,50 € **14,5/20**
Riche, nez de fruits mûrs, moelleux et acidulé en bouche avec de la pureté. À essayer sur un dessert.

PINOT GRIS CUVÉE DE L'HOSTELLERIE 2008
Blanc Demi-sec | 2011 à 2018 | 9,50 € **15/20**
Mûr, au nez de coing avec une note de froment, dense et acidulé en bouche avec une fine salinité qui équilibre le léger moelleux. Parfait pour la table après un peu de garde.

PINOT GRIS HOHRAIN VENDANGES TARDIVES 2007
Blanc Demi-sec | 2012 à 2027 | 28 € **16,5/20**
Un vin moelleux puissant, au nez de miel et de fruits jaunes, doté d'une acidité très présente en bouche avec une longue finale sur le miel. Une cuvée de garde idéale, à encaver précieusement.

DOMAINE LÉON BEYER

2, rue de la Première-Armée • 68420 Eguisheim
Tél. 03 89 21 62 30 • Fax : 03 89 23 93 63
contact@leonbeyer.fr • www.leonbeyer.fr
Visite : Lundi,mardi,jeudi et week-end de 10h à 12h et de 14h à 18h. Fermé le mercredi

La célèbre maison de producteurs négociants possède de belles parcelles sur les grands crus Eichberg et Pfersigberg, dont elle tire les meilleures cuvées dites des Comtes-d'Eguisheim sans pour autant revendiquer l'appellation Alsace grand cru. La production propre est complétée par des achats de raisin, produisant une gamme très régulière de vins classiques à l'équilibre sec et léger. Le millésime 2008 a été parfaitement bien géré, avec une gamme de rieslings de haut niveau, faciles à boire jeunes.

GEWURZTRAMINER SÉLECTION DE GRAINS NOBLES 1998
Blanc Liquoreux | 2010 à 2018 | 55 € **18/20**
Ouvert, nez de fruits confits avec une note d'épices, dense en bouche avec une parfaite intégration du moelleux.

MUSCAT RÉSERVE 2009 ☺
Blanc | 2010 à 2015 | 15 € **15/20**
Très aromatique, au nez de fruits mûrs et d'herbes, sec et charnu en bouche. Un superbe équilibre entre la fraîcheur aromatique et le côté juteux du fruité.

RIESLING COMTES D'EGUISHEIM 2008
Blanc | 2012 à 2038 | 23,50 € **17,5/20**
Cuvée dense de forte concentration, ample en bouche avec une longue finale portée par la salinité. Parmi les meilleurs rieslings jamais produits par le domaine.

RIESLING LES ÉCAILLERS 2008
Blanc | 2010 à 2018 | 15,80 € **16/20**
Originaire des terroirs d'Eguisheim, c'est un vin aromatique au nez d'agrumes, croquant en bouche avec de la salinité. À boire sur des crustacés, ou à garder.

DOMAINE ANDRÉ BLANCK

Ancienne Cour des Chevaliers de Malte • 68240 Kientzheim
Tél. 03 89 78 24 72 • Fax : 03 89 47 17 07
charles.blanck@free.fr
Visite : De 8h à 12h et de 14h à 18h.

ALSACE GRAND CRU FURSTENTUM GEWURZTRAMINER VENDANGE TARDIVE CUVÉE ÉLODIE 2007
Blanc liquoreux | 2012 à 2027 | 15,50 € **16/20**
Issue du tri réalisé sur la parcelle, c'est une cuvée de haut vol, ample et profonde avec une forte densité, de la pureté et une fine salinité en finale.

ALSACE GRAND CRU SCHLOSSBERG RIESLING VIEILLES VIGNES 2007
Blanc Demi-sec | 2010 à 2017 | 10,90 € **16/20**
Floral au nez avec une pointe de fruits mûrs, c'est un vin ample et salin, pur en bouche avec une finale légèrement moelleuse.

PINOT GRIS CLOS SCHWENDI 2008
Blanc Doux | 2010 à 2018 | 7,80 € **15/20**
Nez de fruits mûrs et de sous-bois, ample et gras en bouche avec un moelleux fondu.

PINOT GRIS CUVÉE BAPTISTE VENDANGES TARDIVES 2008
Blanc liquoreux | 2012 à 2023 | 17,80 € **15,5/20**
Moelleux et acidulé, dense en bouche avec une fine salinité.

DOMAINE PAUL BLANCK

32, Grand-Rue • 68240 Kientzheim
Tél. 03 89 78 23 56 • Fax : 03 89 47 16 45
info@blanck.com • www.blanck.com
Visite : Du lundi au samedi de 9h à 12h et de 13h30 à 18h.

Le domaine est géré par deux petits-fils de Paul Blanck. Frédéric s'occupe de la cave et son cousin Philippe de la communication et de la vente. Le domaine possède des vignes sur cinq grands crus, ce qui permet de démontrer la typicité de chaque terroir sur plusieurs cépages. Si les premiers 2009 sont magnifiques, les grands crus 2007 qui arrivent à la vente renouent avec la classe des grands millésimes des années 1980.

ALSACE GRAND CRU FURSTENTUM GEWURZTRAMINER VIEILLES VIGNES 2007
Blanc liquoreux | 2012 à 2027 | 21,65 € **17,5/20**
Fin et élégant, très salin avec une acidité fine et une finale sur les épices. Un moelleux mesuré qui sera parfait sur une cuisine riche.

ALSACE GRAND CRU MAMBOURG GEWURZTRAMINER 2007
Blanc | 2012 à 2027 | 21,65 € **18/20**
Ample et profond, dense en bouche avec un moelleux mesuré et du gras, très long en bouche avec une salinité très présente. Une réussite magnifique dans un millésime où il a fallu trier les raisins.

ALSACE GRAND CRU SCHLOSSBERG RIESLING 2007
Blanc | 2011 à 2027 | 17,65 € **17/20**
Floral au nez, avec une pointe de silex, sec et fruité en bouche, le vin laisse une empreinte minérale impressionnante. De grande garde.

CHASSELAS 2009
Blanc | 2010 à 2013 | 8,20 € **14/20**
Léger et pur, au nez floral, sec en bouche avec du gras. Très apéritif et agréable à boire.

DOMAINE FRANÇOIS BLÉGER

63, route des Vins • 68590 Saint-Hippolyte
Tél. 03 89 73 06 07 • Fax : 03 89 73 06 07
domaine.bleger@wanadoo.fr
Visite : Sur rendez-vous.

GEISSBERG ROUGE DE SAINT-HIPPOLYTE 2008
Rouge | 2011 à 2016 | 10 € **14/20**
Dense, au nez de fruits noirs et de ronces, ample en bouche avec un équilibre léger et des tanins très présents. À garder.

RIESLING BOUQUET DE CLÉMENCE 2008 ☺
Blanc | 2010 à 2014 | 6,50 € **14/20**
Mûr et très pur, au nez d'agrumes, net et finement acidulé en bouche, avec un équilibre sec légèrement salin. Un vin exemplaire qui se boit facilement.

DOMAINE BOECKEL

2, rue de la Montagne • 67140 Mittelbergheim
Tél. 03 88 08 91 02 • Fax : 03 88 08 91 88
boeckel@boeckel-alsace.com • www.boeckel-alsace.com
Visite : Du lundi au samedi: de 9h à 12h
et de 14h à 17h.
Le dimanche matin et jours fériés sur rendez-vous.

Thomas et Jean-Daniel, aidés par leur père Émile, gèrent le grand domaine familial ancré sur les terroirs de Mittelbergheim. Les vingt-et-un hectares propres du domaine sont complétés par des achats sur vingt autres hectares, dont une majorité utilisée pour la production de crémants. Si les grands crus Zotzenberg et Wiebelsberg sont régulièrement mis en avant, les terroirs alentours produisent également des grands vins de garde.

ALSACE GRAND CRU ZOTZENBERG PINOT GRIS 2008
Blanc Demi-sec | 2011 à 2023 | 12,20 € **16/20**
D'équilibre presque sec, dense et salin en bouche avec du gras et une acidité fine très présente. Très réussi.

ALSACE GRAND CRU ZOTZENBERG SYLVANER 2008
Blanc | 2010 à 2023 | 12,20 € **15,5/20**
Mûr, ample et charnu, il possède l'acidité fine du millésime. De grande garde.

MITTELBERGHEIM SYLVANER VIEILLES VIGNES 2009 ☺
Blanc | 2010 à 2015 | 5,50 € **14/20**
Franc, nez de fleurs blanches, tendre en bouche avec de la densité et du gras. Délicieux.

RIESLING STEIN CLOS EUGÉNIE 2005
Blanc | 2013 à 2025 | 15 € **16,5/20**
Puissant, au nez de fruits mûrs et de fumée, ample et profond en bouche avec du gras et une grande longueur. Encore austère, il vieillira bien.

DOMAINE LÉON BOESCH

6, rue Saint-Blaise • 68250 Westhalten
Tél. 03 89 47 01 83 • Fax : 03 89 47 64 95
domaine-boesch@wanadoo.fr
Visite : Du lundi au samedi de 10h à 12h
et de 14h à 18h30,

Gérard Boesch et son fils Mathieu partagent la responsabilité du domaine familial ancré sur les terroirs de la Vallée Noble, entre grès et calcaire. Le nouveau chai bioclimatique en construction sera opérationnel dès 2010. Les 2008 sont frais avec de la pureté et se goûteront mieux jeunes que les 2007. Les dernières cuvées moelleuses de 2007 sont à rechercher.

ALSACE GRAND CRU ZINNKOEPFLÉ GEWURZTRAMINER 2008 ☺
Blanc Doux | 2012 à 2028 | 16,70 € **17/20**
Dense et très pur, doté d'un caractère très épicé, ample en bouche avec une longue finale sur le girofle. Un grand cru racé qui n'a rien d'une vendange tardive, comme souvent dans cette appellation.

ALSACE GRAND CRU ZINNKOEPFLÉ GEWURZTRAMINER SÉLECTION DE GRAINS NOBLES 2007
Blanc Liquoreux | 2014 à 2027 | 55 € **19/20**
Riche et onctueux, marqué par un confit important, très pur en bouche avec une acidité franche. Le botrytis de qualité s'est installé rapidement avant la récolte, garant de l'équilibre cristallin de ce vin de grande garde.

BREITENBERG RIESLING 2008
Blanc | 2011 à 2018 | 12,20 € **15/20**
Franc et racé, au nez d'agrumes, sec en bouche avec une acidité très pure. À boire ou à garder.

MUSCAT TRADITION 2008
Blanc | 2011 à 2018 | 10,20 € **15/20**
Sec, nez de fleur de sureau, ample en bouche, avec du gras. À réserver à la table et à garder.

DOMAINE BOTT-GEYL

1, rue du Petit-Château • 68980 Beblenheim
Tél. 03 89 47 90 04 • Fax : 03 89 47 97 33
info@bott-geyl.com • www.bott-geyl.fr
Visite : Du lundi au samedi de 8h30 à 11h30 et de 14h à 17h30, le samedi à partir de 9h. Sur rendez-vous de fin novembre à mars.

Désormais converti à la viticulture en biodynamie, le domaine comprend de belles parcelles sur plusieurs grands crus, Furstentum et Schoenenbourg en tête, mais aussi sur les moins médiatisés Mandelberg et Sonnenglanz et désormais sur le Schlossberg. Après la grêle de 2007, les rendements sont faibles en 2008, donnant des pinots gris et gewurztraminers de grande concentration. Les rieslings sont produits sans surmaturité.

ALSACE GRAND CRU FURSTENTUM PINOT GRIS 2008
Blanc Doux | 2013 à 2028 | 18 € **18/20**
Ample, équilibre moelleux, concentré et puissant en bouche avec une longue finale saline. Un vin de terroir qui vieillira bien.

ALSACE GRAND CRU SCHLOSSBERG RIESLING 2008
Blanc | 2012 à 2023 | 21,50 € **18,5/20**
C'est un vin au nez ouvert sur les agrumes frais et la violette, avec une pointe de pierre à fusil, dense et cristallin en bouche avec une longue finale sur la fleur d'oranger. Grande réussite pour cette première cuvée du domaine.

ALSACE GRAND CRU SONNENGLANZ GEWURZTRAMINER 2008
Blanc Doux | 2012 à 2028 | 20,50 € **18/20**
Riche et onctueux, profond en bouche avec de la tension. Longue finale sur les épices.

GEWURZTRAMINER LES ÉLÉMENTS 2008
Blanc Demi-sec | 2010 à 2018 | 12 € **15/20**
Aromatique, marqué par les fleurs et les épices, droit en bouche avec un moelleux bien intégré.

DOMAINE ALBERT BOXLER

78, rue des Trois-Épis • 68230 Niedermorschwihr
Tél. 03 89 27 11 32 • Fax : 03 89 27 70 14
albert.boxler@9online.fr
Visite : Du lundi au samedi de 9h à 12h et de 14h à 18h, sur rendez-vous.

Jean Boxler exploite avec talent les terroirs granitiques autour de Niedermorschwihr. La moitié des parcelles du domaine sont situées sur les grands crus Sommerberg et Brand, et permettent d'obtenir plusieurs cuvées qui expriment les subtiles nuances existant au sein de chaque terroir. Conséquence de l'important travail réalisé dans les vignes entre 2004 et 2008, le très haut niveau de toutes les cuvées est remarquable, plaçant le domaine parmi les plus grandes maisons alsaciennes.

ALSACE GRAND CRU BRAND GEWURZTRAMINER 2008
Blanc Doux | 2010 à 2028 | 20 € **17/20**
Floral, très délicat, ample et moelleux en bouche, très pur et légèrement acidulé avec une longue finale sur les fruits confits.

ALSACE GRAND CRU BRAND MUSCAT 2008
Blanc | 2012 à 2028 | 20 € **17/20**
Parfumé, nez de fleur de sureau, ample et profond en bouche, avec du gras. Un vin de terroir, à boire sur le fruit ou à conserver longtemps car il vieillira bien.

ALSACE GRAND CRU BRAND PINOT GRIS 2008
Blanc Demi-sec | 2012 à 2023 | 20 € **17,5/20**
Originaire de parcelles sur le lieu-dit Steinglitz, c'est un vin fin au nez fumé, ample et minéral en bouche avec un style ample proche du riesling de la parcelle voisine.

ALSACE GRAND CRU BRAND RIESLING «K» 2008
Blanc | 2012 à 2028 | 23 € **17,5/20**
Issu des parcelles sur le lieu-dit Kirchberg du grand cru Brand, c'est un vin aromatique, droit et pur en bouche, avec du gras et une légère douceur. À garder.

ALSACE GRAND CRU SOMMERBERG PINOT GRIS 2008
Blanc Demi-sec | 2011 à 2018 | 20 € **16/20**
Franc, au nez de fruits jaunes, finement acidulé en bouche avec une salinité qui équilibre bien le moelleux. Un vin tendre et subtil à boire sur un dessert aux fruits.

ALSACE GRAND CRU SOMMERBERG PINOT GRIS SÉLECTION DE GRAINS NOBLES 2008
Blanc liquoreux | 2010 à 2038 | NC **18/20**
Très confit, doté d'une acidité redoutable, donnant à ce vin un équilibre exotique et acidulé.

ALSACE GRAND CRU SOMMERBERG RIESLING 2008
Blanc | 2011 à 2023 | 20 € **18/20**
Ample et charnu, minéral en bouche avec une acidité fine qui souligne la grande concentration du vin. Longue finale sur le pamplemousse.

ALSACE GRAND CRU SOMMERBERG RIESLING «E» 2008
Blanc | 2013 à 2023 | 23 € **18,5/20**
Issu de la parcelle Eckberg au cœur du grand cru, c'est un vin encore fermé au nez, dense et sec, tendu par une forte minéralité. La finale est longue. Grand potentiel, à garder.

ALSACE GRAND CRU SOMMERBERG RIESLING JEUNES VIGNES 2008
Blanc | 2012 à 2023 | 15 € **16/20**
Solaire, au nez d'agrumes mûrs, ample et sec en bouche avec du gras et une finale charnue.

PINOT BLANC 2008
Blanc | 2010 à 2015 | 7 € **15/20**
Floral au nez et fruité en bouche, avec une fine acidité en finale.

PINOT BLANC «B» 2008
Blanc | 2010 à 2022 | 11 € **16/20**
Produit à partir de pinots blancs sur le Kirchberg, au sein du grand cru Brand, c'est un vin pur au nez de fleurs blanches, minéral en bouche avec du gras et une légère douceur.

SYLVANER 2008
Blanc | 2010 à 2015 | 7 € **15/20**
Sec et ample, avec du gras, finement acidulé en bouche, avec une finale saline.

LAURENT BUCHER

1, rue Saint-Jacques • 68150 Hunawihr
Tél. 03 89 73 68 65
bucherla@wanadoo.fr
Visite : Sur rendez-vous.

PINOT GRIS BÉRÉNICE 2008
Blanc Demi-sec | 2013 à 2023 | 10 € **14/20**
Récolté en surmaturité, c'est un vin moelleux bien charpenté, acidulé en bouche avec de la longueur. À garder pour que le moelleux gagne en harmonie.

PINOT GRIS ELLENWEILER 2008
Blanc Demi-sec | 2011 à 2018 | 7 € **14,5/20**
Bonne densité, ample en bouche avec un équilibre demi-sec et une fine minéralité.

JEAN-CLAUDE BUECHER

31, rue des Vignes • 68920 Wettolsheim
Tél. 03 89 80 14 01 • Fax : 03 89 80 17 78
cremant.jcb@orange.fr
Visite : De 8h à 12h et de 14h à 18h

Jean-Claude Buecher a créé ce domaine exclusivement consacré à la production de crémants. Certaines cuvées millésimées sont proposées pendant de nombreuses années, avec des dégorgements successifs qui renforcent l'équilibre des vins et augmentent la vinosité, à l'instar de la superbe cuvée Fleur-de-Lys 2004, dont les derniers dégorgements de l'automne 2009 sont superbes.

CRÉMANT D'ALSACE 2007
Rosé Brut effervescent | 2010 à 2012 | 7,80 € **15/20**
Dégorgé en novembre 2009 et faiblement dosé. Nez très pur de fruits rouge, vineux en bouche avec une mousse compacte. Une grande réussite, à l'opposé des crémants rosés souvent réduits et trop sucrés.

CRÉMANT D'ALSACE FLEUR DE LYS 2004
Blanc Brut effervescent | 2010 à 2015 | 9 € **16/20**
Originaire du Pfersigberg et dégorgé en novembre 2009, voilà une cuvée qui s'améliore avec le vieillissement sur lattes. Le nez est ouvert sur les fleurs jaunes et le coing, la bouche est franche, fine et dense avec une bonne acidité. Élégant, longue finale.

CRÉMANT D'ALSACE ROTENBERG CHARDONNAY 2006
Blanc Brut effervescent | 2010 à 2012 | 8,50 € **16/20**
Originaire du Rotenberg et dégorgé en novembre 2009, c'est un crémant vineux au nez de brioche et de fleurs blanches, net en bouche avec une bulle fine et une mousse compacte. Un équilibre remarquable.

DOMAINE PAUL BUECHER

15, rue Sainte-Gertrude • 68920 Wettolsheim
Tél. 03 89 80 64 73 • Fax : 03 89 80 58 62
vins@paul-buecher.com • www.paul-buecher.com
Visite : Du lundi au samedi: de 8h à 12h
et de 13h à 18h. Le dimanche: de 10h à 14h

Le domaine, créé par Paul Buecher en 1959, a connu une forte croissance en à peine deux générations, passant de six à trente-deux hectares, pour devenir l'un des plus grands domaines indépendants de la région. Le millésime 2005 est le vrai révélateur des progrès qualitatifs réalisés, en particulier sur les grands crus qui franchissent un palier. Les autres cuvées de 2007 et 2008 sont amples, avec un fruité facile à boire et des sucres résiduels maîtrisés.

ALSACE GRAND CRU BRAND PINOT GRIS 2007
Blanc Demi-sec | 2011 à 2022 | 13,20 € **16/20**
Une cuvée au nez de fruits mûrs et de vanille, ample et charnue en bouche, d'équilibre demi-sec. Bonne réussite pour un vin harmonieux qui sera parfait à table dans quelques années.

CRÉMANT D'ALSACE CHARDONNAY
Blanc Brut effervescent | 2010 à 2012 | 8,30 € **14/20**
Aromatique, au nez de fleurs blanches, franc en bouche avec de la vinosité et un dosage modéré.

MUSCAT RÉSERVE PERSONNELLE 2008
Blanc Demi-sec | 2010 à 2013 | 8 € **14/20**
Frais et aromatique, dense en bouche avec une acidité fine. Un muscat de caractère, qui supportera l'apéritif voire tout le repas.

SYLVANER 2007
Blanc | 2010 à 2013 | 4,90 € **14/20**
Mûr, sec et ample avec du gras, parfait à table. Une grande réussite.

DOMAINE ERNEST BURN

8, rue Basse • 68420 Gueberschwihr
Tél. 03 89 49 20 68 • Fax : 03 89 49 28 56
contact@domaine-burn.fr • www.domaine-burn.fr
Visite : Du lundi au samedi de 8h30 à 11h et de 13h30 à 18h, le dimanche de 15h à 18h sur rendez-vous.

Joseph et Francis Burn gèrent le domaine familial, qui comprend pour moitié une grande parcelle sur le grand cru Goldert : le Clos Saint-Imer. Les autres parcelles sur le grand cru Goldert ou juste à côté complètent la gamme des vins de cépage. Les raisins du Goldert sont récoltés à forte maturité pour obtenir des acidités mûres, donnant des cuvées riches et de grande garde. Les vins de cépage supportent cependant difficilement une telle richesse et se montrent trop sucrés.

ALSACE GRAND CRU GOLDERT CLOS SAINT-IMER GEWURZTRAMINER LA CHAPELLE 2007
Blanc Doux | 2013 à 2027 | NC **17/20**
Riche, nez de pralin et de miel avec une pointe de girofle, dense et onctueux en bouche avec une longue finale épicée. Grande garde.

ALSACE GRAND CRU GOLDERT CLOS SAINT-IMER GEWURZTRAMINER VENDANGES TARDIVES 2007
Blanc liquoreux | 2013 à 2027 | NC **18,5/20**
Ample et onctueux, doté d'une liqueur puissante avec une longue finale sur l'écorce de citron. Grande garde.

ALSACE GRAND CRU GOLDERT CLOS SAINT-IMER PINOT GRIS LA CHAPELLE 2007
Blanc Doux | 2012 à 2027 | 17 € **16/20**
Ample et profond, riche et acidulé en bouche avec un moelleux intense bien équilibré. Longue finale sur la noisette. À garder.

ALSACE GRAND CRU GOLDERT CLOS SAINT-IMER RIESLING LA CHAPELLE 2007
Blanc Demi-sec | 2014 à 2027 | NC **17/20**
Riche et acidulé, aux arômes d'agrumes confits, frais et salin en bouche avec une finale sur le pamplemousse. Un vin très bien né, à garder.

DOMAINE AGATHE BURSIN

11, rue de Soultzmatt • 68250 Westhalten
Tél. 03 89 47 04 15 • Fax : 03 89 47 04 15
agathe.bursin@wanadoo.fr
Visite : Sur rendez-vous

Agathe Bursin est revenue à Westhalten après ses études d'œnologie et a produit ses premiers vins dès l'année 2000. Depuis 2004, les millésimes sont très homogènes et de grande qualité, et les 2008 goûtés en bouteille offrent une pureté et un toucher de bouche remarquables. 2009 sera plus tendre mais en gardant la pureté des vins du domaine. L'évolution concerne le nom des vins, qui reprend désormais le terroir d'origine en complément de la mention du cépage.

ALSACE GRAND CRU ZINNKOEPFLÉ RIESLING VENDANGES TARDIVES 2008
Blanc liquoreux | 2013 à 2028 | 32 € **17,5/20**
Récolté en surmaturité, il possède la pureté aromatique des grands vins de botrytis sur des notes

d'agrumes mûrs, avec la chair et la salinité du Zinnkoepflé en bouche. Un grand vin à encaver.

LUTZELTAL GEWURZTRAMINER 2008
Blanc Demi-sec | 2010 à 2018 | 9,20 € **15,5/20**
Frais, nez de fruits à noyau, caractère épicé, demi-sec en bouche avec du gras et une bonne pureté.

SYLVANER ÉMINENCE 2008
Blanc | 2013 à 2023 | 9,60 € **16/20**
Originaire du Zinnkoepflé, c'est un vin mûr au nez de fruits jaunes avec une pointe d'amande, presque sec en bouche avec du gras et une fine salinité. Ouvert au nez avec une bouche saline légèrement douce rehaussée par une acidité fine. Très pur, à garder quelques années pour profiter de son terroir, plutôt que de le boire comme un sylvaner doux.

DOMAINE MARCEL DEISS

15, route du Vin • 68750 Bergheim
Tél. 03 89 73 63 37 • Fax : 03 89 73 32 67
marceldeiss@marceldeiss.fr • www.marceldeiss.com
Visite : Du lundi au vendredi de 8h à 12h et de 14h à 18H. Le samedi de 10h à 12h et de 14h à 18h

Jean-Michel Deiss a désormais installé sa logique de complantation de cépages pour révéler le caractère des terroirs autour de Bergheim, en recherchant la maturité physiologique parfaite des raisins pour proposer des cuvées abouties, dont l'acidité complexe exprime parfaitement les nuances de salinité de chaque cru. Avec son fils Mathieu en charge des vinifications depuis le millésime 2008, Jean-Michel peut consacrer plus de temps à promouvoir son approche, en particulier sur les accords mets et vins qui obligent le consommateur à enfin se préoccuper de l'influence du terroir, en l'absence de repère variétal. La gamme de vins de cépage continue de produire des vins francs, de haut niveau en 2008.

ALSACE GRAND CRU ALTENBERG DE BERGHEIM 2008
Blanc liquoreux | 2013 à 2038 | 58 € **19,5/20**
Un vin qui se présente jeune dans une simplicité évidente, fruité et très mûr, mais dont la bouche possède déjà les attributs des très grands vins de terroir : ampleur, minéralité et profondeur sur un style demi-sec acidulé. Très grand vin, de grande garde.

ALSACE GRAND CRU MAMBOURG 2008
Blanc | 2010 à 2028 | 59 € **18,5/20**
Retour en grande forme de ce terroir, après le millésime 2007 qui a souffert de la grêle, pour cette cuvée dense, vinifiée sec, très minérale avec une note toastée en finale qui trahit l'élevage en barrique.

ALSACE GRAND CRU SCHOENENBOURG 2008
Blanc liquoreux | 2013 à 2028 | 59 € **18,5/20**
2008 se présente fermé avec des arômes de fruits mûrs, le gypse donnant un caractère crayeux au nez. La bouche présente une salinité importante, avec une finesse de l'acidité qui le rend très digeste et absorbe le léger moelleux. À garder.

BURG 2008
Blanc | 2013 à 2028 | 33 € **18/20**
Encore fermé, nez d'orange sanguine et de fumée, dense et fruité en bouche avec de la chair. À garder pour que la minéralité s'affirme.

BURLENBERG 2007
Rouge | 2013 à 2027 | 29 € **17/20**
Complantation de pinot noir et pinot beurrot, très concentré, aromatique avec des notes de fruits noirs et de fumée. Tanins de grand qualité. De grande garde, il se bonifiera au vieillissement.

ENGELGARTEN 2008
Blanc | 2012 à 2023 | 25 € **17/20**
Très pur, doté d'une acidité franche, précis, minéralité affirmée, sec en bouche avec une longue finale sur les amers nobles.

GRASBERG 2008
Blanc Demi-sec | 2013 à 2028 | 32 € **18/20**
Récolté très mûr, le vin possède un nez élégant sur les agrumes frais, et une bouche ronde à la salinité prononcée. La longue finale termine sur des amers fins. Il se bonifiera après quelques années de garde.

GRUENSPIEL 2008
Blanc | 2013 à 2023 | 29 € **17/20**
Produit sur un terroir de marnes, le vin est droit, sec et acidulé avec des tanins qui lui donnent un caractère sec. Longue finale.

HUEBUHL 2008
Blanc liquoreux | 2012 à 2028 | 29 € **18/20**
Moelleux, doté d'une forte minéralité, gras et acidulé en bouche avec de la salinité et une légère présence tannique en finale.

RIESLING 2008
Blanc | 2010 à 2018 | 20 € **15,5/20**
Droit, au fruité jeune marqué par les agrumes, fin et salin en bouche avec une belle amertume en finale. Un riesling exemplaire, aérien et digeste.

ROTENBERG 2008
Blanc | 2012 à 2028 | 32 € **17,5/20**
Ample, très pur, nez d'agrumes, concentré et sec en bouche avec une charpente remarquable. Un vin de caractère de grande garde.

SCHOFFWEG 2008
Blanc | 2012 à 2028 | 32 € **18,5/20**
Un vin sec élevé sous bois, puissant et minéral en bouche avec une grande pureté et des tanins fins très présents. Suavité exceptionnelle, de grande garde.

DOMAINE DIRLER-CADÉ

13, rue d'Issenheim • 68500 Bergholtz
Tél. 03 89 76 91 00 • Fax : 03 89 76 85 97
dirler-cade@terre-net.fr • www.dirler-cade.com
Visite : Du lundi au samedi: de 8h à 12h et de 13 h30 à 18h. Le dimanche sur rendez-vous

L'union de Jean Dirler et Ludivine Cadé a pratiquement doublé la taille du domaine Dirler. Les quatre grands crus de Bergholtz et Guebwiller sont un bon point de départ pour comprendre la gamme, avec plusieurs cuvées disponibles qui permettent de repérer les couples cépage-terroir les plus intéressants, car la multiplication des cuvées nuit à la lisibilité de la production du domaine. 2008 gagne en précision sur 2007, avec des acidités mûres qui dévoilent de belles salinités. Les vins du Kessler sont très aboutis.

ALSACE GRAND CRU KESSLER GEWURZTRAMINER 2008
Blanc Doux | 2011 à 2028 | 16 € **18/20**
Ouvert, nez complexe d'épices et de pain d'épices, tendre et minéral en bouche avec beaucoup de finesse. Un équilibre demi-sec qui vieillira très bien en conservant son caractère épicé.

ALSACE GRAND CRU KESSLER PINOT GRIS 2008
Blanc Doux | 2012 à 2028 | 14 € **17/20**
Ample, moelleux très présent, une acidité qui jaillit littéralement en bouche. Un vin riche et tonique, qui s'accommodera d'une longue garde.

ALSACE GRAND CRU KESSLER RIESLING HEISSE WANNE 2008
Blanc | 2012 à 2028 | env 20 € **19/20**
Originaire du cœur du Kessler, c'est un vin très minéral, fin et élégant avec une forte salinité en bouche. Encore jeune au nez avec des arômes de pêche blanche et de citron, la franchise du nez est déjà exemplaire. Le millésime 2008 combine une bonne maturité du raisin avec un équilibre parfaitement sec, donnant un très grand vin du Kessler.

ALSACE GRAND CRU KITTERLÉ GEWURZTRAMINER 2008
Blanc liquoreux | 2011 à 2028 | 15 € env **17/20**
Ample et onctueux, nez fumé, finement acidulé en bouche avec une finale épicée. Un caractère presque sec.

ALSACE GRAND CRU SPIEGEL RIESLING 2008
Blanc | 2012 à 2028 | 16 € env **17/20**
Franc et aérien, au nez parfumé, sec en bouche avec du gras et une longue finale très fine. Un vin élégant et de grande garde qui accompagnera les poissons fins.

PINOT NOIR 2008
Rouge | 2010 à 2015 | 10 € **15/20**
Fin et élégant, fruité magnifique, tendre en bouche avec de la chair. Gourmand et très réussi, dans le style alsacien.

PINOT RÉSERVE 2008
Blanc | 2010 à 2014 | 6,90 € env **14,5/20**
Un vin d'équilibre sec qui possède du volume, gras et charnu en bouche avec une fine acidité. Très réussi, parfait sur la table en semaine.

SYLVANER VIEILLES VIGNES 2008
Blanc | 2010 à 2018 | 7,90 € **15/20**
Un sec parfaitement bien vinifié, qui possède du gras, de la salinité et une ampleur inhabituelle sur ce cépage. Un millésime parfaitement réussi.

DOPFF AU MOULIN

Au Moulin • 68340 Riquewihr
Tél. 03 89 49 09 69 • Fax : 03 89 47 83 61
domaines@dopff-au-moulin.fr • www.dopff-au-moulin.fr
Visite : Du lundi au dimanche de 8h à 12h et de 14h à 18h. Se renseigner pour les ouvertures en week-end de janvier à mars.

Pierre-Étienne Dopff et son fils Étienne-Arnaud sont aux commandes de la célèbre maison de négoce qui possède en propre de belles vignes sur les terroirs de Riquewihr. Si les cuvées de base restent

souvent légères, les grands crus sont accessibles jeunes. La gamme de crémants offre des vins faciles à boire. Le talentueux Pascal Batot officie en cuverie et réalise des vins faciles à boire, souples, avec des acidités mûres. Les grands crus 2008 montrent le retour en forme du domaine.

Alsace grand cru Brand gewurztraminer 2008
Blanc Doux | 2011 à 2028 | 14,85 € **17/20**
Le nez de miel et de noisette laisse place à une bouche ronde et pure, dotée d'une minéralité qui donne un équilibre presque sec. Longue finale sur le gingembre.

Alsace grand cru Schoenenbourg riesling 2008
Blanc | 2011 à 2028 | 14,10 € **17/20**
Discret au nez, le vin est dense et salin en bouche, avec une bonne pureté et du gras. Bel élevage.

Alsace grand cru Sporen gewurztraminer 2008
Blanc Doux | 2011 à 2028 | 15,65 € **17,5/20**
Mûr, nez de rose et de fruits confits avec une pointe de cuir, tendre en bouche avec un moelleux harmonieux qui apporte beaucoup de souplesse à l'équilibre.

Alsace grand cru Vorbourg gewurztraminer 2008
Blanc Doux | 2013 à 2028 | 15 € **16/20**
Surmûri, équilibre puissant, charnu et acidulé en bouche avec une bonne intégration du moelleux. À garder.

Crémant d'Alsace cuvée Julien
Blanc Brut effervescent | 2010 à 2012 | 7,80 € **14/20**
Ouvert, au nez de fruits mûrs, frais en bouche avec une mousse aérienne.

DOPFF ET IRION

1, cour du Château • 68340 Riquewihr
Tél. 03 89 49 08 98 • Fax : 03 89 47 98 90
post@dopff-irion.com • www.dopff-irion.com
Visite : Tous les jours de 10h à 18h, sur rendez-vous pour les visites guidées. Cave fermée pendant certaines périodes hivernales.

Dans cette maison de négoce historique de Riquewihr, passée sous le contrôle de la Cave de Pfaffenheim depuis plus de dix ans, les vins issus des vignes du domaine sont complétés par des achats de raisin. L'ensemble de la gamme produit des vins d'équilibre sec, marqués par la race de leurs terroirs d'origine, plus faciles à boire jeunes que par le passé. Après des 2007 réussis, petit passage à vide en 2008 que l'on espère temporaire.

gewurztraminer Vendanges Tardives 2007
Blanc liquoreux | 2011 à 2022 | 30 € **16/20**
Riche, nez de pralin et de rose, moelleux et harmonieux en bouche avec une finale épicée.

riesling Les Murailles 2008
Blanc | 2012 à 2023 | 10,70 € **15/20**
Produit à partir des vignes du domaine dont une partie sur le Schoenenbourg, c'est un vin mûr au nez d'agrumes, fin et légèrement salin en bouche, avec une petite douceur qui se fondra après quelques années de garde.

DOMAINE EBLIN-FUCHS

19, route du Vin • 68340 Zellenberg
Tél. 03 89 47 91 14 • Fax : 03 89 49 05 12
eblin-fuchs@tiscali.fr • www.eblin-fuchs.com
Visite : Du lundi au samedi de 8h à 12h et de 14h à 18h, le dimanche sur rendez-vous.

gewurztraminer Vieilles Vignes 2008
Blanc Doux | 2011 à 2018 | 10 € **15/20**
Délicat, nez de confiture de rose, ample et moelleux en bouche avec une finale longue et parfumée. À essayer sur des fromages bleus.

pinot gris Vieilles Vignes 2008
Blanc Doux | 2011 à 2018 | 9,50 € **14,5/20**
Un vin surmûri, proche d'une vendange tardive, très moelleux en bouche avec une acidité franche.

Zellenberg riesling 2008
Blanc | 2010 à 2018 | 7 € **14/20**
Net, au nez pur, dense en bouche avec du gras et une fine acidité.

DOMAINE FERNAND ENGEL

1, route du Vin • 68590 Rorschwihr
Tél. 03 89 73 77 27 • Fax : 03 89 73 63 70
domaine.engel@orange.fr • www.fernand-engel.fr
Visite : Du lundi au samedi de 8h30 à 11 h30 et de 13 h30 à 18h, le dimanche de 10h à 12h.

gewurztraminer Vendanges Tardives 2007
Blanc liquoreux | 2011 à 2027 | 20 € **16,5/20**
Nez de miel et de citron confit, ample en bouche avec une belle minéralité. La longue fin de bouche signe une vendange tardive de noble origine.

PINOT GRIS VENDANGES TARDIVES 2007
Blanc liquoreux | 2011 à 2022 | 19 € **16/20**
Nez confit, ample en bouche avec une liqueur pure. L'acidité importante conserve un caractère digeste au vin.

DOMAINE FLEITH-ESCHARD

8, lieu-dit Lange Matten • 68040 Ingersheim
Tél. 03 89 27 24 19 • Fax : 03 89 27 56 79
vins.fleith@free.fr • www.vins.fleith.over-blog.com
Visite : Du lundi au vendredi 9h à 12h
et de 14h à 18h sur rendez-vous
Fermé le week-end

Situé en majorité sur la commune d'Ingersheim, le vignoble comprend une partie sur le sol alluvial en bordure de la rivière Fecht, mais également quelques parcelles cadastrées : le Steinweg près de la rivière, le Dorfbourg derrière le grand cru Florimont, le Letzenberg au-dessus d'Ingersheim à l'est du Brand, et un peu de grand cru Furstentum. Les vins ont gagné en maturité et en salinité ces cinq dernières années.

ALSACE GRAND CRU FURSTENTUM PINOT GRIS 2008
Blanc Demi-sec | 2013 à 2028 | 20,70 € **18/20**
Ample, au fruité mûr, concentré et salin en bouche avec un moelleux bien intégré et une finale poivrée. Un grand vin qui sera parfait sur un gibier à plumes après quelques années de garde.

LETZENBERG GEWURZTRAMINER
CUVÉE DE LA CIGALE 2006
Blanc Doux | 2010 à 2016 | 16,90 € **15/20**
Profond et minéral, nez d'écorce d'orange, pur et moelleux en bouche avec une fine salinité.

MUSCAT 2008
Blanc | 2010 à 2013 | 8,90 € **14/20**
Aromatique, sec et croquant en bouche, très apéritif.

STEINWEG PINOT NOIR 2008 ☺
Rouge | 2010 à 2015 | 10,70 € **14/20**
Fruité, au profil souple, dense en bouche avec des tanins légers et mûrs. Gourmand.

DOMAINE PIERRE FRICK

5, rue de Baer • 68250 Pfaffenheim
Tél. 03 89 49 62 99 • Fax : 03 89 49 73 78
contact@pierrefrick.com • www.pierrefrick.com
Visite : Du lundi au samedi: de 8h30 à 12h
et de 13h30 à 18h.

Jean-Pierre et Chantal Frick sont des vignerons engagés depuis plus de vingt-cinq ans dans la biodynamie, avec ce caractère fortement militant mais aussi cette sagesse qui rend chaque rencontre passionnante. Disposant d'un beau patrimoine de parcelles sur le coteau argilo-calcaire au-dessus de Rouffach, le domaine est armé pour produire des vins amples et profonds. Dans la catégorie des grands vins, ne manquez pas le muscat grand cru steinert ni le pinot noir Terrasses.

ALSACE GRAND CRU STEINERT MUSCAT
VENDANGES TARDIVES 2007 ☺
Blanc Doux | 2011 à 2023 | 19,80 € **17/20**
Récolté très mûr sans botrytis, nez de raisin frais et de fleur de sureau, dense en bouche avec un moelleux discret équilibré par une bonne acidité. Très digeste et de grande garde.

ALSACE GRAND CRU VORBOURG PINOT GRIS
VENDANGES TARDIVES 2008
Blanc liquoreux | 2013 à 2028 | 19,50 € **16/20**
Riche, nez de noisette et de fruits rouges, pur et moelleux en bouche avec une bonne acidité.

BIHL SYLVANER 2007 ☺
Blanc | 2010 à 2014 | 7,20 € **14,5/20**
Délicieux, nez de fruits mûrs, pur et techniquement sec en bouche avec une forte salinité.

CRÉMANT D'ALSACE EXTRA-BRUT 2007
Blanc Brut eff. | 2010 à 2012 | 8,60 € **14,5/20**
Un non-dosé franc en bouche, avec une bulle vivace et de la fraîcheur en finale. Sec et tonique, parfait à l'apéritif.

ROMAIN FRITSCH

49, rue du Général-de-Gaulle • 67520 Marlenheim
Tél. 03 88 87 51 23 • Fax : 03 88 87 59 44
domaine.friro@wanadoo.fr
Visite : De 8h à 19h en semaine et samedis et dimanches le matin.

Romain Fritsch dispose d'un remarquable patrimoine de vignes, la quasi-totalité étant située sur le futur grand cru Steinklotz, et plantées pour certaines à faible densité et taillées en lyre. Si la gamme est assez hétérogène, le pinot noir comme les autres

vins du Steinklotz se distinguent régulièrement, avec de bonnes capacités de garde. En 2009, le steinklotz rouge s'annonce grand.

PINOT NOIR ROUGE DE MARLENHEIM TRADITION 2006
Rouge | 2010 à 2012 | 7,20 € **14,5/20**
Le nez de fruits très mûrs voire compotés laisse place à une bouche suave, ample avec une bonne profondeur. À boire.

PINOT NOIR ROUGE DE MARLENHEIM TRADITION 2004
Rouge | 2010 à 2014 | 7,20 € **14,5/20**
Nez de fruits mûrs, pur en bouche avec de l'ampleur. Un style moyennement corsé et bien vinifié, qui vieillira bien.

DOMAINE HENRY FUCHS

8, rue du 3-Décembre • 68150 Ribeauvillé
Tél. 03 89 73 61 70 • +33 (0)3 89 73 39 18
hfuchs@terre-net.fr • www.fuchs-henri-et-fils.fr
Visite : Du lundi au vendredi de 10h à 12h et de 14h à 18h (préférable de prendre rendez-vous).
Le dimanche sur rendez-vous

PINOT BLANC AUXERROIS 2007
Blanc | 2010 à 2014 | 5,20 € **14,5/20**
Équilibre sec, ample, avec du gras et une fine salinité.

RIESLING TRADITION 2008
Blanc | 2010 à 2018 | 5,90 € **14,5/20**
Fruité et acidulé, au nez d'agrumes, franc en bouche avec de la chair et une acidité fine.

SYLVANER VIEILLES VIGNES 2008
Blanc | 2010 à 2012 | 4,30 € **14/20**
Sec, avec du fond, gras en bouche, avec une acidité très présente.

PAUL GASCHY

16, Grand'Rue • 68420 Eguisheim
Tél. 03 89 41 67 34 • Fax : 03 89 24 33 12
info@vins-paul-gaschy.fr • www.vins-paul-gaschy.fr
Visite : Du lundi au samedi sur rendez-vous.

Bernard Gaschy est désormais épaulé par son fils Hervé, qui suit les vinifications depuis 2000. Le domaine continue son évolution tant dans les vignes, avec le labour des sols, qu'en cave, avec des élevages sur lies adaptés aux terroirs calcaires autour d'Eguisheim. La nouvelle cuverie installée en 2003 et le pressurage pneumatique depuis 1999 permettent de produire des vins nets de grande pureté. 2005 marque un tournant dans la concentration et l'équilibre des vins et, si la qualité progresse, les prix restent sages. Après des 2007 plus légers, 2008 retrouve un équilibre plus franc.

ALSACE GRAND CRU HENGST PINOT GRIS 2008
Blanc Demi-sec | 2012 à 2023 | 11 € **17/20**
Produit par des vieilles vignes, c'est un vin ample et onctueux qui possède une bonne minéralité, légèrement doux en bouche avec une finale acidulée de bonne longueur.

ALSACE GRAND CRU PFERSIGBERG GEWURZTRAMINER 2008
Blanc Doux | 2011 à 2023 | 11,50 € **16/20**
Élégant, nez de miel et de fruits confits, ample et minéral en bouche avec un moelleux bien intégré. L'acidité fait ressortir agréablement la salinité du vin, le temps lui donnera l'harmonie nécessaire pour être parfait à table.

GEWURZTRAMINER 2008
Blanc Demi-sec | 2010 à 2018 | 6 € **14/20**
Élégant, nez épicé, léger et harmonieux en bouche avec un moelleux discret. Parfait à table sur une cuisine épicée.

PINOT NOIR VIEILLI EN FÛT DE CHÊNE 2005
Rouge | 2011 à 2020 | 15 € **14,5/20**
Élevé sous bois, mûr et corsé, ample en bouche avec des tanins encore un peu fermes. À boire sans se presser.

FRÉDÉRIC GESCHICKT

1, place de la Sinne • 68770 Ammerschwihr
Tél. 03 89 47 12 54 • Fax : 03 89 47 12 54
vignoble@geschickt.fr • www.geschickt.fr
Visite : Du lundi au samedi: de 8h à 12h et de 14h à 18h.

ALSACE GRAND CRU KAEFFERKOPF 2008
Blanc | 2011 à 2023 | 12 € **16,5/20**
Assemblage d'une majorité de gewurztraminer, avec du pinot gris et du riesling, c'est un vin élégant au nez complexe, ample et gras en bouche avec de la salinité et une très légère douceur.

ALSACE GRAND CRU KAEFFERKOPF RIESLING 2007
Blanc | 2010 à 2022 | 12 € **16/20**
Net, au nez floral, dense en bouche avec du gras et une fine salinité qui allonge la finale.

DOMAINE PAUL GINGLINGER

8, place Charles-de-Gaulle • 68420 Eguisheim
Tél. 03 89 41 44 25 • Fax : 03 89 24 94 88
info@paul-ginglinger.fr • www.paul-ginglinger.fr
Visite : Du lundi au vendredi de 8h à 11h30
et de 13h30 à 18h30. Samedi et dimanche matin sur rendez-vous.

Diplômé d'œnologie, avec une expérience formatrice à l'étranger, Michel Ginglinger met en avant la typicité des terroirs calcaires autour d'Eguisheim, recherchant l'expression la plus juste des vins, c'est-à-dire droite et équilibrée. Les millésimes 2007 et 2008 ont produit des vins francs et très purs, avec des grands crus qui vieilliront bien. Leurs prix sages en font des bouteilles à encaver par six.

ALSACE GRAND CRU EICHBERG GEWURZTRAMINER 2008
Blanc Doux | 2012 à 2028 | 14 € **17/20**
Fin, nez épicé, suave et moelleux en bouche avec de la pureté et une bonne longueur.

ALSACE GRAND CRU PFERSIGBERG RIESLING 2008
Blanc | 2011 à 2028 | 13 € **17/20**
Ouvert, marqué par les agrumes frais au nez, dense et charnu en bouche avec une forte minéralité. À boire jeune sur des fruits de mer ou à garder longtemps.

MUSCAT CUVÉE CAROLINE 2008
Blanc | 2010 à 2015 | 8 € **14/20**
Aromatique, sur la fleur d'oranger, frais et sec en bouche, avec un équilibre droit et croquant.

RIESLING DREI EXA 2008
Blanc | 2010 à 2018 | 8 € **15,5/20**
Concentré, sec et gras en bouche, avec de la fraîcheur et une fine salinité. Très réussi.

DOMAINE GINGLINGER-FIX

38, rue Roger-Frémeaux • 68420 Voegtlinshoffen
Tél. 03 89 49 30 75 • Fax : 03 89 49 29 98
info@ginglinger-fix.fr • www.ginglinger-fix.fr
Visite : Du lundi au vendredi de 8h à 11h30
et de 13h30 à 18h30.
Samedi et dimanche matin sur rendez-vous.

Après son diplôme d'œnologue et plusieurs stages à l'étranger, Éliane Ginglinger a rejoint le domaine familial à la fin des années 1990 et s'occupe plus particulièrement des vinifications. Les terroir argilo-calcaires autour de Voegtlinshoffen permettent de produire des vins amples, même dans la gamme qui n'a de générique que le nom. Profitez des prix sages et ne tardez pas pour acheter quelques rares grands crus.

ALSACE GRAND CRU GOLDERT RIESLING 2008
Blanc | 2011 à 2023 | 10,80 € **16/20**
Nez floral encore discret, dense et minéral en bouche avec une fine salinité. Bien né, c'est un vin qui vieillira bien.

ALSACE GRAND CRU HATSCHBOURG GEWURZTRAMINER 2008
Blanc Demi-sec | 2012 à 2022 | 10,80 € **17/20**
Nez fruité très onctueux, avec une note épicée, riche et sapide en bouche, avec un moelleux léger bien intégré. L'acidité très présente en fin de bouche apporte de la finesse. Un vin gastronomique à faire vieillir en cave.

MUSCAT 2008
Blanc | 2010 à 2013 | 6,20 € **15/20**
Originaire en partie du Hatschbourg et vinifié sec, c'est un muscat aromatique, croquant et avec de la profondeur. Parfait à l'apéritif ou sur le repas.

SYLVANER 2008
Blanc | 2010 à 2013 | 5,30 € **15/20**
Très parfumé, ample et charnu avec du gras. Magnifique vin techniquement sec, ouvert et plaisant.

DOMAINE RÉMY GRESSER

2, rue de l'École • 67140 Andlau
Tél. 03 88 08 95 88 • Fax : 03 88 08 55 99
domaine@gresser.fr • www.gresser.fr
Visite : Du lundi au samedi de 10h à 12h et de 14h30 à 18h30 sauf dimanche et jours fériés.

Installé à Andlau sur une grande variété de terroirs autour du village, Rémy Gresser exploite des vignes sur les trois grands crus d'Andlau. Le domaine met en pratique les principes de la viticulture biodynamique depuis 2003, et est officiellement en conversion depuis 2007. 2007 et 2008 permettent d'apprécier les progrès dans l'équilibre minéral des vins.

ALSACE GRAND CRU KASTELBERG RIESLING 2007
Blanc | 2013 à 2027 | 19 € **17/20**
Racé, dense en bouche avec du gras et une présence tannique typique du cru. Un vin de garde qu'il faudra savoir attendre.

ALSACE GRAND CRU WIEBELSBERG
PINOT GRIS 2008
Blanc | 2010 à 2023 | 16 € **17/20**
Rare pinot gris produit sur un grand cru majoritairement planté de riesling, cette cuvée 2008 montre que le cépage peut avoir de l'intérêt ici s'il est vinifié quasi sec, car il permet la mise en valeur de la fine salinité du terroir, sur un équilibre légèrement plus gras que le riesling. Le 2008 est particulièrement réussi avec une grande pureté.

ALSACE GRAND CRU WIEBELSBERG RIESLING 2007
Blanc | 2012 à 2022 | 15 € **16/20**
Riche et de grande finesse, salin en bouche avec une légère amertume en finale. Un vin de gastronomie fine.

PINOT BLANC SAINT-ANDRÉ 2008 ☺
Blanc | 2010 à 2014 | 9 € **14,5/20**
Sec et très pur, avec du gras, finement acidulé en bouche, de la chair, savoureux.

DOMAINE JEAN-MARIE HAAG

17, rue des Chèvres • 68570 Soultzmatt
Tél. 03 89 47 02 38 • Fax : 03 89 47 64 79
jean-marie.haag@wanadoo.fr • www.domaine-haag.fr
Visite : Du lundi au vendredi: de 10h à 12h et de 14h à 19h. Le samedi: de 10h à 12h et de 14h à 18h. Le dimanche sur rendez-vous.

Jean-Marie et Myriam Haag exploitent depuis bientôt vingt ans des terroirs idéalement situés sur le grand cru zinnkoepflé mais aussi tout autour dans la vallée noble, en particulier sur les parcelles plus gréseuses. Les derniers millésimes sont réussis et de caractère sensiblement plus sec qu'avant, avec des liquoreux de grande puissance lorsque le botrytis s'installe.

ALSACE GRAND CRU ZINNKOEPFLÉ
GEWURZTRAMINER VENDANGES TARDIVES 2008
Blanc liquoreux | 2015 à 2028 | 25 € **17,5/20**
Concentré, encore fermé au nez, très dense en bouche avec une bonne minéralité et une longue finale. Grande garde.

PINOT BLANC 2008
Blanc | 2010 à 2014 | 6,20 € **14/20**
Franc et aromatique, droit en bouche, avec du fruit. Sec et croquant comme tous les pinots blancs devraient être.

PINOT NOIR CLOS BAUMHAUER 2005
Rouge | 2010 à 2020 | 14 € **15/20**
Élevé 18 mois en demi-muids neufs, c'est un pinot noir corsé au nez de fruits noirs avec une note toastée, ample en bouche avec une matière riche et des tanins encore légèrement secs à ce stade.

RIESLING VALLÉE NOBLE 2008 ☺
Blanc | 2010 à 2018 | 7,50 € **15/20**
Fruité et pulpeux, avec du gras et une fine salinité en bouche.

DOMAINE HAEGI

33, rue de la Montagne • 67140 Mittelbergheim
Tél. 03 88 08 95 80 • Fax : 03 88 08 91 20
info@haegi.fr • www.haegi.fr
Visite : Du lundi au samedi: de 9h à 12h et de 13h à 18h. Le dimanche sur rendez-vous.

ALSACE MITTELBERGHEIM SYLVANER 2008 ☺
Blanc | 2010 à 2014 | 4,20 € **14,5/20**
Sec, nez de fleurs blanches, avec du fruit et du gras, et une fine acidité qui le rend délicieux à l'apéritif ou à table.

ALSACE GRAND CRU ZOTZENBERG RIESLING 2008
Blanc | 2011 à 2023 | 8,10 € **16/20**
Parfumé, au nez de pierre à fusil, ample et minéral en bouche avec une fine salinité qui se prolonge par de beaux amers en finale.

ALSACE GRAND CRU ZOTZENBERG SYLVANER 2008
Blanc Demi-sec | 2012 à 2028 | 9,90 € **16,5/20**
Mûr, au nez de fleurs et de fruits compotés, ample et profond en bouche avec une légère douceur qui se fondra avec le temps. Un grand vin de terroir, de garde.

BRANDLUFT RIESLING 2007 ☺
Blanc | 2011 à 2022 | 6,10 € **15,5/20**
Un riesling sec de grand terroir, fin et salin en bouche, avec des notes de pamplemousse et des amers présents en finale. Racé, il vieillira bien.

GEWURZTRAMINER VENDANGES TARDIVES 2007 ☺
Blanc liquoreux | 2012 à 2027 | 18,90 € **17/20**
Le nez de fruits confits et de pierre à fusil est ouvert, la bouche est droite et minérale avec un moelleux bien intégré. Un vin de terroir à garder et servir sur une cuisine riche et épicée.

RIESLING VENDANGES TARDIVES 2007

Blanc Doux | 2010 à 2022 | 19,90 € **16/20**

Riche et très pur, nez d'agrumes confits, moelleux en bouche avec une fine acidité et une finale sur l'écorce de pamplemousse. À boire sur son fruit ou à garder pour que le bouquet gagne en complexité.

CHRISTIAN ET VÉRONIQUE HEBINGER

14, Grand Rue • 68420 Eguisheim
Tél. 03 89 41 19 90 • Fax : 03 89 41 15 61
hebinger.christian@wanadoo.fr
Visite : Du lundi au samedi de 8h à 12h et de 14h à 18h.

Christian et Véronique ont repris l'exploitation familiale en 1984, et ont apposé leurs prénoms sur les étiquettes depuis 2001. L'évolution du travail dans les vignes est passée par la lutte raisonnée avec la certification Tyflo en 2002, puis le domaine est en conversion bio depuis 2006. Les vins profitent de la dominante de terrains argilo-calcaires autour d'Eguisheim, et possèdent de l'ampleur et une bonne pureté. Ce sont des vins de garde par excellence.

ALSACE GRAND CRU EICHBERG GEWURZTRAMINER 2008

Blanc Demi-sec | 2012 à 2028 | 10,30 € **16/20**

Riche, grande pureté, onctueux en bouche avec de la profondeur et une finale épicée.

ALSACE GRAND CRU PFERSIGBERG GEWURZTRAMINER 2008

Blanc Demi-sec | 2011 à 2023 | 10,50 € env **17/20**

Un pfersigberg puissant et délicat, au nez de vanille et de fruits à chair blanche, minéral en bouche avec de la profondeur et un moelleux parfaitement bien intégré. Grande réussite.

CRÉMANT D'ALSACE

Blanc Brut effervescent | 2010 à 2012 | 6,30 € **14/20**

Fruité net, élégant en bouche avec une mousse légère. Bonne persistance, facile à boire.

GEWURZTRAMINER CUVÉE SPÉCIALE 2008

Blanc Doux | 2010 à 2015 | 6,40 € **14/20**

Léger, nez de rose, doux en bouche avec une finale épicée.

MAURICE HECKMANN

72, rue Principale • 67310 Dahlenheim
Tél. 03 88 50 67 25 • Fax : 03 88 50 61 89
maurice.heckmann@wanadoo.fr
www.vinsheckmann.com
Visite : Du lundi au samedi 9h à 12h et de 14h à 18h.
Le dimanche sur rendez-vous

ALSACE GRAND CRU ENGELBERG RIESLING 2007

Blanc | 2011 à 2017 | 8,50 € **15,5/20**

Un nez de fleur d'acacia et une bouche élégante signent un vin ample et profond, déjà équilibré.

GEWURZTRAMINER VENDANGES TARDIVES 2007

Blanc liquoreux | 2011 à 2022 | 13 € **15,5/20**

Encore discret au nez, profond en bouche avec une liqueur puissante qui laisse apparaître un rôti de qualité. Bon potentiel de garde.

RIESLING VIEILLES VIGNES 2007

Blanc Doux | 2010 à 2017 | 7 € **15/20**

Sélection sur une vigne plantée en 1946 dans le Finkenberg, le vin est récolté en surmaturité et présente des arômes d'agrumes confits, avec un moelleux sensible en bouche. Délicieux.

DOMAINE HÉRING

6, rue du Docteur-Sultzer • 67140 Barr
Tél. 03 88 08 90 07 • Fax : 03 88 08 08 54
jdhering@wanadoo.fr • www.vins-hering.com
Visite : Du lundi au vendredi de 8h30 à 12h
et de 14h à 18h.

Propriétaire d'une partie significative du grand cru Kirchberg de Barr, le domaine possède en particulier une parcelle importante dans le Clos Gaensbroennel au cœur même de ce grand cru, produisant de grands vins de garde. Ne pas manquer la superbe salle de dégustation au pied du grand cru, et les délicieuses cuvées produites sur le Clos de la Folie Marco.

ALSACE GRAND CRU KIRCHBERG DE BARR GEWURZTRAMINER CLOS GAENSBROENNEL 2008

Blanc Doux | 2011 à 2028 | 16 € **19/20**

Les épices douces marquent un nez fin déjà complexe, la bouche est élégante, saline avec un moelleux fin bien intégré et une finale sur le girofle. L'équilibre charnu rend le vin magistral, de grande garde.

ALSACE GRAND CRU KIRCHBERG DE BARR RIESLING CUVÉE ÉMILE GUSTAVE 2005
Blanc Demi-sec | 2010 à 2020 | 16 € **16,5/20**
Récolté en surmaturité, c'est un vin aromatique au nez de miel et de fumée, onctueux et charnu en bouche avec une légère douceur.

PINOT BLANC LES COTEAUX 2009
Blanc | 2010 à 2014 | 5,80 € **14/20**
Ample, nez de fruits à chair blanche, dense en bouche avec du gras. Un vin de fruit, très printanier.

SYLVANER CLOS DE LA FOLIE MARCO 2009
Blanc | 2010 à 2019 | 6,20 € **15/20**
Ample, nez de fruits mûrs, dense en bouche, avec du gras. Il accompagnera une cuisine riche et vieillira bien.

DOMAINE HUBER ET BLÉGER

6, route des Vins • 68590 Saint-Hippolyte
Tél. 03 89 73 01 12 • Fax : 03 89 73 00 81
domaine@huber-bleger.fr • www.huber-bleger.fr
Visite : Du lundi au samedi de 8h à 12h et de 14h à 18h. Fermé les dimanches et jours fériés.

CRÉMANT D'ALSACE
Blanc Brut effervescent | 2010 à 2012 | 6,90 € **14/20**
Franc, au nez net de fruits acidulés, tendre en bouche avec une bulle aérienne.

MUSCAT 2008 ☺
Blanc | 2010 à 2012 | 6,20 € **14/20**
Plaisant, fruité mûr, croquant en bouche avec de la chair. Très apéritif.

HUGEL ET FILS

3, rue de la Première-Armée - BP 32
68340 Riquewihr
Tél. 03 89 47 92 15 • Fax : 03 89 49 00 10
info@hugel.com • www.hugel.fr

La gamme à la célèbre étiquette jaune est structurée en trois niveaux (Hugel, Tradition et Jubilée), les deux premiers issus en grande partie d'achat de raisins et proposant des vins droits, secs et nets. La gamme Jubilée est issue des grands terroirs du domaine, sans pour autant revendiquer leurs appellations grand cru respectives. Les vendanges tardives et sélections de grains nobles sont disponibles en bonne quantité dans plusieurs cépages et millésimes, montrant le savoir-faire du domaine dans les vins de pourriture noble.

GENTIL HUGEL 2008
Blanc | 2010 à 2013 | 8,98 € **14,5/20**
Franc et doté d'une acidité nette, dense et sec, avec du croquant. Un parfait compagnon de table.

GEWURZTRAMINER SÉLECTION DE GRAINS NOBLES 2008
Blanc Liquoreux | 2013 à 2038 | 90 € env **19/20**
Une cuvée liquoreuse d'une puissance phénoménale, la finesse des notes florales du nez faisant écho au pralin et au miel en bouche. Profond et long, ce sera un vin de grande garde.

GEWURZTRAMINER TRADITION 2008
Blanc Demi-sec | 2010 à 2018 | env 16 € **15,5/20**
Une cuvée déjà ouverte, au nez floral, ample en bouche avec du gras et de la profondeur.

GEWURZTRAMINER VENDANGES TARDIVES 2008
Blanc liquoreux | 2011 à 2028 | env 40 € **18/20**
Aromatique, marqué par le caractère floral du cépage, profond et fruité en bouche avec un moelleux déjà harmonieux. Grande garde.

PINOT GRIS SÉLECTION DE GRAINS NOBLES 2008
Blanc Liquoreux | 2011 à 2038 | env 90 € **19/20**
Un liquoreux d'anthologie, au nez précis de miel et de fruits confits, riche en bouche avec une liqueur d'une grande finesse. Il rejoindra les grands liquoreux de la région.

PINOT GRIS TRADITION 2008 ☺
Blanc | 2010 à 2018 | env 15 € **14,5/20**
Sec, au nez de froment, fruité en bouche, avec du gras. Très agréable à table.

PINOT NOIR JUBILÉE 2008
Rouge | 2012 à 2023 | env 22 € **16/20**
2008 a produit une cuvée élégante au fruité intense, dense en bouche avec de la chair et un boisé bien intégré. De garde, corsé.

RIESLING JUBILÉE 2005
Blanc | 2010 à 2025 | 26,34 € **17,5/20**
Un grand Jubilée à point, qui offre une palette aromatique complexe marquée par la surmaturité : écorce d'orange, miel et fumée annoncent une bouche dense, sèche avec de la minéralité. À boire ou garder encore longtemps.

CAVE VINICOLE DE HUNAWIHR

48, route de Ribeauvillé - B.P. 10016
68150 Hunawihr
Tél. 03 89 73 61 67 • Fax : 03 89 73 33 95
info@cave-hunawihr.com • www.cave-hunawihr.com

Avec de beaux terroirs à dominante calcaire sur les communes de Ribeauvillé, Hunawihr et Riquewihr, cette cave a progressé avec l'arrivée, en 2004, de l'œnologue Nicolas Garde. Il faudra cependant faire le dos rond sur le millésime 2006, qui a produit trop de cuvées génériques marquées par des notes de sous-bois, et sauter directement sur les grands crus 2007 très réussis et à l'excellent rapport qualité-prix. Gewurztraminers et pinots gris sont encore riches et très moelleux, mais les vins supporteront une grande garde, donc n'hésitez pas à les laisser vieillir. La cave n'a pas présenté d'échantillons en 2010.

ARMAND HURST

8, rue de la Chapelle • 68230 Turckheim
Tél. 03 89 27 40 22 • Fax : 03 89 27 47 67
vinsahurst@wanadoo.fr
Visite : Sur rendez-vous.

ALSACE GRAND CRU BRAND GEWURZTRAMINER CUVÉE ANGÉLIQUE 2007
Blanc | 2010 à 2022 | 14,20 € **16/20**
Le nez agréable de fleurs et de pêche blanche est dominé par le Brand, seule la bouche légèrement moelleuse et saline conserve un caractère épicé qui rappelle le cépage. Belle expression.

ALSACE GRAND CRU BRAND MUSCAT CUVÉE AURÉLIE 2008
Blanc | 2012 à 2028 | 13 € **16/20**
Un brand fin et élégant aux accents de raisin frais, droit en bouche avec une bonne acidité. De grande garde.

ALSACE GRAND CRU BRAND RIESLING CUVÉE NUMÉROTÉE 2008
Blanc | 2010 à 2023 | 11,20 € **16/20**
Fruité net, très sec en bouche, avec une fine salinité qui le rend déjà accessible jeune.

ALSACE GRAND CRU BRAND RIESLING S 2008
Blanc | 2012 à 2028 | 13,20 € **17/20**
Originaire du Schneckelsbourg, c'est un vin élégant au nez de fleurs blanches, techniquement sec et très pur en bouche avec une finale saline.

ALSACE GRAND CRU BRAND RIESLING VIEILLES VIGNES 2008
Blanc | 2012 à 2023 | 13,20 € **16,5/20**
Assemblage de deux parcelles sur les lieux-dit Kirchtal et le dessus de Brand, le vin se montre plus fumé que ses confrères, ample et gras en bouche avec une fine amertume en finale.

PINOT NOIR VIEILLES VIGNES 2008
Rouge | 2010 à 2018 | 10,70 € **14,5/20**
Originaire d'une vigne sur le Brand, c'est un rouge corsé au nez de fumée et de fruits noirs, dense en bouche avec des tanins mûrs bien intégrés.

JOSMEYER

76, rue Clemenceau • 68920 Wintzenheim
Tél. 03 89 27 91 90 • Fax : 03 89 27 91 99
domaine@josmeyer.com • www.josmeyer.com
Visite : Du lundi au vendredi : 9h-12h et 14h-18h
Samedi : 9h-12h.

On ne présente plus le domaine, présidé par Jean Meyer et géré par Christophe Erhart. Sa notoriété internationale a été développée et entretenue par des vins très digestes, fins, gras et sans sucres résiduels inutiles. Le millésime 2008 a produit des vins magnifiques de précision avec des grands pinots gris, et 2009, premier millésime vinifié par Isabelle Meyer, se montre prometteur avec une maturité bien gérée.

ALSACE GRAND CRU BRAND PINOT GRIS 2008
Blanc | 2012 à 2023 | 28,50 € **18/20**
Le Brand imprime sa trame ample et florale sur ce pinot gris d'équilibre quasi sec, dense en bouche avec une fine acidité qui se dévoile en finale. Un grand vin de garde.

ALSACE GRAND CRU HENGST GEWURZTRAMINER 2008
Blanc liquoreux | 2013 à 2028 | 28,50 € **18,5/20**
Puissant, nez épicé, profond en bouche avec une trame minérale impressionnante. Il se bonifiera au vieillissement.

ALSACE GRAND CRU HENGST PINOT GRIS 2008
Blanc | 2012 à 2028 | 28,50 € **18,5/20**
Ample et profond, au nez de fruits mûrs avec une pointe de vanille, très pur en bouche et légèrement moelleux avec une fine salinité en finale.

ALSACE GRAND CRU HENGST RIESLING SAMAIN 2008
Blanc | 2013 à 2028 | 35 € **19/20**
Récolté à parfaite maturité, c'est un vin ample et complet, sec et profond en bouche avec une lon-

que finale. À garder pour qu'il se révèle complètement.

PINOT AUXERROISH VIEILLES VIGNES 2008
Blanc | 2012 à 2028 | 16,50 € **16,5/20**
Déjà ouvert avec un nez de fruits à noyau, dense et acidulé, avec une fine salinité. Un vin du Hengst de grande garde.

PINOT BLANC MISE DU PRINTEMPS 2009
Blanc | 2010 à 2013 | 9,30 € **14,5/20**
Goûté après la mise en bouteille, c'est un vin franc au fruité mûr, ample en bouche avec une bonne pureté. À boire jeune.

PINOT GRIS 1854 FONDATION 2008
Blanc | 2011 à 2023 | 22,90 € **16,5/20**
Équilibre sec, très dense en bouche, franc et acidulé avec une bonne densité et du gras. Un superbe vin dans la tradition des grands pinots gris secs, à essayer sur un ris de veau en croûte de noisette.

PINOT GRIS LE FROMENTEAU 2008
Blanc | 2010 à 2018 | 14,20 € **15,5/20**
Ouvert, nez de noisette et de miel, sec en bouche avec une belle fraîcheur qui lui donne beaucoup de sapidité. Délicieux à table dès à présent.

RIESLING LES PIERRETS 2008
Blanc | 2013 à 2023 | 19,40 € **16/20**
Encore fermé au nez, c'est un vin dense en bouche, avec du gras et une fine acidité qui allège l'équilibre. À garder.

CAVE VINICOLE DE KIENTZHEIM-KAYSERSBERG

10, rue des Vieux Moulins • 68240 Kientzheim
Tél. 03 89 47 13 19 • Fax : 03 89 47 34 38
cave-kaysersberg@vinsalsace-kaysersberg.com • www.vinsalsace-kaysersberg.com
Visite : Caveau de Kienzheim: du lundi au samedi de 9h à 12h et de 14h à 18h; les dimanches et jours fériés de 10h à 12h et de 14h à 18h
Caveau de Kaysersberg: du lundi au samedi de 10h à 12h et de 14h à 19h

ALSACE GRAND CRU FURSTENTUM PINOT GRIS 2008
Blanc Doux | 2010 à 2015 | 10,10 € **16/20**
Élégant, nez de miel et de noisette, moelleux en bouche avec du corps et une finale minérale. Cet équilibre moelleux le réserve à une cuisine riche, voire au dessert.

CRÉMANT D'ALSACE L'EXCEPTION
Blanc Brut effervescent | 2010 à 2013 | 11 € **14,5/20**
Élégant, nez de fruits mûrs avec une pointe de noisette, vineux en bouche avec une bulle fine.

PINOT NOIR CUVÉE EXCEPTION 2008
Rouge | 2013 à 2023 | 15 € **14,5/20**
Boisé toasté très présent, riche mais doté d'une belle finesse, avec un fruité mûr et de la fraîcheur. À garder quelques années pour que le boisé se fonde.

DOMAINE ANDRÉ KIENTZLER

50, route de Bergheim • 68150 Ribeauvillé
Tél. 03 89 73 67 10 • Fax : 03 89 73 35 81
domaine@vinskientzler.com
Visite : Du lundi au samedi sur rendez-vous

André Kientzler a une idée très précise du grand vin. Droit et sec, en restant dans un registre gras, avec de la pureté et une bonne concentration pour permettre au terroir de s'exprimer. Geisberg, Osterberg et Kirchberg de Ribeauvillé produisent des grands crus taillés pour la garde. Les variations de bouteilles rencontrées depuis l'année dernière sur les millésimes 2007 et 2005 incitent cependant à la prudence dans l'appréciation des vins lors des dégustations. Nous espérons que le domaine pourra remédier à ce problème rapidement pour que les cuvées gagnent en homogénéité.

ALSACE GRAND CRU GEISBERG RIESLING VENDANGES TARDIVES 2007
Blanc liquoreux | 2013 à 2027 | 31 € **18,5/20**
Quelques parcelles récoltées plus tardivement ont donné un vin riche, ample et finement acidulé, qui possède de la profondeur en bouche. À garder impérativement pour que l'ensemble se fonde.

ALSACE GRAND CRU OSTERBERG GEWURZTRAMINER 2008
Blanc Demi-sec | 2011 à 2028 | 18 € **17,5/20**
Mûr, il possède l'élégance de l'Osterberg sur un équilibre fruité légèrement moelleux, tendu par la minéralité du cru. De grande garde et très gastronomique.

ALSACE GRAND CRU OSTERBERG RIESLING 2008
Blanc | 2012 à 2028 | 18 € **16,5/20**
2008 a amplifié la droiture de ce vin construit autour d'une belle acidité, au fruité encore austère qui nécessitera quelques années de garde.

CHASSELAS 2008
Blanc | 2010 à 2013 **14,5/20**
Un beau chasselas floral et croquant, qui bénéficie en 2008 de l'acidité du millésime.

MUSCAT 2008
Blanc | 2010 à 2014 | 8,20 € **15/20**
Aromatique, sec et croquant sans manquer de concentration.

RIESLING CUVÉE FRANÇOIS ALPHONSE 2008
Blanc | 2011 à 2023 | 19 € **17,5/20**
Issu de vignes sélectionnées sur les grands crus Osterberg et Geisberg, c'est un vin ample et charnu, très salin en bouche avec une longue finale.

RIESLING RÉSERVE PARTICULIÈRE 2008
Blanc | 2010 à 2018 | 11,50 € **15,5/20**
Fruité franc, acidulé et fin en bouche avec une finale saline.

DOMAINE KIRMANN

6, rue des Alliés • 67680 Epfig
Tél. 03 88 85 59 07 • Fax : 03 88 85 56 41
domaine@kirmann.com • www.kirmann.com
Visite : Tous les jours de 10h à 15h et de 17h à 21h sauf le lundi.

Olivier Kirmann est aux commandes du domaine familial et gère le restaurant du même nom, en marge de l'exploitation. L'agriculture raisonnée et une maîtrise sévère des rendements permettent la production de vins francs, purs et secs, parfaits compagnons de table. À défaut de grands crus, la gamme des vins comprend des cuvées vieilles-vignes qui gagnent en densité, dont des gewurztraminers en majorité sur le lieu-dit Fronholtz d'Epfig. Toutes les cuvées sont proposées à des prix raisonnables, en particulier les vins moelleux qui méritent d'être goûtés.

GEWURZTRAMINER VENDANGES TARDIVES 2007
Blanc liquoreux | 2010 à 2017 | 14 € **16/20**
Originaire d'un tri sur les vignes du Fronholz, c'est un vin élégant, pur et fruité avec un moelleux autour des fruits exotiques. Délicieux à boire dès à présent.

MUSCAT 2008
Blanc | 2010 à 2012 | 5,50 € **14/20**
Sec et croquant, c'est un vin parfumé, très apéritif.

PINOT NOIR ROUGE D'EPFIG BARRIQUE 2007
Rouge | 2010 à 2015 | 9,60 € **14/20**
Fruité et légèrement toasté au nez, un rouge vineux avec des tanins fins présents en finale.

SYLVANER 2007
Blanc | 2010 à 2013 | 5,50 € **14/20**
Sec et fruité, belle pureté en bouche. Parfait compagnon de table.

DOMAINE KLEE FRÈRES

18, Grand-Rue • 68230 Katzenthal
Tél. 03 89 47 17 90
info@klee-freres.com • www.klee-freres.com
Visite : Du lundi au samedi sur rendez-vous.

La fratrie Klee a repris le domaine du boulanger, avec l'œnologue Francis en charge des vinifications. Les vins sont francs, avec de bonnes concentrations et des acidités toujours très droites complétées par un équilibre gras. Le domaine brille par la régularité de ses cuvées quel que soit le millésime et les prix restent très sages.

ALSACE GRAND CRU KAEFFERKOPF RIESLING 2008
Blanc | 2011 à 2015 | 8 € **15/20**
Un millésime idéal pour ce terroir qui a produit un vin tendu, acidulé et salin en bouche avec une finale agréable sur les agrumes mûrs.

HINTERBURG PINOT GRIS 2008
Blanc Demi-sec | 2010 à 2014 | 6,80 € **14,5/20**
Nez de noisette et de coing, ample en bouche avec un moelleux modéré et une belle acidité. Un bel équilibre qui permet déjà d'accompagner des plats à table.

PFOELLER GEWURZTRAMINER 2008
Blanc Doux | 2010 à 2014 | 8 € **15/20**
Ample, nez de fruits exotiques, moelleux équilibré, l'acidité donne un équilibre inhabituellement frais en bouche.

PINOT NOIR ROUGE D'ALSACE 2008
Rouge | 2010 à 2013 | 7 € **14/20**
Originaire de l'Hinterbourg, c'est un rouge de bonne densité, souple en bouche avec un fruité agréable et des arômes de cerise. La finale possède des tanins fins. Une belle définition.

DOMAINE KLIPFEL

6, avenue du Docteur Kireg • 67140 Barr
Tél. 03 88 58 59 00 • Fax : 03 88 08 53 18
alsacewine@klipfel.com • www.klipfel.com
Visite : Du lundi au dimanche de 10h à 12h
et de 14h à 18h.

La maison de négoce historique est gérée par André Lorentz et son fils Jean-Louis. Derrière une production de volume, les cuvées Louis-Klipfel et les grands crus proviennent des vignes du domaine, propriétaire de douze hectares sur le Kirchberg de Barr, dont plus de trois dans le légendaire Clos Zisser. Après un développement commercial réussi, qui a placé les vins dans de nombreuses brasseries alsaciennes, le domaine revient depuis quelques années sur une approche qualitative plus importante, afin de mieux mettre en avant le potentiel de ses meilleurs terroirs. Un domaine à redécouvrir.

ALSACE GRAND CRU KASTELBERG RIESLING 2008
Blanc | 2012 à 2023 | 12 € **17/20**
Franc et croquant, c'est un vin salin qui possède un fruité net très pur. Une grande réussite.

ALSACE GRAND CRU KIRCHBERG DE BARR GEWURZTRAMINER CLOS ZISSER VENDANGES TARDIVES 2005
Blanc Doux | 2012 à 2035 | 22,50 € **18/20**
Un caractère botrytisé élégant, marqué par l'abricot sec et le miel au nez avec une pointe de noisette, riche et très pur en bouche avec une acidité très présente qui donne de la légèreté. Longue finale sur le coing. Grande garde.

ALSACE GRAND CRU KIRCHBERG DE BARR MUSCAT 2008
Blanc | 2011 à 2023 | 14 € **17/20**
Tendre, avec de l'ampleur, de la chair et de la minéralité. D'une grande sensualité et remarquable de pureté, c'est un grand vin de terroir.

ALSACE GRAND CRU WIEBELSBERG RIESLING 2008
Blanc | 2012 à 2023 | 12 € **16,5/20**
Franc et acidulé, marqué par une légère surmaturité, salin en bouche avec une longue finale.

CLÉMENT KLUR

105, rue des 3 Épis • 68230 Katzenthal
Tél. 03 89 80 94 29 • Fax : 03 89 27 30 17
info@klur.net • www.klur.net
Visite : Du lundi au vendredi de 13h30 à 18h.
Le samedi de 13h30 à 18h.

CRÉMANT D'ALSACE CRÉMANT DE CLÉMENT
Blanc Brut effervescent | 2010 à 2014 | 10 € **14/20**
Ample, au caractère charnu, acidulé en bouche avec une finale fraîche.

PINOT NOIR KLUR 2008
Rouge | 2010 à 2014 | 13 € **14/20**
Nez fruité, agréable en bouche, avec des tanins mûrs.

VOYOU DE KATZ 2008
Blanc | 2010 à 2014 | 8 € **14/20**
Assemblage de sylvaner, riesling et muscat, c'est un vin sec au fruité mûr, charnu avec un beau toucher de bouche. Un fruit très agréable.

DOMAINE MARC KREYDENWEISS

12, rue Deharbe • 67140 Andlau
Tél. 03 88 08 95 83 • Fax : 03 88 08 41 16
marc@kreydenweiss.com • www.kreydenweiss.com
Visite : Du lundi au samedi de 10h à 12h
et de 14h à 17h sur rendez-vous.

Antoine Kreydenweiss a rejoint le domaine en 2004, il gère désormais seul les vignes et les vinifications. Continuant le chemin tracé par son père Marc, il vinifie des vins secs qu'il élève longtemps sur lies pour qu'ils gagnent en harmonie. Les vignes sont travaillées en biodynamie depuis assez longtemps pour avoir acquis une certaine stabilité, et dans des millésimes comme 2007 et 2008 la pureté et la maturité sont au rendez-vous, pour donner des vins à la minéralité affirmée, marqués dans plusieurs cuvées par les terroirs de schistes, originaux en Alsace.

ALSACE GRAND CRU KASTELBERG RIESLING 2008
Blanc | 2012 à 2038 | 45 € **19/20**
L'expression parfaite du vin racé sur un noble terroir de schistes de Steige, associant forte minéralité avec un équilibre sec et acidulé, à la finale longue marquée par des tanins légers. Un très grand vin de terroir de grande garde.

ALSACE GRAND CRU MOENCHBERG PINOT GRIS VENDANGES TARDIVES 2008
Blanc liquoreux | 2010 à 2023 | 35 € **17,5/20**
Riche, nez de miel, très pur en bouche avec un moelleux fondu rehaussé par une fine acidité.

ALSACE GRAND CRU WIEBELSBERG RIESLING 2008
Blanc | 2012 à 2023 | 25 € **17/20**
Pur, très élégant, fruité au nez et marqué par la salinité fine des grès du Wiebelsberg. À garder.

CLOS REBBERG PINOT GRIS 2008
Blanc | 2010 à 2018 | 21,50 € **17/20**
Élevé en demi-muids, c'est un vin tout en dentelle, minéral en bouche avec de beaux amers en finale. Très gastronomique.

DOMAINE PAUL KUBLER

103, rue de la Vallée • 68570 Soultzmatt
Tél. 03 89 47 00 75 • Fax : 03 89 47 65 45
kubler@lesvins.com
Visite : Du lundi au vendredi: de 10h à 12h
et de 14h à 19h.

Philippe Kubler travaille en finesse les terroirs gréseux et calcaires de Soultzmatt. En peu d'années, les progrès sont fulgurants et le savoir-faire de ce vinificateur de talent se retrouve dans les magnifiques vins produits en 2007 et 2008 : des vins secs bien structurés qui possèdent du gras, véritable leçon d'élevage sur lies, qui pourrait inspirer bien des vignerons alsaciens.

ALSACE GRAND CRU ZINNKOEPFLÉ GEWURZTRAMINER 2008
Blanc Doux | 2012 à 2028 | 13,90 € **18/20**
Grande réussite pour ce cépage en 2008 avec un équilibre déjà presque parfait, marqué par le litchi et les épices au nez, tendre et soyeux en bouche avec un moelleux fondu et une forte minéralité.

BREITENBERG RIESLING 2008
Blanc | 2011 à 2023 | 11,50 € **15,5/20**
Élégant, au fruité net, acidulé et salin en bouche, avec du gras. Sec et tendu, il vieillira bien.

PINOT GRIS K 2008
Blanc | 2010 à 2014 | NC **14,5/20**
Riche et mûr, avec des fruits jaunes et une pointe de vanille au nez, le vin se présente sec, ample et gras en bouche avec une acidité digne d'un riesling. Belle longueur.

SYLVANER Z 2008
Blanc | 2012 à 2023 | 13,90 € **16,5/20**
Originaire du Zinnkoepflé dont il ne peut malheureusement pas revendiquer l'appellation grand cru, et élevé en barrique, le vin présente une minéralité sans faille sur un équilibre sec et droit. Un vin de garde qu'il faudra attendre.

KUENTZ-BAS

14, route des Vins • 68420 Husseren-les-Châteaux
Tél. 03 89 49 30 24 • Fax : 03 89 49 23 39
info@kuentz-bas.fr • www.kuentz-bas.fr
Visite : Du lundi au vendredi: de 10h à 12h
et de 13h à 18h.
Ouvert le samedi à partir de fin avril jusqu'à fin octobre: de 10h à 12h et de 13h à 17h.

Le domaine, désormais propriété de la maison Adam, produit des vins profonds de grande garde, à partir d'un patrimoine important de vignes propres cultivées en biodynamie, et d'achats sur les coteaux et grands crus à dominante calcaire. A partir du millésime 2007, les cuvées du domaines sont désormais nommées Trois-Châteaux au lieu de Collection-Rare, c'est moins banal.

ALSACE GRAND CRU EICHBERG PINOT GRIS TROIS CHÂTEAUX 2008
Blanc Demi-sec | 2012 à 2023 | 20,70 € **16/20**
Une cuvée encore jeune, pure et profonde avec beaucoup de salinité. Le moelleux doit encore se fondre.

ALSACE GRAND CRU PFERSIGBERG GEWURZTRAMINER TROIS CHÂTEAUX 2007
Blanc Demi-sec | 2012 à 2027 | 20,70 € **16,5/20**
Encore marqué par l'élevage, légèrement doux et structuré autour d'une forte acidité qui lui donne une charpente droite délicieuse. Longue finale citronnée qui équilibre le léger moelleux. Très marqué par le Pfersigberg.

ALSACE GRAND CRU PFERSIGBERG RIESLING TROIS CHÂTEAUX 2008
Blanc | 2012 à 2028 | 17,50 € **16/20**
Goûté en bouteille, c'est un vin minéral de grande pureté, au nez aromatique marqué par les agrumes mûrs, sec et acidulé en bouche avec beaucoup de finesse. De grande garde.

SYLVANER TROIS CHÂTEAUX 2008
Blanc | 2010 à 2018 | 7,20 € **14,5/20**
Issu d'une vieille vigne, c'est un sylvaner parfumé qui possède du corps tout en restant longiligne

grâce à une acidité fine très présente. Délicieux sur des fruits de mer.

DOMAINE ARMAND LANDMANN

74, route du Vin • 67680 Nothalten
Tél. 03 88 92 41 12 • Fax : 03 88 92 41 12
armand_landmann@yahoo.fr
Visite : De 8h à 12h et de 14h à 19h du lundi au samedi et dimanche matin.

Depuis 2003, les vins ont gagné en pureté et en finesse, exploitant le potentiel des bons terroirs à dominante de grès et de granit qui forment la quasi-totalité du domaine (Kritt, Zellberg, Fronholtz, Heissenberg, Muenchberg). Si les magnifiques vins du millésime 2005 se boivent bien, en particulier le sylvaner, 2006 a produit de belles cuvées et 2007 signe un grand millésime frais et mûr, avec des vins à l'acidité ciselée qui vieilliront parfaitement. Le domaine n'a pas présenté d'échantillons en 2010.

DOMAINE SEPPI LANDMANN

20, rue de la Vallée • 68570 Soultzmatt
Tél. 03 89 47 09 33 • Fax : 03 89 47 06 99
contact@seppi-landmann.fr • www.seppi-landmann.fr
Visite : De 8h à 12h et de 14h à 18h.

Seppi Landmann est un personnage incontournable dans le paysage alsacien : il combine la verve et la générosité des personnages forts en gueule. Dans une vaste gamme, les cuvées Vallée-Noble sont d'une régularité sans faille, à l'opposé, les vins moelleux produits sur le Zinnkoepflé sont somptueux, au risque de dépouiller les cuvées classiques du grand cru. Les vins vieillissent admirablement bien, et si la vente en primeur permet d'obtenir des tarifs intéressants, certains millésimes anciens sont encore en vente au domaine

Alsace grand cru Zinnkoepflé gewurztraminer 2008
Blanc Doux | 2012 à 2028 | 19 € **16,5/20**
Fruité très mûr, ample et salin en bouche avec un moelleux modéré et une longue finale sur la girofle.

Alsace grand cru Zinnkoepflé riesling Sélection de Grains Nobles 2007
Blanc Liquoreux | 2013 à 2027 | 115 € **18,5/20**
Produit par une parcelle intégralement botrytisée, c'est un liquoreux d'une grande pureté, au nez de citron confit, dense et cristallin en bouche avec une longue finale.

Vallée Noble pinot gris 2008
Blanc | 2010 à 2013 | 8,40 € **14,5/20**
Originaire du Bollenberg, c'est un vin ample au fruité mûr, légèrement moelleux en bouche avec de la densité.

Vallée Noble riesling 2008
Blanc | 2010 à 2013 | 7,90 € **14/20**
Fruité mûr, léger et acidulé en bouche, avec du fond.

JACQUES ET CHRISTOPHE LINDENLAUB

6, faubourg des Vosges • 67120 Dorlisheim
Tél. 03 88 38 21 78 • Fax : 03 88 38 55 38
contact@vins-lindenlaub.com • www.vins-lindenlaub.com
Visite : Du lundi au samedi de 9h à 11h30 puis de 13h à 19h.

Crémant d'Alsace 2008
Blanc Brut effervescent | 2010 à 2012 | 6,30 € **14/20**
Ouvert, au nez fruité, faiblement dosé et vineux en bouche avec une finale acidulée. Très apéritif, il se boira bien à table.

Husaren gewurztraminer 2008
Blanc Doux | 2010 à 2018 | 9 € **15/20**
Ample et charnu, nez d'épices et de fruits exotiques, tendre en bouche avec un moelleux bien intégré.

DOMAINE CLÉMENT LISSNER

20, rue Principale • 67120 Wolxheim
Tél. 03 88 38 10 31 • Fax : 03 88 38 10 46
info@lissner.fr • www.lissner.fr
Visite : Du lundi au samedi de 8h à 12h et de 13h à 19h.
Dimanche et jours fériés sur rendez-vous

Bruno Schloegel a repris en 2002 les commandes du domaine à la disparition de son oncle, avec un travail minutieux dans les vignes et en cave. Bruno est en train de remettre sur le devant de la scène la réputation historique du grand cru Altenberg de Wolxheim, un des plus grands terroirs alsaciens. Le grand millésime 2008 montre les progrès réalisés, en attendant la mise en activité du nouveau chai en 2010. Profitez du bon rapport qualité-prix de la gamme.

ALSACE GRAND CRU ALTENBERG DE WOLXHEIM GEWURZTRAMINER 2008
Blanc Demi-sec | 2011 à 2028 | 12,50 € **17,5/20**
Puissant, récolté sans surmaturité et vinifié presque sec, qui magnifie les épices au nez, avant d'offrir une bouche onctueuse, profonde et très pure. Destiné à la garde et aux meilleures tables.

PINOT BLANC 2008
Blanc | 2010 à 2013 | 5,20 € **14,5/20**
Pur, au nez de fleurs blanches, ample et gras en bouche avec une finale fruitée.

PINOT NOIR BARRIQUE 2008
Rouge | 2012 à 2018 | 10,20 € **15,5/20**
Une vendange très mûre et un élevage en barriques ont donné un vin ample au nez toasté, profond en bouche avec des tanins gras.

WOLXHEIM RIESLING 2008
Blanc | 2011 à 2018 | 6,50 € **15,5/20**
Sec, produit sur les terrains calcaires de Wolxheim, net au nez avec des notes d'agrumes, pur et croquant en bouche avec de la profondeur. Un vin de terroir très expressif.

DOMAINE LOEW

28, rue Birris • 67310 Westhoffen
Tél. 03 88 50 59 19 • Fax : 03 88 50 59 19
domaine.loew@orange.fr • www.domaineloew.com
Visite : Du lundi au vendredi de préférence sur rendez-vous. Le samedi de 10h à 12h et de 14h à 17h.

Étienne Loew a installé le domaine parmi les meilleurs du vignoble de la Couronne d'Or autour de Strasbourg. Les vins sont marqués par les terroirs marno-calcaires autour de Westhoffen et Balbronn, avec de la profondeur et du gras. Les 2008 goûtés en bouteille confirment leurs qualités, avec des équilibres sur la minéralité qui les rendent délicieux jeunes. La gamme des rieslings s'élargit pour offrir cinq cuvées avec un bon rendu du terroir.

ALSACE GRAND CRU ALTENBERG DE BERGBIETEN RIESLING 2008
Blanc | 2012 à 2028 | 11 € **17,5/20**
Ample et très minéral, dense en bouche avec une longue finale.

OSTENBERG GEWURZTRAMINER 2008
Blanc Doux | 2012 à 2028 | 16 € **16,5/20**
Récolté tardivement, toujours marqué par l'écorce d'agrume au nez, riche en bouche, avec une forte salinité et une acidité importante qui permettent de bien intégrer le moelleux. Grande garde.

OSTENBERG GEWURZTRAMINER SÉLECTION DE GRAINS NOBLES 2007
Blanc Liquoreux | 2013 à 2027 | 33 € **18,5/20**
Très confit, nez de raisin mûr, ample et charnu en bouche avec une liqueur complètement intégrée. Très minéral, il vieillira bien.

PINOT GRIS VENDANGES TARDIVES 2008
Blanc liquoreux | 2010 à 2018 | 25 € **16/20**
Riche, fruité confit, finement acidulé en bouche, avec de la chair.

VÉRITÉ DE SYLVANER 2008
Blanc | 2010 à 2018 | 10 € **15,5/20**
Sec et ample, avec beaucoup de sapidité, remarquable de finesse et de fraîcheur. Un vin au succès mérité.

GUSTAVE LORENTZ

91, rue des Vignerons • 68750 Bergheim
Tél. 03 89 73 22 22 • Fax : 03 89 73 30 49
info@gustavelorentz.com • www.gustavelorentz.com
Visite : Du lundi au samedi 10h à 12h et de 14h 00 à 18h.

La petite maison de négoce produit une gamme homogène et bien étalonnée, chapeautée par des vins produits à partir des vignes propres du domaine sur les grands crus Altenberg de Bergheim et Kanzlerberg. La gamme Cuvée-Particulière et les vins de l'Altenberg combinent une bonne qualité régulière et une grande disponibilité des vins, atout apprécié en restauration. Les premiers 2009 en bouteille sont équilibrés, et les grands crus 2005 promis à une grande garde. Le passage en bio de quelques parcelles annonce des changements dans les vignes.

ALSACE GRAND CRU ALTENBERG DE BERGHEIM GEWURZTRAMINER 2007
Blanc Doux | 2012 à 2027 | 20,40 € **17/20**
Expression ample et solaire du terroir, le vin se présente surmûri, vanillé avec une pointe épicée autour du girofle. La bouche est profonde, onctueuse avec une bonne pureté. Grande garde.

ALSACE GRAND CRU ALTENBERG DE BERGHEIM RIESLING VIEILLES VIGNES 2005
Blanc | 2012 à 2030 | 20,60 € **16,5/20**
Récolté sans surmaturité, c'est un vin ample au nez de noisette avec une pointe fumée, acidulé en bouche avec de la profondeur. De très grande garde comme toutes les grandes années de ce cru.

PINOT GRIS LIEU-DIT SAINT-GEORGES 2007
Blanc Demi-sec | 2010 à 2017 | 11,90 € **15,5/20**
Le terroir argilo-calcaire de Bergheim a produit un vin droit au nez de froment, ample et gras en bouche avec une bonne longueur. Un vin de gastronomie.

ROTENBERG GEWURZTRAMINER 2008
Blanc Doux | 2010 à 2018 | 13,30 € **15,5/20**
Le calcaire du Rotenberg a donné un vin moelleux et minéral, acidulé en bouche avec un bel équilibre fruité.

DOMAINE MADER

13, Grand-Rue • 68150 Hunawihr
Tél. 03 89 73 80 32 • Fax : 03 89 73 31 22
vins.mader@laposte.net • www.vins-mader.com
Visite : Sur rendez-vous.

Basés sur les terroirs marneux, calcaires et gréseux de Hunawihr, Ribeauvillé et Riquewihr, les vins ne manquent pas de matière ni de structure, avec des rieslings secs et des gewurztraminers et pinots gris plus doux. Les prix raisonnables font disparaître rapidement certaines cuvées, comme le muscat, les gewurztraminers ou les pinots noirs. 2007 a produit des vins purs et secs, avec du gras, qui seront de grande garde. Le domaine n'a pas présenté d'échantillons en 2010

DOMAINE ALBERT MANN

13, rue du Château • 68920 Wettolsheim
Tél. 03 89 80 62 00 • Fax : 03 89 80 34 23
vins@albertmann.com • www.albertmann.com
Visite : Du lundi au samedi sur rendez-vous

Disposant d'un beau patrimoine de terroirs sur cinq grands crus et trois lieux-dits répartis entre Wettolsheim et Kientzheim, les frères Maurice et Jacky Barthelmé travaillent avec acharnement, respectivement à la vigne et en cave, pour produire des cuvées qui reflètent le plus possible leur origine. 2007 et 2008 ont produit de grands vins de terroir à l'équilibre sec, mais également des liquoreux parmi les plus grands et les plus purs de la région.

ALSACE GRAND CRU SCHLOSSBERG RIESLING 2008
Blanc | 2012 à 2028 | 23 € **18,5/20**
Charpenté et équilibré, ample et floral au nez, avec une bouche d'une grande précision, finement acidulée avec de légers tanins en finale. Déjà ouvert jeune, il évoluera bien.

ALSACE GRAND CRU STEINGRÜBLER GEWURZTRAMINER 2008
Blanc Demi-sec | 2011 à 2028 | 19 € **18/20**
Grande complexité au nez, mêlant fleurs et épices douces, élégant en bouche avec de la chair, une grande pureté et une finale saline très longue. Tout en délicatesse.

ALTENBOURG PINOT GRIS VENDANGES TARDIVES 2008
Blanc liquoreux | 2011 à 2028 | 23 € **19/20**
Moelleux, doté d'une liqueur très pure, finement acidulé avec une longue finale saline. Un altenbourg aux lignes épurées.

PINOT NOIR GRAND P 2008
Rouge | 2013 à 2023 | 31 € **17,5/20**
Produit sur le Pfersigberg et élevé en barriques en partie neuves, c'est un vin ample et concentré, ample en bouche avec une longue finale sur le fruit. Remarquable de puissance.

JEAN-LOUIS ET FABIENNE MANN

6 a, rue de Colmar • 68420 Eguisheim
Tél. 03 89 24 26 47 • Fax : 03 89 24 09 41
mann.jean.louis@wanadoo.fr
Visite : Du lundi au samedi de 8h à 18h, le dimanche sur rendez-vous.

Issus de familles de coopérateurs, Jean-Louis et Fabienne Mann ont démarré la mise en bouteille au domaine en 1998. Fabienne a apporté au domaine des parcelles sur le secteur d'Ingersheim, qui complètent les terres plus calcaires d'Eguisheim. Les vins du Steinweg ou du Letzenberg sont faciles à boire jeunes.

ALSACE GRAND CRU PFERSIGBERG RIESLING 2008
Blanc | 2012 à 2028 | 18 € **17/20**
Un riesling puissant, au nez d'agrumes mûrs, ample et profond en bouche, avec une fine salinité. La légère douceur disparaîtra après quelques années de garde.

LETZENBERG PINOT GRIS SÉLECTION DE GRAINS NOBLES 2007
Blanc Liquoreux | 2012 à 2027 | 26 € **16/20**
Passerillé, grande richesse, confit au nez et liquoreux en bouche, belle pureté.

DOMAINE DU MANOIR

56, rue de la Promenade • 68040 Ingersheim
Tél. 03 89 27 23 69 • Fax : 03 89 27 23 69
thomann@terre-net.fr
Visite : Du lundi au samedi de 10h à 12h
et de 14h à 18h. Le dimanche sur rendez-vous.

Jean et Marina Thomann ont défriché et replanté le clos du Letzenberg dans les années 1960. Avec l'aide de son fils œnologue Jean-Victor et son frère Philippe, et désormais seule depuis la disparition de Jean en 2009, Marina développe l'activité. Le terroir du clos étant similaire à celui du Heimbourg voisin, le pinot gris possède déjà une légère minéralité, mais on imagine le potentiel d'amélioration qualitative lorsque les sols seront plus travaillés. 2008 a produit des vins francs dotés d'acidités fines, très purs. Pas de vins moelleux produits en 2008 et 2009, il faudra se rabattre sur les derniers 2007 en vente.

Clos du Letzenberg gewurztraminer 2008
Blanc Demi-sec | 2011 à 2022 | 8 € **15,5/20**
Ample, nez de fruits mûrs et de miel, rond en bouche avec un moelleux bien intégré. Un vin de garde parfait sur la cuisine épicée.

Clos du Letzenberg pinot gris 2008
Blanc Demi-sec | 2010 à 2018 | 9 € **16/20**
Mûr, d'équilibre demi-sec, très salin en bouche avec du gras et une acidité nette.

Clos du Letzenberg pinot gris
Sélection de Grains Nobles 2007
Blanc Liquoreux | 2011 à 2017 | 22 € **17/20**
Passerillé, très corsé, ample en bouche avec une liqueur très pure.

Clos du Letzenberg pinot noir 2008 ☺
Rouge | 2010 à 2018 | 9 € **15/20**
Élevé en barrique, c'est un vin concentré au nez toasté, ample en bouche avec de la finesse et de la pureté. Bel équilibre.

DOMAINE JULIEN MEYER

14, route du Vin • 67680 Nothalten
Tél. 03 88 92 60 15 • Fax : 03 88 92 47 75
patrickmeyer@free.fr
Visite : De 9h à 12h et de 13h30 à 18h du lundi au vendredi. Samedi sur rendez-vous.

Patrick Meyer est un vigneron biodynamiste engagé. Travaillant les sols, vinifiant avec un minimum d'intervention en cave, il cherche le caractère le plus naturel possible dans ses cuvées. Les vins des terroirs autour de Nothalten possèdent une salinité fine, en particulier sur le grand cru Muenchberg. Un usage plus que modéré du soufre laisse les vins s'équilibrer sur des degrés d'oxydation variés, qui vont à l'encontre de la franchise aromatique qui fait la typicité des vins d'Alsace. Il ne reste alors que l'équilibre minéral en bouche et un discours engagé pour consoler l'amateur parfois déboussolé, ce qui est dommage au vu des énormes qualités gustatives que possèdent les vins par ailleurs.

Crémant d'Alsace
Blanc Brut effervescent | 2010 à 2012 | 8 50 € **14/20**
Une cuvée de pinot blanc du millésime 2007, dégorgée en septembre 2009 et non dosée. Vineux, doté d'une grande fraîcheur, aux arômes de fruits secs et de pain grillé, élégant et frais en bouche.

Crémant d'Alsace Brut Zéro 2004
Blanc Brut effervescent | 2010 à 2015 | NC **16/20**
Issu de vieux pinots blancs sur le Kirchweg et élevé cinq ans sur lattes. Frais et aromatique, avec un nez intense de fleurs, le vin se montre vineux en bouche avec une mousse compacte. Un grand crémant à la production malheureusement limitée.

Gritermattte riesling 2008
Blanc | 2010 à 2018 | 12 € **16,5/20**
Un vin jeune, marqué par les fruits acidulés, très salin en bouche avec une longue finale sur l'amertume noble. Encore enrobé par l'élevage, il faut le carafer.

Heissenberg gewurztraminer 2007
Blanc | 2010 à 2018 | 11 € **15/20**
Aérien, acidulé et épicé, onctueux en bouche avec un moelleux fondu qui n'altère pas le caractère guilleret de l'équilibre.

Mer et Coquillage 2008
Blanc | 2010 à 2014 | 7 € **14/20**
Assemblage de sylvaner avec un peu de riesling, ample et acidulé, sec en bouche avec de la salinité.

muscat Petite Fleur 2008
Blanc | 2010 à 2013 | 8 € **14,5/20**
Sec et aromatique, nez de fleur de sureau, dense en bouche avec du gras. Très apéritif.

PINOT BLANC LES PIERRES CHAUDES 2008
Blanc | 2010 à 2015 | 8 € **15/20**
Issu du Heissenstein, il est ample, à la minéralité affirmée, gras en bouche avec une légère amertume en finale.

PINOT GRIS 2008
Blanc | 2010 à 2014 | 8,50 € **14,5/20**
Bonne densité, sec et acidulé en bouche. Très gastronomique.

DOMAINE MEYER-FONNÉ

24, Grand-Rue • 68230 Katzenthal
Tél. 03 89 27 16 50 • Fax : 03 89 27 34 17
felix.meyer-fonne@libertysurf.fr • www.meyer-fonne.com
Visite : Du lundi au samedi de 8h30 à 11h30 et de 13h30 à 17h30.

Félix Meyer continue d'année en année à affiner les vins du domaine, cherchant un équilibre optimal entre la maturité et l'élégance. En plus du grand cru granitique Wineck-Schlossberg, dont il restitue parfaitement la finesse et la salinité, Félix exploite de nombreux terroirs autour de Katzenthal et jusqu'à Riquewihr. 2008 est très réussi, en particulier les rieslings.

ALSACE GRAND CRU SPOREN GEWURZTRAMINER 2008
Blanc | 2012 à 2028 | 16,50 € **18/20**
Pur, profond et élancé, c'est un sporen dominé par les fleurs et les épices au nez, avec un équilibre majestueux qui cache bien son moelleux. De grande garde et très gastronomique.

ALSACE GRAND CRU WINECK-SCHLOSSBERG RIESLING 2008
Blanc | 2010 à 2023 | 14,50 € **17,5/20**
Très nette au nez, c'est une cuvée remarquable de salinité, finement acidulée en bouche avec une longue finale. Un wineck-schlossberg d'anthologie.

PINOT BLANC VIEILLES VIGNES 2008 ☺
Blanc | 2010 à 2014 **15/20**
Assemblage de la famille des pinots élevé en foudre, c'est un vin dense qui possède du gras, sec et très pur en finale.

RIESLING VIGNOBLE DE KATZENTHAL 2008
Blanc | 2010 à 2018 | 9 € **15/20**
Fruité généreux, sec et très salin en bouche, avec une légère amertume en finale. Bien des grands crus rêveraient d'une telle minéralité.

DOMAINE MITTNACHT-KLACK

8, rue des Tuileries • 68340 Riquewihr
Tél. 03 89 47 92 54 • Fax : 03 89 47 89 50
info@mittnacht.fr • www.mittnacht.fr
Visite : Sur rendez-vous de préférence, du lundi au vendredi de 9h30 à 12h et de 13h30 à 18h.

Jean Mittnacht et son fils Franck continuent de mettre en avant le caractère propre des terroirs de Riquewihr, Hunawihr et Ribeauvillé. Si les trois grands crus Sporen, Schoenenbourg et Rosacker produisent des vins profonds bien définis, les vins issus de lieux-dits ne manquent pas de caractère. Les millésimes 2005 et 2006 nous ont semblé manquer de précision dans les vins d'entrée de gamme, en particulier 2006, à cause des nombreuses cuvées de terroir qui ont été déclassées.

Suite à une série d'échantillons de 2007 et 2008 marqués par des faux goûts, malgré la capsule à vis, le domaine est suspendu de classement en attendant d'en savoir plus.

DOMAINE FRÉDÉRIC MOCHEL

56, rue Principale • 67310 Traenheim
Tél. 03 88 50 38 67 • Fax : 03 88 50 56 19
infos@mochel.net • www.mochel.net
Visite : Du lundi au vendredi: 8h-12h/13h-18h samedi et dimanche sur rendez-vous

Si Frédéric Mochel a beaucoup développé le domaine et participé au développement du grand cru Altenberg de Bergbieten, son fils Guillaume continue à développer une gamme de vins nets et marqués par leur terroir autour de Traenheim. La moitié des vignes est située sur le grand cru Altenberg de Bergbieten, permettant la production de riesling, de gewurztraminer et surtout d'un muscat de grande classe, dominé par la minéralité du terroir. En dehors du grand cru, ne négligez pas le gewurztraminer et le pinot noir, régulièrement réussis.

ALSACE GRAND CRU ALTENBERG DE BERGBIETEN GEWURZTRAMINER 2008
Blanc Doux | 2012 à 2028 | 14,50 € **18/20**
Ample, un caractère minéral très présent, d'équilibre quasi sec en bouche avec une longue finale épicée. Une grande réussite pour un vin de terroir de grande garde.

ALSACE GRAND CRU ALTENBERG DE BERGBIETEN RIESLING CUVÉE HENRIETTE 2008
Blanc | 2012 à 2028 | 14,50 € **17,5/20**
Produit avec les raisins des vignes les plus âgées du grand cru, c'est un vin mûr qui possède de la

profondeur, ample et minéral avec une longue finale saline. Déjà approchable jeune, c'est un vin qui vieillira très bien.

MUSCAT 2008 ☺
Blanc | 2010 à 2014 | 9,60 € **15/20**
Très pur, nez de fleurs blanches dominé par le muguet, sec en bouche avec du gras et une bonne fraîcheur. Un beau vin à la maturité équilibrée.

PINOT GRIS 2008
Blanc Demi-sec | 2010 à 2018 | 9 € **15/20**
Un pinot gris typé, au nez de noisette et de fruits à noyau, tendre en bouche avec une fine acidité. Un bel équilibre proche d'un riesling avec un supplément de gras.

DOMAINE MOLTES ANTOINE ET FILS

8-10, rue du Fossé • 68250 Pfaffenheim
Tél. 03 89 49 60 85 • Fax : 03 89 49 50 43
domaine@vin-moltes.com • www.vin-moltes.com
Visite : Ouvert du lundi au vendredi de 8h à 12h
et de 14h à 18h.

CRÉMANT D'ALSACE
Blanc Brut effervescent | 2010 à 2012 **14/20**
Frais, fruité franc, tonique en bouche avec une bulle ample.

GAENTZBRUNNEN RIESLING 2008
Blanc | 2010 à 2018 | 7,50 € **14/20**
Dense, au nez d'agrumes mûrs, ample en bouche avec du gras et une fine salinité.

PINOT NOIR TRADITION 2009
Rouge | 2011 à 2015 | 6,55 € **14,5/20**
La robe colorée annonce un nez très mûr aux arômes de petits fruits noirs. La bouche est souple, de bonne concentration avec des tanins gras. Gourmand.

RENÉ MURÉ - CLOS SAINT-LANDELIN

RN 83 • 68250 Rouffach
Tél. 03 89 78 58 00 • Fax : 03 89 78 58 01
rene@mure.com • www.mure.com
Visite : Du lundi au vendredi: de 8h à 18 h30.
Le samedi: de 10h à 13h et de 14h à 18 h

René Muré exploite le Clos Saint-Landelin, situé sur le versant orienté plein sud du grand cru Vorbourg. Le domaine est passé à la viticulture biologique en 2005. Le résultat est lisible depuis quelques années, les vins possèdent désormais la minéralité, la richesse et la profondeur d'un terroir riche et solaire, sans en avoir la lourdeur. Les vins issus d'achats de raisin sont regroupés sous l'étiquette René-Muré, et proposent un style mûr et ample très homogène. Les clients réguliers connaissant le style de chaque vin achèteront sans crainte les vins en primeurs dans l'année qui suit chaque millésime. Les pinots noirs 2009 s'annoncent grandioses.

CLOS SAINT-LANDELIN PINOT GRIS
SÉLECTION DE GRAINS NOBLES 2007
Blanc Liquoreux | 2015 à 2037 | 50 € **18/20**
La robe dorée tirant sur l'ambre annonce un vin de très grande concentration, au nez de grain rôti remarquable de finesse, riche en bouche avec une liqueur très puissante qui conserve une grande pureté. De très grande garde, à garder et encaver pour les enfants nés en 2007.

CLOS SAINT-LANDELIN RIESLING 2008
Blanc | 2013 à 2028 | 23 € **17,5/20**
Fruité, au nez intense, ample et pur en bouche avec de la profondeur et une fine minéralité. Une cuvée sapide qui vieillira bien, et certainement un des plus grands rieslings réalisés par le domaine sur le Clos.

CÔTES DE ROUFFACH GEWURZTRAMINER 2008
Blanc Demi-sec | 2010 à 2018 | 11,70 € **15,5/20**
Fruité et concentré, épicé et charnu en bouche, dans le style de la Côte de Rouffach. Il a du fond.

CRÉMANT D'ALSACE PRESTIGE ☺
Blanc Brut effervescent | 2010 à 2012 | 10,50 € **16/20**
Complexe et vineux, issu de plusieurs cépages et plusieurs millésimes, dont une partie élevée une année en barrique. Citronné au nez et vineux en bouche, il est ample et cristallin à la fois. Combinant une grande qualité avec des volumes loin d'être confidentiels, c'est le véritable fer de lance de la région.

PINOT NOIR V 2008
Rouge | 2011 à 2018 | 23,50 € **15,5/20**
Ample et concentré, fruits rouges, avec des tanins bien présents qui lui donnent un caractère corsé.

DOMAINE GÉRARD NEUMEYER

29, rue Ettore Bugatti • 67120 Molsheim
Tél. 03 88 38 12 45 • Fax : 03 88 38 11 27
contact@gerardneumeyer.fr • www.gerardneumeyer.fr
Visite : du lundi au samedi 9h-12h;14h-19h
ouvert le dimanche sur rendez-vous

Gérard Neumeyer continue de porter haut les vins de la région de Molsheim. La gamme est large et homogène avec des vins secs, purs et fins qui font de parfaits compagnons de table. Sur le grand cru Bruderthal, le muscat est venu en 2005 compléter la gamme des rieslings, pinots gris et gewurztraminers. Les quatre cépages expriment chacun à leur manière la minéralité de ce terroir marno-calcaire. 2007 et 2008 sont globalement réussis avec de bonnes maturités, et quelques sucres résiduels qui doivent se fondre.

ALSACE GRAND CRU BRUDERTHAL GEWURZTRAMINER 2008
Blanc Demi-sec | 2012 à 2028 | 16,50 € **16/20**
Un bruderthal riche et épicé qui possède un moelleux discret, dense et profond en bouche, avec de la fraîcheur. Un vin de garde.

ALSACE GRAND CRU BRUDERTHAL PINOT GRIS 2008
Blanc Demi-sec | 2012 à 2023 | 16,90 € **16/20**
Récolté très mûr, c'est un vin ample d'équilibre moelleux, pur en bouche avec une longue finale légèrement saline.

PINOT BLANC LA TULIPE 2008
Blanc | 2010 à 2015 | 5,75 € **14,5/20**
Ouvert, nez floral, gras et sec en bouche, bonne pureté.

RIESLING LES PINSONS 2008
Blanc | 2010 à 2018 | 6,95 € **14,5/20**
Originaire du terroir du Finkenberg d'Alvolsheim, c'est un vin sec et droit au nez d'agrumes mûrs, fruité en bouche, avec du gras et une acidité fine.

DOMAINE DE L'ORIEL

133, rue des Trois-Épis • 68230 Niedermorschwirh
Tél. 03 89 27 40 55 • Fax : 03 89 27 04 23
oriel.weinzorn@club-internet.fr
Visite : Du lundi au samedi : de 9h à 12h et de 14h à 18h sur rendez-vous.

Claude Weinzorn réussit à extraire le meilleur des terroirs de Niedermorschwihr et Turckheim, que ce soit sur les granits du Sommerberg et du Brand ou sur les calcaires du Heimbourg. La gamme est vaste et homogène en 2007 avec des grands crus remarquables, elle se réduit un peu en 2008, les cuvées mises en bouteille se montrant d'une salinité exemplaire.

ALSACE GRAND CRU SOMMERBERG PINOT GRIS LES TERRASSES 2008
Blanc Demi-sec | 2011 à 2028 | 15 € **18/20**
Un sommerberg moelleux marqué par la mangue et l'abricot au nez, fin et acidulé en bouche avec une finale saline. Parfait sur un dessert aux fruits exotiques.

CRÉMANT D'ALSACE BRUT ROSÉ
Rosé Brut eff. | 2010 à 2012 | 9,50 € **15,5/20**
Très net, nez de petits fruits rouges, ample en bouche avec de la vinosité et un fruité d'une grande pureté. Le dosage reste modéré et la finale prend d'agréables notes amères, rendant le vin agréable de l'apéritif au dessert. Grande réussite.

RIESLING LE Z 2008
Blanc | 2010 à 2016 | NC **15/20**
Première cuvée produite à partir d'une nouvelle vigne plantée sur le Sommerberg en 2005, c'est un vin mûr, au nez d'ananas, doté d'une fine salinité qui accompagne le léger moelleux. La vigne montre, sur ce premier flacon, un beau potentiel.

SYLVANER 2008
Blanc | 2010 à 2013 | 7 € **14/20**
Fruité, avec une densité remarquable, pur en bouche avec un équilibre sec qui en fera un bon compagnon de table.

DOMAINE ANDRÉ OSTERTAG

87, rue Finkwiller • 67680 Epfig
Tél. 03 88 85 51 34 • Fax : 03 88 85 58 95
domaine.ostertag@orange.fr
Visite : Sur rendez-vous.

André Ostertag continue de produire des vins ciselés qui vibrent au son de leur terroir d'origine, qu'ils soient élevés de manière traditionnelle ou en barrique pour les pinots gris. Le travail en biodynamie dans les vignes se double d'une attention particulière en cave, et en 2008 les vins sont une nouvelle fois précis et très sapides grâce à des niveaux d'acidité élevés.

ALSACE GRAND CRU MUENCHBERG PINOT GRIS CUVÉE A360P 2008
Blanc | 2012 à 2028 | 42 € **19/20**
Récolté très mûr et vinifié presque sec, c'est un vin très minéral de grande intensité. Le long éle-

vage en barriques pour moitié neuves a apporté du gras à un vin ample et profond. Grande garde.

Fronholz gewurztraminer
Vendanges Tardives 2008
Blanc liquoreux | 2010 à 2018 | 35 € **17/20**
Un vin au succès mérité, exotique au nez avec une note de rose, pur et fruité en bouche avec de la pulpe. Ne pas hésiter à le boire sur son fruit fin.

Heissenberg riesling 2008
Blanc | 2011 à 2023 | 26 € **17,5/20**
Le vin est ample, sec et très salin, avec une acidité fine qui rallonge la longue finale.

pinot blanc barriques 2008
Blanc | 2010 à 2014 | 13 € **15,5/20**
Un vin au caractère floral, sec et salin en bouche avec de la fraîcheur et du gras. Magnifique expression d'un vin pur, facile à boire.

DOMAINE OTTER

4, rue du Muscat • 68420 Hattstatt
Tél. 03 89 49 33 00
contact@otter-fils.com • www.otter-fils.com
Visite : Sur rendez-vous.

Jean-François Otter vinifie chaque année un nombre important de cuvées très démonstratives, réalise des essais au risque de produire des cuvées instables, et progresse rapidement. Après plusieurs millésimes nécessaires pour habituer la vigne à ce nouveau traitement et pour comprendre le fonctionnement de chaque terroir, les cuvées ont gagné en équilibre et en régularité. Le grand millésime 2007 vient apporter la confirmation des espoirs placés en Jean-François Otter, avec une gamme de vins secs parfaitement élevés sur lies. Le domaine n'a pas présenté d'échantillons en 2010

LA CAVE DES VIGNERONS DE PFAFFENHEIM

5, rue du Chais - BP 33 • 68250 Pfaffenheim
Tél. 03 89 78 08 08 • Fax : 03 89 49 71 65
cave@pfaffenheim.com • www.paffenheim.com
Visite : De mai à fin septembre : Du lundi au vendredi : de 9h à 19h, samedi :de 9h à 12h et de 14h à 18h, Dimanche : de 10h à 12h et de 14h à 18h - De octobre à avril :Du lundi au vendredi : de 9h à 12h et de 14h à 18h, samedi : de 9h à 12h et de 14h à 18h, dimanche : de 10h à 12h et de 14h à 18h.

Ancrée sur un solide patrimoine de terroirs, la Cave de Pfaffenheim a beaucoup progressé qualitativement dans les années 1980. Depuis, d'autres domaines ont également progressé, définissant de nouveaux standards en terme de rendement moyen et, si la cave continue de communiquer efficacement, les vins se différencient moins des autres dans le verre.

Alsace grand cru Zinnkoepflé
gewurztraminer 2008
Blanc Doux | 2012 à 2028 | 12,50 € **16/20**
Pur, bonne maturité, ample en bouche avec de la chair et une fine salinité. À garder.

Alsace grand cru Zinnkoepflé pinot gris 2008
Blanc Demi-sec | 2011 à 2023 | 12,50 € **16/20**
Riche, au nez de fruits mûrs, ample et pur en bouche avec une minéralité très présente.

Steingold gewurztraminer 2008
Blanc Doux | 2010 à 2023 | 15 € **15,5/20**
Ample, avec de la chair et une belle profondeur. Parfait à table après quelques années de garde.

DOMAINE PFISTER

53, rue Principale • 67310 Dahlenheim
Tél. 03 88 50 66 32 • Fax : 03 88 50 67 49
vins@domaine-pfister.com • www.domaine-pfister.com
Visite : Ouvert du lundi au vendredi de 9h à 12h et de 14h à 18h.

Mélanie Pfister a rejoint le domaine à temps complet en 2006 et, en vinifiant parfaitement son premier millésime dans une année très difficile, elle confirme en 2007 et 2008 tout son talent avec des vins de terroir souvent secs de grande pureté. Le caveau de dégustation, de style contemporain, est très accueillant et propice à la découverte des crus.

ALSACE GRAND CRU ENGELBERG GEWURZTRAMINER 2008
Blanc Demi-sec | 2012 à 2028 | 15,50 € **17/20**
Puissant, au moelleux discret, gras en attaque avec de la profondeur et une grande onctuosité équilibrée par une acidité fine et des amers en finale. De grande garde.

CRÉMANT D'ALSACE
Blanc Brut effervescent | 2010 à 2011 | 9,50 € **15/20**
Produit à partir du millésime 2006 et élevé plus de 24 mois sur lattes, c'est un crémant fin et élégant avec un nez d'agrumes et de fruits à chair blanche, parfaitement équilibré en bouche avec une vinosité suffisante pour supporter le très faible dosage.

PINOT GRIS TRADITION 2008
Blanc | 2010 à 2015 | 8,70 € **15/20**
Sec, au nez floral, franc et acidulé en bouche, avec du gras. Une cuvée gastronomique qui possède du fond.

PINOT NOIR BARRIQUES 2007
Rouge | 2010 à 2020 | 14,50 € **15,5/20**
Goûté après la mise en bouteille, il se montre ample, profond et puissant avec une bonne intégration de l'élevage sous bois. La longue finale reste acidulée. De bonne garde.

SILBERBERG RIESLING 2008
Blanc | 2010 à 2018 | 8,50 € **15,5/20**
Franc, au nez de pamplemousse, tonique en bouche avec une acidité fine qui lui donne de la longueur. Un vin minéral qui évoluera bien.

DOMAINE JEAN ET GUILLAUME RAPP

1, faubourg des Vosges • 67120 Dorlisheim
Tél. 03 88 38 28 43 • Fax : 03 88 38 28 43
vins-rapp@wanadoo.fr • www.vinsrapp.com
Visite : Du lundi au samedi: de 8h à 12h et de 14h à 18h. Le dimanche sur rendez-vous.

Dernier installé parmi les jeunes vignerons de Dorlisheim, Guillaume Rapp a repris le domaine familial en 2004. Les terroirs marno-calcaires autour de Dorlisheim, en particulier Husaren et Stierkopf, offrent un bon potentiel pour produire des vins amples et profonds. La gamme est devenue très homogène en maturité avec les derniers millésimes, mais les sucres résiduels sont trop présents en 2007 et 2008 et nuisent à la pureté de l'élevage.

CRÉMANT D'ALSACE
Blanc Brut effervescent | 2010 à 2012 | 6,20 € **14,5/20**
Peu dosé, il possède un fruité très net au nez. Franc et très fin en bouche, avec une finale citronnée très désaltérante. Parfait à l'apéritif.

GEWURZTRAMINER VENDANGES TARDIVES 2007
Blanc liquoreux | 2011 à 2022 | 30 € **16/20**
Un vin ouvert au nez de pralin et de miel, riche et onctueux en bouche avec une matière dense et une belle harmonie. À boire ou à garder.

HUSAREN GEWURZTRAMINER CUVÉE PRESTIGE 2008
Blanc liquoreux | 2010 à 2014 | 10,80 € **15/20**
Récolté à maturité de vendange tardive, c'est un vin moelleux au nez fruité, ample en bouche avec de la chair.

RANGENBERG PINOT GRIS 2008
Blanc Doux | 2010 à 2013 | 10,80 € **14,5/20**
Ouvert, nez de coing, pur et moelleux en bouche avec une acidité fine très agréable. Parfait pour accompagner des desserts aux fruits.

DOMAINE DU REMPART - GILBERT BECK

5, rue des Remparts • 67650 Dambach-la-Ville
Tél. 03 88 92 42 43 • Fax : 03 88 92 49 40
beck.domaine@wanadoo.fr • www.vins-beck.com
Visite : Du lundi au samedi de 9h à 12h et de 14h à 19h, le dimanche de 9h à 12h.

ALSACE GRAND CRU FRANKSTEIN RIESLING 2007
Blanc | 2010 à 2015 | 10 € **15,5/20**
Ouvert, au nez de fleurs jaunes, dense en bouche avec du gras et une bonne pureté.

CRÉMANT D'ALSACE BRUT DU REMPART
Blanc Brut effervescent | 2010 à 2012 | 7 € **14/20**
Net, au fruité charnu, fin et élégant en bouche avec de la vinosité. Agréable sur le fruit malgré un dosage très faible.

GEWURZTRAMINER VENDANGES TARDIVES CUVÉE GUILLAUME 2007
Blanc liquoreux | 2010 à 2017 | 22 € **16/20**
Épicé, nez de fruits confits avec une note citronnée, moelleux en bouche avec une belle finesse.

RIESLING VIEILLES VIGNES 2008
Blanc Demi-sec | 2010 à 2015 | 8,50 € **15/20**
Un vin récolté mûr sur le Frankstein, ample et salin en bouche avec un moelleux encore pré-

sent qui lui confère un caractère demi-sec très minéral.

CAVE DE RIBEAUVILLÉ

2, route de Colmar • 68150 Ribeauvillé
Tél. 03 89 73 61 80 • Fax : 03 89 73 31 21
cave@cave-ribeauville.com • www.cave-ribeauville.com
Visite : Du lundi au vendredi de 8h à 12h et de 14h à 18h, le week-end de 10h à 12h et de 14h à 18h.

Idéalement située au milieu des grands terroirs de la région de Ribeauvillé, la plus ancienne cave coopérative de France produit une vaste gamme de vins à l'équilibre sec réalisés par l'œnologue Évelyne Bléger, avec l'aide de Denis Dubourdieu pour l'élevage de certaines cuvées. A côté d'une gamme générique produite dans des volumes importants, les micro-cuvées de terroir et de vins liquoreux étonnent par leur qualité et leur précision. 2007 et 2008 sont très réussis.

ALSACE GRAND CRU GLOECKELBERG PINOT GRIS 2008
Blanc Demi-sec | 2012 à 2023 | 16,95 € **16/20**
Nez de fruits jaunes avec une pointe toastée, du moelleux en bouche avec une touche acidulée et une fine salinité.

ALSACE GRAND CRU OSTERBERG GEWURZTRAMINER 2008
Blanc Demi-sec | 2010 à 2023 | 15,90 € **16,5/20**
Une cuvée d'osterberg concentrée, fine et très pure, avec la forte minéralité du terroir agrémentée d'un moelleux bien intégré. Déjà gastronomique, il vieillira bien.

CLOS DU ZAHNACKER 2008
Blanc | 2013 à 2028 | 22,10 € **17/20**
Situé au cœur de l'Osterberg, le Clos du Zahnacker est propriété de la cave de Ribeauvillé depuis 1935. Assemblage de trois parcelles contiguës de riesling, pinot gris et gewurztraminer, le vin d'équilibre sec possède un nez marqué par le froment et les épices, une bouche ample, saline avec une longue finale. Grande garde.

KUGELBERG PINOT NOIR 2008
Rouge | 2010 à 2023 | 11,35 € **15,5/20**
Corsé, nez poivré, dense en bouche avec de la profondeur et du gras. Destiné à la garde, il est de noble origine, très réussi.

RIESLING VIEILLES VIGNES 2008
Blanc | 2010 à 2015 | 6,60 € **14,5/20**
Élégant, au nez de fleur d'acacia, pur et charnu en bouche avec une acidité fine très présente. Un vin gastronomique.

DOMAINE ANDRÉ RIEFFEL

11, rue Principale • 67140 Mittelbergheim
Tél. 03 88 08 95 48
andré.rieffel@wanadoo.fr • www.andrerieffel.com
Visite : De 8h à 12h et de 14h à 18h du lundi au samedi sur rendez-vous.

Le discret Lucas Rieffel a pris les commandes du domaine il y a une dizaine d'années, entreprenant une conversion qualitative importante. Travail des sols, contrôle de la vigueur de la vigne, élevages longs sur lies, tout est mis en œuvre pour obtenir des vins purs et de bonne concentration. Les 2007 et 2008 dégustés se montrent nets et puissants, avec des sucres résiduels qui traînent encore de-ci de-là en 2007, mais qui sont fondus dans l'équilibre gras et salin des vins. Les prix n'ont pas encore suivi la hausse de qualité, et cela commence à se savoir.

ALSACE GRAND CRU KIRCHBERG DE BARR PINOT GRIS LA COLLINE AUX ESCARGOTS 2008
Blanc | 2012 à 2028 | 20 € **17/20**
Un pinot gris sec issu d'un grand terroir a donné ce vin ample et profond, très fin en bouche avec une longue finale.

ALSACE GRAND CRU WIEBELSBERG RIESLING 2007
Blanc | 2012 à 2027 | 12 € **18/20**
Élevé près de deux années sur ses lies, c'est un vin sec et ample, au nez d'agrumes frais, dense et salin en bouche avec une acidité fine et une finale longue et cristalline. Remarquable de pureté.

ALSACE GRAND CRU ZOTZENBERG SYLVANER 2008
Blanc | 2012 à 2028 | 10 € **18/20**
Un grand zotzenberg ample et gras, dense en bouche avec une fine salinité. Techniquement sec, il vieillira bien.

GEBREIT PINOT BLANC 2007
Blanc | 2010 à 2015 | 7 € **14,5/20**
Nez d'agrumes confits, tendre et salin en bouche avec une bonne pureté.

DOMAINE RIEFLE

7, rue Drotfeld - BP 43 • 68250 Pfaffenheim
Tél. 03 89 78 52 21 • Fax : 03 89 49 50 98
riefle@riefle.com • www.riefle.com
Visite : Du lundi au vendredi: de 8h à 12h et de 14h à 18h.

Cet important domaine de Pfaffenheim propose une gamme de vins étalonnée en plusieurs catégories, de qualité et de densité croissantes. Sur les terres calcaires de la Côte de Rouffach, on retiendra le pinot noir et le pinot gris. Quant au grand cru Steinert, il est magnifiquement mis en avant par le pinot gris.

CÔTE DE ROUFFACH 2008
Rouge | 2012 à 2018 | 11 € **14,5/20**
Dense, au nez de fruits mûrs et d'épices, charnu et de bonne pureté en bouche avec une finale encore marquée par les tanins.

CÔTE DE ROUFFACH 2008 ☺
Blanc | 2010 à 2018 | 11 € **15/20**
Assemblage de pinot gris, riesling et gewurztraminer, c'est un vin ample et profond typique des terroirs argilo-calcaires de la Côte de Rouffach, techniquement sec en bouche, avec du gras, une belle charpente acide et une finale équilibrée par une note de froment. Une belle réussite pour la première année de la nouvelle appellation.

CRÉMANT D'ALSACE
Rosé Brut effervescent | 2010 à 2012 | 8,50 € **14/20**
Un rosé franc au nez de fruits rouges, ample en bouche avec une mousse légère et un dosage qui reste discret.

GEWURZTRAMINER SÉLECTION DE GRAINS NOBLES 2007
Blanc Liquoreux | 2010 à 2022 | 42 € **17/20**
Ample, nez épicé, riche sans excès en bouche, avec une liqueur fondue qui souligne la grande pureté du vin.

GEWURZTRAMINER VENDANGES TARDIVES 2008
Blanc liquoreux | 2011 à 2028 | 22 € **16/20**
Ample, nez de rose et de pralin, moelleux en bouche avec de la profondeur.

DOMAINE ROLLY-GASSMANN

2, rue de l'Église • 68590 Rorschwihr
Tél. 03 89 73 63 28 • Fax : 03 89 73 33 06
rollygassmann@wanadoo.fr
Visite : Du lundi au samedi de 9h à 12h et de 13h30 à 18h. Ouvert 2e et 4e dimanche du mois

Situé sur une véritable mosaïque géologique, en plein champ de fracture de Ribeauvillé, Rorschwihr propose douze terroirs à dominante de marnes et de calcaires, délimités depuis plusieurs siècles. Les millésimes récents ont gagné en profondeur et en finesse, avec des acidités plus élevées, une évolution sensible qui concernera progressivement tous les vins en vente. L'accueil au domaine est simple et chaleureux, une incitation à venir déguster sur place pour se rendre compte de la diversité des vins proposés.

HAGUENAU GEWURZTRAMINER
SÉLECTION DE GRAINS NOBLES 2000
Blanc liquoreux | 2011 à 2020 | 40 € **18/20**
Concentré, nez de citronnelle, riche avec une liqueur fine et une bonne acidité. Il a digéré son sucre et présente un bel équilibre, prêt à accompagner un repas.

MOENCHREBEN MUSCAT 2008
Blanc Doux | 2010 à 2028 | 13,50 € **16/20**
Un vin frais marqué par le muscat d'Alsace, ample en bouche avec un moelleux équilibré par une bonne acidité. À apprécier jeune et frais sur l'équilibre fruité ou à garder.

PFLAENZERREBEN RIESLING 2000
Blanc | 2010 à 2020 | 19 € **16/20**
Élégant et puissant, au nez fumé, ample en bouche avec une finale beurrée. L'équilibre est demi-sec avec un moelleux parfaitement fondu.

ROTLEIBEL AUXERROIS 2006
Blanc Demi-sec | 2013 à 2021 | 7 € **15/20**
Un nez complexe, confit, fumé avec des notes de silex, qui laisse place à une bouche saline, acidulée et légèrement moelleuse. Un vin très net qui évoluera bien.

DOMAINE ÉRIC ROMINGER

16, rue Saint-Blaise • 68250 Westhalten
Tél. 03 89 47 68 60 • Fax : 03 89 47 68 61
vins-rominger.eric@wanadoo.fr
Visite : Du lundi au samedi de 10h à 11h 45
et de 14h à 18h. Le dimanche sur rendez vous.

Éric et Claudine Rominger continuent de développer leur domaine à un rythme soutenu. Après la nouvelle cave en 1997, le domaine est en conversion vers l'agriculture biologique et pratique la biodynamie. Gamme très lisible en 2008 avec des génériques francs et salins, des vins du Schwarzberg fumés avec une fine amertume, et un grand cru Zinnkoepflé qui a produit des vins charnus.

ALSACE GRAND CRU ZINNKOEPFLÉ GEWURZTRAMINER LES SINNELLES 2008
Blanc Demi-sec | 2010 à 2028 | 15,20 € **16,5/20**
Élégant, au nez de fruits exotiques et de fleurs blanches, tendre en bouche avec une acidité prononcée qui équilibre la rondeur. Un style acidulé qui convient bien au caractère charnu des gewurztraminers du cru.

PINOT BLANC 2008 ☺
Blanc | 2010 à 2015 | 6,40 € **14,5/20**
Sec, avec du fruit, charnu en bouche, avec du gras. Parfait à table tous les jours.

SCHWARZBERG PINOT GRIS 2008
Blanc Demi-sec | 2010 à 2018 | 9,05 € **15/20**
Fin et équilibré, au nez fumé, d'équilibre sec en bouche avec de la densité et une finale pure et acidulée. Un vin de gastronomie fine.

SYLVANER Z 2008
Blanc | 2012 à 2023 | 14,50 € **15,5/20**
Originaire d'une parcelle replantée en 2001 sur le Zinnkoepflé, vinifié et élevé en barrique, c'est un vin sec au nez d'amande et de froment, dense et déjà minéral en bouche avec une belle harmonie. Un futur grand vin de terroir qui bénéficiera du vieillissement de la vigne.

DOMAINE MARTIN SCHAETZEL

3, rue de la Cinquième-Division-Blindée
68770 Ammerschwihr
Tél. 03 89 47 11 39 • Fax : 03 89 78 29 77
jean.schaetzel@wanadoo.fr
Visite : Du lundi au samedi de 9h à 12h
et de 13h30 à 18h.

Propriétaire dans le grand cru Kaefferkopf, Jean Schaetzel complète les vins issus de ses propres vignes par une gamme Réserve issue d'achats. Les vins offrent une belle maturité et une vinification exemplaire, avec des équilibres secs de bonne précision. La diminution du volume des cuvées issues du domaine et la vente des parcelles sur les grands crus Rangen et Schlossberg en 2008 recentrent le domaine sur des cuvées de très bon rapport qualité-prix.

ALSACE GRAND CRU KAEFFERKOPF GEWURZTRAMINER 2008
Blanc | 2010 à 2018 | 13 € **16/20**
Produit sur les parcelles de granit du cru, le vin se montre droit et tendu, exotique au nez avec un léger moelleux en bouche. Magnifique, construit sur une charpente acide qui apporte de la fraîcheur au fruité.

ALSACE GRAND CRU KAEFFERKOPF RIESLING CUVÉE NICOLAS 2008
Blanc | 2012 à 2023 | 18 € **16,5/20**
Originaire de la partie argilo-calcaire du cru, le vin se montre ample, concentré en bouche avec une acidité franche. Un vin profond, de garde.

GEWURZTRAMINER RÉSERVE 2008 ☺
Blanc Demi-sec | 2010 à 2015 | 8 € **14/20**
Une cuvée riche et très aromatique, au nez de litchi et d'épices, moelleuse en bouche avec une bonne acidité qui lui apporte de la fraîcheur.

RIESLING AMMERSCHWIHR 2008 ☺
Blanc | 2010 à 2015 | 9,90 € **15/20**
Sec et droit, au nez d'agrumes, franc en bouche, avec du corps.

DOMAINE LOUIS SCHERB ET FILS

1, route de Saint-Marc • 68420 Gueberschwihr
Tél. 03 89 49 30 83 • Fax : 03 89 49 30 65
louis.scherb@wanadoo.fr
Visite : Du lundi au samedi de 8h à 12h
et de 13h30 à 19h.

ALSACE GRAND CRU GOLDERT GEWURZTRAMINER 2008
Blanc Doux | 2011 à 2023 | 10 € **16,5/20**
Souple, fruité acidulé, légèrement moelleux en bouche avec de la salinité, c'est un vin de terroir magnifique qui se boit déjà très bien jeune.

ALSACE GRAND CRU GOLDERT PINOT GRIS 2008
Blanc | 2011 à 2023 | 9 € **15,5/20**
Riche, au nez de miel et de fruits jaunes, moelleux et acidulé en bouche avec une fine salinité.

ALSACE GRAND CRU GOLDERT RIESLING 2008
Blanc | 2011 à 2023 | 10 € **16/20**
Puissant et gras, minéral en bouche, avec de la fraîcheur. Une cuvée réussie qui vieillira bien.

DOMAINE ANDRÉ SCHERER

12, route du Vin - B.P. 4
68420 Husseren-les-Châteaux
Tél. 03 89 49 30 33 • Fax : 03 89 49 27 48
contact@andre-scherer.com • www.andre-scherer.com
Visite : Du lundi au samedi de 9h à 12h
et de 13h30 à 18h.

Basé à Husseren-les-Châteaux et repris par Christophe Scherer dans les années 1990, le domaine familial complète sa propre récolte par des achats de raisins. Issus de terroirs à dominante calcaire à proximité du village, dont les deux grands crus voisins Pfersigberg et Eichberg, les vins possèdent à la base un bon potentiel, mais l'incohérence des cuvées d'une année à l'autre rend difficile le classement du domaine.

GEWURZTRAMINER HOLZWEG 2008
Blanc Doux | 2010 à 2018 | 14,60 € **14/20**
Le nez floral délicat laisse place à une bouche pure au moelleux bien intégré, avec une finale sur les épices.

DOMAINE SCHLUMBERGER

100, rue Théodore-Deck - BP 10 • 68500 Guebwiller
Tél. 03 89 74 27 00 • Fax : 03 89 74 85 75
mail@domaines-schlumberger.com
www.domaines-schlumberger.com
Visite : Ouvert du lundi au jeudi de 8h à 18h
et le vendredi de 8h à 17h.

Plus grosse exploitation privée de la région avec cent-quarante hectares dont la moitié sur les quatre grands crus locaux, le domaine présente une gamme claire répartie entre grands crus et cuvées Princes-Abbés. La tendance à diminuer les sucres résiduels, dans les vins de gamme Princes-Abbés ou les pinots gris grands crus, rend les vins plus faciles à accorder à table. Les vins moelleux et liquoreux, produits les grandes années, complètent cette gamme homogène.

ALSACE GRAND CRU KITTERLÉ PINOT GRIS 2007
Blanc Demi-sec | 2011 à 2027 | 20,55 € **18/20**
Très mûr, au nez explosif de noisette et de miel avec une pointe fumée, onctueux en bouche avec une superbe tension. Le léger moelleux est bien intégré, pour ce vin de garde déjà plaisant.

GEWURZTRAMINER CUVÉE ANNE
SÉLECTION DE GRAINS NOBLES 2007
Blanc Liquoreux | 2017 à 2037 | 48,10 € **19/20**
Une cuvée d'anthologie marquée par un rôti noble, des arômes de miel et de fleurs avec une pointe de truffe blanche, élégante et savoureuse en bouche avec une liqueur imposante qui sait rester discrète. 2007 suit le millésime 2000 dans cette cuvée de grande garde.

PINOT GRIS LES PRINCES ABBÉS 2008
Blanc Demi-sec | 2011 à 2016 | 8,95 € **14,5/20**
Nez de fruits jaunes, ample en bouche avec une note de froment en finale. Net et droit, bon potentiel, à garder.

SYLVANER LES PRINCES ABBÉS 2008
Blanc | 2010 à 2018 | 7,15 € **15/20**
Ample et de bonne concentration, dense en bouche avec du gras et de la profondeur.

DOMAINE FRANÇOIS SCHMITT

19, rue de Soultzmatt • 68500 Orschwihr
Tél. 03 89 76 08 45 • Fax : 03 89 76 44 02
info@francoisschmitt.fr • www.francoisschmitt.fr
Visite : Du lundi au samedi: de 8h à 12h
et de 13h30 à 19h. Le samedi: de 10h à 12h
et de 14h à 17h. Le dimanche sur rendez-vous

La famille Schmitt est réunie autour du domaine, installé sur les terroirs du Bollenberg et du grand cru Pfingstberg. L'élevage en barriques de certaines cuvées est particulièrement bien maîtrisé, en rouge comme en blanc, donnant des vins équilibrés et amples. Ne tardez pas trop pour acheter les cuvées issues du Bollenberg, rapidement épuisées et très réussies en 2008.

ALSACE GRAND CRU PFINGSTBERG RIESLING
CUVÉE PARADIS 2008
Blanc | 2010 à 2018 | 10,50 € **16,5/20**
Les raisins de la parcelle du lieu-dit Paradis ont donné une nouvelle fois un vin racé, sec, avec des amers de qualité en bouche. Sa grande finesse appelle les poissons de rivière.

BOLLENBERG PINOT GRIS 2008
Blanc Demi-sec | 2010 à 2018 | 7,50 € **15,5/20**
Pur, marqué par le coing au nez, sapide et profond en bouche, avec une acidité fine.

BOLLENBERG SYLVANER 2008

Blanc | 2010 à 2018 | 4,70 € **15/20**

Ample et acidulé, de grande pureté, il possède la profondeur du Bollenberg. Sec, avec une finale épicée, c'est un vin de terroir remarquable.

GEWURZTRAMINER VENDANGES TARDIVES 2008

Blanc liquoreux | 2010 à 2028 | 23 € **17/20**

Ample, nez de miel et de rose, profond en bouche avec une grande pureté. Remarquable et de grande garde.

PINOT NOIR CŒUR DE BOLLENBERG 2008

Rouge | 2011 à 2023 | 17,50 € **16,5/20**

Déjà ouvert au nez, avec des arômes de pivoine et d'épices. La bouche est corsée, ample et profonde, avec des tanins encore légèrement secs en finale. Une belle réussite pour un vin de garde.

JEAN-PAUL SCHMITT

Hühnelmühle • 67750 Scherwiller
Tél. 03 88 82 34 74 • Fax : 03 88 82 33 95
vins-schmitt@orange.fr • www.vins-schmitt.com
Visite : Du lundi au vendredi de 9h à 19h.
Le samedi après-midi de 14h à 19h.
Le dimanche après-midi sur rendez-vous.

Voilà quinze ans que Jean-Paul Schmitt est revenu au domaine familial après un début d'activité comme caviste. Les vins secs produits sur ce terroir de granit faiblement désagrégé sont frais, avec une acidité fine qui les rend souvent aériens, quant aux vins moelleux ils ont une pureté cristalline caractéristique. 2007 et 2008 ont produit de magnifiques rieslings et pinots gris.

RITTERSBERG PINOT GRIS VENDANGES TARDIVES 2008

Blanc Liquoreux | 2013 à 2023 | 28,50 € **16/20**

Élevé sous bois neuf, c'est un vin ample marqué par une liqueur très pure, élégant en bouche avec une finale sur le miel. À garder pour que le boisé se fonde.

RITTERSBERG PINOT NOIR GRANDE RÉSERVE 2008

Rouge | 2011 à 2023 | 24 € **16/20**

Concentré et mûr, parfaitement vinifié et élevé sous bois, il possède la corpulence des cuvées les plus concentrées tout en conservant la finesse du terroir et l'acidité fine du millésime 2008. Une grande réussite qui mérite d'entrer dans la gamme Grande-Réserve. Un grand rouge produit sur le terroir granitique du Rittersberg.

RITTERSBERG RIESLING LES PIERRES BLANCHES 2008

Blanc | 2012 à 2023 | 9,90 € **15,5/20**

Sec et droit, minéral en bouche avec une acidité mûre très présente. L'élevage sur lies marque encore les arômes, et le vin se dévoilera après quelques années de garde .

RITTERSBERG RIESLING RÉSERVE 2008

Blanc | 2012 à 2023 | 17,50 € **16/20**

Dense et très minéral, tendu en bouche par une acidité maîtrisée qui dévoile la salinité du Rittersberg.

DOMAINE ROLAND SCHMITT

35, rue des Vosges • 67310 Bergbieten
Tél. 03 88 38 20 72 • Fax : 03 88 38 75 84
cave@roland-schmitt.fr • www.roland-schmitt.fr
Visite : Du lundi au samedi: de 9h à 11h30
et de 13h30 à 19h

Anne-Marie Schmitt et ses deux fils produisent des vins fins qui révèlent la minéralité du grand cru Altenberg de Bergbieten et des terroirs voisins. 2006 et 2007 montrent des vins de bonne maturité, très purs avec de fortes salinités. 2008 possède la pureté des meilleures années, avec des acidités fines.

ALSACE GRAND CRU ALTENBERG DE BERGBIETEN GEWURZTRAMINER 2008

Blanc Demi-sec | 2011 à 2023 | 14 € **16/20**

Précis, nez de rose et d'épices, tendre en bouche avec une bonne pureté et une minéralité affirmée.

ALSACE GRAND CRU ALTENBERG DE BERGBIETEN RIESLING SÉLECTION VIEILLES VIGNES 2008

Blanc | 2012 à 2028 | 13 € **17/20**

Nez discret sur les fruits à chair blanche, avec une pointe minérale, bouche ample, grasse et acidulée avec une salinité présente. Longue finale sur le pamplemousse avec une note beurrée. Un grand vin de l'Altenberg.

DOMAINE MAURICE SCHOECH ET FILS

4, route de Kientzheim • 68770 Ammerschwihr
Tél. 03 89 78 25 78 • Fax : 03 89 78 13 66
domaine.schoech@free.fr • www.domaineschoech.com
Visite : ouvert le dimanche sur rendez-vous

Donnant la priorité à l'expression des terroirs, avec de superbes parcelles sur le grand cru Mambourg à Sigolsheim, le domaine a replanté une parcelle dans le Rangen de Thann avec du pinot gris, du riesling et du gewurztraminer, produisant en 2005 le premier vin de complantation du Rangen. Après la

grande réussite des 2006 et 2007, en dépit des conditions climatiques délicates sur le secteur d'Ammerschwihr, le domaine a produit de savoureux 2008, dont la dégustation montre la fraîcheur et la salinité. 2009 se présente plus ample, sur base des cuvées dégustées en bouteille.

ALSACE GRAND CRU KAEFFERKOPF RIESLING 2008
Blanc | 2012 à 2023 | NC **16,5/20**
Le nez est ouvert sur les agrumes mûrs, la bouche est droite et saline avec une pointe épicée en finale. Un vin à garder.

ALSACE GRAND CRU MAMBOURG MUSCAT 2009
Blanc | 2012 à 2024 | env 12,50 € **17/20**
Un muscat de terroir marno-calcaire très à l'aise dans un millésime chaud, frais au nez et ample en bouche avec de la profondeur. Il vieillira bien.

RIESLING 2008
Blanc | 2010 à 2015 | NC **14/20**
Sec, au fruité net, croquant en bouche avec une acidité franche. Simple et très bien fait.

DOMAINE HENRI SCHOENHEITZ

1, rue de Walbach • 68230 Wihr-au-Val
Tél. 03 89 71 03 96 • Fax : 03 89 71 14 33
cave@vins-schoenheitz.fr • www.vins-schoenheitz.fr
Visite : Ouvert du lundi au samedi de 9h à 12h30 puis de 13h30 à 19h.

En marge de la route des vins, au milieu de la vallée de Munster, Henri Schoenheitz et son épouse Dominique ont replanté les coteaux granitiques de Wihr-au-Val et Walbach dans les années 1980. En reprenant les vieilles vignes du domaine familial en 1989, ils ont créé un domaine de quatorze hectares. Si le Herrenreben donne les vins de plus grande garde, le Linsenberg plus caillouteux et le Holder légèrement argileux apportent une variation sensible du terroir qui convient particulièrement aux pinots gris et gewurztraminers. Crémant et pinot noir complètent une gamme homogène de vins blancs secs et fins.

HOLDER PINOT GRIS 2008
Blanc | 2010 à 2018 | 9,70 € **15,5/20**
Élégant, nez de coing et de vanille, d'équilibre sec en bouche avec du gras. Parfait à table.

HOLDER RIESLING 2008
Blanc | 2010 à 2023 | 9,80 € **16/20**
Ample, au nez d'agrumes mûrs, charnu en bouche avec une acidité fine et une finale sur les amers du pamplemousse.

LINSENBERG PINOT NOIR 2008
Rouge | 2011 à 2018 | 12,90 € **15/20**
Le nez est encore marqué par le toasté, la bouche est ample avec une note fumée en finale. À garder.

PINOT GRIS VAL 2008
Blanc Doux | 2010 à 2015 | NC **15/20**
Un pinot gris harmonieux, légèrement moelleux en bouche avec une bonne fraîcheur. Parfait sur des plats à base de sauce crémée.

DOMAINE SCHOFFIT

66-68, Nonnenholzweg • 68000 Colmar
Tél. 03 89 24 41 14 • Fax : 03 89 41 40 52
domaine.schoffit@free.fr
Visite : Du lundi au vendredi de 8h30 à 11h30 et de 14h à 17h, sur rendez-vous. Le samedi jusqu'à 16h.

Installé à Colmar, le domaine produit du vin sur deux secteurs : d'un côté, les vignes de la plaine d'alluvions de la Harth, travaillées avec des rendements très réduits, donnent des vins purs très concentrés. De l'autre, le vignoble extrême du Rangen, à Thann, planté des quatre cépages nobles, produit des vins de grande typicité. 2007 et 2008 ont produit une gamme très homogène, avec une réduction sensible des sucres résiduels.

ALSACE GRAND CRU RANGEN CLOS SAINT-THÉOBALD GEWURZTRAMINER 2008
Blanc Doux | 2010 à 2028 | 32 € **18/20**
Ample, marqué par les épices et une pointe fumée au nez, d'équilibre sec avec du gras et une longue finale épicée. Sa race conviendra à la grande cuisine épicée.

ALSACE GRAND CRU RANGEN CLOS SAINT-THÉOBALD RIESLING 2008
Blanc | 2012 à 2028 | 29 € **17,5/20**
Nez de fruits mûrs et de fleurs, presque sec et très salin en bouche avec une charpente d'acidité élégante. Un vin de garde.

ALSACE GRAND CRU RANGEN PINOT GRIS CLOS DE LA VILLE DE THANN 2008
Blanc Doux | 2010 à 2018 | 29,50 € **16/20**
Deuxième année de production pour cette jeune vigne plantée au sommet du Rangen, avec un vin

ample marqué par un moelleux très pur, épicé et fumé en bouche, avec une finale vanillée.

GEWURZTRAMINER HARTH CUVÉE ALEXANDRE 2008
Blanc Doux | 2010 à 2018 | 13,20 € **16/20**
Récolté à maturité de sélection de grains nobles, c'est un vin au confit important, franc et acidulé en bouche. Un équilibre tendu très réussi.

DOMAINE SEILLY

18, rue du Général-Gouraud • 67210 Obernai
Tél. 03 88 95 55 80 • Fax : 03 88 95 54 00
info@seilly.fr • www.seilly.com
Visite : Sur rendez-vous.

L'œnologue Marc Seilly gère l'entreprise familiale depuis 1990, et continue de mettre en avant les vins du Schenkenberg, coteau argilo-calcaire orienté sud/sud-est surplombant la ville d'Obernai. Les vins sont structurés autour de trois gammes qualitatives, avec une bonne régularité depuis 2006. Si le domaine se distingue nettement de ses voisins sur le secteur d'Obernai, les prix restent élevés par rapport au reste de la région.

SCHENKENBERG GEWURZTRAMINER SÉLECTION DE GRAINS NOBLES 2005
Blanc Liquoreux | 2010 à 2020 | 76,90 € **17/20**
Onctueux, nez de miel et de pralin rehaussé par une note d'écorce d'orange, ample et profond en bouche avec une longue finale très pure.

SCHENKENBERG MUSCAT 2007
Blanc Demi-sec | 2010 à 2013 | 11 € **15/20**
Profil fin et aromatique, délicat en bouche avec une finale pure et longue sur la pêche blanche.

SCHENKENBERG PINOT GRIS 2008
Blanc Demi-sec | 2010 à 2018 | 10,40 € **14,5/20**
Équilibre sec au profil acidulé, salin en bouche avec une note de noisette en finale.

SYLVANER COTEAU D'OBERNAI 2007
Blanc | 2010 à 2014 | 6,40 € **14/20**
Sec et acidulé, riche en bouche avec une fine salinité. Fluide, très buvable.

DOMAINE ALBERT SELTZ

21, rue Principale • 67140 Mittelbergheim
Tél. 03 88 08 91 77 • Fax : 03 88 08 52 72
info@albert-seltz.fr • www.albert-seltz.fr
Visite : Du lundi au vendredi de 8h à 12h et de 14h à 17h30. Le mercredi après-midi et samedi sur rendez-vous.

Albert Seltz défend la production de sylvaner sur le Zotzenberg, produisant une multitude de cuvées à la maturité aboutie, donnant au cépage l'ampleur et la profondeur qu'il mérite. N'hésitant pas à récolter le vin en surmaturité, il produit des cuvées moelleuses qui suscitent un regain d'intérêt chez les consommateurs, avant de mettre en avant des vins plus secs. Riesling et gewurztraminer sont tout aussi bien travaillés.

ALSACE GRAND CRU ZOTZENBERG RIESLING 2008
Blanc | 2011 à 2023 | 11,80 € **16/20**
Ample et salin avec une note fumée, c'est un vin concentré, à la minéralité affirmée.

ALSACE GRAND CRU ZOTZENBERG SYLVANER 2005
Blanc Demi-sec | 2010 à 2020 | 15,40 € **15,5/20**
Riche et épicé, encore moelleux en bouche avec une pointe d'alcool. À garder.

GEWURZTRAMINER MON RUISSEAU DE ZANZIBAR 2007
Blanc Demi-sec | 2010 à 2027 | 15,40 € **16/20**
Récolté en surmaturité et élevé en cuve, c'est un vin ouvert au nez de gingembre et de poivre, riche en bouche avec un moelleux très présent déjà bien fondu. La finale est longue, sur la bergamote.

SYLVANER EL DIABLO 2000
Blanc Liquoreux | 2010 à 2020 | 40,30 € **16,5/20**
Sélection de grains nobles réalisée en 2000, c'est un vin pur et minéral qui possède la profondeur de son terroir d'origine, avec une liqueur ample parfaitement fondue.

DOMAINE FERNAND SELTZ

42, rue Principale • 67140 Mittelbergheim
Tél. 03 88 08 93 92 • Fax : 03 88 08 93 92
seltz.michel@wanadoo.fr
Visite : Sur rendez-vous.

ALSACE GRAND CRU ZOTZENBERG GEWURZTRAMINER VENDANGE TARDIVE 2007
Blanc liquoreux | 2012 à 2027 | 15 € **16,5/20**
Riche et épicé, moelleux en bouche avec une belle pureté. À garder pour que le caractère épicé se dévoile complètement.

ALSACE GRAND CRU ZOTZENBERG PINOT GRIS 2008
Blanc Doux | 2012 à 2023 | 14,20 € **16/20**
Riche et onctueux, très pur en bouche avec une minéralité encore masquée par l'important moelleux.

ALSACE GRAND CRU ZOTZENBERG RIESLING SÉLECTION DE GRAINS NOBLES 2007
Blanc Liquoreux | 2012 à 2027 | 21 € **17,5/20**
Grande concentration, liqueur fine et tendue par une acidité intense qui donne un aspect aérien au vin.

SYLVANER VIEILLES VIGNES 2008
Blanc | 2010 à 2015 | 5 € **14/20**
Complètement sec, c'est un sylvaner franc et salin doté d'un joli fruité.

DOMAINE RENÉ ET ÉTIENNE SIMONIS

2, rue des Moulins • 68770 Ammerschwihr
Tél. 03 89 47 30 79 • Fax : 03 89 78 24 10
rene.etienne.simonis@gmail.com
Visite : Du lundi au samedi: de 8h à 12h et de 14h à 18h. Ouvert le dimanche sur rendez-vous

Étienne Simonis a repris le petit domaine familial en 1996 et, après avoir réduit sérieusement les rendements, s'est lancé dans la production de vins concentrés, récoltés très mûrs et élevés sur lies. Après avoir su gérer le difficile millésime 2006, la grêle de juin 2007 a demandé beaucoup d'attention dans les vignes, pour rentrer une vendange saine en petite quantité. Tout revient en ordre en 2008 avec des gewurztraminers profonds mais aussi des cuvées qui jouent dangereusement avec le soufre.

ALSACE GRAND CRU KAEFFERKOPF GEWURZTRAMINER CUVÉE ARMAND 2008
Blanc liquoreux | 2010 à 2023 | 13,20 € **17/20**
Originaire des parcelles plus profondes du cru, c'est un vin charpenté, riche avec un fruité très mûr, très moelleux en bouche avec une belle minéralité.

ALSACE GRAND CRU KAEFFERKOPF RIESLING 2008
Blanc | 2010 à 2023 | 11 € **16/20**
Un riesling franc, au fruité net, charnu et salin en bouche, avec une longue finale très pure. Belle réussite.

ALSACE GRAND CRU MARCKRAIN GEWURZTRAMINER VENDANGES TARDIVES 2008
Blanc liquoreux | 2013 à 2028 | 18 € **17,5/20**
Riche, onctueux et profond en bouche avec un moelleux prononcé équilibré par la salinité du vin. À garder.

SYLVANER CAPRICE 2008
Blanc liquoreux | 2010 à 2018 | 10 € **15/20**
La surmaturité a donné un vin riche, au nez de fruits jaunes et d'épices, moelleux en bouche avec une belle acidité qui apporte une touche de légèreté.

LOUIS SIPP

5, Grand-Rue • 68150 Ribeauvillé
Tél. 03 89 73 60 01 • Fax : 03 89 73 31 46
louis@sipp.com • www.sipp.com
Visite : Du lundi au vendredi de 8h à 12h et de 14h à 18h.

Ce grand domaine dispose d'un patrimoine important de vignes sur les coteaux de Ribeauvillé, complété par quelques achats. Si les efforts d'Étienne Sipp se traduisent par des progrès importants de toutes les cuvées depuis 2000, le millésime 2005 marque un tournant dans l'histoire du domaine avec une gamme homogène de très haut niveau, en particulier des vins moelleux remarquables de pureté.

ALSACE GRAND CRU KIRCHBERG DE RIBEAUVILLÉ PINOT GRIS 2008
Blanc Demi-sec | 2012 à 2028 | 19 € **18/20**
Un demi-sec très salin, remarquable de finesse et de pureté, avec un moelleux fondu supporté par une acidité importante.

ALSACE GRAND CRU OSTERBERG GEWURZTRAMINER 2007
Blanc Demi-sec | 2012 à 2028 | 20,50 € **18/20**
Doté d'une grande trame minérale, voilà un osterberg de grande plénitude, pur, très minéral avec un moelleux fondant et fondu, qui termine très long. À garder quelques années pour le servir sur une cuisine épicée.

ALSACE GRAND CRU OSTERBERG RIESLING 2008
Blanc | 2010 à 2028 | 18,50 € **17/20**
Le nez encore discret laisse place à une bouche très pure, droite sans austérité, très minérale avec une longue finale. Un osterberg sec déjà appréciable jeune.

PINOT BLANC RIBEAUVILLÉ 2008
Blanc | 2010 à 2013 | 7,80 € **14,5/20**
Issu de pinot blanc du Kirchberg, c'est un vin ample d'équilibre sec, minéral et croquant en bouche.

DOMAINE SIPP-MACK

1, rue des Vosges • 68150 Hunawhir
Tél. 03 89 73 61 88 • Fax : 03 89 73 36 70
sippmack@sippmack.com • www.sippmack.com
Visite : Du lundi au samedi:de 9h à 12h
et de 14h à 18h.

Le domaine possède des vignes sur le grand cru Osterberg de Ribeauvillé, mais surtout sur les terroirs de Bergheim et Hunawihr, dont le grand cru Rosacker. Les vins sont purs avec, sur les terrains les plus calcaires, des sucres résiduels parfaitement intégrés. 2008 a produit des vins de bonne maturité, à la salinité prononcée.

ALSACE GRAND CRU ROSACKER RIESLING 2008
Blanc | 2012 à 2028 | 16,20 € **17,5/20**
Sec et charnu, il possède une forte minéralité, dense en bouche avec une bonne longueur. Une grande réussite dans un grand millésime de Rosacker.

GEWURZTRAMINER TRADITION 2008
Blanc Demi-sec | 2010 à 2018 | 8 € **14,5/20**
Frais et fruité, avec une note épicée, c'est un vin facile à boire, doté d'une fine acidité.

PINOT GRIS VENDANGES TARDIVES 2007
Blanc liquoreux | 2012 à 2027 | 14,80 € **17/20**
Surmûri, de grande garde, nez de miel avec une pointe citronnée, dense en bouche avec une belle fraîcheur.

SYLVANER VIEILLES VIGNES 2008
Blanc | 2010 à 2018 | 6 € **14,5/20**
Ample et gras, pur en bouche avec une légère salinité.

DOMAINE VINCENT SPANNAGEL

82, rue du Vignoble • 68230 Katzenthal
Tél. 03 89 27 52 13 • Fax : 03 89 27 56 48
domainespannagelv@orange.fr
Visite : Sur rendez vous.

Vincent Spannagel fait partie de ces vignerons qui ont su fidéliser de longue date une clientèle à la recherche de vins nets et fruités, de bon rapport qualité-prix. En sec ou en vendange tardive, il continue de mettre en avant le grand cru Wineck-Schlossberg, avec toute une palette de vins qui expriment magnifiquement la fine salinité de ce terroir granitique fortement désagrégé. Le muscat grand cru est venu rejoindre les rieslings, pinots gris et gewurztraminers en 2004. Le reste de la gamme est malheureusement redevenu trop inégal pour que le domaine reste classé.

ALSACE GRAND CRU WINECK-SCHLOSSBERG
GEWURZTRAMINER VENDANGES TARDIVES 2007
Blanc liquoreux | 2011 à 2022 | 20 € **15,5/20**
Dense, confit très pur, qui reste élégant en bouche avec une trame épicée longue en finale. Une vendange tardive équilibrée.

ALSACE GRAND CRU WINECK-SCHLOSSBERG
MUSCAT 2008
Blanc Demi-sec | 2010 à 2016 | 12,20 € **15/20**
Ouvert, nez de fleur de sureau, riche et légèrement doux en bouche avec une finale saline. Un vin croquant qui supportera de passer à table après l'apéritif.

DOMAINE SYLVIE SPIELMANN

2, Route de Thannenkirch • 68750 Bergheim
Tél. 03 89 73 35 95 • Fax : 03 89 73 27 35
sylvie@sylviespielmann.com
www.sylviespielmann.com
Visite : Du lundi au vendredi de 9h à 12h
et de 14h à 18h.
Le samedi sans rendez-vous d'avril à septembre;
sur rendez-vous d'octobre à mars

Sur la route qui mène de Bergheim à Thannenkirch, l'ancienne carrière de gypse est devenue le lieu de prédilection de Sylvie Spielmann, qui a continué l'exploitation viticole familiale après la fin de l'activité d'extraction. Le sol de marnes à gypse des vignes entourant l'exploitation donne une forte personnalité aux vins, et sur le grand cru Kanzlerberg voisin, dont elle est l'un des trois seuls producteurs, fluorine et barytine donnent un caractère particulier au riesling et au gewurztraminer.

ALSACE GRAND CRU KANZLERBERG
GEWURZTRAMINER 2002
Blanc Demi-sec | 2010 à 2022 | 20 € **16/20**
Un vin à maturité, épicé et minéral au nez, avec une bouche dense au moelleux fondu. Son caractère le réserve à la table, hors desserts.

Alsace grand cru Kanzlerberg riesling
Sélection de Grains Nobles 2007
Blanc liquoreux | 2010 à 2027 | 37,80 € **17/20**
Encore jeune, marqué par les agrumes confits, dense et très pur en bouche avec une minéralité qui apporte beaucoup de finesse. À boire jeune sur son fruit ou à garder longtemps.

Blosenberg pinot gris
Sélection de Grains Nobles 2007
Blanc Liquoreux | 2012 à 2022 | 37,80 € **16/20**
Riche, nez de fruits confits, liquoreux en bouche avec une acidité fine.

pinot noir Réserve Bergheim 2008
Rouge | 2011 à 2018 | 14,80 € **15/20**
Fruité mûr, dense et charpenté en bouche, avec des tanins fins.

AIMÉ STENTZ

37, rue Herzog • 68920 Wettolsheim
Tél. 03 89 80 63 77 • Fax : 03 89 79 78 68
vins.stentz@calixo.net • www.vins-stentz.fr
Visite : Du lundi au samedi de 8h à 12h
et de 14h à 18h30.

Étienne et Louis Stentz exploitent les parcelles autour de Wettolsheim, dont les grands crus Steingrübler et Hengst, mais aussi sur six autres communes. Le passage à la viticulture biologique explique la pureté et la salinité des vins des derniers millésimes.

riesling Neufeld 2008
Blanc | 2010 à 2018 | 8 € **15,5/20**
Nez d'agrumes mûrs, pur et salin en bouche avec une finale de bonne longueur. Un vin de grande précision.

DOMAINE STENTZ-BUECHER

21, rue Kleb • 68920 Wettolsheim
Tél. 03 89 80 68 09 • Fax : 03 89 79 60 53
stentz-buecher@wanadoo.fr
www.stentz-buecher.com
Visite : Du lundi au Samedi de 9h à 12h
et de 14h à 19h.

Les bons terroirs marno-calcaires autour de Wettolsheim permettent à Stéphane Stentz de vinifier des vins dotés d'acidités élevées, travaillés sur la puissance avec des équilibres secs qui possèdent parfois des niveaux d'alcool importants. Les pinots noirs, réalisés avec la même rigueur, donnent de bons résultats. Les vinifications manquent de précisions sur les derniers millésimes, ce qui diminue l'homogénéité de la gamme.

Alsace grand cru Hengst pinot gris 2007
Blanc Demi-sec | 2013 à 2022 | 14,50 € **15,5/20**
Vinifié presque sec, c'est un vin ample et profond, aux arômes de fruits jaunes, minéral en bouche avec une finale très pure. À garder.

Alsace grand cru Steingrübler
gewurztraminer 2007
Blanc Demi-sec | 2010 à 2022 | 15 € **16,5/20**
Ample et élégant, au nez délicatement épicé, tendre en bouche avec un caractère charnu qui termine presque sec. Équilibré, il vieillira bien.

pinot noir Old Oak 2008
Rouge | 2012 à 2023 | 13 € **15,5/20**
Un vin originaire du haut du Steingrübler et élevé en barrique, qui possède un nez encore sur la réserve et une bouche fine marquée par de la sapidité. À garder.

DOMAINE STOEFFLER

1, rue des Lièvres • 67140 Barr
Tél. 03 88 08 52 50 • Fax : 03 88 08 17 09
info@vins-stoeffler.com • www.vins-stoeffler.com
Visite : Ouvert du lundi au samedi de 10h à 12h
et de 13h30 à 18h.

Vincent Stoeffler est aux commandes du domaine familial, avec des vignes réparties sur le secteur de Barr mais également dans le Haut-Rhin entre Ribeauvillé et Riquewihr. Pratiquant la viticulture biologique, il effectue des pressurages longs, des fermentations lentes, et réalise des élevages sur lies en foudres de chêne. Si le résultat est parfois irrégulier sur certaines cuvées, la production dans son ensemble est de bon niveau avec, lorsque le millésime le permet, des vins de terroir aboutis.

Alsace grand cru Kirchberg de Barr
gewurztraminer 2008
Blanc liquoreux | 2012 à 2028 | 15 € **17/20**
Un vin riche et abouti, suave et charmeur en bouche avec une acidité fine et une longue finale à la fois exotique et épicée.

Crémant d'Alsace 2004
Blanc Brut effervescent | 2010 à 2014 | 7,20 € **15/20**
Dégorgé fin 2009. Nez de fruits confits et d'épices, riche en bouche avec de la vinosité. Pour le repas.

MUSCAT 2008 ☺

Blanc | 2010 à 2014 | 7 € **15/20**

Aromatique, fruité très net marqué par le sureau, ample en bouche avec une bonne pureté et de la rondeur en finale. Un vin délicieux à la maturation parfaite.

PINOT NOIR XXC 2008

Rouge | 2012 à 2023 | 17 € **16/20**

Originaire du Kirchberg de Barr et élevé un an en barrique, c'est un vin corsé au nez de pivoine et de fruits noirs, ample en bouche avec de la profondeur et du gras. Les tanins sont encore très présents, mais le vin vieillira bien.

DOMAINE MARC TEMPÉ

16, rue du Schlossberg • 68340 Zellenberg
Tél. 03 89 47 85 22 • Fax : 03 89 47 97 01
marctempe@wanadoo.fr • www.marctempe.fr
Visite : sur rendez vous.

Marc Tempé est un vigneron exigeant et fougueux. Depuis ses débuts en 1995, il a pris des risques pour miser sur la qualité extrême des vins : viticulture en biodynamie, rendements minimes, élevages de deux années minimum sur lies totales avec un minimum d'intervention. L'objectif de produire des grands vins passe par une maturation parfaite des raisins et un élevage suffisamment long pour que chaque cuvée se stabilise, objectifs parfaitement atteints avec le difficile millésime 2006 géré comme les autres sans concession. La régularité des cuvées s'est améliorée depuis le millésime 2003, et la très haute qualité est au rendez-vous chaque année avec des cuvées à l'équilibre abouti, qui reflètent la richesse de style des terroirs autour de Zellenberg. En réussissant son pari, Marc Tempé est devenu une référence alsacienne dans la vinification et l'élevage des vins.

ALSACE GRAND CRU MAMBOURG GEWURZTRAMINER 2006

Blanc Doux | 2011 à 2026 | 31,60 € **18,5/20**

Goûté en bouteille. Puissant, nez de citron et de miel d'acacia, riche en bouche avec un moelleux présent et une acidité fine très intense qui donne de la longueur. Grande garde.

ALSACE GRAND CRU SCHOENENBOURG PINOT GRIS 2006

Blanc Doux | 2011 à 2021 | 21,20 € **17/20**

Riche, nez élégant de fleurs et de miel, moelleux en bouche avec une forte salinité et une fine amertume en finale. Très gastronomique.

AUXERROIS VIEILLES VIGNES 2005

Blanc | 2010 à 2020 | 14,50 € **16,5/20**

Mis en bouteille après quatre ans d'élevage, c'est un vin surmûri au nez pur de fruits jaunes et de miel avec une pointe de vanille, riche et onctueux en bouche avec une douceur présente mais fondue. L'impression de pureté est rehaussée par une fine acidité très présente qui lui donne de la longueur. À boire pour lui ou sur une volaille rôtie.

GRAFFENREBEN RIESLING 2006

Blanc | 2010 à 2016 | NC **16/20**

Un vin élevé trois années en barrique, ample et sec avec un cépage qui s'efface au profit d'un équilibre dense et pur, avec une finale sur la noisette. Un alsace atypique, remarquable de finesse et de minéralité.

RIESLING SAINT-HIPPOLYTE 2007

Blanc | 2011 à 2017 | 12,20 € **16/20**

Élégant, porté par la finesse du terroir, ample et gras en bouche avec un caractère fondu du cépage. L'acidité est parfaitement intégrée pour donner un vin d'équilibre sec, magnifique à table.

RODELSBERG 2006

Blanc Demi-sec | 2010 à 2021 | 19,90 € **16/20**

Assemblage de gewurztraminer et pinot gris, le vin est parfumé avec des notes épicées et fumées, ample et profond en bouche avec de la salinité et un léger moelleux complètement fondu. Grande pureté.

ZELLENBERG GEWURZTRAMINER 2007

Blanc Demi-sec | 2011 à 2022 | 16 € **16,5/20**

Un vin de caractère, au nez d'orange sanguine et de gingembre, demi-sec en bouche avec du gras et une forte minéralité. Il est taillé pour la cuisine aux épices.

ZELLENBERG PINOT BLANC 2007 ☺

Blanc | 2011 à 2017 | 11,40 € **16/20**

Ample et profond, avec une concentration importante qui lui donne du corps. L'équilibre est magnifique avec une finale saline et acidulée. Remarquable.

ZELLENBERG RIESLING 2007

Blanc | 2011 à 2017 | 13,50 € **16/20**

Ample, au nez de fruits compotés et d'agrumes, riche et minéral en bouche avec une acidité très présente et de légers amers qui apportent de la longueur à l'équilibre.

DOMAINE TRAPET ALSACE

14, rue des Prés • 68340 Riquewihr
Tél. 03 80 34 30 40 • Fax : 03 80 51 86 34
message@domaine-trapet.com / trapet.alsace@wanadoo.fr • www.domaine-trapet.com/alsace

Alsacienne d'origine et fille de vigneron, l'épouse de Jean-Louis Trapet a repris le domaine familial en 2002. Avec l'aide de Rémy Jung qui a quitté le domaine familial Roger Jung de Riquewihr, Andrée Trapet place d'emblée la barre très haute : viticulture en biodynamie, travail des sols et élevage sur lies. Le millésime 2008 comme les autres a été impeccablement vinifié.

ALSACE GRAND CRU SCHLOSSBERG RIESLING 2008
Blanc Demi-sec | 2012 à 2023 | 30 € **17/20**
D'une grande précision, sec et salin en bouche avec une longue finale sur le pamplemousse.

ALSACE GRAND CRU SCHOENENBOURG RIESLING 2008
Blanc | 2012 à 2028 | 30 € **17,5/20**
Dense, à la minéralité affirmée, sec et finement acidulé en bouche avec une salinité très présente qui allonge la finale. Un vin déjà remarquable, qui sera magnifique après quelques années de garde.

ALSACE GRAND CRU SPOREN GEWURZTRAMINER 2008
Blanc liquoreux | 2015 à 2033 | 25 € **18/20**
Récolté très mûr, c'est un vin ample et profond au caractère moelleux prononcé, onctueux en bouche avec une belle acidité.

PINOT AUXERROIS 0X 2008
Blanc | 2010 à 2018 | 8 € **15/20**
Nez de fleurs avec une note de poire, sec et gras en bouche avec une belle matière.

TRIMBACH

15, route de Bergheim • 68150 Ribeauvillé
Tél. 03 89 73 60 30 • Fax : 03 89 73 89 04
contact@maison-trimbach.fr
www.maison-trimbach.com
Visite : Du lundi au vendredi de 8h à 12h
et de 13h30 à 17h 15.

Trimbach est incontournable parmi les grandes maisons de producteurs-négociants qui ont favorisé le développement des vins d'Alsace en France et à l'étranger, grâce à une gamme homogène et très régulière d'un millésime à l'autre. Il serait trop facile de réduire les grandes cuvées aux seules Frédéric-Émile et Clos-Sainte-Hune, véritables étendards des grands rieslings alsaciens : le reste de la gamme est tout aussi intéressant. Les cuvées Prestige, provenant des vignes propres du domaine, sont souvent originaires de terroirs réputés autour de Ribeauvillé, y compris les rares vins moelleux toujours très précis.

GEWURZTRAMINER RÉSERVE 2005
Blanc Demi-sec | 2010 à 2020 | 17,50 € **15,5/20**
Une cuvée profonde, avec un léger moelleux qui laisse place à une minéralité présente en milieu de bouche. Remarquable de précision.

GEWURZTRAMINER SEIGNEURS DE RIBEAUPIERRE 2005
Blanc | 2012 à 2025 | 26,60 € **17/20**
Assemblage de grands terroirs, la cuvée 2005 est un vin puissant, concentré et d'équilibre demi-sec, avec un caractère praliné et épicé marqué en finale. De grande garde, à réserver aux grandes tables.

PINOT GRIS RÉSERVE PERSONNELLE 2005
Blanc | 2011 à 2025 | env 22,50 € **16/20**
Assemblage de grands terroirs dont une part importante de vignes propres du domaine, le millésime 2005 se présente ample et puissant avec des arômes de vanille et de pralin, encore légèrement moelleux en bouche avec de la profondeur et une bonne acidité. Un vin gastronomique à boire sans se presser.

RIESLING 2008
Blanc | 2010 à 2018 | 10,55 € **14,5/20**
Frais et fruité, à l'acidité nette, franc en bouche sans être agressif, comme les bons 2008 savent l'être. Un digne représentant de l'appellation, qui ravira les amateurs de vins secs et droits.

RIESLING CLOS SAINTE-HUNE 2005
Blanc | 2012 à 2035 | NC **19,5/20**
Un vin très abouti, avec des notes de fruits mûrs et de fumée au nez, gras en début de bouche avant de prendre un caractère ample et profond très salin, qui termine sur une longue finale. Archétype des très grands blancs produits les meilleures années, le Clos Saint-Hune 2005 entrera sûrement dans la légende.

RIESLING CUVÉE FRÉDÉRIC-ÉMILE 2005
Blanc | 2012 à 2025 | 31,80 € **18/20**
Intégrant la parcelle historique du domaine située au dessus de l'exploitation et à cheval sur les grands crus Geisberg et Osterberg, le millésime 2005 possède le style des grandes années : les fruits mûrs se combinent à de fines notes fumées avec une pointe beurrée au nez, la bouche se

montre droite, très pure avec du gras et une bonne concentration. Charpenté et de grande garde, un grand Frédéric-Émile, dans la ligne droite du grandiose 1990.

RIESLING RÉSERVE 2008
Blanc | 2013 à 2023 | 14 € **15,5/20**
Assemblage de belles parcelles autour de Ribeauvillé, c'est un vin tendu, puissant et sec, qui méritera quelques années de garde.

CAVE DE TURCKHEIM

16, rue des Tuileries • 68230 Turckheim
Tél. 03 89 30 23 60 • Fax : 03 89 27 35 33
info@cave-turckheim.com • www.cave-turckheim.com
Visite : Sur rendez-vous.

La Cave de Turckheim continue son développement commercial, avec des volumes vendus qui ont doublé depuis le partenariat avec la Cave du Roi Dagobert, à Traenheim. Si les cuvées génériques ont des origines géographiques très variées, les lieux-dits et les grands crus proviennent principalement de la région entre Turckheim et Wettolsheim. Les grands crus ont fait l'objet d'une charte visant à réduire les rendements en 2002, et une attention particulière est donnée à la vigne depuis 2005. Les grands crus et les vins moelleux de 2005 représentent de très bonnes affaires. La cave n'a pas présenté d'échantillons en 2010.

GUY WACH - DOMAINE DES MARRONNIERS

5, rue de la Commanderie • 67140 Andlau
Tél. 03 88 08 93 20 • Fax : 03 88 08 45 59
info@guy-wach.fr • www.guy-wach.fr
Visite : Du lundi au samedi de 8h à 12h
et de 14h à 19h.
Le dimanche sur rendez-vous

Passionné par le riesling, Guy Wach dispose d'un terrain de jeu passionnant avec des parcelles sur les trois grands crus d'Andlau, offrant sur chacun des terroirs des vins à la forte typicité. Les derniers millésimes en vente sont très réussis, et suite à une forte demande, les grands crus à la vente sont déjà des 2008. Encavez les grands crus pour cinq à six ans minimum et foncez sur le crémant et les cuvées génériques, délicieuses à boire jeunes.

ALSACE GRAND CRU KASTELBERG RIESLING 2008
Blanc | 2013 à 2028 | 17,50 € **18/20**
Déjà expressif, au nez d'écorce d'agrumes avec une pointe fumée, riche et salin en bouche avec une pointe tannique. De grande garde.

ALSACE GRAND CRU WIEBELSBERG RIESLING SÉLECTION DE GRAINS NOBLES 2007
Blanc Liquoreux | 2010 à 2027 | 45 € **19/20**
Une cuvée liquoreuse qui exalte toute la finesse du Wiebelsberg, avec une forte concentration et une importante salinité qui lui apporte une touche de légèreté. Un grand vin à boire jeune pour lui seul, ou à garder.

DUTTENBERG SYLVANER 2008
Blanc | 2010 à 2023 | 7,20 € **15/20**
Un vin de terroir de bonne densité, ample, avec du gras.

MUSCAT ANDLAU 2008
Blanc | 2010 à 2013 | 9,80 € **15/20**
Très aromatique, frais et croquant avec une pointe de bourgeon de cassis en finale. Un muscat de référence, au succès mérité.

DOMAINE WEINBACH - COLETTE, CATHERINE ET LAURENCE FALLER

25, route du Vin - Clos des Capucins
68240 Kaysersberg
Tél. 03 89 47 13 21 • Fax : 03 89 47 38 18
contact@domaineweinbach.com
www.domaineweinbach.com
Visite : Du lundi au samedi de 9h à 11h30
et de 14h à 17h sauf jours fériés.

Le domaine est installé au milieu des vignes du Clos des Capucins et possède des parcelles dans tous les terroirs orientés sud en sortie de la vallée de la Weiss. L'adéquation du couple cépage-terroir est ici optimisée pour créer une gamme homogène d'une grande précision. Laurence Faller vinifie des vins sans faille, d'une pureté et d'une précision telles que leur qualité paraît évidente à tous. En 2008, les acidités sont très présentes mais d'une grande qualité, donnant des vins secs et cristallins d'une grande buvabilité. Le pinot gris retrouve une fraîcheur inhabituelle qui les destine plus qu'avant à des plats, même jeunes. Le gewurztraminer transcende l'équilibre moelleux pour donner des vins minéraux, amples et représentatifs de ce que ce cépage devrait donner. Les liquoreux sont une nouvelle fois de très haut niveau.

Alsace grand cru Furstentum gewurztraminer 2008
Blanc Doux | 2012 à 2033 | NC **19/20**
Un grand furstentum déjà expressif que le gewurztraminer rehausse de notes épicées, dense et minéral en milieu de bouche avec une longue finale.

Alsace grand cru Mambourg gewurztraminer Quintessence de Grains Nobles 2008
Blanc Liquoreux | 2013 à 2033 | NC **20/20**
Riche, nez complexe de miel et de fruits confits, dense et très minéral en bouche avec une pureté inouïe. Doté d'une concentration énorme, il viellllra bien.

Alsace grand cru Schlossberg riesling cuvée Sainte-Catherine 2008
Blanc | 2010 à 2028 | 39 € **17,5/20**
Les millésimes se suivent avec un succès égal pour cette cuvée ample, cristalline et d'une grande finesse, marquée par des notes de pamplemousse rose en finale. Une grande délicatesse.

Alsace grand cru Schlossberg riesling cuvée Sainte-Catherine l'Inédit 2008
Blanc Demi-sec | 2010 à 2028 | 46 € **19/20**
Récolté à grande maturité, le vin combine un nez de fruits mûrs (pêche jaune, pamplemousse rose) avec une bouche tendue puissante et très minérale, le léger moelleux étant rapidement suivi par une forte salinité. Longue finale sur les fruits exotiques, avec une acidité importante. Un vin demi-sec à l'équilibre parfait, à boire ou à garder.

Altenbourg gewurztraminer 2008
Blanc liquoreux | 2012 à 2028 | 32 € **18/20**
Ample, nez de gingembre et d'épices, très minéral en bouche avec un moelleux fondu. Un vin de gastronomie qui vieillira bien.

Altenbourg gewurztraminer Sélection de Grains Nobles 2008
Blanc Liquoreux | 2010 à 2028 | NC **19/20**
Puissant, nez de pain d'épices, rond en bouche avec une pureté qui conserve un caractère aérien. Longue finale sur le pralin.

Altenbourg pinot gris Vendanges Tardives Trie Spéciale 2008
Blanc liquoreux | 2012 à 2033 | NC **18,5/20**
Grande pureté, profond et puissant avec une liqueur intense encore très présente. De grande garde.

pinot blanc Réserve 2008
Blanc | 2010 à 2016 | épuisé 15,5/20
Fruité intense, acidulé en bouche avec un corps important. Une réussite importante pour cette cuvée.

pinot gris cuvée Sainte-Catherine 2008 ☺
Blanc Demi-sec | 2010 à 2018 | 29,50 € **15,5/20**
Une cuvée concentrée d'équilibre demi-sec, riche et minérale en bouche, avec une longue finale sur la noisette.

WOLFBERGER

6, Grand'Rue • 68420 Eguisheim
Tél. 03 89 22 20 20 • Fax : 03 89 23 47 09
contact@wolfberger.com • www.wolfberger.com
Visite : Du lundi au vendredi de 8h a 12h et de 14h à 18h, le week-end de 10h a 12h et de 14h a 18h. Groupes sur rendez-vous.

Crémant d'Alsace chardonnay
Blanc Brut effervescent | 2010 à 2012 **14/20**
Épicé au nez, fin, avec une mousse compacte en bouche, très apéritif.

gewurztraminer cuvée Saint-Léon IX 2009
Blanc liquoreux | 2010 à 2015 | 8,30 € **15/20**
Aromatique, nez d'épices, charnu et équilibré en bouche avec une bonne pureté et un moelleux discret bien intégré.

pinot gris cuvée du Schlossherr 2009
Blanc Demi-sec | 2010 à 2015 | 7,95 € **14/20**
Très mûr, nez de fruits à chair blanche, moelleux en bouche avec une belle pureté. Élégant.

pinot noir Rosé Belle Saison 2009
Rosé | 2010 à 2011 | 4,95 € **13,5/20**
Aromatique, nez de petit fruits avec une pointe amylique, léger en bouche avec un équilibre gourmand marqué par l'acidité, de légers tanins et une dose de gaz carbonique encore perceptible. Délicieux sur les tables estivales.

PAUL ZINCK

18, rue des Trois-Châteaux • 68420 Eguisheim
Tél. 03 89 41 19 11 • Fax : 03 89 24 12 85
info@zinck.fr • www.zinck.fr
Visite : Du lundi au vendredi: de 8h à 12h et de 14h à 18h. Le samedi: de 9h à 12h et de 14h à 18h

Paul Zinck a créé le domaine en 1964 et, par achats et locations, la maison est devenue un des grands producteurs indépendants d'Alsace, avec trente hectares de vignes. Une gamme segmentée différencie les vins de cépage des vins de terroir, le domaine disposant en outre de cinq grands crus. Si les étiquettes sont magnifiquement conçues, les vins de 2007 et 2008 paraissent relativement légers par rapport au millésime.

ALSACE GRAND CRU RANGEN PINOT GRIS 2008
Blanc Doux | 2012 à 2023 | 30 € **16/20**
Très mûr, nez de noisette et de miel, la bouche est riche avec un moelleux important équilibré par une acidité fine. La finale est de bonne longueur avec des amers de qualité.

RIESLING TERROIR 2008
Blanc | 2010 à 2018 | 9,50 € **14/20**
Sec et net, avec de la chair et une belle matière en bouche. La finale est légèrement asséchante.

DOMAINE ZIND-HUMBRECHT

4, route de Colmar • 68230 Turckheim
Tél. 03 89 27 02 05 • Fax : 03 89 27 22 58
o.humbrecht@zind-humbrecht.fr
Visite : Du lundi au vendredi de 8h à 12h et de 14h à 17h sur rendez-vous.

Léonard Humbrecht avait porté haut la qualité des vins d'Alsace, son fils Olivier a encore repoussé les limites pour atteindre un sommet inégalé dans la région. Si les vins des années 1990 étaient marqués par des équilibres moelleux reflétant la maturité élevée des raisins, le passage en viticulture biodynamique au tournant du siècle s'est traduit par des vins plus secs, à l'acidité supérieure, présentant parfois des degrés alcooliques élevés. Après le grand millésime 2007, 2008 se présente dans la continuité avec un style différent : des pinots gris d'équilibre sec, des gewurztraminers fruités, et toujours les rieslings secs. Les expressions de terroir sont fortement marquées, avec des vins du Goldert déjà expressifs jeunes. Les sélections de grains nobles sont fabuleuses.

ALSACE GRAND CRU BRAND RIESLING 2008
Blanc | 2013 à 2028 | 59,50 € **19/20**
Produit exclusivement par les parcelles du Schneckelsbourg, c'est un vin ample au nez de fleurs et de noisette, profond et cristallin en bouche avec une forte salinité et une fine amertume dans la longue finale. Un grand vin de garde.

ALSACE GRAND CRU BRAND RIESLING SÉLECTION DE GRAINS NOBLES 2008
Blanc Liquoreux | 2013 à 2028 | 178,50 € **19,5/20**
Produit par la partie Schneckelsbourg du Brand, un vin superlatif au nez confit, puissant en bouche avec une grande longueur. Exceptionnelle pureté cristalline.

ALSACE GRAND CRU GOLDERT GEWURZTRAMINER 2008
Blanc Doux | 2011 à 2038 | 39,80 € **19/20**
Déjà ouvert jeune, profond et minéral en bouche avec une finale épicée légèrement tannique. Grande garde.

ALSACE GRAND CRU GOLDERT MUSCAT 2008
Blanc | 2011 à 2038 | 37,80 € **18,5/20**
Très minéral, déjà expressif jeune, la trame minérale est très pure en bouche. À garder.

ALSACE GRAND CRU HENGST GEWURZTRAMINER 2008
Blanc liquoreux | 2015 à 2033 | 54,30 € **19/20**
Puissant, nez de rose, de sésame grillé et de girofle, ample en bouche avec un moelleux fondu. Grande garde.

ALSACE GRAND CRU HENGST GEWURZTRAMINER SÉLECTION DE GRAINS NOBLES 2008
Blanc Liquoreux | 2015 à 2038 | 137,10 € **19,5/20**
2008 récidive avec un vin hors norme, puissant et corsé, moins ample que 2007 mais plus précis. Grande garde.

ALSACE GRAND CRU RANGEN GEWURZTRAMINER 2008
Blanc liquoreux | 2013 à 2028 | 54,30 € **19,5/20**
Un vin hors norme au caractère épicé, très salin en bouche avec des notes fumées dans la longue finale.

ALSACE GRAND CRU RANGEN PINOT GRIS 2008
Blanc | 2013 à 2028 | 49,40 € **19/20**
Encore porté par un moelleux sensible, c'est un vin très minéral doté d'une acidité intense.

Alsace grand cru Rangen riesling 2008
Blanc | 2013 à 2028 | 65,70 € **19,5/20**
Sec, magnifique de pureté et de minéralité, épuré en bouche avec une finale épicée. Digne successeur du 2007.

Clos Häuserer riesling 2008
Blanc | 2013 à 2028 | 33,60 € **17/20**
Un très beau millésime qui combine une parfaite maturité avec un équilibre sec. Le vin est ample, minéral avec des amers nobles en finale. De garde.

Clos Windsbuhl gewurztraminer 2008
Blanc Doux | 2013 à 2028 | 49,70 € **18,5/20**
Le nez intense sur les fruits rouges et les épices est suivi par une bouche ample et saline, avec un moelleux fondu. Belle matière.

Clos Windsbuhl pinot gris 2008
Blanc Demi-sec | 2013 à 2028 | 39,60 € **19/20**
Intense, au nez de fruits jaunes et de vanille, ample en bouche avec un moelleux bien intégré et une fine salinité. Longue finale.

Clos Windsbuhl pinot gris Sélection de Grains Nobles 2008
Blanc Liquoreux | 2015 à 2038 | 158,90 € **19/20**
Un vin très concentré réalisé par tris avant la vendange normale, encore très puissant à ce stade et marqué par une liqueur profonde. L'équilibre reste acidulé, pour ce vin qui atteindra la perfection après quelques années de garde.

Clos Windsbuhl riesling 2008
Blanc | 2013 à 2028 | 49,70 € **19,5/20**
Véritable jus de pierre, c'est une nouvelle fois un vin à la minéralité intense, qui conserve de la chair. Longue finale.

Heimbourg pinot gris 2008
Blanc Demi-sec | 2011 à 2023 | 29,80 € **17/20**
Dense, gras et onctueux, d'équilibre quasi sec avec une finale fumée. Très gastronomique.

Heimbourg pinot gris
Sélection de Grains Nobles 2008
Blanc Liquoreux | 2015 à 2023 | 116,40 € **18,5/20**
Issu d'un tri avant la vendange normale, c'est un vin puissant, au nez de noisette et de sous-bois, ample en bouche avec une liqueur imposante et du gras. Grande garde.

Heimbourg riesling 2008
Blanc | 2012 à 2023 | 31,10 € **17/20**
Riche et puissant, grande pureté. Longue finale sur les agrumes mûrs. À garder pour que la légère douceur se fonde.

Herrenweg gewurztraminer
Vieilles Vignes 2008 ☺
Blanc Demi-sec | 2010 à 2023 | 34,90 € **16,5/20**
Un vin de caractère au nez fumé, minéral en bouche, avec du gras, sur un équilibre sec. Parfait à table.

Herrenweg gewurztraminer Vieilles Vignes
Sélection de Grains Nobles 2008 ☺
Blanc Liquoreux | 2011 à 2023 | 56,90 € **18/20**
Première sélection de grains nobles produite sur le Herrenweg depuis le fameux 1986, c'est un vin ouvert au nez de rose et de fruits exotiques, onctueux en bouche avec de la pureté. Approchable jeune.

Rotenberg pinot gris 2008
Blanc liquoreux | 2012 à 2023 | 29,80 € **17/20**
Un équilibre demi-sec marqué par les fruits jaunes et le froment au nez, concentré en bouche, avec de légers tanins en finale.

Rotenberg pinot gris
Sélection de Grains Nobles 2008
Blanc Liquoreux | 2014 à 2028 | 116,40 € **19/20**
Produit par un tri avant la récolte normale, c'est un vin puissant, au nez fumé, avec une forte liqueur équilibrée par une acidité fine.

Wintzenheim gewurztraminer 2008 ☺
Blanc Doux | 2012 à 2023 | 22,30 € **17/20**
Puissant, très gastronomique, fumé et épicé au nez avec une bouche ample et profonde au moelleux fondu. La part importante de vignes originaires du Hengst marque le vin.

DOMAINE VALENTIN ZUSSLIN

57, Grand-Rue • 68500 Orschwihr
Tél. 03 89 76 82 84 • Fax : 03 89 76 64 36
info@zusslin.com • www.zusslin.com
Visite : Du lundi au samedi de 8h à 12h
et de 13h30 à 18h.

Depuis le passage à la biodynamie en 1997, le domaine n'a de cesse d'améliorer la qualité des raisins et des vinifications. Si les vins ont la puissance et la structure de leur terroir d'origine, ils possèdent également une très grande pureté et un toucher de

bouche délicat, avec une sensation de moelleux souvent apportée par un bon niveau d'alcool, qui traduit le désir de vinifier des vins secs à partir de raisins très mûrs. Tous les millésimes depuis 2005 sont très homogènes.

Alsace grand cru Pfingstberg riesling 2008
Blanc | 2012 à 2023 | 27 € **17/20**
Sec, au fruité acidulé, fin et minéral en bouche avec de la chair. L'acidité est encore très présente.

Bollenberg gewurztraminer Prestige 2008
Blanc Doux | 2010 à 2018 | 13 € **16/20**
Ample, nez de fruits mûrs, profond en bouche avec un léger moelleux bien intégré.

Clos Liebenberg riesling 2008
Blanc | 2010 à 2023 | 20 € **17/20**
Pur et cristallin, fruité au nez avec une trame saline en bouche très fine. Agréable jeune, il vieillira bien et sera un bon compagnon des poissons de rivière.

Crémant d'Alsace Brut Prestige
Blanc Brut effervescent | 2010 à 2014 | 10,50 € **15/20**
Originaire du millésime 2006, c'est un crémant ample et vineux, fin en bouche avec une belle acidité.

La sélection Bettane et Desseauve pour le Beaujolais

Le Beaujolais

Le Beaujolais, tant la région des crus que celle des Pierres Dorées, un peu plus au sud, est l'un des plus beaux vignobles de France. Les vins qu'on y produit sont justement populaires, mais le succès planétaire du beaujolais nouveau a fait assez injustement oublier que dans ses expressions les plus sincères, certains vins savent se hisser à des hauteurs insoupçonnées : il faut redécouvrir le Beaujolais !

VIGNOBLES DU BEAUJOLAIS

(MONTCEAU-LES-MINES)
(DIJON)
MÂCON
N79
A6
N6
Saône
BEAUJOLAIS
Chasselas
BEAUJOLAIS-VILLAGES
Pruzilly
JULIÉNAS
Saint-Vérand
D17
Jullié
Saint-Amour-Bellevue
Juliénas
SAINT-AMOUR
BEAUJOLAIS
Émeringes
BEAUJOLAIS-VILLAGES
Chénas
CHÉNAS
Vauxrenard
D32
La Chapelle-de-Guinchay
D23
FLEURIE
Fleurie
MOULIN-À-VENT
BEAUJOLAIS-VILLAGES
CHIROUBLES
Chiroubles
Romanèche-Thorins
D933
Les Ardillats
BEAUJOLAIS-VILLAGES
BEAUJOLAIS
Villié-Morgon
Beaujeu
MORGON
Corcelles-en-Beaujolais
Saint-Didier-sur-Beaujeu
Lantignié
D37
D9
RÉGNIÉ
BEAUJOLAIS-VILLAGES
Régnié-Durette
Saint-Jean-d'Ardières
Quincié-en-Beaujolais
Cercié
Marchampt
D9
Saint-Lager
Belleville
CÔTE DE BROUILLY ET BROUILLY
Odenas
Charentay
Saint-Étienne-la-Varenne
BROUILLY
D43
BROUILLY
Saint-Étienne-des-Oullières
D44
Vaux-en-Beaujolais
D49
Salles-Arbuissonnas-en-Beaujolais
Blacé
Azergues
BEAUJOLAIS-VILLAGES
Arnas
Montmelas-Saint-Sorlin
Saint-Just-d'Avray
Denicé
D504
D116
Villefranche-sur-Saône
Chamelet
Liergues
Jarnioux
D485
D38
Oingt
Saône
D933
Anse
BEAUJOLAIS
Saint-Clément-sur-Valsonne
Le Bois-d'Oingt
Bagnols
D13
A46
N6
Tarare
N7
(LYON)
(ROANNE)
Châtillon
Châzay-d'Azergues
D485
Bully
A6
L'Abresle
N7
N89
Brévenne
(LYON)
Saône

Appellations communales
Appellation sous-régionale Beaujolais-Villages
Appellation régionale Beaujolais

0 5 10 km
(MONTBRISON)

L'actualité des millésimes

Beaujolais, le retour. Plus que jamais le rapport qualité-prix des vins du Beaujolais devrait faire rentrer les meilleurs en masse et sans tarder dans les caves. L'été 2009 a donné une vendange exceptionnelle (deux ou trois dans un siècle atteignent ce niveau) et naturellement les producteurs le font savoir. Hélas tout ne peut-être recommandable comme on l'aimerait : de nombreux lots sont lourds, alcooleux, stéréotypés « année chaude », d'autres manquent complètement du caractère de l'année (sauf pour la couleur). Mais chez les producteurs cités dans le guide il y a largement de quoi étancher sa soif avec des vins de format formidable, dans tous les secteurs, y compris dans la partie sud qui souffre tant économiquement des erreurs accumulées dans un passé récent.

Une nouvelle émulation. Mais il ne faut pas oublier le 2008, petite récolte en volume mais très attachante par son caractère racé et réservé, qui commence seulement à sourire. Dans les crus c'est nettement supérieur au 2007, avec un potentiel de garde insoupçonnable, qui dans vingt ans fera des bouteilles aussi surprenantes que les 1989 aujourd'hui. Beaucoup de changements de propriétaires dans les crus, particulièrement sur le secteur Fleurie, Moulin à Vent, Chénas et Morgon, préparent un renouveau tant attendu, car les nouveaux arrivants sont ambitieux et passionnés. On se réjouira aussi du retour des grands négociants de Côte d'Or dans la région, paradoxalement mieux préparés à respecter le style et la qualité si souvent disparus que les firmes locales.

MEILLEURS VINS TOUTES CATÉGORIES

Château des Jacques,
Moulin-à-Vent, Grand Clos de Rochegrès, rouge, 2008

Château Thivin,
Côte de Brouilly, Zaccharie, rouge, 2008

Clos de Mez,
Fleurie, La Dot, rouge, 2007

Domaine Daniel Bouland,
Morgon, vieilles vignes, rouge, 2009

Domaine des Nugues,
Beaujolais-Villages, Quintessence du gamay, rouge, 2007

LE BONHEUR TOUT DE SUITE : LES MEILLEURS

Château Thivin,
Côte de Brouilly, La Chapelle, rouge, 2008

Domaine Chignard,
Fleurie, Les Moriers, rouge, 2008

Domaine des Terres Dorées,
Beaujolais, l'Ancien, rouge, 2009

Domaine Laurent Martray,
Brouilly, vieilles vignes Combiaty, rouge, 2008

Trenel,
Fleurie, Hommage à André Trénel, rouge, 2009

MEILLEURS VINS À MOINS DE 6 €

Anita et Andre Kuhnel,
Morgon, cuvée Château Gaillard, rouge, 2008

Georges Dubœuf,
Beaujolais-Villages, rouge, 2009

Maison Coquard,
Beaujolais, Clochemerle, rouge, 2009

Maison Coquard,
Beaujolais, Vendange 1914, rouge, 2009

Trenel,
Beaujolais, Rochebonne, rouge, 2009

MEILLEURS VINS À MOINS DE 10 €

Domaine Georges Viornery,
Côte de Brouilly, rouge, 2009

Domaine Les Roches Bleues,
-Côte de Brouilly, rouge, 2008

Domaine Louis-Claude Desvignes,
Morgon, Côte de Py Javernières, rouge, 2008

Domaine Raymond Bouland,
Morgon, vieilles vignes Prestige, rouge, 2007

Trenel,
Juliénas, L'Esprit Marius Sangouard, rouge, 2009

MEILLEURS VINS À METTRE EN CAVE

Domaine Chignard,
Fleurie, cuvée Spéciale, rouge, 2008

Domaine Jean-Marc Burgaud,
Morgon, Côte du Py James, rouge, 2008

Domaine Jules Desjourneys,
Fleurie, rouge, 2007

Domaine Laurent Martray,
Côte de Brouilly, Les Feuillées, rouge, 2008

Domaine Paul et Éric Janin,
Moulin-à-Vent, Clos du Tremblay, rouge, 2008

MEILLEURS BLANCS

Château des Jacques,
Beaujolais, Grand Clos de Loyse, 2008

Château des Jacques,
Bourgogne, Clos de Loyse, 2008

Château Thivin,
Beaujolais-Villages, Marguerite, 2008

Domaine des Terres Dorées,
Beaujolais, chardonnay vinification bourguignonne, 2008

Domaine du Clos du Fief,
Beaujolais-Villages, Fleur de Chardonnay, 2008

MEILLEURS BEAUJOLAIS-VILLAGES

Domaine des Nugues,
Beaujolais-Villages, rouge, 2007

Domaine des Nugues,
Beaujolais-Villages, rouge, 2008

Domaine Jean-Marc Burgaud,
Beaujolais-Villages, Château de Thulon, rouge, 2008

Maison Coquard,
Beaujolais-Villages, Clochemerle, rouge, 2009

MEILLEURS CRUS DU BEAUJOLAIS

Château des Jacques,
Moulin-à-Vent, Clos du Grand Carquelin, rouge, 2008

Clos de Mez,
Morgon, Château Gaillard, rouge, 2007

Domaine Daniel Bouland,
Côte de Brouilly, Mélanie, rouge, 2009

Domaine du Vissoux,
Fleurie, Les Garants, rouge, 2009

Domaine Laurent Martray,
Brouilly, Corentin, rouge, 2008

DOMAINE PASCAL AUFRANC

En Remont • 69840 Chénas
Tél. 04 74 04 47 95

Pascal Aufranc n'a pas été gâté par les conditions du millésime 2008, puisque son secteur de Chénas-Juliénas a fortement grêlé. Dans ces conditions, les tanins ressortent souvent un peu austères. Les 2007 et 2006 regoûtés au domaine nous ont rappelé tout le savoir-faire de ce sympathique vigneron, on attend donc les 2009 avec grand intérêt.

Chénas 2008
Rouge | 2010 à 2014 | NC **13,5/20**
Le tanin est épicé, assez ferme mais sans raideur. La bouche est ronde, bien souple. À boire.

Chénas Vignes de 1939 2008
Rouge | 2010 à 2015 | NC **14,5/20**
Texture plus soyeuse que le chénas d'entrée de gamme. Notes de fruits noirs et d'encre. Ça reste un peu austère, mais sans rudesse.

CHÂTEAU DE BEL-AIR

394, route Henry-Fessy - Belleville-sur-Saône • 69220 Saint-Jean-d'Ardières
Tél. 04 74 66 45 97 • Fax : 04 74 66 42 32
lpa.belleville@educagri.fr
www.lpa.belleville.educagri.fr
Visite : en semaine, 8h -12h et 13h30-17h30 et le week-end sur rendez-vous.

Brouilly Comtesse Noire 2008
Rouge | 2010 à 2015 | 8,50 € **14,5/20**
Le Château de Bel-Air est la propriété viticole du lycée agricole de Bel-Air, à Saint-Jean-d'Ardières. Il propose une gamme composée de brouillys, de morgons et de moulin-à-vents. Nous avons sélectionné cette cuvée Comtesse-Noire, élevée sous bois, ce qui apporte des notes de torréfaction mais aussi de la gourmandise au vin.

DOMAINE DANIEL BOULAND

Lieu-dit Corcelette • 69910 Villié-Morgon
Tél. 04 74 69 14 71 • Fax : 04 74 69 14 71
bouland.daniel@free.fr
Visite : sur rendez-vous

Daniel Bouland donne l'une des interprétations les plus brillantes de Morgon, grâce à un rendu du terroir exemplaire, notamment le secteur de Corcelette. Ces vins vieillissent très bien, comme le montre notre verticale de morgon Vieilles-Vignes cette année. Sans surprise, 2009 est ici très grand.

Chiroubles 2009
Rouge | 2010 à 2017 | 6,50 € **15/20**
Savoureux, grain élégant, un vin concentré, avec beaucoup de délicatesse.

Côte de Brouilly Mélanie 2009
Rouge | 2010 à 2019 | 6,50 € **16/20**
Expression savoureuse, sur les fruits noirs. Bouche charnue, tanins mûrs et enrobés.

Morgon Vieilles Vignes 2009
Rouge | 2010 à 2024 | 7 € **17/20**
Bouche charnue, jus savoureux, sur les fruits noirs et le graphite. Élégant, tanins gras.

DOMAINE RAYMOND BOULAND

Corcelette • 69910 Villié-Morgon
Tél. 04 74 04 22 25 • Fax : 04 74 04 22 25
vins_raymondbouland@hotmail.com
Visite : sur rendez-vous

Raymond est le grand frère de Daniel, et leurs propriétés sont d'ailleurs distantes de quelques mètres seulement. À partir du terroir de Corcelette, il produit depuis 2007 deux cuvées différentes : une cuvée Vieilles-Vignes, et une Vieilles-Vignes-Prestige, à partir de vignes encore plus âgées. Les 2008 n'ont pas l'étoffe des 2007 ou des 2009 qui s'annoncent.

Morgon Vieilles Vignes 2008
Rouge | 2010 à 2015 | 6,50 € **14/20**
Le tanin est épicé, mais moins enrobé que le 2007. On le boira sur son fruit. C'est un peu plus maigre, un peu moins épanoui.

Morgon Vieilles Vignes Prestige 2007
Rouge | 2010 à 2022 | 6,50 € **16/20**
Floral et épicé, avec une trame solide en bouche.

DOMAINE GÉRARD BRISSON

Les Pillets - Chemin des Romains
69910 Villé-Morgon
Tél. 04 74 04 21 60 • Fax : 04 74 69 15 28
vin.brisson@wanadoo.fr
www.gerard-brisson.com
Visite : en semaine, 8h30-12h et 13h30-18h samedi sur rendez-vous.

Morgon Les Charmes cuvée La Louve 2006
Rouge | 2010 à 2015 | 7,70 € **14,5/20**
Ce domaine propose une vaste gamme de morgons, que l'on apprécie jeunes, car les fins de

bouche présentent parfois des tanins qui sèchent après quelques années. Mais cette cuvée de morgon-charmes La-Louve est savoureuse, la bouche ronde et élégante, et la fin de bouche fraîche. Le beaujolais-villages 2009 rouge est également très bon, avec sa bouche charnue et ronde.

DOMAINE JEAN-MARC BURGAUD

Morgon • 69910 Villié-Morgon
Tél. 04 74 69 16 10 • Fax : 04 74 69 16 10
jeanmarcburgaud@libertysurf.fr
www.jean-marc-burgaud.com
Visite : Du lundi au samedi de 10h à 18h
sur rendez-vous

Jean-Marc Burgaud fait partie de la jeune génération qui contribue au dynamisme de l'appellation Morgon. Son vignoble se situe au cœur historique de la Côte de Py et sur de nombreux autres terroirs de qualité, sur Regnié et Villié-Morgon, et il vinifie dans l'esprit de produire des vins de garde. Dans une année délicate, les 2008 s'en sortent bien, et les 2009 seront splendides car Jean-Marc saura les élever le temps nécessaire.

Beaujolais-Villages Château de Thulon 2008

Rouge | 2010 à 2014 | 6 € **14/20**

Bon fruit rouge, gourmand et frais. Bouche bien fraîche, au fruité coulant, très digeste. De demi-corps, mais plein de charme.

Morgon Côte du Py 2008

Rouge | 2010 à 2018 | 9 € **15/20**

Bonne structure, un vin à la bouche serrée, droit, qu'on attendra un peu. Sérieux mais sans faux goût, ce qui est bien dans le millésime. La fin de bouche retrouve un fruité plaisant.

Morgon Côte du Py James 2008

Rouge | 2010 à 2023 | 15 € **16/20**

On franchit un palier par rapport aux autres vins. Fruité profond, pas la petite note boisée de javernières, pas le tanin un peu raide du py, tanins soyeux, un vin velouté et délicat. Splendide toucher pour le millésime.

Morgon Côte du Py Réserve 2008

Rouge | 2010 à 2018 | 10 € **15,5/20**

Un fruité plus frais que sur le côte-de-py, les tanins sont assouplis par l'élevage, sans aucune note boisée. La preuve que l'élevage paye !

Morgon Javernières 2008

Rouge | 2012 à 2018 | 13 € **15,5/20**

Une nouvelle cuvée. Un nez légèrement boisé, plus perceptible que sur la cuvée Réserve, mais délicat. La bouche est bien équilibrée, avec des tanins fins et une finale fraîche.

Régnié Vallières 2008

Rouge | 2010 à 2015 | 7 € **14,5/20**

Enfin un régnié avec un nez fruité frais, non technologique. Bouche suave, tanins souples, un délicieux régnié de fruit.

DOMAINE CALOT

42, place de la Pompe • 69910 Villié-Morgon
Tél. 04 74 04 20 55 • Fax : 04 74 69 12 93
domainecalot@terre-net.fr • www.domaine-calot.com
Visite : Du lundi au vendredi de 9h à 12h et de 14h
à 19h, le samedi de 9h à 12h et sur rendez-vous
l'après-midi.

Jean Calot propose un style de morgons souples et fruités, moyennement charnus, que l'on apprécie jeunes pour la plupart. On peut regretter l'emploi ponctuel de certaines techniques modernes de vinification (thermo), qui, sans être caricaturales comme hélas trop souvent dans la région, empêchent un style vraiment personnel d'émerger.

Morgon Jeanne 2009

Rouge | 2010 à 2015 | 7 € **14/20**

Plus de mâche que la Tête-de-Cuvée, un fruité tendre et savoureux.

Morgon Vieilles Vignes 2009

Rouge | 2010 à 2015 | 7 € **14,5/20**

Un jus concentré et droit, avec un bon fruit mûr. Un vin que l'on appréciera jeune.

CHÂTEAU DE LA CHAIZE

Château de la Chaize • 69460 Odénas
Tél. 04 74 03 41 05 • Fax : 04 74 03 52 73
chateaudelachaize@wanadoo.fr
www.chateaudelachaize.com

Cette immense propriété est abritée dans l'un des plus beaux châteaux de la région. Les vinifications sont assez traditionnelles, avec des élevages principalement en foudre. Les écarts entre les cuvées ne sont pas toujours significatifs jeunes, mais les vins vieillissent bien.

Brouilly 2008
Rouge | 2009 à 2015 | NC **14,5/20**
Fruité rouge, notes épicées. Un vin équilibré et tendre, très digeste, l'archétype du brouilly bien fait. L'élevage en foudre donne un grain particulier en bouche.

Brouilly cuvée Vieilles Vignes 2008
Rouge | 2011 à 2018 | NC **15/20**
Un vin qu'il fallait élever longuement, l'acidité le rend difficile à goûter jeune et donne un côté mordant à la fin de bouche. Le boisé n'est pas encore totalement fondu, mais la bouche est élégante, les tanins enrobés.

Brouilly Médaille d'Or 2008
Rouge | 2009 à 2015 | NC **15/20**
Plus épicé, plus concentré que la cuvée d'entrée de gamme. Bonne tenue de bouche. L'écart est visible.

Brouilly Réserve de la Marquise 2008
Rouge | 2012 à 2018 **15/20**
Toujours cette acidité prononcée, un vin avec lequel il faudra être patient, mais qui ne sera jamais totalement épanoui. Il offre plus de profondeur que la cuvée Vieilles-Vignes, mais l'écart entre les deux devrait se creuser avec le temps.

DOMAINE GÉRARD CHARVET

Les Rosiers • 69840 Chenas
Tél. 04 74 04 48 62 • Fax : 04 74 04 49 80
gerard.charvet@orange.fr
Visite : 9h-19h tous les jours de préférence sur rendez-vous

Le domaine, également mentionné sous le nom de Domaine des Rosiers, étend son vignoble sur Moulin-à-Vent et Chénas. Gérard Charvet n'a pas présenté ses 2008 à notre dégustation. Certes, le millésime 2009 a meilleure réputation, mais les vins étaient en cours d'élevage et ne se goûtaient pas au mieux. Nous attendrons l'an prochain pour nous en faire une idée définitive.

Chénas 2009
Rouge | 2011 à 2016 | 6,50 € **15/20**
Bouche charnue, texture ronde et veloutée, finale ferme. Il est encore un peu jeune.

Moulin-à-Vent Vieilles Vignes Hommage à la Rochelle 2009
Rouge | 2011 à 2017 | 12,30 € **15,5/20**
Une matière veloutée et fine, des tanins ronds. Un vin savoureux et généreux.

DOMAINE ÉMILE CHEYSSON

Clos Les Farges • 69115 Chiroubles
Tél. 04 74 04 22 02 • Fax : 04 74 69 14 16
domainecheysson@orange.fr
Visite : Tous les jours de 8h à 12h et de 14h à 18h. Rendez-vous pour les groupes.

Ce domaine historique de Chiroubles est la référence de cette appellation, la plus élevée du Beaujolais. La cuvée d'entrée de gamme présente toujours une grande finesse de grain et une texture délicate, les cuvées élevées en fût semblent dominées par l'élevage. 2008 a donné un vin de charme, 2009 lui sera supérieur.

Chiroubles 2009
Rouge | 2010 à 2016 | 6,70 € **15/20**
Très bon chiroubles, à la bouche charnue et à la finale concentrée et délicate. Bons tanins ronds.

Chiroubles 2008
Rouge | 2010 à 2014 | 6,70 € **14,5/20**
Fruité rouge fondu, bouche agréable et souple, un vin qui se livre déjà.

DOMAINE CHIGNARD

Le Point du Jour • 69820 Fleurie
Tél. 04 74 04 11 87 • Fax : 04 74 69 81 97
domaine.chignard@wanadoo.fr
Visite : Du lundi au samedi de 8h à 12h et de 14h à 19h.

Michel Chignard et son fils Cédric résument leur démarche en trois points : «Des vieilles vignes, de petits rendements et de la concentration : pas de miracle». Les sols de sable granitique sont de plus en plus labourés, les vinifications se font en vendange entière, avec élevage sous bois. En 2008, un tri très sévère ainsi que des macérations un peu plus courtes ont permis d'élaborer des vins splendides, concentrés et sans aucune note végétale ou de tanin sec.

Fleurie cuvée Spéciale 2008
Rouge | 2011 à 2023 | 12 € **16/20**
Le boisé n'est pas encore totalement fondu. Les tanins sont enrobés, la finale savoureuse et

fraîche. Bonne concentration, grand équilibre en fin de bouche.

Fleurie Les Moriers 2008

Rouge | 2010 à 2018 | 8,50 € **15,5/20**

Ouvert, avec de subtiles notes épicées et de violette en bouche. Les rafles sont mûres, sans caractère végétal. Une vinification à l'ancienne, un régal.

DOMAINE DU CLOS DES GARANDS

Clos des Garands • 69820 Fleurie
Tél. 04 74 69 80 01

Fleurie Sublime 2007

Rouge | 2011 à 2017 **15/20**

Audrey Charton s'implique avec beaucoup d'énergie dans le développement de son domaine et la renommée du cru Fleurie. La gamme n'est pas encore parfaitement homogène, mais les progrès sont sensibles sur les derniers millésimes. Son fleurie Sublime 2007 nous a régalés par sa rondeur et son harmonie. Les tanins sont soyeux, ils apportent beaucoup de délicatesse dans le toucher de bouche.

DOMAINE DU CLOS DU FIEF

Les Gonnards • 69840 Juliénas
Tél. 04 74 04 41 62 • Fax : 04 74 04 47 09
micheltete@club-internet.fr
Visite : Tous les jours sauf dimanche, de 8h à 19h. Fermé du 15 au 30 août.

Michel Tête dirige ce domaine réputé de Juliénas, aux étiquettes si caractéristiques. Le domaine a beaucoup souffert de la grêle en 2008, et du coup a souhaité présenter plusieurs cuvées en 2009, mais beaucoup d'échantillons se présentaient mal. À revoir, donc, lorsque les vins seront en bouteille.

Beaujolais-Villages Fleur de Chardonnay 2008

Blanc | 2010 à 2013 | 6,20 € **13,5/20**

Un chardonnay bien fait, gras et floral, à l'élevage qui se fond bien.

Juliénas Prestige 2007

Rouge | 2011 à 2014 | 9 € **14,5/20**

Bonne matière, les tanins sont droits, un vin équilibré. Il est encore jeune, et sans doute dans une phase de repli par rapport à l'an passé.

Juliénas Prestige 2006

Rouge | 2010 à 2016 | 9 € **15/20**

Un jus savoureux et concentré, une bouche ronde, avec de bons tanins enrobés, un vin gourmand.

Juliénas Tête de Cuvée 2006

Rouge | 2010 à 2013 | 9 € **14/20**

Une bouche ronde, une matière fondue, un vin qui se boit bien aujourd'hui.

MAISON COQUARD

Hameau Le Boitier • 69620 Theizé
Tél. 04 74 71 11 59
contact@maison-coquard.com
www.maison-coquard.com
Visite : tous les jours sur rendez-vous

Christophe Coquard a fondé sa propre maison de négoce en 2005. Il propose une gamme de vins couvrant chaque appellation du Beaujolais, et depuis peu du Mâconnais voisin. Les étiquettes sont joliment décorées, et les prix restent sages. La maison n'a pas présenté ses 2008 comme nous le lui avions demandé, mais des 2009 à la réputation plus flatteuse. Dans ce millésime, plusieurs crus nous ont déçus, mais les appellations régionales rayonnaient de fruits.

Beaujolais Clochemerle 2009

Rouge | 2010 à 2015 | 5,70 € **14,5/20**

Bouche charnue aux tanins ronds, un fruité croquant et mûr. Un beaujolais de bistrot ! Le fruit est vraiment savoureux.

Beaujolais Vendange 1914 2009

Rouge | 2010 à 2016 | 5,60 € **15/20**

Plus de fond que la cuvée Clochermerle, c'est un vin fin et savoureux, aux tanins élégants.

Beaujolais-Villages Clochemerle 2009

Rouge | 2011 à 2015 | 6,20 € **15/20**

Matière plus serrée que le beaujolais de la même gamme, un vin plus sérieux qui du coup en perd un peu de son charme aujourd'hui.

Chénas 2009

Rouge | 2011 à 2016 | 6,90 € **14,5/20**

Concentré, trame serrée, les tanins doivent encore s'arrondir, mais la finale est savoureuse.

Côte de Brouilly 2009

Rouge | 2010 à 2016 | 6,90 € **14,5/20**

Plus de matière que le brouilly, un vin à la trame serrée et dense.

FLEURIE 2008

Rouge | 2010 à 2015 | 8,70 € **14/20**

La matière est moins riche qu'en 2009, mais le vin présente un équilibre plus frais, avec des arômes plus fins et une belle finale légèrement poivrée.

JULIÉNAS 2009

Rouge | 2010 à 2016 | 7,60 € **14,5/20**

Puissant, bouche relevée, un jus savoureux, sur les fruits noirs et les épices. Il appelle le coq au vin !

MORGON 2009

Rouge | 2011 à 2019 | 7,30 € **14,5/20**

Un bon morgon, droit et concentré, aux tanins fermes qui doivent encore s'assouplir.

DOMAINE JULES DESJOURNEYS

75, rue Jean-Thorin - Pontanevaux • 71570 La-Chapelle-de-Guinchay

Tél. 03 85 33 85 88 • Fax : 03 85 36 77 05

contact@vinifera.fr

Visite : en semaine 8h30-12h et 14h30-17h

Fabien Duperray est en train de réussir son pari, celui de produire de très grands vins dans le Beaujolais, dès son premier millésime. Les vignes qu'il a rachetées sont très âgées et idéalement situées, sur Fleurie et Moulin-à-Vent, et la viticulture a tout de suite été orientée vers le bio, l'agrément devant être demandé prochainement. Des vinifications soignées et des élevages très longs font qu'il commence seulement à commercialiser ses 2007. Son jusqu'auboutisme n'a pas échappé aux habillages, très soignés eux aussi. Les prix sont à la hauteur. Attention, un grand domaine vient de naître !

FLEURIE 2007

Rouge | 2010 à 2022 | 20 € **16/20**

Grosse mâche, un vin à la texture serrée. La vinification en raisins entiers donne une grande finesse et une structure élancée, dans un style très bourguignon. Beaucoup d'ampleur.

MOULIN-À-VENT 2007

Rouge | 2010 à 2022 | 20 € **15/20**

Jus suave, tanin épicé, texture riche, finale savoureuse. Un moulin-à-vent qui appelle la table, vinifié comme un grand bourgogne.

DOMAINE LOUIS-CLAUDE DESVIGNES

135, rue de la Voûte • 69910 Villié-Morgon

Tél. 04 74 04 23 35 • Fax : 04 74 69 14 93

louis.desvignes@wanadoo.fr

www.louis-claude-desvignes.com

Visite : du lundi au samedi de 8h à 12h et de 14h à 18h sur rendez-vous.

Ce domaine constitue à nos yeux la référence de l'appellation Morgon, par la profondeur de ses vins et leur splendide tenue dans le temps. Les deux cuvées phare sont ici javernières, charnue et aux notes de fruits noirs et de graphite, et la côte-du-py, au fruité plus rouge mais à la texture souvent plus serrée. Les prix angéliques devraient motiver les amateurs. Malgré la grêle, les 2008 sont très bons, et les 2009 s'annoncent somptueux.

MORGON CÔTE DE PY 2008

Rouge | 2010 à 2018 | 8,80 € **15,5/20**

Bonne gestion de la maturité phénolique dans ce millésime délicat, grâce à un éraflage bienvenu. Le vin se présente épicé, assez souple, mais sans raideur comme souvent. À boire jeune, sur son charme fruité.

MORGON CÔTE DE PY JAVERNIÈRES 2008

Rouge | 2010 à 2018 | 9,50 € **16/20**

Plus de chair et de fruit que le côte-du-py. Là encore, l'éraflage a permis au vin de rester frais et fruité. Aujourd'hui, il est plus aimable que l'autre cuvée.

HENRY FESSY

644, route de Bel Air • 69220 Saint-Jean-d'Ardières

Tél. 04 74 66 00 16 • Fax : 04 74 69 61 67

contact@henryfessy.com • www.henryfessy.com

Visite : 8h-12h et 14h-16h30 sur rendez-vous

Cette célèbre maison a été rachetée en 2008 par le négociant beaunois Louis Latour. C'est véritablement à partir du millésime 2009 que les nouvelles orientations techniques prennent leur pleine mesure, et la qualité des raisins était au rendez-vous. Les 2008 devront être bus sur leur fruit, assez vite, mais les échantillons de 2009 dégustés montrent la direction, vers plus de chair et de corps dans les cuvées.

CHIROUBLES 2008

Rouge | 2010 à 2014 | 5,97 € **14/20**

Belle pureté en bouche, un vin à la texture fine et savoureuse. Belle expression de Chiroubles.

Côte de Brouilly 2008
Rouge | 2010 à 2015 | 5,97 € **14/20**
Un vin au franc caractère, avec une bouche concentrée et droite. Fruité plus naturel que le brouilly.

Moulin-à-Vent 2008
Rouge | 2010 à 2016 | 7,62 € **14,5/20**
Parfumé et élégant, belle palette aromatique, tanins enrobés, finale réglissée. Belle race.

Saint-Amour 2008
Rouge | 2010 à 2013 | 7,34 € **13,5/20**
Fruité rouge gourmand, un vin souple que l'on apprécie déjà.

DOMAINE FLACHE-SORNAY

BP 16 - 633 rue Ronsard - Fondlong
69910 Villié-Morgon
Tél. 04 74 04 26 70 • Fax : 04 74 04 26 70
vincent.flache@wanadoo.fr
Visite : sur rendez-vous

Morgon Côte de Granits 2008
Rouge | 2010 à 2013 | 9 € **14,5/20**
Ce domaine propose plusieurs morgons. Les 2009 qui nous ont été présentés étaient des échantillons non encore embouteillés, et difficiles à évaluer. En 2008, nous avons retenu cette cuvée Côte-de-Granits, qui affiche un bon caractère, de la structure et des tanins fermes. On peut la boire aujourd'hui, sur son fruit. L'autre cuvée de Côte-de-Granits-Douby présentait, en 2008, plus de puissance mais moins de finesse.

DOMAINE JEAN FOILLARD

Le Clachet • 69910 Villié-Morgon
Tél. 04 74 04 24 97 • Fax : 04 74 69 12 71
jean.foillard@wanadoo.fr
Visite : Du lundi au samedi matin de 9h à 11h et de 14h à 16h30, sur rendez-vous.

Jean Foillard nous a présenté ses vins cette année, et nous saluons avec plaisir son retour dans notre sélection. Il faut dire qu'il donne sans doute l'une des interprétations les plus fruitées de morgon, et que tous ces vins partagent une suavité dans la chair et une grande harmonie tant au nez qu'en bouche. Tout ça grâce à une viticulture qui va entamer cette année sa conversion officielle à l'agriculture biologique, et aussi un processus de vinification rodé par près de trente années d'expérience. Les 2008 sont délicieux.

Morgon Corcelette 2008
Rouge | 2010 à 2014 | 15 € **15/20**
Nez bien fruité, concentré. Bouche charnue et gourmande, tanins enrobés. De demi-corps, il s'exprime bien, sur son charme fruité. Il a fallu trier sévèrement pour en arriver là.

Morgon Côte de Py 2008
Rouge | 2010 à 2018 | 15 € **15,5/20**
La différence avec corcelette est flagrante, alors que les vinifications sont comparables ! Nez de roche pourrie. Bouche savoureuse, texture élégante. Le terroir s'exprime bien, même si l'année est difficile. Belle finesse.

DOMAINE DE FONTALOGNIER

Fontalognier • 69430 Lantignié
Tél. 04 74 69 21 62 • Fax : 04 74 69 21 62
ducroux2@wanadoo.fr
Visite : sur rendez-vous

Morgon 2008
Rouge | 2010 à 2014 | 6 € **13/20**
Gilles Ducroux mène son domaine de façon très traditionnelle, en vinifiant ses crus sans thermo, ce qui se fait très rare à Régnié ! Il nous a sportivement présenté ses 2008, qui malheureusement ne sont pas au niveau des 2007, mais ce morgon a plus de caractère que les autres cuvées. Robe très claire, bouche ferme, les tanins ne sont pas très enrobés mais c'est le millésime, un vin souple qui se livre vite.

GEORGES DUBŒUF

Quartier de la Gare • 71570 Romanèche-Thorins
Tél. 03 85 35 34 20 • Fax : 03 85 35 34 24
gduboeuf@duboeuf.com • www.duboeuf.com
Visite : Le Hameau du Vin (sur le domaine) : tous les jours entre 10h et 18h.

Georges Dubœuf a fait connaître les vins du Beaujolais, et surtout le beaujolais-nouveau, dans le monde entier. Les volumes sont considérables, et la personnalité de certaines cuvées parfois contestable. Le recours assez régulier à des procédés de vinification modernes (thermo) nuit à l'expression du terroir sur beaucoup d'entrées de gamme. Les 2008 se boiront jeunes. Quant aux 2009, mis un peu vite en bouteille pour certains, ils présentent une grande richesse de matière mais aussi des degrés alcooliques élevés, avec un risque de déséquilibre.

Beaujolais 2009 ☺
Rouge | 2010 à 2014 | 4,77 € **14/20**
Un fruité ample et charnu, des arômes savoureux de fruits noirs mûrs. Très croquant.

Beaujolais-Villages 2009 ☺
Rouge | 2010 à 2014 | 4,97 € **14,5/20**
Plus de fond que le beaujolais, avec une matière fine, des tanins ronds. Beaucoup de gourmandise.

Fleurie Clos des Quatre Vents 2008
Rouge | 2010 à 2014 | env 6,52 € **15/20**
Fruité fin, bonne allonge en bouche, un vin de belle tenue, avec une légère tension minérale.

Fleurie La Chapelle des Bois 2008
Rouge | 2010 à 2015 | env 6,55 € **15/20**
Un fruité plus accentué que le Clos-des-Quatre-Vents, une bouche équilibrée, avec une finale droite et tendue.

Juliénas Château des Capitans 2008
Rouge | 2010 à 2015 | 8,33 € **14,5/20**
Bonne concentration, bons tanins, un vin à la bouche relevée, à la finale savoureuse.

Morgon 2009
Rouge | 2010 à 2017 | 6,65 € **15/20**
Bonne matière, un vin avec de la mâche. Agréable volume de bouche, tanins enrobés.

Morgon 2008
Rouge | 2010 à 2013 | 5,50 € **14/20**
Bonne mâche, de bons tanins, un vin friand que l'on apprécie dès à présent.

Moulin-à-Vent 2008
Rouge | 2010 à 2015 | 6,45 € **15/20**
Bon volume de bouche, avec des tanins ronds et fins. Ample, de bon style.

DOMAINE DES GRANDS FERS

Les Grands Fers • 69820 Fleurie
Tél. 04 74 04 11 27
vins@christianbernard.fr
www.grandsfers.com
Visite : sur rendez-vous

Christian Bernard a repris le domaine familial en 1992, avec dix hectares de vignes presque exclusivement sur Fleurie. Certaines vignes sont enherbées, d'autres sont désherbées. L'éraflage est ajusté selon les millésimes. Le domaine n'a pas souhaiter présenté ses 2008, mais plutôt des 2009 encore en élevage, il faudra donc les regoûter après mise.

Fleurie Grands Fers 2009
Rouge | 2010 à 2015 | 8 € **13,5/20**
Élégant, mûr, jus concentré, il se boira jeune.

Fleurie Grands Fers Les Côtes 2009
Rouge | 2010 à 2016 | 8,50 € **14,5/20**
Plus concentré, plus charnu que la cuvée d'entrée de gamme. Bon fruit mûr.

CHÂTEAU DES JACQUES

Les Jacques • 71570 Romanèche-Thorins
Tél. 03 80 22 10 57 • Fax : 03 85 35 59 15
chateau-des-jacques@wanadoo.fr
www.louisjadot.com
Visite : sur rendez-vous

Ce domaine, appartenant à Louis Jadot, est devenu en quelques années la référence en matière de vins ambitieux du Beaujolais, et la source préférée de ceux qui pensent qu'on peut y produire des crus aussi respectables qu'en Côte-d'Or. À partir de 2008, les morgons ont abandonné l'étiquette du Château des Lumières pour reprendre celle du Château des Jacques. Dans ce millésime, les moulin-à-vents Clos-des-Thorins, Champ-de-Cour et La-Roche ne seront pas commercialisés, tout comme les morgons Roche-Noire et Côte-du-Py.

Beaujolais Grand Clos de Loyse 2008
Blanc | 2010 à 2014 | 8,70 € **14/20**
Un changement d'appellation pour cette cuvée longtemps présentée en villages. Très pur. Quelques notes miellées, c'est un vin frais et élancé, à la fin de bouche minérale.

Bourgogne Clos de Loyse 2008
Blanc | 2010 à 2015 | 11,10 € **15/20**
Bonne ampleur en bouche, l'attaque est grasse, avec un retour progressif de la tension qui amène une agréable pureté.

Morgon 2008
Rouge | 2012 à 2018 | 10,50 € **14/20**
Texture serrée, grosse mâche, un tanin encore ferme, qui va demander du temps pour se délier, mais qui conservera toujours sa raideur de naissance.

Moulin-à-Vent 2008

Rouge | 2010 à 2015 | 14,30 € 14,5/20

Il est encore serré par sa mise. La bouche est charnue, mais on sent bien que le tanin affiche une austérité naturelle que l'élevage n'a pas complètement gommée. Bon résultat final, pour un vin qui a été sélectionné avec soin.

Moulin-à-Vent Clos du Grand Carquelin 2008

Rouge | 2012 à 2018 | 18,80 € 16/20

Bouche charnue, bonne structure tannique, ferme mais harmonieuse, finale fraîche et élancée.

Moulin-à-Vent Grand Clos de Rochegrès 2008

Rouge | 2014 à 2023 | 18,80 € 16,5/20

Il mettra du temps à se mettre en place. Le tanin est épicé, la bouche est concentrée et minérale, mais sa grande race ne s'exprime pas encore. On patientera, ou alors on le carafera.

DOMAINE PAUL ET ÉRIC JANIN

La Chanillière • 71570 Romanèche-Thorins
Tél. 03 85 35 52 80 • Fax : 03 85 35 21 77
pauljanin.fils@club-internet.fr
Visite : Du lundi au vendredi de 10h à 12h et de 14h à 18h, samedi sur rendez-vous

Éric Janin soigne son vignoble idéalement situé sur l'un des meilleurs terroirs du Beaujolais. Les sols riches en manganèse donnent à ses cuvées un caractère épicé mais délicat, que ses vinifications sous bois soulignent avec raffinement. Aucune fausse note dans les derniers millésimes et 2008 est, sans surprise, bien maîtrisé. Les prix sont très raisonnables.

Moulin-à-Vent Clos du Tremblay 2008

Rouge | 2012 à 2023 | 11 € 16/20

Matière concentrée, tanin légèrement épicé. Il est encore un peu serré, mais sans rudesse dans le tanin. Il se fera plus lentement que le 2007.

Moulin-à-Vent Domaine des Vignes du Tremblay 2008

Rouge | 2010 à 2018 | 9 € 15/20

Un superbe jus fruité en bouche. Le tanin n'est pas aussi gracile qu'en 2007, mais bonne structure ferme et droite.

ANITA ET ANDRÉ KUHNEL

Les Raisses • 69910 Villié-Morgon
Tél. 04 74 04 22 59 • Fax : 04 74 04 22 59
aa.kuhnel@wanadoo.fr • www.kuhnel.fr
Visite : sur rendez-vous

Morgon cuvée Château Gaillard 2008

Rouge | 2010 à 2015 | 5,60 € 14,5/20

Ce couple de vignerons nous a présenté une jolie série de morgons et de moulin-à-vents dans le délicat millésime 2008. Nous avons eu une préférence pour ce climat de Château-Gaillard, qui a donné un fruité fin et élégant, et une bouche suave et ronde. Comme le millésime est faiblement tannique, on le boira jeune.

DOMAINE LABRUYÈRE

Moulin à Vent • 71570 Romanèche-Thorins
Tél. 03 85 20 38 00 • Fax : 03 85 38 89 90
edouard@groupe-labruyere.com
Visite : 8h30-12h et 14h30-17h sur rendez-vous

Ce domaine a été repris en main par la famille Labruyère en 2007, avec la volonté affichée de faire parler leurs grands terroirs, le Clos du Moulin-à-Vent en tête, sans doute le plus beau sous-sol de l'appellation. Avec l'aide de l'œnologue Nadine Gublin, leur première tâche consiste à redonner vie aux sols, après des décennies de culture chimique. Dans un millésime compliqué comme 2008, la vigne a eu du mal à supporter la transition, et malgré le tri particulièrement sévère, les vins manquent de profondeur. En revanche, la réactivité du terroir sur les 2009 que nous avons goûtés avant assemblage s'annonce très intéressante.

Moulin-à-Vent Grande Cuvée 2008

Rouge | 2010 à 2015 | 7,50 € 13,5/20

Nez fin et élégant, l'élevage a apporté une gourmande rondeur. La bouche offre des tanins ronds, mais la fin de bouche tombe assez vite. La nouvelle politique n'a pas encore porté tous ses fruits, le vin manque de fond.

Moulin-à-Vent Le Clos du Moulin-à-Vent Monopole 2008

Rouge | 2010 à 2015 | 12,50 € 14,5/20

Un boisé qui apporte des notes de torréfaction, mais les tanins sont mieux enrobés que la Grande-Cuvée. C'est encore un peu court, mais la race du terroir montre un bel aperçu.

DOMAINE HUBERT LAPIERRE

Les Gandelins - Cidex 324 -1847 route des deschamps
71570 La Chapelle-de-Guinchay
Tél. 03 85 36 74 89 • Fax : 03 85 36 79 69
hubert.lapierre@wanadoo.fr
www.domaine-lapierre.com
Visite : Du lundi au samedi de 9h à 12h et de 14h à 19h, de préférence sur rendez-vous.

Hubert Lapierre, la soixantaine, vient de restreindre drastiquement la taille de son exploitation, se concentrant sur ses 3,5 hectares en propriété, sur Chenas et Moulin-à-Vent, à partir desquels il élabore cinq cuvées, qu'il propose majoritairement à la clientèle particulière. 2008 a donné ici des vins moyennement charnus mais sans raideur, dont l'acidité prononcée devra se fondre en bouteille.

Chénas Vieilles Vignes 2008
Rouge | 2011 à 2015 | 6,40 € **14,5/20**
Bonne chair, fruité rouge, un vin qui doit encore arrondir son acidité.

Moulin-à-Vent Tradition 2008
Rouge | 2011 à 2015 | 6,40 € **13,5/20**
Tanins sans agressivité ni verdeur, un vin d'ampleur moyenne, qui doit encore se fondre en bouteille.

Moulin-à-Vent Vieilles Vignes 2008
Rouge | 2010 à 2015 | 7 € **14,5/20**
Une concentration supérieure à la cuvée Tradition. Un vin de demi-corps, où l'acidité n'est pas encore fondue.

DOMAINE MARCEL LAPIERRE

Les Chênes • 69910 Villié-Morgon
Tél. 04 74 04 23 89 • Fax : 04 74 69 14 40
informations@marcel-lapierre.com
www.marcel-lapierre.com
Visite : Sur rendez-vous.

Si la réputation de Marcel Lapierre s'est faite autour des vins nature, c'est-à-dire sans soufre et non filtrés, il faut être conscient des risques que de mauvaises conditions de conservation leur font courir. Aussi Marcel propose-t-il des versions sulfitées et/ou filtrées de ses cuvées, et le précise toujours sur ses contre-étiquettes. Les 2008 sont bien fruités, et déjà épuisés au domaine. Les 2009 seront plus concentrés.

Morgon Nature 2008
Rouge | 2010 à 2015 | 14,60 € **15/20**
La robe est moins limpide que la cuvée sulfitée. Plus de fond, un fruité rouge plus profond (fraise écrasée). Il est plus savoureux, mais attention aux conditions de conservation.

Morgon Sulfité 2008
Rouge | 2010 à 2015 | 14,60 € **14,5/20**
Très fruité, charnu, bien friand, on l'apprécie jeune. Pas un grand fond, c'est le millésime.

DOMAINE LASSAGNE

lieu-dit La-Ville • 71570 Saint-Amour-Bellevue
Tél. 03 85 37 11 93 • Fax : 03 85 36 56 61
andre@domainelassagne.com
Visite : Tous les jours sur rendez-vous

André et Nicole Lassagne se sont reconvertis vignerons avec le millésime 2000, en reprenant les six hectares du domaine familial, essentiellement sur Saint-Amour. Les 2008 avaient été fortement touchés par la grêle, les 2009 profitent de la maturité du millésime.

Juliénas Vieilles Vignes 2009
Rouge | 2010 à 2015 | 8 € **15/20**
Un jus concentré, sur les fruits noirs et la réglisse. Tanins gras, bonne longueur, finale concentrée.

Saint-Amour 2009
Rouge | 2010 à 2014 | 8 € **13,5/20**
Fruité charnu, un vin rond et gourmand, friand et tendre.

Saint-Amour Vieilles Vignes 2009
Rouge | 2010 à 2016 | 15 € **14,5/20**
Plus de matière que la cuvée «simple». Bonne structure, tanins mûrs, finale droite.

DOMAINE DE LA MADONE

La Madone • 69820 Fleurie
Tél. 04 74 69 81 51 • Fax : 04 74 69 81 93
domainedelamadone@wanadoo.fr
www.domaine-de-la-madone.com
Visite : Du lundi au samedi de 10h à 12h et de 13h30 à 18h, dimanche sur rendez-vous.

Le coteau pentu de La Madone offre une vue imprenable sur Fleurie et ses environs. Jean-Marc Després et son fils Arnaud y exploitent les deux propriétés voisines du Domaine de la Madone et du Domaine du Niagara. Dans la gamme, nous préférons la cuvée de grille-midi (une cuvette très solaire)

et la Cuvée-Spéciale, issue des plus vieilles vignes. Bons 2008.

Fleurie Domaine du Niagara 2008
Rouge | 2010 à 2015 | 8,70 € **14,5/20**
Floral et épicé, un vin avec une bonne matière charnue et de bons tanins. Déjà friand.

Fleurie Grille Midi Vieilles Vignes 2007
Rouge | 2010 à 2015 | 9,80 € **15/20**
Un vin élégant et d'agréable concentration, les tanins sont fondus, la bouche charnue, la finale gourmande sur les fruits noirs. Il s'est bien fait en bouteille.

Fleurie La Madone cuvée Spéciale Vieilles Vignes 2008
Rouge | 2010 à 2016 | 10,90 € **15,5/20**
Grosse matière, bouche concentrée, puissante et savoureuse. Les tanins sont fins, les arômes gourmands.

DOMAINE LAURENT MARTRAY

Combiaty • 69460 Odenas
Tél. 04 74 03 51 03 • Fax : 04 74 03 50 92
martray.laurent@akeonet.com
www.domainelaurentmartray.com
Visite : Sur rendez-vous tous les jours

Laurent Martray possède l'essentiel de son domaine sur Brouilly et Côte de Brouilly. Corentin est la cuvée issue des vieilles vignes, à l'expression racée et à la texture veloutée. La cuvée Mas-de-Bagnols, richement boisée, nous semble moins correspondre au style des vins de la région. Dans un millésime délicat comme 2008, le travail sérieux de Laurent se voit amplement récompensé.

Brouilly Corentin 2008
Rouge | 2012 à 2018 | 12 € **16,5/20**
Un vin savoureux et raffiné, où l'élevage apporte un supplément de gourmandise. On attendra que le boisé se fonde.

Brouilly Loïs 2008
Rouge | 2012 à 2018 | 10 € **15,5/20**
Texture serrée, plus de mâche que dans la cuvée Vieilles-Vignes. On gagne en matière ce qu'on perd en fruit. Il faut l'attendre un peu.

Brouilly Vieilles Vignes Combiaty 2008
Rouge | 2010 à 2016 | 9 € **15,5/20**
Soupe de fruits rouges au nez. Un régal. Bouche savoureuse et gourmande. Fin de bouche élancée et fraîche.

Côte de Brouilly Les Feuillées 2008
Rouge | 2012 à 2023 | 10 € **16,5/20**
Nez complexe et racé, sur le tabac, les fruits secs. Bouche serrée et concentrée, finale en longueur, raffinée et de bon équilibre, tendue.

DOMAINE MÉTRAT ET FILS

La Roilette • 69820 Fleurie
Tél. 04 74 69 84 26 • Fax : 04 74 69 84 49
domaine-metrat-et-fils@wanadoo.fr
www.domainemetrat.com
Visite : sur rendez-vous.

Bernard Métrat a la chance de cultiver des vignes dans le prestigieux secteur de la Roilette. Situé sur Fleurie mais en bordure de Moulin-à-Vent, le sous-sol y est plus caillouteux et argileux que dans le reste de l'appellation, fameux pour ses sols de granit rose décomposé. Les vins associent alors avec bonheur le parfum inimitable des fleuries au corps charnu des moulin-à-vents. Les 2008 sont réussis et devront même être attendus quelque peu.

Fleurie La Roilette 2008
Rouge | 2010 à 2015 | 6,60 € **14,5/20**
Un vin à la texture serrée, avec un caractère minéral prononcé. Le tanin n'est pas très épanoui, mais sa fermeté va s'arrondir. L'acidité de fin de bouche apporte de l'équilibre.

Fleurie La Roilette Vieilles Vignes 2008
Rouge | 2012 à 2018 | 7,50 € **16/20**
Il n'est pas prêt. Texture serrée, mais très bel équilibre de bouche, avec un tanin raffiné et une finale fraîche et envolée. Les conditions du millésime ne semblent pas avoir affecté cette cuvée.

Moulin-à-Vent 2008
Rouge | 2012 à 2018 | 7,50 € **15/20**
Il faut absolument l'attendre, sa texture est serrée mais bien concentrée, la fin de bouche est équilibrée. Le charme et le velouté viendront plus tard.

CLOS DE MEZ

Les Raclets • 69820 Fleurie
Tél. 06 03 35 71 89 • Fax : 03 80 61 21 47
contact@closdemez.com • www.closdemez.com
Visite : sur rendez-vous.

Le Clos de Mez est la création de Marie-Élodie Zighera (dont les initiales reforment le mot MEZ), à partir d'une partie des vignes familiales, qui jusque-là étaient intégralement apportées à la cave de Fleurie. Après des études viticoles et de nombreuses recherches documentaires, elle s'est mis en tête de produire des beaujolais comme autrefois. Elle a donc mis en place une viticulture exemplaire, avec reprise des labours, elle vendange à parfaite maturité, les fermentations démarrent à basse température, avec des cuvaisons longues et des élevages qui prennent le temps nécessaire. C'est ainsi qu'elle commercialise encore ses 2007, et que les 2008 seront mis en bouteille à l'été 2010, là où tant de domaines vendent déjà leurs 2009.

FLEURIE LA DOT 2007
Rouge | 2010 à 2017 | 11 € **16,5/20**
Un vin au tanin épicé, droit et franc. La bouche est tendue, racée. Grande classe dans un millésime où l'acidité rend beaucoup de vins un peu austères.

MORGON CHÂTEAU GAILLARD 2007
Rouge | 2010 à 2017 | 11 € **16,5/20**
Un vin concentré et droit, aux notes de graphite et de fruits noirs. Tanin épicé.

MOMMESSIN

Le Pont des Samsons • 69430 Quincié-en-Beaujolais
Tél. 04 74 69 09 30 • Fax : 04 74 69 09 28
information@mommessin.fr
Visite : Du lundi au vendredi sur rendez-vous.

La maison commercialise encore trop de vins indifférents, mais comme toutes celles qui font partie du groupe Boisset, elle s'est donnée comme mission de progresser, et s'est construit à Monternot un cuvier moderne pour vinifier de façon optimale ses meilleures cuvées. 2008 n'était pas le millésime le plus évident à maîtriser.

POUILLY-FUISSÉ DEUX TERROIRS 2008
Blanc | 2010 à 2015 **14,5/20**
Bouche vive et élancée, un vin tendu, avec de bons arômes de miel et de fleurs.

DOMAINE DU MOULIN D'ÉOLE

Le Bourg • 69840 Chénas
Tél. 04 74 04 46 88 • Fax : 04 74 04 47 29
moulindeole@wanadoo.fr
Visite : Du lundi au vendredi, de 10h à 12h30 et de 14h30 à 17h30 sur rendez- vous et week-end sur rendez-vous.

Philippe Guérin produit régulièrement de délicieuses cuvées de moulin-à-vent, respectueuses du terroir et sans aucun artefact technologique. Seul son chiroubles n'atteint pas la même harmonie. Le domaine n'a pas présenté ses 2008, et du coup ses 2009 n'étaient pas tout à fait prêts le jour de notre dégustation. À revoir.

MOULIN-À-VENT LES THORINS 2009
Rouge | 2010 à 2016 | 7,90 € **14,5/20**
Notes de fruits noirs mûrs, bouche grasse et charnue, bons tanins.

DOMAINE DES NUGUES

Les Pasquiers • 69220 Lancié
Tél. 04 74 04 14 00 • Fax : 04 74 04 16 73
earl-gelin@wanadoo.fr
www.domainedesnugues.com
Visite : Du lundi au samedi de 8h à 12h et de 14h à 19h.

Gilles Gelin élabore des beaujolais comme nous les aimons : avec de la mâche et de la densité en bouche, sans céder aux sirènes du fruité technologique et vulgaire. Sa cuvée Quintessence est un modèle de gamay vinifié sur la matière, elle doit être servie en carafe pour piéger les dégustateurs snobs qui méprisent la région. Ses 2008 sont réussis, un peu plus souples que les millésimes précédents.

BEAUJOLAIS-VILLAGES 2008
Rouge | 2010 à 2014 | 7,30 € **14/20**
Fruité rouge, notes d'épices (poivre), la bouche est ronde, moyennement concentrée. Même si le tanin reste un peu austère en finale, c'est un vin gourmand.

BEAUJOLAIS-VILLAGES 2007
Rouge | 2010 à 2013 | 7,30 € **15,5/20**
Bonne chair, un vin agréable, concentré, bien parfumé, aux nuances de ronces et de sous-bois. Il ne faut pas trop tarder à le boire.

Beaujolais-Villages Quintessence du gamay 2007 ☺
Rouge | 2010 à 2017 | 10 € **16,5/20**
Bien charnu, texture concentrée, tanins arrondis et bien enrobés, c'est un vin qui appelle la table par sa richesse de bouche. Arômes de fruits noirs savoureux.

Fleurie 2008
Rouge | 2010 à 2015 | 10 € **14,5/20**
Bonne intensité, bouche assez tendue, un vin de demi-corps, que l'on appréciera vite.

Morgon 2008
Rouge | 2010 à 2015 | 9,50 € **15/20**
Bien fruité, texture délicate, légèrement granuleuse, finale équilibrée.

DOMAINE DU P'TIT PARADIS

Les Pinchons • 69840 Chénas
Tél. 04 74 04 48 71 • Fax : 04 74 04 46 29
Visite : sur rendez-vous (accueil de groupes possible sur rendez-vous).

Denise Margerand a courageusement continué l'activité de son petit domaine de 3,5 hectares, à la suite du décès de son frère Francis, en 2003. À l'exception de la cuvée fûts de chêne, tous les vins sont élevés en cuve inox. Comme certains de ses confrères, le domaine a fait l'impasse sur les 2008 pour présenter plus vite des 2009 qui ne se goûtaient pas au meilleur moment.

Chénas 2009
Rouge | 2010 à 2014 | 5,50 € **14,5/20**
Fruité, bonne mâche, texture tendre.

Moulin-à-Vent 2009
Rouge | 2010 à 2014 | 6,40 € **14,5/20**
Plus de matière que le chénas. Bonne mâche, bouche concentrée, finale arrondie.

DOMAINE JEAN-GUILLAUME PASSOT

Les Pillets • 69910 Villié-Morgon
Tél. 09 53 44 11 81 • Fax : 09 58 44 11 81
jgpassot@yahoo.fr
www.jeanguillaumepassot.passotcollonge.fr
Visite : Sur rendez-vous.

Côte de Brouilly 2008
Rouge | 2010 à 2014 | 6,80 € **13,5/20**
Cela fait deux ans que nous suivons Jean-Guillaume, ce jeune vigneron qui s'est installé au domaine de ses grands-parents. Sa première récolte date de 2005. Nous avons régulièrement une petite préférence pour son côte-de-brouilly. Le 2008 est épicé, puissamment floral, avec des notes de tabac. La bouche n'est pas très charnue, mais droite et tendue. C'est plus mince que 2007, mais les arômes sont élégants. Nous attendons impatiemment de goûter les 2009.

CHÂTEAU DE PIERREUX

Pierreux • 69460 Odenas
Tél. 04 74 03 18 30 • Fax : 04 74 03 18 39
nesme.l@chateaudepierreux.com

Cette splendide propriété appartient depuis 2002 au groupe Boisset, qui l'a joliment restaurée. Situé au pied du mont Brouilly, le terroir est de premier ordre, il donne une belle structure aux vins. Les vinifications se font entièrement en foudres. Le château n'élabore que deux cuvées de brouilly, une entrée de gamme et une Réserve-du-Château, très savoureuse en 2008.

Brouilly 2008
Rouge | 2010 à 2015 | env 5 € **13,5/20**
Bon fruité rouge, bouche tendre. Arômes gourmands de fruits rouges. On le boira sur sa souplesse.

Brouilly La Réserve du Château 2008
Rouge | 2010 à 2015 | env 6,50 € **14,5/20**
Fruité frais, bouche gourmande, tanins ronds. Finale charmeuse, on boit une soupe de fruits rouges.

DOMAINE PIRON

Morgon • 69910 Villié-Morgon
Tél. 04 74 69 10 20 • Fax : 04 74 69 16 65
dominiquepiron@domaines-piron.fr
www.domaines-piron.fr
Visite : Du lundi au samedi de 9h à 18h.

S'appuyant sur des terroirs bien différenciés, Dominique Piron sait en retranscrire la force et le caractère dans la bouteille, par ailleurs très élégamment habillée. Les 2008 n'offrent pas une grande concentration, on les boira sur leur souplesse de jeunesse. Les échantillons de 2009 nous font déjà saliver, et la dégustation d'un côte-du-py 1990 nous a rappelé la splendeur au vieillissement de ces grands vins.

Chénas Domaine Piron-Lameloise cuvée Quartz 2008 ☺
Rouge | 2010 à 2015 | 10 € **14,5/20**
Fruité pur, dominé par les fruits rouges. Bouche aux tanins ronds, un vin tendre.

Morgon Domaine de la Chanaise Côte du Py Javernières 2008
Rouge | 2010 à 2014 | 10 € **14/20**
Fruité franc, un vin de demi-corps, à la bouche souple et tendre, mais à la finale pure et gourmande.

Moulin-à-Vent Domaine Piron-Lameloise Vieilles Vignes 2008
Rouge | 2010 à 2015 | 10 € **15/20**
Pas totalement libéré au niveau de sa texture (la vigne a grêlé), l'élevage l'enrobe avec gourmandise. Il manque un peu de fond, on l'appréciera jeune lui aussi. Bon travail de vinification.

Régnié Domaine de la Chanaise 2009 ☺
Rouge | 2010 à 2015 | 7 € **14/20**
Bon fruit frais, tanins ronds, concentration moyenne. À boire sur son équilibre fruité. Friand et gourmand.

DOMAINE LES ROCHES BLEUES

Côte de Brouilly • 69460 Odenas
Tél. 04 74 03 43 11 • Fax : 04 74 03 50 06
lacondemine.dominique@wanadoo.fr
Visite : Du lundi au samedi de 9h à 19h, le dimanche sur rendez-vous.

Les terres bleues du mont Brouilly sont parmi les plus volcaniques du Beaujolais, et contribuent fortement au goût de terroir des vins de la propriété, minéraux et souvent tendus. Ici, le sol domine le fruit, comme il se doit dans un cru. Seule la cuvée Des-Lys, élevée partiellement en fûts, perd un peu en lisibilité du terroir. Bons 2008, que le domaine a eu le courage de présenter.

Brouilly 2008
Rouge | 2010 à 2016 | 6,15 € **14,5/20**
Un brouilly au nez fruité rouge agrémenté de touches florales. Bouche délicate, même si le tanin n'est pas très enveloppé. Il finit un peu sec.

Côte de Brouilly 2008
Rouge | 2010 à 2018 | 6,65 € **15,5/20**
La côte offre un supplément de parfum et de chair par rapport au brouilly. Le fruité est plus savoureux, les tanins mieux enrobés.

Côte de Brouilly Des Lys 2008
Rouge | 2011 à 2015 | 8 € **15/20**
Une matière tannique supérieure au côte-de-brouilly, mais qui donne une fin de bouche un peu moins arrondie dans le millésime.

CLOS DE LA ROILETTE

Domaine Alain Coudert - La Roilette • 69820 Fleurie
Tél. 04 74 69 84 37 • Fax : 04 74 69 81 26
clos-de-la-roilette@wanadoo.fr
Visite : sur rendez-vous

Alain Coudert a la chance d'exploiter sept hectares du fameux secteur de la Roilette. Il produit trois cuvées, dont le fameux fleurie Cuvée-Tardive, qui demande un peu de temps en bouteille pour exprimer pleinement le raffinement de son terroir. L'égrappage a permis de réaliser des 2008 de plaisir rapide. Les 2009 goûtés en foudres s'annoncent très bien.

Brouilly Domaine Coudert 2008
Rouge | 2010 à 2014 | 6 € **14,5/20**
Texture serrée, fruité noir, mais tanin pas très épanoui.

Fleurie 2008
Rouge | 2010 à 2015 | 7,30 € **14,5/20**
Ouvert, bouche ronde, tanins souples, finale sur des notes de fruits noirs et d'encre. On peut regretter un petit flottement en milieu de bouche.

Fleurie cuvée Tardive 2008
Rouge | 2012 à 2018 | 8,50 € **15,5/20**
La matière est plus concentrée que dans l'autre cuvée de fleurie. Plus de tanins, plus de mâche. Aujourd'hui, c'est vin un peu ferme, mais avec de bons tanins.

DOMAINE RICHARD ROTTIERS

La Sampinerie • 71570 Romanèche-Thorins
Tél. 03 85 35 22 36 • Fax : 03 85 35 22 36
contact@domainerichardrottiers.com
www.domainerichardrottiers.com
Visite : Du lundi au samedi sur rendez-vous.

Richard Rottiers est venu s'installer dans le Beaujolais en 2007. Sur ses vignes de Moulin-à-Vent, il a tout de suite mis en place une viticulture très respectueuse de l'environnement. La démarche bio est dans sa ligne de mire, mais il s'agit pour l'heure de faire renaître la vie des sols. Les 2008 sont plus maigres que les 2007, qui ont bien évolué en bouteille, les 2009 se goûteront bien l'année prochaine.

Moulin-à-Vent 2008
Rouge | 2010 à 2014 | 7,80 € **13/20**
Bon fruit, il est déjà souple et charmeur, mais le tanin n'est pas très enrobé.

Moulin-à-Vent Champ de Cour 2008
Rouge | 2011 à 2016 | 12 € **13,5/20**
Plus de personnalité que l'autre moulin-à-vent, avec des tanins plus fermes, mais qui manquent d'épanouissement.

DOMAINE BERNARD SANTÉ

Route de Juliénas • 71570 La-Chapelle-de-Guinchay
Tél. 03 85 33 82 81 • Fax : 03 85 33 84 46
earl.sante-bernard@wanadoo.fr
Visite : Du lundi au samedi de 9h à 12h30
et de 14h à 19h, dimanche sur rendez-vous.

Moulin-à-Vent 2009
Rouge | 2010 à 2015 | 8 € **14,5/20**
Bernard Santé n'a pas complètement sorti son domaine de la cave coopérative, et élabore quatre cuvées sur Juliénas, Chénas et Moulin-à-Vent. Le millésime 2008 ne l'a pas gâté, son moulin-à-vent présentait des tanins secs, mais ce 2009 est charnu, rond, bien mûr, avec un fruité gourmand. Nous regoûterons donc toute la gamme l'an prochain, lorsqu'elle sera mise en bouteille.

DOMAINE DES TERRES DORÉES

Crière • 69380 Charnay-en-Beaujolais
Tél. 04 78 47 93 45 • Fax : 04 78 47 93 38
contact@jeanpaulbrun.fr
Visite : Sur rendez-vous.

Jean-Paul Brun est situé au sud de la région, dans le secteur des Pierres Dorées, et ses beaujolais sont régulièrement des vins accomplis, charnus et profonds, loin des stéréotypes que l'on rencontre trop souvent dans la région. Craignant la réputation du millésime 2008, il a malheureusement choisi de ne présenter que des 2009 à notre dégustation, mais les échantillons ne se goûtaient pas toujours au mieux.

Beaujolais chardonnay vinification bourguignonne 2008
Blanc | 2010 à 2014 | 13,50 € **14,5/20**
Très gras, un vin puissant mais qui préserve un bon équilibre, gourmand et savoureux.

Beaujolais cuvée Première 2009
Rouge | 2010 à 2014 | 6 € **14,5/20**
Puissants arômes fruités, tanins fermes mais mûrs, un vin friand et gourmand.

Beaujolais L'Ancien 2009
Rouge | 2011 à 2019 | 9 € **16/20**
Grosse matière tannique, un vin puissant et structuré, plus bourgogne que beaujolais dans sa structure de bouche.

Beaujolais Rosé d'folie 2009
Rosé | 2010 à 2013 | 7,50 € **14/20**
Fruité très gourmand, bouche ronde et savoureuse.

DOMAINE THILLARDON

Le Bourg - Cidex 1014 • 71570 Romanèche-Thorins
Tél. 03 85 35 59 75
paul-henri.t@hotmail.fr

Paul-Henri Thillardon, jeune vigneron motivé et dynamique, s'est installé en 2004 sur Chenas, et s'est tout de suite orienté vers l'agriculture biologique certifiée. Ces vins privilégient le fruit et la pureté, et gagnent beaucoup à l'aération, où ils deviennent de formidables compagnons de sauce. Nous allons suivre ses prochains millésimes avec grand intérêt.

Chénas 2009
Rouge | 2009 à 2015 | NC **15/20**
Très joli jus en bouche, tanins ronds, gourmand et charnu.

Chénas 2008
Rouge | 2009 à 2015 | NC **15/20**
La cuvée changera de nom en 2009. Très pur, on sent un raisin très naturel, un vin séduisant.

CHÂTEAU THIVIN

La Côte de Brouilly • 69460 Odenas
Tél. 04 74 03 47 53 • Fax : 04 74 03 52 87
geoffray@chateau-thivin.com
www.chateau-thivin.com
Visite : Du lundi au samedi de 9h à 12h
et de 14h à 19h. Dimanche sur rendez-vous.

Le Château Thivin est l'un des meilleurs ambassadeurs de la Côte de Brouilly sur laquelle il est posé. Sous l'impulsion de Claude Geoffray, la viticulture est respectueuse, les vendanges généralement entières, et les élevages se font dans de vieux foudres. Les vins sont caractéristiques, mélangeant le parfum

des fruits rouges à la pureté de bouches légèrement tendues. Les 2008 sont délicats et gourmands, les 2009 s'annoncent plus généreux et puissants.

Beaujolais-Villages Marguerite 2008 ☺
Blanc | 2010 à 2015 | 8,50 € **14/20**
Un chardonnay équilibré. Bon volume de bouche, tout en rondeur et en délicatesse. Tendre et gourmand.

Brouilly 2008 ☺
Rouge | 2010 à 2014 | 7,70 € **14/20**
Fruité rouge fin et délicat. Bouche pure et droite, finale serrée et élancée. À boire sur son fruit.

Côte de Brouilly La Chapelle 2008 ☺
Rouge | 2010 à 2018 | 9,80 € **15,5/20**
Beaux arômes puissants, fruits rouges et poivre. Bouche structurée, texture fine et serrée. Finale juteuse et savoureuse.

Côte de Brouilly Les Sept Vignes 2008
Rouge | 2010 à 2016 | 8,10 € **15/20**
Plus de concentration et de chair que le brouilly. Tanins fins, finale concentrée et pure. Tout en délicatesse, le vin a un toucher de bouche très élégant.

Côte de Brouilly Zaccharie 2008
Rouge | 2012 à 2023 | 13,50 € **16,5/20**
Le nez est encore marqué par son élevage, mais s'estompe petit à petit à l'aération. Bouche concentrée, bonne matière, texture serrée, finale épicée. Belle finesse, mais le vin est encore sur la réserve. Il faut l'attendre.

TRENEL

33, chemin du Buéry • 71850 Charnay-lès-Mâcon
Tél. 03 85 34 48 20 • Fax : 03 85 20 55 01
contact@trenel.com • www.trenel.com
Visite : Du lundi au vendredi de 8h à 18h.

Cette petite maison de négoce propose une gamme répartie entre vins du Mâconnais et du Beaujolais, qui sont de sincères expressions de leur origine. Les 2008 déçoivent par leurs bouches qui tombent vite sur des tanins assez secs, on peut les oublier pour la plupart. Les 2009 offrent un charnu nettement supérieur.

Beaujolais Rochebonne 2009 ☺
Rouge | 2010 à 2014 | 4,50 € **14/20**
Mûr, bouche charnue, équilibre gourmand, à boire sur son fruit noir croquant.

Côte de Brouilly Tirage Limité 2008
Rouge | 2010 à 2015 | 8,40 € **14/20**
Plus de tenue que l'autre cuvée, avec une bonne matière, et un équilibre que l'on apprécie jeune.

Fleurie Hommage à André Trénel 2009 ☺
Rouge | 2010 à 2016 | 10,20 € **14,5/20**
Nez parfumé, très pur, très net. La bouche est fraîche et savoureuse, avec un jus tendre et friand en bouche. Pas le plus concentré, mais bien équilibré, avec de la persistance.

Juliénas L'Esprit Marius Sangouard 2009
Rouge | 2010 à 2017 | 6,90 € **15,5/20**
Fruité bien mûr (mûre), grosse matière, bouche concentrée, finale réglissée. Joli vin, sur un équilibre relevé, fait pour la table.

Mâcon-Villages Hommage à André Trénel 2008
Blanc | 2010 à 2014 | 10,45 € **15/20**
Floral, notes de cire. Bonne élégance, beaucoup de naturel. Un style travaillé, mais une belle ampleur.

Moulin-à-Vent 2009
Rouge | 2010 à 2019 | 8,40 € **15/20**
Joli jus, charnu et concentré. Tanins enrobés. Bonne matière.

Saint-Amour 2009 ☺
Rouge | 2010 à 2016 | 8,40 € **14,5/20**
Bon fruité tendre, bouche à la texture savoureuse et douce, tanins délicats.

Saint-Véran 2008
Blanc | 2010 à 2014 | 9,40 € **14,5/20**
Bouche droite et nerveuse, arômes citronnés. Bon caractère, finale acidulée.

VILLA PONCIAGO

B.P. 6 • 69820 Fleurie
Tél. 04 37 55 34 75 • Fax : 04 37 55 35 87
contact@villaponciago.fr • www.villaponciago.fr
Visite : pas de vente sur le domaine

Fleurie Les Hauts du Py 2009
Rouge | 2010 à 2017 | 11,20 € **14,5/20**
La famille Henriot, également propriétaire des champagnes éponymes et de Bouchard Père et Fils, s'est fixée un nouvel objectif : redonner sa splendeur passée au Château de Poncié (Ponciago en latin), une splendide propriété viticole de près de cinquante hectares, à Fleurie. Le rachat a

eu lieu en 2008, mais la vigne et les sols étaient dans un tel état que Thomas Henriot a attendu 2009 pour commercialiser ses premières cuvées. Le chemin sera long pour que le terroir reprenne ses droits, mais l'ambition et les moyens sont là. En 2009, nous apprécions beaucoup cette cuvée de fleurie Les-Hauts-du-Py, pour son fruité très noir et concentré. La bouche offre plus de richesse que La-Réserve, et une texture qui laisse ressortir la minéralité du terroir.

DOMAINE GEORGES VIORNERY

Brouilly • 69460 Odenas
Tél. 04 74 03 41 44 • Fax : 04 74 03 41 44
georges.viornery@orange.fr
Visite : de préférence sur rendez-vous de 8h à 20h.

Georges Viornery prend petit à petit du recul, sur le domaine qu'il a créé en 1972, sans que personne ne prenne sa suite pour l'instant. Ces cuvées sont de grands classiques : un brouilly fruité et un côte-de-brouilly plus minéral, le côte-de-brouilly Vieilles-Vignes étant trop boisé à notre goût. Le domaine n'a pas présenté ses 2008, mais des échantillons de 2009.

BROUILLY 2009
Rouge | 2010 à 2016 | 6,40 € **15/20**
Fruité mûr intense, rouge et noir. Bouche charnue et concentrée, tanins ronds.

CÔTE DE BROUILLY 2009
Rouge | 2011 à 2016 | 6,40 € **15,5/20**
Plus serré, plus minéral que le brouilly. Bon volume de bouche, mais on l'attendra un peu.

DOMAINE DU VISSOUX

Vissoux • 69620 Saint-Vérand
Tél. 04 74 71 79 42 • Fax : 04 74 71 84 26
domaineduvissoux@chermette.fr • www.chermette.fr
Visite : Du lundi au samedi sur rendez-vous.

Les Chermette ont réussi à faire de leur domaine l'un des incontournables du sud de la région. Ici, tous les vins partagent un parfum de fruits et un caractère glissant et frais en bouche dont beaucoup devraient s'inspirer. Malheureusement comme tant d'autres producteurs de la région, le domaine n'a pas jugé ses 2008 dignes de notre dégustation, et a préféré envoyer des 2009 plus prometteurs sur le papier, mais qui devront impérativement patienter en bouteille.

BEAUJOLAIS CŒUR DE VENDANGES 2009
Rouge | 2010 à 2015 | cav. 11 € **14,5/20**
Bonne matière, texture veloutée, bouche bien charnue, fruité gourmand.

BROUILLY PIERREUX 2009
Rouge | 2010 à 2016 | cav. 13 € **15/20**
Fruité rouge mûr, bon volume de bouche, charnu et gourmand.

FLEURIE LES GARANTS 2009
Rouge | 2010 à 2017 | cav. 14 € **16/20**
Texture plus dense que le fleurie-poncié, un vin structuré et fin, très digeste. Belle fraîcheur.

FLEURIE PONCIÉ 2009
Rouge | 2010 à 2019 | cav. 13 € **15,5/20**
Texture raffinée, bonne allonge, tanins fins, finale élancée. Belle subtilité de bouche.

MOULIN-À-VENT LES TROIS ROCHES 2009
Rouge | 2010 à 2019 | cav. 14,50 € **16/20**
Un vin bien charnu, au fruité rouge savoureux. Bonne structure, tanins enrobés.

AUSONE
1896

La sélection Bettane et Desseauve pour le Bordelais

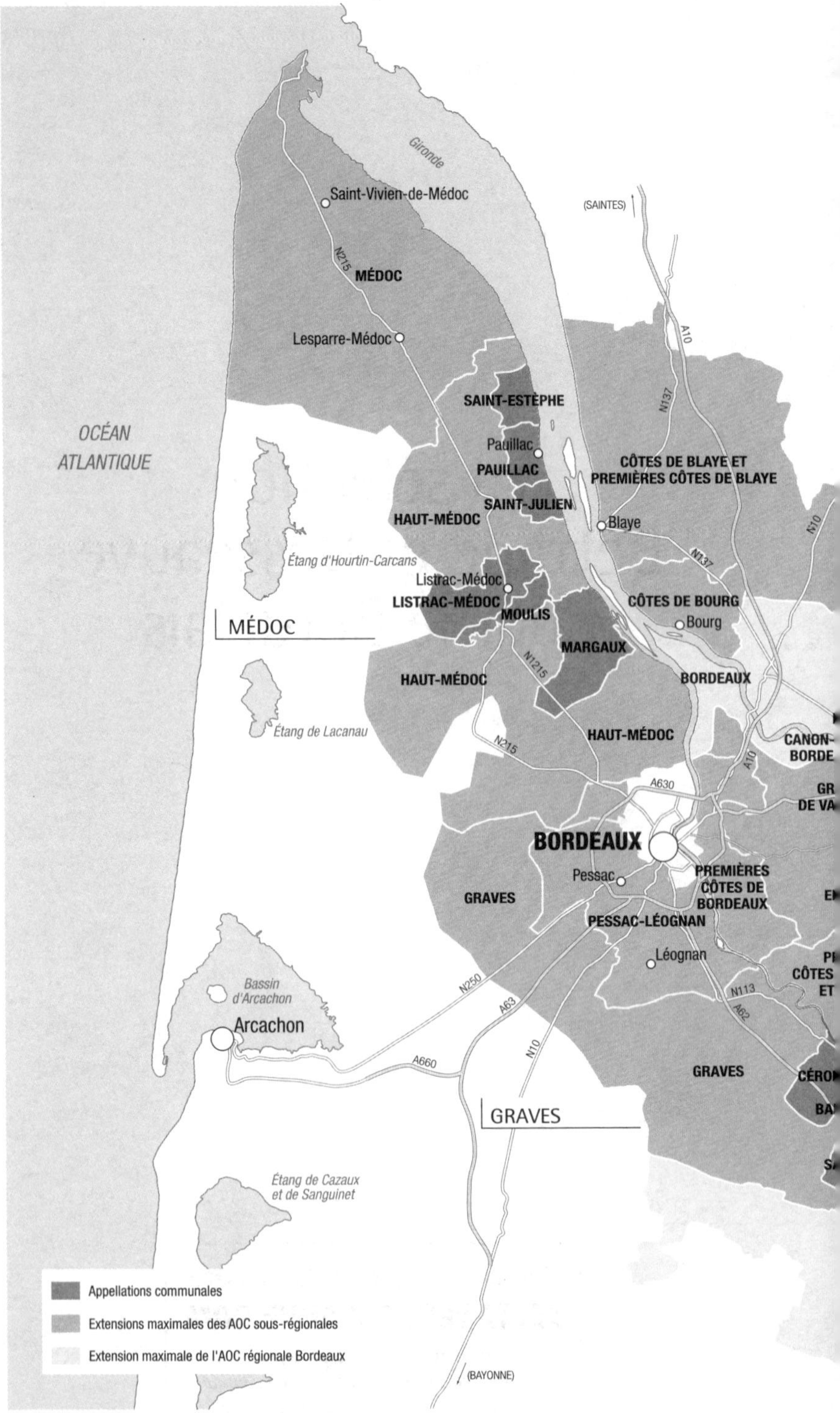

OCÉAN ATLANTIQUE
Gironde
Saint-Vivien-de-Médoc
(SAINTES)
N215
MÉDOC
Lesparre-Médoc
A10
N137
SAINT-ESTÈPHE
Pauillac
PAUILLAC
CÔTES DE BLAYE ET PREMIÈRES CÔTES DE BLAYE
SAINT-JULIEN
HAUT-MÉDOC
Blaye
N10
Étang d'Hourtin-Carcans
N137
Listrac-Médoc
LISTRAC-MÉDOC
MOULIS
CÔTES DE BOURG
Bourg
MÉDOC
MARGAUX
N1215
HAUT-MÉDOC
BORDEAUX
Étang de Lacanau
N215
HAUT-MÉDOC
A10
A630
BORDEAUX
Pessac
PREMIÈRES CÔTES DE BORDEAUX
GRAVES
PESSAC-LÉOGNAN
Léognan
Bassin d'Arcachon
N250
N113
Arcachon
A63
A62
A660
N10
GRAVES
GRAVES
Étang de Cazaux et de Sanguinet
Appellations communales
Extensions maximales des AOC sous-régionales
Extension maximale de l'AOC régionale Bordeaux
(BAYONNE)

Le vignoble du Bordelais

Le plus vaste département viticole de France, la Gironde, produit les vins les plus célèbres et les plus coûteux de la planète mais aussi un très grand nombre de bouteilles de qualité, au rapport qualité-prix difficile à battre !

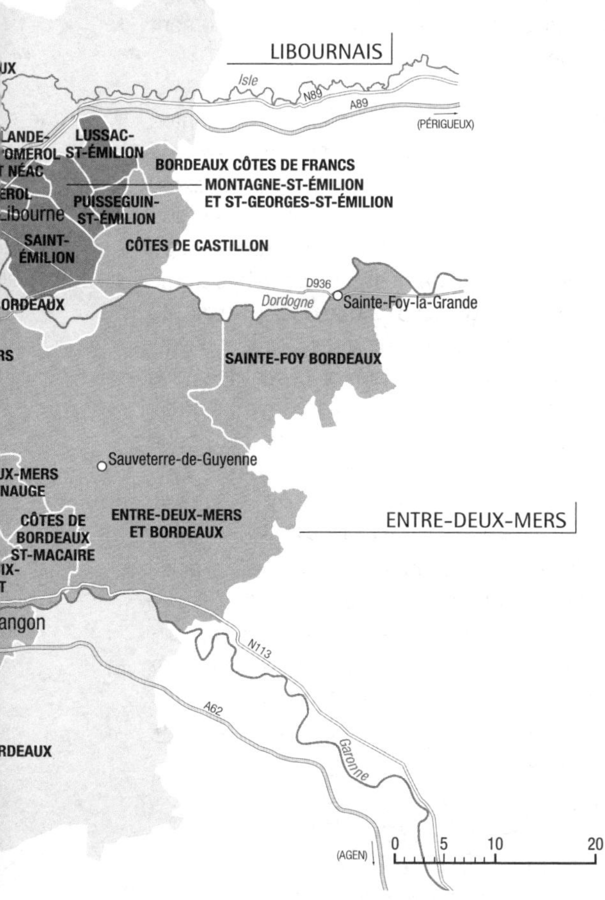

L'actualité des millésimes

Peu à peu, le paysage des vins de Bordeaux se modifie et trouve un profil très particulier dont on ne saurait dire qu'il est stable et encore moins équilibré. En voici les grands traits :

Une envolée des prix tous les trois ou quatre ans. 2000, 2003, 2005, 2009 : la première décennie du siècle aura été marquée par quatre sommets qui auront tour à tour battu tous les records de tarification de leurs plus illustres représentants. Que ces millésimes soient effectivement fameux ne justifie aucunement l'énorme différence de prix entre ceux-ci et les autres : les progrès techniques, la solidité financière des grands crus et le réchauffement climatique ont permis au contraire de limiter comme jamais les faiblesses des millésimes moyens, finalement pas si éloignés des années glorieuses.

La folie 2009 aura produit un écart de plus en plus accentué entre les Premiers et les autres. Quelques crus bordelais, moins de dix, peuvent se permettre de vendre en primeurs leur 2009 autour de 1000 euros la bouteille, voire beaucoup plus. Cinq fois plus que les quelques autres qui méritent encore le titre de « super seconds », mais sont tout de même décrochés comme jamais du peloton des stars, vingt fois plus que des crus classés de haut rang, cinquante fois plus qu'un très bon bordeaux qui fera le bonheur de n'importe quel amateur, cinq cent fois plus que le petit bordeaux vendu au supermarché du coin ! Certes, ces écart se réduisent dans un millésime moins coté, mais cette chaîne si élastique qu'elle paraît dix fois rompue montre la déliquescence d'un mode de commercialisation à bout de souffle. Le confort qu'apporte aux grands crus la « place de Bordeaux », ces vieilles familles de négociants qui les vendent en exclusivité en échange d'un paiement rapide et d'un prix que fixe le domaine, cache une forêt de désastres en terme d'image, de marketing et d'organisation de la filière. Si les vins de Bordeaux étaient une équipe de foot, Messi jouerait dans son coin, au milieu de joueurs de promotion d'honneur. Et chacun ferait semblant de trouver ça normal.

Millésimes en stock. Pour accéder à l'intégrale de nos notes et commentaires sur les extrêmement prometteurs bordeaux primeurs 2009, il vous suffit de vous connecter sur votre site privé bettanedesseauve.com à l'aide de votre code personnel. Cela ne signifie nullement que 2008 soit sans intérêt, bien au contraire : c'est même un excellent millésime que nous recommandons chaudement, d'autant que, on l'aura compris, il restera loin de la folie tarifaire de son successeur. Les 2007, mal aimés à leur naissance non pas en raison de leur manque de qualité mais parce que les producteurs les ont vendus beaucoup trop chers par rapport aux possibilités du marché, n'ont pas progressé dans l'imaginaire du public. Le goût de trop cher s'est traduit par un goût de pas mûr ou pas bon. En fait, les rouges sont inégaux. Une partie de la vendange était médiocre et seuls ceux qui ont sélectionné sévèrement leur premier vin ont conservé le remarquable caractère des meilleurs raisins : beaucoup de finesse aromatique, d'un type rappelant aux vétérans 1953, un excellent support alcoolique naturel (les raisins titraient 12,5° ou plus), et des tanins frais, donnant une forme longiligne qui a pu passer pour de la maigreur. Le vieillissement des belles réussites leur rendra justice. Les liquoreux en revanche étaient remarquables et font partie des millésimes dignes de se comparer aux plus grands. 2006 lui aussi ne s'écoule pas facilement. Les rouges sont irréguliers en raison de la médiocrité d'une partie de la vendange mais aussi de l'excellence de l'autre, avec des raisins, particulièrement pour le cabernet franc et le sauvignon, riches en sucre naturel et en tanin. Le caractère des meilleurs vins les situe au moins au même niveau que les 2002 et les 2004, en plus corsés. Reste le 2005, encensé par tous, très cher, qui sera bu trop vite, dans une phase d'évolution austère mais là aussi on boit du rêve et nul n'y trouve à redire.

MEILLEURS VINS TOUTES CATÉGORIES

Château Ausone,
Saint-Émilion grand cru, rouge, 2008

Château Lafleur,
Pomerol, rouge, 2007

Château Mouton-Rothschild,
Pauillac, rouge, 2007

Château Pavie,
Saint-Émilion grand cru, rouge, 2008

Château Suduiraut,
Sauternes, blanc, 2007

LE BONHEUR TOUT DE SUITE

Château Greysac,
Médoc, rouge, 2007

Château Hostens-Picant,
Sainte-Foy-Bordeaux, rouge, 2007

Château Regaldo Saint blancard,
Bordeaux, Château Regaldo Saint blancard, rouge, 2007

Château Reynon,
Premières Côtes de Bordeaux, blanc, 2009

Château Tire Pé,
Bordeaux, Les Malbecs, rouge, 2008

MEILLEURS VINS À MOINS DE 6 €

Château de l'Hurbe,
Bordeaux, blanc, 2009

Château La Freynelle,
Bordeaux, rouge, 2008

Château Vilatte,
Bordeaux Supérieur, Château Vilatte, rouge, 2007

Collection Privée Cordier,
Bordeaux, Collection Privée, rouge, 2008

Yvon Mau,
Bordeaux rosé, rosé, 2009

MEILLEURS VINS À MOINS DE 10 €

Château Penin,
Bordeaux clairet, rosé, 2009

Château Pinet La Roquette,
Premières Côtes de Blaye, Le Bouquet, rouge, 2006

Château Sainte-Marie,
Bordeaux Supérieur, Vieilles Vignes, rouge, 2007

Château Thieuley,
Bordeaux, rouge, 2008

Dourthe,
Bordeaux, Dourthe La Grande Cuvée, blanc, 2009

MEILLEURS VINS À METTRE EN CAVE

Château Beychevelle,
Saint-Julien, rouge, 2005

Château Clauzet,
Saint-Estèphe, rouge, 2006

Château Climens,
Barsac, blanc, 2007

Château La Tour blanche,
Sauternes, blanc, 2006

Château Lascombes,
Margaux, rouge, 2007

Château Léoville-Barton,
Saint-Julien, rouge, 2006

Château Malartic-Lagravière,
Pessac-Léognan, rouge, 2005

Château Meyney,
Saint-Estèphe, rouge, 2007

Château Pape Clément,
Pessac-Léognan, rouge, 2006

MEILLEURS « PETITS BORDEAUX »

Château Lamothe de Haux,
Bordeaux, Cuvée « Valentine par Valentine », blanc, 2009

Château Lestrille-Capmartin,
Bordeaux Supérieur, cuvée Prestige Le Secret de Lestrille, rouge, 2008

Château Marjosse,
Bordeaux, rouge, 2008

Château Mejean,
Graves, rouge, 2007

Château Tire Pé,
Bordeaux, Les Malbecs, rouge, 2007

Établissements Thunevin,
Bordeaux, Bad Boy, rouge, 2007

MEILLEURS BLANCS DE PESSAC-LÉOGNAN

Château Haut-Brion,
Pessac-Léognan, 2006

Château Mission Haut-Brion ex Laville Haut-Brion,
Pessac-Léognan, 2007

Château Pape Clément,
Pessac-Léognan, 2007

Château Smith Haut-Lafitte,
Pessac-Léognan, 2008

Domaine de Chevalier,
Pessac-Léognan, 2008

RIEDEL BORDEAUX

Nous avons depuis longtemps pris l'habitude de conduire nos dégustations de Bordeaux avec le Riedel Riesling Grand Cru / Chianti Classico. Avec son allure allongée et élancée, sa forme de tulipe, c'est un outil très précis, idéalement adapté à nos dégustations marathon : avec lui, on ne se trompe jamais, ni en terme de perception aromatique, ni au regard de la matière et de la structure. Maintenant lorsqu'il s'agit de déguster pour le plaisir, nous nous tournons inévitablement vers les références Bordeaux dont les plus larges volumes rendent pleinement justice à la puissance de ces grands vins.

MEILLEURS LISTRACS, MOULIS, MÉDOCS ET HAUT-MÉDOCS

Château Branas Grand Poujeaux,
Moulis, rouge, 2007

Château Clarke,
Listrac-Médoc, rouge, 2006

Château d'Agassac,
Haut-Médoc, rouge, 2008

Château La Lagune,
Haut-Médoc, rouge, 2007

Château La Tour Carnet,
Haut-Médoc, rouge, 2007

Château Sociando-Mallet,
Haut-Médoc, rouge, 2006

Clos du Jaugueyron,
Haut-Médoc, rouge, 2008

MEILLEURS PAUILLACS ET SAINT-ESTÈPHES

Château Cos d'Estournel,
Saint-Estèphe, rouge, 2007

Château Lafite-Rothschild,
Pauillac, rouge, 2006

Château Latour,
Pauillac, rouge, 2006

Château Mouton-Rothschild,
Pauillac, rouge, 2006

Château Pichon-Longueville Baron,
Pauillac, rouge, 2006

Château Pichon-Longueville Baron,
Pauillac, rouge, 2007

Château Pontet-Canet,
Pauillac, rouge, 2006

MEILLEURS POMEROLS

Château Feytit-Clinet,
Pomerol, rouge, 2007

Château Le Gay,
Pomerol, rouge, 2008

Château Trotanoy,
Pomerol, rouge, 2007

Petrus,
Pomerol, rouge, 2007

Vieux Château Certan,
Pomerol, rouge, 2008

MEILLEURS ROUGES DE PESSAC-LÉOGNAN

Château Haut-Bailly,
Pessac-Léognan, 2007

Château Haut-Brion,
Pessac-Léognan, 2007

Château La Mission Haut-Brion,
Pessac-Léognan, 2007

Château Malartic-Lagravière,
Pessac-Léognan, 2006

Château Smith Haut-Lafitte,
Pessac-Léognan, 2007

MEILLEURS SAINT JULIENS ET MARGAUX

Château Ducru-Beaucaillou,
Saint-Julien, rouge, 2006

Château Ducru-Beaucaillou,
Saint-Julien, rouge, 2007

Château Léoville-Barton,
Saint-Julien, rouge, 2007

Château Léoville-Las Cases,
Saint-Julien, rouge, 2006

Château Léoville-Poyferré,
Saint-Julien, rouge, 2006

Château Palmer,
Margaux, rouge, 2006

MEILLEURS SAINT-ÉMILIONS

Château Ausone,
Saint-Émilion grand cru, rouge, 2007

Château Canon-la-Gaffelière,
Saint-Émilion grand cru, rouge, 2008

Château Cheval blanc,
Saint-Émilion grand cru, rouge, 2008

Château Le Tertre-Roteboeuf,
Saint-Émilion grand cru, rouge, 2007

Château Pavie-Decesse,
Saint-Émilion grand cru, rouge, 2008

MEILLEURS SAUTERNES

Château d'Yquem,
Sauternes, blanc, 2007

Château La Tour blanche,
Sauternes, blanc, 2007

Château Lafaurie-Peyraguey,
Sauternes, blanc, 2007

Château Rieussec,
Sauternes, blanc, 2007

Clos Haut-Peyraguey,
Sauternes, blanc, 2007

Palmarès des lecteurs

CHÂTEAU ROBIN
Côtes de Castillon, rouge, 2007

CHÂTEAU RESPIDE-MÉDEVILLE
Graves, rouge, 2007

Entre-Deux-Mers

Entre Dordogne et Gironde, l'Entre-Deux-Mers est la source par excellence des « petits bordeaux », les très bonnes bouteilles à prix raisonnable. Mais dans le secteur très divers des « côtes », de plus en plus de producteurs mettent en valeur des terroirs de premier ordre et proposent des vins à forte personnalité, encore trop méconnus..

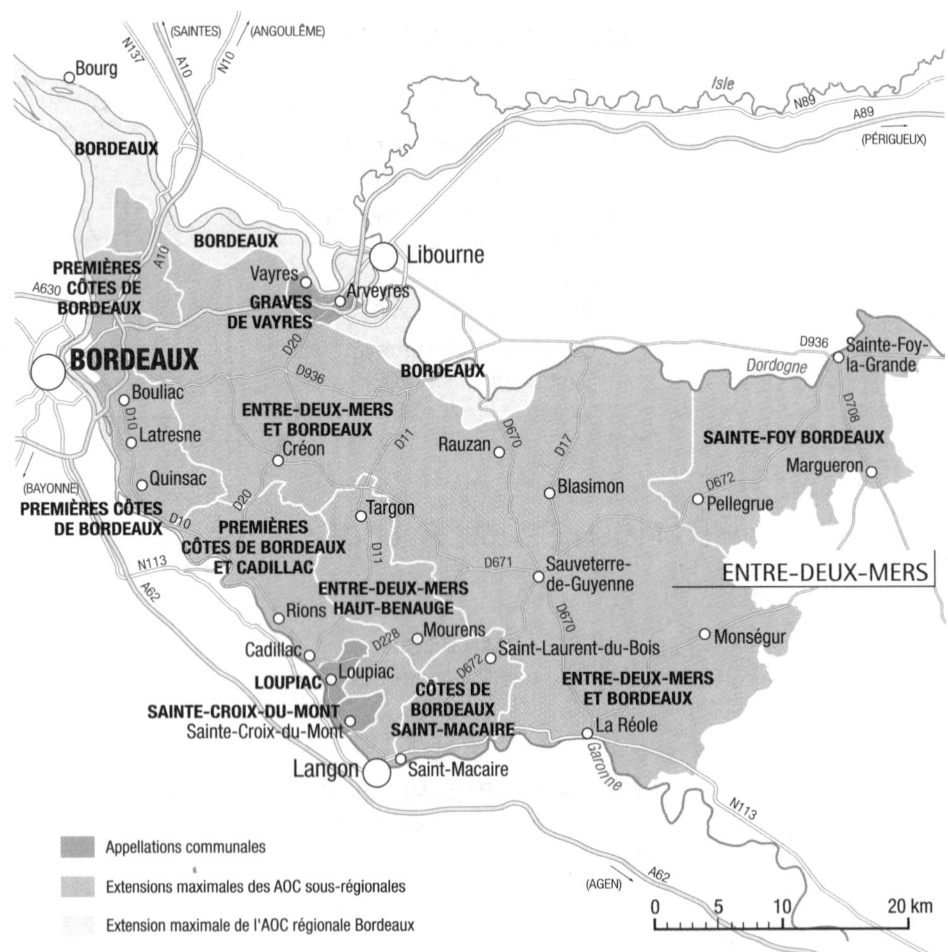

AD VITAM AETERNAM

36, rue des Gauthiers • 33500 Les Billaux
Tél. 05 57 74 66 36 • Fax : 05 57 74 66 36
vin.advitam@orange.fr
Visite : Sur rendez-vous.

Bordeaux 2008
Rouge | 2010 à 2015 | 18 € **15,5/20**
Une cuvée d'une puissance et d'une volupté extraordinaires : nez proposant un fruit incroyable, des nuances vanillées et florales, bouche très chaleureuse, s'appuyant sur une trame tannique serrée et ronde, avec une belle suite.

Bordeaux 2007
Rouge | 2010 à 2014 | 18 € **15,5/20**
La richesse est exceptionnelle, le fruit d'une maturité superbe, avec un boisé toasté harmonieux, la bouche est flatteuse, avec une vraie trame tannique mais elle sait rester fraîche et élégante.

LA CHAPELLE D'ALIÉNOR

B.P. 12 • 33330 Saint-Émilion
Tél. 05 57 56 40 82 • Fax : 05 57 56 40 89
contact@chateauchapelledalienor.com
www.chateauchapelledalienor.com

Bordeaux 2006
Blanc | 2010 à 2011 | 7,50 € **15/20**
Alexandre de Malet Roquefort a produit en 2006 un beau vin blanc de Bordeaux, complet et complexe. Un nez élégant, une bouche ample, avec de jolis arômes persistants.

Bordeaux Supérieur 2006
Rouge | 2010 à 2012 | 7,90 € **14,5/20**
Très belle cuvée flatteuse, au nez mûr, puissant et complexe, à la bouche chaleureuse, richement fruitée, avec des tanins serrés et une longue finale fraîche et équilibrée. Beaucoup de charme.

CHÂTEAU AUX GRAVES DE LA LAURENCE

42, route de Libourne • 33450 Saint-Loubès
Tél. 05 57 84 61 03 • Fax : 05 57 84 61 03
h.auxgravesdelalaurence@yahoo.fr
Visite : Sur rendez-vous.

Bernard Hébrard a dirigé le service «vigne et vin» de la chambre d'agriculture pendant quarante ans, avant d'acquérir avec sa femme cette jolie propriété en 2002. Elle doit son nom aux graves argileuses bordées par la Laurence, petit affluent de la Dordogne.

Bordeaux 2008 ☺
Rouge | 2010 à 2014 | 9 € **15/20**
Un cru en progression constante. Ce 2008 est particulièrement gourmand et accompli : le nez exprime un grand fruit mûr et de belles nuances de graphite. La bouche, racée et dans le même style aromatique, présente une texture savoureuse, du fruit, des tanins soyeux et une belle longueur. Bravo !

BARTON ET GUESTIER

87, rue du Dehez • 33290 Blanquefort
Tél. 05 56 95 48 00 • Fax : 05 56 95 48 01
barton-guestier@diageo.com
www.barton-guestier.com

Bordeaux Gold Label 2008
Blanc | 2010 à 2011 | 5,90 € **14/20**
Un nez épanoui et mûr, papaye et anis, une bouche ample et vigoureuse pour ce blanc réservé aux amateurs de vins puissants, riches et charmeurs.

Bordeaux Thomas Barton Réserve 2006
Rouge | 2010 à 2012 | 8,99 € **14,5/20**
Classique, élégant et équilibré, ce bordeaux offre un nez de fruits noirs bien mûrs et d'épices, une bouche charmeuse, fruitée, finement tannique et fraîche.

CHÂTEAU BEAULIEU

33240 Salignac
Fax : 05 57 97 75 06
g.detastes@lestapis.com
Visite : Du lundi au samedi, de 9h à 12h et de 14h à 18h.

Le domaine est situé sur la commune de Salignac et le vignoble, de 15 ans d'âge en moyenne, est planté sur une belle croupe argilo-calcaire.

Bordeaux Supérieur Comtes de Tastes 2008 ☺
Rouge | 2010 à 2013 | 8 € **14,5/20**
Nez riche et subtil, mêlant fruit mûr, notes florales suaves et épicées, bouche offrant un beau grain de tanin, de la fraîcheur, une belle allonge et de l'équilibre. Un joli bordeaux gourmand et bien agréable à boire dès maintenant.

Bordeaux Supérieur Comtes de Tastes 2007
Rouge | 2010 à 2011 | NC **14/20**
Un vin de caractère, au nez riche et épanoui de fruits noirs et de cuir, à la bouche tendre, franche, charnue, longue et fraîche.

CHÂTEAU BEL AIR

Bel Air • 33410 Sainte-Croix-du-Mont
Tél. 05 56 62 01 19 • Fax : 05 56 62 09 33
www.chateaubelair.net
Visite : en semaine, 9h-11h et 14h-17h30
sur rendez-vous le week-end

Cadillac Château Haut Valentin 2007
Blanc liquoreux | 2010 à 2013 | 12 € **13,5/20**
Nez très expressif, belle opulence, le bois est bien intégré, vin équilibré et très agréable, simple, bien fait, net, ne cherche pas à flatter.

Sainte-Croix-du-Mont Prestige 2005
Blanc Liquoreux | 2012 à 2025 | 18 € **14/20**
Belle matière rôtie, on a essayé de bien faire et on s'en rapproche, on voit une prise de risque. On peut lui reprocher d'être trop sur le caramel mais on note beaucoup de fraîcheur. Très riche et rôti en bouche, long, grande garde.

CHÂTEAU BELLE-GARDE

2692, route de Moulon - Château Belle-Garde
33420 Génissac
Tél. 05 57 24 49 12 • Fax : 05 57 24 41 28
duffau.eric@wanadoo.fr
www.vignobles-ericduffau.com
Visite : En semaine de 8h à 12h et de 13h30 à 17h30 et le week-end sur rendez-vous.

Bordeaux 2009
Blanc | 2010 à 2012 | 4,30 € **14,5/20**
Plein de caractère, ce blanc exprime des arômes intenses et raffinés, fruits exotiques, pistache et anis, la bouche est charnue, vigoureuse, expressive et longue.

Bordeaux 2008
Blanc | 2010 à 2011 | NC **13/20**
Pas d'une grande élégance mais toutefois agréable, avec son nez miellé et fumé, sa bouche chaleureuse, grasse et vive.

Bordeaux 2008
Rouge | 2010 à 2013 | 4,35 € **15/20**
Nez puissant et fondu, cassis, framboise, violette, réséda, bouche savoureuse et charnue, avec un beau grain de tanin et de la fraîcheur : un modèle du genre pour le petit bordeaux gourmand.

Bordeaux cuvée élevée en fût de chêne 2008
Rouge | 2010 à 2014 | 5,70 € **15/20**
Une jolie cuvée bien élevée, présentant un nez à la limite de la surmaturité, au boisé fumé élégant, une bouche veloutée, charmeuse mais non dénuée de vigueur.

Bordeaux rosé 2009
Rosé | 2010 à 2011 | 4,30 € **14,5/20**
Avec son nez et sa bouche puissamment fruités, ses jolies notes florales et épicées, sa franchise et sa finale longue et vive, ce rosé de caractère est un vrai rosé de repas.

Bordeaux Supérieur Excellence de Belle Garde 2008 ☺
Rouge | 2010 à 2015 | NC **15/20**
Une très belle réussite pour ce millésime, l'alliance de la puissance et de l'élégance, un fruit superbe, des notes de pivoine, une bouche savoureuse et pleine de charme, avec des tanins gras et une immense finale fraîche.

CHÂTEAU BELLEVUE

33540 Sauveterre-de-Guyenne
Tél. 05 56 71 54 56 • Fax : 05 56 71 83 95
vignesdamecourt@aol.com
www.famille-damecourt.com
Visite : Sur rendez-vous.

C'est en 1973 que la famille d'Amécourt a acquis cette propriété de cent-trente hectares, située au cœur de l'Entre-Deux-Mers, dans une superbe région tout en relief, qualifiée de «Toscane bordelaise».

Bordeaux 2009
Blanc | 2010 à 2012 | 4,60 € **15,5/20**
On aime la richesse et la complexité aromatique que l'on retrouve tant au nez qu'en bouche, puissante, chaleureuse, vigoureuse et très équilibrée par une bonne nervosité.

Bordeaux 2009
Rosé | 2010 à 2011 | 4,60 € **16/20**
Un pur délice ! C'est le rosé parfait. Un fruit d'une grande pureté et précision, délicieusement minéral, une bouche charnue, raffinée, tendre, avec une très longue finale fraîche et équilibrée.

Bordeaux 2008

Rouge | 2010 à 2013 | 4,60 € **14/20**

Dans le même style que le 2007, il privilégie la finesse à la puissance : nez suave, pivoine, petits fruits rouges, bouche franche, tonique et fruitée.

CHÂTEAU BELLEVUE LA RANDÉE

9, Boutins Arnaud • 33133 Galgon
Tél. 06 85 98 60 21 • Fax : 05 57 84 32 46
ch-bellevue-la-randee@orange.fr
www.bellevuelarandee.com
Visite : Sur rendez-vous.

Petite propriété familiale de quinze hectares située au cœur de l'Entre-Deux-Mers, avec un encépagement équilibré entre 45 % merlot, 45 % cabernet-sauvignon et 10 % cabernet franc.

Bordeaux rosé 2008

Rosé | 2010 à 2011 | 3,50 € **14/20**

Le rosé 2008, produit par saignée, est issu exclusivement de cabernet. Avec son fruit pur et ses notes épicées, sa bouche charnue, très aromatique et vive, c'est un vin plein de caractère.

CHÂTEAU BELLEVUE PEYCHARNEAU

33220 Pineuilh
Tél. 05 57 41 37 46 ou 06 82 28 44 50
Fax : 05 57 41 37 46
info@bellevue-peycharneau.fr
www.bellevue-peycharneau.fr
Visite : Sur rendez-vous

Bordeaux Supérieur 2007

Rouge | 2010 à 2013 | 6 € **14/20**

Tout à fait bien vinifié, ce 2007 exprime un fruit intense et pur, une bouche charnue, franche, classique et très équilibrée.

CHÂTEAU LA BERTRANDE

33140 Omet
Tél. 05 56 62 19 64 • Fax : 05 56 62 97 20
chateau.la.bertrande@wanadoo.fr
www.chateau-la-bertrande.com
Visite : Sur rendez-vous.

Le Château La Bertrande affiche trois siècles d'histoire, au cœur de la vallée de la Garonne. La famille Grillet exploite le domaine depuis 1880 et y réalise des vins d'une qualité remarquable et constante. Sur les croupes graveleuses et les coteaux argilo-calcaires, les liquoreux de la gamme Summum - même si le boisé est parfois un peu trop marquant - atteignent le sommet du raffinement. Nous avons été impressionnés par sa régularité. C'est à cela qu'on reconnaît les grandes maisons.

Cadillac Summum 2005

Blanc Liquoreux | 2011 à 2017 | 31 € **15/20**

Le nez est net, le plus complexe de la série. Vin riche, très cadillac, avec un boisé présent mais bien dosé. L'expression vraiment réussie de ce terroir peut rivaliser avec les plus grands vins de Sainte-Croix-du-Mont.

CHÂTEAU DE BIROT

8, rue de Reynon • 33410 Béguey
Tél. 05 56 62 68 16 • Fax : 05 56 62 68 16
contact@chateau-birot.com
www.chateau-birot.com
Visite : du lundi au vendredi de 9h à 12h et de 13h30 à 18h

Premières Côtes de Bordeaux 2007

Blanc | 2012 à 2015 | 9 € **14,5/20**

Vin agréable, vif et fruité avec de la chair, assez dense, une finale tout sur le fuit. Bon vin de gastronomie. Peut vieillir.

CHÂTEAU BOLAIRE

Château de Gironville • 33460 Macau
Tél. 05 57 88 19 79 • Fax : 05 57 88 41 79
sc.gironville@wanadoo.fr
www.chateau-belle-vue.com
Visite : sur rendez-vous.

L'originalité de ce vin tient au fort pourcentage de petit verdot qui entre dans son assemblage, généralement autour de 40 %. Ce cépage exprime tout son potentiel sur le terroir de palus prédominant pour cette propriété, située sur une ancienne île de la Garonne qui fut rattachée à la terre au Moyen-Âge.

Bordeaux Supérieur 2007

Rouge | 2010 à 2014 | NC **15,5/20**

Beaucoup de présence et de caractère pour ce beau bordeaux richement fruité et minéral, offrant une texture charmeuse qui tapisse parfaitement le palais, de la vigueur, de la fraîcheur et une grande suite. Bon potentiel.

CHÂTEAU DE BONHOSTE

33420 Saint-Jean-de-Blaignac
Tél. 05 57 84 12 18 • Fax : 05 57 84 15 36
contact@chateaudebonhoste.com
www.chateaudebonhoste.com
Visite : Du lundi au dimanche, de 8h à 18h.

Avec 50 hectares de belles vignes de bonne exposition, sur un terroir argilo-calcaire, le Château de Bonhoste fait partie des belles propriétés régulières de l'appellation

Bordeaux 2009
Blanc | 2010 à 2011 | 4,80 € **13,5/20**
Joli nez finement fruité et épicé, avec de jolies nuances de pierre à fusil, bouche souple, ronde, facile, très aromatique et vive.

Bordeaux cuvée Prestige 2008
Blanc | 2010 à 2012 | 7,90 € **14/20**
Le nez est très marqué sauvignon, complexe, élégant, frais, avec des notes de buis et de fleurs blanches, la bouche harmonieusement boisée est charnue et vive.

Bordeaux rosé 2009
Rosé | 2010 à 2011 | 4,80 € **14,5/20**
Dans la lignée des rosés que produit la propriété. Très aromatique, fruité, minéral, avec une bouche charnue, chaleureuse, gourmande et vive.

Bordeaux Supérieur 2008 ☺
Rouge | 2010 à 2013 | 6,10 € **14/20**
Un vin de plaisir tout en rondeur, avec un nez épanoui de fruits noirs, un joli boisé discret, une bouche flatteuse, à la trame veloutée et à l'élégante fraîcheur.

Bordeaux Supérieur Prestige 2008
Rouge | 2010 à 2014 | 8,30 € **15/20**
Un bordeaux classique comme on les aime : nez intense, d'un bon raffinement de fruit et de boisé, bouche offrant une belle assise tannique, de la rondeur, de la fraîcheur et un superbe équilibre.

CHÂTEAU BONNET

33420 Grézillac
Tél. 05 57 25 58 58 • Fax : 05 57 74 98 59
andrelurton@andrelurton.com
www.andrelurton.com

Les quatre fois vingt ans allègrement dépassés, André Lurton est toujours aussi étonnant de vitalité et d'innovation, d'autant plus que son fils Jacques l'a désormais rejoint. Aussi à l'aise dans les grandes que dans les petites appellations de ses nombreux domaines, il demeure viscéralement attaché au Château Bonnet, une magnifique propriété de 270 hectares dans l'Entre-Deux-Mers, en blanc, rosé et rouge.

Bordeaux Divinus 2006
Rouge | 2010 à 2012 | 19 € **15/20**
Un très joli bordeaux, dense, au fruit bien mûr et complexe, avec une trame tannique très solide, qui mérite de s'affiner encore.

Bordeaux Réserve 2008 ☺
Rouge | 2010 à 2015 | NC **15,5/20**
Un belle cuvée exubérante et raffinée en même temps, au nez d'une netteté et d'une pureté exquises, fruité, notes de violette, à la bouche tendre, finement tannique, joliment boisée et fraîche.

Bordeaux rosé 2009
Rosé | 2010 à 2011 | 6,50 € **16/20**
Très agréable et parfaitement vinifié, c'est un vrai régal : robe rose framboise tendre, nez intense, développant un fruit magnifique agrémenté de notes fleuries et épicées, bouche ronde, puissante, très fruitée et complètement rafraîchissante.

Entre-Deux-Mers 2009
Blanc | 2010 à 2012 | 6,50 € **15/20**
Un blanc puissant qui sait rester élégant, richement fruité, doté de notes minérales, avec une bouche chaleureuse, très aromatique, vive et parfaitement équilibrée.

DOMAINE DE BRONDEAU-LALANDE

33370 Pompignac
Tél. 05 56 72 92 99 • Fax : 05 56 72 92 99
edgard.guinberteau@orange.fr

Colette Cattand est copropriétaire de cette petite exploitation de huit hectares, située à Pompignac. Les terroirs sont très variés, les vignes, à fort pourcentage de merlot (70 %), sont plantées sur un coteau bien exposé. Le bordeaux-supérieur est élevé en fût de chêne pendant un an.

Bordeaux Supérieur 2007
Rouge | 2010 à 2013 | env 7,50 € **13/20**
Même s'il n'est pas très raffiné, ce 2007 est bien agréable : nez de fruits rouges mûrs, avec des notes animales et noyau, bouche franche, avec du fruit, de la vigueur et des tanins un rien fermes.

CHÂTEAU LA CADERIE

La Caderie • 33910 Saint-Martin-du-Bois
Tél. 05 57 49 41 32 • Fax : 05 57 49 43 02
chateau-la-caderie@wanadoo.fr
www.chateaulacaderie.com
Visite : Sur rendez-vous.

Bordeaux Supérieur Authentique 2007

Rouge | 2010 à 2012 | 7,10 € **13,5/20**

Un bordeaux solide, pas particulièrement flatteur mais offrant un nez puissant et très minéral, fruits noirs avec des nuances truffées, bouche chaleureuse, dans la même gamme aromatique, s'appuyant sur une ossature tannique un peu sévère.

CHÂTEAU CHAMP DES TREILLES

Pibran • 33250 Pauillac
Tél. 05 56 59 15 88 • Fax : 05 56 59 15 88
champdestreilles@wanadoo.fr
www.champdestreilles.com
Visite : Sur rendez-vous.

Jean-Michel Comme, impeccable maître de chai du Château Pontet-Canet à Pauillac, possède avec son épouse ce petit cru, situé quasiment à l'autre extrémité du département. Tous deux l'exploitent comme un jardin, s'évertuant à y réaliser, avec beaucoup de doigté, toute la gamme des vins de bordeaux ou presque, c'est-à-dire vins rouges, blancs secs et liquoreux. Très droits et purs, ces vins brillent par leur franchise et par leur grand équilibre de constitution.

Sainte-Foy-Bordeaux Grand Vin 2007

Rouge | 2012 à 2017 | 12 € **15/20**

Robe rubis, nez complexe et riche avec un joli boisé, bouche vigoureuse, avec une trame tannique serrée, très linéaire, équilibrée par une longue finale fraîche, bonne persistance aromatique.

Sainte-Foy-Bordeaux Les Sens 2007

Rouge | 2014 à 2018 | 30 € **15/20**

Cette cuvée intensément fruitée et musquée provient d'une parcelle plantée de merlot et de petit verdot, qui y trouvent les conditions propices pour mûrir. Elle est vendangée à la main et élevée pendant 18 mois en barriques neuves, d'où ses notes très boisées au nez et en bouche. L'attaque est franche et vive avec une solide structure tannique et des notes d'épices en finale. L'élevage est assez démonstratif, un peu au détriment du fruit du vin. À laisser vieillir.

Sainte-Foy-Bordeaux Petit Champ 2007

Rouge | 2010 à 2014 | 7 € **14,5/20**

Un bordeaux agréable, parfaitement vinifié, avec des tannins bien fondus, bonne vivacité et belle expression aromatique en finale sur des notes d'épices. Prêt à boire.

Sainte-Foy-Bordeaux Vin Passion 2008

Blanc | 2010 à 2012 | 7 € **14,5/20**

Dans la lignée des beaux blancs de la propriété, ce 2008 offre un nez très parfumé, fruits exotiques, miel, citron, une bouche tout aussi aromatique, charnue, ronde, fruitée et vive, avec une finale sur des notes d'amande amère.

CHÂTEAU CHARMES GODARD

Lauriol • 33570 Saint-Cibard
Tél. 05 57 56 07 47 • Fax : 05 57 56 07 48
charmes-godard@nicolas-thienpont.com
www.nicolas-thienpont.com
Visite : Le weekend sur rendez-vous. Ouvert la semaine de 9h à 12h et de 14h à 17h.

Côtes de Francs 2008

Blanc | 2010 à 2012 | NC **16/20**

Une réussite exemplaire : un nez d'une richesse et d'une complexité superbes, une bouche puissante, grasse, charnue, très aromatique, avec une texture fondante, de la fraîcheur et une magnifique longueur.

Côtes de Francs 2007

Rouge | 2010 à 2014 | 4,50 € **14,5/20**

Vin charmeur, mûr, avec des tanins souples et fondus, bouche pleine, chaleureuse, saveur épicée.

CHÂTEAU CHARREAU

Charreau - SCEA Girotti • 33490 Verdelais
Tél. 05 56 62 05 92 • Fax : 05 56 57 19 56
chateau.charreau@wanadoo.fr
www.chateaucharreau.fr
Visite : tous les jours 9h-12h et 14h-18h, week-end sur rendez-vous

Cadillac 2006

Blanc liquoreux | 2012 à 2018 | 10 € **14/20**

Montre de l'énergie, le bois est trop présent au nez mais intéressant, avec un bon équilibre, un vin original avec un caractère bien à lui. Modernisation intéressante du style de cadillac.

Premières Côtes de Bordeaux 2007
Blanc Demi-sec | 2010 à 2012 | 6,20 € **14/20**
Nez fruité d'abricot, belle liqueur, vin propre bien fait, pas sirupeux, et pas très cher !

CHÂTEAU LA COMMANDERIE DE QUEYRET

33790 Saint-Antoine-du-Queyret
Tél. 05 56 61 31 98 • Fax : 05 56 61 34 22
vignoble.comin@wanadoo.fr
www.commanderie-de-queyret.com
Visite : Du lundi au vendredi, de 9h à 11h et de 14h à 17h et le week-end sur rendez-vous.

Si Claude Comin n'est pas chevalier de Saint-Jean-de-Jérusalem, comme ceux qui fondèrent la commanderie de Queyret au début du XIIIe siècle et plantèrent de la vigne, il n'en respecte pas moins la grande tradition bordelaise, sur son beau vignoble de 106 hectares.

Bordeaux 2009
Blanc | 2010 à 2011 | 6 € **13,5/20**
Un blanc bien agréable même s'il n'est pas très complexe, offrant un nez de fruits blancs et anisé, une bouche chaleureuse, grasse, charnue, fruitée et vive.

Bordeaux Supérieur 2008
Rouge | 2010 à 2013 | NC **13,5/20**
Un joli vin classique, au nez de fruits noirs et cacao, à la bouche franche, riche, fraîche, avec des tanins un peu fermes.

CORDIER MESTRÉZAT GRANDS CRUS

109, rue Achard - La Croix Bacalan B.P. 154
33042 Bordeaux
Tél. 05 56 11 29 00 • Fax : 05 56 11 29 01
contact@cordier-wines.com
www.cordier-wines.com
Visite : Sur rendez-vous uniquement.

L'union de deux maisons bordelaises centenaires, Cordier et Mestrezat, nous donne, de par leur activité de négoce, des vins au goût du jour, vinifiés par Olivier Leblanc, œnologue talentueux qui a fait ses armes chez Lafite-Rothschild avant de vinifier en Australie et en Nouvelle-Zélande. Cordier est sans conteste aujourd'hui l'une des maisons de négoce bordelaises les plus dynamiques.

Bordeaux Collection Privée 2009
Blanc | 2010 à 2012 | NC **15/20**
Un blanc de caractère. On aime son nez aux arômes puissants d'agrumes, pamplemousse rose, fleurs suaves, sa bouche charnue, aromatique, longue et vive.

Bordeaux Cordier Collection Privée 2008
Rouge | 2010 à 2014 | 3,95 € **15/20**
Une cuvée particulièrement charmeuse : nez très finement fruité, floral, épicé et mentholé, bouche flatteuse, avec une belle structure, de la fraîcheur et un parfait équilibre.

Bordeaux Cordier Collection Privée 2007
Rouge | 2010 à 2012 | NC **14,5/20**
Un bordeaux élégant et parfaitement vinifié : nez de bonne complexité, de fruits rouges et noirs mûrs, pivoine et fumée, bouche dans le même esprit, avec une belle texture, des arômes très persistants et une excellente fraîcheur.

Bordeaux Labottière Réserve 2009
Blanc | 2010 à 2013 | 6,90 € **16/20**
Cette cuvée a définitivement adopté un style raffiné :nez aux délicats arômes de fruits exotiques, touches de pamplemousse, fleurs blanches, notes minérales et cannelle, bouche grandement fruitée, charmeuse, avec du gras, de la fraîcheur. Aucun excès, classique, tout en élégance.

Bordeaux Labottière Réserve 2008 ☺
Rouge | 2010 à 2014 | NC **15/20**
Plein de charme et harmonieux, ce vin révèle un fruit bien mûr et de délicates notes épicées, une trame riche, savoureuse, de la fraîcheur et une excellente persistance aromatique.

Bordeaux rosé Collection Privée 2009
Rosé | 2010 à 2011 | NC **15/20**
Un joli rosé de plaisir qui allie la puissance à l'élégance, avec un fruit bien mûr, une bouche ample, aromatique et très fraîche.

Bordeaux Supérieur Terres d'Héritage 2008
Rouge | 2010 à 2014 | NC **14,5/20**
Une cuvée bien construite, richement fruitée, avec des nuances florales et fumées, vigoureuse, fraîche et bien équilibrée.

Saint-Émilion grand cru Désiré Cordier 2006
Rouge | 2010 à 2017 | NC **15/20**
Un saint-émilion bien constitué, au nez complexe de fruits mûrs, rose ancienne, boisé élégant, à la

bouche bien tramée, ample, charmeuse et très équilibrée. Bon potentiel.

DOMAINE DE COURTEILLAC

33350 Ruch
Tél. 05 57 55 11 80 • Fax : 05 57 40 57 05
info-dma@wanadoo.fr
Visite : Sur rendez-vous

Bordeaux rosé Le Rosé de Courteillac 2008
Rosé | 2010 à 2011 | NC **14,5/20**
Un beau rosé puissant qui peut accompagner tout un repas : nez riche au fruit bien mûr et aux délicates notes florales, bouche ample et très fruitée. Profitez-en bien si vous en trouvez car la propriété n'a pas produit de 2009.

Bordeaux Supérieur 2007 ☺
Rouge | 2010 à 2012 | 8,80 € **15/20**
Tout en subtilité, avec ses arômes de framboise, épices et pivoine, sa bouche savoureuse, riche, ample et d'une délicieuse fraîcheur. Un bordeaux équilibré, complet et très agréable à déguster.

Bordeaux Supérieur Château de Brondeau 2007
Rouge | 2010 à 2012 | 7,60 € **14/20**
On aime son superbe nez intense de fruits rouges très mûrs, sa bouche franche et au beau toucher, sa finale fraîche.

CHÂTEAU CROIX-MOUTON

83, cours des Girondins • 33500 Libourne
Tél. 05 57 25 91 19 • Fax : 05 57 48 00 04
topwinesonly@free.fr
Visite : De 8h à 12h et de 14h à 18h

Bordeaux Supérieur 2008
Rouge | 2010 à 2014 | 13,10 € **15/20**
Une cuvée solide et flatteuse, qui séduit par ses arômes exubérants de fruits rouges très mûrs, bergamote, épices, poivre, sa bouche tout aussi aromatique, chaleureuse et longue.

Bordeaux Supérieur 20 mille 2007
Rouge | 2010 à 2017 | 29 € **16/20**
Une nouvelle expérience tentée par Jean-Philippe Janoueix : une parcelle plantée à 20 000 pieds à l'hectare (pour référence, 10 000 est déjà une densité très qualitative), ce qui induit des rendements naturellement très bas, les ceps de vigne ressemblant à des bonsaïs ne produisant que 2 ou 3 grappes de raisins très mûrs et concentrés ! Le résultat est étonnant et nous emmène loin de Bordeaux et du millésime 2007 ! Nez d'une grande puissance conjuguée à un grand raffinement, fruits très mûrs, épices douces, truffe, bouche d'une suavité exquise, avec un grain serré et mûr, de la fraîcheur et de l'allonge. Puissant, original et charmeur.

Bordeaux Supérieur Château Le Conseiller 2007
Rouge | 2010 à 2015 | 14,10 € **15/20**
Beau vin puissant et équilibré, qui nous propose un nez plein de caractère, fruit expressif, notes minérales, violette, épices, une bouche solidement construite mais sans une once d'agressivité, avec une trame tannique fraîche et de la longueur.

CHÂTEAU DU CROS

94, route Saint-Macaire • 33410 Loupiac
Tél. 05 56 62 99 31 • Fax : 05 56 62 12 59
contact@chateauducros.com
www.chateauducros.com
Visite : Du lundi au vendredi, de 8h à 12h et de 13h30 (jusqu'à 17h le vendredi)

Loupiac 2007
Blanc liquoreux | 2012 à 2020 | 14,80 € **13/20**
Belle note aromatique grillée, du rôti au nez et en bouche, ce qui fait défaut à la majorité de l'appellation, un vin riche, ample, long, mais sans lourdeur, il possède du volume de bouche et de l'extrait sec mais on a aussi concentré un peu d'amertume et d'acidité. Il vieillira.

CHÂTEAU DARZAC

SCA des vignobles Claude-Barthe - 22, route de Bordeaux • 33420 Naujan-et-Postiac
Tél. 05 57 84 55 04 • Fax : 05 57 84 60 23
alain@vignoblesclaudebarthe.com
Visite : Tous les jours de 8h à 12h et de 14h à 17h.

Bordeaux clairet 2009
Rosé | 2010 à 2011 | 4,90 € **14,5/20**
Tout à fait plaisant avec son nez finement fruité, sa bouche très aromatique, charnue, fraîche et bien équilibrée.

Bordeaux Réserve 2008
Rouge | 2010 à 2013 | 4,90 € **13,5/20**
Bien construit, manquant un rien d'élégance, il montre toutefois un nez agréable, très fruité et toasté, une bouche franche, charnue et très vigoureuse.

Bordeaux rosé 2009
Rosé | 2010 à 2011 | 4,90 € **13,5/20**
Un rosé plaisant et facile, aux arômes de confiture de fraise, cuir et abricot, à la bouche chaleureuse et vive.

Bordeaux Supérieur cuvée Héritage 2008
Rouge | 2010 à 2014 | 8 € **14/20**
Autant de caractère en bouche qu'au nez pour cette cuvée flatteuse, chaleureuse, aux arômes très fruités et épicés.

CHÂTEAU DEGAS

33750 Saint-Germain-du-Puch
Tél. 05 57 24 52 32
contact@vignobles-degas.com

Bordeaux Supérieur 2007
Rouge | 2010 à 2013 | 5,80 € **15/20**
D'un grand classicisme avec son nez intensément fruité, agrémenté de nuances épicées et minérales, sa bouche parfaitement équilibrée, charnue, fondante, aux tanins bien présents et à la délicieuse fraîcheur.

DOURTHE

35, rue de Bordeaux • 33290 Parempuyre
Tél. 05 56 35 53 00 • Fax : 05 56 35 53 29
contact@dourthe.com • www.dourthe.com
Visite : Sur rendez-vous.

Dourthe est de ces négociants qui constituent la colonne vertébrale du Bordelais, inventant des cuvées toujours plus étudiées, dirigeant des châteaux pour les emmener au sommet de leur appellation. Bref, la maison est une signature sûre. Sa cuvée phare, déclinée dans les trois couleurs, est le dourthe-n°1, véritable archétype du bon bordeaux. Elle possède également plusieurs propriétés importantes, comme Pey La Tour, dans l'Entre-Deux-Mers, La Garde, en Pessac-Léognan, et le cru classé du Haut-Médoc, Belgrave. Reprise par le Champenois Alain Thiénot, elle n'a en rien modifié sa philosophie d'action.

Bordeaux Dourthe La Grande Cuvée 2007
Rouge | 2010 à 2012 | 7,50 € **14,5/20**
Une cuvée équilibrée et élégante, offrant des arômes subtilement fruités et floraux, une texture soyeuse, délicate, avec un beau toucher de tanins et une grande fraîcheur.

Bordeaux Dourthe N°1 2009
Rosé | 2010 à 2011 | 7 € **14,5/20**
Très aromatique, ce joli rosé exprime des notes fruitées, florales, minérales et épicées, une bouche à la fois ronde, chaleureuse et bien nerveuse.

Bordeaux Dourthe n°1 2009
Blanc | 2010 à 2012 | 7 € **15/20**
Une valeur sûre de la maison, un très joli bordeaux blanc fidèle à son style. Nez pur et délicat, fruits blancs, buis et très minéral, bouche charnue, franche, très aromatique et très vive.

Bordeaux Dourthe N°1 2007 ☺
Rouge | 2010 à 2012 | 8 € **14,5/20**
Toujours parfaitement vinifiée, cette cuvée est dans le style du millésime : savoureuse, élégante, montrant un fruit épanoui agrémenté d'un boisé raffiné et une belle finale fraîche. Très gourmand.

Bordeaux La Grande Cuvée 2009
Blanc | 2010 à 2012 | 6,95 € **15,5/20**
Une belle cuvée 100 % sauvignon. Des arômes raffinés, très agrumes et floraux, une bouche charnue, ronde, longue et très fraîche.

Bordeaux rosé La Grande Cuvée 2009
Rosé | 2010 à 2011 | 7,50 € **15/20**
Un rosé plein de charme ! Nez très expressif de petits fruits rouges et fleurs blanches, bouche franche, charnue, très aromatique, suave et fraîche.

Bordeaux Supérieur Château Pey La Tour Réserve du Château 2007
Rouge | 2010 à 2013 | 9 € **15/20**
Beau vin harmonieux et équilibré, qui développe un fruit intense, un très joli boisé, des tanins fondus et une finale fraîche.

Graves Terroirs d'Exception Croix des Bouquets 2009
Blanc | 2010 à 2013 | 9,50 € **15/20**
Un très beau graves raffiné et expressif, avec un fruit pur et une grande minéralité, une bouche suave, aromatique et tendue.

Graves Terroirs d'Exception Hautes Gravières 2007
Rouge | 2010 à 2013 | 8,50 € **15,5/20**
Tout en subtilité : un nez épanoui de fruits mûrs et de fumé, bouche ample, avec un beau grain de

tanin, de l'allonge et une grande fraîcheur. Possède néanmoins un bon potentiel de garde.

SAUTERNES CUVÉE D'EXCEPTION 2007
Blanc | 2011 à 2018 | 32 € **13,5/20**
Le vin bon élève, pas très complexe, mais bien fait, une certaine finesse. Excellent bois, riche, finale un peu lourde.

VIGNOBLES DUCOURT

18, route de Montignac • 33760 Ladaux
Tél. 05 57 34 54 00 • Fax : 05 56 23 48 78
ducourt@ducourt.com • www.ducourt.com
Visite : Sur rendez-vous, de 9h à 12h et de 14h à 17h.

Ce bel ensemble de 128 hectares est l'un des plus grands de l'appellation Bordeaux. Il regroupe le Château Larroque, situé au sud de Langon sur un beau terroir argilo-graveleux à l'encépagement classique (45% de cabernet-sauvignon, 30% de merlot et 25% de cabernet franc), et le Château de Beauregard-Ducourt, situé au sud de Targon, dont l'encépagement s'équilibre entre merlot et cabernet-sauvignon.

BORDEAUX CHÂTEAU DE BEAUREGARD-DUCOURT 2008
Rouge | 2010 à 2012 | NC **14/20**
Un bordeaux bien vinifié, plaisant et très facile à boire, élégamment fruité, avec des tanins fins, de la fraîcheur et un bon équilibre.

BORDEAUX ROSÉ CHÂTEAU LARROQUE 2009
Rosé | 2010 à 2011 | 4,95 € **15/20**
Un vrai régal ! Un nez complexe, fruité, floral et minéral, une bouche savoureuse, très aromatique, vive et d'excellente tenue.

ENTRE-DEUX-MERS CHÂTEAU DE BEAUREGARD-DUCOURT 2009
Blanc | 2010 à 2011 | NC **14/20**
Sans prétention, il est parfaitement vinifié. Joli fruit, nuances minérales et fleur d'oranger, bouche vigoureuse et équilibrée.

CHÂTEAU FLEUR HAUT GAUSSENS

Les Gaussens • 33240 Vérac
Tél. 05 57 84 48 01 • Fax : 05 57 84 48 01
fleur.haut.gaussens@wanadoo.fr
Visite : 8h30 à 18h ou Sur rendez-vous.

Depuis une demi-décennie, ce cru de l'Entre-Deux-Mers séduit par ses vins généreux et gourmands, au fruité expressif, bien associé à un boisé toasté.

BORDEAUX SUPÉRIEUR 2008
Rouge | 2010 à 2014 | 7,50 € **14,5/20**
Régulier dans la réussite, ce bordeaux puissant offre pour le millésime 2008 une très grande complexité aromatique, une bouche solide, dense, fruitée et longue.

CHÂTEAU FONCHEREAU

33450 Montussan
Tél. 05 56 72 96 12
direction@fonchereau.com

BORDEAUX SUPÉRIEUR LE GRAND 2007
Rouge | 2010 à 2013 | 8,25 € **15/20**
Équilibrée et de bonne garde, cette cuvée a un nez particulièrement épanoui et expressif, cassis, framboise, floral, une bouche ronde, fruitée et très équilibrée. Déjà agréable à boire.

CHÂTEAU DE FONTENILLE

1315, route de Grimard • 33670 La Sauve-Majeure
Tél. 05 56 23 03 26 • Fax : 05 56 23 30 03
contact@chateau-fontenille.com
www.chateau-fontenille.com
Visite : tous les jours, 8h30-12h et 13h30-17h30 sur rendez-vous

BORDEAUX CLAIRET 2009
Rosé | 2010 à 2011 | 6 € **16,5/20**
Une réussite majeure que ce clairet classique et parfaitement vinifié. Le nez est complexe, d'une élégance rare, avec une grande expression fruitée que l'on retrouve longtemps dans une bouche charnue et vigoureuse.

ENTRE-DEUX-MERS 2009
Blanc | 2010 à 2011 | 6 € **14,5/20**
Un blanc classique aux arômes de fruits exotiques et d'épices, avec une bonne fraîcheur qui équilibre la bouche chaleureuse.

CHÂTEAU FRANC CARDINAL

2, Nardou • 33570 Tayac
Tél. 05 57 40 63 39 • Fax : 05 57 40 61 75
info@chateau-franc-cardinal.com
www.chateau-franc-cardinal.com

CÔTES DE FRANCS 2007
Rouge | 2010 à 2013 | NC **13,5/20**
Nez de petites baies rouges, bonne bouche souple, de facture assez simple.

CHÂTEAU LA FRANCE

33750 Beychac-et-Cailleau
Tél. 05 57 55 24 10 • Fax : 05 57 55 24 19
contact@chateaulafrance.com
www.chateaulafrance.com
Visite : De 10h à 12h et de 14h à 17h du lundi au vendredi.

Bordeaux 2009
Blanc | 2010 à 2012 | 5,80 € **13,5/20**
Pour les amateurs de blancs puissants : nez franc de fruits exotiques et fleurs blanches, bouche dense, fruitée et très vigoureuse.

Bordeaux clairet 2008
Rosé | 2010 à 2011 | NC **14,5/20**
Un clairet puissant, au nez exprimant une grande fraîcheur de fruit avec des notes minérales, à la bouche ample, flatteuse, très aromatique et vive.

Bordeaux rosé 2009
Rosé | 2010 à 2011 | 4,90 € **15/20**
Superbe rosé élégant, délicatement fruité et épicé, aux jolies notes florales, présentant une bouche savoureuse, charnue et délicieusement fraîche.

Bordeaux Supérieur 2008
Rouge | 2010 à 2014 | 7,25 € **14/20**
Un joli vin au bon potentiel qu'il faudra attendre encore car il manque un peu de fondu avec sa solide charpente tannique. De la suite et du fruit.

CHÂTEAU DE FRANCS

33570 Francs
Tél. 05 57 40 65 91 • Fax : 05 57 40 63 04
chateaudefrancs@terre-net.fr
Visite : Du lundi au vendredi, de 8h à 12h et de 14h à 17h, sur rendez-vous.

Propriété commune d'Hubert de Boüard (Angélus) et de Dominique Hébrard (Bellefont-Belcier), ce classique des Côtes de Francs présente depuis des années une régularité sans faille, avec des vins aux arômes fruités et au corps généreux, toujours à leur meilleur entre deux et cinq ans de garde. Les vignes, qui entourent les ruines du château, offrent un caractère de merlot typique, riche et mûr.

Côtes de Francs Les Cerisiers 2007
Rouge | 2010 à 2015 | 9,70 € **15/20**
Beau vin bouqueté de cèdre et de cuir, bouche crémeuse, beaucoup de sève. Grande longueur aromatique.

CHÂTEAU LA FREYNELLE

Peyrefus • 33420 Daignac
Tél. 05 57 84 55 90 • Fax : 05 57 74 96 57
veronique@vbarthe.com • www.vbarthe.com
Visite : Sur rendez-vous.

Bordeaux 2009
Blanc | 2010 à 2011 | 5 € **14/20**
Un blanc de caractère au nez expressif, particulièrement fruité et minéral, à la bouche charnue et très vigoureuse.

Bordeaux 2008
Rouge | 2010 à 2016 | 5 € **15,5/20**
Il impressionne par sa richesse, sa puissance, sa complexité et son élégance aromatique. Très bon potentiel.

Bordeaux cuvée Émotion 2008
Rouge | 2010 à 2015 | NC **15,5/20**
Une cuvée charmeuse et au bon potentiel : nez agréable, très confituré et épicé, bouche puissante et parfaitement tramée. Le fruit s'exprime parfaitement !

CHÂTEAU GABELOT

Château Fayau - Adillac • 33410 Ladaux
Tél. 05 57 98 08 08 • Fax : 05 56 62 18 22
medeville@medeville.com • www.medeville.com
Visite : Du lundi au vendredi, de 8h à 12h et de 14h à 17h.

Cette jolie propriété de treize hectares appartient à la famille Médeville.

Bordeaux 2007
Rouge | 2010 à 2011 | 3,50 € **13,5/20**
Un joli bordeaux facile à boire, tendre et élégant, avec un nez délicatement fruité, aux notes de freesia, une bouche dans le même esprit, finement tannique, aromatique et fraîche.

GINESTET

19, avenue de Fontenille
33360 Carignan-de-Bordeaux
Tél. 05 56 68 81 82 • Fax : 05 56 20 94 47
contact@ginestet.fr • www.ginestet.fr
Visite : visites et dégustations sur rendez-vous en semaine.

Bordeaux Marquis de Chasse 2009
Blanc | 2010 à 2012 | 4 € **14/20**
Très rond, très chaleureux, avec de l'amplitude et des arômes fruités et floraux bien agréables, c'est un blanc flatteur.

Bordeaux Mascaron par Ginestet 2008
Blanc | 2010 à 2011 | env 5,50 € **14/20**
Un blanc charmeur et séduisant, au nez complexe, très fruité et frais, à la bouche tout à fait à la hauteur et très équilibrée.

Bordeaux Mascaron par Ginestet 2007
Rouge | 2010 à 2013 | env 5,50 € **15/20**
Belle consistance pour ce 2007 très réussi : nez puissant et fondu de fruits noirs mûrs, prune, épices douces, bouche franche, s'appuyant sur des tanins savoureux et se prolongeant par une belle fraîcheur.

Bordeaux rosé 2009
Rosé | 2010 à 2011 | 4 € **15/20**
Un rosé puissant offrant un nez superbe, très fruité et épanoui, une bouche généreuse, riche et équilibrée par une excellente vivacité.

Bordeaux Villa Burdigala 2008
Blanc | 2010 à 2013 | env 5,50 € **14,5/20**
Une dominante aromatique sauvignon, avec des notes d'agrumes, acacia, agrémentées d'un joli boisé vanillé, bouche dans le même style aromatique, charnue et d'une exquise vivacité.

CHÂTEAU GODARD-BELLEVUE

Godard • 33570 Francs
Tél. 05 57 40 65 77 • Fax : 05 57 40 65 77
earl.arbo@wanadoo.fr
Visite : De 8h à 12h et de 14h à 18h, sur rendez-vous.

Ce château appartient à la famille Arbo, par ailleurs propriétaire du Château Puyanché, en Côtes de Francs, et des Moulins de Coussillon, en Côtes de Castillon. La superficie du vignoble de Godard-Bellevue est de dix hectares, avec des vignes de 30 à 40 ans d'âge. La culture y est particulièrement soignée pour récolter des raisins proches de la perfection. La production moyenne est de 60 000 bouteilles, le vieillissement se fait douze mois en barriques. Depuis 2005, la cuvée l'Étoile est conservée seize mois en barriques, et sa production confidentielle est de 3 300 bouteilles. Le merlot y est très fortement majoritaire (95 %).

Côtes de Francs 2006
Rouge | 2010 à 2013 | 8,90 € **13,5/20**
Entièrement sur le registre de l'élégance, avec son nez délicatement fruité et floral, sa bouche souple, charnue, fruitée et facile à boire dès à présent.

Côtes de Francs cuvée L'Étoile 2006
Rouge | 2010 à 2014 | 17,50 € **15/20**
Belle cuvée très élégante et agréable à déguster, offrant un nez complexe et fondu, finement fruité et boisé, une bouche suave, aux tanins fins et à la belle fraîcheur. Tout en harmonie.

CHÂTEAU GRAND BIREAU

3, au Grand Bireau • 33420 Daignac
Tél. 05 57 84 55 23 • Fax : 05 57 84 57 37
scea.barthemichel@wanadoo.fr • www.tonvin.fr
Visite : Du lundi au vendredi sur rendez-vous, de 8h à 12h et de 13 h30 à 17 h30 et sur rendez-vous le week-end.

Bordeaux clairet 2009
Rosé | 2010 à 2011 | 5 € **13/20**
Manque un peu d'élégance mais reste agréable avec son nez flatteur de fruits rouges mûrs et de freesia, sa bouche chaleureuse, charnue, fruitée et avec un zeste d'amertume.

Bordeaux rosé 2009
Rosé | 2010 à 2011 | NC **14/20**
Plus réussi que le clairet, c'est un joli rosé rafraîchissant, très aromatique, avec une belle chair et de la vivacité.

CHÂTEAU DU GRAND MOUËYS

CAVIF - SCA les Trois Collines - 242, route de Créon
33550 Capian
Tél. 05 57 97 04 40 • Fax : 05 57 97 04 60
cavif@wanadoo.fr • www.grandmoueys.com
Visite : Du lundi au vendredi, de 9h à 12h et de 14h à 17h.

Situé au cœur de l'Entre-Deux-Mers, ce domaine de 170 hectares de bois, prés et jardins, dont 80 hectares de vignes, est une propriété viticole depuis

l'Ancien Régime et appartient maintenant à la famille Bömers. 63 hectares sont consacrés aux vins rouges et 17 hectares aux clairets et blancs, qui sont régulièrement réussis.

Bordeaux 2008
Blanc | 2010 à 2011 | NC **13,5/20**
Le nez, avec ses arômes délicatement fruités et minéraux, offre un plus grand raffinement que la bouche, vigoureuse, fraîche et équilibrée.

Bordeaux clairet 2008
Rosé | 2010 à 2011 | NC **13,5/20**
En 2008, c'est un clairet de repas très agréable, avec un nez puissant et richement fruité, une bouche charnue, chaleureuse, fruitée et dotée d'une grande vigueur.

CHÂTEAU GRÉE-LAROQUE

225, rue Laroque • 33910 Saint-Ciers-d'Abzac
Tél. 05 57 49 45 42 • Fax : 05 57 49 45 42
greelaroque@wanadoo.fr
Visite : sur rendez vous.

Cette petite propriété est située au nord de Libourne, au-delà du Fronsadais. Très soigneusement tenue, elle est suivie depuis 2000 par Stéphane Derenoncourt, et s'est discrètement imposée comme produisant l'un des meilleurs bordeaux actuellement disponibles. Très précisément construit, sans aucune lourdeur, raideur ou mollesse, le vin possède un équilibre fruité très brillant.

Bordeaux Supérieur 2007
Rouge | 2010 à 2013 | 18 € **15/20**
Grande réussite dans le millésime et l'appellation : nez superbe, d'un raffinement exquis, avec un fruit fondu et un joli boisé épicé, bouche flatteuse, très aromatique, avec un grain soyeux et une longue finale fraîche. Regoûté en 2010, il confirme!

CHÂTEAU HAUT-CRUZEAU

33370 Fargues-Saint-Hilaire
Tél. 05 56 21 11 11 • Fax : 05 56 21 11 11
cruzeau@wanadoo.fr
Visite : Sur rendez-vous.

Cette petite propriété de 4,3 hectares, située sur la commune de Fargues-Saint-Hilaire aux portes de l'Entre-Deux-Mers, a été reprise en 2001 par le jeune Régis Chevalier, un artiste peintre qui sait donner à ses vins de belles couleurs et une jolie palette aromatique

Bordeaux Supérieur 2008
Rouge | 2010 à 2013 | 7 € **13/20**
Des arômes exubérants, fruits mûrs, violette et aristoloche, une texture franche, vigoureuse et plutôt bien équilibrée.

CHÂTEAU HAUT-GAUSSENS

4, Les Gaussens • 33240 Vérac
Tél. 06 17 57 48 45 • Fax : 05 57 84 42 55
chateauhautgaussens@orange.fr
www.chateauhautgaussens.fr
Visite : du lundi au vendredi de 8h30 à 12h30 et de 13h30 à 18h30

Une jolie petite propriété familiale depuis plus d'un demi-siècle, sur la rive droite de la Garonne. Quinze hectares majoritairement complantés en merlot, un cépage qui s'épanouit à merveille sur un beau terroir argilo-calcaire.

Bordeaux Supérieur 2007
Rouge | 2010 à 2012 | 5 € **14/20**
D'un style tout à fait différent du 2006, beaucoup moins dense, ce vin joue sur le registre de l'élégance : arômes délicats de fruits rouges, avec des notes mentholées et florales, texture tendre, souple, avec une très agréable fraîcheur. Déjà prêt à boire.

CHÂTEAU HAUT-GUILLEBOT

33420 Lugaignac
Tél. 05 57 84 51 71 • Fax : 05 57 84 62 73
chateauhautguillebot@wanadoo.fr • www.chateauhautguillebot.com
Visite : Du lundi au vendredi de 8h à 12h et de 13h30 à 17h30 sur rendez-vous.

Le Château Haut-Guillebot, propriété familiale transmise de mère en fille depuis sept générations, bénéficie d'une superbe situation sur des coteaux argilo-calcaires dominant la Dordogne.

Bordeaux Supérieur cuvée Prestige 2007
Blanc | 2010 à 2012 | NC **14/20**
Un bordeaux pour tous les jours comme on les aime : nez intense, fondu et très élégamment fruité, bouche puissante, avec des tanins très harmonieux et un grand équilibre. Très charmeur.

CHÂTEAU HOSTENS-PICANT

33220 Les Leves-et-Thoumeyrague
Tél. 05 57 46 38 11 • Fax : 05 57 46 26 23
chateauHP@aol.com • www.chateauhostens-picant.fr
Visite : Sur rendez-vous.

Cette propriété méritante, du secteur très excentré de Sainte-Foy-la-Grande, est parvenue à un haut niveau qualitatif grâce au travail acharné de Nadine et Yves Picant, qui se sont installés ici en 1986. Le vignoble, très bien tenu, possède un encépagement classiquement dominé par le merlot en rouge, mais partagé entre sémillon et sauvignon en blanc. Longtemps tout en intensité et en robustesse, les rouges ont ajouté à ces qualités une plus grande souplesse et des structures tanniques beaucoup plus soyeuses.

SAINTE-FOY-BORDEAUX 2007
Rouge | 2010 à 2015 | NC **15/20**
Malgré le millésime difficile, cette valeur sûre de l'appellation assure comme toujours et produit un vin aimable, avec un nez distingué sur les épices et les notes poivrées, la bouche est tendre, savoureuse, fondante, finement tannique, bien structurée et d'un équilibre sans faille. Un vrai régal.

SAINTE-FOY-BORDEAUX
CUVÉE DES DEMOISELLES 2008
Blanc | 2010 à 2012 | 18 € **15,5/20**
Finement fruité avec des nuances plus minérales, c'est un vin sans lourdeur, de bonne allonge, témoignant d'une réelle subtilité.

SAINTE-FOY-BORDEAUX LUCULLUS 2007
Rouge | 2012 à 2017 | NC **15,5/20**
Vin ambitieux, riche et dense, au nez puissant de fruits noirs et d'épices, bouche intense aux arômes persistants, bonne trame tannique très serrée qui devra se fondre.

SAINTE-FOY-BORDEAUX PLANÈTE ROSE 2009
Rosé | 2010 à 2011 | 9,20 € **15/20**
Vin allègre, frais et sans lourdeur, offrant une allonge fruitée et tendre, immédiatement savoureuse et rafraîchissante.

CHÂTEAU L'ISLE FORT

33360 Lignan-de-Bordeaux
Tél. 06 82 00 68 95 • Fax : 05 56 68 30 64
lislefort@lislefort.com • www.lislefort.com
Visite : Toute la semaine sur rendez-vous au 0681650568

Très jolie propriété de l'Entre-Deux-Mers, l'Isle Fort a été acquise en 2004 par un couple de gourmets, Sylvie Douce et François Jeantet, par ailleurs créateurs du Salon du Chocolat. Intelligemment conseillés par l'omniprésent Stéphane Derenoncourt, la propriété a rapidement trouvé ses marques et réalise l'un des plus élégants et gourmands bordeaux-supérieurs que l'on puisse trouver. La propriété produit également un agréable rosé, nommé l'Isle-Douce.

BORDEAUX ROSÉ ISLE DOUCE 2009
Rosé | 2010 à 2011 | 7 € **15/20**
Nouveau venu à la propriété, ce joli rosé joue sur le registre de l'élégance : robe fraise des bois pâle, nez délicatement fruité et fleuri, bouche ronde, charnue, très aromatique et vive.

BORDEAUX SUPÉRIEUR 2007
Rouge | 2010 à 2013 | 12,50 € **14,5/20**
Dans la lignée du 2006, ce vin est une belle réussite : nez épanoui et harmonieux, avec une belle pureté de fruit et de jolies notes réglissées. Bouche savoureuse, suave, avec de beaux tanins serrés et fondants à la fois, un fruit éclatant et un équilibre juste.

CHÂTEAU JONQUEYRES

28, route de Bordeaux
33750 Saint-Germain-du-Puch
Tél. 05 56 68 55 88 • Fax : 05 56 30 17 23
chateaujonqueyres@wanadoo.fr
Visite : Du lundi au vendredi, de 9h à 12h et de 14h à 17h, le week-end sur rendez-vous.

Située à Saint-Germain du Puch, entre Libourne et Bordeaux, cette propriété de quarante-cinq hectares appartient depuis le XIXe siècle à la famille Audy-Arcaute. Jean-Michel Arcaute avait su lui donner un éclat particulier qu'elle vient de retrouver sous l'impulsion d'Anne-Marie Audy. 75 % de vieux merlots et 25 % de cabernet-sauvignons constituent l'encépagement

BORDEAUX SUPÉRIEUR CUVÉE DOROTHÉE 2007
Rouge | 2010 à 2013 | NC **14,5/20**
Dans la lignée des millésimes antérieurs : nez d'une magnifique élégance, fruité avec de jolies touches épicées et giroflée, bouche vigoureuse, au fruit intense, aux tanins charnus. Du corps, du nerf, de la suite et de l'équilibre.

KRESSMANN

35, rue de Bordeaux • 33290 Parempuyre
Tél. 05 56 35 53 00 • Fax : 05 56 35 53 29
contact@dourthe.com • www.dourthe.com
Visite : Sur rendez-vous.

Bordeaux Grande Réserve 2009

Blanc | 2010 à 2012 | 4,85 € **14/20**

Très aromatique, extrêmement fruité, avec des notes florales, c'est un joli blanc charnu et vigoureux.

Bordeaux Grande Réserve 2008

Rouge | 2010 à 2014 | 4,85 € **14/20**

On aime son fruit particulièrement expressif et développé, sa texture charnue, fondante, rééquilibrée par une bonne vivacité.

Bordeaux Monopole 2008

Blanc | 2010 à 2011 | 5,85 € **14/20**

Belle complexité aromatique qui joue sur le fruit et les épices, bouche franche, vive et bien équilibrée.

Graves Grande Réserve 2008

Blanc | 2010 à 2013 | 5,75 € **15/20**

Superbe graves tout en délicatesse et expression de terroir avec son nez au fruit raffiné et aux belles notes minérales, à la bouche ample, puissante, très fruitée et fraîche. Belle longueur.

Graves Grande Réserve 2007

Rouge | 2010 à 2012 | 5,75 € **13,5/20**

Beaucoup de finesse dans la palette aromatique et dans la texture pour ce graves équilibré et déjà agréable à boire.

CHÂTEAU DE LAGORCE

33760 Targon
Tél. 05 56 23 60 73 • Fax : 05 56 23 65 02
cht.de.lagorce@wanadoo.fr
Visite : sur rendez-vous

Bordeaux cuvée Octavius 2008

Rouge | 2010 à 2015 | 3,60 € **15/20**

Une très belle cuvée au potentiel certain : le fruit très mûr et le joli boisé vanillé lui confèrent une belle exubérance, la bouche est dans le même esprit, chaleureuse, ample et bien structurée.

CHÂTEAU LAGRANGE LES TOURS

30, rue de Bernescut • 33240 Cubzac-les-Ponts
Tél. 05 57 43 04 96 • Fax : 05 57 43 04 96
vignobles.choquet@wanadoo.fr
www.chateau-lagrange-les-tours.fr
Visite : Sur rendez-vous.

C'est en 2001, après une longue quête, que Michel et Pierre Choquet, industriels belges, trouvent la propriété de leurs rêves : un petit château Napoléon Ier, entouré de 22 hectares de vignes d'un seul tenant, dans un ensemble de 38 hectares situé entre Bourg et Fronsac. Depuis 2004, ils produisent aussi un clairet, non pas de saignée, mais de macération courte.

Bordeaux clairet L'Idée Claire 2009

Rosé | 2010 à 2011 | 5 € **13,5/20**

Nez joliment fruité et minéral, d'une grande finesse, bouche charnue, fruitée, avec de la fraîcheur et une légère amertume en finale. Un clairet de repas.

Bordeaux clairet Les Ormes de Lagrange 2008

Rosé | 2010 à 2011 | 5 € **14/20**

Nez expressif et puissamment fruité, avec des notes de noyau et de fleurs, une bouche charnue, ronde, franche, fruitée et équilibrée.

CHÂTEAU LAJARRE

24, avenue des Châteaux
33350 Mouliets-et-Villemartin
Tél. 06 82 01 07 27 • Fax : 05 57 40 71 20
gregory.lovato@hotmail.fr
www.chateau-lajarre.com
Visite : sur rendez-vous.

Bordeaux Supérieur Révélation 2007

Rouge | 2010 à 2014 | 6,30 € **14,5/20**

Nez très plaisant de fruits à grande maturité et de freesia, ponctué de touches de boisé vanillé, bouche qui joue sur le même registre aromatique, avec une texture savoureuse, fraîche et bien campée sur ses tanins. Belle réussite.

CHÂTEAU LAMOTHE DE HAUX

Les Caves du Château Lamothe - B.P. 6 • 33550 Haux
Tél. 05 57 34 53 00 • Fax : 05 56 23 24 49
info@chateau-lamothe.com
www.chateau-lamothe.com
Visite : tous les jours sur rendez-vous

Voilà cinquante ans que la famille Neel-Chombart exploite ce vignoble de 85 hectares (59 hectares

pour le rouge et 26 hectares pour le blanc). Anne Neel reçoit et fait déguster les vins, sa fille Maria Chombart vinifie avec rigueur et finesse. Les chais sont de magnifiques anciennes carrières datant du XVIIe siècle dont les galeries, à soixante mètres sous terre, abritent idéalement barriques et bouteilles. Tout est fait au château, de la récolte jusqu'à la commercialisation.

BORDEAUX 2009
Blanc | 2010 à 2012 | 6,40 € **14/20**
Un blanc savoureux et très aromatique avec un nez fruité, épicé, miellé, une bouche ronde et ample, avec un boisé très marqué et une légère pointe d'amertume en finale.

BORDEAUX CUVÉE VALENTINE 2008
Blanc | 2010 à 2013 | 8,40 € **15/20**
Belle expression fruitée offrant un bois racé, une bouche puissante et ample, finale vive et énergique sur des notes d'ananas.

PREMIÈRES CÔTES DE BORDEAUX
PREMIÈRE CUVÉE 2007
Rouge | 2010 à 2014 | 8,60 € **14/20**
Bouquet fleuri, assez simple en bouche avec des tannins vifs en finale et une bonne persistance aromatique.

PREMIÈRES CÔTES DE BORDEAUX
CUVÉE VALENTINE 2008
Rouge | 2010 à 2014 | 11,50 € **14,5/20**
Vin puissant issu d'une vinification très «moderne», opulent, avec beaucoup de matière, sans raideur, compact, dense, à savourer jeune sur le fruit.

CHÂTEAU LAMOTHE-VINCENT

Chemin Laurenceau • 33760 Montignac
Tél. 05 56 23 96 55 • Fax : 05 56 23 97 72
info@lamothe-vincent.com
www.lamothe-vincent.com
Visite : Sur rendez-vous.

Le Château Lamothe-Vincent, grande propriété de 80 hectares, plantés majoritairement de merlot, produit régulièrement de belles cuvées en bordeaux rouge, bordeaux rosé, bordeaux blanc et bordeaux-supérieur, ces deux dernières bénéficiant d'une cuvée Héritage. Elle seule est élevée en fûts de chêne pendant douze mois.

BORDEAUX 2009
Rosé | 2010 à 2011 | 4,70 € **13/20**
Des arômes de fruits rouges très mûrs, des notes de pierre à fusil, une bouche chaleureuse, vigoureuse, manquant un rien d'élégance.

BORDEAUX 2009
Blanc | 2010 à 2012 | 4,70 € **14,5/20**
Un blanc de caractère développant un fruit très mûr, une bouche charnue, ronde et bien vive.

BORDEAUX CUVÉE HÉRITAGE 2009
Blanc | 2010 à 2012 | 6,80 € **14,5/20**
Le boisé est joliment dosé, le nez puissant exprime un fruit pur, de jolies notes minérales et miellées, la bouche est charnue et très équilibrée.

BORDEAUX SUPÉRIEUR CUVÉE HÉRITAGE 2008
Rouge | 2010 à 2014 | NC **14,5/20**
Belle vinification qui donne une cuvée aux arômes de fruits bien mûrs, avec une texture imposante et chaleureuse qui n'enlève nullement la fraîcheur et l'équilibre très appréciables.

CHÂTEAU LANDEREAU

RD 671 - B.P. 43 • 33670 Sadirac
Tél. 05 56 30 64 28 • Fax : 05 56 30 63 90
vignoblesbailet@free.fr • www.vignoblesbailet.com
Visite : Du lundi au vendredi de 8h à 12h et de 13h30 à 17 h30.Le week end sur rendez-vous

La famille Baylet est propriétaire des vignes de Landereau depuis 1959. En 1980 y fut ajouté le Château de l'Hoste Blanc. Le relief de Landereau est très vallonné, et certains coteaux ont dû être aménagés en banquettes, ce qui est plutôt rare dans le Bordelais. Les trois appellations, Bordeaux Supérieur pour les rouges, Entre-Deux-Mers pour les blancs et Bordeaux Clairet représentent en moyenne 400 000 bouteilles d'une qualité très au-dessus de la moyenne.

BORDEAUX CLAIRET 2009
Rosé | 2010 à 2011 | 4,60 € **16/20**
L'archétype du beau clairet ! Le nez est superbe d'élégance, le fruit est éclatant, la bouche est ample et charmeuse, avec une longueur, une fraîcheur et un équilibre remarquables.

BORDEAUX ROSÉ LA VIE EN ROSÉ 2009
Rosé | 2010 à 2011 | 5,20 € **15/20**
Un beau rosé plein de charme : nez puissant développant un fruit très mûr, bouche ample, ronde,

charnue, avec une belle suavité et une excellente fraîcheur en finale.

Bordeaux Supérieur 2008
Rouge | 2010 à 2014 | 5,40 € **14/20**
Dans le style de la propriété, bien vinifié et plaisant, au nez expressif plein de caractère, à la bouche charmeuse, fraîche et très équilibrée.

Bordeaux Supérieur Château de l'Hoste Blanc cuvée Vieilles Vignes 2008
Rouge | 2010 à 2015 | 7,50 € **15/20**
Un vrai bordeaux de garde, avec sa bouche très dense, puissante, s'appuyant sur une solide assise tannique. On aime son nez sur le fruit agrémenté de touches minérales et balsamiques.

Bordeaux Supérieur cuvée Prestige 2008
Rouge | 2010 à 2014 | 11,20 € **15/20**
Une vraie belle cuvée bordelaise, très classique, avec un nez élégant, fruité, minéral et fumé, une bouche savoureuse, bien tramée, s'appuyant sur des tanins serrés, avec une allonge remarquable.

Entre-Deux-Mers 2009
Blanc | 2010 à 2012 | 5,30 € **15,5/20**
Réussite éclatante ! Ce blanc offre un fruit superbement délicat, une bouche charmeuse, fruitée, très longue et bien fraîche.

Entre-Deux-Mers
Château de l'Hoste Blanc 2009
Blanc | 2010 à 2011 | 7,50 € **15/20**
Une jolie bouteille flatteuse et équilibrée : nez superbe, complexe, offrant des arômes fruités, de la minéralité et des nuances de rose ancienne. Bouche suave, charnue, aromatique, vive et de bonne tenue.

Entre-Deux-Mers Château de l'Hoste Blanc Vieilles Vignes 2008
Blanc | 2010 à 2012 | 7,50 € **15,5/20**
Racé, ce blanc présente un nez complexe et puissant, une vraie minéralité, du fruit, de la chair et une longue finale vive.

CHÂTEAU LARTEAU

33500 Arveyres
Tél. 05 57 24 86 98 • Fax : 05 57 24 86 98
contact@chateaularteau.com
www.chateaularteau.fr
Visite : tous les jours sauf le dimanche, 8h-12h et 14h-18h

Jean-Pierre Angliviel de la Beaumelle, descendant de la fameuse famille de négociants bordelais Mestrezat, qu'il dirigea d'ailleurs jusqu'en 2000, achète le Château Larteau, situé à Arveyres, en 2007. Il y réalise d'importants travaux, tant à la vigne que dans les chais. Son premier millésime, 2007, est d'emblée réussi.

Bordeaux Supérieur 2007 ☺
Rouge | 2010 à 2013 | env 8 € **16/20**
Belle réussite et beaucoup de gourmandise pour ce bordeaux délicieux à boire : le nez est raffiné, expressif, fruité et floral, la bouche franche, suave, avec un joli grain de tanins et une longue finale. Pour un premier millésime, c'est un coup de maître !

CHÂTEAU LAUDUC

Vignobles Grandeau • 33370 Tresses
Tél. 05 57 34 43 56
m.grandeau@lauduc.fr • www.lauduc.fr
Visite : Du lundi au vendredi,de 9h à 12h et de 14h à 17h.

Bordeaux 2009
Blanc | 2010 à 2012 | 4,60 € **13,5/20**
Des arômes expressifs de fruits blancs et résineux, une bouche très fruitée, vigoureuse et chaleureuse.

Bordeaux clairet 2009
Rosé | 2010 à 2011 | 4,60 € **15/20**
Charmeur, très fruité, mûr, avec de jolies nuances poivrées et une belle fraîcheur, c'est un délicieux clairet.

Bordeaux rosé cuvée Classic 2009 ☺
Rosé | 2010 à 2011 | 4,60 € **15,5/20**
Une grande réussite ! La complexité aromatique et le fruit sont superbes, la bouche est savoureuse, vigoureuse, avec une très longue finale vive. Un beau rosé de repas.

CHÂTEAU LESTRILLE-CAPMARTIN

15, route de Créon • 33750 Saint-Germain-du-Puch
Tél. 05 57 24 51 02 • Fax : 05 57 24 04 58
contact@lestrille.com • www.lestrille.com
Visite : De 9h à 12h30 et de 14h à 18h du lundi au vendredi et le samedi de 9h à 12h.

Sur cette propriété familiale depuis cinq générations, c'est actuellement Estelle et son père, Jean-Louis Roumage, qui prennent soin des trente-huit hectares de raisins rouges (80 % merlot, 20 % cabernet-sauvignon) et des quatre hectares, insuffisants au vu de la demande, de raisins blancs.

BORDEAUX 2009
Blanc | 2010 à 2011 | 7,30 € **14,5/20**
Un blanc classique, bien représentatif du millésime. Nez mûr, fruité, épicé, expressif, bouche dense, charnue, intensément fruitée et bien fraîche.

BORDEAUX CLAIRET CLASSIC 2009
Rosé | 2010 à 2011 | 5,10 € **15/20**
Très beau clairet d'apéritif ou de repas. Exprime un fruit puissant et bien mûr, des notes florales et noyau, une bouche chaleureuse et suave, tout à fait équilibrée par une excellente vivacité.

BORDEAUX CLAIRET CLASSIC 2008
Rosé | 2010 à 2011 | NC **13/20**
Un clairet assez proche d'un rouge léger, avec un nez intense et fondu, une bouche dense, vineuse et charnue.

BORDEAUX ROSÉ 2009
Rosé | 2010 à 2011 | 4,90 € **13/20**
Un rosé sans prétention, facile, tendre, aromatique et vif.

BORDEAUX SUPÉRIEUR CUVÉE PRESTIGE LE SECRET DE LESTRILLE 2008 ☺
Rouge | 2010 à 2014 | NC **16/20**
Une cuvée au top de sa forme ! Nez épanoui et exubérant, on aime ses arômes de fruits rouges très mûrs, pierre à fusil et pivoine, bouche franche, très aromatique aussi, avec des tanins ronds et savoureux, longueur, fraîcheur, potentiel.

CHÂTEAU LA LEVRETTE

Hourtinat • 33113 Saint-Symphorien
Tél. 06 63 80 04 41 • Fax : 05 56 25 70 01
lmauriac@chateau-la-levrette.com
www.chateau-la-levrette.com
Visite : Sur rendez-vous.

BORDEAUX SUPÉRIEUR 2007
Rouge | 2010 à 2013 | 15 € **14/20**
Un joli 2007 puissant, le nez est d'une concentration et d'une maturité extrêmes, la bouche flatteuse, ronde, chaleureuse, avec un boisé un rien marqué qui devrait se fondre. Bon potentiel.

CHÂTEAU DE LISENNES

Chemin de Petrus • 33370 Tresses
Tél. 05 57 34 13 03 • Fax : 05 57 34 05 36
contact@lisennes.com • www.lisennes.fr
Visite : Du lundi au vendredi, de 8h à 12h et de 13h30 à 17h

Le Château de Lisennes est une propriété familiale de 57 hectares, située à Tresses, aux portes de Bordeaux, qui produit 400 000 bouteilles par an en appellations Bordeaux Clairet, Bordeaux et Bordeaux Supérieur.

BORDEAUX CLAIRET CLAIRET DE LISENNES 2009
Rosé | 2010 à 2011 | 4,75 € **14/20**
Joue complètement sur le registre de l'élégance avec son nez développant un grand fruit pur, des notes épicées et florales, sa bouche très aromatique, charnue, longue et vive.

BORDEAUX SUPÉRIEUR CUVÉE PRESTIGE 2008 ☺
Rouge | 2010 à 2013 | NC **14/20**
Un grand classique tout en équilibre et en élégance : nez exprimant un fruit pur, une grande minéralité et des nuances d'encens, bouche harmonieuse, aux tanins tendres, fraîche et aux arômes très persistants.

BORDEAUX SUPÉRIEUR CUVÉE TRADITION 2008
Rouge | 2010 à 2012 | NC **13,5/20**
Bien équilibrée et agréable, cette cuvée offre un nez suave, fruité et floral, une bouche savoureuse, franche et bien vive.

BORDEAUX SUPÉRIEUR L'ESPRIT LISENNES 2008
Rouge | 2010 à 2014 | NC **14,5/20**
Issue des parcelles des meilleurs cabernets cette cuvée en exprime toutes les caractéristiques avec son nez exubérant et raffiné à la fois, fruits rouges, poivre et épices. La bouche est tout aussi

aromatique, solidement construite et encore un peu marquée par le bois. Du potentiel.

CHÂTEAU LOUBENS

33410 Sainte-Croix-du-Mont
Tél. 05 56 62 01 25 • Fax : 09 55 62 01 25
contact@loubens.com
Visite : De 8h30 à 13h et de 14h à 19h30

Loubens est le terroir le plus célèbre de Sainte-Croix-du-Mont, sur les fameux calcaires huîtriers qui surplombent la Garonne. Arnaud de Sèze est un viticulteur prudent, qui n'a jamais disposé de grands moyens pour produire des vins spectaculaires, mais qui depuis longtemps préfère élaborer des liquoreux très équilibrés et fidèles à leur origine, plus miellés et un rien plus simples en primeurs que les grands sauternes, mais vieillissant somptueusement en prenant les riches nuances d'abricot confit et d'agrumes qui sont la signature des grands sémillons. La propriété dispose de magnifiques flacons de très vieux millésimes à la vente.

Sainte-Croix-du-Mont 2005

Blanc Liquoreux | 2013 à 2018 | NC **17/20**

Robe claire, superbe nez de raisins parfaitement rôtis, expression très minérale de ce terroir calcaire, complexité évidente, moelleux, riche avec suffisamment d'acidité, long, grande élégance sans lourdeur, dans un style très personnel.

Sainte-Croix-du-Mont 2003

Blanc Liquoreux | 2011 à 2018 | 22,50 € **16/20**

Robe dorée, arôme de caramel au lait, moins de concentration que le 2004 mais plus d'équilibre entre la richesse et la fraîcheur des agrumes et le pamplemousse, très sainte-croix-du-mont.

Sainte-Croix-du-Mont cuvée Marie-Cédric 2003

Blanc Liquoreux | 2012 à 2030 | 60 € **18/20**

Cette sorte de crème de tête à la robe légèrement dorée est une production marginale de seulement 8000 bouteilles. En concentration elle se rapproche du tokay et par ses arômes de rose d'une vendange tardive, elle exprime tout le génie du millésime avec la rencontre suprême du passerillage et du botrytis. Un vin d'une grande délicatesse sans aucune trace d'oxydation. Une grande bouteille, impérissable.

MÄHLER-BESSE

49, rue Camille-Godard • 33330 Bordeaux
Tél. 05 56 56 04 35 • Fax : 05 56 56 04 59
s.carrier@mahler-besse.com
www.mahler-besse.com
Visite : Sur rendez-vous.

Saint-Émilion Cheval Noir 2007

Rouge | 2010 à 2013 | 13 € **14/20**

Cette vieille marque de saint-émilion est très honorable : ce vin souple constitue une bonne carafe agréable et accessible.

Saint-Émilion grand cru Le Fer 2007

Rouge | 2010 à 2015 | 48 € **15,5/20**

Cette cuvée produite depuis des lustres par la maison bordelaise Mälher-Besse a bien progressé comme en témoigne ce 2007 équilibré, harmonieux et séduisant, à l'allonge onctueuse.

CHÂTEAU MALROMÉ

33490 Saint-André-du-Bois
Tél. 05 56 76 44 92 • Fax : 05 56 76 46 18
malrome@malrome.com • www.malrome.com
Visite : Sur rendez-vous.

Malromé a été la demeure familiale de Toulouse-Lautrec, qui s'est éteint au château en 1901. C'est un beau domaine exploité depuis au moins cinq siècles, cinquante-deux hectares dont quarante plantés en vigne sur des coteaux argilo-graveleux. La propriété produit, à partir de raisins sélectionnés sur les meilleures parcelles, une grande cuvée Comtesse-Adèle, du nom de la mère du peintre qui administra le domaine jusqu'en 1930.

Bordeaux cuvée Adèle de Toulouse-Lautrec 2009

Blanc | 2010 à 2012 | 7 € **14/20**

Un blanc très plaisant, friand, avec des arômes de fruits exotiques que l'on retrouve dans une bouche charnue et ronde. Vif et raffiné.

Bordeaux Supérieur cuvée Adèle de Toulouse-Lautrec 2007

Rouge | 2010 à 2014 | 10 € **15/20**

Un nez plein de caractère, fruits noirs, doté d'une grande minéralité, pour cette cuvée vigoureuse, bien campée sur ses tanins et bien équilibrée.

CHÂTEAU MARAC

33350 Pujols
Tél. 05 57 40 53 21 • Fax : 05 57 40 71 36
vignoble-alain.bonville@wanadoo.fr
www.chateau-marac.com
Visite : Du lundi au vendredi, de 8h à 12h et de 14h à 18h, le samedi sur rendez-vous.

Bordeaux 2009
Blanc | 2010 à 2011 | NC **13,5/20**
Un blanc rondouillard et agréable, développant de jolis arômes de papaye et d'ananas avec de la minéralité, une bouche très chaleureuse et très aromatique.

Bordeaux rosé 2009
Rosé | 2010 à 2011 | 4,60 € **13,5/20**
Nez épanoui, fruité, épicé, touches crayeuses, bouche ronde, chaleureuse, fruitée et bien vive. Un rosé classique.

Bordeaux Supérieur Grande Tradition 2008
Rouge | 2010 à 2013 | NC **13,5/20**
Plutôt simple, mais bien équilibré et agréable à boire avec son nez épanoui de fruits rouges et menthe douce, sa rondeur et sa fraîcheur.

Entre-Deux-Mers 2009
Blanc | 2010 à 2013 | env 8,50 € **16/20**
Un superbe blanc puissant, charmeur et équilibré : nez expressif de fruits blancs et exotiques, fleurs blanches, belle minéralité, bouche ample, charnue, très aromatique et d'une excellente vivacité.

Entre-Deux-Mers 2008
Blanc | 2010 à 2012 | env 8 € **16/20**
Dans la lignée du 2007, avec son nez puissant de fruits blancs mûrs, aux notes miellées, fumées et anisées, sa bouche ample, charnue, mûre, aromatique et d'une exquise fraîcheur.

CHÂTEAU MARJOSSE

EARL Pierre Lurton • 33420 Tizac-de-Curton
Tél. 05 57 55 57 80 • Fax : 05 57 55 57 84
pierre.lurton@wanadoo.fr
Visite : Sur rendez-vous

Pierre Lurton, par ailleurs directeur du Château Cheval Blanc et président du Château d'Yquem, a acheté voilà quinze ans le Château Marjosse, séduit par les vieilles vignes et par la qualité du terroir : chose assez rare dans l'Entre-Deux-Mers, le calcaire à astéries, le même qui fait la renommée des saint-émilions, arrive ici à affleurement. La qualité de ce vin, tant en blanc qu'en rouge, ne cesse de progresser, surtout depuis 2000, avec la construction d'un nouveau chai.

Bordeaux 2008
Rouge | 2010 à 2016 | env 8 € **16,5/20**
Un grand petit bordeaux ! Ce millésime confirme l'excellence de la propriété. Nez puissant tout en restant d'une belle élégance, avec un fruit magnifique et éclatant, des notes toastées et de violette, bouche très harmonieuse, charnue, offrant un beau toucher de tanins, de la fraîcheur et de la longueur.

CHÂTEAU MARSAU

Bernaderie • 33570 Francs
Tél. 05 56 44 30 49 • Fax : 05 56 44 30 49
jm.chadronnier@gmail.com
Visite : sur rendez-vous

Propriété de Jean-Marie Chadronnier, qui dirigea longtemps la maison Dourthe-Kressmann, Marsau est devenu l'un des crus vedettes des petites appellations de la Rive droite bordelaise. Il doit ce succès à un style extrêmement séducteur, mis au point par son propriétaire : noir de couleur, le vin exprime un bouquet séduisant, mêlant les notes toastées à celles de bons fruits noirs, puis développe un corps ample et riche, soutenu par des tanins enrobés et bien mûrs. Ce caractère est à son meilleur après deux à trois ans de bouteille.

Côtes de Francs 2007
Rouge | 2012 à 2015 | cav. 11 € **14/20**
Nez assez discret, bouche nette, agréablement fruitée, avec une trame tannique très ferme voir rustique, fruits rouges en finale. Dans son millésime, bien fait.

MICHEL LYNCH

Route Bordeaux-Pauillac • 33460 Macau
Tél. 05 57 88 60 04 • Fax : 05 57 88 03 84
n.sarthe@mcazes-selection.com
www.michellynch.com

C'est pour rendre hommage au chevalier Lynch, qui consacra sa vie à l'amélioration de la qualité des vins de sa propriété de Lynch-Bages, que l'actuel propriétaire, la famille Cazes, a donné son nom à sa gamme de vins de marque, dont l'ambition est de refléter la diversité et la richesse des terroirs bordelais.

Bordeaux 2009
Blanc | 2010 à 2012 | NC **16/20**
Très jolie bouteille ! Ce blanc allie puissance et élégance, les arômes de fruits blancs bien mûrs se mêlent à ceux de chèvrefeuille et anis, la bouche, tout aussi aromatique, est savoureuse, ample et dotée d'une excellente vivacité.

Bordeaux 2008
Rouge | 2010 à 2012 | NC **15,5/20**
Un bordeaux comme on aimerait qu'ils le soient tous ! Il conjugue élégance, charme, présence et équilibre. Arômes de fruits rouges agrémentés de nuances épicées, texture serrée, soyeuse et fraîche.

Bordeaux rosé 2008
Rosé | 2010 à 2011 | NC **15/20**
Un modèle du genre : un vrai rosé d'une élégance rare, au fruit pur et intense, à la bouche savoureuse, longue et fraîche.

Graves Réserve 2008
Blanc | 2010 à 2013 | NC **14,5/20**
Belle complexité aromatique, fruits exotiques, nuances miellées, minérales et acacia, bouche charnue et très vive.

Médoc Réserve 2008
Rouge | 2010 à 2013 | NC **14,5/20**
Équilibré, flatteur et très élégant, ce joli médoc offre un fruit très mûr, un boisé délicat, une texture fondante, finement tannique et fraîche.

CHÂTEAU MIRAMBEAU-PAPIN

40, avenue Stephen-Couperie
33440 Saint-Vincent-de-Paul
Tél. 05 56 77 03 64 • Fax : 05 56 77 11 17
landeau.xavier@orange.fr • www.vignobleslandeau.fr
Visite : Sur rendez vous.

Le château Mirambeau-Papin fait partie d'un des trois vignobles exploités depuis plus de cinq générations par la famille Landeau : 10 hectares, sur la superficie totale de 23, complantés de vignes anciennes, en proportion égale entre le merlot et le cabernet-sauvignon. Cette ancienne famille de vignerons a su se mettre au goût du jour, et produit un vin qui est parmi les plus réguliers de l'appellation.

Bordeaux Supérieur 2008
Rouge | 2010 à 2013 | 9 € **14,5/20**
Puissant, riche, avec une grande maturité de fruit, un joli boisé, une attaque franche, fruitée et des tanins vifs, ce vin est tendu et équilibré.

Bordeaux Supérieur Papin 2007
Rouge | 2010 à 2012 | NC **14/20**
A base de cépage petit verdot, cette cuvée offre un nez très riche, aux arômes puissants de fruits noirs à très grande maturité que l'on retrouve dans une bouche dense, aux tanins un rien rustiques et à la belle fraîcheur. Beaucoup de caractère.

CLOS DES MOINES

6, rue Louis Pasteur
33240 Lugon-et-l'Île-du-Carnay
Tél. 05 57 55 00 88 • Fax : 05 57 84 83 16
martine-antignac@cavedelugon.com
Visite : Du lundi au samedi de 9 h30 à 12 h30 et de 14h à 19h sauf le dimanche.

Bordeaux Supérieur 2007
Rouge | 2010 à 2013 | NC **15,5/20**
Tout aussi réussi que le 2006 et dans le même esprit d'élégance, ce vin offre des arômes complexes et raffinés, une texture soyeuse, charmeuse et un très bel équilibre.

Bordeaux Supérieur 2006
Rouge | 2010 à 2012 | NC **15,5/20**
Une belle cuvée de cave coopérative, parfaitement harmonieuse, toute en élégance, aux arômes fruités, aux tanins fins et à la délicieuse fraîcheur.

DOMAINE DE MONTALON

995, route de Bourg • 33240 Saint-André-de-Cubzac
Tél. 05 57 43 16 21
mickael.affatato@orange.fr
helene.affattato@wanadoo.fr
www.chateaulagatte.com
Visite : Le week-end sur rendez-vous.

Le Domaine de Montalon est une parcelle d'un hectare et demi, située sur un joli coteau calcaire, très pentu, nommé évidemment coteau de Montalon, sur lequel étaient autrefois implantés treize moulins dont quatre sont encore en activité aujourd'hui.

Bordeaux Supérieur 2006
Rouge | 2010 à 2012 | 8 € 13,5/20
Plutôt original avec ses arômes complexes et raffinés de fruits mûrs, fumés, floraux et très minéraux que l'on retrouve autant au nez qu'en bouche. La texture est fine.

CHÂTEAU MORANGE

Vignoble Boudat Cigana - Château de Viaut
33410 Mourens
Tél. 05 56 61 31 31 • Fax : 05 56 61 99 46
fboudat@orange.fr
Visite : Ouvert tous les jours de 8h à 12h et de 14h à 18h.

Sainte-Croix-du-Mont 2008
Blanc liquoreux | 2010 à 2014 | 7,20 € 13,5/20
Beau raffinement avec une densité moyenne, vin net, équilibré et agréable à boire.

CHÂTEAU LA MOTHE DU BARRY

2, Les Arromans • 33420 Moulon
Tél. 05 57 74 93 98 • Fax : 05 57 84 66 10
joel.duffau@aliceadsl.fr • www.vignoblesjoelduffau.fr
Visite : Du lundi au vendredi, de 8h à 12h et de 13h30 à 17h et le week-end sur rendez-vous.

Bordeaux Château Les Arromans Prestige 2007
Rouge | 2010 à 2014 | 5,95 € 14/20
Une cuvée solide et vigoureuse, aux jolis arômes complexes de fruits rouges très mûrs et de boisé élégant. Bon potentiel de garde.

Bordeaux clairet French Kiss 2009
Rosé | 2010 à 2011 | 4,60 € 14/20
Une cuvée de bonne tenue, au nez très expressif, groseille, framboise, fleurs blanches, à la bouche charnue, aromatique et très fraîche.

Bordeaux rosé Château Les Arromans 2009
Rosé | 2010 à 2011 | 4,50 € 13,5/20
Un joli rosé d'apéritif, aux arômes plaisants de fruits rouges et épices douces, à la bouche intensément fruitée et bien vive.

Bordeaux Supérieur Design 2008
Rouge | 2011 à 2014 | 6,15 € 14,5/20
On aime son style très aromatique et l'exubérance de son nez. La bouche est puissante, longue, avec des tanins encore fermes. À attendre encore un peu.

Bordeaux Supérieur Le Barry 2007 ☺
Rouge | 2010 à 2015 | 10,20 € 15,5/20
Tout en charme et en équilibre. Nez complexe, mêlant harmonieusement fruité et boisé, bouche flatteuse, suave, avec des tanins fondants et une très longue finale fraîche. Très bon potentiel.

Entre-Deux-Mers Château Les Arromans 2009
Blanc | 2010 à 2012 | 4,50 € 14/20
Un joli blanc flatteur, puissant mais équilibré par une bonne vivacité, exprimant un fruit épanoui et une belle minéralité.

Entre-Deux-Mers French Kiss 2009
Blanc | 2010 à 2012 | 4,50 € 14/20
On aime son fruit pur et expressif, ses notes raffinées de jacinthe, sa bouche vigoureuse, tout aussi aromatique que le nez, longue et équilibrée.

CHÂTEAU NARDOU

33570 Tayac
Tél. 05 57 40 69 60 • Fax : 05 57 40 69 20
fdubard@chateau-nardou.com
www.chateau-nardou.com
Visite : en semaine, de 9h à 13h et de 14h à 19h week-end sur rendez-vous

Côtes de Francs 2007
Rouge | 2010 à 2014 | 7,60 € 14/20
Un vin très agréable et parfaitement vinifié avec pour résultat un nez d'une grande délicatesse, avec ses arômes de fruits rouges bien mûrs et ses notes florales que l'on retrouve dans une bouche suave, sur des tanins bien appuyés et frais.

CHÂTEAU DE PARENCHÈRE

Domaine de Parenchère - B.P. 57 • 33220 Ligueux
Tél. 05 57 46 04 17 • Fax : 05 57 46 42 80
info@parenchere.com • www.parenchere.com
Visite : Du lundi au jeudi, de 8h à 12h et de 14h à 18h et le vendredi, de 8h à 12h et de 14h à 16h.

Acheté en 1958 par Raphaël Gazaniol, originaire du Maroc, le domaine compte actuellement 157 hectares, dont 63 sont plantés en vignes sur les parcelles les mieux exposées. Ainsi, 32 parcelles différentes sont vinifiées séparément et sont retenues soit pour le vin de base, déjà de haute qualité, soit pour la fameuse cuvée raphaël, démonstration éclatante qu'une simple appellation Bordeaux peut donner des vins magnifiques. La production est complétée par du bordeaux blanc et du bordeaux clairet.

Bordeaux 2009
Blanc | 2010 à 2011 | 6,30 € **14/20**
Un blanc très généreux, avec un nez mûr, expressif et raffiné, une bouche un peu moins élégante, très chaleureuse mais toutefois bien équilibrée.

Bordeaux 2008
Blanc | 2010 à 2011 | 6,30 € **14,5/20**
De style puissant, il exprime un nez très complexe de fruits bien mûrs et de freesia, une bouche très riche, à la remarquable minéralité et à la finale longue et vigoureuse.

Bordeaux clairet 2009
Rosé | 2010 à 2011 | 6,30 € **15/20**
Un vrai clairet de repas, pour les amateurs de clairets corsés : nez très mûr et puissamment fruité, bouche chaleureuse, riche, ronde, fruitée et non dénuée de fraîcheur.

Bordeaux Supérieur cuvée Raphaël 2007
Rouge | 2010 à 2011 | 10,90 € **14/20**
Une cuvée pas très puissante mais très agréable à boire rapidement, offrant un nez de fruits noirs, aux notes florales et boisées, une bouche très aromatique, fraîche et expressive.

CHÂTEAU PENIN

39, impasse Couponne • 33420 Génissac
Tél. 05 57 24 46 98 • Fax : 05 57 24 41 99
vignoblescarteyron@wanadoo.fr
www.chateaupenin.com
Visite : Du lundi au vendredi de 9h à 12h
et de 14h30 à 17h30

Patrick Carteyron est l'un des leaders de la gigantesque appellation Bordeaux. Il a fait de son Château Penin une référence dans différentes appellations, couleurs et cuvées. L'exploitation familiale est passée de 13 hectares, en 1854, à 40 hectares aujourd'hui. La production des rouges, et tout particulièrement des belles cuvées, les-cailloux et grande-sélection, s'effectue sur un terroir caillouteux du quaternaire, le plus noble de l'exploitation. Les terroirs sableux et argileux, plus communs, sont réservés à l'élaboration des délicieux rosés et clairets.

Bordeaux 2008
Blanc | 2010 à 2012 | 6,80 € **16/20**
Magnifique blanc, gras et opulent mais sachant rester vif et équilibré : nez complexe, fruité et épicé, bouche flatteuse, avec une belle trame savoureuse, du fruit, de la vivacité et un grand équilibre. Beaucoup de charme.

Bordeaux clairet 2009
Rosé | 2010 à 2011 | 6,10 € **16/20**
Toujours une référence dans l'appellation, avec sa robe rubis framboise, son nez harmonieux et complexe, sa bouche puissante, extrêmement fruitée et d'une exquise fraîcheur. Un vin d'apéritif et de repas.

Bordeaux rosé 2009
Rosé | 2010 à 2010 | 5,70 € **14/20**
Le nez est mûr, puissamment fruité, avec de belles nuances de pivoine, la bouche est dense, franche, fruitée et très chaleureuse, ce qui lui enlève un peu de sa finesse habituelle.

Bordeaux Supérieur Grande Sélection 2008 ☺
Rouge | 2010 à 2015 | NC **15,5/20**
Les vieilles vignes sur terroir de Graves font merveille : une nez puissant et de belle complexité, intense et typé, fruits bien mûrs, épices, joli boisé, une bouche savoureuse, avec des tanins très serrés, un certain côté chaleureux bien contrebalancé par une bonne fraîcheur.

Bordeaux Supérieur Les Cailloux 2008
Rouge | 2010 à 2013 | NC **15/20**
Très jolie cuvée d'un grand classicisme, offrant un nez finement fruité, floral et très épicé, tout en harmonie délicate, une bouche élégante, savoureuse, avec une texture superbe et une longue finale fraîche.

CHÂTEAU DU PETIT PUCH

3, chemin du Petit-Puch
33750 Saint-Germain-du-Puch
Tél. 05 57 24 52 36 • Fax : 05 57 24 01 82
chateaupetitpuch@yahoo.fr
www.chateaupetitpuch.com
Visite : Tous les jours sur rendez-vous.

Graves de Vayres 2006
Rouge | 2010 à 2020 | 13 € **14/20**
Ce vin possède une robe sombre, un nez expressif de fruits noirs. Belle intensité en bouche, de l'allonge. Trame tannique solide.

CHÂTEAU PEYFAURES

33420 Génissac
Tél. 05 57 55 06 77 • Fax : 05 57 25 16 63
contact@chateau-peyfaures.com
www.chateau-peyfaures.com
Visite : Sur rendez-vous.

Bordeaux Supérieur cuvée La Dame de Cœur 2006

Rouge | 2010 à 2012 | 18 € — 14,5/20

Jolie cuvée exprimant un nez puissant et très mûr, une bouche ample, à la trame serrée et au boisé encore marqué mais qui devrait se fondre sans problème tant la texture est riche.

Bordeaux Supérieur 2007

Rouge | 2010 à 2014 | 15 € — 15,5/20

Un beau bordeaux classique, harmonieux et équilibré, au nez puissant, affichant un beau fruit mûr, une grande minéralité. La bouche est raffinée, avec une trame fondante et veloutée, de la fraîcheur et une grande allonge.

Bordeaux Supérieur Le Petit Soleil 2007

Rouge | 2010 à 2012 | 7,50 € — 14/20

Tout à fait dans le style du 2006, avec son nez finement fruité et floral, sa bouche ronde, charnue, finement tannique et fraîche. Cette cuvée équilibrée est une pure gourmandise.

CHÂTEAU PIERRAIL

33220 Margueron
Tél. 05 57 41 21 75 • Fax : 05 57 41 23 77
alice.pierrail@orange.fr • www.chateaupierrail.com
Visite : Sur rendez-vous toute l'année

Ce grand domaine est chargé d'histoire. Situé sur les coteaux de la vallée de la Fonchotte, le château abrita en 1832 la duchesse de Berry, veuve du duc de Berry, héritier du trône. La famille Demonchaux reprit le domaine en 1971 et, grâce à un travail acharné, lui rendit tout son éclat. Aujourd'hui, les vins rouges, blancs et rosés du Château Pierrail sont intelligemment commercialisés par Alice Demonchaux.

Bordeaux rosé 2009

Rosé | 2010 à 2011 | 5,20 € — 14,5/20

Un rosé savoureux et vigoureux, au nez puissant de fruits rouges et de pierre à fusil, à la bouche charnue et très fraîche.

Bordeaux Supérieur 2008

Rouge | 2010 à 2014 | 9,25 € — 15/20

Avec son nez d'une puissance incroyable, sa bouche massive, chaleureuse, aux tanins gras et au fruit bien mûr, ce joli bordeaux costaud présente un bon potentiel de garde.

CHÂTEAU LE PIN BEAUSOLEIL

Le Pin • 33420 Saint-Vincent-de-Pertignas
Tél. 05 57 84 02 56 • Fax : 05 57 84 02 56
lepin.beausoleil@wanadoo.fr
www.lepinbeausoleil.com
Visite : Sur rendez-vous.

Ce vignoble de poupée (5,8 hectares) a été acquis en 2004 par un couple de passionnés, Ingrid et Michael Hallek.

CHÂTEAU PUYGUERAUD

33570 Saint-Cibard
Tél. 05 57 56 07 47 • Fax : 05 57 56 07 48
puygueraud@nicolas-thienpont.com
www.nicolas-thienpont.com
Visite : Sur rendez-vous, du lundi au vendredi de 9h à 12h et de 14h à 17h.

Acheté en 1946 par Georges Thienpont, le père de Nicolas, le Château Puygueraud n'a accueilli des vignes qu'à partir des années 1970. La situation en haut de l'appellation, sur des sols très argileux, confère à ses vins puissance et structure. En 2000, Nicolas Thienpont a acheté les 4,5 hectares du Château La Prade. La moitié de ces parcelles sont situées sur un plateau calcaire avec de belles argiles, l'autre moitié en coteaux orientés sud.

Côtes de Francs 2007

Rouge | 2011 à 2015 | 12 € — 14,5/20

Nez très expressif, épicé, charmeur, mais tanins pas complètement mûrs, un peu asséchants dans une finale de cerise. Un vin dans son millésime.

Côtes de Francs Château La Prade 2007

Rouge | 2010 à 2014 | 12 € — 14,5/20

Vin agréable et savoureux, avec des arômes de fruits frais persistants, bien fait, onctueux et souple en bouche.

Côtes de Francs cuvée Georges 2007

Rouge | 2011 à 2016 | 17 € — 16/20

Nicolas Thienpont vinifie ici un vin superbe et techniquement irréprochable : nez épicé et concentré de fruits mûrs qui rappellent le malbec, beaucoup de sève dans ce vin juteux, harmonieux et onctueux, il a bien tiré son épingle du jeu dans ce millésime difficile. Bravo !

CHÂTEAU DE REIGNAC

38, chemin de Reignac • 33450 Saint-Loubès
Tél. 05 56 20 41 05 • Fax : 05 56 68 63 31
chateau.reignac@orange.fr • www.reignac.com
Visite : Du lundi au vendredi de 8h30 à 12h et de 13h30 à 17h.

Bordeaux 2008

Blanc | 2010 à 2013 | 18 € **15,5/20**

Même raffinement que pour le 2007, très joli nez exprimant des arômes de fruits blancs, miel d'acacia et joli boisé, bouche chaleureuse, très aromatique et parfaitement vive.

Bordeaux Supérieur 2007

Rouge | 2010 à 2015 | 7,80 € **15,5/20**

Très belle cuvée racée : nez puissant et fondu, fruit mûr délicat, boisé subtil, touches raffinées de violette, bouche ample et soyeuse, avec un très beau toucher de tanins, du fruit et une longue finale équilibrée. Aucun excès.

Bordeaux Supérieur Grand Vin de Reignac 2007

Rouge | 2010 à 2012 | 16 € **14/20**

Un vin de plaisir très agréable, discrètement floral, fruité et épicé, avec une texture suave, un grain de tanin tendre et une belle fraîcheur.

CHÂTEAU REYNIER

33420 Grézillac
Tél. 05 57 84 52 02 • Fax : 05 57 84 56 93
marc.lurton@wanadoo.fr • www.lurton.com
Visite : du lundi au vendredi de 10 à 11h30 et de 14h à 16h30

Bordeaux 2007 ☺

Rouge | 2010 à 2013 | NC **15/20**

Un très beau nez au fruit pur et mûr, aux nuances fleuries et au boisé parfait, une bouche à la hauteur, avec des tanins serrés et mûrs, des arômes persistants et de la fraîcheur. On aime ce côté charmeur et satiné particulièrement plaisant. Très belle vinification.

Bordeaux rosé 2009

Rosé | 2010 à 2010 | 5,15 € **13,5/20**

Un rosé classique, assez simple mais plaisant, au joli nez de fruits acidulés et de pétales de rose, à la bouche charnue, aromatique et très vive.

CHÂTEAU REYNON

21, route de Cardan • 33410 Beguey
Tél. 05 56 62 96 51 • Fax : 05 56 62 14 89
reynon@wanadoo.fr • www.denisdubourdieu.com
Visite : Sur rendez-vous

Reynon est la propriété originelle de l'œnologue Denis Dubourdieu. Splendidement située sur le coteau de Beguey, à côté du village de Cadillac, elle fait face à la Garonne et au vignoble de Graves où Denis s'est aujourd'hui également implanté (Clos Floridène et Le Haura). Rouges et blancs sont ici recommandables, dans un style racé et élancé, séduisant par sa droiture et sa fraîcheur.

Premières Côtes de Bordeaux 2009 ☺

Blanc | 2011 à 2017 | 8,50 € **16/20**

Un vin complet. Magnifique nez complexe avec des notes minérales et de fleurs, bouche associant énergie et vivacité, grande longueur, superbe expression du millésime, d'une grande élégance et profondeur.

Premières Côtes de Bordeaux 2008

Rouge | 2010 à 2011 | 11,50 € **16/20**

D'un raffinement exquis : nez de sauvignon bien mûr, aux notes minérales, chèvrefeuille et abricot, bouche très riche, d'une puissance et persistance aromatique remarquables, avec une excellente vivacité. Grande réussite.

CHÂTEAU ROQUEFORT

Lieu-dit Roquefort • 33760 Lugasson
Tél. 05 56 23 97 48 • Fax : 05 56 23 50 60
jls@chateau-roquefort.com
www.chateau-roquefort.com
Visite : Du lundi au vendredi De 9h à 12h30 et de 14h à 17h30

Le Château Roquefort est un beau domaine de plus de cent hectares, acheté en 1976 par Jean Bellanger, ancien industriel dans le textile. Aujourd'hui, c'est son fils Frédéric qui est aux commandes. La cuvée Roquefortissime est une cuvée de prestige, élevée en barrique neuve.

Bordeaux rosé 2009

Rosé | 2010 à 2011 | 5 € **15,5/20**

Un rosé très élégant et particulièrement rafraîchissant, développant des arômes très fruités, floraux et minéraux, que l'on retrouve dans une bouche charnue, fraîche et de grande tenue.

CHÂTEAU ROQUES MAURIAC

Lagnet • 33350 Doulezon
Tél. 05 57 40 51 84 • Fax : 05 57 40 55 48
contact@levieux-vignerons.com
www.roques-mauriac.com
www.levieux-vignerons.com
Visite : Visites tous les jours, de 9h à 12h30 et de 14h à 18h

Ce vaste vignoble fait partie des propriétés d'Hélène Levieux, fille du créateur des magasins Leclerc, qui possède un important ensemble de crus dans l'Entre-Deux-Mers. Suivis aujourd'hui par son fils Vincent, les vins ont beaucoup gagné en rondeur et en qualité de fruit dans les derniers millésimes, et ce dans toutes les cuvées réalisées. Outre le bordeaux-supérieur principal, les Levieux proposent aussi damnation, une cuvée dédiée au cabernet franc.

BORDEAUX DAMNATION 2008
Rouge | 2010 à 2015 | 11,70 € **14,5/20**
Un nez superbement expressif, grand fruit, grand bois, grand genre, une bouche puissante, présentant un vrai volume qui laisse présager d'un bon potentiel. Vigoureuse, exubérante, cette cuvée plaira aux amateurs de vins boisés.

BORDEAUX SUPÉRIEUR CUVÉE CLASSIC 2008
Rouge | 2010 à 2014 | 8,45 € **14/20**
Un bordeaux très construit et au bon potentiel de garde qui affiche un nez de fruits noirs très mûrs, une bouche toute en puissance, charpentée et non dénuée de fruit.

CHÂTEAU ROUSTAING

Château de Lagorce • 33760 Targon
Tél. 05 56 23 60 73 • Fax : 05 56 23 65 02
cht.de.lagorce@wanadoo.fr
Visite : sur rendez vous

BORDEAUX VIEILLES VIGNES 2006
Rouge | 2010 à 2012 | 4,60 € **14/20**
Le nez est mûr, délicat, avec des notes de fruits mûrs et de vanille, la bouche ample, avec une bonne assise tannique.

CHÂTEAU SAINTE-MARIE

33760 Targon
Tél. 05 56 23 64 30
ch.ste.marie@wanadoo.fr

BORDEAUX SUPÉRIEUR VIEILLES VIGNES 2007
Rouge | 2010 à 2013 | 6,95 € **15,5/20**
Toute la complexité des vieilles vignes : le nez très mûr exprime un joli fruit, des notes fumées et florales, la bouche a un charme fou, une texture chaleureuse équilibrée par une fraîcheur harmonieuse.

ENTRE-DEUX-MERS VIEILLES VIGNES 2009
Blanc | 2010 à 2013 | 6,50 € **16,5/20**
Il mérite un grand bravo car c'est vraiment un sublime entre-deux-mers. Les vieilles vignes apportent la rondeur, le charme, la densité en bouche, le fruit est très mûr, avec des notes miellées et fumées, la finale en bouche est d'une fraîcheur remarquable.

SICHEL

8, rue de la Poste • 33210 Langon
Tél. 05 56 63 50 52 • Fax : 05 56 63 42 28
ventes-france@sichel.fr • www.sichel.fr
Visite : De 9h a 18h30 tous les jours sauf dimanche, samedi à partir de 10h.

La maison Sichel, à la fois propriétaire, vinificateur et négociant, exploite 150 hectares de rouges, 19 hectares de blancs et 9 hectares de rosés. Elle produit une superbe cuvée haut de gamme dans les trois couleurs : Sirius.

BORDEAUX ROSÉ 2009
Rosé | 2010 à 2011 | NC **16/20**
Un rosé éclatant ! Nez puissant et raffiné, fraise des bois, bonbon anglais et pivoine, bouche qui remplit bien le palais, suave, charnue, avec un grand fruit et une délicieuse fraîcheur. La forte proportion de cabernet lui donne une race supplémentaire.

BORDEAUX SIRIUS 2009
Blanc | 2010 à 2013 | NC **16/20**
Un bordeaux blanc tout bonnement excellent ! Le nez puissant et harmonieux offre des arômes de fruits exotiques, miel d'acacia et chèvrefeuille, la bouche est savoureuse, franche, avec de la fraîcheur et une longue finale équilibrée.

Bordeaux Sirius 2007
Rouge | 2010 à 2014 | NC **15,5/20**
Grande expression du cabernet qui confère beaucoup de race à cette cuvée, beau fruit, notes florales, texture riche, tapissant bien le palais, tanins équilibrés et grande allonge sur la fraîcheur.

CHÂTEAU SUAU

33550 Capian
Tél. 05 56 72 19 06 • Fax : 05 56 72 12 43
bonnet.suau@wanadoo.fr • www.chateausuau.com
Visite : Du lundi au vendredi, de 8h30 à 12h et de 14h à 17h et le week-end sur rendez-vous.

Il'n'est pas un millésime où le Château Suau ne soit médaillé, récompensé, honoré. Monique Bonnet, méticuleuse propriétaire aidée du régisseur Éric Chabot, s'attache à employer les méthodes les plus subtiles, tant à la vigne qu'au chai. Le château, ancien pavillon de chasse du duc d'Épernon, trône sur ses soixante hectares de vignes formant une mosaïque de parcelles aux cépages choisis. Les vins sont généralement savoureux et charmeurs, et ont un bon potentiel d'évolution dans le temps.

Premières Côtes de Bordeaux 2009
Blanc | 2012 à 2014 | 5 € **15,5/20**
Belle expression de sauvignon, vin frais, tendu avec de la salinité, une bonne acidité qui apporte de la fraîcheur. Forte personnalité.

Premières Côtes de Bordeaux 2007
Rouge | 2011 à 2015 | 6 € **15/20**
Vin costaud, encore jeune, beaucoup de matière, riche, serré, avec des notes de cassis prononcées, long et intense en finale.

TERRA BURDIGALA

189, rue Georges-Mandel • 33000 Bordeaux
Tél. 05 57 81 68 00 • Fax : 05 57 81 68 09
info@terraburdigala.com • www.terraburdigala.com

Terra Burdigala est une aventure mettant en scène l'insatiable Stéphane Derenoncourt, associé au négociant François Thienpont. L'objectif de l'entreprise («Terre de Bordeaux» en latin) consiste à proposer, souvent dans des appellations hors des sentiers battus, des vins issus de vignobles soigneusement sélectionnés, et suivis depuis la vigne jusqu'à la mise en bouteille par le duo, associé pour l'occasion à chacun des vignerons concernés. Les vins possèdent incontestablement la «griffe Derenoncourt», avec leur fruité souple et très franc, leur corps délié et gourmand et leur finesse tannique.

Bordeaux La Vigne d'Argent 2009 ☺
Blanc | 2010 à 2011 | NC **15/20**
Très aromatique avec ses notes de pamplemousse, c'est un vin franc, direct, joli témoignage du sauvignon de Bordeaux, à apprécier devant des huîtres du Bassin !

Bordeaux Supérieur Roc de Jean Lys 2008 ☺
Rouge | 2010 à 2013 | NC **14/20**
Fruité, souple, sans lourdeur, un bordeaux agréable à boire dès maintenant.

Saint-Émilion grand cru
Château Peyroutas 2007
Rouge | 2010 à 2013 | NC **15/20**
Rond, de bonne longueur, élégant, de bonne texture, un saint-émilion accessible et équilibré.

CHÂTEAU THIEULEY

Le Thieuley • 33670 La Sauve
Tél. 05 56 23 00 01 • Fax : 05 56 23 34 37
chateau.thieuley@wanadoo.fr • www.thieuley.com
Visite : Du lundi au vendredi, de 8h à 12h et de 13h30 à 17h30, samedi sur rendez-vous.

Situé à La Sauve-Majeure, au cœur de l'Entre-Deux-Mers, ce domaine est depuis longtemps un grand classique du bon bordeaux à prix accessible, et ce dans les trois couleurs : rouge, blanc et clairet sont toujours bien construits, savoureux, gourmands et équilibrés. La famille Courselle, qui veille sur le château et ses vinifications avec talent et expertise, a su créer l'archétype de la bonne adresse ; voilà un cru fréquemment distribué dans les foires aux vins.

Bordeaux 2009
Blanc | 2010 à 2012 | 5,50 € **15/20**
Un vrai bordeaux blanc de plaisir, au nez délicat et expressif, citronné, floral et exotique, à la bouche vigoureuse, flatteuse mais néanmoins très fraîche.

Bordeaux 2008 ☺
Rouge | 2010 à 2013 | 6,50 € **15,5/20**
Un bordeaux plein de charme ! Nez superbe, complexe, fruits noirs à grande maturité, boisé finement dosé qui apporte de jolies touches toastées, bouche savoureuse, ample, avec des tanins gras et de la fraîcheur.

Bordeaux clairet 2009
Rosé | 2010 à 2011 | 5,50 € **16/20**
Grande réussite cette année ! Nez puissant offrant un fruit très pur, bouche à l'identique, cha-

leureuse mais parfaitement équilibrée par de la fraîcheur. Très raffiné.

Bordeaux Supérieur
Réserve Francis Courselle 2008
Rouge | 2010 à 2015 | NC **15,5/20**
Une belle cuvée d'avenir : nez intensément fruité et bien mûr, aux jolies notes de violette et réglisse, bouche savoureuse, flatteuse, avec des arômes très fruités et persistants, des tanins parfaitement mûrs. Grande réussite pour ce millésime.

ÉTABLISSEMENTS THUNEVIN

6, rue Guadet • 33330 Saint-Émilion
Tél. 05 57 55 09 13 • Fax : 05 57 55 09 12
thunevin@thunevin.com • www.thunevin.com
Visite : de 10h 18h30 du lundi au samedi.

Jean-Luc Thunevin a développé une activité de négociant et de conseil pour de nombreuses propriétés. Spécialiste du vin de luxe, il ne cesse d'innover, sa plus grande réussite actuelle étant très certainement Bad Boy, un bordeaux supérieur conçu comme un grand cru. Le pari est brillamment réussi, et, vingt ans après la création de Valandraud, ouvre une nouvelle voie à Bordeaux.

Bordeaux Bad Boy 2007
Rouge | 2010 à 2014 | 15 € **16/20**
Plein, mûr, ambitieux, très équilibré et fruité, un bordeaux de haut calibre. Un bad boy sacrement gentleman.

Lalande de Pomerol
Domaine des Sabines 2008
Rouge | 2010 à 2014 | 27,50 € **15/20**
Fin chocolat, corps onctueux et charnu, belle longueur harmonieuse.

Pomerol Clos du Beau-Père 2008
Rouge | 2010 à 2015 | 45 € **16,5/20**
Bon pomerol corsé et confortable, avec un caractère aromatique de violette et de fruits noirs, une remarquable suavité en bouche, bref une personnalité gourmande et persistante.

CHÂTEAU TIRE PÉ

1, Puderan • 33190 Gironde-sur-Dropt
Tél. 05 56 71 10 09 • Fax : 05 56 71 10 09
tirepe@wanadoo.fr • www.tirepe.com
Visite : Sur rendez-vous

Sur ces dix dernières années, David Barrault, viticulteur surdoué, a étonné la viticulture bordelaise en cherchant avant tout à préserver le fruit et l'équilibre, à valoriser le potentiel du terroir et à n'utiliser l'élevage en barriques qu'au service du vin. Sur 13,5 hectares, il produit trois cuvées principales : château-tire-pé, un vin de plaisir immédiat vinifié en cuve, pratiquement issu du seul merlot, château-tire-pé-les-malbecs, provenant de l'unique parcelle de malbec issue d'une sélection massale et le château-tire-pé-la-côte, la grande cuvée, 60% merlot, 30% cabernet franc et 10% cabernet-sauvignon, un vin racé qui ne cherche pas à caricaturer les grands mais exprime sa propre personnalité.

Bordeaux 2008
Rouge | 2010 à 2013 | 7,20 € **14/20**
Nez et bouche profonds, aux beaux arômes de fruits noirs, cuir et boisé toasté, de la vigueur, des tanins gras pour ce bordeaux de caractère, au style dense, qui devrait bien vieillir.

Bordeaux La Côte 2007
Rouge | 2010 à 2013 | 10,80 € **15,5/20**
Dans la droite lignée des vins de la propriété, cette cuvée est puissante mais sait rester très élégante grâce à son fruit pur et mûr, son boisé harmonieux, sa fraîcheur et sa longueur superbes.

Bordeaux Les Malbecs 2008
Rouge | 2010 à 2014 | 14,80 € **16,5/20**
Une cuvée toujours réussie ! Pour ce millésime, un superbe malbec archi-mûr! Le nez est d'une incroyable finesse et complexité, framboise, menthe très douce, la bouche offre le même raffinement aromatique, accompagnée d'un grain serré, une grande fraîcheur et une longueur admirable.

Bordeaux Les Malbecs 2007
Rouge | 2010 à 2012 | NC **16/20**
Vinifiée et élevée en fûts de 300 et 400 litres, cette cuvée montre une vraie personnalité : nez à la fois très riche, avec ses arômes de fruits noirs, et très élégant, avec ses notes florales et de guimauve. Bouche savoureuse, ample, avec un grain serré, un grand fruit et une finale rafraîchissante.

CHÂTEAU TURCAUD

33670 La Sauve-Majeure
Tél. 05 56 23 04 41 • Fax : 05 56 23 35 85
chateau-turcaud@wanadoo.fr
www.chateauturcaud.com
Visite : De 9h à 12h et de 14h à 18h du lundi au vendredi. Le samedi sur rendez-vous.

Le vin n'a plus guère de secrets pour Maurice Robert, 75 ans : parti de 7 hectares en 1973, il a développé un vignoble de 45 hectares. C'est auprès d'André Lurton qu'il a fait ses classes et effectivement, les vins affichent la régularité et le sérieux que l'on retrouve à Bonnet. Aujourd'hui, le mélange harmonieux de la passion, de l'expérience et de l'investissement familial font de ce cru une adresse sûre.

BORDEAUX CLAIRET 2009
Rosé | 2010 à 2011 | 5 € **16/20**
Une des réussites majeures de l'appellation. Il synthétise les qualités du clairet : nez puissamment fruité, harmonieux, bouche offrant une texture charnue, du fruit, de la tenue et de la fraîcheur.

BORDEAUX ROSÉ 2009
Rosé | 2010 à 2011 | 4,70 € **15/20**
Superbe rosé qui offre un nez délicatement fruité, une bouche tendre, aromatique et tendue par une excellente nervosité.

BORDEAUX SUPÉRIEUR CUVÉE MAJEURE 2007 ☺
Rouge | 2010 à 2012 | 7 € **15/20**
Beaucoup de charme pour cette cuvée pas très puissante mais gourmande à souhait : des arômes de fruits mûrs, des nuances vanillées, une texture souple, tendre et fraîche.

ENTRE-DEUX-MERS 2009
Blanc | 2010 à 2012 | 10 € **15/20**
Très agréable avec son nez de fruits exotiques et de fleurs suaves, sa bouche ample, franche, fruitée, longue et équilibrée.

CHÂTEAU DE LA VIEILLE CHAPELLE

4, Chapelle • 33240 Lugon-et-l'Île-du-Carnay
Tél. 05 57 84 48 65 • Fax : 05 57 84 40 28
best-of-bordeaux-wine@chateau-de-la-vieille-chapelle.com • www.chateau-de-la-vieille-chapelle.com
Visite : De 9h à 18h.

Situé en bord de Dordogne, ce château repris en 2006 possède un terroir d'alluvions qui apporte à ses vins une souplesse fruitée très agréable, loin des raides et astringentes caricatures du «petit bordeaux». Le rouge du château exprime un fruité immédiat très séduisant, tandis que la cuvée 100% merlot développe avec rondeur et gourmandise un caractère savoureux, ample et mûr, particulièrement charmeur. Ce sont des vins à apprécier sur leur fruit, dès maintenant.

BORDEAUX 2008
Rouge | 2010 à 2013 | 5,90 € **14,5/20**
Joli fruit mûr, notes florales et mentholées suaves, témoignant d'un grand raffinement, la bouche joue sur le même registre aromatique et montre une texture serrée, des tanins vifs et de la suite.

BORDEAUX LES GRANDS BLANCS 2009
Blanc | 2010 à 2012 | 12 € **15/20**
Le nez exprime une grande race avec son beau fruit mûr et son boisé harmonieux, la bouche dense, très fruitée et vigoureuse, parfait l'ensemble de cette très jolie cuvée.

BORDEAUX LES MERLOTS DE BAUDET 2007
Rouge | 2010 à 2013 | 10,20 € **13,5/20**
Le nez est puissant et très mûr, avec des notes confites, la bouche généreuse, chaleureuse, fruitée mais peut-être trop marquée par le boisé.

CHÂTEAU VILATTE

33660 Puynormand
Tél. 05 57 49 77 60
stefaan.vilatte@wanadoo.fr
www.chateauvilatte.com
Visite : sur rendez-vous, fermé le dimanche

BORDEAUX SUPÉRIEUR 2007
Rouge | 2010 à 2015 | 5,70 € **16/20**
Un 2007 étonnant de complexité et de puissance, qui exprime un superbe fruit, des nuances épicées et un boisé délicat, avec une texture charnue, flatteuse, et des tanins particulièrement harmonieux. Grande réussite.

CHÂTEAU VIRECOURT

33760 Targon
Tél. 05 57 24 96 37 • Fax : 05 57 24 90 18
chateau.renard.mondesir@wanadoo.fr
vins-chassagnaux.com
Visite : Sur rendez-vous

Le Château Virecourt est une jolie petite propriété qui produit une belle cuvée, Pillebourse, sélection des meilleurs terroirs des six hectares de

100 % merlot de la propriété. Cette cuvée tire son nom du lieu-dit Pillebourse, qui était il y a fort longtemps un lieu de passage où les voyageurs se faisaient régulièrement détrousser. Tous les bordeaux-supérieurs devraient présenter un tel profil qualitatif.

Bordeaux Supérieur Pillebourse 2007
Rouge | 2010 à 2013 | 7,50 € **13,5/20**
Le nez est tout en finesse, développant des arômes suaves de fruits rouges, pierre chaude et épices, la bouche est franche, vigoureuse, avec des tanins serrés mais un rien fermes.

YVON MAU

Rue Sainte-Pétronille • 33190 Gironde-sur-Dropt
Tél. 05 56 61 54 54 • Fax : 05 56 61 54 61
info@ymau.com • www.ymau.com

Yvon Mau, «découvreur de Bordeaux depuis 1897», tire son nom de son fondateur, qui parcourait le vignoble de l'Entre-Deux-Mers à vélo pour chercher de nouveaux vins. Racheté en 2001 par le groupe espagnol Freixenet, l'objectif de qualité est toujours d'actualité. La cuvée Premius est une des belles cuvées de la maison, obtenue grâce à des partenariats passés avec des viticulteurs soumis à de stricts cahiers des charges concernant la conduite de la vigne, les rendements et la vinification.

Bordeaux Cellier Yvecourt 2009
Blanc | 2010 à 2011 | 3,95 € **14,5/20**
Un joli bordeaux aux arômes complexes, fleurs et fruits blancs, pierre à fusil, offrant une bouche charnue, ample, très fruitée et nerveuse.

Bordeaux Premius 2009
Blanc | 2010 à 2012 | 5,45 € **15/20**
Encore plus réussi que le millésime précédent ce Premius trouve bien son style de blanc bien fait, classique et raffiné : nez pur exprimant un excellent fruit, bouche franche, savoureuse, fraîche, rigoureuse et de grande tenue.

Bordeaux Premius 2008
Rouge | 2010 à 2014 | 5,45 € **14,5/20**
Un nez de fruits à la limite de la surmaturité, notes florales suaves et joli boisé, bouche plus sévère, bien structurée par de bons tanins, équilibrée et fraîche.

Bordeaux rosé 2009
Rosé | 2010 à 2011 | 5,45 € **16/20**
Un des fleurons de la maison, toujours dans un style très raffiné. Le nez, complexe, offre un fruit pur, des notes florales et minérales, la bouche est charnue, tendre, aromatique et très équilibrée.

Graves et Sauternais

Le vignoble des Graves, berceau du goût « historique » des vins de Bordeaux, commence directement dans la banlieue sud de la grande ville et continue jusqu'à Langon : blancs secs et rouges partagent les mêmes qualités de finesse et d'équilibre. Sauternes est une enclave dans la partie sud de ce vignoble, spécialisée dans la production en volume unique dans le monde, de vins blancs liquoreux de grande classe.

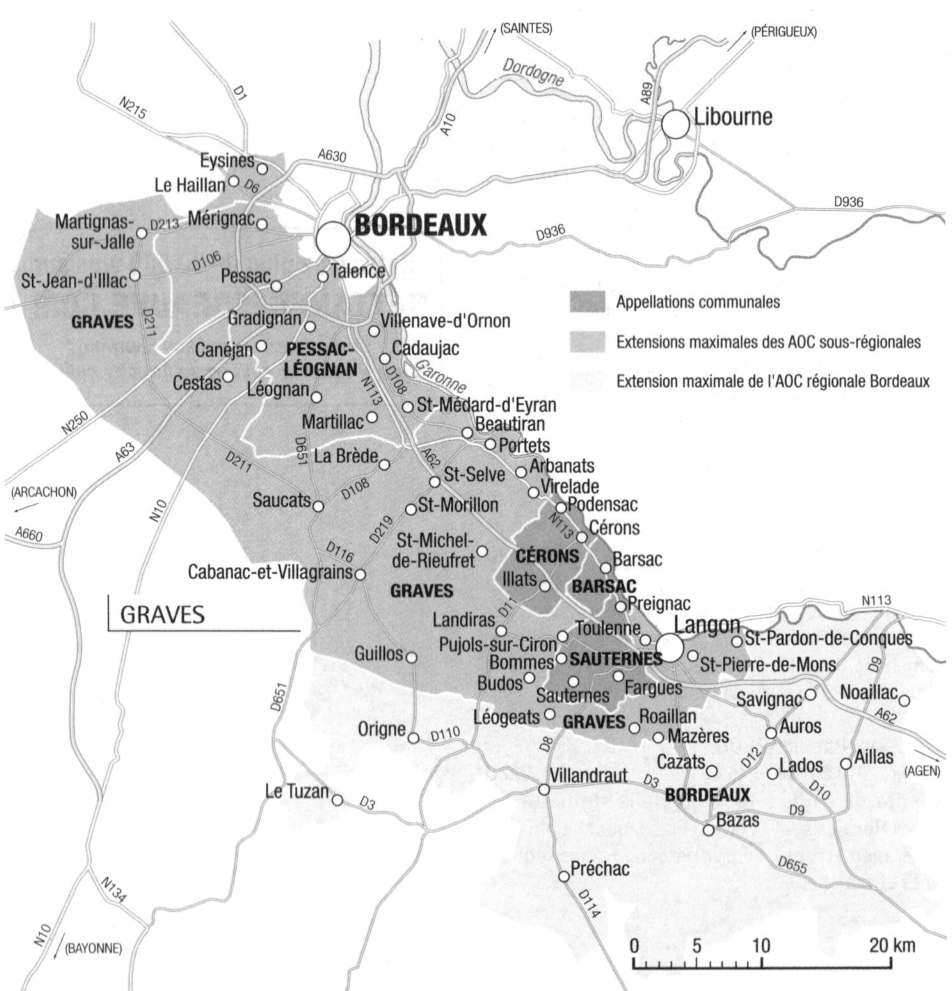

CHÂTEAU D'ARCHE

33210 Sauternes
Tél. 05 56 76 66 55 • Fax : 05 56 76 64 38
chateaudarche@wanadoo.fr
www.chateaudarche-sauternes.com
Visite : Du lundi au vendredi, de 9h à 12h et de 14h à 18h, sur rendez-vous.

Ce cru dispose d'un très beau vignoble, jouxtant les châteaux Lamothe et Filhot, et un hôtel de luxe y a été construit très récemment par ses propriétaires, de façon à faire progresser le tourisme viticole en Sauternais. Le vin est très sérieusement élaboré, même si pour le moment on ne peut se permettre le même type de viticulture qu'à Yquem, et il progresse régulièrement.

Sauternes 2007

Blanc Liquoreux | 2015 à 2025 | 27,50 € **16/20**

Joli nez bien marqué par le raisin rôti, corps généreux, liqueur classique de beau sauternes, boisé fin, longueur appréciable, le meilleur millésime récent à coup sûr.

CHÂTEAU BARBIER

Château Fayau • 33410 Cadillac
Tél. 05 57 98 08 08 • Fax : 05 56 62 18 22
medeville@medeville.com

Sauternes 2005

Blanc Liquoreux | 2011 à 2015 | 12,60 € **13,5/20**

Nez de sauvignon, rôti en bouche, fraîcheur en finale. net propre pas très complexe, moelleux, un certain fruit.

CHÂTEAU BASTOR-LAMONTAGNE

Domaine de Lamontagne • 33210 Preignac
Tél. 05 56 63 27 66 • Fax : 05 56 76 87 03
bastor@bastor-lamontagne.com
www.bastor-lamontagne.com
Visite : Du lundi au jeudi de 9h à 12 h30 et de 14h à 17h30. Le vendredi jusqu'à 16h30.

Propriété du Crédit Foncier, Bastor est parfaitement géré depuis vingt ans et produit un sauternes très agréable, moins liquoreux que les plus grands crus de la commune. Il joue sur le registre de la qualité du fruit et du rapport qualité-prix, et il gagne souvent. Joli 2007 très aromatique, qui mise tout sur la finesse.

Sauternes 2007

Blanc Liquoreux | 2011 à 2018 | 23 € **15/20**

Notes d'acacia, vin subtil très recherché, fin, pur, fait avec soin.

Sauternes 2005

Blanc Liquoreux | 2010 à 2020 | 23 € **14,5/20**

Robe pâle, nez pur mais sans la complexité attendue, moins rôti, mais avec un bon fruit et une finale très honorable toute sur la fraîcheur.

CHÂTEAU DE BEAU-SITE

35, route de Mathas • 33640 Portets
Tél. 05 56 67 18 15 • Fax : 05 56 67 38 12
chateaudebeausite@wanadoo.fr
Visite : De 9h à 19h sur rendez-vous.

Graves 2004

Rouge | 2010 à 2020 | 10 € **15/20**

Le vin possède une robe pourpre dense, un nez très riche, aux arômes intenses de fruits noirs et au fin boisé. La bouche est chaleureuse, profonde, avec des tanins très serrés, de la fraîcheur, une longue finale.

CHÂTEAU BEAUREGARD-DUCASSE

Ducasse - • 33210 Mazères
Tél. 05 56 76 18 97 • Fax : 05 56 76 17 73
jperromat@mjperromat.com • www.mjperromat.com
Visite : Sur rendez-vous.

Graves 2005

Rouge | 2010 à 2018 | NC **13/20**

Robe pourpre opaque, nez épanoui et d'une grande élégance, avec un fruit pur, des notes épicées et toastées. Bouche dense, fruitée, charpentée, vigoureuse, avec un boisé assez marqué qui devra se fondre.

Graves Albert-Duran 2004

Rouge | 2010 à 2018 | NC **15/20**

Robe d'un joli pourpre rubis, au nez harmonieux, avec un joli fruit, des notes truffées et minérales. La bouche apparaît tout aussi aromatique, avec une belle texture, des tanins serrés et savoureux, une bonne suite et de l'équilibre.

CHÂTEAU BICHON CASSIGNOLS

50 avenue Capdeville • 33650 La Brède
Tél. 05 56 20 28 20 • Fax : 05 56 20 20 08
bichon.cassignols@wanadoo.fr • www.bichonvins.com
Visite : De 9h à 19h de préférence sur rendez-vous.

Graves 2007

Blanc | 2010 à 2014 | NC **15/20**

D'une robe jaune pâle, ce vin offre un nez aux notes d'ananas très mûr. Belle matière en bouche, avec du gras et de la longueur.

CHÂTEAU LE BOURDILLOT

11, rue de l Hospital • 33640 Portets
Tél. 05 56 67 11 32 • Fax : 05 56 67 11 32
patrice.haverlan@worldonline.fr
Visite : Sur rendez-vous.

Graves 2007

Rouge | 2010 à 2020 | NC **16/20**

Robe pourpre. Nez profond et expressif, aux notes de tabac. La bouche est pleine sur les fruits noirs, d'une grande densité et d'une belle longueur. Beaux tanins en fin de bouche.

Graves Tentation du Château Le Bourdillot 2007

Blanc | 2010 à 2014 | 8 € **14/20**

Jolie robe dorée. Notes de pêche blanche. La bouche est ample, avec un joli gras et une belle longueur.

CHÂTEAU BOUSCAUT

1477, avenue Toulouse • 33140 Cadaujac
Tél. 05 57 83 12 20 • Fax : 05 57 83 12 21
cb@chateau-bouscaut.com
www.chateau-bouscaut.com
Visite : Sur rendez-vous.

Cette propriété classée de Cadaujac possède un terroir différent de ses voisines, avec des sols plus calcaires, et d'une certaine façon plus adaptés aux cépages blancs. Sophie Cogombles et son très sympathique mari réussissent d'ailleurs très bien leur vin blanc, séveux, complexe, présentant une belle synergie entre sauvignon et sémillon. Le rouge, à dominante de merlot, est lui aussi très soigné, harmonieux, velouté, mais sans la complexité des tout meilleurs crus de l'appellation.

Pessac-Léognan 2007

Blanc | 2013 à 2017 | 22 € **16/20**

Toujours cette dimension de raisin mûr et une texture crémeuse, ensemble généreux mais ayant perdu (momentanément ?) une partie de son charme aromatique de départ, comme d'autres, d'ailleurs.

Pessac-Léognan 2007

Rouge | 2013 à 2017 | NC **14,5/20**

Moins coloré que d'autres, souple, fruité, facile, un peu simple pour cette catégorie, ce qui n'enlève rien à son côté amical et franc.

Pessac-Léognan 2005

Rouge | 2013 à 2020 | NC **16/20**

Belle couleur, beaucoup de rondeur, de charme et de fruit, tanin sans astringence, assez long, très agréable.

CHÂTEAU BRONDELLE

Vignobles Belloc • 33210 Langon
Tél. 05 56 62 38 14 • Fax : 05 56 62 23 14
chateau.brondelle@wanadoo.fr
Visite : Du lundi au vendredi, de 9h à 12h et de 14h à 17h30.le week end sur rendez vous

Graves Supérieures 2009

Blanc Demi-sec | 2010 à 2017 | 6,75 € **14/20**

Amusant graves-supérieures, très rock-and-roll, plaisant, fruité, techniquement parfait avec du gaz carbonique. Une modernisation amusante, et un sacré tour de force au niveau technique. Montre l'exubérance d'un vin jeune, il faut l'attendre un an ou deux.

Graves 2005

Rouge | 2010 à 2015 | 13,50 € **14,5/20**

Une robe rubis foncé. Nez assez expressif aux notes toastées. Une bouche où la fraîcheur domine, assortie d'une belle longueur, ponctuée par de beaux tanins fins.

Graves 2004

Rouge | 2010 à 2011 | 12,50 € **13/20**

Cette propriété, qui fut exploitée en polyculture, est depuis trente ans une valeur du secteur, en particulier en rouge. Robe pourpre rubis soutenue, nez épanoui de fruits rouges et de boisé vanillé, texture suave, finale fraîche.

CHÂTEAU BROWN

Allée John-Lewis-Brown • 33850 Léognan
Tél. 05 56 87 08 10 • Fax : 05 56 87 87 34
chateau.brown@wanadoo.fr
www.chateau-brown.com
Visite : Du lundi au vendredi de 9 h12h et de 14h à 16h uniquement sur rendez-vous.

PESSAC-LÉOGNAN 2007
Rouge | 2010 à 2018 | 17 € **15/20**
D'une couleur foncée, son expression aromatique offre de la complexité et de la profondeur. La matière en bouche est ample, avec une belle maîtrise des tanins.

PESSAC-LÉOGNAN 2007
Blanc | 2010 à 2015 | 25 € **15/20**
Robe de couleur paille. Joli nez de sauvignon et notes de fleurs blanches. Bouche dense, un joli gras, d'une belle longueur. Vin vif et frais.

CHÂTEAU CABANNIEUX

44, route du Courneau • 33460 Portets
Tél. 05 56 67 22 01 • Fax : 05 56 67 32 54
contact@chateau-cabannieux.com • www.chateau-cabannieux.com
Visite : sur rendez vous

GRAVES 2007
Blanc | 2010 à 2012 | 8 € **14,5/20**
Robe jaune. Nez floral. Bouche avec de la fraîcheur, sans lourdeur. Vin vif et frais.

CHÂTEAU CAILLIVET

lieu-dit Caillivet • 33210 Mazères
Tél. 05 56 76 23 19 • Fax : 05 56 62 20 69
chateaucaillivet@orange.fr
www.chateaucaillivet.com
Visite : 10h à 12h et 14h à 19h

GRAVES 2007 ☺
Rouge | 2010 à 2020 | 12 € **14/20**
Robe sombre, nez sur les notes de pruneau, bel équilibre en bouche, beaucoup de finesse, de la fraîcheur et de la longueur.

CHÂTEAU CAILLOU

9, Caillou • 33720 Barsac
Tél. 05 56 27 16 38 • Fax : 05 56 27 09 60
contact@chateaucaillou.com
www.chateaucaillou.com
Visite : Du lundi au vendredi 9h à 12h et de 14h à 18h. Le week-end sur rendez-vous, téléphoner une semaine avant.

Ce second cru classé, situé au cœur de la partie haute du village, juste à côté de Climens, reste un peu à l'écart de la gloire, vivant la tranquille vie barsacaise sans faire de remous. De très vieux millésimes ont appris à de nombreux amateurs de notre génération ce qu'était un vrai barsac, et nous aurons toujours beaucoup de joie à signaler un millésime réussi comme le 1997 ou le 2001. Jusqu'en 2006, les derniers millésimes dégustés confirment que le cru produit un barsac de caractère, apte à bien vieillir mais, du moins à ce stade de son évolution, le 2006 déçoit comme avant mise les millésimes suivants. 2009 marquera le retour à la qualité habituelle.

BARSAC 2006
Blanc Liquoreux | 2014 à 2018 | 34 € **13/20**
Nez médicinal, pâle, aucune sensation tactile de vendange rôtie, trop simple pour ce cru qui a beaucoup plus réussi les millésimes précédents.

BARSAC 2005
Blanc Liquoreux | 2017 à 2030 | 36 € **16,5/20**
Robe très légèrement paille, bon boisé, notes classiques de citron et d'acacia, très joli vin au rôti bien marqué et au terroir parfaitement lisible. Vivement recommandé dans ce millésime d'exception.

CHÂTEAU CANTELYS

33650 Martillac
Tél. 05 57 83 11 22 • Fax : 05 57 83 11 21
smith-haut-lafitte@smith-haut-lafitte.com
www.smith-haut-lafitte.com
Visite : Tous les jours sur rendez-vous.

PESSAC-LÉOGNAN 2006
Blanc | 2010 à 2014 | NC **16/20**
On retrouve la patte Smith-Haut-Lafitte dans ce joli blanc au nez raffiné et expressif, à la bouche ample, savoureuse, exprimant un grand fruit et un joli boisé, tendue par une belle fraîcheur.

CHÂTEAU CARBONNIEUX

Château Carbonnieux • 33850 Léognan
Tél. 05 57 96 56 20 • Fax : 05 57 96 59 19
info@chateau-carbonnieux.fr
www.chateau-carbonnieux.com
Visite : Du lundi au vendredi, de 8h30 à 12h et de 13h30 à 17h sur rendez-vous.

Un grand classique de l'appellation Pessac-Léognan par l'abondance des bouteilles, surtout en blanc, mais aussi par la régularité et la typicité de son style : les blancs très pâles sont frais, nerveux, supérieurement fins, peut-être un peu trop linéaires pour les amateurs de volupté ; les rouges ont énormément gagné en puissance et en densité et rivalisent avec les meilleurs. Excellent 2006, où l'influence de la nouvelle génération, orpheline d'Antony Perrin trop tôt disparu, se fait sentir. Le 2007 montre une puissance comparable mais avec moins d'équilibre. 2008 et 2009 montrent pour le rouge d'importants progrès, les blancs restant de style et de constitution habituels.

Pessac-Léognan 2007
Blanc | 2013 à 2017 | 25 € **15,5/20**
De la puissance, une sensation de chaleur liée à l'alcool enlevant un peu à ce stade d'élégance, beaucoup de matière pour le cru, vin de garde à revoir dans deux ans.

Pessac-Léognan 2007
Rouge | 2015 à 2022 | 20 € **15/20**
Nez épicé avec une pointe d'amertume, corps vigoureux pour l'année, tanin ferme, boisé un peu asséchant pour le moment. En revanche beaucoup de vinosité.

CHÂTEAU LES CARMES HAUT-BRION

197, avenue Jean-Cordier • 33600 Pessac
Tél. 05 56 93 23 40 • Fax : 05 56 93 10 71
chateau@les-carmes-haut-brion.com
www.les-carmes-haut-brion.com
Visite : Sur rendez-vous.

Petit cru voisin de Haut-Brion, et lui aussi sauvé de l'urbanisation de Pessac, Les Carmes produit un vin très harmonieux et subtil, où le cabernet franc en particulier apporte son incomparable finesse. Les derniers millésimes sont tous remarquables.

Pessac-Léognan 2007
Rouge | 2010 à 2017 | 42 € **16/20**
Avec un nez fin et précis, ce 2007 à la bouche dense, suave et d'une belle fraîcheur, révèle un parfait équilibre.

CHÂTEAU DE CÉRONS

33720 Cérons
Tél. 05 56 27 01 53 • Fax : 05 56 27 08 86
grand.enclos.cerons@wanadoo.fr
Visite : en semaine, de 9h à 12h30 et de 14h à 17h30 week-end sur rendez-vous

Giorgio Cavanna, propriétaire d'un des plus beaux domaines du Chianti Classico, le Castello di Ama, a repris ici en 2000 l'un des meilleurs terroir du secteur et offre avec l'aide de son équipe technique, dont Bertrand Léon, le fils de l'ancien directeur technique de Mouton-Rothschild, un vin élégant et de grand raffinement.

Cérons Grand Enclos du Château de Cérons 2006
Blanc Liquoreux | 2013 à 2019 | 24,50 € **15/20**
Robe dorée, une belle interprétation proche du sauternes, très riche, intense, avec du botrytis, une certaine finesse, aucune lourdeur, de la race. Génial.

CHÂTEAU DE CHANTEGRIVE

Route de Saint-Michel-de-Rieufret 33720 Podensac
Tél. 05 56 27 17 38 • Fax : 05 56 27 29 42
courrier@chateau-chantegrive.com
www.chantegrive.com
Visite : Du lundi au vendredi de 8h30 à 12h30 et de 13h30 à 18h30. Le samedi sur rendez-vous.

Cette très grande propriété du sud des Graves est désormais suivie par Hubert de Boüard (Château Angélus) qui, dès son premier millésime (2006), a produit un vin très typique, en rouge comme en blanc, finement aromatique, charmeur, gourmand, destiné au plus vif succès.

Graves 2007
Blanc | 2010 à 2012 | NC **14,5/20**
Robe jaune pâle. Nez floral. Bouche associant énergie et vivacité.

Graves 2007
Rouge | 2010 à 2017 | NC **14,5/20**
Robe sombre. Nez toasté, grillé, le boisé domine encore pas mal la bouche, à attendre.

Graves Caroline 2008
Blanc | 2010 à 2016 | cav. 15 € **15,5/20**
Dense, énergique, de la tension, belle vivacité.

CHÂTEAU CHERCHY-DESQUEYROUX

1, rue Pourière • 33720 Budos
Tél. 05 56 76 62 67 • Fax : 05 56 76 66 92
vign.fdesqueyroux@orange.fr

GRAVES 2007

Blanc liquoreux | 2011 à 2015 | 10,50 € **13/20**

Robe dorée, riche, onctueux, avec un début de botrytis, il se boit comme on lit le roman de François Mauriac.

DOMAINE DE CHEVALIER

102, chemin de Mignoy • 33850 Léognan
Tél. 05 56 64 16 16 • Fax : 05 56 64 18 18
olivierbernard@domainedechevalier.com
www.domainedechevalier.com
Visite : Du lundi au vendredi, de 9h à 12h et de 14h à 17h, sur rendez-vous.

Voici une propriété estimée de tous, dotée d'un superbe vignoble d'un seul tenant autour du château, parmi les mieux cultivés du Bordelais. Olivier Bernard est un infatigable ambassadeur des vins de Bordeaux (et pas seulement des siens !) dans le monde. Il est aussi l'un de ceux qui connaissent le plus intimement la valeur de leur produit, grâce à des dégustations quotidiennes en compagnie des innombrables visiteurs du domaine, pionnier dans l'accueil du public. Les blancs sont les plus fins de la commune, les rouges des modèles de classicisme bordelais dans leur proportion et leur saveur. Les derniers rouges sont très impressionnants par leur supplément de corps et de complexité et ici 2007 n'est pas petit !

PESSAC-LÉOGNAN 2008

Blanc | 2016 à 2023 | cav. 54 € **18/20**

Un nez raffiné, associant des notes très pures de fruits blancs, fleurs blanches, abricot, avec une pointe de miel de sapin, magnifique constitution, grande longueur, grand potentiel de garde, encore une fois un modèle.

PESSAC-LÉOGNAN 2007

Blanc | 2014 à 2019 | cav. 72 € **18/20**

Arôme noble et complexe de fruits jaunes avec une touche miellée, grande matière, grande longueur, exceptionnel raffinement d'élaboration, mais on peut encore attendre.

PESSAC-LÉOGNAN 2006

Rouge | 2016 à 2024 | cav. 33 € **17/20**

Épicé, tendu, séveux, raisin mûr, très léognan, encore dans sa phase austère mais la matière est mûre et se développera magnifiquement.

CHÂTEAU CLIMENS

6,rue Plantey • 33720 Barsac
Tél. 05 56 27 15 33 • Fax : 05 56 27 21 04
contact@chateau-climens.fr
www.chateau-climens.fr
Visite : Sur rendez-vous de 9h à 16h.

De l'avis unanime, Climens est le premier des vins de Barsac : la nature de son sol sur socle calcaire lui donne un supplément d'acidité, qui équilibre à merveille sa richesse en liqueur, souvent considérable dans les derniers millésimes, et le maintient très longtemps jeune et frais. Mais il reste quelque chose de mystérieux, même en tenant compte de la qualité des hommes et des femmes qui l'ont eu en charge (aujourd'hui, Bérénice Lurton) dans l'extraordinaire voire transcendante finesse de ses parfums. Les derniers millésimes ont tous été favorables, et ont permis des assemblages exprimant parfaitement la noblesse du terroir : très liquoreux en 2001 ou 2003, plus subtil et insinuant en 2000 et 2002, monumental en 2005, réplique moderne du sublime 1937. 2007 et 2009 entreront aussi au panthéon des grands Climens.

BARSAC 2007

Blanc Liquoreux | 2018 à 2036 | cav. 99 € **18,5/20**

Grand nez de miel d'acacia et d'agrumes, texture et finale splendides, pureté d'expression du terroir propre à ce cru, grande longévité probable.

BARSAC 2006

Blanc Liquoreux | 2016 à 2026 | 70 € **17,5/20**

Riche, crémeux, très long, liqueur légèrement caramélisée, petite réduction habituelle après mise en bouteille mais qui n'affecte pas la perception de ce magnifique ensemble.

CHÂTEAU LA CLOTTE-CAZALIS

10, place du Général-de-Gaulle • 33640 Portets
Tél. 06 08 81 46 09 • Fax : 05 56 67 54 27
lacostebernadette@wanadoo.fr • www.laclotte.com
Visite : Sur rendez-vous.

La Clotte-Cazalis est une toute petite propriété familiale de Barsac, récemment reprise en main par Marie-Pierre Lacoste qui, très intelligemment, ne cherche pas à produire un vin trop liquoreux, mais

tout en finesse et en fraîcheur, dans l'esprit de son terroir. Son vin sera parfait à l'apéritif. Joli 2007, tout en délicatesse de fruit.

SAUTERNES 2007

Blanc Liquoreux | 2012 à 2018 | 24 € **15/20**

Belle robe dorée, tendresse dans le sucre, une finale fraîche et fruitée typique du barsac, sur l'agrume, élégante présentation, sincère.

CHÂTEAU COUHINS

Chemin de la Gravette - B.P. 81
33883 Villenave-d'Ornon Cedex
Tél. 05 56 30 77 61 • Fax : 05 56 30 70 49
couhins@bordeaux.inra.fr • www.chateau-couhins.fr

Ce cru, à ne pas le confondre avec Couhins-Lurton, appartient à l'INRA, qui pendant longtemps et malgré son classement ne faisait pas grand-chose pour le faire connaître. Ce n'est désormais plus le cas et une équipe technique très compétente le met progressivement au niveau de ses pairs. Le caractère finement épicé de son bouquet, classique à Léognan, le fera aimer des amateurs de bordeaux traditionnels. Seul le blanc est classé, comme pour Couhins-Lurton, et il est proportionnellement plus racé que le rouge, mais ce dernier progresse avec l'âge des vignes.

PESSAC-LÉOGNAN 2008

Blanc | 2012 à 2016 | NC **15/20**

Robe vraiment pâle, reflets verts de jeunesse, très aromatique au nez avec des nuances musquées bien marquées, nerveux, franc, un peu simple mais précis et bien vinifié.

PESSAC-LÉOGNAN 2006

Rouge | 2014 à 2018 | NC **16/20**

Jolie surprise, l'arôme est précis et racé, dans le style «océanique» classique des Graves, et sa qualité d'élaboration ne fait pas de doute. On peut commencer à le boire.

CHÂTEAU COUHINS-LURTON

Chateau Bonnet • 33420 Grézillac
Tél. 05 57 25 58 58 • Fax : 05 57 74 98 59
andrelurton@andrelurton.com
www.andrelurton.com
Visite : De 9h à 12h30 et de 13h30 à 17h30, sur rendez-vous.

Le château vient d'être rénové luxueusement par André Lurton qui, depuis longtemps, y produit un vin blanc d'une remarquable finesse, très typé sauvignon, mais prenant au vieillissement les notes épicées typiques du terroir. À partir de jeunes vignes, un vin rouge non classé, très fruité mais assez souple, est loin d'atteindre le même niveau, mais le 2006 marque une étape certaine dans la progression de sa constitution. Les derniers millésimes ne semblent pas marquer de changement de style.

PESSAC-LÉOGNAN 2008

Blanc | 2013 à 2020 | NC **16/20**

Robe très pâle, nez épicé, tendu, salin, beaucoup de densité malgré une impression générale de nervosité et de tension, acidité encore à découvert mais présageant un grand potentiel de garde.

CHÂTEAU COUTET

Château Coutet • 33720 Barsac
Tél. 05 56 27 15 46 • Fax : 05 56 27 02 20
info@chateaucoutet.com • www.chateaucoutet.com
Visite : Du lundi au vendredi, de 8h à 12h et de 14h à 18h, week-end et jours fériés, sur rendez-vous.

Coutet (prononcer Coutette, à la gasconne) est condamné à être l'éternel rival de Climens, à Barsac, ce qui n'est pas un destin misérable. Ses sols sont légèrement différents, et si l'on retrouve les notes citronnées nées du socle calcaire, Coutet donne des vins un peu plus nerveux et plus minéraux que son rival : la famille Baly, d'origine alsacienne, l'administre avec sagesse et en a confié la commercialisation mondiale à la société Baron Philippe de Rothschild, ce qui permet de rappeler à quel point Philippe de Rothschild était amoureux de ce cru. Dans les derniers millésimes le vin montre plus d'onctuosité et de liqueur, émulation avec ses pairs oblige.

BARSAC 2007

Blanc Liquoreux | 2015 à 2027 | cav. 40 € **17,5/20**

Nez un peu simplifié par une mise en bouteille récente, volume de bouche remarquable, caractère de terroir marqué, grande suite, un classique en préparation.

BARSAC 2006

Blanc Liquoreux | 2016 à 2036 | cav. 40 € **18/20**

On pourrait le trouver encore plus complexe que le somptueux 2005, sa saveur de grand miel d'acacia se précise...

CHÂTEAU CRABITEY

63, route du Courneau • 33640 Portets
Tél. 05 56 67 18 64 • Fax : 05 56 67 14 73
vignobles@debutler.fr
Visite : De 9h à 12h et de 14h à 18h.

Ce cru est l'un des plus soignés du secteur de Portets, et certainement celui qui donne aujourd'hui les vins rouges les plus équilibrés. Nous sommes ici au cœur du classicisme du goût bordelais.

Graves 2007

Rouge | 2010 à 2015 | 12 € **14,5/20**

Robe très foncée. Nez profond de fruits mûrs. Bouche pleine, notes boisées. Tanins fins.

CLOS DADY

Les Remparts • 33210 Preignac
Tél. 05 56 62 20 01 • Fax : 05 56 62 33 11
clos.dady@wanadoo.fr • www.clos-dady.com
Visite : Sur rendez-vous au 06 87 50 14 38.

Petit cru très soigné de Preignac, amoureusement cultivé par Catherine Gachet, qui n'a cessé depuis dix ans d'en faire monter la qualité : le vin est élevé aussi luxueusement que dans les premiers crus et rivalise désormais avec eux. Une toute petite quantité d'un splendide graves rouge, sans doute le plus grand de son appellation, est réservée aux clients les plus fidèles, qui ont bien de la chance ! Remarquables 2005 et 2006, parfaitement réussis malgré les difficultés.

Sauternes Mademoiselle de Clos Dady 2007

Blanc Liquoreux | 2011 à 2015 | 15 € **13,5/20**

De facture assez recherchée, frais, soigné, finale assez fine, pas de botrytis, ne mise pas sur la concentration.

CHÂTEAU DOISY-DAËNE

10, Gravas • 33720 Barsac
Tél. 05 56 62 96 51 • Fax : 05 56 62 14 89
reynon@wanadoo.fr
www.denisdubourdieudomaines.com
Visite : Sur rendez-vous.

Denis Dubourdieu et ses fils dirigent de façon magistrale leur grand cru familial : autant dire qu'ici, la science agronomique et œnologique la plus pointue est aux prises avec les caprices de la nature, pour le meilleur. Une toute petite production (trois mille bouteilles) d'un vin très liquoreux est produite sous la marque l'Extravagant-de-Doisy-Daëne lorsque la récolte s'y prête. La même équipe vinifie deux crus non classés remarquables, Château Cantegril et Château de Carles, qui font des vins d'apéritif hors du commun. On recherchera 2001 et 2003 pour la longue garde et 2002 et 2004 pour leur merveilleuse précocité aromatique. 2006 n'égalera pas 2005 mais c'est normal. 2007 et 2009 auront la grandeur attendue, mais la surprise viendra d'un étonnant 2008.

Barsac 2007

Blanc Liquoreux | 2015 à 2027 | 33,50 € **17/20**

Arôme d'amande d'une grande élégance, fruité pur, aucune lourdeur, ensemble cristallin malgré sa richesse, impeccable comme d'habitude. Léger manque de vinosité.

Barsac 2006

Blanc Liquoreux | 2016 à 2026 | 33,10 € **17,5/20**

Étonnant et comme souvent à Barsac, aromatiquement plus typé et original que 2005, élégance supérieure, pureté rare, aucune trace, même petite, d'iode, grande longueur.

CHÂTEAU DOISY-VÉDRINES

Château Doisy-Védrines • 33720 Barsac
Tél. 05 56 27 15 13 • Fax : 05 56 27 26 76
doisy-vedrines@orange.fr
Visite : Du lundi au vendredi de 10h à 17h
sur rendez-vous.

Barsac classique par la position de son vignoble et le style de son vin, Doisy-Védrines est chouchouté comme il le mérite par la famille Castéja, qui l'aime très liquoreux et richement bouqueté. Son prix en fait une affaire remarquable, et si on sait l'attendre vingt ans, on peut espérer un vin de qualité proche de Climens. Nous avons un faible pour le 2000 et le 2002 par rapport au 2006 de la propriété, car souvent Barsac n'a pas exactement les mêmes grands millésimes que Sauternes.

Barsac 2007

Blanc Liquoreux | 2015 à 2027 | NC **16/20**

Style de vin plus traditionnel que Daëne, nez confit, vinosité plus marquée, liqueur riche, mais moins de fraîcheur et de finesse aromatique.

Barsac 2005

Blanc Liquoreux | 2015 à 2025 | NC **17/20**

Bien diversifié sur le plan aromatique, sur une base classique d'abricot et de fruits jaunes, belle acidité, vin long, frais, très bien fait, et se montrant plus large et ouvert que l'an dernier.

VINS & VIGNOBLES DOURTHE

35 rue de Bordeaux • 33290 Parempuyre
Tél. 05 56 35 53 00 • Fax : 05 56 35 53 29
contact@dourthe.com • www.dourthe.com
Visite : sur rendez-vous

SAUTERNES CUVÉE D'EXCEPTION 2007

Blanc Liquoreux | 2011 à 2018 | 32 € **13,5/20**

Le vin bon élève, pas très complexe mais bien fait, une certaine finesse. Excellent bois, riche, finale un peu lourde.

CHÂTEAU D'EYRAN

8, chemin du Château • 33650 Saint-Médard d'Eyrans
Tél. 05 56 65 51 59 • Fax : 05 56 65 43 78
stephane@savigneux.com • www.savigneux.com
Visite : sur rendez-vous

PESSAC-LÉOGNAN 2007 ☺

Rouge | 2010 à 2017 | 9,50 € **15/20**

Robe sombre. Nez fin, dense et complexe. La bouche est très élégante, d'une belle finesse. Tanins souples complètement intégrés.

CHÂTEAU DE FARGUES

Château de Fargues • 33210 Fargues-de-Langon
Tél. 05 57 98 04 20 • Fax : 05 57 98 04 21
fargues@chateau-de-fargues.com
www.chateau-de-fargues.com
Visite : Du lundi au vendredi, de 9h à 12h et de 14h à 17h, sur rendez-vous.

SAUTERNES 2005

Blanc Liquoreux | 2010 à 2030 | cav. 99 € **17/20**

Un grand sauternes. Superbe richesse aromatique, bouche onctueuse et pleine, très long, un botrytis remarquable et bien élevé.

CHÂTEAU FERRAN

33650 Martillac
Tél. 09 77 64 23 11 • Fax : 05 56 72 62 73
ferran@chateauferran.com

PESSAC-LÉOGNAN 2007

Rouge | 2010 à | 12 € **14,5/20**

Avec un nez expressif, ce vin offre une bouche fruitée, fine et élégante.

CHÂTEAU FERRANDE

33640 Castres-Gironde
Tél. 05 56 35 66 05 • Fax : 05 56 67 25 27
contact@chateaux-castel.com
www.chateaux-castel.com

GRAVES 2007

Rouge | 2010 à 2017 | 11 € **14,5/20**

Robe sombre. Nez expressif et complexe. Bouche ample avec un beau fruit, notes poivrées, épices douces, tanins croquants.

CHÂTEAU DE FIEUZAL

124, avenue de Mont-de-Marsan • 33850 Léognan
Tél. 05 56 64 77 86 • Fax : 05 56 64 18 88
infochato@fieuzal.com • www.fieuzal.com
Visite : Du lundi au vendredi, sur rendez-vous.

Ce cru fut longtemps célèbre d'abord par son vin blanc, un des plus complets de Léognan, même si aujourd'hui d'autres le dépassent en raffinement d'élaboration. Le rouge, très corsé, a rarement égalé Haut-Bailly ou Chevalier. On souhaite au nouveau propriétaire du cru, Lochlan Quinn, de donner une impulsion supplémentaire pour retrouver le prestige des années 1980. Les derniers rouges avaient déçu, mais le 2006 marque un net progrès. Le millésime 2007 continue ce mouvement même si le vin blanc n'atteint pas encore le niveau, ni surtout l'originalité, des grandes réussites des années 1980. Le rouge 2008 et encore plus le 2009 marqueront le retour du cru au premier plan dans cette couleur.

PESSAC-LÉOGNAN 2007

Rouge | 2013 à 2019 | NC **15/20**

Couleur intense, nez puissant avec des notes de suie, de créosote et d'épices, généreux, rôti, nuance animale à l'aération qu'il faudra surveiller, grain de tanin plutôt fin.

PESSAC-LÉOGNAN 2006

Blanc | 2012 à 2016 | cav. 48 € **15,5/20**

Plus frais et intense que les millésimes précédents, avec il est vrai une proportion de sauvignon nettement augmentée, le vin possède beaucoup de charme et d'élégance mais pas encore l'éclat en finale attendu.

CHÂTEAU FILHOT

1, Pineau Est • 33210 Sauternes
Tél. 05 56 76 61 09 • Fax : 05 56 76 67 91
filhot@filhot.com • www.filhot.com
Visite : Du lundi au vendredi de 9h à 12h. Le week-end sur rendez-vous.

Ce grand domaine produit des vins de caractère, mais qu'il ne faut surtout pas juger trop jeunes car ils conservent alors un aspect rustique un peu démodé. Les vins vieux se signalent par une fin de bouche très minérale, qui équilibre étrangement le sucre de la liqueur, mais surtout permet des usages gastronomiques hauts en couleur et en saveur avec les produits de la mer, en particulier avec le homard. On peut commencer à parler des 1996 et 1997, les millésimes plus récents sont dans les langes. 2009 semble marquer une révolution dans le caractère immédiat du cru, mais on aura l'occasion de faire le point après la mise.

Sauternes 2007
Blanc Liquoreux | 2017 à 2027 | NC **14,5/20**
Robe pâle, reflets verts marqués, beaucoup de fruit, de caractère exotique (pamplemousse), pas très rôti en bouche (texture et liqueur) mais plus aromatique et net en primeur que par le passé. Il vieillira bien.

CHÂTEAU LA FLEUR DES PINS

3, Piquey • 33210 Preignac
Tél. 05 56 63 24 76 • Fax : 05 56 63 23 31
haut-bergeron@wanadoo.fr
www.chateaubergeron.com
Visite : en semaine, de 8h à 12h et de 14h à 18h week-end sur rendez-vous

Graves 2009
Blanc | 2010 à 2012 | 7 € **14/20**
Robe aux reflets verts. Notes d'abricots. Bouche suave et arrondie, longueur moyenne, ensemble équilibré.

CHÂTEAU LA FLEUR JONQUET

5, Impasse la Fontaine • 33340 Arbanats
Tél. 05 56 17 08 18 • Fax : 05 57 22 12 54
l.lataste@wanadoo.fr
Visite : sur rendez vous la semaine jusqu'a 17h45 et le week end pour les groupes

Graves 2007
Blanc | 2010 à 2012 | 10,50 € **14,5/20**
Belle réussite que ce graves blanc vigoureux et équilibré, au nez agréablement fruité, délicatement fumé et minéral, belle typicité des graves que l'on retrouve dans une bouche charnue, franche, longue et tendue par une belle vivacité.

CLOS FLORIDÈNE

Château Reynon - 21, route de Cardan
33410 Beguey
Tél. 05 56 62 96 51 • Fax : 05 56 62 14 89
reynon@wanadoo.fr • www.denisdubourdieu.com
Visite : Sur rendez-vous.

Cette marque, qui associe les prénoms de Florence et Denis Dubourdieu, bénéficie du savoir-faire et du faire-savoir du célèbre œnologue bordelais. Il a beaucoup fait progresser les blancs, qui désormais expriment davantage la minéralité étonnante d'un terroir calcaire que les arômes variétaux des cépages locaux. Une petite quantité de rouge, très soignée, est également produite.

Graves 2009
Blanc | 2010 à 2015 | 16 € **18/20**
Robe assez pâle. Jolies notes d'agrumes. Bouche remarquable d'équilibre, droite, savoureuse, fruitée, belle vivacité.

Graves 2008
Rouge | 2010 à 2020 | 12 € **17/20**
Nez fin et droit d'une grande profondeur. Bouche d'une remarquable suavité. La trame tannique est assez imposante, sans aucune rudesse.

Graves 2008
Blanc | 2010 à 2015 | 16 € **17/20**
Robe jaune étincelante. Nez superbe de fruits. Belle fraîcheur en bouche, de la droiture. Vin net et précis.

Graves 2007
Rouge | 2010 à 2017 | 11,50 € **16/20**
Il semble porté par un nuage. Aérien dans sa structure, la finale longue et précise poursuit cette sensation de taffetas.

CHÂTEAU DES FOUGÈRES CLOS MONTESQUIEU

B.P. 90009 • 33651 La Bréde CEDEX
Tél. 05 56 78 45 45 • Fax : 05 56 20 25 07
contact@chateaudesfougeres.fr
Visite : en semaine, de 9h à 12h et de 14h à 18h (vendredi à 17h)

Graves La Folie 2008

Blanc | 2010 à 2015 | 14 € **14,5/20**

Robe aux reflets verts. Pêche jaune au nez. Rondeur et suavité en bouche.

Graves La Folie 2007

Blanc | 2010 à 2014 | 14 € **15/20**

Robe paille. Nez finement boisé. La bouche offre un joli gras, du fruit, de la longueur, soutenue par une belle acidité.

Graves La Folie 2007

Rouge | 2010 à 2017 | 15 € **15/20**

Robe foncée. Nez de torréfaction, notes de cacao. La bouche est ample et pleine sur le fruit. Fin et élégant.

Graves La Raison 2007

Rouge | 2010 à 2020 | 10 € **15/20**

Robe sombre. Nez aux notes de café fraîchement moulu, notes de cacao. Bouche fraîche et bien équilibrée, belle trame tannique en finale.

CHÂTEAU DE FRANCE

98, route de Mont-de-Marsan • 33850 Léognan
Tél. 05 56 64 75 39 • Fax : 05 56 64 72 13
contact@chateau-de-france.com
chateau-de-france.com
Visite : Sur rendez-vous du lundi au jeudi, de 8h30 à 17h30 et le vendredi de 8h30 à 12h.

Beau vignoble proche de Fieuzal, et encore plus soigneusement cultivé que son voisin, Château de France produit des vins bien équilibrés et sérieusement constitués, légèrement inférieurs à ce qu'on doit en attendre. Mais dans les derniers millésimes, le style du vin a évolué dans la bonne direction.

Pessac-Léognan 2007

Blanc | 2010 à 2012 | cav. 20 € **13/20**

Robe jaune d'or intense, nez expressif, riche et très mûr, bouche très chaleureuse, un peu marquée par le boisé mais le vin reste flatteur.

Pessac-Léognan 2006

Rouge | 2010 à 2016 | cav. 20 € **15,5/20**

Belle typicité de l'appellation : avec son nez et sa bouche marqués par la minéralité et un fruit mûr, ce 2006 équilibré, savoureux, frais et élégant, vieillira bien.

CHÂTEAU DE GARBES CABANIEU

Vignobles Hervé David • 33410 Monprimblanc
Tel : 05 56 62 97 59
garbes-cabanieu@wanadoo.fr
www.chateau-garbes-cabanieu.com

Cadillac 2006

Blanc liquoreux | 2011 à 2015 | 4,20 € **13,5/20**

Nez fermé, bon vin de terroir, expression simple, belle fraîcheur en finale, du caractère, le bois n'est pas assez affiné, bon potentiel de vieillissement, supérieur à la moyenne.

CHÂTEAU LA GARDE

1, Chemin de la Tour • 33650 Martillac
Tél. 05 56 35 53 00 • Fax : 05 56 35 53 79
contact@dourthe.com • www.dourthe.com
Visite : En semaine sur rendez-vous.

Propriété très bien située, sur des graves bien drainées de Martillac, et objet de beaucoup d'attentions de la part de son propriétaire, le groupe CVBG, La Garde améliore lentement mais sûrement ses blancs et ses rouges.

Pessac-Léognan 2007

Blanc | 2010 à 2015 | cav. 30 € **15/20**

Riche, savoureux, complexe et équilibré, ce blanc très réussi et au bon potentiel de garde offre un superbe fruit, un boisé harmonieux et une belle minéralité.

Pessac-Léognan 2007

Rouge | 2010 à 2015 | cav. 23 € **13,5/20**

Vin agréable par son côté frais, souple, fruité.

Pessac-Léognan 2006

Rouge | 2010 à 2015 | cav. 25 € **15/20**

Un pessac-léognan qui prime par son élégance : nez harmonieux, délicatement fruité, minéral et boisé, bouche dans le même esprit, ronde, souple, finement tannique, fraîche et toute en longueur.

CHÂTEAU GAZIN ROCQUENCOURT

74, avenue de Cestas • 33850 Léognan
Tél. 05 56 64 75 08 • Fax : 0556649966
malartic-lagraviere@malartic-lagraviere.com
www.malartic-lagravière.com

Pessac-Léognan 2007
Rouge | 2010 à 2017 | NC **15/20**
Vin avec de la structure, bouche de belle dimension, tanins imposants. À attendre.

CHÂTEAU GILETTE

4, rue du Port • 33210 Preignac
Tél. 05 56 76 28 44 • Fax : 05 56 76 28 43
contact@gonet-medeville.com
www.gonet-medeville.com
Visite : De 9 h30 à 12h et de 14h à 16h.

Gilette est une spécialité de la famille Médeville, unique en Sauternais puisque le vin est vieilli une bonne quinzaine d'années en petites cuves, puis cinq ans en bouteilles avant d'être mis en vente. Cette façon spéciale de travailler renforce, par une longue réduction, le fruité naturel des vins de Preignac avec leurs notes d'agrumes et les rend presque immortels, portés par une sensationnelle complexité aromatique et dotés d'une longueur en bouche insurpassable. Leur forte teneur en alcool transformé en fait de très grands produits de gastronomie.

Sauternes Crème de Tête 1988
Blanc Liquoreux | 2011 à 2027 | 125 € **17/20**
Un nez d'une incroyable jeunesse, grande complexité en bouche, raisin sec, amande grillée, miel, hydromel, belle puissance avec un rôti prononcé du raisin, de la vivacité qui donne une belle fraîcheur, ensemble très équilibré.

Sauternes Crème de Tête 1986
Blanc Liquoreux | 2010 à 2030 | 120 € **17/20**
Robe complètement dorée, arôme très typé rancio, miel, agrumes confits et caramel, complet en bouche, complexité évidente, long, pour le moment moins impressionnant que les millésimes précédents, mais le vin est encore sur sa réserve.

CHÂTEAU DU GRAND BOS

Grand Bos • 33640 Castres-Gironde
Tél. 05 56 67 39 20 • Fax : 05 56 67 16 77
chateau.du.grand.bos@free.fr
www vinsgrandbos.com
Visite : De 15h à 19h.

Graves 2006
Rouge | 2010 à 2018 | 16,90 € **14/20**
Robe très foncée. Nez finement boisé. Bouche suave et élégante, de la fraîcheur, joli fruit. Tanins fins.

CHÂTEAU GUIRAUD

SCA Du Château Guiraud B.P 1 • 33210 Sauternes
Tél. 05 56 76 61 01 • Fax : 05 56 76 67 52
dgalhaud@chateauguiraud.com
www.chateauguiraud.com
Visite : Tous les jours de 9h à 12h et de 14h à 17h.

Le château vient d'être acheté par la famille Peugeot, associée au trio de choc Xavier Planty (qui dirige le domaine), Stephan von Neipperg et Olivier Bernard. Nul doute que ce premier cru classé, qui faisait son possible en matière de viticulture probe et de respect scrupuleux des usages loyaux dans la production de vin liquoreux, progresse encore, particulièrement en raffinement dans l'élevage. Le 2006 après mise confirme brillamment ce pronostic. Quelques millésimes récents, antérieurs à 2002, très purs à la naissance, ont vieilli un peu vite, dès que le bouchon présentait quelque faiblesse, en raison des doses protectrices minimales de S02. Le 2009 s'annonce glorieux.

Sauternes 2007
Blanc Liquoreux | 2015 à 2025 | cav. 44 € **17/20**
Robe plus dorée et ambrée que celle des crus voisins, nez original avec des notes muscatées et une touche de rose ancienne, surconcentré, très long, assez extravagant mais terriblement savoureux.

CHÂTEAU HAURA

Château Reynon - 21, Route de Cardan
33410 Beguey
Tél. 05 56 62 96 51 • Fax : 05 56 27 14 89
reynon@wanadoo.fr
www.denisdubourdieudomaines.com
Visite : Sur rendez-vous

Denis Dubourdieu a repris un des meilleurs vignobles du secteur et, malgré la jeunesse des vignes, offre un rouge au fruité déjà très élégant et précis, avec

un prix de vente imbattable. Excellent 2006, d'une fraîcheur aromatique étonnante !

Cérons 2007

Blanc liquoreux | 2013 à 2020 | 11,65 € les 50 cl **15/20**

Vin excellent, belle bouche, fruité frais, pas trop rôti mais pas trop lourd non plus, vinification précise et sage, d'une grande pureté, très «Dubourdieu».

Graves 2008

Rouge | 2010 à 2020 | 12 € **16/20**

Belle couleur soutenue. Nez un peu en retrait pour l'instant. Bouche superbe d'équilibre, avec un très beau fruit, harmonieusement marié au bois. Tanins bien mûrs, et présents en fin de bouche.

Graves 2007

Rouge | 2010 à 2018 | 11,50 € **15/20**

Robe sombre, d'une belle brillance. Nez superbement épicé et fruité. Matière d'une grande finesse de texture en bouche. Belle allonge, tanins des plus harmonieux.

Graves 2006

Rouge | 2010 à 2020 | 12 € **15/20**

Nez finement épicé. La bouche est ample, vive, droite, avec de belles notes d'épices, de poivre. Belle trame tannique, aux tanins bien enrobés.

Graves 2005

Rouge | 2010 à 2020 | NC **15,5/20**

Un excellent rouge, charnu mais souple, aux arômes un peu musqués et épicés d'une impeccable précision, avec des tanins très bien intégrés.

Graves 2004

Rouge | 2010 à 2016 | NC **15/20**

Robe d'un pourpre dense, superbe nez agréable, fruité, floral et épicé. Bouche charnue, suave, franche, avec une belle texture tendre, de la fraîcheur pour ce graves élancé, qui exprime toute la race du cabernet bien mûr.

CHÂTEAU HAUT-BACALAN

56, rue du Domaine de Bacalan • 33600 Pessac
Tél. 0557245123 • Fax : 0557240399
info@gonet.fr

Pessac-Léognan 2007

Rouge | 2010 à 2018 | 17,50 € **15/20**

Vin harmonieux ! D'une belle couleur sombre, ce vin offre un nez fin et profond. Bel équilibre en bouche, tanins fins.

CHÂTEAU HAUT-BAILLY

103, avenue de Cadaujac • 33850 Léognan
Tél. 05 56 64 75 11 • Fax : 05 56 64 53 60
mail@chateau-haut-bailly.com
www.chateau-haut-bailly.com

Ce cru célèbre illustre au plus haut point les qualités d'équilibre et de raffinement des plus beaux rouges bordelais. Le vignoble a la chance d'être vieux, impeccablement tenu par une équipe technique très performante, conduite par Gabriel Vialard, et administré avec passion par Véronique Sanders, petite-fille de l'ancien propriétaire du château. Le 2005 égalera en qualité et célébrité 1928. Le second vin, La-Parde-de-Haut-Bailly, un des plus constants et fiables de la catégorie, demande deux ou trois ans de bouteille pour révéler la plénitude de son fruit et de sa texture. 2007 et 2008 enchanteront les fidèles admirateurs du cru. À quand la plantation d'une petite vigne en blanc ?

Pessac-Léognan 2007

Rouge | 2017 à 2025 | cav. 42 € **17,5/20**

Robe rouge vraiment bordeaux, arôme net et généreux de fruits rouges, cerise surtout, texture raffinée, corps complet pour l'année, tanin frais et noble, vin remarquablement équilibré. Bravo !

Pessac-Léognan 2006

Rouge | 2016 à 2019 | cav. 50 € **17,5/20**

Grande robe, corps complet, texture inimitable par son velouté qui cache admirablement la force du vin, tanin noble, le grand classique du millésime, comme on s'y attend. Il est encore un peu fermé au nez.

Pessac-Léognan 2005
Rouge | 2010 à 2025 | cav. 156 € **18,5/20**
Grande couleur, nez généreux, presque fumé à la pessac, évoluant vers le grand tabac havane, ample, velouté, tanin ferme, magistral, il ne fait que progresser en bouteille.

Pessac-Léognan 2004
Rouge | 2014 à 2024 | cav. 66 € **17/20**
Noir, grand nez civilisé, puissant, tendu, élevé, raffiné, vineux, prix d'excellence dans le millésime et bon rapport qualité-prix.

CHÂTEAU HAUT-BERGEY

69, cours Gambetta • 33850 Léognan
Tél. 05 56 64 05 22 • Fax : 05 56 64 06 98
info@vignoblesgarcin.com
www.vignoblesgarcin.com
Visite : Du lundi au vendredi, de 9h à 12h et de 14h à 17h.

Haut-Bergey est l'un de ces crus non classés de Léognan à qui l'on a donné les moyens de faire jeu égal avec les classés. La famille Garcin, avec l'aide successive de Michel Rolland, Jean-Luc Thunevin et Alain Raynaud, l'a peu à peu transformé en propriété pilote : aujourd'hui, le blanc dépasse d'une courte tête en personnalité le rouge.

Pessac-Léognan 2008
Rouge | 2010 à 2020 | NC **17/20**
Robe rouge foncée, presque noire. Nez profond. Bouche intense. De la suavité. Bel échange entre le bois et le vin. Belle trame tannique en finale.

Pessac-Léognan 2008
Blanc | 2010 à 2016 | NC **16,5/20**
Beaux agrumes frais au nez. Fleurs blanches. Joli gras en bouche. Très rond. Belle acidité. De la longueur. Bel équilibre général.

Pessac-Léognan 2007
Rouge | 2010 à 2018 | NC **16/20**
Bouche au joli volume. Tanins assez présent en finale.

CHÂTEAU HAUT-BRION

Château Haut-Brion • 33608 Pessac cedex
Tél. 05 56 00 29 30 • Fax : 05 56 98 75 14
info@haut-brion.com • www.haut-brion.com
Visite : Sur rendez-vous, du lundi au jeudi, de 8h30 à 11h et de 14h à 16h30. Vendredi, de 8h30 à 11h30.

Cru magistral, au vignoble enchâssé dans la ville de Bordeaux, et bénéficiant par l'urbanisation d'un microclimat très chaud et d'une précocité supérieure à tous ses pairs, Haut-Brion a toujours brillé par sa régularité et ne connaît pas de petit millésime. Même en année moins favorable, il conserve la plénitude de son caractère aromatique, le fameux goût «fumé» de Pessac, et une étonnante capacité à le renforcer au long vieillissement. Une toute petite quantité de vin blanc, d'une force de caractère exceptionnelle, un peu plus marquée par les arômes du sauvignon que Mission-Haut-Brion, rivalise parfois en puissance avec le montrachet. Certains millésimes de la décennie 1990 ont mal vieilli, hélas, peut-être victimes de bouchons oxydants. Le second vin rouge, désormais nommé le Clarence, possède une finesse, une classe, une précision et une parenté de style avec le grand vin qui sont uniques à Bordeaux.

Pessac-Léognan 2007
Blanc | 2010 à 2018 | cav. 670 € **18/20**
Nez d'une ampleur et d'une finesse sans égales dans l'expression aromatique du sauvignon et de son rapport au bois, plus frais malgré sa puissance que d'autres, peut-être moins original que 2006 mais qui a fait mieux ?

Pessac-Léognan 2007
Rouge | 2017 à 2027 | cav. 348 € **18/20**
Robe dense, nez magistral, avec en particulier une excellente intégration du boisé, matière remarquable de densité, tanin offrant des sensations tactiles rares, grande classe immédiatement évidente.

Pessac-Léognan 2006
Blanc | 2011 à 2016 | cav. 480 € **19/20**
Parfum et étoffe somptueux, type de vin unique à Bordeaux par sa majesté et sa puissance.

CHÂTEAU DU HAUT MARAY

1, lieu- dit • 33210 Mazeres
Tél. 05 56 76 83 33 • Fax : 05 56 76 83 33
chateauduhautmaray@cegetel.net
Visite : du lundi au vendredi de 10h à 12h
et de 14h à 18h

Graves 2007

Rouge | 2010 à 2020 | 11,50 € **14/20**

Robe sombre. Nez fin. Matière en bouche assez fine, tanins présents et fermes.

CHÂTEAU HAUT-MAYNE

Château du Cros • 33410 Loupiac
Tél. 05 56 62 99 31 • Fax : 05 56 62 12 59
contact@chateauducros.com
www.chateauducros.com
Visite : en semaine, de 8h à 12h30 et de 13h30 à 18h
(sauf vendredi 17h)
ouvert de 10h30 à 12h30 et de 16h à 18h30,
les samedis en juillet et en août.

Graves Mayne du Cros 2008 ☺

Blanc | 2010 à 2015 | 11,80 € **15/20**

Robe dorée. Jolies notes d'acacia. Bouche gourmande, agréable, équilibrée. Joli boisé.

CLOS HAUT-PEYRAGUEY

33210 Bommes-Sauternes
Tél. 05 56 76 61 53 • Fax : 05 56 76 69 65
contact@closhautpeyraguey.com
www.closhautpeyraguey.com
Visite : Tous les jours, de 9h à 12h et de 14h à 19 h,
y compris le dimanche, sans rendez-vous.

Le cru a intelligemment simplifié son nom et le mot château disparaît de l'étiquette. On aurait du mal d'ailleurs à qualifier de château les modestes bâtiments où Martine Langlais-Pauly vinifie avec détermination et abnégation son magnifique vin. Le terroir est incomparable par son unité et son homogénéité, et sa petite superficie permet des vendanges à la carte. Les derniers millésimes nous ont conquis par leur richesse, leur pureté et leur transcendante finesse. Sur ce point ils sont, de tout ce secteur du Haut-Bommes, ceux qui se rapprochent le plus d'Yquem. Un seul d'entre eux est à éviter, 2000, qui a d'ailleurs pratiquement disparu du marché grâce au courage rare de la propriété qui a repris les bouteilles défaillantes.

Sauternes 2007

Blanc Liquoreux | 2017 à 2027 | 42 € **18/20**

Nez magnifiquement expressif, complet, associant les arômes typés abricot, mangue, agrumes à un boisé fin, vanillé, sensuel. Finale éclatante, signature de très grand terroir.

Sauternes 2005

Blanc Liquoreux | 2015 à 2030 | 45 € **19,5/20**

La perfection faite sauternes, ou presque ! Incomparable et transcendante finesse des arômes, avec l'éclat attendu dans ce millésime vraiment unique. Chaque bouteille devra être consommée dans des circonstances dignes d'elle !

Sauternes 2002

Blanc Liquoreux | 2012 à 2022 | NC **18/20**

Magnifique rôti, vin complet, grande race et grande complexité aromatique. Rapport qualité-prix exceptionnel si on en trouve.

CHÂTEAU HAUT PEYROUS

Peyrous • 33210 Mazeres
Tél. 05 58 45 51 22 • Fax : 05 58 45 57 12
mdarroze@darroze-armagnacs.com
www.darroze-armagnacs.com
Visite : 9h 18h en semaine week-end sur rendez-vous

Graves 2008 ☺

Blanc | 2010 à 2015 | 14 € **15/20**

Jolis reflets verts. Notes de vanille au nez. Bouche droite et suave. Un joli gras. Vin bien équilibré.

CHÂTEAU HAUT SELVE

Rue du Port • 33650 Saint-Selve
Tél. 05 57 94 09 20 • Fax : 05 57 94 09 30
contact@leda-sa.com
www.vignobles-lesgourgues.com
Visite : Sur rendez-vous

Graves 2007

Rouge | 2010 à 2018 | 13 € **14,5/20**

Robe sombre. Nez fruité aux notes épicées. Bouche fine, équilibrée, d'une belle fraîcheur. Tanins fins.

CHÂTEAU LES JUSTICES

4 rue du port - BP 14 • 33210 Preignac
Tél. 05 56 76 28 44 • Fax : 05 56 76 28 43
contact@gonet-medeville.com • gonet-medeville.com
Visite : 9h30 12h et 14h 16h du lundi au vendredi

Un des plus réguliers et des meilleurs crus non classés de Sauternes, très fruité comme souvent à Preignac, très complexe au vieillissement, mais surtout d'un idéal rapport alcool-liqueur (souvent plus de 14°) qui en fait un grand compagnon de gastronomie. Les derniers millésimes sont encore plus riches que ceux des années 1970. Remarquable série ininterrompue de sauternes bien faits, culminant avec un 2005 monumental, un 2006 très surprenant par sa vivacité aromatique et un 2007 qui développe une prodigieuse complexité.

Sauternes 2007
Blanc Liquoreux | 2010 à 2027 | 28 € **15/20**
Vin sur la retenue, bouche agréable, souple, avec des notes de fruits jaunes et de miel, à ce stade moins impressionnant que 2006 ou 2005.

Sauternes 2005
Blanc Liquoreux | 2010 à 2020 **16,5/20**
Excellent sauternes classique, avec toute la noblesse du botrytis de l'année, et une richesse de constitution encore supérieure à tous les grands millésimes récents.

CHÂTEAU LAFAURIE-PEYRAGUEY

33210 Bommes
Tél. 05 56 76 60 54 • Fax : 05 56 76 61 89
info@lafaurie-peyraguey.com
www.lafaurie-peyraguey.com
Visite : visites sur rendez-vous

Le cru attire le regard, grâce au style grandiosement mauresque du château et de ses murailles, mais son vin est tout aussi monumental, très riche en liqueur, très régulier, parfait représentant du potentiel et du style de la partie haute de Sauternes. Actuellement les 1988 et 1990 sont des splendeurs, très proches d'Yquem par leur corps et leur somptuosité de saveur. Les prix, très raisonnables en comparaison avec la qualité, des 2002, 2003, 2004 et 2005 devraient leur valoir plus de succès qu'ils n'en ont ! 2006 ne dépare pas la ligne de ces beaux millésimes et 2009 va marquer les esprits pour une génération ou plus.

Sauternes 2007
Blanc Liquoreux | 2017 à 2037 | cav. 31 € **17,5/20**
Robe paille clair, nez ultra classique de sauternes de grande origine, avec des notes d'abricot, de cédrat, liées par un boisé particulièrement fin. Ample, long, bâti pour la très longue garde.

CHÂTEAU LAGRANGE (GRAVES)

8, avenue Araires • 33640 Arbanats
Tél. 05 56 67 21 35 • Fax : 05 56 67 23 91
contact@chateaulagrange-graves.com
www.chateaulagrange-graves.com

Graves 2007
Rouge | 2010 à 2015 | 8,70 € **14,5/20**
Vin à la robe sombre, aux notes cacaotées au nez, il offre une bouche fine et élégante, agréable sur ce millésime.

CHÂTEAU LAMOTHE-GUIGNARD

33210 Sauternes
Tél. 05 56 76 60 28 • Fax : 05 56 76 69 05
chateau.lamothe.guignard@orange.fr
www.chateau-lamothe-guignard.fr
Visite : Du lundi au vendredi de 8h à 12h et de 14h à 18 h.

Ce cru a été plus régulier dans les années 1980 et 1990 que son voisin du même nom, avec des vins demi-liquoreux mais soignés dans leur élevage et leur équilibre. Il n'empêche qu'il est encore loin de montrer des vins dignes de son statut de cru classé, même si les prix restent raisonnables. 2009 semble parti pour inverser ce constat.

Sauternes 2003
Blanc Liquoreux | 2013 à 2018 | NC **15/20**
Robe dorée, léger stress du raisin sensible au nez en raison d'arômes de réduction évoquant le caoutchouc, mais évoluant à l'air vers des notes de mirabelle et d'abricot très savoureuses. Vin riche, et le seul que nous recommandons.

CHÂTEAU LAMOURETTE

33210 Bommes
Tél. 05 56 76 63 58 • Fax : 05 56 76 60 85
chateaulamourette@orange.fr
Visite : Sur rendez-vous.

Cette propriété, uniquement gérée par des femmes, n'avait guère brillé jusqu'à ce que Anne-Marie Léglise reprenne les rênes en 1980. Sous ses efforts, les sauternes ont trouvé un haut niveau qualitatif sur

un style très aromatique. La dizaine d'hectares de vignes est bien située à Bommes, en majeure partie autour du chai, au cœur de l'appellation Sauternes. Seules les grandes années sont mises en bouteilles. Excellent 2005, d'une complexité aromatique étonnante.

SAUTERNES 2005
Blanc Liquoreux | 2012 à 2024 | 18 € **15,5/20**
Un millésime tout en finesse, nez très pur d'arômes de fruits frais d'agrumes et de fleurs, une liqueur intégrée, de l'élan en finale. Pour les amateurs de vins aériens et délicats.

SAUTERNES 2003
Blanc Liquoreux | 2010 à 2016 | 19 € **15/20**
Une expression éclatante, sur les notes d'agrumes et d'ananas si caractéristiques de ce millésime, un vin fait avec soin, avec du charme, très riche, du rôti, beaucoup de caractère, beaucoup de gras mais merveilleusement frais et très apéritif.

CHÂTEAU LARRIVET HAUT-BRION

84, route de Cadaujac • 33850 Léognan
Tél. 05 56 64 75 51 • Fax : 05 56 64 53 47
larrivethautbrion@wanadoo.fr
Visite : Sur rendez-vous.

Au cœur de Léognan, la propriété de Philippe Gervoson et son épouse élabore des vins de style moderne, avec des rouges gras, vineux et chaleureux, tandis que le blanc a beaucoup gagné en étoffe et en précision. L'arrivée de Bruno Lemoine, le vinificateur du fameux Montrose 1990, permet au cru d'affirmer encore plus de personnalité.

PESSAC-LÉOGNAN 2007
Blanc | 2010 à 2016 | 37 € **15/20**
Couleur paille. Jolies notes florales, de fruits blancs. Vin agréable par sa constitution.

PESSAC-LÉOGNAN 2007
Rouge | 2011 à 2020 | 25 € **16/20**
Couleur profonde. Nez intense. Bouche dense. Boisé équilibré. Tanins fins.

CHÂTEAU LASSALLE

2 allée Lassalle • 33650 Labrede
Tél. 05 56 78 49 65 • Fax : 05 56 78 42 75
flalanne1@club-internet.fr
www.chateaulassalle.com
Visite : De 9h à 18 h. Le week-end sur rendez-vous.

GRAVES 2007
Blanc | 2010 à 2012 | 7,70 € **15/20**
Robe aux reflets verts. Nez vif et expressif. Bouche fraîche, équilibrée. Vin agréable.

GRAVES 2006
Rouge | 2010 à 2016 | 9 € **15,5/20**
Robe pourpre foncée. Nez complexe. Bouche pleine, de la fraîcheur, belle longueur ponctuée par des tanins fins.

CHÂTEAU LATOUR-MARTILLAC

8, Chemin de la tour • 33650 Martillac
Tél. 05 57 97 71 11 • Fax : 05 57 97 71 17
latourmartillac@latourmartillac.com
www.latourmartillac.com
Visite : Du lundi au vendredi, de 10h à 12h et de 14h à 17h sur rendez-vous.

Un peu isolé dans Martillac, ce cru classé est un modèle de propriété familiale, avec un attachement quasi filial de tous les enfants Kressmann à leur patrimoine, et une gestion très saine de bon père de famille. Ce n'est qu'à quinze ou vingt ans d'âge qu'un bon millésime révèle ici la plénitude de l'expression de son origine. On peut encore en affiner le tanin et la texture, et c'est dans cette direction que les propriétaires se sont engagés depuis quelques années. Les 2007 et 2008 témoignent encore mieux que le 2006 de cette évolution. Le Second vin, Lagrave-Martillac, est bien fait, dans les deux couleurs, mais sans personnalité vraiment particulière.

PESSAC-LÉOGNAN 2007
Blanc | 2014 à 2019 | 32,50 € **15,5/20**
Beaucoup d'arômes liés aux thiols, molécules aromatiques du sauvignon, rappelant les fruits de la passion, ample, assez nerveux, à garder encore.

PESSAC-LÉOGNAN 2007
Rouge | 2014 à 2019 | 25 € **16/20**
Une touche de poivron mais de poivron mûr au nez, beaucoup de finesse, de franchise et de caractère de terroir, racé, mais un peu d'astringence de barrique.

CHÂTEAU LAVILLE

33210 Preignac
Tél. 05 56 63 59 45 • Fax : 05 56 63 16 28
chateaulaville@hotmail.com

SAUTERNES 2006

Blanc Liquoreux | 2011 à 2016 | 20 € **13,5/20**

Très riche en sucre, du rôti, bien fait, du style, de la finesse, une longue persistance, bien enrobé.

CHÂTEAU LA LOUVIÈRE

149, route de Caudaujac • 33850 Léognan
Tél. 05 56 64 75 87 • Fax : 05 56 64 71 76
lalouviere@andrelurton.com • www.andrelurton.com
Visite : De 9h à 12h30 et de 13h30 à 17h30, sur rendez-vous.

Le majestueux Château La Louvière, encadré par Carbonnieux et Haut-Bailly, est un des plus efficaces ambassadeurs de Pessac-Léognan dans le monde : les vins puissants, un rien austères mais d'une régularité sans faille, vieillissent superbement.

PESSAC-LÉOGNAN 2007

Rouge | 2010 à 2018 | NC **14/20**

Robe sombre. Nez toasté et grillé. Bouche fine et souple d'une longueur moyenne, mais d'une belle élégance. Vin agréable.

PESSAC-LÉOGNAN 2007

Blanc | 2010 à 2014 | NC **14/20**

Couleur paille. La bouche est droite avec une belle vivacité. Vin assez nerveux.

PESSAC-LÉOGNAN CHÂTEAU CRUZEAU 2007

Blanc | 2010 à 2015 | NC **13,5/20**

Robe jaune paille claire. Nez et bouche très classiques, sur le sauvignon. Une belle vivacité !

CHÂTEAU LUCHEY-HALDE

17 Avenue du Maréchal Joffre • 33700 Mérignac
Tél. 05 56 45 97 19 • Fax : 05 56 45 33 79
info@luchey-halde.com • www.luchey-halde.com
Visite : Toute la semaine de 9h à 12h et de 14h à 18 h. Le dimanche sur rendez-vous

PESSAC-LÉOGNAN 2007

Blanc | 2010 à 2015 | 25 € **14/20**

Ce 2007 possède un nez subtil développant un fruit mûr, des notes crayeuses, un joli boisé.

CHÂTEAU LUDEMAN LA CÔTE

Château Ludeman La Côte • 33210 Langon
Tél. 05 56 63 07 15 • Fax : 05 56 63 48 17
mbelloc-ludeman@wanadoo.fr
Visite : Sur rendez-vous.

Situé sur la commune de Langon, ce vignoble d'une vingtaine d'hectares se transmet depuis 1930 de génération en génération par les femmes. Depuis plus de quinze ans, c'est Muriel Belloc-Lambrot qui dirige l'exploitation. La culture traditionnelle de la vigne est très soignée. Les vins traduisent ces principes, avec un style sans esbroufe.

GRAVES 2008

Blanc | 2010 à 2012 | 5,70 € **14/20**

Robe jaune paille. Nez expressif, aux notes d'ananas. Bouche vive et énergique.

GRAVES 2007

Blanc | 2010 à 2011 | 5,70 € **15/20**

Robe jaune d'or. Nez très expressif aux notes d'ananas, de poire. La bouche est ample et riche avec beaucoup d'expression fruitée, belle vivacité en finale.

CHÂTEAU MAGNEAU

12 chemin Maxime Ardurats • 33650 La Brede
Tél. 05 56 20 20 57 • Fax : 05 56 20 39 95
ardurats@chateau-magneau.com
www.chateau-magneau.com
Visite : Du lundi au samedi, de 9h à 12h et de 14h à 18h (samedi de préférence sur rendez-vous) dimanche sur rendez-vous

GRAVES 2006

Rouge | 2010 à 2014 | 9,50 € **14,5/20**

Robe pourpre foncée. Nez profond. Matière dense en bouche. Tanins fins en finale.

GRAVES JULIEN 2008

Blanc | 2010 à 2014 | 11,70 € **14,5/20**

Robe d'un jaune étincelant. Jolies notes citronnées. Bouche riche et ample, du gras, belle longueur.

CHÂTEAU MALARTIC-LAGRAVIÈRE

43, avenue de Mont-de-Marsan • 33850 Léognan
Tél. 05 56 64 75 08 • Fax : 05 56 64 99 66
malartic-lagraviere@malartic-lagraviere.com
www.malartic-lagraviere.com
Visite : De 9h à 18h sur rendez-vous. Pas de vente aux particuliers.

Propriétaires perfectionnistes, les Bonnie ont rénové les installations techniques de la propriété de manière magistrale, remis en état et agrandi le vignoble, et surtout métamorphosé les vins. Les rouges, sévèrement sélectionnés, possèdent une force et une droiture de constitution étonnantes, qui ne déparent pas leur finesse native. Les blancs récents sont aussi remarquables : ils ont gagné en volume de bouche et en onctuosité. Les derniers millésimes se situent tous au premier rang de Léognan. Le second vin, le Sillage-de-Malartic, semble le plus complet de sa catégorie, en blanc comme en rouge.

PESSAC-LÉOGNAN 2007
Rouge | 2017 à 2025 | NC **17/20**
Fortement aromatique avec le caractère frais mais non végétal des cabernets du millésime, séducteur, très fin dans son tanin racé, long, un rien moins dense que quelques voisins.

PESSAC-LÉOGNAN 2007
Blanc | 2013 à 2018 | cav. 55 € **16/20**
Le vin fait encore très jeune, et une mise récente ou un soutirage récent l'ont un peu simplifié. L'ensemble reste très frais, tendu et pur mais il faudra le revoir.

PESSAC-LÉOGNAN 2006
Rouge | 2016 à 2026 | cav. 36 € **18/20**
Grande robe, magnifique volume de bouche, assurance de style étonnante, un des sommets du millésime.

PESSAC-LÉOGNAN 2005
Rouge | 2017 à 2030 | cav. 45 € **18/20**
Grand nez de cèdre, très puissant en bouche, tanin imposant mais nuancé, grande classe.

CHÂTEAU DE MALLE

Château de Malle • 33210 Preignac
Tél. 05 56 62 36 86 • Fax : 05 56 76 82 40
accueil@chateau-de-malle.fr
www.chateau-de-malle.fr
Visite : Du lundi au vendredi de 10h à 12h et de 14h à 17h .

Le château, avec son merveilleux jardin à l'italienne, est classé, tout comme le vin, archétype du sauternes de Preignac, sorte de transition entre le fruité très vite épanoui des barsacs et l'opulence des sauternes. Les derniers millésimes déçoivent un peu, donnant le sentiment d'un manque de précision dans le tri ou dans l'élevage. Malle est également un producteur de bon niveau en appellation Graves, dans les deux couleurs.

SAUTERNES 2007
Blanc Liquoreux | 2015 à 2022 | 27 € **13/20**
Richesse de constitution évidente mais sans la finesse et l'exactitude de fruit habituelles à ce cru, avec même quelques notes de champignon qui devraient passer avec le temps.

CLOS MARSALETTE

61 Route de Tout Vent • 33850 Léognan
Tél. 05 57 24 71 33 • Fax : 05 57 24 67 95
info@neipperg.com

Ce petit cru mené par Stephan von Neipperg s'impose année après année comme une valeur sûre des rouges de Pessac-Léognan. C'est un vin charnu, fruité, gourmand, assez tôt prêt à boire.

PESSAC-LÉOGNAN 2008
Rouge | 2012 à 2016 | NC **15,5/20**
Toujours ce bouquet floral et même fleurs séchées, tendresse mais bonne longueur.

PESSAC-LÉOGNAN 2007
Rouge | 2010 à 2015 | NC **15/20**
Plutôt brillant dans un registre floral et raffiné, que l'on peut boire assez tôt.

CHÂTEAU DU MAYNE

Château de Cérons • 33720 Cérons
Tél. 05 56 27 01 13 • Fax : 05 56 27 22 17
perromat@chateaudecerons.com
www.chateaudecerons.com
Visite : 9h à 12h30 et de 13h30 à 18h30 tous les jours et le week end sur rendez vous

GRAVES 2008 ☺

Blanc | 2010 à 2014 | 7,90 € **14,5/20**

Jolis reflets verts. Arômes de mangue. Bouche droite, énergique. belle vivacité. Vin agréable dans son expression de droiture.

CHÂTEAU MEJEAN

6, avenue du Petit Breton
33640 Ayguemortes les Graves
Tél. 06 09 70 32 98 • Fax : 05 56 67 69 16
chateau.mejean@wanadoo.fr
www. chateaumejean.fr
Visite : Sur rendez vous

GRAVES 2007

Rouge | 2010 à 2020 | 18 € **16,5/20**

Robe pourpre foncée, presque noire. Nez profond aux notes toastées. Bouche pleine, enveloppée, du jus, de la sève, avec une grande richesse. Beaux tanins fins.

CHÂTEAU LA MISSION HAUT-BRION

Domaine Clarence Dillon S.A.S.
33608 Pessac cedex
Tél. 05 56 00 29 30 • Fax : 05 56 98 75 14
info@haut-brion.com • www.mission-haut-brion.com
Visite : Sur rendez-vous du lundi au jeudi, de 8h30 à 11h et de 14h à 16h30. Vendredi, de 8h30 à 11h30.

Le cru a replanté une bonne partie de son vignoble dans les années 1980, ce qui a pu expliquer quelques inégalités, comme un pitoyable 1997. Mais il a aujourd'hui retrouvé tout ce qui l'a rendu mondialement célèbre : une association rare entre une texture très voluptueuse, avec un bouquet très puissant, très original, rapide à se développer dans le verre et une finesse superlative dans le tanin. Son appel est donc universel, et beaucoup (mais nous ne faisons pas partie de cette tendance) le préfèrent même à Haut-Brion. À partir de 2006, le second vin du château, La-Chapelle, récupère les vignes de La Tour Haut-Brion, ce qui va le métamorphoser et lui donner une force de caractère inconnue à ce jour. Il récupère aussi à partir de 2009 Laville Haut-Brion en blanc.

PESSAC-LÉOGNAN 2007

Rouge | 2017 à 2027 | cav. 300 € **18/20**

Forte couleur, nez racé, subtil et surtout d'un classicisme évident dans l'expression du terroir, corps parfait pour l'année, un rien plus enveloppé comme toujours que Haut-Brion, peu d'autres différences entre eux, tanin merveilleusement intégré à la matière et fondu dans le bois. Bref le «grand style» !

CHÂTEAU MISSION HAUT-BRION (EX-LAVILLE HAUT-BRION)

Domaine Clarence Dillon sas avenue jean jaures
33608 Pessac cedex
Tél. 05 56 00 29 30 • Fax : 05 56 98 75 14
info@haut-brion.com • www.haut-brion.com
Visite : Sur rendez-vous du lundi au vendredi, de 8h30 à 11h et de 14h à 16h30. Vendredi de 8h30 à 12h30.

Laville change de nom et à partir du millésime 2009 est rattaché à Mission-Haut-Brion. Ce petit vignoble de moins de trois hectares donne sans doute le plus grand vin blanc sec de Bordeaux, par sa richesse de sève, son incomparable noblesse aromatique et sa fastueuse parenté, dans les sensations tactiles, avec les plus beaux crus de Bourgogne. Au vieillissement, le sémillon domine le sauvignon et apporte une allonge considérable à la fin de bouche. Certains millésimes récents se sont subitement effondrés après six ou sept ans de vieillissement, ce qui a conduit à de nouveaux réglages à la mise en bouteille, qui devraient permettre aux nobles 2005 et 2006 de retrouver la longévité proverbiale du cru. 2007 a la puissance du millésime mais il commence à se renfermer et il faudra l'attendre.

PESSAC-LÉOGNAN 2007

Blanc | 2015 à 2022 | NC **18/20**

Robe paille, nez puissant, un peu moins ouvert et aromatique que celui de Haut-Brion, corps et matière énormes pour un vin blanc, beaucoup de réserve, grand vin mais à n'ouvrir que dans cinq à six ans.

CLOS MOLÉON

Château de Teste • 33410 Monprimblanc
Tél. 05 56 62 92 76 • Fax : 05 56 62 98 80
vignobles.l.reglat@wanadoo.fr
Visite : Sur rendez-vous.

GRAVES 2008
Blanc | 2010 à 2016 | 13 € **16/20**
Robe aux reflets verts. Nez aux notes vanillées. Bouche ample, avec un joli gras, notes boisées encore présentes. Très joli vin.

GRAVES 2007
Rouge | 2010 à 2017 | 16 € **14/20**
Robe pourpre. Nez complexe de fruits noirs. Bouche fine, matière souple, tanins fins.

CHÂTEAU MOURAS

33210 Preignac
Tél. 05 56 63 59 45 • Fax : 05 56 63 16 28

GRAVES 2005
Blanc Doux | 2010 à 2015 **13,5/20**
Ce graves-supérieur respecte bien le style des vins doux bordelais : arôme fruité, bonne acidité, liqueur concentrée, notes de miel et d'acacia.

CHÂTEAU DE MYRAT

Château de Myrat • 33720 Barsac
Tél. 05 56 27 09 06 • Fax : 05 56 27 11 75
myrat@chateaudemyrat.fr • chateaudemyrat.fr
Visite : Sur rendez vous.

Jacques de Pontac, l'un des propriétaires les plus sympathiques de Barsac, s'efforce sans grands moyens de produire des liquoreux authentiques. Il n'est pas aidé par la sélection de son matériel végétal, qui ne permet pas toujours le développement le plus noble du champignon, mais le tri est fait selon des règles très strictes. Le 2000 a trop vite vieilli, et nous avons été trop optimistes à son sujet. Le 2002 se déguste beaucoup mieux aujourd'hui, et les millésimes suivants, dont un 2006 largement audessus de la moyenne, offrent tous un superbe rapport qualité-prix.

SAUTERNES 2006
Blanc Liquoreux | 2014 à 2024 | 30 € **16/20**
Boisé un peu dominant. Pour le reste, le vin est riche, parfaitement rôti et doté de l'acidité supplémentaire des barsacs, utile dans ce type de millésime. Longue finale, caractéristique des vendanges faites selon les règles de l'art.

CHÂTEAU NAIRAC

Château Nairac • 33720 Barsac
Tél. 05 56 27 16 16 • Fax : 05 56 27 26 50
contact@chateau-nairac.com
www.chateau-nairac.com
Visite : Tous les jours, de 9h à 18h, sur rendez-vous.

Les Tari sont des propriétaires passionnés, et ils mettent toute leur énergie à produire un vin aussi riche et aussi authentique que possible, sur les excellentes terres de Nairac. On y vise le tout grand vin, avec une viticulture très propre et sans la moindre triche : pas question ici de chaptaliser. Quelques millésimes des années 1990 sont apparus trop lourds et fatigués, mais les réglages nécessaires ont été faits et les derniers millésimes sont superbes et parfois grandioses. Mais il faut aimer les vins riches en liqueur...

BARSAC 2007
Blanc Liquoreux | 2017 à 2027 | env 60 € **17/20**
Barsac classique, tout en générosité, rôti magnifique, grande longueur, type quasi parfait de 2007.

BARSAC 2006
Blanc Liquoreux | 2014 à 2026 | env 45 € **16,5/20**
Excellente botrytisation, équilibre parfait en acidité, très liquoreux et long.

BARSAC 2005
Blanc Liquoreux | 2013 à 2025 | env 60 € **18,5/20**
Toujours plus impressionnant, barsac idéal par sa pureté, sa richesse, sa noblesse d'expression du terroir. Bravo !

BARSAC 2004
Blanc Liquoreux | 2014 à 2019 | env 45 € **17/20**
Robe largement dorée. Nez puissant, ouvert, complexe, grande sucrosité, grande franchise, grande longueur, très agréable et bien vendangé.

CHÂTEAU LA NAUDINE

8, impasse des Domaines • 33640 Castres Gironde
Tél. 05 56 67 65 88 • Fax : 05 56 67 65 88
info@lanaudine.com • www.lanaudine.com

GRAVES 2005
Rouge | 2010 à 2018 | NC **15/20**
D'une couleur rubis foncée, ce vin exprime au nez des notes grillées et toastées. Sa bouche d'un beau volume est nette et précise, les tanins sont fins.

CHÂTEAU OLIVIER

175, avenue de Bordeaux • 33850 Léognan
Tél. 05 56 64 73 31 • Fax : 05 56 64 54 23
mail@chateau-olivier.com • www.chateau-olivier.com
Visite : De 10h à 16 h.

Magnifique propriété, parfaitement protégée du développement de l'urbanisation par la famille Bethmann. Olivier a longtemps produit un vin sans grande ambition ni grand caractère. Il a été récemment l'objet d'une révolution complète dans les méthodes de travail et les résultats ont été immédiats. Le vin blanc, qui contient traditionnellement une bonne proportion de sémillon, est devenu complexe et élégant, tout en conservant son côté corsé, et les rouges, bien mieux vinifiés, expriment avec plus de précision leur excellent terroir. Le cru mérite donc enfin son rang de cru classé !

PESSAC-LÉOGNAN 2008
Blanc | 2013 à 2018 | cav. 17 € **17/20**
Grand arôme noble, complexe, précis, largement musqué, beaucoup d'énergie, belle longueur, vin de fort caractère, remarquablement vinifié.

PESSAC-LÉOGNAN 2007
Blanc | 2011 à 2017 | cav. 20 € **17/20**
Nez richement développé et fort élégant, avec des notes de thé, de menthe, de la fraîcheur mais aussi de la densité et surtout une finale saline persistante. Un vrai terroir pour vin blanc !

PESSAC-LÉOGNAN 2007
Rouge | 2017 à 2027 | cav. 15 € **16,5/20**
Robe dense, nez de raisin mûr avec un petit fumé à la Haut-Brion, large, puissant, tanin fortement extrait mais sans raideur, grand avenir et sans doute beaucoup plus d'équilibre dans dix ans.

PESSAC-LÉOGNAN 2005
Rouge | 2015 à 2025 | cav. 29 € **17/20**
Charnu, généreux, suave, il en surprendra plus d'un dans les dégustations à l'aveugle. Du très beau vin de Graves.

CHÂTEAU PAPE CLÉMENT

216, avenue du Docteur-Nancel-Pénard
33600 Pessac
Tél. 05 57 26 38 38 • Fax : 05 57 26 38 39
chateau@pape-clement.com
www.pape-clement.com
Visite : Du lundi au samedi à 10 h30, 11 h30, 14 h30 et 16 h30.

Une des marques les plus justement réputées du Bordelais, Pape Clément ne néglige aucun détail pour rester au sommet de la qualité, y compris le désormais fameux égrappage manuel sur table, où des dizaines de petites mains trient et coupent les rafles des raisins. Les rouges ont une volupté de texture unique dans l'appellation, sur beaucoup de points très proches de Mission-Haut-Brion. Les blancs partagent la même finesse et la même sophistication, mais devront digérer en bouteille un boisé plus affirmé que chez d'autres.

PESSAC-LÉOGNAN 2008
Blanc | 2012 à 2020 | cav. 126 € **16/20**
Robe dorée, échantillon sans doute pas encore en bouteille, très boisé et musqué, on sent du raisin riche et mûr, mais le vin n'est pas encore complètement en place. À revoir l'an prochain.

PESSAC-LÉOGNAN 2007
Blanc | 2012 à 2017 | cav. 142 € **18/20**
Somptueuse bouteille aux arômes de pêche blanche mais aussi d'épices orientales, généreux en alcool mais impeccablement équilibré, long, racé, donnant un sentiment de raisin idéalement mûr.

PESSAC-LÉOGNAN 2007
Rouge | 2015 à 2019 | cav. 90 € **16,5/20**
Fût neuf au toasté sensible, puissant, chaleureux, très travaillé, sensuel mais doté de tanins frais et sans dureté. Vin plein de charme, mais pas encore harmonisé.

PESSAC-LÉOGNAN 2006
Blanc | 2014 à 2024 | cav. 151 € **17/20**
Texture magnifique, grand arôme de miel musqué, boisé digéré, très long, superbe !

PESSAC-LÉOGNAN 2006
Rouge | 2016 à 2026 | cav. 108 € **17,5/20**
Somptueux arômes associant fumé et cacao, corps généreux, texture voluptueuse, grand tanin confortable, le respect du raisin est payant !

PESSAC-LÉOGNAN 2005
Rouge | 2015 à 2025 | cav. 156 € **18/20**
Noble, complexe, velouté étonnant, grande longueur, de l'éclat et du style.

CHÂTEAU PESSAN

1 rue des Tonneliers • 33640 Portets
Tél. 05 56 62 36 86 • Fax : 05 56 76 82 40
chateaudemalle@wanadoo.fr
www.chateau-pessan.fr

GRAVES 2007 ☺
Rouge | 2010 à 2020 | 12 € **15,5/20**
Robe d'une jolie couleur rubis. Nez expressif aux notes florales. Bouche élégante, bien structurée. Beaux tanins.

CHÂTEAU PONT DE BRION

Ludeman • 33210 Langon
Tél. 05 56 63 09 52 • Fax : 05 56 63 13 47
vignoblesmolinari@chateaupontdebrion.com
www.chateaupontdebrion.com
Visite : Du Lundi au vendredi 10h à 12h / 14h à 18h

GRAVES 2008 ☺
Blanc | 2010 à 2015 | 11 € **15/20**
Robe dorée avec des reflets verts. Jolies notes d'agrumes. Ampleur et équilibre en bouche. Belle fraîcheur.

CHÂTEAU PONTAC-MONPLAISIR

20, rue Maurice-Utrillo • 33140 Villeneuve-d'Ornon
Tél. 06 09 28 80 88 • Fax : 05 56 87 35 10
contact@pontac-monplaisir.fr
www.pontac-monplaisir.fr
Visite : Du lundi au samedi sur rendez-vous.

Petite propriété sauvée de l'urbanisation, Pontac-Monplaisir revit des jours bien meilleurs et offre à des prix raisonnables un rouge souple et subtil, parfois un peu maigre et décevant au vieillissement, mais surtout un blanc exceptionnellement élégant avec beaucoup de personnalité.

PESSAC-LÉOGNAN 2007
Blanc | 2010 à | 13 € **14/20**
Vin vif, beaucoup de nervosité, tendu !

CHÂTEAU DE PORTETS

33640 Portets
Tél. 05 56 67 12 30 • Fax : 05 56 67 33 47
vignobles.theron@wanadoo.fr
www.chateaudeportets.com
Visite : tous les jours 9h à 12h30 et de 14h à 17 h
week-end sur rendez-vous

GRAVES 2008
Blanc | 2010 à 2014 | 8,50 € **14,5/20**
Robe jaune pâle. Nez d'ananas bien mûr. Belle matière en bouche, vive avec de l'allonge.

GRAVES 2007
Rouge | 2010 à 2017 | 9 € **15/20**
Robe sombre et brillante. Nez profond sur le fruit. Bouche pleine, gourmande aux belles notes épicées. Belle fraîcheur.

CHÂTEAU RABAUD-PROMIS

33210 Bommes
Tél. 05 56 76 67 38 • Fax : 05 56 76 63 10
rabaud-promis@wanadoo.fr
Visite : Sur rendez-vous.

Le cru est issu d'une division du Château Rabaud, dont la famille Sigalas a repris une partie des vignes, et forme une sorte de transition entre les crus du Haut-Sauternes et ceux situés un rien plus bas. Les Dejean, propriétaires du cru, sont des vignerons accomplis mais très timides, et leur expertise en matière de pourriture noble n'a d'égale que leur prudence. Il arrive donc que tous les risques ne soient pas pris et que certains millésimes manquent de rôti, mais dans les derniers millésimes les vins sont redevenus très opulents et racés. Reste à vérifier leur aptitude au vieillissement.

SAUTERNES 2006
Blanc Liquoreux | 2014 à 2021 | 24 € **15/20**
Un peu en dessous du 2005 en matière de pureté et de raffinement dans la pourriture noble mais riche, savoureux, assez complexe.

CHÂTEAU RAHOUL

4, route du Courneau • 33640 Portets
Tél. 05 57 97 73 33 • Fax : 05 57 97 73 36
chateau-rahoul@thienot.com
www chateau-rahoul com
Visite : Sur rendez-vous de 9h à 12h et de 14h à 17 h.

La famille Thiénot, important opérateur en Champagne, s'installe de plus en plus à Bordeaux. Elle a commencé par quelques propriétés peu connues, où elle applique une politique de qualité, comme Rahoul à Portets. 2006 montre qu'on travaille ici avec plus de précision que par le passé.

Graves 2007

Rouge | 2010 à 2017 | NC **13,5/20**

Robe d'une jolie couleur rubis. Nez fin, expressif. Bouche finement épicée, jolie trame tannique.

Graves 2006

Blanc | 2010 à 2012 | 17 € **15/20**

Souple et délié, plus finement construit que dans les millésimes précédents.

Graves 2006

Rouge | 2010 à 2018 | NC **15/20**

Droit et élégant, belle profondeur et fraîcheur notable en finale. Savoureux.

CHÂTEAU RAYMOND-LAFON

4, Au Puits - Château Raymond-Lafon
33210 Sauternes
Tél. 05 56 63 21 02 • Fax : 05 56 63 19 58
famille.meslier@chateau-raymond-lafon.fr
www.chateau-raymond-lafon.fr
Visite : Sur rendez-vous.

Magnifiquement situé dans la partie haute de Sauternes, voisin des meilleurs premiers crus classés, Raymond-Lafon produit depuis longtemps un vin qui leur est comparable, sous la direction très méticuleuse de Pierre Meslier et de ses enfants. Pierre Meslier, d'origine médocaine, fut un brillant directeur d'Yquem dans les années 1970 et 1980, et sait ce qu'il faut faire pour obtenir un grand liquoreux. Très riches en liqueur, impeccablement rôtis, d'un vieillissement assuré, les vins du château méritent leur notoriété mondiale.

Sauternes 2007

Blanc Liquoreux | 2012 à 2020 | 55 € **16/20**

Belle richesse de fruit, à la fois frais et rôti, grande sève et puissance à la limite de la vivacité, avec une liqueur pas encore tout à fait fondue mais c'est normal à ce stade de l'élevage. Plus de corps et de complexité que 2006.

Sauternes 2006

Blanc Liquoreux | 2013 à 2024 | 40 € **16/20**

Belle bouteille pour la longue garde. Nez complexe et raffiné ; grande élégance en bouche, frais, svelte, avec des raisins parfaitement rôtis qui donnent un vin avec un corps riche et une diversité remarquable.

CHÂTEAU DE RAYNE-VIGNEAU

109, rue Achard - B.P. 154 • 33210 Bommes
Tél. 05 56 59 00 40 • Fax : 05 56 59 36 47
contact@cagrandscrus.fr • www.cagrandscrus.com
Visite : Visites réservées aux professionnels, du lundi au vendredi de 9h à 12h et de 14h à 17h, sur rendez-vous.

Le terroir de Rayne-Vigneau ne le cède qu'à celui d'Yquem, et encore, en matière de qualité d'exposition et de facilité naturelle de drainage. Le vin, bien que soigneusement élaboré, n'a que rarement approché les mêmes hauteurs depuis cinquante ans, mais il semble qu'enfin le nouveau propriétaire, le tout-puissant Crédit Agricole, a compris la valeur du cru, et l'obligation de mettre un aussi grand patrimoine pleinement en valeur. Le 2007 est à peine supérieur à 2006 mais c'est avec le 2009 que le cru redevient lui même et profite de l'arrivée d'une nouvelle équipe à qui l'on a donné les moyens de pratiquer une viticulture digne du terroir.

Sauternes 2007

Blanc Liquoreux | 2015 à 2025 | NC **14/20**

Un peu de réduction au nez, vin riche mais moins précis qu'on ne le souhaiterait à ce niveau de classement.

Sauternes 2005

Blanc Liquoreux | 2013 à 2017 | NC **15,5/20**

Nez exubérant de fruits de la passion, signe d'une belle maîtrise technique, pur, savoureux, long, complexe mais pas au niveau de ses pairs.

CHÂTEAU DE RESPIDE

Le Pavillon de Boyrein • 33210 Roaillan
Tél. 05 56 63 24 24 • Fax : 05 56 63 24 34
vignobles-bonnet@wanadoo.fr
www.chateau-de-respide.com
Visite : Du lundi au vendredi, de 9h à 18 h.
Sur rendez-vous le week-end.

Le Château de Respide est l'un des plus vieux châteaux viticoles des Graves. Il est cité dans l'édition du Féret vers 1840. Le domaine fut la propriété du chef de la police de Paris sous Louis XIV, puis appartint à la tante du peintre Toulouse-Lautrec. Il est aujourd'hui propriété de la famille Bonnet.

Graves 2008

Blanc | 2010 à 2012 | 6,50 € **14/20**

Robe jaune pâle. Nez vif de fleurs blanches. Belle fraîcheur en bouche, notes de pêches blanches, belle acidité.

Graves Callipyge 2008

Blanc | 2010 à 2014 | 11 € **13,5/20**

La robe est brillante, jaune pâle. Nez fin. Bouche fine et élégante.

CHÂTEAU RESPIDE-MÉDEVILLE

4, rue du Port • 33210 Preignac
Tél. 05 56 76 28 44 • Fax : 05 56 76 28 43
contact@gonet-medeville.com
www.gonet-medeville.com
Visite : De 9 h30 à 12h et de 14h à 16h.

Le cru produit sur huit hectares un beau graves rouge à dominante cabernet-sauvignon, et sur moitié moins un très élégant graves blanc, de qualité reconnue et constante. Cette propriété appartient à la famille Médeville, bien connue pour son fameux sauternes Château Gilette.

Graves 2007

Rouge | 2010 à 2017 | 15 € **15/20**

Robe pourpre. Nez profond, dense, droit. Bouche avec beaucoup de vinosité. Trame tannique sérieuse.

Graves 2006

Blanc | 2010 à 2016 | NC **15/20**

Grande netteté d'expression, notes subtilement fumées et rôties au nez, riche et savoureux.

Graves 2006

Rouge | 2010 à 2018 | NC **16/20**

Couleur pourpre. Nez fin, riche, complexe. La bouche offre des notes épicées et poivrées avec beaucoup de finesse et d'harmonie. Bel équilibre.

CHÂTEAU RIEUSSEC

34,route de Villandreau • 33210 Fargues-de-Langon
Tél. 05 57 98 14 14 • Fax : 05 57 98 14 10
rieussec@lafite.com • www.lafite.com
Visite : Sur rendez-vous. Fermé en août
et pendant les vendanges.

Actuellement, ce premier cru classé est le plus recherché de sa catégorie, grâce à la qualité indéniable de son vin, très liquoreux et d'une régularité remarquable, mais aussi grâce à la puissance et à l'adresse commerciales des Domaines Rothschild. Charles Chevallier, directeur de Lafite, y a construit sa carrière et continue à veiller amoureusement sur le style du vin, vinifié avec tout le savoir-faire technique moderne. On y perd peut-être en poésie mais certainement pas en qualité. Le vin continue à être très riche, même en millésime intermédiaire, mais il a gagné en finesse dans ses équilibres, y compris dans l'extravagance climatique du 2003. Superbes 2006 et 2007.

Sauternes 2007

Blanc Liquoreux | 2017 à 2037 | cav. 58 € **18/20**

Grand caractère, magnifique générosité de constitution, fruit d'une pureté exemplaire, longue suite, un classique du millésime.

Sauternes 2006

Blanc Liquoreux | 2016 à 2026 | 60 **17,5/20**

Richesse en liqueur fastueuse, grande longueur, a bien gagné en harmonie avec la fin d'élevage.

CHÂTEAU ROCHE-LALANDE

Château de Castres - Route de Pommarède
33640 Castres Gironde
Tél. 05 56 67 51 51 • Fax : 05 56 67 52 22
chateaudecastres@chateaudecastres.fr
www.chateaudecastres.fr
Visite : De 8h à 19 h.

Graves 2007

Blanc | 2010 à 2012 | 15 € **15/20**

Ce vin à la robe dorée offre un nez expressif de sémillon. Jolies notes miellées. Bouche fraîche, soutenue par un joli boisé.

PESSAC-LÉOGNAN 2007

Blanc | 2010 à 2020 | 15 € **15/20**

Robe pourpre. Nez aux notes finement boisées. Belle fraîcheur en bouche, trame tannique sérieuse et solide en finale.

CHÂTEAU DE ROCHEMORIN

chemin de carosse • 33650 martillac

Tél. 05 57 25 58 58 • Fax : 05 57 74 98 59

andrelurton@andrelurton.com

www.andrelurton.com

PESSAC-LÉOGNAN 2007

Rouge | 2010 à 2016 | env 13,50 € **13,5/20**

Vin épicé, avec de l'équilibre et une belle fraîcheur.

CHÂTEAU ROMER DU HAYOT

Château Andoyse Andoys • 33720 Barsac

Tél. 05 56 27 15 37 • Fax : 05 56 27 04 24

vignoblesduhayot@wanadoo.fr

www.vignobles-du-hayot.com

Visite : Tous les jours de 9h à 12h et de 14h à 17h.

Ce cru ne figure ici qu'à cause de son classement historique. Le vin n'en est pas digne depuis vingt ans, mais se vend bien dans la grande distribution, à prix d'amis. Il semble néanmoins qu'une récente reprise en main se fasse sentir, les premiers échantillons de 2009 n'ont aucun rapport avec les millésimes précédents. Le 2007 ne nous a pas été présenté.

CHÂTEAU ROQUETAILLADE LA GRANGE

33210 Mazéres

Tél. 05 56 76 14 23 • Fax : 05 56 62 30 62

contact@vignobles-guignard.com

Visite : en semaine, de 9h à 12h et de 14h à 17h30 week-end sur rendez-vous

GRAVES 2007

Rouge | 2010 à 2017 | 12 € **14,5/20**

Vin à la robe sombre, d'une jolie brillance. Sa bouche pleine est épicée avec un joli boisé. Vin fin et élégant.

CHÂTEAU ROÛMIEU-LACOSTE

Le Plantey • 33720 Barsac

Tél. 05 56 27 16 29 • Fax : 05 56 27 02 65

hervedubourdieu@aol.com

Visite : sur rendez-vous

Ce petit cru méconnu de Barsac produit surtout, sur un vignoble voisin, des vins secs d'appellation Graves, mais son propriétaire (encore un Dubourdieu) gère parfaitement ces quelques hectares proches de Climens, et vinifie sans compromission l'un des barsacs les plus puissants du moment.

SAUTERNES 2007

Blanc Liquoreux | 2012 à 2019 | 19 € **14/20**

Nez très toasté, de la rondeur en bouche, du volume, du rôti, le bois est très présent mais pas gênant. Riche.

SAUTERNES 2005

Blanc Liquoreux | 2010 à 2025 | NC **16,5/20**

Somptueuse richesse en liqueur, nez de raisins très rôtis, grande longueur. Vraiment un vin pour amateurs de liquoreux.

CHÂTEAU SAINT-JEAN DES GRAVES

Château Liot • 33720 Barsac

Tél. 0556271531 • Fax : 0556271442

chateau.liot@wanadoo.fr • www.chateauliot.com

GRAVES 2009

Blanc | 2010 à | 7,30 € **14/20**

Robe de couleur paille. Belles notes expressives de citron. La bouche est enveloppante, avec un joli gras. Vin agréable.

CHÂTEAU SAINT-ROBERT

SCEA vignobles de Bastor & Saint-Robert

33210 Preignac

Tél. 05 56 63 27 66 • Fax : 05 56 76 87 03

bastor@bastor-lamontagne.com

www.chateau-saint-robert.com

Visite : Du lundi au jeudi de 9h à 12 h30 et de 14h à 17 h30. Le vendredi jusqu'à 16h30.

GRAVES 2008

Blanc | 2010 à 2012 | 8 € **13,5/20**

Robe jaune pâle. Nez expressif. Bouche équilibrée. Vin agréable d'une belle fraîcheur.

Graves Poncet-Deville 2008

Blanc | 2010 à 2015 | 13 € **15/20**

Reflets verts, nez de pêche jaune, bouche fraîche, florale, de l'acidité, le tout parfaitement équilibré.

Graves Poncet-Deville 2007

Blanc | 2010 à 2014 | 13 € **15/20**

Robe jaune dorée, nez d'agrumes, peau de pamplemousse, bouche pleine, enrobée, jolies notes boisées. Belle fraîcheur.

Graves Poncet-Deville 2007

Rouge | 2010 à 2017 | 16 € **13,5/20**

Robe sombre, notes profondes au nez, joli boisé, bouche fine, avec des notes boisées encore présentes. Vin élégant qui joue sur la finesse et l'élégance.

CHÂTEAU LE SARTRE

78, chemin du Sartre • 33850 Léognan
Tél. 05 56 64 08 78 • Fax : 05 56 64 52 57
chateaulesartre@wanadoo.fr • www.lesartre.com
Visite : du lundi au vendredi de 9h à 12h
et de 14h à 16h

Pessac-Léognan 2007

Rouge | 2010 à 2015 | 15 € **14/20**

Vin agréable, élégant, frais et fruité.

CHÂTEAU DE SAUVAGE

Manine • 33720 Landiras
Tél. 06 23 32 59 52
chateaudesauvage@gmail.com
www.chateaudesauvage.com
Visite : sur rendez-vous

Graves 2007 ☺

Rouge | 2010 à 2017 | 7 € **14,5/20**

Robe grenat. Nez fruité. Bouche élégante et équilibrée, belle fraîcheur. Vin agréable.

CHÂTEAU SEGUIN

Chemin de la House • 33610 Canéjan
Tél. 05 56 75 02 43 • Fax : 05 56 89 35 41
contact@chateauseguin.com
www.chateauseguin.com
Visite : en semaine, de 8h à 12h et de 13h à 16h
week-end sur rendez-vous

Reconstitué par Jean Darriet, ingénieur géomètre, et son épouse, ce domaine de trente-cinq hectares produit à nouveau des rouges séveux et complexes, qui à chaque millésime gagnent en précision. L'arrivée comme associé de Moïse Ohana a encore accentué le dynamisme de la propriété, qui devient progressivement une figure incontournable de son appellation.

Pessac-Léognan 2007 ☺

Rouge | 2010 à | 16 € **16/20**

Les vins du Château Seguin progressent d'année en année. Robe dense, nez épicé, distingué, corps volumineux, très harmonieux. Tanins parfaitement maîtrisés.

CHÂTEAU SIGALAS-RABAUD

Château Sigalas-Rabaud • 33210 Bommes
Tél. 05 57 31 07 45
contact@chateau-sigalas-rabaud.com
www.chateau-sigalas-rabaud.fr
Visite : Du lundi au vendredi, de 9h à 12h et de 14h à 17h30, sur rendez-vous. Fermé les 25 décembre et 1er janvier, en juillet-août et pendant les vendanges.

Voisin direct de Lafaurie-Peyraguey, Sigalas-Rabaud est un petit vignoble de quatorze hectares d'un seul tenant, idéalement exposé, capable de donner un vin très liquoreux mais d'une finesse transcendante. La pourriture du raisin, en raison de sa précocité, s'y développe de façon particulièrement noble, comme l'ont prouvé les 1988, 1990, 1996 et 1997 de la propriété. Comme promis l'an passé, nous avons dégusté à nouveau les trois derniers millésimes, qui après mise retrouvent la finesse habituelle du cru. Le second vin, Lieutenant-de-Sigalas, est particulièrement réussi en 2006 et mérite une mention particulière.

Sauternes 2007

Blanc Liquoreux | 2015 à 2025 | 31 € **17/20**

Très belle réussite, vin complet, liqueur riche et bien marquée par le rôti de la pourriture noble, très long, assez ouvert pour son âge. Il se fera néanmoins plus vite que ses voisins.

CHÂTEAU SMITH HAUT-LAFITTE

Château Smith Haut-Lafitte • 33650 Martillac
Tél. 05 57 83 11 22 • Fax : 05 57 83 11 21
smith-haut-lafitte@smith-haut-lafitte.com
www.smith-haut-lafitte.com
Visite : Tous les jours sur rendez-vous.

Propriété phare de Martillac par la qualité de ses installations et son ouverture au tourisme viticole, Smith Haut-Lafitte est aussi un vignoble pionnier

dans sa catégorie pour sa philosophie de viticulture, largement inspirée de l'école biodynamique. Une autre propriété de la famille Cathiard, Cantelys, donne des vins agréables mais sans forte personnalité. Les-Hauts-de-Smith, le second vin de la propriété, est devenu délicieux dans les deux couleurs. Les trois derniers millésimes du grand vin donnent enfin la mesure du terroir pour les vins rouges et blancs et mettent magnifiquement en valeur la finesse native du sol.

Pessac-Léognan 2008
Blanc | 2012 à 2018 | cav. 63 € **18/20**
Parfaite réussite, grande élégance de parfum, plus sobre, plus pur que par le passé, notes raffinées de fruits blancs et jaunes, dépassant largement le cadre habituel des arômes de sauvignon, très sec, long, précis, bref complet.

Pessac-Léognan 2007
Blanc | 2011 à 2017 | cav. 54 € **15/20**
Beaucoup de générosité mais sur cette bouteille de la lourdeur sans qu'on retrouve le caractère tant aimé l'an dernier. À revoir.

Pessac-Léognan 2007
Rouge | 2015 à 2025 | cav. 37 € **17,5/20**
Robe dense, nez superbe de finesse et de naturel dans l'expression du fruit, texture parfaite, grande longueur, un des sommets du millésime.

CHÂTEAU SUAU

33720 Illats
Tél. 05 56 27 20 27 - 06 81 56 42 57
Fax : 05 56 62 47 78
bonnet.suau@wanadoo.fr • www.chateausuau.com
Visite : De 9h à 12h et de 14h à 16h sur rendez-vous.

Ce tout petit cru de Barsac possède un terroir de premier ordre mais a rarement travaillé, depuis une génération, avec la discipline qu'exige son classement en 1855. Il semble que depuis deux millésimes les propriétaires s'investissent davantage et nous aurons plaisir à informer les amateurs du retour en forme du château dès qu'il aura vraiment lieu. Le 2007 n'a pas été présenté.

CHÂTEAU SUDUIRAUT

Château Suduiraut • 33210 Preignac
Tél. 05 56 63 61 92 • Fax : 05 56 63 61 93
acceuil@suduiraut.com • www.suduiraut.com
Visite : Sur rendez-vous. Ouvert de 10h à 12h et de 14h à 17 h30 du lundi au samedi, d'avril à novembre inclus.

Immense propriété, Suduiraut n'est pas le plus commode des crus de Sauternes à exploiter, mais peut jouer, comme Yquem, sur la diversité de ses terres. Son caractère complet, associant un grand développement aromatique et une impressionnante richesse en liqueur, lui vaut la faveur de tous les amoureux des grands vins liquoreux, et il n'a jamais été aussi bien administré depuis cinquante ans. Les derniers millésimes sont tous exceptionnellement bien réussis, sous la direction d'un des régisseurs les plus compétents du Sauternais, bien que vouvrillon d'origine. Le vin blanc sec S commence à prendre l'assurance de style qu'on attend, et le second vin Castelnau devient l'un des meilleurs de la catégorie.

Sauternes 2007
Blanc Liquoreux | 2017 à 2037 | cav. 50 € **19/20**
Admirable réussite, nez complet, corps fabuleusement riche, parfum éblouissant où tout le potentiel des raisins nobles a été préservé, longueur de très grande année.

CHÂTEAU TOUMILON

Château Toumilon • 33210 Saint-Pierre-de-Mons
Tél. 05 56 63 07 24 • Fax : 05 56 63 59 24
contact@chateau-toumilon.com
www.chateau-toumilon.com
Visite : Sur rendez-vous.

Graves 2008
Blanc | 2010 à 2014 | 8,50 € **14,5/20**
Robe aux reflets verts. Nez aux arômes de pêche. Bouche gourmande ! Jolie matière avec un bel équilibre. Vin agréable.

CHÂTEAU LA TOUR BLANCHE

1 Tcr Tour Blanche • 33210 Bommes
Tél. 05 57 98 02 73 • Fax : 05 57 98 02 78
tour-blanche@tour-blanche.com
www.tour-blanche.com
Visite : Du lundi au vendredi de 8h30 à 12h
et de 13h30 à 17 h.

Le château appartient à l'État et abrite une très officielle école de viticulture. Mais il est d'abord connu dans le monde pour son merveilleux vin liquoreux, très riche, tout en finesse aromatique et en subtils dégradés de saveur, avec peut-être une évolution un peu trop rapide en bouteille de quelques grands millésimes récents. Il gagnerait sans doute encore à fermenter un demi-degré à un degré plus haut en alcool, pour renforcer sa résistance à l'oxydation. C'est d'ailleurs le cas dans les deux millésimes non encore en bouteilles, avec un 2008 issu d'une minuscule récolte mais d'une richesse extravagante. Félicitons l'actuelle directrice de l'école et son excellente équipe.

SAUTERNES 2007
Blanc Liquoreux | 2015 à 2027 | cav. 39 € **18/20**
Remarquable qualité de pourriture noble. Texture somptueuse et finale interminable.

SAUTERNES 2006
Blanc Liquoreux | 2014 à 2026 | cav. 36 € **17,5/20**
Riche en liqueur, raffiné, très long, soigné à tous les stades de son élaboration, un vrai Premier.

CHÂTEAU DU TOURTE

route de respides • 33210 Toulenne
Tél. 05 56 62 28 26 • Fax : 05 56 62 28 26
chateau.du.tourte@orange.fr
www.chateaudutourte.com
Visite : De 9h à 18h, tous les jours

GRAVES 2007
Rouge | 2010 à 2017 | 15 € **15/20**
Robe pourpre. Nez expressif, épicé. Bouche équilibrée. Tanins fins en finale.

GRAVES 2006
Blanc | 2010 à 2011 | 9 € **14/20**
Robe d'un joli or. Notes florales au nez, ainsi que des notes briochées. La bouche est fraîche, avec pas mal d'acidité.

GRAVES 2005
Rouge | 2010 à 2012 | 15 € **15/20**
Robe noire. Nez épanoui, mûr. Notes boisées. Bouche ample, puissante, avec de la fraîcheur et de beaux tanins serrés.

CHÂTEAU VÉNUS

Médudon - 1, voie communale 14 de Veyres • 33210 Preignac
Tél. 05 56 62 76 09 • Fax : 05 56 62 76 09
contact@chateauvenus.com • www.chateauvenus.com
Visite : sur rendez-vous par mail ou téléphone

GRAVES 2007
Rouge | 2010 à 2017 | 9,50 € **14/20**
Robe pourpre. Nez fin et épicé. Bouche fine, droite avec une belle fraîcheur.

VIEUX CHÂTEAU GAUBERT

35, avenue du 8-mai-1945 • 33640 Portets
Tél. 05 56 67 18 63 • Fax : 05 56 67 52 76
dominique.haverlan@libertysurf.fr
Visite : De 9h à 12h et de 14h à 17 h.

Dominique Haverlan est depuis plus de vingt ans l'un des producteurs de référence de l'appellation Graves. Son rouge, à dominante merlot, est sérieusement sélectionné et élevé pendant un an en barrique. Le blanc voit également le bois, en fermentant et en étant élevé sur lies pendant neuf mois.

GRAVES 2008
Blanc | 2010 à 2016 | 12 € **15/20**
Robe aux reflets verts. Notes citronnées. Belle matière ample en bouche, équilibrée par une jolie acidité.

GRAVES 2007
Rouge | 2010 à 2020 | 14 € **16/20**
Robe très sombre. Nez profond et complexe. Bouche d'une belle constitution, avec de la complexité et des beaux tanins croquants.

GRAVES BENJAMIN DE VIEUX CHÂTEAU GAUBERT 2007
Blanc | 2010 à 2012 | 7,95 € **13,5/20**
Robe aux reflets jaune. Notes citronnées. Bouche droite, avec une belle acidité.

CHÂTEAU VILLA BEL-AIR

SCA du Château Villa Bel-Air • 3650 Saint-Morillon
Tél. 05 56 20 29 35 • Fax : 05 56 78 44 80
infochato@villabelair.com • www.villabelair.com
Visite : pas de vente au domaine

Un parc, une pièce d'eau avec ses sculptures et une jolie chartreuse : le stéréotype de la villa italienne. Jean-Michel Cazes acheta cette belle propriété en 1988, et restructura intégralement le vignoble et les installations techniques.

Graves 2007

Blanc | 2010 à 2012 | env 13,50 € **15,5/20**

Robe jaune pâle. Jolies notes boisées au nez. Bouche fraîche, avec un bel équilibre.

Graves 2006

Rouge | 2010 à 2020 | env 13,50 € **14,5/20**

Robe pourpre. Bouche fruitée, fine, de l'élégance, tout en équilibre. Tanins fins en finale.

VINDIAMO

131, cours de L'Argonne • 33000 Bordeaux
Tél. 05 56 94 35 69
vindiamo@vindiamo.fr • www.vindiamo.com

Sébastien Chevrier a tout récemment créé une gamme assez originale de vins de marque, pour lesquels la couleur de l'étiquette indiquant le type de vin prime sur l'appellation ou le millésime.

Bordeaux merlot 2005

Rouge | 2010 à 2011 | NC **14/20**

Un vrai petit bordeaux de plaisir, au nez fondu et délicatement fruité, à la bouche souple, finement tannique et prête à boire.

Graves 2006

Blanc | 2010 à 2011 | NC **14/20**

Dans un style plus tape-à-l'œil que raffiné, il offre un nez miellé et fumé, une bouche rondouillarde, flatteuse et heureusement vive en finale.

Graves 2001

Rouge | 2010 à 2011 | NC **14/20**

Un joli graves prêt à boire, avec un nez déjà bien épanoui, une bouche fondante, charnue, avec un beau fruit et un boisé bien dosé.

CHÂTEAU D'YQUEM

Château d'Yquem • 33210 Sauternes
Tél. 05 57 98 07 07 • Fax : 05 57 98 07 08
info@yquem.fr • www.yquem.fr
Visite : Du lundi au vendredi à 14h ou 15h30, sur rendez-vous, par écrit.

Yquem jouit d'un statut unique dans la production bordelaise, qui le place pratiquement hors de tout jugement critique, un peu comme la Joconde dans l'univers de la peinture. Il ne connaît pas de petits, voire de moyens millésimes, car il ne supporte aucun compromis. LVMH aujourd'hui, comme hier la famille Lur-Saluces, n'imagine même pas la possibilité d'en faire ! Le cru a poursuivi son évolution vers la recherche de plus de fraîcheur et de finesse aromatique, sans rien perdre de sa somptuosité, et a réussi trois chefs-d'œuvre presque consécutifs en 2001, 2004 et 2005. 2007 séduit par sa puissance et son onctuosité mais évidemment les prix de vente actuels ne le rendent pas vraiment accessible. Y recommence à être produit et on va certainement parler longtemps du 2008 révolutionnaire dans son style et ses équilibres.

Bordeaux Y 2006

Blanc | 2011 à 2026 | cav. 90 € **17/20**

Premier millésime d'Y produit sous la direction de Pierre Lurton, le vin montre une évolution passionnante de son style. S'il conserve quelques grammes de sucre, il apparaît plus sec, plus exubérant dans son caractère aromatique que par le passé. Rien dans la production actuelle de Bordeaux ne lui ressemble. Il sera passionnant de suivre son évolution en bouteille.

Sauternes 2007

Blanc Liquoreux | 2017 à 2037 | cav. 470 € **19/20**

Magnifique rôti du raisin, équilibre général étonnant car préservant finesse, fraîcheur et pureté malgré la richesse de l'ensemble, boisé complètement intégré, longueur remarquable, bref le sommet attendu !

Sauternes 2006

Blanc Liquoreux | 2016 à 2026 | cav. 500 € **19/20**

Le plus noble et le plus pur au nez de tous les crus de Sauternes, admirable finesse et pureté de style, magistrale réussite de l'équipe technique.

Médoc

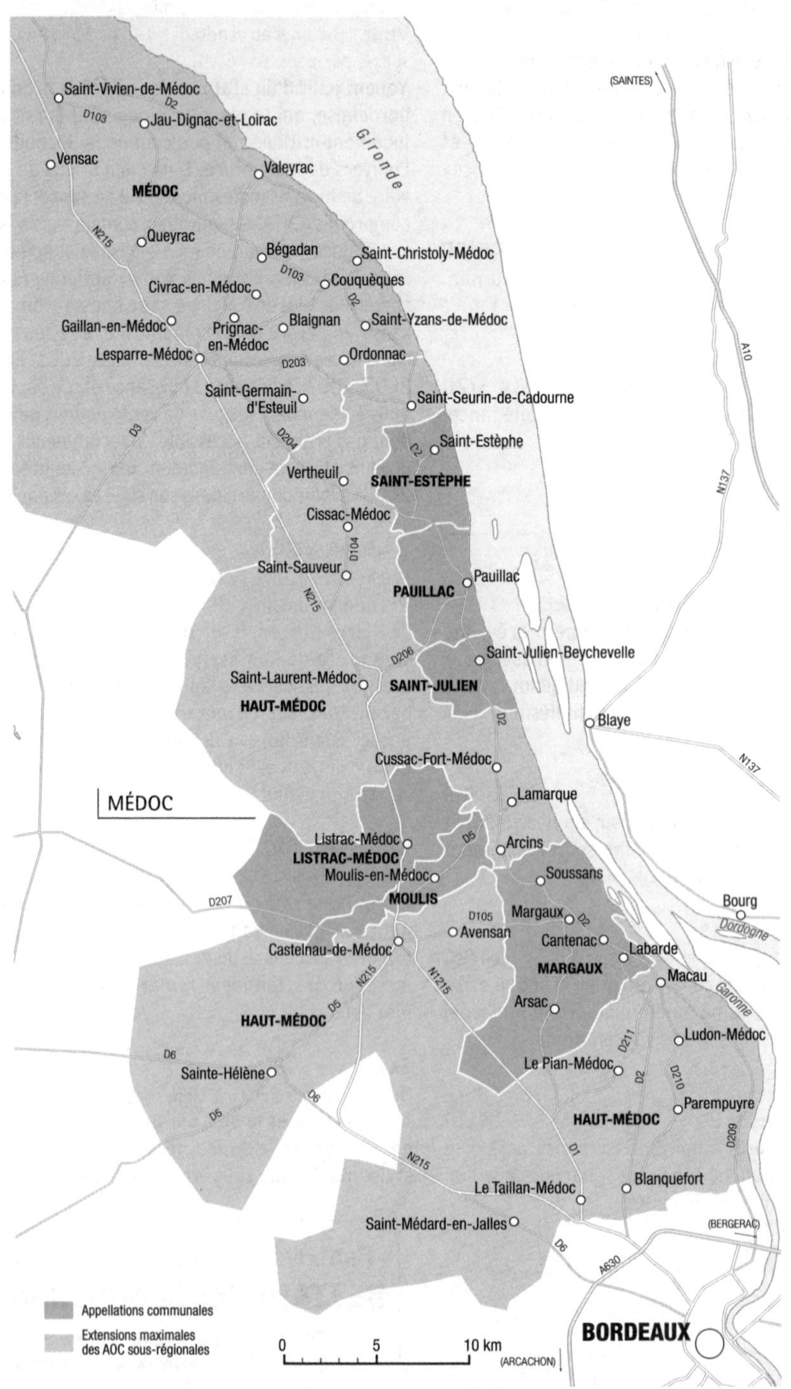
Saint-Vivien-de-Médoc
Jau-Dignac-et-Loirac
Vensac
Valeyrac
MÉDOC
Gironde
(SAINTES)
Queyrac
Bégadan
Saint-Christoly-Médoc
Civrac-en-Médoc
Couquèques
Gaillan-en-Médoc
Prignac-en-Médoc
Blaignan
Saint-Yzans-de-Médoc
Lesparre-Médoc
Ordonnac
Saint-Germain-d'Esteuil
Saint-Seurin-de-Cadourne
Saint-Estèphe
Vertheuil
SAINT-ESTÈPHE
Cissac-Médoc
Saint-Sauveur
Pauillac
PAUILLAC
Saint-Julien-Beychevelle
Saint-Laurent-Médoc
SAINT-JULIEN
HAUT-MÉDOC
Blaye
Cussac-Fort-Médoc
Lamarque
MÉDOC
Listrac-Médoc
LISTRAC-MÉDOC
Arcins
Soussans
Moulis-en-Médoc
MOULIS
Bourg
Dordogne
Margaux
Avensan
Castelnau-de-Médoc
Cantenac
Labarde
MARGAUX
Macau
Garonne
Arsac
HAUT-MÉDOC
Ludon-Médoc
Le Pian-Médoc
Sainte-Hélène
Parempuyre
HAUT-MÉDOC
Le Taillan-Médoc
Blanquefort
Saint-Médard-en-Jalles
(BERGERAC)
(ARCACHON)
BORDEAUX
Appellations communales
Extensions maximales des AOC sous-régionales
0 5 10 km

CHÂTEAU D'AGASSAC

15, rue du Château-d'Agassac • 33290 Ludon-Médoc
Tél. 05 57 88 15 47 • Fax : 05 57 88 17 61
contact@agassac.com • www.agassac.com
Visite : De 10h à 18h.

Cette propriété située dans le sud du Médoc, sur la commune de Ludon-Médoc, appartient à Groupama. Jean-Luc Zell, son régisseur, aime avant tout que le terroir s'exprime. Le vignoble est situé essentiellement sur des graves, ce qui lui confère un style typiquement médocain, avec un côté droit, net et aérien.

Haut-Médoc 2008

Rouge | 2010 à 2020 | cav. 12 € **17/20**

Robe sombre. Nez fin, profond, complexe. Belle matière, joli fruit, de la tension, riche en fruit. Beaux tanins croquants.

Haut-Médoc 2007

Rouge | 2010 à 2016 | cav. 13 € **16/20**

Robe sombre. Nez profond et dense sur le fruit. La bouche est ample, longue, d'un grand équilibre. Joli vin !

Haut-Médoc Château Pomies-Agassac 2007

Rouge | 2010 à 2019 | NC **16/20**

Robe d'une couleur rubis foncée. Nez expressif sur le fruit, profond, dense. Bouche ample, généreuse, ronde. Belle longueur. Tanins soyeux.

Haut-Médoc Château Pomies-Agassac 2006

Rouge | 2010 à 2020 | NC **16/20**

Robe pourpre foncée. Notes de chocolat. Bouche pleine, de la matière, un joli gras, de la fraîcheur, de l'onctuosité. Belle longueur. Tanins complètement intégrés.

Haut-Médoc L'Agassant d'Agassac 2007

Rouge | 2010 à 2016 | NC **16/20**

Robe rubis foncée. Nez de fruits, avec des notes cacaotées. Bouche équilibrée, d'une belle fraîcheur. Vin gourmand.

CHÂTEAU ANDRON-BLANQUET

33180 Saint-Estèphe
Tél. 05 56 59 30 22 • Fax : 05 56 59 73 52
cos-labory@wanadoo.fr
Visite : Sur rendez-vous.

Saint-Estèphe 2006

Rouge | 2010 à 2018 | 25 € **14/20**

Robe pourpre. Nez fruité. Vin tout en finesse, pas massif, élégant. Tanins présents mais fins.

CHÂTEAU D'ARMAILHAC

33250 Pauillac
Tél. 05 56 59 22 22 • Fax : 05 56 73 20 44
webmaster@bpdr.com • www.bpdr.com

Le vignoble jouxte celui de Mouton-Rothschild, mais sur des graves plus légères et moins parfaitement drainées. Une proportion non négligeable de cabernet franc lui donne une finesse aromatique et une structure longiligne caractéristique, qui a parfois confiné à de la maigreur. Une viticulture et des vendanges plus soignées depuis 2000 lui ont permis de gagner en vigueur d'expression sans rien perdre de sa finesse. Philippine de Rothschild veille à ce que ce château, qui lui est cher, produise un vin aussi complet que possible et, depuis l'arrivée de Philippe Dalhuin, les progrès sont évidents avec des vins plus précis et encore mieux structurés. Leur rapport qualité-prix reste excellent.

Pauillac 2007

Rouge | 2015 à 2019 | cav. 25 € **16/20**

Arôme prenant de violette et de cèdre, corps équilibré, boisé subtilement intégré, très léger manque de densité et de rondeur dans le tanin mais seulement par comparaison avec les deux autres crus de la famille !

BARON NATHANIEL

Rue de Grassi - B.P. 117 • 33250 Pauillac
Tél. 05 56 73 20 20 • Fax : 05 56 73 20 44
webmaster@bpdr.com • www.bpdr.com

Pauillac 2006

Rouge | 2010 à 2016 | env 19 € **14,5/20**

Robe pourpre. Nez aux notes chocolatées. Bouche possédant une belle matière, riche en fruits. Beaux tanins, bien intégrés.

CHÂTEAU BARREYRES

21-24, rue Georges-Guynemer • 33290 Blanquefort
Tél. 05 56 95 54 00 • Fax : 05 57 88 50 26
contact@chateaux-castel.com
www.chateaux-castel.com
Visite : Sur rendez-vous.

Haut-Médoc 2007

Rouge | 2010 à 2017 | env 10,50 € **14/20**

De couleur sombre, nez de fruit, vin riche par sa matière, droit, avec de la tension.

CHÂTEAU BATAILLEY

86, cours Balguerie-Stuttenberg • 33250 Pauillac
Tél. 05 56 00 00 70 • Fax : 05 56 52 29 54
domaines@borie-manoux.fr
Visite : Sur rendez-vous du lundi au vendredi, de 8h à 12h et de 14h à 18h.

Ce cru a beaucoup progressé en cinq ans et conserve toute la vinosité et la puissance d'expression dont il a parfois fait preuve, particulièrement dans les décennies 1940 et 1950, mais avec infiniment plus de pureté et de finesse aromatique. Intelligemment conseillé par Denis Dubourdieu, Philippe Castéja a fait les ajustements nécessaires et peut être fier du résultat. Batailley est devenu un des crus les plus recommandables de l'appellation, avec un rapport qualité-prix très attractif.

PAUILLAC 2007
Rouge | 2015 à 2025 | cav. 26 € **16/20**
Beau nez de cèdre, corps plein et équilibré, tanin racé, saveur légèrement fumée généreuse et persistante, vin classique, très adroitement vinifié et élevé.

PAUILLAC 2006
Rouge | 2016 à 2026 | cav. 28 € **16,5/20**
Caractère puissant, épicé, texture serrée pour le millésime, vin strict mais plein, de garde.

CHÂTEAU BEAU-SITE

86-90, cours Balguerie-Stuttenberg
33082 Bordeaux cedex
Tél. 05 56 00 00 70 • Fax : 05 57 87 60 30
domaines@borie-manoux.fr
www.borie-manoux.com
Visite : Du lundi au vendredi sur rendez-vous.

Beau-Site appartient à la famille Castéja, propriétaire de Batailley, à Pauillac, et de la maison Borie-Manoux. Le terroir, proche de Calon-Ségur, est remarquable mais le cru a longtemps souffert de pratiques routinières. Il bénéficie aujourd'hui de la reprise en mains de tous les crus de la famille.

SAINT-ESTÈPHE 2007
Rouge | 2010 à 2017 | env 13,50 € **14/20**
Vin de structure classique, très médocaine. Bouche avec de la densité. Beaux tanins encore imposants.

CHÂTEAU BEAUMONT

33460 Cussac-Fort-Médoc
Tél. 05 56 58 92 29 • Fax : 05 56 58 90 94
beaumont@chateau-beaumont.com
www.chateau-beaumont.com
Visite : De 9h à 12h et 14h à 17h.

HAUT-MÉDOC 2007
Rouge | 2010 à 2018 | 10 € **14/20**
Vin avec de la fraîcheur, de la buvabilité, très agréable.

CHÂTEAU BEL AIR MARQUIS D'ALIGRE

33460 Soussans
Tél. 05 57 88 70 70

MARGAUX 2007
Rouge | 2010 à 2020 | NC **16,5/20**
Robe de couleur rubis. Nez sur le fruit noir, notes de bonbons anglais, cassis, épices. La bouche est souple, fine élégante, droite, pure, fruitée.

MARGAUX 2006
Rouge | 2010 à 2025 | NC **17/20**
Robe rubis. Nez profond, fruits rouges, cassis, framboise. Bouche aux notes d'épices douces, fine, élégante, belle longueur. Tanins fondus. Vin complexe.

MARGAUX 2003
Rouge | 2010 à 2020 | NC **16/20**
Bouche soyeuse, belle fraîcheur. Tanins fins et enrobés.

MARGAUX 1996
Rouge | 2010 à 2050 | NC **16/20**
Complet, souple, pur, étonnant de naïveté et de sincérité. Dédié aux vrais amateurs !

CHÂTEAU BELGRAVE

33112 Saint-Laurent-du-Médoc
Tél. 05 56 35 53 00 • Fax : 05 56 35 53 29
contact@dourthe.com • www.dourthe.com
Visite : sur rendez-vous

Ce cru ne prend sa vraie dimension que depuis trois ans. Auparavant il produisait un vin solide, adroitement vinifié mais un peu forcé dans son extraction. Ce passage, lié à la personnalité du conseiller œnologique Michel Rolland, était nécessaire pour atteindre l'harmonie et la séduction aromatique des tout derniers millésimes, qui bénéficient d'installations techniques exemplaires. Beau 2005, complet,

mais 2006 encore plus prometteur par son raffinement de texture et sa qualité d'extraction du tanin. Le cru a trouvé son style et l'expression juste de son excellent terroir pour un prix raisonnable.

Haut-Médoc 2007
Rouge | 2015 à 2019 | 25 € **15/20**
Vin net, charnu, vigoureux, tanin un rien sec, du moins sur cet échantillon et en comparaison avec ses voisins. La fraîcheur du millésime l'a un peu durci.

Haut-Médoc 2006
Rouge | 2014 à 2021 | 26 € **16/20**
Une excellente réussite qui devrait donner à réfléchir à quelques autres crus classés du sud du Médoc. La robe est dense, le nez très affirmé, le corps généreux, soutenu par un tanin énergique mais sans violence. Un vin complet qui devrait magnifiquement vieillir.

CHÂTEAU BELLE-VUE

69, route de Louens • 33460 Macau
Tél. 05 57 88 19 79 • Fax : 05 57 88 41 79
contact@chateau-belle-vue.fr
www.chateau-belle-vue.fr
Visite : De 9h30 à 12h et de 13h à 17h30.

Cette propriété du Sud-Médoc appartenait depuis 2004 à Vincent Mulliez qui vient de disparaître prématurément. Le vin est souvent impressionnant dans sa jeunesse, passant ensuite parfois par une phase de fermeture. Le 2005 semble marquer une ère nouvelle pour le cru.

Haut-Médoc Château Belle-Vue 2008
Rouge | 2010 à 2018 | 15 € **16/20**
Robe sombre. Nez encore un peu fermé. La bouche est d'un bel équilibre, sur les fruits rouges croquants, bien mûrs, avec une belle fraîcheur. Tanins très fins. Ce vin a encore gagné en finesse !

Haut-Médoc Château Belle-Vue 2007
Rouge | 2010 à 2018 | 14 € **16/20**
Robe sombre. Nez expressif, aux notes cacaotées. Belle fraîcheur en bouche, grande finesse, souple, droit, les tanins sont complètement intégrés. Vin d'un bel équilibre !

Haut-Médoc Château de Gironville 2007
Rouge | 2010 à 2015 | 13 € **15/20**
Matière riche avec de la densité, le boisé est encore présent, mais le vin est généreux. Structure tannique imposante.

Haut-Médoc Château de Gironville 2006
Rouge | 2010 à 2018 | 13 € **16/20**
Beau vin, typique de la meilleure école des crus du Sud-Médoc, avec une élégance très proche de celle d'un bon margaux. Nez précis de petits fruits rouges, corps gourmand, fin et élancé, bel équilibre racé, allonge et fraîcheur.

CHÂTEAU BELLEGRAVE

22, route des Châteaux • 33250 Pauillac
Tél. 05 56 59 05 53 • Fax : 05 56 59 06 51
contact@chateau-bellegrave.com
www.chateau-bellegrave.com
Visite : Sur rendez-vous.

Pauillac 2007
Rouge | 2010 à 2016 | NC **14/20**
Robe sombre. Nez fin. Bouche avec de la tension. Tanins fermes.

CHÂTEAU BELLEVUE DE TAYAC

6, rue Guadet • 33460 Soussans
Tél. 05 57 55 09 13 • Fax : 05 57 55 09 12
thunevin@thunevin.com • www.thunevin.com
Visite : lundi au samedi de 10h à 18h30

Margaux 2006
Rouge | 2010 à 2020 | 30 € **14,5/20**
Robe pourpre. Nez profond et généreux. Bouche pleine, enrobée, structurée, d'une belle longueur. Tanins fins et bien intégrés.

CHÂTEAU BERNADOTTE

Le Fournas Nord • 33250 Saint-Sauveur
Tél. 05 56 59 57 04 • Fax : 05 56 59 54 84
bernadotte@chateau-bernadotte.com
www.chateau-bernadotte.com
Visite : Sur rendez-vous.

Propriété de Louis Roederer, le terroir, en limite de Pauillac, est de qualité et les derniers millésimes avaient produit un cru bourgeois plutôt raffiné mais peut-être un peu trop austère. En 2006, le vinificateur a davantage recherché le fruit et le résultat est prometteur. Ce millésime aura plus de personnalité aromatique que les précédents.

Haut-Médoc 2006
Rouge | 2010 à 2017 | cav. 16 à 18 € **14,5/20**
Robe foncée. Nez fruité. De la fraîcheur dans cette bouche fine, droite, précise. Tanins fins en finale.

Haut-Médoc 2005
Rouge | 2010 à 2019 | cav. 16 à 18 € **14,5/20**
Robe foncée et brillante. La bouche est fine et élégante. Tanins fins et intégrés en finale.

CHÂTEAU LA BESSANE

S.A. Château Paloumey • 33290 Ludon-Médoc
Tél. 05 57 88 00 66 • Fax : 05 57 88 00 67
info@chateaupaloumey.com
www.chateaupaloumey.com
Visite : lundi vendredi de 10h à 18h
et le week end sur rendez-vous

Margaux Château La Bessane 2007
Rouge | 2010 à 2016 | NC **14,5/20**
Robe sombre. Nez fin et expressif de fruits mûrs. Bouche possédant une jolie matière séveuse, de l'allonge, tanins fins. Vin agréable !

CHÂTEAU BEYCHEVELLE

33250 Saint-Julien-Beychevelle
Tél. 05 56 73 20 70 • Fax : 05 56 73 20 71
beychevelle@beychevelle.com • www.beychevelle.com
Visite : Du lundi au vendredi, de 10h à 12h et de 13h30 à 17h.

Cette magnifique propriété possède les bâtiments les plus élégants de Saint-Julien, et produit en grand millésime un vin parfaitement accordé au style du château, d'une finesse difficile à surpasser même à Margaux, et d'une délicatesse de texture qui demande d'être un peu esthète pour l'apprécier à sa juste mesure. Le cru a pu apparaître maigre et vert dans les années les plus difficiles, mais il est en progrès certains au niveau de sa régularité. Avec lui, il faut d'ailleurs faire attention, car sa vraie dimension se révèle avec le temps (sublime 1996) et son vinificateur actuel, Philippe Blanc, ne fait rien pour lui donner un charme précoce, qu'il juge incompatible avec la dignité du terroir. Les millésimes récents sont tous réussis, et les barriques utilisées aujourd'hui sont bien meilleures que par le passé. Naturellement on peut encore rêver à des vins plus complets capables d'égaler les mythiques 1928 ou 1929.

Saint-Julien 2007
Rouge | 2015 à 2022 | cav. 48 € **15,5/20**
Nez fin et précis, corps et couleur un peu plus légers que ceux de ses pairs, tanin délicat et racé, vin de connaisseur, classique, mais pas dans le style à la mode. Moins de sève qu'en 2006.

Saint-Julien 2006
Rouge | 2014 à 2021 | cav. 49 € **15,5/20**
Le vin est plus tendu et plus strict que ses pairs, avec un tanin presque à nu qui ne rend pas sa dégustation actuelle très aimable ! Son caractère épicé est néanmoins perceptible, tout comme sa finesse.

Saint-Julien 2005
Rouge | 2015 à 2030 | cav. 77 € **17,5/20**
Merveilleuse finesse et subtilité remarquable dans les arômes et le tanin, qui compense largement un petit déficit en corps par rapport aux Léoville. Un vin de grand connaisseur et sans doute le plus complet de l'histoire récente.

CHÂTEAU BISTON-BRILLETTE

91, route de Tiquetorte • 33480 Moulis-en-Médoc
Tél. 05 56 58 22 86 • Fax : 05 56 58 13 16
contact@chateaubistonbrillette.com
www.chateaubistonbrillette.com
Visite : De 9h à 12h et de 14h à 18h.

Moulis 2007
Rouge | 2010 à 2015 | 13,90 € **15,5/20**
Nez fin et profond. Bel équilibre de bouche, alliant finesse et suavité.

CLOS LA BOHÈME

7, chemin du Bord-de-l'Eau • 33460 Macau
Tél. 05 57 10 03 70 • Fax : 05 57 10 02 00
cnadalie@aol.com
Visite : 11h-13h et 15h-19h juin juillet aout - sur rendez-vous le reste de l'année

Haut-Médoc 2007
Rouge | 2010 à 2018 | 18 € **15/20**
Suavité et rondeur pour ce 2007. Fraîcheur, belle longueur soutenue par des tanins fins.

CHÂTEAU LE BOSCQ

33180 Saint-Estèphe
Tél. 05 56 59 38 62
contact@dourthe.com • www.dourthe.com
Visite : sur rendez-vous

Saint-Estèphe 2007
Rouge | 2010 à 2018 | 23 € **15/20**
Robe sombre. Nez profond au notes torréfiées. Bouche à la matière souple et dense, de la suavité, grande richesse tannique en finale.

CHÂTEAU BOYD-CANTENAC

11, route de Jean-Faure • 33460 Cantenac
Tél. 05 57 88 90 82
guillemet.lucien@wanadoo.fr • www.boyd-cantenac.fr
Visite : Sur rendez-vous uniquement.

Ce vin échappe souvent aux grands-messes des dégustations primeurs, et tant mieux pour lui. Car c'est en bouteille qu'il prend sa vraie dimension, avec une fermeté de corps et une complexité aromatique dignes de son rang. Pierre Guillemet, son propriétaire-vinificateur, ingénieur agronome et œnologue, un des rares à posséder les deux diplômes en Médoc, a su garder son indépendance et sa liberté, et il les utilise en grand professionnel. Les derniers millésimes sont conformes au terroir et au style de l'année, avec des vins complets et capables d'un long vieillissement. 2007 monte encore d'un cran avec un vin étonnant de présence. Les prix restent fort raisonnables.

Margaux 2007

Rouge | 2015 à 2025 | 35 € **17/20**

Le plus brillant dans son bouquet, son corps et la définition du terroir et du millésime des crus classés de l'appellation, Château Margaux excepté. Remarquable velouté de texture et longueur étonnante. Rapport qualité-prix imbattable !

Margaux 2006

Rouge | 2016 à 2021 | 32 € **15,5/20**

Généreux, complexe, tanin médocain strict mais pas asséchant, sérieux et sincère mais il doit encore vieillir.

CHÂTEAU BRANAIRE-DUCRU

Lieu-dit Le Bourdieu
33250 Saint-Julien-Beychevelle
Tél. 05 56 59 25 86 • Fax : 05 56 59 16 26
branaire@branaire.com • www.branaire.com
Visite : De 9h à 11h et de 14h à 16h30.

Ce cru, au parcellaire réparti sur l'ensemble de l'appellation, exige de la rigueur, particulièrement au niveau du rendement, pour égaler les meilleurs. Il y réussit parfaitement grâce à la qualité et à la discipline du travail, tant à la vigne qu'au cuvier, qui fut le premier du secteur à reprendre le principe de gravité. Le vin allie régulièrement finesse et plénitude de constitution, mais il ne faut pas lui demander le supplément de vinosité des crus proches de Pauillac. Patrick Maroteaux, en engageant Jean-Dominique Videau, a trouvé un digne successeur à Philippe Dalhuin, parti diriger Mouton-Rothschild. Le vin a conservé la même précision dans ses équilibres et le même style. Le second vin, Duluc, est fait avec soin et témoigne lui aussi d'une belle régularité depuis dix ans, offrant un des meilleurs rapports qualité-prix à Saint-Julien.

Saint-Julien 2007

Rouge | 2015 à 2022 | cav. 36 € **16/20**

Petite note de réduit au nez, évoluant à l'air vers le cuir et les épices, excellent volume de bouche, finale saline, minérale, tanin net, mais pas l'allonge d'une grande année.

Saint-Julien 2006

Rouge | 2014 à 2021 | cav. 45 € **16/20**

Corps généreux, texture encore serrée, arômes stricts et épicés, sur la réserve mais avec la matière pour un beau vieillissement.

CHÂTEAU BRANAS GRAND POUJEAUX

23, chemin de la Raze • 33480 Moulis-en-Médoc
Tél. 05 56 58 93 30 • Fax : 05 56 58 08 62
contact@branasgrandpoujeaux.com
www.branasgrandpoujeaux.com
Visite : sur rendez-vous

Propriété de Justin Onclin, également associé à la famille Ballande à Prieuré-Lichine, ce petit vignoble de Moulis, voisin de Poujeaux, produit quelques-uns des vins les plus accomplis de son appellation depuis 2005. Les 2007 et 2008 seront même plus accomplis que le 2006.

Moulis 2007

Rouge | 2010 à 2018 | 28 € **16/20**

Jolie robe sombre. Nez complexe avec de la profondeur. Richesse et densité de la matière en bouche. Les tanins sont parfaits, mûrs et complètement intégrés. Vin exprimant une élégante puissance. L'un des plus beaux vins de l'appellation Moulis.

Moulis 2006

Rouge | 2010 à 2018 | 28 € **15,5/20**

Puissant et tendu mais sans âpreté, belle définition, avec un tanin particulièrement énergique. Vin qui a gagné en densité au cours de ces derniers mois.

Moulis Les Éclats de Branas 2007

Rouge | 2010 à 2016 | 20 € **14,5/20**

Robe vermillon. Bouche suave et ronde, avec une belle fraîcheur. Grande longueur. Tanins fins.

CHÂTEAU BRANE-CANTENAC

33460 Cantenac
Tél. 05 57 88 83 33 • Fax : 05 57 88 72 51
contact@brane-cantenac.com
www.brane-cantenac.com
Visite : De 9h à 12h et de 14h à 17h.
Sur rendez-vous uniquement.

Disposant d'un emplacement réputé et homogène au cœur du plateau de Cantenac, sur des sols de graves de la plus haute qualité, Brane produit par la volonté de son propriétaire, Henri Lurton, un vin pudique et fin, ne cherchant pas à se rapprocher en densité de matière des grands Seconds des autres appellations médocaines. Tous les vins depuis 1998 sont harmonieux et fidèles à ce style et à leur millésime, mais de nombreux amateurs attendent un peu plus de la marque. Baron-de-Brane, le second vin, s'améliore.

MARGAUX 2007
Rouge | 2014 à 2021 | 43,10 € **14,5/20**
Simple et lisse, sans maquillage, mais sans grand caractère non plus. Il faudra voir comment il évolue.

MARGAUX 2006
Rouge | 2014 à 2021 | 49,60 € **15/20**
De la finesse, un grain de tanin très agréable sur le plan tactile mais le vin manque de l'intensité qu'on attend d'un beau Second.

CHÂTEAU LA BRIDANE

Chemin de la Bridane
33250 Saint-Julien-Beychevelle
Tél. 05 56 59 91 70 • Fax : 05 56 59 46 13
bruno.saintout@wanadoo.fr
www.vignobles-saintout.fr
Visite : De 10h à 12h30 et de 14h à 19h du 29 juin au 4 septembre.

SAINT-JULIEN 2006
Rouge | 2010 à 2020 | 22 € **14/20**
Robe pourpre. Nez intense de fruits noirs, de mûres, notes de cuir. Bouche suave aux tanins puissants. Belle longueur finissant sur la fraîcheur.

SAINT-JULIEN 2005
Rouge | 2010 à 2020 | 35 € **14/20**
Robe d'un pourpre très dense, nez intense aux arômes de fruits noirs, de cuir et de fumée. Bouche riche et charpentée, solidement constituée, avec des tanins puissants et une bonne longueur. Du potentiel.

CHÂTEAU BRILLETTE

Route de Peyvignau • 33480 Moulis-en-Médoc
Tél. 05 56 58 22 09 • Fax : 05 56 58 12 26
contact@chateau-brillette.fr
www.chateau-brillette.fr
Visite : Sur rendez-vous.

Un domaine de cent hectares, dont quarante sont consacrés à la vigne. C'est l'une des propriétés les plus anciennes de l'appellation, appartenant depuis plus de trente ans à la famille Berthault-Flageul. Les cailloux qui recouvrent le sol ont un reflet particulier, qui aurait donné à la propriété le nom de Brillette.

MOULIS 2006
Rouge | 2010 à 2020 | NC **15,5/20**
Robe pourpre foncée. Nez intense, notes fumées. La bouche est ample, soutenue, un très beau fruit bien mûr, en finale une très belle trame tannique.

CHÂTEAU CALON-SÉGUR

33180 Saint-Estèphe
Tél. 05 56 59 30 08 • Fax : 05 56 59 71 51
calon-segur@calon-segur.fr
Visite : Sur rendez-vous.

Calon-Ségur est une admirable propriété aux confins nord de l'appellation, somptueusement enclose dans ses murs, où le temps semble divinement suspendu. Madame Gasqueton lui a rendu tout son cachet et produit un des vins les plus racés et les plus réguliers du Médoc. Un vin qui se rapproche des grands pauillacs par sa finesse aromatique et l'ampleur de la texture, avec un naturel d'expression des plus réjouissants. Sa longévité en bouteille est proverbiale et les 2000, 2003 et 2005 auront certainement dans cinquante ans la remarquable tenue des 1947 ou 1953. 2006 a fait l'unanimité de notre petite équipe par la noblesse de sa texture et sa pureté de style, difficile dans un millésime peu «classique». 2007, un peu moins bien constitué, reste quand même un modèle d'élégance médocaine. Le 2009 s'annonce l'un des plus grands de ce millésime exceptionnel. Le second vin, Marquis-de-Calon, est un des plus recommandables de sa catégorie.

Saint-Estèphe 2007
Rouge | 2017 à 2025 | cav. 58 € **16/20**
Notes épicées de cabernet-sauvignon, très précises et élégantes au nez, avec un soupçon de poivron rouge, gage de fraîcheur au vieillissement, élégant, subtil mais sans la vinosité des beaux millésimes.

Saint-Estèphe 2006
Rouge | 2016 à 2026 | cav. 47 € **17,5/20**
Du style et du panache, grande vinosité, grande noblesse de tanin, jeune, certainement digne des possibilités du millésime.

CHÂTEAU CAMBON LA PELOUSE

5, chemin de Canteloup • 33460 Macau
Tél. 05 57 88 40 32 • Fax : 05 57 88 19 12
contact@cambon-la-pelouse.com
www.cambon-la-pelouse.com
Visite : sur rendez-vous

Jean-Pierre Marie et son fils Nicolas produisent un vin flatteur et rapidement agréable à la dégustation, qui est devenu une des valeurs sûres de l'appellation. Seules les plus anciennes parcelles de merlot (50 %), cabernet-sauvignon (30 %) et cabernet franc (20 %) entrent dans la composition du grand vin.

Haut-Médoc 2007
Rouge | 2010 à 2017 | 12 € **14,5/20**
Cambon est assez concentré, bâti pour la garde avec une structure marquée. On peut le rechercher également pour son fruit gourmand.

Haut-Médoc 2006
Rouge | 2010 à 2020 | 13 € **14,5/20**
Le tanin du château est structuré et velouté. Il s'affiche plutôt sur l'élégance.

CHÂTEAU DE CAMENSAC

Route de Saint-Julien - B.P. 9
33112 Saint-Laurent-du-Médoc
Tél. 05 56 59 41 69 • Fax : 05 56 59 41 73
chateaucamensac@wanadoo.fr
www.chateaucamensac.com
Visite : Sur rendez-vous.

Ce cru a été acquis voici trois ans par la famille Merlaut, qui s'est engagée dans une nécessaire reprise en mains de la culture et de la vinification. Son terroir maigre et typiquement médocain devrait donner des vins élancés et complexes, comme il a pu le faire dans les années 1990, mais avec plus de corps. Le 2006 est une étape réussie dans cette évolution. C'était d'autant plus nécessaire que les crus immédiatement voisins sont en excellente forme en ce moment et créent une émulation salutaire. 2007 montre des qualités certaines mais sans doute pas encore suffisantes pour les égaler.

Haut-Médoc 2007
Rouge | 2014 à 2019 | cav. 13 € **15/20**
Belle générosité de robe et de saveur, aucun caractère végétal, tanin un rien trop abrupt, pas assez lissé par l'élevage.

Haut-Médoc 2006
Rouge | 2014 à 2018 | cav. 17 € **14,5/20**
La robe est bien soutenue, le nez propre et franc, avec des arômes stricts de bon chêne merrain. On appréciera la générosité de constitution du corps et la sensation confortable d'une vendange bien mûre. Il manque encore un peu de finesse pour égaler les meilleurs.

CHÂTEAU CANTEMERLE

33460 Macau
Tél. 05 57 97 02 82 • Fax : 05 57 97 02 84
cantemerle@cantemerle.com • www.cantemerle.com
Visite : Sur rendez-vous uniquement

Cantemerle est un des premiers châteaux à se présenter au visiteur qui pénètre dans le Médoc depuis Bordeaux. On repère facilement la longue grille qui longe un parc magnifique, au coeur duquel niche l'un des bâtiments les plus romantiques du Bordelais. On l'a parfois très justement qualifié de château de la Belle au Bois Dormant ! Le vignoble s'étend sur des graves légères, il brille plutôt par sa finesse et sa souplesse immédiate que par son corps, mais le vin vieillit étonnamment bien en prenant de la profondeur et un bouquet noblement épicé.

Haut-Médoc 2007
Rouge | 2012 à 2023 | NC **16/20**
Svelte, élancé, le vin impose sa tranquille profondeur en bouche, sans esbroufe, sans violence, sans puissance apparente. Très classique de la propriété, un beau médoc racé et fin, qui gagnera encore au vieillissement.

CHÂTEAU CANTENAC-BROWN

33460 Margaux
Tél. 05 57 88 81 81 • Fax : 05 57 88 81 90
contact@cantenacbrown.com
www.cantenacbrown.com
Visite : De 9h30 à 12h30 et de 14h à 17h, sur rendez-vous.

Ce cru a été racheté par Simon Halabi, un amoureux des grands vins du Médoc et qui donne à une équipe motivée, sous la direction du très sympathique José Sanfins, les moyens de faire progresser la qualité. 2007 brille plus par sa constitution que par son raffinement aromatique. 2008 semble un peu dur, mais 2009 voit des changements majeurs et un départ de vin d'une harmonie et d'une ampleur sans équivalent antérieur connu.

MARGAUX 2007
Rouge | 2014 à 2018 | cav. 48 € **14,5/20**
Beaucoup de puissance et d'intensité pour l'année, mais avec moins de finesse que certains voisins. Le boisé a donné une finale légèrement asséchante.

CHÂTEAU LA CARDONNE

Route de la Cardonne • 33340 Blaignan
Tél. 05 56 73 31 51 • Fax : 05 56 73 31 52
cgr@domaines-cgr.com • www.domaines-cgr.com
Visite : Du lundi au vendredi, de 8h30 à 12h et de 14h à 16h30. Sauf le vendredi après midi

Cet ensemble au nord de la presqu'île du Médoc appartint aux Domaines Rothschild jusqu'en 1990, l'année où le financier Charloux le reprit. Il regroupe trois propriétés aux styles très complémentaires : La Cardonne, qui provient des graves avec un style complexe, frais et fruité, Grivière, plus subtil et charmeur et Ramafort, issu de très vieux pieds de merlot qui expriment avec plus de vigueur les médocs modernes, généreusement bouquetés et intensément construits. La spécialité des Domaines CRG (Cardonne Grivière Ramafort) est la vente de millésimes prêts à boire. La cave s'est dotée d'un outil de vieillissement moderne qui permet de stocker les neuf derniers millésimes dans des conditions idéales à dix mètres de profondeur.

MÉDOC 2005
Rouge | 2010 à 2020 | env 15,20 € **15,5/20**
La Cardonne a besoin de temps pour s'exprimer pleinement. Le 2005 commence tout juste à s'ouvrir avec une bouche dense à grande maturité et cette fraîcheur qui caractérise le terroir à l'extrême nord du Médoc, un vin épanoui avec une trame tannique solide et de la longueur.

MÉDOC 2004
Rouge | 2010 à 2018 | env 13,90 € **15/20**
Bonne bouche avec des tanins qui ont toujours de la présence et une texture enveloppante, belle tension en finale. Peut encore vieillir.

CHÂTEAU CARONNE SAINTE-GEMME

Caronne • 33112 Saint-Laurent-Médoc
Tél. 05 57 87 56 81 • Fax : 05 56 51 71 51
fnony@chateau-caronne-ste-gemme.com
www.chateau-caronne-ste-gemme.com
Visite : De 9h à 12h et de 14h à 18h.

Situé sur la commune de Saint-Laurent, le Château Caronne Sainte-Gemme dispose de belles croupes blanches voisines de celles du Château Lagrange. Il n'est donc pas étonnant de retrouver, lors du mûrissement, de nombreuses parentés avec les crus de Saint-Julien. Les 1961, 1962 et 1966 ont encore de la tenue. François Nony, aidé par Olivier Dauga, peaufine au fil des millésimes un style de vin structuré et ferme, à la finale nerveuse et menthée, avec une juste concentration et une maturité harmonieuse.

HAUT-MÉDOC 2008
Rouge | 2013 à 2020 | NC **15/20**
Un vin très classique dans la droiture de ses tanins, juste maturité, il y a plus de fond que sur le 2007 et un potentiel évident.

HAUT-MÉDOC 2007
Rouge | 2010 à 2016 | NC **14,5/20**
Robe sombre et nez sur le fruit. Finesse, élégance et gourmandise en bouche. Tanins croquants en finale.

HAUT-MÉDOC 2006
Rouge | 2012 à 2025 | NC **15/20**
Nez épicé, bouche ferme avec une maturité et une concentration harmonieuses, ce vin dispose d'une belle assise et d'un réel potentiel.

HAUT-MÉDOC CHÂTEAU LABAT 2007
Rouge | 2010 à 2014 | NC **13,5/20**
Vin agréable et élégant, aux tanins fins.

CHÂTEAU CHANTELUNE

33460 Margaux
Tél. 06 10 46 34 35 • Fax : 05 57 88 81 90
sansfinsjose@aol.com
Visite : Sur rendez-vous.

Margaux 2007

Rouge | 2010 à 2017 | 17 € 14,5/20

Vin agréable, fin, souple, beaux tanins intégrés en finale.

CHÂTEAU CHANTEMERLE

2, route de Vendays • 33340 Gaillan-en-Médoc
Tél. 05 56 41 69 71 • Fax : 05 56 09 30 08
frederic.cn@wanadoo.fr
www.chateauchantemerle.com
Visite : Sur rendez-vous.

Médoc 2007

Rouge | 2012 à 2016 | 9,20 € 14/20

Vin encore dominé par l'élevage mais l'ensemble est bien structuré avec une belle finale fruitée, il devrait gagner en complexité avec le temps.

CHÂTEAU CHARMAIL

33180 Saint-Seurin-de-Cadourne
Tél. 05 56 59 70 63 • Fax : 05 56 59 39 20
charmail@chateau-charmail.fr • château-charmail.fr
Visite : Du lundi au vendredi de 8 h30 à 12h et de 14h à 17h sur rendez-vous.

Cru très régulier de Saint-Seurin-de-Cadourne, le Château Charmail ne dispose pas des meilleures terres de la commune, mais compense largement ce manque par la qualité et la précision du travail quotidien. Le vin est très précis, très équilibré, très satisfaisant, surtout après cinq ans de vieillissement ou plus. Excellents 2003, 2004, 2005.

Haut-Médoc 2007

Rouge | 2010 à 2017 | 17 € 14,5/20

Sur les fruits, ce vin net est dense et puissant. Belle longueur terminée par des tanins nobles, encore assez marqués.

Haut-Médoc 2006

Rouge | 2010 à 2016 | 17 € 15/20

Robe pourpre foncée. Très joli nez de fruits rouge frais. Une bouche fine et élégante, d'une belle fraîcheur. Tanins très fins en finale.

CHÂTEAU CHASSE-SPLEEN

32, chemin de la Raze • 33480 Moulis-en-Médoc
Tél. 05 56 58 02 37 • Fax : 05 57 88 84 40
info@chasse-spleen.com • www.chasse-spleen.com
Visite : Du lundi au vendredi, de 9h à 12h et de 14h à 17h sur rendez-vous, sans rendez-vous de juin à août.

Situé sur les excellentes graves profondes du plateau célèbre de Grand Poujeaux, avec le remarquable appoint désormais du vignoble de Gressier, récemment racheté, ce cru produit des vins colorés et charnus, pleins de charme mais aussi de vinosité, parfois un peu trop démonstratifs mais vieillissant dans la logique de la classe de leur origine.

Moulis 2007

Rouge | 2010 à 2017 | cav. 21 € 14/20

Couleur foncée. Notes toastées au nez. Boisé encore un peu présent en bouche. Tanins assez fins.

Moulis 2006

Rouge | 2010 à 2020 | cav. 24 € 15,5/20

Robe pourpre. Nez profond. Bouche ample avec beaucoup de matière. Trame tannique serrée et encore assez présente.

CHÂTEAU CITRAN

1, chemin de Citran • 33480 Avensan
Tél. 05 56 58 21 01 • Fax : 05 57 88 84 60
info@citran.com • www.citran.com
Visite : Sur Rendez-vous.

Quatre-vingt-dix hectares de vignes réparties quasiment à parts égales entre cabernet-sauvignon et merlot. Propriété de la famille Merlaut depuis 1996, le vignoble est situé entre Avensan, Moulis et Margaux. Ce cru bourgeois a retrouvé une élégance que se réjouirait de découvrir aujourd'hui la famille Donissan, qui fut propriétaire de ce domaine.

Haut-Médoc 2007

Rouge | 2011 à 2020 | NC 15,5/20

Vin avec de la sève. Bouche ample ponctuée par des tanins fins.

Haut-Médoc 2006

Rouge | 2010 à 2020 | NC 14,5/20

Riche en couleur et en tanin, solide, fin de bouche robuste et roborative, pas d'agressivité dans l'extraction, bien vinifié.

CHÂTEAU CLARKE

33480 Listrac
Tél. 05 56 58 38 00 • Fax : 05 56 58 26 46
contact@cver.fr • www.cver.fr
Visite : Visites réservées aux professionnels, sur rendez-vous.

Propriété pilote de Listrac, Clarke est l'objet de la plus grande attention de la part de son célèbre propriétaire, Benjamin de Rothschild, et de sa mère Nadine, qui veille elle-même au grain. On y travaille comme dans un premier cru classé. C'est un vin moderne dans son élaboration, fidèle aux critères œnologiques de Michel Rolland.

LISTRAC-MÉDOC 2007
Rouge | 2010 à 2016 | 19,20 € **15/20**
Robe sombre. Nez avec de la complexité. Notes de cacao. Bouche d'une jolie densité, enrobée. Tanins fermes et tendus.

LISTRAC-MÉDOC 2006
Rouge | 2010 à 2025 | 19,20 € **16/20**
Robe pourpre foncée. Nez riche et complexe. Bouche ample, riche. Belle trame tannique en finale. Vin très moderne dans sa conception.

CHÂTEAU CLAUZET

Leyssac • 33180 Saint-Estèphe
Tél. 05 56 59 34 16 • Fax : 05 56 59 37 11
clauzet@chateauclauzet.com
www.chateauclauzet.com
Visite : De 8h30 à 12h et de 13h30 à 17h.

Voici le prototype des beaux bourgeois de Saint-Estèphe : un propriétaire intelligent et amoureux de son terroir, le baron Velge, obtient un vin très équilibré et savoureux, qui devrait être plébiscité par la bonne restauration pour l'excellence de son rapport qualité-prix.

SAINT-ESTÈPHE 2007
Rouge | 2010 à 2017 | 13,80 € **15/20**
Robe sombre. Nez expressif sur le fruit. Bouche dense et équilibrée. Beaux tanins en fin de bouche.

SAINT-ESTÈPHE 2006
Rouge | 2010 à 2025 | 18,50 € **15,5/20**
Robe foncée. Nez expressif sur le fruit. Bouche pleine, belle matière, l'ensemble est soutenu par une trame tannique imposante.

CHÂTEAU CLÉMENT-PICHON

33290 Parempuyre
Tél. 05 56 35 23 79 • Fax : 05 56 35 85 23
contact@vignobles.fayat.com
vignobles.fayat.com
Visite : Du lundi au vendredi, de 9h à 18h

Ce cru est luxueusement entretenu par Clément Fayat. On peut donc s'attendre à des progrès rapides, malgré la belle régularité et les équilibres déjà fort satisfaisants de ce vrai «bourgeois».

HAUT-MÉDOC 2007
Rouge | 2010 à 2015 | 10,90 € **15/20**
Nez fin. Bouche ample et ronde. Tanins complètement intégrés.

HAUT-MÉDOC 2006
Rouge | 2010 à 2020 | 11,90 € **15,5/20**
Avec son fruit bien mûr en bouche et au nez, ce vin a une texture suave et se démarque par sa grande fraîcheur.

CHÂTEAU CLERC-MILON

33250 Pauillac
Tél. 05 56 59 22 22 • Fax : 05 56 73 20 44
webmaster@bpdr.com • www.bpdr.com

Situé sur des graves riches typiques de l'appellation, Clerc-Milon a toujours produit un pauillac très bien défini, vineux, onctueux, complexe et qui bénéficie de la science de l'élevage des équipes de Mouton-Rothschild. Depuis la réfection du cuvier, il a encore gagné en précision dans l'élaboration. Ses riches merlots lui donnent une onctuosité particulière qui le distingue d'Armailhac, plus élancé et fin mais moins séveux. Les derniers millésimes sont tous excellents et devraient séduire tous les amateurs de pauillacs. Le 2006 ne le cède en rien au célèbre 2005 et sera suivi d'un 2007 de même niveau. A partir de 2008 on change encore de palier. Les prix ne flambent pas encore, qu'on en profite !

PAUILLAC 2007
Rouge | 2015 à 2022 | cav. 54 € **16,5/20**
Beaucoup de richesse de couleur et de constitution pour l'année, un peu plus de vigueur et d'amplitude qu'Armailhac, belle persistance et netteté dans le soutien tannique, superbe élevage.

PAUILLAC 2006
Rouge | 2016 à 2024 | cav. 36 € **16,5/20**
Généreux et étoffé, boisé mieux intégré que par le passé, caractère pauillac affirmé, fait pour la garde.

CORAZON

108-bis, avenue Jean-Jacques-Rousseau
33160 Saint-Médard-en-Jalles
Tél. 05 56 91 21 96
contact@courreges-wines.com
www.courreges-wines.com

Corazon est avant tout un concept. Riche de ses expériences d'œnologue-conseil en Australie et au Chili, Stéphane Courrèges veut démontrer avec son «vin santé» que la consommation de vins riches en polyphénols peut avoir des effets bénéfiques sur les maladies cardio-vasculaires. Sa cuvée Corazon («cœur» en espagnol) est vinifiée à partir de parcelles sélectionnées et récoltées en quasi surmaturité.

Médoc 2007

Rouge | 2010 à 2014 | 9,80 € **14/20**

Vin d'une expression assez simple et vinifié avec retenue. Un boisé encore un peu présent au nez, une bouche sur le fruit, des tanins enrobés, assez souples, de densité moyenne, bonne fraîcheur en finale.

CHÂTEAU CORDEILLAN-BAGES

Route de Bordeaux • 33460 Macau
Tél. 05 57 88 60 04

Pauillac 2007

Rouge | 2010 à 2020 | NC **15/20**

Robe pourpre foncée. Nez concentré et profond. Bouche dense, jolie matière, jolies notes boisées. Belle dimension.

CHÂTEAU COS D'ESTOURNEL

33180 Saint-Estèphe
Tél. 05 56 73 15 50 • Fax : 05 56 59 72 59
estournel@estournel.com • www.estournel.com
Visite : de 9h à 12h et de 14h à 17h - sur rendez-vous uniquement

Un cuvier flambant neuf, aussi spectaculaire dans son genre que les pagodes du château, doté d'ascenseurs à cuves permettant de travailler en gravité non seulement pendant les vinifications mais pendant l'élevage, a servi pour la première fois en 2008. Il couronne les efforts considérables de la propriété pour porter ce cru au plus haut niveau possible, avec l'ambition de rivaliser en qualité avec les premiers crus classés. Le terroir profond de ses graves fait généralement de lui le plus corsé des vins du Médoc, le plus voluptueux dans sa texture tout en conservant une finesse et une complexité caractéristiques de son voisinage avec Château Lafite. Les 2003 et 2005 sont des monuments imposants, laissant aux 2002, 2004 et 2006 le soin de séduire davantage dans leur jeunesse par l'harmonie de leurs proportions et la finesse d'extraction de leur tanin. Pagode-de-Cos, le second vin, trouve peu à peu ses marques sans égaler les meilleurs de la catégorie et désormais une petite quantité de bordeaux blanc luxueusement élaboré s'ajoute à la gamme.

Saint-Estèphe 2007

Rouge | 2017 à 2022 | cav. 78 € **17,5/20**

Plus facile et direct dans sa texture que 2006, saveur déjà bien harmonisée, fraîcheur du tanin associée à un beau niveau naturel d'alcool, un futur classique du millésime.

CHÂTEAU COS LABORY

33180 Saint-Estèphe
Tél. 05 56 59 30 22 • Fax : 05 56 59 73 52
cos-labory@wanadoo.fr
Visite : Du lundi au vendredi, de 9h à 12h et de 14h à 18h.

Le cru possède une bonne partie de son vignoble sur des sols semblables à ceux de Cos d'Estournel. Il n'est pas administré avec autant de faste que son illustre voisin et il a pâti un temps de la mécanisation des vendanges, comme d'autres. Mais les saines pratiques (et avec elles les vendanges manuelles) sont revenues et les derniers millésimes vont du bon à l'excellent, avec un caractère épicé très savoureux. 2006, harmonieux et équilibré, tient parfaitement son rang. 2007, un peu plus sec dans son tanin et linéaire dans sa construction, prendra plus de temps à s'ouvrir. L'amateur à la recherche d'un cru classé de qualité pour un prix accessible trouvera ici son bonheur, d'autant que le second vin, Charme-de-Labory, plus souple mais fait avec soin, permet d'attendre le grand vin sans déchoir.

Saint-Estèphe 2007

Rouge | 2015 à 2022 | 23 € **15/20**

Un vin corsé, séveux, bien médocain de caractère, manquant un peu de fruit et de finesse de texture, fait pour la table plus que pour la dégustation plaisir.

CHÂTEAU COUFRAN

Route de Cadourne
33180 Saint-Seurin-de-Cadourne
Tél. 05 56 59 31 02 • Fax : 05 56 81 32 35
emiailhe@coufran-verdignan.com
www.chateau-coufran.com
Visite : sur rendez-vous.

Avec son importante diffusion dans la grande distribution, ce cru est devenu une marque populaire, d'autant que le vin, très arrondi par ses merlots, ne manque ni d'ampleur ni de séduction ! Il est de mieux en mieux élevé. Le cru semble en pleine forme et a bien réussi le difficile 2006.

Haut-Médoc 2007

Rouge | 2010 à 2017 | 14,50 € **14/20**

Ce vin à la robe sombre offre un nez droit et profond. Une jolie fraîcheur en bouche, avec de la tension.

CHÂTEAU LE CROCK

Marbuzet • 33180 Saint-Estèphe
Tél. 05 56 59 73 05 • Fax : 05 56 59 30 33
lp@leoville-poyferre.fr
Visite : De 9h à 12h et de 14h à 17h.

Le Château Le Crock est un domaine de trente-deux hectares adossé aux châteaux Cos d'Estournel et Montrose. La famille Cuvelier en a fait l'acquisition en 1903 (une vingtaine d'années avant Léoville-Poyferré). L'encépagement est majoritaire en cabernet-sauvignon (60 %). Michel Rolland en est l'œnologue conseil, privilégiant le potentiel de garde.

CHÂTEAU DE LA CROIX

6, chemin de la Croix - Plautignan • 33340 Ordonnac
Tél. 05 56 09 04 14 • Fax : 05 56 09 01 32
cdlc@chateau-de-la-croix.com
www.chateau-de-la-croix.com
Visite : en semaine de 9h à 12h et de 14h à 18h.
Le week-end sur rendez-vous.

Médoc 2007

Rouge | 2011 à 2016 | 9 € **13,5/20**

Nous aimons une fois de plus son caractère fruité et jovial grâce au pourcentage important de merlot (43 %), mais la finale est un peu trop dure et boisée pour amener le plaisir à son paroxysme.

CHÂTEAU CROIZET-BAGES

33250 Pauillac
Tél. 05 56 59 01 62 • Fax : 05 56 59 23 39
bureaucb@domaines-quie.com
www.domaines-quie.com
Visite : fermeture pour travaux, achats possible aux Château Rauzan-Gassies 33460 Margaux

Ce cru classé de Pauillac dispose d'un excellent terroir, jouxtant Lynch-Bages et Grand-Puy-Lacoste, mais jusqu'il y a peu le niveau de viticulture et de vinification était inférieur à ce qu'on peut exiger de son rang. Reflet des efforts entrepris par la nouvelle génération de la famille Quié, le millésime 2007 sera perçu par tous comme une vraie révolution en matière de qualité et donnera une bonne idée du grand potentiel du cru. 2008 et plus encore 2009 poursuivent la remontée.

Pauillac 2007

Rouge | 2015 à 2022 | cav. 15 € **15,5/20**

Vin étoffé, strict, caractère pauillacais évident, bon élevage, les progrès se confirment ! Mais le second vin est à éviter !

Pauillac 2006

Rouge | 2014 à 2018 | cav. 15 € **15/20**

Les progrès s'amorcent, le vin a de la vinosité et un caractère pauillac affirmé, avec un tanin plus précis que Rauzan-Gassies.

CHÂTEAU DAUZAC

33460 Labarde
Tél. 05 57 88 32 10 • Fax : 05 57 88 96 00
chateaudauzac@chateaudauzac.com
www.chateaudauzac.com
Visite : De 8h à 12h et de 13h30 à 17h30, sur rendez-vous.

Frère jumeau, par l'emplacement de ses vignes, de Siran mais classé en 1855, Dauzac appartient à la MAIF et produit des vins corsés et colorés, dont les équipes techniques formées par André Lurton ont encore accentué le caractère depuis cinq ans. Une évolution vers plus de finesse était bienvenue et elle est en cours. Le soin pris à trier les vendanges a été payant en 2006, avec un vin très mûr et d'une vinosité qui a parfaitement résisté au traumatisme de la mise en bouteille. 2007 surpasse la plupart des crus de l'appellation et 2008 semble parti pour en faire autant. Le second vin, Bastide-de-Dauzac, montre le même soin dans son élaboration. Remarquable rapport qualité-prix.

MARGAUX 2007

Rouge | 2015 à 2022 | cav. 21 € **16,5/20**

Une robe splendide, un gras dans la texture rarissime à Margaux en 2007, beaucoup de vitalité et de complexité, extrêmement bien fait.

MARGAUX 2006

Rouge | 2016 à 2024 | cav. 21 € **16,5/20**

Coloré, intense, raisin parfaitement mûr, velouté, charnu, une des belles réussites du millésime, plutôt rares à Margaux.

CHÂTEAU DESMIRAIL

28, avenue de la Vème-République • 33460 Cantenac
Tél. 05 57 88 34 33 • Fax : 05 57 88 96 27
contact@desmirail.com • www.desmirail.com
Visite : De 9h à 12h et de 14h à 17h.

Ce cru ne se présente jamais à son meilleur en primeur, car il joue plus sur la finesse aromatique que sur la plénitude de constitution. Dans les années intermédiaires le raisin est sans doute cueilli un peu trop tôt, mais c'est le goût de la famille Lurton. Le 2005 révèle beaucoup de souplesse et de franchise aromatique, avec un caractère authentiquement margalais. À partir de 2008, les choses changent et le cru gagne en personnalité immédiate : il ne faudra pas manquer le 2009 !

MARGAUX 2007

Rouge | 2011 à 2017 | cav. 30 € **14,5/20**

Beaucoup de souplesse et de finesse, quelques notes de poivron au nez : on l'aimera pour sa délicatesse ou on lui reprochera un manque certain de maturité de raisin. Boire assez vite.

MARGAUX 2006

Rouge | 2014 à 2021 | NC **15/20**

Épicé, petite touche de poivron rouge pas à la mode mais garante de fraîcheur au vieillissement, promesse d'un bouquet complexe, bien fait et commençant à récompenser les efforts.

CHÂTEAU DUCRU-BEAUCAILLOU

33250 Saint-Julien-Beychevelle
Tél. 05 56 73 16 73 • Fax : 05 56 59 27 37
je-borie@je-borie-sa.com
www.chateau-ducru-beaucaillou.com

Ce cru célèbre peut donner un des trois ou quatre médocs les plus fins et les plus élégants, comme en 1961, en 1970 ou en 1982. Mais il a souvent fait preuve de graves irrégularités, soit par manque de matière, soit par manque de netteté, comme dans la difficile décennie 1983-1992. Depuis 2003, son nouvel administrateur, Bruno Borie, lui a permis de retrouver son plus haut niveau, avec des vins d'une perfection formelle presque magique, sans aucune concession au goût international. Le second vin, la Croix, qui comprend des vignes remarquables achetées à Terrey Gros Cailloux, a fini par rejoindre les meilleurs de la catégorie depuis 2005. Un troisième Saint-Julien, Lalande Borie, vieille marque estimée du négoce, désigne un vin souple et précoce, issu de vignes séparées de Château Lagrange dès le début des années 1970. Mais il n'a pas encore la classe qu'on attend de lui.

SAINT-JULIEN 2007

Rouge | 2017 à 2027 | NC **18/20**

Robe sombre, nez noble de cèdre, grande matière, tanin racé, finale assurée, un tout grand vin à la hauteur de l'enjeu du millésime... et des prix actuels.

SAINT-JULIEN 2006

Rouge | 2016 à 2024 | NC **18,5/20**

Très épicé, serré, tendu, matière très noble, loin encore de son début évident de consommation, grand style.

CHÂTEAU DUHART-MILON

33250 Pauillac
Tél. 05 56 73 18 18 • Fax : 05 56 59 26 83
visites@lafite.com • www.lafite.com
Visite : Sur rendez-vous.

Situé sur un remarquable plateau proche de Lafite mais sans les fameuses graves sur socle calcaire de ce dernier, Duhart-Milon a encore progressé, dans les derniers millésimes, vers une plus grande harmonie de constitution et un tanin plus racé et intégré. Une bonne proportion de merlot continue à lui donner un moelleux de texture caractéristique, avec les nuances aromatiques de cèdre et d'épices propres au style des domaines Rothschild. 2007, après l'excellent 2006, avec encore un peu plus de force de caractère, offre certainement le meilleur rapport qualité-prix actuel en cru classé de Pauillac.

PAUILLAC 2006

Rouge | 2017 à 2022 | cav. 44 € **17/20**

Remarquable réussite, vin plus complet que Carruades, confirmant que le cru a désormais atteint sa vitesse de croisière. On lui trouvera les mêmes notes de graphite (un peu plus enrobées) que Lafite, un boisé aussi noble et respectueux du raisin, et un tanin à peine moins fin. Seule la texture apparaît un peu moins dense et serrée.

CHÂTEAU DURFORT-VIVENS

3, rue du Général-de-Gaulle • 33460 Margaux
Tél. 05 57 88 31 02 • Fax : 05 57 88 60 60
infos@durfort-vivens.com • www.durfort-vivens.com
Visite : Sur rendez-vous uniquement,
du lundi au vendredi.

Gonzague Lurton semble fort attaché à la progression de la qualité et de la réputation de son cru. Aussi passionné par les terroirs et le vrai style des vins de Margaux que son père Lucien, mais plus strict dans le travail quotidien, il a certainement contribué à renforcer le corps et la précision aromatique des derniers millésimes, avec en particulier un beau 2005. La très forte proportion de cabernet-sauvignon ne lui rend pas la tâche facile dans tous les millésimes où une rigidité dans la texture et les tanins se fait jour. À partir de 2007 les vins commencent à gagner en harmonie et dès sa naissance, 2009 apparaît le plus réussi de l'histoire récente. Il faut dire que le cru bénéficie de l'apport de nouvelles vignes remarquablement situées sur Cantenac.

MARGAUX 2007
Rouge | 2014 à 2021 | NC **15/20**

Sérieux, tendu, un peu austère mais avec une réelle force de constitution qui lui permettra de vieillir. Un vin pour amateur de médocs stricts mais purs.

MARGAUX 2006
Rouge | 2011 à 2016 | NC **14,5/20**

Puissant, strict, tanin plus astringent qu'on ne le souhaiterait, mais aucun manque de corps.

CHÂTEAU DUTHIL

Labarde • 33460 Margaux
Tél. 05 57 97 09 09 • Fax : 05 57 97 09 00
giscours@chateau-giscours.fr
www.chateau-giscours.fr
Visite : visites toute l'année sur rendez-vous
uniquement

HAUT-MÉDOC 2006
Rouge | 2010 à 2018 | NC **15/20**

Robe pourpre. Nez aux notes chocolatées. La bouche est souple et généreuse. La finale est marquée de beaux tanins.

CHÂTEAU D'ESCURAC

Route d 'Escurac • 33340 Civrac-en-Médoc
Tél. 05 56 41 50 81 • Fax : 05 56 41 36 48
contact@chateaudescurac.com
www.chateaudescurac.com
Visite : Du lundi au vendredi de 9h à 12h
et de 13h30 à 17h.

Jean-Marc Landureau a repris en 1989 le domaine familial qui jusque-là livrait sa vendange à la coopérative. L'année suivante, il signe son premier millésime. Les médocs produits ici sont de constitution très classique et misent plus sur un corps velouté et suave que sur la puissance. Les dernières années semblent marquer une nette progression dans la définition du vin.

MÉDOC 2007
Rouge | 2011 à 2017 | 12 € **15/20**

Vin élégant avec un nez encore marqué par le bois, en bouche une belle fraîcheur et une bonne vivacité, des tanins pointus mais bien construits avec de la chair et un beau fruité en finale, un vin qui ne mise pas sur la masse mais sur la profondeur.

CHÂTEAU LES EYRINS

27, cours Pey-Berland • 33460 Margaux
Tél. 05 57 88 95 03 • Fax : 05 57 88 37 75
eric.grangerou@free.fr
Visite : Du lundi au vendredi, de 9h à 18h sur
rendez-vous.

Ce petit cru de Margaux est parfaitement tenu par Éric Grangeroux, qui réalise chaque année un vin serré, dense et profond, intense mais exprimant indéniablement la race de son terroir de Margaux. Il a été repris en 2008 par Julie Médeville et son mari Xavier Gonet, qui ont fait dès 2009 franchir une nouvelle étape au cru.

MARGAUX 2007
Rouge | 2010 à 2016 | 18 € **15/20**

Vin tout en finesse et parfaitement équilibré.

CHÂTEAU FERRIÈRE

33-bis, rue de la Trémoille • 33460 Margaux
Tél. 05 57 88 76 65 • Fax : 05 57 88 98 33
chateau@ferriere.com • www.ferriere.com
Visite : Du lundi au vendredi, de 9h à 16h sur
rendez-vous de préférence.

Ce petit cru ne brille pas vraiment dans les dégustations primeur, mais s'affirme en bouteille avec des vins bien constitués, racés au nez et en bouche,

plutôt masculins pour des margaux, et qui manquent encore un peu de finesse pour atteindre les sommets. Les 2004 et 2005 sont assez corsés et fermes, avec un fruit de raisin mûr et de belles possibilités de vieillissement. Les prix restent sages. 2006 se déguste après mise plutôt mieux que la moyenne de ses pairs et 2007 suit le même chemin.

MARGAUX 2007
Rouge | 2014 à 2021 | NC **15/20**
Petite note élégante et fraîche de menthol au nez, vin nerveux, tanin ferme, un peu maigre mais élégant dans sa texture et dans son bouquet, très 2007.

MARGAUX 2006
Rouge | 2016 à 2021 | NC **15/20**
Droit, précis, bonne constitution, léger déficit en arôme et en fruité, à faire vieillir.

CHÂTEAU LA FLEUR MILON

33250 Pauillac
Tél. 05 56 59 29 01 • Fax : 05 56 59 23 22
contact@lafleurmilon.com • www.bpdr.com
Visite : Sur rendez-vous toute l'année, de juin à septembre : de 10h30 à 18h.

PAUILLAC 2005
Rouge | 2010 à 2020 | NC **17/20**
Robe pourpre dense, nez riche, mûr et exubérant, développant des arômes de fruits noirs très mûrs, avec des notes toastées et minérales. Bouche riche, voluptueuse, avec un grand fruit, de beaux tanins harmonieux et une grande persistance des arômes.

CHÂTEAU FONBADET

47, route des Châteaux • 33250 Pauillac
Tél. 05 56 59 02 11 • Fax : 05 56 59 22 61
pascale@chateaufonbadet.com
www.chateaufonbadet.com
Visite : Du lundi au vendredi, de 9h30 à 12h30 et de 13h30 à 17h30,sur rendez-vous de préférence.

Ce cru a échappé à la convoitise de ses riches voisins et la famille Peyronie continue d'y produire, en bon millésime, un pauillac très sincère et d'excellent vieillissement, avec un grand nez de tabac havane et des tanins vigoureux et expressifs. Excellent 2005.

PAUILLAC 2008
Rouge | 2010 à 2025 | 24 € **16/20**
Robe sombre. Notes de cèdres au nez. Bouche pleine, riche, droite, bien équilibrée, beaux tanins croquants et intégrés.

PAUILLAC 2007
Rouge | 2010 à 2020 | 24 € **15/20**
Robe foncée. Nez sur le fruit. Bouche dense avec une jolie matière. Beaux tanins.

PAUILLAC 2005
Rouge | 2010 à 2025 | 28,80 € **16/20**
Superbe vinosité, grain de texture très classique, grande longueur, grand potentiel.

PAUILLAC 2002
Rouge | 2010 à 2020 | 22,80 € **15,5/20**
Remarquablement plein et charpenté pour l'année, saveur empyreumatique très expressive, bel avenir, vivement conseillé.

CHÂTEAU FONRÉAUD

33480 Listrac-Médoc
Tél. 05 56 58 02 43 • Fax : 05 56 58 04 33
vignobles.chanfreau@wanadoo.fr
www.chateau-fonreaud.com

LISTRAC 2007
Rouge | 2012 à 2017 | NC **15/20**
Vin charnu et profond, harmonieux et équilibré, montrant une juste extraction des tanins, un fruité élégant et d'agréables notes florales de violette.

CHÂTEAU FOURCAS-DUPRÉ

Le Fourcas • 33480 Listrac-Médoc
Tél. 05 56 58 01 07 • Fax : 05 56 58 02 27
info@fourcasdupre.com • www.fourcasdupre.com
Visite : De 9h à 12h et de 14h à 17h30.

Le cru dispose du plus beau terroir de Listrac, et depuis longtemps plaît à un nombreux public par son classicisme de caractère et le montant raisonnable de son prix : on peut (et on doit !) encore faire mieux, tout en conservant la même sincérité dans l'expression du terroir.

LISTRAC-MÉDOC 2008
Rouge | 2010 à 2018 | NC **14,5/20**
Trame classique pour ce millésime. Matière souple, droite, harmonieuse, sans exubérance ! Vin classique de la propriété.

Listrac-Médoc 2007
Rouge | 2011 à 2017 | NC **15/20**
Ce Fourcas a extrait des tanins plutôt fins. Il est souple et raffiné, dans un ensemble aromatique très fruits noirs.

CHÂTEAU FOURCAS HOSTEN

33480 Listrac-Médoc
Tél. 05 56 58 01 15 • Fax : 05 56 58 06 73
contact@fourcas-hosten.com
www.fourcas-hosten.com

Listrac-Médoc 2007
Rouge | 2010 à 2016 | 13,50 € **14,5/20**
Nez finement toasté, la bouche est souple, fine, d'un bel équilibre. Tanins souple.

CHÂTEAU GISCOURS

10, route de Giscours • 33460 Margaux
Tél. 05 57 97 09 09 • Fax : 05 57 97 09 00
giscours@chateau-giscours.fr
www.chateau-giscours.fr
Visite : Sur rendez-vous.

Les vignes appartiennent toujours à la famille Tari, mais le vin est élaboré par les talentueux Alexander van Beek et Jacques Pellissié, sous la direction d'Albada Jelgersma, fermier de la propriété, gravement handicapé depuis un terrible accident mais toujours impliqué dans une propriété qu'il a remise sur de bons rails. En raison de son terroir, ce cru donne un margaux particulièrement coloré et corsé, de très longue garde, avec un caractère assez différent des crus de la partie nord de l'appellation. Quand il est réussi, il peut rivaliser avec Palmer mais les prix restent infiniment plus raisonnables que chez son rival. Le cru a brillé entre 2000 et 2005 mais 2006, dans toutes les bouteilles dégustées depuis la mise, présente un gros défaut olfactif qui ne nous était pas apparu en cours d'élevage. 2007 déçoit également par manque de maturité du raisin. 2009 retrouve la vraie dimension du cru.

Margaux 2007
Rouge | 2015 à 2022 | cav. 39 € **14,5/20**
Notes très marquées de poivron au nez, qui ne seront pas appréciées de tous. Un vin longiligne, plutôt élégant, mais qui semble avoir perdu une partie de la noblesse de son terroir.

Margaux 2005
Rouge | 2017 à 2030 | cav. 50 € **16,5/20**
Forte couleur, arôme puissant presque chocolaté, très Giscours, beaucoup de vinosité, tanin plus corsé que dans un margaux classique, fait pour la garde.

Margaux 2004
Rouge | 2014 à 2024 | cav. 41 € **16/20**
Du caractère et plus de finesse immédiate ou apparente qu'en 2005, tanin équilibré, beau 2004.

Margaux 2003
Rouge | 2013 à 2028 | cav. 47 € **17,5/20**
Notre préféré avant le 2009, complet, généreux, long, très réussi dans une appellation qui a souffert de la canicule.

CHÂTEAU DU GLANA

33250 Saint-Julien-Beychevelle
Tél. 05 56 59 06 47 • Fax : 05 56 59 06 51
contact@chateau-du-glana.com
www.chateau-du-glana.com

Saint-Julien 2007
Rouge | 2010 à 2017 | 15,50 € **14,5/20**
Robe sombre. Léger toasté au nez. Jolie matière de bouche, avec de la longueur. Belle finesse des tanins.

CHÂTEAU GLORIA

33250 Saint-Julien-Beychevelle
Tél. 05 56 59 08 18 • Fax : 05 56 59 16 18
domainemartin@wanadoo.fr
www.domaines-henri-martin.com
Visite : Du lundi au vendredi, de 8h à 12h et de 14h à 18h sur rendez-vous. Fermeture à 16h le vendredi.

Au cœur du vignoble de Saint-Julien, et sur des terres jouxtant les meilleurs crus classés, Gloria, fierté de feu Henri Martin, peut faire jeu égal avec eux. Après une décennie d'incertitudes, il a retrouvé la plénitude de ses qualités : souple, charnu, délicieusement fruité.

Saint-Julien 2007
Rouge | 2010 à 2020 | 30 € **16,5/20**
Robe sombre et profonde. Notes de fruits rouges bien mûrs et de cèdre. Bouche ample et ronde. Tanins d'une grande finesse et parfaitement intégrés au corps du vin.

Saint-Julien 2006

Rouge | 2010 à 2025 | 32 € **16/20**

Rond, harmonieux, précis dans l'expression du fruit, tanin souple, classicisme évident de facture, devrait faire assez vite une bouteille élégante, peut-être même plus élégante que le 2005.

GOULÉE

33180 Saint-Estèphe
Tél. 05 56 73 15 50 • Fax : 05 56 59 72 59
estournel@estournel.com • www.estournel.com
Visite : Pas de visites pour particuliers.
Sur rendez-vous pour professionnels.

Goulée est un projet conçu et conduit brillamment à terme par Jean-Guillaume Prats : le principe est d'appliquer dans le vignoble méconnu du nord du Médoc la même discipline de travail que dans les plus grands crus. Il fallait croire en son terroir et cette confiance est justifiée, le vin a de la vigueur, de la sève et un bouquet racé et complexe, qui fait regretter que si peu d'autres crus du secteur travaillent avec autant de rigueur. Le domaine produit également un blanc.

Médoc 2007

Rouge | 2010 à 2017 | NC **16/20**

Nez agréable de fruits rouges, bonne présence des tanins, puissants, bien enrobés, beaucoup de chair, de jus, de croquant, il fait plaisir mais se complexifiera et s'harmonisera encore avec le temps.

CHÂTEAU GRAND-PUY-DUCASSE

4, quai Antoine-Ferchaud • 33250 Pauillac
Tél. 05 56 59 00 40 • Fax : 05 56 59 36 47
contact@cagrandscrus.fr • www.cagrandscrus.com
Visite : Visites réservées aux professionnels, du lundi au vendredi, de 9h à 12h et de 14h à 17h sur rendez-vous.

Ce cru est issu de plusieurs parcelles, dont l'ensemble devrait constituer une bonne synthèse de l'appellation Pauillac. Des efforts certains, à commencer par la construction d'un nouveau cuvier, ont été entrepris dans les années 1990, sans que la qualité n'atteigne encore le niveau des meilleurs cinquièmes crus classés de l'appellation. La progression de la qualité se confirmait avec le millésime 2005, qui montre le cru à son meilleur en matière de définition du terroir, mais il faudrait encore plus de grands cabernet-sauvignons pour franchir l'étape décisive. 2006 et 2007 en recul, 2009 semble renouer avec la réussite de 2005.

Pauillac 2007

Rouge | 2015 à 2022 | cav. 25 € **14,5/20**

Nez net, avec une petite touche de poivron, corps équilibré, plus de précision qu'en 2006, finale un rien rigide.

Pauillac 2006

Rouge | 2014 à 2021 | cav. 26 € **14/20**

Puissant mais tanin sans charme ni délicatesse.

Pauillac 2005

Rouge | 2015 à 2025 | cav. 40 € **16,5/20**

Excellent corps, saveur de fruits rouges mais pas de cèdre, fruité très pur, belle vinosité, sans doute le meilleur vin récent de la propriété.

CHÂTEAU GRAND-PUY-LACOSTE

Domaines F. Xavier Borie -
Château Grand-Puy-Lacoste - BP 82
33250 Pauillac
Tél. 05 56 59 06 66 • Fax : 05 56 59 22 27
dfxb@domainesfxborie.com
Visite : Sur rendez-vous de 9h30 à 12h et de 14h à 16h30. Réservé aux professionnels

Un des meilleurs terroirs de Pauillac et l'un des crus classés les plus réguliers. Grand-Puy-Lacoste, GPL pour les initiés, est désormais pleinement sous la coupe de François-Xavier Borie, qui a procédé à une modernisation complète des installations techniques. De vieilles vignes de cabernet-sauvignon donnent au cru sa remarquable vinosité et ses arômes épicés très nobles. Dans les grands millésimes, il gagne énormément à vieillir quinze ans ou plus en bouteille. Les derniers millésimes ont progressé en précision dans la définition aromatique et en raffinement de tanin, avec un 2005 vraiment exceptionnel et un 2006 d'un équilibre irréprochable. 2007 montre la même assurance de style. C'est nécessaire dans la compétition serrée que se livrent désormais les crus de Pauillac. Le second vin, en revanche, manque de sophistication par rapport aux meilleurs de sa catégorie.

Pauillac 2007

Rouge | 2015 à 2027 | 35,83 € **16,5/20**

Excellent nez épicé, corps ferme, généreux même pour l'année, texture noble, finale pleine d'assurance, vin d'excellente facture, digne de sa réputation.

CHÂTEAU LES GRANDS CHÊNES

13, route de Lesparre • 33340 Saint-Christoly-Médoc
Tél. 05 56 41 53 12 • Fax : 05 56 41 39 06
chateaugrandschenes@orange.com
www.bernard-magrez.com
Visite : Sur rendez-vous.

Bernard Magrez fait appliquer sur cette petite propriété du nord de la presqu'île les mêmes règles de travail que dans ses grands crus, jusqu'au tri du raisin le plus sophistiqué. Il optimise ainsi l'expression d'un joli terroir : le vin charme par son corps, sa texture et le côté luxueux, mais sans vulgarité, de son élevage.

Médoc 2007

Rouge | 2010 à 2018 | NC **16/20**

Robe sombre. Nez d'une grande finesse. Matière dense, ample, suave. Belle fraîcheur, avec de la longueur. Trame tannique solide mais sans aucune rudesse.

Médoc 2005

Rouge | 2010 à 2015 | NC **16/20**

Médoc généreux et plein, doté de tanins frais et sans rudesse. L'ensemble a du volume et du potentiel.

Médoc 2004

Rouge | 2010 à 2015 | NC **15/20**

Solide médoc prêt à boire : le tanin est moins précis qu'en 2005, mais le volume plein de sève accompagnera parfaitement une côte de bœuf.

Médoc 2001

Rouge | 2010 à 2011 | NC **14,5/20**

Belle expression de fruit sur un élevage de qualité, bouche suave et charmeuse avec des tanins d'excellente maturité.

CHÂTEAU GREYSAC

18, route de By • 33340 Bégadan
Tél. 05 56 73 26 56 • Fax : 05 56 73 26 58
info@greysac.com • www.greysac.com
Visite : De 9h à 18h.

Vaste propriété de la commune de Bégadan, Greysac produit en volume confortable un vin plein de finesse et de fraîcheur épicée, ce qui devient rare, avec d'étonnantes notes de poivron rouge qu'il ne faut surtout pas prendre pour de la verdeur, et qui deviennent racées au long vieillissement. Les amateurs de vrais médocs apprécieront. Excellent 2007, au dessus de la moyenne du millésime.

Médoc 2007

Rouge | 2012 à 2017 | 15 € **16/20**

Renoue avec ses lettres de noblesse après un 2006 un peu décevant. Présentation impeccable avec une attaque fruitée et juteuse, des tanins parfaitement mûrs, longs et complexes. Excellent dans sa catégorie, du pur plaisir à boire maintenant.

CHÂTEAU LA GRIVIÈRE

33340 Blaignan
Tél. 05 56 73 31 51 • Fax : 05 56 73 31 52
cgr@domaines-cgr.com • www.domainescgr.com
Visite : Du lundi au vendredi de 9h à 12h et de 13h30 à 17h (le vendredi jusqu'à 12h).

Cet ensemble au nord de la presqu'île du Médoc appartint aux Domaines Rothschild jusqu'en 1990, l'année où le financier Charloux le reprit. Il regroupe trois propriétés aux styles très complémentaires : La Cardonne, qui provient des graves avec un style complexe, frais et fruité, Grivière, plus subtil et charmeur et Ramafort, issu de très vieux pieds de merlot qui expriment avec plus de vigueur les médocs modernes, généreusement bouquetés et intensément construits. La spécialité des Domaines CRG (Cardonne Grivière Ramafort) est la vente de millésimes prêts à boire. La cave s'est dotée d'un outil de vieillissement moderne qui permet de stocker les neuf derniers millésimes dans des conditions idéales à dix mètres de profondeur.

Médoc Château Grivière 2005

Rouge | 2010 à 2020 | 13,75 € **15/20**

Bon millésime avec de la consistance, des tanins assez gras, net, équilibré, assez fin, de bonne qualité.

CHÂTEAU GRUAUD-LAROSE

33250 Saint-Julien-Beychevelle
Tél. 05 56 73 15 20 • Fax : 05 56 59 64 72
gl@gruaud-larose.com • www.gruaud-larose.com
Visite : De juin à septembre, du lundi au samedi, de 9h à 12h et de 14h à 17h, sur rendez-vous.

Le vaste vignoble du château est situé sur l'un des plus somptueux et homogènes plateaux de graves profondes de tout le Médoc. Il produit grâce à cela une quantité importante de vins d'une régularité sans faille. Le cru allie parfaitement force et finesse, et cache souvent en primeur l'ampleur de sa charpente, qui ne se révèle pleinement qu'après vingt ou trente ans de garde. Les notes animales mêlées aux arômes classiques de cèdre et de tabac, et qu'on

attribuait au terroir, ont pu enchanter ou choquer dans les décennies 1970 et 1980 : elles ont disparu aujourd'hui, ce qui n'est pas pour nous déplaire. La sagesse de Jean Merlaut, administrateur du domaine, se sent dans l'évolution actuelle du cru, plus propre, plus précis que par le passé, mais avec la même générosité de bouquet et le même charme de texture. Le second vin, Sarget, est plus irrégulier.

Saint-Julien 2007
Rouge | 2015 à 2027 | cav. 40 € **17/20**
Beaucoup de classe et de plénitude au nez avec les notes de cèdre des grands cabernets médocains, volumineux mais subtil, avec une étonnante persistance. Un vin de caractère, intègre, qui plaira à tous.

Saint-Julien 2006
Rouge | 2016 à 2021 | cav. 44 € **17/20**
Beau style, vin charmeur, suave, long, élégant, vraiment saint-julien, petit manque de tension dans le tanin.

Saint-Julien 2005
Rouge | 2010 à 2030 | cav. 71 € **17,5/20**
Finesse et fraîcheur toujours aussi remarquables et, réjouissons-nous, plus aucune trace de notes animales dans la saveur ! Il ne lui manque qu'un peu plus de rigueur et monumentalité dans la construction.

CHÂTEAU HAUT-BAGES LIBÉRAL

Saint-Lambert • 33250 Pauillac
Tél. 05 57 88 76 65 • Fax : 05 57 88 98 33
chateau@ferriere.com • www.hautbagesliberal.com
Visite : Du lundi au vendredi, de 9h à 16h sur rendez-vous.

Une partie du vignoble jouxte celui de Château Latour et contribue beaucoup à la force d'expression de ce pauillac très corsé et généreux, qui finit en bouteille toujours plus complexe et abouti qu'on ne l'imagine en dégustation primeur, sauf peut-être en 2006. Son rapport qualité-prix reste très attractif et infirme les idées préconçues sur les tarifs trop élevés des vins de Bordeaux. Les progrès considérables de quelques voisins devraient créer une émulation favorable pour les prochains millésimes.

Pauillac 2007
Rouge | 2015 à 2022 | cav. 20 € **15/20**
La robe n'est pas la plus profonde du millésime mais des arômes agréables de menthe et un volume de bouche appréciable soulignent les efforts de sélection du propriétaire. Fin de bouche un peu simple.

Pauillac 2006
Rouge | 2016 à 2021 | cav. 25 € **14,5/20**
Puissant, comme souvent en 2006, mais avec un petit manque de finesse et de pureté aromatique. Le temps devrait l'affiner.

CHÂTEAU HAUT-BAGES MONPELOU

86-90, cours Balguerie-Stuttenberg
33082 Bordeaux
Tél. 05 56 00 00 70 • Fax : 05 57 87 60 30
domaines@borie-manoux.fr

Pauillac 2007
Rouge | 2011 à 2020 | NC **15/20**
La robe est foncée. Joli fruit au nez. Belle fraîcheur en bouche et tanins fins.

CHÂTEAU HAUT-BATAILLEY

33250 Pauillac
Tél. 05 56 59 06 66 • Fax : 05 56 59 27 37
je-borie@je-borie-sa.com

Ce cru est issu d'un partage de Batailley entre les familles corréziennes Borie et Castéja. Les terroirs sont assez semblables mais les vins témoignent de caractères différents, liés à la personnalité des propriétaires. François-Xavier Borie cherche à Haut-Batailley la finesse ainsi qu'une certaine souplesse, pour le différencier de Grand-Puy-Lacoste et, à quelques exceptions près, il y réussit parfaitement. À Batailley, Philippe Castéja obtient plus de vinosité et un caractère Pauillac plus affirmé. Haut-Batailley semble avoir gagné en force de caractère depuis 2005, et son rapport qualité-prix devient donc plus attractif que jamais. Le 2006 ne déçoit pas mais se fera plus lentement que le 2007.

Pauillac 2007
Rouge | 2015 à 2022 | cav. 29 € **15,5/20**
Corps et constitution très corrects avec les quelques limites de l'année, une touche animale au nez peut déplaire mais la texture fine du tanin mérité d'être soulignée.

Pauillac 2000
Rouge | 2012 à 2020 | cav. 50 € **16/20**
L'ouverture du vin augure bien des autres 2000 de Pauillac, c'est large, très épicé, avec un tanin empyreumatique noble, de la finesse et du style, à défaut de grandeur.

CHÂTEAU HAUT-CONDISSAS ET CHÂTEAU ROLLAN DE BY

3, route du Haut-Condissas • 33340 Bégadan
Tél. 05 56 41 58 59 • Fax : 05 56 41 37 82
infos@rollandeby.com • www.rollandeby.com
Visite : De 9h à 12h et de 14h à 17h30
sur rendez-vous.

Jean Guyon a créé, dans son vignoble de Bégadan, deux marques au caractère bien distinct. Haut-Condissas est issu d'un vignoble supérieur en qualité et cultivé de façon plus exigeante. L'objectif est de produire ici le meilleur vin du Médoc et il a souvent réussi son pari depuis quelques années. Le vin possède le nez épicé et la sève d'un très beau cru classique du cœur du Médoc. Rollan de By est un vin plus simple mais soigné, adroitement assemblé pour associer vigueur et souplesse. Sous la même direction, les châteaux La Clare et Tour Séran donnent des vins plus classiques de facture, pleins, frais mais évidemment moins raffinés sur le plan de la texture. Les derniers millésimes sont tous réussis et recommandables.

Médoc Haut-Condissas 2007
Rouge | 2011 à 2017 | NC **15,5/20**

Vin puissant aux tanins chaleureux, à la structure solide et corpulente, boisé bien fondu, avec des notes de moka en finale. Vin racé, plus harmonieux que son frère à ce stade.

Médoc Rollan de By 2007
Rouge | 2012 à 2018 | NC **15/20**

Dans une phase un peu austère. Le boisé neuf est encore très marquant au nez et en bouche, riche et concentré grâce à l'extraction, on devine la matière juteuse et fruitée en finale, bonne fraîcheur, cependant la sécheresse du boisé n'est pas encore digérée mais laisse espérer un bon vieillissement.

CHÂTEAU HAUT-MARBUZET

Vignoblesh. Duboscq & Fils • 33180 Saint-Estèphe
Tél. 05 56 59 30 54 • Fax : 05 56 59 70 87
infos@haut-marbuzet.net
Visite : De préférence sur rendez-vous.

Ce cru a acquis une popularité mondiale grâce à l'engagement de son propriétaire, Henri Duboscq, une des figures les plus étonnantes du Médoc. Il a su donner au style de vin souvent rustique de Saint-Estèphe une rondeur et une volupté immédiates.

Saint-Estèphe 2007
Rouge | 2010 à 2020 | cav. 29 € **17/20**

Vin droit et tendu. De la vinosité, trame tannique imposante.

Saint-Estèphe 2006
Rouge | 2010 à 2025 | cav.30 € **16,5/20**

Robe foncée. Nez de cèdre. Bouche très dense, serrée, de la sève ou le boisé est encore présent. Structure tannique en finale très imposante. Vin à attendre.

CHÂTEAU HAUT-MAURAC

Château Jean-Faure • 33330 Saint-Émilion
Tél. 05 57 51 34 86
contact@lvod.fr

Le vignoble, acheté par Olivier Decelle en 2000, s'étend sur une croupe de graves garonnaises descendant en pente douce vers la Gironde, où il profite d'un microclimat particulièrement propice à la maturité des raisins. Sous la houlette du consultant Stéphane Derenoncourt, les vins ont gagné en régularité et en harmonie avec des tanins plus velouté et une expression de fruit de raisin mûr, ils ont un bon potentiel de vieillissement.

Médoc 2007
Rouge | 2010 à 2016 | 13 € **15/20**

Joli nez très expressif de cassis, tanins bien enrobés, intenses, racés, corps et extraction mesurés, sans dureté, très agréable, prêt à boire.

CHÂTEAU L'INCLASSABLE

4, chemin des Vignes • 33340 Prignac-en-Médoc
Tél. 05 56 09 02 17 • Fax : 05 56 09 04 96
remy.fauchey@wanadoo.fr • www.linclassable.com
Visite : Du lundi au vendredi de 9h à 18h.

Médoc 2007
Rouge | 2012 à 2016 | 14 € **13,5/20**

Légère pointe de réduction, Rémy Fauchey signe ici un style qui se veut authentique avec une belle matière fruitée mais aussi des tanins un peu anguleux et râpeux qui auront besoin de temps pour s'affiner.

Médoc L'Inclassable de Rémy Fauchey 2007
Rouge | 2013 à 2017 | 40 € **13,5/20**

Cette cuvée de 6000 bouteilles est une véritable bombe, autant au nez qu'en bouche, une expression tellement exubérante de cassis et de chocolat, riche, dense, compacte, serré, que l'on se demande quand cela deviendra un jour buvable. Difficile à noter tellement c'est... inclassable.

CHÂTEAU D'ISSAN

B.P. 5 • 33460 Cantenac
Tél. 05 57 88 35 91 • Fax : 05 57 88 74 24
issan@chateau-issan.com • www.chateau-issan.com
Visite : Sur rendez-vous

Situé sur d'excellentes terres de graves en bordure de Gironde, ce cru de Margaux possède le château le plus réussi et le plus authentique dans son architecture du sud du Médoc. Le vin peut sembler réservé à sa naissance, mais le vieillissement lui apporte le raffinement de bouquet et de texture qu'on attend d'un troisième cru classé. Emmanuel Cruse est certainement l'administrateur le plus ambitieux que le cru ait connu, et la sévérité de ses sélections se sent dans le progrès de constitution des derniers millésimes, qui ne nuit pas à la finesse. Ce cru progressera encore, avec quelques petits réglages de vinification pour l'obtention d'un bouquet plus pur et précis. Le 2006 a un peu trop souffert de sa mise en bouteille, mais pas le 2007. Le second vin, Blason-d'Issan, pourrait avoir plus de personnalité.

Margaux 2007
Rouge | 2014 à 2019 | 35 € **15/20**
Un vin précis, récolté mûr, élégant, long, doté d'une texture très agréable et fidèle au caractère margalais.

Margaux 2006
Rouge | 2016 à 2021 | cav. 34 € **14/20**
Assez dense mais tanin astringent et pour le moment trop austère.

Margaux 2005
Rouge | 2015 à 2030 | cav. 64 € **16,5/20**
Puissant, ferme dans son tanin, caractère cabernet bien en évidence, à attendre.

CLOS DU JAUGUEYRON

4, rue de la Haille • 33460 Arsac
Tél. 05 56 58 89 43 • Fax : 05 56 58 89 43
theron.michel@wanadoo.fr • www.biturica.com
Visite : Sur rendez-vous

Cette propriété du Sud-Médoc se révèle depuis plusieurs années comme l'une des plus régulières du secteur. Les vins sont sans artifice, longs et profonds, avec un caractère élancé loin de toute lourdeur. C'est une adresse sûre.

Haut-Médoc 2008
Rouge | 2010 à 2025 | 13 € **17/20**
Robe sombre. Nez profond de fruits noirs, notes de cèdres. Superbe toucher de bouche, sensation de velours, belle concentration, trame serrée. Très beau tanins en finale. Les vins de Michel Theron gagnent en complexité au fil des ans.

Margaux 2008
Rouge | 2010 à 2025 | 50 € **17/20**
Issu des parcelles en appellation Margaux, ce vin est plus dense et complexe que le haut-médoc. Robe sombre. Nez profond et expressif, boisé encore très présent. Bouche avec de la sève, de la précision. Beaux tanins solides. Vin d'envergure.

CHÂTEAU KIRWAN

33460 Cantenac
Tél. 05 57 88 71 00 • Fax : 05 57 88 77 62
mail@chateau-kirwan.com
www.chateau-kirwan.com
Visite : De 9h30 à 12h30 et 13h30 à 17h30
sur rendez-vous.

Dans les années 1990 et sous l'inspiration de Michel Rolland, ce cru avait accompli une révolution culturelle en vendangeant plus mûr et en jouant sur un élevage luxueux en bois neuf. Cela avait surpris, séduit, puis un peu ennuyé faute de vraie personnalité au vieillissement. Les propriétaires ont décidé d'orienter le cru vers plus de classicisme d'expression et, sur ce plan, 2005 semble aller dans le bon sens. 2006 se montre un peu revêche mais 2007, avec sa fraîcheur et sa finesse, retrouve le style des vrais margaux. 2008 et 2009 continuent dans la même direction.

Margaux 2007
Rouge | 2012 à 2019 | 46 € **15,5/20**
Robe intense, nez de raisin mûr, ce qui n'est pas le cas de tous ses voisins, bien étoffé, belle intégration du bois, subtil, très agréable dès maintenant.

Margaux 2006
Rouge | 2016 à 2021 | 48 € **14/20**
Puissant mais austère et astringent comme de nombreux margaux du millésime. Attendons...

Margaux 2005
Rouge | 2015 à 2025 | 96 € **17/20**
Grande maturité du raisin, mais l'intense rayonnement solaire du millésime n'a pas masqué ici la finesse native du terroir. Un futur classique du millésime.

CHÂTEAU LABÉGORCE ET CHÂTEAU LABÉGORCE-ZÉDÉ

33460 Margaux
Tél. 05 57 88 71 31 • Fax : 05 57 88 35 01
ddariol@chateau-marquis-dalesme.fr
www.chateau-labegorce.fr
Visite : Du lundi au vendredi, de 8h à 12h et de 13h à 17h.

Dans la réorganisation de ses propriétés à Margaux la famille Perrodo a décidé de réunifier à partir de 2009 les deux Labégorce. Labégorce-Zédé n'a pas changé par rapport au style insufflé par la famille Thienpont : un margaux moderne, riche en couleur et en tanin.

MARGAUX CHÂTEAU LABÉGORCE 2007

Rouge | 2010 à 2018 | cav. 18 € **15/20**

Robe sombre. Nez riche et complexe, notes de fruits mûrs. Bouche d'une belle construction avec de la richesse, de la souplesse, se finissant sur des tanins fins.

MARGAUX CHÂTEAU LABÉGORCE-ZÉDÉ 2007

Rouge | 2010 à 2020 | NC **15/20**

Robe vermillon. Nez complexe. Bouche arrondie, joli fruit mûr. Tanins souples. Belle longueur.

MARGAUX CHÂTEAU LABÉGORCE-ZÉDÉ 2006

Rouge | 2010 à 2020 | NC **15,5/20**

Robe pourpre. Nez fin et fruité. La bouche ample et suave, raffinée, avec un joli fruit gourmand, possède une belle allonge. Belle présence tannique.

MARGAUX CHÂTEAU LABÉGORCE-ZÉDÉ 2005

Rouge | 2010 à 2025 | NC **15,5/20**

Un joli margaux, très net dans ses arômes, profond, élégant, d'un caractère très classique.

CHÂTEAU LAFITE-ROTHSCHILD

33250 Pauillac
Tél. 05 56 73 18 18 • Fax : 05 56 59 26 83
clesure@lafite.com • www.lafite.com
Visite : Sur rendez-vous par fax ou par mail. Fermé en août, pendant les vendanges et vacances de Noël.

Cru suprême de Pauillac, Lafite doit son inégalable finesse à ses graves du nord de l'appellation, sur socle calcaire, qui le distinguent pour l'éternité de Latour. Fortement marqué par le cabernet-sauvignon, souvent supérieur à 90 % de l'assemblage, il développe d'incroyables arômes de cèdre et de graphite qui sont aux antipodes de la notion habituelle de fruit. Sa texture est impossible à reproduire ailleurs dans le monde, avec en particulier un tanin sec mais caressant qui en fait un vin d'esthète. Les inégalités impardonnables des décennies 1960 et 1970 ne sont plus aujourd'hui qu'un mauvais souvenir, avec des sélections très rigoureuses qui écartent souvent plus de la moitié de la récolte. Le second vin de la propriété, Les-Carruades, brille par sa finesse plus que par son corps.

PAUILLAC 2007

Rouge | 2019 à 2027 | env 600 € **18/20**

Coloré et corsé, dans l'esprit des derniers millésimes, avec peut-être une texture encore plus serrée, ce Lafite manquera peut-être pour certains de finesse immédiate mais fera une grande bouteille de garde, dans un millésime où on ne l'attendait pas aussi vigoureux.

PAUILLAC 2006

Rouge | 2018 à 2026 | env 800 € **18,5/20**

Riche en alcool et en tanin, pour le moment dans l'enfance mais certainement digne de succéder au 2005.

CHÂTEAU LAFON-ROCHET

Lieu-dit Blanquet • 33180 Saint-Estèphe
Tél. 05 56 59 32 06 • Fax : 05 56 59 72 43
lafon@lafon-rochet.com • www.lafon-rochet.com
Visite : De 9h à 12h et de 14h à 16h.

Michel Tesseron, désormais relayé par son fils, a parfaitement modernisé les installations techniques et rendu au vignoble l'aspect que doit avoir un beau cru classé. Les terres, voisines de Lafite, sont excellentes pour la maturité de tous les cépages médocains. Le propriétaire joue beaucoup sur les merlots, qui donnent en effet beaucoup de rondeur et de charme à la texture, mais un plus grand pourcentage de cabernet-sauvignon apporterait en grand millésime un peu plus d'assise et de précision dans le corps du vin. Le rapport qualité-prix est excellent. 2006 répond exactement à cette volonté. 2007, moins charmeur, devrait s'assouplir au vieillissement.

SAINT-ESTÈPHE 2007

Rouge | 2015 à 2022 | 26 € **14,5/20**

Nez de fruits rouges avec la fraîcheur du millésime, corps équilibré, tanin un peu sévère et finale moyennement complexe.

SAINT-ESTÈPHE 2006

Rouge | 2014 à 2021 | 30 € **16/20**

La robe est très dense, le nez a besoin d'aération pour évacuer quelques nuances de cuir et de «cuit» moins élégantes qu'on ne le souhaiterait, mais en bouche il remplit parfaitement son contrat, corsé mais harmonieux, fait pour le petit gibier.

CHÂTEAU LAGRANGE

33250 Saint-Julien-Beychevelle
Tél. 05 56 73 38 38 • Fax : 05 56 59 26 09
chateau-lagrange@chateau-lagrange.com
www.chateau-lagrange.com
Visite : De 9h à 12h et de 14h à 16h30.
Pas le vendredi après-midi hors saison.

Cette très belle et grande propriété fait la transition entre Gruaud-Larose, les arrières des Léoville et les crus classés de Saint-Laurent-du-Médoc, sur des terroirs de premier ordre. Marcel Ducasse, engagé dès le rachat de la propriété par le grand groupe japonais Suntory, a modelé un vin très classiquement médocain, un peu rigoureux dans sa jeunesse mais séveux, distingué et d'une grande régularité. Le second vin, Fiefs-de-Lagrange, mérite son succès : il est souple, précis, fin, digeste et d'un remarquable rapport qualité-prix. Les derniers millésimes voient le cru gagner en finesse et en raffinement de texture et donc se rapprocher, en classe et en valeur, des Léoville. 2006, tout comme 2007, premiers millésimes du nouveau directeur Bruno Eynard, confirment cette évolution.

Saint-Julien 2007
Rouge | 2015 à 2019 | cav. 37 € **16,5/20**
Beau parfum floral, excellent bois, vin souple mais charnu, tanin ayant certainement gagné en délié dans les sensations tactiles, frais, séduisant.

Saint-Julien 2006
Rouge | 2016 à 2021 | cav. 36 € **15/20**
Un vin sérieux et droit, au classicisme incontestable. Ili devrait montrer plus de charme avec six ou sept ans de bouteille.

CHÂTEAU LA LAGUNE

33290 Ludon-Médoc
Tél. 05 57 88 82 77 • Fax : 05 57 88 82 70
contact@chateau-lalagune.com
www.chateau-lalagune.com
Visite : Du lundi au vendredi, de 8h à 17h
sur rendez-vous.

Dans ses somptueuses installations techniques récentes, le cru a beaucoup gagné en pureté aromatique et en définition, tout en conservant un caractère très individuel, né d'un terroir de graves sablo-siliceux unique en Sud-Médoc. Il joue de plus en plus sur l'harmonie et la finesse, en communion totale de philosophie entre Caroline Frey, fille du propriétaire, œnologue, et son consultant Denis Dubourdieu. Il devrait rapidement égaler les meilleurs troisièmes crus classés. 2005 frappe par son charme et son équilibre, 2006 ne l'égale pas tout à fait mais devrait vieillir peut-être encore mieux. 2007, soigneusement élaboré, tient parfaitement son rang.

Haut-Médoc 2007
Rouge | 2015 à 2022 | cav. 32 € **16/20**
Vineux et élégant, saveur classique de réglisse, violette et cèdre, tanin fin, caractère de terroir marqué avec un tanin plus lisse que celui de ses voisins.

Haut-Médoc 2006
Rouge | 2014 à 2021 | cav. 42 € **14,5/20**
Fermé, puissant, léger manque d'harmonie dans le tanin, attendre encore pour savoir dans quelle direction il évoluera.

CHÂTEAU LALANDE

33250 Saint-Julien-Beychevelle
Tél. 05 56 59 06 47 • Fax : 05 56 59 06 51
contact@chateau-du-glana.com

Saint-Julien 2007
Rouge | 2010 à 2016 | env 14 € **15/20**
Robe sombre. Joli nez sur le fruit. Belle matière dense en bouche, avec de l'allonge.

CHÂTEAU DE LAMARQUE

33460 Lamarque
Tél. 05 56 58 93 43 • Fax : 05 56 58 90 03
lamarque@chateaudelamarque.fr
www.chateaudelamarque.com

Haut-Médoc 2006
Rouge | 2010 à 2020 | NC **14,5/20**
Robe d'un joli pourpre foncé. Nez de fruits mûrs, avec quelques notes de réglisse. La bouche révèle une bouche fraîche, d'un beau volume, avec des tanins soyeux.

CHÂTEAU LANGOA-BARTON

33250 Saint-Julien-Beychevelle
Tél. 05 56 59 06 05 • Fax : 05 56 59 14 29
chateau@leoville-barton.com
www.leoville-barton.com
Visite : Visites du lundi au vendredi, le matin uniquement sur rendez-vous. Pas de vente à la propriété

Langoa est le nom de la délicieuse chartreuse où habite la famille Barton, et le lieu où Léoville-Barton est également vinifié. Nous sommes au cœur du vignoble de Saint-Julien, juste au sud de Léoville, et il est parfois difficile en primeur de distinguer les deux crus, même si Léoville possède généralement plus de corps et de densité de texture. Le vin de Langoa est d'une facture très classique, dense, tannique, très épicé même si parfois il manque un peu de pureté au nez et en fin de bouche. Dans les grandes années, il vieillit merveilleusement bien. Les derniers millésimes répondent tous à l'attente.

Saint-Julien 2007

Rouge | 2015 à 2025 | 42,10 € 16/20

Nez racé de tabac blond, cèdre et encens, remarquable volume de bouche pour l'année, un vin séveux, complet.

Saint-Julien 2006

Rouge | 2016 à 2021 | 50 € 16,5/20

Ferme, gras, raisin mûr, tanin pour le moment encore un peu rugueux, mais donnant confiance pour un vieillissement lent et régulier.

CHÂTEAU LAROSE-PERGANSON

Route de Pauillac • 33112 Saint-Laurent-Médoc
Tél. 05 56 59 41 72 • Fax : 05 56 59 93 22
info@trintaudon.com
www.chateau-larose-trintaudon.fr
Visite : De 9h à 11h30 et de 14h à 16h sur rendez-vous.

Haut-Médoc 2006

Rouge | 2010 à 2014 | env 12 € 14/20

Robe pourpre. Nez concentré de fruits noirs. Notes de cuir. Jolie bouche fraîche et élégante, soutenue par une belle longueur. Tanins fins.

CHÂTEAU LASCOMBES

1, cours de Verdun - B.P.4 • 33460 Margaux
Tél. 05 57 88 70 66 • Fax : 05 57 88 72 17
chateaulascombe@chateau-lascombes.fr
www.chateau-lascombes.com
Visite : De 8 h30 à 12 h30 et de 13 h30 à 17 h30. Fermé entre Noël et le Nouvel An.

Ce château, beaucoup plus connu à l'étranger que chez nous, particulièrement en Asie, a fait des progrès considérables dans les dernières années, sous l'impulsion de ses actuels propriétaires et de son excellent directeur Dominique Befve. Les vins jeunes du château ont sans doute choqué les traditionalistes par leur côté mûr et suave. Mais force est de constater que le perfectionnisme de leur élaboration, et en particulier le respect de la matière première, se retrouve après la mise en bouteille (ce n'est pas le cas chez beaucoup d'autres...) dans des textures remarquables d'élégance et de raffinement. Le 2005 fera une grande bouteille, digne de la légende de l'année, et le 2006 a peu de rivaux dans la qualité d'extraction du tanin. 2007, avec encore plus de finesse, confirme la tendance. Un cru à suivre et qui mérite son classement élevé.

Margaux 2007

Rouge | 2015 à 2025 | cav. 47 € 16/20

Excellent boisé, texture fine et soyeuse, tanin subtil, du vrai margaux très bien vendangé, vinifié et élevé.

Margaux 2006

Rouge | 2016 à 2021 | cav. 57 € 16,5/20

Excellent corps, texture plus fine et plus harmonieuse que la plupart des margaux du millésime, tanin fin, très soigné dans son élevage.

CHÂTEAU LATOUR

Saint-Lambert • 33250 Pauillac
Tél. 05 56 73 19 80 • Fax : 05 56 73 19 81
s.favreau@chateau-latour.com
www.chateau-latour.com

Ce cru, qui à l'exception de la période 1983-1987 était la régularité incarnée, ne s'est pas reposé sur ses lauriers. François Pinault a donné carte blanche à Frédéric Engerer pour faire encore mieux, avec à la clef, entre autres, un nouveau cuvier permettant des vinifications parcellaires plus précises. Le grand vin du château n'a jamais été aussi harmonieux et accompli. Les derniers millésimes sont des expressions inoubliables d'un terroir magique avec, quand le climat est exceptionnel comme en 2003, un toucher de bouche défiant toute description. On aura

donc le choix entre le baroque génial de ce dernier et le classicisme absolu du 2005, réplique moderne du 1949 ou du 1929. Le 2006, avec sa pureté de style remarquable et son velouté de texture, plaira davantage au plus grand nombre que le 2007 plus strict. Le second vin du château, Les-Forts-de-Latour, issu en grande partie d'un vignoble indépendant, mérite amplement l'estime des amateurs et domine sa catégorie.

Pauillac 2007
Rouge | 2017 à 2027 | cav. 340 € **18/20**
Grande robe, vin noble mais strict, tanin frais, grande classe et assurance de style évidente en arrière-bouche, un vin fait pour l'amateur cultivé et exigeant. Il faudra attendre quinze ans pour que les autres le perçoivent à son vrai niveau.

Pauillac 2006
Rouge | 2018 à 2028 | cav. 440 € **18,5/20**
Une splendeur et un des sommets de l'année. Puissance, gloire et beauté, mais façon Pauillac, pas Hollywood.

Pauillac 2005
Rouge | 2020 à 2035 | cav. 1020 € **19/20**
Majestueux et formidablement maîtrisé, un classique du cru, bâti pour vieillir un demi-siècle, mais peut-être moins émouvant que le 2003.

Pauillac 2004
Rouge | 2014 à 2024 | cav. 470 € **18/20**
Grande réussite, associant vinosité, élégance, plénitude de sève pour l'année, avec un caractère plus «amical» que Lafite, c'est-à-dire une texture plus enveloppante et un tanin un rien plus harmonieux.

Pauillac 2003
Rouge | 2015 à 2028 | cav. 470 € **19,5/20**
Un vin hors norme dans un millésime qui l'a poussé dans une direction originale, lui donnant un velouté de texture et une sensualité aromatique rarissimes. Le vin deviendra légendaire, façon 1947.

Pauillac Forts de Latour 2007
Rouge | 2015 à 2022 | NC **17/20**
Beaucoup de noblesse, de rigueur et de précision dans la définition aromatique et dans la construction du tanin, longiligne mais sans maigreur, minéral, ce qui est rare dans un vin rouge, strict, un rien plus souple que le grand vin.

CHÂTEAU LÉOVILLE-BARTON

33250 Saint-Julien-Beychevelle
Tél. 05 56 59 06 05 • Fax : 05 56 59 14 29
chateau@leoville-barton.com • www.leoville-barton.com

Sous la direction sobre, honnête et passionnée d'Anthony Barton, ce cru a rejoint l'élite suprême du Médoc, sans trop faire exploser ses prix de vente. La qualité actuelle du vin s'explique par l'âge et la situation des vignes, qui permettent d'associer quantité et qualité, et par la volonté de conserver et optimiser le style le plus classiquement médocain. Reste le mystère de son caractère, car ce cru de très grande garde naît tout fait, avec une consistance presque crémeuse qui le fait immédiatement remarquer et aimer. Les derniers millésimes sont dans la lignée : complets, immédiatement perceptibles comme vins de grande classe et de grand avenir. Le second vin, modestement intitulé Réserve, assez rare à trouver, est l'un des plus complets du genre à Saint-Julien et devrait figurer plus souvent à la carte de nos bons restaurants.

Saint-Julien 2007
Rouge | 2015 à 2027 | 50 € **17,5/20**
Coloré, généreux, tanin parfaitement mûr, grande suite en bouche, du style et de la séduction, un vin encore une fois exemplaire.

Saint-Julien 2006
Rouge | 2018 à 2026 | 60 € **17/20**
Texture dense, saveur de raisin très mûr avec des notes d'eucalyptus, corps complet pour l'année.

CHÂTEAU LÉOVILLE-LAS CASES

33250 Saint-Julien-Beychevelle
Tél. 05 56 73 25 26 • Fax : 05 56 59 18 33
contact@leoville-las-cases.com
Visite : Du lundi au vendredi, de 9h à 11h et de 14h à 15 h30.

Propriété phare du Médoc, Léoville-Las Cases doit tout à la qualité exceptionnelle de son cœur de terroir, le Grand Enclos, voisin direct de celui de Latour : une combinaison idéale de sol, d'exposition et de microclimat permet la maturation parfaite du cabernet-sauvignon. L'autre grand vin de la propriété, le Clos-du-Marquis, issu des vignes de plus en plus vieilles des extérieurs de l'enclos, est, avec Les Forts-de-Latour, le meilleur de ce qu'il faut désormais ne plus appeler second vin, et il égale largement une bonne moitié des crus classés. À partir de 2009, les jeunes vignes de l'enclos donneront un vrai second vin, le Lionceau. La régularité du cru depuis vingt ans n'a sans doute aucun équivalent à Bordeaux.

SAINT-JULIEN 2007
Rouge | 2017 à 2027 | NC **18/20**
Grande robe, arôme noble, texture dense et serrée mais sans aspérité, boisé intégré, le type même de ce qu'on attend de ce cru, illustrant sa régularité actuelle.

SAINT-JULIEN 2006
Rouge | 2018 à 2028 | NC **18,5/20**
Corps considérable, tanin hautement civilisé, grain de texture très noble avec un petit départ de truffe derrière le tabac et le cèdre, qui le situe à part.

CHÂTEAU LÉOVILLE-POYFERRÉ

33250 Saint-Julien-Beychevelle
Tél. 05 56 59 08 30 • Fax : 05 56 59 60 09
lp@leoville-poyferre.fr • www.leoville-poyferre.fr
Visite : Sur rendez-vous.

Une grande partie du terroir fait face à Léoville-Las Cases et jouxte Latour et Pichon-Longueville, c'est dire que nous sommes en plein cœur des meilleures terres du Médoc. Le cru répond désormais à l'attente : vineux, racé, très complexe, il manque encore un peu de charme immédiat, mais dès la cinquième année de vieillissement, il colle de très près aux plus grands, d'autant que sa régularité est devenue remarquable, en gagnant en vigueur de constitution et en netteté aromatique. Encore cinq ou six ans de vieillissement des meilleures parcelles de cabernets et il rivalisera avec ses illustres voisins. Moulin-Riche peut encore gagner en personnalité pour mériter son statut nouveau de vin indépendant de Léoville.

SAINT-JULIEN 2007
Rouge | 2015 à 2024 | NC **17/20**
Un peu moins charnu à ce stade que ses deux voisins, mais étonnant de délicatesse de texture et de diversité de fruit, avec une grande allonge et surtout une fraîcheur mentholée de grand style.

SAINT-JULIEN 2006
Rouge | 2018 à 2028 | NC **17,5/20**
Les progrès en matière d'élevage ont donné des tanins d'une grande qualité dans ce millésime vigoureux et le terroir de Léoville peut exprimer sa race et son tempérament.

CHÂTEAU LESTAGE-SIMON

33180 Saint-Seurin-de-Cadorne
Tél. 05 56 73 64 34 • Fax : 05 56 73 64 34
mlarsen@labaume.com
Visite : Sur rendez-vous.

HAUT-MÉDOC 2006
Rouge | 2010 à 2016 | NC **13,5/20**
Robe vermillon. Nez fruité. Bouche sur la fraîcheur et le fruit, tanins fins en finale.

CHÂTEAU LILIAN-LADOUYS

Blanquet • 33180 Saint-Estèphe
Tél. 05 56 59 71 96 • Fax : 05 56 59 35 97
chateau-lilian-ladouys@wanadoo.fr
www.chateaulilianladouys.com
Visite : du mardi au samedi 10h30 - 14h - 15h30

SAINT-ESTÈPHE 2007
Rouge | 2010 à 2017 | 13 € **15/20**
Vin d'une belle densité. Notes torréfiées. Matière ample et souple à la fois. Beaux tanins enrobés.

SAINT-ESTÈPHE 2006
Rouge | 2010 à 2017 | 14 € **15,5/20**
Robe pourpre. Nez profond de fruits mûrs. Bouche avec une belle fraîcheur, élégante, avec de l'allonge. Boisé bien intégré, notes de vanille. Tanins nobles encore un peu présents.

CHÂTEAU LOUDENNE

33340 Saint-Yzans-de-Médoc
Tél. 05 56 73 17 82 • Fax : 05 56 09 02 87
loudenne@lafragette.com • www.lafragette.com
Visite : 1/04 au 15/10 tous les jours 9h à 18h
reste de l'année en semaine sur rendez-vous

BORDEAUX 2009
Blanc | 2010 à 2014 | 12 € **16,5/20**
Parfaitement réussi dans ce beau millésime, ce blanc offre une nez superbe de raffinement et de complexité, avec un fruit très mûr, des notes de pistache, menthe fraîche et boisé délicat, la bouche est tout aussi aromatique et s'appuie sur une chair vigoureuse et une longue finale fraîche.

MÉDOC 2007
Rouge | 2011 à 2015 | 15 € **14/20**
Le 2007 est un millésime bien maîtrisé. Il se présente dans un style sobre et élégant, avec moins de chair que ses pairs mais sans dilution.

CHÂTEAU LOUSTEAUNEUF

2, route de Lousteauneuf • 33340 Valeyrac
Tél. 05 56 41 52 11 • Fax : 05 56 41 38 52
chateau.lousteauneuf@wanadoo.fr
www.chateau-lousteauneuf.com
Visite : De 8h à 12h et de 14h à 18h sur rendez-vous.

Olivier Dauga a beaucoup aidé le propriétaire actuel à donner une forme moderne et plaisante à ce vin, d'appel universel, en raison de la gourmandise de son fruit bien mûr, de la souplesse du tanin et de la parfaite intégration du boisé. Le vin continue sur une brillante lancée, avec un 2007 plein de tendresse, ce qui n'est pas courant dans le nord du Médoc dans ce millésime.

Médoc 2007

Rouge | 2011 à 2017 | 12 € **16/20**

Robe pourpre profonde, nez très expressif sur les épices, beau volume de bouche très agréable sans la moindre trace de dureté, texture fruitée voire juteuse, tanins souples, ronds, soyeux, un vin très équilibré, du pur velours. Qu'est-ce qu'on aime !

Médoc Le Petit Lousteau 2007

Rouge | 2010 à 2014 | 8,50 € **14/20**

D'expression plus simple mais bien fait, n'a pas la volupté du grand vin mais sa fraîcheur et son fruité savoureux.

CHÂTEAU LYNCH-BAGES

B.P. 120 • 33250 Pauillac
Tél. 05 56 73 24 00 • Fax : 05 56 59 26 42
infochato@lynchbages.com • www.lynchbages.com
Visite : De 9h à 12h et de 14h à 17h, sur rendez-vous.

Mondialement célèbre en raison de son opulence et de sa régularité, ce cinquième cru classé de Pauillac se vend au prix des seconds. Une terre riche, une forte proportion de cabernet-sauvignon, la recherche de la plus haute maturité possible du raisin lui ont toujours donné un corps et une ampleur de texture remarquables. Après un bref passage à vide où il semblait avoir un peu perdu de sa plénitude, le cru a retrouvé en 2006 tout son éclat et sa force de caractère. Les millésimes suivants confirment la tendance.

Pauillac 2007

Rouge | 2017 à 2025 | cav. 53 € **16,5/20**

Superbe étoffe pour le millésime, vin charnel mais élégant, tanin épicé classique de Pauillac, longueur largement supérieure à la moyenne, et assez de réserve pour une belle garde.

Pauillac 2006

Rouge | 2016 à 2021 | cav. 65 € **16,5/20**

Grande puissance, vinosité habituelle du cru, encore un peu rigoureux et massif dans son tanin.

CHÂTEAU LYNCH-MOUSSAS

33250 Pauillac
Tél. 05 56 59 57 14 • Fax : 05 57 87 60 30
contact@moueix.com • www.moueix.com
Visite : Sur rendez-vous du lundi au vendredi, de 8h à 12h et de 14h à 16h.

Situé dans les arrières de Pauillac, ce cru a longtemps déçu, mais depuis cinq à six ans l'âge moyen des vignes est devenu suffisant, et il bénéficie surtout de la reprise en main de toutes les propriétés de la famille Castéja. Charnu et très arrondi dans sa texture, avec un bouquet généreux, rapide et précoce dans son ouverture, il permet d'attendre dignement l'autre cru classé de la famille, Batailley, plus dense et plus classiquement Pauillac. Tous les millésimes récents sont réussis et offrent un excellent rapport qualité-prix.

Pauillac 2007

Rouge | 2014 à 2019 | cav. 19 € **16/20**

Corps généreux pour l'année, ensemble équilibré, reposant sur un tanin plutôt velouté, donnant des sensations tactiles confortables, assez long, très bien fait pour une consommation dans les dix années à venir.

Pauillac 2006

Rouge | 2016 à 2021 | cav. 20 € **15/20**

Un nez généreusement développé de thé fumé et d'épices, un excellent volume de bouche, une texture assez voluptueuse, bref un vin bien fait et qui ne devrait pas trop tarder à délivrer le meilleur de lui-même.

Pauillac 2005

Rouge | 2015 à 2025 | NC **15/20**

Un vin de soleil au nez très «rôti», large, voluptueux, très «moderne» même si vinifié sous les directives de Denis Dubourdieu. Plus voluptueux que fin.

CHÂTEAU MALESCASSE

6, route du Moulin-Rose • 33460 Lamarque
Tél. 05 56 73 15 20 • Fax : 05 56 59 64 72
malescasse@free.fr
Visite : Sur rendez-vous.

Haut-Médoc 2007

Rouge | 2010 à 2020 | NC **15,5/20**

L'extraction juste, les tanins fins et la qualité du jus et des fruits font de ce beau vin une réussite dans le millésime.

CHÂTEAU MALESCOT SAINT-EXUPÉRY

16, rue George-Mandel • 33460 Margaux
Tél. 05 57 88 97 20 • Fax : 05 57 88 97 21
malescotsaintexupery@malescot.com
www.malescot.com
Visite : Du lundi au vendredi de 10h à 12h et de 14h à 17h, sur rendez-vous.

Depuis 1990, ce cru de taille modeste mais suffisante pour faire le bonheur de nombreux amateurs, produit un margaux sérieusement constitué, dont l'assise tannique traduit parfaitement la forte proportion de cabernet-sauvignon. Jean-Luc Zuger, son propriétaire passionné, a très bien fait de faire appel à Michel Rolland, qui a appris avec lui à mieux comprendre le caractère des crus du Médoc. Les derniers millésimes sont hautement recommandables, même si le 2006 s'est lui aussi un peu durci après mise. Les 2001 et 2002 se dégustent actuellement très bien et offrent un superbe rapport qualité-prix.

Margaux 2007

Rouge | 2017 à 2027 | NC **15/20**

Coloré, sérieux dans sa construction et sa texture, équilibré, mais sans grand raffinement aromatique. Il semble bâti pour se garder plus longtemps que ses pairs.

Margaux 2006

Rouge | 2016 à 2021 | NC **15/20**

Très solide, tanin pour le moment plutôt rugueux, fermé, certainement dense et vineux, à attendre....

CHÂTEAU MARGAUX

33460 Margaux
Tél. 05 57 88 83 83 • Fax : 05 57 88 31 32
chateau-margaux@chateau-margaux.com
www.chateau-margaux.com
Visite : Pas de vente sur le domaine

Ce cru n'a jamais déçu, depuis son rachat par la famille Mentzelopoulos en 1977, et domine sans grand mal toute l'appellation Margaux. On admirera en particulier le mariage rare de finesse dans la densité et de fraîcheur dans l'opulence, sans aucune sollicitation de surmaturité du raisin, élaboré avec une très forte majorité de cabernet-sauvignon. Le second vin, Pavillon-Rouge, a beaucoup gagné avec le réchauffement climatique actuel et bénéficie des meilleurs merlots de la propriété, issus en partie de terroirs calcaires, rarissimes dans le secteur. Une dizaine d'hectares, plantés en cépages blancs, donne le Pavillon-Blanc, devenu en quelques années un des trois ou quatre plus grands blancs secs de Bordeaux, par sa richesse de constitution et sa noblesse aromatique de sauvignon idéalement mûr.

Bordeaux Pavillon Blanc 2007

Blanc | 2012 à 2017 | cav. 124 € **18/20**

Remarquables fraîcheur et complexité aromatique, un rien plus de nerf (mais moins de chair) que le 2006, grande suite en bouche, impressionnante densité de matière. Du grand vin qu'on boira hélas trop vite.

Margaux 2007

Rouge | 2017 à 2027 | cav. 330 € **17/20**

Grande finesse, arômes remarquables, floraux et épicés, texture un peu serrée par la mise en bouteille récente, moins de volume de bouche et d'onctuosité que les grands pauillacs, avenir assuré.

Margaux 2006

Rouge | 2018 à 2026 | cav. 600 € **17/20**

Tanin mentholé classique du cru et très noble, un peu amaigri par la mise, attendre un rééquilibrage inévitable en bouteille.

Margaux 2005

Rouge | 2017 à 2035 | NC **19,5/20**

Le plus prodigieusement aromatique des médocs du millésime et une constitution splendide. Comme toujours, le vin se resserre en bouteille et ce serait un crime de le consommer actuellement.

MARGAUX PAVILLON ROUGE 2006
Rouge | 2013 à 2022 | NC **15,5/20**
Plus souple que le grand vin, affiné dans son nez et son tanin, avec un petit manque de matière. Il faudra le boire assez jeune, entre 6 et 15 ans.

MAROJALLIA

2, rue du Général-de-Gaulle - B.P. 40033
33460 Margaux
Tél. 05 57 88 96 97 • Fax : 05 56 42 69 88
chateau@marojallia.com • www.marojallia.com
Visite : Sur rendez-vous

Située à l'entrée du village de Margaux, cette propriété de quatre hectares à été acquise en 1999 par Philippe Porcheron. Il y réalise le premier «vin de garage» du Médoc. Implanté sur des graves profondes, les vins produits sont denses et d'une grande profondeur.

MARGAUX CHÂTEAU MAROJALLIA 2007
Rouge | 2010 à 2020 | 120 € **16,5/20**
Robe noire. Nez profond, riche, notes boisées très élégantes. Bouche ample, droite, de la sève. Tanins très fins et intégrés.

MARGAUX CLOS MARGALAINE 2007
Rouge | 2010 à 2017 | NC **15,5/20**
Robe pourpre foncée. Nez profond de fruits mûrs. Bouche savoureuse, un joli gras, bien droite. Trame tannique sérieuse.

CHÂTEAU MARQUIS D'ALESME

33460 Margaux
Tél. 05 57 88 70 27 • Fax : 05 57 88 35 01
ddariol@chateau-marquis-dalesme.fr
www.chateau-marquis-dalesme.fr
Visite : Du lundi au vendredi, de 10h à 12h et de 14h à 17h.

Cette propriété n'avait guère brillé dans les cinquante dernières années. Rachetée comme Labégorce et Labégorce-Zédé par Hubert Perrodo, hélas très peu de temps avant son décès accidentel, elle est actuellement en pleine réorganisation et le millésime 2009 montre enfin le potentiel d'un terroir idéalement situé au cœur de l'appellation. Actuellement disponible, le 2007 montre déjà un progrès significatif par rapport aux millésimes antérieurs.

MARGAUX 2007
Rouge | 2010 à 2015 | NC **14,5/20**
L'ensemble est souple et délié, avec une véritable fraîcheur en bouche et un fruit franc et précis. Il manque encore la profondeur qu'on trouve dans le 2009.

CHÂTEAU MARQUIS DE TERME

3, route de Rauzan - B.P. 11 • 33460 Margaux
Tél. 05 57 88 30 01 • Fax : 05 57 88 32 51
mdt@chateau-marquis-de-terme.com
www.chateau-marquis-de-terme.com
Visite : Du lundi au vendredi de 9h à 11h30 et de 14h à 16h30.

Dans un environnement rajeuni et rénové, Jean-Pierre Hugon, un des vétérans du Médoc avec plus de trente-cinq vinifications à son actif, est parti à la retraite avec la satisfaction de produire un vin digne du terroir, coloré, vigoureux, qui peut même dans certains millésimes égaler les plus grands, mais manquant parfois de finesse, asséché par des barriques mal choisies. Son successeur, Ludovic David, a mis en chantier de profonds changements de culture et de vinification qui ont conduit à un splendide 2009.

MARGAUX 2007
Rouge | 2013 à 2017 | cav. 28 € **14,5/20**
Corps et constitution classiques, pas beaucoup de complexité ni d'allonge, très convenable néanmoins et sans verdeur dans le tanin.

MARGAUX 2006
Rouge | 2014 à 2021 | cav. 34 € **14/20**
Tanin astringent, asséché par le bois, et comme l'alcool est élevé l'ensemble est loin d'être harmonieux. Attendre, au cas où...

CHÂTEAU MARSAC SÉGUINEAU

33460 Soussans
Tél. 05 57 88 33 03 • Fax : 05 57 88 32 46
chateau-latourdemons@wanadoo.fr

MARGAUX 2007
Rouge | 2010 à 2016 | cav. 12 € **14,5/20**
Joli nez de cabernet, notes d'épices. Les épices dominent également la bouche, soutenue en finale par de beaux tanins.

CHÂTEAU MAUCAILLOU

Quartier de la Gare • 33480 Moulis-en-Médoc
Tél. 05 56 58 01 23 • Fax : 05 56 58 00 88
notable@chateau-maucaillou.com
www.chateau-maucaillou.com
Visite : Sur rendez-vous.

Le château est un exemple de l'architecture éclectique du Médoc à la fin du XIXe siècle. Son propriétaire, Philippe Dourthe, fut un précurseur dans le choix d'installations techniques d'avant-garde. Les vins de Maucaillou sont puissants et généreux, et le château abrite le Musée des Arts et Métiers de la Vigne et du Vin.

Moulis 2007
Rouge | 2010 à 2016 | 19 € **14/20**
Robe sombre. Nez fin exprimant des notes de fruits. Bouche ronde et suave. Tanins assez fins, mais bien présents. Vin très médocain dans l'âme !

CHÂTEAU MAUCAMPS

19, avenue de la Libération • 33460 Macau
Tél. 05 57 88 07 64 • Fax : 05 57 88 07 00
maucamps@wanadoo.fr
Visite : Du lundi au vendredi,de 9h à 12h et de 14h à 17h. Le week-end sur rendez-vous.

Beau vin de graves du Sud-Médoc, à forte proportion de merlot, alliant corps, gras et complexité au vieillissement, sans négliger la finesse. Le prototype du beau cru bourgeois, régulier, fiable et de prix encore accessible. Le cru reste fidèle à son style, avec un peu plus de corps en 2005, mais sans tanin agressif.

Haut-Médoc 2007
Rouge | 2010 à 2015 | 17 € **13,5/20**
Avec ce millésime, Maucamps offre un vin agréable, possédant finesse et élégance.

CHÂTEAU MAYNE-LALANDE

7, route du Mayne • 33480 Listrac-Médoc
Tél. 05 56 58 27 63 • Fax : 05 56 58 22 41
blartigue@terre-net.fr • chateau-mayne-lalande.com
Visite : Du lundi au vendredi, de 9h à 12 h30 et de 14h à 18h. Le week-end sur rendez-vous.

Bernard Lartigue est un propriétaire passionné, qui pratique une viticulture propre et probe, et a longtemps été à l'avant-garde de la qualité. Un petit réglage s'impose car, par ailleurs, le corps et la texture de son vin sont superbes !

Listrac-Médoc 2007
Rouge | 2010 à 2017 | 15 € **15/20**
Vin équilibré, net, bouche onctueuse, de la fraîcheur, beaux tanins en fin de bouche.

CHÂTEAU MEYNEY

La Croix-Baccalan - 109, rue Achard - B.P. 154
33042 Bordeaux cedex
Tél. 05 56 59 00 40 • Fax : 05 56 59 36 47
contact@cagrandscrus.fr • www.cagrandscrus.com
Visite : Visites réservées aux professionnels, sur rendez-vous.

Ce cru est le jumeau de Montrose, sur une des plus belles croupes de bord de Gironde de la commune de Saint-Estèphe. Aux grandes heures des domaines Cordier, dans les années 1960, il égalait Talbot. Après de nombreux millésimes peu précis ou trop maigres, il retrouve la plénitude de son style et rivalise avec les crus classés du secteur.

Saint-Estèphe 2007
Rouge | 2010 à 2025 | NC **16/20**
Robe sombre. Nez profond, bouche dense, très arrondie, belle matière, les tanins sont nobles.

CHÂTEAU MONBRISON

1, allée Monbrison • 33460 Arsac
Tél. 05 56 58 80 04 • Fax : 05 56 58 85 33
lvdh33@wanadoo.fr • www.chateaumonbrison.com
Visite : Sur rendez-vous.

Situé sur les plus fines graves d'Arsac, Monbrison peut produire un des margaux les plus élégants et les plus expressifs : il part dans la vie en apparence un peu maigre, mais s'étoffe pendant tout l'élevage sous bois. Remarquables 2005 et 2006, peut-être les crus non classés les plus fins de l'appellation !

Margaux 2007
Rouge | 2010 à 2018 | 30 € **15,5/20**
Avec sa robe sombre et son nez fruité, ce 2007 nous offre une bouche gourmande, croquante, avec de la vinosité. Tanins complètement intégrés.

Margaux 2006
Rouge | 2010 à 2025 | 30 € **16,5/20**
Vin égalant bien des crus classés par la finesse et la pureté de ses arômes de cèdre et sa précision. Ce vin a encore gagné dans son raffinement et dans l'élégance, au cours de ces derniers mois.

CHÂTEAU MONGRAVEY

33460 Arsac
Tél. 05 56 58 84 51 • Fax : 05 56 58 83 39
chateau.mongravey@wanadoo.fr
www.chateau-mongravey.fr

Haut-Médoc 2008
Rouge | 2010 à 2018 | 21 € **16/20**
Nez fruité. Bouche également sur le fruit, bien équilibré. Droiture, fraîcheur, tanins soyeux et intégrés.

Haut-Médoc 2007
Rouge | 2010 à 2017 | 21 € **15/20**
Belle robe grenat foncé. Nez complexe, boisé, toasté, épices. Vin élégant en bouche, de l'équilibre, notes poivrées et mentholées, belle longueur, tanins fins.

Haut-Médoc Château de Braude 2008
Rouge | 2010 à 2015 | 12 € **15/20**
Nez un peu fermé. La bouche est agréable, un beau fruit frais, beaucoup d'élégance. Tanins fins et soyeux.

Haut-Médoc Château de Braude 2007
Rouge | 2010 à 2015 | 12 € **14,5/20**
Couleur sombre. Nez toasté, notes de torréfaction. Bouche fine, droite, sans un énorme volume mais bien équilibré. Beaux tanins. Vins agréable, jouant sur la fraîcheur.

CHÂTEAU MONTROSE

33180 Saint-Estèphe
Tél. 05 56 59 30 12 • Fax : 05 56 59 71 86
chateau@chateau-montrose.com
www.chateau-montrose.com

Ce cru célèbre, désormais propriété de Martin Bouygues, a toujours plu aux amateurs de médocs traditionnels grâce à son volume de bouche soutenu par un tanin très racé quoique parfois un peu rigide. Son administrateur, Jean Delmas, fort de sa longue expérience à Haut-Brion, souhaite lui donner plus de raffinement de texture. 2005 malgré ses grandes qualités n'égalera pas en originalité les somptueux 1996, 2000 et 2003 de la propriété, parfaits représentants du terroir. Le second vin, la Dame-de-Montrose, n'a pas la dimension que ses meilleurs pairs obtiennent aujourd'hui. Pour de grands frissons, attendons le 2009.

Saint-Estèphe 2007
Rouge | 2015 à 2019 | cav. 60 € **16/20**
Grain de tanin fin, texture racée, bon élevage mais la fin de bouche montre quelques limites, sans doute inhérentes au millésime.

Saint-Estèphe 2006
Rouge | 2016 à 2021 | cav. 76 € **17/20**
Structure et textures classiques, tendu, épicé, racé mais un brin austère. Excellent tanin, peut-être mieux défini qu'en 2005.

Saint-Estèphe 2005
Rouge | 2015 à 2025 | cav. 140 € **17/20**
Beau vin équilibré, assez facile pour le cru, tanin souple et charmeur, mais on ne lui trouve pas la monumentalité de ses pairs ni la vinosité des grands millésimes comme 2000 ou 2003.

Saint-Estèphe 2004
Rouge | 2014 à 2024 | cav. 56 € **16,5/20**
La robe est dense, le corps plein et harmonieux, le tanin magiquement précis et racé, la persistance digne d'un premier cru classé. Il est peut-être proportionnellement plus réussi que le 2005.

Saint-Estèphe 2003
Rouge | 2015 à 2025 | cav. 210 € **18,5/20**
Immense vin, puissant, charnu, magnifiquement sculpté dans son tanin, festival d'épices stéphanoises.

CHÂTEAU DU MOULIN

16, chemin du Vieux-Chêne • 33460 Lamarque
Tél. 06 10 46 34 35 • Fax : 05 57 88 81 90
sanfinsjose@aol.com

Haut-Médoc 2007
Rouge | 2010 à 2017 | env 16 € **14,5/20**
Vin d'une grande générosité dans la matière ! Suave et souple à la fois. Vin fin et agréable.

Haut-Médoc 2006
Rouge | 2010 à 2017 | env 16 € **14/20**
Robe pourpre foncée. Bouche pleine, joli fruit, belle longueur, tanins soyeux.

CHÂTEAU MOULIN DE LA BRIDANE

33250 Saint-Julien-Beychevelle
Tél. 05 56 61 54 54 • Fax : 05 56 61 54 61
contact@ymau.com • www.ymau.com

SAINT-JULIEN 2007
Rouge | 2010 à 2017 | NC **14,5/20**
Une bouche équilibrée avec une belle longueur aux tanins harmonieux.

CHÂTEAU MOULIN DE LA ROSE

33250 Saint-Julien-Beychevelle
Tél. 05 56 59 08 45 • Fax : 05 56 59 73 94
sceadelon@wanadoo.fr • www.moulindelarose.com
Visite : Sur rendez-vous

Moulin de la Rose est un des derniers petits crus indépendants de Saint-Julien. Son terroir est de même nature que les meilleurs crus classés, ce qui explique le classicisme exemplaire de son bouquet et de sa texture.

SAINT-JULIEN 2007
Rouge | 2010 à 2017 | NC **15/20**
Gras, charnu, le tanin de ce cru enchâssé entre les crus classés de Saint-Julien est rond, fin et gourmand.

CHÂTEAU MOUTON-ROTHSCHILD

33250 Pauillac
Tél. 05 56 59 22 22 • Fax : 05 56 73 20 44
webmaster@bpdr.com • www.bpdr.com
Visite : Sur rendez-vous du lundi au jeudi de 9h30 à 11h et de 14h à 16h, fermeture à 15h le vendredi. Visites à 9h30, 11h, 14h et 15h30 les samedis, dimanches et jours fériés d'avril à octobre au 05 56 73 21 29.

Sans doute le plus Pauillac des pauillacs, si l'on prend comme critères l'opulence, le velouté de texture et la longévité, Mouton a retrouvé sa grande forme sous l'inspiration du très précis Philippe Dalhuin. On pouvait admirer l'étonnant 2000, mais les derniers millésimes montrent des progrès dans la précision de la texture et la pureté de la saveur. Le 2005 sera certainement la réplique moderne du sublime 1949 à moins qu'on ne lui préfère encore 2009 ! Quant aux années «intermédiaires» 2004, 2006, 2007, elles ont donné des vins complets, sans doute les plus parfaits sur le plan formel de tout le Médoc. Petit-Mouton, second vin de la propriété, est devenu remarquable depuis 2004 et le blanc sec Ailes-d'Argent commence à prendre forme et noblesse.

PAUILLAC 2007
Rouge | 2019 à 2027 | NC **18,5/20**
Un vin dont l'élégance hors concours, dans un millésime trop sous-estimé, rappelle celle du ... 1953, triomphe légendaire de la propriété. Un vin complet dans son format, avec tout l'hédonisme châtié et distingué dont sait le parer l'équipe technique actuelle.

PAUILLAC 2006
Rouge | 2018 à 2031 | cav. 320 € **19/20**
Magnifique texture satinée, élevage quasi parfait, fusion idéale du tanin et de la texture, noblesse aromatique incomparable, à notre sens le plus complet des 2006.

PAUILLAC PETIT MOUTON 2007
Rouge | 2017 à 2027 | NC **17/20**
Beaucoup de finesse et d'intensité pour le millésime, saveur noble de cèdre et d'épices, caractère pauillac superlatif, fortement conseillé car son prix ne flambe pas.

CHÂTEAU MOUTTE BLANC

6, impasse de la Libération • 33460 Macau
Tél. 05 57 88 40 39 • Fax : 05 57 88 40 39
moutteblanc@wanadoo.fr
Visite : sur rendez-vous (06 03 55 83 38)

HAUT-MÉDOC CUVÉE MARGUERITE DEJAN 2007
Rouge | 2010 à 2017 | 14,20 € **14/20**
Vin agréable, du jus, sans excès.

HAUT-MÉDOC CUVÉE MARGUERITE DEJAN 2006
Rouge | 2010 à 2018 | 14,20 € **15/20**
Robe pourpre. Nez complexe de fruits mûrs. La bouche est ample et équilibrée, avec un joli fruit. Tanins fins et soyeux en finale.

CHÂTEAU NOAILLAC

6, chemin du Sable des Pins
33590 Jau-Dignac-Loirac
Tél. 05 56 09 52 20 • Fax : 05 56 09 58 75
noaillac@noaillac.com • www.noaillac.com
Visite : en semaine, de 8h à 12h et de 13h30 à 17h (fermé vendredi après-midi en hiver) week-end sur rendez-vous

MÉDOC 2007
Rouge | 2010 à 2015 | 9 € **14,5/20**
Fidèle à son style gourmand, avec une bouche ample, gouleyante et un beau fruité croquant. Ta-

nins bien enrobés, soyeux voire caressants. Pour le plaisir immédiat mais peut aussi vieillir quelques années.

CHÂTEAU LES ORMES DE PEZ

33180 Saint-Estèphe
Tél. 05 56 73 24 00 • Fax : 05 56 59 26 42
infochato@ormesdepez.com • www.ormesdepez.com
Visite : Pas de visites. Dégustations possibles au château Lynch Bages de 9h à 12h et de 14h à 17h, sur rendez-vous.

Cru typique de Saint-Estèphe, donnant des vins très charnus, épicés, suaves, réguliers. Il faut le considérer comme un excellent produit de terroir argilo-calcaire plus que graveleux. Le vin a gagné en raffinement de texture depuis 2003, avec un peu de flou en 2004, mais beaucoup de charme dès la naissance en 2006.

Saint-Estèphe 2007

Rouge | 2010 à 2018 | NC **16/20**

Robe sombre et nez profond. Une matière dense et suave, d'une grande richesse, possédant une finale très droite.

CHÂTEAU LES ORMES-SORBET

20, rue du 3-juillet-1895 • 33340 Couquêques
Tél. 05 56 73 30 30 • Fax : 05 56 73 30 31
ormes.sorbet@wanadoo.fr • www.ormes-sorbet.com
Visite : Du lundi au vendredi, de 9h à 12h et de 14h à 18 h

Ce cru fut l'un des artisans du renouveau de l'appellation Médoc dans les années 1980, sous l'influence d'un viticulteur passionné, Jean Boivert. Son fils travaille dans le même esprit, cultive aussi bien que possible et élève en bonnes barriques. Le vin possède le charme des sols calcaires du secteur, mais le choix du cabernet comme cépage principal le relie directement au style classique médocain. Des 2006 et 2007 bien structurés, complets dans leur catégorie.

Médoc 2007

Rouge | 2011 à 2017 | NC **14,5/20**

Arôme de fruits rouges, comme toujours très difficile à goûter dans ce stade, mais tout y est, le fruit croquant à l'attaque, la belle fraîcheur des tanins, une structure racée et solide permettant le vieillissement. Un médoc qui plaira par sa facture classique.

CHÂTEAU PALMER

Cantenac • 33460 Margaux
Tél. 05 57 88 72 72 • Fax : 05 57 88 37 16
chateau-palmer@chateau-palmer.com
www.chateau-palmer.com
Visite : Du lundi au vendredi,de 9h à 12 h30 et de 14h à 17 h30. Le week-end uniquement sur rendez-vous.

Cru justement célèbre par sa régularité et le confort de ses arômes et de sa texture. La famille Chardon avait, pendant trois générations, préservé une authenticité dans l'expression du terroir qui a fait l'admiration du monde entier. Thomas Duroux, l'actuel directeur, a su faire entrer la modernité dans son élaboration, sans altérer le style mais en lui donnant encore plus de perfection formelle. Le second vin du château, Alter-Ego, porte bien son nom car la propriété veut qu'il réponde à des critères de qualité égaux à ceux du grand vin, mais avec un équilibre spécifique et différent, lui permettant d'être consommé plus jeune. Après quelques millésimes chahutés par la grêle, 2009 retrouve le cru à son plus haut niveau.

Margaux 2007

Rouge | 2015 à 2022 | NC **16/20**

Du style et un corps largement supérieur à la moyenne des margaux mais il lui faut actuellement une bonne heure d'aération pour préciser son bouquet. Nous ne pensons pas qu'il égale néanmoins les plus grands médocs du millésime.

Margaux 2006

Rouge | 2016 à 2026 | cav. 200 € **17,5/20**

Un des rares margaux ayant conservé un vrai velouté de texture, ensemble noble et harmonieux, grand avenir.

Margaux Alter Ego 2007

Rouge | 2013 à 2019 | cav. 62 € **15,5/20**

Paradoxalement, ce second vin se montre plus ouvert et plus diversifié au nez que le grand vin, même s'il n'a pas tout à fait son corps. Il dominait largement tous les autres seconds vins de l'appellation.

CHÂTEAU PATACHE D'AUX

1, rue du 19-mars • 33340 Bégadan
Tél. 05 56 41 50 18 • Fax : 05 56 41 54 65
info@domaines-lapalu.com
www.domaines-lapalu.com
Visite : Du lundi au vendredi de 9h à 12h30 et de 14h à 17h, le vendredi fermeture à 16h30.

Nous saluons avec plaisir le retour au premier plan de cette vieille marque classique de Bégadan, qui a longtemps rivalisé avec La Tour de By. Le vin avait perdu une grande partie de sa personnalité mais il la retrouve peu à peu avec une nouvelle génération d'exploitants. De facture classique, il développe les saveurs et le tanin épicé propres aux vrais médocs, avec un élevage beaucoup plus soigné et des sélections plus rigoureuses. Les 2006 et 2007 affichent de l'ambition et montrent la voie à suivre, à condition de gommer quelques excès.

Médoc 2007

Rouge | 2012 à 2017 | 16 € **15/20**

Nez de torréfaction, vin structuré doté de tanins solides marqués encore par l'élevage, belle fraîcheur en finale, dans le style moderne et bien maîtrisé du cru.

Médoc cuvée Flora 2007

Rouge | 2014 à 2019 | 24 € **15/20**

Superbe matière première malheureusement encore trop écrasée par l'élevage, il convient d'attendre pour la laisser s'épanouir. Nous gardons une nette préférence pour la cuvée normale, plus accessible.

CHÂTEAU PAVEIL DE LUZE

3, chemin du Paveil • 33460 Soussans
Tél. 05 57 88 30 03 • Fax : 05 57 80 33 08
contact@chateaupaveildeluze.com
www.chateaupaveildeluze.com

Le Paveil se situe dans la partie nord de l'appellation Margaux. Les barons de Luze, dont Frédéric de Luze est l'héritier en charge de la propriété, sont toujours intimement associés au négoce bordelais mais ils ont rarement autant qu'aujourd'hui bichonné leur vignoble propre, vinifié avec précision par l'équipe de Stéphane Fort.

Bordeaux Pont Rouge du Paveil 2008

Rouge | 2010 à 2014 | NC **14,5/20**

Beaucoup plus puissant que le 2007, avec d'éclatants arômes de fruits mûrs, une bouche chaleureuse, avec des tanins qui tapissent bien le palais, de la fraîcheur et de la longueur.

Bordeaux Pont Rouge du Paveil 2007

Rouge | 2010 à 2012 | NC **13,5/20**

Même s'il est assez simple, ce bordeaux est très plaisant, bien vinifié, avec un nez délicatement fruité et toasté et une bouche souple.

Margaux 2007

Rouge | 2010 à 2015 | 12,75 € **15,5/20**

D'une robe sombre, ce vin possède un nez expressif. Une belle fraîcheur en bouche, trame tannique bien intégrée en fin de bouche.

Margaux 2006

Rouge | 2010 à 2014 | 15,25 € **16,5/20**

Robe foncée. Nez fin et précis. Mélange de notes fruitées et florales ! La bouche est très séduisante, toute en finesse et en élégance. De la longueur ponctuée par une belle trame tannique.

CHÂTEAU PÉDESCLAUX

Route de l'Industrie - Padarnac • 33250 Pauillac
Tél. 05 56 59 22 59 • Fax : 05 56 59 63 19
contact@chateau-pedesclaux.com
www.chateau-pedesclaux.com
Visite : De 9h30 à 12h30 et de 13h30 à 17h30; du mardi au samedi de mars à octobre; du lundi au vendredi hors-saison.

Ce cru se situe pour l'essentiel dans un excellent quartier de Pauillac mais, malgré des efforts certains dans les derniers millésimes, ne pouvait rivaliser en qualité de viticulture ni en précision de vinification avec ses pairs du classement de 1855. Racheté par l'homme d'affaires Jacky Lorenzetti en 2009, tout comme le saint-estèphe Lilian-Ladouys, la propriété retrouve une toute nouvelle ambition qu'autorise son terroir.

Pauillac 2007

Rouge | 2014 à 2017 | NC **14,5/20**

Notes de suie au nez, liées au brûlage des barriques, corps convenable, tanin franc à défaut d'être racé, donne un agréable sentiment de fraîcheur.

CHÂTEAU DU PERIER

19, route de Lesparre
33340 Saint-Christoly-de-Médoc
Tél. 05 56 59 91 70 • Fax : 05.56.59.46.13
bruno.saintout@wanadoo.fr
www.vignobles-saintout.com
Visite : dégustation uniquement

Médoc 2007

Rouge | 2011 à 2015 | 13 € **14/20**

Nez épicé assez charmeur, belle fraîcheur en bouche, avec des tanins bien construits assez élégants, finale mentholée, vin qui cherche à séduire par sa délicatesse et non par une facture imposante.

CHÂTEAU PETIT-BOCQ

3, rue de la Croix-de-Pez • 33180 Saint-Estèphe
Tél. 05 56 59 35 69 • Fax : 05 56 59 32 11
chateaupetitbocq@hotmail.com
Visite : Du lundi au vendredi sur rendez-vous.

Le docteur Lagneaux, heureux propriétaire de ces quatorze hectares, soigne sa vigne comme ses patients. Environ quatre-vingts parcelles, représentatives des différents terroirs qu'offre l'appellation Saint-Estèphe, composent le vignoble. L'encépagement, délibérément majoritaire en merlot, en fait un saint-estèphe charmeur et flatteur.

Saint-Estèphe 2007

Rouge | 2010 à 2020 | 15 € **15/20**

Ce vin à la robe sombre offre des notes fruitées aux nez. Une matière riche, dense, aux notes boisées en bouche. Tanins encore assez imposants aujourd'hui.

CHÂTEAU PEYRABON

Vignes de Peyrabon
33250 Saint-Sauveur-en-Médoc
Tél. 05 56 59 57 10 • Fax : 05 56 59 59 45
contact@chateau-peyrabon.com
www.chateau-peyrabon.com
Visite : Du lundi au vendredi de 9h à 12h et de 14h à 18h, fermeture le vendredi à 16h.

Ce cru se situe en limite d'appellation Pauillac et son type de vin est de même nature : charnu et corsé avec des notes d'épices et de tabac plus ou moins intenses selon le millésime. Excellents 2004 et 2005, complets dans leur catégorie.

Haut-Médoc 2007

Rouge | 2010 à 2016 | 10 € **14/20**

Vin un peu plus tendu que le 2006 mais d'une belle constitution, droite et possédant une trame tannique sérieuse.

CHÂTEAU PEYRAT-FOURTHON

1, allée Fourthon • 33112 Saint-Laurent-du-Médoc
Tél. 05 56 59 40 87 • Fax : 05 56 59 92 65
pn@peyrat-fourthon.com • www.peyrat-fourthon.com
Visite : Sur rendez-vous.

Propriété située sur les terroirs de graves de Saint-Laurent-du-Médoc, proches de Saint-Julien, Peyrat-Fourton en est peut-être aujourd'hui l'expression la plus soignée, avec des vins droits, équilibrés, aux tanins précis. Les étiquettes ont un style original, élégant et moderne, en rapport avec la qualité du produit.

Haut-Médoc 2007

Rouge | 2010 à 2016 | 16 € **14,5/20**

Robe sombre. nez concentré. Bouche fine et riche, avec de l'élégance. Tanins fins. Vin qui a de la tenue.

CHÂTEAU LA PEYRE

Le Cendrayre • 33180 Saint-Estèphe
Tél. 05 56 59 32 51 • Fax : 05 56 59 70 09
vignoblesrabiller@wanadoo.fr • www.lapeyre.fr
Visite : Du lundi au samedi de 10h à 12h30 et de 14h30 à 18h30, dimanche sur rendez-vous.

Bordeaux 2007

Rouge | 2010 à 2012 | NC **12,5/20**

Nez très gourmand, avec un beau fruit mûr, bouche tout aussi fruitée mais avec des tanins un peu astringents et une certaine rusticité dans la texture.

CHÂTEAU DE PEZ

33180 Saint-Estèphe
Tél. 05 56 59 30 26 • Fax : 05 56 59 39 25
pmoureau@chateaudepez.com
www.champagne-roederer.com

Propriété des champagnes Roederer. Il faut toujours lui donner quelques années de bouteille pour qu'il livre sa vraie personnalité. Une seconde propriété de Saint-Estèphe, Haut-Beauséjour, donne un vin plus simple mais soigné et doté d'un bouquet sainement épicé.

Saint-Estèphe 2007

Rouge | 2010 à 2016 | NC **15,5/20**

De la complexité au nez. Bouche suave, du fruit, avec une trame serrée. Beaux tanins intégrés.

CHÂTEAU PHÉLAN-SÉGUR

33180 Saint-Estèphe
Tél. 05 56 59 74 00 • Fax : 05 56 59 74 10
phelan@phelansegur.com • www.phelansegur.com
Visite : Sur rendez-vous du lundi au vendredi

Entouré de murs et merveilleusement situé en bord de Gironde, ce cru est en quelque sorte le cousin germain de Calon-Ségur. Les vins ont toujours eu pourtant un caractère différent, Phélan donnant des vins plus marqués par des notes de cèdre et de bois de santal, avec un corps plus longiligne et plus de souplesse en milieu de bouche.

Saint-Estèphe 2007

Rouge | 2010 à 2020 | cav. 25 € **16/20**

Robe sombre. Nez riche et précis. Bouche élégante et matière bien maîtrisée. Beaux tanins.

CHÂTEAU PIBRAN

33250 Pauillac
Tél. 05 56 73 17 17 • Fax : 05 56 73 17 28
contact@pichonlongueville.com
www.chateaupichonlongueville.com
Visite : Pas de visites. Dégustations possibles au Château Pichon-Longueville.

Bon cru non classé de Pauillac, bénéficiant de l'expertise de l'équipe technique de Pichon-Baron, Pibran produit un pauillac charnu et très classique, un peu plus souple et fruité que les crus classés, et plus vite prêt à boire.

Pauillac 2007

Rouge | 2010 à 2020 | NC **15,5/20**

D'une couleur sombre, ce vin possède un nez profond, aux notes toastées et grillées. La bouche est ample, avec du gras, et de la longueur.

CHÂTEAU PICARD

41-49, rue Camille-Godard • 33000 Bordeaux
Tél. 05 56 56 04 30 • Fax : 05 56 56 04 59
contact@mahler-besse.com • www.mahler-besse.com

Saint-Estèphe 2006

Rouge | 2010 à 2014 | NC **14/20**

Vin assez fruité, note de boisé. Tanins assez marqués pour l'instant.

CHÂTEAU PICHON-LONGUEVILLE BARON

B.P. 112 • 33250 Pauillac
Tél. 05 56 73 17 17 • Fax : 05 56 73 17 28
contact@pichonlongueville.com
www.pichonlongueville.com
Visite : sur rendez-vous. Ouvert de 9h à 12h30 et de 14h à 18h30

Le grand vin du domaine est produit juste en face de Château Latour, sur des graves de très grande profondeur reposant sur un socle d'argile, bénéficiant du microclimat des bords de Gironde. Il possède la vigueur et la puissance des plus grands médocs, dans un style très pur sur lequel veille amoureusement Jean-René Matignon, un des directeurs techniques les plus expérimentés du Bordelais. Tous les millésimes récents sont remarquables, avec la même intégrité de caractère liée au cabernet-sauvignon dominant et aux notes minérales et graphitiques du terroir. Le second vin, Tourelles, a beaucoup progressé et se rapproche des meilleurs de la catégorie, avec en particulier un 2007 fort séducteur.

Pauillac 2007

Rouge | 2017 à 2022 | cav. 52-70 € **18/20**

Un des vins les plus complets du millésime, coloré, racé au nez et en bouche, parfaitement équilibré en bois mais surtout idéalement typé pauillac. Nous le préférons même au 2006.

Pauillac 2006

Rouge | 2018 à 2026 | cav. 60-80 € **17,5/20**

Grand vin digne du millésime, opulent, vigoureux mais sans astringence, saveur noble d'épices, du vrai grand pauillac.

CHÂTEAU PICHON-LONGUEVILLE COMTESSE DE LALANDE

B.P. 72 • 33250 Pauillac
Tél. 05 56 59 19 40 • Fax : 05 56 59 26 56
pichon@pichon-lalande.com
www.pichon-lalande.com
Visite : Du lundi au vendredi, de 9h à 12h30 et de 14h à 17h30, sur rendez-vous. Fermé pendant les vendanges.

La maison de champagne Roederer a acquis ce cru très célèbre et elle aura à cœur de continuer l'œuvre de la famille de Lencquesaing. Velouté et vite ouvert, le vin vieillit remarquablement sans rien perdre de son charme et de sa grande distinction de tanin, même si certains dégustateurs déplorent les quelques notes de poivron qui contribuent à sa

personnalité et se complexifient étonnamment au vieillissement. Le second vin de la propriété, La-Réserve-de-la-Comtesse, est un des plus réguliers de sa catégorie. Mais quelles que soient les qualités actuelles du cru, dans les derniers millésimes son voisin Pichon-Baron a produit des vins plus complets. 2009 pourrait inverser la tendance, vive la compétition au plus haut niveau !

Pauillac 2007
Rouge | 2015 à 2019 | ench. 40 € **16,5/20**
Robe très profonde, beaucoup de fraîcheur (mais certainement pas de verdeur) aromatique, de la puissance et de la franchise, un grain de tanin fin, mais on n'est pas au plus haut niveau possible pour ce cru.

Pauillac 2006
Rouge | 2016 à 2026 | ench. 61 € **17/20**
Plus cabernet qu'à son habitude, tendu, masculin, très havane, vigoureux, encore austère mais avec un grand potentiel.

Pauillac 2005
Rouge | 2010 à 2025 | ench. 82 € **17/20**
Nez de cèdre et d'épices, vin puissant reposant sur un tanin très ferme et de caractère plus médocain que d'habitude. Petit manque d'onctuosité.

CHÂTEAU PONTET-CANET

33250 Pauillac
Tél. 05 56 59 04 04 • Fax : 05 56 59 26 63
info@pontet-canet.com • www.pontet-canet.com
Visite : Du lundi au samedi de 10h à 13h et de 14h à 18h30 , dimanche et jours féries de 10h à 13h et de 14h à 17 h30.

Le cru dispose d'un magnifique terroir, voisin direct de celui de Mouton-Rothschild, qui a permis à Alfred Tesseron, administrateur perfectionniste et passionné, de voir immédiatement récompensés tous les efforts mis en œuvre pour lui rendre justice. La beauté de texture et de saveur des derniers millésimes est vraiment impressionnante. Une grande part de cette réussite revient au dévouement sans faille du régisseur du domaine, Jean-Michel Comme, qui a courageusement développé des principes de culture respectueuse de l'environnement bien rares à Bordeaux. Une méchante grêle a perturbé 2007 mais 2008 et 2009 réjouissent les amoureux du cru.

Pauillac 2007
Rouge | 2015 à 2025 | NC **16,5/20**
Un vin charnu et généreux comme la plupart des pauillacs du millésime, tanin raffiné, lié à un excellent élevage, mais avec moins de potentiel que 2006.

Pauillac 2006
Rouge | 2016 à 2026 | cav. 62 € **18/20**
Robe pourpre inimitable, magnifique texture onctueuse, arôme noble de cèdre, le grand pauillac classique.

CHÂTEAU POTENSAC

33340 Ordonnac
Tél. 05 56 73 25 26 • Fax : 05 56 59 18 33
Visite : Sur rendez-vous.

Cru sans doute le plus estimé de l'appellation Médoc, Potensac doit son succès à la qualité des équipes de vinification réunies par la famille Delon, propriétaire du château, et qui travaillent selon les mêmes critères exigeants qu'à Léoville-Las Cases. Et l'âge très élevé du vignoble ne l'empêche pas d'être parfaitement productif ! Le vin possède au plus haut degré le style classique, avec des notes de cèdre au nez et d'épices dans le tanin, et beaucoup de fermeté. Il évolue actuellement vers plus de finesse immédiate et plus de souplesse. Excellent 2007, complet, racé, et un 2006 encore sur la retenue, des vins qui consoleront ceux qui ne peuvent plus s'offrir les crus les plus célèbres.

Médoc 2007
Rouge | 2012 à 2017 | 15,50 € **15,5/20**
Vin de caractère compact, puissant, aux tanins solides et bien polis, beau fruité, de facture classique, doit vieillir pour se fondre et gagner en souplesse.

CHÂTEAU POUGET

11,route de Jean-Faure • 33460 Cantenac
Tél. 05 57 88 90 82
guillemet.lucien@wanadoo.fr • www.boyd-cantenac.fr
Visite : Sur rendez-vous uniquement

On goûte rarement en bouteille ce petit cru classé et c'est bien dommage. Voisin de Boyd-Cantenac, il appartient d'ailleurs au même propriétaire mais il est vinifié à part : peu de choses séparent désormais les deux crus. La qualité des barriques, longtemps un point faible, a beaucoup progressé depuis cinq ans et le vin tient bien sa place dans le classement, régulier, bien constitué et avec une texture serrée

donnée par de vieilles vignes. Le 2005 montre même de nets progrès en matière de finesse pure, malgré la puissance de l'année. Le 2006 ne dépare pas cette excellente évolution et 2007 est un des meilleurs margaux du millésime.

MARGAUX 2007
Rouge | 2015 à 2022 | 28 € **16,5/20**
Robe très foncée pour l'année, nez précis, racé, excellente maturité du raisin, notes épicées conformes au terroir, belle suite en bouche, un vin exemplaire dans ce millésime.

MARGAUX 2005
Rouge | 2017 à 2025 | 54,40 € **16,5/20**
Franchise parfaite, excellente vinosité, très proche de Boyd, superbe rapport qualité-prix !

CHÂTEAU POUJEAUX

Château Poujeaux • 33480 Moulis-en-Médoc
Tél. 05 56 58 02 96 • Fax : 05 56 58 01 25
contact@chateau-poujeaux.com
www.chateaupoujeaux.com
Visite : Uniquement sur rendez-vous.

Situé sur les meilleures graves profondes du Grand Poujeaux, avec un encépagement complet, Poujeaux produit régulièrement un vin au tanin toujours enrobé dans une texture très riche. Racheté en 2007 par la famille Cuvelier (Clos Fourtet), c'est Stéphane Derenoncourt qui en est le consultant.

MOULIS 2007
Rouge | 2010 à 2017 | 21 € **15/20**
Beaucoup de finesse et d'élégance au nez. Tout comme la bouche qui joue dans le même registre. Trame tannique sérieuse.

CHÂTEAU PREUILLAC

Route d'Ordonnac • 33340 Lesparre-Médoc
Tél. 05 56 09 00 29 • Fax : 05 56 09 00 34
chateau.preuillac@wanadoo.fr
www.chateau-preuillac.com

Yvon Mau est l'un des négociants les plus actifs et les plus imaginatifs de la place de Bordeaux : en rachetant le Château Preuillac, au nord du Médoc près de Lesparre, il a voulu réveiller une «belle au bois dormant». L'appellation Médoc s'était enlisée dans la routine et, à de rares exceptions près, ses vins avaient perdu tout prestige malgré la popularité du nom. Mais le terroir est là et dès les premiers millésimes, les soins apportés par une étonnante équipe internationale à la vigne, ainsi qu'un retour aux vendanges manuelles, ont porté leurs fruits. Les vins sont généreux et élégants, et donnent le ton pour la région.

MÉDOC 2007
Rouge | 2012 à 2016 | 11 € **15/20**
Nez intense et presque entêtant de fruits noirs et d'un boisé neuf, matière très riche et concentrée, le boisé encore dominant va se fondre avec le vieillissement.

CHÂTEAU PRIEURÉ-LICHINE

34, avenue de la Cinquième-République
33460 Cantenac
Tél. 05 57 88 36 28 • Fax : 05 57 88 78 93
contact@prieure-lichine.fr • www.prieure-lichine.fr
Visite : Du lundi au vendredi, de 9h à 12h et de 14h à 17h (18h en été), sur rendez-vous.

Le vignoble du château, comme souvent à Margaux, est dispersé en un grand nombre de parcelles disséminées sur toute l'aire de l'appellation, ce qui permet au vin d'exprimer une personnalité qui peut servir d'exemple pour définir le style de cette appellation. Sur les conseils de Stéphane Derenoncourt, d'importants progrès de viticulture ont permis aux derniers millésimes de progresser en finesse, en précision et en harmonie.

MARGAUX 2007
Rouge | 2013 à 2019 | cav. 31 € **16/20**
Élégance et pureté florale montrant une vinification attentive et soignée, style margalais irréprochable, du charme. Un vin pour amateur de margaux.

CLOS DES QUATRE VENTS

33460 Margaux
Tél. 05 56 58 97 90 • Fax : 05 57 88 19 15
info@luc-thienpont.com • www.luc-thienpont.com

MARGAUX CLOS DES QUATRE VENTS 2007
Rouge | 2010 à 2016 | 49 € **15/20**
Vin de constitution et d'approche moderne, avec une bouche fine et élégante, de belle dimension, agrémentée de tanins fins.

CHÂTEAU RAMAFORT

Route de la Cardonne • 33340 Blaignan-en-Médoc
Tél. 05 56 73 31 51 • Fax : 05 56 73 31 52
cgr@domaines-cgr.com • www.domaines-cgr.com
Visite : Du lundi au vendredi, sur rendez-vous.

Cet ensemble au nord de la presqu'île du Médoc appartint aux Domaines Rothschild jusqu'en 1990, l'année où le financier Charloux le reprit. Il regroupe trois propriétés aux styles très complémentaires : La Cardonne, qui provient des graves avec un style complexe, frais et fruité, Grivière, plus subtil et charmeur et Ramafort, issu de très vieux pieds de merlot qui expriment avec plus de vigueur les médocs modernes, généreusement bouquetés et intensément construits. La spécialité des Domaines CRG (Cardonne Grivière Ramafort) est la vente de millésimes prêts à boire. La cave s'est dotée d'un outil de vieillissement moderne qui permet de stocker les neuf derniers millésimes dans des conditions idéales à dix mètres de profondeur.

Médoc 2007
Rouge | 2011 à 2017 | 12 € — 16/20
Une texture superbe, avec des tanins élégants et précis, finale longue et fraîche, une vinification excellente qui met pour une fois le boisé au second plan, d'une qualité largement au dessus du 2006.

Médoc 2005
Rouge | 2012 à 2017 | 14,35 € — 15/20
Nez finement épicé, de bonne élégance, bouche ronde, charnue, avec un joli fruit, un grain de tanin fin, de la fraîcheur et de l'équilibre. Dans un style souple et élégant, plaisant à boire.

CHÂTEAU RAMAGE LA BÂTISSE

Tourteran • 33250 Saint-Sauveur-du-Médoc
Tél. 05 56 59 57 24 • Fax : 05 56 59 54 14
ramagelabatisse@wanadoo.fr
www.gironde-et-gascogne@wanadoo.com
Visite : De 8h à 12h et de 13h30 à 17h30.

Situé à Saint-Sauveur, c'est-à-dire en plein cœur du Médoc, à hauteur de Pauillac mais plus à l'intérieur des terres, Ramage La Bâtisse est un cru bourgeois sagement mené, qui appartient depuis plus de vingt ans à un groupe mutualiste. La taille importante du vignoble (qui a été progressivement remembré pour apparaître aujourd'hui d'un seul tenant) est importante, mais le cru réalise également un second vin.

Bordeaux rosé La Rosée de Ramage 2009
Rosé | 2010 à 2011 | NC — 15,5/20
Savoureux, superbement fruité, c'est un vrai beau rosé d'apéritif et de repas, totalement équilibré et rafraîchissant.

Haut-Médoc 2007
Rouge | 2012 à 2017 | NC — 15/20
Vin plutôt charnu, à la charpente tannique de bonne constitution. Fruit correctement exprimé.

CHÂTEAU RAUZAN-GASSIES

1, rue Alexis-Millardet • 33460 Margaux
Tél. 05 57 88 71 88 • Fax : 05 57 88 37 49
rauzangassies@domaines-quie.com
www.domaines-quie.com
Visite : Visites à 10h, 11h, 14h, 15h et 16h
le mardi,mercredi,jeudi et vendredi.

Une nouvelle génération de la famille Quié est en charge de cette propriété et il n'est pas question de douter de son désir de lui redonner tout son lustre. Le terroir est de premier ordre, avec quelques-unes des meilleures graves de la commune. L'observateur aura remarqué d'indéniables progrès dans la viticulture qui commencent à porter leurs fruits. Le vin a gagné certainement en puissance et en vinosité mais n'a pas encore la sûreté de style qu'on est en droit de demander à un cru de ce niveau de classement. Il faudra sans doute attendre 2009.

Margaux 2007
Rouge | 2015 à 2022 | cav. 23 € — 15,5/20
Corps convenable pour l'année, texture racée, tanin ferme, un rien trop tendu, sans doute en raison d'un boisé un peu asséchant. Il faut gagner encore en raffinement d'expression.

CHÂTEAU RAUZAN-SÉGLA

Rue Alexis-Millardet - B.P. 56 • 33460 Margaux
Tél. 05 57 88 82 10 • Fax : 05 57 88 34 54
contact@rauzan-segla.com
www.chateaurauzansegla.com
Visite : Du lundi au vendredi, de 9h à 12h
et de 14h à 17h, sur rendez-vous.

L'âge des cabernet-sauvignons de la propriété n'est pas encore assez élevé pour permettre au cru de rivaliser en puissance avec Château Margaux, mais sur tous les autres critères, le vin est un margaux exemplaire de finesse, de tendresse dans la texture et de pureté dans l'expression du terroir. John Kolasa et ses collaborateurs méritent tous nos compliments pour l'esprit et le style qu'ils insufflent à cette

propriété. Le second vin, Ségla, est agréable mais manque encore de sève.

MARGAUX 2007
Rouge | 2015 à 2022 | cav. 49 € **15/20**
Vin souple, tout en finesse, aux arômes délicats de cerise, mais on attendait un peu plus de vinosité d'un cru de ce rang.

MARGAUX 2006
Rouge | 2016 à 2024 | cav. 56 € **17/20**
Superbe finesse de texture, grande longueur, vinosité moyenne mais dans ce millésime à l'origine d'un équilibre peu courant, plus séduisant que le 2005 en l'état.

CHÂTEAU REYSSON

35, route de Bordeaux • 33290 Parempuyre
Tél. 05 56 35 53 00 • Fax : 05 56 35 53 29
contact@dourthe.com • www.dourthe.com
Visite : sur rendez-vous

HAUT-MÉDOC 2007
Rouge | 2010 à 2015 | 12 € **14/20**
Vin d'une jolie couleur, avec de la vinosité. Tanins francs, bien marqués.

CHÂTEAU SAINT-PIERRE

33250 Saint-Julien-Beychevelle
Tél. 05 56 59 08 18 • Fax : 05 56 59 16 18
domainemartin@wanadoo.fr
www.domaines-henri-martin.com
Visite : Du lundi au vendredi, de 8h à 12h et de 14h à 18h sur rendez-vous. Fermeture à 16h le vendredi.

Ce cru n'a pas la réputation mondiale d'autres saint-juliens, mais dans les derniers millésimes il les a rejoints et même parfois dépassés en qualité, grâce à ses très vieilles vignes idéalement situées au cœur du village. D'un style impeccable, les vins des derniers millésimes associent puissance, race et complexité pour un prix encore accessible.

SAINT-JULIEN 2007
Rouge | 2017 à 2022 | cav. 52 € **16/20**
Beaucoup d'épices au nez, vin puissant, vigoureux dans son soutien tannique, avec encore un peu d'astringence à fondre, et une petite rigidité de jeunesse de cabernet. La matière est largement suffisante pour la compenser avec l'âge.

SAINT-JULIEN 2006
Rouge | 2016 à 2026 | cav. 52 € **16,5/20**
Très puissant, grand caractère, notes classiques de cèdre, beau potentiel.

CHÂTEAU SÉNÉJAC

Allée Saint-Seurin • 33290 Le Pian-Médoc
Tél. 05 56 70 20 11 • Fax : 05 56 70 23 91
chateau.senejac@wanadoo.fr

Racheté par les propriétaires de Château Talbot, le cru est plus en forme que jamais, avec des vins très équilibrés et soignés, au rapport qualité-prix avantageux.

HAUT-MÉDOC 2007
Rouge | 2010 à 2016 | NC **14/20**
Très médocain dans l'âme, robe sombre, nez très cabernet, la bouche offre volume et élégance.

HAUT-MÉDOC 2006
Rouge | 2010 à 2020 | NC **15/20**
La matière est bien présente dans ce vin resté souple qui exprime joliment des notes de violette.

CHÂTEAU SÉRILHAN

5, rue Édouard-Herriot • 33180 Saint-Estèphe
Tél. 05 56 59 38 83 • Fax : 05 56 59 35 14
chateau.serilhan@wanadoo.fr
www.chateau-serilhan.fr

Didier Marcellis a repris la gestion de la propriété familiale en 2003. Les vingt-cinq hectares de vignes sont répartis sur l'ensemble de l'appellation Saint-Estèphe. D'une structure charpentée soutenue par une belle trame tannique, les vins sont d'une grande finesse en bouche. Depuis peu, c'est Hubert de Bouärd (Angélus) qui en est le conseil.

SAINT-ESTÈPHE 2007
Rouge | 2010 à 2016 | 15 € **14,5/20**
La couleur de ce vin est sombre et dense. Nez sur le fruit. Matière riche en bouche. Tanins imposants en finale.

SAINT-ESTÈPHE 2006
Rouge | 2010 à 2025 | 15 € **15/20**
Vin ample, avec quelques rondeurs et un fond bien dessiné.

CHÂTEAU SIRAN

B.P. 10 • 33460 Labarde-Margaux
Tél. 05 57 88 34 04 • Fax : 05 57 88 70 05
info@chateausiran.com • www.chateausiran.com

Excellent cru bourgeois de Margaux, situé sur de très belles graves de Labarde, identiques à celles de Dauzac, Siran produit un vin assez corsé, généreux, très complexe au vieillissement, avec les plus belles notes de rose ancienne et d'épices du secteur.

Margaux 2008

Rouge | 2010 à 2020 | NC **17/20**

Nez fin. Bouche ample, belle matière dense, finement ciselée. Très beaux tanins.

Margaux 2007

Rouge | 2010 à 2020 | NC **16,5/20**

Robe foncée. Nez fin, élégant. Bouche délicate avec un bel équilibre, tanins complètement intégrés. Joli vin typiquement margalais !

Margaux 2006

Rouge | 2010 à 2016 | cav. 23 € **16,5/20**

Robe pourpre. Nez expressif et profond. Très belle bouche équilibrée. Beaucoup de finesse. Superbes tanins en finale.

CHÂTEAU SOCIANDO-MALLET

33180 Saint-Seurin-de-Cadourne
Tél. 05 56 73 38 80 • Fax : 05 56 73 38 88
scea-jean-gautreau@wanadoo.fr
www.sociandomallet.com
Visite : Du lundi au vendredi midi, de 9h à 12h et de 14h à 17h, sur rendez-vous.

Sur les soixante-quinze hectares de la propriété, une cinquantaine ont le niveau d'un troisième voire d'un second cru classé ! Jean Gautreau est un des rares propriétaires à superviser lui-même les vinifications et décider du style de son vin, qu'il veut conforme à la grande tradition médocaine.

Haut-Médoc 2007

Rouge | 2010 à 2020 | cav. 30 € **15,5/20**

Bouche possédant une belle richesse. Vin rond fin et élégant. Tanins fins, mais encore présent !

Haut-Médoc 2006

Rouge | 2010 à 2020 | cav. 31 € **16,5/20**

Belle robe, nez très développé de cèdre, excellente prise de bois, texture ferme et pleine, vin puissant, équilibré, doté d'une remarquable fraîcheur.

CHÂTEAU SOUDARS

33180 Saint-Seurin-de-Cadourne
Tél. 05 56 59 36 09 • Fax : 05 56 59 72 39
contact@chateausoudars.com
www.chateausoudars.com

Haut-Médoc 2006

Rouge | 2010 à 2014 | 16 € **13,5/20**

Nez fin. Bouche fruitée, droite. De la longueur. Tanins fins.

CHÂTEAU TALBOT

33250 Saint-Julien-Beychevelle
Tél. 05 56 73 21 50 • Fax : 05 56 73 21 51
chateau-talbot@chateau-talbot.com
www.chateau-talbot.com
Visite : Du lundi au vendredi de 9h à 11h et de 14h à 16h sauf vendredi après midi 15h.

Cette propriété, parmi les plus justement populaires du Médoc, appartient toujours aux filles de Jean Cordier. Elle réalise une abondante production, d'une régularité difficile à prendre en défaut. Talbot incarne pour beaucoup l'idéal du saint-julien, généreusement bouqueté, très stable et sûr au vieillissement. Un joli vin blanc sec, aromatique et nerveux, continue à être produit sous la marque Caillou-Blanc. Après une toute petite baisse de tension de 2006 à 2008, le cru a fait appel aux conseils de Stéphane Derenoncourt et retrouve en 2009 son plus haut niveau.

Saint-Julien 2007

Rouge | 2013 à 2019 | cav. 30 € **15/20**

Nez épicé, finesse et souplesse garanties mais avec un petit déficit de maturité.

CHÂTEAU DU TERTRE

Chemin de Ligondras • 33460 Arsac
Tél. 05 57 88 52 52 • Fax : 05 57 88 52 51
receptif@chateaudutertre.fr
www.chateaudutertre.fr
Visite : Sur rendez-vous au 05 57 97 09 09.

Un peu isolé, mais situé d'un seul tenant sur une splendide croupe de graves siliceuses, le Château du Tertre a magnifiquement été restauré et réhabilité par son propriétaire hollandais, Albada Jelgersma. Son caractère aromatique, très frais et élégant, doit beaucoup à la proportion d'excellents cabernets francs dans l'encépagement, et au talent de son vinificateur Jacques Pelissié. Les derniers millésimes sont personnels et réussis, avec un corps assez

léger mais sans défaut, et beaucoup de finesse aromatique. Excellent rapport qualité-prix.

Margaux 2007
Rouge | 2012 à 2017 | cav. 21 € **15/20**

Texture délicate, arôme frais, légèrement végétal mais moins agressif que celui de Giscours, tanin fin et caractère margalais évident.

CHÂTEAU LA TOUR CARNET

Route de Saint-Julien-Beychevelle
33112 Saint-Laurent-du-Médoc
Tél. 05 56 73 30 90 • Fax : 05 56 59 48 54
latour@latour-carnet.com
www.bernard-magrez.com

Sous la direction avisée et ambitieuse de Bernard Magrez et avec la collaboration de Michel Rolland, le cru s'est considérablement modernisé en dix ans, affirmant de plus en plus son originalité de terroir, une superbe croupe calcaire donnant des merlots de grande classe. Le vin, riche et voluptueux, incarne la modernité médocaine avec beaucoup de panache, parfois au détriment de la pureté. Bernard Magrez a également créé dans ce cru une cuvée parcellaire, Servitude-Volontaire, en hommage à La Boétie, ami de Montaigne qui fut propriétaire des lieux.

Haut-Médoc 2007
Rouge | 2014 à 2022 | 27 € **16,5/20**

Boisé raffiné, n'en déplaise aux détracteurs, texture travaillée mais élégante, excellent volume de bouche, un vin de type moderne, parfaitement séduisant, mais parfaitement en relation avec son terroir et son millésime, de l'excellent travail.

Haut-Médoc 2006
Rouge | 2016 à 2024 | 27 € **16,5/20**

Le vin a pris toute sa mesure au cours de l'élevage, et présente un corps plein et équilibré, soutenu par un tanin bien plus harmonieux que la moyenne.

CHÂTEAU TOUR DE BESSAN

2036, Chalet • 33480 Moulis-en-Médoc
Tél. 05 56 58 22 01 • Fax : 05 56 58 15 10
contact@marielaurelurton.com
www.marielaurelurton.com
Visite : tous les jours, de 11h à 18 h
week-end sur rendez-vous

Margaux 2006
Rouge | 2010 à 2014 | 17,90 € **14,5/20**

Robe pourpre. Nez de fruit rouge. Bouche fraîche sur le fruit. Tanins fins en finale. Vin plaisir.

Margaux 2005
Rouge | 2010 à 2020 | 20 € **14/20**

Vin tout en élégance, nez délicat et bouche fine et fraîche, soutenue par une belle trame tannique.

CHÂTEAU LA TOUR DE BY

5, route de La Tour de By • 33340 Bégadan
Tél. 05 56 41 50 03 • Fax : 05 56 41 36 10
info@la-tour-de-by.com • www.la-tour-de-by.com
Visite : De 8h à 12h et de 13h30 à 17h30 (le vendredi à 16 h30). Ouvert le week-end en juillet et août

Ce cru classique de Bégadan se divise en deux parties : l'une autour du château, en bord de rivière, sur des graves magnifiques comparables à celles de Montrose ou Sociando-Mallet, l'autre vers Saint-Christoly. Le vin a toujours été soigneusement élaboré mais sans ambition, sans doute pour conserver un excellent rapport qualité-prix. Il vieillit beaucoup mieux que ses voisins grâce à la qualité de son terroir. Il semble que le cru amorce les progrès tant attendus de sévérité dans la sélection : le 2007 s'annonce remarquable, digne des grands millésimes des années 1980.

Médoc 2007
Rouge | 2012 à 2016 | 16 € **15,5/20**

Belle présentation moderne et précise, les tanins sont denses, bien enrobés et soyeux, une constitution irréprochable mais manquant encore un peu d'éclat pour une note plus élevée.

Médoc Héritage Marc Pagès 2007
Rouge | 2013 à 2017 | 28 € **15,5/20**

Une édition limitée à 3000 bouteilles issues de vieilles vignes, qui se veut la quintessence de la Tour de By, une version concentrée, très dense, avec des tanins compacts et serrés qui supportent bien le boisé. Doit vieillir 2 à 3 ans.

CHÂTEAU TOUR DE PEZ

Lieu-dit l'Hereteyre • 33180 Saint-Estèphe
Tél. 05 56 59 31 60 • Fax : 05 56 59 71 12
contact@tourdepez.com • www.tourdepez.com
Visite : Du lundi au vendredi de 10h à 11h
et de 14h à 17h sur rendez-vous

Saint-Estèphe 2007

Rouge | 2010 à 2015 | 19,50 € **14/20**

Robe sombre. Bouche fine avec de l'élégance, prolongée par une trame tannique sérieuse en finale.

Saint-Estèphe 2006

Rouge | 2010 à 2014 | 19,50 € **15/20**

Robe pourpre. Bouche tout en finesse et en élégance, joli fruit. Tanins soyeux en finale.

CHÂTEAU TOUR DES TERMES

Saint-Corbian • 33180 Saint-Estèphe
Tél. 05 56 59 32 89 • Fax : 05 56 59 73 74
contact@chateautourdestermes.com
www.chateautourdestermes.com
Visite : en semaine, de 8h30 à 12h30 et de 14h
à 17h30 sauf vendredi jusqu'à 16h30
sur rendez-vous en dehors de ces horaires

Saint-Estèphe 2007

Rouge | 2010 à 2015 | 17 € **15/20**

De la densité, pour ce joli vin à la robe sombre et au nez riche et expressif. Belle matière en bouche. De la longueur, ponctuée par des tanins nobles.

CHÂTEAU TOUR HAUT-CAUSSAN

27 bis, rue de Verdun • 33340 Blaignan-Médoc
Tél. 05 56 09 00 77 • Fax : 05 56 09 06 24
courrian@tourhautcaussan.com
www.tourhautcaussan.com
Visite : Sur rendez-vous.

Depuis longtemps, ce cru est à la pointe de la qualité dans son appellation, grâce aux efforts de son charismatique propriétaire Philippe Courrian. À dominante de bon merlot, le vin possède beaucoup de velouté de texture et supporte parfaitement le bois neuf, qui le flatte dans sa jeunesse. Un rien de routine marque les derniers millésimes, comme souvent quand le producteur a trop longtemps navigué.

Médoc 2006

Rouge | 2010 à 2014 | 12,50 € **14,5/20**

Robe pourpre. Nez fin de fruits rouges. Bouche fraîche, suave, aux notes légèrement réglissées en finale.

CHÂTEAU VIEUX ROBIN

3, route des Anguilleys • 33340 Bégadan
Tél. 05 56 41 50 64 • Fax : 05 56 41 37 85
contact@chateau-vieux-robin.com
www.chateau-vieux-robin.com
Visite : Juillet-mi septembre: ouvert du lundi au samedi de 10h à 17h30, sans interruption. Les dimanches et jours fériés sur rendez-vous.
Le reste de l'année: Du lundi au vendredi,
de 9h à 12h et de 13h30 à 17h30.

Un des crus les plus soignés du nord du Médoc, et sur lequel veille avec amour un couple de viticulteurs passionnés, les Roba. Le vin de prestige, Bois-de-Lunier, charnu, franc, épicé, assez complexe, est très régulier et particulièrement réussi en 2007.

Médoc Bois de Lunier 2007

Rouge | 2011 à 2017 | env 16 € **15/20**

Vin puissant avec des tanins serrés, riches et pleins de race, beaucoup de fraîcheur en finale, notes de moka et de menthe. Fidèle à son style avec une progression indéniable.

Rive droite

Inspirés par les paysages et la lumière de la Dordogne, et marqués par la tendresse du merlot, les vins de la rive droite sont les plus chaleureux et les plus voluptueux du Bordelais. Ils se montrent un peu plus fermes à Fronsac et à Saint-Émilion, un peu plus arrondis et suaves à Pomerol et à Lalande de Pomerol, mais tous ont la chance de charmer jeunes, tout en étant de très grande garde.

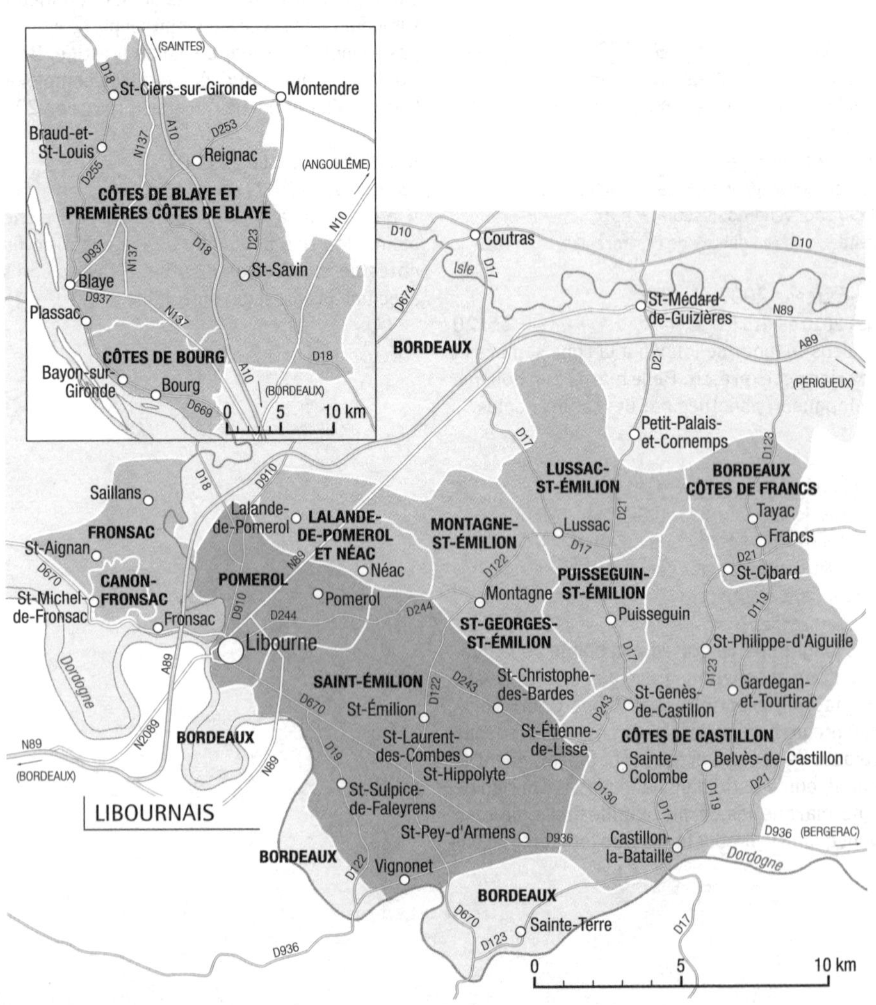

DOMAINE DE L'A

Lieu-dit Fillol • 33350 Sainte-Colombe
Tél. 05 57 24 60 29 • Fax : 05 57 24 75 95
contact@vigneronsconsultants.com
Visite : Sur rendez-vous.

Stéphane Derenoncourt est devenu l'un des consultants les plus recherchés de Bordeaux. Il a mis son talent au service de très nombreux crus, qu'il s'agisse d'appellations modestes ou de châteaux célèbres de Saint-Émilion ou de Pomerol, mais aussi du Médoc. Il est passionnant d'observer le travail qu'il réalise dans la propriété qu'il a acquise avec son épouse à Castillon, et qu'ils ont nommée Domaine de l'A. En moins d'une demi-décennie, le cru a imposé une personnalité très élégante, profonde et onctueuse.

CÔTES DE CASTILLON 2007
Rouge | 2012 à 2017 | 28 € **15/20**
Un vin très personnel, issu de raisins de haute maturité, délivrant des arômes de prune et de chocolat noir, doté d'une riche texture. Pour le moment le boisé se montre encore insistant, avec des notes vanillées fortes, et le sucre venu du bois renforce l'impression de moelleux. Il faut le boire à table, à température pas trop chambrée.

CHÂTEAU ABELYCE

57, avenue de l'Europe
33350 Saint-Magne-de-Castillon
Tél. 05 57 40 04 30 ou 06 85 21 59 60
Fax : 05 57 56 07 10
amelie.vignes@orange.fr
Visite : sur rendez-vous

SAINT-ÉMILION GRAND CRU 2007
Rouge | 2012 à 2017 | 8 € **16/20**
Vin à la belle fraîcheur fruitée, robe de bonne intensité, allonge suave et gourmande, du dynamisme.

CHÂTEAU ACAPPELLA

33570 Montagne-Saint-Émilion
Tél. 06 18 02 06 14
christophe.choisy33@orange.fr
www.chateau-capella.com
Visite : sur rendez-vous.

MONTAGNE-SAINT-ÉMILION 2007
Rouge | 2010 à 2018 | 35 € **15/20**
D'une couleur profonde, ce vin possède un nez expressif sur le fruit noir bien mûr. La bouche est dense et équilibrée en fin.

MONTAGNE-SAINT-ÉMILION EUGÉNIE 2007
Rouge | 2010 à 2014 | 15 € **13,5/20**
Robe vermillon. Nez de fruits rouges. Bouche fraîche, agréable et équilibrée.

CHÂTEAU D'AIGUILHE

33350 Saint-Philippe-d'Aiguilhe
Tél. 05 57 40 60 10 • Fax : 05 57 40 63 56
info@neipperg.com
www.neipperg.com
Visite : Du lundi au vendredi de 9h à 12h et de 14h à 17h, sur rendez-vous.

Situé en coteaux le long de la Dordogne, le vaste vignoble est planté sur un terroir typique du secteur et de même origine que la côte de Saint-Émilion : une mince couche argilo-calcaire reposant sur un substrat calcaire profond, qui permet à la plante de ne jamais souffrir de sécheresse ou de coups de chaleur. Repris par Stephan von Neipperg (Canon-la-Gaffelière), le cru, qui a toujours été un porte-drapeau du secteur, a atteint un tout autre stade, devenant désormais l'une des belles valeurs de la rive droite : onctueux, profonds et soyeux, les vins allient puissance et souplesse avec élégance.

CÔTES DE CASTILLON 2008
Rouge | 2012 à 2018 | NC **16/20**
Robe très profonde, boisé, corps sculptural, nerveux et profond.

CÔTES DE CASTILLON 2007
Rouge | 2011 à 2017 | 17 € **15,5/20**
Coloré, intense, belles notes de fruits noirs et d'épices, charnu et structuré.

CHÂTEAU ALBÀ

N°4 Grimon • 33350 Saint-Philippe-d'Aiguilhe
Tél. 05 57 40 69 34 • Fax : 05 57 40 69 34
chateau.alba@free.fr
www.chateau-alba.com
Visite : Sur rendez-vous.

CÔTES DE CASTILLON 2007
Rouge | 2010 à 2012 | 12,50 € **14/20**
Un castillon agréable avec un fruit expressif, à la bouche savoureuse et fruitée, très vive en finale.

CHÂTEAU AMPÉLIA

21, allée Robert-Boulin • 33500 Libourne
Tél. 06 09 08 77 08 • Fax : 05 57 51 29 18
f-despagne@grand-corbin-despagne.com
Visite : Sur rendez-vous.

Acquise en 1999 par François Despagne, pour un premier millésime en 2000, cette propriété de moins de cinq hectares, plantée à 95 % de merlot, s'est vite imposée dans l'appellation des Côtes de Castillon. Situées sur le plateau de Saint-Philippe-d'Aiguilhe, entre le Château Joanin-Bécot et le Château d'Aiguilhe, les vignes sont plantées sur une mince couche argilo-calcaire reposant sur un socle calcaire.

Côtes de Castillon 2007
Rouge | 2010 à 2014 | 10 € **14,5/20**
Nez riche et épanoui de fruits noirs et d'épices, la bouche est vigoureuse et fraîche, fruitée et parfaitement équilibrée sur une belle vivacité en finale. Une valeur sûre.

CHÂTEAU ANGÉLUS

33330 Saint-Émilion
Tél. 05 57 24 71 39 • Fax : 05 57 24 68 56
chateau-angelus@chateau-angelus.com
www.angelus.com
Visite : Du lundi au vendredi sur rendez-vous.

Formidablement bien situé au cœur de la côte de Saint-Émilion, à l'ouest du village, le Château Angélus dispose d'un terroir de haut niveau, très classique du cœur de cette appellation, et peut jouer en outre sur une part minoritaire mais non négligeable de cabernet franc, qui apporte sa fraîcheur et sa brillance à l'ample merlot. Si les millésimes des années 1990 brillent par leur plénitude de constitution, ceux de ce nouveau siècle ajoutent à cette personnalité une finesse de tanin et un éclat aromatique qui lui ont fait franchir un nouveau cap.

Saint-Émilion grand cru 2008
Rouge | 2014 à 2024 | NC **17,5/20**
Charnu et gourmand, tanin fin, longueur suave, beaux arômes, tapissant et velouté.

Saint-Émilion grand cru 2007
Rouge | 2012 à 2022 | cav. 140 € **17,5/20**
Belle robe profonde, onctuosité et finesse, rondeur harmonieuse, boisé opulent, vin moderne qui vieillira avec classicisme.

ANTOINE MOUEIX

Route du Milieu - B.P. 40 100 • 33330 Saint-Émilion
Tél. 05 57 55 58 06 • Fax : 05 57 74 18 47

Avec plus de deux-cents hectares en appellations bordelaises, Antoine Moueix est l'antenne bordelaise du groupe Advini, qui a récemment racheté les chablis et les vins de pays d'oc de Michel Laroche.

Saint-Émilion grand cru 2007
Rouge | 2010 à 2019 | NC **15/20**
Ce saint-émilion savoureux est à boire sur son fruit, avec une finale qui le porte admirablement en bouche.

CHÂTEAU D'ARCE

Château Haut Villet • 33330 Saint-Étienne-de-Lisse
Tél. 05 57 47 97 60 • Fax : 05 57 47 92 94
haut.villet@wanadoo.fr
www.haut-villet-arce.com
Visite : en semaine de 10h à 12 et de 14h à 18h week-end et jours fériés sur rendez-vous

Côtes de Castillon 2007
Rouge | 2010 à 2014 | 13 € **14/20**
Nez fruité, avec une bouche franche et harmonieuse et une finale fraîche. Un vin parfait pour la table.

CHÂTEAU L'ARCHANGE

Vignobles Chatonnet - Château Chignon • 33500 Néac
Tél. 05 57 51 31 31 • Fax : 05 57 25 08 93
contact@vignobleschatonnet.com
www.vignobleschatonnet.com
Visite : Sur rendez-vous le week end

Saint-Émilion 2008
Rouge | 2011 à 2016 | NC **15/20**
Boisé, coloré, gras et riche, généreux avec du volume et des tanins solides.

CHÂTEAU L'ARMONT

1, L'arrosée • 33330 Saint-Émilion
Tél. 05 57 24 69 44 • Fax : 05 57 24 66 46
chateau.larrosee@wanadoo.fr
www.armont.fr
Visite : Du lundi au vendredi de 9h à 12h et de 14h à 18h. Le samedi matin sur rendez-vous.

Saint-Émilion grand cru 2008
Rouge | 2011 à 2016 | 15 € — 14,5/20
Vin de bonne consistance, avec une souplesse et un fruit précis et agréable. Bon équilibre tendre.

CHÂTEAU L'ARROSÉE

1, L'arrosée • 33330 Saint-Émilion
Tél. 05 57 24 69 44 • Fax : 05 57 24 66 46
chateau.larrosee@wanadoo.fr
www.chateaularrosee.com
Visite : De 10h à 12h et de 14h à 17h.

Splendidement situé en plein coteau à l'ouest de Saint-Émilion, le cru connaît depuis son rachat en 2003 par la famille lyonnaise Caille une période faste. Il n'a cessé de progresser, en améliorant notamment la finesse et l'éclat des tanins qui le font aujourd'hui assurément entrer dans le cénacle des plus grands crus de Saint-Émilion.

Saint-Émilion grand cru 2008
Rouge | 2010 à 2023 | NC — 17,5/20
Volume sérieux, profondeur fruitée, excellent tanin fin et serré, allonge. Incontestablement brillant.

Saint-Émilion grand cru 2007
Rouge | 2012 à 2020 | cav. 31 € — 17/20
Le cru exprime à nouveau parfaitement sa race naturelle : fruits rouges précis, long, velouté, fin, aucune rudesse mais beaucoup de profondeur.

CHÂTEAU AUSONE

33330 Saint-Émilion
Tél. 05 57 24 24 57 • Fax : 05 57 24 24 58
chateau.ausone@wanadoo.fr
www.chateau-ausone.com

Disposant d'une extraordinaire exposition à l'entrée sud du village de Saint-Émilion, les vignes du Château Ausone sont plantées sur un tertre calcaire recouvert d'une très mince couche de terre graveleuse. Cette position unique est un atout indéniable qu'a su magnifier le propriétaire actuel : Alain Vauthier a donné au cru le plus haut niveau de la rive droite bordelaise depuis plus de dix ans. D'un incomparable velouté de tanins, d'une fraîcheur aromatique éblouissante, tous les millésimes sont au sommet depuis 1997, avec certainement 2000 et 2005 couronnant un ensemble proche de la perfection. Si la production est extrêmement contingentée, il faut signaler que le second vin, La-Chapelle-d'Ausone, constitue un frère en tout point fidèle à l'esprit et surtout à la finesse du grand vin.

Saint-Émilion grand cru 2008
Rouge | 2016 à 2030 | NC — 19,5/20
Magnifique onctuosité, tanin de soie, allonge énergique et profonde. Au sommet du millésime.

Saint-Émilion grand cru 2007
Rouge | 2012 à 2030 | cav. 590 € — 18,5/20
Finesse superlative, grand volume d'un soyeux de tanin sans équivalent. Belle persistance aromatique.

Saint-Émilion grand cru Chapelle d'Ausone 2008
Rouge | 2013 à 2020 | NC — 17/20
Grand volume gourmand, soyeux et profond.

Saint-Émilion grand cru Chapelle d'Ausone 2007
Rouge | 2012 à 2018 | cav. 110 € — 16,5/20
Grande finesse de texture, longueur raffinée : vin peu corpulent mais superbement élégant.

AVINCHAR

La Gramondie - 6, Périgord
33350 Saint-Genest-de-Castillon
Tél. 06 88 15 61 94
vincent.galineau@orange.fr

Côtes de Castillon 2007
Rouge | 2011 à 2013 | 11 € — 14/20
La petite parcelle de 2,20 hectares produit un vin fruité et agréable, avec des tanins friands, une bouche fondante, charnue, sur la fraîcheur.

CLOS BADON-THUVENIN

Établissements Thunevin - 6, rue Guadet
33330 Saint-Émilion
Tél. 05 57 55 09 13 • Fax : 05 57 55 09 12
thunevin@thunevin.com
www.thunevin.com
Visite : Pas de visites.

Bien situé en pied de côte, à proximité directe de Pavie et de Larcis-Ducasse, Clos Badon a été acquis

par Jean-Luc Thunevin en 1998. Sans posséder l'intensité de Valandraud, c'est un vin élégant et souple, bénéficiant du caractère velouté et des tanins fins qu'affectionnent Jean-Luc et Murielle Thunevin. On peut l'apprécier assez tôt.

Saint-Émilion grand cru 2008
Rouge | 2010 à 2016 | 25 € **16/20**
Beau volume fruité et mûr, très séducteur jusqu'à une finale qui paraît presque sucrée tant elle est charnue et mûre.

Saint-Émilion grand cru 2007
Rouge | 2010 à 2015 | 35 € **15,5/20**
Gourmand et gras, fruits rouges tendre, charpenté avec un volume généreux.

CHÂTEAU BARDE-HAUT

33330 Saint-Christophe-des-Bardes
Tél. 05 56 64 05 22 • Fax : 05 56 64 06 98
info@vignoblesgarcin.com
www.vignoblesgarcin.com
Visite : Sur rendez-vous.

La propriété, située à Saint-Christophe-des-Bardes, a été acquise par la famille Garcin à la fin des années 1990. Elle est devenue assez rapidement une des bonnes valeurs du secteur, avec des vins toujours solidement constitués, parfois un peu austères dans les millésimes moyens, mais très réussis les bonnes années, avec un style généreux, intense et franc.

Saint-Émilion grand cru 2008
Rouge | 2013 à 2020 | 23,35 € **16/20**
Vraie réussite pleine et de grande sève, fruit excellent, tanins serrés qui s'affineront avec le temps, allonge, équilibre fruité.

Saint-Émilion grand cru 2007
Rouge | 2012 à 2017 | 25,20 € **15/20**
Fruit rouge très expressif, bon corps allègre et dynamique, tanin présent, corsé et frais.

CHÂTEAU BARRABAQUE

Barrabaque • 33126 Fronsac
Tél. 05 57 55 09 09 ou 06 07 46 08 08
Fax : 05 57 55 09 00
chateaubarrabaque@yahoo.fr
www.chateaubarrabaque.com
Visite : Sur rendez-vous.

Cette propriété du XVIIIe siècle est située sur les coteaux dominant la Dordogne, constamment exposés au soleil. Propriétaire du cru depuis 1936, la famille Noël en a fait depuis longtemps l'une des valeurs sûres de l'appellation, avec une cuvée Prestige toujours solidement construite, à point après trois à cinq ans de bouteilles. Le cru a suivi l'évolution bienheureuse de la plupart des fronsacs, vers des tanins plus souples et plus finement extraits.

Canon-Fronsac Prestige 2007
Rouge | 2011 à 2016 | 17 € **14,5/20**
Nez discret, vin sincère solidement bâti, d'une dimension pleine avec beaucoup de tonicité malgré une finale un peu pointue.

CHÂTEAU BEAU SOLEIL

26, chemin de Plince • 33500 Pomerol
Tél. 06 03 57 79 79 • Fax : 05 57 25 54 09
chateau.beausoleil@orange.fr
www.chateau-beau-soleil.com
Visite : De 8h30 à 17h sur rdv.

Pomerol 2007
Rouge | 2010 à 2015 | cav. 16 € **15/20**
Pomerol souple et plutôt gourmand, avec des notes de fruits rouges et de toast immédiatement savoureuses.

CHÂTEAU BEAUREGARD

33500 Pomerol
Tél. 05 57 51 13 36 • Fax : 05 57 25 09 55
pomerol@chateau-beauregard.com
www.chateau-beauregard.com
Visite : Du lundi au vendredi, de 9h à 12h et de 14h à 17h, sur rendez-vous.

Cette propriété de taille importante (à l'échelle de Pomerol) est bien située ; elle appartient depuis longtemps à une institution financière. Sagement mené et vinifié selon des canons modernes et efficaces, Beauregard se montre l'un des crus les plus réguliers de l'appellation, avec des vins bien construits, où la rondeur et le velouté sont toujours soutenus par une structure franche et de belle fraîcheur.

Pomerol 2007
Rouge | 2011 à 2017 | cav. 22 € **15,5/20**
Rond et gras, volume de belle sève, sans dureté aucune, tanin souple et soyeux.

CHÂTEAU BEAUSÉJOUR DUFFAU-LAGAROSSE

33330 Saint-Émilion
Tél. 05 57 24 71 61 • Fax : 05 57 74 48 40
beausejourhdl@beausejourhdl.com
www.beausejourhdl.com
Visite : Sur rendez-vous.

Fort bien situé sur le flanc ouest de la côte de Saint-Émilion, Beauséjour, qu'on peut aussi appeler plus complètement Beauséjour Duffau-Lagarosse, est l'une des valeurs sages de Saint-Émilion, démontrant à chaque millésime la race de son terroir, sans pour autant véritablement impressionner. Le style est fondé sur l'élégance, jamais sur la puissance, mais dans ce registre il pourrait encore gagner en précision de tanin et en éclat aromatique : désormais administré par le duo Nicolas Thienpont et Stéphane Derenoncourt, il a montré avec le millésime 2009 qu'il peut atteindre cet objectif.

SAINT-ÉMILION GRAND CRU 2008
Rouge | 2013 à 2020 | 45 € **15,5/20**
Belle couleur, grande dimension, tanin un rien strict, bonne allonge, vivacité.

SAINT-ÉMILION GRAND CRU 2007
Rouge | 2012 à 2020 | 43 € **16,5/20**
Robe élégante, fraîcheur fruitée, poivron mûr, allonge svelte et nerveuse. Une vraie personnalité qui ne joue pas sur la puissance mais la vivacité. Le vin se révèle en bouteille.

CHÂTEAU BEAUSÉJOUR-BÉCOT

33330 Saint-Émilion
Tél. 05 57 74 46 87 • Fax : 05 57 24 66 88
contact@beausejour-becot.com
www.beausejour-becot.com
Visite : Du lundi au vendredi sur rendez-vous.

Le cru est situé à l'ouest du village de Saint-Émilion, sur le plateau argilo-calcaire qui surplombe la côte. Il est dirigé depuis 1985 par deux frères, Dominique et Gérard Bécot, aidés maintenant par la fille de ce dernier, Juliette. Les vins de Beauséjour-Bécot savent associer une profondeur racée à une dimension joyeuse et gourmande, très directe, qui en font l'un des crus les plus immédiatement séduisants à découvrir mais aussi l'un de ceux qui vieillissent le mieux.

SAINT-ÉMILION GRAND CRU 2007
Rouge | 2012 à 2020 | NC 16,5/20
Coloré, fruit et toast, belle tenue gourmande en bouche, non dénuée d'élégance et de persistance. Un beau vin profond.

CHÂTEAU BEL-AIR LA ROYÈRE

1, Les Ricards • 33390 Cars
Tél. 05 57 42 91 34 ou 06 89 90 20 04
Fax : 05 57 42 32 87
chateau.belair.la.royere@wanadoo.fr
Visite : Sur rendez-vous.

En 1992, les Charentais d'origine Corinne et Xavier Loriaud sont devenus vignerons grâce à un véritable coup de foudre pour cette ancienne propriété de Blaye. Ayant accompli des efforts gigantesques pour remonter le vignoble, ils produisent aujourd'hui un vin racé au plus haut niveau de son appellation, qui conserve en outre une typicité certaine, grâce à une part non négligeable du cépage local malbec (appelé cot à Cahors) dans les assemblages. Aidés dans leurs efforts par l'œnologue Christian Veyry, ils produisent également une autre bonne cuvée, le Château-Les-Ricards.

BLAYE 2007
Rouge | 2011 à 2017 | 18,50 € **15/20**
Nez fruité, tanins serrés voire un peu sévères, avec beaucoup de vivacité offrant de la fraîcheur. Un peu austère à ce stade mais dans deux ou trois ans on appréciera tous ses charmes.

PREMIÈRES CÔTES DE BLAYE
CHÂTEAU LES RICARDS 2007
Rouge | 2012 à 2016 | 8,50 € **14/20**
Notes de cassis et de bois neuf, bonne présence des tanins en bouche avec un joli fruit frais, dommage pour la finale un peu sèche et dure.

CHÂTEAU BELAIR-MONANGE

6, Madeleine • 33330 Saint-Émilion
Tél. 05 57 51 78 96
belair@chateaubelair.com
www.chateaubelair.com
Visite : L'après-midi sur rendez-vous.

Après avoir été longtemps dirigé par l'attachant Pascal Delbeck, Belair appartient aujourd'hui en totalité aux Établissements Jean-Pierre Moueix, qui en assurent la complète gestion et dont la première décision a été de rebaptiser le cru Belair-Monange. Installé sur un magnifique terroir calcaire à l'entrée sud de Saint-Émilion, comme ses voisins

Ausone et Magdelaine, le cru possède un gigantesque potentiel. Néanmoins, il a paru souvent manquer d'intensité de corps et de bouquet dans les millésimes des années 1990, et même dans ceux du début de cette décennie. Les tous derniers millésimes indiquent en revanche une inflexion bienvenue de la personnalité du vin qui, sans perdre son allure fine et très élégante, a gagné en charme immédiat et en précision tannique.

SAINT-ÉMILION GRAND CRU 2007
Rouge | 2013 à 2019 | NC **16/20**
Fruit très tendre, tanin fin, un vin en dentelle mais d'une grande persistance, avec une longueur fruitée, fraîche et racée. Incontestablement du style.

CHÂTEAU BELLEFONT-BELCIER

33330 Saint-Laurent-des-Combes
Tél. 05 57 24 72 16 • Fax : 05 57 74 45 06
chateau.bellefont-belcier@wanadoo.fr
www.bellefont-belcier.fr
Visite : Sur rendez-vous.

Ce cru, voisin de Larcis-Ducasse, possède un superbe terroir de côte, mais ne produit des vins distingués que depuis peu de temps. Le velouté de texture des derniers millésimes, avec un bouquet classique de grand merlot et un potentiel certain de développement en bouteille, justifie pleinement sa promotion au rang de cru classé.

SAINT-ÉMILION GRAND CRU 2008
Rouge | 2013 à 2020 | NC **17/20**
Fruité et musclé, belle robe profonde, assurément intense, grande longueur persistante, rappelant indéniablement le caractère de son voisin Pavie...

SAINT-ÉMILION GRAND CRU 2007
Rouge | 2012 à 2017 | cav. 22 € **16/20**
Belle élégance fine et distinguée pour un vin soutenu par beaucoup de fraîcheur fruitée et un tanin souple.

CHÂTEAU BELLEGRAVE

Lieu dit René • 33500 Pomerol
Tél. 05 57 51 20 47 • Fax : 05 57 51 23 14
chateaubellegrave@orange.fr
www.chateaubellegravepomerol.com
Visite : Du lundi au vendredi de 8h à 12h30 et de 14h à 19h30, sur rendez-vous.

POMEROL 2008
Rouge | 2012 à 2018 | cav. 28 € **15,5/20**
Toujours de la fraîcheur et de la droiture, avec plus d'intensité que le 2007. Séduisant.

POMEROL 2007
Rouge | 2011 à 2016 | cav. 23 € **15/20**
Vin droit, souple, moyennement corsé, mais d'une jolie fraîcheur.

CHÂTEAU BELLEVUE

Route du Milieu • 33330 Saint-Émilion
Tél. 05 57 51 06 07 • Fax : 05 57 51 59 61
contact@horeau-beylot.fr
www.horeau-beylot.fr
Visite : Du lundi au vendredi sur rendez-vous.

Appartenant pour partie à Hubert de Boüard (Château Angélus), qui le gère désormais, Bellevue est devenu un cru majeur du secteur privilégié de la côte de Saint-Émilion. C'est un vin riche et onctueux mais démontrant immédiatement une race et une finesse très spécifiques.

SAINT-ÉMILION GRAND CRU 2008
Rouge | 2014 à 2022 | cav. 45 € **16,5/20**
Boisé très présent, mais beau volume fin et onctueux, grand potentiel. Incontestablement le meilleur Bellevue de son histoire contemporaine... en attendant le très prometteur 2009 !

SAINT-ÉMILION GRAND CRU 2007
Rouge | 2013 à 2020 | cav. 37 € **16/20**
Couleur profonde, beau nez fin et fruité, bouche distinguée, avec de la chair, volume fin et long, beau tanin.

CHÂTEAU BELLEVUE-GAZIN

Route de Monpuzet • 33390 Plassac
Tél. 05 57 42 02 00 • Fax : 05 57 42 04 60
contact@bellevue-gazin.fr
www.bellevue-gazin.fr
Visite : Sur rendez-vous.

La famille Lancereau a acquis cette propriété en juillet 2003, située au sommet des coteaux de

Plassac, dominant l'estuaire de la Gironde et faisant face au Médoc. Un gros travail de restructuration du vignoble ainsi que la modernisation du chai et son agrandissement ont déjà été accomplis. Les chambres d'hôtes sont maintenant ouvertes. Le style des vins est joliment axé sur la fraîcheur et le fruit, sans aucune raideur tannique.

PREMIÈRES CÔTES DE BLAYE 2007
Rouge | 2012 à 2016 | 12 € **14,5/20**
Vin agréable, épicé, bouche sans aucune dureté ni amertume, fruit très expressif. Bon vin agréable.

CHÂTEAU BELLEVUE-MONDOTTE

Château Pavie • 33330 Saint-Émilion
Tél. 05 57 55 43 43 • Fax : 05 57 24 63 99
conatct@vignoblesperse.com
www.vignoblesperse.com

Gérard Perse, le brillantissime propriétaire des châteaux Pavie, Pavie-Decesse et Monbousquet, a créé cette microcuvée en 2001, à partir d'un vignoble issu de Pavie-Decesse et situé sur le plateau calcaire dans le secteur de Mondot. Né pour impressionner, ce vin ultra puissant, démonstratif et luxueusement élevé a toujours rempli son contrat.

SAINT-ÉMILION GRAND CRU 2007
Rouge | 2012 à 2025 | cav. 225 € **17/20**
Grosse dimension, vin puissant et musclé, bons tanins fins, longueur et potentiel.

CHÂTEAU BERGAT

86, cours Balguerie-Stuttenberg • 33082 Bordeaux
Tél. 05 56 00 00 70 • Fax : 05 57 87 48 61
domaines@borie-manoux.fr
www.borie-manoux.com
Visite : Sur rendez-vous du lundi au vendredi.

Comme tous les vins appartenant à la grande famille de négociants bordelais Castéja, Bergat a beaucoup progressé depuis le début des années 2000, et se montre désormais digne de son rang et du potentiel de son terroir voisin de Trottevieille : à leur meilleur, les vins séduisent par leur fraîcheur et leur équilibre sans lourdeur.

SAINT-ÉMILION GRAND CRU 2008
Rouge | 2012 à 2018 | 29 € **16,5/20**
Bonne constitution fine et fruitée, avec des tanins fins et un corps de sérieuse profondeur.

SAINT-ÉMILION GRAND CRU 2007
Rouge | 2012 à 2017 | 26 € **16/20**
Après sa mise en bouteille, le vin retrouve l'éclat qu'il possédait en primeur : très jolies notes de petits fruits rouges, tendresse et délicatesse de texture, allonge fraîche. Pas surpuissant mais au contraire jouant bien sur la finesse.

CHÂTEAU BERLIQUET

33330 Saint-Émilion
Tél. 05 57 24 70 48 • Fax : 05 57 34 70 24
chateau.berliquet@wanadoo.fr
Visite : Sur rendez-vous.

La propriété s'appuie majoritairement sur des vignes de merlot qui peuvent s'épanouir sur un terroir argilo-calcaire en coteaux. Désormais managée par l'incontournable duo Nicolas Thienpont - Stéphane Derenoncourt, elle affirme une personnalité de saint-émilion très classique, généreusement construit mais sans lourdeur.

SAINT-ÉMILION GRAND CRU 2008
Rouge | 2013 à 2020 | cav. 20 € **16/20**
Droit, ferme, long, plein, intense. Un Berliquet très convaincant.

SAINT-ÉMILION GRAND CRU 2007
Rouge | 2012 à 2017 | cav. 21 € **15/20**
Assez svelte, élégant, fond, intensité moyenne.

CHÂTEAU BERTHENON

3, Le Barrail • 33390 Saint-Paul
Tél. 05 57 42 52 24 • Fax : 05 57 42 52 24
info@chateauberthenon.com
www.chateauberthenon.com
Visite : sur rendez-vous

CÔTES DE BLAYE SAUVIGNON 2009
Blanc | 2010 à 2013 | 4,70 € **13,5/20**
Nez agréablement fruité, le plus équilibré de cette série de sauvignons non vinifiés en barrique, avec des notes fraîches de groseille à maquereau.

VIGNOBLE BERTINERIE

33620 Cubnezais
Tél. 05 57 68 70 74 • Fax : 05 57 68 01 03
contact@chateaubertinerie.com
www.chateaubertinerie.com
Visite : Du lundi au vendredi de 9h à 12h
et de 14h à 18h.

La famille Bantegnies fut de celles qui, dès la fin des années 1980, montrèrent aux amateurs le potentiel des terroirs du Blayais, dans les trois couleurs. Haut-Bertinerie, qui désigne les meilleures cuvées de la propriété, est un vin très régulier en blanc, en rouge et en clairet, l'une des attachantes spécialités de la maison. Le domaine, très vaste, est cultivé en lyres et demeure dans ce registre l'un des pionniers du vignoble bordelais.

Premières Côtes de Blaye
Château Bertinerie 2009
Blanc | 2010 à 2013 | 8,90 € **15/20**
Nez intense de fruits frais, pêches blanches, bouche tendrement savoureuse, une bouteille flatteuse avec de la fraîcheur pour un plaisir immédiat.

Premières Côtes de Blaye
Château Haut Bertinerie Premier Vin 2007
Rouge | 2010 à 2016 | 11,90 € **15,5/20**
Nez fin et élégant avec un beau boisé raffiné. Fruité gourmand en bouche, tanins fins, bien enrobés, un vin suave, velouté, racé avec une belle structure.

Premières Côtes de Blaye
Château Haut-Bertinerie 2008
Blanc | 2010 à 2014 | 11,90 € **15/20**
Nez expressif, la bouche intense et élancée bénéficie d'une bonne acidité, précise. Bon équilibre.

CHÂTEAU LA BIENFAISANCE

39, le Bourg • 33330 Saint-Christophe-des-Bardes
Tél. 05 57 24 65 83 • Fax : 05 57 24 78 26
info@labienfaisance.com
www.labienfaisance.com
Visite : visites sur rendez-vous
en semaine, de 9h à 12h et de 14h à 18h

Situé à Saint-Christophe-des-Bardes, sur le plateau argilo-calcaire de Saint-Émilion, La Bienfaisance est un cru relancé au début des années 1990. Si le vin qui porte le nom du château est souple et facile à boire, les propriétaires ont créé une cuvée plus ambitieuse, Sanctus. Très suave et veloutée, elle gagne progressivement en profondeur.

Saint-Émilion grand cru 2008
Rouge | 2012 à 2018 | 20,70 € **15/20**
Le millésime le plus convaincant de ce vin depuis longtemps : bonne promesse vigoureuse, profondeur et tanin fin, bon fruit suave.

Saint-Émilion grand cru Sanctus 2008
Rouge | 2011 à 2017 | 38,90 € **16,5/20**
Très coloré, puissant mais toujours une réelle suavité de texture, volume sérieux et profond.

Saint-Émilion grand cru Sanctus 2007
Rouge | 2010 à 2017 | 34,55 € **16/20**
Vin ambitieux et bien construit, volume sérieux mais chair tendre et suave, longueur harmonieuse, finale sur des notes originales de menthol.

CHÂTEAU LE BON PASTEUR

Maillet • 33500 Pomerol
Tél. 05 57 51 52 43 • Fax : 05 57 51 52 93
contact@rollandcollection.com
www.rollandcollection.com
Visite : Sur rendez-vous.

Le Bon Pasteur est une propriété familiale de la star des œnologues bordelais, Michel Rolland. Bien évidemment, les vins sont typiques du style Rolland, toujours mûrs et séduisants dès leur prime jeunesse grâce à un élevage adapté, charnus, dotés de tanins enrobés mais bien présents. Sans posséder la finesse extrême des plus grands terroirs de l'appellation, la production est depuis vingt ans de haut niveau et d'une impressionnante régularité.

Pomerol 2008
Rouge | 2013 à 2022 | 59 € **18/20**
Incontestablement, le vin est de grande dimension, avec des tanins fins et serrés et une allonge très racée. C'est un Bon Pasteur de très haut niveau.

Pomerol 2007
Rouge | 2010 à 2020 | 45 € **16/20**
Les arômes de mûre sont très expressifs au nez comme en bouche, en bouche le vin ne manque ni de charme avec ses tanins suaves, ni de persistance.

CHÂTEAU BONALGUE

62, quai du Priourat - B.P. 79
33500 Libourne cedex
Tél. 05 57 51 62 17 • Fax : 05 57 51 28 28
contact@jbaudy.fr
www.vignoblesbourotte.com
Visite : Sur Rendez-vous

Bon cru très régulier de la périphérie de Libourne, Bonalgue est, comme le Clos du Clocher, depuis longtemps mené de main de maître par Pierre Bourotte, l'un des plus consciencieux et attachants vignerons de Pomerol. C'est un vin ample, souple et charnu, assez tôt prêt à boire mais vieillissant fort bien pendant dix à vingt ans selon les millésimes.

Pomerol 2008

Rouge | 2010 à 2020 | 35 € **17/20**

Bonne couleur, nez séduisant de toast et de truffe, corps rond et tanins enrobés : un vrai vin de plaisir qui vieillira aussi parfaitement.

Pomerol 2007

Rouge | 2012 à 2017 | 31 € **16,5/20**

Bonne couleur profonde, nez toasté, corps ample mais sans dureté, texture soyeuse, rond, très agréable.

CHÂTEAU BONNANGE

10, chemin des Roberts
33390 Saint-Martin-Lacaussade
Tél. 05 57 42 06 98 • Fax : 05 57 42 19 48
Visite : Sur rendez-vous.

Après une carrière brillante dans la publicité, Claude Bonnange s'est installé dans cette propriété du Blayais avec la ferme intention d'exprimer en matière viticole le meilleur de ce terroir. Il travaille avec son voisin, Paul-Emmanuel Boulmé (Château Terre-Blanque), l'un apportant son expérience et son imagination créatrice, l'autre sa belle connaissance du vignoble et des vins.

Premières Côtes de Blaye
Les Fruits Rouges 2007

Rouge | 2011 à 2017 | NC **16/20**

Nez encore un peu fermé avec un boisé très fin, bouche riche, compacte, serrée, il reste fidèle à l'expression du fruit, net et pur, très linaire avec une finale précise et fraîche. Superbe.

Premières Côtes de Blaye
Les Fruits Rouges 2006

Rouge | 2010 à 2014 | NC **15/20**

Ce joli vin souple et harmonieux justifie pleinement son nom, avec des arômes de cerise, de framboise et de groseille superbement expressifs, soutenus par une belle trame tannique. À apprécier dès maintenant. Depuis le millésime 2005, Les-Fruits-Rouges est l'unique vin de la gamme du Château Bonnange.

CHÂTEAU DE BOUILLEROT

8, Lacombe • 33190 Gironde-sur-Dropt
Tél. 05 56 71 46 04 • Fax : 08 11 38 21 94
info@bouillerot.com • www.bouillerot.com
Visite : du lundi au vendredi de 9h à 12h
et de 14h à 18h

Côtes de Bordeaux Saint-Macaire
Le Palais d'Or 2007

Blanc Doux | 2011 à 2014 | 9,50 € **13,5/20**

Robe dorée, nez assez fermé, belle bouche ample, ronde, pleine, bois encore un peu trop marquant, la pointe d'amertume équilibre la charge en sucre.

CHÂTEAU BOURGNEUF-VAYRON

1, Le Bourg Neuf • 33500 Pomerol
Tél. 05 57 51 42 03 • Fax : 05 57 25 01 40
chateaubourgneufvayron@wanadoo.fr
Visite : Sur rendez-vous.

Mené avec beaucoup d'attention par la famille Vayron, ce cru très bien situé a toujours produit des pomerols de qualité, au caractère harmonieux et très typé pomerol, qui trouvent leur apogée après cinq à dix ans de garde. Depuis le début de la décennie, la qualité de production est assurément régulière et accessible.

Pomerol 2008

Rouge | 2012 à 2018 | 35 € **16/20**

Notes de chocolat et de fruits noirs, longueur souple et harmonieuse, joli pomerol.

Pomerol 2007

Rouge | 2010 à 2017 | 30 € **14,5/20**

Structuré et frais, doté d'un tanin plutôt fin et d'une définition aromatique très nette, c'est un vin souple et de dimension moyenne.

CHÂTEAU BOUTISSE

33330 Saint-Christophe-des-Bardes
Tél. 05 57 50 33 43 • Fax : 05 57 50 33 44
contact@chateau-boutisse.fr
www.chateau-boutisse.fr
Visite : sur rendez-vous.

Cette propriété de Saint-Christophe-des-Bardes a été acquise en 1996 par la famille Milhade, propriétaire de deux autres crus à Bordeaux (Recougne et Damase en Bordeaux Supérieur). Située à l'est de l'appellation, elle produit des vins en progression régulière. À signaler que les Milhade sont parmi les rares à embouteiller leurs vins en capsule-à-vis. Une dégustation comparative de ce vin dans les deux modes de bouchage nous a clairement indiqué la supériorité du vin capsulé...

SAINT-ÉMILION GRAND CRU 2008

Rouge | 2011 à 2018 | 17,50 € 15/20

Coloré, gras et ample, fruit expressif de type mûre, allonge avec des tanins plus solides que fins.

SAINT-ÉMILION GRAND CRU 2007

Rouge | 2010 à 2015 | 16,95 € 14,5/20

Fruité et intense, tanins solides, bon équilibre, allonge.

CHÂTEAU BRULESÉCAILLE

29, route des Châteaux • 33710 Tauriac
Tél. 05 57 68 40 31 • Fax : 05 57 68 21 27
cht.brulesecaille@wanadoo.fr
www.brulesecaille.com
Visite : Du lundi au samedi de 9h à 12h
et de 14h à 18h.

CÔTES DE BOURG 2007

Rouge | 2010 à 2017 | 7,50 € 14/20

Bouche fruitée, suave, agréable, finale manquant de précision.

CHÂTEAU BUJAN

33710 Gauriac
Tél. 05 57 64 86 56 • Fax : 05 57 64 93 96
pmeli@alienor.fr

CÔTES DE BOURG 2007

Rouge | 2011 à 2015 | 8 € 15/20

Vin gourmand, pas aussi boisé qu'à son habitude, plus fondu, plus précis aussi, bonne structure avec des tanins bien intégrés à la matière.

CHÂTEAU CADET-BON

1, Le Cadet • 33330 Saint-Émilion
Tél. 05 57 74 43 20 • Fax : 05 57 24 66 41
chateau.cadet.bon@orange.fr
www.cadet-bon.com
Visite : Du lundi au vendredi, sur rendez-vous.

Repris en 2001, Cadet-Bon est situé sur le socle calcaire de la côte de Saint-Émilion. Les vins sont réalisés sans esbroufe, sincères, ils vieillissent bien.

SAINT-ÉMILION GRAND CRU 2008

Rouge | 2013 à 2020 | 24,20 € 15,5/20

Consistant, bonne intensité, un vin sérieusement construit qui sera à point dans quatre à cinq ans.

SAINT-ÉMILION GRAND CRU 2007

Rouge | 2012 à 2019 | 24,20 € 14,5/20

Beaucoup de fruit, une chair tendre et fraîche, bons tanins francs.

CHÂTEAU CAILLETEAU BERGERON

24 Bergeron • 33390 Mazion
Tél. 05 57 42 11 10 • Fax : 05 57 42 37 72
info@cailleteau-bergeron.com
www.cailleteau-bergeron.com
Visite : De 9h à 12h30 et 14h à18h30

PREMIÈRES CÔTES DE BLAYE 2007

Rouge | 2010 à 2014 | 6,80 € 14,5/20

Cette cuvée issue de 80 % merlot séduit pas son nez fin d'épices, de cacao et de tabac, la bouche est fruitée mais les tanins un peu abrupts en finale.

CHÂTEAU DE CANDALE

33330 Saint-Laurent-des-Combes
Tél. 05 57 55 08 88 • Fax : 05 57 55 08 88
candale@wine-and-vineyards.com
www.adamsfrenchvineyards.com

SAINT-ÉMILION GRAND CRU 2008

Rouge | 2012 à 2018 | NC 15/20

Ce domaine bien situé a réalisé un 2008 très consistant, moderne, solide et frais.

CHÂTEAU CANON

B.P. 22 • 33330 Saint-Émilion
Tél. 05 57 55 23 48 • Fax : 05 57 24 68 00
contact@chateau-canon.com
www.chateau-canon.com
Visite : Sur rendez-vous (05 57 55 23 45)

Bénéficiant du travail long et patient du Médocain John Kolasa et de son équipe, depuis le rachat du cru par la famille Wertheimer en 1996, Canon parvient progressivement à confirmer son indéniable potentiel. Le vin ne se caractérise jamais par sa puissance, mais au contraire par un style fin et délié qui mérite plusieurs années de garde pour s'épanouir pleinement.

SAINT-ÉMILION GRAND CRU 2008
Rouge | 2014 à 2024 | cav. 69 € **17,5/20**
Volume onctueux, raffiné, beau fruit et tanins fins, très élégant et plein.

SAINT-ÉMILION GRAND CRU 2007
Rouge | 2012 à 2020 | cav. 72 € **16,5/20**
Assez coloré ; bouquet déjà formé de cerise à l'eau-de-vie, pruneau. Gras et généreux, avec des tanins suaves et un style charnu, joli fond en finale.

CHÂTEAU CANON-LA-GAFFELIÈRE

B.P. 34 • 33330 Saint-Émilion
Tél. 05 57 24 71 33 • Fax : 05 57 24 67 95
info@neipperg.com • www.neipperg.com
Visite : Téléphoner ou envoyer un mail au préalable.

Au pied de la côte de Saint-Émilion, presque aux portes du village, Canon-la-Gaffelière est la propriété phare de Stephan von Neipperg qui s'est révélé, depuis son arrivée au début des années 1980, comme l'un des vignerons les plus doués de la rive droite bordelaise. Sachant aussi bien jouer sur la puissance de constitution que sur la finesse des tanins, Neipperg a réalisé depuis le début des années 1990 un quasi sans-faute, installant son cru, qui n'est pourtant pas considéré comme un Premier, comme l'une des grandes valeurs de la commune.

SAINT-ÉMILION GRAND CRU 2008
Rouge | 2015 à 2025 | cav. 47 € **18,5/20**
Le plus raffiné et élégant des 2008 de Stephan von Neipperg ; très fin, très belle allonge, corps soyeux et profond, brillant.

SAINT-ÉMILION GRAND CRU 2007
Rouge | 2012 à 2020 | cav. 70 € **17,5/20**
Bonne intensité avec une texture suave et onctuosité, arôme légèrement lait de coco, persistance brillante.

CHÂTEAU CANON-PÉCRESSE

33126 Saint-Michel-de-Fronsac
Tél. 05 57 24 98 67 • Fax : 05 57 24 98 67
canon@pecresse.fr
Visite : Du lundi au samedi sur rendez-vous

Ce domaine familial, qui a pris le nom de ses propriétaires (l'ancien nom était, il est vrai, un rien compliqué : Canon Bodet La Tour...), a longtemps livré ses vins en vrac à un négociant libournais. Il a affiché de nouvelles ambitions à partir de 2003, en mettant sa production en bouteille, en créant même un second vin et surtout en insistant sur l'équilibre et la finesse tannique.

CANON-FRONSAC 2007
Rouge | 2011 à 2016 | NC **15,5/20**
Il exprime avec ce millésime gourmand sa race naturelle, tanin fin, serré, fruité, un boisé toasté présent mais sans trop assécher l'ensemble, bon style.

CHÂTEAU CANTELAUZE

Corbin Michotte • 33330 Saint-Émilion
Tél. 05 57 51 64 88 • Fax : 05 57 51 56 30
vignoblesjnboidron@wanadoo.fr
Visite : Sur rendez-vous.

POMEROL 2007
Rouge | 2011 à 2016 | NC **14/20**
Vin souple, frais et franc, bonne suavité finale.

CHÂTEAU CANTENAC

2, Cantenac • 33300 Saint-Émilion
Tél. 05 57 51 35 22 • Fax : 05 57 25 19 15
contact@chateau-cantenac.fr
www.chateau-cantenac.fr
Visite : Tous les jours en continu. Les week-ends et jour fériés sur rendez-vous.

SAINT-ÉMILION GRAND CRU CLIMAT 2008
Rouge | 2011 à 2016 | 36 € **15/20**
Équilibré, bonne structure tannique dense et sans raideur, de la chair, fruité franc.

Saint-Émilion grand cru Climat 2007
Rouge | 2010 à 2015 | 35 € 15/20
Bon équilibre avec un tanin assez finement travaillé, fruit savoureux.

CHÂTEAU CARTEAU CÔTE DAUGAY

33330 Saint-Émilion
Tél. 05 57 24 73 94 • Fax : 05 57 24 69 07
vignobles.jbertrand@wanadoo.fr
www.chateaucarteau.com
Visite : tous les jours sur rendez-vous

Saint-Émilion grand cru 2008
Rouge | 2011 à 2015 | env 14 € 15/20
Vin fruité, plein, bonne vigueur avec du fond et une allonge sérieuse. Corsé et tannique.

CHÂTEAU CASSAGNE HAUT-CANON

33126 Saint-Michel-de-Fronsac
Tél. 05 57 25 05 55 • Fax : 05 57 51 63 98
contact@chateau-cassagne.fr
www.chateau-cassagne.fr
Visite : Sur rendez-vous.

Ce joli château du Fronsadais est depuis longtemps l'une des valeurs sûres de l'appellation. Jean-Jacques Dubois y réalise des canon-fronsacs très classiques, c'est-à-dire régulièrement charnus, gourmands et exprimant avec une belle intensité ces arômes de truffe noire auxquels le vin doit son nom. Tous les derniers millésimes sont réussis, ce sont des vins que l'on peut garder entre trois et dix ans en cave.

Canon-Fronsac La Truffière 2007
Rouge | 2011 à 2017 | 15,80 € 15/20
Encore fermé mais beau volume en bouche, fruité, équilibré, ample, soutenu par des tanins dynamiques et solides, belle fraîcheur.

CHÂTEAU CERTAN DE MAY

Château Certan • 33500 Pomerol
Tél. 05 57 51 41 53 • Fax : 05 57 51 88 51
chateau.certan-de-may@wanadoo.fr
Visite : Sur rendez-vous.

Situé en face de Vieux Château Certan, Certan de May dispose d'un vignoble splendidement installé, sur un terroir d'argile mêlé à de petites graves et à des sables anciens. Sans avoir la précision ni la finesse des plus grands (ce que son terroir permettrait pourtant), Certan-de-May possède un style très classique, avec de la générosité et un caractère savoureusement truffé.

Pomerol 2007
Rouge | 2013 à 2020 | NC 16/20
Très boisé, le vin est l'un des plus musclés de l'appellation dans ce millésime. Le tanin est solide, pas totalement raffiné, le corps est profond et net.

CHÂTEAU CERTAN-MARZELLE

Tél. 05 57 51 17 33
www.xo-vin.fr

Pomerol 2007
Rouge | 2013 à 2019 | NC 14,5/20
Caractère ferme, solide, encore d'un bloc actuellement. Attendons-le!

CHÂTEAU LE CHÂTELET

33330 Saint-Émilion
Tél. 05 57 74 60 06 • Fax : 05 57 74 60 06
contact@chateau-le-chatelet.com
www.chateau-le-chatelet.com

Saint-Émilion grand cru 2008
Rouge | 2012 à 2018 | NC 15,5/20
Riche et gras, tanins élancés, fraîcheur malgré la générosité et le bois. Vin moderne bien construit. Attention au risque d'assèchement tout de même.

Saint-Émilion grand cru 2007
Rouge | 2010 à 2017 | NC 16/20
Cette petite propriété du plateau de Saint-Émilion a réalisé un 2007 harmonieux et équilibré : ample volume, ambitieux, bon élevage, un vin construit, structuré, avec du fruit.

CHÂTEAU CHAUVIN

1, les Cabanes Nord - B.P. 67 • 33330 Saint-Émilion
Tél. 05 57 24 76 25 • Fax : 05 57 74 41 34
chateauchauvingcc@wanadoo.fr
www.chateauchauvin.com
Visite : De 10h à 12h et de 14h à 16h30 sur rendez-vous en semaine week-end sur rendez-vous

Ce cru classé, situé sur le plateau ouest de Saint-Émilion avec un encépagement largement dominé par le merlot, est aujourd'hui un cru régulier et d'un niveau parfaitement représentatif de son rang.

Saint-Émilion grand cru 2008
Rouge | 2013 à 2020 | NC **15,5/20**
Du corps et de l'équilibre, style sérieux, tanins fermes. Donnons lui trois à quatre ans de cave.

Saint-Émilion grand cru 2007
Rouge | 2012 à 2017 | NC **15,5/20**
Très fruits rouges avec un toast léger, bien travaillé, rond et onctueux, avec une certaine énergie.

CHÂTEAU CHEVAL BLANC

33330 Saint-Émilion
Tél. 05 57 55 55 55 • Fax : 05 57 55 55 50
contact@chateau-chevalblanc.com
www.chateau-cheval-blanc.com
Visite : Visites réservées aux professionnels, sur rendez-vous.

Dans toute la seconde moitié du xxe siècle, Cheval Blanc fut de très loin le cru le plus régulier, au meilleur niveau de la rive droite bordelaise. Il se distingue assez nettement de ses pairs par son encépagement, où le cabernet franc occupe une place primordiale, et par son terroir sablo-graveleux du plateau de Pomerol, appellation dont il est d'ailleurs directement voisin. Si 1947 est légendaire, le cru a retrouvé avec 2005 des sommets inoubliables, qu'il avait aussi atteints en 1998. Nul doute que le nouveau chai permettra au cru de retrouver la régularité au sommet qui doit être sa marque.

Saint-Émilion grand cru 2008
Rouge | 2014 à 2025 | cav. 400 € **18,5/20**
Très belle définition complète et raffinée : superbe soyeux de texture, brillance aromatique, alliance de l'énergie et de la finesse.

Saint-Émilion grand cru 2007
Rouge | 2012 à 2020 | cav. 490 € **17,5/20**
Le vin n'est pas d'un format gigantesque mais il séduit par sa précision : élancé, svelte et fin, finale charnue et charmante sur des notes très persistantes de fruits rouges frais.

Saint-Émilion grand cru Petit Cheval 2008
Rouge | 2012 à 2018 | NC **16,5/20**
Complet, long et soyeux, c'est un vin de grand dynamisme, à la constitution souple et grasse remarquablement équilibrée.

Saint-Émilion grand cru Petit Cheval 2007
Rouge | 2010 à 2017 | NC **15/20**
Harmonieux, fruité et souple, ce vin très majoritairement cabernet franc offre un profil frais et croquant.

DOMAINE DU CHEVAL BLANC

Vignobles Chaussié de Cheval Blanc
33490 Saint-Germain-de-Grave
Tél. 05 56 62 99 07 • Fax : 05 56 23 94 76
earl.chaussie@terre-net.fr
Visite : sur rendez-vous

Bordeaux Domaine du Cheval Blanc 2009
Blanc | 2010 à 2011 | 6 € **15/20**
Joli blanc bien vinifié, qui joue sur le registre de l'élégance et de l'équilibre sur la fraîcheur, avec des arômes fruités, des notes florales et un boisé harmonieusement dosé.

CHÂTEAU LA CLÉMENCE

33500 Pomerol
Tél. 05 57 24 77 44 • Fax : 05 57 40 37 42
contact@vignoblesdauriac.com
www.vignoblesdauriac.com
Visite : Sur rendez-vous (06 13 42 95 35)

Propriétaire du Château Destieux, Christian Dauriac réalise le même travail méticuleux et talentueux à La Clémence, un cru qu'il a fait naître en 1996 en s'appuyant sur des terroirs jouant sur toutes les nuances de la géologie pomerolaise. Avec son chai rond, aussi élégant que très adapté à des vinifications attentives, La-Clémence est vite devenue l'une des grandes valeurs montantes de l'appellation, dans un style onctueux et très finement bouqueté.

Pomerol 2008
Rouge | 2014 à 2020 | NC **17/20**
Grande richesse de texture et de saveur, tanins présents et mûrs, allonge puissante, grand potentiel. Une réussite majeure.

Pomerol 2007
Rouge | 2012 à 2020 | NC **16/20**
Couleur profonde, boisé toasté, volume charnu laissant poindre des notes de fruits noirs en confiture, généreux et puissant, l'ensemble se fondant tranquillement.

CHÂTEAU CLINET

16, chemin de Feytit • 33500 Pomerol
Tél. 05 57 25 50 00 • Fax : 05 57 25 70 00
contact@chateauclinet.com
www.chateauclinet.com

Magnifiquement situé au cœur de l'appellation, Clinet fut pendant toutes les années 1980 l'un des fers de lance de la révolution œnologique qui s'empara des vins de Bordeaux. Acquise dans les années 1990 par Jean-Marie Laborde, la propriété a affiné cette personnalité, avec toutefois une certaine irrégularité dans les millésimes des années 2000.

POMEROL 2007
Rouge | 2012 à 2019 | cav. 41 € **16/20**
Coloré, bouche ample, tanins d'un grain fin et serré, corps charnu, longue et bonne saveur. Le vin prend ses arômes de truffe et commence à s'épanouir.

POMEROL FLEUR DE CLINET 2008
Rouge | 2010 à 2015 | NC **15/20**
Souple, agréable, fruité, très sain et franc, à apprécier dès maintenant !

CLOS DU CLOCHER

35, quai du Priourat - B.P. 79 • 33502 Libourne cedex
Tél. 05 57 51 62 17 • Fax : 05 57 51 28 28
contact@jbaudy.fr • www.vignoblesbourotte.fr
Visite : Sur rendez-vous.

Administré, comme Bonalgue, par Pierre et Jean-Baptiste Bourotte, ce petit cru a isolé ses meilleures parcelles, situées comme le nom l'indique dans le secteur de l'église de Pomerol, pour réaliser un vin qui progresse régulièrement.

POMEROL 2007
Rouge | 2012 à 2017 | 40 € **16,5/20**
Robe profonde, vin harmonieux, onctueux, tanin soyeux, profond et racé. Superbe réussite !

CHÂTEAU CLOS L'ABBA

2, place de l'Église Monoliphe • 33330 Saint-Émilion
Tél. 06 80 30 38 05
clos.abba@free.fr

SAINT-ÉMILION GRAND CRU 2008
Rouge | 2011 à 2016 | 20 € **15/20**
Même style que le précédent millésime avec un fond supplémentaire. Joli vin rond et séduisant.

SAINT-ÉMILION GRAND CRU 2007
Rouge | 2010 à 2015 | 19 € **14,5/20**
Moderne, bon fruit, souple et charnu, un vin qui révèle une franchise guillerette.

CHÂTEAU CLOS SAINT-ÉMILION PHILIPPE

2, lieu-dit Beychet • 33330 Saint-Émilion
Tél. 05 57 51 05 93 • Fax : 05 57 25 96 39
vignobles.philippe@wanadoo.fr
www.clos-saint-emilion.com
Visite : Sur rendez-vous.

Petite propriété suivie par le brillant consultant Olivier Dauga, Clos Saint-Émilion Philippe propose une sélection issue de vignes pré-phylloxériques qui porte chaque année l'âge des plus vieilles vignes de la parcelle, censément plantée en 1900. Le vin possède une robe très dense et témoigne d'un réel fond, avec une charpente solide sans aucune massivité et un fruit persistant. La cuvée classique du domaine est beaucoup plus souple.

SAINT-ÉMILION GRAND CRU 2008
Rouge | 2010 à 2014 | 14,80 € **14,5/20**
Vin souple et très agréable par son fruité et sa fraîcheur soyeuse.

SAINT-ÉMILION VIEILLES VIGNES 2008
Rouge | 2012 à 2020 | 24 € **16,5/20**
Plein et profond, grande allonge séveuse, soyeux tannique, une vraie réussite.

SAINT-ÉMILION VIEILLES VIGNES 2007
Rouge | 2011 à 2017 | 24 € **16/20**
Belle robe grenat profonde, fruit rouge expressif, corps plein, belle sève, souplesse tannique, soyeux, allonge.

CHÂTEAU LA CLOTTE

33330 Saint-Émilion
Tél. 05 57 24 66 85 • Fax : 05 57 24 79 67
chateau-la-clotte@wanadoo.fr
www.chateaulaclotte.com
Visite : Sur rendez-vous.

Situé dans le quartier de Bergat, en plein cœur du coteau calcaire, La Clotte est une petite propriété disposant d'un terroir remarquable. Elle réalise depuis des vins charmeurs, ronds, généreux et s'épanouissant tôt en bouteilles. Très proche du centre du village, la propriété se visite et possède une salle de dégustation troglodyte.

Saint-Émilion grand cru 2007
Rouge | 2012 à 2019 | cav. 21 € **16/20**
Coloré, style fin typique du terroir calcaire, longueur suave mais de belle tenue, bonne allonge.

CHÂTEAU LA CONFESSION

33506 Libourne
Tél. 05 57 48 13 13 • Fax : 05 57 48 00 04
topwinesonly@free.fr
Visite : Sur rendez-vous.

Saint-Émilion grand cru 2007
Rouge | 2012 à 2017 | NC **15,5/20**
Coloré, tanin très fin, onctueux et suave, harmonieux. Fruité souple et charnu, bonne allonge.

CHÂTEAU LA CONSEILLANTE

33500 Pomerol
Tél. 05 57 51 15 32 • Fax : 05 57 51 42 39
contact@la-conseillante.com
www.la-conseillante.com
Visite : Du lundi au vendredi matin, de 9h à 12h et de 14h à 17h, sur rendez-vous.

Cheval Blanc et Figeac au sud, L'Évangile à l'est, Vieux Château Certan au nord, Petit-Village à l'ouest : aucun autre cru ne peut se targuer d'un si exceptionnel voisinage, et surtout aucun autre cru à Pomerol ne peut tirer la quintessence de ces différents terroirs, associant la suavité et le moelleux des pomerols et le raffinement de texture des sols sablo-graveleux de Saint-Émilion. La famille Nicolas veille amoureusement sur ses destinées depuis plusieurs générations, mais la plus récente est certainement l'une des plus motivées. Sans rien perdre de son inimitable volupté, le cru a gagné depuis quelques années en précision de texture et en éclat aromatique, en conservant ses délicieuses notes de violette et de truffe.

Pomerol 2007
Rouge | 2014 à 2024 | cav. 90 € **17,5/20**
Le vin est extrêmement svelte, racé et persistant : c'est un véritable aristocrate qui vieillira avec subtilité et en révélant toute sa dimension.

CHÂTEAU CORBIN

33330 Saint-Émilion
Tél. 05 57 25 20 30 • Fax : 05 57 25 22 00
contact@chateau-corbin.com
www.chateau-corbin.com
Visite : Sur rendez-vous.

Cette belle et très ancienne propriété, qui appartient à la même famille depuis l'entre-deux-guerres, est située sur le plateau de Pomerol, sur un sol de graves fines qui est aussi celui de Cheval Blanc. La qualité est encore trop irrégulière mais 2008 et 2009 indiquent clairement une nouvelle ère.

Saint-Émilion grand cru 2008
Rouge | 2012 à 2018 | NC **15,5/20**
Droit et fin, fruit rouge, plutôt distingué dans un genre strict et svelte.

CHÂTEAU CÔTE DE BALEAU

GFA Les Grandes Murailles • 33300 Saint-Émilion
Tél. 05 57 24 71 09 • Fax : 05 57 24 69 72
lesgrandesmurailles@wanadoo.fr
www.lesgrandesmurailles.fr
Visite : Visites et dégustations sur rendez-vous.

Saint-Émilion grand cru 2008
Rouge | 2012 à 2018 | 13 € **15,5/20**
Cette jolie propriété du plateau, aux portes de Saint-Émilion, a réalisé un beau 2008 : vin ample et séduisant, plus épanoui que le 2007 de la propriété, avec un bon fruit et des tanins présents mais aussi de la souplesse.

CHÂTEAU LA COUSPAUDE

B.P. 40 • 33330 Saint-Émilion
Tél. 05 57 40 15 76 • Fax : 05 57 40 10 14
vignobles.aubert@wanadoo.fr
www.aubert-vignobles.com
Visite : Tous les jours de juillet et août, avec expositions de peintures et sculptures. Sur rendez-vous le reste de l'année. Fermé pendant les vendanges.

Appartenant à Jean-Claude Aubert, La Couspaude est depuis les années 1990 l'un des crus les plus réguliers de Saint-Émilion. Son style est très marqué par la patte de Michel Rolland, qui conseille le domaine : c'est un vin généreux, rond, gourmand, très bien élevé, de plus en plus subtil dans les derniers millésimes.

Saint-Émilion grand cru 2008
Rouge | 2012 à 2018 | cav. 40 € **16,5/20**
Robe profonde, corps intense et volumineux, notes de fruits noirs, allonge musclée, un style indéniablement puissant.

Saint-Émilion grand cru 2007
Rouge | 2012 à 2019 | cav. 40 € **16/20**
Grande réussite fine et déliée, aérienne et florale, parfaitement représentatif de la finesse d'un terroir capable de produire des vins d'une grande délicatesse.

CHÂTEAU LA CROIX DE GAY

8, route de Saint-Jacques-de-Compostelle
33500 Pomerol
Tél. 05 57 51 19 05 • Fax : 05 57 51 81 81
contact@chateau-lacroixdegay.com
www.chateau-lacroixdegay.com
Visite : Du lundi au vendredi de 9h à 12h30 et de 14h a 16h et fermé le mercredi apres midi. Le samedi matin sur rendez-vous.

Ce domaine du nord de l'appellation appartient à la famille Raynaud. Il produit un vin élégant, classique de Pomerol avec son caractère truffé et sa rondeur souple, cependant parfois irrégulier dans les millésimes moyens. Depuis les années 1980, la propriété sélectionne ses meilleures parcelles pour réaliser La-Fleur-de-Gay, un ambitieux vin de prestige.

Pomerol 2007
Rouge | 2012 à 2017 | cav. 26 € **15,5/20**
Robe souple, finesse svelte, assez élancé, bon fruit et fraîcheur en finale.

CHÂTEAU LA CROIX DES MOINES

Les Jays • 33570 Les Artigues-de-Lussac
Tél. 05 57 55 57 90 • Fax : 05 57 55 57 98
bt@trocard.com
Visite : en semaine, de 8h30 à 12h et de 14h30 à 17h30 week-end sur rendez-vous

Lalande de Pomerol L'Ambroisie 2007
Rouge | 2010 à 2018 | 40 € **15/20**
Robe brillante de couleur rubis. Nez fin. Matière ample, dense, beaucoup de finesse dans les tanins.

CHÂTEAU LA CROIX DU CASSE

86-90, cours Balguerie-Stuttenberg
33082 Bordeaux
Tél. 05 56 00 00 70 • Fax : 05 57 87 48 61
domaines@borie-manoux.fr
Visite : En semaine sur rendez-vous.

Pomerol 2008
Rouge | 2010 à 2015 | cav. 20 € **14/20**
Vin souple et facile à boire, offrant une bonne maturité de fruit et un caractère pomerol certain.

CHÂTEAU LA CROIX-FIGEAC

14, rue d'Aviau • 33000 Bordeaux
Tél. 05 56 81 19 69 • Fax : 05 56 81 19 69
Visite : Du mardi au vendredi visites et dégustations seulement sur rendez-vous.

Ce petit cru, situé sur le plateau calcaire, a été acquis à la fin du siècle dernier par l'attachante famille Dutruilh, dont le père s'est illustré dans le vin et le fils dans le ski. Père et fils ont uni leurs talents pour produire des vins souplement construits mais très agréables, à boire grâce à leur fruité savoureux et à leur svelte élégance.

Saint-Emilion Grand Cru 2008
Rouge | 2012 à 2018 | NC **16/20**
Bon volume plein, relevé par la fraîcheur fruitée typique du cru.

Saint-Emilion Grand Cru 2007
Rouge | 2010 à 2017 | NC **16/20**
Construction en finesse, avec de la précision de fruit et de tanin. C'est un vin souple, harmonieux, fruité et immédiatement agréable. Du charme.

CHÂTEAU DALEM

1, Dalem • 33141 Saillans
Tél. 05 57 84 34 18 • Fax : 05 57 74 39 85
chateau-dalem@wanadoo.fr
www.chateau-dalem.com
Visite : De 9h à 12h et de 14h à 18h.

Ce château du XVIIIe siècle et son parc dominent la vallée de l'Isle. L'activité viticole y est très ancienne, elle a acquis une solide réputation dans les années 1980 lorsque Michel Rullier a défini le profil d'un fronsac extrêmement puissant, aux tanins serrés et denses et à la personnalité corsée. Depuis le début du millénaire, ce style énergique mais parfois abrupt s'est assoupli avec bonheur et les vins, sans perdre de leur vigueur, ont beaucoup gagné en raffinement.

Fronsac 2007

Rouge | 2012 à 2018 | 18,30 € **15/20**

Nez de fruits rouges, bouche puissante et extraite, tanins un peu fermes, un rien asséchants mais pas agressifs, finale persistante.

CHÂTEAU DASSAULT

1, Couprie • 33330 Saint-Émilion
Tél. 05 57 55 10 00 • Fax : 05 57 55 10 01
lbv@chateaudassault.com
www.chateaudassault.com
Visite : Sur rendez-vous.

Souplement constitué, mais sans véritable intensité dans les années 1990, le cru a gagné en profondeur, témoignant dans les derniers millésimes d'une personnalité souvent brillante.

Saint-Émilion 2008

Rouge | 2013 à 2020 | NC **16/20**

Boisé marqué, bon volume, tanins présents mais aussi une certaine chair. Une réelle longueur. Vin de garde.

Saint-Émilion 2007

Rouge | 2012 à 2017 | cav. 32 € **16/20**

Belle couleur, le registre aromatique associe joliment boisé de qualité et fruit précis, l'ensemble ne manque pas d'énergie ni de potentiel.

CHÂTEAU DAUGAY

33330 Saint-Émilion
Tél. 05 57 24 78 12 • Fax : 05 57 24 68 56
jb.grenie@chateau-angelus.com
www.chateau-daugay.com

Saint-Émilion grand cru 2008

Rouge | 2012 à 2018 | NC **15,5/20**

Une belle finesse tannique et un volume franchement convaincant : c'est assurément un beau saint-émilion.

CHÂTEAU DE LA DAUPHINE

33126 Fronsac
Tél. 05 57 74 06 61 • Fax : 05 57 51 80 57
contact@chateau-dauphine.com
www.chateau-dauphine.com
Visite : Visites sur rendez-vous.

Chartreuse très élégante et spectaculaire, La Dauphine fut bâtie au XIXe siècle par l'architecte Victor Louis. En 2000, l'industriel de la distribution Jean Halley fit son acquisition, ainsi que celle de Canon de Brem, remarquable vignoble de huit hectares splendidement situé sur le tertre de Canon-Fronsac, et intégré à La Dauphine à partir du millésime 2006. Après de grands travaux entrepris tous azimuts, notamment la réalisation d'un chai ultra moderne et très adapté à l'exigence des propriétaires, les vins ont trouvé leur style. Bénéficiant des conseils de l'œnologue Denis Dubourdieu, la production joue clairement la carte de la finesse, quitte à paraître parfois très souple dans des millésimes moyens. 2006 semble marquer le vrai départ du cru, que son potentiel devrait pouvoir amener à un niveau comparable à celui d'un cru classé de Saint-Émilion.

Fronsac 2007

Rouge | 2011 à 2016 | cav. 13 € **15,5/20**

Vin de facture classique, construit sur des arômes de fruits rouges avec un toast léger, bien travaillé avec des tanins fermes mais moins profonds et dans l'ensemble moins inspiré que le 2006, néanmoins d'un caractère droit et souple qui sera tôt prêt à boire.

Fronsac 2006

Rouge | 2010 à 2016 | cav. 13 € **16,5/20**

Beaucoup de puissance dans un gant de velours, avec une belle palette d'arômes fruités et épicés. Un vin complet, élégant, droit et solide qui confirme l'impression du renouveau spectaculaire de ce domaine.

CHÂTEAU DESTIEUX

1, lieu-dit Destieux • 33330 Saint-Hippolyte
Tél. 05 57 24 77 44 • Fax : 05 57 40 37 42
contact@vignoblesdauriac.com
www.vignoblesdauriac.com
Visite : Du lundi au vendredi, de 8h à 12h et de 14h à 17h ou sur rendez-vous. Le vendredi de 8h à 12h.

Appartenant depuis les années 1970 à la famille Dauriac, Destieux est situé sur un tertre spectaculaire, dans la partie orientale de Saint-Émilion. C'est une propriété qui a atteint un niveau hautement recommandable, avec une régularité impressionnante d'un millésime à l'autre et des élevages de plus en plus soignés.

Saint-Émilion grand cru 2008

Rouge | 2012 à 2018 | NC **16,5/20**

Beaucoup plus consistant que le millésime précédent, assez dense et serré, proposant un beau style profond.

Saint-Émilion grand cru 2007
Rouge | 2012 à 2017 | NC **15/20**
Coloré, gras et assez savoureux, dans un style en souplesse.

CHÂTEAU DU DOMAINE DE L'ÉGLISE

86, cours Balguerie-Stuttenberg
33082 Bordeaux cedex
Tél. 05 56 00 00 70 • Fax : 05 57 24 71 34
domaines@borie-manoux.fr
Visite : Sur rendez-vous.

Comme tous les crus appartenant à la famille Castéja (Trottevieille, Haut-Batailley, Lynch-Moussas), la qualité des vins de la propriété a spectaculairement progressé au tournant du millénaire. Excellemment situé dans le secteur de Clinet et de l'église de Pomerol, le cru a imposé sa personnalité ample et séveuse, sans aucune lourdeur ou mollesse.

Pomerol 2008
Rouge | 2013 à 2020 | NC **17/20**
Beau vin intense et remarquablement charpenté avec un grain de tanin soyeux et serré. L'ensemble possède beaucoup d'allonge et de potentiel.

Pomerol 2007
Rouge | 2012 à 2017 | NC **15/20**
Robe assez pleine, bouquet associant les fruits rouges à des notes toastées, corps souple, profondeur tendre mais harmonieuse.

CHÂTEAU LA DOMINIQUE

33330 Saint-Émilion
Tél. 05 57 51 31 36 • Fax : 05 57 51 63 04
contact@vignobles.fayat.com
www.vignobles.fayat.com
Visite : Du lundi au vendredi, de 8h30 à 12h30 et de 14h à 18h, sur rendez-vous.

Longtemps, cette belle propriété proche de Pomerol et installée sur un magnifique terroir de petites graves et de terre argileuse fut une valeur sûre des crus de Saint-Émilion. Grand industriel des travaux publics, Clément Fayat a remarquablement redressé la barre après un certain passage à vide au début des années 2000. Tous les millésimes depuis 2006 sont brillants.

Saint-Émilion grand cru 2008
Rouge | 2014 à 2022 | cav. 24 € **17/20**
Grand potentiel, grand saint-émilion à la fois musclé et distingué. La Dominique est revenue à son plus haut niveau.

Saint-Émilion grand cru 2007
Rouge | 2012 à 2019 | cav. 24 € **16,5/20**
De la classe et de la profondeur, charnu et racé, fruité précis. S'épanouit parfaitement en bouteille.

CLOS DE L'ÉGLISE

Le Bourg • 24610 Saint-Méard-de-Gurçon
Tél. 05 53 82 48 31 • Fax : 05 53 82 47 64
marine.dubard@orange.fr
www.vignoblesdubard.com
Visite : sur rendez-vous

Lalande de Pomerol 2007
Rouge | 2010 à 2015 | 14,90 € **13,5/20**
Vin fin, élégant avec un bel équilibre.

CLOS L'ÉGLISE

Clos l'Église • 33500 Pomerol
Tél. 05 56 64 05 22 • Fax : 05 56 64 06 98
info@vignoblesgarcin.com
www.vignoblesgarcin.com
Visite : Sur rendez-vous.

Acquise en 1997 par la famille Garcin (Haut-Bergey, à Léognan), cette petite propriété située à côté de l'Église-Clinet a spectaculairement progressé à partir de cette date et s'est imposée comme l'une des nouvelles stars de la rive droite bordelaise. Les vins séduisent immédiatement, mais la qualité du terroir autorise une bonne garde.

Pomerol 2007
Rouge | 2012 à 2020 | cav. 68 € **16,5/20**
Coloré, gras, solide, truffé, le tanin s'est affiné avec un élevage très réussi, l'ensemble a beaucoup gagné en harmonie sans perdre sa générosité originelle.

CHÂTEAU L'ÉGLISE CLINET

33500 Pomerol
Tél. 05 57 25 96 59 • Fax : 05 57 25 21 96
denis@durantou.com
www.eglise-clinet.com
Visite : pas de vente sur le domaine

Denis Durantou est un des rares artistes de Pomerol (entendez par là un vinificateur de grand talent et de grand instinct) avec une idée bien arrêtée du style qu'il considère comme le plus adapté à son petit - mais remarquable - terroir du secteur de Clinet. La finesse de grain et de texture, le savant équilibre entre maturité et fraîcheur ainsi que l'art de l'éle-

vage sont propres au propriétaire, et confèrent à son cru une élégance rare qui le place toujours dans les cinq meilleurs de son appellation.

Pomerol 2007

Rouge | 2013 à 2023 | NC **18/20**

Vin de grande densité, dans une année où cette caractéristique est plutôt absente, l'Église-Clinet n'en révèle pas moins une texture très fine et veloutée.

CHÂTEAU L'ENCLOS

33500 Pomerol
Tél. 05 57 74 43 11 • Fax : 05 57 74 44 67
karine.queron@fonplegade.fr
adamsfrenchvineyards.fr

Appartenant au même propriétaire américain que le saint-émilion Fonplégade, l'Enclos est une propriété située à l'ouest de l'appellation, à la périphérie de Libourne. Elle n'a pas vraiment fait parler d'elle jusqu'à son rachat, mais les derniers millésimes montrent une inflexion réussie.

Pomerol 2008

Rouge | 2013 à 2018 | NC **15,5/20**

Consistant et intense, avec un boisé actuellement dominateur : l'ensemble ne manque pas de promesses, mais il faut que ses composantes se fondent.

Pomerol 2007

Rouge | 2010 à 2015 | cav. 16 € **15/20**

Vin souple, aux tanins plutôt fins et à la longueur correcte. On peut boire le vin dès maintenant.

CHÂTEAU DE L'ESTANG

L'Étang-d'en-Haut • 33350 Saint-Genès-de-Castillon
Tél. 05 57 47 91 81 • Fax : 05 57 47 92 13
chateau-de-lestang@orange.fr
Visite : Sur rendez-vous.

Côtes de Castillon 2007

Rouge | 2010 à 2014 | NC **14,5/20**

Nez séduisant de fruits rouges et un boisé délicat. On apprécie l'équilibre de ce vin honnête aux tanins vifs, avec une longue finale aromatique très fraîche.

Côtes de Castillon 2006

Rouge | 2010 à 2012 | NC **15/20**

Belle réussite et bon potentiel dans ce millésime 2006 : nez pur et complexe, offrant un fruit précis et de jolies notes minérales, bouche généreuse, aux tanins de grande maturité et au boisé toasté vanillé encore assez présent.

CHÂTEAU L'ÉVANGILE

2, chemin Vieux Maillet • 33500 Pomerol
Tél. 05 57 55 45 55 • Fax : 05 57 55 45 56
levangile@lafite.com • www.lafite.com
Visite : En semaine de 9h à 10h30 puis de 14h à 15h30.

Seul maître à bord, depuis le début de ce siècle, d'un cru dont il partageait jusqu'alors la propriété, le baron Éric de Rothschild a doté L'Évangile d'installations techniques à la hauteur du potentiel et de la réputation de ce château, parfaitement situé sur le plateau de Pomerol. Des petites cuves permettent notamment de mieux suivre la vendange et d'affiner les assemblages. Très logiquement, les millésimes de ce début de millénaire reflètent cette progression, 2007 et surtout 2008 concrétisant pleinement ces progrès.

Pomerol 2007

Rouge | 2013 à 2023 | NC **18/20**

Digérant sans mal son ambitieux élevage, le vin exprime une palette aromatique brillante et complexe, un corps soyeux, délicat et très enveloppant, une longueur raffinée. D'une dimension élégante mais pas surpuissante, c'est un Évangile qui atteint une certaine perfection formelle.

EXCELLENCE DE TUTIAC

La Carfouche • 33860 Marcillac
Tél. 05 57 32 48 33 • Fax : 05 57 32 55 20
contact@tutiac.com
www.tutiac.com et www.lesamisdetutiac.com
Visite : Groupes sur rendez-vous. De 8h30 à 12h et de 14h à 18h30. Samedi de 9h à 12h et de 14h à 18h.

Premières Côtes de Blaye 2009

Blanc | 2010 à 2012 | 5,25 € **15/20**

La Cave des Hauts de Gironde, au cœur de l'appellation Blaye, produit une large palette de vins bien représentatifs de l'appellation. La cuvée Excellence est une sélection de vieilles vignes, elle est élevée en fûts de chêne pendant 12 à 15 mois. Dans le millésime 2009, cela donne un vin aromatique, puissant et généreux, le fruit est très présent, pas un exemple de finesse, mais agréable et très bien fait.

CHÂTEAU FALFAS

33710 Bayon
Tél. 05 57 64 80 41 • Fax : 05 57 64 93 24
info@chateaufalfas.fr • www.chateaufalfas.fr
Visite : De 9h à 12h et de 14h à 18h, sur rendez-vous du lundi au vendredi.

Côtes de Bourg Le Chevalier 2006
Rouge | 2012 à 2016 | 18 € **13,5/20**
Dans un millésime difficile pour les vins issus de la biodynamie, le couple Cochran a tiré son épingle du jeu avec un vin sincère dans un style original, marqué par des notes fraîches d'eucalyptus, qui pourra surprendre mais dont l'équilibre viendra dans trois ou quatre ans, lorsque le bois sera absorbé.

CHÂTEAU FAUGÈRES

33330 Saint-Étienne-de-Lisse
Tél. 05 57 40 34 99 • Fax : 05 57 40 36 14
info@chateau-faugeres.com
www.chateau-faugeres.com
Visite : De 9h à 12h et de 14h à 17h, sur rendez-vous.

Situé à l'est de la côte de Saint-Émilion, ce cru est proche des Côtes de Castillon, appellation pour laquelle la propriété produit d'ailleurs une excellente cuvée, Cap-de-Faugères. Bien lancé par Corinne Guisez dans les années 1990, le cru a été repris au début du nouveau millénaire par un homme d'affaires suisse, Sylvio Denz. Il a encore haussé son niveau d'exigence et accentué ses sélections, tant au niveau de la cuvée du château que sur la sélection parcellaire Péby-Faugères. Très puissants, intenses, ce sont assurément deux vins à suivre de près.

Saint-Émilion grand cru 2008
Rouge | 2011 à 2018 | cav. 20 € **16/20**
Boisé présent, fruits noirs, charnu, dense, moderne mais non dénué de fraîcheur. Il faut laisser à ce vin quelques années de cave pour qu'il s'épanouisse pleinement.

Saint-Émilion grand cru Péby Faugères 2008
Rouge | 2014 à 2020 | NC **16,5/20**
Très fruits noirs en confiture, gras, riche, opulent et puissant. Il faut impérativement attendre cette ambitieuse cuvée.

CHÂTEAU FAURIE DE SOUCHARD

33330 Saint-Émilion
Tél. 05 57 74 43 80 • Fax : 05 57 74 43 96
www.fauriedesouchard.com

Saint-Émilion grand cru 2008
Rouge | 2012 à 2018 | NC **16/20**
Beaucoup plus élégant que dans les millésimes précédents, profond et assez fin, le vin offre une allonge harmonieuse même si on retrouve encore une certaine fluidité en finale. Un renouveau pour ce cru longtemps discret.

CHÂTEAU FEYTIT-CLINET

33500 Pomerol
Tél. 05 57 25 51 27 • Fax : 05 57 25 93 97
jeremy.chasseuil@orange.fr
Visite : Sur rendez-vous.

Cette propriété très bien située, à côté de Trotanoy, est depuis dix ans dirigée par le jeune et doué Jérémy Chasseuil. Il travaille avec beaucoup de finesse ce magnifique terroir, pour réaliser de beaux pomerols sveltes, allongés, profonds et très distingués, sans aucune des lourdeurs de corps ou d'arômes que l'on retrouve trop souvent dans l'appellation.

Pomerol 2007
Rouge | 2012 à 2020 | NC **18,5/20**
Splendide pomerol fin et racé, d'une précision d'arômes et de constitution brillantissime. C'est l'un des meilleurs pomerols du millésime.

CHÂTEAU FIGEAC

33330 Saint-Émilion
Tél. 05 57 24 72 26 • Fax : 05 57 74 45 74
chateau-figeac@chateau-figeac.com
www.chateau-figeac.com
Visite : Lundi au vendredi, de 9h à 12h et de 14h à 17h, sur rendez-vous. Fermé les jours fériés.

Avec ses deux tiers de cabernet, on a coutume de dire que Figeac, installé sur le plateau graveleux qui borde Pomerol, est le plus médocain des saint-émilions. Ce n'est pas faux, car le vin est droit, direct, svelte et frais ; cette allure qui tranche avec la ronde puissance de tant d'autres vins de la rive droite n'est pas à la mode. Sans jamais renier ses convictions, le cru a ajouté depuis 1995 à cette palette une réelle vigueur de constitution, et surtout une fraîcheur et un équilibre dont on ne peut manquer de se dire qu'ils sont les qualités premières d'un grand bordeaux.

Saint-Émilion grand cru 2007

Rouge | 2012 à 2022 | cav. 59 € **16/20**

Robe d'intensité moyenne. Nez fin, petits fruits rouges et notes de poivron mûr, bouche élégante mais sans surpuissance, tanins délicats, tendre finale fraîche.

CHÂTEAU FLEUR CARDINALE

7, Le Thibaud • 33330 Saint-Étienne-de-Lisse
Tél. 05 57 40 14 05 • Fax : 05 57 40 28 62
fleurcardinale@wanadoo.fr
www.chateau-fleurcardinale.com
Visite : Sur rendez-vous.

Ce beau cru de côte, du secteur proche de Castillon, a atteint un niveau tout à fait remarquable. Il a notamment beaucoup gagné en finesse de tanin et est devenu un vin de grand raffinement, sans pour autant perdre la généreuse constitution qu'apportent ses sols riches et plus tardifs.

Saint-Émilion grand cru 2008

Rouge | 2013 à 2020 | cav. 22 € **16,5/20**

Moderne et complet, exprimant des arômes de quetsche et de fruits rouge, un corps charnu, onctueux, de belle longueur.

Saint-Émilion grand cru 2007

Rouge | 2012 à 2017 | cav. 24 € **15,5/20**

Joli saint-émilion moderne, gras et délié, robe profonde, fruit noir, finale souple.

CHÂTEAU LA FLEUR D'ARTHUS

La Grave • 33330 Vignonet
Tél. 06 08 49 18 11 • Fax : 05 57 84 61 76
fleurdarthus@orange.fr • www.fleurdarthus.fr
Visite : De 9h à 12h et de 13h à 18h.

Qui aurait pu imaginer que Vignonet, au fin fond de l'appellation Saint-Émilion, en lisière de Dordogne, puisse un jour produire de très grands vins ? Jean-Denis Salvert, amoureux fou des grands crus et dégustateur hors pair, y est parvenu en sélectionnant d'excellentes parcelles parfaitement exposées et drainées, et en pratiquant une viticulture d'élite qui n'a rien à envier aux crus cultes du coteau.

Saint-Émilion grand cru 2008

Rouge | 2012 à 2018 | 20 € **16,5/20**

De la vigueur et de la densité mais toujours avec ce moelleux confortable et ambitieux, excellent volume.

Saint-Émilion grand cru 2007

Rouge | 2012 à 2017 | 20 € **15,5/20**

Volume sérieux, profond et moelleux, caractère truffé associé au fruit, beau volume fin.

CHÂTEAU LA FLEUR DE BOÜARD

33500 Pomerol
Tél. 05 57 25 25 13 • Fax : 05 57 51 65 14
contact@lafleurdebouard.com
www.lafleurdebouard.com
Visite : Sur rendez-vous.

Hubert de Boüard a acquis cette propriété de Lalande de Pomerol en 1998. Elle s'appuie sur deux secteurs, l'un de grosses graves et l'autre de sable et d'argile ; ces terroirs ont permis depuis le premier millésime réalisé de produire un vin ample, très profond, d'une remarquable finesse de tanin et d'une dimension sans équivalent à Lalande. De fait, la-fleur-de-boüard s'est révélée dans tous les derniers millésimes au niveau des très bons pomerols. Chaque année, à partir du terroir graveleux, Hubert de Boüard réalise une cuvée qu'il qualifie lui-même «d'ovni» (objet vinifiant non identifié), le-plus, une cuvée très ambitieuse, élevée trente-trois mois en fûts neufs.

Lalande de Pomerol 2007

Rouge | 2010 à 2017 | NC **16/20**

Beau volume de bouche, tanins ronds et raffinés, bien dessinés, précis.

CHÂTEAU LA FLEUR-PETRUS

33500 Pomerol
Tél. 05 57 51 78 96 • Fax : 05 57 51 79 79
info@jpmoueix.com
www.moueix.com

Très bien situé sur le plateau de Pomerol, avec des terroirs argileux, le cru appartient comme Petrus (mais pas comme Lafleur !) aux Établissements Moueix. Il est moins expansif par sa naissance que la plupart des pomerols signés Moueix, et il faudra lui donner le temps de révéler son caractère noblement truffé et son allonge élégante mais tendue.

Pomerol 2007

Rouge | 2012 à 2020 | cav. 102 € **17/20**

Très élégant et distingué, beau fruit pur, tanin de soie, grande persistance. Réussite majeure du millésime.

CHÂTEAU FOMBRAUGE

33330 Saint-Christophe-des-Bardes
Tél. 05 57 24 77 12 • Fax : 05 57 24 66 95
chateau@fombrauge.com • www.fombrauge.com
Visite : Sur rendez-vous.

Depuis son acquisition par Bernard Magrez, cette grande propriété située au nord-est de Saint-Émilion a énormément progressé, et son vin démontre désormais une race et un équilibre qu'on ne lui soupçonnait pas à l'origine. Plein, gourmand, superbement élevé, il impressionne par son harmonie et sa plénitude de constitution. Magrez-Fombrauge est une sélection qui bénéficie d'un soin encore plus extrême dans toutes les phases de la culture et de la vinification. Plus puissant et riche, avec également une finesse de tanin superbe, il a connu à partir du millésime 2008 une inflexion heureuse pour gagner en équilibre et en élégance.

Saint-Émilion grand cru 2008

Rouge | 2012 à 2020 | cav. 20 € **16,5/20**

Belle dimension ample et gourmande mais en même temps équilibre charnu, très accessible, fruit et boisé subtilement associés, long et précis. Remarquable vin.

CHÂTEAU DE FONBEL

33330 Saint-Émilion
Tél. 05 57 24 24 57 • Fax : 05 57 74 47 39
chateau.ausone@wanadoo.fr
www.chateau-ausone.fr

Cette propriété familiale est depuis quelques années suivie et vinifiée par Alain Vauthier, le grand homme d'Ausone. Évidemment d'ambition plus modeste, Fonbel n'en séduit pas moins dès sa prime jeunesse, avec des vins toujours fruités, élancés et frais.

Saint-Émilion grand cru 2008

Rouge | 2012 à 2018 | NC **15/20**

Très plein mais d'une structure serrée et droite qui demandera un peu plus de temps que le millésime précédent pour s'épanouir.

Saint-Émilion grand cru 2007

Rouge | 2010 à 2017 | cav. 12 € **15/20**

Harmonieux et fin, belle longueur fruitée, vin charnu et charmeur.

CHÂTEAU FONPLÉGADE

33330 Saint-Émilion
Tél. 05 57 74 43 11 • Fax : 05 57 74 44 67
chateaufonplegade@fonplegade.fr
www.fonplegade.com
Visite : Ouvert tous les jours sans interruption de 10h à 17h,toute l'année.

Repris par un banquier d'origine américaine, Fonplégade est un cru superbement situé sur la côte de Saint-Émilion. Depuis 2004, il n'a cessé de progresser et le cru est en train d'accéder à un niveau qualitatif correspondant véritablement au grand potentiel de son terroir.

Saint-Émilion grand cru 2008

Rouge | 2014 à 2022 | 40 € **17/20**

Grandes promesses : belle texture profonde, fruit noir, allonge et tanin velouté, vin à la fois puissant et soyeux.

Saint-Émilion grand cru 2007

Rouge | 2014 à 2020 | 40 € **17/20**

Très beau vin qui confirme en bouteille son potentiel : du corps et de la consistance, fruit et boisé toasté, onctueux et racé.

CHÂTEAU FONROQUE

33330 Saint-Émilion
Tél. 05 57 24 60 02 • Fax : 05 57 24 74 59
info@chateaufonroque.com
www.chateaufonroque.com
Visite : De 9h à 12h et de 14h à 17h.

Ce cru classé de Saint-Émilion cultivé en agriculture bio produit des vins sans esbroufe, avec une trame fine et svelte et des équilibres toujours fondés sur la fraîcheur. La qualité progresse régulièrement.

Saint-Émilion grand cru 2008

Rouge | 2012 à 2018 | NC **15,5/20**

Vin plus consistant que le millésime précédent mais un style aromatique similaire avec ses notes de fruits rouges et une belle fraîcheur. Bon volume long et svelte.

Saint-Émilion grand cru 2007

Rouge | 2011 à 2017 | 24 € **15/20**

Parfum entêtant de fruits rouges et de fleurs, bouche tendre mais bien construite, bon volume souple, allonge sans rudesse. Joli vin plein de charme.

CHÂTEAU FONTBAUDE

34, rue de l'Église • 33350 Saint-Magne-de-Castillon
Tél. 05 57 40 06 58 • Fax : 05 57 40 26 54
chateau.fontbaude@wanadoo.fr
Visite : De 10h à 12h et de 14h à 18h du lundi au vendredi. Le samedi sur rendez-vous.

Côtes de Castillon cuvée Vieilles Vignes 2007
Rouge | 2011 à 2014 | 8,80 € **14/20**
Joli castillon de caractère avec un nez sur les épices, belle bouche franche et fruitée avec des nuances minérales en finale et beaucoup de vivacité.

CHÂTEAU FONTENIL

Cardeneau Nord • 33141 Saillans
Tél. 05 57 51 52 43 • Fax : 05 57 51 52 93
contact@rollandcollection.com
www.rollandcollection.com
Visite : Sur rendez-vous au Château Bon Pasteur.

C'est en 1986 que Dany et Michel Rolland ont acheté cette propriété où ils vivent habituellement. Sur des coteaux de terre argileuse, le merlot s'épanouit et les Rolland ont pu affiner ici, avec leur professionnalisme et leur rigueur habituels, le style généreux et gourmand qui a fait le succès de la «patte» Rolland dans le monde entier. Leurs vins, structurés, concentrés et charnus expriment une jolie palette de fruits rouges et d'arômes toastés. Ils sont prêts à boire après deux à trois ans de garde. Ils ont gagné en finesse dans les derniers millésimes.

Fronsac 2007
Rouge | 2011 à 2017 | 22 € **15,5/20**
Grande concentration, sève, précision de fruit, bien construit et bien élevé, grands tanins.

CHÂTEAU FOUGAS

B.P. 51 • 33710 Lansac
Tél. 05 57 68 42 15 • Fax : 05 57 68 28 59
jybechet@fougas.com • www.fougas.com
Visite : Du lundi au vendredi, de 8h à 12h et de 14h à 18h.

C'est l'une des plus anciennes propriétés des Côtes de Bourg, acquise en 1976 par Jean-Yves Bechet, fils d'une famille de négociants bordelais. Autour du château se répartissent dix-sept hectares d'un seul tenant qui, depuis 2007, sont entrés en conversion à l'agriculture biologique. Deux ruisseaux servent au drainage naturel à chaque extrémité de la propriété. Depuis 1983, Jean-Yves Bechet, qui n'est jamais à cours d'idées, a renoué avec la coutume ancestrale pratiquée par les négociants bordelais, et propose à ses clients de leur louer les pieds de vignes et d'acheter la récolte sur cep.

Côtes de Bourg Château Fougas Maldoror 2007
Rouge | 2011 à 2017 | 14,80 € **16/20**
Robe billante, nez fin sur des notes toastées, beaucoup de race en bouche avec des tanins fermes, tendus, mais bien enrobés. Bonne acidité qui promet un bon vieillissement. Plus élégant et moins démonstratif qu'à son habitude. Une belle réussite.

CHÂTEAU FOUGEAILLES

Tél. 05 57 51 35 09 • Fax : 05 57 25 95 20
contact@estager-vin.com

Lalande de Pomerol 2007
Rouge | 2010 à 2017 | 12 € **15/20**
Robe sombre pour ce vin au nez expressif, à la bouche épicée, d'un belle densité.

CLOS FOURTET

1, Châtelet Sud • 33330 Saint-Émilion
Tél. 05 57 24 70 90 • Fax : 05 57 74 46 52
closfourtet@closfourtet.com
www.closfourtet.com
Visite : Sur rendez-vous en semaine.

Cette petite mais attachante propriété est facile à remarquer quand on visite Saint-Émilion : elle est située face à l'église et occupe le spectaculaire plateau calcaire qui s'étend au-delà de la côte. Elle fut longtemps la propriété de la famille Lurton, avant d'être reprise par Philippe Cuvelier qui n'a cessé, à partir des années 2000, de remettre le cru au plus haut niveau.

Saint-Émilion grand cru 2007
Rouge | 2012 à 2020 | 50 € **15/20**
Robe profonde, nez de kirsch et de confiture de fruits rouges, bouche svelte, toujours un peu rigide.

CHÂTEAU FRANC-MAYNE

33330 Saint-Émilion
Tél. 05 57 24 62 61 • Fax : 05 57 24 68 25
welcome@relaisfrancmayne.com
www.relaisfrancmayne.com
Visite : Tous les jours, de 9h à 18h sur rendez-vous.

Aux abords de Saint-Émilion et à proximité de Pomerol, Franc-Mayne est à la fois une propriété

viticole bien située sur le plateau, à quelques encablures de Beauséjour-Bécot, et un hôtel de grand charme. En matière viticole, la propriété produit des vins sérieusement constitués qu'il faut apprécier tôt pour profiter de leur fruit expressif.

Saint-Émilion grand cru 2008
Rouge | 2010 à 2023 | NC **17/20**
Gras, complet et suave, voilà certainement le meilleur vin de la propriété. Grain de tanin magnifique.

CHÂTEAU LA GAFFELIÈRE

B.P. 65 • 33330 Saint-Émilion
Tél. 05 57 24 72 15 • Fax : 05 57 24 69 06
contact@chateau-la-gaffeliere.com
www.chateau-la-gaffeliere.com
Visite : Sur rendez-vous de fin mai à fin septembre,sur rendez-vous incluant week-ends et jours fériés. Visite et dégustation: 5euros par personne.

Cette très jolie propriété, située à l'entrée sud du village de Saint-Émilion, appartient à la famille Malet Roquefort. Elle dispose d'un terroir en coteaux, magnifiquement exposé. Ici, on cherche plutôt à produire des vins assurément généreux, gourmands, racés et toujours d'un équilibre très classique, privilégiant la fraîcheur et l'harmonie.

Saint-Émilion grand cru 2008
Rouge | 2013 à 2022 | cav. 49 € **16/20**
Fruité souple, tanin fin, de l'allonge et une certaine onctuosité, vin séduisant.

Saint-Émilion grand cru 2007
Rouge | 2012 à 2020 | cav. 45 € **16/20**
Robe assez pleine et vive, élégant, fruité et truffé, gras, bien construit dans un style très accessible.

CHÂTEAU LE GAY

Château Montviel - Rue du Grand Moulinet
33500 Pomerol
Tél. 05 57 25 34 34 ou 01 46 43 03 46
Fax : 05 57 25 56 45
legay@montviel.com • www.montviel.com
Visite : Sur rendez-vous.

Cette propriété, qui possède l'un des plus beaux terroirs du nord du plateau de Pomerol, a longtemps appartenu à la même famille que Lafleur, mais sans bénéficier des mêmes soins ni de la même expertise. Peu de vins ont pu témoigner du potentiel du cru, avant son acquisition par Catherine Péré-Vergé en 2003. En bâtissant un cuvier très beau et bien adapté, en portant une attention précise au vignoble et en faisant appel aux avisés conseils de Michel Rolland, celle-ci a mis les bouchées doubles, produisant des vins sculpturaux, splendidement racés et impeccablement définis. Attention, les millésimes antérieurs au rachat (2003) présentent moins d'intérêt.

Pomerol 2008
Rouge | 2015 à 2025 | 76 € **18,5/20**
S'ajoute à la profondeur de structure du 2007 une splendide étoffe, veloutée et soyeuse, d'une classe folle !

Pomerol 2007
Rouge | 2015 à 2025 | 68 € **17,5/20**
Grand vin masculin, profond et serré, très structuré, au fruit intense et aux tanins nets.

CHÂTEAU GAZIN

Chemin de Chantecaille • 33500 Pomerol
Tél. 05 57 51 07 05 • Fax : 05 57 51 69 96
contact@gazin.com • www.gazin.com
Visite : Sur rendez-vous.

Grande et belle propriété, située dans l'un des meilleurs secteurs de Pomerol, Gazin fait figure de géant si on le compare aux surfaces de la plupart des crus fameux de l'appellation. De fait, grâce à un travail de sélection sévère et à une viticulture exigeante, Gazin a beaucoup progressé depuis vingt ans, et apparaît aujourd'hui comme l'une des valeurs sûres de Pomerol. Ce n'est pas un pomerol de style opulent : les vins sont souples et frais avec beaucoup d'élégance aromatique, et toujours dénués de lourdeur.

Pomerol 2008
Rouge | 2012 à 2020 | NC **17,5/20**
Tout en finesse, racé et long, un véritable aristocrate. Superbe fraîcheur.

CHÂTEAU GIGAULT

33390 Mazion
Tél. 05 57 32 62 59 • Fax : 05 56 54 39 38
chateau.gigault@gmail.com
www.chateau-gigault.fr

Propriété de Christophe Reboul-Salze, l'un des plus brillants négociants bordelais, Gigault est progressivement devenu l'un des vins les plus racés et les mieux définis des côtes-de-blaye. Le style, alliant fraîcheur de fruit et sveltesse du corps, ne manque pas de cachet. C'est en outre un vin solide et très

bien constitué, à son meilleur dans ses cinq premières années de bouteille.

PREMIÈRES CÔTES DE BLAYE VIVA 2007
Rouge | 2011 à 2015 | 5,50 € **15/20**
Beau fruité de cerise, croquant, bien structuré, des tanins caressants avec de l'énergie en finale. Un vin de belle facture et de plaisir.

CHÂTEAU GOMBAUDE-GUILLOT

4, chemin les Grand'Vignes • 33500 Pomerol
Tél. 05 57 51 17 40 • Fax : 05 57 51 16 89
gombaudeguillot@free.fr
www.pomerol-terroir-bio.fr
Visite : Sur rendez-vous.

POMEROL 2008
Rouge | 2011 à 2016 | 31 € **14/20**
Souple et droit, plus svelte qu'étoffé, mais de bonne finesse fruitée.

POMEROL 2007
Rouge | 2011 à 2017 | 29 € **15,5/20**
Jolie réussite : vin droit et frais, avec des tanins solides mais sans raideur et une belle palette aromatique fruitée. On pourra l'apprécier assez tôt.

CHÂTEAU LA GOMERIE

Château Beauséjour-Bécot • 33330 Saint-Émilion
Tél. 05 57 74 46 87 • Fax : 05 57 24 66 88
contact@beausejour-becot.com
www.beausejour-becot.com
Visite : Sur rendez-vous de 8h a 12h et de 14h a 17h.

Ce petit cru de 2,5 hectares a été acquis au milieu des années 1990 par la famille Bécot, qui y réalise un vin ambitieux, issu uniquement de merlot. Les vignes sont situées sur deux parcelles, l'une en pied de côte, sur un sol de sables anciens, l'autre contiguë à Beauséjour-Bécot, sur le plateau calcaire. La philosophie de vinification, à la fois hédoniste et élégante, est celle que les frères Bécot appliquent avec succès à Beauséjour, mais les vins ici possèdent un caractère très rond et très gourmand, bien spécifique.

SAINT-ÉMILION GRAND CRU 2007
Rouge | 2012 à 2017 | NC **16/20**
Robe opaque, puissant, tanin assez ferme mais corps ample et profond, belle définition.

CHÂTEAU GRAND CORBIN-DESPAGNE

33330 Saint-Émilion
Tél. 05 57 51 08 38 • Fax : 05 57 51 29 18
f-despagne@grand-corbin-despagne.com
www.grand-corbin-despagne.com
Visite : De 8h à 12h et de 14h à 18h. Autres possibilités sur rendez-vous.

Le cru constitue une valeur sûre des saint-émilions du plateau de Pomerol. Il réalise des vins très pleins, harmonieux, équilibrés, souvent relativement austères dans leur jeunesse, mais s'épanouissant après quatre à cinq années de cave.

SAINT-ÉMILION GRAND CRU 2008
Rouge | 2010 à 3023| cav. 22 € **15/20**
Vin vigoureux et solide offrant une bonne fermeté de constitution et un fruit expressif. Il faut lui donner quelques années de cave pour s'épanouir pleinement.

SAINT-ÉMILION GRAND CRU 2007
Rouge | 2013 à 2018 | cav. 11 € **15/20**
Le vin est entré dans une petite phase de fermeture, mais il a conservé son joli corps précis et svelte et son allonge fine.

CHÂTEAU GRAND MAISON

Valades • 33710 Teuillac
Tél. 05 57 64 24 04 • Fax : 05 57 64 24 04
cht.grandmaison-bourg@wanadoo.fr
www.grandmaison-bourg.com

Deux grandes figures des Côtes de Bourg ont ici associé leurs talents : Hervé Romat, œnologue-consultant, et Jean Mallet, issu d'une lignée de viticulteurs. Après l'acquisition de la propriété en 2004, située sur l'un des meilleurs terroirs des Côtes de Bourg, ils ont développé la réputation du cru. Le grand vin assemble les raisins de sols argilo-calcaires vendangés à la main, il est d'un grand classicisme, très minéral, d'une belle matière polie et soyeuse comme peu dans la région. Dans les derniers millésimes, les vins sont parmi les plus harmonieux du Bourgeais, fidèles à un style classique et indémodable. Les amateurs de ce style seront comblés pour un prix raisonnable.

CÔTES DE BOURG CUVÉE SPÉCIALE 2007
Rouge | 2010 à 2014 | 8 € **14,5/20**
Rubis brillant, bouche agréable, fraîche, bonne vivacité, tanins intégrés et persistants, savoureux, finale brillante qui ne mise pas trop sur la puissance.

Côtes de Bourg Grand Vin 2007
Rouge | 2011 à 2016 | 13 € **16/20**
Belle robe, nez ouvert et diversifié, très naturel, pur, évoquant les baies noires, maturité de raisin remarquable pour l'année, texture fine, tanin remarquablement extrait, fidèle au classicisme indémodable du Bordelais mais avec toute la précision des vinifications modernes. Une des valeurs sûres du millésime.

Côtes de Bourg Grand Vin 2006
Rouge | 2012 à 2017 | 13,55 € **14,5/20**
Coloré, notes de pruneau au nez, corps plein, texture veloutée, un peu moins de précision de fruit qu'en 2007, de l'amer à fondre, mais type de tanin et d'extraction classiques, équilibré, sans sécheresse.

CHÂTEAU GRAND-MAYNE

B.P. 64 • 33330 Saint-Émilion
Tél. 05 57 74 42 50 • Fax : 05 57 74 41 89
grand-mayne@grand-mayne.com
www.grand-mayne.com
Visite : Du lundi au vendredi sur rendez-vous.

Dirigé par Marie-Françoise Nony et ses fils, le cru a retrouvé depuis le début des années 2000 ce qui avait fait son succès au début de la décennie précédente, c'est-à-dire un caractère intense et profond, marqué par une structure tannique toujours solidement présente mais sans rudesse, et par un fruit gourmand et charnu. Depuis 2005, le cru a franchi un cap.

Saint-Émilion grand cru 2008
Rouge | 2013 à 2018 | cav. 29 € **16,5/20**
Robe profonde, fruit noir, longueur et intensité, charpente sans dureté ni raideur, finale tendre et pleine.

Saint-Émilion grand cru 2007
Rouge | 2012 à 2017 | cav. 28 € **16/20**
Vin moderne, exaltant un fruit riche, bien construit, équilibré et long.

CHÂTEAU GRAND ORMEAU

33500 Lalande-de-Pomerol
Tél. 05 57 25 30 20 • Fax : 05 57 25 22 80
grand.ormeau@wanadoo.fr

Lalande de Pomerol 2007
Rouge | 2010 à 2017 | 20,33 € **15/20**
D'une couleur profonde, ce vin offre un nez expressif. De la vinosité en bouche, matière riche et dense, avec de l'équilibre. Belle trame tannique imposante en finale.

CHÂTEAU GRAND-PONTET

33330 Saint-Émilion
Tél. 05 57 74 46 88 • Fax : 05 57 74 45 31
chateau.grand-pontet@wanadoo.fr
www.chateaugrandpontet.com
Visite : Sur rendez-vous.

La propriété, administrée par les frères Bécot, est proche de Beauséjour-Bécot, sur le plateau de Saint-Émilion, avec des terroirs très argileux. Sa régularité et sa précocité en font un cru qui n'est jamais décevant dans les millésimes moyens.

Saint-Émilion grand cru 2008
Rouge | 2013 à 2020 | NC **16,5/20**
Robe très profonde, opaque, riche et intense, grande générosité et nez très mûr mais frais de fruits noirs, allonge et potentiel.

Saint-Émilion grand cru 2007
Rouge | 2012 à 2017 | 23 € **16/20**
Beau vin svelte, profond et onctueux. Précis et doté d'une chair très fine.

CHÂTEAU GRAND RENOUIL

Les Chais du Port - B.P. 3 • 33126 Fronsac
Tél. 05 57 51 29 57 • Fax : 05 57 74 08 47
ponty.dezeix@wanadoo.fr
Visite : lundi au samedi 9h 12h et 14h à 18h
le vendredi 17h et le samedi de 9h à 12h
ou sur rendez-vous

Ce vignoble de Canon-Fronsac est magnifiquement exposé, et la propriété produit l'un des meilleurs vins du Fronsadais. Le microclimat permet de profiter de l'ensoleillement des arrière-saisons et Michel Ponty, propriétaire discret, sait garder cette fraîcheur qui manque souvent aux vins démonstratifs du secteur qui, au bout de cinq ans, sont incapables de soutenir la comparaison avec Grand Renouil. Les 1988, 1989 et 1990 sont encore debout, conservant du fruit, de la charpente et des accents de truffe

noire qui régalent les amateurs. En primeurs, ce vin est toujours en retrait, il ne s'affirme qu'au bout de trois ans de bouteille. Les plus pressés se régaleront du Petit-Renouil, second vin rond et coulant.

Bordeaux Blanc de Grand Renouil 2006
Blanc | 2010 à 2012 | 8 € **14/20**
Robe jaune d'or. Nez très singulier de carambole et d'épices exotiques, bouche ample, riche, vigoureuse, avec de la tenue. Expression très personnelle.

Canon-Fronsac Grand Renouil 2007
Rouge | 2011 à 2017 | 15,50 € **15,5/20**
Boisé fin, fruit pur et franc, tanins soyeux bien élevés, tendus en finale, grande longueur. Très bonne approche du millésime.

CHÂTEAU LES GRANDES MURAILLES

33330 Saint-Émilion
Tél. 05 57 24 71 09 • Fax : 05 57 24 69 72
lesgrandesmurailles@wanadoo.fr
www.lesgrandesmurailles.fr
Visite : Visites et dégustations sur rendez-vous.

Le cru impressionne dans les bonnes années par sa tenue en bouche et sa structure puissante mais sans rudesse. Tout comme le Château Côte de Baleau et le Clos Saint-Martin, la propriété appartient à la famille Reifers, qui a placé ses vins au plus haut rang de l'appellation.

Saint-Émilion grand cru 2008
Rouge | 2014 à 2020 | 34 € **17/20**
Ne joue pas sur la surpuissance mais sur la densité ; compact et fin, beau fruit précis et tanin fin. Une belle réussite, d'un caractère moins massif que les millésimes précédents de la propriété.

Saint-Émilion grand cru 2007
Rouge | 2013 à 2019 | 35 € **16/20**
Une richesse certaine pour un vin très ample, puissant et profond, qui commence à exprimer aujourd'hui toute l'élégance de sa sève.

CHÂTEAU DE LA GRAVE

33710 Bourg-sur-Gironde
Tél. 05 57 68 41 49 • Fax : 05 57 68 49 26
chateaudelagrave@chateaudelagrave.com
www.chateaudelagrave.com
Visite : Sur rendez-vous.

Côtes de Bourg Caractère 2007
Rouge | 2012 à 2015 | 9,50 € **14/20**
Le boisé est marqué, riche et généreux en bouche avec une grande concentration mais une finale un peu amère et rustique. On sent une volonté de bien faire mais la part excessive de bois neuf tend à assécher les tanins. Peu plaisant à ce stade, doit vieillir.

Côtes de Bourg Nectar 2007
Blanc | 2012 à 2017 | 12,50 € **14,5/20**
Bonne présentation avec un boisé mieux dosé mais toujours un peu trop dominant, bouche ample juteuse, souple et charmeuse.

CHÂTEAU LA GRAVE-À-POMEROL

33500 Pomerol
Tél. 05 57 51 78 96 • Fax : 05 57 51 79 79
info@jpmoueix.com • www.moueix.com

Cette propriété, de la partie la plus orientale de Pomerol, fait face à Lalande-de-Pomerol. Comme son nom l'indique, elle bénéficie des sols de graves et de sable du secteur pour produire un vin de plus en plus profond, ne jouant jamais sur l'opulence des secteurs plus argileux de l'appellation. Le cru (qui se nommait autrefois La Grave-Trigant de Boisset) appartient depuis longtemps aux Établissements Jean-Pierre Moueix, mais a nettement progressé au cours des dix dernières années.

Pomerol 2007
Rouge | 2011 à 2018 | NC **16/20**
Robe profonde, jolie sève, tanin fin, un beau vin qui possède une certaine nervosité et beaucoup de dynamisme.

DOMAINE DES GRAVES D'ARDONNEAU

Ardonneau • 33620 Saint-Mariens
Tél. 05 57 68 66 98 • Fax : 05 57 68 19 30
gravesdardonneau@wanadoo.fr
www.gravesdardonneau.com
Visite : Du lundi au samedi de 8 h30 à 12h et 14 h30 à 19h. Le dimanche sur rendez-vous.

Premières Côtes de Blaye cuvée Prestige 2007

Rouge | 2010 à 2014 | env 7 € **14/20**

C'est la passion de la vigne qui lie, génération après génération, la famille Rey à cette jolie propriété de trente-cinq hectares, située au cœur du Blayais : les traces les plus anciennes de la famille remontent à 1763 ! Depuis 2006 la jeune génération est aux commandes. Elle vinifie des côtes-deblaye dans la plus pure expression du terroir, classiques et sans artifices. Le 2007 est agréable et sans prétention, délicatement épicé et fruité, d'une dimension légère, à boire tout de suite. Bon rapport qualité-prix.

CHÂTEAU GRAVETTE-SAMONAC

Le Bourg • 33710 Samonac
Tél. 05 57 68 21 16 • Fax : 05 57 68 36 43
gravette.samonac@orange.fr

Côtes de Bourg L'Élégance 2007

Rouge | 2011 à 2013 | 5,10 € **13,5/20**

Vin assez élégant, fruité, de la structure, ses tanins vifs et frais en font un bon compagnon de table.

CHÂTEAU GUILLOT

Vignoble Luquot - 152, avenue de l'Épinette
33500 Libourne
Tél. 05 57 51 18 95 • Fax : 05 57 25 10 59
vignoblesluquot@orange.fr
Visite : Sur rendez-vous.

Pomerol 2007

Rouge | 2012 à 2018 | 24 € **16/20**

Truffé et charnu, c'est un pomerol archétypique, franc et solide, qu'on pourra apprécier avec un gibier à plumes dans deux ou trois hivers !

CHÂTEAU GUIONNE

1, Guionne • 33710 Lansac
Tél. 05 57 68 42 17 • Fax : 05 57 68 29 61
info@chateauguionne.com
www.chateauguionne.com
Visite : De 9h à 20h.

Côtes de Bourg Cœur Boisé 2007

Rouge | 2011 à 2016 | 8 € **15/20**

Vin compact et dense, bien construit, avec les notes de cèdre qui lui sont propres. Pour les amateurs de vins très boisés et des vinifications modernes.

CHÂTEAU HAUT BALLET

Château Jean-Faure • 33330 Saint-Émilion
Tél. 05 57 51 34 86 • Fax : 05 57 51 94 59

Olivier Decelle, ancien président des surgelés Picard, est déjà propriétaire de Jean-Faure à Saint-Émilion et de Haut-Maurac dans le Médoc. Il réalise ici un canon-fronsac classique et sérieusement construit.

Canon-Fronsac 2007

Rouge | 2011 à 2015 | NC **14,5/20**

Fruit pur et éclatant, onctueux, tanins enrobés, harmonieux. Vin souple, bien fait. Dans un registre plus immédiat que 2006, à boire rapidement.

CHÂTEAU HAUT-CARLES

1, Château de Carles • 33141 Saillans
Tél. 05 57 84 32 03 • Fax : 05 57 84 31 91
chateaudecarles@free.fr • www.haut-carles.com
Visite : Du lundi au vendredi,de 8h à 12h et de 13h à 16h30. Le week-end sur rendez-vous.

Cette propriété magnifique et historique retrouve, sous l'impulsion de ses propriétaires actuels, Constance et Stéphane Droulers, un lustre impressionnant. Le vignoble est aujourd'hui parfaitement structuré et travaillé, et la propriété dispose d'un superbe chai, entièrement conçu pour pouvoir conduire toutes les étapes des vinifications par gravité. Les vins, en particulier la cuvée Haut-Carles qui s'appuie sur un peu moins de la moitié du vignoble, n'ont jamais été aussi complets et harmonieux. Haut-Carles est indéniablement un vin de garde, aux tanins très soyeux, largement du niveau d'un cru classé de Saint-Émilion.

FRONSAC HAUT-CARLES 2007

Rouge | 2011 à 2017 | 25 € **16,5/20**

Réalisé avec une méticulosité et une précision sans égales à Fronsac, le cru impose dans ce millésime une qualité de tanin et de texture incomparable et se révèle comme le meilleur vin jamais produit par la propriété.

CHÂTEAU HAUT-COLOMBIER

02, La Maisonnette • 33390 Cars
Tél. 05 57 42 10 28 • Fax : 05 57 42 17 65
chateau.hautcolombier@wanadoo.fr
www.chateauhautcolombier.com
Visite : Du lundi au vendredi de 8h à 12h et de 14h à 18h. Le week-end sur rendez-vous.

PREMIÈRES CÔTES DE BLAYE 2009

Blanc | 2010 à 2013 | 5,70 € **14/20**

Les deux hectares de sauvignon plantés sur des sols argilo-calcaires permettent ce vin aromatique et agréable, bien fait, avec beaucoup de fraîcheur en finale.

CHÂTEAU HAUT-CORBIN

33330 Saint-Émilion
Tél. 05 57 51 95 54 • Fax : 05 57 51 90 93
contact@hautcorbin.fr • www.hautcorbin.com

Bien situé au cœur du quartier des Corbin, sur le plateau de Saint-Émilion, Haut-Corbin réalise un saint-émilion classique et sérieux, de bonne régularité.

SAINT-ÉMILION GRAND CRU 2008

Rouge | 2012 à 2017 | cav. 23 € **15/20**

Plus construit et dense que le 2007, le vin offre un volume assez intense et une réelle profondeur. À attendre trois à cinq ans en cave.

SAINT-ÉMILION GRAND CRU 2007

Rouge | 2010 à 2015 | cav. 23 € **14/20**

Souple, tanin assez fin, longueur tendre avec une dimension néanmoins limitée. On pourra l'apprécier assez tôt.

CHÂTEAU HAUT GARRIGA

Vignobles Barreau • 33420 Grézillac
Tél. 05 57 74 90 06 • Fax : 05 57 74 96 63
chateau-haut-garriga@wanadoo.fr
Visite : du lundi au samedi, de 8h à 19h (samedi 18h) dimanche sur rendez-vous

BORDEAUX 2009

Blanc | 2010 à 2012 | 3,50 € **15,5/20**

Très riche et complexe, il révèle de beaux arômes de fruits blancs, mangue, glycine ainsi qu'une grande minéralité, que l'on retrouve dans une bouche fondante, longue et nerveuse. Charmeur tout en restant classique et équilibré.

CHÂTEAU HAUT-GUIRAUD

33710 Saint-Ciers-de-Canesse
Tél. 05 57 64 91 39 • Fax : 05 57 64 88 05
bonnetchristophe@wanadoo.fr
www.chateauhautguiraud.com
Visite : Du lundi au vendredi, de 8h à 12h et de 15h à 17h. Le week-end sur rendez-vous.

Propriété familiale de trente hectares dominant l'estuaire de la Gironde, qu'exploite avec passion Christophe Bonnet, le Château Haut-Guiraud est l'un des leaders incontesté de l'appellation. Péché-du-Roy est une jolie cuvée qui a fait la réputation du cru et qui doit son nom à Louis XIV, alors jeune roi, qui se régala des pêches de Guiraud lors de son séjour dans le Bourgeais. Elle est majoritairement composée de merlot et élevée en barrique pendant quatorze mois.

CÔTES DE BOURG CUVÉE PÉCHÉ DU ROY 2007

Rouge | 2012 à 2017 | 12,10 € **15,5/20**

Joli nez d'épices, beaucoup de concentration en bouche, avec des tanins denses et compacts. Vin puissant, bien travaillé, le boisé reste encore très présent en finale.

CHÂTEAU HAUT-MACÔ

61, rue des Gombauds • 33710 Tauriac
Tél. 05 57 68 81 26 • Fax : 05 57 68 91 97
hautmaco@wanadoo.fr • www.hautmaco.com
Visite : lundi au samedi 8h à 12h et de 14h à 18h.

Cela fait bientôt quarante ans que Jean et Bernard Mallet ont pris en charge cette belle propriété de quarante-neuf hectares, aux mains de la famille depuis trois générations. Aujourd'hui ce sont les enfants de Bernard, Anne et Hugues, qui tiennent les rênes. L'encépagement est composé de 50 % merlot, 40 % cabernet-sauvignon et 10 % cabernet

franc. Pour la cuvée phare Jean-Bernard, l'assemblage est différent, 80 % merlot, 20 % cabernet-sauvignon et l'élevage se fait en barriques neuves pendant douze à dix-huit mois.

Côtes de Bourg 2007
Rouge | 2011 à 2014 | 5,50 € 14/20
Dans le style d'un côtes-de-bourg classique, avec du caractère : un nez sur les épices, des tanins frais et bien tendus, à la limite de la maturité mais sans amertume en finale. Bon vin de gastronomie.

Côtes de Bourg cuvée Jean-Bernard 2007
Rouge | 2011 à 2015 | 7,60 € 15/20
Robe rubis, bouche ferme et nette, tanins énergiques, l'ensemble est soigné et sans agressivité.

CHÂTEAU HAUT-SEGOTTES

33330 Saint-Émilion
Tél. 05 57 24 60 98 • Fax : 05 57 74 47 29
hautsegottes@wanadoo.fr
Visite : De 9h à 12h et de 14h à 19h, sur rendez-vous.

Saint-Émilion grand cru 2008
Rouge | 2012 à 2018 | 15 € 14/20
Bon fruit, vin sincère et souple, un certain fond sans artifice.

CHÂTEAU HOSANNA

33330 Saint-Émilion
Tél. 05 57 74 48 94 • Fax : 05 57 74 47 18
info@jpmoueix.com • www.moueix.com
Visite : Sur rendez-vous.

Anciennement connu comme faisant partie de Certan-Giraud, le cru a été rebaptisé d'un nom plus évocateur par la famille Moueix, à la fin des années 1990. Avec un peu moins d'une décennie d'expérience, on peut définir la personnalité de ce cru, conduit et vinifié dans l'esprit de la maison libournaise : suave et velouté, c'est un vin généreux, profond, d'une chair onctueuse et d'une personnalité aromatique chaleureuse et complexe.

Pomerol 2007
Rouge | 2012 à 2018 | NC 16,5/20
Notes de fruits rouges très séduisantes au nez et en bouche, sève enveloppante, charnu, bons tanins fins, immédiatement charmeur.

CHÂTEAU DE L'HURBE

Vignobles Bousseau - 27, route de l'Hurbe • 33240 Saint-Laurent-d'Arce
Tél. 05 57 43 44 06 • Fax : 05 57 43 92 09
a.m.hurbe@orange.fr
www.chateaudelhurbe.com
Visite : du lundi au samedi, de 9h à 20h dimanche sur rendez-vous

Bordeaux 2009
Blanc | 2010 à 2012 | 3,80 € 16/20
Un superbe blanc charmeur et équilibré, conjuguant élégance et puissance, avec un fruit particulièrement pur, des notes florales et minérales, une bouche flatteuse, grasse, aromatique et d'une opportune vivacité.

CLOS DES JACOBINS

4, Gomerie • 33330 Saint-Émilion
Tél. 05 57 24 70 14 • Fax : 05 57 24 68 08
contact@closdesjacobins.com
www.closdesjacobins.com

Superbement situé sur une croupe entre Libourne et Saint-Émilion, le cru qui appartient aujourd'hui à la famille de Bernard Decoster n'a cessé de progresser tout au long de la décennie, pour atteindre un niveau jamais connu auparavant.

Saint-Émilion grand cru 2008
Rouge | 2014 à 2020 | NC 16/20
Vin délié et profond, indiscutablement racé. On peut le faire vieillir en toute confiance.

Saint-Émilion grand cru 2007
Rouge | 2012 à 2019 | cav. 28 € 16/20
Robe très colorée, vin ambitieux, profond et intense, onctueux, beaux arômes nobles en finale.

CHÂTEAU JEAN DE GUÉ

Château La Couspaude • 33330 Saint-Émilion
Tél. 05 57 40 15 76 • Fax : 05 57 40 10 14
vignobles.aubert@wanadoo.fr
www.aubert-vignobles.com
Visite : juillet-août 10h-19h tous les jours

Lalande de Pomerol 2007
Rouge | 2010 à 2015 | env 20 € 15/20
Rubis foncé. Nez expressif et concentré. Beaucoup de matière en bouche, dense et serrée. Vin droit. Belle finale tannique.

CHÂTEAU JEAN-FAURE

33330 Saint-Émilion
Tél. 05 57 51 34 86 • Fax : 05 57 51 94 59
chateaujeanfaure@wanadoo.fr
www.chateaujeanfaure.com
Visite : De 9h à 12h et de 14h à 16h sur rendez-vous.

Très bien situé sur le plateau de Pomerol, Jean-Faure a été repris en 2003 par Olivier Decelle, qui a reconstruit le chai et installé une discipline de travail dans les vignes aussi impressionnante que celle qui a fait son succès en Roussillon (il est également propriétaire du Mas Amiel, à Maury). À partir de 2005, le cru est une valeur sûre.

Saint-Émilion grand cru 2008

Rouge | 2012 à 2018 | 28 € **16,5/20**

D'une incontestable consistance en bouche, c'est un vin harmonieux et équilibré, au tanin fin, possédant une réelle race avec de la fraîcheur en finale.

Saint-Émilion grand cru 2007

Rouge | 2012 à 2017 | 26 € **16/20**

Incontestablement les tanins sont fins et bien extraits ; le vin est svelte, souple, en longueur.

CHÂTEAU JOANIN-BÉCOT

33350 Saint-Philippe-d'Aiguilhe
Tél. 05 57 74 46 87 • Fax : 05 57 24 66 88
contact@beauséjour-becot.com
www.beausejour-becot.com
Visite : Sur rendez-vous.

La propriété, très bien située dans le meilleur secteur des Côtes de Castillon, a été acquise par la famille Bécot (Château Beauséjour-Bécot) qui, en conservant le style séveux et gourmand qui a fait leur succès à Saint-Émilion, a rapidement propulsé le cru parmi les meilleurs de l'appellation. Comme ses pairs, Joanin-Bécot a un caractère très proche d'un bon saint-émilion, avec néanmoins une personnalité plus immédiatement prête à boire.

Côtes de Castillon 2007

Rouge | 2011 à 2016 | 16 € **14/20**

Nez finement toasté, cuvée dense et serrée dans ce millésime, énergique, moderne, il lui faudra le temps d'affiner sa structure.

CHÂTEAU LES JONQUEYRES

Courgeau • 33390 Saint-Paul
Tél. 05 57 42 34 88 • Fax : 05 57 42 93 80
pascal@chateaulesjonqueyres.com
www.chateaulesjonqueyres.com
Visite : Sur rendez-vous.

En 1977, Pascal Montaut a repris le vignoble familial situé à Saint-Paul, au nord-est de Blaye. Le sol très argileux convient parfaitement à un encépagement largement dominé par le merlot. C'est depuis plus de vingt ans l'une des propriétés de référence de l'appellation, avec un travail très respectueux de l'environnement (pas de désherbant chimique, pas d'insecticide, utilisation systématique des levures indigènes pour les vinifications, etc.). Sur la commune de Gauriac, une petite parcelle d'un demi-hectare sert à l'élaboration d'un côtes-de-bourg, le Clos-Alphonse-Dubreuil, qui s'appuie quant à lui sur un terroir calcaire.

Blaye Les Jonqueyres 2007

Rouge | 2011 à 2017 | 12,90 € **15,5/20**

Belle robe foncée, nez discret, puis fruits noirs, belle qualité des tanins à grains fins, bien polis et enrobés, bonne vivacité qui confère de la fraîcheur. La matière est là pour assurer le vieillissement.

Côtes de Bourg Clos Alphonse Dubreuil 2007

Rouge | 2014 à 2018 | 16,90 € **15/20**

Robe profonde, nez exubérant de pain d'épices et de cassis, une bouche encore très marquée par l'élevage, riche, complexe, dense, un vin dans la surpuissance, nous n'y trouvons pas l'élégance des autres millésimes ni leur expression accomplie.

CHÂTEAU LABADIE

1, Cagna • 33710 Mombrier
Tél. 05 57 64 23 84 • Fax : 05 57 64 23 85
vignoblesgdupuy@aol.com
Visite : Sur rendez-vous.

Côtes de Bourg 2007

Rouge | 2010 à 2014 | 8 € **14/20**

Tanins fermes, moins élégants et complets que d'habitude, mais agréablement frais et digestes en finale.

CHÂTEAU LACAUSSADE SAINT-MARTIN

8, route de Labrousse
33390 Saint-Martin Lacaussade
Tél. 05 57 32 51 61 • Fax : 05 57 32 51 38
j.chardat@corlianges.com
www.lacaussade-saintmartin.com
Visite : en semaine, de 10h à 19h.
week-end sur rendez-vous

Le Château Lacaussade Saint-Martin est l'une des plus anciennes propriétés du Blayais : quarante hectares dont quatre de blancs, situés sur les premiers coteaux bordant la Gironde, face au Médoc, avec un terroir calcaire et argileux très particulier car riche en oursins fossilisés.

Premières Côtes de Blaye
cuvée Trois Moulins 2009
Blanc | 2010 à 2013 | 10 € **14,5/20**
Vin bien construit en bouche, avec une acidité présente mais pas agressive, une agréable amertume en finale. Encore jeune.

Premières Côtes de Blaye
cuvée Trois Moulins 2007
Rouge | 2011 à 2014 | 10 € **14,5/20**
Vin authentique, nez de fruits des bois, fruité aussi en bouche, tanins robustes encore un peu durs, très boisé en finale, du caractère.

CHÂTEAU LAFLEUR

Grand-Village • 33240 Mouillac
Tél. 05 57 84 44 03 • Fax : 05 57 84 83 31
scea.guinaudeau@orange.fr
Visite : Sur rendez-vous.

Cette propriété, tenue par la même famille depuis plus d'un siècle, fait face à Petrus, sur une très légère croupe, très graveleuse en son sommet mais également parsemée de lentilles argileuses et de terrains plus profonds de part et d'autre. Les Guinaudeau ont observé avec passion et attachement ces infimes variations et en ont tenu compte en créant dès 1986 un Second vin, qui atteint assez souvent d'ailleurs le niveau de crus pomerolais de haut rang. La récolte est ici vinifiée très simplement, et les vins impressionnent, à la manière d'un château-ausone, par leur équilibre et leur naturel. Si, après les magistraux vins de la fin des années 1980, quelques millésimes du début des années 1990 ont pu pâtir d'une nécessaire remise à niveau du vignoble, tous constituent depuis dix ans des sommets absolus de la production bordelaise.

Pomerol 2007
Rouge | 2017 à 2027 **19/20**
Admirable arôme complexe de violette, de réglisse, de cèdre, texture d'une plénitude difficile à surpasser dans le millésime, immense longueur. Une fois de plus ce petit bijou de terroir a donné un des cinq plus grands vins du millésime !

CHÂTEAU LAGRAVE AUBERT

Château La Couspaude • 33330 Saint-Émilion
Tél. 05 57 40 15 76 • Fax : 05 57 40 10 14
vignobles.aubert@wanadoo.fr
Visite : juillet-août

Côtes de Castillon 2007
Rouge | 2011 à 2015 | env 7 € **15/20**
Encore très jeune avec son bouquet aromatique de fruits noirs et d'épices, bouche chaleureuse, vigoureuse, dense, très fruitée en finale, bien équilibrée.

CHÂTEAU LAMOTHE DE HAUX

Les caves du Château Lamothe • 33550 Haux
Tél. 05 57 34 53 00 • Fax : 05 56 23 24 49
info@chateau-lamothe.com
www.chateau-lamothe.com
Visite : 9h-12h et 13h-17h en semaine
week-end sur rendez-vous

Bordeaux 2009
Blanc | 2010 à 2011 | 6 € **14,5/20**
Un blanc classique, bien représentatif du millésime. Nez mûr, fruité, épicé, expressif, bouche dense, charnue, très intensément fruitée et bien fraîche.

Bordeaux cuvée Valentine par Valentine 2009
Blanc | 2010 à 2013 | 7,40 € **17/20**
Une des grandes réussites de l'appellation dans ce millésime. Le nez présente une magnifique suavité avec son fruit mûr, ses notes vanillées et fumées, la bouche, franche et fondante, tout à fait dans le même registre aromatique, est d'une parfaite vivacité.

CHÂTEAU LANIOTE

33330 Saint-Émilion
Tél. 05 57 24 70 80 • Fax : 05 57 24 60 11
contact@laniote.com • www.laniote.com
Visite : tous les jours, de 9h à 12h et de 13h30 à 18h sur rendez-vous

Situé au nord de Saint-Émilion, cette petite propriété présente l'étonnante particularité d'avoir été transmise de mère en fille pendant sept générations, avant d'être aujourd'hui dirigée par le fils de la famille, Arnaud de la Fillolie. Les saint-émilions produits ici sont des vins sincères, plus en souplesse qu'en puissance.

SAINT-ÉMILION GRAND CRU 2008
Rouge | 2011 à 2016 | 27 € **14/20**
Le vin exprime un fruité très juvénile avec ses notes de cerise, il se révèle charnu et souple en bouche, dans un style non dénué de délicatesse.

CHÂTEAU LARCIS DUCASSE

1, Grottes d'Arsis - Saint-Laurent-des-Combes
33330 Saint-Émilion
Tél. 05 57 24 70 84 • Fax : 05 57 24 64 00
larcis-ducasse@nicolas-thienpont.com
www.nicolas-thienpont.com
Visite : uniquement sur rendez-vous

Ce cru, possédant l'une des plus attachantes personnalités des vins de Saint-Émilion, a sous la conduite de Nicolas Thienpont et de Stéphane Derenoncourt immédiatement démontré la race de son terroir, avec des vins confondants de velouté et de pureté à partir du millésime 2005. Dans les millésimes précédents, le vin ne se révélait pas si tôt : souvent austère dans sa prime jeunesse, Larcis-Ducasse démontrait avec le temps une race et un équilibre fins. Le changement de style opéré par le doué duo n'a pas modifié cette harmonie, fondée sur la finesse et la fraîcheur, mais a su rendre plus immédiate la capacité de séduction du vin, en affinant encore le velouté de texture et en améliorant magistralement la précision aromatique.

SAINT-ÉMILION GRAND CRU 2008
Rouge | 2014 à 2022 | NC **16/20**
Complet et ample, tanin raffiné, structure profonde, équilibre remarquable, mais pour l'instant le vin apparaît aromatiquement strict.

SAINT-ÉMILION GRAND CRU 2007
Rouge | 2012 à 2022 | cav. 29 € **17,5/20**
Fruit très précis et frais, attaque en bouche tout en élégance, sans la moindre rudesse, profondeur svelte et veloutée, belle fraîcheur. Incontestablement brillant.

CHÂTEAU LARMANDE

33330 Saint-Émilion
Tél. 05 57 24 71 41 • Fax : 05 57 74 42 80
contact@soutard-larmande.com
www.chateau-larmande.com
Visite : Sur rendez-vous.

Le cru a été acquis dans les années 1990 par un groupe d'assurances. Il apparaît très régulier dans la qualité de ses vins, solides et bien constitués, souvent à leur meilleur dans leur première phase d'évolution. Pas encore apte à rivaliser avec les plus grands, la propriété s'impose millésime après millésime comme une valeur sûre.

SAINT-ÉMILION GRAND CRU 2007
Rouge | 2012 à 2017 | cav. 17 € **15,5/20**
Boisé, plein, harmonieux, gras, voilà un vin franc et de bonne intensité; avec un tanin solide.

CHÂTEAU LAROQUE

Saint-Christophe-des-Bardes • 33330 Saint-Émilion
Tél. 05 57 24 77 28 • Fax : 05 57 24 63 65
contact@chateau-laroque.com
www.chateau-laroque.com
Visite : en semaine, de 9h à 12h et de 14h à 17h (vendredi 12h) fermé le week-end

SAINT-ÉMILION GRAND CRU 2008
Rouge | 2011 à 2015 | NC **14,5/20**
Ce cru classé a réalisé un 2008 onctueux, plein, très classique des réussites de Saint-Émilion dans ce millésime. On pourra l'apprécier assez tôt.

CHÂTEAU LAROZE

1, Goudichau - B.P. 61 • 33330 Saint-Émilion
Tél. 05 57 24 79 79 • Fax : 05 57 24 79 80
info@laroze.com • www.laroze.com
Visite : Sur rendez-vous.

Situé en pied de côte au sud du village, le vignoble d'un seul tenant s'appuie sur un sol de sables anciens avec un sous-sol d'argiles profondes. Cultivée sans engrais chimiques ni désherbants, la propriété progresse régulièrement avec des vins jamais lourds.

SAINT-ÉMILION GRAND CRU 2008
Rouge | 2012 à 2018 | NC **16,5/20**
Robe profonde, joli vin sincère et svelte, fruit bien dessiné, allonge et fraîcheur.

SAINT-ÉMILION GRAND CRU 2007
Rouge | 2012 à 2017 | 26,06 € **16/20**
Notes de fruits rouges et de poivron, vin sincère, bouche déliée, sans lourdeur mais avec de la consistance.

CHÂTEAU LASSÈGUE

Saint-Hippolyte • 33330 Saint-Émilion
Tél. 05 57 24 19 49 • Fax : 05 57 24 00 38
chateaulassegue@wanadoo.fr
www.chateau-lassegue.com
Visite : De 9h à 12h et de 14h à 17h du lundi au vendredi.

Lassègue est une belle propriété méconnue, située en plein coteau de Saint-Émilion, à Saint-Étienne-de-Lisse. Le cru, acquis en 2003 par le groupe familial californien Kendall Jackson, est depuis mené par l'un des vinificateurs maison, le Français Pierre Seillan. Peu à peu, les vins trouvent leur style, consistant et puissant, gagnant progressivement en finesse, ce qu'autorise largement le terroir.

SAINT-ÉMILION GRAND CRU 2008
Rouge | 2012 à 2018 | NC **16,5/20**
Confirmation des progrès : vin très complet, harmonieux et subtil, belle allonge sur le fruit et sans dureté.

CHÂTEAU LATOUR-À-POMEROL

33500 Pomerol
Tél. 05 57 51 78 96 • Fax : 05 57 51 79 79
info@jpmoueix.com • www.moueix.com

Disposant, avec ses petites graves et ses argiles, d'un terroir très typique du meilleur de l'appellation Pomerol, c'est-à-dire le plateau qui s'étend à gauche de la départementale reliant Libourne à Saint-Émilion, Latour-à-Pomerol est un cru appartenant aux Établissements Jean-Pierre Moueix. Il n'a quasiment jamais déçu depuis un quart de siècle, avec des vins bien structurés, gourmands et profonds, qui prennent au vieillissement un caractère truffé.

POMEROL 2007
Rouge | 2013 à 2020 | NC **17/20**
Vin de grande dimension pour le millésime. Très joli fruit franc et brillant, allonge fine et musclée, grande fraîcheur racée.

LUCANIACUS

Le Sable • 33330 Saint-Laurent-des-Combes
Tél. 05 57 24 73 03 • Fax : 05 57 24 67 77
Ets.saby@orange.fr
www.vignobles-saby.com

LALANDE DE POMEROL LUCANIACUS 2007
Rouge | 2010 à 2017 | 15 € **15/20**
D'une couleur sombre et profonde, ce vin révèle un nez expressif. Sa bouche est dense, suave et fine. Grande finesse des tanins.

CLOS DES LUNELLES

33330 Saint-Émilion
Tél. 05 57 55 43 43 • Fax : 05 57 24 63 99
contact@vignoblesperse.com
www.vignoblesperse.com
Visite : Pas de visites ni dégustations, vente par correspondance.

CÔTES DE CASTILLON 2007
Rouge | 2012 à 2015 | NC **14/20**
Vin puissant, encore marqué par les notes toastées de l'élevage, dense, bouche compacte au fruit bien mûr, trame tannique serrée et solide, mérite de s'affiner encore.

CHÂTEAU LYNSOLENCE

Château Les Gravières - 355, port de Branne
33330 Saint-Sulpice-de-Faleyrens
Tél. 05 57 84 54 73 ou 06 08 32 26 04
Fax : 05 57 84 52 07
denis.barraud@wanadoo.fr
www.uni-barraud.com
Visite : 9h-12h et 14h-17h sur rendez-vous tous les jours

SAINT-ÉMILION GRAND CRU 2008
Rouge | 2011 à 2016 | 39 € **15,5/20**
Le vin est corsé, chaleureux, rond et onctueux avec son bouquet très cacao.

SAINT-ÉMILION GRAND CRU 2007
Rouge | 2012 à 2018 | 35 € **15/20**
Style onctueux, soyeux, notes de fruits noirs et de chocolat.

CHÂTEAU MAGDELAINE

33330 Saint-Émilion
Tél. 05 57 55 05 80 • Fax : 05 57 25 13 30
info@jpmoueix.com • www.moueix.com
Visite : Pas de visites.

Le cru, qui appartient à la famille Moueix, voisine avec les plus illustres noms de Saint-Émilion et possède une situation absolument exceptionnelle, sur le coteau calcaire qui ouvre la route vers le village médiéval. Les vins possèdent un style délicat et très fin mais paraissent manquer de substance et de profondeur par rapport à ses pairs, y compris ceux qui cultivent le même style sans lourdeur.

SAINT-ÉMILION GRAND CRU 2007
Rouge | 2013 à 2020 | NC **15/20**
La robe est d'intensité moyenne, le nez offre une palette séduisante de petits fruits rouges, l'ensemble est souple, tendre et élégant avec tout de même une intensité limitée.

CHÂTEAU MAGDELEINE BOUHOU

4, Bouhou • 33390 Cars
Tél. 05 57 42 19 13 • Fax : 05 57 42 85 27
info@magdeleine-bouhou.com
www.magdeleine-bouhou.com
Visite : Sur rendez-vous.

PREMIÈRES CÔTES DE BLAYE
CUVÉE M 100 % MALBEC 2007
Rouge | 2011 à 2015 | 12,50 € **15/20**
Muriel Revaire Rousseau signe avec cette cuvée une petit production de 6500 bouteilles issues à 100 % de malbec, au nez caractéristique de cassis et de cerise noire. Ample, fruité, tanins solides et robustes, avec une finale fruitée interminable.

CHÂTEAU MARTINAT

1, Château Martinat • 33710 Lansac
Tél. 05 57 68 34 98 • Fax : 05 57 68 35 39
s.donze@chateau-martinat.com
www.chateau-martinat.com
Visite : Sur rendez-vous

Perfectionniste, Stéphane Donze s'est imposé un dur travail pour atteindre une production très au dessus du niveau habituel de la viticulture de la région. Après avoir acheté le domaine, lui et sa femme Lucie ont, pendant quinze ans, étudié et observé au plus près la configuration de leurs parcelles. Un travail de fond pour atteindre, toujours à la limite du risque, la parfaite maturité et une grande précision dans leurs vins. Leur cuvée Epicuria provient des argiles blanches et reflète les matières riches qui ont besoin de temps pour se fondre harmonieusement en bouteille. On savoure avec un plaisir plus immédiat le fruité très gourmand de la cuvée Martinat.

CÔTES DE BOURG 2007
Rouge | 2011 à 2015 | 9 € **15/20**
Nez fin d'épices, tanins suaves bien fondus, ronds, une belle vivacité et une matière intense.

CÔTES DE BOURG 2006
Rouge | 2010 à 2013 | 9 € **14,5/20**
Vin bien fait, avec un bouquet de petits fruits rouges, bouche souple, franche, avec des tanins friands, vinifiés avec retenue et sans agressivité. On peut l'apprécier dès maintenant.

CÔTES DE BOURG 2005
Rouge | 2010 à 2013 | 9 € **15/20**
Robe profonde, gras, gourmand, solide, un vrai côtes-de-bourg.

CÔTES DE BOURG EPICURÉA 2007
Rouge | 2012 à 2018 | 16 € **16/20**
Nez boisé, encore très jeune, tanins concentrés, très présents, trame serrée, linéaire, plus accessible qu'en 2006, beaucoup de fruit, finale épicée.

CÔTES DE BOURG EPICURÉA 2005
Rouge | 2012 à 2018 | 16 € **14,5/20**
Une cuvée ambitieuse, avec un boisé toasté de qualité, un joli fruit mûr et une bouche massive aux tanins imposants, qui devront s'assouplir. Gros potentiel de garde.

CHÂTEAU LA MARZELLE

La Marzelle • 33330 Saint-Émilion
Tél. 05 57 55 10 55 • Fax : 05 57 55 10 56
info@lamarzelle.com • www.chateaulamarzelle.com
Visite : Sur rendez-vous.

Le cru, situé sur la route qui va de Libourne à Saint-Émilion en bordant Pomerol, a bien progressé et fait désormais exprimer à ce terroir son réel potentiel. Aujourd'hui, le vignoble est parfaitement tenu et les chais, refaits, sont bien adaptés à la réalisation de saint-émilions amples et riches.

Saint-Émilion grand cru 2008
Rouge | 2013 à 2018 | 29,50 € **16,5/20**
Belle inflexion du style du cru vers plus d'équilibre et de fraîcheur : très beau volume profond, fruits noirs, intense et long.

Saint-Émilion grand cru 2007
Rouge | 2012 à 2017 | 29,50 € **15/20**
Notes intenses de quetsche, de la longueur, corps charnu.

CHÂTEAU MATRAS

Château Bourseau • 33500 Lalande-de-Pomerol
Tél. 05 57 51 52 39 • Fax : 05 57 51 70 19
chateau.bourseau@wanadoo.fr
www.vignoblesgaboriaud.com
Visite : en semaine, de 9h à 12h et de 14h à 18h week-end sur rendez-vous

Saint-Émilion grand cru 2008
Rouge | 2012 à 2018 | 25,50 € **16/20**
Belle réussite au boisé bien intégré, conjuguant volume et densité avec un corps onctueux et une réelle longueur.

Saint-Émilion grand cru 2007
Rouge | 2011 à 2016 | 24,50 € **15/20**
Robe profonde, nez truffé, corps onctueux et corsé, bon volume avec de la fraîcheur en finale, un rien de dureté tannique en finale.

CHÂTEAU MAZERIS

EARL de Cournuaud
33126 Saint-Michel-de-Fronsac
Tél. 05 57 24 96 93 • Fax : 05 57 24 96 93
mazeris@wanadoo.fr • www.chateau-mazeris.com
Visite : tous les jours sauf le dimanche, de 9h à 17h

Canon-Fronsac
Rouge | 2010 à 2015 | NC **14/20**
Robe profonde, beau nez distingué de fruits noirs et rouges, en bouche le même esprit, riche, savoureux, fondant, profond, générosité gourmande, souple, facile et parfaitement équilibré.

CHÂTEAU MAZERIS BELLEVUE

33126 Saint-Michel-de-Fronsac
Tél. 05 57 24 98 19 • Fax : 05 57 24 90 32
chateaumazerisbellevue@wanadoo.fr
Visite : Sur rendez-vous du lundi au samedi

La famille Bussier dirige depuis quatre générations ce petit vignoble de onze hectares et produit avec une régularité sans faille des vins sincères, purs et d'une grande franchise.

Canon-Fronsac 2007
Rouge | 2011 à 2015 | 11,80 € **14,5/20**
Ce millésime convient bien au style du domaine : nez aux arômes de fruits noirs, ample en bouche, tendu, énergique, finale gourmande et fruitée qui cache bien les tanins tendus.

CHÂTEAU MAZEYRES

56, avenue Georges-Pompidou • 33500 Libourne
Tél. 05 57 51 00 48 • Fax : 05 57 25 22 56
mazeyres@wanadoo.fr • www.mazeyres.com
Visite : De 9h à 12h et de 14h à 17h. Prendre rendez-vous pour les dégustations en semaine et pour les visites le week-end.

Mazeyres est un joli château, au centre du quartier du même nom, dans la périphérie de Libourne. C'est dire si l'on est ici dans la limite sud-ouest de l'appellation, sur des terroirs de sables lardés d'argiles et de graves qui, s'ils limitent souvent la profondeur et la capacité de grande garde des vins, peuvent donner quand ils sont bien menés des résultats savoureux. C'est le cas ici, où le discret mais très compétent Alain Moueix réalise un travail efficace et de plus en plus remarquable.

Pomerol 2008
Rouge | 2012 à 2018 | NC **16/20**
Belle robe profonde, vin gourmand et souple, aux arômes de fruits noirs et de truffe, à la saveur onctueuse.

CHÂTEAU MONBOUSQUET

42, route de Saint-Émilion
33330 Saint-Sulpice-de-Faleyrens
Tél. 05 57 55 43 43 • Fax : 05 57 24 63 99
contact@vignoblesperse.com
www.vignoblesperse.com

Très spectaculaires dans leur prime jeunesse, les vins de ce cru situé en pied de côte et transfiguré par le travail de Gérard Perse (également propriétaire de Pavie) vieillissent avec une grande harmonie, grâce à une exceptionnelle finesse tannique.

Saint-Émilion grand cru 2007

Rouge | 2012 à 2020 | cav. 52 € **16,5/20**

Belle couleur profonde, onctueux et fin, grande richesse de saveur, allonge suave ultra séduisante.

CHÂTEAU MONCONSEIL-GAZIN

33390 Plassac
Tél. 05 57 42 16 63 • Fax : 05 57 42 31 22
mbaudet@terre-net.fr
www.vignobles.michel.baudet.com
Visite : Sur rendez-vous.

Cette très ancienne propriété, dont les bâtiments datent du XVIe siècle, fut acquise en 1894 par la famille actuellement propriétaire. Depuis, cinq générations ont travaillé pour développer ce cru. Situées sur la commune de Plassac, les vignes en coteaux de ce château s'appuient sur un sous-sol argilo-calcaire typique de l'appellation. Le vin produit, équilibré et harmonieux, représente certainement l'une des illustrations les plus séduisantes du potentiel des Côtes de Blaye.

Blaye 2007

Rouge | 2011 à 2015 | 11,75 € **15/20**

Plus corpulent et massif que 2006, nez truffé et fruité, tanins vifs avec une trame serrée, bien charpentés mais un peu abrupts en finale, mais avec suffisamment de fruit, de chair et beaucoup de longueur. Il doit vieillir.

Premières Côtes de Blaye 2007

Rouge | 2012 à 2015 | 6,20 € **14,5/20**

Cette cuvée est moins compacte. Le boisé est présent mais ne durcit pas la matière, bouche concentrée, un peu asséchante en finale.

DOMAINE MONDÉSIR-GAZIN

10, le Sablon • 33390 Plassac
Tél. 05 57 42 29 80 • Fax : 05 57 42 84 86
mondesirgazin@aol.com • www.mondesirgazin.com
Visite : Sur rendez-vous

C'est en 1990 que Marc Pasquet, photographe, et son épouse Laurence s'installent à Plassac. Avec beaucoup de volonté et d'exigence, ils ont parfaitement su exploiter le potentiel de ce vignoble, situé sur des coteaux argilo-calcaires. Toutes les cultures sont réalisées sans désherbant chimique ni insecticide ou traitement anti-pourriture, et trois hectares sont plantés à forte densité (7 400 pieds), une rareté sur cette rive. Enfin, Marc Pasquet réalise aussi, sur moins de deux hectares, un savoureux côtes-de-bourg.

Blaye 2007

Rouge | 2012 à 2015 | 12 € **15,5/20**

Vin aux arômes très expressifs de fruits noirs, bouche très dense avec des tanins charnus, bien bâtis, de la sève, assez souple et charmeur, peut vieillir.

LA MONDOTTE

B.P. 34 • 33330 Saint-Émilion
Tél. 05 57 24 71 33 • Fax : 05 57 24 67 95
info@neipperg.com • www.neipperg.com
Visite : sur rendez-vous de préfence.

Ce petit vignoble, situé sur le plateau calcaire à l'est de Saint-Émilion, possède des sols très argileux. Le merlot et les soins extrêmement méticuleux apportés par Stephan von Neipperg, avec l'aide de Stéphane Derenoncourt, y ont permis l'éclosion, à partir de 1996, d'un vin qui est vite devenu culte. Le cru est, pour Neipperg, un véritable «laboratoire de l'excellence». Il y a en effet affirmé et développé son style, à la fois très profond et doté d'une éblouissante finesse. Tous les millésimes sont brillants, mais 2009 impose le cru au plus haut niveau de Bordeaux.

Saint-Émilion 2008

Rouge | 2016 à 2028 | NC **18,5/20**

Toujours moins démonstratif à ce stade que Canon la Gaffelière, mais de grande longueur et persistance aromatique, avec un tanin très élégant et ferme. Grand potentiel.

Saint-Émilion 2007

Rouge | 2014 à 2025 | NC **17,5/20**

Caractère ferme et sans gras, intensité retenue, longueur et potentiel : La Mondotte joue dans la profondeur, la race et la finesse.

CHÂTEAU MONTFOLLET

La cave des Châteaux 9 Le piquet • 33390 Cars
Tél. 05 57 42 13 15 • Fax : 05 57 42 84 92
d.raimond@lacavedeschateaux.com
www.lacavedeschateaux.com
Visite : De 9h à 12h et de 14h à 18h.

Depuis trois générations, la famille Raimond est propriétaire de ces quarante hectares de vignes, véritable balcon surplombant le magnifique estuaire de la Gironde. Aujourd'hui, Dominique Raimond, aidé de l'œnologue-conseil Christian Veyry, met en œuvre tous les moyens de culture et de vinification pour parvenir à la production d'un grand vin du Blayais.

Blaye Le Valentin 2007
Rouge | 2013 à 2017 | 10 € **15/20**
Vin dense et concentré, bouquet fruité relevé par un boisé un rien dominant, des tanins puissants avec une finale encore sur la réserve.

Premières Côtes de Blaye
Le Valentin Blanc 2009
Blanc | 2010 à 2013 | 6,50 € **15/20**
Cette cuvée composée à 60 % de sauvignon et de 40 % de sémillon se présente d'une façon complexe, vive, avec d'agréable notes d'amertume en finale qui lui confèrent beaucoup d'énergie.

CHÂTEAU MONTVIEL

1, rue du Grand-Moulinet • 33500 Pomerol
Tél. 05 57 51 87 92 • Fax : 03 21 93 21 03
pvp.montviel@skynet.be
Visite : Sur rendez-vous au 05 57 51 87 92.

Catherine Péré-Vergé, issue de la famille propriétaire des Cristalleries d'Arques, est devenue un des acteurs majeurs de Pomerol, avec l'achat successif de Le Gay et de La Violette. Elle a commencé cette aventure à succès au milieu des années 1980, en constituant ce petit cru à partir de deux parcelles distinctes. Sans tapage mais avec une régulière progression, il s'est peu à peu imposé comme une valeur sûre de l'appellation, dans un style très équilibré, ni trop puissant ni fluide mais à la longueur élancée.

Pomerol 2008
Rouge | 2012 à 2018 | NC **16/20**
Construit et solide, mais avec une réelle finesse de tanin : il confirme dans ce millésime «sérieux» les progrès de la propriété.

Pomerol 2007
Rouge | 2011 à 2018 | 30 € **16/20**
Vin ample, élancé, sans lourdeur, développant un fruit très pur.

Pomerol La Rose Montviel 2007 ☺
Rouge | 2010 à 2015 | 15 € **14/20**
Souple, harmonieux, équilibré, déjà prêt à boire : idéal pour la restauration !

CHÂTEAU LE MOULIN

Moulin de Lavaud • 33500 Pomerol
Tél. 05 57 55 19 60 • Fax : 05 57 55 19 61
m.querre@orange.fr • www.moulin-pomerol.com
Visite : Sur rendez-vous

À partir de 1997, Michel Querre a fait de ce petit vignoble du nord-ouest de l'appellation un cru de haute couture, cultivé, vinifié et élevé avec un soin extrême. Le style est évidemment très moderne, richement boisé, exprimant avec emphase un fruit très mûr, développant un corps ample, velouté et suave, mais le vin garde toujours de la droiture et de la fraîcheur.

Pomerol 2008
Rouge | 2013 à 2018 | 35 € **16/20**
Robe moyennement intense, boisé encore très présent, bouche droite et plutôt fine ensuite, on peut l'attendre avec confiance.

Pomerol 2007
Rouge | 2012 à 2017 | 35 € **16/20**
Vin riche, charpenté, doté d'un élevage très ambitieux qui doit se fondre. L'ensemble a du potentiel.

CHÂTEAU MOULIN DE CLOTTE

33350 Les-Salles-de-Castillon
Tél. 05 57 55 23 28 • Fax : 05 57 55 23 29
contact@vignobles-lannoye.com
www.vignobles-lannoye.com
Visite : De 9h30 à 18h.

La cuvée Dominique du château Moulin de Clotte, 1,5 hectare seulement, est la démonstration flagrante que l'appellation Côtes de Castillon peut être bien plus que «le petit frère de Saint-Émilion». Ici les vignes ont quarante ans. L'œnologue de la propriété, François Despagne, met dans cette cuvée 90 % de merlot et l'élève douze mois en barrique, dont 60 % de barriques neuves. 6 000 bouteilles seulement ont droit au label cuvée-Dominique.

Côtes de Castillon 2007
Rouge | 2011 à 2015 | 7 € **15/20**
Vin complet et harmonieux, exprimant un fruité délicat porté par des tanins parfaitement dessinés, il se révèle éminemment racé et promet un bon potentiel de garde. Il appartient désormais à la première ligne de l'appellation.

Côtes de Castillon Lamour/Love 2007

Rouge | 2011 à 2014 | 10 € **15/20**

Une cuvée issue de merlot exclusivement. Vin complet et charmeur, tout sur le fruit frais à l'attaque, souple, sans pour autant manquer de structure ni d'équilibre, bonne définition.

CHÂTEAU MOULIN DES GRAVES

Le Poteau - RN 137 • 33710 Teuillac
Tél. 05 57 64 30 58
jean-bost@orange.fr • www.vin-jean-bost.com
Visite : Sur rendez-vous.

Cette propriété de dix hectares est depuis quarante ans un précurseur dans l'appellation pour la mise en valeur des vins blancs secs de qualité. Les plantations de sauvignon blanc sur trois hectares offrent de beaux 2008 et 2009.

Côtes de Bourg 2007

Rouge | 2010 à 2014 | 5,10 € **14,5/20**

Nez de fruits rouges, très frais, agréable, digeste. Vin de gastronomie.

Côtes de Bourg cuvée Particulière 2008

Blanc | 2010 à 2012 | 7 € **15/20**

Beau 2008 avec un nez de pamplemousse et de fleurs blanches, vif et tendu en bouche, étonnant de droiture et de gourmandise.

CHÂTEAU MOULIN HAUT-LAROQUE

Le Moulin • 33141 Saillans
Tél. 05 57 84 32 07 • Fax : 05 57 84 31 84
hervejnoel@wanadoo.fr
www.moulinhautlaroque.com
Visite : Sur rendez-vous.

La constitution définitive de ce vignoble remonte à la fin du XIXe siècle, à l'issue de la crise du phylloxéra. À l'heure actuelle, ses vignes font partie des plus âgées du Libournais. Jean-Noël Hervé, qui a en charge la propriété depuis 1977, s'applique à élaborer un vin typique de l'appellation Fronsac. Il a indéniablement réussi dans cette entreprise, avec des vins qui possèdent une personnalité certaine, sans jamais singer les saint-émilions ni les bêtes à concours. Cela passe par un encépagement très varié, donnant des vins fermes, pleins de sève, charpentés mais sans lourdeur, toujours soutenus par une trame acide parfaitement équilibrée.

Fronsac 2007

Rouge | 2012 à 2021 | 18 € **16,5/20**

Un vin puissant, du pur jus de sève et d'une concentration incroyable, gras, suave, texture de velours, belle fraîcheur dans une longueur fruitée qui n'en finit pas. Incontestablement l'un des fronsacs du millésime.

CHÂTEAU MOULIN PEY-LABRIE

33126 Fronsac
Tél. 05 57 51 14 37 • Fax : 05 57 51 53 45
moulinpeylabrie@wanadoo.fr
www.moulinpeylabrie.com
Visite : Sur rendez-vous.

Située sur un terroir très classique de molasses du Fronsadais, ce sol mêlant calcaire et argile, cette petite propriété se trouve en haut d'un coteau (pey dans le patois local) qui donne son nom au cru. Les vignes et les vins sont très attentivement travaillés, avec un caractère à la fois très sincère et représentatif du style corsé et charpenté des fronsacs, mais également avec une finesse de définition très soignée.

Canon-Fronsac 2006

Rouge | 2010 à 2016 | 22 € **15,5/20**

Vin complet et un excellent représentant de son appellation. Il a trouvé son équilibre depuis la fin de l'élevage, avec un nez fin de pivoine et de fruits frais ; la bouche est précisément dessinée, nette, elle promet un bon potentiel de garde.

CHÂTEAU MOULIN SAINT-GEORGES

33330 Saint-Émilion
Tél. 05 57 24 24 57 • Fax : 05 57 24 24 58
chateau-ausone@wanadoo.fr
www.chateau-ausone.fr

Ce petit cru appartient à la famille d'Alain Vauthier, et est réalisé par ce dernier selon des principes similaires à ceux d'Ausone. Si le terroir n'est pas le même et si le vin ne possède pas la finesse extrême du Premier cru classé, l'harmonie générale, le velouté en bouche et la fraîcheur aromatique sont immédiatement reconnaissables. C'est une brillante valeur sûre de l'appellation.

Saint-Émilion grand cru 2008

Rouge | 2014 à 2022 | NC **16,5/20**

Long, structuré, intense et dense, vin très sérieusement construit et de grande profondeur. Il faut l'attendre.

Saint-Émilion grand cru 2007
Rouge | 2012 à 2020 | NC **16/20**
Belles notes de groseille, vin précis et élancé, longueur onctueuse, fraîche et raffinée.

CHÂTEAU MOULINET

Chemin de la Combe • 33500 Pomerol
Tél. 05 57 51 23 68 • Fax : 05 57 51 27 78
chateaumoulinet@wanadoo.fr

Ce cru de taille respectable semble se remettre en question depuis quelques années. Longtemps d'un style traditionnel et manquant souvent de matière, les vins gagnent à chaque millésime en profondeur et en consistance, donnant aujourd'hui un beau pomerol classique, d'une élégance tannique certaine.

Pomerol 2008
Rouge | 2011 à 2016 | 25 € **14,5/20**
Élégant mais plus fluide que le 2007. Au final, l'impression d'un petit retour en arrière...

Pomerol 2007
Rouge | 2010 à 2017 | 27 € **16/20**
Intense et truffé, c'est un pomerol très complet et d'une belle richesse de saveur.

CHÂTEAU NÉNIN

44, route de Montagne • 33500 Pomerol
Tél. 05 56 73 25 26 • Fax : 05 56 59 18 33
leoville-las-cases@wanadoo.fr
Visite : Du lundi au vendredi, de 9h à 11h et de 14h à 16h, sur rendez-vous.

Cette vaste propriété (à l'échelle de Pomerol) a connu bien des bas entre 1970 et 1990, jusqu'à ce qu'elle soit achetée par les domaines Delon, propriétaires de Château Léoville-Las Cases, à Saint-Julien. Beaucoup d'investissements ont été consentis pour remettre le vignoble dans le meilleur état de viticulture et pour construire des installations de vinification modernes et performantes. Le vignoble a été lui-même agrandi par l'achat d'une partie des vignes de Certan-Giraud, sur des sols de premier ordre. Le style des vinifications, largement inspiré du goût médocain, cherche à produire des vins de grande garde, un peu austères en primeur par rapport à l'hédonisme affirmé de nombreux voisins, mais dotés de tanins très racés.

Pomerol 2008
Rouge | 2013 à 2023 | cav. 31 € **18/20**
Une classe folle, avec son étoffe veloutée et ses tanins fins et serrés. C'est l'un des, sinon le, plus beaux Nénin depuis longtemps...

Pomerol 2007
Rouge | 2012 à 2020 | cav. 31 € **17/20**
Beau vin droit et profond, doté de tanins superbement soyeux, d'une longueur certaine et d'une jolie plénitude de constitution.

Pomerol Fugue de Nénin 2008
Rouge | 2012 à 2018 | cav. 15 € **15/20**
De la sève, du fruit et de la longueur : un ambitieux second vin, à attendre deux à trois ans en cave.

Pomerol Fugue de Nénin 2007
Rouge | 2010 à 2015 | cav. 15 € **14/20**
Charnu et rond, avec des notes de pruneau et de cuir, déjà prêt à boire.

CHÂTEAU NODOZ

18, chemin de Nodoz • 33710 Tauriac
Tél. 05 57 68 41 03 • Fax : 05 57 68 37 34
chateau.nodoz@wanadoo.fr
www.chateau-nodoz.com
Visite : Du lundi au vendredi de 9h à 12h et de 14h à 18h.

Côtes de Bourg Barriques Neuves 2007
Rouge | 2010 à 2016 | 9 € **15/20**
Couleur brillante, belle présentation avec des tanins polis, ronds, souples.

CLOS DE L'ORATOIRE

B.P. 34 • 33330 Saint-Émilion
Tél. 05 57 24 71 33 • Fax : 05 57 24 67 95
info@neipperg.com
www.neipperg.com
Visite : Du lundi au vendredi, de 9h à 12h et de 14h à 17h, sur rendez-vous.

Après Canon-la-Gaffelière et La Mondotte, le Clos de l'Oratoire est la troisième propriété de Stephan von Neipperg à Saint-Émilion. Le vignoble est situé au nord-est de la commune, sur un terroir très argilo-calcaire qui convient parfaitement au merlot. Moins connu que les deux autres crus cités, le Clos de l'Oratoire n'en est pas moins un vin archétypique du style de Neipperg, c'est-à-dire très plein, gour-

mand et intense, mais aussi finement structuré et incontestablement racé.

SAINT-ÉMILION GRAND CRU 2008
Rouge | 2013 à 2020 | cav. 22 € **17/20**
Belle robe opaque et brillante, suave, confortable, belle structure tannique raffinée, grande allonge.

SAINT-ÉMILION GRAND CRU 2007
Rouge | 2012 à 2017 | cav. 28 € **17/20**
Profond et fin, de l'élégance et de la race, une réelle puissance combinée avec une finesse de tanin sans pareille.

CHÂTEAU PAS DE L'ÂNE

Cros • 33330 Saint-Émilion
Tél. 09 62 18 10 87

SAINT-ÉMILION GRAND CRU 2007
Rouge | 2010 à 2017 | NC **15,5/20**
Bon fruit rouge plutôt fin, allonge, tanin de belle subtilité, bonne profondeur.

CHÂTEAU PAVIE

33330 Saint-Émilion
Tél. 05 57 55 43 43 • Fax : 05 57 24 63 99
contact@vignoblesperse.com
www.vignoblesperse.com
Visite : Sur rendez-vous uniquement, réservé aux professionnels.

Situé sur le flanc est de la spectaculaire côte qui borde Saint-Émilion, Pavie dispose de l'une des meilleures situations et expositions de l'appellation. Repris en 1997 par Gérard Perse, il a depuis fait une mue spectaculaire et impressionne à chaque millésime par sa puissance, son ampleur solaire et généreuse, mais aussi par une finesse de tanins qui est la marque des plus grands.

SAINT-ÉMILION GRAND CRU 2008
Rouge | 2015 à 2025 | NC **19/20**
Robe noire, intense, grande vigueur, charnu, bonne structure mais aussi tanin très fin. Un sommet du millésime.

SAINT-ÉMILION GRAND CRU 2007
Rouge | 2012 à 2022 | cav. 143 € **18/20**
Il n'existe pas de millésimes «moyen» pour Pavie : grande robe profonde, grand volume fin et onctueux, arômes de mûre mais aussi beaucoup d'élégance et de profondeur.

CHÂTEAU PAVIE-DECESSE

33330 Saint-Émilion
Tél. 05 57 55 43 43 • Fax : 05 57 24 63 99
contact@vignoblesperse.com
www.vignoblesperse.com

En rachetant Pavie-Decesse à la même époque que Pavie, en 1997, Gérard Perse a choisi de conserver l'identité des deux propriétés, pourtant voisines sur la côte de Saint-Émilion. Le cru impressionne à chaque millésime par sa puissance, son ampleur, et la formidable densité tannique qui se dégage de ce vin racé.

SAINT-ÉMILION GRAND CRU 2008
Rouge | 2014 à 2025 | cav. 94 € **18/20**
Grande robe profonde, vin sculptural, tout en muscle et en élégance, allonge et persistance, fruit rouge ultra précis, grand tanin soyeux. L'une des réussites les plus éclatantes du millésime.

CHÂTEAU PAVIE-MACQUIN

33330 Saint-Émilion
Tél. 05 57 24 74 23 • Fax : 05 57 24 63 78
pavie-macquin@nicolas-thienpont.com
www.pavie-macquin.com
Visite : Sur rendez-vous uniquement

Voisin immédiat de Troplong-Mondot, Pavie-Macquin est justement devenu Premier cru classé. Stéphane Derenoncourt et Nicolas Thienpont savent exprimer le meilleur du terroir tout en lui donnant une forme moderne, adaptée au goût du consommateur actuel. Très corsé et charnu, le vin de Pavie-Macquin gagne en finesse et en harmonie à chaque nouveau millésime, avec l'inimitable saveur de truffe et la tension minérale propres au secteur de Pavie.

SAINT-ÉMILION GRAND CRU 2007
Rouge | 2012 à 2022 | cav. 38 € **17/20**
Corps complet et gras, structuré, aux arômes de fruits noirs et de fruits des bois francs et frais, tanin présent mais sans rudesse, allonge, beau vin profond dans un millésime compliqué.

CHÂTEAU PETIT-GRAVET AÎNÉ ET CLOS SAINT-JULIEN

Château Gaillard - B.P. 84 • 33330 Saint-Émilion
Tél. 05 57 24 72 44 • Fax : 05 57 24 74 84
chateau.gaillard@wanadoo.fr
Visite : Sur rendez-vous.

Ces vins sont produits par Catherine Papon-Nouvel, qui s'affirme incontestablement comme l'une des vinificatrices les plus sensibles et adroites de la rive

droite bordelaise. Si ses vins ne manquent jamais de puissance ni de générosité, ils possèdent avant tout une fraîcheur et un équilibre superbes qui leur rendent toute la noblesse de leur fonction première : celle d'être bus ! Ses deux (petites) propriétés principales, Clos Saint-Julien et Petit-Gravet Aîné, s'appuient sur une part non négligeable de cabernet franc.

Saint-Émilion grand cru
Château Petit-Gravet Aîné 2007
Rouge | 2011 à 2017 | 28 € **16/20**
À la fois compact et délicat, le vin a beaucoup de mâche qu'il exprime avec une magnifique fraîcheur fruitée et gourmande.

Saint-Émilion grand cru Clos Saint-Julien 2007
Rouge | 2010 à 2015 | 32 € **16/20**
L'éclat fruité est remarquable et le vin, plus immédiatement séducteur que Petit-Gravet, se joue avec maestria des conditions du millésime.

CHÂTEAU PETIT GRAVET MARIE-LOUISE

2, rue de la Madeleine • 33330 Saint-Émilion
Tél. 05 57 24 76 45 • Fax : 05 57 24 72 34
claude.nouvel@club-internet.fr
Visite : en été, tous les jours, de 9h30 à 12h30 et de 14h à 19h, en hiver sur rendez-vous.

Saint-Émilion grand cru 2007
Rouge | 2010 à 2015 | NC **14/20**
Cette propriété, à ne pas confondre avec Petit Gravet Aîné, a produit un bon 2007 au fruité souple, assez tendre, à la longueur suave.

CHÂTEAU PETIT-VILLAGE

Catusseau • 33500 Pomerol
Tél. 05 57 51 21 08 • Fax : 05 57 51 87 31
contact@petit-village.com • www.petit-village.com
Visite : sur rendez-vous.

Petit-Village est certainement la propriété majeure de Pomerol qui a le plus tardé à démontrer l'étendue de son potentiel. Le cru n'a rien produit qui dépassa les standards locaux dans les années 1970 et 1980. Malgré sa reprise par le groupe Axa Millésimes (notamment propriétaire de Pichon-Longueville) et les efforts entrepris par cette administration, le cru a certes progressé mais sans éblouir. Les tout derniers millésimes semblent enfin marquer une nette inflexion, clairement amorcée par l'arrivée en 2006 de Stéphane Derenoncourt comme consultant et confirmée par un 2009 de toute beauté.

Pomerol 2008
Rouge | 2013 à 2021 | NC **16/20**
Par rapport aux dégustations primeurs, le vin a gagné en finesse et en profondeur. Prometteur.

Pomerol 2007
Rouge | 2012 à 2020 | cav. 32 € **17/20**
Le vin possède un charme remarquable et une dimension très respectable : il confirme indéniablement les progrès du cru.

PETRUS

1, rue Petrus-Arnaud • 33500 Pomerol
Tél. 05 57 51 17 96
info@jpmoueix.com • www.moueix.com

Cru mythique de Pomerol, Petrus est assurément l'un des vins les plus connus au monde, et plusieurs de ses grands millésimes d'avant-guerre (1921, 1929) ou d'après-guerre (1945, 1947, 1949, 1961, 1964) constituent des légendes encore très vivantes. Ce n'est pas la pierre qui fait Petrus mais bien son terroir, parfaite lentille d'argile le distinguant de ses voisins, tous d'ailleurs prestigieux. Ce sol, qui protège parfaitement la vigne des excès climatiques et lui permet d'être toujours alimentée, convient parfaitement au merlot, ultra majoritaire ici. Le prix «stratosphérique» du cru rend difficile les commentaires sur le vin. De fait, vinifié depuis les années 1980 par Jean-Claude Berrouet, le brillant œnologue de la maison Moueix, et désormais par son fils Olivier, ce cru expressif et séducteur a semblé vouloir affiner sa personnalité, jusqu'à manquer parfois d'intensité dans certains millésimes des années 1980 et 1990. Aujourd'hui, il a à nouveau gagné en volume, en acquérant une texture de taffetas qu'égaye un bouquet particulièrement séducteur et souvent presque exotique.

Pomerol 2007
Rouge | 2017 à 2030 | NC **18,5/20**
Dès sa prime jeunesse, le vin offre une palette aromatique incroyablement diversifiée, petits fruits rouges, vanille bourbon, santal, truffe, et une texture de taffetas aussi fine que précise. Très grande persistance.

LE PIN

Les Grands-Champs • 33500 Pomerol
Tél. 05 57 51 33 99 • Fax : 00 32 55 31 09 66
wine@thientontwine.com
Visite : Sur rendez-vous.

Créé au début des années 1980 par Jacques Thienpont, Le Pin fut, dix ans avant les vins de garage, le premier de ces microcrus qui ont bousculé les hiérarchies de la rive droite bordelaise. Situé (très discrètement) aux abords du village de Catusseau, le vignoble s'appuie très largement sur le merlot, et produit un vin d'une remarquable suavité, souvent exubérant et exotique au bouquet, avec un équilibre et une fraîcheur beaucoup plus affirmés que par le passé. Sa rareté et son aura mystérieuse en font l'archétype du cru spéculatif, mais la qualité du vin est aujourd'hui, indéniablement, à la hauteur du mythe.

Pomerol 2008

Rouge | 2013 à 2023 | NC **18,5/20**

La robe est très profonde et annonce un vin intense, soyeux, long et onctueux, doté d'un raffinement certain et d'un potentiel aromatique qui s'annonce grandiose. Assurément l'un de nos millésimes préférés du cru.

Pomerol 2007

Rouge | 2012 à 2022 | cav. 900 € **17,5/20**

Le parfum très original et prenant de violette et de rose ancienne s'est formé dans ce millésime qui paraissait discret sur ce plan en barrique. Le corps est droit, fin, d'un tanin soyeux, d'une belle énergie.

CHÂTEAU PINDEFLEURS

Saint-Laurent-des-Combes • 33330 Saint-Émilion
Tél. 05 57 24 72 95 • Fax : 05 57 24 71 25
chateau@pindefleurs.fr • www.pindefleurs.fr
Visite : en semaine, de 8h à 12h et de 14h à 18h, vendredi 16h30, fermé le week-end.

Saint-Émilion grand cru 2008

Rouge | 2011 à 2016 | NC **15,5/20**

Beaucoup de fraîcheur et d'élégance, une certaine souplesse. C'est un saint-émilion agréable que l'on pourra boire tôt.

Saint-Émilion grand cru 2007

Rouge | 2010 à 2015 | env 15 € **15/20**

Souple, élégant et harmonieux, avec un fruité suave et poivré en finale.

CHÂTEAU PINET LA ROQUETTE

Pinet la Roquette • 33390 Berson
Tél. 05 57 42 64 05 • Fax : 05 57 42 64 05
sv.nativel@orange.fr • pinetlaroquette.free.fr
Visite : De 9h à 18h.

Au sortir de la Révolution, le domaine fut acquis par un écuyer du roi Louis XVI. Depuis 2001, Valérie et Stéphane Nativel, ingénieurs de l'armement au ministère de la Défense, ont choisi de changer d'orientation et se sont transformés en vignerons. Cette reconversion les situe parmi les meilleurs viticulteurs du Blayais. Le ministère de la Défense a-t-il encore d'autres vignerons potentiels ?

Premières Côtes de Blaye Le Bouquet 2007

Rouge | 2011 à 2015 | 7 € **15,5/20**

Nez discret, belle bouche croquante et juteuse, tanins charnus, souples et bien enrobés, finale sur des notes de tabac et de thé, belle réussite, fidèle à son style mûr et savoureux.

Premières Côtes de Blaye Le Bouquet 2006

Rouge | 2010 à 2013 | 7 € **16/20**

Belle couleur rubis, il porte son nom à merveille : nez exubérant de fruits noirs, souple à l'attaque, tanins ronds et charnus, portés par une belle acidité en finale. Du plaisir pur !

CHÂTEAU POMEAUX

Lieu-dit Toulifaut • 33500 Pomerol
Tél. 05 57 51 98 88 • Fax : 05 57 51 88 99
j.palous@wine-and-vineyards.com
www.pomeaux.com
Visite : Sur rendez-vous.

Pomerol 2007

Rouge | 2013 à 2018 | 25 € **15,5/20**

Pomeaux réalise de très bons pomerols riches, charnus et truffés, mais l'élevage ambitieux en barrique demande quelques années de cave pour se fondre : c'est le cas de ce bon 2007.

CHÂTEAU DE PRESSAC

33330 Saint-Étienne-de-Lisse
Tél. 05 57 40 18 02 • Fax : 05 57 40 10 07
contact@chateau-de-pressac.com
www.chateau-de-pressac.com
Visite : Sur rendez-vous.

Reprise au début des années 1990, la propriété est très bien située, sur un tertre plein sud qui a pour seul tort d'être excentré, à l'est de Saint-Émilion. Des travaux très importants ont été entrepris, en

particulier pour recréer des terrasses là où la friche avait pris le pas sur la vigne. Le cru est aujourd'hui devenu une valeur sûre, et son second vin est l'un des plus réguliers de l'appellation.

Saint-Émilion grand cru 2008
Rouge | 2012 à 2018 | 22,50 € **16/20**
Un cru sur la bonne voie : bon fruit tendre, caractère charnu, tanin solide qu'on aimerait idéalement un rien plus soyeux.

Saint-Émilion grand cru 2007
Rouge | 2012 à 2017 | 22,50 € **15/20**
Séduisantes notes de fruits rouges, attaque tendre se prolongeant par une assise tannique assez stricte pour le moment. Donnons lui un à deux ans de bouteille supplémentaires.

Saint-Émilion grand cru
Tour de Pressac 2007 ☺
Rouge | 2010 à 2016 | 17 € **15/20**
Généreux et équilibré, bon fruit, belle maturité.

CHÂTEAU LE PRIEURÉ

Château Siaurac • 33500 Néac
Tél. 05 57 51 64 58 • Fax : 05 57 51 41 56
info@baronneguichard.com
www.baronneguichard.com
Visite : sur rendez-vous

Appartenant comme Siaurac et Vray Croix de Gay à la famille Guichard, ce cru très bien situé dans le secteur de Mondot et de Pavie-Macquin exploite aujourd'hui parfaitement son grand potentiel, avec des vins qui privilégient l'équilibre et la finesse.

Saint-Émilion grand cru 2008
Rouge | 2013 à 2018 | 34 € **16/20**
Plus dense que le 2007, avec des tanins solides et une réelle persistance.

Saint-Émilion grand cru 2007
Rouge | 2012 à 2017 | 29 € **16/20**
Équilibré, bon fruit, de la chair et des tanins arrondis : beau volume raffiné et persistant.

Saint-Émilion grand cru
Délice du Prieuré 2008 ☺
Rouge | 2011 à 2016 | 16 € **15/20**
Subtil et fin, excellent fruit, bref, un vin qui correspond exactement à son nom !

Saint-Émilion grand cru
Délice du Prieuré 2007 ☺
Rouge | 2010 à 2015 | 15 € **14,5/20**
Caractère aromatique de fruits rouges acidulés, longueur et fraîcheur savoureuses.

LA PROVIDENCE

Établissements Jean-Pierre Moueix -
Quai du Priourat • 33500 Libourne
Tél. 05 57 51 78 96 • Fax : 05 57 51 79 79
info@jpmoueix.com • www.moueix.com

Pomerol 2007
Rouge | 2011 à 2018 | NC **16,5/20**
Ce nouveau cru de l'écurie Moueix séduit par son style épanoui et généreux. Le bouquet est exotique, avec des notes de lait de coco, le corps onctueux, la finale enveloppante et suave.

CLOS PUY ARNAUD

7, Puy Arnaud • 33350 Belvès-de-Castillon
Tél. 05 57 47 90 33 • Fax : 05 57 47 90 53
clospuyarnaud@wanadoo.fr
Visite : Sur rendez-vous.

Ce vigneron exigeant et ultra doué a réussi à imposer son style, alliant générosité de sève et finesse de texture. Dans cette région où beaucoup de producteurs jouent, parfois jusqu'à la lourdeur, la carte de la rondeur et du fruit surmûri, les vins de Puy Arnaud surprennent par leur droiture élégante et fraîche, et leur minéralité sans maquillage. C'est aujourd'hui l'un des vins les plus racés du secteur.

Côtes de Castillon 2007 ☺
Rouge | 2010 à 2015 | 11 € **16/20**
D'une exquise subtilité, ce castillon offre un nez expressif, aux notes raffinées de fruits mûrs, pivoine et vanille douce, une bouche gourmande, aux tanins mûrs et suaves, aux arômes très persistants et à la finale délicieusement fraîche.

CHÂTEAU QUINAULT L'ENCLOS

30, chemin Videlot • 33500 Libourne
Tél. 05 57 74 19 52 • Fax : 05 57 25 91 20
www.chateau-quinault.com
Visite : Sur rendez-vous.

Situé dans l'agglomération de Libourne, Quinault l'Enclos est un joli écrin, créé par Alain Raynaud, qui a su y produire l'une des expressions les plus harmonieuses et les plus séductrices du saint-émilion

moderne. La propriété appartient désormais à Albert Frère, et l'on suivra avec intérêt son évolution.

Saint-Émilion grand cru 2007
Rouge | 2010 à 2017 | NC **16/20**
Joli vin, loin de l'opulence du cru au début du millénaire : moins de richesse flatteuse, plus d'élégance svelte, pure et fruitée. Gras et gourmand, très plein, savoureux, brillant et long.

CHÂTEAU LA RAZ CAMAN

33390 Anglade
Tél. 05 57 64 41 82 • Fax : 05 57 64 41 77
jean-francois.pommeraud@wanadoo.fr
www.larazcaman.com
Visite : du lundi au vendredi de 9h à 12h
et de 13h30 à 18h

Le vignoble se situe sur les terroirs argilo-calcaires et pierreux du nord de l'appellation, et sa production est vinifiée dans un esprit classique, en recherchant la pleine maturité du raisin et en visant l'élégance et les textures charmeuses et souples. Son 2007 s'inscrit dans cette belle continuité de qualité avec un vin raffiné, sincère et particulièrement digeste.

Premières Côtes de Blaye 2007
Rouge | 2010 à 2015 | 7,90 € **15/20**
Nez toasté, belle souplesse en bouche, la part importante de malbec (22 %) lui donne son caractère fruité et gourmand. Nous avons un faible pour ce vin sincère sans artifice.

CHÂTEAU RÉGALDO SAINT-BLANCARD

55, avenue des Vignes • 33370 Sallebœuf
Tél. 06 70 47 00 62 • Fax : 05 56 21 15 08
muriel.rsb@wanadoo.fr
Visite : Sur rendez-vous.

Bordeaux 2007
Rouge | 2010 à 2015 | 7 € **16/20**
Un étonnant 2007 superbement réussi et flatteur. Nez intense et complexe, judicieusement boisé, bouche puissante et harmonieuse, au fruit éclatant et à la finale d'une longueur et d'une fraîcheur remarquables.

RELAIS DE LA POSTE

33710 Teuillac
Tél. 05 57 64 37 95 • Fax : 05 57 64 37 95
brunodrode@hotmail.fr
Visite : sur rendez-vous

Côtes de Bourg malbec 2007
Rouge | 2011 à 2015 | 8 € **15/20**
Rouge intense, nez toasté, fruité et épices, belle densité des tanins, longue finale fruitée et croquante. Une expression très réussie du malbec, sans grossièreté.

CHÂTEAU LA RÉVÉRENCE

24, rue de l'Église • 33500 Néac
Tél. 05 57 51 18 61 • Fax : 05 57 51 00 04
chateautournefeuille@wanadoo.fr
www.chateau-tournefeuille.com
Visite : en semaine, de 8h à 12h et de 13h30 à 17h30
week-end sur rendez-vous

Cette petite propriété située en pied de côte a été reprise en 2003 par l'équipe du Château Tournefeuille (Lalande de Pomerol). Le travail réalisé porte ses fruits, et les derniers millésimes réalisés sont remarquables d'élégance gourmande et d'onctuosité.

Saint-Émilion grand cru 2008
Rouge | 2012 à 2018 | 17,90 € **16,5/20**
Une confirmation du savoir-faire de ce cru : belle intensité, vin gras et délié, finesse, allonge onctueuse.

Saint-Émilion grand cru 2007
Rouge | 2011 à 2017 | 17,90 € **16/20**
Belle réussite que ce vin onctueux et fin, à la robe profonde, exprimant des notes de petits fruits noirs et rouges en sorbet, développant une longueur tapissante.

CHÂTEAU RICHELIEU

1, chemin du Tertre • 33126 Fronsac
Tél. 05 57 51 13 94 • Fax : 05 57 51 13 94
info@chateau-richelieu.com
www.chateau-richelieu.com
Visite : ouvert 7 jours sur 7; le week-end sur rendez-vous,de préférence.

D'un seul tenant, les vignes se situent sur le coteau menant au tertre de Fronsac. Le cru tire bien sûr son nom du cardinal de Richelieu, qui en fut propriétaire. Rachetée en 2002 puis revendue en 2009 à un groupe chinois, la propriété suivie jusqu'au millésime 2007 par Stéphane Derenoncourt a vite élevé son niveau de qualité : ses vins riches, suaves et harmonieux ont une densité de texture remarquable. La cuvée La-Favorite constitue le premier vin du domaine.

Fronsac 2007
Rouge | 2010 à 2015 | 15 € **14/20**
Joli nez de fruits noirs, croquant, agréable, vinifié sur le fruit, assez simple.

Fronsac La Favorite de Richelieu 2007
Rouge | 2013 à 2017 | NC **14/20**
Le boisé domine encore le vin, dans un style plus extrait et plus forcé que la cuvée traditionnelle, finale un rien asséchante, c'est un vin avec une charpente solide, à attendre impérativement pour perdre la rudesse.

CHÂTEAU DE LA RIVIÈRE

33126 La Rivière
Tél. 05 57 55 56 56 • Fax : 05 57 24 94 39
info@vignobles-gregoire.com
www.vignobles-gregoire.com
Visite : Visites à 10h30, 14h30 et 16h30.

Fronsac 2007
Rouge | 2011 à 2015 | 14,50 € **14,5/20**
Nez de torréfaction, de la fraîcheur, du fruit, des tanins très fermes et denses, une personnalité franche et directe mais une finesse moyenne.

CHÂTEAU ROBIN

33350 Belves-de-Castillon
Tél. 05 57 47 92 47 • Fax : 05 57 47 94 45
info@chateau-robin.com • www.chateau-robin.com
Visite : du lundi au vendredi de 9h à 12h et de 13h à 18h

Côtes de Castillon 2007
Rouge | 2010 à 2014 | 14,50 € **15,5/20**
Couleur rouge cerise, nez fin et subtil sur des notes de fruits rouges et d'épices, bouche très soignée, souple, gourmande, de jolis arômes en finale. Un vin parfaitement équilibré, et déjà prêt à boire. Belle découverte.

ROC DE CAMBES

33710 Bourg
Tél. 05 57 74 42 11
contact@roc-de-cambes.com
www.roc-de-cambes.com
Visite : Sur rendez-vous.

François Mitjaville, le très brillant propriétaire de Tertre-Roteboeuf à Saint-Émilion, s'est lancé il y a une dizaine d'années dans une aventure plus étonnante encore : la création d'un grand vin dans l'un des secteurs les plus méconnus du Bordelais, le Bourgeais. Roc de Cambes, superbement situé sur un tertre argilo-calcaire exposé plein sud, est ainsi né et s'est développé avec la même extrême exigence qui marque le travail de Mitjaville. Comme à Saint-Émilion, l'entreprise s'est rapidement avérée brillante, et le vin est très demandé avec des quantités qui demeurent très limitées.

Côtes de Bourg 2006
Rouge | 2010 à 2016 | NC **15,5/20**
L'illustre locomotive de l'appellation ne présente jamais ses vins en dégustation comparative à l'aveugle, dans un cadre syndical. Nous avons donc goûté son 2006 à part. Il est dans la lignée du style Mitjaville, le perfectionniste en terme de maturation ; nez toasté offrant un fruit très mûr, tanins crémeux avec une belle matière veloutée, mais bien moins impressionnant que le 2005. Un vin à ne pas garder trop longtemps.

CHÂTEAU ROCHEBELLE

B.P. 73 • 33330 Saint-Émilion
Tél. 05 57 51 30 71 • Fax : 05 57 51 01 99
faniest@wanadoo.fr
www.grand-cru-st-emilion.com
Visite : Du lundi au vendredi de 9h à 12h
et de 14h à 18h de Pâques novembre.
Hors saison: tous les jours de 10h à 12h
et de 15h à 18h30.

Cette propriété, située au sommet de la côte de Saint-Émilion, produit des vins souples et agréables. Elle est régulière à ce niveau, même si on peut penser que la qualité de son terroir pourrait lui permettre de viser un peu plus haut...

Saint-Émilion grand cru 2008
Rouge | 2012 à 2017 | NC **15/20**
Notes de chocolat, assez onctueux, bonnes promesses.

Saint-Émilion grand cru 2007
Rouge | 2010 à 2015 | 19,50 € **14/20**
Une certaine fluidité mais aussi de l'élégance. On peut l'apprécier dès maintenant.

CHÂTEAU ROL VALENTIN

5, Cabanes Sud • 33330 Saint-Émilion
Tél. 05 57 74 43 51 • Fax : 05 57 74 45 13
e.prissette@rolvalentin.com • www.rolvalentin.com
Visite : Sur rendez-vous.

Cette petite propriété, située sur des sols argilo-calcaires et sableux, exprime avec beaucoup de vigueur mais aussi avec un grand charme toute la force des saint-émilions de merlot modernes, généreusement bouquetés et intensément construits. Puissant et profond, le vin est également parfaitement équilibré, et s'il séduit immédiatement, il est aussi capable de bien vieillir. Ayant changé de propriétaire mais pas de philosophie, c'est aujourd'hui une valeur sûre.

Saint-Émilion grand cru 2008
Rouge | 2012 à 2018 | NC **17/20**
Profond et riche, beaucoup d'allure et de générosité tout en gardant une vraie finesse de tanin.

Saint-Émilion grand cru 2007
Rouge | 2010 à 2017 | cav. 26 € **16,5/20**
Harmonieux et fin, avec un grand soyeux de tanins, longueur fruitée et subtile.

CHÂTEAU ROUGET

Route de Saint-Jacques-de-Compostelle
33500 Pomerol
Tél. 05 57 51 05 85 • Fax : 05 57 55 22 45
chateau.rouget@wanadoo.fr
www.chateau-rouget.com
Visite : Sur rendez-vous

Venu du Mâconnais, l'industriel Jean-Pierre Labruyère (également présent en Côte-d'Or) a redonné à ce beau cru du nord du plateau de Pomerol, disposant d'une surface non négligeable, la réputation qui était la sienne il y a soixante ans. Si à la fin des années 1990 le cru a impressionné par sa puissance et sa structure, les derniers millésimes semblent indiquer une évolution vers un plus grand raffinement tannique.

Pomerol 2007
Rouge | 2012 à 2020 | cav. 22 € **16/20**
Robe profonde, aromatiquement très juvénile, c'est un vin au bon volume corsé et truffé, ample et réussi, avec une excellente maturité de fruit et de tanin.

CLOS DU ROY

Vignobles Hermouet • 33141 Saillans
Tél. 05 57 55 07 41 • Fax : 05 57 55 07 45
contact@vignobleshermouet.com
www.vignobleshermouet.com
Visite : De 9h à 12h et de 14h à 17h en semaine
et sur rendez-vous

Fronsac 2007
Rouge | 2011 à 2015 | 10 € **14/20**
Bien charpenté, ne possède pas forcément la finesse des tanins de la cuvée Arthur mais belle fraîcheur et bon fruit.

Fronsac Arthur 2007
Rouge | 2011 à 2016 | 13 € **15/20**
Robe brillante, notes légèrement boisées, belle bouche ronde, gourmande et fruitée, croquante avec des tannins agréablement friands et soyeux.

CHÂTEAU ROYLLAND

33330 Saint-Émilion
Tél. 05 57 24 68 27 • Fax : 05 57 24 65 25
www.adamsfrenchvineyards.com

SAINT-ÉMILION GRAND CRU 2008

Rouge | 2012 à 2018 | NC **16/20**
Un vin en nets progrès : belle couleur, harmonieux fruité, chair, tanin fin, allonge, assez subtil.

CAVE COOPÉRATIVE DE SAINT-ÉMILION

Haut-Gravet - B.P. 27 • 33330 Saint-Émilion
Tél. 05 57 24 70 71 • Fax : 05 57 24 65 18
contact@udpse.com • www.udpse.com
Visite : De 8h30 à 12h et de 14h à 18h sauf dimanches et jours fériés.

La cave est assurément aujourd'hui l'une des meilleures caves coopératives de France, et une valeur sûre pour l'appellation. Dans une gamme large, Côte-rocheuse, galius et aurélius constituent trois belles cuvées qui ne déçoivent jamais, d'un millésime à un autre. Hélas, elle ne nous a pas présentés de vins cette année.

CLOS SAINT-MARTIN

SA Les Grandes Murailles - Château Côte de Baleau
33330 Saint-Émilion
Tél. 05 57 24 71 09 • Fax : 05 57 24 69 72
lesgrandesmurailles@wanadoo.fr
www.lesgrandesmurailles.fr
Visite : sur rendez-vous

Tout petit cru, le Clos Saint-Martin est splendidement situé sur la côte de Beauséjour. Cultivé et vinifié avec un soin extrême par ses propriétaires, il est devenu l'un des crus les plus séduisants au plus haut niveau, depuis la fin des années 1990, avec des vins riches et veloutés.

SAINT-ÉMILION GRAND CRU 2008

Rouge | 2010 à 2023 | 44 € **16/20**
Boisé, intense, assez ferme, le vin est encore très massif actuellement ; il faudra l'attendre sereinement cinq à dix ans.

SAINT-ÉMILION GRAND CRU 2007

Rouge | 2012 à 2019 | 45 € **16/20**
Vin riche, au fruit très franc, aux tanins serrés et sans astringence, au corps onctueux et d'une remarquable fraîcheur en finale.

CHÂTEAU SANSONNET

Château Sansonnet - Château Jonqueyres
33330 Saint-Émilion
Tél. 05 57 55 60 65 • Fax : 05 57 93 24 34
marie-benedicte.lefevere@orange.fr
www.chateau-sansonnet.com
Visite : Sur rendez-vous, pour les professionnels.

SAINT-ÉMILION GRAND CRU 2008

Rouge | 2011 à 2018 | NC **14/20**
Vin ample, boisé et moderne, un rien de sécheresse tannique, mais le puissant volume est intéressant.

CHÂTEAU LA SERRE

Luc d'Arfeuille SCE • 33330 Saint-Émilion
Tél. 05 57 24 71 38 • Fax : 05 57 24 63 01
darfeuille.luc@wanadoo.fr
Visite : Sur rendez-vous.

Voisin de Trottevieille, sur le plateau calcaire à la sortie nord-est de Saint-Émilion, La Serre produit des vins jouant beaucoup plus sur l'élégance que sur la puissance.

SAINT-ÉMILION GRAND CRU 2008

Rouge | 2012 à 2018 | NC **16/20**
Robe profonde, notes de fruits noirs et rouges frais, tanins présents mais corps charnu, énergique et svelte. L'acidité sous-jacente est bien intégrée.

SAINT-ÉMILION GRAND CRU 2007

Rouge | 2012 à 2017 | NC **15,5/20**
Le vin s'est épanouit après sa mise en bouteille : bonne robe vive, fruit franc et assez précis, allonge harmonieuse ; de la fraîcheur et de la chair.

CHÂTEAU SIAURAC

Vins Baronne Guichard - Château Siaurac
33500 Néac
Tél. 05 57 51 64 58 • Fax : 05 57 51 41 56
info@baronneguichard.com
Visite : 16h tous les jours, week-end sur rendez-vous.

LALANDE DE POMEROL 2007

Rouge | 2010 à 2022 | 14,90 € **14/20**
De couleur rubis, ce vin joue dans la délicatesse, en étant fin et élégant et d'une grande souplesse.

LALANDE DE POMEROL PLAISIR DE SIAURAC 2007

Rouge | 2010 à 2017 | 9,50 € **13/20**
Vin de plaisir, fruité et souple.

CHÂTEAU SIMARD

33330 Saint-Émilion

Cette vaste propriété appartenait depuis longtemps à la famille d'Alain Vauthier (Ausone). Celui-ci s'en occupe désormais directement, et il a aussitôt commencé par distinguer la production en deux cuvées, Simard et Haut-Simard. Cette dernière, débutée en 2007, a trouvé ses marques dès le millésime suivant.

Saint-Émilion grand cru Haut-Simard 2008
Rouge | 2012 à 2018 | NC **15,5/20**
Très beau volume confortable et raffiné, alliant fraîcheur de fruit et élégance du tanin.

CHÂTEAU SOUTARD

B.P. 4 • 33330 Saint-Émilion
Tél. 05 57 24 71 41 • Fax : 05 57 74 42 80
contact@soutard-larmande.com
www.soutard-larmande.com
Visite : Pas de visite.

Le cru a été repris en 2006 par les assurances La Mondiale, et est administré par la même équipe que l'autre propriété du groupe à Saint-Émilion, Château Larmande. Si le 2006 constitue un millésime de transition, les réussis 2007 et surtout 2008 offrent des promesses à la hauteur du potentiel du cru.

Saint-Émilion grand cru 2007
Rouge | 2013 à 2018 | cav. 20 € **16,5/20**
Assez profond, une densité épicée, une belle élégance de définition avec du volume et des tanins bien définis.

CHÂTEAU TAILLEFER

B.P. 9 • 33501 Libourne cedex
Tél. 05 57 25 50 45 • Fax : 05 57 25 50 45
contact@moueixbernard.com
www.chateautaillefer.fr
Visite : Sur rendez-vous.

Ce cru classique, qui fut le premier acquis par la famille Moueix, est situé dans la partie sud du plateau de Pomerol, sur des sols sablo-graveleux. Il est aujourd'hui la propriété des enfants de Bernard Moueix, et est dirigé avec beaucoup de finesse par Catherine Moueix. La viticulture très méticuleuse, et le soin apporté aux vinifications et à l'élevage, avec l'aide de l'œnologue Denis Dubourdieu, en ont fait un pomerol très précis, sans aucune vulgarité aromatique, franc et très net.

Pomerol 2008
Rouge | 2013 à 2020 | 25,50 € **17/20**
Très subtil et élancé, voilà un beau vin raffiné et profond, loin des courses à l'épate de certains crus !

Pomerol 2007
Rouge | 2011 à 2017 | 25,50 € **15,5/20**
Un an de bouteille lui a fait du bien : le vin se déploie en élégance et en finesse, dans un registre tendre et souple mais bien maîtrisé.

CHÂTEAU TERRE-BLANQUE

33390 Saint-Genès-de-Blaye
Tél. 06 85 52 48 08 • Fax : 05 57 42 19 48
pe.boulme@terreblanque.com
www.terreblanque.com
Visite : Sur rendez-vous.

Située au nord-ouest de Blaye, cette propriété possède un vignoble s'étendant sur un seul tenant, avec un sous-sol argilo-calcaire classique. Depuis que Paul-Emmanuel Boulmé a repris l'exploitation familiale en 1995, celle-ci a bénéficié d'un travail de fond, pour presque doubler de superficie. Les vins sont, comme ceux de Bonnange, vinifiés par le même Paul-Emmanuel, très ambitieux, avec une personnalité affirmée, qu'il s'agisse de la cuvée Les-Cailloux, de la généreuse Noémie ou de la gourmande Juliette-et-Canelle.

Premières Côtes de Blaye
Juliette et Canelle 2007
Rouge | 2010 à 2013 | 6,90 € **14/20**
Ce vin séduit par son fruité croquant, registre mûr et velouté, sans lourdeur, de densité moyenne. Du plaisir sans modération.

CHÂTEAU TERTRE-DAUGAY

33330 Saint-Émilion
Tél. 05 57 24 72 15 • Fax : 05 57 56 40 89
contact@malet-roquefort.com
www.chateau-tertre-daugay.com

Située, comme son nom l'indique, sur un spectaculaire tertre calcaire, dans la partie orientale de la côte de Saint-Émilion, la propriété a été acquise par Léo de Malet (Château La Gaffelière, à Saint-Émilion) en 1978. Il l'a patiemment reconstituée, et elle est assurément parvenue aujourd'hui à sa pleine maturité d'expression.

Saint-Émilion grand cru 2007

Rouge | 2011 à 2017 | 22 € **15/20**

Gras, onctueux, bonne ampleur fruitée et équilibrée, tanins sans rudesse.

CHÂTEAU LE TERTRE DE LEYLE

33710 Teuillac

vignoblesgrandillon@aliceadsl.fr

Côtes de Bourg Réserve 2007

Rouge | 2010 à 2013 | 7,80 € **14/20**

Tanins vifs, frais, sans amertume ni rusticité, croquant, juteux. Agréable, sans prétention.

CHÂTEAU LE TERTRE-ROTEBŒUF

33330 Saint-Laurent-des-Combes

Fax : 05 57 74 42 11

tertre.roteboeuf-roc.de.cambes@wanadoo.fr

www.tertre-roteboeuf.com

Visite : Sur rendez-vous.

François Mitjaville est, de tous les grands viticulteurs bordelais, celui qui a la sensibilité la plus artistique et qui correspond le plus à l'idée que l'on se fait d'un «créateur de vin», même s'il se définit plus volontiers comme interprète d'un terroir. Le magnifique promontoire du Tertre termine en quelque sorte la côte Pavie, mais est soumis à un microclimat plus froid, qui exige d'attendre un peu plus longtemps la maturité idéale du raisin. Cet allongement du cycle végétatif du raisin entraîne la création d'arômes tout à fait étonnants et uniques dans l'appellation, qu'il faut saisir et stabiliser à la vinification. Le tempérament intuitif et empirique du propriétaire des lieux n'aurait pas suffi: il a eu l'intelligence de comprendre que la science œnologique était la seule à garantir la réussite de l'œuvre d'art. Son vin, par la somptuosité de son corps et de ses arômes et par la volupté de ses textures, a fidélisé un peu partout sur cette planète des centaines d'esthètes, qui le placent au sommet de leur panthéon personnel.

Saint-Émilion grand cru 2008

Rouge | 2015 à 2025 | NC **18/20**

Plus classique en termes de construction et de précision aromatique que son prédécesseur, ce 2008 brille par sa finesse et sa stature, c'est un vin de grande perfection formelle.

Saint-Émilion grand cru 2007

Rouge | 2015 à 2025 | NC **19/20**

Peut-être la plus belle texture du millésime à Saint-Émilion, mais le fond est également impressionnant : le Tertre Roteboeuf a toujours su entrer dans une dimension supérieure dans les «petits» millésimes. Ce 2007 fera date !

CHÂTEAU LA TOUR DU PIN

33330 Saint-Emilion

Tél. 05 57 24 79 34

Saint-Émilion grand cru 2007

Rouge | 2011 à 2017 | NC **16/20**

Cette petite propriété bien située sur le plateau a été acquise par les propriétaires de Cheval Blanc et c'est l'équipe technique du premier cru qui s'en occupe avec beaucoup d'enthousiasme. Ce premier millésime est une petite bombe fruitée, exaltant le charme immédiat d'un beau merlot mûr.

CHÂTEAU LA TOUR DU PIN FIGEAC (GIRAUD)

Château Le Caillou • 33500 Pomerol

Tél. 05 56 51 06 10 • Fax : 05 57 51 74 95

giraud.belivier@wanadoo.fr

www.vins-giraud-belivier.com

Visite : sur rendez-vous

Saint-Émilion grand cru 2008

Rouge | 2010 à2023 | 25,50 € **16/20**

L'un des meilleurs millésimes du cru depuis le début de la décennie : bonne couleur, vin intense et onctueux, belle allonge sur les fruits noirs.

CHÂTEAU TOUR MAILLET

Negrit • 33570 Montagne

Tél. 05 57 74 61 63 • Fax : 05 57 74 59 62

vignobleslagardere@wanadoo.fr

Visite : Sur rendez-vous.

Ce petit cru du secteur est de l'appellation a beaucoup progressé et produit aujourd'hui des vins séduisants et immédiatement savoureux. Le style est charnu et aromatique, brillamment architecturé. Quel que soit le millésime, le vin ne nous a jamais déçus au cours des dégustations réalisées ces dernières années. C'est assurément un vin à suivre, encore très accessible.

Pomerol
Rouge | 2012 à 2017 | NC **14/20**
Vin droit et bien constitué, avec un tanin encore un peu rigide qui demandera quelques années pour se fondre.

CHÂTEAU TOURNEFEUILLE

24, rue de l'Église • 33500 Néac
Tél. 05 57 51 18 61 • Fax : 05 57 51 00 04
chateautournefeuille@wanadoo.fr
www.chateau-tournefeuille.com
Visite : 8h à 12h et de 13h30 à 17h

Lalande de Pomerol 2007
Rouge | 2010 à 2016 | 18,30 € **15/20**
Robe pourpre. Nez très frais, bouche complexe, riche, beaucoup de finesse, du fruit, élégant. Tanins fins.

CHÂTEAU LES TOURS DE PEYRAT

9, Le Piquet - B.P. 94 Cars • 33392 Blayes cedex
Tél. 05 57 42 13 15 • Fax : 05 57 42 84 92
www.chateau-les-tours-de-peyrat.com
Visite : en semaine, de 9h à 12h et de 14h à 18h, samedi jusqu'à 17h30

Premières Côtes de Blaye Vieilles Vignes 2007
Rouge | 2010 à 2013 | 7,50 € **13,5/20**
Nez discret, fluide en bouche, agréable, structure légère.

CHÂTEAU TRIANON

33330 Saint-Émilion
Tél. 05 57 25 34 46 • Fax : 05 57 25 28 61
contact@chateau-trianon.com

Situé à la sortie de Libourne, sur des sols sableux, Trianon a été repris en 2001 par Dominique Hébrard, qui a apporté à ce terroir intéressant un drainage indispensable ici pour réaliser de belles choses. Depuis cette date, le vin a en effet spectaculairement progressé, exprimant parfaitement le style velouté et suave des meilleurs saint-émilions du secteur.

Saint-Émilion grand cru 2008
Rouge | 2012 à 2018 | 19 € **16/20**
Vin de bonne dimension dans un genre fin et soyeux, notes précises et expressives de fruits rouges.

Saint-Émilion grand cru 2007
Rouge | 2012 à 2017 | 19 € **16/20**
Élégant et charnu, tanin fin, belle allonge et fruit profond.

CHÂTEAU LES TROIS CROIX

Lieu-dit Les-Trois-Croix • 33126 Fronsac
Tél. 05 57 84 32 09 • Fax : 05 57 84 34 03
lestroiscroix@aol.com
www.chateaulestroiscroix.com
Visite : sur rendez-vous.

Le nom de cette très ancienne propriété de Fronsac (début XVIIIe siècle) vient de son implantation particulière, depuis laquelle on peut voir les trois clochers des trois communes de l'appellation Fronsac. Elle a été reprise en 1995 par l'affable et brillant œnologue-vinificateur Patrick Léon (ex-Mouton-Rothschild), qui l'exploite désormais avec son fils et sa fille. S'appuyant sur la philosophie de Patrick Léon pour des vinifications axées sur l'équilibre et la finesse, les vins se déploient en longueur et en sveltesse plutôt qu'en puissance et en lourdeur. Cette propriété est indéniablement devenue l'une des références de l'appellation.

Fronsac 2007
Rouge | 2012 à 2017 | 16,50 € **16,5/20**
Vin d'une très grande élégance, très finement construit, fruit noble et frais, belle texture suave et finale persistante. Grande classe.

Fronsac Château Lamolière 2007
Rouge | 2011 à 2016 | 8,50 € **15/20**
Ce deuxième vin des Trois Croix est issu de 100 % merlot. Une expression encore très jeune, fruit mûr, joli boisé, la bouche est très dense avec une trame tannique serrée, grande allonge. C'est un vin charmeur et complet, superbement réalisé.

CHÂTEAU TROPLONG-MONDOT

33330 Saint-Émilion
Tél. 05 57 55 32 05 • Fax : 05 57 55 32 07
contact@chateau-troplong-mondot.com
www.chateau-troplong-mondot.com
Visite : De 9h à 12h et de 14h à 18h.

Situé au sommet de la côte Pavie et sur le plateau qui lui fait suite, Troplong-Mondot est un site magnifique, qui semble préservé du temps et des modes. Le cru doit beaucoup à sa propriétaire, Christine Valette, qui y pratique une viticulture d'élite, mettant pleinement en valeur un remarquable terroir qui produit des vins profonds, corsés

mais harmonieux, développant lentement un très noble parfum d'épices et de truffe.

Saint-Émilion grand cru 2008

Rouge | 2013 à 2023 | cav. 65 € **17/20**

Coloré et dense, compact et énergique, belle intensité aromatique de fruits rouges, tanins fermes, grande longueur.

Saint-Émilion grand cru 2007

Rouge | 2012 à 2020 | cav. 70 € **17/20**

Généreusement bouqueté, ce vin impose en bouche de l'élégance et de la profondeur avec une souveraine subtilité.

CHÂTEAU TROTANOY

33500 Pomerol

Tél. 05 57 51 78 96 • Fax : 05 57 51 79 79

info@jpmoueix.com • www.moueix.com

Voisin de Petrus, Trotanoy partage avec lui un sol très argileux, et ainsi un encépagement très largement dominé par le merlot. La personnalité de Trotanoy apparaît toujours très structurée, droite, moins exubérante et suave que celle de Petrus, avec un fruit assez vif qui se maintient au vieillissement en apportant une fraîcheur supplémentaire à la palette truffée du cru dans sa maturité.

Pomerol 2007

Rouge | 2014 à 2022 | NC **18/20**

Le style fin, svelte et profond de Trotanoy est parfaitement inscrit dans ce millésime qui brille par son élégance de tanin et sa persistance remarquable. Une mécanique de précision.

CHÂTEAU TROTTEVIEILLE

33330 Saint-Émilion

Tél. 05 56 00 00 70 • Fax : 05 57 87 60 30

bordeaux@borie-manoux.fr

www.borie-manoux.com

Visite : Du lundi au vendredi, sur rendez-vous.

Depuis la fin des années 1990 et l'arrivée aux commandes de Philippe Castéja, appuyé par le brillant œnologue Denis Dubourdieu, cette propriété magnifiquement située sur le plateau calcaire, à la sortie nord-est du village de Saint-Émilion, séduit par une intensité très affirmée mais aussi par son équilibre, sa finesse et sa fraîcheur, proposant la personnalité d'un saint-émilion racé, long et svelte, séduisant dès sa prime jeunesse.

Saint-Émilion grand cru 2008

Rouge | 2012 à 2022 | 65 € **16,5/20**

Vineux et plein, belle sève profonde, framboise et mûre, belle allonge savoureuse et fine.

Saint-Émilion grand cru 2007

Rouge | 2012 à 2022 | 58 € **16/20**

Robe vive de moyenne intensité, nez toasté et floral, longueur tendre et fine, persistance florale. Vin délicat mais bien construit.

CHÂTEAU VALANDRAUD

6, rue Guadet - B.P. 88 • 33330 Saint-Émilion

Tél. 05 57 55 09 13 • Fax : 05 57 55 09 12

thunevin@thunevin.com • www.thunevin.com

Visite : Sur rendez-vous.

Situé dans l'est de l'appellation, à Saint-Etienne-de-Lisse, créé ex-nihilo par Jean-Luc Thunevin, Valandraud est passé de soixante ares de vignes au début des années 1990 à plus de vingt hectares aujourd'hui. Il n'est donc désormais plus le «vin de garage» dont il avait lancé la mode, mais bien l'un des crus les plus harmonieux et racés de Saint-Émilion. Épanoui, large d'esprit et d'épaules, mais aussi doté de tanins délicats et fins, Valandraud exprime avec originalité et modernité une certaine idée de la perfection vigneronne.

Bordeaux N°1 2008

Blanc | 2010 à 2016 | cav. 99 € **18/20**

Brillant volume, très épanoui et long : assurément le meilleur blanc jamais réalisé par la propriété, et l'un des grands blancs de Bordeaux dans ce millésime.

Bordeaux N°2 2008

Blanc | 2010 à 2012 | cav. 29 € **14/20**

Fruité assez vif avec ses notes d'agrumes, corps long et vivace. Intense.

Saint-Émilion grand cru 2008

Rouge | 2013 à 2020 | cav. 145 € **17,5/20**

Beau vin complet, racé, intense, élégant, long, indiscutablement réussi et de grand potentiel.

Saint-Émilion grand cru 2007

Rouge | 2012 à 2017 | cav. 250 € **16,5/20**

Fruit élégant, fin et élancé, s'appuyant sur un tanin délicat et racé.

Saint-Émilion grand cru
Virginie de Valandraud 2008
Rouge | 2013 à 2018 | cav. 29 € **16/20**
Même style que le 2007 avec un caractère légèrement plus tranchant actuellement : on peut l'attendre deux à trois ans.

Saint-Émilion grand cru
Virginie de Valandraud 2007
Rouge | 2012 à 2017 | cav. 35 € **16/20**
Belle couleur, svelte et réussi, fruit précis, allonge serrée et profonde, persistance des notes de fruits noirs en finale.

CHÂTEAU VEYRY

Paupin • 33330 Saint-Laurent-des-Combes
Tél. 06 07 28 53 80 • Fax : 05 57 74 09 56
veyry@orange.fr
Visite : Sur rendez-vous.

Propriété de deux hectares dont les vignes escarpées, sinueuses, presque en terrasses pour certaines, dominent la petite ville de Castillon-la-Bataille. L'œnologue Christian Veyry l'a patiemment créée, acquérant le terrain en 1986, plantant une première parcelle en 1993 et une seconde quatre ans plus tard. Aujourd'hui, ce vignoble parvient, sinon à sa maturité, du moins à une excellente définition de ses vins, impressionnants par leur intensité de fruit et par leur souplesse onctueuse et extrêmement séduisante.

Côtes de Castillon 2007
Rouge | 2010 à 2014 | 17 € **15/20**
Belles notes de fruits frais et un boisé très grillé, franc en bouche avec des tanins un peu fermes sans sécheresse, de la sève et une finale fruitée. Bon vin à boire sur le fruit.

CHÂTEAU LA VIEILLE CURE

Coutreau • 33141 Saillans
Tél. 05 57 84 32 05 • Fax : 05 57 74 39 83
vieillecure@wanadoo.fr • www.la-vieille-cure.com
Visite : Du lundi au vendredi de 8h à 12h et de 13h30 à 17h30 sur rendez-vous.

Cette propriété, dont les origines remontent au XVIIIe siècle, est située à l'est de l'appellation, en plateau et en côtes, le long d'une petite rivière, l'Isle. Depuis une quinzaine d'années, c'est l'un des fronsacs les plus réguliers en qualité, avec des vins toujours pleins de sève, parfois un peu rigides dans leur jeunesse mais vieillissant noblement. Après une petite période de stagnation, le domaine semble être reparti d'un meilleur pied.

Fronsac 2007
Rouge | 2011 à 2016 | 20 € **15/20**
Vin encore un peu fermé, bouche agréablement fruitée avec de la fraîcheur, un fruit savoureux, développant un corps puissant assez structuré, bonne allonge mais manquant un peu de précision cette année.

Fronsac 2006
Rouge | 2011 à 2015 | 23 € **15,5/20**
Robe profonde, doté d'un fruit noir franchement exprimé, c'est un vin long, profond, au tanin précis et fin, à la saveur de fruit mûr.

CLOS DE LA VIEILLE ÉGLISE

Les Jays - Les Petits Jays Ouest
33570 Les-Artigues-de-Lussac
Tél. 05 57 55 57 90 • Fax : 05 57 55 57 98
trocard@wanadoo.fr • www.trocard.com
Visite : Du lundi au vendredi, de 8h30 à 12h et de 14h à 17h30. Le week-end sur rendez-vous.

Pomerol 2008
Rouge | 2012 à 2018 | 45 € **15/20**
Très boisé avec un peu de sécheresse tannique actuellement, c'est un vin solide et de bonne profondeur. Il pourra bien vieillir.

Pomerol 2007
Rouge | 2012 à 2017 | 43 € **15,5/20**
Bonne couleur, toasté, fruit fin, gourmand et savoureux, bon volume généreux, bien construit.

VIEUX CHÂTEAU CERTAN

Vieux Château Certan • 33500 Pomerol
Tél. 05 57 51 17 33 • Fax : 05 57 25 35 08
info@vieuxchateaucertan.com
www.vieuxchateaucertan.com
Visite : Sur rendez-vous.

Le quartier de Certan, au centre de l'appellation, a toujours été considéré comme un terroir privilégié de Pomerol. Ici notamment, les deux variétés de cabernet arrivent souvent à maturité, et cette particularité donne au cru une physionomie différente des autres pomerols, particulièrement en vin jeune, plus linéaire, plus discret et moins voluptueux, avec même parfois des tanins un peu verts (mais le long vieillissement en cave lui rend justice). À maturité, le bouquet du cru est sans doute le plus complexe et

le plus élégant du Libournais, avec des notes de cèdre et d'épices qui complètent magnifiquement les arômes classiques de truffe et de violette.

Pomerol 2008
Rouge | 2016 à 2030 | cav. 54 € **18,5/20**
Assurément un futur classique de la propriété : la dimension du vin est à la fois profonde et de grande énergie, relevée par la fraîcheur croquante des grands cabernets et la race impeccable du terroir. Grand avenir.

Pomerol 2007
Rouge | 2014 à 2024 | cav. 73 € **17/20**
Très belle fraîcheur de fruit, tanin souple et allonge délicate. Fin, croquant et pur dans un volume qui est celui du millésime.

CHÂTEAU VIEUX MAILLET

16, chemin de Maillet • 33500 Pomerol
Tél. 05 57 74 56 80 • Fax : 05 57 74 56 59
info@chateauvieuxmaillet.com
www.chateauvieuxmaillet.com
Visite : Sur rendez-vous.

Pomerol 2008
Rouge | 2012 à 2018 | NC **15,5/20**
Belle sève et bon fruit pour ce vin issu du secteur oriental de l'appellation. Très sérieusement construit et parfaitement typique du cru.

CHÂTEAU VIEUX NODEAU

1, Nodeau • 33710 Saint-Ciers-de-Canesse
Tél. 05 57 64 91 89 • Fax : 05 57 64 91 89
vieuxnodeau@yahoo.fr

Côtes de Bourg 2007
Rouge | 2010 à 2012 | 13 € **14,5/20**
Bonne présentation des tanins, une bouche particulièrement gourmande, flatteuse. À boire rapidement.

CHÂTEAU VILLARS

33141 Saillans
Tél. 05 57 84 32 17 • Fax : 05 57 84 31 25
chateau.villars@wanadoo.fr
www.chateauvillars.com
Visite : du lundi au vendredi, de 9h à 12h et de 14h à 17h

Château Villars s'étend sur la commune de Saillans, dans le fief des meilleurs fronsacs. Les vins ont franchi incontestablement une étape depuis que Thierry Gaudrie a repris le flambeau du domaine familial en 1997. Un travail long et patient et une meilleure connaissance du terroir ont contribué au retour du domaine à une valeur sûre du secteur. Les vins gagnent en équilibre et en naturel et sont plus rapidement prêts à être consommés.

Fronsac Château Moulin Haut-Villars 2007
Rouge | 2012 à 2017 | 8,50 € **14,5/20**
L'ensemble paraît plus concentré qu'à son habitude, sûrement grâce à la nouvelle table de tri, et la proportion plus élevée du cabernet franc qui lui donne un caractère ferme presque médocain. Un Villars solidement bâti, séveux, qui aura besoin de temps pour trouver tout son équilibre.

CHÂTEAU VILLEMAURINE

23, Villemaurine Sud • 33330 Saint-Émilion
Tél. 05 57 74 47 30 • Fax : 05 57 24 63 09
resevations@villemaurine.com
contact@villemaurine.com
www.villemaurine.com
Visite : d'avril à novembre : mardi et mercredi, de 9h30 à 18h ; du jeudi au dimanche, de 9h30 à 19h ; fermé le lundi de décembre à mars : sur rendez-vous.

Cette propriété est superbement située à la sortie nord du village de Saint-Émilion, à côté de Trottevieille, sur le plateau calcaire. Reprise en 2007 par le négociant Justin Onclin, par ailleurs déjà propriétaire du moulis Château Branas Grand-Poujaux, elle produit désormais de beaux vins délicats et brillants.

Saint-Émilion grand cru 2007
Rouge | 2012 à 2018 | 30 € **16/20**
Vin tendre et délicat, belle distinction, assurément la finesse du calcaire, même s'il ne possède pas la densité des millésimes suivants.

CHÂTEAU LA VIOLETTE

33500 Pomerol
Fax : 05 57 25 36 39

Nouvelle acquisition de l'insatiable Catherine Péré-Vergé, le Château La Violette a tout pour devenir l'une des grandes stars de Pomerol. Sa situation d'abord, qui en fait un voisin du Pin, au-dessus du village de Catusseau, la volonté de sa propriétaire et le talent de son œnologue-consultant Michel Rolland, ensuite. Tout en parfum et en exubérante suavité, le cru possède une personnalité intense, immédiatement affirmée par les premiers vins réalisés.

Pomerol 2008
Rouge | 2015 à 2025 | NC **18/20**
Plus puissant que le 2007 et pareillement velouté, ce vin possède un grand potentiel. Intense, chaleureux, aromatique et persistant, il lui faut encore associer toutes ses composantes.

Pomerol 2007
Rouge | 2014 à 2024 | NC **18/20**
D'une ampleur et d'une suavité sans guère d'équivalents dans ce millésime, le vin se développe avec un très persistant charme aromatique et un soyeux de tanin splendide.

CHÂTEAU VRAI CANON BOUCHÉ

1, le Tertre de Canon • 33126 Fronsac
Tél. 05 53 24 18 43 • Fax : 05 53 24 18 14
contact@chateauvraicanonbouche.com

Canon-Fronsac 2007
Rouge | 2011 à 2015 | 20 € **15/20**
Robe pourpre, richement fruité, bouche fraîche, charnue, assez savoureuse, avec une solide trame tannique un rien asséchante qui devra se fondre.

Canon-Fronsac Le Tertre de Canon 2006
Rouge | 2010 à 2014 | 10 € **14/20**
Bouche onctueuse, charnue et fruitée, soutenue par une trame d'intensité moyenne. Vin agréable, bien dessiné.

CHÂTEAU VRAY CROIX DE GAY

Château Siaurac • 33500 Néac
Tél. 05 57 51 64 58 • Fax : 05 57 51 41 56
info@baronneguichard.com
www.baronneguichard.com
Visite : visites à 16h tous les jours
week-end sur rendez-vous

Superbement située au cœur de l'appellation, Vray Croix de Gay appartient aux mêmes propriétaires que le savoureux lalande Siaurac et le cru classé de Saint-Émilion Le Prieuré. Le cru trouve peu à peu ses marques, c'est à dire s'impose parmi les vins importants de l'appellation.

Pomerol 2008
Rouge | 2012 à 2018 | 56 € **16,5/20**
Par rapport au millésime précédent, le vin a gagné en profondeur et en étoffe : soyeux, précis, long, belle allonge fruitée et fraîche.

Pomerol 2007
Rouge | 2012 à 2017 | 48 € **15/20**
Vin élégant et raffiné, délicat et subtil, avec néanmoins un petit manque d'énergie en finale.

Pomerol L'Enchanteur de la Vray Croix de Gay 2008
Rouge | 2011 à 2015 | 26 € **14/20**
Bon équilibre entre droiture tannique et joliesse fruitée de l'étoffe : très sympathique.

Pomerol L'Enchanteur de la Vray Croix de Gay 2007
Rouge | 2010 à 2014 | 24 € **14/20**
Vin très tendre, velouté et rond, exprimant un fruité mûr immédiatement séducteur.

La sélection Bettane et Desseauve pour la Bourgogne

Le vignoble de Bourgogne

Vignoble chargé d'histoire, véritable marqueterie d'art en raison d'une incroyable diversité de sols et de « climats », justifiant d'une appellation d'origine pour chacun d'eux, il n'a jamais été aussi amoureusement étudié et suivi par les aficionados du pinot noir, le plus à la mode des cépages rouges, et du chardonnay, le plus universel des cépages blancs, qui poussent ici dans leur terreau naturel !

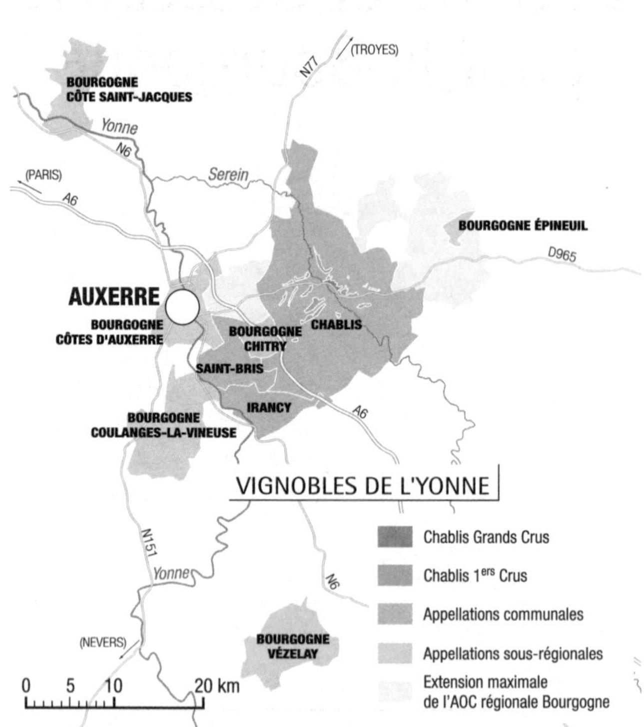

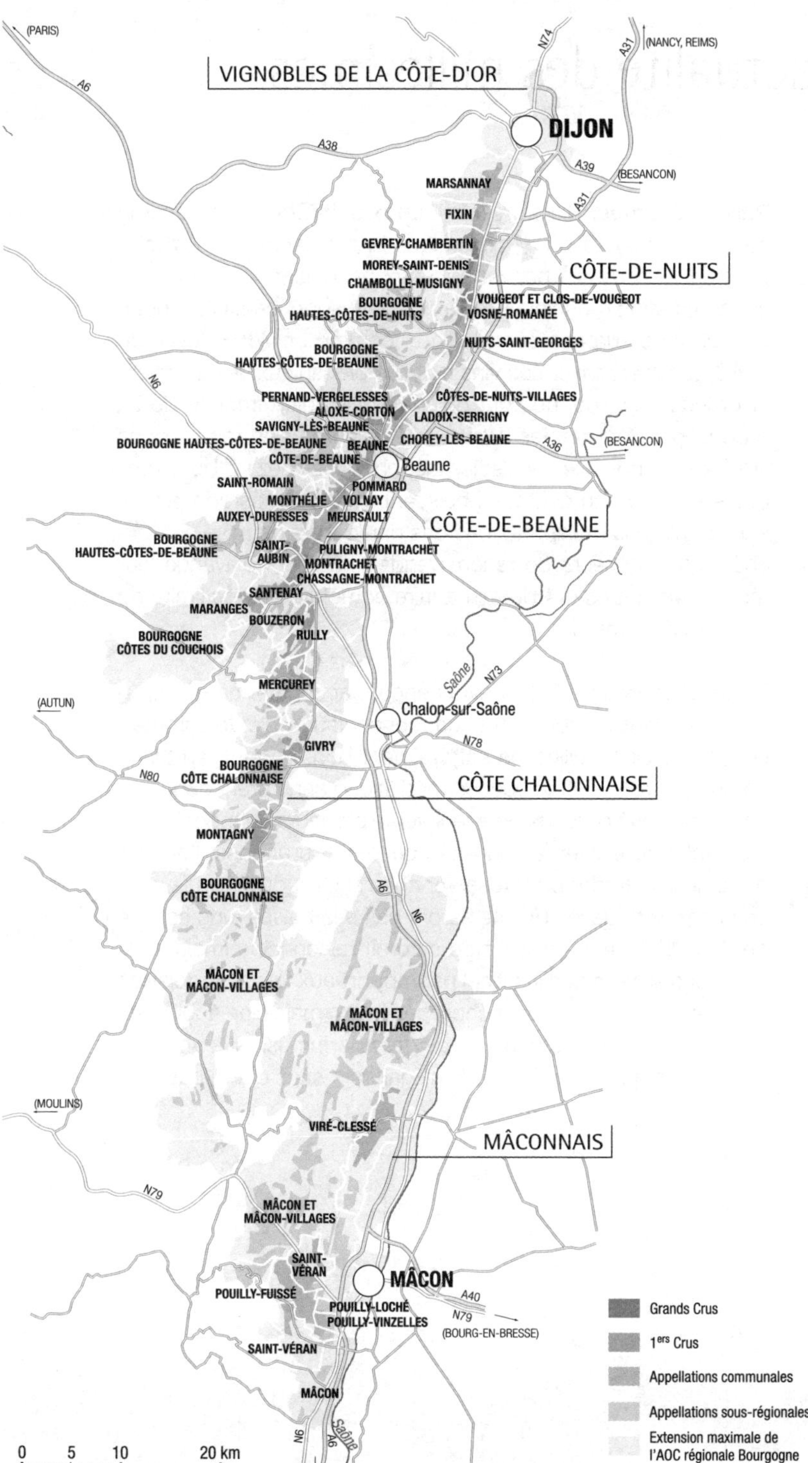
VIGNOBLES DE LA CÔTE-D'OR
DIJON
MARSANNAY
FIXIN
GEVREY-CHAMBERTIN
MOREY-SAINT-DENIS
CHAMBOLLE-MUSIGNY
BOURGOGNE HAUTES-CÔTES-DE-NUITS
VOUGEOT ET CLOS-DE-VOUGEOT
VOSNE-ROMANÉE
CÔTE-DE-NUITS
NUITS-SAINT-GEORGES
BOURGOGNE HAUTES-CÔTES-DE-BEAUNE
PERNAND-VERGELESSES
CÔTES-DE-NUITS-VILLAGES
ALOXE-CORTON
LADOIX-SERRIGNY
SAVIGNY-LÈS-BEAUNE
BOURGOGNE HAUTES-CÔTES-DE-BEAUNE
BEAUNE
CHOREY-LÈS-BEAUNE
CÔTE-DE-BEAUNE
Beaune
SAINT-ROMAIN
POMMARD
MONTHÉLIE
VOLNAY
AUXEY-DURESSES
MEURSAULT
CÔTE-DE-BEAUNE
BOURGOGNE HAUTES-CÔTES-DE-BEAUNE
SAINT-AUBIN
PULIGNY-MONTRACHET
MONTRACHET
CHASSAGNE-MONTRACHET
SANTENAY
MARANGES
BOUZERON
RULLY
BOURGOGNE CÔTES DU COUCHOIS
MERCUREY
Chalon-sur-Saône
GIVRY
BOURGOGNE CÔTE CHALONNAISE
CÔTE CHALONNAISE
MONTAGNY
BOURGOGNE CÔTE CHALONNAISE
MÂCON ET MÂCON-VILLAGES
MÂCON ET MÂCON-VILLAGES
VIRÉ-CLESSÉ
MÂCONNAIS
MÂCON ET MÂCON-VILLAGES
SAINT-VÉRAN
MÂCON
POUILLY-FUISSÉ
POUILLY-LOCHÉ
POUILLY-VINZELLES
SAINT-VÉRAN
MÂCON
(PARIS)
(NANCY, REIMS)
(BESANCON)
(BESANCON)
(AUTUN)
(MOULINS)
(BOURG-EN-BRESSE)
(LYON)
A6
A38
A39
A31
A36
A40
N74
N6
N73
N78
N80
N79
Saône
0 5 10 20 km
Grands Crus
1ers Crus
Appellations communales
Appellations sous-régionales
Extension maximale de l'AOC régionale Bourgogne

L'actualité des millésimes

Particularismes. Si l'on réfléchit un peu, la Bourgogne, même dans sa configuration géographique la plus large, produit relativement peu de vin par rapport aux besoins immenses de la consommation mondiale et à sa notoriété supposée. C'est donc toujours une surprise quand elle a, comme en 2008/2009, du mal à commercialiser ses vins les plus prestigieux, les premiers et grands crus, qui ne sont qu'une toute petite fraction de sa production. Pourtant les amateurs de vins ne s'en rendent pas vraiment compte : les prix et les disponibilités chez les bons producteurs, ceux du guide, ne baissent guère. Ce paradoxe tient sans doute à la multiplicité des cas particuliers de mise en marché. Les viticulteurs de renom vendent toujours d'avance leur récolte, les autres ont du mal à faire admettre leur légitimité de produire de bons vins.

L'année heureuse. 2011 devrait encore accentuer cette disparité car les vins de 2009 vont commencer leur cycle de commercialisation. Or le millésime est vraiment bon, partout, en blanc comme en rouge, et le succès médiatique sans précédent rencontré par les bordeaux pour leur vente primeurs du millésime va bien entendu exciter la curiosité pour les bourgognes. Il faudra donc ne pas tarder pour réserver chez ses producteurs favoris, en imaginant que les prix ne seront pas à la baisse, une hausse de 20 à 25 % apparaissant de surcroît raisonnable (mais nous ne disons surtout pas justifiée) par rapport aux folies bordelaises actuelles. Les blancs sont riches, généreux, mais bien équilibrés, les rouges mûrs, onctueux, longs, très parfumés, plus souples, plus fluides que les 2005, qu'ils n'égaleront sans doute pas.

Un millésime attachant. Notre conseil est de donner une priorité d'achat aux 2008, très attachants par leur caractère en rouge, remarquables (et sans doute supérieurs aux 2009) en blanc, peut-être même les plus denses et énergiques du dernier quart de siècle. Même si la demande pour les 2009 leur fait de l'ombre, le tout petit volume de cette récolte entraînera un épuisement rapide des stocks. Reste le cas des derniers 2006 et 2007, souvent indisponibles à la propriété mais en vente chez les bons cavistes : leur caractère est diamétralement opposé, 2006 parfois vendangé trop tard est très mûr, peu acide, avec une tendance au vieillissement rapide, mais les réussites sont remarquables d'opulence dans le fruit comme dans la texture, en rouge comme en blanc. Il faut donc savoir les choisir. 2007 souvent vendangé un peu tôt est moins plein, plus nerveux, plus frais et plus fin dans ses arômes mais moins sensuel, les blancs semblant un peu plus attirants que les rouges.

Avant. Dans les millésimes plus anciens, difficilement trouvables désormais en dehors des enchères ou des cartes des vins des restaurants, et à des prix peu amicaux, liés aux coefficients multiplicateurs inhumains pratiqués, 2005, de loin le plus homogène, est encore trop jeune pour être consommé, 2004 réserve de jolies surprises dans les deux couleurs, les blancs prêts ou presque, les rouges encore un peu sur la réserve. 2003 a fait couler beaucoup d'encre. Plus le temps passe, plus les vins mal vinifiés montrent leurs défauts et devraient finir leur vie en vin de sauce, plus les bons montrent le côté exceptionnel de leur texture et de leur parfum, avec des rouges de tempérament très solaire mais souvent somptueux, et des blancs moins réussis dans l'absolu mais faits pour les plats les plus riches en saveur. 2002 est le plus bourguignon de tous dans ses équilibres et désormais prêt à boire, 2001 séduit en rouge plus qu'en blanc, 2000 faisant l'inverse. 1999 né remarquable est en phase ingrate, par excès de réduction grillée dans son caractère, dont il sortira peut-être en 2011. Les millésimes plus anciens deviennent des raretés, mais nous continuons à adorer les blancs 1996 réussis, d'un éclat et d'une tension exceptionnels quand le bouchon ne trahit pas, et les 1993 rouges, denses, racés, faits pour la table.

Et le Mâconnais ? Le 2007 marqué par un mois d'avril exceptionnel s'annonçait précoce, mais à partir de mai, on doit déchanter ; pluies et froid font perdre en quasi totalité l'avance de printemps ; en août, malgré le froid, les raisins continuent de mûrir, et le millésime a de l'allure chez ceux qui s'appliquent à la vigne et qui limitent les rendements. Ceci est encore plus vrai en 2008, où les caprices de la météo printanière et estivale sont sauvés très partiellement par un mois de septembre magnifique. Ceux qui ont misé sur des rendements confortables ont produit des vins mordants, manquant totalement de charme et de maturité. Les grêles de l'été ont perturbé le millésime 2009 dans certains secteurs de Pouilly, Saint-Véran et Mâcon. Les vendanges se sont échelonnées pendant tout le mois de septembre ; contrairement à 2008, on peut avoir des rendements plus confortables. Le millésime risque d'être hétérogène. Si les grands blancs 2009 sont encore en élevage, on peut déjà louer la plénitude des rouges du secteur de Cruzilles, avec une texture soyeuse et un fruit bien dégagé.

RIEDEL BOURGOGNE

Un grand bourgogne rouge, c'est d'abord affaire de bouquet. La forme très particulière des Riedel pinot noir rend parfaitement justice à la subtilité des arômes des grands pinots. En bouche la forme du verre permet un respect parfait de l'équilibre des vins, alors que beaucoup d'autres verres en exacerbent l'acidité. Pour les blancs, nous apprécions particulièrement le Riedel Chardonnay aux larges formes qui retranscrit de la meilleure façon l'onctuosité de ces vins. Pour les plus minéraux, les versions Chablis des séries Vinum ou Sommelier sont idéales. Le verre Riesling Grand Cru (que beaucoup appellent Chianti Classico), c'est à dire le verre utilisé dans la plupart des grandes dégustations à travers le monde (dont le grand Tasting!) reste une bonne alternative.

MEILLEURS VINS TOUTES CATÉGORIES

Bouchard Père et Fils,
Corton-Charlemagne grand cru, blanc, 2008

Domaine d'Auvenay,
Chevalier-Montrachet grand cru, blanc, 2008

Domaine de la Romanée-Conti,
Romanée-Conti grand cru, rouge, 2008

Domaine Leroy,
Musigny grand cru, rouge, 2008

Domaine William Fèvre,
Chablis grand cru, Les Clos, blanc, 2008

LE BONHEUR TOUT DE SUITE

Domaine Françoise et Denis Clair,
Saint-Aubin, Premier cru Frionnes, blanc, 2008

Domaine Guilhem et Jean-Hugues Goisot,
Bourgogne Côtes d'Auxerre, Corps de Garde, rouge, 2008

Domaine René Bouvier,
Gevrey-Chambertin, Racines du Temps, rouge, 2008

La Chablisienne,
Petit Chablis, Pas Si Petit, blanc, 2007

Les Champs de l'Abbaye,
Bourgogne Côte Chalonnaise, Le Clos des Roches, rouge, 2008

MEILLEURS VINS À MOINS DE 6 €

Domaine David Renaud,
Bourgogne, rosé, 2009

Domaine Olivier Morin,
Bourgogne aligoté, blanc, 2008

Domaine Olivier Morin,
Bourgogne Chitry, blanc, 2008

MEILLEURS VINS À MOINS DE 10 €

Bouchard Père et Fils,
Bourgogne, Les Coteaux des Moines, blanc, 2008

Domaine Guilhem et Jean-Hugues Goisot,
Bourgogne Côtes d'Auxerre, Corps de Garde, blanc, 2008

Domaine Sylvain Pataille,
Bourgogne, Le Chapitre, rouge

Jean-Marc Brocard,
Irancy, rouge, 2008

Merlin,
Mâcon-Villages, La Roche Vineuse Les Cras, blanc, 2008

MEILLEURS VINS À METTRE EN CAVE

Chanson Père et Fils,
Chambertin-Clos de Bèze grand cru, rouge, 2008

Domaine Faiveley,
Chambertin-Clos de Bèze grand cru, rouge, 2008

Frédéric Magnien,
Bonnes-Mares grand cru, rouge, 2008

Jean-Luc & Paul Aegerter,
Bonnes-Mares grand cru, rouge, 2008

Louis Latour,
Chevalier-Montrachet grand cru, Les Demoiselles, blanc, 2008

MEILLEURS BLANCS DE LA CÔTE DE BEAUNE

Bouchard Père et Fils,
Chevalier-Montrachet grand cru, 2008

Chanson Père et Fils,
Corton - Les Vergennes grand cru, 2008

Domaine d'Auvenay,
Puligny-Montrachet, premier cru Folatières, 2008

Domaine Leroy,
Corton - Charlemagne grand cru, 2006

Louis Jadot,
Chevalier-Montrachet grand cru, Demoiselles, 2008

MEILLEURS CHABLIS

Domaine Christian Moreau Père et Fils,
Chablis grand cru, Les Clos Le Clos des Hospices, blanc, 2008

Domaine Laroche,
Chablis grand cru, blanchot Réserve de l'Obédience, blanc, 2008

Domaine Long-Depaquit,
Chablis grand cru, La Moutonne, blanc, 2008

Domaine Louis Michel et Fils,
Chablis grand cru, Grenouilles, blanc, 2008

Domaine René et Vincent Dauvissat,
Chablis grand cru, Les Clos, blanc, 2008

Domaine William Fèvre,
Chablis grand cru, Bougros Côte de Bouguerots, blanc, 2008

MEILLEURS CÔTES CHALONNAISES

Château de Chamirey,
Mercurey, premier cru Les Ruelles, rouge, 2008

Domaine Bruno Lorenzon,
Mercurey, premier cru Les Champs Martin, blanc, 2008

Domaine Bruno Lorenzon,
Mercurey, premier cru Pièce 13, rouge, 2007

Domaine Henri et Paul Jacqueson,
Rully, premier cru Margotés, blanc, 2008

Les Champs de l'Abbaye,
Rully, Les Cailloux, blanc, 2008

MEILLEURS CÔTES DE NUITS

Camille Giroud,
Chambertin grand cru, rouge, 2008

Domaine d'Auvenay,
Bonnes-Mares grand cru, rouge, 2008

Domaine de la Romanée-Conti,
Richebourg grand cru, rouge, 2008

Domaine Georges Roumier,
Bonnes-Mares grand cru, rouge, 2008

Domaine Leroy,
Chambertin grand cru, rouge, 2009

Dominique Laurent,
Chambertin-Clos de Bèze grand cru, rouge, 2008

MEILLEURS MACONNAIS

Château des Rontets,
Pouilly-Fuissé, Clos Varambon, blanc, 2008

Domaine Daniel, Julien et Martine Barraud
Pouilly-Fuissé, En Buland, blanc, 2008

Domaine Eric Forest,
Pouilly-Fuissé, La Côte, blanc, 2007

Domaine Guffens-Heynen,
Pouilly-Fuissé, La Roche, blanc, 2008

Domaine J.-A. Ferret-Lorton,
Pouilly-Fuissé, Hors Classe Les Ménétrières, blanc, 2008

Domaine La Soufrandière - Bret Brothers,
Pouilly-Vinzelles, Les Quarts, blanc, 2008

MEILLEURS ROUGES DE LA CÔTE DE BEAUNE

Bouchard Père et Fils,
Corton - Le Corton grand cru, 2008

Bouchard Père et Fils,
Volnay, premier cru Les Caillerets, 2008

Domaine Chandon de Briailles,
Corton - Bressandes grand cru, 2008

Domaine de Courcel,
Pommard, premier cru Grand Clos des Épenots, 2008

Domaine Jacques Prieur,
Corton - Bressandes grand cru, 2008

Domaine Lejeune,
Pommard, premier cru Argillières, 2008

Domaine Lejeune,
Pommard, premier cru Rugiens, 2008

Joseph Drouhin,
Corton - Bressandes grand cru, 2008

Palmarès des lecteurs

BOUCHARD PÈRE ET FILS
Bourgogne, Les Coteaux des Moines, blanc, 2008

DOMAINE CATHERINE ET CLAUDE MARÉCHAL
Bourgogne, cuvée Antoine, blanc, 2008

PASCAL PAUGET
Mâcon, Terroir de Tournus La Gelaine, blanc, 2008

Chablis et les vignobles de l'Yonne

Les terres blanches de Chablis conviennent idéalement à la production de vins blancs secs, minéraux, très fins, parfois un peu austères en année froide, mais capables de s'animer merveilleusement dès qu'on les met à table ! Le réchauffement climatique redonne également une nouvelle jeunesse aux petits cousins méconnus du chablisien, auxquels ils ressemblent comme deux gouttes... d'eau ! Le sauvignon, roi de Pouilly-sur-Loire, refait une apparition remarquée à Saint-Bris, et les rouges de pinot noir commencent à ressembler à quelque chose !

DOMAINE JEAN-CLAUDE BESSIN

18, rue de Chitry • 89800 Chablis
Tél. 03 86 42 46 77 • Fax : 03 86 42 85 30
dnejcbessin@wanadoo.fr
Visite : sur rendez vous

Depuis plusieurs années, Jean-Claude Bessin nous régale avec ses chablis d'une pureté et d'une droiture exemplaires, marqués par une minéralité incisive. Le fourchaume La-Pièce-au-Comte est régulièrement au sommet. Les 2008 sont délicieux, agréables jeunes mais tiendront dans le temps. A noter que les prix pratiqués sont ici très sages, alors que toute la gamme mérite l'attention des amateurs.

Chablis grand cru Valmur 2008
Blanc | 2010 à 2028 | 22 € **17,5/20**
Complexe, élégant, arômes raffinés de fleurs séchées et de poivre. Bouche élancée, concentrée, finale serrée. Grand avenir.

Chablis premier cru Fourchaume 2008
Blanc | 2010 à 2023 | 12 € **16/20**
Gras, gourmand, bel équilibre entre maturité et droiture, avec la puissance florale du Fourchaume en bouche.

Chablis premier cru Fourchaume La Pièce au Comte 2008
Blanc | 2010 à 2023 | 16 € **16,5/20**
Toujours ce supplément de chair et de parfum par rapport au «simple» fourchaume. Un vin ample et rond, généreux, à la bouche droite et savoureuse.

Chablis premier cru La Forêt 2008
Blanc | 2010 à 2023 | 15 € **16,5/20**
Riche, subtiles notes de champignon. Bon équilibre de bouche. Finale nerveuse et gourmande. Raffiné.

Chablis Vieilles Vignes 2008
Blanc | 2010 à 2016 | 9 € **15,5/20**
Mûr, parfumé, rond. Un chablis concentré, déjà très ouvert, plein de fruit et de charme. Complet.

DOMAINE BILLAUD-SIMON

1, quai de Reugny - B.P. 46 • 89800 Chablis
Tél. 03 86 42 10 33 • Fax : 03 86 42 48 77
bernard.billaud@online.fr • www.billaud-simon.com
Visite : en semaine de 8h à 12h et de 14h à 18h (sauf vendredi après-midi), samedi sur rendez-vous.

L'un des classiques de Chablis, grâce à ses vingt hectares en propriété, idéalement situés, complétés par une activité de négoce. Le style du domaine est fondé sur le gras et la richesse en bouche, grâce à des élevages sous bois plus ou moins prononcés, qui en font d'excellents compagnons de la gastronomie chablisienne. Les 2008 évolueront dans la lignée du grand millésime 2002.

Chablis grand cru Les Blanchots 2008
Blanc | 2013 à 2028 | NC **18/20**
Un blanchot serré, droit, riche en extrait sec. Il se fera lentement. Finale concentrée, qui rentre dans le chas de l'aiguille.

Chablis grand cru Les Clos 2008
Blanc | 2013 à 2028 | NC **18/20**
Il est très jeune. Pour l'instant, il se cantonne à un registre citronné, mais la minéralité se développera avec le temps. La bouche est tendue et concentrée.

Chablis grand cru Les Preuses 2008
Blanc | 2013 à 2028 | NC **17,5/20**
Un preuses puissant et riche, aux notes de fruit mûr (raisin) et de sous-bois (châtaigne). La bouche est plus volumineuse que celle de vaudésir.

Chablis grand cru Vaudésir 2008
Blanc | 2012 à 2028 | NC **17/20**
Un caractère floral et épicé prononcé (fleurs dorées au soleil). Bouche puissante, finale concentrée. Un grand cru très solaire.

Chablis premier cru Mont de Milieu 2008
Blanc | 2012 à 2018 | 17 € **15,5/20**
Un mont-de-milieu assez riche, à la bouche relevée, droit.

Chablis premier cru Mont de Milieu Vieilles Vignes 2008
Blanc | 2013 à 2023 | NC **16,5/20**
Plus de tension et de profondeur que la cuvée «simple» du même terroir. Elle demandera plus de temps en bouteille.

Chablis premier cru Montée de Tonnerre 2008
Blanc | 2013 à 2023 | 18 € **16,5/20**
Un vin droit et concentré, à la bouche compacte pour l'instant. Le style tranchant du terroir viendra plus tard, en bouteille.

Chablis premier cru Vaillons 2008
Blanc | 2010 à 2018 | 15 € **16/20**
Un nez très fruité blanc, avec une pointe de poivre. Bouche pure. Bon style, élégant et droit.

Chablis Tête d'Or 2008
Blanc | 2010 à 2015 | 12,50 € **15/20**
Une palette aromatique sur les fruits jaunes, l'élevage lui a donné un supplément de gras et d'enrobage. Un modèle de chablis élevé sous bois, équilibré, concentré et droit. Fait pour la table exclusivement.

Petit Chablis 2008 ☺
Blanc | 2010 à 2014 | 8 € **15/20**
Bonne concentration. Un côté surmûri, même, mais la richesse de 2008 lui convient.

DOMAINE PASCAL BOUCHARD

Parc des Lys • 89800 Chablis
Tél. 03 86 42 18 64 • Fax : 03 86 42 48 11
info@pascalbouchard.com
www.pascalbouchard.com
Visite : Tous les jours de 10h à 12h30 et de 14h à 18h30, fermé le dimanche après-midi en janvier.

Désormais pleinement en charge des vinifications, Romain Bouchard continue de faire progresser, année après année, les cuvées issues des vignes du domaine, que nous préférons sans réserve aux sélections issues d'achats de moûts, parfois décevantes. Les deux cuvées de vieilles vignes, en Montmains et Fourchaume, sont régulièrement au sommet. 2008 a ici donné des vins puissants mais parfois un peu riches en alcool.

Chablis grand cru Blanchot 2008
Blanc | 2012 à 2023 | 29,90 € **16/20**
Élevage encore perceptible, mais joli jus, concentré et mûr. Belle puissance de bouche, bien étirée en longueur.

Chablis grand cru Vaudésir 2008
Blanc | 2012 à 2023 | 29,90 € **16,5/20**
Charmeur, très floral dans son expression. Belle intensité de bouche. Finale délicate.

Chablis premier cru Fourchaume Vieilles Vignes 2008
Blanc | 2012 à 2018 | 17,90 € **15/20**
Mûr, mais sans la pureté et l'élégance du montmains-vieilles-vignes.

Chablis premier cru Montmains Vieilles Vignes 2008
Blanc | 2012 à 2023 | 15,90 € **16/20**
Joli jus. Un vin concentré et tendu, avec de subtiles notes racinaires. La bouche est gourmande.

Chablis Vieilles Vignes 2008
Blanc | 2011 à 2015 | 10,90 € **14/20**
Du gras, de la tension, mais une acidité qui doit encore se fondre un peu.

JEAN-MARC BROCARD

3, route de Chablis • 89800 Prehy-Chablis
Tél. 03 86 41 49 00 • Fax : 03 86 41 49 09
info@brocard.fr • www.brocard.fr
Visite : - sur le domaine, lundi au samedi , 9h-13h et 14h-18h30 - à Chablis, du lundi au samedi de 10h30 à 12h30 et de 14h30 à 19h, le dimanche de 10h30 à 13h.

Ce vaste domaine est l'un des pionniers de la biodynamie dans le Chablisien, à l'initiative de Jean-Marc Brocard et surtout de son fils Julien : sur les 180 hectares du vignoble, 85 sont certifiés ou en conversion. La vinification en levures indigènes permet de conserver le fruité du raisin, que l'on retrouve dans toutes les cuvées. La très vaste gamme présente encore quelques disparités, mais qui semblent se combler au fil des années, surtout dans un beau millésime comme 2008.

Bourgogne pinot noir Ica-Onna 2008 ☺
Rouge | 2010 à 2013 | 6,50 € **14,5/20**
Bon pinot fruité, avec de bons tanins. Très bien vinifié.

Chablis Domaine de Sainte-Claire Vieilles Vignes 2008
Blanc | 2010 à 2014 | 14 € **14/20**
Un chablis de bon caractère, avec une bouche serrée et concentrée.

Chablis grand cru Blanchot 2008
Blanc | 2010 à 2015 | NC **15/20**
Plus de tension et de salinité que dans la rive-gauche. Un bel exercice d'assemblage.

Chablis grand cru Les Clos 2008
Blanc | 2012 à 2018 | NC **15,5/20**
Un clos assez serré, qui ne se livre pas facilement, mais vinifié avec un bon raisin. Attendre un peu.

Chablis grand cru Valmur 2008
Blanc | 2011 à 2018 | NC **15,5/20**
Un valmur tendu et serré, à la bouche pure et fraîche.

Chablis premier cru Fourchaume 2008
Blanc | 2010 à 2014 | 18 € **14,5/20**
Gras, avec des arômes assez solaires. Moins pur que le montmains, mais plus riche en bouche.

Chablis premier cru Les Butteaux 2008
Blanc | 2010 à 2015 | 16 € **15/20**
Un premier cru avec un bon gras, à la bouche riche et enrobée. Bonne acidité en fin de bouche.

Chablis premier cru Montée de Tonnerre 2008
Blanc | 2010 à 2018 | 19 € **15,5/20**
Une montée mûre, avec un bon volume de bouche. La minéralité n'est pas encore là, mais la finale est tendue.

Chablis premier cru Montmains 2008
Blanc | 2010 à 2014 | 13 € **14,5/20**
La bouche est pure dans ses arômes, avec des notes délicates de fruits blancs et jaunes.

Chablis premier cru Vaulorent 2008
Blanc | 2010 à 2015 | 19 € **15/20**
Bouche puissante, sur des notes de raisin sec. Pur et droit, avec une finale élancée.

Irancy 2008
Rouge | 2010 à 2015 | 7,50 € **15/20**
Fruité gourmand, plus de volume de bouche que le bourgogne rouge, bonne chair, tanins fins. Fruité sur la cerise. Belle classe.

DOMAINE BENOÎT CANTIN

35, chemin des Fossés • 89290 Irancy
Tél. 03 86 42 21 96 • Fax : 03 86 42 35 92
cantin.benoit@orange.fr • www.cantin-irancy.com
Visite : sur rendez-vous

Benoît Cantin a recommencé le travail des sols, arrêté les désherbants, et vendange désormais à la main. Si la cuvée Émeline, au boisé bien présent, collectionne les médailles dans certains concours, nous avouons très clairement notre préférence pour la palotte, d'un parfum sans égal, et à notre sens plus proche de ce que doit être un grand vin d'Irancy.

Irancy 2008
Rouge | 2010 à 2015 | NC **15/20**
Un irancy au fruité rouge concentré, avec des tanins mûrs, charnu et droit.

Irancy cuvée Émeline 2008
Rouge | 2010 à 2018 | NC **15/20**
La richesse du millésime supporte bien l'élevage en fût. C'est charmeur, avec des tanins enrobés, la finale est suave.

Irancy Palotte 2008
Rouge | 2010 à 2018 | env 10,50 € **16/20**
Une cuvée élégante et raffinée, parfumée, aux tanins bien enrobés, à la finale délicate et envolée.

LA CHABLISIENNE

8, boulevard Pasteur - B.P. 14 • 89800 Chablis
Tél. 03 86 42 89 89 • Fax : 03 86 42 89 90
chab@chablisienne.fr • www.chablisienne.com
et www.chateaugrenouilles.com
Visite : Tous les jours de 9h à 12h et de 14h à 18h.

La cave coopérative de Chablis vinifie près du quart de la production locale. La large gamme permet de découvrir presque tous les crus de l'appellation pour un rapport qualité-prix raisonnable. Les vins sont commercialisés après des élevages assez longs, les 2007 cette année : aimables dès leur jeunesse, ils affichent une bonne droiture, même si quelques cuvées déçoivent.

Chablis grand cru Blanchot 2007
Blanc | 2010 à 2022 | 35,70 € **15,5/20**
Puissant, avec des notes poivrées en bouche. Bon équilibre, riche, bien typé blanchot.

Chablis grand cru Grenouilles
Château Grenouilles 2007
Blanc | 2012 à 2022 | 46,20 € **16,5/20**
A partir de 2007, la cave ne présente plus qu'une cuvée de grenouilles. Un supplément de gras et de chair par rapport aux autres grands-crus. Bon extrait sec, il se fera lentement.

Chablis grand cru Vaudésir 2007
Blanc | 2010 à 2022 | 35,70 € **15/20**
Belle délicatesse, notes florales élégantes. Pas un grand volume de bouche, mais équilibré.

Chablis Les Vénérables Vieilles Vignes 2007
Blanc | 2010 à 2015 | 14,20 € **14,5/20**
Un chablis gras et gourmand, de bonne tenue, équilibré, avec une finale pure et tendue.

Chablis premier cru L'Homme Mort 2007
Blanc | 2010 à 2017 | 18,80 € **15/20**
Note anisée. Belle maturité, un vin très expressif. La vinification entièrement en cuve rend son fruité immédiatement accessible.

Chablis premier cru Les Lys 2007 ☺
Blanc | 2010 à 2017 | 18,80 € **15/20**
Élégant, plus de personnalité que vaillons. Finale sur les fleurs et les épices, pure et tendue.

Chablis premier cru Mont de Milieu 2007
Blanc | 2010 à 2017 | 18,80 € **15/20**
Petite touche boisée. Beau caractère, de l'ampleur et une finale gourmande. Il est plus accompli que la montée-de-tonnerre.

Chablis premier cru Montmains 2007
Blanc | 2012 à 2017 | 16 € **15/20**
Une touche boisée pas encore fondue, mais la matière l'intégrera d'ici quelques années. Bon volume. Finale gourmande sur les agrumes.

Petit Chablis Pas Si Petit 2007 ☺
Blanc | 2010 à 2012 | 10,10 € **14,5/20**
Jolies notes florales. Élancé, bouche vive, finale citronnée. Très bon petit-chablis, bien digeste.

DOMAINE DU CHARDONNAY

Moulin du Pâtis • 89800 Chablis
Tél. 03 86 42 48 03 • Fax : 03 86 42 16 49
info@domaine-du-chardonnay.fr
www.domaine-du-chardonnay.fr
Visite : en semaine, de 9h à 12h et de 13h30 à 17h. (avril à décembre seulement), week-end de 10h à 13h et de 14h à 18h.

Ce domaine au nom prédestiné dispose d'une vue imprenable sur la colline des grands crus. Une saine viticulture permet d'avoir de bons raisins, et les vins affichent bien le caractère de leur terroir, dans un registre souple et facile à boire. Les 2008 sont bien homogènes, on les boira jeunes.

Chablis premier cru Mont de Milieu 2008
Blanc | 2012 à 2016 | 13 € **14,5/20**
Son équilibre n'est pas encore atteint. Il se présente fin et délicat, avec une bouche pure.

Chablis premier cru Montée de Tonnerre 2008
Blanc | 2012 à 2016 | 13 € **15/20**
Une montée à la bouche serrée et tendue, avec encore de la réserve. Elle a bien le caractère tranchant du terroir.

Chablis premier cru Vaillons 2008
Blanc | 2010 à 2015 | 12,30 € **14,5/20**
Note de raisin très mûr, bouche pleine, finale vive.

Chablis premier cru Vaugiraut 2008
Blanc | 2010 à 2015 | 12 € **14,5/20**
Un caractère sec en bouche, un vin minéral et serré, à la fin de bouche concentrée.

Chablis premier cru Vosgros 2008
Blanc | 2010 à 2015 | 12,30 € **14,5/20**
De la richesse en bouche, mais sans le caractère du vaugiraut ni le fruité du vaillons. Il est plus souple, plus floral.

DOMAINE DE CHAUDE ÉCUELLE

35, Grande-Rue • 89800 Chemilly-sur-Serein
Tél. 03 86 42 40 44 • Fax : 03 86 42 85 13
chaudeecuelle@wanadoo.fr • www.chaudeecuelle.com
Visite : Sur rendez-vous.

Chablis Vieilles Vignes 2008
Blanc | 2010 à 2013 | 8,60 € **13,5/20**
Gérald et Claire Vilain proposent une gamme de six vins, avec quelques premiers crus. Lors de notre passage, nous avons moins bien goûté les 2008 que les millésimes précédents. Peut-être une mauvaise phase, ce que nous vérifierons l'an prochain. Cette année, nous ne retenons que cette cuvée de chablis vieilles-vignes. 2008 était son premier millésime vendangé à la main, le vin y gagne un supplément de pureté, avec une bouche fraîche et coulante.

DOMAINE DES CHENEVIÈRES

89800 Chablis
Tél. 03 86 41 49 00 • Fax : 03 86 41 49 09

Chablis premier cru Fourchaume 2008
Blanc | 2010 à 2015 | NC **14,5/20**
Ce domaine est la propriété de Frédéric Guéguen, vinificateur chez Jean-Marc Brocard. Les douze hectares de vignes sont situés sur La-Chapelle-Vaupelteigne. Nous avons retenu cette année ce premier cru fourchaume, agréablement floral, bien solaire comme souvent pour cette origine.

DOMAINE ANITA, JEAN-PIERRE ET STÉPHANIE COLINOT

1, rue des Chariats • 89290 Irancy
Tél. 03 86 42 33 25 • Fax : 03 86 42 33 25
earlcolinot@aol.com
Visite : Du lundi au dimanche matin de 9h à 19h, de préférence sur rendez-vous

Millésime après millésime, Stéphanie Colinot précise sa gestion de l'éraflage et affine le toucher de bouche dans ses vins. Elle continue de nous régaler avec une gamme qui couvre de nombreux terroirs d'Irancy, dont les cuvées palotte, côte-du-moutier, mazelots et les-cailles constituent les valeurs sûres. Belles réussites en 2008, les 2009 s'annoncent encore plus charnus.

IRANCY CÔTE DU MOUTIER 2008
Rouge | 2012 à 2023 | 13 € **15/20**
Dans un style «à l'ancienne», comme la palotte, c'est un vin avec une solide assise tannique, structuré et puissant.

IRANCY LES CAILLES 2008
Rouge | 2010 à 2018 | 13 € **17/20**
Nez élégant, fruité noir, note fumée. Tanin dynamique, finale tendue et droite. Bonne fraîcheur. Un vin très subtil.

IRANCY PALOTTE 2008
Rouge | 2010 à 2018 | 14 € **16,5/20**
Le tanin est plus appuyé que sur les-cailles (vendange entière), dans un style plus strict et moins élégant. Un style à l'ancienne, qui ne manque pas de charme, avec sa fin de bouche sérieuse mais épicée. La cuvées les-cailles est plus épurée, plus artiste.

IRANCY TRÈS VIEILLES VIGNES 2008
Rouge | 2010 à 2018 | 14 € **16/20**
Un jus superbe de raffinement et de subtilité. Malgré la vendange entière et la présence du vieux cépage césar, le toucher de bouche est bien raffiné.

IRANCY VIEILLES VIGNES 2008
Rouge | 2010 à 2018 | 12 € **15/20**
Jus concentré, tanins fins, arômes de fruits noirs.

DOMAINE RENÉ ET VINCENT DAUVISSAT

8, rue Émile-Zola • 89800 Chablis
Tél. 03 86 42 11 58 • Fax : 03 86 42 85 32
Visite : pas de vente directe au domaine

Vincent Dauvissat a converti progressivement son vignoble à la biodynamie à partir de 2002. Ce vigneron passionné travaille ses différentes parcelles avec une méticulosité qui explique la fidèle retranscription du sous-sol dans chacune de ses cuvées. Les vinifications se font ici dans de vieux fûts. Souvent un peu discrets et réservés dans leur jeunesse, voire serrés dans leurs expressions de bouche, les vins gagnent à vieillir quelques années en bouteille pour laisser éclater leur pureté cristalline dans le verre. 2008 est bien ici le grand millésime attendu.

CHABLIS 2008
Blanc | 2010 à 2018 | NC **16/20**
La pureté des parfums s'exprime déjà, même s'il reste très jeune. Ouvert, ample, avec toujours ce style droit et élancé. L'équilibre de ce vin est remarquable.

CHABLIS GRAND CRU LES CLOS 2008
Blanc | 2013 à 2028 | NC **19,5/20**
C'est bien un clos ! Concentré, il se resserre sur lui-même aujourd'hui, mais la tension de fin de bouche, la minéralité tranchante, la fraîcheur et l'équilibre sont annonciateurs de grands moments dans vingt ans et plus ! Il est presque parfait. Ou parfait ? Le temps nous le dira.

CHABLIS GRAND CRU LES PREUSES 2008
Blanc | 2013 à 2028 | NC **18,5/20**
La délicatesse de ce vin montre qu'il n'est pas encore arrivé à l'équilibre, il doit encore gagner en concentration et en puissance, mais il a tout pour lui : l'élégance, la pureté, la profondeur. On l'attendra, c'est un grand cru !

CHABLIS PREMIER CRU LA FOREST 2008
Blanc | 2010 à 2023 | NC **17,5/20**
Il est déjà expressif (sous-bois, iode, tisane). La bouche est grasse et fraîche, avec un équilibre de dentelle. Il est au niveau de vaillons, avec peut-être un peu plus de potentiel sur le long terme. On verra bien...

CHABLIS PREMIER CRU SÉCHET 2008
Blanc | 2010 à 2023 | NC **17/20**
Arômes élégants et d'une grande délicatesse. La bouche est cristalline et droite, avec ce qu'il faut de gras pour la rendre plaisante rapidement.

CHABLIS PREMIER CRU VAILLONS 2008
Blanc | 2010 à 2023 | NC **17,5/20**
Une intensité de parfums supérieure à séchet, avec une tension immédiate plus présente. Il est un ton au dessus, et il le restera ! Quelle droiture ! Pur et long.

PETIT CHABLIS 2008
Blanc | 2012 à 2018 | NC **16/20**
Pur, cristallin, tranchant. Avec sa droiture, il surclasse bon nombre de chablis. Il faut juste l'attendre un peu, qu'il fonde son acidité.

DOMAINE BERNARD DEFAIX

17, rue du Château • 89800 Milly
Tél. 03 86 42 40 75 • Fax : 03 86 42 40 28
didier@bernard-defaix.com
www.bernard-defaix.com
Visite : sur rendez-vous

CHABLIS PREMIER CRU CÔTE DE LÉCHET RÉSERVE 2008
Blanc | 2010 à 2016 | env 16 € **14,5/20**
Didier Defaix complète la production de son domaine par une petite activité de négoce, sous la marque Bernard Defaix. Nous avons parfois regretté le manque de personnalité de certaines cuvées, notamment les entrées de gamme. Souvent la plus régulière, cette cuvée de côte-de-léchet Réserve affiche en 2008 un joli caractère, une bouche concentrée et dense, les vieilles vignes ont ici donné un jus compact. Le grand cru vaudésir 2008 est également fin, avec une bouche délicate, un bon équilibre final, bien tendu, sur une note citronnée.

DOMAINE JEAN-PAUL ET BENOÎT DROIN

14-bis, rue Jean-Jaurès • 89800 Chablis
Tél. 03 86 42 16 78 • Fax : 03 86 42 42 09
benoit@jeanpaulbenoit-droin.fr
www.jeanpaulbenoit-droin.fr
Visite : Du lundi au vendredi de 8h30 à 12h et de 13h30 à 17h.

Ce domaine fait partie des classiques de Chablis, avec un très beau patrimoine de premiers et grands crus. Benoît Droin vendange essentiellement à la machine et vinifie majoritairement en cuve inox (80 %), mais les 20 % de fûts utilisés sont plus jeunes qu'autrefois (cinq ans maximum). Les vins sont marqués par une forte colonne vertébrale acide, et vieillissent longtemps. Bons 2008.

CHABLIS 2008
Blanc | 2010 à 2014 | 8,95 € **15/20**
Bonne matière, tendue par une bonne acidité. La bouche est plus ronde qu'en 2007.

CHABLIS GRAND CRU GRENOUILLES 2008
Blanc | 2011 à 2023 | 25 € **17/20**
Raisin bien mûr (c'est Grenouilles !), arômes de fruits blancs juteux. Gourmand, avec une belle rondeur de bouche, allongée par une acidité mûre.

CHABLIS GRAND CRU LES CLOS 2008
Blanc | 2013 à 2023 | 25 € **17,5/20**
Actuellement très serré, presque austère. Mais la tension de bouche, la droiture, le côté «sec» qui claque sur la langue annoncent de belles promesses pour la suite.

CHABLIS GRAND CRU VALMUR 2008
Blanc | 2013 à 2023 | 22 € **16/20**
Un élevage assez présent, mais le vin affiche une tension qui lui permettra de s'affirmer. Savoureux et élégant.

CHABLIS GRAND CRU VAUDÉSIR 2008
Blanc | 2013 à 2023 | 22 € **16,5/20**
Délicat et élégant, sur des arômes floraux prononcés. La bouche affiche quelques notes boisées, qui vont se fondre. Bon extrait sec.

CHABLIS PREMIER CRU MONT DE MILIEU 2008
Blanc | 2012 à 2018 | 14,50 € **16,5/20**
Un vin bien minéral, à la bouche tranchante. Beaucoup d'élégance et de pureté, avec de subtiles notes terpéniques.

CHABLIS PREMIER CRU MONTÉE DE TONNERRE 2008
Blanc | 2013 à 2023 | 14,50 € **16/20**
Bouche minérale et droite, un vin tout en longueur, qu'il faut impérativement attendre. Belle finale saline.

CHABLIS PREMIER CRU MONTMAINS 2008
Blanc | 2012 à 2018 | 13,15 € **15,5/20**
Il est encore marqué par son élevage, c'est un vin gras, de bonne ampleur en bouche, aux arômes fins, très côte-d'orien dans le style.

CHABLIS PREMIER CRU VAILLONS 2008
Blanc | 2011 à 2018 | 12,60 € **15/20**
Fruité jaune typique des vaillons, bouche riche, avec plus de volume que le chablis. Gourmand.

Chablis premier cru Vosgros 2008
Blanc | 2012 à 2018 | 12,60 € **15/20**
Texture serrée et dense, bonne concentration, finale sur une tonalité «sèche».

DOMAINE DROUHIN-VAUDON

Chemin du Moulin - Chichée • 89800 Chablis
Tél. 03 80 24 68 88 • Fax : 03 80 22 43 14
vaudon@drouhin.com
www.drouhin-vaudon-chablis.com

Denis Méry dirige ce domaine qui appartient à la famille Drouhin, de Beaune. La biodynamie donne ici un parfum inimitable au raisin, que l'on retrouve dans la pureté et la droiture des vins, avec une dynamique de bouche qui fait défaut aux millésimes plus anciens. Beaux 2008.

Chablis 2008
Blanc | 2010 à 2015 | NC **15,5/20**
Nez très pur, intense, sur les fruits frais, la tisane. Bouche tendue, droite, structurée autour d'une bonne colonne d'acidité, à la finale élancée et longue.

Chablis grand cru Bougros 2008
Blanc | 2013 à 2023 | NC **17,5/20**
Un vin puissant, riche et concentré, avec une classe supérieure au clos. Les arômes sont purs (fruit frais très savoureux, beurre fin). Finale sapide et longue.

Chablis grand cru Les Clos 2008
Blanc | 2013 à 2023 | NC **16,5/20**
L'élevage est présent actuellement au nez, mais le jus est de qualité, élégant et concentré. La tension viendra plus tard.

Chablis grand cru Vaudésir 2008
Blanc | 2013 à 2023 | NC **17/20**
Jus très élégant, pur, raffiné, mais sans la concentration ni la puissance du bougros. La texture de bouche est très caressante.

Chablis premier cru Montmains 2008
Blanc | 2012 à 2018 | NC **15,5/20**
Tendu, bien droit, un vin concentré et dense, qui n'exprime pas encore les notes racinaires typiques du cru.

Chablis premier cru Sécher 2008
Blanc | 2011 à 2018 | NC **15/20**
Beaucoup de pureté et d'élégance, dans ce vin tendu, aux notes de fleurs, de feuilles et de beurre frais.

DOMAINE JEAN DURUP ET FILS

4, Grande-Rue • 89800 Maligny
Tél. 03 86 47 44 49 • Fax : 03 86 47 55 49
contact@domainesdurup.com
www.durup-chablis.com
Visite : 8h-12h et 13h30-17h du lundi au vendredi.

Jean Durup et son fils Jean-Paul sont à la tête du plus gros domaine privé de Chablis, avec 206 hectares de vignoble. Ici, les vins ne voient jamais le bois. Les plus typés et les plus originaux de la gamme sont La-Vigne-de-la-Reine, La-Marche-du-Roi et Le-Carré-de-César, trois parcelles plantées en Chablis, et bien entendu la Reine-Mathilde, un assemblage de parcelles plantées en premier cru. Les 2008 ne nous ont pas séduits autant que nous l'attendions, certains vins manquaient de longueur et de caractère.

Chablis L'Églantière La Marche du Roi 2008
Blanc | 2010 à 2014 | 11,81 € **14/20**
Plus expressif que Vigne-de-la-Reine. Fruité rond, bouche souple, finale resserrée.

Chablis L'Églantière La Vigne de la Reine 2008
Blanc | 2010 à 2014 | 11,81 € **13,5/20**
Un vin fruité, rond, déjà ouvert.

Chablis L'Églantière Le Carré de César 2008
Blanc | 2010 à 2014 | 11,81 € **14,5/20**
Un vin agréablement concentré, à la texture serrée. Bon caractère.

Chablis premier cru Montée de Tonnerre L'Églantière 2008
Blanc | 2010 à 2015 | 14,78 € **15/20**
Bonne expression du terroir, avec un vin élégant, à la bouche pure et élancée. Bien droit.

Chablis premier cru Reine Mathilde - Jean Durup 2008
Blanc | 2010 à 2014 | 17,58 € **14,5/20**
La bouche est enrobée, avec du volume. Une bonne vivacité lui donne de la tension. Agréable.

DOMAINE D'ÉLISE

Chemin de Garenne • 89800 Milly
Tél. 03 86 42 40 82 • Fax : 03 86 42 44 76
frederic.prain@wanadoo.fr
Visite : sur rendez-vous

Frédéric Prain dirige avec passion son petit domaine situé au sommet de la Côte de Lechet, sur un terroir calcaire caillouteux très spectaculaire. La gamme est resserrée, mais les petit-chablis et chablis du domaine sont toujours de grande franchise d'expression, à des prix angéliques. Les 2008 sont des vins complets et équilibrés.

CHABLIS 2008
Blanc | 2010 à 2014 | 8 € **15/20**
Bien mûr, un vin complet, à la bouche grasse, à la finale fondue et savoureuse. Plus d'ampleur que le petit-chablis.

CHABLIS GALILÉE 2008
Blanc | 2011 à 2018 | 9 € **15,5/20**
Arômes subtils de fruits frais (fruits blancs). Bouche complexe. L'écart avec la cuvée de chablis ne s'est pas encore véritablement creusé. On peut l'attendre.

PETIT CHABLIS 2008
Blanc | 2010 à 2014 | 6 € **15/20**
Bien mûr, moins tranchant qu'en 2007, parce que plus riche. Équilibré, très franc, bouche savoureuse, finale sur les fruits blancs juteux.

FÉLIX ET FILS

17, rue de Paris • 89530 Saint-Bris-le-Vineux
Tél. 03 86 53 33 87 • Fax : 03 86 53 61 64
domaine.felix@wanadoo.fr • www.domaine-felix.com
Visite : 9h-12h 14h-18h30 du lundi au samedi

BOURGOGNE ALIGOTÉ 2008
Blanc | 2010 à 2013 | 6 € **13,5/20**
Miellé, fruité jaune, bouche ronde, bon équilibre.

DOMAINE NATHALIE ET GILLES FÈVRE

Route de Chablis • 89800 Fontenay-près-Chablis
Tél. 03 86 18 94 47 • Fax : 03 86 18 96 92
fevregilles@wanadoo.fr
www.nathalieetgillesfevre.com
Visite : sur rendez-vous

Nathalie et Gilles se sont installés en 2004, après avoir sorti une partie de leurs vignes de la cave coopérative, une structure que Nathalie connaît bien pour y avoir longtemps été œnologue. Selon les cuvées, les vins sont vinifiés uniquement en cuve inox, ou avec un élevage partiel sous bois. À des 2007 cristallins ont succédé des 2008 plus concentrés mais toujours aussi purs.

CHABLIS 2008
Blanc | 2010 à 2016 | NC **15/20**
Savoureux, belle richesse de bouche. Un chablis franc, complet, gourmand. Belle élégance aromatique, sur les fruits blancs.

CHABLIS GRAND CRU LES PREUSES 2008
Blanc | 2012 à 2023 | NC **16,5/20**
Nez fin, de belle pureté. La bouche est concentrée et tendue. Un preuses serré, puissant, compact. Il gagnera en intensité avec le temps.

CHABLIS PREMIER CRU FOURCHAUME 2008
Blanc | 2010 à 2018 | NC **15,5/20**
Beau raisin. Bouche florale et expressive, riche, savoureuse, parfumée. Finale nerveuse.

CHABLIS PREMIER CRU MONT DE MILIEU 2008
Blanc | 2011 à 2018 | NC **15,5/20**
Un vin à la bouche cristalline, pure, très élégante. Le jus est gourmand, la finale se fond dans des notes de fruits blancs.

CHABLIS PREMIER CRU VAULORENT 2008
Blanc | 2011 à 2018 | NC **16,5/20**
Un vin concentré, à la bouche compacte et dense. La puissance du terroir s'exprime bien. La fin de bouche va en s'élargissant.

GARNIER ET FILS

Chemin Méré • 89144 Ligny-le-Châtel
Tél. 03 86 47 42 12 • Fax : 03 86 98 09 95
info@chablis-garnier.com • www.chablis-garnier.com
Visite : 9h-12h et 14h-17h tous les jours

Les frères Garnier, Xavier et Jérôme, ont développé le domaine familial en le complétant d'une petite activité de négoce. Leur style de vins élevés sous bois, tout en conservant équilibre et gourmandise, plaît de plus en plus, car on peut les apprécier vite. Les 2008 sont bien réussis.

BOURGOGNE CHARDONNAY 2008
Blanc | 2010 à 2012 | 6,50 € **14/20**
Bon chardonnay, bien gras. On croque dans le grain de raisin, c'est mûr et gourmand.

Chablis 2008
Blanc | 2010 à 2013 | 9,50 € **14,5/20**
Plus de corps que le petit-chablis. Un vin de belle finesse, à la bouche pure et concentrée.

Chablis Grains Dorés 2007
Blanc | 2010 à 2017 | 12 € **14,5/20**
Raffiné, subtil, un nez complexe et parfumé (beurre frais, arôme de raisin frais et de raisin sec). Le long élevage l'a bien enrobé, et la finale est fraîche.

Petit Chablis 2008 ☺
Blanc | 2010 à 2012 | 7,50 € **14/20**
Un petit-chablis très fruité, gourmand, typique du secteur de Lignorelle.

DOMAINE GUILHEM ET JEAN-HUGUES GOISOT

30, rue Bienvenu-Martin
89530 Saint-Bris-le-Vineux
Tél. 03 86 53 35 15 • Fax : 03 86 53 62 03
domaine.jhg@goisot.com • www.goisot.com
Visite : Du lundi au vendredi, de 8h à 12h et de 13h30 à 18h. Samedi 8h30-12h et rendez-vous

Voilà sûrement l'un des plus grands domaines de l'Yonne, qui malheureusement n'a pas la chance d'exploiter de vignes sur Chablis, mais réalise un travail exceptionnel sur la petite commune de Saint-Bris, qui comme sa célèbre voisine possède un sous-sol crayeux kimmeridgien. La biodynamie permet de tirer la quintessence du terroir, et la qualité des derniers millésimes est sans faille. Les 2008 sont exceptionnels.

Bourgogne aligoté 2009 ☺
Blanc | 2010 à 2014 | env 6,10 € **14,5/20**
Fruité intense et savoureux, c'est très mûr. La faible acidité demande qu'on le boive vite.

Bourgogne Côtes d'Auxerre 2008
Blanc | 2010 à 2015 | 6,50 € **15,5/20**
Très mûr, arômes de fruits et de miel, mais sans lourdeur, avec un grand équilibre. Gourmand, complet, finale nette.

Bourgogne Côtes d'Auxerre 2008
Rouge | 2010 à 2015 | 6,50 € **15/20**
Un fruité franc, une bonne mâche, une pointe poivrée en finale : un pinot sans artifices, délicat, gourmand et digeste.

Bourgogne Côtes d'Auxerre Biaumont 2008
Blanc | 2010 à 2023 | 11,10 € **16,5/20**
Plus d'opulence et de chair que Gueules-de-Loup, mais la fin de bouche retrouve une tension splendide, avec un final très sec.

Bourgogne Côtes d'Auxerre Corps de Garde 2008
Blanc | 2010 à 2023 | 8,80 € **17/20**
Il offre une tension supérieure à la cuvée «simple», avec un équilibre plus racé et plus de droiture. Du grand art.

Bourgogne Côtes d'Auxerre Corps de Garde 2008 ☺
Rouge | 2010 à 2023 | 8,80 € **16,5/20**
Beaucoup de subtilité et de délicatesse dans cette bouche veloutée et droite, aux tanins fins, à la finale fraîche, qui pourrait aisément se dissimuler plus au sud de la région.

Bourgogne Côtes d'Auxerre Gondonne 2008
Blanc | 2012 à 2023 | 11,10 € **16,5/20**
Nez d'une grande pureté, particulièrement délicat et élégant (fruits blancs, anis). La bouche est concentrée, mais demande encore un peu de patience.

Bourgogne Côtes d'Auxerre Gueules de Loup 2008
Blanc | 2010 à 2018 | 11,10 € **15,5/20**
Fine minéralité calcaire en bouche, des arômes de fruits bien mûrs, de la rondeur, mais un peu moins de tension que la Corps-de-Garde.

Irancy Les Mazelots 2008
Rouge | 2010 à 2018 | 11,90 € **15/20**
Plus de concentration et de puissance que le Corps-de-Garde, mais moins de raffinement et de suavité en bouche. La bouche est riche, la finale relevée, un peu trop peut-être.

Saint-Bris Corps de Garde 2008
Blanc | 2012 à 2023 | 8,90 € **17/20**
D'une harmonie supérieure à Exogyra-Virgula, tous les composants de bouche ne sont pas encore unis, mais on l'attendra sans inquiétude.

Saint-Bris Exogyra Virgula 2008 ☺
Blanc | 2010 à 2018 | 6,70 € **16,5/20**
Pureté exemplaire, la maturité du raisin est parfaite, un équilibre magnifique, ponctué par une tension finale qui resserre bien la bouche.

Saint-Bris Moury 2009
Blanc | 2010 à 2015 | env 7 € **15/20**
Très aromatique, intense, sur les agrumes et les fruits exotiques (ananas, pamplemousse). Un fruité concentré irrésistible, tant au nez qu'en bouche.

Saint-Bris Moury 2008
Blanc | 2010 à 2015 | 6,70 € **15,5/20**
Équilibre savoureux et aromatique, un vin complet et élégant, qui appelle des accords créatifs à table, comme de belles asperges par exemple. Finale tendue et compacte.

DOMAINE DE LA GRANDE CHAUME

Parc des Lys - B.P. 34 • 89800 Chablis
Tél. 03 86 42 18 64 • Fax : 03 86 42 48 11
romain@pascalbouchard.com
www.pascalbouchard.com
Visite : Caveau ouvert 7 jours sur 7 de 10h à 12 h30 et de 15h à 18h30.

En marge de la société familiale, Romain Bouchard développe depuis 2006 son propre domaine, aujourd'hui en conversion bio. Plus qu'un jardin d'expérimentation, c'est une source fiable de bons chablis, avec des vins qui conservent la pureté et le croquant du raisin. Seules deux cuvées sont proposées, très régulières depuis trois millésimes.

Chablis Le Grand Bois 2008
Blanc | 2010 à 2015 | 12,90 € **15/20**
Un raisin pur a permis ce vin fin au fruité mûr, à la bouche riche.

Chablis premier cru Vau de Vey 2008
Blanc | 2010 à 2018 | 16,90 € **15,5/20**
Arômes très purs, de tilleul et de fougère. Un vin racé, élégant, à la bouche savoureuse qui appelle de jolis poissons de rivière.

DOMAINE CORINNE ET JEAN-PIERRE GROSSOT

4, route de Mont-de-Milieu • 89800 Fleys
Tél. 03 86 42 44 64 • Fax : 03 86 42 13 31
cjpgrossot@wanadoo.fr
Visite : Du lundi au vendredi de 8h30 à 12h et de 14h à 18h, sur rendez-vous de préférence. Samedi sur rendez-vous uniquement.

Ce domaine propose une large gamme de chablis, mais pas de grands crus. Les vinifications se font en cuve inox ou en barrique, mais uniquement de vieux bois, avec des élevages courts. Grâce à une hygiène de cave impeccable, tous les vins combinent finesse et fraîcheur dans de savoureux équilibres de bouche. Les 2008 se présentent plus charnus que les 2007, mais avec peut-être moins de plaisir immédiat.

Chablis 2008
Blanc | 2010 à 2014 | 8,40 € **14,5/20**
Bouche ample et grasse, arômes citronnés. Un vin vif et droit, qui profite bien de la matière du millésime.

Chablis La Part des Anges 2008
Blanc | 2012 à 2018 | 9,90 € **15,5/20**
L'élevage sous bois marque encore un peu le vin, mais la bouche est savoureuse et concentrée, la finale fraîche. Il est loin de son optimum.

Chablis premier cru Fourchaumes 2008
Blanc | 2011 à 2018 | 14,50 € **16/20**
Arômes de fleurs et d'herbes séchées, bouche parfumée et élancée. Un vin de belle élégance.

Chablis premier cru Les Fourneaux 2008
Blanc | 2011 à 2018 | 12,90 € **15,5/20**
Fruité frais, bouche élancée, finale droite. Il est encore sur la réserve, mais sa pureté est prometteuse.

Chablis premier cru Mont de Milieu 2008
Blanc | 2012 à 2023 | 14,20 € **16,5/20**
Arômes subtils et élégants, bouche concentrée et resserrée comme souvent sur le cru, finale longue et parfumée.

LAMBLIN ET FILS

Rue Marguerite-de-Bourgogne • 89800 Maligny
Tél. 03 86 98 22 00 • Fax : 03 86 47 50 12
infovin@lamblin.com • www.lamblin.com
Visite : Du lundi au vendredi de 8h à 12h et de 14h à 17h, le samedi de 8h à 12h.

Les Lamblin sont à Chablis depuis 1690, et comptent parmi les principaux acteurs de la région, en volume. Les vins d'entrée de gamme manquent parfois de caractère, mais la cuvée Fleur-d'Acacia charme par son parfum, tout comme le fourchaume et le mont-de-milieu. Les 2008 sont souples, on les boira jeunes, sauf le grand cru vaudésir, non produit.

Chablis Fleur d'Acacia 2008
Blanc | 2010 à 2014 | 8,60 € **14,5/20**
Toujours autant de caractère, dans cette cuvée aux notes de fleurs prononcées. Savoureux et parfumé. Bonne acidité.

Chablis premier cru Fourchaume 2008
Blanc | 2010 à 2015 | 13,30 € **14,5/20**
Un joli fourchaume, aux notes florales épicées. Bouche parfumée, élégante. Très digeste.

Chablis premier cru Mont de Milieu 2008
Blanc | 2011 à 2015 | 13,30 € **15/20**
Un vin tendu, à la bouche serrée, aux notes de sous-bois en finale. Il est cristallin, mais encore un peu jeune.

Chablis Vieilles Vignes 2008
Blanc | 2010 à 2013 | 8,60 € **14/20**
Agréable concentration, il affiche un caractère plus affirmé que le chablis.

DOMAINE LAROCHE

22, rue Louis-Bro • 89800 Chablis
Tél. 03 86 42 89 00 • Fax : 03 86 42 89 29
info@larochewines.com • www.larochewines.com
Visite : pour les visites, sur rendez-vous
pour les dégustations, du lundi au samedi (en été) 10h-18h30, (en hiver) 10h-18h.

Michel Laroche vient d'adosser son groupe au Languedocien Jeanjean, pour donner naissance à une nouvelle structure, Advini. Ces évolutions capitalistiques ne perturbent pas ce domaine, sans doute le plus médiatique de Chablis : mêmes équipes, même philosophie de travail. Les 2008 actuellement en commercialisation ont été réalisés avant la fusion. Ils sont splendides, à tous les niveaux de la gamme.

Chablis grand cru Blanchot Réserve de l'Obédience 2008
Blanc | 2013 à 2028 | 79 € **18/20**
C'est le sommet de la cave, en série ultra limité (3600 bouteilles). L'élevage donne beaucoup de gourmandise au vin, mais la tension et la droiture reprennent rapidement leurs droits. Grand équilibre de bouche, dans la plénitude. Sans doute l'un des meilleurs blanchots !

Chablis grand cru Les Blanchots 2008
Blanc | 2012 à 2023 | 42 € **16,5/20**
Un vin fruité et massif, avec du volume et une fin de bouche bien sèche, qui donne de la tension.

Chablis Laroche 2009
Blanc | 2010 à 2014 | 10,95 € **14,5/20**
Charnu, gras, un vin en rondeur. Belle matière, mûre et bien équilibrée.

Chablis Laroche 2008
Blanc | 2010 à 2013 | 10,95 € **14,5/20**
Bon fruité gras, un vin charnu, avec une belle matière. Gourmand.

Chablis premier cru Les Fourchaumes Vieilles Vignes Domaine Laroche 2008
Blanc | 2010 à 2023 | 28 € **16/20**
Style riche et puissant, un vin large d'épaules, qui tiendra bien. Ample et charnu, mais équilibré par une grosse tension acide.

Chablis premier cru Les Vaillons Vieilles Vignes 2008
Blanc | 2010 à 2018 | 23,50 € **15,5/20**
Très rond, très fruité, avec des nuances de fruits secs et de champignons. Un élevage discret lui donne beaucoup d'élégance.

Chablis Saint-Martin 2008
Blanc | 2010 à 2016 | 13,50 € **15,5/20**
Un chablis parfumé et complet, à la bouche ample.

Petit Chablis Laroche 2009
Blanc | 2010 à 2014 | 8,95 € **14,5/20**
Fruité charmeur, une bouche gourmande et pulpeuse. Il est faible en alcool, ce qui accroît sa buvabilité.

Petit Chablis Laroche 2008
Blanc | 2010 à 2013 | 8,95 € **14/20**
Bien croquant, avec une bonne nervosité. On est dans un style proche de 2009.

DOMAINE LONG-DEPAQUIT

45, rue Auxerroise • 89800 Chablis
Tél. 03 86 42 11 13 • Fax : 03 86 42 81 89
chateau-long-depaquit@wanadoo.fr
www.albert-bichot.com
Visite : de 9h à 12h30 et de 14h à 18h, du lundi au vendredi en hiver et du lundi au samedi en été.

Le Château Long-Depaquit, propriété de la famille Bichot, de Beaune, dispose d'un exceptionnel patrimoine de vignes, dont 10 % des grands crus de Chablis. La viticulture y est soignée, et les vinifications cherchent à s'ajuster au plus près du terroir. Toutefois, le grand millésime 2008 n'a pas délivré ici tout le raffinement attendu, comparé à d'autres ténors de la région. Si le monopole de la-moutonne, un grand cru à cheval sur Preuses et Vaudésirs, ainsi que vaudésirs et les-clos, répond à l'attente,

d'autres sont moins en vue, ce qui amène une petite frustration compte tenu de leur pedigree. En chablis village, la vendange mécanique fait perdre un peu du charme et de la pureté du raisin dans cette belle année.

CHABLIS 2008
Blanc | 2010 à 2016 | 10,95 € **14,5/20**
Pur et droit, avec une belle allonge florale, mais on attend plus de concentration et de tension d'un aussi beau millésime.

CHABLIS GRAND CRU LA MOUTONNE 2008
Blanc | 2012 à 2028 | 53,50 € **18/20**
Le plus accompli de tous, comme presque tous les ans. Riche et concentré, avec des arômes nobles et savoureux de fruits et de miel, de fleurs aussi. La tension est presque masquée par l'équilibre naturel du millésime. La-moutonne n'avait pas atteint un tel niveau depuis 2005.

CHABLIS GRAND CRU LES BLANCHOTS 2008
Blanc | 2012 à 2023 | 29,60 € **16/20**
Concentré et droit, avec une bouche légèrement resserrée, c'est un vin riche et savoureux.

CHABLIS GRAND CRU LES CLOS 2008
Blanc | 2014 à 2023 | 30,50 € **17/20**
Il est concentré, mais son équilibre de bouche n'est pas encore atteint. Bouche tendue, encore sur la réserve aujourd'hui.

CHABLIS GRAND CRU LES VAUDÉSIRS 2008
Blanc | 2014 à 2023 | 29,60 € **17/20**
Puissant, intensément floral, la bouche ne s'est pas encore équilibrée dans la longueur, mais son épaisseur constitue la meilleure des garanties.

CHABLIS PREMIER CRU LES BEUGNONS 2008
Blanc | 2010 à 2015 | 16,25 € **15/20**
Un fruité jaune plus prononcé que sur les-lys, une bouche avec de l'épaisseur et de la concentration, grâce aux vieilles vignes.

CHABLIS PREMIER CRU LES VAILLONS 2008
Blanc | 2010 à 2023 | 15,90 € **15/20**
Un fruité jaune typique des vaillons, agrémenté de touches poivrées savoureuses. Riche, avec un bon équilibre final. Il semble un peu plus généreux en alcool que les-beugnons.

CHABLIS PREMIER CRU LES VAUCOPINS 2008
Blanc | 2012 à 2023 | 18,05 € **15,5/20**
Plus frais que vaillons, avec une buvabilité supérieure, et une fin de bouche qui fait saliver.

DOMAINE DES MALANDES

63, rue Auxerroise • 89800 Chablis
Tél. 03 86 42 41 37 • Fax : 03 86 42 41 97
contact@domainedesmalandes.com
www.domainedesmalancdes.com
Visite : Du lundi au vendredi de 9h à 18h
et le samedi sur rendez-vous.

Lyne Marchive et son jeune œnologue, Guénolé Breteaudeau, ont bien redressé le domaine depuis quelques millésimes. Contrôles des maturités et de l'état sanitaire, débourbages rigoureux, températures de fermentation basses : les vins y ont gagné en pureté et en croquant de fruit. Reste maintenant à affiner les élevages et l'intégration du boisé, et 2008 montre la voie.

CHABLIS 2009
Blanc | 2010 à 2014 | env 8,40 € **13,5/20**
Un peu moins de matière et d'équilibre qu'en 2008. Il est un ton en dessous.

CHABLIS GRAND CRU LES CLOS 2008
Blanc | 2010 à 2018 | 25 € **15,5/20**
Il offre une meilleure tenue en bouche que vaudésir. Plus de fraîcheur, plus de tension, plus de droiture. Lui aussi offre des notes boisées au nez, mais il le supporte.

CHABLIS PREMIER CRU FOURCHAUME VIEILLES VIGNES 2008
Blanc | 2011 à 2018 | 13 € **15/20**
Bonne concentration, mais il demande encore à se libérer en bouteille. Il est plus floral que tour-du-roy.

CHABLIS PREMIER CRU MONTMAINS VIEILLES VIGNES 2008
Blanc | 2010 à 2018 | 13 € **15,5/20**
Belle palette aromatique, entre les fleurs et les agrumes, la bouche est droite, élancée, la finale pure.

CHABLIS PREMIER CRU VAU DE VEY 2008
Blanc | 2010 à 2018 | 12 € **15,5/20**
Bouche concentrée et tendue, arômes élégants, finale fraîche. Équilibre en dentelle.

Chablis Tour du Roy 2008
Blanc | 2010 à 2018 | 9,50 € **15/20**
Cette cuvée de vieilles vignes se distingue toujours par sa concentration et son élégance. Arômes délicats et fins.

Petit Chablis 2009 ☺
Blanc | 2010 à 2014 | env 6,70 € **14/20**
Fruité plus intense que le 2008 (pomelo). Il se boira jeune, sur son fruité croquant.

DOMAINE LOUIS MICHEL ET FILS

9, boulevard de Ferrières • 89800 Chablis
Tél. 03 86 42 88 55 • Fax : 03 86 42 88 56
contact@louismicheletfils.com
www.louismicheletfils.com
Visite : Du lundi au vendredi de 9h à 11h30 et de 14h à 17h30, samedi sur rendez-vous.

Ce domaine vend l'essentiel de sa production à l'export, où il est très prisé. Tous les vins sont vinifiés en cuve, avec des élevages sur lies, et le moins de manipulations possibles. S'ils paraissent discrets jeunes, ils vieillissent avec bonheur en faisant ressortir le cachet de leur terroir. Le jeune Guillaume Michel a parfaitement maîtrisé les 2007 et surtout les très beaux 2008.

Chablis grand cru Grenouilles 2008
Blanc | 2014 à 2028 | 32 € **18/20**
Un nez très pur, mélange de notes racinaires et de fruit. Bouche légèrement épicée, un vin coulant, aux arômes épanouis. Déjà rond, mais la fin de bouche serrée promet beaucoup.

Chablis grand cru Vaudésir 2008
Blanc | 2014 à 2028 | 29 € **17,5/20**
Un vin puissant, à la floralité solaire. Précis, pur, concentré, il est d'un bloc aujourd'hui, mais se délivre par petits bouts. Finale relevée. Belle classe.

Chablis premier cru Butteaux 2008
Blanc | 2012 à 2023 | 14,50 € **16/20**
Un vin à la bouche riche, qui retranscrit bien l'argile du terroir. Complet, gourmand, grand équilibre. Séduisant jeune, mais attendre que son aromatique se développe.

Chablis premier cru Butteaux Vieilles Vignes 2008
Blanc | 2013 à 2028 | 15,50 € **17/20**
Plus de profondeur de bouche que la cuvée «simple» de butteaux. Un vin au fort potentiel, à attendre. Grosse concentration, bel extrait sec.

Chablis premier cru Forêts 2008
Blanc | 2012 à 2023 | 14,50 € **16/20**
Plus tendu, plus serré que butteaux. Bouche droite, pure, élancée autour d'une bonne colonne d'acidité. Jeune, il est moins en vue que butteaux.

Chablis premier cru Montée de Tonnerre 2008
Blanc | 2012 à 2023 | 16 € **16/20**
Un vin concentré et tendu. Le terroir de la Montée ne s'affirme pas encore, il a de la réserve. Il faut éviter de la boire sur la tentation du fruit.

Chablis premier cru Montmains 2008
Blanc | 2011 à 2018 | 13 € **15/20**
Gourmand, fruité expressif (raisin mûr, fruits blancs). Un vin juteux et savoureux, à la bouche concentrée.

Chablis premier cru Vaulorent 2008
Blanc | 2012 à 2023 | 16 € **17/20**
Notes de pêche très mûre. Un vin puissant, au nez ouvert. Grande ampleur dans le volume de bouche. Bel avenir.

Petit Chablis 2008 ☺
Blanc | 2010 à 2014 | 8 € **15,5/20**
Un vin savoureux, avec de francs arômes fruités. Gourmand, concentré, très plaisant dès aujourd'hui.

DOMAINE LOUIS MOREAU

10, Grande-Rue • 89800 Beines
Tél. 03 86 42 87 20 • Fax : 03 86 42 45 59
contact@louismoreau.com • www.louismoreau.com
Visite : en semaine, 8h30-12h et 13h30-17h30 samedi sur rendez-vous uniquement le matin

Louis Moreau est le cousin de Christian, et leurs deux domaines partagent le même splendide patrimoine familial de vignes. Enherbement, travail des sols, vendanges manuelles pour les premiers et les grands crus expliquent la concentration des vins. Les grands crus sont élevés plus longtemps que les autres vins, et commercialisés avec un voire deux millésimes de décalage.

Chablis 2008 ☺
Blanc | 2010 à 2014 | 12 € **14,5/20**
Bonne densité, un fruit mûr, une bouche élancée et droite. Gourmand.

Chablis grand cru Les Clos 2007
Blanc | 2014 à 2022 | 30 € **16/20**
Un bon extrait sec. Plus de profondeur que blanchot. Tendu, droit, finale citronnée.

Chablis grand cru Les Clos Le Clos des Hospices 2007
Blanc | 2012 à 2022 | 50 € **16,5/20**
Plus de complexité aromatique et de gourmandise que l'autre cuvée de clos. Finale droite et ramassée.

Chablis grand cru Valmur 2007
Blanc | 2012 à 2022 | 30 € **16,5/20**
Belle puissance, avec une bouche concentrée. Belle expression sur les fleurs sauvages, les épices. Beaucoup d'élégance.

Chablis grand cru Vaudésir 2007
Blanc | 2012 à 2022 | 30 € **16,5/20**
Bouche crayeuse, de bonne concentration, serrée.

Chablis premier cru Vaillons 2008
Blanc | 2010 à 2018 | 18 € **15/20**
Nez de fruits très mûrs, sur les agrumes (pomelo). Bouche ronde, bien tendue par une vivacité qui apporte beaucoup de fraîcheur.

Petit Chablis 2008 ☺
Blanc | 2010 à 2012 | 9 € **14,5/20**
Marqué par les agrumes, c'est un petit-chablis nerveux, avec un bon volume de bouche. Rond et bien frais.

DOMAINE CHRISTIAN MOREAU PÈRE ET FILS

26, avenue d'Oberwesel • 89800 Chablis
Tél. 03 86 42 86 34 • Fax : 03 86 42 84 62
contact@domainechristianmoreau.com
www.domainechristianmoreau.com
Visite : Sur rendez-vous.

Dès la création du domaine, en 2002, Christian et son fils Fabien ont mis l'accent sur la viticulture : travail des sols, réorganisation de la surface foliaire, et, bien entendu, vendanges manuelles. 2008 a été entièrement vinifié en levures indigènes, et 2010 voit le début de la conversion à la biodynamie. Celle-ci devrait permettre de pousser encore plus loin les expressions tranchantes et toujours équilibrées des vins du domaine, qui dispose d'un fabuleux patrimoine de vignes.

Chablis 2008 ☺
Blanc | 2010 à 2014 | NC **16/20**
Concentré, avec des notes de fruit bien mûr. La bouche est élancée, droite, fraîche.

Chablis grand cru Blanchot 2008
Blanc | 2013 à 2028 | NC **18/20**
Un vin à la bouche massive, dans un style puissant et fruité (blanc). Compact, mais avec une tension qui ramasse bien la fin de bouche.

Chablis grand cru Les Clos 2008
Blanc | 2013 à 2028 | NC **18/20**
Il est sur la réserve, mais le potentiel est là. Mûr, bouche dense, arômes fins, finale tendue qui s'allonge petit à petit.

Chablis grand cru Les Clos Le Clos des Hospices 2008
Blanc | 2015 à 2028 | NC **18,5/20**
Un raffinement plus grand encore que dans les-clos. Une bouche très pure. La tension est aujourd'hui discrète, mais la concentration du vin va progressivement monter en puissance. Il faut juste l'attendre.

Chablis grand cru Valmur 2008
Blanc | 2013 à 2028 | NC **18/20**
Un valmur riche et concentré, avec une grosse densité en bouche. Sa puissance demandera à se fondre en bouteille. L'épanouissement aromatique viendra plus tard.

Chablis grand cru Vaudésir 2008
Blanc | 2013 à 2028 | NC **17/20**
La bouche est serrée, elle demandera un peu de temps, mais les arômes floraux puissants sont déjà séduisants. Bon potentiel.

Chablis premier cru Vaillon 2008
Blanc | 2010 à 2018 | NC **16/20**
Un vaillon bien fruité, sur les fruits jaunes. Bouche grasse, beaucoup de sève, finale savoureuse légèrement réglissée. Belle acidité.

Chablis premier cru Vaillon Guy Moreau 2008
Blanc | 2010 à 2023 | NC **17/20**
Très pur, raffiné, on sent un raisin cueilli à parfaite maturité. Grande profondeur de bouche, racée et très élégante. Finale savoureuse, relancée

par une bonne tension. Ça vaut bien des grands crus.

Petit Chablis 2008
Blanc | 2010 à 2013 | NC **15,5/20**
Superbe petit-chablis, fruité, nerveux, élancé. Cristallin comme de l'eau de roche, il glisse dans la bouche.

DOMAINE OLIVIER MORIN

2, chemin de Vaudu • 89530 Chitry
Tél. 03 86 41 47 20
morin.chitry@orange.fr • www.olivier-morin.fr
Visite : sur rendez-vous

Olivier Morin est installé à Chitry, petite commune à quelques kilomètres de Chablis, où il pratique une viticulture très soignée. Ses vinifications appliquées permettent de tirer le meilleur de ce terroir minéral, donnant des cuvées pures et concentrées, à des tarifs angéliques qui devraient plus attirer les amateurs. Bons 2008 ; le chitry rouge Olympe n'est pas encore en bouteille.

Bourgogne aligoté 2008
Blanc | 2010 à 2013 | 5 € **14/20**
Très mûr, cela donne une attaque en rondeur. Un vin charnu et concentré.

Bourgogne Chitry 2008
Blanc | 2010 à 2015 | 5,70 € **15/20**
Un jus cristallin et très pur, une bouche ciselée. Encore un remarquable rapport qualité-prix

Bourgogne Chitry 2008
Rouge | 2010 à 2013 | 6,20 € **13,5/20**
Fruité franc, bien équilibré, très digeste.

Bourgogne Chitry cuvée Vau du Puits 2008
Rouge | 2010 à 2015 | 8 € **15/20**
Charnu, fruité rouge expressif, un vin aux tanins fins, très savoureux. Bouche élégante.

Chablis 2008
Blanc | 2010 à 2015 | 8 € **14,5/20**
Premier millésime pour cette nouvelle cuvée, un achat de raisins. Bon chablis concentré et droit, avec une solide tension en bouche. Belle saveur.

DOMAINE SYLVAIN MOSNIER

36, Route Nationale • 89800 Beines
Tél. 03 86 42 43 96 • Fax : 03 86 42 42 88
sylvain.mosnier@libertysurf.fr
www.chablis-mosnier.com
Visite : Sur rendez-vous.

Stéphanie Mosnier a désormais rejoint son père, Sylvain, mais les vins sont toujours entièrement vinifiés en cuve inox, en levures indigènes ; tous partagent le style des chablis de Beines, dominés par des notes poivrées et florales plus que par le fruit. Une politique commerciale intelligente permet de proposer des millésimes plus anciens à la vente, à des prix extrêmement raisonnables.

Chablis 2008
Blanc | 2010 à 2013 | 8 € **14/20**
Un bon chablis désaltérant, fruité, à la finale tendue.

Chablis premier cru Beauroy 2005
Blanc | 2010 à 2015 | 13 € **15/20**
Belle maturité, typique de la richesse des 2005. Gourmand, aujourd'hui à point.

Chablis Vieilles Vignes 2008
Blanc | 2010 à 2015 | 9,50 € **14,5/20**
Joli jus parfumé, la bouche offre plus de concentration que le «simple» chablis.

PATRICK PIUZE

8, rue de la Vallée-de-Valvan • 89800 Chablis
Tél. 03 86 18 85 73 • Fax : 03 86 18 85 74
www.patrickpiuze.com

Après une première expérience comme vinificateur, notamment chez Guffens et Brocard, Patrick Piuze a monté sa propre affaire de négoce de chablis, à partir du millésime 2008 : essentiellement de l'achat de raisin, et les vendanges sont manuelles. En 2008, nous avons préféré les approvisionnements en premiers crus, plus conformes dans leur rendu du terroir que les grands crus.

Chablis premier cru Fourchaume 2008
Blanc | 2010 à 2018 | 16 € **15,5/20**
Vin complet, épanoui. La prise de bois est perceptible, mais bien intégrée, elle apporte du gras à une matière riche et mûre.

Chablis premier cru Mont de Milieu 2008
Blanc | 2010 à 2018 | 17 € **15,5/20**
Bonne matière, un bon volume de bouche. Dense et serré.

Chablis premier cru Vaillons Les Minots 2008
Blanc | 2010 à 2018 | 15 € **15,5/20**
Un vaillons sur le fruit, légèrement exotique (ananas mûr). Très grosse densité de bouche. Riche et gourmand.

Chablis premier cru Vaucoupin 2008
Blanc | 2010 à 2015 | 11,50 € **15/20**
Bonne densité de bouche, un vin franc et droit, avec ce qu'il faut de tension.

Chablis Terroirs de Chablis 2008
Blanc | 2010 à 2014 | 7 € **14,5/20**
Plénitude de bouche et bon volume. Beaucoup d'ampleur.

Chablis Terroirs de Fleys 2008
Blanc | 2010 à 2014 | 7 € **14,5/20**
Plus de finesse que sur terroirs-de-chablis. Bon équilibre entre fruité et floral.

DOMAINE GILBERT PICQ ET FILS

3, route de Chablis • 89800 Chichée
Tél. 03 86 42 18 30 • Fax : 03 86 42 17 70
domaine.picq-gilbert@wanadoo.fr
Visite : Sur rendez-vous uniquement pour dégustation.

Ce domaine ne propose que quatre vins dans sa gamme, tous réservés d'une année sur l'autre. Une viticulture soignée et des vinifications en levures indigènes, exclusivement en cuve inox, permettent d'affirmer un style propre au domaine, fondé sur la pureté et la délicatesse. 2007 avait été marqué par la grêle, 2008 retrouve la grande forme.

Chablis 2008
Blanc | 2010 à 2013 | 9,95 € **15/20**
Un chablis pur et élancé, plus vif que charnu, mais mûr et fin. Très coulant.

Chablis premier cru Vaucoupin 2008
Blanc | 2010 à 2018 | 14,65 € **15,5/20**
Parfumé et élégant, sur de gourmandes notes de pêche. La bouche offre une bonne épaisseur, avec de subtiles notes crayeuses en fin de bouche. Opulent.

Chablis premier cru Vosgros 2008
Blanc | 2012 à 2018 | 13,95 € **16/20**
Plus serré et fermé que vaucoupin. Mais la matière est là, concentrée, elle fait bloc en bouche. Finale vive et compacte.

Chablis Vieilles Vignes 2008
Blanc | 2010 à 2015 | 11,80 € **15,5/20**
Parfums de fruits très mûrs (pêche blanche). Bouche avec une bonne matière, plus épais que le chablis d'entrée de gamme. La maturité parfaite donne beaucoup d'ampleur.

DOMAINE PINSON

5, quai Voltaire • 89800 Chablis
Tél. 03 86 42 10 26 • Fax : 03 86 42 49 94
contact@domaine-pinson.com
www.domaine-pinson.com
Visite : Tous les jours du lundi au vendredi de 8h à 12h et de 13h30 à 17h30. Le samedi sur rendez-vous. Seulement en dégustation.

Cette affaire familiale (Laurent, son frère Christophe, et désormais sa fille Charlène) est établie sur Chablis depuis plus de 350 ans. Ici, les vins voient plus ou moins le bois, tant en vinification qu'en élevage, ce qui leur confère un style riche et savoureux mais toujours pur. La qualité des raisins dans le millésime 2008 rend les différents terroirs particulièrement lisibles.

Chablis 2008
Blanc | 2010 à 2014 | 10 € **14,5/20**
Un chablis riche et fruité, dans un style puissant et très mûr. Il faut bien l'aérer.

Chablis cuvée Mademoiselle 2008
Blanc | 2010 à 2018 | 12,20 € **15/20**
Une nouvelle cuvée, à l'initiative de «mademoiselle» Charlène, la fille de Laurent, sur un essai de macération pelliculaire. Nez boisé, l'élevage n'est pas complètement fondu. Un vin gras, la macération pelliculaire lui a donné de l'enrobage. L'ensemble reste frais et savoureux, droit, tranchant. Un style proche de celui des vins de la Côte d'Or, original, intéressant. Bel essai, mais les raisins étaient beaux !

Chablis grand cru Les Clos 2008
Blanc | 2014 à 2023 | env 26,20 € **17,5/20**
Un jus de grande pureté. Bouche droite et élancée. Finale précise. C'est bien un clos ! Il a la droiture, mais aussi la concentration.

Chablis grand cru Les Clos l'Authentique 2007
Blanc | 2014 à 2022 | 34,50 € **17/20**
Un nez raffiné. L'élevage long et dans du bon bois lui a donné de gourmandes notes torréfiées, mais le vin présente une jolie fraîcheur. Belle réussite par rapport à la matière de 2007 !

Chablis premier cru La Forêt 2008
Blanc | 2013 à 2023 | 14,50 € **16,5/20**
Jolis arômes de sous-bois et de fougère. Un vin fin, élégant. Très bon style, avec de la droiture en bouche. Jus bien serré.

Chablis premier cru Mont de Milieu 2008
Blanc | 2013 à 2023 | 14,50 € **16,5/20**
Un mont-de-milieu bien tranchant, à la bouche concentrée et droite. L'élevage est présent pour l'instant, mais la bouche cristalline va petit à petit reprendre le dessus. Bonne tension.

Chablis premier cru Montmain 2008
Blanc | 2010 à 2018 | 14,50 € **16/20**
L'élevage donne du gras au vin. Beaucoup de gourmandise et d'enrobage, dans ce vin qui se livre assez vite. Très rond, finale sur l'anis.

Chablis premier cru Vaillons 2008
Blanc | 2012 à 2018 | 14,50 € **15,5/20**
Un vin racinaire, riche, savoureux. Il est sur la fermeture aujourd'hui, mais sa richesse de bouche fera merveille.

DOMAINE RAVENEAU

9, rue de Chichée • 89800 Chablis
Tél. 03 86 42 17 46 • Fax : 03 86 42 45 55
Pas de visites.

Les générations passent, mais ce domaine continue de figurer au firmament de l'appellation, et de régaler les amateurs qui ont la chance d'avoir quelques allocations ou de connaître les bons cavistes, avec des vins d'un raffinement et d'une complexité de saveurs sans équivalent, et surtout d'une extraordinaire longévité. Les 2009 goûtés sur fûts constituaient une irrésistible gourmandise, et les 2008 regoûtés en bouteille démontraient, s'il en était besoin, l'immense qualité du millésime et son lent devenir.

Chablis 2009
Blanc | 2009 à 2017 | NC **16/20**
Mûr et riche, un vin généreux et flatteur, gourmand, que l'on voudra apprécier jeune.

Chablis grand cru Blanchot 2009
Blanc | 2014 à 2029 | NC **17,5/20**
Fruité fin, blanc et jaune. Bouche gourmande et ronde. Gros volume de bouche, on voit bien le grand cru.

Chablis grand cru Les Clos 2009
Blanc | 2014 à 2029 | NC **18,5/20**
Il est encore très jeune, mais déjà gourmand, ce qui n'est pas la caractéristique majeure pour ce terroir ! En bouche, on retrouve les fondamentaux : tension, acidité, raffinement. Il faut juste l'attendre.

Chablis grand cru Valmur 2009
Blanc | 2014 à 2029 | NC **18/20**
Plus floral, plus fin que blanchot. Bouche épurée, élancée, tout en harmonie. Toucher de bouche raffiné. Encore discret, mais la subtilité de la fin de bouche séduit beaucoup.

Chablis premier cru Butteaux 2009
Blanc | 2012 à 2024 | NC **17,5/20**
Un vin à la bouche intense et raffinée, tout en profondeur. Raffinement des saveurs, délicatesse de la texture, c'est difficile de résister. Un terroir splendide.

Chablis premier cru Forest 2009
Blanc | 2012 à 2024 | NC **17/20**
Plus complet que montmains, plus raffiné, plus profond aussi. On sent une classe supérieure, la couche d'argile plus épaisse donne de la profondeur au vin.

Chablis premier cru Montée de Tonnerre 2009
Blanc | 2013 à 2024 | NC **17,5/20**
Racée, tendue, tranchante, mais avec pas mal de gras en bouche cette année. L'opulence du millésime convient bien au cru. Finale citronnée, superbe. Cette note citronnée, très pure, un peu pierre à fusil est d'ailleurs la marque du terroir.

Chablis premier cru Montmain 2009
Blanc | 2012 à 2024 | NC **16/20**
Bouche gourmande, avec un style bien «sec» sur la fin de bouche. Subtiles nuances racinaires, il faut l'attendre, il n'est pas encore prêt.

Chablis premier cru Vaillons 2009
Blanc | 2013 à 2024 | NC **17/20**
Subtil, fin et délicat, avec de la profondeur et surtout une grosse réserve en bouche. Il ne faut pas se presser.

DOMAINE DAVID RENAUD

89290 Irancy
Tél. 03 86 42 27 39 • Fax : 03 86 42 27 39
renaud.irancy@orange.fr
Visite : Sur rendez-vous.

David Renaud étiquette ses irancys en indiquant uniquement le numéro de lot, jamais la cuvée ou le lieu-dit. 1 désigne ainsi la première mise, 4 ou 5 les dernières (plus en finesse et d'un meilleur potentiel de garde). A défaut d'être spontanément compréhensible pour le consommateur, puisqu'il n'y a pas de suivi des lots d'un millésime à l'autre, ce principe a pour lui le mérite de la transparence.

BOURGOGNE 2009
Rosé | 2010 à 2013 | 5,80 € **13/20**
Fruité tendre, un vin rond, assez généreux en alcool. Le millésime lui convient bien, avec sa puissance et sa richesse.

IRANCY LOT 1 2008
Rouge | 2010 à 2018 | 7,50 € **15/20**
Un vin charnu et élégant, aux tanins bien enrobés, à la finale équilibrée et fraîche.

IRANCY LOT 4 2007
Rouge | 2010 à 2014 | 9,50 € **14,5/20**
Bon fruité rouge frais. Bouche souple, moyennement concentrée comme souvent dans le millésime, mais belle élégance.

IRANCY LOT 5 2007
Rouge | 2010 à 2015 | 7,50 € **15/20**
Plus épicé que le lot n°4, avec plus de chair, une trame tannique plus serrée, en raison d'une petite part de césar dans l'assemblage.

DOMAINE SÉGUINOT-BORDET

8, chemin des Hâtes • 89800 Maligny
Tél. 03 86 47 44 42 • Fax : 03 86 47 54 94
contact@seguinot-bordet.fr • www.seguinot-bordet.fr
Visite : Du lundi au vendredi de 8h à 12h et de 13h30 à 17h30. Le samedi sur rendez-vous.

Jean-François Bordet est la treizième génération de cette famille dont l'arbre généalogique remonte à 1590. Il a développé la mise en bouteille au domaine, accru les densités de plantation et essaie de revenir aux sélections massales. Les 2008 démarrent discrètement, mais les 2007 regoûtés après un an de bouteille ont confirmé leurs bonnes dispositions de l'an dernier.

CHABLIS PREMIER CRU VAILLONS 2008
Blanc | 2010 à 2015 | 17 € **14,5/20**
Notes de sous-bois. Mûr, rond, bonne ampleur en bouche. Plus de concentration que le fourchaume.

CHABLIS VIEILLES VIGNES 2008
Blanc | 2010 à 2014 | 13,50 € **14,5/20**
Agréable concentration, un vin au jus parfumé, avec une finale savoureuse. Bien fondu, le passage sous bois est imperceptible.

DOMAINE SERVIN

20, avenue d'Oberwesel • 89800 Chablis
Tél. 03 86 18 90 00 • Fax : 03 86 18 90 01
contact@servin.fr • www.servin.fr
Visite : Du lundi au vendredi de 9h à 12h et de 13h30 à 17h30.

Ce domaine dispose d'un joli vignoble sur Chablis. Les vendanges sont mécaniques ou manuelles selon les crus, et seules quelques cuvées sont passées en fûts (le chablis Vieilles-Vignes pour moitié, les-clos et les-preuses totalement, par exemples). Cela donne des vins riches, puissants, parfois plus côte d'oriens que chablisiens. En 2008, les entrées de gamme sont assez discrètes, les beaux terroirs sont plus en vue.

CHABLIS GRAND CRU BLANCHOT 2008
Blanc | 2012 à 2023 | NC **16,5/20**
Arômes de fruits blancs très mûrs, de pâte de fruits. Bouche onctueuse, suave, parfumée, finale serrée et fraîche. Très bon blanchot, à attendre un peu.

CHABLIS GRAND CRU BOUGROS 2008
Blanc | 2012 à 2023 | NC **17/20**
Un peu refermé par sa mise, mais la bouche est droite et élégante, adroitement élevée, ce qui fait ressortir la pureté du cru. Finale ciselée.

CHABLIS GRAND CRU LES CLOS 2008
Blanc | 2013 à 2023 | NC **17/20**
Encore très jeune, on l'attendra. Il est pur et tendu, mais son caractère minéral ne s'exprime pas encore.

CHABLIS GRAND CRU LES PREUSES 2008
Blanc | 2012 à 2023 | NC **17/20**
Puissant et très mûr, un vin à la saveur relevée, qui appelle une gastronomie riche. La fin de bouche est généreuse mais équilibrée.

Chablis premier cru Butteaux 2008
Blanc | 2010 à 2018 | NC **16/20**
Arômes élégants de sous-bois et de fleurs au nez, relayés par une bouche toujours aussi parfumée et suave, de jolie longueur.

Chablis premier cru Vaillons 2008
Blanc | 2010 à 2018 | NC **15/20**
Arômes intenses de fruits jaunes et d'agrumes, la bouche est tendue, la finale généreuse.

Chablis Vieilles Vignes 2008
Blanc | 2010 à 2015 | NC **14,5/20**
Un gras supérieur à la cuvée de chablis. Bouche concentrée et épaisse, arômes élégants, finale serrée et tendue.

SIMONNET-FEBVRE

9, avenue d'Oberwesel • 89800 Chablis
Tél. 03 86 98 99 00 • Fax : 03 86 98 99 01
contact@simonnet-febvre.com
www.simonnet-febvre.com
Visite : Du mardi au samedi de 10h à 12h30 et de 14h à 18h30.

Cette maison historique de Chablis appartient depuis 2003 au négociant beaunois Louis Latour. Sous la direction de Jean-Philippe Archambaud, la qualité des vins a rapidement progressé, gagnant en densité et en extrait sec. Les 2008 sont de bonne facture, les vins n'ayant pas ou peu vu le bois paraissant mieux ressortir en termes de pureté et de tranchant.

Bourgogne Épineuil 2008
Rouge | 2010 à 2013 | 7,10 € **14/20**
Fruité rouge intense, notes de sous-bois. Un vin croquant, à boire pour son charme.

Chablis 2008
Blanc | 2010 à 2013 | 9,85 € **14/20**
Mûr, rond, arômes citronnés, un chablis bien en chair, qui enveloppe bien l'acidité du millésime.

Chablis grand cru Blanchots 2008
Blanc | 2013 à 2023 | NC **17/20**
Un blanchots puissant, ultra mûr, expressif avec ses francs arômes de fruits jaunes. Malgré sa richesse, il offre un splendide équilibre.

Chablis grand cru Les Preuses 2008
Blanc | 2013 à 2023 | NC **16/20**
C'est un preuses puissant et riche, qui reste très proche du raisin, très pur. Concentré et compact.

Chablis premier cru Mont de Milieu 2008
Blanc | 2012 à 2018 | 15,80 € **15,5/20**
Un vin compact et dense, qui cherche encore son équilibre final. Il mérite notre patience, car il offre une texture charnue et de la tension en fin de bouche.

Chablis premier cru Montée de Tonnerre 2008
Blanc | 2012 à 2018 | 16,95 € **15,5/20**
L'élevage est aujourd'hui perceptible, mais la bouche est tendue et droite, avec un bon équilibre.

Chablis premier cru Montmains 2008
Blanc | 2010 à 2018 | 14,60 € **15/20**
Très parfumé, arômes savoureux de fruits mûrs, bouche concentrée et droite, fin de bouche pure.

Chablis premier cru Vaillons 2008
Blanc | 2012 à 2018 | 14,75 € **15/20**
Beaux arômes floraux, bouche concentrée et droite, il est encore jeune. Finale sur de beaux amers.

Crémant de Bourgogne pinot noir non millésimé
Blanc Brut effervescent | 2010 à 2012 | 8,35 € **14/20**
Vineux, gourmand, un blanc de noirs qui appelle les terrines et les pâtés.

DOMAINE LES TEMPS PERDUS

3, rue de Chantemerle • 89800 Préhy
Tél. 03 86 41 46 05 • Fax : 03 69 99 00 49
clotilde@clotildedavenne.fr • www.clotildedavenne.fr
Visite : Du lundi au vendredi de 10h à 12h30 et de 15h à 18h30, de préférence sur rendez-vous.

Clothilde Davenne n'a vinifié son premier millésime qu'en 2004 sur son domaine, après une première carrière comme œnologue. Les vins issus de ses propres vignes sont tendus et concentrés à souhait, et les 2008 sont très réussis. En revanche, les cuvées issues d'achats de raisin ne possèdent pas la même force de caractère voire même déçoivent.

Bourgogne 2008
Blanc | 2010 à 2012 | 7,50 € **14/20**
Gras, bouche ronde, un chardonnay bien gourmand.

Bourgogne aligoté 2008
Blanc | 2010 à 2013 | 6,50 € **14/20**
Parfumé, floral, très apéritif, gourmand.

Bourgogne Côtes d'Auxerre 2008
Rouge | 2010 à 2013 | 7,50 € **15/20**
Des arômes où dominent des notes de fruits rouges, de fleurs et de poivre. Aromatique et gourmand. La bouche est droite et élancée.

Saint-Bris 2008
Blanc | 2010 à 2013 | 7,50 € **14,5/20**
Belle aromatique, un vin gourmand et élancé, pur.

Saint-Bris Vieilles Vignes 2008
Blanc | 2011 à 2015 | 12 € **15,5/20**
Il est encore sur la réserve, mais il offre tout de même plus de tension et de droiture que l'autre cuvée de saint-bris.

DOMAINE TESTUD

38, rue des Moulins • 89800 Chablis
Tél. 03 86 42 45 00
domaine.testud@wanadoo.fr
Visite : de 9h à 17h en semaine,
le week-end sur rendez-vous.

Ce domaine a le privilège de posséder cinquante ares du très rare grand cru Grenouilles. Cyril Testud vendange à la main les raisins qu'il garde pour la production du domaine et vinifie en cuve (seul le grenouilles voit un petit peu le bois). Cela donne des vins tranchants, qui demandent généralement quelques années pour dompter leur colonne d'acidité. Bons 2008.

Chablis 2008
Blanc | 2010 à 2014 | 9 € **14,5/20**
Un premier nez de whisky islay ! Puissant nez floral et riche, bouche ronde. Belle matière et grande colonne vertébrale pour ce vin.

Chablis grand cru Grenouilles 2008
Blanc | 2013 à 2023 | 35 € **16/20**
Bel équilibre, entre gras et tension. Il est très jeune, son élevage est encore perceptible, mais la forte colonne vertébrale le supportera bien. Cristallin et pur. Le dosage du bois s'est affiné par rapport à 2005.

Chablis grand cru Grenouilles 2007
Blanc | 2014 à 2022 | 35 € **14,5/20**
Il est encore fermé, mais le millésime manque un peu de chair. Son élevage ressort aujourd'hui mais la bouche a une dominante cristalline, il faut l'attendre.

Chablis premier cru Montée de Tonnerre 2008
Blanc | 2012 à 2018 | 14 € **15/20**
Un vin tranchant et droit, avec un bon extrait sec. Bien représentatif de son terroir.

Chablis premier cru Testud 2008
Blanc | 2011 à 2018 | 13,50 € **15/20**
Assemblage vaillons et forêt. Il est plus parfumé que la montée-de-tonnerre. Gras, aromatique sur les fruits jaunes et blancs, bon gras en bouche. Son aromatique vaillons prédomine aujourd'hui (mais c'est la part la plus importante).

DOMAINE GÉRARD TREMBLAY

12, rue de Poinchy • 89800 Chablis
Tél. 03 86 42 40 98 • Fax : 03 86 42 40 41
gerard.tremblay@wanadoo.fr
www.chablis-tremblay.com
Visite : en semaine 8h30-12h et 13h30-18h,
samedi 10h-12h et 14h-18h.

La famille Tremblay a donné de nombreux vignerons à Chablis. Gérard, désormais accompagné de ses enfants, donne une interprétation classique de l'appellation. Les vendanges sont mécaniques, sauf le grand cru, les vins sont levurés, et les élevages majoritairement en cuve sauf pour les premiers et grands crus ainsi que la cuvée Hélène. Les 2008 sont les vins les plus complets de la décennie.

Chablis grand cru Vaudésir 2008
Blanc | 2012 à 2023 | 23 € **16/20**
Notes boisées au nez, dues à une vinification partiellement sous bois. La bouche manque un peu de densité.

Chablis premier cru Fourchaume 2008
Blanc | 2010 à 2018 | 11,50 € **15,5/20**
Bien expressif, notes florales. Un vin large.

Chablis premier cru Fourchaume Vieilles Vignes 2008
Blanc | 2012 à 2023 | 13,50 € **16/20**
Il n'a pas encore trouvé son équilibre en bouteille, mais le jus est concentré. Beaux arômes de fleurs séchées.

Chablis Vieilles Vignes 2008
Blanc | 2010 à 2013 | 8,50 € **14,5/20**
Concentration supérieure au chablis générique. Bon volume de bouche. Bien gourmand.

DOMAINE LAURENT TRIBUT

15, rue Poinchy • 89800 Poinchy
Tél. 03 86 42 46 22 • Fax : 03 86 42 48 23
Visite : sur rendez-vous

Laurent Tribut est un vigneron qui fait peu parler de lui. Pourtant, ces vins ont un air de famille avec ceux de Vincent Dauvissat (ils sont beaux-frères) : cristallins, avec un fort extrait sec et un lent épanouissement en bouteille. Une adresse à découvrir d'urgence. La qualité est régulière, et 2008 est logiquement réussi et aimable dès son fruit, jeune.

Chablis 2008
Blanc | 2010 à 2018 | NC **16/20**
Raffiné, mûr, un chablis savoureux et nerveux. Très bon style. Pur et élégant.

Chablis premier cru Beauroy 2008
Blanc | 2010 à 2023 | NC **16,5/20**
Plus d'élégance et de raffinement que le côte-delechet, avec un rien de puissance en plus. Amertume savoureuse en bouche, finale légèrement minérale et tendue.

Chablis premier cru Côte de Lechet 2008
Blanc | 2010 à 2023 | NC **16,5/20**
Notes racinaires. Un vin savoureux, complet, ample et élancé.

Chablis premier cru Montmains 2008
Blanc | 2010 à 2023 | NC **17/20**
Un vin où ressort la race du terroir mais aussi l'âge des vignes. Joli gras en bouche, grosse richesse de matière. Complet, dense mais enrobé.

CHÂTEAU DE VIVIERS

89700 Viviers
Tél. 03 86 75 90 04

Le Château de Viviers appartient à la famille Bichot, mais est géré distinctement de Long-Depaquit, même si les mêmes équipes techniques supervisent les deux propriétés. Le style des vins n'est d'ailleurs pas sans rappeler celui de son prestigieux parent, avec toutefois un peu moins de finesse et d'équilibre. Les 2008 sont plaisants jeunes.

Chablis 2008
Blanc | 2010 à 2013 | NC **14/20**
Citronné, élégant, d'ampleur moyenne, mais le millésime lui profite bien.

Chablis premier cru Les Vaucopins 2008
Blanc | 2010 à 2015 | NC **15/20**
Équilibré, tendre, il se livre jeune, sur son fruité mûr. Agréable concentration.

DOMAINE WILLIAM FÈVRE

21, avenue d'Oberwesel • 89800 Chablis
Tél. 03 86 98 98 98 • Fax : 03 86 98 98 99
contact@williamfevre.com • www.williamfevre.com
Visite : Du lundi au samedi de 9h30 à 12h30 et de 13h30 à 18h. Dimanche sur rendez-vous. Fermeture annuelle du 1er décembre au 1er mars.

Racheté par Bouchard Père et Fils en 1998, William Fèvre est aujourd'hui au sommet. Propriétaire notamment de 20 % des grands crus de Chablis, la maison ne manquait pas d'atouts, mais le travail accompli par Didier Séguier et ses équipes, à la vigne comme en cave, a permis de retrouver la pureté cristalline et le caractère propre à chaque cru. Une viticulture particulièrement soignée, des vendanges exclusivement manuelles, des vinifications pour partie sous bois mais sans fûts neufs, et surtout, beaucoup de patience et d'humilité pour comprendre un terroir aussi complexe : plus qu'une recette, une philosophie.

Chablis 2008
Blanc | 2010 à 2014 | 11,20 € **15,5/20**
Grosse concentration pour un simple «village», fruité mûr fin, notes de miel fin, bouche élancée, finale fraîche.

Chablis grand cru Bougros Côte de Bouguerots 2008
Blanc | 2013 à 2028 | 43,40 € **19/20**
Une aromatique puissante, très pure, sur les fruits blancs, l'anis. L'attaque est en puissance, comme les-preuses, mais avec plus de matière, de concentration et de longueur. Équilibre remarquable pour un vin aussi puissant, aucune lourdeur, ça reste droit.

Chablis grand cru Grenouilles 2008
Blanc | 2011 à 2018 | 43,40 € **16/20**
Savoureux, avec ses arômes de tisane, de sous-bois, de champignons. Bouche tendue, mais sans l'énergie ni la profondeur du vaulorent. C'est un grand cru accessible.

Chablis grand cru Les Clos 2008
Blanc | 2013 à 2028 | 49,30 € **19,5/20**
Nez d'une grande pureté, arômes fins et élégants. La bouche est ciselée, avec beaucoup d'énergie, la

fin de bouche est cristalline comme de l'eau de roche.

Chablis grand cru Les Preuses 2008
Blanc | 2012 à 2028 | 43,40 € **18,5/20**
Beaucoup de richesse dans ce vin, à l'attaque en puissance, relayée par une acidité fine qui s'allonge petit à petit.

Chablis grand cru Valmur 2008
Blanc | 2013 à 2028 | 43,40 € **18/20**
Arômes citronnés gourmands, l'acidité est plus perceptible que sur vaudésir. Droit et concentré, son caractère très «sec» ne plaira pas à tous, c'est un vin pour puristes.

Chablis grand cru Vaudésir 2008
Blanc | 2012 à 2028 | 43,40 € **18/20**
Très solaire, arômes floraux fins, bouche épurée et élancée, avec beaucoup de style et d'élégance, finale longue et précise, relancée par une acidité gourmande. Très grand vaudésir.

Chablis premier cru Beauroy 2008
Blanc | 2011 à 2018 | 21,70 € **15/20**
Il se referme un peu, mais il a su préserver une bonne acidité dans ce millésime, ce qui lui donne de la longueur et de l'équilibre.

Chablis premier cru Fourchaume 2008
Blanc | 2011 à 2018 | 23,80 € **16/20**
Tendu, assez minéral pour un fourchaume, la précision de la vinification fait ressortir la droiture du vin. Il manque juste un peu d'épanouissement aromatique.

Chablis premier cru Les Lys 2008
Blanc | 2011 à 2018 | 21,70 € **16/20**
Une richesse et un équilibre supérieurs au vaillons, avec un fruité plus élégant et une bouche plus énergique. Mûr et droit.

Chablis premier cru Mont de Milieu 2008
Blanc | 2011 à 2023 | 21,70 € **16,5/20**
La bouche est tranchante et nerveuse, bien dense. Très compact, avec une finale sur le jus de citron. Très beau caractère, avec une grande longueur.

Chablis premier cru Montée de Tonnerre 2008
Blanc | 2012 à 2023 | 23,80 € **17/20**
Pur et tranchant comme une montée doit l'être, la minéralité est déjà présente, mais on passerait à côté en l'ouvrant dès aujourd'hui.

Chablis premier cru Montmains 2008
Blanc | 2011 à 2018 | 21,70 € **15,5/20**
Concentré, savoureux, fines notes de sous-bois et de champignons. Fine acidité, très bel équilibre.

Chablis premier cru Vaillons 2008
Blanc | 2011 à 2018 | 21,70 € **15,5/20**
Très mûr, comme souvent pour vaillons, mais avec une belle fraîcheur, qui équilibre harmonieusement les arômes puissants de fruits et de fleurs.

Chablis premier cru Vaulorent 2008
Blanc | 2012 à 2023 | 29,90 € **17,5/20**
Une concentration et une énergie supérieures au fourchaume, la bouche offre une texture resserrée et dense, avec beaucoup de persistance et de tension. On boit bien la majesté du terroir, supérieur à l'envers de bien des grands crus.

Notes personnelles

La Côte de Nuits

Cette toute petite bande de vignes donne certains des vins rouges les plus prestigieux de la planète, mais il faut savoir les choisir, tant la qualité peut varier d'un producteur à l'autre.

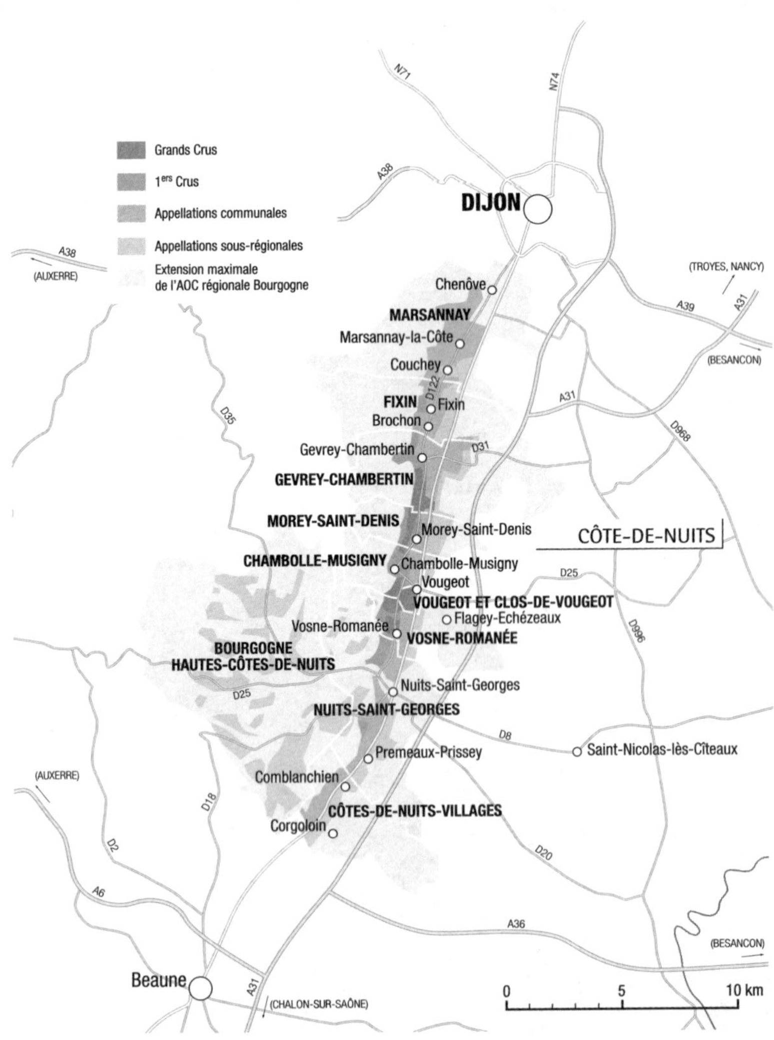

JEAN-LUC & PAUL AEGERTER

49, rue Henri-Challand • 21700 Nuits-Saint-Georges
Tél. 03 80 61 02 88 • Fax : 03 80 62 37 99
infos@aegerter.fr • www.aegerter.fr
Visite : Boutique ouverte du lundi au dimanche de 9h30 à 19h.

Négociants fort intelligents de Nuits-Saint-Georges, sachant allier la qualité du produit et le sens de la vente, Jean-Luc Aegerter et son fils se sont assurés les vendanges de quelques crus prestigieux, qui s'ajoutent à leur petit domaine, et sont particulièrement adroits en matière d'élevage. Ils possèdent une superbe boutique à Beaune, où l'on peut trouver tout ce qu'il y a de bon et de rare en Bourgogne. Les 2006 dégustés n'égaleront pas les 2005, mais montrent de solides qualités de constitution et une patte d'élevage bien maîtrisé. On préférera peut-être les 2007 plus artistes et diversifiés, dont quelques remarquables blancs.

BEAUNE PREMIER CRU LES REVERSÉES 2008
Blanc | 2012 à 2016 | 45 € **15,5/20**
Assez gras, joli fruité d'agrumes et de miel, pas de lourdeur, boisé bien intégré, du charme immédiat.

BONNES-MARES GRAND CRU 2008
Rouge | 2018 à 2026 | 125 € **17/20**
Robe dense, boisé marqué, tension évidente, tanin ferme, terroir bien mis en valeur, de la classe et du potentiel.

BOURGOGNE 2008 ☺
Blanc | 2011 à 2013 | 10 € **13,5/20**
Récolte du domaine, pâle, frais, arrondi, jolie pureté, pas très nuancé dans son fruit mais simple, franc, facile à boire.

GRANDS-ÉCHEZEAUX GRAND CRU 2008
Rouge | 2016 à 2023 | 150 € **16/20**
Robe foncée, boisé marqué, corps souple mais tanin astringent, vin de garde, manquant peut-être un peu de nuances dans le fruit.

MARANGES PREMIER CRU CLOS DES ROIS 2008
Rouge | 2013 à 2018 | 20 € **15/20**
Robe très sombre, nez ouvert et très agréable de raisin mûr, texture pleine mais très veloutée pour l'appellation, remarquable qualité d'élevage, rapport qualité-prix intéressant.

MEURSAULT 2008
Blanc | 2013 à 2018 | 40 € **16,5/20**
Excellent moelleux, raisin mûr, assemblage donnant une véritable idée de l'appellation, long, exemplaire dans sa catégorie.

NUITS-SAINT-GEORGES RÉCOLTE DU DOMAINE 2008
Rouge | 2013 à 2020 | 39 € **14,5/20**
Robe rubis, demi lumineuse, pas trop intense, boisé fin, texture souple, de la finesse, de la longueur sur un corps moyen.

PERNAND-VERGELESSES PREMIER CRU CREUX DE LA NET 2008
Blanc | 2012 à 2016 | 39 € **16/20**
Joli nez, élégant, de fleur de vigne, délicieux, raffiné, long, rappelant la classe de ces terroirs en blanc.

SAINT-ROMAIN SOUS LE CHÂTEAU 2008
Blanc | 2012 à 2016 | 15 € **14,5/20**
Robe pâle, nez citronné, léger mais fin, belle salinité en rétro-olfaction, fidèle au style de l'année.

SAVIGNY-LÈS-BEAUNE 2008
Rouge | 2012 à 2016 | NC **13/20**
Récolte du domaine, robe pourpre plus léger que Maranges, souple, tannin un peu sec, matière moyenne mais agréable.

MAISON AMBROISE

8 Rue de l'Église • 21700 Premeaux-Prissey
Tél. 03 80 62 30 19 • Fax : 03 80 62 38 69
bertrand.ambroise@wanadoo.fr • www.ambroise.com
Visite : Sur rendez-vous de préférence. De 9h à 11h et de 14h à 17h.

Dans les millésimes des années 1990, les rouges du domaine, très colorés et très tanniques, ont séduit les amateurs du style moderne, mais sont apparus excessifs aux amateurs de bourgognes classiques. Les dernières vinifications montrent une nette évolution vers la tradition, tout en maintenant un haut niveau technique. Les blancs évoluent remarquablement en bouteilles, aussi bien le corton-charlemagne que l'étonnant saint-romain, le plus complet que nous connaissions. Pour cette édition, tous les vins du domaine n'ont pas été présentés.

NUITS-SAINT-GEORGES 2008
Rouge | 2018 à 2023 | 22 € **16/20**
Robe noire, grande puissance tannique, terroir très fortement défini, tanin ferme, excellent village de garde, petit déficit en fruit.

Nuits-Saint-Georges premier cru
Vaucrains 2008
Rouge | 2018 à 2028 | 33 € **18/20**
Un style opposé à Chicotot, tout en profondeur, en éclat aromatique et en longueur, très grand vin.

DOMAINE AMIOT-SERVELLE

34, Caroline Aigle • 21220 Chambolle-Musigny
Tél. 03 80 62 80 39
domaine@amiot-servelle.com
www.amiot-servelle.com
Visite : Du lundi au samedi sur rendez-vous.

Christian Amiot a la chance de posséder de jolies parcelles dans les meilleurs terroirs de Chambolle, comme Amoureuses, Charmes, Derrière la Grange (en fait Gruenchers), et réussit en général parfaitement son vin village. Son style de vinification donne des vins un peu austères à leur début mais très nets et complexes, capables d'un long vieillissement. Les derniers millésimes soulignent mieux, dès leur naissance, la finesse native de ces prestigieux terroirs.

Chambolle-Musigny 2008
Rouge | 2014 à 2020 | NC **15/20**
Cassissé au nez, épicé en bouche, fin, frais, élégant, très bien fait.

Chambolle-Musigny Bas Doix 2008
Rouge | 2016 à 2023 | NC **15/20**
Dense pour un village, ferme et racé, tanin encore un peu trop ferme, vin de garde.

Chambolle-Musigny premier cru
Amoureuses 2008
Rouge | 2018 à 2028 | NC **16,5/20**
Très coloré, encore sur la réduction, texture dense, fruité presque exubérant, tanin noble, grande longueur, ne pas l'ouvrir trop tôt.

DOMAINE DE L'ARLOT

Route Nationale 74 • 21700 Premeaux-Prissey
Tél. 03 80 61 01 92 • Fax : 03 80 61 04 22
dom.arlot@freesbee.fr
Visite : Du lundi au vendredi sur rendez-vous.

Avec le changement de directeur, ce domaine célèbre, appartenant toujours à Axa, présente désormais ses vins à nos dégustations. Il produit des cuvées monopoles de volume important qui ont donc la chance d'avoir une commercialisation plus conforme à la tradition, avec un vin de trois ans en vente et non de deux ans comme partout ailleurs. Les vins de Vosne-Romanée (romanée-saint-vivant et vosne-suchots) n'ont pas été dégustés. Les 2008 sont de qualité exceptionnelle.

Nuits-Saint-Georges premier cru
Clos de l'Arlot 2008
Rouge | 2016 à 2026 | 38 € **17,5/20**
Le plus grand vin de ce terroir de mémoire d'homme, d'une étonnante richesse de couleur. Le nez est ample, profond, noblement séducteur avec des notes de cacao et de violette, avec même une pointe de truffe. La texture est fabuleuse et la longueur inédite.

Nuits-Saint-Georges premier cru
Clos de l'Arlot 2008
Blanc | 2012 à 2016 | 41,50 € **16/20**
Robe pâle, nez généreux d'agrumes, vin gras, avec beaucoup de présence et de style, et une touche d'exotisme à la condrieu.

Nuits-Saint-Georges premier cru
Clos des Forêts Saint-Georges 2008
Rouge | 2018 à 2028 | 38 € **18/20**
Très grand vin, exaltant par sa générosité, sa noblesse de texture, sa longueur et surtout sa précision de caractère. Peut-être le plus grand vin de sa commune en 2008.

Nuits-Saint-Georges premier cru
Les Petits Plets 2008
Rouge | 2016 à 2028 | 23,50 € **17,5/20**
Confirme la réussite du domaine en 2008, avec un vin d'une richesse de sève admirable et d'une classe vraiment remarquable.

ROBERT ARNOUX

3, Route Nationale 74 • 21700 Vosne-Romanée
Tél. 03 80 61 08 41 • Fax : 03 80 61 36 02
arnoux.lachaux@wanadoo.fr
Visite : Sur rendez-vous

Ce domaine réputé n'a pas présenté de vins à nos dégustations. Nous le regrettons. Il produit des bourgognes riches, de style classique, mais qui nous ont rarement donné de grandes émotions.

CHARLES AUDOIN

7, rue de la Boulotte • 21160 Marsannay-la-Côte
Tél. 03 80 52 34 24 • Fax : 03 80 58 74 34
domaine-audoin@wanadoo.fr
Visite : sur rendez-vous.

Ce domaine fort sérieux de Marsannay retrouve une nouvelle jeunesse avec l'actuelle génération. De nombreux séjours en Californie et en Oregon lui ont ouvert les yeux, et donné une juste vision de ce que les amateurs de la planète aiment dans les vins de pinot noir et chardonnay. Les vins précis, savoureux, mais au fond très classiques plairont au plus grand nombre, modernistes et traditionalistes réunis.

Gevrey-Chambertin 2008

Rouge | 2014 à 2020 | 19 € **15/20**

Belle couleur, nez épicé, excellente matière, style très fidèle au caractère du village, tanin ferme et épicé, bel avenir.

Marsannay Champs Salomon 2008

Blanc | 2012 à 2016 | 14 € **14,5/20**

Nez très propre et pur, parfait sur le plan technique mais avec le respect du terroir et du millésime, fort agréable à défaut de noblesse de caractère.

DOMAINE DENIS BACHELET

3, rue Petite-Issue • 21220 Gevrey-Chambertin

Petit domaine artisanal ne souhaitant pas figurer dans un guide faute de vin à vendre. Mais nous ne pouvons vous cacher qu'il produit un des plus élégants charmes-chambertins actuels.

BALLORIN

17, rue Ribordot • 21220 Morey-Saint-Denis
Tél. 09 52 79 48 05
domaineballorinetf@free.fr
Visite : 9h-12h et 14h-18h

Ce petit domaine très «tendance» (bio, etc.) travaille certainement dur mais ne réussit pas tout ce qu'il touche, sans doute par excès d'un idéalisme tournant à la naïveté. Mais quand il fait mouche les vins sont exquis.

Nuits-Saint-Georges Damodes 2008

Rouge | 2016 à 2020 | 32 € **16/20**

Moiré, très réduit, sur le mercaptan, mais texture remarquable et grande longueur, quelque chose de noble se prépare peut-être.

DOMAINE BART

23, rue Moreau • 21160 Marsannay-la-Côte
Tél. 03 80 51 49 76 • Fax : 03 80 51 23 43
domaine.bart@wanadoo.fr
Visite : Sur rendez vous du lundi au samedi.

À chaque nouveau millésime, Martin Bart semble davantage maître de son style. Cousin de Bruno Clair, il partage avec lui non seulement quelques crus mais une même vision sérieuse, classique et intemporelle du vin de Bourgogne, privilégiant l'expression exacte et stricte du terroir à l'explosion aromatique ou à l'hédonisme pur des textures. Ses 2008, et notamment une large gamme de marsannays, sont excellents. Excellent rapport qualité-prix sur l'ensemble des vins du domaine.

Bonnes-Mares grand cru 2008

Rouge | 2018 à 2028 | NC **17/20**

Superbe nez racé de ronce, un peu moins de chair et d'amplitude ici aussi que dans le clos-de-bèze.

Chambertin-Clos de Bèze grand cru 2008

Rouge | 2018 à 2028 | 61 € **18/20**

Nez noblement réglissé, corps plein et équilibré, texture classique pour ce grand cru, long, soigné, sans recherche d'épate. Remarquable fin de bouche.

Chambolle-Musigny Véroilles 2008

Rouge | 2016 à 2023 | 20 € **15,5/20**

Robe bleu noir, nez fumé et épicé, tendu, ferme, racé, avec le caractère tranché des vins de haut de coteau.

Fixin premier cru Les Hervelets 2008

Rouge | 2014 à 2018 | 20 € **17/20**

Nez d'une grande finesse et d'un classicisme exemplaire, avec les arômes nobles réglissés et épicés du nord de la côte et une texture vraiment racée. Il rivalise avec les premiers crus de Gevrey et offre un rapport qualité-prix remarquable.

DOMAINE GHISLAINE BARTHOD

4, rue du Lavoir • 21220 Chambolle-Musigny
Tél. 03 80 62 80 16 • Fax : 03 80 62 82 42
domaine.ghislaine.barthod@orange.fr
Visite : Du lundi au samedi sur rendez-vous.

Ghislaine Barthod est devenue, à juste titre, une des productrices les plus respectées de la commune de Chambolle, produisant d'une année sur l'autre des vins d'une grande finesse et d'une irréprochable précision, dans un style conforme à la tradition familiale. Simplement, les vins actuels ont un peu plus

de couleur et de densité car ils sont vinifiés à partir de vendanges plus mûres. Ses crus les plus corsés sont cras et caroilles, son vin le plus parfumé, beaux-bruns. Le mari de Ghislaine, Louis Boillot, à ne pas confondre avec son père Lucien (quand seule la première lettre du prénom est imprimée), a créé une petite firme de négoce où les vins sont élevés dans la même cave. Un seul cru nous a été présenté en 2008.

Chambolle-Musigny premier cru
Beaux Bruns 2008
Rouge | 2016 à 2023 | 42 € **17/20**
Exemplaire de style : corps plein, arômes nobles et complexes, fraîcheur, finesse, longueur, tout y est.

DOMAINE BERTAGNA

Rue du Vieux-Château • 21640 Vougeot
Tél. 03 80 62 86 04 • Fax : 03 80 62 82 58
contact@domainebertagna.com
www.domainebertagna.com
Visite : tous les jours (sauf dimanche) de 10h à 12h30 et de 13h30 à 17h30

Ce domaine appartient à la famille Reh, riches vignerons de la Moselle allemande, et possède des terroirs prestigieux en Corton et en Côte de Nuits, dont une superbe parcelle de Clos Saint-Denis. Depuis le départ de Claire Forestier, le style des vins s'est un peu relâché, mais deux ou trois 2008 présentés montrent une indéniable reprise en mains. Mais à ce niveau de terroir, ce n'est pas encore suffisant.

Clos Saint-Denis grand cru 2008
Rouge | 2018 à 2026 | NC **17,5/20**
Corps généreux, texture suave, tanin retrouvant un raffinement oublié depuis cinq ans, grande longueur, excellent.

Vougeot premier cru Clos de la Perrière 2008
Rouge | 2016 à 2023 | 52 € **16/20**
Le premier cru le plus équilibré présenté par le domaine en 2008, nez élégant de fruits rouges, texture classique du secteur, finesse et complexité évidentes, fait pour vieillir.

DOMAINES ALBERT BICHOT

6-bis, boulevard Jacques-Copeau • 21200 Beaune
Tél. 03 80 24 37 37 • Fax : 03 80 24 37 38
bourgogne@albert-bichot.com
www.albert-bichot.com
Visite : Sur rendez-vous.

La maison Albert Bichot, une des plus anciennes et des plus importantes de la Bourgogne, poursuit très courageusement une refonte totale de sa philosophie et de la qualité de ses produits. Elle a clairement séparé les vins de ses domaines de ceux du négoce. On trouvera notre appréciation sur le Domaine Long Depaquit, et ses célèbres chablis, à leur place géographique. En Côte-d'Or, la maison possède deux grandes entités de vinification, le Domaine du Clos Frantin, à Nuits-Saint-Georges, et le Domaine du Pavillon, à Beaune. Les vins du Clos Frantin et ceux du Château Gris ont un peu d'antériorité dans la remise à niveau de la qualité, et commencent à produire des vins d'excellent style. Les vins de pur négoce ne s'égalent pas encore aux tout meilleurs.

Chambolle-Musigny 2008
Rouge | 2014 à 2020 | 29,80 € **16/20**
Excellent style, vin délicat, très pur en début et fin de bouche, exactement ce que l'on attend. Le vin confirme les progrès d'élevage de la maison.

Chambolle-Musigny premier cru 2008
Rouge | 2014 à 2023 | 33,80 € **16,5/20**
Excellente typicité, élégance, subtilité, harmonie, un chambolle d'école.

Corton - Charlemagne grand cru 2008
Blanc | 2012 à 2018 | 61,40 € **17/20**
Domaine du Pavillon. Nez très propre et pur de fleurs blanches et noisette, gras, racé, jolie suite en bouche à défaut d'avoir la même intensité dans la personnalité que quelques autres. On pourra le boire jeune.

Nuits-Saint-Georges
Château Gris Lupé-Cholet 2008
Rouge | 2016 à 2026 | 27,40 € **16,5/20**
Petite note fumée au nez, corps généreux mais texture très fine, ensemble original et racé, digne de confiance.

Pommard premier cru Rugiens
Domaine du Pavillon 2008
Rouge | 2015 à 2022 | 39,70 € **14,5/20**
Puissant, tannique, truffé, de la mâche à défaut de finesse et une petite amertume à fondre.

Savigny-lès-Beaune Les Picotins
Domaine du Château Gris 2008
Rouge | 2012 à 2016 | 17 € **14/20**
Clair, fruité, très souple, un rien trop boisé mais plaisant en finale et assez conforme à ce que le public souhaite pour un savigny : du glissant et de la finesse.

Vosne-Romanée premier cru Malconsorts
Domaine du Clos Frantin 2008
Rouge | 2010 à 2018 | 61,40 € **16,5/20**
Fruité très découvert de framboise, riche, vinosité assurée mais moins de subtilité et de finesse que dans les rouges de Lupé-Cholet, vinifiés par la même équipe.

JEAN-YVES BIZOT

21700 Vosne-Romanée

Tout petit domaine artisanal, durement éprouvé par la grêle en 2008 et n'ayant hélas pas de vin à vendre. Mais on peut en trouver chez les bons cavistes de Bourgogne et la qualité est devenue remarquable : viticulture bio, raisins entiers, excellent suivi scientifique, tout est en place désormais pour retrouver les secrets des nectars du passé. Ne passez pas à côté de son clos-du-chapitre ou de son échezeaux.

LOUIS BOILLOT ET FILS (CHAMBOLLE)

4, rue du Lavoir • 21220 Chambolle-Musigny
Tél. 03 80 62 80 16 • Fax : 03 80 62 82 42
domaine.louis.boillot@orange.fr
Visite : Sur rendez-vous.

Il ne faut surtout pas confondre ce domaine avec un autre Domaine Louis Boillot, sis à Volnay, même si celui-ci possède également des vignes sur Pommard et Volnay, c'est la Bourgogne ! Louis est le mari de Ghislaine Barthod. Il vinifie et élève à Chambolle-Musigny les vins de son domaine, division de l'ancien Domaine Lucien Boillot, la seconde partie de ce domaine ayant été reprise par son frère.

Gevrey-Chambertin Évocelles 2008
Rouge | 2014 à 2020 | NC **14,5/20**
Beaucoup de précision et de subtilité dans le fruit, grain de tanin fin, bonne longueur, vin longiligne mais élégant.

Pommard premier cru Les Frémiers 2008
Rouge | 2015 à 2022 | NC **14/20**
Maturité moyenne du raisin, vinification précise, ensemble sain, équilibré, discret, soigné mais on aimerait un peu plus de prise de risque.

Volnay premier cru Brouillards 2008
Rouge | 2016 à 2020 | NC **14,5/20**
Robe claire, texture tendre, tanin de barrique bien présent, plus souple et subtil que le pommard premier cru, mais sans grande envolée.

Volnay premier cru Les Caillerets 2007
Rouge | 2016 à 2023 | NC **16/20**
Tendre, épicé, plus de finesse et de race que le volnay-brouillards, tanin un rien astringent, style sérieux, mais ici accompli, de volnay.

BOISSET

5, quai Dumorey • 21703 Nuits-Saint-Georges
Tél. 03 80 62 61 61 • Fax : 03 80 62 61 59
mallinger@boisset.fr • www.boisset.com
Visite : Tous les jours de 10h à 13h et de 14h à 19h toute l'année, fermé le lundi de novembre à mars. fermé les 25 decembre et 1er janvier.
Les visites s'effectuent à L'imaginarium : avenue du jura 21700 Nuit Saint Georges.

Cette maison a, depuis cinq ans, complètement révolutionné sa position dans l'univers bourguignon et métamorphosé le style de ses vins. La famille Boisset, sans doute agacée des commentaires habituels et fière du renouveau de son Domaine de la Vougeraie, a eu l'heureuse idée d'engager le talentueux Grégory Patriat, jeune, brillant et surtout anticonformiste, formé à l'école de Lalou Bize-Leroy, pour produire des vins dignes des meilleurs producteurs. C'est aujourd'hui chose faite, au prix d'une considérable diminution des volumes. Les 2008 présentés sont de qualité mais impressionnent moins en proportion que les 2007.

Chassagne-Montrachet 2008
Blanc | 2013 à 2017 | 31 € **15/20**
Large, généreux, assez mûr, boisé fondu, ensemble soigné et très agréable.

Fixin 2008
Blanc | 2010 à 2013 | 14 € **15/20**
Le meilleur blanc de notre dégustation dans ce village, délicatement vanillé, fin, pur, avec un peu plus de complexité et de style que les marsannays.

Gevrey-Chambertin premier cru
Lavaux Saint-Jacques 2008
Rouge | 2014 à 2020 | 37 € **16/20**
Nez délicatement fumé, expression nette et équilibrée du terroir mais sans grandeur particulière.

MOREY-SAINT-DENIS MONTS LUISANTS 2008 ☺
Blanc | 2012 à 2016 | 17 € **15,5/20**
Nez franc et pur, boisé élégant, ensemble tendre, frais, facile à boire dès demain.

SAINT-AUBIN PREMIER CRU EN REMILLY 2008
Blanc | 2012 à 2016 | 17,20 € **14/20**
Robe pâle, léger nez de miel de fleurs, très souple, onctueux, fin, mais pas aussi accompli dans le détail que d'autres.

SANTENAY PREMIER CRU LA COMME 2008
Rouge | 2012 à 2016 | 17,20 € **14/20**
Robe moyennement dense, corps souple, tanin sans rudesse, facile, assez subtil mais à ne pas trop attendre.

DOMAINE RENÉ BOUVIER

Chemin de Saule Brochon
21220 Gevrey-Chambertin
Tél. 03 80 52 21 37 • Fax : 03 80 59 95 96
rene-bouvier@wanadoo.fr
Visite : Sur rendez-vous du lundi au samedi.

Bernard Bouvier fait partie de la jeune génération des vignerons de Marsannay qui mettent pour la première fois en valeur le riche patrimoine de cette commune. Les vins sont vinifiés de manière moderne mais respectueuse des terroirs, dans un style opulent et fin, très consensuel. Si l'on ajoute la gentillesse de l'accueil et le dynamisme de la commercialisation, on conviendra que ce jeune producteur donne une image très favorable de la Bourgogne d'aujourd'hui. Ses 2008 montrent une évolution de style vers plus de finesse comme quelques autres dans son village, et ce mouvement va sans doute en faire réfléchir d'autres encore.

FIXIN 2008
Rouge | 2014 à 2018 | 27 € **15,5/20**
Vin parfaitement équilibré, grain de tanin fin, texture souple et élégante, typique de la maîtrise actuelle de ce brillant jeune vinificateur.

FIXIN CLOS DU ROY VIEILLES VIGNES 2008
Rouge | 2016 à 2023 | 20 € **17/20**
Magnifique nez de fraise des bois, superbe matière, tanin élégant, long, complexe, un des plus étonnants du village dans le millésime.

GEVREY-CHAMBERTIN RACINES DU TEMPS 2008
Rouge | 2016 à 2023 | 41,55 € **16,5/20**
Remarquable village au parfum floral noble, riche, très naturel dans son tanin, retrouvant la grande filiation avec les vins qui ont fait la célébrité du village.

MARSANNAY LE CLOS 2008 ☺
Blanc | 2012 à 2014 | 18 € **15,5/20**
Superbes reflets verts, très joli fruit frais, bonne longueur, vin très agréable et donnant un plaisir immédiat.

DOMAINE ALAIN BURGUET

18 rue de l eglise • 21220 Gevrey Chambertin
Tél. 03 80 34 36 35 • Fax : 03 80 58 50 45

Cet excellent artisan a longtemps été un classique de nos guides, avec des vins superbes. Il ne veut plus présenter ses vins, c'est son droit et nous le respectons. Mais c'est le nôtre de dire que de nombreuses bouteilles récentes sont marquées par des amertume finales inhabituelles.

JACQUES CACHEUX

58, route nationale • 21700 Vosne-Romanée
Tél. 03 80 61 01 84 • Fax : 09 55 340 721
cacheuxjetfils@free.fr • www.domainecacheux.fr
Visite : Sur rendez-vous.

Domaine artisanal de Vosne : un de ses vins possède un pedigree exceptionnel, la Croix Rameau, mais il faudrait améliorer le style !

ÉCHEZEAUX GRAND CRU 2008
Rouge | 2016 à 2026 | 40,57 € **15,5/20**
Boisé insistant et sec mais derrière ce boisé un très joli vin, de texture élégante et de tanin bien travaillé. Une réflexion avec le tonnelier s'impose.

VOSNE-ROMANÉE PREMIER CRU CROIX RAMEAU 2008
Rouge | 2016 à 2026 | 47,62 € **15/20**
Petite oubliée dans l'établissement du cadastre de la Romanée Saint-Vivant, cette Croix Rameau pourrait faire du grand vin. Ici il n'est que bon, avec des arômes savoureux de myrtille mais une extraction pas assez attentive à donner toute la mesure du terroir.

SYLVAIN CATHIARD

20, rue de la Goillotte • 21700 Vosne-Romanée
Tél. 03 80 62 36 01 • Fax : 03 80 61 18 21
sylvain.cathiard@orange.fr

Ce domaine continue à ne pas présenter d'échantillons mais nous aimons beaucoup le style de ses vins, issus des terroirs les plus prestigieux de Vosne-

Romanée. Sa cuvée emblématique reste les-malconsorts, voisin direct de La Tâche.

DOMAINE PHILIPPE CHARLOPIN-PARIZOT

18, route de Dijon • 21220 Gevrey-Chambertin
Tél. 03 80 58 50 46 • Fax : 03 80 58 55 98
charlopin.philippe21@orange.fr
Visite : Du mardi au samedi de 10h à 19h.

Philippe Charlopin dispose d'un des plus brillants patrimoines de crus de toute la Côte de Nuits. Un tour de cave au domaine est une visite privilégiée à travers un très grand nombre de cuvées, toutes brillamment vinifiées, et illustrant le meilleur des pratiques de vinification modernes : vendange à très haute maturité, tri minutieux du raisin, longues macérations préfermentaires, élevage quasi exclusif en fûts neufs.

Bonnes-Mares grand cru 2008
Rouge | 2018 à 2028 | 120 € **17/20**
Grande robe, texture veloutée, un peu de fumé lié à une forte réduction (le vin est sur fût), fin, long, mais pas complet.

Charmes-Chambertin grand cru 2008
Rouge | 2016 à 2026 | 110 € **17/20**
Robe intense, notes lactiques au nez liées au chêne des barriques, corps et texture irréprochables, grande personnalité en bouche.

Clos de Vougeot grand cru 2008
Rouge | 2020 à 2028 | 110 € **17/20**
Clos dandy, mondain, réduction chatoyante aidée par la qualité un peu indiscrète du boisé, texture fine, tanin racé, attendre qu'il s'assagisse.

Clos Saint-Denis grand cru 2008
Rouge | 2018 à 2028 | 110 € **18/20**
Nez noble de ronce et d'épices, texture magnifique, boisé luxueux mais fin, grande longueur, complet.

Échezeaux grand cru 2008
Rouge | 2018 à 2028 | 110 € **17/20**
Nez de raisin très mûr, notes de moka, de violette, de mûre, puissant, texture veloutée et sensuelle, très long, très opulent mais avec du style. Encore un échezeaux qu'on pourrait croire richebourg.

Fixin 2008
Rouge | 2012 à 2018 | 25 € **14,5/20**
Cassissé et floral, très tendre, onctueux, mûr, long, jolie matière.

Gevrey-Chambertin premier cru Bel Air 2008
Rouge | 2014 à 2020 | 50 € **16/20**
Nuance fumée très 2008 au nez, vin élégant, frais, complexe, très long, issu d'un terroir remarquable mais peu connu car très petit, juste au dessus du Chambertin.

Gevrey-Chambertin Vieilles Vignes 2008
Rouge | 2016 à 2020 | 45 € **15,5/20**
Sur la réduction, avec la dimension fumée qu'on retrouve souvent, mais rarement avec cette densité et cette fusion du bois et du tanin, même si le merrain ne se cache pas.

Marsannay 2008
Blanc | 2011 à 2014 | 20 € **14/20**
Boisé mieux intégré que dans le passé, corps équilibré, fruité net, pur, simple, à boire dans les trois ans.

Marsannay Échezeaux 2008
Rouge | 2014 à 2020 | 25 € **15,5/20**
Un peu de réduction de fin d'élevage, boisé intégré derrière le toasté de cette réduction, texture parfaite, long, ambitieux mais fait pour vieillir.

Mazis-Chambertin grand cru 2008
Rouge | 2016 à 2026 | 120 € **18/20**
Très coloré, puissant au nez avec tout un panier d'épices, onctueux, tanin de raisin très mûr, long, suave, mais terroir bien lisible.

Morey-Saint-Denis 2008
Rouge | 2016 à 2023 | 40 € **16,5/20**
Robe noire, réduction marquée au nez normale juste avant mise, grand caractère pour un village, parfaite maturité du raisin, tanin noble, longueur de premier cru.

Vosne-Romanée 2008
Rouge | 2016 à 2023 | 45 € **17/20**
Magnifique velouté de texture, grande longueur, du charme, de la puissance contenue et une étonnante complexité utile pour la garde, village exceptionnel.

DOMAINE GEORGES CHICOTOT

15, rue du Général-de-Gaulle - B.P. 118
21703 Nuits-Saint-Georges Cedex
Tél. 03 80 61 19 33 • Fax : 03 80 61 38 94
chicotot@aol.com • www.domaine-chicotot.com
Visite : Du lundi au dimanche 9h30 à 12h
et de 14h à 18h30.

Ce petit domaine artisanal s'affirme d'une année sur l'autre comme une des sources les plus remarquables et les plus raisonnables en matière de prix pour celui qui aime les vins de Nuits Saint-Georges. Les parcelles sont petites mais toutes remarquablement situées et les vins, méticuleusement vinifiés par l'épouse de Georges Chicotot, peuvent servir de modèle de style. Les 2008 sont dans la lignée.

NUITS-SAINT-GEORGES
LES PLANTES AU BARON 2008
Rouge | 2014 à 2020 | 23 € **15,5/20**
Ensemble très élégant dans sa texture et son tanin, fruité précis, on pourra même le boire assez jeune.

NUITS-SAINT-GEORGES PREMIER CRU
LES SAINT-GEORGES 2008
Rouge | 2018 à 2028 | 38 € **16,5/20**
Très aromatique et complexe, mais pour le corps et la texture, en 2008, nous préférons d'une tête vaucrains.

NUITS-SAINT-GEORGES PREMIER CRU
VAUCRAINS 2008
Rouge | 2018 à 2028 | 38 € **17/20**
Vin très droit, précis, élégant, équilibré, exemplaire de finesse et franchise.

DOMAINE BRUNO CLAIR

5, rue du Vieux-Collège - B.P. 22
21160 Marsannay-la-Côte
Tél. 03 80 52 28 95 • Fax : 03 80 52 18 14
brunoclair@wanadoo.fr • www.bruno-clair.com
Visite : Dégustations du lundi au vendredi de 9h à 12h et de 14h à 18h, sur rendez-vous.

Nous sommes ici au cœur du classicisme bourguignon, avec des vins d'une netteté et d'une élégance rarissimes. Le patrimoine de vignes est un des plus nobles qui soit, avec les grands joyaux de Gevrey comme le Clos Saint-Jacques, les Cazetiers et le Clos de Bèze, auquel il faut ajouter à partir de 2006 une partie du Bonnes Mares, provenant de l'héritage de Bernard Clair. La réussite générale des 2007 mérite un sacré coup de chapeau et 2008 ira aussi loin, dans un style plus austère.

BONNES-MARES GRAND CRU 2008
Rouge | 2020 à 2028 | 92 € **17/20**
Puissant, tannique, racé, un peu trop tendu, un vin superbe mais en dessous du clos-de-bèze du même producteur.

CHAMBERTIN-CLOS DE BÈZE GRAND CRU 2008
Rouge | 2018 à 2038 | 98 € **18,5/20**
Grande robe, nez très noble de ronce et de fruits rouges, grande générosité de texture, tanin merveilleusement extrait, grand avenir.

GEVREY-CHAMBERTIN PREMIER CRU
LES CAZETIERS 2008
Rouge | 2018 à 2028 | 56 € **17/20**
Boisé pas complètement intégré, mais grande densité et intégrité de matière, serré, tendu, intense, sans concession, grande garde prévisible.

MARSANNAY 2008 ☺
Blanc | 2012 à 2015 | 13 € **14,5/20**
Or pâle à reflets verts fort élégants, vin rafraîchissant, équilibré, précis, facile à boire, soigné, mais évidemment sans la personnalité des vrais terroirs à blanc.

MARSANNAY GRASSES TÊTES 2008
Rouge | 2014 à 2020 | 16,50 € **15,5/20**
Très bel arôme pur de cerise griotte, du fruit, de la texture, une véritable élégance dans le tanin, vin très bien fait et élevé.

MARSANNAY LES LONGEROIES 2008
Rouge | 2016 à 2023 | 16,50 € **16/20**
Un peu de réglisse au nez, de la fermeté, un style qui se rapproche de Gevrey et un peu plus de corps que dans les autres cuvées du village du domaine. Millésime classique de garde.

MARSANNAY VAUDENELLES 2008
Rouge | 2015 à 2020 | 15 € **15,5/20**
Beaucoup de finesse et de subtilité, style classique, finale précise, assez nerveux mais certainement pas végétal ce qui lui conservera longtemps de la fraîcheur.

MOREY-SAINT-DENIS EN LA RUE DE VERGY 2008
Blanc | 2012 à 2018 | 32 € **16/20**
Joli vin, gras, délicatement vanillé, fruit dégagé de pêche blanche, ensemble pur et précis.

Morey-Saint-Denis En la Rue de Vergy 2008
Rouge | 2016 à 2023 | 28,50 € **16/20**
Belle robe, fruité parfait, légèrement anisé, excellent corps, tanin bien extrait, encore un peu ferme, style exact et classique.

Vosne-Romanée Champs Perdrix 2008
Rouge | 2018 à 2028 | 37 € **17/20**
Belle couleur, nez complexe et racé, supérieur à ce qu'on attend d'une appellation village, même prestigieuse, forte personnalité de terroir, complet et de garde assurée.

DOMAINE DU COMTE LIGER-BELAIR

Château de Vosne-Romanée • 21700 Vosne-Romanée
Tél. 03 80 62 13 70 • Fax : 03 71 70 00 50
contact@liger-belair.fr • www.liger-belair.fr

Progressivement, Louis-Michel Liger-Belair installe son domaine au tout premier rang de la Bourgogne, avec des vins d'un raffinement de texture et d'arôme qui ne le cède qu'à celui de la Romanée-Conti. Pour y parvenir, il pratique une des viticultures les plus strictes et disciplinées de la côte. Son fleuron, la-romanée, ressemble d'ailleurs de plus en plus à la romanée-conti, et rend justice à leur gémellité ! L'ensemble des 2008 est de très haut niveau et permet de montrer un superbe terroir méconnu de Nuits, les Cras.

Échezeaux grand cru 2008
Rouge | 2018 à 2028 | env 150 € **17/20**
Arôme noble de cerise, corps plein mais assez strict, grande classe, grand avenir.

La Romanée grand cru 2008
Rouge | 2018 à 2028 | env 450 € **18/20**
Arôme très noble de fruits rouges, texture dense, tanin d'une grande élégance, caractère encore réservé. Il ne livrera toute sa classe que dans quelques années.

Nuits-Saint-Georges premier cru Cras 2008
Rouge | 2018 à 2028 | env 90 € **17,5/20**
Terroir étonnant dans sa personnalité. Il y a l'énergie un peu sauvage des grands nuits, mais avec un raffinement de texture digne de se comparer aux reignots. Vivement conseillé.

Vosne-Romanée Clos du Château 2008
Rouge | 2013 à 2020 | env 45 € **15/20**
Robe claire, nez très élégant et floral, une caresse en bouche, long, étonnant de souplesse mais aussi de noblesse de parfum pour un village.

Vosne-Romanée La Colombière 2008
Rouge | 2014 à 2020 | env 42 € **16,5/20**
Plus de corps et de couleur que le clos du Château, plus sur les fruits rouges en bouche, style sûr.

Vosne-Romanée premier cru Reignots 2008
Rouge | 2017 à 2025 | env 100 € **18/20**
Le millésime affirme fortement le terroir, et l'on admire comme d'habitude la complexité et la noblesse aromatique de ce premier cru exceptionnel. Ne pas ouvrir avant 2018 et surtout avant le 2007, plus charmeur.

Vosne-Romanée premier cru Suchots 2008
Rouge | 2016 à 2026 | env 100 € **17/20**
Grand nez floral, équilibre remarquable, mais moins de tension et de force de caractère que reignots (au plus haut niveau, s'entend !).

DOMAINE JACK CONFURON-COTETIDOT

10, rue de la Fontaine • 21700 Vosne-Romanée
Tél. 03 80 61 03 39 • Fax : 03 80 61 17 85
domaine-confuron-cotetidot@wanadoo.fr
Visite : Sur rendez-vous.

Domaine artisanal exemplaire, avec un patrimoine de vignes idéalement réparti sur les communes principales de la Côte de Nuits, et désormais un pied à Pommard, où Yves Confuron est le brillant régisseur du Domaine de Courcel. Dans sa propriété familiale, il travaille en duo avec son frère Jean-Pierre (directeur technique de Chanson) et ce tandem conserve le style noble mais robuste mis au point par leur père, en l'affinant peu à peu. Les vins gagnent en harmonie et en raffinement de texture depuis 2007 et peuvent servir de modèle pour les futurs vinificateurs de la côte.

Chambolle-Musigny 2008
Rouge | 2018 à 2028 | NC **17/20**
Robe noire, nez de myrtille et de chocolat noir, exceptionnelle maturité du raisin, densité étonnante mais sans lourdeur, grande longueur, grande race, on n'est pas loin d'un grand cru.

Charmes-Chambertin grand cru 2008
Rouge | 2018 à 2028 | NC **17,5/20**
Grand nez floral, texture particulière des vinifications en raisins entiers, finale racée à souhait, grand avenir.

Clos de Vougeot grand cru 2008
Rouge | 2020 à 2033 | NC **18,5/20**
Production confidentielle mais vin admirable par ses qualités aromatiques et la noblesse de sa texture, finale interminable sur l'églantine et la pivoine, avec une note truffée.

Gevrey-Chambertin 2008
Rouge | 2016 à 2023 | NC **15,5/20**
Belle couleur, nez très original avec même une touche de poivron mûr type cabernet, corps considérable pour un village, tanin accrocheur mais racé, long, de garde.

Gevrey-Chambertin premier cru
Lavaut Saint-Jacques 2008
Rouge | 2018 à 2028 | NC **18/20**
Noble nez de ronce, admirable texture, grande longueur, ira sur la rose et la pivoine, grand vin.

Gevrey-Chambertin premier cru
Petite Chapelle 2008
Rouge | 2016 à 2023 | NC **16,5/20**
Note de poivron rouge de pinot entier bien mûr, façon DRC, étonnant car ayant conservé beaucoup de nerf et de fraîcheur, long, original.

Nuits-Saint-Georges 2008
Rouge | 2016 à 2023 | NC **16,5/20**
Robe très dense, grand nez de fruits rouges, raisin d'une rare maturité phénolique, tanin sans aspérité mais avec le grain particulier des raisins entiers, grande longueur, matière étonnante pour un village.

Nuits-Saint-Georges premier cru
Vignes Rondes 2008
Rouge | 2018 à 2026 | NC **17,5/20**
Sublime coup de nez, pureté aromatique merveilleuse, grande longueur, grande classe, intégrité totale de style.

Vosne-Romanée 2008
Rouge | 2016 à 2023 | NC **15/20**
Spirituel, élégant dans ses arômes de pivoine, mais le corps est bien présent, la texture ample, le tanin un peu sec pour le moment durcit la fin de bouche.

Vosne-Romanée premier cru Les Suchots 2008
Rouge | 2018 à 2028 | NC **18,5/20**
Magnifique expression, difficile à surpasser en corps, complexité et densité de texture, très haute maturation du raisin, tanin presque confit, mais superbe retour de bouche, avec l'élan du raisin entier.

DOMAINE PIERRE DAMOY

11, rue du Maréchal-de-Lattre-de-Tassigny
21220 Gevrey-Chambertin
Tél. 03 80 34 30 47 • Fax : 03 80 58 54 79
info@domaine-pierre-damoy.com
Visite : Exclusivement sur rendez-vous.

Les 2007 ont permis à ce domaine prestigieux, le plus important propriétaire en Chambertin, de retrouver ce grand domaine à son meilleur. Dans les millésimes directement antérieurs, quelques cuvées présentaient d'étranges déviations aromatiques terreuses, qui ont certainement obligé Pierre Damoy à en rechercher très sérieusement la cause. Les 2008 sont indemnes de ce défaut mais dans un style très puissant.

Chambertin-Clos de Bèze grand cru 2008
Rouge | 2018 à 2028 | env 85 € **18,5/20**
Grande couleur, matière impressionnante, vinosité particulièrement élevée, race du terroir très perceptible, tanin noble, contrairement aux autres cuvées trop astringentes. Heureusement qu'il s'agit de la part royale de son patrimoine.

DOMAINE DIGIOIA-ROYER

16, rue du Carré • 21220 Chambolle-Musigny
Tél. 03 80 61 49 58 • Fax : 03 80 61 49 58
micheldigioia@wanadoo.fr
Visite : sur rendez-vous

Petit propriétaire sur Chambolle dont les vins sont en général très authentiques. Nous n'avons sélectionné cette année aucun des vins présentés, sans doute dégustés trop tôt. Les prix restent sages et les 2007 toujours excellents.

DOMINIQUE LAURENT

Rue Principale • 21220 L'Étang-Vergy
Tél. 03 80 61 49 94 • Fax : 03 80 61 49 95
dominiquelaurent@club-internet.fr
Visite : Visites sur rendez-vous.

Dominique Laurent a inventé à la fin des années 1980 le concept de négociant haute couture, spécialisé dans l'élevage de petites quantités de cuvées

choisies pour la qualité exceptionnelle de leur matériel végétal, des très vieilles vignes de pinot fin. La gamme des vins débute avec la qualité Tradition, destinée à la restauration et à la grande distribution, qui joue en quelque sorte le rôle d'un second vin du Bordelais, et continue avec les séries n°1 et les cuvées vieilles-vignes, issues des meilleurs lots et des meilleures barriques. Son activité se prolonge désormais par l'exploitation d'un petit domaine où il a installé son fils et qui commence à produire des vins d'un caractère exceptionnel, dont on reparlera l'an prochain avec le millésime 2009.

Beaune premier cru 2008 ☺
Rouge | 2013 à 2020 | 20 € **17/20**
Merveilleux naturel aromatique, texture et tanin parmi les plus fins qui soient, encore une réussite à mettre à l'actif du tandem Faivre (le producteur) et Laurent.

Bonnes-Mares grand cru 2008
Rouge | 2010 à 2026 | NC **18/20**
Grand nez classique de ce terroir remarquable, entre la fleur et le fruit, volume de bouche équilibré, texture racée à souhait, boisé noble.

Chambertin-Clos de Bèze grand cru 2008
Rouge | 2018 à 2028 | 140 € **19/20**
Sublime coup de nez, finesse de texture superlative, longueur incroyable, le triomphe de la vieille vigne dans le secteur le plus remarquable du grand cru.

Chambolle-Musigny Vieilles Vignes 2008
Rouge | 2014 à 2020 | 26 € **16/20**
Belle couleur, corps plein, texture veloutée, grande finesse aromatique liée à la présence d'une majorité de vin issu du secteur de la combe d'Orveau.

Clos de Vougeot grand cru 2008
Rouge | 2020 à 2028 | 62 € **17/20**
Volume de bouche remarquable, grain de texture serré, tanin ferme et épicé, terroir parfaitement lisible, belle tension, élevage remarquable.

Échezeaux grand cru 2008
Rouge | 2018 à 2026 | 60 € **17,5/20**
Coloré, arôme noble et précis de type floral, bon tanin, boisé remarquablement intégré sans assèchement de texture, long, élégant, unitaire.

Gevrey-Chambertin premier cru Estournelles Saint-Jacques Vieilles Vignes 2008
Rouge | 2016 à 2026 | 27 € **18/20**
Beaucoup de noblesse aromatique, texture raffinée, grande longueur, vin d'esthète, remarquable de finesse et d'harmonie.

Grands-Échezeaux grand cru 2008
Rouge | 2018 à 2028 | 130 € **18/20**
Raffinement exemplaire du nez et des sensations tactiles, grande longueur, vin aristocratique qui enthousiasmera au vieillissement.

Latricières-Chambertin grand cru 2008
Rouge | 2016 à 2026 | 62 € **17, 5/20**
Ensemble d'un classicisme et d'une élégance indémodables, et naturel exemplaire dans l'expression du terroir. Encore un peu de boisé à fondre.

Meursault 2008
Blanc | 2012 à 2018 | 29 € **17/20**
Récolte du domaine, sublime robe or vert, nez exceptionnellement riche, ouvert et complexe, maturité ultime du raisin pour l'année, suite en bouche étonnante. Un vin qui décoiffe et laisse songeur.

Nuits-Saint-Georges premier cru Les Saint-Georges Vieilles Vignes 2008
Rouge | 2018 à 2026 | 48 € **17/20**
Arôme très net de petits fruits, texture fine, presque transparente, tanin au grain fin, vin distingué mais sérieux, dont la supériorité sur le village n'éclatera que dans dix à douze ans.

Nuits-Saint-Georges Vieilles Vignes 2008
Rouge | 2016 à 2020 | 24 € **16,5/20**
Le plus riche des villages du producteur en 2008, grand velouté de texture, charme aromatique caractéristique du secteur nord de l'appellation.

Pommard premier cru Épenots 2008
Rouge | 2020 à 2028 | 42 € **16,5/20**
Corps équilibré, tanin ferme et racé mais bouquet moins expansif qu'en 2007. Du sérieux, mais à attendre.

Vosne-Romanée Vieilles Vignes 2008
Rouge | 2016 à 2020 | 26 € **16/20**
Bel équilibre, saveur florale et épicée, texture fine, grain de tanin fidèle à l'esprit du village et du pinot, style indémodable.

DOMAINE DROUHIN-LAROZE

20, rue du Gaizot • 21220 Gevrey-Chambertin
Tél. 03 80 34 31 49 • Fax : 03 80 51 83 70
drouhin-laroze@wanadoo.fr
www.drouhin-laroze.com
Visite : Du lundi au samedi de 10h à 12h
et de 13h à 18h, sur rendez-vous de préférence.

Ce domaine devrait être une des gloires de la Côte de Nuits en raison du pedigree exceptionnel de ses crus. De temps en temps, une bouteille nous comble, comme en 2008 son clos-de-bèze, mais on attend tellement mieux !

CHAMBERTIN-CLOS DE BÈZE GRAND CRU 2008
Rouge | 2016 à 2026 | 69 € **17,5/20**
Grande robe, nez raffiné, matière racée à souhait, légère astringence finale dans le tanin, digne du patrimoine de ce grand domaine encore irrégulier.

DOMAINE DAVID DUBAND

36, rue de la Fontaine • 21220 Chevannes
Tél. 03 80 61 41 16 • Fax : 03 80 61 49 20
domaine.duband@wanadoo.fr
Visite : Tous les jours sur rendez-vous uniquement

David Duband est incontestablement un des vignerons les plus dynamiques et les plus doués de la nouvelle génération, et son patrimoine de vignes n'a fait qu'augmenter grâce à la générosité et à l'amour du vin de Bourgogne de son «mécène», François Feuillet, qui présente d'ailleurs quelques cuvées sous sa propre étiquette. Il joint désormais les meilleurs terroirs de Nuits à ceux de Morey, de Chambolle et de Gevrey avec l'arrivée des vignes de l'ancien domaine Truchot, à Morey. Il est dommage qu'il oublie d'échantillonner ses vins sauf les nuits, car les vins présentés ne s'oublient pas...

NUITS-SAINT-GEORGES 2008
Rouge | 2016 à 2020 | 27 € **17/20**
Le plus complet des villages de notre dégustation, remarquablement aromatique, doté d'une texture caressante, magique, long, accompli, superbe savoir-faire.

NUITS-SAINT-GEORGES FRANÇOIS FEUILLET 2008
Rouge | 2013 à 2018 | 27 € **14,5/20**
Beau nez de prune, généreux, tendre, mûr, pas très complexe mais chaleureux.

NUITS-SAINT-GEORGES PREMIER CRU
AUX THOREY F. FEUILLET 2008
Rouge | 2016 à 2026 | 40 € **18/20**
Merveilleux nez floral, pureté aromatique et intégrité de tanin relevant du grand art, un des vins les plus raffinés du millésime. Le même cru sous l'étiquette Feuillet est une même suprême réussite.

NUITS-SAINT-GEORGES PREMIER CRU
LES PROCÈS 2008
Rouge | 2015 à 2023 | 40 € **17/20**
Petite note caramélisée de raisin de haute maturité, texture aussi onctueuse et suave que celle des autres premiers crus, même naturel (raisin entier ?), grande suite en bouche.

NUITS-SAINT-GEORGES PREMIER CRU
LES PRULIERS 2008
Rouge | 2018 à 2028 | 40 € **18/20**
Robe noire, somptueusement bouqueté et étoffé, raisin parfaitement mûr, tanin de velours, un chef d'œuvre.

DOMAINE G.Y. DUFOULEUR

17, rue Thurot • 21700 Nuits-Saint-Georges
Tél. 06 13 27 15 59 • Fax : 03 80 62 31 00
yvan.dufouleur@21700-nuit.com
Visite : Ouvert en été du lundi au dimanche de 9h à 19h en continu. 9h à 17h le dimanche en hiver.

Ce domaine est géré par le descendant d'une des plus connues parmi les familles nuitonnes, mais dans une optique de qualité qu'on ne lui trouvait pas il y a dix ans. Les vins sont vinifiés pour plaire, avec un boisé généreux mais rarement asséchant, et beaucoup de rondeur dans le fruit et la texture.

FIXIN PREMIER CRU CLOS DU CHAPITRE 2008
Rouge | 2016 à 2023 | 30 € **15/20**
Nez de fraise des bois, légère réduction, corps ample et équilibré, élevage sensible mais soigné, du style et de la complexité.

NUITS-SAINT-GEORGES AUX SAINT-JULIEN 2008
Rouge | 2012 à 2018 | 23 € **14,5/20**
Vin charnu et souple, mais parfum précis et terroir lisible. Il permettra d'attendre des vins plus corsés.

NUITS-SAINT-GEORGES PREMIER CRU
CLOS DES PERRIÈRES 2008
Rouge | 2016 à 2026 | 40 € **16,5/20**
Vin de fort caractère, aux notes de ronce et de pierre chauffée au soleil, prenant, épicé, ferme, de garde.

CLAUDE DUGAT

Petit domaine artisanal, de haute réputation, ne souhaitant pas figurer dans un guide, faute de vins à vendre. Nous confirmons la qualité très élevée de sa production.

DOMAINE BERNARD DUGAT-PY

Rue de Planteligone - BP 31
21220 Gevrey-Chambertin
Tél. 03 80 51 82 46 • Fax : 03 80 51 86 41
dugat-py@wanadoo.fr • www.dugat-py.com

Ce domaine que nous avons tant aimé nous boude et ne donne aucun vin en dégustation comparative à l'aveugle. Manque de sportivité, crise d'orgueil ? Nous le regrettons profondément mais nous respectons sa liberté.

DOMAINE DUJAC

7, rue de la Bussière • 21220 Morey-Saint-Denis
Tél. 03 80 34 01 00 • Fax : 03 80 34 01 09
dujac@dujac.com • www.dujac.com

Le domaine n'a jamais été aussi maître de son art, profitant à plein d'une discipline impeccable de viticulture et de la fidélité à la vinification en raisins entiers, qui donne un cachet et un pouvoir de vieillissement supplémentaires à la plupart des vins. À l'activité du domaine s'ajoute, pour quelques cuvées de village, une petite activité de négoce, sous le nom de Dujac Fils et Père (dans cet ordre), avec des vins de même style.

CLOS DE LA ROCHE GRAND CRU 2008
Rouge | 2018 à 2033 | NC **18,5/20**
Nez très complexe et prenant avec une petite touche de fumé, corps imposant, texture parfaite, grande longueur, vin superbe, grand avenir, un modèle à méditer pour certains.

MOREY-SAINT-DENIS 2008
Rouge | 2014 à 2020 | NC **17/20**
Merveilleux coup de nez, délicatement fumé, avec des nuances d'épices et de fleurs, texture délicate, grande longueur, vin racé, complexe, gourmand, remarquable.

MOREY-SAINT-DENIS PREMIER CRU 2008
Rouge | 2018 à 2028 | NC **17,5/20**
Ensemble extraordinaire pour un premier cru (mais de jeunes vignes de grand cru sont incorporées), sublime coup de nez floral, évoquant la rose ancienne, texture ultra racée, grand bois, un modèle !

VOSNE-ROMANÉE PREMIER CRU
LES MALCONSORTS 2008
Rouge | 2018 à 2030 | NC **18/20**
Grand arôme de poivron mûr, signature des plus grands vosnes, race, fraîcheur étonnante pour tant de maturité, raffinement de texture et complexité de très grand cru.

DUPONT-TISSERANDOT

2, place des Marronniers • 21220 Gevrey-Chambertin
Tél. 03 80 34 10 50 • Fax : 03 80 58 50 71
dupont.tisserandot@orange.fr
www.duponttisserandot.com
Visite : Sur rendez-vous

Nous connaissons depuis longtemps le remarquable patrimoine de vignes, et en particulier ses grandes parcelles de Cazetiers et de Lavaux. Nous avions également remarqué, depuis cinq ans, de nombreux changements, bienvenus, dans la conduite des vignes, et qui ont métamorphosé le style des vins. Ils associent désormais plénitude, sensualité et remarquable précision dans l'expression des terroirs. 2008 semble un cran en dessous de 2007, pour le moment.

CHARMES-CHAMBERTIN GRAND CRU 2008
Rouge | 2016 à 2026 | 50 € **17/20**
Belle robe pourpre, nez de ronce et de fruits rouges, corps plein mais équilibré, excellent style, longueur de grand cru.

GEVREY-CHAMBERTIN PREMIER CRU CAZETIERS 2008
Rouge | 2018 à 2026 | 32 € **15/20**
Vigoureux, coloré, très riche mais avec un tanin encore accrocheur et moins d'harmonie qu'en 2007.

GEVREY-CHAMBERTIN PREMIER CRU
LAVAUX SAINT-JACQUES 2008
Rouge | 2016 à 2026 | 32 € **16,5/20**
Plus fin et équilibré que le gevrey-cazetiers, arôme noble et racé d'épices, réglisse et fruits noirs, vineux mais élégant, long.

Mazis-Chambertin grand cru 2008
Rouge | 2018 à 2026 | 52 € **17,5/20**
Superbe nez de châtaigne, corps parfait, expression idéale du terroir, sauf peut-être une petite rusticité de texture.

DOMAINE SYLVIE ESMONIN

1, rue Neuve - Clos Saint-Jacques
21220 Gevrey-Chambertin
Tél. 03 80 34 36 44 • Fax : 03 80 34 17 31

Ce petit domaine dispose d'une grande cote d'amour chez les amateurs de gevreys authentiques et on les comprend, tant les vins ont ici de noblesse et de classicisme dans la facture et dans la saveur. Sylvie Esmonin a adopté progressivement les vinifications en grappes entières, à partir de raisins provenant d'une viticulture elle-même encore plus rigoureuse que par le passé. Cela a donné des millésimes récents d'anthologie, rappelant les vins mythiques du XIXe siècle dans leur parfum et leur consistance. On ne sous-estimera pas pour autant son remarquable côte-de-nuits-village, et en quantité confidentielle, un délicieux volnay-santenots.

Gevrey-Chambertin premier cru
Le Clos Saint-Jacques 2008
Rouge | 2016 à 2028 | 60 € **18/20**
Robe noire, étonnante palette aromatique liant le bois noble aux notes de ronce et de pivoine de la grande tradition. Splendide matière, tanin encore un peu trop puissant, finale interminable sur l'anis badiane. Grand avenir.

Gevrey-Chambertin Vieilles Vignes 2008
Rouge | 2016 à 2023 | 30 € **16/20**
Forte couleur, grand nez de raisin mûr, de la puissance, de la complexité, parfait village de garde.

DOMAINE EUGÉNIE

Tél. 03 80 61 10 54

François Pinault, propriétaire de Château Latour, a acheté en 2006 le Domaine Engel, à Vosne-Romanée, et l'a rebaptisé du prénom de sa mère, pour qu'il n'y ait plus de confusion avec le passé. Viticulture et vinification y sont supervisées par Frédéric Engerer, directeur de Latour et ses collaborateurs, avec l'intention, on s'en doute, de produire des vins de référence, dignes du patrimoine prestigieux de vignes du domaine. Ils n'y sont pas tout à fait parvenus en 2006, ont progressé en 2007 mais c'est avec les 2008 que la différence commence à se faire sentir, en attendant 2009, remarquable et enrichi de l'expérience des trois premiers millésimes.

Clos de Vougeot grand cru 2008
Rouge | 2018 à 2028 | NC **17,5/20**
Le plus complet des 2008, dense, épicé, doté d'une texture noble, intense, faite pour la garde, avec une fin de bouche sûre d'elle.

Échezeaux grand cru 2008
Rouge | 2018 à 2026 | NC **16,5/20**
Belle couleur, grande générosité de texture pour le cru, tanin beaucoup plus noble et personnalisé que celui des brûlées, on commence à entrer dans le grand vin.

Grands-Échezeaux grand cru 2008
Rouge | 2018 à 2026 | NC **17/20**
Assez proche de l'échezeaux, ce qui ne surprend pas mais avec un peu plus de finesse aromatique et de raffinement de texture, ensemble lisse et fort intéressant, mais il faudra attendre le 2009 pour que la cuvée égale les meilleures.

Vosne-Romanée 2008
Rouge | 2014 à 2020 | NC **15/20**
Ce village est issu de deux parcelles principales, Les Communes et Vigneux : l'ensemble a du corps et du style sans atteindre le raffinement exemplaire des vins des grands stylistes du secteur.

Vosne-Romanée premier cru Les Brûlées 2008
Rouge | 2016 à 2023 | NC **15,5/20**
Parfum épicé fin et subtil, belle constitution, grain serré, tanin pas encore assez raffiné, belle longueur, ensemble très soigné mais sans génie.

DOMAINE FAIVELEY

8, rue du Tribourg • 21700 Nuits-Saint-Georges
Tél. 03 80 61 04 55 • Fax : 03 80 62 33 37
accueil@bourgognes-faiveley.com
www.bourgognes-faiveley.com

L'arrivée de Bernard Hervet et la qualité du tandem qu'il forme avec Erwan Faiveley ont entraîné de profonds changements dans ce grand domaine, au patrimoine de terroirs prestigieux, avec au premier rang les crus les plus nobles de Gevrey-Chambertin. Les derniers millésimes, en effet, ne retrouvaient plus la sûreté d'élaboration du début des années 1990, avec des fins de bouche asséchantes. En 2007 tout change, les vins rouges sont raffinés, subtils et élégants, fidèles aux terroirs avec peut-être un manque de vinosité par rapport aux promesses des

2008. Les blancs sont sans doute encore proportionnellement supérieurs, avec l'arrivée au domaine de nouvelles cuvées sur les plus grands terroirs de Meursault et Puligny-Montrachet. En bouteille désormais, 2008 tient toutes ses promesses.

Bâtard-Montrachet grand cru 2008
Blanc | 2016 à 2020 | NC **19/20**
Robe or vert, remarquable de puissance et de race, grand style, grand avenir. Un triomphe.

Chambertin-Clos de Bèze grand cru 2008
Rouge | 2018 à 2028 | NC **18,5/20**
Le sommet de la production du domaine, arôme noble de ronce, corps prodigieusement équilibré, boisé raffiné, très long et comparable à l'élite des grands crus, très long.

Chambolle-Musigny premier cru Combe d'Orveau 2008
Rouge | 2016 à 2023 | NC **17/20**
Un rien plus de corps que fuées mais avec la même distinction de fruit et de texture. Grand classique du millésime.

Chambolle-Musigny premier cru Fuées 2008
Rouge | 2016 à 2023 | NC **16,5/20**
Superbe nez floral, grande finesse, texture noble, belle longueur, un classique du genre. Il manque encore un petit peu de corps pour être idéal.

Corton - Charlemagne grand cru 2008
Blanc | 2016 à 2022 | NC **18,5/20**
Robe or vert, nez racé à souhait, beurré tendre et salé façon grand chablis, vivacité contrôlée, grande allure en fin de bouche, splendide mais pas génial !

Corton grand cru clos des Cortons Faiveley 2008
Blanc | 2018 à 2028 | NC **18/20**
Robe rubis, moins intense que d'autres, nez floral très subtil, beaucoup de finesse, de tendresse et de classe, changement complet de style par rapport aux millésimes des vingt dernières années, raisin plus mûr et boisé mieux adapté. Grand avenir.

Latricières-Chambertin grand cru 2008
Rouge | 2018 à 2028 | NC **17,5/20**
Extrême finesse et subtilité dans les arômes et la texture, grande persistance, grande race dans le tanin, vin de grand amateur.

Mazis-Chambertin grand cru 2008
Rouge | 2016 à 2026 | NC **17/20**
Nez très diversifié et élégant, avec des notes de châtaigne, plus floral et aérien en bouche, tanin fin, aristocratique, à l'opposé des modes. Léger déficit en vinosité pure.

Meursault Premier Cru Blagny 2007
Blanc | 2013 à 2019 | NC **16,5/20**
Très forte note de noisette grillée au nez, puissant, tendu à souhait, grand caractère, à attendre.

Nuits-Saint-Georges premier cru Aux Chaignots 2008
Rouge | 2018 à 2023 | NC **16,5/20**
Beaucoup de finesse, de transparence aromatique, texture droite et classique, tanin racé, sans austérité. Un très beau chaignots.

Nuits-Saint-Georges premier cru Damodes 2008
Rouge | 2018 à 2028 | NC **17/20**
Délicat, fin, plus longiligne et complexe sur le plan aromatique que chaignots, mais même classicisme de texture.

Nuits-Saint-Georges premier cru Saint-Georges 2008
Rouge | 2018 à 2028 | NC **17,5/20**
Grande noblesse aromatique, texture racée, long, complexe, remarquable et digne de l'attente.

Volnay premier cru Santenots 2008
Rouge | 2014 à 2020 | NC **17/20**
Nez sensuel, très joli caractère aromatique, long, tanin fin, vin de forte personnalité et parfaite interprétation du terroir.

GILBERT ET CHRISTINE FELETTIG

Rue du Tilleul • 21220 Chambole-Musigny
Tél. 03 80 62 85 09 • Fax : 03 80 62 86 41
gaecfelettig@wanadoo.fr
Visite : Sur rendez-vous.

Nous faisons entrer ce domaine dans le guide en raison de la qualité du patrimoine de ses vignes et d'une viticulture en progrès évidents. Il vinifie une belle brochette de premiers crus de Chambolle-Musigny, ayant repris une partie du Domaine Modot, important propriétaire sur cette commune. Ses 2008 ont la finesse native et le charme du millésime, avec une expression juste des terroirs. Un peu plus de raffinement dans les textures et le domaine égalera les meilleurs stylistes de la commune.

Chambolle-Musigny Clos Le Village 2008
Rouge | 2014 à 2020 | NC **15,5/20**
Expression harmonieuse du village, finesse et subtilité en fin de bouche, vin bien fait, solide et élégant, très intègre.

Chambolle-Musigny premier cru Feusselottes 2008
Rouge | 2016 à 2023 | NC **16/20**
Subtil et plein de détails dans l'expression de ce terroir, plus fin que d'autres, belle longueur, recommandé.

RÉGIS FOREY

2, rue Derrière-le-Four • 21700 Vosne-Romanée
Tél. 03 80 61 09 68 • Fax : 03 80 61 12 63
domaineforey@orange.fr
Visite : sur rendez-vous.

Ce producteur sérieux aime les vins très solidement constitués et cela réussit bien à ses cuvées de Nuits Saint-Georges, où il possède d'excellents emplacements. Ils ont en général plus de naturel et d'équilibre que ceux de Vosne-Romanée, sauf pour la confidentielle cuvée de Gaudichots (huit cents bouteilles) qui avec un peu de chance aurait pu intégrer La Tâche !

Échezeaux grand cru 2008
Rouge | 2018 à 2026 | 43,50 € **15,5/20**
Arômes bien dégagés, corps solide, texture agréable mais petit assèchement final du tanin, bien vinifié mais manquant un peu de finesse à ce degré de la hiérarchie.

Nuits-Saint-Georges 2008
Rouge | 2016 à 2020 | 19,50 € **14,5/20**
Arômes bien dégagés de fruits noirs, vin souple et charnu, texture agréable, style classique.

Nuits-Saint-Georges premier cru Perrières 2008
Rouge | 2018 à 2026 | 27,50 € **17/20**
Forte couleur, arômes nobles de cassis, réglisse et fruits noirs, grande sève, très bien vinifié et élevé, le prototype du vrai nuits.

Vosne-Romanée 2008
Rouge | 2016 à 2023 | 19,50 € **15,5/20**
Aromatique, net, équilibré, avec un bon volume de bouche, village classique.

DOMAINE JEAN FOURNIER

34, rue du Château • 21160 Marsannay la Côte
Tél. 03 80 52 24 38 • Fax : 0380527740
domaine.jean.fournier@orange.fr
Visite : De 8h à 12h et de 14h à 18h du lundi au vendredi. Le samedi sur rendez-vous.

Laurent Fournier, qui reprend peu à peu cette traditionnelle propriété familiale, est un des talents les plus brillants de la nouvelle génération bourguignonne. Il nous fait plaisir en cherchant et réussissant à retrouver les secrets des très grands vins d'autrefois, vinifiés à partir de raisins entiers mais avec l'aide du matériel moderne, qui permet une meilleure hygiène et une bien plus grande précision. Sa cuvée spéciale de vin à l'ancienne est simplement le plus grand et le plus beau marsannay que nous connaissions, et peu à peu les excellents échezeaux et clos-du-roy s'en rapprochent.

Marsannay Clos du Roy 2008
Rouge | 2013 à 2019 | 14,75 € **15/20**
Légère réduction au nez, sur le cassis, corps et texture élégants, finale fraîche.

Marsannay cuvée Saint-Urbain 2007
Blanc | 2012 à 2016 | 11,50 € **14/20**
Bon arôme floral et lactique, encore marqué par le ferment, vin nerveux, très franc, naturel mais simple.

Marsannay Trois Terres 2008
Rouge | 2014 à 2020 | 25 € **17/20**
Robe très dense, admirable nez complexe digne des meilleurs terroirs de la côte, raisin mûr, tanin noble de raisin entier bien vinifié, long, remarquable.

DOMAINE FOURRIER

Domaine artisanal réputé qui, sans doute par timidité, ne présente jamais de vin en dégustation comparative. Nous le regrettons.

DOMAINE GALLOIS

9, rue du Maréchal-de-Lattre
21220 Gevrey-Chambertin
Tél. 03 80 34 11 99
contact@domaine-gallois.com
www.domaine-gallois.com
Visite : Du lundi au vendredri de 9h à 19h en continu.
Le samedi et dimanche sur rendez-vous

Petit domaine de Gevrey produisant des vins plutôt corsés, parfois rustiques, parfois plus élégants, dont

le plus régulier est le combe-aux-moines, excellent premier cru voisin du clos Saint-Jacques.

Gevrey-Chambertin premier cru
Combe Aux Moines 2008
Rouge | 2016 à 2026 | 32 € **15/20**
Forte couleur, vin puissant, vineux, traditionnel, pour amateur de vins de venaison et de viande rouge.

DOMAINE PHILIPPE GAVIGNET

36,rue du docteur Louis-Legrand
21700 Nuits-Saint-Georges
Tél. 03 80 61 09 41 • Fax : 03 80 61 26 07
contact@domaine-gavignet.fr
www.domaine-gavignet.fr
Visite : Du lundi au vendredi de 10h à 12h et de 14h à 18h.Le week-end sur rendez-vous

Jeune viticulteur très impliqué dans la vie de son appellation, Philippe Gavignet a beaucoup progressé dans ses vinifications en dix ans et sa production devient recommandable : il aime les vins souples, veloutés et fins et ce style leur permettra d'être consommés plus jeunes que d'autres.

Nuits-Saint-Georges Argillats 2008
Blanc | 2014 à 2020 | 20 € **14,5/20**
Excellente netteté aromatique, bon boisé, vin tendre, aimable dès son jeune âge.

Nuits-Saint-Georges premier cru
Chabœufs 2008
Rouge | 2016 à 2026 | 26 € **16,5/20**
Nez floral très pur et élégant, texture suave, grande longueur, plus riche que le nuits-pruliers mais dans le même esprit.

Nuits-Saint-Georges premier cru Pruliers 2008
Rouge | 2014 à 2023 | 27 € **15/20**
Le vinificateur a joué la carte de la finesse et a gagné ! Joli nez floral, texture délicate, il ne manque que les nuances plus terriennes propres à ce terroir.

DOMAINE GEANTET-PANSIOT - ÉMILIE GEANTET

15, rue de Paris • 21220 Gevrey-Chambertin
Tél. 03 80 34 32 37 • Fax : 03 80 34 16 23
domaine.geantet@wanadoo.fr
www.geantet-pansiot.com
Visite : Sur rendez-vous du lundi au vendredi.

Vincent Geantet, un des viticulteurs les plus compétents de Gevrey-Chambertin, a encore renforcé sa présence sur Chambolle, dont il aime tant les terroirs, en ajoutant à sa palette un excellent premier cru Baudes, en dessous des Bonnes-Mares. Ce remarquable technicien s'est doté le premier d'un matériel de réception de la vendange redoutable de précision et qu'il a aidé à mettre au point. Sa fille Émilie le seconde de plus en plus, mais a également créé de façon indépendante sa propre maison de négoce, où elle vinifie à sa façon des vins du secteur, dans un style un rien plus... masculin que son père. Il est arrivé que certains millésimes n'aient pas tenu les promesses de départ mais 2008 semble bien parti pour la garde. Les deux productions sont certainement suivies par les mêmes acheteurs.

Chambolle-Musigny 2008
Rouge | 2014 à 2020 | 35 € **16/20**
Remarquable équilibre général, raisin mûr, classe et style proches d'un premier cru, tanin fin, plus naturel que quelques gevreys du domaine.

Chambolle-Musigny premier cru
Les Baudes 2008
Rouge | 2014 à 2023 | 46 € **15,5/20**
Très foncé, style moderne bien assumé, texture de taffetas, excellente technique, léger manque de détail dans l'expression du terroir.

Charmes-Chambertin grand cru 2008
Rouge | 2015 à 2025 | 80 € **17/20**
Nez odorant, texture veloutée, beaucoup de générosité et de sincérité, à défaut de forte race de terroir.

Gevrey-Chambertin premier cru
Cherbaudes 2008
Rouge | 2014 à 2020 | NC **15,5/20**
Coloré, longiligne, saveur classique, peu de profondeur, mais style assuré, avec une vraie persistance.

Gevrey-Chambertin premier cru Poissenot 2008
Rouge | 2016 à 2026 | 45 € **17,5/20**
Notre meilleure note cette année pour le domaine, vin noblement aromatique avec des notes de rose

ancienne, texture soyeuse, grande longueur, vin d'une sûreté évidente d'élaboration.

Gevrey-Chambertin Vieilles Vignes 2008
Rouge | 2013 à 2018 | 30 € **16/20**
Forte couleur, beaucoup d'épices au nez, texture tannique, vin tendu et franc, finesse aromatique moyenne. On vérifiera sa tenue dans le temps.

Marsannay Champs Perdrix 2008
Rouge | 2014 à 2018 | 18 € **15/20**
Du caractère et un tanin précis et élégant, belle longueur, style moderne mais parfaitement équilibré.

DOMAINE FRANÇOIS GERBET - MARIE ANDRÉE ET CHANTAL GERBET

Place de l'église • 21700 Vosne-Romanée
Tél. 03 80 61 07 85 • Fax : 03 80 61 01 65
vins.gerbet@wanadoo.fr • www.vins-gerbet.com
Visite : Tous les jours sauf le dimanche après-midi de 10h à 12h et de 14h à 18h.Fermé en janvier.

Les deux sœurs Gerbet privilégient la finesse sur la puissance, mais avec plus de rigueur et de précision que naguère. Les vins réussis ont gagné en définition d'expression du terroir et en corps mais pas en régularité à l'intérieur de l'ensemble présenté. Anne Gros ou Cécile Tremblay sur ce point montrent la voie à suivre.

Vosne-Romanée Aux Réas 2008
Rouge | 2014 à 2020 | 22,50 € **16/20**
Beaucoup de finesse et de pureté dans l'arôme floral, texture distinguée, belle longueur, vin fin au sens plein du terme.

DOMAINE HENRI GOUGES

7, rue du Moulin • 21700 Nuits-Saint-Georges
Tél. 03 80 61 04 40 • Fax : 03 80 61 32 84
domaine@gouges.com • www.gouges.com

Le relais est en train de passer, dans ce domaine célèbre, des mains de Christian Gouges à celles de son neveu. Des installations techniques complètement renouvelées, conformes à ce que l'on doit attendre d'une telle source, permettent de travailler par gravité et d'adoucir des tanins qui, dans les derniers millésimes, avaient eu tendance à se durcir. Les 2007 dégustés montrent un retour à l'élégance, avec la netteté de trait et la fidélité au classicisme bourguignon qui a toujours été la source d'inspiration de la famille. 2008, un peu plus étoffé et sévère, culmine avec un magnifique saint-georges.

Nuits-Saint-Georges premier cru Clos des Porrets Saint-Georges 2008
Rouge | 2018 à 2028 | NC **17,5/20**
Aussi riche et complet que les-saint-georges, avec un caractère encore plus personnel, entier et une vinosité plus immédiate. Grand vin.

Nuits-Saint-Georges premier cru La Perrière 2008
Blanc | 2016 à 2020 | NC **14,5/20**
Petite réduction, vin plus simple et moins flatteur que d'autres, moins lactique aussi, d'un caractère entier, un peu rustique mais d'une rare franchise.

Nuits-Saint-Georges premier cru Les Saint-Georges 2008
Rouge | 2017 à 2027 | NC **17,5/20**
Définition remarquable du terroir, grand équilibre, tanin fin et racé, longue suite en bouche, un modèle de style.

Nuits-Saint-Georges premier cru Pruliers 2008
Rouge | 2018 à 2026 | NC **16,5/20**
Entrée de bouche plutôt souple pour le cru, mais la suite est plus classique dans son côté tendu, réservé mais fin. On aimerait peut-être un peu plus de parfum immédiat.

DOMAINE JEAN GRIVOT

6, rue de la Croix-Rameau • 21700 Vosne-Romanée
Tél. 03 80 61 05 95 • Fax : 03 80 61 32 99
www.domainegrivot.fr
Visite : sur rendez-vous.

Ce domaine très réputé de Vosne-Romanée a révolutionné son style à la fin des années 1980. Les 2007 montrent une évolution certaine vers plus d'élégance dans le tanin, dans le respect du caractère de ce millésime si adapté au naturel du pinot noir.

Échezeaux grand cru 2007
Rouge | 2015 à 2027 | NC **18/20**
Grand développement aromatique, texture riche et élégante, tanin noble, grande suite en bouche, magnifique.

Vosne-Romanée Bossières 2007
Rouge | 2013 à 2019 | NC **16/20**
Belle couleur encore bleutée, boisé intégré, vin vif et élégant, très équilibré, tanin judicieux, village élégant et de style sûr.

Vosne-Romanée premier cru Beaumonts 2007
Rouge | 2015 à 2027 | NC **17/20**
Dégusté après mise, le vin confirme ses qualités : beau caractère aromatique floral et épicé, tanin ferme, légèrement astringent, texture racée, très stable dans son développement à l'air. Attendre au moins cinq ans.

DOMAINE MICHEL GROS

7, rue des Communes • 21700 Vosne-Romanée
Tél. 03 80 61 04 69 • Fax : 03 80 61 22 29
contact@domaine-michel-gros.com
www.domaine-michel-gros.com
Visite : Sur rendez-vous uniquement de 9h à 12h et de 13h30 à 17h30.

Michel Gros, fils de Jean, a repris une partie du célèbre domaine familial dont l'intégralité du clos des Réas. Il recherche dans ses vins la finesse au prix parfois d'un manque de maturité du raisin en année difficile. Nous avons aimé son 2008.

Vosne-Romanée premier cru Aux Brûlées 2008
Rouge | 2016 à 2026 | 42 € **16,5/20**
Nez raffiné, floral et anisé, souple mais délicat et parfaitement représentatif du meilleur de Vosne, du charme et de l'équilibre.

Vosne-Romanée premier cru Clos des Réas Monopole 2008
Rouge | 2016 à 2023 | 42 € **15,5/20**
Frais, distingué, un rien trop nerveux pour notre goût, raffinement de texture évident, soigné et subtil mais un grand vin doit aussi jouer sur la vinosité.

DOMAINE ANNE GROS

11, rue des Communes • 21700 Vosne-Romanée
Tél. 03 80 61 07 95 • Fax : 03 80 61 23 21
domaine-annegros@orange.fr • www.anne-gros.com

Anne Gros a repris depuis maintenant de nombreuses années le domaine de son père, qui était lui-même séparé de celui de ses autres frères et cousins, et qui comprend de vieilles vignes admirablement situées en Clos Vougeot et Richebourg, entre autres. Vinificatrice accomplie, Anne aime les vins délicats, complexes et frais et la plupart du temps les produit ainsi. Leur équilibre les destine naturellement au long vieillissement, où ils se comportent en vins classiques, dignes de tous les éloges. Les 2007 et 2008 sont tous réussis.

Échezeaux grand cru 2008
Rouge | 2016 à 2028 | 48 € **17/20**
Jolie texture, grain de tanin fin, un peu affaibli momentanément par le SO2, mais sans affecter la sensation de terroir noble.

Hautes Côtes de Nuits cuvée Marine 2008
Blanc | 2010 à 2015 | 13 € **15/20**
Un modèle pour l'appellation, grande droiture d'expression, finale ferme et saline, parfait apéritif.

Richebourg grand cru 2008
Rouge | 2020 à 2038 | 135 € **18/20**
Robe rouge profond, très lumineuse, grand nez noble de ronce et d'épices, texture imposante, tanin exact, plus sévère que chatoyant dans son état actuel mais bâti pour la garde.

Vosne-Romanée Les Barreaux 2008
Rouge | 2015 à 2022 | 36 € **16,5/20**
Excellent style, précis, floral et épicé, tanin de haute qualité, texture dense et fraîcheur de vin de coteau. Idéal pour la garde.

DOMAINE GROS FRÈRE ET SŒUR

6, rue des Grands-Crus • 21700 Vosne-Romanée
Tél. 03 80 61 12 43 • Fax : 03 80 61 34 05
bernard.gros2@wanadoo.fr
Visite : Du lundi au samedi sur rendez-vous uniquement.

Ce domaine est désormais dirigé par Bernard Gros, qui a repris en charge le prestigieux vignoble de son oncle et sa tante, laissant à son frère Michel les vignes de ses parents. Son style est différent de tous les autres domaines portant le même nom, avec des vins d'une ouverture aromatique immédiate et d'une volupté de texture qui étonne à chaque dégustation, car on se pose la question : est-ce que ce charme est durable ? En attendant, on se régale, d'autant que les prix restent assez raisonnables pour des crus aussi rares et demandés.

Richebourg grand cru 2008
Rouge | 2018 à 2028 | 128 € **17,5/20**
Nez floral, sensations tactiles d'un soyeux parfait, souple, racé, sans doute moins complexe et puissamment architecturé que d'autres mais d'une finesse qui emporte tout. L'expérience montre que ce type de tanin ne sèche jamais au vieillissement.

Vosne-Romanée 2008
Rouge | 2014 à 2020 | 25 € **16/20**
Coloré, profond, boisé luxueux mais pas écrasant, fraîcheur de texture étonnante, sensations tactiles très riches, caressantes, grand savoir-faire.

Vosne-Romanée premier cru 2008
Rouge | 2018 à 2026 | NC **17/20**
Beaucoup de finesse et style très sûr, dominante d'arômes floraux, race et longueur évidentes, remarquable toucher de bouche.

DOMAINE JEAN-MICHEL GUILLON & FILS

33, route de Beaune • 21220 Gevrey-Chambertin
Tél. 03 80 51 83 98 • Fax : 03 80 51 85 59
contact@domaineguillon.com
www.domaineguillon.com
Visite : De 8h30 à 12h30 et de 13h à 18h.

Jean-Michel Guillon dirige avec autorité, et un sens de l'humour qui n'appartient qu'à lui, le syndicat si dynamique de Gevrey, et entretient l'esprit de compétition qui a fait tant progresser l'appellation. Ses vins sont parfaitement représentatifs du terroir, en particulier sa cuvée de Champonnet. Un de ses meilleurs vins ne figure pas ici, car sa production confidentielle est vendue d'avance, un remarquable riotte, premier cru de Morey-Saint-Denis.

Gevrey-Chambertin premier cru Champonnets 2008
Rouge | 2016 à 2023 | 27 € **17/20**
Beaucoup de classe, de finesse, de noblesse même dans la texture et le tanin, remarquable vinification et parc à barriques parfait. Cuvée de style constant.

DOMAINE JEAN-PIERRE ET MICHEL GUYON

16 et 11, RD 974 • 21700 Vosne-Romanée
Tél. 03 80 61 02 46 • Fax : 03 80 62 36 56
domaine.guyon@wanadoo.fr
www.domaineguyon-vosne.com
Visite : Du lundi au samedi sur rendez-vous.

Ce petit domaine a connu de nombreux changements de style de vinification, mais à force de rechercher, Jean Pierre Guyon a fini par trouver, en produisant en 2008 des vins impressionnants par leur texture, leur matière et leur noblesse d'expression. On attend désormais une continuité de caractère pour les prochains millésimes.

Échezeaux grand cru 2008
Rouge | 2018 à 2028 | 58 € **18/20**
Nez remarquable d'intensité et de respect de la haute maturité de la vendange, texture profonde, tanin soyeux, très long, racé, remarquable. Les grands crus étaient tous mélangés, et nous l'avons imaginé «richebourg» !

Nuits-Saint-Georges Herbues 2008
Rouge | 2016 à 2020 | 23 € **16/20**
Grande robe, nez très ouvert, vinification remarquable par les risques pris (maturité du raisin, intensité élégante de l'extraction), chocolaté, long, étonnant comme la plupart des 2008 du producteur.

Vosne-Romanée Charmes de Mazières 2008
Rouge | 2016 à 2023 | 30 € **17/20**
Grande noblesse et rectitude de style, comme tous les vins présentés par ce domaine qui a tout essayé mais a désormais trouvé sa voie. Étonnante allonge digne d'une tête de cuvée, hautement recommandé.

Vosne-Romanée premier cru Brûlées 2008
Rouge | 2018 à 2028 | 46 € **17,5/20**
Merveilleux arôme et toucher de bouche à la hauteur, certainement produit à partir de raisins ou de baies non foulés, tendre mais infiniment long, racé et complexe. Du bonheur !

Vosne-Romanée premier cru En Orveau 2008
Rouge | 2018 à 2023 | 46 € **16,5/20**
Généreux, long, soyeux, puissance équilibrée par la maturité élevée du raisin, bel avenir.

DOMAINE OLIVIER GUYOT

4, rue des Carrières • 21160 Marsannay-la-Côte
Tél. 03 80 52 39 71 • Fax : 03 80 51 17 58
domaine.guyot@wanadoo.fr • www.domaineguyot.fr
Visite : sur rendez-vous uniquement

Ce domaine artisanal et très consciencieux laboure encore au cheval, et reste fidèle aux beaux gestes de vinification et d'élevage. Ses marsannays, et en particulier la cuvée Montagne, sont parmi les plus complets du village, et ses vignes de Gevrey voisinent celles du Domaine Mortet, inspirateur évident d'Olivier. En dehors des vins du domaine, Olivier Guyot propose des grands crus de Morey-Saint-Denis qui ont gagné beaucoup de force de caractère en trois ans, particulièrement le clos-saint-denis.

CLOS DE LA ROCHE GRAND CRU 2007
Rouge | 2018 à 2026 | 71 € **15/20**
Cette année, on aime la race aromatique et florale de grand pinot, la maturité du raisin mais moins l'amertume tannique, bien que moins prononcée que sur le clos-saint-denis. Grande longueur. Avec un peu de chance, rendez-vous dans dix ans.

CLOS SAINT-DENIS GRAND CRU 2008
Rouge | 2018 à 2028 | 69 € **14/20**
Floral et complexe, riche, tendu, tanin en revanche étrange par sa dureté et son côté pharmaceutique amer. Cela s'adoucira mais ne remplacera pas la finesse qui manque.

GEVREY-CHAMBERTIN EN CHAMPS 2008 ☺
Rouge | 2013 à 2018 | 23 € **14,5/20**
Gevrey tout en souplesse, rondeur, facilité immédiate mais avec de la finesse.

GEVREY-CHAMBERTIN PREMIER CRU
LES CHAMPEAUX 2008
Rouge | 2018 à 2026 | 36 € **16/20**
Un peu de réduction au nez mais matière superbe, texture riche, veloutée, tanin ferme mais savoureux, domine la cave de très loin par sa matière mais avec une touche animale à surveiller.

MARSANNAY LES FAVIÈRES 2008
Rouge | 2012 à 2018 | 14 € **14,5/20**
Arômes très fruités et naturels de raisin frais, un peu à la beaujolaise, assez différent des autres, frais, franc, idéal pour la restauration.

MARSANNAY VIEILLES VIGNES 2008
Rouge | 2016 à 2020 | 17 € **14,5/20**
Forte couleur, corps vigoureux, tanin ferme, très 2008.

DOMAINE HARMAND-GEOFFROY

1, place des Lois • 21220 Gevrey-Chambertin
Tél. 03 80 34 10 65 • Fax : 03 80 34 13 72
harmand-geoffroy@wanadoo.fr
www.harmand-geoffroy.com

Ce domaine a désormais complètement modifié ses élevages, pour éviter les déviations aromatiques faisandées du passé. Il présente une gamme de gevrey-chambertins puissants mais sans agressivité, fidèles à leurs différentes origines, et capables de plaire au plus grand nombre par la qualité de leur texture. Il y a encore certainement du vin à vendre dans des appellations très recherchées.

GEVREY-CHAMBERTIN PREMIER CRU
LA PERRIÈRE 2008
Rouge | 2014 à 2020 | 28 € **14,5/20**
Typique du style du domaine, coloré, puissant et un peu réduit animal au nez (sans gravité), notes d'anis en bouche, vineux, charpenté, fait pour le petit gibier.

GEVREY-CHAMBERTIN VIEILLES VIGNES 2008
Rouge | 2014 à 2020 | 23 € **14,5/20**
Belle couleur, vin souple, parfumé, de style moderne, avec une agréable touche de fumé, mais pas vraiment complexe.

MAZIS-CHAMBERTIN GRAND CRU 2008
Rouge | 2016 à 2028 | 52 € **17/20**
Forte couleur, extraction poussée, tanin suave néanmoins, compense en opulence et sensualité ce dont il manque en finesse pure. Sentiment global de plénitude.

DOMAINE HERESZTYN

27, rue Richebourg • 21220 Gevrey-Chambertin
Tél. 03 80 34 13 99 • Fax : 03 80 34 13 99
domaine.heresztyn@wanadoo.fr
Visite : Du lundi au samedi sur rendez-vous.

Un domaine sérieux, avec une belle gamme de villages et de premiers crus du nord de la Côte de Nuits. Les vins sont solides, équilibrés, fidèles au terroir mais sans le supplément de finesse et de pureté qui fait les grandes émotions. Le domaine ne présente pas aux dégustations son grand cru clos-saint-denis, en général le sommet de la cave. 2008 semble né plus complet que 2007.

CHAMBOLLE-MUSIGNY 2008
Rouge | 2014 à 2020 | 25 € **15,5/20**
Belle robe, raisin mûr, texture onctueuse, style authentique, belle longueur, excellent village.

GEVREY-CHAMBERTIN PREMIER CRU
LES CORBEAUX 2008
Rouge | 2014 à 2020 | 33 € **14,5/20**
Beaucoup de fraîcheur, vin nerveux et franc, assez long, sans profondeur mais fort agréable.

MOREY-SAINT-DENIS PREMIER CRU
LES MILLANDES 2008
Rouge | 2016 à 2023 | 34 € **16,5/20**
Notes de mûre et myrtille au nez, généreux, velouté, long, très réussi, il plaira jeune ou vieux.

HUDELOT NOELLAT

5 ancienne RN 74 • 21640 Vougeot
Tél. 03 80 62 85 17 • Fax : 03 80 62 83 13
dom.hudelot-noellat@orange.fr
Visite : Sur rendez-vous, sans dégustation.

Domaine possédant des parcelles prestigieuses, dont certaines sont de même origine que celles du Domaine Leroy. Quelques-uns des 2008 présentés étaient dignes de leur pedigree et il faut espérer qu'avec l'aide d'un nouveau régisseur la régularité sera plus importante que dans le passé. Adresse à suivre.

Romanée-Saint-Vivant grand cru 2008
Rouge | 2018 à 2028 | 150 € **18/20**
Grande complexité aromatique, texture soyeuse, finesse, fraîcheur, élégance, longue persistance, expression juste et modeste d'un immense terroir.

Vosne-Romanée 2008
Rouge | 2016 à 2023 | 26 € **15/20**
Arômes frais légèrement épicés, boisé vanillé, tanin ferme garantissant un bon vieillissement.

Vosne-Romanée premier cru Suchots 2008
Rouge | 2018 à 2026 | 40 € **16,5/20**
Délicat et discret, mais les ingrédients sont là pour exprimer la subtilité de ce terroir, tanin élégant.

DOMAINE HUMBERT FRÈRES

Rue de Planteligone • 21220 Gevrey-Chambertin
Tél. 03 80 51 80 14 • Fax : 03 80 51 80 14
Visite : sur rendez-vous.

Voici la troisième et méconnue branche des Dugat, car le nom magique (celui de la mère du propriétaire) a disparu des étiquettes. Reste le sens du style, commun à tous, avec plus de délicatesse de bouche peut-être ici, et moins de monumentalité dans les textures. Les 2002 nous avaient enchantés, les 2005, 2006 et 2007 prennent dignement la relève. Le point fort du domaine est encore une fois sa remarquable série de premiers crus, élégants, authentiques, hautement recommandables. Les volumes sont restreints mais les prix ne flambent pas.

Charmes-Chambertin grand cru 2008
Rouge | 2016 à 2026 | NC **17/20**
Robe noire, vin très gras, onctueux, long, saveur de myrtille, très long en bouche.

Gevrey-Chambertin 2008
Rouge | 2014 à 2020 | NC **14/20**
Forte couleur, vin plein, tannique, de type traditionnel, plus en solidité qu'en finesse.

Gevrey-Chambertin premier cru
Petite Chapelle 2008
Rouge | 2016 à 2026 | NC **16,5/20**
Robe noire, vin puissant, très charnu, grande texture veloutée, long, spécial mais impressionnant.

Gevrey-Chambertin premier cru Poissenot 2008
Rouge | 2016 à 2026 | NC **17/20**
Robe noire, grande réussite, vin associant puissance, élégance et noblesse aromatique, longue persistance, sur l'anis et le réglisse, archétype de l'appellation.

DOMAINE JAYER-GILLES

21700 Magny-les-Villers
Tél. 03 80 62 91 79 • Fax : 03 80 62 99 77
Visite : Sur rendez-vous.

Domaine réputé ne présentant pas ses vins à nos dégustations.

DOMAINE JOLIET

Manoir de la Perrière • 21220 Fixin
Tél. 03 80 52 47 85 • Fax : 03 80 51 99 90
benigne@wanadoo.fr • perso.orange.fr/joliet
Visite : Tous les jours de 8h à 18h.

Ce domaine ne possède qu'un seul cru, mais en monopole, le Clos de la Perrière, à Fixin, considéré depuis toujours comme le meilleur climat de son village, avec un potentiel de grand cru. Une petite partie est plantée en blanc mais c'est le rouge qui exprime le mieux la noblesse du terroir, à condition de le vinifier et de l'élever dignement. Il a fallu à tous les amateurs attendre les toutes dernières années pour que ces conditions soient remplies, grâce à la volonté de Bénigne Joliet et au savoir-faire de Philippe Charlopin, qui le conseille. Le 2007 est le premier millésime à nous satisfaire pleinement et le 2008 le surpasse encore. Une étoile est née.

Fixin premier cru Clos de la Perrière 2008
Rouge | 2016 à 2026 | 60 € **17/20**
Robe brillante, nez exquis fruité et floral, gracieux, long, racé, certainement le meilleur de l'histoire récente et le premier à donner la mesure de ce superbe terroir.

Fixin premier cru Clos de la Perrière 2008

Blanc | 2012 à 2016 | 60 € **16/20**

Robe or vert, encore sur la mémoire de son ferment, corps généreux, race de terroir évidente, finale complexe et élégante, commence à être un des meilleurs blancs du nord de la côte.

DOMAINE DES LAMBRAYS

31, rue Basse • 21220 Morey-Saint-Denis
Tél. 03 80 51 84 33 • Fax : 03 80 51 81 97
clos.lambrays@wanadoo.fr • www.lambrays.com
Visite : Du lundi au vendredi sur rendez-vous uniquement.

Le riche propriétaire allemand du Clos des Lambrays, Günter Freund, permet à Thierry Brouin de procéder, depuis quelques millésimes, aux sélections nécessaires pour optimiser la qualité du grand vin, en déclassant les vignes un peu trop jeunes ou moins parfaitement exposées, comme on le fait à Bordeaux. Il en a résulté une succession ininterrompue de vins d'une pureté de style exemplaire, avec le charme inimitable des vinifications en raisins entiers. Le domaine possède également sur Puligny-Montrachet deux petites vignes, Cailleret et Folatières, et quelques privilégiés savent qu'elles donnent des blancs remarquables.

Clos des Lambrays grand cru 2008

Rouge | 2018 à 2033 | 78 € **18,5/20**

Merveilleux nez fumé, texture serrée, tanin fin, ensemble racé, subtil, naturel, de grand avenir, tout ce que nous aimons.

Puligny-Montrachet premier cru Caillerets 2008

Blanc | 2013 à 2018 | 68 € **17/20**

Grande finesse aromatique, fraîcheur dans la puissance, boisé intégré, grande longueur, persistance remarquable, expression soignée d'un terroir prestigieux.

LUCIEN LE MOINE

1, ruelle Morlot • 21200 Beaune
Tél. 03 80 24 99 98 • Fax : 03 80 24 99 98
l.m.sas@lucienlemoine.com • www.lucienlemoine.com

Ce petit négociant haute couture, et culte dans de nombreux pays, ne présente pas ses vins à nos dégustations car ils demandent un long élevage en fût. Ce que nous buvons à l'occasion dans les restaurants est vraiment remarquable.

DOMAINE PHILIPPE ET VINCENT LECHENEAUT

14, rue des Seuillets • 21700 Nuits-Saint-Georges
Tél. 03 80 61 05 96 • Fax : 03 80 61 28 31
lecheneaut@wanadoo.fr
Visite : Du lundi au vendredi sur rendez-vous.

Voici un petit domaine artisanal comme on les aime : la viticulture y est méticuleuse et le style des vins très affirmé, associant puissance et finesse dans un équilibre finalement très classique. Les vins sont moins réduits et plus élevés qu'il y a quelques années, et n'ont plus besoin d'une longue aération préalable. La gamme des 2008 est excellente et montre une très bonne maîtrise de la technique, dans le respect d'une expression pure et naturelle du terroir. Les prix restent raisonnables.

Nuits-Saint-Georges 2008

Rouge | 2016 à 2020 | env 25 € **16/20**

Robe rubis, moirée, très nuits, excellent boisé, vin fondu, élégant et précis, style sûr, vieillissement de dix ans garanti.

Nuits-Saint-Georges Les Damodes 2008

Rouge | 2016 à 2020 | env 35 € **16,5/20**

Frais, complexe, texture élégante, vin racé, équilibré, exemplaire du millésime.

Nuits-Saint-Georges premier cru Les Pruliers 2008

Rouge | 2016 à 2026 | env 45 € **17/20**

Petite réduction mais grande noblesse de constitution, texture, parfum, tanin, tout est en place pour exprimer ce terroir avec panache.

DOMAINE PHILIPPE LECLERC

9, rue des Halles • 21220 Gevrey-Chambertin
Tél. 03 80 34 30 72 • Fax : 03 80 34 17 39
philippe.leclerc60@wanadoo.fr
www.philippe-leclerc.com
Visite : Tous les jours de 9h30 à 19h et groupe sur rendez-vous.

Philippe Leclerc est un des vignerons les plus excentriques mais les plus attachants de la commune de Gevrey. Il s'était signalé au début des années 1980 par des vins d'une intensité de matière à mille lieues de la banalité ambiante, mais avait multiplié par la suite les vins excessifs, étranges ou fautifs. Nous avions perdu de vue sa production, mais nous sommes heureux de la retrouver aujourd'hui, avec des 2006 remarquables qui renouent avec ce que nous attendons de lui. Les 2007 et 2008 confirment.

GEVREY-CHAMBERTIN PREMIER CRU CAZETIERS 2008
Rouge | 2018 à 2028 | 30 € **18/20**
Sublime finesse et complexité aromatique, suave et sensuel, raffiné mais énergique, long, il rappelle les plus grands cazetiers de chez Leroy des années 1950-1960 !

GEVREY-CHAMBERTIN PREMIER CRU
CHAMPEAUX 2008
Rouge | 2016 à 2026 | 28 € **17,5/20**
Grand nez de pivoine et note de chocolat noir, sève splendide, boisé remarquable, très long, toucher de bouche magnifique, grand avenir.

GEVREY-CHAMBERTIN PREMIER CRU
COMBE AUX MOINES 2008
Rouge | 2016 à 2026 | 36 € **17,5/20**
A l'opposé du style Gallois, vin très parfumé, tendre et subtil dans sa texture, marquée sans doute par le raisin entier, merveilleuse allonge.

DOMAINE LEROY

15, rue de la Fontaine • 21700 Vosne-Romanée
Tél. 03 80 21 21 10 • Fax : 03 80 21 63 81
domaine.leroy@wanadoo.fr • www.domaineleroy.com

Ce domaine phare de la Bourgogne regroupe les vignes des anciennes propriétés Noëllat et Rémy : neuf grands crus et sept premiers crus couvrent les meilleurs coteaux de Côte-d'Or, du Corton au Chambertin. Les 2008 sont simplement les vins les plus prodigieux que nous avons jamais vu naître en Bourgogne, et dépassent encore en pureté et individualité d'expression du terroir tous les millésimes précédents. Une seule explication à ce triomphe : le résultat d'une viticulture biodynamique sans le moindre compromis. Lalou Bize-Leroy plus que jamais reste l'interprète la plus admirable des grands terroirs bourguignons.

CHAMBERTIN GRAND CRU 2009
Rouge | 2020 à 2030 | NC **19,5/20**
Intense, noble, mâle dans son parfum et sa texture, comme le timbre d'un grand baryton basse (type Hans Hotter). Il ne sert à rien de le décrire, c'est un vin événement comme quelques autres de ses pairs...

CHAMBOLLE-MUSIGNY PREMIER CRU
LES CHARMES 2008
Rouge | 2018 à 2026 | NC **19/20**
Arôme floral d'une perfection et d'une netteté dans l'expression de l'origine encore une fois insurpassables. Finesse, éclat, sérieux, la perfection du chambolle.

CLOS DE LA ROCHE GRAND CRU 2007
Rouge | 2018 à 2030 | NC **18,5/20**
Puissant, sensuel, terrien, ensemble merveilleux de générosité et de plénitude : il ne souffre que de la race supplémentaire d'autres grands crus !

CLOS DE VOUGEOT GRAND CRU 2007
Rouge | 2020 à 2030 | NC **19/20**
Arôme épicé et floral d'une finesse rare. Corps puissant mais d'une construction formelle élégante et stricte qui lui confère une allure aristocratique. Et il a la chance d'exister en volume honorable !

CORTON - CHARLEMAGNE GRAND CRU 2006
Blanc | 2018 à 2023 | NC **19,5/20**
Le plus grand charlemagne de l'histoire du domaine, arôme de pain grillé d'une noblesse et d'une intensité confondantes, finale interminable, expression inoubliable d'un grand cru à son point de perfection.

CORTON - RENARDES GRAND CRU
AUX RENARDES 2008
Rouge | 2018 à 2028 | NC **18,5/20**
Arôme floral discret, élégant, sincère, corps remarquable, tanin très assuré, corton exemplaire.

GEVREY-CHAMBERTIN PREMIER CRU COMBOTTES 2008
Rouge | 2018 à 2026 | NC **18/20**
Nez puissant, harmonieux, d'une liberté d'expression qui une fois de plus devrait donner à réfléchir, corps moelleux et radieux mais un rien moins de finesse que charmes ou beaumonts.

LATRICIÈRES-CHAMBERTIN GRAND CRU 2008
Rouge | 2020 à 2030 | NC **19,5/20**
Il rivalise avec le chambertin mais avec d'autres armes, une incomparable finesse et tendresse aromatique, un rien moins de corps et d'affirmation dans le tanin mais plus de nuances, de dégradés et un caractère plus «artiste». Coup de cœur pour la seconde année consécutive.

MUSIGNY GRAND CRU 2008
Rouge | 2020 à 2030 | NC **20/20**
Le plus rare et à notre sens le plus grand des grands crus de la côte dégustés en 2008. Sublime arôme floral, construction en bouche repoussant les limites de la perfection. Un vin événement.

Nuits-Saint-Georges 2008

Rouge | 2013 à 2020 | NC **17/20**

Assemblage d'Allots, Bas de Combe et Lavière. Coloré, noblement minéral, tanin intense mais moins parfait formellement que celui du pommard.

Nuits-Saint-Georges premier cru Aux Boudots 2008

Rouge | 2018 à 2028 | NC **18,5/20**

Bien lui-même avec son intense arôme de réduction, immense matière, texture d'une folle générosité, grande longueur, le plus sensuel des vins de la maison, comme souvent.

Nuits-Saint-Georges premier cru Vignes Rondes 2008

Rouge | 2018 à 2028 | NC **18,5/20**

Plus discret et réservé que le nuits-boudots mais d'une harmonie idéale et d'une subtilité aromatique qui plaira sans doute davantage aux amateurs exigeants.

Pommard Les Vignots 2007

Rouge | 2016 à 2026 | NC **18/20**

Noblesse et intensité aromatique stupéfiantes (un bouquet complexe de fleurs) et si opposées à l'idée qu'on se fait de l'appellation. Tanin soyeux, une merveille.

Richebourg grand cru 2008

Rouge | 2020 à 2030 | NC **19,5/20**

Le richebourg dans toute sa gloire, mais sans forfanterie, une merveille florale et épicée au nez, un corps somptueux, une façon d'envahir la bouche irrésistible, et une fois de plus un sentiment de naturel et d'évidence uniques.

Romanée-Saint-Vivant grand cru 2008

Rouge | 2018 à 2030 | NC **19,5/20**

Ce jour-là, le Musigny faisait peut-être encore plus parfait mais le parfum et la suavité divines de cette cuvée marqueront à vie tous ceux qui auront la chance d'y tremper leurs lèvres.

Savigny-lès-Beaune premier cru Les Narbantons 2008

Rouge | 2018 à 2026 | NC **18/20**

Ensemble d'un soyeux de texture insurpassable et d'une liberté de parfum exemplaire, référence absolue !

Volnay premier cru Santenots 2008

Rouge | 2018 à 2028 | NC **18,5/20**

Immense matière et couleur, arôme envoûtant de fruits rouges compotés, texture d'une imposante richesse mais sans déséquilibre.

Vosne-Romanée Genevrières 2008

Rouge | 2016 à 2020 | NC **18,5/20**

Une petite romanée par son caractère floral idéal, avec la même note de poivron mûr qui relève ce floral, un peu façon Espelette, un tanin de soie, une longueur inimaginable pour un «village»; un rêve de vosne.

Vosne-Romanée premier cru Les Beaux Monts 2008

Rouge | 2018 à 2028 | NC **19/20**

Épices et fleurs au nez avec une générosité et une évidence rarissimes à un stade si précoce, texture de soie, grande longueur, classe folle !

DOMAINE CHANTAL LESCURE

34, A Rue Thurot • 21700 Nuits-Saint-Georges
Tél. 03 80 61 16 79 • Fax : 03 80 61 36 64
contact@domaine-lescure.com
www.domaine-lescure.com
Visite : Du lundi au vendredi de 9h à 12h et de 13 h30 à 17h.

Voici un domaine fort sérieux, propriétaire de nombreux crus de qualité de Pommard au sud de la Côte de Nuits, et dont les vinifications précises sont un compromis réussi entre tradition et modernité. Les vins ont du corps, de la sève, des tanins plutôt puissants mais sans agressivité. Mais surtout les terroirs s'expriment avec naturel et évidence. Toute la gamme des 2008 est recommandable.

Chambolle-Musigny Les Mombies 2008

Rouge | 2014 à 2020 | 27 € **15,5/20**

Robe bleu noir, boisé intégré, texture délicate, long, assez racé, style plus proche de l'originalité du village que par le passé.

Clos de Vougeot grand cru 2008

Rouge | 2018 à 2030 | 95 € **17,5/20**

Robe bleutée, grand gabarit pour un pinot, vinosité exacerbée mais sans alourdissement de la saveur ou de la texture, vin imposant mais racé.

Nuits-Saint-Georges 2008
Rouge | 2016 à 2020 | 24 € **16/20**
Excellent nez complexe de mûre et fruits noirs, équilibre irréprochable, ensemble typé et racé, associant puissance et délicatesse.

Nuits-Saint-Georges premier cru Vallerots 2008
Rouge | 2018 à 2026 | 37 € **16,5/20**
Beau boisé, vin puissant, énergique, racé, aux notes de cassis caractéristiques des terroirs du cœur de Nuits, grande garde.

Pommard Les Vignots 2008
Rouge | 2014 à 2020 | 25 € **15,5/20**
Souplesse et élégance florale, long, tanin fin.

Pommard premier cru Bertins 2008
Rouge | 2014 à 2023 | 37 € **16/20**
Charnu, puissant, truffé, de la mâche, excellent style.

Pommard premier cru Bertins 2007 ☺
Rouge | 2013 à 2022 | 35 € **17/20**
Remarquable onctuosité, raisin merveilleusement mûr, long, complexe, racé.

Pommard Vaumuriens 2008
Rouge | 2013 à 2020 | 25 € **14,5/20**
Terroir lisible, de la puissance, de la mâche, de la rondeur, tanin bien extrait.

Volnay 2008
Rouge | 2012 à 2018 | 23 € **14/20**
Nez de ronce, assez souple, bon fruit, bonne persistance mais pas de complexité.

Vosne-Romanée premier cru Suchots 2008
Rouge | 2016 à 2026 | 59 € **16,5/20**
Nez élégant de pivoine, beau volume de bouche, tanin racé, un vosne-suchots digne de l'enjeu.

DOMAINE THIBAULT LIGER-BELAIR

32, rue Thurot • 21700 Nuits-Saint-Georges
Tél. 03 80 61 51 16 • Fax : 03 80 61 51 16
contact@thibaultligerbelair.com
www.thibaultligerbelair.com
Visite : Du lundi au vendredi sur rendez-vous.

Ce domaine, héritier d'une tradition plus que centenaire, a été repris en main par Thibault Liger-Belair, un des viticulteurs les plus passionnés de sa génération et les mieux pourvus en grands terroirs. L'autorité et la plénitude de ses 2005 les ont fait à juste titre remarquer, mais ses 2007 marquent une étape supplémentaire dans la recherche de la pureté et de la netteté et devraient devenir, pour les meilleurs, des classiques du millésime. 2008 continue au même niveau, mais on attend évidemment encore des progrès, surtout en viticulture, pour que le domaine égale les plus grands, ce qui est sa vocation naturelle.

Nuits-Saint-Georges premier cru Les Saint-Georges 2008
Rouge | 2018 à 2028 | 46 € **17/20**
Forte couleur, boisé bien présent, arômes floraux très nobles à l'aération, grande texture, noblesse évident de l'origine, petit manque au plus haut niveau de pureté et de transparence.

Richebourg grand cru 2008
Rouge | 2018 à 2033 | 149 € **18/20**
Grand nez noble, notes de framboise, de rose, d'épices, corps généreux, un peu de réduction sur lies, tanin enveloppant, grande allure : il ne manque qu'un peu de raffinement pour égaler les plus grands.

DOMAINE LUCIE ET AUGUSTE LIGNIER

Hameau de Corboin • 21700 Nuits-Saint-Georges
Tél. 03 80 61 33 84 • Fax : 03 80 61 33 84
la.lignier@yahoo.fr
Visite : sur rendez-vous

Ce domaine est issu d'une division du Domaine Hubert Lignier. Au décès, hélas prématuré, de Romain Lignier, un des plus brillants vinificateurs de sa génération, sa veuve a courageusement repris une bonne partie de ses vignes. Les 2008 ne nous ont pas été présentés.

DOMAINE VIRGILE LIGNIER-MICHELOT

11, rue Haute • 21220 Morey-Saint-Denis
Tél. 03 80 34 31 13 • Fax : 03 80 58 52 16
virgile.lignier@wanadoo.fr
Visite : Sur rendez-vous.

Virgile Lignier, jeune viticulteur intelligent et ambitieux, fait partie de l'élite de la nouvelle génération bourguignonne, celle qui progressivement retrouve le style des grands producteurs des années 1920 et 1930. Son style s'affirme d'une année sur l'autre et 2007 est sans doute à ce jour sa réussite la plus homogène. 2008 confirme.

CHAMBOLLE-MUSIGNY VIEILLES VIGNES 2008
Rouge | 2014 à 2020 | 25 € **15,5/20**
Robe bleu noir, beaucoup de fruit, jolie texture, tanin fin, excellent.

CLOS DE LA ROCHE GRAND CRU 2008
Rouge | 2018 à 2028 | 60 € **17/20**
Nez racé de ronce et de fruits noirs, corps imposant, tanin ferme, moins complexe ou moins artistement élevé que d'autres mais intègre et très prometteur.

MOREY-SAINT-DENIS PREMIER CRU AUX CHARMES 2008
Rouge | 2014 à 2020 | 36 € **15/20**
Robe bleu noir, corps plein, texture de raisin mûr, confortable, boisé intégré, harmonieux, long, très bien fait mais léger manque de fraîcheur.

MOREY-SAINT-DENIS VIEILLES VIGNES 2008
Rouge | 2014 à 2020 | 25 € **15/20**
Nez bien dégagé de fruits noirs, texture un peu confite mais très agréable, longueur appréciable, vin fait pour le petit gibier.

DOMAINE BERTRAND MACHARD DE GRAMONT

13, rue de Vergy • 21700 Nuits-Saint-Georges
Tél. 03 80 61 16 96 • Fax : 03 80 61 16 96
bertrandmacharddegramont@aliceadsl.fr
Visite : Sur rendez-vous uniquement (06 62 37 36 08).

Ce petit domaine de qualité s'est signalé depuis quelques années par la spectaculaire replantation en terrasses du climat des Vallerots, sur une des pentes les mieux exposées mais aussi les plus raides de Nuits Saint-Georges. Les 2008 ne se dégustaient pas bien au printemps 2010. Nous referons le point l'an prochain.

FRÉDÉRIC MAGNIEN

26, route Nationale • 21220 Morey-Saint-Denis
Tél. 03 80 58 54 20 • Fax : 03 80 51 84 34
frederic@fred-magnien.com
www.frederic-magnien.com
Visite : du mardi au samedi, sur rendez-vous

Il faut ici faire la distinction entre les vins de négoce, même s'ils sont vinifiés par le talentueux et énergique Frédéric Magnien, et ceux de la propriété, signés Michel Magnien, où un meilleur contrôle des vignes explique leur supplément de finesse et de précision. Jeune viticulteur passionné, Frédéric a eu parfois un peu tendance à trop accentuer les extractions, mais il a changé et 2008 se montrera fort élégant, avec une large gamme d'appellations à tous les niveaux de crus, d'une rare homogénéité et constance de style et de qualité.

BONNES-MARES GRAND CRU 2008
Rouge | 2020 à 2033 | NC **17,5/20**
Grande couleur, grande matière, texture veloutée, complexe, puissant, grande garde évidente.

CHAMBERTIN-CLOS DE BÈZE GRAND CRU 2008
Rouge | 2018 à 2028 | NC **18/20**
Expression très généreuse et puissante du cru, grande matière, tanin ferme mais racé, très long.

CHAMBOLLE-MUSIGNY FREMIÈRES 2008
Rouge | 2014 à 2020 | NC **15/20**
Coloré, aromatique, soyeux dans sa texture, plus ferme et vineux en fin de parcours, mais sans rien d'exagéré. Village de caractère.

CHAMBOLLE-MUSIGNY PREMIER CRU BORNIQUES 2008
Rouge | 2016 à 2023 | env 53 € **16/20**
Plus fin et subtil que le chambolle-charmes, légèrement anisé, texture suave, long, très agréable.

CHAMBOLLE-MUSIGNY PREMIER CRU CHARMES 2008
Rouge | 2016 à 2023 | env 58 € **15/20**
Un peu réduit, très coloré, riche, pleines notes de myrtille, style moderne, engageant, mais on peut faire plus fin.

CHARMES-CHAMBERTIN GRAND CRU 2008
Rouge | 2016 à 2026 | NC **16/20**
Nez réglisse/anis archétypes armatiques du village, raisin mûr évident, confirmant la réussite particulière de ce secteur en 2008, belle suite en bouche mais moins de précision dans le détail de l'expression du terroir que d'autres.

FIXIN CRAIS DE CHÊNE 2008
Rouge | 2014 à 2018 | env 16 € **15/20**
Après une réduction un peu violente, des arômes nobles de framboise s'épurent progressivement et la texture est remarquable pour un village, intéressant mais ne pas oublier de carafer !

GEVREY-CHAMBERTIN AUX ÉCHEZEAUX 2008
Rouge | 2014 à 2020 | NC **14,5/20**
Nez épicé, texture onctueuse de raisin mûr, de la chair, de la puissance, très agréable mais sans complexité.

GEVREY-CHAMBERTIN PREMIER CRU CAZETIERS 2008
Rouge | 2016 à 2026 | env 53 € **17/20**
Signé Frédéric mais difficile à différencier de celui du domaine, très élégant, raffiné, long, retrouvant un grain de texture plus élégant et naturel.

GEVREY-CHAMBERTIN PREMIER CRU CAZETIERS DOMAINE MICHEL MAGNIEN 2008
Rouge | 2016 à 2026 | env 52 € **17/20**
Nez fumé, complet en bouche, boisé séducteur, grande longueur, texture raffinée, excellent !

GEVREY-CHAMBERTIN PREMIER CRU GOULOT 2008
Rouge | 2016 à 2026 | env 44 € **17,5/20**
Évolution remarquable vers plus d'élégance et de pureté, particulièrement sur cette cuvée d'un parfum floral et d'une pureté de toucher de bouche exemplaires. Vin hautement recommandé.

MARSANNAY CŒUR D'ARGILE 2008
Rouge | 2014 à 2018 | env 15 € **14,5/20**
Robe, parfum et texture fort bien typés, petite touche de moka en finale, pas vraiment volumineux mais très agréable et subtil dans son évolution à l'air.

MOREY-SAINT-DENIS PREMIER CRU CLOS SORBES 2008
Rouge | 2016 à 2020 | env 37 € **15/20**
Coloré, charnu, texture enveloppante, léger départ de cuir, pinot fait pour le gibier.

MOREY-SAINT-DENIS PREMIER CRU LES CHAFFOTS MICHEL MAGNIEN 2008
Rouge | 2016 à 2023 | env 41 € **16,5/20**
Vin du domaine. Robe dense, nez remarquable d'ouverture et de complexité, expression forte de terroir, finale réglisse et anis très longue et gourmande, excellent.

MOREY-SAINT-DENIS PREMIER CRU MILLANDES 2008
Rouge | 2016 à 2023 | env 39 € **16/20**
Boisé épicé, jolie texture, beaucoup de classe sur le plan aromatique, tanin fin, bien extrait, ensemble très réussi sur un joli cru.

DOMAINE MICHEL MAGNIEN

4, rue Ribordot • 21220 Morey-Saint-Denis
Tél. 03 80 51 82 98 • Fax : 03.80.58.51.76
d-magnien@orange.fr • www.domaine-magnien.com
Visite : du mardi au samedi sur rendez-vous

Frédéric Magnien vinifie aussi les vins du domaine familial, Michel Magnien, dans le même esprit que ceux de sa maison de négoce, et qui font désormais partie des produits les plus accomplis de la côte de Nuits.

CHAMBOLLE-MUSIGNY FREMIÈRES 2008
Rouge | 2014 à 2020 | env 28 € **15/20**
Coloré, aromatique, soyeux dans sa texture, plus ferme et vineux en fin de parcours, mais sans rien d'exagéré. Village de caractère.

CHARMES-CHAMBERTIN GRAND CRU 2008
Rouge | 2016 à 2026 | NC **16/20**
Nez réglisse et anis, archétypes aromatiques du village, raisin mûr évident, confirmant la réussite particulière de ce secteur en 2008, belle suite en bouche mais moins de précision dans le détail de l'expression du terroir que d'autres.

GEVREY-CHAMBERTIN AUX ÉCHEZEAUX 2008
Rouge | 2014 à 2020 | env 25 € **14,5/20**
Nez épicé, texture onctueuse de raisin mûr, de la chair, de la puissance, très agréable mais sans complexité.

GEVREY-CHAMBERTIN PREMIER CRU CAZETIERS 2008
Rouge | 2016 à 2026 | env 52 € **17/20**
Nez fumé, complet en bouche, boisé séducteur, grande longueur, texture raffinée, excellent!

GEVREY-CHAMBERTIN PREMIER CRU GOULOT 2008
Rouge | 2016 à 2026 | env 44 € **17,5/20**
Évolution remarquable vers plus d'élégance et de pureté, particulièrement sur cette cuvée d'un parfum floral et d'une pureté de toucher de bouche exemplaires. Vin hautement recommandé.

MOREY-SAINT-DENIS PREMIER CRU LES CHAFFOTS 2008
Rouge | 2016 à 2023 | env 41 € **16,5/20**
Vin du domaine. Robe dense, nez remarquable d'ouverture et de complexité, expression forte de terroir, finale réglisse/anis très longue et gourmande, excellent.

MOREY-SAINT-DENIS PREMIER CRU MILLANDES 2008
Rouge | 2016 à 2023 | env 39 € **16/20**
Boisé épicé, jolie texture, beaucoup de classe sur le plan aromatique, tanin fin, bien extrait, ensemble très réussi sur un joli cru.

DOMAINE STÉPHANE MAGNIEN

5, ruelle de l'Église • 21220 Morey-Saint-Denis
Tél. 03 80 51 83 10 • Fax : 03 80 58 53 27
mail@domainemagnien.com
www.domainemagnien.com
Visite : Du lundi au samedi de 10h à 12h et de 15h à 19h. Le dimanche sur rendez-vous.

Ce domaine entre dans le guide et il progressera sans doute : les vignes sont très bien situées, les vins recherchent la finesse, pas la couleur ni le volume de bouche, ce qui ne saurait nous déplaire. Ils manquent encore un peu de personnalité.

CHAMBOLLE-MUSIGNY PREMIER CRU SENTIERS 2008
Rouge | 2013 à 2018 | 28,20 € **16/20**
Toujours ce style tendre et souple, peu cuvé, mais ici c'est encore plus réussi, tout en nuances florales, vin rétro mais fort séduisant.

CHARMES-CHAMBERTIN GRAND CRU 2008
Rouge | 2016 à 2023 | 45,50 € **16,5/20**
Pas très coloré mais fin et pur au nez avec des notes de cerise, texture élégante, vin réussi dans son style par son intégrité et son authenticité.

MOREY-SAINT-DENIS PREMIER CRU AUX PETITS NOIX 2008
Rouge | 2013 à 2018 | 25,50 € **14,5/20**
Couleur délicate, fidélité au style familial, tout en finesse, assez long, léger creux en milieu de bouche.

DOMAINE MÉO-CAMUZET

11, rue des Grands-Crus • 21700 Vosne-Romanée
Tél. 03 80 61 11 05 • Fax : 03 80 61 11 05
meo-camuzet@wanadoo.fr
www.meo-camuzet.com

Le style actuel de ce domaine prestigieux, propriétaire entre autres d'une large parcelle superbement située du Clos Vougeot, juste à côté du château, tente avec succès de concilier tradition et modernisme. Jean-Nicolas Méo et son régisseur Christian Faurois sont des hommes très méticuleux, réfléchis, se remettant continuellement en question. Les vins sont vigoureux et denses mais avec style, bâtis pour un long vieillissement. En dehors de la production du domaine, une petite activité de négoce permet de présenter des vins de même style, mais d'appellations moins recherchées et coûteuses, comme un excellent fixin. Les 2008 poursuivent la recherche d'une plus grande élégance de tanin et d'un boisé approprié à chaque cru.

CLOS DE VOUGEOT GRAND CRU 2008
Rouge | 2020 à 2033 | 120 € **18,5/20**
Robe noire, nez racé avec même une pointe de chocolat et de menthe, magnifique constitution, grande garde obligatoire. Un des rouges les plus complets de l'année.

CORTON GRAND CRU CLOS ROGNET 2008
Rouge | 2018 à 2028 | 120 € **18/20**
Pas le plus coloré des vins présentés mais admirable nez de violette et de fleurs, et surtout grande race de texture et affirmation du terroir. On sent la très vieille vigne.

ÉCHEZEAUX GRAND CRU 2008
Rouge | 2018 à 2026 | 120 € **18/20**
Grande couleur, puissance exceptionnelle pour le cru, générosité remarquable de texture, plus en volupté qu'en finesse pure.

FIXIN 2008
Rouge | 2012 à 2016 | 25 € **14/20**
Bonne couleur, caractère épicé bien marqué, bon bois, très honnête mais sans grand charme aromatique immédiat.

HAUTES CÔTES DE NUITS CLOS SAINT-PHILIBERT 2008
Blanc | 2012 à 2016 | 20 € **15,5/20**
Un des sommets de l'appellation, bon boisé, grande droiture d'expression, soigné, capable même de vieillir.

NUITS-SAINT-GEORGES PREMIER CRU AUX BOUDOTS 2008
Rouge | 2016 à 2026 | 80 € **17/20**
Boisé noble, texture dense, vin complet, généreusement parfumé et très tendre dans son tanin.

NUITS-SAINT-GEORGES PREMIER CRU PERRIÈRES 2008
Rouge | 2018 à 2028 | 80 € **17/20**
Boisé sophistiqué, formant un contraste étonnant avec la fermeté et la tension du vin, de l'énergie à revendre et un tanin complexe de grand vin.

VOSNE-ROMANÉE PREMIER CRU CHAUMES 2008
Rouge | 2016 à 2026 | 80 € **17/20**
Fraîcheur et finesse avec la délivrance de nombreux détails du terroir, très bien vinifié et nettement au dessus d'autres vins du même lieu-dit.

Vosne-Romanée premier cru
Cros Parentoux 2008
Rouge | 2018 à 2028 | 180 € **17,5/20**
Grande fermeté, matière très riche et dense, tanin noble, grand avenir.

DOMAINE ALAIN MICHELOT

6, rue Camillle Rodier • 21700 Nuits-Saint-Georges
Tél. 03 80 61 14 46 • Fax : 03 80 61 35 08
domalainmichelot@aol.com
Visite : sur rendez-vous.

Les vins présentés par ce domaine de longue tradition nous ont un peu déçus cette année, porteurs de tanins trop secs ou astringents, malgré leur pedigree impressionnant et flatteur.

DOMAINE DENIS MORTET

22, rue de l'Église • 21220 Gevrey-Chambertin
Tél. 03 80 34 10 05 • Fax : 03 80 34 16 26
denis-mortet@wanadoo.fr
www.domaine-denis-mortet.com

Le domaine avait porté à un degré d'expression rare un style de vin qui était devenu le symbole de la modernité bourguignonne : une maturité exceptionnelle du raisin, un parfum floral et fruité d'un appel immédiat, amplifié par un boisé très étudié, et des textures d'une plénitude et d'une précision exemplaires. Arnaud Mortet continue l'œuvre de son père en affinant les extractions et l'élevage, avec des vins moins démonstratifs mais sans doute plus subtils.

Chambertin grand cru 2008
Rouge | 2018 à 2028 | NC **18,5/20**
Merveilleuse texture, arôme de ronce ultra typé, tanin harmonieux, boisé présent mais respectueux, très grande classe mais hélas production si minime !

Gevrey-Chambertin 2008
Rouge | 2016 à 2023 | NC **15,5/20**
Grande couleur, bois neuf bien marqué, raisin mûr, beaucoup de matière, tanin ferme, fortement réduit mais luxueux et de grand avenir. Décanter deux heures avant de servir.

Gevrey-Chambertin premier cru 2008
Rouge | 2016 à 2023 | NC **16,5/20**
Remarquable finesse aromatique, corps plein, texture veloutée, élevage luxueux et soigné, vin complet, racé, moderne mais fidèle au style de la côte.

Gevrey-Chambertin premier cru
Lavaut Saint-Jacques 2008
Rouge | 2018 à 2028 | NC **18/20**
Robe noire, complet en bouche, associant la plus grande maturité imaginable de raisin pour l'année à une qualité d'extraction moderne mais remarquablement dosée, très long, réglissé, étonnant.

DOMAINE THIERRY MORTET

16, place des Marronniers
21220 Gevrey-Chambertin
Tél. 03 80 51 85 07 • Fax : 03 80 34 16 80
www.domainethierrymortet.fr
Visite : Sur rendez-vous de 9h à 12h et de 14h à 18h.

Le frère de Denis Mortet semble progresser d'une année sur l'autre, après avoir longtemps stagné. Même si sa viticulture n'est pas aussi précise que celle de son neveu Arnaud, elle s'inspire des mêmes tours de main appris de son père, remarquable jardinier. Les vins récents nous ont séduits par leur belle couleur, leur vigueur et leur netteté.

Gevrey-Chambertin premier cru
Clos Prieur 2008
Rouge | 2013 à 2020 | 39 € **15/20**
Nez ouvert, de type fruits rouges (fraise, framboise), tendre, souple, dégagé, mûr, plutôt long, vin plaisir.

Gevrey-Chambertin Vigne Belle 2008
Rouge | 2013 à 2020 | 26,50 € **15,5/20**
Beaucoup de finesse et de subtilité florale au nez, vin délicat, harmonieux, assez tendre, long, très soigné.

DOMAINE GEORGES MUGNERET ET MUGNERET-GIBOURG

5, rue des Communes • 21700 Vosne-Romanée
Tél. 03 80 61 01 57 • Fax : 03 80 61 33 08
dgm@mugneret-gibourg.com
www.mugneret-gibourg.com
Visite : Visite sur rendez-vous uniquement, fermé le mercredi et le dimanche.

Ces deux dénominations de domaine désignent en fait des vins vinifiés par les mêmes productrices, les deux filles du docteur Georges Mugneret, aussi passionnées par la vigne et le vin que leur père. Leur production actuelle est une des sources les plus sûres, les plus régulières et les plus respectées pour les vins de Vosne-Romanée et de Nuits-Saint-Georges, vinifiés avec une rare exactitude. Ils ne

commencent pas dans la vie de manière aussi spectaculaire que d'autres, mais vieillissent avec bonheur sur plusieurs décennies.

Chambolle-Musigny premier cru
Feusselottes 2008
Rouge | 2016 à 2023 | 38 € **15,5/20**
Robe bleu noir, nez de myrtille, vin généreux, vivant, tanin un peu appuyé, long, agréable.

Clos de Vougeot grand cru 2008
Rouge | 2018 à 2033 | 75 € **17/20**
Sérieux, introverti, tanin fin, moins d'éclat immédiat mais des dispositions certaines pour la longue garde.

Échezeaux grand cru 2008
Rouge | 2018 à 2030 | 63 € **18/20**
Nez floral, magique, parfaite leçon de vinification, texture élégante, tanin intégré, fraîcheur, finesse, complexité, beau potentiel de garde.

Nuits-Saint-Georges premier cru
Vignes Rondes 2008
Rouge | 2016 à 2023 | 30,50 € **15/20**
Encore un peu de rudesse et d'austérité, mais du corps, un tanin ferme et du style.

Ruchottes-Chambertin grand cru 2008
Rouge | 2018 à 2028 | 73 € **17/20**
Tendu, minéral, racé, tanin strict, grand avenir, un vin presque construit comme un grand médoc.

Vosne-Romanée 2008
Rouge | 2014 à 2020 | 25 € **16/20**
Joli fruit, texture respectant le classicisme d'expression des vins du village, vendangé à juste maturité, frais, élégant.

DOMAINE JACQUES-FRÉDÉRIC MUGNIER

Château de Chambolle-Musigny
21220 Chambolle-Musigny
Tél. 03 80 62 85 39 • Fax : 30 80 62 87 36
info@mugnier.fr • www.mugnier.fr

Ce domaine n'a cessé de perfectionner viticulture et vinification depuis le début des années 1990, et plus spécialement encore depuis ses retrouvailles avec son célèbre Clos de la Maréchale, qui a doublé la surface des vignes et exigé une refonte de la structure d'exploitation, ainsi qu'une modernisation bienvenue de la cuverie. Il produit sans doute le plus pur et le plus raffiné des musignys actuels.

Chambolle-Musigny 2008
Rouge | 2016 à 2023 | NC **16,5/20**
Grande élégance, parfum exemplaire, tanin fin et subtil, prix d'excellence du village, sans le côté artiste du vin du Domaine de la Vougeraie.

Musigny grand cru 2008
Rouge | 2020 à 2033 | NC **18,5/20**
Parfaite élégance, grande longueur, précis, sage, ultra racé mais encore un peu discret, comme d'habitude.

Nuits-Saint-Georges premier cru
Clos de la Maréchale 2007
Rouge | 2019 à 2025 | NC **17/20**
Beaucoup d'élégance aromatique, dans un registre un peu plus épicé qu'à Chambolle. Attendre une dizaine d'années.

DOMAINE PIERRE NAIGEON

4, du Chambertin - Vieil Hotel Jobert de Chambertin
21220 Gevrey-Chambertin
Tél. 03 80 34 14 87 • Fax : 03 80 58 51 18
pierre.naigeon@wanadoo.fr
www.DomainePierreNaigeon.com
Visite : De préférence sur rendez-vous

Ce producteur n'a pas hélas présenté suffisamment de vins pour que nous puissions confirmer tout le bien que nous avons écrit sur lui l'an dernier.

Hautes Côtes de Nuits 2007
Rouge | 2013 à 2016 | 8,90 € **14/20**
Bonne vinosité, vin assez intense, droit, frais, fait pour le petit gibier.

DOMAINE HENRI NAUDIN-FERRAND

Rue du Meix-Grenot • 21700 Magny-les-Villers
Tél. 03 80 62 91 50 • Fax : 03 80 62 91 77
info@naudin-ferrand.com • www.naudin-ferrand.com
Visite : Du lundi au vendredi de 8h à 12h et de 13h30 à 17h30. Le samedi de 10h à 18h.

Claire Naudin est une jeune vigneronne de grand talent, qui a su faire une juste synthèse entre le savoir moderne, œnologique et agronomique, acquis à Montpellier, et le sens de la grande tradition bourguignonne. Elle excelle dans les «petites» appellations, Bourgogne rouge, Bourgogne aligoté, Hautes Côtes de Beaune et de Nuits, Côte de Nuits villages, qui sont tous des exemples de vins raffinés dans leur simplicité et particulièrement digestes. Nous préférons largement ses rouges à ses blancs,

très nature mais avec tous les dangers que cela comporte!

ALOXE-CORTON VIEILLES VIGNES 2008
Rouge | 2014 à 2018 | NC **14,5/20**
Joli fruit de cerise, moins subtil et complexe que le ladoix mais avec le même glissant, et peut-être une petite pointe d'amertume.

HAUTES CÔTES DE BEAUNE ORCHIS MASCULA 2008
Rouge | 2012 à 2016 | NC **16/20**
Toujours ce nez divinement floral entre la rose et la pivoine, et cette couleur entre le rouge clair et l'œil de perdrix, fidèle au meilleur de la tradition.

HAUTES CÔTES DE NUITS MYOSOTIS ARVENSIS 2008
Rouge | 2012 à 2016 | NC **17/20**
Sublime arôme floral, grande délicatesse, un vin merveilleux de naturel !

LADOIX PREMIER CRU LA CORVÉE 2008
Rouge | 2012 à 2018 | NC **16,5/20**
Nez merveilleusement fruité, corps souple et engageant, longue suite en bouche, naturel parfait, aucune amertume (ce n'est donc pas une fatalité), merveilleux à boire dès maintenant.

NUITS-SAINT-GEORGES PREMIER CRU DAMODES 2008
Rouge | 2015 à 2020 | NC **15,5/20**
Droit, pur, assez nerveux, plus assuré dans son style qu'en 2007, la vigne commence à être bien en mains.

DOMAINE MICHEL NOELLAT

5 rue de la Fontaine • 21700 Vosne-Romanée
Tél. 03 80 61 36 87 • Fax : 03 80 61 18 10
domaine.michel-noellat@wanadoo.fr
Visite : Sur rendez-vous.

Domaine artisanal de Vosne-Romanée, avec de larges parcelles de premier cru, mais un style inégal : nous avons aimé le vosne village présenté.

VOSNE-ROMANÉE 2008
Rouge | 2016 à 2023 | 26 € **15/20**
Frais et élégant au nez, texture fine, bonne longueur, expression réussie de village, plus sage que complexe, mais sûr.

MANUEL OLIVIER

Hameau de Corboin • 21700 Nuits-Saint-Georges
Tél. 03 80 62 39 33 • Fax : 03 80 62 10 47
contact@domaine-olivier.com
www.domaine-olivier.com
Visite : du lundi au samedi de 9h à 12h et de 14h à 19h sur rendez-vous de préférence.

Manuel Olivier nous avait séduits l'an dernier par la qualité de ses hautes-côtes-de-nuits. Il présente cette année une gamme de vin plus large, une partie étant achetée en raisin et vinifiée par lui-même avec un réel sens du style classique des beaux villages de Côte de Nuits.

CHAMBOLLE-MUSIGNY 2008
Rouge | 2014 à 2020 | 22 € **15/20**
Vin sérieux et précis dans l'esprit du village mais avec un tanin affirmé, bonne suite en bouche.

GEVREY-CHAMBERTIN 2008
Rouge | 2014 à 2020 | 20 € **14,5/20**
Réglissé et anisé, bien dans l'esprit du village, vin généreux, très franc de goût, bien vinifié.

MEURSAULT PREMIER CRU 2008
Blanc | 2014 à 2020 | 20 € **16/20**
Première incursion réussie dans ce village, nez puissant d'agrumes, du nerf, de l'allonge et du potentiel.

VOSNE-ROMANÉE 2008
Rouge | 2016 à 2023 | 23 € **14,5/20**
Belle couleur, plus de vinosité que la moyenne, vin travaillé, corsé, à attendre.

DOMAINE SYLVAIN PATAILLE

14, rue Neuve • 21160 Marsannay-la-Côte
Tél. 03 80 51 17 35 • Fax : 03 80 52 49 49
domaine.sylvain.pataille@wanadoo.fr
Visite : Sur rendez-vous au 06 30 94 88 28

Le jeune œnologue Sylvain Pataille sait oublier ce qu'il a appris dans ses études, pour travailler dans le plus grand respect du naturel du raisin, et conseiller à ses clients d'en faire de même. Son savoir-faire s'exprime à fond dans sa cuvée l'Ancestrale en 2005, sans doute à ce jour le meilleur rouge jamais produit à Marsannay (en compétition serrée avec les cuvées supérieures de Jean Fournier). La suite vaut aussi le détour, mais tout n'a pas été présenté !

Bourgogne Le Chapitre 2008

Rouge | 2015 à 2020 | 9 € **16/20**

Boisé un peu marqué mais pour le reste beaucoup de race, de complexité, d'élégance pour un lieu-dit parmi les meilleurs du secteur et qui n'est encore, injustice flagrante, qu'en appellation communale. Grande rémanence florale, liée au raisin entier.

Marsannay La Charme aux Prêtres 2006

Blanc | 2012 à 2016 | 25 € **16/20**

Finesse de bouquet rare dans le village en blanc, vanillé de bois parfaitement maîtrisé, transparent, long, très pur, un modèle du genre !

DOMAINE DES PERDRIX

Rue des Écoles • 21700 Prémeaux-Prissey
Tél. 03 80 61 26 53 • Fax : 03 85 98 06 62
contact@domainedesperdrix.com
www.domainedesperdrix.com
Visite : Ouvert du lundi au samedi sur rendez vous.

Ce domaine est exploité par la famille Devillard, qui désormais s'est retirée du Domaine Prieur, à Meursault. Le vignoble se situe sur des terroirs remarquables du sud de la Côte de Nuits, et sa production est vinifiée dans l'esprit des vins modernes, en recherchant une haute maturité du raisin et des textures profondes et voluptueuses. Le résultat est fort réussi depuis quelques années, avec des villages très solides, un nuits-premier-cru chaleureux et subtil, mais surtout un échezeaux de grande race, issu de la meilleure partie du cru. Les 2008 ont la puissance attendue.

Échezeaux grand cru 2008

Rouge | 2018 à 2028 | 99 € **16,5/20**

Beaucoup de nez, tonique, complexe, vinification moderne jouant sur la réduction mais réussie, long, plus fringant que racé.

Nuits-Saint-Georges 2008

Rouge | 2016 à 2023 | 33 € **16/20**

Grand classicisme de facture, terroir très typé, long, onctueux, sensuel, grandes promesses.

Nuits-Saint-Georges premier cru Aux Perdrix 2008

Rouge | 2018 à 2028 | 44,50 € **17/20**

Grande plénitude de saveur et de constitution, encore un peu rigide, mais fait pour la garde.

Nuits-Saint-Georges premier cru Les Terres Blanches 2008

Rouge | 2016 à 2026 | 44,50 € **16,5/20**

Forte réduction toastée au nez mais belle matière ample et généreuse, fruit complètement préservé. Bel avenir dans le style flamboyant cher au domaine.

Vosne-Romanée 2007

Rouge | 2015 à 2022 | 37 € **15,5/20**

Charpenté, dense, matière superbe et ferme pour l'année, boisé pas complètement intégré.

DOMAINE HENRI PERROT-MINOT ET DOMAINE CHRISTOPHE PERROT-MINOT

54, route des Grands-Crus • 21220 Morey-Saint-Denis
Tél. 03 80 34 32 51 • Fax : 03 80 34 13 57
gfa.perrot-minot@wanadoo.fr • www.perrot-minot.com
Visite : Sur rendez-vous. Dégustations, mais pas de ventes à la propriété. Vente par correspondance.

Ce domaine propose une très large gamme de vins issus du domaine ou élaborés à partir de vendanges achetées mais soigneusement surveillées, avec un style très affirmé, visant la puissance et la tension des corps et des textures. Ses remarquables 2007 semblent à ce jour les vins les plus harmonieux qu'il ait produits et quelques-uns sont des sommets absolus du millésime. 2008 continue dans la même direction, rendant ce producteur incontournable.

Chambolle-Musigny Combe d'Orveaux cuvée Ultra 2008

Rouge | 2018 à 2028 | NC **18,5/20**

Sublime finesse et texture, allure de grand cru, longueur fabuleuse, un sommet du genre !

Chambolle-Musigny premier cru La Combe d'Orveau 2008

Rouge | 2014 à 2019 | NC **17,5/20**

Il ne s'agit pas exactement de jeunes vignes mais d'une vigne quelques mètres plus éloignée que l'Ultra du Musigny ! Noblesse aromatique évidente, texture soignée, grande longueur, vin remarquable.

Chambolle-Musigny premier cru Les Fuées 2008

Rouge | 2018 à 2026 | NC **17/20**

Grande robe, nez réglissé, ensemble très savoureux et complet, longue garde prévisible.

Chambolle-Musigny Vieilles Vignes 2008
Rouge | 2016 à 2023 | NC **15,5/20**
Robe bleu noir, nez complexe, texture de velours, tanin ferme, grande matière, peut-être trop appuyée.

Morey-Saint-Denis En la Rue de Vergy 2008
Rouge | 2016 à 2023 | NC **16/20**
Corps plein et équilibré, raisin mûr, texture dense, boisé intelligent, soigné et bâti pour durer.

Morey-Saint-Denis premier cru La Riotte 2008
Rouge | 2016 à 2023 | NC **16,5/20**
Beau nez réglissé, ensemble complet, harmonieux et fait pour vieillir, dans un style allant vers gevrey plus que chambolle.

Vosne-Romanée premier cru
Les Beaux Monts 2008
Rouge | 2017 à 2028 | NC **17/20**
Nez délicieusement framboisé, fin, harmonieux dans sa texture et son tanin mais sans aller jusqu'au bout du terroir.

DOMAINE PONSOT

Ce domaine fort connu, de loin le plus gros propriétaire en Clos de la Roche, fait partie des irréductibles individualistes qui refusent la notion de dégustation comparative. Reconnaissons-lui une remarquable qualité de viticulture, une sensibilité au grand vin largement supérieure à la moyenne et un style bien affirmé, largement applaudi à travers le monde.

DOMAINE LOUIS REMY

1, place du Monument • 21220 Morey-Saint-Denis
Tél. 03 80 34 32 59 • Fax : 03 80 34 32 23
domaine.louis.remy@wanadoo.fr
www.domaine-louis-remy.com
Visite : Du lundi au vendredi de 10h à 12h et de 14h à 18h sur rendez-vous.

Ce tout petit domaine vient à nouveau de se diviser en raison de disputes familiales comme dans toute l'histoire moderne de la famille. Chantal Remy, excellente styliste et vigneronne très dévouée à ses terroirs perd son premier cru de Chambolle, ampute tous ses autres superbes vignobles mais en garde suffisamment pour continuer à produire, en attendant la majorité de son fils, le même type de vin, sobre, élégant et précis. La part du roi devient désormais le Clos de la Roche dans la meilleure partie du clos.

Clos de la Roche grand cru 2008
Rouge | 2020 à 2033 | 45,55 € **18/20**
Beaucoup de race, de finesse dans la puissance, de complexité et surtout expression de ce qu'il y a de plus original dans le clos, une dimension subtilement minérale qui le rapproche du chambertin. Style sans ego et donc au service du terroir.

DOMAINE BERNARD ET ARMELLE RION

8, route Nationale • 21700 Vosne-Romanée
Tél. 03 80 61 05 31 • Fax : 03 80 61 34 60
rion@domainerion.fr • www.domainerion.fr
Visite : du lundi au samedi de 9h à 18h30

Une nouvelle étape s'ouvre, pour ce domaine scrupuleux et respecté de Vosne-Romanée, sous l'influence de la nouvelle génération. On sent à la dégustation de certains 2006 et 2007 que les vinifications sont très calculées, sans qu'un style bien affirmé ne soit né. Il y a parfois trop d'extraction ou de sollicitation de nuances lourdes dans le fruit mais les vins ont considérablement gagné en soin dans l'élevage. Il faudra quand même les déguster à nouveau dans deux ans. 2008 naît plus équilibré et prometteur.

Clos de Vougeot grand cru 2008
Rouge | 2018 à 2026 | 51 € **17,5/20**
Vin puissant, parfaitement typé, tanin classique du clos, style sûr, grande garde.

Nuits-Saint-Georges premier cru Damodes 2008
Rouge | 2018 à 2028 | 25 € **16,5/20**
Grand nez de prune, beaucoup de matière, texture dense, tanin droit, beau nuits classique, de garde, style plus assuré qu'en 2007.

Nuits-Saint-Georges premier cru Murgers 2008
Rouge | 2016 à 2026 | 26 € **16,5/20**
Grande générosité de constitution, tanin ferme, vin complet, grand avenir.

Vosne-Romanée Vieilles Vignes
cuvée Dame Juliette 2008
Rouge | 2010 à 2018 | 22 € **14,5/20**
Forte couleur, nez framboisé, tanin appuyé, style moderne, plaisant mais moins de complexité aromatique qu'on ne le souhaiterait.

DOMAINE DANIEL RION ET FILS

17, route nationale 74 • 21700 Prémeaux-Prissey
Tél. 03 80 62 31 28 • Fax : 03 80 61 13 41
contact@domaine-daniel-rion.com
www.domaine-daniel-rion.com
Visite : Du lundi au vendredi de 8h30 à 12h et de 13h30 à 17h sur rendez-vous.

Bon domaine classique du sud de la Côte de Nuits, avec des vignes très bien réparties au cœur des coteaux et améliorant d'une année sur l'autre la finesse de ses vins. Le départ d'un des fils de la maison, Patrice, désormais responsable de sa propre marque, avait un temps déstabilisé le style maison, mais on le retrouve en 2007 avec une belle homogénéité : des vins aromatiques, pas très corsés mais élégants de texture et de tanin, faits avec soin et dans le respect des équilibres classiques. En 2008, le style s'affirme et s'élargit, avec des vins plus denses.

Échezeaux grand cru 2008
Rouge | 2018 à 2028 | 52,50 € **16,5/20**
Légère réduction, puis à l'air arômes très fruités, purs, fidèles plus au cépage qu'au terroir, ensemble frais, équilibré, soigné, qui gagnera en complexité avec le temps.

Nuits-Saint-Georges premier cru
Aux Vignes Rondes 2008
Rouge | 2016 à 2023 | 35,40 € **16,5/20**
Beaucoup d'onctuosité, vin large, puissant mais racé, très fidèle au caractère solaire de ce coteau proche de Vosne.

Nuits-Saint-Georges premier cru
Hauts Pruliers 2008
Rouge | 2016 à 2026 | 35,40 € **16/20**
Robe moirée, très profonde et caractéristique, ensemble très charnu et d'un joli grain de texture, avec un petit départ de musc très typé.

Nuits-Saint-Georges premier cru
Terres Blanches 2008
Blanc | 2011 à 2014 | 32,50 € **15/20**
Finement boisé, frais, élégant, visiblement le sol convient bien au chardonnay et l'ensemble possède une complexité rare à Nuits.

Vosne-Romanée premier cru
Les Beaux Monts 2008
Rouge | 2016 à 2026 | 35,40 € **16/20**
Beaux arômes fruités, excellent équilibre de bouche, mais on sent plus de technique que de poésie par rapport à d'autres vins de notre grande dégustation à l'aveugle.

DOMAINE DE LA ROMANÉE-CONTI

1, rue Derrière-le-Four • 21700 Vosne-Romanée
Tél. 03 80 62 48 80 • Fax : 03 80 61 05 72

Le domaine phare de la Bourgogne continue son parcours sans faute. Aubert de Villaine et Henri F. Roch l'administrent avec autant de passion que de modestie et le grand Bernard Noblet veille à tout en cave. Le résultat est une continuité unique de vins exceptionnels pour tous les crus et dans chaque millésime une expression du potentiel de l'année d'un naturel confondant. La commercialisation de vins aussi recherchés est hélas un casse-tête que les administrateurs déplorent. Leur suivi aussi sévère que possible des ventes en première main et les prix fort élevés n'arrêtent pas les spéculateurs ni les contrefaçons. 2008 a donné une toute petite récolte mais des vins complets.

Échezeaux grand cru 2008
Rouge | 2018 à 2030 | NC **17,5/20**
Beau nez de prune et de baies rouges, corps plus dense qu'en 2007, plus sensuel et terrien que d'habitude, grand avenir.

Grands-Échezeaux grand cru 2008
Rouge | 2018 à 2030 | NC **17/20**
Dense, nez puissant, très dégagé, tanin encore un peu astringent, grande race évidente mais texture moins parfaite que dans les autres crus.

Hautes Côtes de Nuits 2008
Blanc | 2012 à 2018 | NC **15/20**
Le vin secret du domaine, réservé à quelques cavistes, issu d'une vigne proche de l'abbaye de Saint-Vivant. On voit ce qu'on peut faire sur un coteau froid quand on sait travailler. Nez très pur de citron, droiture exemplaire, fin de bouche rafraîchissante, pureté de style à méditer.

La Tâche grand cru 2008
Rouge | 2020 à 2038 | NC **19/20**
La nuance aromatique constante du millésime, rappelant la prunelle, est ici présente mais avec une perfection d'école, le corps est somptueux, l'assise tannique comme toujours souveraine, mais la diversité aromatique et les sensations tactiles du richebourg sont peut-être plus émouvantes.

Montrachet grand cru 2008
Blanc | 2020 à 2028 | NC **19/20**
Corps splendide comme on s'y attend, nez de fleur de vigne avec une touche certaine de vanille liée à la barrique, long, intense, avec un caractère de terroir chassagne, vraiment différent de celui de puligny. L'élevage le marque encore un peu trop.

Richebourg grand cru 2008
Rouge | 2020 à 2038 | NC **19,5/20**
Coup de nez magique, sensationnel, où passent toutes les fleurs épicées (pivoine, églantine, rose ancienne), le sureau, les baies rouges, la prune, une pointe de jasmin, corps somptueux, aucune note terrienne cette année, allonge considérable. Le richebourg du domaine, dans toute sa splendeur retrouvée.

Romanée-Conti grand cru 2008
Rouge | 2023 à 2048 | NC **20/20**
Encore une fois le vin parfait, d'une élégance florale indicible, et surtout d'une fin de bouche irréelle tant la puissance ici se fait aérienne, avec un dégradé de saveur digne du sfumato d'un Léonard !

Romanée-Saint-Vivant grand cru 2008
Rouge | 2020 à 2033 | NC **19/20**
Merveilleux nez floral, texture d'une noblesse incomparable, grande fin de bouche, ensemble d'un classicisme quasi parfait, plus déterminé qu'en 2007 et peut-être plus subtil qu'en 2006.

DOMAINE ROSSIGNOL-TRAPET

4 Rue de la Petite-Issue • 21220 Gevrey-Chambertin
Tél. 03 80 51 87 26 • Fax : 03 80 34 31 63
info@rossignol-trapet.com
www.rossignol-trapet.com
Visite : De 9h à 12h et de 14h à 18h sur rendez-vous.

David et Nicolas Rossignol (ne pas confondre ce dernier avec son homonyme de Volnay) forment un couple de frères vignerons attachés à la préservation de leurs splendides terroirs, fiers, légitimement, de leur viticulture biodynamique désormais certifiée Déméter. Ils aiment des vins solides, pleins, francs et les réussissent ainsi, mais cherchent aussi à gagner en finesse et en harmonie de texture et de tanin, sans égaler encore les plus habiles stylistes. Les 2008 sont excellents et permettront d'attendre les 2009, où la recherche de finesse est encore plus accomplie.

Beaune Mariages 2008
Rouge | 2013 à 2020 | 19 € **15/20**
Jolis arômes épicés, texture souple et naturelle, tanin un peu astringent.

Beaune premier cru Teurons 2008
Rouge | 2014 à 2020 | 24,60 € **15,5/20**
Plus épicé, plus dense et d'une texture plus serrée que mariages, finale ferme mais franche, vin de caractère issu d'une parcelle haute du cru, sous les Cras.

Chambertin grand cru 2008
Rouge | 2020 à 2038 | 81 € **18/20**
Robe pourpre dense, nez plus fermé mais plus subtil que chapelle-chambertin, corps imposant, tanin ferme, race du terroir évidente. On peut imaginer un peu plus de pureté aromatique mais et c'est un choix honorable, on a préféré avantager la plénitude de constitution.

Chapelle-Chambertin grand cru 2008
Rouge | 2018 à 2026 | 60 € **17/20**
Splendide couleur, excellente définition du terroir, vin solidement construit, doté de tanins fins, d'une franchise très recommandable.

Gevrey-Chambertin Etelois 2008
Rouge | 2016 à 2023 | 29,50 € **16/20**
Nez floral et épicé assez noble, corps équilibré, vin tendu, racé, subtil, boisé pas encore assez fondu.

Gevrey-Chambertin premier cru
Clos Prieur 2008
Rouge | 2016 à 2023 | 39 € **16,5/20**
Corps harmonieux, nez de ronce fort naturel, ensemble très réussi, boisé intégré.

Latricières-Chambertin grand cru 2008
Rouge | 2018 à 2028 | 60 € **17/20**
Même droiture et franchise que chapelle-chambertin, corps fort semblable, petite note minérale et saline qui apporte un rien plus de finesse. Vin bien fait, de garde, très typé 2008.

DOMAINE GEORGES ROUMIER

4, rue de Vergy • 21220 Chambolle-Musigny
Tél. 03 80 62 86 37 • Fax : 03 80 62 83 55
domaine@roumier.com • www.roumier.com

Ce domaine réputé dans le monde entier, spécialiste de Chambolle-Musigny avec des vignes idéalement réparties sur l'ensemble de la commune, fut le premier à donner plus de puissance et de corps aux vins

de cette appellation, sans altérer leur incomparable finesse. Ce faisant, Christophe Roumier a posé les fondements d'un nouveau classicisme bourguignon dont il peut être fier. Ses 2008 sont exceptionnels.

BONNES-MARES GRAND CRU 2008
Rouge | 2020 à 2033 | NC **19/20**
Extraordinaire réussite, un des sommets absolus du millésime, admirable arôme floral, texture aristocratique, longueur immense, tanin d'une race difficile à surpasser.

CHAMBOLLE-MUSIGNY PREMIER CRU LES CRAS 2008
Rouge | 2018 à 2028 | NC **18/20**
Merveilleux coup de nez, corps complet, texture de grande noblesse, longueur et complexité de grand cru, admirablement vinifié. Mon préféré ici depuis vingt ans.

DOMAINE ARMAND ROUSSEAU

1, rue de l'Aumônerie • 21220 Gevrey-Chambertin
Tél. 03 80 34 30 55 • Fax : 03 80 58 50 25
contact@domaine-rousseau.com
www.domaine-rousseau.com

Éric Rousseau n'a pas eu trop de mal à remettre son domaine familial à sa vraie place, la première de Gevrey-Chambertin. Son patrimoine de vignes est insurpassable en noblesse d'origine et le niveau de vinification y a toujours été élevé. Une série unique de grandes réussites depuis 2000 se poursuit avec de splendides 2008. Il faut signaler la sportivité de ce domaine iconique qui a le courage de présenter ses vins en dégustation à l'aveugle.

CHAMBERTIN GRAND CRU 2008
Rouge | 2019 à 2025 | 150 € **18,5/20**
Admirable coup de nez, réglissé, floral et minéral, plus d'onctuosité et de grain de texture que le clos-de-bèze, tanin ferme mais incroyablement harmonieux, grand caractère.

CHAMBERTIN-CLOS DE BÈZE GRAND CRU 2008
Rouge | 2018 à 2038 | 150 € **18/20**
Construction ultra classique en bouche, vin racé, puissant, long, peut-être avec un tanin moins harmonieux que d'autres, mais plus énergique.

GEVREY-CHAMBERTIN PREMIER CRU
CLOS SAINT-JACQUES 2008
Rouge | 2018 à 2028 | 110 € **18/20**
Arôme floral très noble, suavité et délicatesse de texture étonnantes pour notre époque mais sans affaiblissement du corps et de la densité de matière, ensemble d'une parfaite élégance.

RUCHOTTES-CHAMBERTIN GRAND CRU
CLOS DES RUCHOTTES 2008
Rouge | 2018 à 2028 | 94 € **18/20**
Robe raffinée et lumineuse, nez très pur avec une petite note de roche brûlée par le soleil qui minéralisera dans quelques années, corps tout en longueur et tension, tanin délicat, beaucoup de style.

DOMAINE MARC ROY

8, avenue de la Gare • 21220 Gevrey-Chambertin
Tél. 03 80 51 81 13 • Fax : 03 80 34 16 74
domainemarcroy@orange.fr
www.domainemarcroy.vinimarket.com
Visite : Du lundi au vendredi sur rendez-vous.

Sous l'influence d'Alexandrine, fille de Marc, ce modeste domaine familial s'ouvre à la clientèle nationale et internationale, avec des vins de mieux en mieux faits.

GEVREY-CHAMBERTIN VIEILLES VIGNES 2008
Rouge | 2014 à 2018 | NC **14,5/20**
Style classique, joli fruit, vin souple, agréable, au parfum déjà dégagé, engageant.

DOMAINE SÉRAFIN PÈRE ET FILS

7, place du Château • 21220 Gevrey-Chambertin
Tél. 03 80 34 35 40 • Fax : 03 80 58 50 66
domaine.serafin@orange.fr

Ce tout petit domaine artisanal de Gevrey a donné à nouveau des vins à la dégustation et nous l'en remercions. Nous avons retrouvé avec plaisir la richesse de style de sa production, marquée par des textures opulentes, des saveurs généreuses de raisin mûr, et un sens certain du bel élevage.

CHARMES-CHAMBERTIN GRAND CRU 2008
Rouge | 2016 à 2026 | NC **17/20**
Nez un peu malté (brûlage particulier de la barrique), mais avec de la vanille et du fumé, saveur fine, grande persistance, vin à forte personnalité.

GEVREY-CHAMBERTIN PREMIER CRU LE FONTENY 2008
Rouge | 2016 à 2023 | NC **17/20**
Remarquable de finesse et de complexité, avec toute la palette attendue du floral aux épices et beaucoup de longueur, vin racé, aérien, complet.

DOMAINE HERVÉ SIGAULT

12 rue des champs • 21220 Chambolle-Musigny
Tél. 03 80 62 80 28 • Fax : 03 80 62 84 40
herve.sigaut@wanadoo.fr • Visite : Sur rendez-vous.

Ce domaine a beaucoup progressé avec la nouvelle génération et produit désormais des chambolles parfaitement typés, fins, subtils et prêts à boire un peu plus vite que d'autres. Leur prix reste raisonnable.

Chambolle-Musigny premier cru Fuées 2008
Rouge | 2016 à 2023 | 29 € **17/20**
Superbe caractère chambolle, floral, fin, suave, précis, du vrai beau travail d'artisan, intègre, vivement recommandé.

Chambolle-Musigny premier cru Noirots 2008
Rouge | 2016 à 2023 | 29 € **16,5/20**
Expression précise et rigoureuse du terroir, vin long, harmonieux, très bien équilibré en bois, démontrant les progrès accomplis par ce producteur. Du vrai chambolle.

CLOS DE TART

7, route des Grands-Crus • 21220 Morey-Saint-Denis
Tél. 03 80 34 30 91 • Fax : 03 80 51 86 70
contact@clos-de-tart.com • www.clos-de-tart.com
Visite : Sur rendez-vous.

Ce domaine possède en monopole un grand cru d'exposition parfaite et planté dans le sens des courbes de niveau, ce qui permet au raisin d'atteindre une maturité idéale en année de grand soleil, sans craindre la grillure. Le réchauffement climatique récent ne lui fait pas peur. Son régisseur actuel, Sylvain Pitiot, a perfectionné les vinifications et produit d'une année sur l'autre un vin mémorable par la noblesse de son caractère. Les jeunes vignes sont déclassées dans la cuvée de La-Forge.

Clos de Tart grand cru 2008
Rouge | 2023 à 2033 | NC **18/20**
Grande robe, grand nez de fruits rouges, très épicé et dense, fermeté, noblesse, complexité, tout pour la très longue garde.

Clos de Tart grand cru 2007
Rouge | 2019 à 2027 | NC **18/20**
Grande robe, boisé noble, corps somptueux tout comme la texture, longueur, classe du tanin supérieure à celle du 2006, grand millésime.

Morey-Saint-Denis La Forge de Tart premier cru 2008
Rouge | 2016 à 2026 | NC **16/20**
Coloré, très tendu, très épicé, tanin ferme, un peu d'austérité dans le fruit, attendre cinq ans minimum.

DOMAINE TAUPENOT-MERME

33, route des Grands-Crus
21220 Morey-Saint-Denis
Tél. 03 80 34 35 24 • Fax : 03 80 51 83 41
domaine.taupenot-merme@orange.fr
Visite : Sur rendez-vous.

Ce domaine familial, apparenté par les grands-parents Merme au Domaine Perrot-Minot, se singularise par sa position sur deux secteurs : l'ensemble de la Côte de Nuits, avec de remarquables terroirs de Gevrey à Nuits, et des vignes d'origine Taupenot, sur Saint-Romain et Auxey-Duresses. Les 2006 présentés sont de qualité, précis dans leur élaboration, classiques dans leur style, et pour la plupart très recommandables, tout comme les 2007. 2008 a donné des vins au départ un peu plus austères mais dont il faudra suivre l'ouverture au vieillissement.

Chambolle-Musigny premier cru Combe d'Orveau 2008
Rouge | 2014 à 2022 | 47 € **15,5/20**
Étoffé, charnu, encore très réservé, avec un petit manque de finesse immédiate, mais l'âge pourrait donner raison au vinificateur.

Gevrey-Chambertin premier cru Belair 2008
Rouge | 2016 à 2026 | 39 € **15/20**
Beaucoup de générosité, matière riche, peut-être un peu trop extraite, finale déterminée.

Mazoyères-Chambertin grand cru 2008
Rouge | 2016 à 2026 | 72 € **17/20**
Nez floral de grande classe, corps tendre et souple mais sans creux, tanin noble, vin sincère, racé.

Nuits-Saint-Georges premier cru Les Pruliers 2008
Blanc | 2016 à 2026 | 39 € **15,5/20**
Sérieusement constitué, vineux, ferme, de garde, mais on lui voudrait des sensations tactiles plus charnelles, à la Duband.

DOMAINE DES TILLEULS DAMIEN LIVÉRA

7, rue du Château • 21220 Gevrey-Chambertin
Tél. 03 80 34 30 43 • Fax : 03 80 34 30 43
philippe.livera@wanadoo.fr

Jeune viticulteur talentueux, Damien Livera, inspiré par le style des vins de son ami Arnaud Mortet, a métamorphosé les vins du domaine : leur couleur, leur parfum et leur personnalité tranchée les font remarquer en 2007 et 2008 dans nos dégustations à l'aveugle.

Chapelle-Chambertin grand cru 2008

Rouge | 2016 à 2028 | 49,50 € **17,5/20**

Petite touche fumée au nez, corps puissant mais équilibré, saveur épicée plus tendue que la moyenne des chapelle-chambertins, tanin racé et complexe, beaucoup de caractère.

Gevrey-Chambertin Clos du village 2008

Rouge | 2016 à 2020 | 17,50 € **15,5/20**

Épicé et fumé au nez, joli style en bouche, généreux, intelligemment boisé mais avec une complexité rare dans un village. Excellente introduction à cette appellation.

CHÂTEAU DE LA TOUR

Clos de Vougeot • 21640 Vougeot
Tél. 03 80 62 86 13 • Fax : 03 80 62 82 72
contact@chateaudelatour.com
www.chateaudelatour.com

Visite : Tous les jours de mai à novembre de 10h à 18h sauf mardi. Sur rendez-vous pour les groupes.

Ce domaine possède, et de loin, la parcelle la plus importante du grand cru Clos de Vougeot, et a le privilège insigne d'être le seul à la vinifier et à l'élever à l'intérieur du clos. La qualité des raisins de la cuvée vieilles-vignes est exceptionnelle, et leur vinification en raisin non égrappé donne un vin d'une race prodigieuse, digne d'être comparé au plus grand richebourg. En 2008, dernier millésime supervisé par Jean-Pierre Confuron, la cuvée normale commence à s'en rapprocher.

Clos de Vougeot grand cru 2008

Rouge | 2020 à 2033 | 80 € **18/20**

Nez ample, superbe définition conforme aux anciennes descriptions, avec le chocolat noir, la menthe, les baies noires et même une pointe de truffe. Toucher de bouche harmonieux.

Clos de Vougeot grand cru Vieilles Vignes 2008

Rouge | 2023 à 2033 | 110 € **18,5/20**

Grand nez framboisé, notes de fumé, d'épices, très haute maturité du raisin, texture exceptionnellement veloutée, tanin noble de vendange entière, grande race, grand avenir.

DOMAINE JEAN TRAPET PÈRE ET FILS

53, route de Beaune • 21220 Gevrey-Chambertin
Tél. 03 80 34 30 40 • Fax : 03 80 51 86 34
message@domaine-trapet.com
www.domaine-trapet.com

Visite : Du lundi au vendredi de 9h à 12h et de 14h à 17h30, sur rendez-vous.

Jean-Louis Trapet, magnifiquement aidé par son épouse Andrée, vigneronne alsacienne aussi engagée que lui, porte progressivement son célèbre domaine familial aux sommets absolus de la Bourgogne actuelle. La viticulture obéit aux principes les plus sains de la biodynamie, et les sols à nouveau vivants expriment dans les vins finis les plus subtiles nuances du terroir. Pour les 2006, Jean-Louis Trapet a volontairement assoupli sa vinification, pour serrer de plus près la vérité du millésime. Les 2007 ont retrouvé après mise leur pureté et leur élégance de bouquet de naissance. 2008 naît un cran au dessus.

Chambertin grand cru 2008

Rouge | 2020 à 2033 | NC **18,5/20**

Arôme noble de ronce et de réglisse, corps imposant mais absolument pas souligné par le bois, long, racé, parfaitement typé, peut-être avec un petit manque d'énergie. Grand avenir.

Chapelle-Chambertin grand cru 2008

Rouge | 2016 à 2028 | NC **17,5/20**

Nez de prunelle, corps et texture nobles, finale longue, raisin parfaitement mûr, un classique du terroir.

Gevrey-Chambertin 2008

Rouge | 2015 à 2020 | NC **15,5/20**

Village équilibré, à la fois souple et plein, tanin délié, style sûr.

Gevrey-Chambertin Ostrea 2008

Rouge | 2016 à 2020 | NC **16/20**

Sélection de vignes plus vieilles que le gevrey normal et caractère minéral plus marqué, ce qui explique le nom. Tonique mais fin, boisé idéalement intégré, beaucoup de plaisir en perspective.

Gevrey-Chambertin premier cru
Clos Prieur 2008
Rouge | 2018 à 2023 | NC **17/20**
Nez de ronce, beaucoup de naturel et d'élégance, extraction tannique judicieuse et respectueuse, vin délicat, subtil, hautement recommandable.

Latricières-Chambertin grand cru 2008
Rouge | 2018 à 2028 | NC **18/20**
Finesse aromatique superlative, corps parfaitement équilibré, boisé intégré, finale pure et assurée, un vin exemplaire d'un terroir qui s'affirme chaque année davantage comme le plus fin des voisins du chambertin, fidèle à la tradition locale.

Marsannay 2008
Rouge | 2016 à 2020 | NC **15,5/20**
Joli vin, délicat, aux notes de ronces, plus tendre que le village de Gevrey, un peu plus salin et longiligne en bouche, bien marqué par son terroir dominant des Grasse-Têtes.

CÉCILE TREMBLAY

1, rue de la Fontaine • 21700 Vosne Romanée
Tél. 03 45 83 60 08 • Fax : 03 80 23 95 09
domainetremblay@yahoo fr
www.domaine-ceciletremblay.com
Visite : Sur rendez-vous

La nouvelle Lalou-Bize ? Cécile Tremblay s'affirme chaque année davantage comme une vinificatrice hors pair, intuitive mais ayant beaucoup réfléchi, lu et appris, et surtout dégustatrice redoutablement précise et exigeante. Elle a la chance d'exploiter quelques très belles vignes de la Côte de Nuits et devrait en principe, dans un futur proche, agrandir considérablement son domaine en reprenant des fermages de famille. Elle vinifie comme son aînée en raisins entiers tout en soignant particulièrement la culture de la vigne. Ses 2008 ont peu d'équivalent en matière de noblesse de matière et pureté de texture et de saveur.

Chambolle-Musigny premier cru
Feusselottes 2008
Rouge | 2016 à 2023 | NC **15,5/20**
Un peu plus dur dans son tanin que les autres cuvées, coloré, nerveux, racé, terroir sans doute plus froid. Vin de garde.

Chapelle-Chambertin grand cru 2008
Rouge | 2016 à 2026 | NC **18,5/20**
Grand vin au nez particulièrement racé, complexe, semblant retrouver les secrets des 1929 ou 1933-34. Grand avenir, un des sommets du millésime.

Échezeaux grand cru 2008
Rouge | 2018 à 2028 | NC **18,5/20**
Élégance suprême du parfum et de la texture, grande suite en bouche, l'échezeaux comme on le rêve.

Morey-Saint-Denis Très Girard 2008
Rouge | 2015 à 2020 | NC **17/20**
Remarquable expression de village, délicatement fumé, épicé, tanin très fin, grande longueur, style parfait.

Vosne-Romanée premier cru Beaumonts 2008
Rouge | 2018 à 2028 | NC **17,5/20**
Floral, racé en diable, mais avec une certaine fluidité, émouvant, précieux, en attendant l'arrivée d'autres vignes dans ce secteur.

Vosne-Romanée premier cru
Rouges du Dessus 2008
Rouge | 2018 à 2028 | NC **17,5/20**
Parfum floral exemplaire, texture raffinée, style authentique des grands vosnes, tanin précis, encore un exemple du talent hors du commun de cette viticultrice.

Vosne-Romanée Vieilles Vignes 2008
Rouge | 2016 à 2023 | NC **17,5/20**
Nez splendide de fleurs, texture ample et noble pour un village, tanin raffiné, complexe, grand caractère, grand style, exceptionnel !

DOMAINE DU VIEUX COLLÈGE - ÉRIC GUYARD

4, rue du Vieux-Collège • 21160 Marsannay-la-Côte
Tél. 03 80 52 12 43 • Fax : 03 80 52 95 85
jp-eric.guyard@wanadoo.fr
Visite : Sur rendez vous du lundi au samedi

Nous faisons entrer avec plaisir dans le guide ce domaine artisanal très consciencieux de Marsannay, qui a longtemps travaillé avec Louis Jadot et Bruno Clair. La qualité du travail à la vigne est connue de tous, mais nous avions rarement eu l'occasion de déguster les vins. Éric Guyard, désormais en charge du domaine, fait partie de cette remarquable nouvelle génération de Marsannay, qui est en train de donner à son appellation la notoriété tant attendue. Ses 2008 sont magnifiques.

Fixin Vieilles Vignes 2008
Rouge | 2014 à 2020 | 16 € **15,5/20**
Le plus complet des fixins rouges, ambitieusement élevé, bien protégé pour la garde, complexe, long, énergique.

Marsannay Clos du Roy 2008
Rouge | 2014 à 2020 | 16 € **16/20**
Toujours cette note de cassis, corps plus plein et enveloppant que longeroie, tanin ferme, racé, un brin fumé, vin de très belle classe.

Marsannay Longeroies 2008
Rouge | 2014 à 2020 | 13 € **15,5/20**
Robe noire, nez de baies rouges, évoquant le cassis non végétal, un peu de fumé en bouche, tendu, plein, racé, bien vinifié.

Marsannay Vigne Marie 2008
Blanc | 2012 à 2018 | 13 € **16,5/20**
Le plus élégant et le mieux fini des blancs de Marsannay de notre dégustation, notes de vanille fine, de fleur de vigne, fraîcheur, tendresse, netteté, pureté. Tout a réussi au domaine en 2008.

DOMAINE COMTE GEORGES DE VOGÜÉ

Rue Sainte-Barbe • 21220 Chambolle-Musigny
Tél. 03 80 62 86 25 • Fax : 03 80 62 82 38
Visite : Du lundi au vendredi de 9h à 12h
et de 14h à 18h.

Ce domaine illustre entre tous ne souhaite pas figurer dans le guide : vu son prestige et la qualité habituelle de ses vins nous le regrettons. Rappelons qu'il possède les deux tiers du Musigny mais qu'il n'embouteille en grand cru qu'une petite partie, la fameuse cuvée vieille-vigne, remarquable en 1999.

DOMAINE DE LA VOUGERAIE

Rue de l'Église • 21700 Prémeaux-Prissey
Tél. 03 80 62 48 25 - Fax. 03 80 61 25 44
vougeraie@domainedelavougeraie.com
www.domainedelavougeraie.com

Pierre Vincent porte ce magnifique ensemble au plus haut niveau, avec le soutien inconditionnel de la famille Boisset. Il faut du courage et de la ténacité pour convertir toutes les vignes à la viticulture biodynamique et revenir au style le plus juste des vins rouges, en jouant sur la finesse plus que sur la puissance. 2008 semble sur ce point le millésime le plus accompli de l'histoire de la propriété.

Beaune premier cru Clos du Roy 2008
Rouge | 2014 à 2018 | NC **16/20**
Arôme floral et épicé des plus subtiles, tanin pur et droit, un des jolis (et rares) beaunes du millésime.

Chambolle-Musigny 2008
Rouge | 2014 à 2020 | NC **17/20**
Village vraiment étonnant de noblesse aromatique, de densité élégante de matière et de pureté.

Bonnes-Mares grand cru 2008
Rouge | 2016 à 2024 | NC **18/20**
Splendide profondeur, tanin harmonieux, finale complexe mais d'un naturel exemplaire.

Charmes-Chambertin grand cru 2008
Rouge | 2016 à 2026 | NC **17,5/20**
Grand arôme de ronce du pinot noir de toujours, finale réglissée, tanin lisse, grand avenir.

Clos Vougeot grand cru 2008
Rouge | 2016 à 2026 | NC **17,5/20**
Floral et élégant, tanin un peu plus appuyé que le bonnes-mares, grand caractère et surtout beaucoup de naturel aromatique.

Nuits Saint-Georges premier cru
Clos des Corvées-Paget 2008
Rouge | 2016 à 2026 | NC **18/20**
Grandissime nuits, texture remarquablement voluptueuse, raisin idéalement mûr, le plus mûr de tout le domaine, grande longueur, grand éclat.

Nuits Saint-Georges premier cru Les Damodes 2008
Rouge | 2016 à 2026 | NC **18/20**
Remarquable doublé nuiton, une merveille au nez et en bouche, aristocratique en diable, il retrouve la filiation avec Vosne, tout proche, et justifie l'usage du raisin entier pour affiner l'ensemble et lui conférer de la fraîcheur dans l'opulence.

La Côte de Beaune

Autour de la ville hautement touristique de Beaune, blancs et rouges peuvent atteindre des sommets de finesse, de complexité et d'individualité.

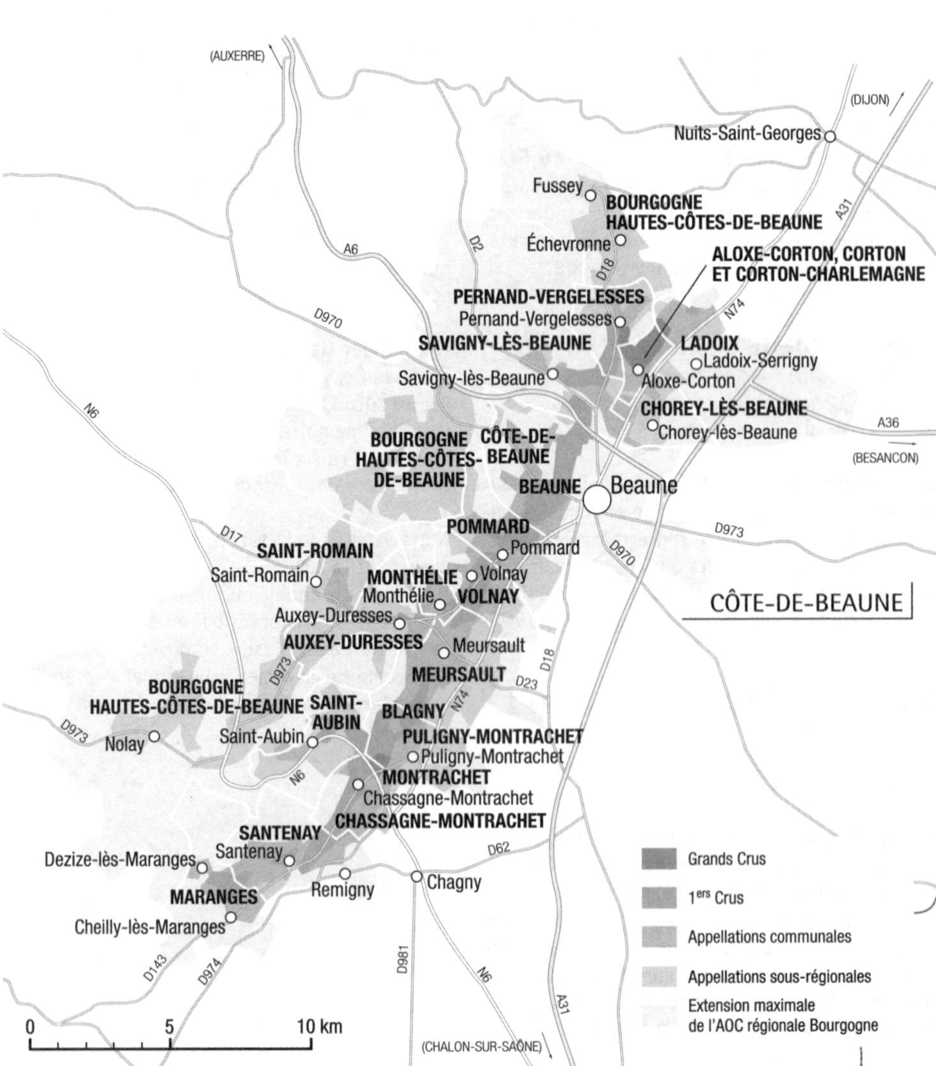

DOMAINE D'ARDHUY

Clos des Langres • 21700 Corgoloin
Tél. 03 80 62 98 73 • Fax : 03 80 62 95 15
domaine@ardhuy.com • www.ardhuy.com
Visite : Tous les jours de 10h a 18h,
groupes sur rendez-vous.

Ce domaine en plein remaniement n'a pas présenté de 2008 à nos dégustations.

DOMAINE D'AUVENAY

21190 Saint-Romain Meursault
Tél. 03 80 21 23 27 • Fax : 03 80 21 23 27
Visite : Pas de visites.

Ce micro-domaine appartient en totalité à Lalou Bize-Leroy qui vinifie et élève, au-dessus de Saint-Romain, des quantités infimes de vins blancs, sublimes d'intensité et de complexité, même sur les terroirs plus modestes d'Auxey-Duresses, et deux grandissimes grands crus rouges de Côte de Nuits, un bonnes-mares et un mazis-chambertin. Le 2008 dépasse, dans les deux couleurs mais encore plus spectaculairement en blanc, toutes les réussites précédentes et même tout ce que nous avons pu déguster ailleurs. Les rendements en revanche sont ridicules (moins de 15 hl/ha !).

Auxey-Duresses Boutonnières 2008

Blanc | 2013 à 2018 | NC **18,5/20**

Le plus racé et le plus complexe des auxeys, avec une dimension de terroir proche d'un grand meursault, finale de miel et de noisette d'une intensité magistrale.

Auxey-Duresses Les Clous 2008

Blanc | 2013 à 2018 | NC **17,5/20**

Merveilleux arômes de froment et de miel, ressemble à ce que devrait être un grand poligny dans le Jura, très long, complet malgré la relative jeunesse des vignes.

Auxey-Duresses Macabrée 2008

Blanc | 2013 à 2018 | NC **18/20**

Énorme concentration de matière, maturité ultime du raisin mais acidité inouïe liée à la viticulture bio. Il faudra le boire pour le croire !

Bonnes-Mares grand cru 2008

Rouge | 2018 à 2028 | NC **19/20**

Arôme réglissé d'une insigne noblesse, texture presque aérienne malgré sa densité, tanin de soie, grande longueur, harmonie insurpassée.

Bourgogne aligoté 2008

Blanc | 2013 à 2018 | NC **18,5/20**

Incroyable noblesse aromatique, avec des notes de manzanilla qu'on attendrait davantage dans un charlemagne ! Tension, grandeur, éclat, le plus bel aligoté jamais dégusté par nous.

Chevalier-Montrachet grand cru 2008

Blanc | 2016 à 2023 | NC **20/20**

Ce monument donne le sentiment d'être le plus grand vin blanc sec de Bourgogne jamais produit ni ici, ni ailleurs ! C'est inimaginable de puissance et d'harmonie, de densité d'extrait sec, de noblesse de saveur, de perfection d'interprétation d'un terroir sublime.

Criots-Bâtard-Montrachet grand cru 2008

Blanc | 2018 à 2023 | NC **18,5/20**

Monumental, donnant des sensations d'une plénitude incomparable mais le charme du goutte-d'or marque encore plus la mémoire...

Mazis-Chambertin grand cru 2008

Rouge | 2018 à 2028 | NC **19/20**

Robe un rien plus intense que bonnes-mares, générosité aromatique débordante, caractère plus extraverti, tanin idéal. Peut-on encore faire mieux, seul le 2009 le dira !

Meursault Narvaux 2008

Blanc | 2016 à 2020 | NC **18/20**

Grand nez de noisette, boisé pas complètement fondu (mais la mise était très récente), spectaculaire densité de matière, fait pour briller sur vingt ans.

Meursault premier cru Gouttes d'or 2008

Blanc | 2014 à 2020 | NC **19,5/20**

Sublime coup de nez, matière phénoménale, équilibre absolu, et toujours ce miel prodigieux, propre uniquement aux vins du domaine ; cette cuvée recule les limites de la perfection.

Puligny-Montrachet En la Richarde 2007

Blanc | 2014 à 2020 | NC **19/20**

Matière somptueuse, noblesse aromatique difficile à surpasser, immense longueur, un chef-d'œuvre.

Puligny-Montrachet premier cru Folatières 2008

Blanc | 2016 à 2023 | NC **19,5/20**

Grandissime, avec si c'est possible encore plus de finesse que En La Richarde qui le précédait. Aux autres viticulteurs bourguignons de relever le défi de s'approcher de ce degré de perfection.

BACHELET MONNOT

Grande-Rue • 71500 Dezize-les-Maranges
Tél. 03 85 91 16 82
bachelet-monnot@wanadoo.fr
Visite : sur rendez-vous de 9h à 12h et de 14h à 18h

Ce domaine possède des vignes sur les plus beaux crus de Puligny-Montrachet (une partie est désormais la propriété de Faiveley), avec une qualité de vinification élevée comme en témoigne son superbe bâtard-montrachet 2008.

Bâtard-Montrachet grand cru 2008

Blanc | 2014 à 2020 | 100,50 € **18,5/20**

Splendide arôme de noisette fraîche et de fleur de vigne, grand, long, généreux, bien protégé par une réduction intelligente, grande suite en bouche, du vrai bâtard !

DOMAINE BACHELET-RAMONET

11, rue du Parterre • 21190 Chassagne-Montrachet
Tél. 03 80 21 32 97 • Fax : 03 80 21 91 41
bachelet.ramonet@wanadoo.fr
www.bachelet-ramonet.com
Visite : Du lundi au vendredi de 8h à 12h et de 13h30 à 18h30, le samedi de 9h30 à 12h et de 13h30 à 15h.

Ce domaine possède un patrimoine de vignes remarquable sur Chassagne. Aucun de ses 2008 n'a brillé au cours de nos dégustations.

BALLOT-MILLOT

9, rue de la Goutte-d'Or • 21190 Meursault
Tél. 03 80 21 21 39 • Fax : 03 80 21 65 92
ballotmillotetfils@hotmail.com

Le domaine ne présente pas ses vins, sans doute juge-t-il, comme de nombreux artisans bourguignons, que le millésime juste en bouteille n'est pas dégustable et que le précédent est tout vendu ! Le patrimoine de vignes est ici remarquable et le style des rares bouteilles que nous goûtons très recommandable.

DOMAINE ROGER BELLAND

3, rue de la Chapelle - B.P. 13 • 21590 Santenay
Tél. 03 80 20 60 95 • Fax : 03 80 20 63 93
belland.roger@wanadoo.fr
www.domaine-belland-roger.com
Visite : Sur rendez-vous.

Ce grand domaine, le plus important du sud de la Côte de Beaune, offre au public une gamme très variée de crus rouges et blancs, allant des plus simples aux plus prestigieux. Nous préférons ici globalement les rouges, toujours riches en couleur et en arôme, et dont la qualité a encore progressé depuis cinq ans.

Maranges premier cru La Fussière 2008

Rouge | 2014 à 2022 | 17 € **16/20**

Excellente couleur, joli fruit de cerise, vin intense, bien enrobé, long et harmonieux, un des sommets de son appellation.

Pommard Les Cras 2008

Rouge | 2016 à 2023 | 28 € **16,5/20**

Puissant, tannique, assez bordelais dans la forme et le soutien tannique, grande garde prévisible, une des réussites du millésime.

Santenay premier cru Beauregard 2008

Rouge | 2016 à 2023 | 19 € **16/20**

Coloré, mûr, texture pleine, caractère de terroir bien typé, tanin enrobé, excellent ensemble, dans la tradition du domaine.

Santenay premier cru La Comme 2008

Rouge | 2014 à 2020 | 19 € **14,5/20**

Moins coloré que fussière, plus nerveux et minéral, moins mûr peut être, mais jolie finale sans amertume.

Volnay premier cru Les Santenots 2008

Rouge | 2016 à 2023 | 31 € **16,5/20**

Tendu mais avec de la chair, épicé, minéral, finale racée, il confirme la réussite du secteur en 2008.

DOMAINE SIMON BIZE ET FILS

12, rue du Chanoine-Donin
21420 Savigny-lès-Beaune
Tél. 03 80 21 50 57 • Fax : 03 80 21 58 17
domaine.bize@wanadoo.fr • www.domainebize.fr
Visite : Du lundi au vendredi de 9h à 12h
et de 14h à 17h, sur rendez-vous.

Ce domaine célèbre, produisant des vins d'une rare élégance, n'a pas présenté d'échantillons pour nos dégustations cette année.

BERNARD BONIN

24, rue de la Velle • 21190 Meursault
Tél. 03 80 21 68 99 • Fax : 03 80 21 27 65
domainebb@orange.fr
Visite : sur rendez-vous.

Ce domaine est issu d'une division du domaine original de Bernard Michelot, un des vignerons les plus populaires de Meursault, Bernard Bonin ayant épousé une de ses filles. Il se révèle depuis quelques années comme un des bons vinificateurs de la nouvelle génération, sachant obtenir des vins à la fois sensuels, généreusement aromatiques, mais élégants dans leur générosité. Adresse à suivre.

MEURSAULT LES TILLETS 2008
Blanc | 2013 à 2018 | 25 € **14,5/20**
Robe or vert, raisin mûr, vin tendu, droit, boisé encore à fondre.

MEURSAULT PREMIER CRU CHARMES 2008
Blanc | 2013 à 2018 | 35 € **15,5/20**
Ensemble gras et voluptueux, excellent volume de bouche, léger manque de finesse pure.

DOMAINE BONNEAU DU MARTRAY

2, rue de Frétille • 21420 Pernand-Vergelesses
Tél. 03 80 21 50 64 • Fax : 03 80 21 57 19
courrier@bonneaudumartray.com
www.bonneaudumartray.com

Quelques vins du milieu des années 1990 ont vieilli prématurément, comme chez bien d'autres producteurs en Bourgogne, sans doute en raison de bouchons défectueux. Mais le plus souvent, ce domaine prestigieux produit des corton-charlemagnes inusables, à la pureté de cristal, et un corton rouge sérieux mais très tannique. La taille immense (pour la Bourgogne) de sa parcelle de blanc lui permet d'offrir à la vente plusieurs millésimes et de ne pas trop contingenter ses clients. Les vinifications des derniers millésimes sont réussies : encore faut-il que le bouchon ne trahisse pas.

CORTON - CHARLEMAGNE GRAND CRU 2008
Blanc | 2016 à 2023 | NC **18/20**
Nez racé de fleurs de vigne et de noisette fraîche, finesse et pureté superlatives, une merveille de délicatesse dans la puissance.

CORTON - CHARLEMAGNE GRAND CRU 2007
Blanc | 2013 à 2019 | NC **18/20**
Fraîcheur, finesse, pureté, tout en subtilité, boisé complètement intégré, style inimitable.

CORTON GRAND CRU 2008
Rouge | 2018 à 2023 | NC **16,5/20**
Robe pourpre, vin nerveux, tanin encore un peu pointu, léger manque de chair, mais jolie tension en fin de bouche.

CORTON GRAND CRU 2007
Rouge | 2015 à 2025 | NC **16/20**
Robe pourpre, plus généreux en texture que le 2008 mais tanin un peu trop astringent, qui devrait s'assouplir avec le temps.

BOUCHARD AÎNÉ

4, boulevard Maréchal-Foch • 21200 Beaune
Tél. 03 80 24 24 00 • Fax : 03 80 24 64 12
bouchard@bouchard-aine.fr • www.bouchard-aine.fr
Visite : Tous les jours sauf le lundi à 10h30, 11h30, 14h30, 16h et 17h30 sauf les 25 décembre et 1er janvier. Fermé les mois de janvier et février.

La maison appartient au groupe Boisset mais nous ne lui trouvons pas la même régularité et définition précise de style que dans la maison mère ou en blanc chez Ropiteau. Les vins répondent certainement au goût des acheteurs internationaux.

BEAUNE PREMIER CRU MARCONNETS 2008
Rouge | 2016 à 2020 | 24 € **15,5/20**
Notre rouge préféré de la maison en 2008, avec de la plénitude et une définition nette du terroir, beaucoup de droiture et de naturel.

MONTHÉLIE PREMIER CRU LE MEIX BATAILLE 2009
Rouge | 2014 à 2020 | 20 € **14,5/20**
Coloré et épicé au nez, légèrement compoté, généreux, rond, tonique, on souhaiterait plus de pureté mais l'ensemble répond aux idées d'un large public.

SAVIGNY-LÈS-BEAUNE DESSUS DES VERMOTS 2008
Blanc | 2012 à 2014 | 17 € **13,5/20**
Citronné, très net, droit mais un manque certain de détails aromatiques par rapport à d'autres.

SAVIGNY-LÈS-BEAUNE PREMIER CRU LES PEUILLETS 2008
Rouge | 2012 à 2015 | 23 € **14,5/20**
Tendre, velouté, tanin mûr, presque prêt à boire, texture crémeuse, bon équilibre.

BOUCHARD PÈRE ET FILS

15, rue du Château - B.P. 70 • 21202 Beaune
Tél. 03 80 24 80 24 • Fax : 03 80 24 80 52
contact@bouchard-pereetfils.com
www.bouchard-pereetfils.com
Visite : Du 1er avril au 30 novembre: du lundi au samedi de 10h à 12h30 et de 14h30 à 18h30;
du 1er décembre au 31 mars de 10h à 12h et de 14h30 à 17h30. Fermé du 25 décembre au 2 janvier.

Cette grande maison a complètement retrouvé ses marques et son prestige. Le grand amateur donnera bien entendu la préférence aux vins du domaine, situés sur les plus grands climats des deux côtes, avec un choix d'appellations vraiment unique, dans les deux couleurs. Les rouges 2008 ont bénéficié d'un excellent état sanitaire, lié à une viticulture précise et prudente et à des dates de vendanges bien choisies. Les premiers crus de Volnay, le corton et les crus de Côte de Nuits semblent au dessus du reste. Les blancs ont amorcé une évolution attendue vers encore plus de maturité de raisin et de présence de texture, sans renoncer à leur finesse et à leur pureté.

Beaune Clos Saint-Landry 2008
Blanc | 2012 à 2018 | NC **17,5/20**
Plus de vinosité que dans les derniers millésimes mais pureté identique, vin très racé, subtil, au fruité parfaitement préservé de toute oxydation.

Beaune du Château premier cru 2008
Rouge | 2013 à 2018 | 21,70 € **14,5/20**
Importante cuvée de premier cru rouge, avec une évolution de style confirmée vers un fruité plus charmeur et plus immédiat de griotte, facile à comprendre.

Beaune premier cru Clos de la Mousse 2008
Rouge | 2014 à 2023 | 26,90 € **15/20**
Nez épicé, très typé avec sa touche de champignon frais mousseron, petite touche amère et musquée mais qui ne gêne pas le fruit, tendre, capable de très bien vieillir mais certainement plus rapide à s'ouvrir que d'autres.

Beaune premier cru Grèves Vignes de l'Enfant Jésus 2008
Rouge | 2018 à 2028 | 67,30 € **17 /20**
Texture tendre, soyeuse, finesse superlative, matière souple, élégante, grande fidélité au caractère du terroir mais dans le millésime, le corton et les côtes-de-nuits ont plus de présence et d'allonge.

Beaune premier cru Les Marconnets 2008
Rouge | 2018 à 2028 | 25,40 € **17/20**
Belle couleur, corps ferme, très plein, texture et saveur rappelant davantage nuits-saint-georges que beaune, ce qui est la marque de ce terroir spécial, tanin ferme mais pas astringent, vin de grand caractère et peut-être le plus complet de la commune au domaine.

Beaune premier cru Les Teurons 2008
Rouge | 2016 à 2028 | 25,40 € **16/20**
Jolie étoffe, moelleux tendre très beaunois, tanin plus caressant que ceux de Monthelie ou du clos de la Mousse, belle maturité de raisin, vin harmonieux, long, très bien fait.

Bonnes-Mares grand cru 2008
Rouge | 2023 à 2038 | 146,50 € **18,5/20**
Toute petite cuvée issue des vignes du domaine, somptueuse de matière et de bouquet, avec un tanin plus noble et plus défini cette année que celui des chambertins. Avec le corton et le clos-vougeot, voici le trio gagnant de la maison.

Bourgogne Les Coteaux des Moines 2008
Blanc | 2010 à 2013 | 9,70 € **16,5/20**
On n'est pas loin de l'idéal pour un générique, avec de délicates notes citronnées, une pureté et une droiture de style qui ne gâche en rien l'agrément du fruit. Une petite merveille, entièrement issue de Côte d'Or, produite en abondance pour la région.

Chambertin-Clos de Bèze grand cru 2008
Rouge | 2020 à 2033 | 121,10 € **18/20**
Beaucoup de finesse et de générosité, sans égaler complètement en corps le clos-vougeot du domaine.

Chambolle-Musigny 2008
Rouge | 2018 à 2026 | 28,30 € **16,5/20**
Vigne du domaine avec addition de raisin achetés. Remarquable intensité de couleur et de définition du terroir, texture plus proche d'un grand cru que d'un village.

Chassagne-Montrachet 2008
Blanc | 2012 à 2015 | 26,90 € **15/20**
Excellent travail de négociant, vin frais, élégant, saveur de noisette fraîche, engageant.

Chevalier-Montrachet grand cru 2008
Blanc | 2020 à 2048 | 142 € **19/20**
Corps, texture, parfum proches de l'idéal, mieux défini encore peut-être que la confidentielle cuvée Cabotte, un rien plus lourde.

Clos de Vougeot grand cru 2008
Rouge | 2023 à 2038 | 88,20 € **18,5/20**
Vin absolument remarquable, bénéficiant d'une qualité de raisin idéale en maturité et en concentration en jus, immenses réserves pour la garde. Une autre cuvée de raisins achetés est fort honorable, mais loin d'avoir l'éclat de celle du domaine.

Corton - Charlemagne grand cru 2008
Blanc | 2018 à 2028 | 82,20 € **19,5/20**
Idéal ! Nez d'une transparence et d'une classe folles à ce stade précoce, densité incroyable de matière sans rien de pesant.

Corton - Le Corton grand cru 2008
Rouge | 2023 à 2038 | 52,30 € **18,5/20**
Un vin selon notre cœur, admirablement typé de cette partie du coteau, avec un nez de fruits rouges et de prunelle, et une droiture dans la construction qui le fait dominer tous ses pairs.

Gevrey-Chambertin premier cru Cazetiers 2008
Rouge | 2018 à 2033 | 6730 € **17,5/20**
Petite cuvée mais parfaitement typée, avec un boisé plus flatteur et plus voyant que celui des côte-de-nuits, beaucoup de race et d'énergie dans la fin de bouche, grande allonge.

Meursault Les Clous 2008
Blanc | 2012 à 2018 | 23,90 € **16,5/20**
Nerveux, plein ,délicatement salin et minéral pour l'appellation, vin parfait de plein coteau, style très pur.

Meursault premier cru Genevrières 2008
Blanc | 2014 à 2023 | 23,90 € **17,5/20**
Beaucoup de tendresse, de finesse, de pureté, de glissant, l'art cachant l'art. La petite touche de risque supplémentaire a fonctionné parfaitement. Vin de grand style, à défaut d'immense constitution.

Meursault premier cru Goutte d'Or 2008
Blanc | 2014 à 2020 | 43,40 € **17,5/20**
Robe pâle, nez très fin avec une délicate touche de thé vert, frais, élégant, pur, raisin idéalement cueilli, exemplaire !

Meursault premier cru Perrières 2008
Blanc | 2016 à 2028 | 44,10 € **18/20**
Nez parfaitement distinct du genevrières, avec une touche plus grillée et saline, une acidité non agressive, plus tonique, plus de cristallinité de texture, proche de celle d'une eau de torrent, un peu moins de finesse pure. Grand avenir.

Monthélie 2008
Rouge | 2014 à 2020 | 15,70 € **14,5/20**
Issu de vignes du domaine, ce vin délicatement épicé, avec un tanin ferme, un brin sauvage, mais plein de caractère et de finesse est l'exemple du vin de connaisseur, à un prix accessible.

Monthélie premier cru Champs Fulliot 2008
Rouge | 2016 à 2023 | 19,40 € **15/20**
Corsé, saveur légèrement fumée et épicée, tanin ferme, un brin astringent mais plus racé et défini que lavières. Vin d'amateur, de prix encore raisonnable.

Montrachet grand cru 2008
Blanc | 2018 à 2048 | NC **19,5/20**
Noblesse étonnante de saveur, florale (fleur de vigne) mais incarnée dans un fruité de jeunesse de pêche blanche, boisé idéalement intégré, finale majestueuse, très grande matière, de celles qui semblent promettre l'immortalité.

Nuits-Saint-Georges premier cru Les Cailles 2007
Rouge | 2018 à 2033 | 52,30 € **17,5/20**
Forte couleur, nez racé, proche des porrets mais avec plus de tranchant et une petite touche épicée supplémentaire, corps imposant, tanin racé, équilibre général propice au long vieillissement.

Nuits-Saint-Georges premier cru Porrets Saint-Georges 2008
Rouge | 2018 à 2028 | 46,30 € **17/20**
Corps complet pour l'année, nez typé de prune bien mûre, type prunelle avec sa petite amertume, belle suite en bouche, excellent.

Pommard premier cru Pézerolles 2008
Rouge | 2018 à 2028 | 40,40 € **17/20**
Petite cuvée en volume mais parfaitement dans l'esprit du terroir et du millésime, avec une texture savoureuse et élégante, et un tanin moins sec que celui du clos-des-chênes.

Savigny-lès-Beaune premier cru Lavières 2008
Rouge | 2016 à 2023 | 19,40 € **16/20**
Belle couleur, nez tendu mais fumé, corps généreux, tanin épicé, boisé intégré, un rien astringent, plus de race que lavières.

Volnay premier cru Clos des Chênes 2008
Rouge | 2020 à 2038 | 34,40 € **16/20**
Matière vraiment étonnante d'intensité pour l'année, saveur riche, audacieuse, tanin très ferme, astringence marquée mais non asséchante, un vin de très grande garde, vraiment spécial, à revoir dans dix ans, sans inquiétude.

Volnay premier cru Les Caillerets Ancienne Cuvée Carnot 2008
Rouge | 2018 à 2033 | 40,40 € **18/20**
Robe dense, nez somptueux et racé de violette, d'épices, texture noble, grande allonge, vin de très grand style et de grand avenir, le plus fidèle à l'esprit de ce terroir célèbre depuis dix ans.

DOMAINE J.M. BOULEY

12, chemin de la Cave • 21190 Volnay
Tél. 03 80 21 62 33 • Fax : 03 80 21 64 78
jeanmarc.bouley@wanadoo.fr
www.jean-marc-bouley.com
Visite : Visites sur rendez-vous du lundi au vendredi de 9h à 12h et de 14h à 18h.

Le jeune Bouley, grand ami de Nicolas Rossignol, suit un peu la même voie, et obtient des vins d'une remarquable précision d'élaboration, avec du chic et du style. 2008 retrouve le niveau que nous attendons de lui et qui nous avait tant plu dans ses 2006.

Hautes Côtes de Beaune 2008
Rouge | 2013 à 2016 | 9 € **14,5/20**
Robe dense, nez un peu acidulé mais très fruité, texture remarquablement soyeuse, en fait assez volnay de caractère, bonne suite en bouche.

Pommard premier cru Frémiers 2008
Rouge | 2018 à 2023 | 32 € **17/20**
Robe soutenue, corps remarquable, puissance aromatique digne du cru, mais tanin jouant sur l'élégance, achat vivement conseillé si on aime Pommard.

Volnay Clos de la Cave 2008
Rouge | 2014 à 2020 | 19 € **16,5/20**
Jolie robe rubis foncé, nez élégant floral et épicé, texture charmeuse, précis, délicat, remarquablement élevé.

DOMAINE MICHEL BOUZEREAU ET FILS

5, rue Robert Tenard • 21190 Meursault
Tél. 03 80 21 20 74 • Fax : 03 80 21 66 41
michel-bouzereau-et-fils@wanadoo.fr
Visite : Du lundi au samedi sur rendez-vous. Fermé le dimanche et les jours fériés.

Excellent domaine de Meursault, avec un joli patrimoine de terroirs bien situés sur Meursault et Puligny. Le style des vins, tout en finesse et transparence d'expression du terroir, leur permet d'être appréciés très jeunes mais les millésimes récents et particulièrement le 2008 vieilliront bien. Les rouges excitent moins.

Meursault Le Limozin 2007
Blanc | 2010 à 2014 | 25 € **16/20**
Un peu moins de corps et de complexité que tessons mais même pureté de style et élégance.

Meursault Les Tessons 2007
Blanc | 2011 à 2017 | 25 € **17,5/20**
Le style que nous préférons, épuré, racé, subtil, au boisé parfaitement fondu, délivrant des sensations tactiles raffinées, et une parfaite définition du terroir.

Meursault premier cru Charmes 2007
Blanc | 2012 à 2017 | 35 € **15/20**
Notes de caramel au lait au nez, fortement marqué par son acide lactique, beaucoup de finesse mais aussi un peu de mollesse par rapport à tessons.

Meursault premier cru Perrières 2007
Blanc | 2013 à 2017 | 45 € **17/20**
Production minuscule mais exceptionnelle qualité, associant puissance et élégance au plus haut degré, et doté d'une séduction immédiate. Comment vieillira-t-il ? Le temps sera juge de paix.

DOMAINE BOUZEREAU GRUÈRE ET FILLES

22 A, rue de la Velle • 21190 Meursault
Tél. 03 80 21 20 05 • Fax : 03 80 21 68 16
hubert.bouzereau.gruere@libertysur.fr
Visite : De 9h à 12h et de 14h à 18h, fermé le dimanche après midi, sur rendez vous de préférence.

Voici un valeureux domaine familial : Hubert Bouzereau et ses deux filles exploitent douze hectares, judicieusement répartis sur Meursault et Chassagne. Les vins, après un départ timide au début des années 2000, ont pris une forme beaucoup plus précise et

personnelle, et sont d'excellentes expressions de beaux terroirs, modernes dans leur fraîcheur et leur netteté immédiate, classiques dans leurs infinies nuances. Une adresse à suivre, d'autant que l'accueil y est charmant.

Meursault Les Tillets 2008
Blanc | 2012 à 2015 | NC **14/20**
Nez bien ouvert, ensemble très net et franc, bon équilibre général, finale pure, mais sans caractère d'origine affirmé.

Meursault premier cru Charmes 2008
Blanc | 2014 à 2020 | NC **16/20**
Vin très propre, très droit, vinifié et élevé dans une volonté de précision et de refus d'épate. A attendre trois ou quatre ans.

Saint-Aubin premier cru Le Charmois 2008
Blanc | 2011 à 2014 | NC **15,5/20**
Robe clair, nez citronné, un peu plus de fruit et de longueur que les-cortons, bien vinifié, boisé bien conçu.

Saint-Aubin premier cru Les Cortons 2008
Blanc | 2012 à 2018 | NC **15/20**
Beaucoup de fraîcheur et de finesse, sur un corps assez fluide mais sans maigreur. Bien vinifié.

CAMILLE GIROUD

3, rue Pierre-Joigneaux • 21200 Beaune
Tél. 03 80 22 12 65 • Fax : 03 80 22 42 84
contact@camillegiroud.com
www.camillegiroud.com
Visite : Du lundi au vendredi de 9h à 12h et de 14h à 18h, sur rendez-vous uniquement.

La toute petite taille de cette très vieille maison de Beaune, rachetée par des investisseurs américains avec à leur tête Ann Colgin, viticultrice d'élite de la Napa Valley, et la remarquable qualité de ces derniers millésimes ont permis à de nombreux amateurs de se familiariser avec les vinifications soignées de David Croix. Il reste de très vieux millésimes à la vente, dans l'ancien style de la maison, avec parfois des bouteilles absolument remarquables. On préférera pourtant les vins rouges récents du nord de la Côte de Beaune ou de Gevrey.

Chambertin grand cru 2008
Rouge | 2018 à 2038 | 121,80 € **19/20**
Le plus grand chambertin de notre dégustation syndicale à l'aveugle, arôme noble de ronce, salinité et tension remarquables, grande longueur, tanin parfait. Du grand art.

Charmes-Chambertin grand cru 2008
Rouge | 2016 à 2026 | 76 € **18/20**
Merveilleux nez de pivoine, grande race de terroir, texture souple mais pleine, finale réglissée, un charmes de très grand style, parfaitement vinifié.

Chassagne-Montrachet premier cru Vergers 2007
Blanc | 2013 à 2019 | 45 € **16,5/20**
Il a progressé en un an en affirmant un superbe caractère de terroir et en précisant sa fin de bouche. Il reste encore un peu de boisé torréfié à perdre.

Corton - Charlemagne grand cru 2008
Blanc | 2016 à 2023 | 79,40 € **17/20**
Grande maturité du raisin, large, généreux, long, pas encore complètement fait, grandes promesses dans un style intemporel.

Corton - Clos du Roi grand cru 2008
Rouge | 2018 à 2028 | NC **17/20**
Plus vineux en 2008 que le corton-rognet, ample, équilibré, fait pour la garde, excellent style.

Corton - Le Rognet-et-Corton grand cru Le Rognet 2008
Rouge | 2016 à 2023 | 55 € **16,5/20**
Floral, tendre, plus complexe que puissant, extraction mesurée de tanins harmonieux, aucune amertume, assez long, presque un rouge sur terre à blanc.

Latricières-Chambertin grand cru 2008
Rouge | 2016 à 2026 | 76 € **16,5/20**
Belle couleur soutenue, plus de puissance que la moyenne en latricières, épaulé, généreux, mais doté de tanins fins, sensation légère d'alcool.

Maranges premier cru Le Croix Moines 2008
Rouge | 2014 à 2020 | 20 € **14,5/20**
Plein et dense, un peu sauvage et accusant quelques limites dans sa palette aromatique, mais de fort caractère et fait pour le petit gibier.

Pommard premier cru Épenots 2007
Rouge | 2014 à 2022 | 37 € **17,5/20**
Ce cru part ici lentement mais le 2007 le montre sous son vrai jour, merveilleusement floral,

tendre, long, aristo, à l'ancienne. Plus de maturité en fin de bouche que dans sa version 2008.

Santenay 2008
Rouge | 2014 à 2020 | NC **15/20**
Coloré, vineux, terroir très fidèlement exprimé, fait pour la garde et pour le petit gibier, avec une finale plus harmonieuse que le maranges.

Vosne-Romanée 2008
Rouge | 2014 à 2023 | 35 € **16,5/20**
Arôme floral noble, texture fort agréable. On ferait bien de prendre exemple dans certaines caves du village.

DOMAINE LOUIS CARILLON ET FILS

21190 Puligny-Montrachet
Tél. 03 80 21 30 34 • Fax : 03 80 21 90 02
louiscarillonetetfils@free.fr • www.louis-carillon.com
Visite : Sur rendez-vous du lundi au vendredi

Ce domaine sourcilleux ne présente pas ses vins, habituellement nerveux et très racés, à nos dégustations. Il considère comme beaucoup, sans doute, que le millésime juste en bouteille ou prêt à la mise n'est pas dégustable et que le précédent est tout vendu !

DOMAINE CAUVARD

34 bis, rue de Savigny • 21200 Beaune
Tél. 03 80 22 29 77 • Fax : 03 80 24 06 03
domaine.cauvard@wanadoo.fr
Visite : sur rendez-vous.

Ce petit domaine ne brillait pas particulièrement dans un passé récent mais quelques 2008 semblent montrer des progrès. On en reparle en 2011.

CHAMPY

3, rue du Grenier-à-Sel • 21200 Beaune
Tél. 03 80 25 09 99 • Fax : 03 80 25 09 95
contact@champy.com • www.champy.com
Visite : De préférence sur rendez-vous du lundi au vendredi de 10h à 12h30 et de 14h à 18 h, samedi et dimanche de 10h à 12h et de 14h à 17h30.

Cette maison est intelligemment dirigée par Pierre Meurgey et son œnologue Dimitri Bazas, formé à l'école de Kiriakos Kinigopoulos. Les petites appellations sont ici aussi soignées et recommandables que les grandes. Blancs et rouges sont vinifiés dans un style consensuel, très propres, précis, et équilibrés en boisé et tanin. Elle vient de racheter le Domaine Laleure-Piot, avec d'excellentes vignes sur Aloxe et Pernand.

Charmes-Chambertin grand cru 2008
Rouge | 2016 à 2026 | 78,50 € **16,5/20**
Forte couleur, corps puissant, tanin strict, de la matière, de la droiture, de la longueur, vin net, bien fait, un peu moins raffiné que d'autres.

Corton - Charlemagne grand cru 2008
Blanc | 2014 à 2020 | 79,50 € **16/20**
De la finesse et la pureté attendue pour ce cru, joli style à défaut de réelle puissance. Attendre cinq ans pour qu'il commence à prendre du corps.

Échezeaux grand cru 2008
Rouge | 2018 à 2026 | 99,20 € **16/20**
Légère réduction, puis beaux arômes fumés et floraux, dans l'esprit du cru, tout comme la fraîcheur et la délicatesse des sensations tactiles même si on aurait souhaité un raisin plus mûr.

Gevrey-Chambertin premier cru Cazetiers 2008
Rouge | 2016 à 2026 | 54,50 € **16/20**
Caractère classique, épicé, vin frais, élégant, mesuré, long, équilibré, à attendre.

Mazis-Chambertin grand cru 2008
Rouge | 2016 à 2026 | 85,30 € **16/20**
Belle robe pourpre, nez puissant, plus de corps que de finesse mais terroir bien lisible.

DOMAINE CHANDON DE BRIAILLES

1, rue Sœur-Goby • 21420 Savigny-lès-Beaune
Tél. 03 80 21 50 97 • Fax : 03 80 21 59 02
contact@chandondebriailles.com
www.chandondebriailles.com
Visite : Boutique ouverte du lundi au vendredi de 9h à 12h et de 14h à 18h, dégustation sur rendez-vous. Gîte sur place. fermé en août.

Ce célèbre domaine possède des vignes sur les meilleurs terroirs du nord de la Côte de Beaune, et vinifie dans la vieille tradition à partir de vendanges entières, non égrappées, en ayant peu recours au bois neuf pendant l'élevage. Les vins apparaissent parfois peu colorés et maigres dans leur jeunesse, mais vieillissent admirablement, en montrant une jeunesse et une race appréciées des grands amateurs, une fois à maturité. Nous regretterons qu'il ne présente qu'une petite partie de sa production.

Corton - Bressandes grand cru 2008
Rouge | 2018 à 2026 | 59 € **18/20**
Merveilleusement floral au nez, tendresse superlative de texture, grande longueur, finesse suprême, très légère amertume de réduction. Le pinot noir sans fard sur un grand terroir.

Pernand-Vergelesses premier cru Île des Vergelesses 2008
Blanc | 2016 à 2020 | 30 € **16,5/20**
Net, tendu, aucune sollicitation boisée, terroir parfaitement lisible, grande finesse mais avec une certaine austérité de jeunesse.

CHANSON PÈRE ET FILS

10, rue Paul-Chanson • 21200 Beaune
Tél. 03 80 25 97 97 • Fax : 03 80 24 17 42
chanson@domaine-chanson.com
www.domaine-chanson.com
Visite : Sur rendez-vous, contacter le 06 61 55 48 00.

La maison atteint désormais le niveau des autres firmes historiques beaunoises, pour les vins du domaine (avec désormais un joli patrimoine de blancs) comme pour les cuvées issues de raisins achetés, vinifiés et élevés par elle. Jean-Pierre Confuron et ses collaborateurs pratiquent sur le domaine une viticulture exemplaire (labours, palissage, recherche de la maturité optimale du raisin) et réussissent aussi bien les rouges, d'un style bien défini, marqué par la présence de nombreux raisins entiers, que les blancs. Certes tout n'est pas parfait et en 2008 la grêle est venue perturber la perfection d'expression de quelques grands terroirs beaunois, mais sur les vins choisis pour le guide, la réussite est impressionnante.

Beaune premier cru Bressandes 2008
Rouge | 2016 à 2023 | 45 € **16,5/20**
Excellente vinosité, texture serrée, race évidente de l'origine, légère astringence tannique mais moins marquée que sur beaune-fèves ou grèves.

Beaune premier cru Clos des Mouches 2008
Rouge | 2016 à 2023 | 48 € **17/20**
Le beaune le plus équilibré du domaine en 2008 car non touché par les différentes grêles, très tendre, harmonieux, avec des notes de cannelle et d'épices douces et un tanin parfait.

Beaune premier cru Clos des Mouches 2008
Blanc | 2014 à 2020 | 63 € **17/20**
Belle pureté aromatique, vin tendre, rond, mais avec l'énergie du millésime en retour de bouche et une excellente définition de ce terroir célèbre.

Bonnes-Mares grand cru 2008
Rouge | 2020 à 2028 | 139 € **17,5/20**
Grande couleur, vinosité digne du cru, finale remarquablement assise et typée, longue garde obligatoire.

Bourgogne pinot noir 2008
Rouge | 2013 à 2016 | 10 € **15/20**
Beau travail d'assemblage (1407 hl), floral au nez, souple, assez racé, donnant une belle idée du pinot noir bourguignon, et en raison d'une importante proportion de marsannay, encore meilleur dans deux ou trois ans.

Chambertin-Clos de Bèze grand cru 2008
Rouge | 2020 à 2028 | 119 € **18/20**
Arôme noble de réglisse, violette et épices, texture ample, tanin racé, parfaite expression du terroir et du millésime, longue garde obligatoire.

Chambolle-Musigny 2008
Rouge | 2016 à 2023 | 49 € **16/20**
Chambolle très vineux, complexe, épicé, tanin viril, belle suite en bouche, pour amateur de vins de caractère.

Chassagne-Montrachet premier cru Chenevottes 2008
Blanc | 2013 à 2020 | 49 € **17/20**
Récolte du domaine. Grand nez de fleur de vigne, corps et caractère irréprochables, longue suite, un des classiques du village.

Corton - Les Vergennes grand cru 2008
Blanc | 2016 à 2023 | 79 € **19/20**
Un des sommets du millésime, à l'arôme noble, profond, de fleur blanche et fruit blanc, ample, pur, long, inimitable.

Meursault 2008
Blanc | 2013 à 2018 | 29 € **16/20**
Excellent assemblage, donnant une idée juste de l'appellation, avec toute la rondeur et le gras attendus, mais sans excès et une remarquable finesse.

Meursault premier cru Perrières 2008
Blanc | 2014 à 2020 | 64 € **17,5/20**
Splendide perrières, issu d'une vigne au cœur du lieu-dit, parfaitement défini, associant puissance, finesse et une forme de tension qui n'est propre qu'à ce cru.

Nuits-Saint-Georges 2008
Rouge | 2016 à 2023 | 31 € **17/20**
Qualité exceptionnelle pour un village, grande suavité de texture, grande allonge, boisé impeccable, un modèle !

Pernand-Vergelesses 2008
Blanc | 2012 à 2015 | 24 € **15,5/20**
Délicieuse délicatesse aromatique, légère salinité qui rend le vin parfait à l'apéritif, très typé d'un village trop méconnu.

Pernand-Vergelesses premier cru En Caradeux 2008
Blanc | 2012 à 2020 | 31 € **17/20**
Noble nez de froment frais et de vanille, corps, texture et caractère proches d'un charlemagne à un prix encore accessible, issu des vignes du domaine parmi les mieux cultivées du village.

Pernand-Vergelesses premier cru Les Vergelesses 2008
Rouge | 2016 à 2026 | 26 € **17/20**
Une des plus grandes réussites de la maison en 2008, sur les vignes du domaine, avec un grand nez de ronce et d'épices, la race d'un beau corton, et une magnifique densité de texture. Rapport qualité-prix exceptionnel.

Pommard 2007
Rouge | 2016 à 2020 | 31 € **16/20**
Village plein, équilibré, terminant sur des tanins nobles, complexe, très fidèle à l'esprit de l'appellation, ce qui devient assez rare.

Pommard premier cru Épenots 2008
Rouge | 2018 à 2026 | 49 € **17/20**
La maison aime ce village en raison de son patron, Gilles de Courcel, et sait lui donner tout son caractère, ici dans un des meilleurs terroirs, avec des notes de truffe, violette, fruits rouges, et un tanin très racé.

Puligny-Montrachet premier cru Folatières 2008
Blanc | 2014 à 2020 | 64 € **18/20**
Récolte du domaine. Finesse exceptionnelle, grande suite en bouche, pas loin de l'idéal.

Rully 2008 ☺
Blanc | 2011 à 2014 | 13 € **15/20**
Le meilleur rapport qualité-prix en blanc de la maison, très pur au nez et en bouche, aucune lourdeur, finale de noisette fraîche à la meursault, séduction immédiate.

Santenay premier cru Beauregard 2008
Rouge | 2013 à 2019 | 27 € **14,5/20**
Nez typé, sur des notes de cuir, de fraise, d'épices, assez souple, légère astringence finale.

Savigny-lès-Beaune premier cru Dominode 2008
Rouge | 2016 à 2023 | 27 € **16,5/20**
Excellent boisé parfaitement intégré, matière dense, noble, vinosité rare dans le village, beaucoup de mâche, complet.

DOMAINE JEAN CHARTRON

Grande Rue - BP 1 • 21190 Puligny-Montrachet
Tél. 03 80 21 99 19 • Fax : 03 80 21 99 23
info@jeanchartron.com • www.jeanchartron.com
Visite : Tous les jours de mai à novembre de 10h à 12h et de 14h à 18 h.

Jean-Michel Chartron est un producteur très soucieux de la qualité, qui gère un domaine propriétaire dans les crus les plus prestigieux de Puligny. Il lui faut encore progresser dans la personnalisation des terroirs et du style propre du domaine, mais 2008 montre des progrès évidents sur 2007.

Chassagne-Montrachet 2008
Blanc | 2012 à 2015 | 29,90 € **14,5/20**
Boisé fin et intégré, style moderne, très propre mais pur, bon soutien acide, vin soigné à défaut de caractère marqué.

Chassagne-Montrachet premier cru En Caillerets 2008
Blanc | 2012 à 2016 | 41 € **15/20**
Raisin mûr, vin rond, harmonieux, joliment bouqueté (fleur de vigne), moyennement long pour sa classe.

Chevalier-Montrachet grand cru
Clos des Chevaliers 2008
Blanc | 2012 à 2018 | 139 € **17,5/20**
Belle pureté de style, élancé au nez et en bouche, très racé, onctueux, digne du cru, sans égaler les tout meilleurs.

Hautes Côtes de Beaune
En Bois Guillemain 2008 ☺
Blanc | 2012 à 2013 | 12,80 € **14/20**
Rond, généreux, onctueux, fait pour une consommation rapide et plaisante.

DOMAINE DE CHASSORNEY

21190 Saint-Romain
Tél. 03 80 21 65 55 • Fax : 03 80 21 67 44

L'ami Cossard aime à jouer les héros solitaires et en est un, à sa façon : il ne présente naturellement pas ses vins en dégustation comparative. On le comprend : dans un jour «avec», ils peuvent nous faire pleurer de bonheur. Une semaine plus tard, ils peuvent tout autant nous faire enrager et déplorer l'extrémisme non interventionniste de leur créateur. Bref des produits vivants, rebelles, à ne pas recommander aux esprits ronchons.

DOMAINE CHEVALIER PÈRE ET FILS

1Hameau de Buisson - Cedex 18
21550 Ladoix-Serrigny
Tél. 03 80 26 46 30 • Fax : 03 80 26 41 47

Claude Chevalier est sans doute aujourd'hui le viticulteur le plus exigeant de Ladoix, contrôlant la charge de ses vignes avec discipline et vendangeant à bonne maturité. Ses vins ont gagné en pureté de fruit et de définition précise du terroir, avec d'excellents rapports qualité-prix. Le tanin des 2008 demandera trois ou quatre ans pour perdre son astringence.

Corton-Charlemagne grand cru 2008
Blanc | 2014 à 2020 | NC **17/20**
Beaucoup de corps et d'onctuosité, caractère moins minéral que sur le coteau de Pernand, bonne longueur, vin de fond et de caractère.

Ladoix premier cru Bois de Grêchons 2008
Blanc | 2013 à 2018 | NC **16/20**
Boisé encore un peu accrocheur, tension, style et complexité.

Ladoix premier cru Grêchons 2008
Rouge | 2012 à 2018 | NC **16/20**
Beaucoup de générosité dans la matière, tanin encore astringent (boisé manquant de pureté), mais avec le temps cela se fondra.

Aloxe-Corton Valozières 2008
Rouge | 2013 à 2018 | NC **15/20**
Finesse aromatique évidente, belle souplesse de texture, tanin encore accrocheur.

DOMAINE FRANÇOISE ET DENIS CLAIR

14, rue de la Chapelle • 21590 Santenay
Tél. 03 80 20 61 96 • Fax : 03 80 20 65 19
fdclair@orange.fr
Visite : Du lundi au samedi sur rendez-vous.

Une famille très unie, beaucoup de générosité de cœur, un goût inné pour la saveur juste, de belles vignes sur les meilleurs terroirs de Saint-Aubin et de Santenay, tout cela explique la réussite constante de ce domaine depuis près de vingt ans. Les blancs 2008 sont hautement recommandables.

Puligny-Montrachet premier cru
La Garenne 2008
Blanc | 2013 à 2018 | 27 € **16,5/20**
Pâle, tendu, ferme, racé, de garde, excellent style.

Saint-Aubin premier cru Frionnes 2008 ☺
Blanc | 2012 à 2018 | 14 € **17/20**
Long, racé, merveilleusement fleur de vigne au nez, et en bouche, grande classe.

Saint-Aubin premier cru Les Champlots 2008 ☺
Blanc | 2012 à 2018 | 12,50 € **16,5/20**
Robe pâle, superbement noiseté au nez, grâce à une réduction très bien maîtrisée, long, racé, pur, grand style.

Saint-Aubin premier cru
Les Murgers des Dents de Chien 2007
Blanc | 2012 à 2018 | 17 € **15,5/20**
Du miel, de la complexité, tendre, mais dans ce millésime frionnes part dans la vie plus ferme, plus dense.

Santenay Clos Genêt 2008
Rouge | 2014 à 2020 | NC **14/20**
Coloré, très mur et charnun tannin pour le moment astringent. Attendre trois ans.

Santenay premier cru Clos de la Comme 2008
Rouge | 2013 à 2020 | 16 € **14,5/20**
Riche couleur, puissant, architecturé, un peu plus rustique et ferme qu'en 2007, tanin moins astringent que clos-genêt.

Santenay premier cru Clos de Tavannes 2008
Rouge | 2013 à 2018 | 17 € **15/20**
Souple, bonne densité de matière, léger manque de complexité de fruit, tanin fin.

Santenay premier cru Clos des Mouches 2008
Rouge | 2012 à 2018 | 16 € **15/20**
Jolie robe, vin souple, tanin assez fondu, bonne suite en bouche, sincère mais pas complexe.

DOMAINE CLERC GUILLEMARD

19, rue Drouhin • 21190 Puligny-Montrachet
Tél. 03 80 21 34 22
guillemard-claire.domaine@wanadoo.fr
www.guillemard-claire.fr
Visite : Du lundi au samedi de 10h à 12h et de 14h à 18h30. Le dimanche sur rendez-vous

Ce domaine propriétaire sur de jolis crus de Puligny commence à produire des vins à vraie personnalité sous la direction attentive de sa propriétaire actuelle.

Bienvenues-Bâtard-Montrachet grand cru 2008
Blanc | 2014 à 2020 | 62 € **18/20**
Hautement recommandable, nez pur et noble de citronnelle et fleur de vigne, aérien, pas vendangé trop mûr ni trop vert, le juste équilibre pour la garde.

DOMAINE JEAN-FRANÇOIS COCHE-DURY

9, rue Charles-Giraud • 21190 Meursault
Tél. 03 80 21 24 12 • Fax : 03 80 21 67 65
Visite : Visites réservées aux clients fidélisés, sur rendez-vous.

Ce domaine phare de la Bourgogne continue à produire des blancs magistraux et des rouges fort agréables mais n'aime pas le principe des dégustations comparatives à l'aveugle et ne présente donc pas de vins. Nous le regrettons. Comme tous les amateurs le savent, Jean-François Coche-Dury, qui va prendre sa retraite l'année prochaine, est un des plus grands vinificateurs de chardonnay de la planète.

DOMAINE BRUNO COLIN

3, impasse des Crets • 21190 Chassagne-Montrachet
Tél. 03 80 24 75 61 • Fax : 03 80 21 93 79
domainecontact@domainebrunocolin.com
Visite : Du lundi au vendredi de 9h à 12h et de 14h à 17h sur rendez-vous. Le samedi sur rendez-vous.

Les vins de ce domaine tout neuf, qui prend en partie la suite du Domaine Colin-Deleger, furent la révélation de nos dégustations en matière de Chassagne-Montrachet. Bruno Colin semble parti pour une brillante carrière, avec un sens aigu du pressurage et de l'élevage, qui ne s'apprend pas mais est inné. Un grand styliste est né !

Chassagne-Montrachet premier cru
La Baudriotte 2008
Blanc | 2014 à 2018 | 35 € **16,5/20**
Robe or vert, beaucoup de personnalité, comme souvent sur ces terres «à rouge», plus vineux que fin et subtil, fait pour la table et la garde.

Chassagne-Montrachet premier cru
Morgeot 2008
Blanc | 2014 à 2020 | 36 € **15,5/20**
Très réduit pour le moment, mais puissant, bien marqué par son terroir fort de Morgeot, protégé et donc fait pour vieillir.

DOMAINE MARC COLIN ET FILS

1, rue de la Chateniere • 21190 Saint-Aubin
Tél. 03 80 21 30 43 • Fax : 03 80 21 90 04
marccolin@gmail.com • www.marc-colin.com
Visite : Sur rendez-vous.

Marc Colin passe progressivement le relais à deux de ses fils pour le domaine familial, Pierre-Yves, le troisième de ses fils ayant repris ses vignes et créé une petite firme de négoce. On trouvera ici des vins issus des meilleurs terroirs de Saint-Aubin et de Chassagne-Montrachet et une petite quantité de grands crus, irréprochables dans leur finesse et droiture de style ainsi que dans leur régularité.

Chassagne-Montrachet premier cru
Chenevottes 2008
Blanc | 2012 à 2018 | 30 € **16/20**
Belle matière, bon extrait sec, boisé intégré, ensemble vineux, tendu, plein de caractère avec un tout petit manque de pureté.

Saint-Aubin Fontenottes 2008
Blanc | 2012 à 2016 | 12,50 € **15/20**
Avec le blanc le domaine est à son affaire : robe pâle, nez de fleurs blanches, saveur fine, pure, précise, jolie souplesse.

Saint-Aubin premier cru En Montceau 2008 ☺
Blanc | 2012 à 2016 | 17 € **15,5/20**
Légèrement citronné, pur, long, très agréable, sans réduction ni oxydation, bref, classique.

Saint-Aubin premier cru En Remilly 2008
Blanc | 2012 à 2016 | 17 € **15/20**
Pâle, citronné, assez pur, moins complet et racé que chatenière mais fin, frais, désaltérant.

Saint-Aubin premier cru La Chatenière 2008
Blanc | 2013 à 2018 | 17 € **17/20**
Merveilleux nez de fleur de vignes, finesse digne d'un grand puligny, ensemble vif mais pas nerveux, finale très racée. Hautement recommandé.

Santenay Champs Claude 2008
Rouge | 2013 à 2016 | NC **13/20**
Un style à l'ancienne avec un peu de cuir au nez et beaucoup de souplesse. Le vin manque de précision et de fruit si on le compare aux meilleurs.

Santenay vieilles vignes 2008
Rouge | 2011 à 2014 | NC **13/20**
Souple, petit fruit de cerise, facile: d'autres producteurs font quand même des rouges plus complets sur la commune.

DOMAINE PHILIPPE COLIN

ZA du Haut des Champs
21190 Chassagne-Montrachet
Tél. 03 80 21 90 49 • Fax : 03 80 21 92 73
domainephilippecolin@orange.fr
Visite : dégustations sur rendez-vous

Il faut être assez savant pour ne pas se perdre dans la tribu des Colin de Chassagne, mais nous sommes ravis de faire rentrer cette année dans le guide Philippe, sans doute le frère de Bruno, qui lui aussi a repris une partie des vignes de Michel Colin-Deleger, dont une splendide petite parcelle de Chevalier-Montrachet. Les vins sont fins, purs et nets, et progressent en individualité de caractère.

Chassagne-Montrachet premier cru Chenevottes 2008
Blanc | 2014 à 2018 | 31 € **15,5/20**
Légère réduction, joli style de vin associant vinosité et fraîcheur, bon boisé, finale saline apéritive à souhait.

Chassagne-Montrachet premier cru Vergers 2008
Blanc | 2012 à 2018 | 31 € **15/20**
Robe pâle, vin fluide, de type longiligne, frais, net, finement citronné, vendangé un rien trop tôt.

PIERRE-YVES COLIN

4, rue de la Murée • 21190 Chassagne-Montrachet
Tél. 03 80 21 90 10 • Fax : 03 80 21 91 85
pierreyvescolin@cegetel.net
Visite : Caveau municipal

Ce jeune viticulteur-négociant est le fils de Marc Colin, il a quitté le domaine familial avec sa part de vignes, et avec beaucoup de dynamisme s'est installé à son compte en complétant sa production par une activité de négoce. Il semble avoir hérité du talent de vinification de Marc, à en juger par le style impeccable des 2007 dégustés, parmi les plus racés de la côte. Une adresse à suivre de très près.

Chassagne-Montrachet premier cru Caillerets 2007
Blanc | 2014 à 2019 | NC **18/20**
Grande noblesse aromatique, expression d'une précision exemplaire d'un magnifique terroir, avec une densité rare dans le village.

Saint-Aubin premier cru Murgers Dents de Chien 2007 ☺
Blanc | 2013 à 2019 | NC **17,5/20**
Merveille d'élégance et de pureté, boisé complètement fondu, grande longueur, impressionnant !

DOMAINE DU COMTE ARMAND

7, rue de la Mairie • 21630 Pommard
Tél. 03 80 24 70 50 • Fax : 03 80 22 72 37
epeneaux@domaine-comte-armand.com
www.domaine-comte-armand.com

Benjamin Leroux a infléchi le style des vins du domaine vers plus d'élégance d'arôme et de texture, sans diminuer l'étonnante vinosité ni la puissance de caractère qui sont la marque du superbe Clos des Épeneaux. Ses derniers millésimes sont des classiques de la Bourgogne d'aujourd'hui. En 2008, la cuvée de Frémiets mérite le détour !

AUXEY-DURESSES PREMIER CRU 2007
Rouge | 2017 à 2022 | NC **16/20**
Grande couleur, texture ample, corps généreux, saveur large et épicée, tanin ferme, vin de grande envergure pour le village et à attendre.

POMMARD PREMIER CRU CLOS DES ÉPENEAUX 2007
Rouge | 2017 à 2025 | NC **17/20**
Belle robe rubis plus claire que frémiets, vin plus tendu, plus salin, tanin un peu plus sec, beaucoup de personnalité, mais pour le moment un peu moins d'harmonie. Attendre.

VOLNAY PREMIER CRU LES FRÉMIETS 2007
Rouge | 2017 à 2027 | NC **17,5/20**
Grande robe, parfaite définition aromatique, exemplaire longueur, volnay magnifique.

DOMAINE DES COMTES LAFON

Clos de la Barre • 21190 Meursault
Tél. 03 80 21 22 17 • Fax : 03 80 21 61 64
comtes.lafon@wanadoo.fr
Pas de visites.

Ce domaine mondialement célèbre, et que nous avons toujours cité en exemple, refuse le principe de nos dégustations comparatives à l'aveugle et ne présente pas ses vins. Nous en sommes navrés.

DOMAINE EDMOND CORNU & FILS

Le Meix Gobillon 6, Rue du Bief Cidex 34
21550 Ladoix Serrigny
Tél. 03 80 26 40 79 • Fax : 03 80 26 48 34
cornu.pierre@voila.fr • bourgogne-vigne-verre.com
Visite : sur rendez vous

Edmond Cornu est un des vignerons les plus respectés de Ladoix, à juste titre quand il s'agit du travail des vignes. Quelques millésimes ont été affectés par les faux goûts amers et il n'est pas le seul dans ce cas, mais nous sommes ravis de voir les derniers millésimes bien plus nets. Reste la question du boisé, qui manque encore de pureté.

CORTON - BRESSANDES GRAND CRU 2008
Rouge | 2010 à 2021 | 52 € **15/20**
Raisin plus mûr, corps équilibré, texture assez noble : le boisé l'est moins, qui apporte comme de plus en plus souvent en Bourgogne une astringence moins élégante. Faire vieillir.

LADOIX 2008
Blanc | 2012 à 2016 | 19 € **14,5/20**
Frais, net, pur, notes de fleurs blanches fort agréables, bois adapté à la couleur et au style recherché.

LADOIX PREMIER CRU BOIS ROUSSOT 2008
Rouge | 2014 à 2018 | 19 € **14/20**
Le vin évite l'amertume de quelques autres cuvées du même secteur, avec un fruité modéré mais une bonne assise tannique.

LADOIX PREMIER CRU LA CORVÉE 2008
Rouge | 2015 à 2018 | NC **13,5/20**
Bien constitué, assez pauvre en fruit mais doté de tannins solides, boisé astringent.

CHÂTEAU DE CORTON ANDRÉ

Rue des Cortons • 21420 Aloxe-Corton
Tél. 03 80 26 44 25 • Fax : 03 80 26 43 57
info@corton-andre.com • www.pierre-andre.com
Visite : Ouvert 7 jours sur 7 d'avril à fin novembre de 10h à 12h30 et de 14h à 18h. Fermeture le mardi et mercredi.

Depuis son rachat (lié à celui de la maison Reine Pédauque) par le groupe Ballande, le tandem Goujon-Griveau, un directeur plus bourguignon que nature et une œnologue passionnément engagée et intègre, fait du superbe travail, et propose en 2008, comme pour l'année précédente, une gamme complète de vins de qualité, fidèles aux terroirs et souvent d'une élégance supérieure. Le troisième BD est mérité.

MEURSAULT 2008
Blanc | 2012 à 2016 | NC **14,5/20**
Type bien marqué, rappelant la noisette, vin gras, souple, attractif, élevé avec doigté.

MEURSAULT PREMIER CRU CHARMES 2008
Blanc | 2013 à 2018 | NC **16/20**
Nez pur de fleur de vigne, très 2008, bel équilibre, recherche évidente de la finesse, matière pas très dense mais pure.

DOMAINE DE COURCEL

Place de l'Église • 21630 Pommard
Tél. 03 80 22 10 64 • Fax : 03 80 24 98 73
courcel@domaine-de-courcel.com
Visite : Sur rendez-vous.

Le domaine possédait déjà le plus homogène des vignobles de Pommard, presque tout entier situé en

premier cru, avec une parcelle royale de cinq hectares d'Épenots, et de très vieilles vignes. Mais il a fallu attendre le talent et la rigueur de vinificateur d'Yves Confuron pour que les vins atteignent la dimension majestueuse qui est la leur actuellement, et qui en fait les équivalents en Côte de Beaune du Domaine de la Romanée-Conti en Côte de Nuits. Même ampleur et pureté de style, données par des vinifications en raisin entier, même autorité absolue dans l'expression du terroir. 2008 est dans la lignée des remarquables millésimes précédents. Mais attention, une fois en bouteille les grands pommards se renferment et leur mâche cache un peu leur fruit. Il faut souvent attendre dix à douze ans pour retrouver le glorieux toucher de bouche de leur naissance.

Bourgogne pinot noir 2008
Rouge | 2014 à 2020 | NC **16/20**
Jolie robe, remarquable arôme de ronce, corps parfait pour l'année, caractère entier, remarquable dans sa catégorie.

Pommard premier cru Croix Noires 2008
Rouge | 2018 à 2026 | NC **16,5/20**
Beaucoup de mâche et de richesse de sève, commence lui aussi à truffer, masculin, long, complexe.

Pommard premier cru Grand Clos des Épenots 2008
Rouge | 2020 à 2030 | NC **18/20**
Grande robe, grande matière, noblement aromatique, long, complexe, de grande garde, un des sommets de la Côte de Beaune, comme toujours.

Pommard premier cru Les Frémiers 2008
Rouge | 2016 à 2026 | NC **16,5/20**
Associe épices, fleurs et début de truffe, corps plus souple et plus fin que croix-noires, assez long.

Pommard premier cru Rugiens 2008
Rouge | 2016 à 2026 | NC **17/20**
Robe plus légère qu'épenots, finesse aromatique considérable mais vinosité un peu moins grande qu'en 2007.

Pommard Vaumuriens 2008
Rouge | 2016 à 2023 | NC **16,5/20**
Robe rubis éclatant, nez truffé, de la mâche, de la tension, de la longueur, un modèle de style pour ce village de coteau, le rugiens du pauvre.

CHÂTEAU DE LA CRÉE

11, rue Gaudin • 21590 Santenay
Tél. 03 80 20 63 36 • Fax : 03 80 20 65 27
la.cree@orange.fr • www.la-cree.com
Visite : De 9h à 12h et de 13h30 à 17h30 du lundi au vendredi, le week end sur rendez-vous

Nous avons été séduits par tous les vins présentés par ce nouveau producteur, installé dans une des plus belles propriétés du haut de Santenay, au cœur d'un environnement particulièrement magnifique. Toutes les cuvées témoignent d'une adresse et d'une sûreté étonnantes, offrant générosité, élégance de parfum et, ce qui est plus difficile, parfaite intégration du bois aux différentes matières et aux différents tanins.

Chassagne-Montrachet premier cru Morgeot 2008
Blanc | 2014 à 2018 | 35 € **16,5/20**
Beau nez de fleur de vigne, très 2008, beaucoup de fraîcheur, de finesse, élevage sous bois réussi, bel avenir probable.

Pommard Petits Noizons 2007
Rouge | 2016 à 2020 | 40 € **15/20**
Jolie couleur, texture plus souple et suave que celle des santenays, bonne longueur, joli village.

Santenay Clos de la Confrérie 2008
Rouge | 2014 à 2018 | 15 € **14/20**
Sérieux dans sa couleur et son tanin, moyennement fruité, bien construit, à garder cinq ans.

Santenay premier cru Beaurepaire 2008
Blanc | 2012 à 2016 | 18,50 € **16/20**
Beaucoup de gras, finale franche et nerveuse, du style et plus de personnalité que les rouges, en raison du millésime.

Santenay premier cru Clos Faubard 2008
Rouge | 2016 à 2020 | 18,50 € **15/20**
Excellente vinification, beau volume de bouche, tanin ferme et sain, plus complexe que la Confrérie, fait pour la garde.

Santenay premier cru Gravières 2008
Blanc | 2013 à 2018 | 18,50 € **16,5/20**
Grande finesse, notes salines et citronnées élégantes, beaucoup de classe.

Volnay premier cru Clos des Angles 2007
Rouge | 2016 à 2020 | 35 € **15,5/20**
Forte couleur, nez racé, sur les épices plus que sur les fleurs, tanin fin, beau volume de bouche.

DOMAINE CYROT-BUTHIAU

Route Ivry • 21630 Pommard
Tél. 03 80 22 06 56 • Fax : 03 80 24 00 86

Ce jeune producteur, excellent vigneron, n'a pas reçu nos demandes et n'a pas présenté de vins cette année : nous corrigerons le tir l'an prochain.

DOMAINE VINCENT DANCER

23, route de Santenay
21190 Chassagne-Montrachet
Tél. 03 80 21 94 48 • Fax : 03 80 21 39 48
vincentdancer@free.fr • www.vincentdancer.com
Visite : Sur rendez-vous

Nous continuons à considérer Vincent Dancer, passionnément engagé dans la défense et l'illustration des grands terroirs que sert son talent, comme une des figures de proue de la nouvelle génération bourguignonne. Mais il ne faut pas cacher que, comme chez beaucoup d'autres, un nombre non négligeable de bouteilles des années 1990, remarquables à leur naissance, a mal vieilli (cela ne concerne que les blancs). 2008 corrige le tir avec beaucoup d'éclat.

Chassagne-Montrachet premier cru La Romanée 2008
Blanc | 2013 à 2020 | 30 € **17,5/20**
Merveilleusement pur et aérien, frais, souple dans sa tension, long, parfait.

Chassagne-Montrachet premier cru Morgeot Tête du Clos 2008
Blanc | 2013 à 2018 | 30 € **17/20**
Remarquable nez de pierre à fusil, terroir très fort, finale longue, originale, enfin du caractère.

Chevalier-Montrachet grand cru 2008
Blanc | 2014 à 2020 | 85 € **19/20**
Prodigieusement aérien et racé, brillant, pur, un vin de rêve.

Meursault Corbins 2008
Blanc | 2012 à 2016 | 20 € **14,5/20**
Vin de négoce semble-t-il, mais d'un style sûr et pur, très 2008, frais, élégant, tendu.

Meursault premier cru Perrières 2008
Blanc | 2016 à 2023 | 35 € **17,5/20**
Une merveille de raffinement et d'élégance, avec une pureté cristalline dans la texture qui rappelle les meilleurs rieslings. C'est le style que nous aimons par dessus tout.

DOMAINE HENRI DELAGRANGE

7, cours François-Blondeau • 21190 Volnay
Tél. 03 80 21 64 12 • Fax : 03 80 21 65 29
didier@domaine-henri-delagrange.com
www.domaine-henri-delagrange.com
Visite : Du lundi au samedi sur rendez-vous uniquement.

Didier Delagrange est en charge désormais de ce domaine de tradition et a beaucoup fait avancer viticulture et vinification. Ses 2007 ont un équilibre classique pour Volnay, avec une expression fine du terroir. 2008 continue dans le même esprit.

Aloxe-Corton Les Caillettes 2008
Rouge | 2012 à 2018 | NC **14/20**
Couleur rubis tendre, vin souple, délicatement épicé, franc, peu complexe mais précis et sain. Pas d'amer dans le tanin.

Pommard premier cru Les Bertins 2007
Rouge | 2016 à 2028 | 28 € **17/20**
Presque plus volnay que le clos-des-chênes, avec un tanin délié et une délicieuse fraîcheur en arrière-bouche. Raffiné, long, excellent.

Pommard Vaumuriens Hauts 2008
Rouge | 2016 à 2023 | 20 € **15,5/20**
Nerveux et racé avec quelque chose dans la tension qui rappelle (en format plus petit) rugiens, épicé, de garde.

Volnay premier cru Clos des Chênes 2008
Rouge | 2018 à 2026 | 28 € **17/20**
Puissant, tendu, épicé, beaucoup d'avenir. Type de vin masculin moins rare qu'on ne le croit sur Volnay.

Volnay premier cru Santenots 2008
Rouge | 2016 à 2023 | 28 € **16,5/20**
Remarquable nez fruité, grande maturité du raisin, longue suite en bouche, de l'éclat dans le fruit.

JOSEPH DROUHIN

7, rue d'Enfer • 21200 Beaune
Tél. 03 80 24 68 88 • Fax : 03 80 22 43 14
maisondrouhin@drouhin.com • www.drouhin.com
Visite : Du lundi au vendredi de 9h à 12h et de 14h à 18h, sur rendez-vous.
Ouvert le samedi et dimanche mêmes horaires qu'en semaine.

Cette grande maison historique de Beaune est désormais conduite par la nouvelle génération de la famille Jousset-Drouhin, avec la complicité pour la

vinification de son directeur technique, Jérôme Faure-Brac. D'énormes efforts de viticulture propre, d'inspiration biodynamique, ont métamorphosé les fruits du domaine et expliquent le supplément de maturité des vins rouges et blancs. Sans renoncer à l'élégance et au fruité très pur caractéristiques du style maison, les vins ont gagné en densité de matière, au prix de quelques inégalités, facilement compréhensibles en raison des risques pris et assumés. Le millésime 2008 à son meilleur montre une superbe personnalité avec des vins racés, denses et faits pour la garde.

Beaune premier cru Clos des Mouches 2008
Rouge | 2016 à 2020 | 39 € **16,5/20**
Robe pourpre soutenue, arômes de prune, d'épices, de sarment légèrement fumé, excellent équilibre, un peu plus dense que 2007.

Beaune premier cru Grèves 2008
Rouge | 2015 à 2020 | 32 € **16/20**
Robe délicate, nez épicé et fin, matière souple, déliée, tanin un rien plus austère, joli style, mais pas encore la matière d'une tête de cuvée.

Bourgogne La Forêt 2008 ☺
Blanc | 2010 à 2016 | 8,70 € **15/20**
Robe pâle, nez très pur, aucune lourdeur lactique, nerveux, élégant mais sans arôme technologique, plus complet que le rouge, générique exemplaire.

Bourgogne La Forêt 2008
Rouge | 2012 à 2016 | 10,40 € **14/20**
Intelligemment vinifié et élevé pour conserver son fruit, souple, immédiatement prêt à boire, avec la densité et le sérieux de ce millésime à rendement en jus faible.

Chambolle-Musigny premier cru 2008
Rouge | 2016 à 2023 | 40 € **15,5/20**
Robe pourpre, sans dégradés, nez associant des notes de fruits rouges et de prune, corps assez dense, tanin ferme, un rien astringent.

Chambolle-Musigny premier cru Amoureuses 2008
Rouge | 2016 à 2023 | 97 € **18,5/20**
Sublime arôme floral, corps délicat, définition du terroir difficile à surpasser, texture d'une tendresse et d'une subtilité merveilleuses, vin d'esthète.

Chassagne-Montrachet 2008
Blanc | 2012 à 2016 | 34 € **14,5/20**
Robe paille, nez fin, net, très légèrement miellé, corps convenable, finale franche, saine, pas très complexe. Ensemble agréable mais sans cachet particulier.

Chassagne-Montrachet Marquis de Laguiche 2008
Blanc | 2014 à 2020 | 50 € **17,5/20**
Beaucoup de noblesse dans les notes de fleur de vigne au nez, corps ample, grande densité de constitution, aucune trace d'oxydation en vue, vin classique du secteur de Morgeot, fait pour la garde, avec sa sûreté de style coutumière.

Clos de Vougeot grand cru 2008
Rouge | 2018 à 2028 | 93 € **17/20**
Grande robe, vin très bien équilibré, franc, boisé intégré, tanin ferme mais sans astringence, terroir affirmé, belle garde prévisible, ne pas ouvrir trop tôt.

Corton - Bressandes grand cru 2008
Rouge | 2016 à 2028 | 70 € **18/20**
Merveilleuse élégance de parfum, texture raffinée, dans l'esprit maison, définition du terroir exemplaire, un cran au dessus de tous les rouges de la Côte de Beaune.

Corton - Charlemagne grand cru 2008
Blanc | 2016 à 2023 | 76 € **18,5/20**
Robe claire, nez imposant et racé, corps généreux, impeccablement équilibré en acidité, longueur et classe remarquables, définition du terroir superlative. Un modèle du genre.

Gevrey-Chambertin 2008
Rouge | 2013 à 2020 | 31 € **16/20**
Vinification de raisins achetés par la maison, joli équilibre entre le caractère fruité, ouvert, franc, pur, respectant le pinot et un corps enveloppant mais sans lourdeur. Le meilleur village de la maison.

Grands-Échezeaux grand cru 2008
Rouge | 2016 à 2028 | 110 € **18/20**
Robe pourpre, nez noble à la fois floral et délicatement épicé, texture racée à souhait, ensemble de très haute qualité, un peu plus élégant que le clos-vougeot.

Meursault 2008
Blanc | 2012 à 2018 | 31 € **16,5/20**
Village complet pour l'année, très précis, frais, élégant, dans le style maison tel qu'il a évolué depuis trois ans, moins boisé «mannequin», plus fidèle à la pureté et la droiture du jus, mais avec le charme et la rondeur de la commune.

Montrachet grand cru Marquis de Laguiche 2008
Blanc | 2016 à 2026 | 315 € **18/20**
Robe paille, nez infiniment racé de fleur de vigne, élégance suprême et attendue, caractéristique du secteur Puligny du cru, un soupçon moins énergique que le charlemagne. Idéalement, on souhaiterait encore un peu plus de densité de matière.

Musigny grand cru 2008
Rouge | 2018 à 2028 | 152 € **19/20**
Un des sommets absolus du millésime, confirmant la forme actuelle de la cuvée, corps somptueux mais élégant, tanin ultra racé, pureté et classe difficiles à surpasser.

Puligny-Montrachet 2008
Blanc | 2013 à 2018 | 37 € **16,5/20**
Le plus fin des trois grands «villages», pâle, élégant, pur, avec la fraîcheur et la droiture de matière du millésime.

Rully 2008
Blanc | 2012 à 2016 | 12,80 € **16/20**
Excellent vin de restauration, équilibré, délicat, harmonieux dans son parfum de fruits blancs et jaunes mais aussi dans sa fin de bouche, pure, sans boisé narcissique. Un classique de la maison, parfaitement en place.

Vosne-Romanée premier cru Petits Monts 2008
Rouge | 2018 à 2028 | 76 € **18,5/20**
Somptueuse étoffe, matière dense et racée, terroir proche du Richebourg et cela se sent dans la force et la personnalité du bouquet de mûre et de pivoine (rose épicée), magnifique réussite, un des sommets du millésime dans le secteur.

DOMAINE DUBLÈRE

17, rue des Tonneliers • 21200 Beaune
Tél. 06 86 92 00 29 • Fax : 03 80 24 11 01
contact@domaine-dublere.com
www.domaine-dublere.com
Visite : sur rendez-vous

Mille excuses à la famille Blair, américaine et pas si riche que cela, pour nos douteuses extrapolations de l'an dernier ! Tony et nos mauvaises oreilles sont à l'origine de notre méprise. La viticulture y est respectueuse de l'environnement et du sol, les vins sont vinifiés de façon très conservatrice, comme souvent quand des Américains se prennent d'amour pour la Bourgogne. Les 2008 nous ont un peu moins plu que les 2007.

Bourgogne Les Millerends 2008
Blanc | 2012 à 2016 | 12 € **13,5/20**
Généreux et sans façon, agréable fin de bouche, bien typé 2008.

Chassagne-Montrachet premier cru Les Chaumées 2008
Blanc | 2012 à 2014 | 35 € **15/20**
Type de vin classique, assez gras, ample, mais déjà presque prêt à boire.

Savigny-lès-Beaune premier cru Les Peuillets 2008
Blanc | 2014 à 2018 | 16,80 € **15/20**
Joli nez de miel, salin, tendre, rond, sec, bien fait, vinosité plus marquée en proportion que dans la version rouge du cru.

Volnay premier cru Les Pitures 2008
Rouge | 2016 à 2020 | 27,50 € **15/20**
Robe claire, nez épicé, type de vin élégant et naturel, mais avec un petit manque de maturité finale du raisin et une extraction manquant de profondeur.

Volnay premier cru Taillepieds 2008
Rouge | 2016 à 2020 | NC **15/20**
Joli nez de fraise, vin élégant, pas très profond, un peu plus complexe que pitures, sympathique à défaut de grandeur.

DOMAINE DUBREUIL-FONTAINE PÈRE ET FILS

18, rue Rameau Lamarosse
21420 Pernand-Vergelesses
Tél. 03 80 21 55 43 • Fax : 03 80 21 51 69
domaine@dubreuil-fontaine.com
www.dubreuil-fontaine.com
Visite : Du lundi au vendredi de 9h à 12h et de 14h à 18h. Le samedi matin de 9h à 12h

Ce domaine a longtemps été le plus célèbre du pittoresque village de Pernand et l'un des pionniers de la mise en bouteille à la propriété. Après une vingtaine d'années de vins moins élégants qu'on ne l'aurait souhaité, Christine Dubreuil a rendu les vinifications plus précises et respectueuses du raisin. Les rouges sont charpentés et très classiques de saveur, les blancs, plus tendus que la moyenne, exigent quelques années de garde préalable. Il faut encore améliorer le parc à barriques.

Corton - Charlemagne grand cru 2008
Blanc | 2018 à 2023 | 48 € **16,5/20**
Belle richesse de constitution, style austère et réservé du secteur Pernand du grand cru, net, pas très nuancé mais racé et fait pour la garde.

Pernand-Vergelesses Clos Berthet 2008
Blanc | 2015 à 2020 | 20 € **14/20**
Réduction amère mais beaucoup de caractère en fin de bouche, à condition d'attendre encore quatre ou cinq ans.

Pernand-Vergelesses premier cru Île des Vergelesses 2008
Rouge | 2016 à 2020 | 23 € **15/20**
Légère caramélisation au nez, texture élégante, tendre, fin de bouche légèrement amère comme souvent au nord de la côte, assez long.

MICHEL ET JOANNA ECARD

3, rue Boulanger et Vallée • 21420 Savigny-lès-Beaune
Tél. 06 30 18 28 13 • Fax : 03 80 26 10 55
ecard.michel.joanna@orange.fr
www.1000bourgognes.com
Visite : Ouvert tous les jours sur rendez-vous: du lundi au samedi de 9h à 12h et de 14h à 19h; le dimanche de 9h à 12h.

Beau domaine artisanal de Savigny, avec d'excellentes parcelles de premier cru et notamment de Serpentières. Le style des vins est très affirmé, plus colorés et charnus que la moyenne du village, dans le droit sillage familial.

Savigny-lès-Beaune premier cru Narbantons 2007
Rouge | 2013 à 2018 | 18 € **15,5/20**
Floral et épicé avec des notes de cerise noire, voluptueux, tendre, mûr, style personnel et intéressant.

Savigny-lès-Beaune premier cru Peuillets 2007
Rouge | 2014 à 2018 | 14 € **15,5/20**
Arôme de cerise, corps moins généreux que narbantons mais plus linéaire et salin, style personnel et abouti.

Savigny-lès-Beaune premier cru Serpentières 2007
Rouge | 2013 à 2018 | 17 € **15,5/20**
Net progrès sur 2005, couleur et chair de raisin mûr, forte personnalité même si la limite de la saveur de fruits compotés et la lourdeur qui va avec sont proches.

Savigny-lès-Beaune premier cru Serpentières 2005
Rouge | 2011 à 2015 | 18 € **14/20**
Légèrement lactique, tendre, épicé, petite amertume finale, agréable mais sans caractère très marqué.

ARNAUD ENTE

12, rue de Mazeray • 21190 Meursault
Tél. 03 80 21 66 12 • Fax : 03 80 21 66 12

Tout petit domaine artisanal de Meursault, produisant des vins d'une très grande classe, associant puissance et pureté dans un équilibre devenu rare de nos jours. Il fournit presque exclusivement la restauration de qualité. Si vous trouvez un de ses vins sur une carte intelligente de bourgognes, n'hésitez jamais, même l'aligoté est ici remarquable. L'essentiel du vignoble se trouve sur une grande parcelle de Meursault (en Ormeau) déclinée selon l'âge des vignes en plusieurs cuvées.

Bourgogne 2008
Blanc | 2012 à 2016 | env 27 € **16,5/20**
Remarquable constitution, pureté exemplaire de saveur, finale pure et noble. Difficile d'imaginer un vin plus complet dans l'appellation.

Bourgogne aligoté 2008
Blanc | 2011 à 2014 | env 18 € **16/20**
La plénitude et la pureté de cette cuvée sont étonnantes et montrent un point de perfection d'expression du cépage difficile à surpasser.

MEURSAULT 2008
Blanc | 2012 à 2018 | env 50 € **17/20**
Nez très pur de fleur de vigne, corps équilibré, fin de bouche de grande race, assemblage réussi à partir d'une base de «Casse-Tête».

MEURSAULT CLOS DES AMBRES 2008
Blanc | 2014 à 2018 | env 64 € **18/20**
Cuvée issue des vieilles vignes d'En Ormeau. Splendide complexité aromatique, grande longueur, grand style, une merveille ! Le meilleur village du millésime de toutes nos dégustations.

MEURSAULT LES PETITS CHARRONS 2008
Blanc | 2013 à 2018 | env 100 € **17/20**
Très expressif au nez avec des notes pures et nobles de noisette légèrement grillée, un moelleux de texture parfaitement équilibré par l'acidité du raisin et une longue suite. Remarquable.

MEURSAULT PREMIER CRU GOUTTE D'OR 2008
Blanc | 2014 à 2020 | env 92 € **17,5/20**
Finesse, pureté et race exemplaires, matière merveilleuse mais s'inclinant de peu devant la majesté du clos-des-ambres. Un modèle de vinification et d'élevage pour tous les jeunes viticulteurs idéalistes de la côte.

PULIGNY-MONTRACHET PREMIER CRU REFERTS 2008
Blanc | 2014 à 2018 | env 100 € **18/20**
Noble arôme de fleur de vigne, intensité étonnante de matière, grande longueur, on s'approche de l'idéal du puligny.

BENOÎT ENTE

4 rue de la Mairie • 21190 Puligny Montrachet
Tél. 03 80 21 93 73

Benoît est le frère d'Arnaud Ente, et il reprend peu à peu les vignes de famille (Domaine David) situées sur de beaux terroirs de Puligny. L'exemple de son frère le conduit à perfectionner viticulture et vinification, et ses derniers millésimes sont en grand progrès. Une valeur sûre désormais, mais une production hélas limitée.

CHASSAGNE-MONTRACHET 2008
Blanc | 2012 à 2016 | 45 € **16/20**
Beau volume de bouche, juste maturité du raisin, boisé intégré, style sûr, excellent village.

PULIGNY-MONTRACHET 2008
Blanc | 2012 à 2016 | 45 € **16/20**
Longiligne mais sans maigreur, arômes frais de citronnelle, long, élégant, très bien vinifié.

PULIGNY-MONTRACHET PREMIER CRU
CHAMP-GAIN 2008
Blanc | 2013 à 2018 | 73 € **17/20**
Superbe densité de texture, boisé élégant car peu perceptible et intégré, sensation de pureté et de précision, fin de bouche très droite, le style que nous aimons.

PULIGNY-MONTRACHET PREMIER CRU
FOLATIÈRES 2008
Blanc | 2013 à 2018 | 80 € **18/20**
Vigne dite En La Richarde, voisine des domaines Leroy et Jadot. Grande race aromatique, grande suite en bouche, on se rapproche du grand cru.

PULIGNY-MONTRACHET PREMIER CRU REFERTS 2008
Blanc | 2014 à 2020 | 73 € **17/20**
Proche du champ-gain avec un peu plus d'enveloppe et de moelleux, mais moins de finesse pure, style remarquable et hautement recommandable.

DOMAINE JEAN FERY

1, rue Marey • 21720 Échevronne
Tél. 03 80 21 59 60 • Fax : 03 80 21 59 59
fery.vin@wanadoo.fr • www.fery-vin.fr
Visite : Uniquement sur rendez-vous.

Nous connaissons mal la production du domaine mais recommandons fortement le nuits-damodes présenté. Une visite s'impose pour l'an prochain.

NUITS-SAINT-GEORGES DAMODES 2008
Rouge | 2014 à 2020 | 28 € **15/20**
Grande robe, boisé noble, matière riche, tanin sans lourdeur, village puissant et soigné.

DOMAINE FOLLIN-ARBELET

Les Vercots • 21420 Aloxe-Corton
Tél. 03 80 26 46 73 • Fax : 03 80 26 43 32
franck.follin-arbelet@wanadoo.fr
Visite : Sur rendez-vous.

Peu à peu, ce domaine intègre et entièrement dédié à la haute qualité trouve ses marques, et surtout l'élégance de bouquet et de texture qu'on attend de son remarquable patrimoine de vignes. Franck Follin affine à chaque nouvelle vinification son style, tout en maintenant la probité dans l'expression du

terroir qui est sa grande force. Mais ces vins sourient peu dans leurs premières années.

Aloxe-Corton 2008
Rouge | 2012 à 2014 | 20 € **13/20**
Robe assez claire, très souple, tanin sans aspérité, prêt à boire.

Aloxe-Corton premier cru
Clos du Chapitre 2008
Rouge | 2015 à 2020 | 30 € **15/20**
Style classique, tendre en entrée de bouche, plus tendu dans son tanin, épicé, net, de garde.

Corton - Bressandes grand cru 2008
Rouge | 2014 à 2023 | 45 € **16/20**
A l'inverse du 2007, bressandes est moins longiligne, plus souple que corton, tout en finesse mais sans égaler sa noblesse de fruit.

Corton - Charlemagne grand cru 2008
Blanc | 2014 à 2020 | 60 € **15/20**
Beau nez de raisin mûr, assez gras pour le cru, style traditionnel manquant un peu de cristallinité ou de densité pour ce terroir.

Corton grand cru 2008
Rouge | 2016 à 2023 | 45 € **17/20**
Excellent nez de ronce, ensemble nerveux, racé, assez long, remarquablement typé.

Pernand-Vergelesses premier cru
Les Fichots 2008
Rouge | 2013 à 2020 | 20 € **14,5/20**
Texture élégante, avec la finesse de ces terroirs de montagne, assez long et typé.

Romanée-Saint-Vivant grand cru 2008
Rouge | 2016 à 2023 | 150 € **16/20**
Dense, épicé, encore dominé par un boisé qui assèche un peu sa texture, de la classe mais aussi un peu trop d'austérité.

ALEX GAMBAL

14, boulevard Jules Ferry • 21200 Beaune
Tél. 03 80 22 75 81 • Fax : 03 80 22 21 66
info@alexgambal.com • www.alexgambal.com
Visite : Du lundi au vendredi uniquement sur rendez-vous.

Alex Gambal est un Bostonien qui, par amour du bourgogne, s'est installé à Beaune, où sa petite firme de négoce a rapidement acquis l'estime locale. Le niveau général des vins est fort élevé, dans un style élégant qui plaît à tous. La plupart des vins sont vinifiés sur place, ce qui garantit une parfaite homogénéité de style.

Chambolle-Musigny 2008
Rouge | 2014 à 2020 | 27,80 € **15,5/20**
Jolis arômes très typés du village, texture charmante, boisé intégré, tanin délié, excellent.

Fixin 2008
Blanc | 2011 à 2016 | 15,80 € **15/20**
Très franc et pur au nez, corps, fraîcheur et équilibre, excellente vinification, un bon commencement pour apprendre le chardonnay de la côte.

Meursault 2007
Blanc | 2011 à 2015 | 25,20 € **16/20**
Robe pâle, limpide, nez d'une grande finesse, sur des notes attendues de noisette, élégant, cristallin, très beau style.

Saint-Aubin premier cru
Les Murgers des Dents de Chien 2008
Blanc | 2012 à 2016 | 20 € **14,5/20**
Robe dorée, légèrement mielleux, du gras, mais dans le détail il manque un peu de fraîcheur et de nuances.

DOMAINE MICHEL GAY ET FILS

1, rue des Brenots • 21200 Chorey-lès-Beaune
Tél. 03 80 22 22 73 • Fax : 03 80 22 95 78
michelgayetfils@orange.fr • www.michelgayetfils.fr
Visite : Du lundi au samedi sur rendez-vous.

Nous avions perdu de vue ce domaine qui nous a donné quelques vins rustiques au tournant du millénaire. 2007 nous permet de le retrouver et d'admirer une totale métamorphose de style et de qualité, sans parler du remodelage de l'étiquette. Tous les vins présentés frappaient par leur pureté d'expression, la justesse de leur tanin et de l'expression du terroir et une rare maîtrise de l'élevage. Ces qualités se retrouvent dans de très bons 2008, peut-être un ton en dessous, mais ils venaient d'être mis en bouteille au moment de cette dégustation.

Aloxe-Corton 2008
Rouge | 2010 à 2011 | 15 € **14/20**
Robe rubis, nez très net, épicé, corps souple, aucune amertume tannique, bien vinifié et élevé, pas très complexe.

Beaune premier cru Coucherias 2007
Rouge | 2014 à 2020 | 16,50 € **15/20**
Robe rubis, nez très développé, légèrement animal, texture souple, moins de finesse que beaune-toussaints mais caractère marqué, fait pour accompagner perdreau ou tout gibier à plume.

Beaune premier cru Grèves 2008
Rouge | 2013 à 2020 | 16 € **15/20**
Robe rubis, nez épicé, excellent corps, tanin plus ferme que la moyenne, léger assèchement final mais ensemble tout à fait convenable dans une année un peu dure pour la vigne dans ce secteur.

Beaune premier cru Toussaints Vieilles Vignes 2008
Rouge | 2016 à 2023 | NC **16,5/20**
Robe rubis, beaucoup de séduction dans la texture, tanin fin, finale longue et épicée, un beaune de haut niveau, tout en finesse.

Chorey-lès-Beaune 2008
Rouge | 2013 à 2016 | 9 € **13,5/20**
Beau rubis profond, limpide, notes de cuir jeune et d'épices au nez, souple, assez long, légèrement viandé, style classique.

Corton - Renardes grand cru 2008
Rouge | 2018 à 2026 | 35 € **16/20**
Robe rubis profond, nez vanillé, excellente constitution, tanin fin, terroir parfaitement lisible : la barrique neuve n'est pas encore fondue et ce choix de chêne n'est pas le plus adapté pour préserver intégralement la beauté de fruit de départ.

Savigny-lès-Beaune premier cru Serpentières 2008
Rouge | 2014 à 2018 | 14 € **15/20**
Robe rubis bien lumineuse, nez épicé, texture tendre mais élégante, fruité plus marqué que vergelesses (ce dernier, plus minéral), assez long, affiné, très savigny.

Savigny-lès-Beaune premier cru Vergelesses 2007
Rouge | 2014 à 2020 | 14,50 € **15,5/20**
Robe rubis foncé, nez épicé, corps remarquable, tanin fin, aucune note astringente, un excellent savigny, peut-être moins séducteur que le 2007.

DOMAINE HENRI GERMAIN ET FILS

4, rue des Forges • 21190 Meursault
Tél. 03 80 21 22 04 • Fax : 03 80 21 67 82
domaine.h.germain-et-fils@orange.fr
Visite : Sur rendez-vous. Fermeture du 1er mai au 14 juillet.

Un modèle de domaine artisanal : le style des vins, lentement élevés en cave froide, répond parfaitement à ce qu'on attend d'un meursault de race, ampleur, onctuosité sans mollesse, et énergie pour la garde. Perrières s'est ajouté à Charmes dans la panoplie des crus, et personne ne s'en plaindra. Les rouges ne nous ont pas été présentés.

Meursault premier cru Charmes 2007
Blanc | 2015 à 2019 | 34 € **17/20**
Fraîcheur, élégance, plénitude, un modèle de style. Attendez-le au moins trois ou quatre ans.

Meursault premier cru Perrières 2007
Blanc | 2013 à 2019 | 43 € **17/20**
Robe pâle, légère réduction sur la fougère et la noisette fraîche au nez, grande origine évidente, tension remarquable pour le millésime, complexe, superbe.

DOMAINE VINCENT GIRARDIN

Les Champs Lins • 21190 Meursault
Tél. 03 80 20 81 00 • Fax : 03 80 20 81 10
vincent.girardin@vincentgirardin.com
www.vincentgirardin.com
Visite : Du lundi au samedi de 10h à 19h.

Ce producteur réputé ne snobe pas les dégustations comparatives à l'aveugle, où ses vins n'ont pas de mal à montrer leur excellence. Ses 2008 s'annoncent remarquables, opulents mais raffinés, et méritent de figurer dans toute cave sérieuse d'amateur de bourgognes.

Bienvenues-Bâtard-Montrachet grand cru 2008
Blanc | 2014 à 2020 | 140 € **17,5/20**
Grand nez généreux, raisin mûr, grande onctuosité, grande longueur du vrai grand cru.

Chassagne-Montrachet Clos du Caillerets 2008
Blanc | 2013 à 2018 | 46 € **16,5/20**
Beaucoup de gras et d'onctuosité, parfaite maturité du raisin, finale légèrement réglissée comme pour un pinot noir, le type de chardonnay universel qui plaira à tous.

CHASSAGNE-MONTRACHET PREMIER CRU CHAUMÉES 2008
Blanc | 2014 à 2020 | 38 € **17/20**
Beaucoup de finesse et de fraîcheur, sur des notes citronnées, pur et vivant, remarquable vinification.

CHASSAGNE-MONTRACHET PREMIER CRU MORGEOT 2008
Blanc | 2013 à 2018 | 38 € **17,5/20**
Un des sommets du millésime, plus de personnalité et d'allonge que caillerets, finale remarquable d'intensité et d'élan, style facile à comprendre de tous.

DOMAINE ALAIN GRAS

Village Haut • 21190 Saint-Romain
Tél. 03 80 21 27 83 • Fax : 03 80 21 65 56
gras.alain1@wanadoo.fr
www.domaine-alain-gras.com
Visite : sur rendez-vous

Le plus connu des viticulteurs de Saint-Romain n'a pas présenté cette année de vins à nos dégustations, mais on les trouvera facilement dans la restauration bourguignonne qu'il fournit abondamment.

DOMAINE ANTONIN GUYON

2, rue de Chorey • 21420 Savigny-lès-Beaune
Tél. 03 80 67 13 24 • Fax : 03 80 66 85 87
domaine@guyon-bourgogne.com
www.guyon-bourgogne.com
Visite : Du lundi au vendredi de 8h à 12h et de 14h à 18h, sur rendez-vous.

Ce domaine respecté de Savigny a comme points forts de remarquables parcelles en appellations Corton et Corton-Charlemagne, mais offre d'excellents exemples de meursault, volnay et chambolle-musigny, avec une réussite plus constante en vin rouge qu'en vin blanc, où certaines évolutions trop rapides au vieillissement gâchent notre plaisir. Les rouges vieillissent en général très bien. Les rouges 2008 ont un peu souffert des caprices climatiques de l'année.

ALOXE-CORTON PREMIER CRU VERCOTS 2008
Rouge | 2010 à 2024 | 28 € **14/20**
Excellent velouté de texture, finale un peu amère mais moins desséchée que dans beaucoup d'autres échantillons de rouges 2008 présentés par le domaine.

CORTON - BRESSANDES GRAND CRU 2008
Rouge | 2012 à 2018 | 41 € **15/20**
Joli nez frais et fin d'angélique, tendre, pas vraiment mûr ni très charnu mais élégant, et moins asséché en finale que clos-du-roy.

CORTON - CHARLEMAGNE GRAND CRU 2008
Blanc | 2014 à 2018 | 65 € **15,5/20**
Tendre, net mais moins complet que le 2007, boisé pas parfaitement net.

MEURSAULT PREMIER CRU CHARMES DESSUS 2007
Blanc | 2014 à 2019 | 41 € **16,5/20**
Beaucoup de netteté aromatique et de fidélité au terroir, un peu renfermé mais toujours aussi complexe et racé.

DOMAINE HUBER-VERDEREAU

3, rue de la Cave • 21190 Volnay
Tél. 03 80 22 51 50 • Fax : 03 80 22 48 32
contact@huber-verdereau.com
www.huber-verdereau.com
Visite : sur rendez-vous.

Encore un de ces jeunes viticulteurs de Volnay, qui à considérablement amélioré la qualité de la production familiale et permis à d'excellents terroirs de donner à nouveau des vins dignes d'eux. Les 2007 présentés étaient fort prometteurs, les 2008 souffrent un peu d'une astringence de barrique liée aux origines de bois utilisées.

HAUTES CÔTES DE BEAUNE 2008
Rouge | 2012 à 2016 | 10 € **14,5/20**
Jolie robe, fruité très ouvert de cerise noire, vin élégant, fin de bouche harmonieuse, excellent style pour une consommation rapide.

POMMARD 2008
Rouge | 2016 à 2020 | 20 € **16/20**
Plus épicé et corsé que le volnay, belle texture, tanin ferme mais moins sec, excellente suite en bouche, village élégant, prometteur.

POMMARD PREMIER CRU LES BERTINS 2008
Rouge | 2016 à 2023 | 33 € **16/20**
Le meilleur rouge du millésime ici : plus de gras et tanin moins à découvert que sur les volnays, précis, élégant, capable de bien vieillir.

Volnay 2008
Rouge | 2014 à 2020 | 17 € **14/20**
Lactique et floral au nez, souple, jolie texture, tanin en revanche un peu ferme et pas aussi harmonieux qu'on ne s'y attend.

Volnay premier cru Frémiets 2008
Rouge | 2015 à 2023 | 33 € **15/20**
Petite note de violette fort élégante au nez, corps convenable, jolie texture, tanin plutôt sec mais bien moins accrocheur que celui de robardelle, que nous n'avons pas sélectionné.

LOUIS JADOT

21, rue Eugène-Spuller • 21200 Beaune
Tél. 03 80 22 10 57 • Fax : 03 80 22 56 03
maisonlouisjadot@louisjadot.com
www.louisjadot.com
Visite : sur rendez-vous.

Cette maison est en quelques années devenue la plus importante de Beaune par le volume de production, avec comme originalité marquante une très belle gamme de vins du Mâconnais et du Beaujolais, où elle possède des vignobles superbement placés. Toutes les appellations ou presque sont présentes ce qui ne simplifie pas le choix, mais une bonne stratégie est de se fier en priorité à des assemblages bien au point pour les villages réputés, particulièrement en blanc, à des appellations moins connues mais toujours remarquables comme Fixin ou Pernand-Vergelesses, mais surtout aux crus des domaines. Les rouges peuvent manquer de charme immédiat, mais vieillissent souvent de façon merveilleuse. Les meilleurs blancs, vinifiés par le génial Jacques Lardière, n'ont aucun équivalent pour leur complexité, leur noblesse, leur fondu et leur vinosité. Ne manquez pas les 2008, parmi les plus remarquables des trente dernières années.

Auxey-Duresses 2008
Blanc | 2013 à 2018 | 15 € **15,5/20**
Belle définition aromatique, tendre mais sans mollesse, finale pure, boisé intelligent, prix raisonnable pour la qualité.

Bâtard-Montrachet grand cru 2008
Blanc | 2016 à 2028 | 157,50 € **18,5/20**
Le bâtard dans tout son éclat et sa splendeur, fait pour la garde, et illustration frappante du style de la maison, qui disparaît hélas au profit d'expressions plus superficielles.

Beaune premier cru Boucherottes 2007
Rouge | 2013 à 2019 | 22,50 € **16/20**
Beau nez de cerise, personnalité affirmée, tendresse séduisante, avec la délicatesse d'un tanin parfaitement travaillé.

Bonnes-Mares grand cru 2007
Rouge | 2019 à 2032 | 157,50 € **17,5/20**
Robe pigeon, nez racé, complexe, ferme, caractère plutôt viril pour le cru, densité de texture exigeant une longue garde, la dimension est là, il faut simplement attendre.

Chambolle-Musigny premier cru Fuées 2007
Rouge | 2013 à 2019 | 51 € **17/20**
Récolte du domaine, grand nez floral, texture délicieusement suave, fraîcheur, élégance, longueur, le parfait type de chambolle.

Chassagne-Montrachet premier cru Morgeot 2008
Blanc | 2013 à 2019 | 40,50 € **18/20**
Étonnante plénitude de constitution, remarquable onctuosité, grand style, le vrai type de grand chardonnay bourguignon.

Chassagne-Montrachet premier cru Ruchottes 2008
Blanc | 2014 à 2020 | 43,50 € **17,5/20**
Robe or vert, grande distinction de caractère, matière dense, noble, de garde, le grand chardonnay bourguignon comme on l'aime.

Chevalier-Montrachet grand cru Demoiselles 2008
Blanc | 2018 à 2028 | 202,50 € **19,5/20**
Sublime nez de fleur de vigne, sublime onctuosité, grande longueur, grand éclat, un triomphe.

Clos de la Roche grand cru 2007
Rouge | 2017 à 2027 | 77,30 € **17/20**
Tout en puissance et générosité, avec le côté voluptueux et immédiat de l'année, mais le tanin revient en force en finale et montre le potentiel.

Clos de Vougeot grand cru 2008
Rouge | 2023 à 2038 | 77,30 € **18/20**
Grande expression intense, audacieuse et en même temps réservée de ce terroir, tanin merveilleusement intégré, très dense, fait pour vieillir un demi-siècle.

Clos Saint-Denis grand cru 2008
Rouge | 2020 à 2028 | 105 € **18/20**
Grandes promesses, aussi long et plus tendu et racé que le 2007.

Clos Saint-Denis grand cru 2007
Rouge | 2017 à 2027 | 120 € **17,5/20**
Plus fin et aristocratique dans ses arômes floraux que le clos-de-la-roche, grande suite en bouche, merveilleux tanin.

Corton - Charlemagne grand cru 2008
Blanc | 2018 à 2026 | 82,50 € **19/20**
Profond, noble, rétro-olfaction impressionnante, immenses promesses, un des plus complets des trente dernières années.

Corton - Pougets grand cru 2007
Rouge | 2017 à 2027 | 48,80 € **17/20**
Nez distingué entre les épices, le cuir et les fruits rouges, grande droiture sans effet de manche, tanin fin, avec le côté réservé des vrais cortons mais aussi leur potentiel de métamorphose avec le temps.

Côte de Beaune-Villages 2008 ☺
Rouge | 2012 à 2016 | 13,40 € **14/20**
De la vitalité et du fruit, assemblage savant de nombreux petits villages et raison d'être d'un bon négociant, idéal pour les repas d'affaires ou de plaisir en bonne restauration.

Gevrey-Chambertin 2007
Rouge | 2013 à 2019 | 28,50 € **15,5/20**
Beau travail de négociant avec repli de nombreux premiers crus, ensemble souple mais racé, de séduction assez immédiate et donnant une juste idée de l'appellation.

Gevrey-Chambertin premier cru
Estournelles Saint-Jacques 2008
Rouge | 2018 à 2028 | 45 € **17/20**
Grande robe, boisé encore présent, matière majestueuse, intense, vineux, racé, très grand avenir.

Meursault premier cru Genevrières 2008
Blanc | 2018 à 2028 | 49,50 € **18,5/20**
Sublime finesse aromatique, ensemble complet, parfaitement élevé, avec la touche spéciale de densité et de race obtenue par Jacques Lardière dans ce millésime. Récolte du domaine.

Montrachet grand cru 2008
Blanc | 2018 à 2028 | 285 € **19/20**
Puissance, noblesse, grandeur, le cru est présent dans toute sa dimension mais avec un rien de génie en moins que le chevalier-montrachet du domaine.

Musigny grand cru 2007
Rouge | 2017 à 2032 | 337,50 € **18,5/20**
Domine largement le millésime, et donne vraiment l'idée de la grandeur du cru, sublime parfum, texture de soie, grande intelligence du boisé qui n'assèche rien, ne souligne rien mais enrobe.

Nuits-Saint-Georges premier cru
Aux Boudots 2008
Rouge | 2018 à 2028 | 45 € **17/20**
Beaucoup de race aromatique et de puissance, boisé fort mais pas asséchant, longueur remarquable. Un coureur de fond.

Pommard premier cru Rugiens 2007
Rouge | 2017 à 2025 | 40,50 € **16,5/20**
Beaucoup plus de corps et de personnalité que le grands-épenots, nez racé et complexe, tanin épicé, de la fermeté mais sans dureté, la bouteille tient ses promesses.

Puligny-Montrachet Clos de la Garenne
Duc de Magenta 2008
Blanc | 2016 à 2023 | 49,50 € **18/20**
Arôme noble de fougère, intensité superbe de texture, grande longueur, grand style. On adore ce côté aérien et le retour de l'arôme de fleur de vigne.

Puligny-Montrachet premier cru
Folatières 2008
Blanc | 2016 à 2023 | 52,50 € **18/20**
Récolte du domaine, parcelle en La Richarde. Complet au nez (fleur de vigne, citronnelle), énergique en bouche, complexe, autolyse aboutie, garde assurée.

Vosne-Romanée premier cru Beaumonts 2008
Rouge | 2016 à 2026 | 52,50 € **16,5/20**
Grand volume de bouche, nez framboisé complexe, ferme et plus conforme à l'attente que les beaumonts d'autres négociants.

JAFFELIN

2, rue Paradis • 21200 Beaune
Tél. 03 80 22 12 49 • Fax : 03 80 21 52 43
jaffelin@maisonjaffelin.com
Visite : 11h-13h et 15h-19h fermé dimanche et lundi

Une des nombreuses marques appartenant à la famille Boisset, spécialisée dans les appellations moins connues de la côte. Malgré des efforts évidents, le niveau moyen de la qualité n'égale pas celui d'autres firmes beaunoises.

BEAUNE PREMIER CRU TEURONS 2008
Rouge | 2013 à 2018 | 28,20 € **14,5/20**
Un des meilleurs rouges de la firme, tanin élégant, corps généreux, terroir lisible.

DOMAINE PATRICK JAVILLIER

7, impasse des Acacias • 21190 Meursault
Tél. 03 80 21 27 87 • Fax : 03 80 21 29 39
contact@patrickjavillier.com
www.patrickjavillier.com
Visite : Visites à la Cave Saint-Nicolas, place de l'Europe, vendredi, samedi, dimanche matin, lundi et jours fériés de 10h à 12h et de 14h30 à 19h.

Ce domaine classique de Meursault n'a pas présenté de vins depuis deux ans. En général, ils ont en effet besoin de trois ou quatre ans de bouteille pour se révéler pleinement.

DOMAINE JESSIAUME

10, rue de la Gare • 21590 Santenay
Tél. 03 80 20 60 03 • Fax : 03 80 20 62 87
contact@domaine-jessiaume.com
www.domaine-jessiaume.com
Visite : De 8h à 12h et de 13h à 18h sans rendez-vous.

Une reprise en main totale de l'activité du domaine et du petit négoce qui lui est attaché ont révolutionné le style et la qualité. Les terroirs du domaine sont intéressants, avec la part royale de l'excellent climat des Gravières, à Santenay, et un style affirmé, moderne mais respectueux, en rouge comme en blanc. Adresse à suivre.

AUXEY-DURESSES 2008
Rouge | 2013 à 2016 | 13,50 € **14/20**
Forte couleur, excellent fruit, entre la mûre et la prune, tanin souple, plutôt long, sans aspérité de tanin.

AUXEY-DURESSES ÉCUSSEAUX 2008
Blanc | 2013 à 2018 | 18,50 € **16/20**
Ensemble riche et équilibré, fraîcheur parfaite, beaucoup de suite en bouche.

AUXEY-DURESSES PREMIER CRU ÉCUSSEAUX 2008
Rouge | 2012 à 2016 | 19 € **14,5/20**
Coloré, fortement épicé avec des notes de violette et de badiane, plus charnu que le village.

SANTENAY CLOS GENÊT 2008
Rouge | 2012 à 2016 | 14 € **14,5/20**
Coloré, rond, savoureux, fruit sombre et automnal, agréable toucher de tanin.

SANTENAY PREMIER CRU GRAVIÈRES 2008
Blanc | 2012 à 2014 | 18,50 € **14,5/20**
Robe pâle, nez légèrement anisé, joli gras, bons amers, assez long et gras, finale sur la dragée.

SANTENAY PREMIER CRU GRAVIÈRES 2008
Rouge | 2014 à 2020 | 19 € **15/20**
Plus nerveux et tannique que les autres vins du domaine, assez long, épicé, du caractère.

DOMAINE ANTOINE JOBARD

2, rue de Leignon • 21190 Meursault
Tél. 03 80 21 21 26 • Fax : 03 80 21 26 44
antoine.jobard@orange.fr

Antoine Jobard prend désormais en mains le domaine paternel et signe de son nom le millésime 2008. François Jobard, son père, est l'un des viticulteurs les plus respectés du village et certains de ses millésimes des années 1960 et 1970 font partie de notre panthéon personnel des grands meursaults. Quelques millésimes plus récents avaient déçu, denses mais marqués par des notes amères ou des petites déviations. Antoine respecte le style familial, très traditionnel, fait pour la garde, un peu à contre-courant des modes. Nous l'en remercions, ce qui ne l'empêchera pas de trouver une voie plus personnelle dans les prochaines années.

MEURSAULT EN LA BARRE 2008
Blanc | 2014 à 2020 | 29 € **15/20**
Très forte réduction amère de lies, mais grande densité de matière et caractère assez monumental pour l'année. Il faut attendre.

MEURSAULT PREMIER CRU PORUZOTS 2007
Blanc | 2015 à 2022 | 40 € **18/20**
Splendide matière, grande race aromatique, grande longueur, vin exceptionnel et de grande garde.

DOMAINE PIERRE LABET

Clos de Vougeot • 21640 Vougeot
Tél. 03 80 62 86 13 • Fax : 03 80 62 82 72
contact@chateaudelatour.com
www.chateaudelatour.com
Visite : Du lundi au vendredi,sur rendez-vous.

Les vignes appartiennent au père de François Labet, mais les vins sont vinifiés au Clos de Vougeot, fief de sa mère et de sa tante, par la même équipe et selon les mêmes principes. Le niveau de qualité continue à s'améliorer avec des 2007 parmi les plus complets de l'histoire récente, dont un bourgogne rouge vieilles-vignes d'anthologie. 2008 est tout aussi réussi.

BEAUNE CLOS DU DESSUS DES MARCONNETS 2008
Rouge | 2014 à 2020 | 22,50 € **15/20**
Forte couleur, excellente matière, tanin élégant, boisé mieux intégré que sur coucherias, beaune classique.

BEAUNE PREMIER CRU COUCHERIAS 2008
Rouge | 2016 à 2023 | 27 € **15,5/20**
Fût bien marqué mais pas asséchant, matière riche, raisin mûr, de l'ampleur et même de la race, mais faire vieillir cinq ans minimum.

GEVREY-CHAMBERTIN VIEILLE VIGNE 2008
Rouge | 2016 à 2023 | 31 € **14,5/20**
Nouveauté au domaine et belle réussite, notes florales de raisin entier, recherche de finesse évidente, tanin pas encore pleinement dégagé, attendre cinq ans.

DOMAINE MICHEL LAFARGE

15, rue de la Combe • 21190 Volnay
Tél. 03 80 21 61 61 • Fax : 03 80 21 67 83
contact@domainelafarge.com
www.domainelafarge.com
Visite : Sur rendez-vous.

Domaine très réputé, et à juste titre, de Volnay, pratiquant une viticulture très probe et produisant des vins d'un grand classicisme. Les derniers millésimes ont gagné en délicatesse ce qu'ils ont un peu perdu en vinosité. 2008 lui a particulièrement réussi.

VOLNAY PREMIER CRU CLOS DES CHÊNES 2008
Rouge | 2018 à 2026 | NC **17/20**
Belle robe rubis, nez épicé, corps remarquablement équilibré, très jeune et encore sur la défensive, mais de grand avenir.

VOLNAY VENDANGES SÉLECTIONNÉES 2008
Rouge | 2016 à 2020 | NC **16/20**
Jolie robe rubis, grande finesse de texture et de tanin, souple, subtil, très volnay !

DOMAINE HUBERT LAMY

20, rue des Lavières • 21190 Saint-Aubin
Tél. 03 80 21 32 55 • Fax : 03 80 21 38 32
domainehubertlamy@wanadoo.fr
www.domainehubertlamy.com
Visite : Sur rendez-vous.

Ce domaine de tradition est aux mains d'un jeune vigneron fort doué, Olivier Lamy, fils d'Hubert, dont la maîtrise des difficultés de 2005 pour les vins blancs mérite tous les éloges. Leur finesse, leur charme, leur fraîcheur devraient être médités par bien des producteurs plus célèbres. Les 2008 confirment le talent de vinification d'Olivier, dans un style remarquablement fin. Les rouges, avec un caractère très fruité et très agréable, ont peu d'équivalent dans le secteur. Un parcours sans faute qui devrait, s'il se confirme dans les prochains millésimes, ranger le domaine dans la famille des grands stylistes.

CHASSAGNE-MONTRACHET 2008
Blanc | 2013 à 2017 | 38 € **16,5/20**
Un des meilleurs de sa catégorie, très jolis arômes citronnés, raffiné, précis, long, un régal.

CHASSAGNE-MONTRACHET PREMIER CRU MACHERELLES 2008
Blanc | 2014 à 2018 | 56 € **16,5/20**
Amusant car plein de notes grillées, façon meursault, long, racé, mais il faut aimer ce style de vin construit sur la réduction.

CRIOTS-BÂTARD-MONTRACHET GRAND CRU 2008
Blanc | 2016 à 2023 | 200 € **18,5/20**
Production minuscule mais vin extraordinairement floral, complexe et racé, parfait pour le long vieillissement.

SAINT-AUBIN PREMIER CRU
CLOS DE LA CHATENIÈRE 2008
Blanc | 2013 à 2018 | 36 € **15,5/20**
Très pur et pâle, nez de fleurs blanches, élégant mais sans grande vinosité.

SAINT-AUBIN PREMIER CRU DERRIÈRE CHEZ ÉDOUARD HAUTE DENSITÉ 2008
Blanc | 2013 à 2018 | 60 € **16,5/20**
Vinosité magnifique, avec un supplément de corps sur les autres saint-aubins, mais un caractère plus chassagne que remilly, à la fois plus enrobé mais moins racé.

SAINT-AUBIN PREMIER CRU DERRIÈRE CHEZ ÉDOUARD VIEILLES VIGNES 2007
Rouge | 2013 à 2016 | 29 € **14,5/20**
Très coloré, trop même, souple et suave avec un fruit mûr, ce qui est un exploit sur ces hauteurs, mais finale sans grande finesse.

SAINT-AUBIN PREMIER CRU EN REMILLY 2008
Blanc | 2013 à 2018 | 36 € **17/20**
Très pâle, très affirmé fleur de vigne au nez, jolie acidité, de la race, de la pureté, de la longueur, exceptionnelle finesse.

SAINT-AUBIN PREMIER CRU LES MURGERS DES DENTS DE CHIEN 2008
Blanc | 2013 à 2018 | 38 € **16/20**
Pâle, légèrement citronné mais avec la même légèreté en bouche, mais une meilleure définition que chatenière et un peu moins de tension que remilly.

DOMAINE DANIEL LARGEOT

5, rue des Brenots • 21200 Chorey-lès-Beaune
Tél. 03 80 22 15 10 • Fax : 03 80 22 60 62
domainedaniellargeot@orange.fr
Visite : Du lundi au dimanche matin sur rendez-vous.

Bon domaine artisan, aux vins toujours soignés et élégants, avec des prix raisonnables. Les trois villages du domaine sont bien individualisés : chorey plein et harmonieux, aloxe plus tannique mais plus irrégulier, savigny paradoxalement le plus complet en corps, en saveur et en régularité grâce aux efforts de la fille de Daniel.

ALOXE-CORTON 2008
Rouge | 2016 à 2020 | 16 € **14,5/20**
Robe plus claire que le savigny, nez épicé, tendu, maturité du raisin moins parfaite, mais jolie énergie et évidente capacité de garde.

SAVIGNY-LÈS-BEAUNE 2008
Rouge | 2014 à 2018 | 12 € **15/20**
Floral, stylé, complet pour un village, irréprochable comme souvent.

LOUIS LATOUR

18, rue des Tonneliers - B.P. 127 • 21204 Beaune
Tél. 03 80 24 81 00 • Fax : 03 80 22 36 21
louislatour@louislatour.com • www.louislatour.com
Visite : Sur rendez-vous.

Cette maison historique est une de celles qui comprend le mieux le monde actuel, et son développement récent témoigne de son sens de la stratégie. Après une installation qu'on souhaite durable à Chablis par l'achat de la firme Simonnet-Febvre, elle joue la carte du Beaujolais avec l'acquisition de la maison Fessy. Elle couvrira ainsi la «grande Bourgogne», concept géographique et économique dont elle est un ferme partisan. Elle a aussi révisé le style de ses vins rouges, plus fruités et plus affirmés en cuvaison. Les blancs sont moins réduits, et leur fraîcheur après mise plus constante. Quelques inégalités dans les vins de début de gamme sont encore à regretter. Ne pas manquer les grands blancs 2008, somptueux, mais évidemment fort coûteux !

ALOXE-CORTON 2008
Rouge | 2012 à 2018 | 26,50 € **15/20**
Cuvée issue des raisins du domaine. Village exemplaire et ce jour-là plus diversifié en fruit et plus fin dans ses tanins que le premier cru, parfait élevage, tendre mais plein.

BEAUNE VIGNES FRANCHES 2008
Rouge | 2015 à 2020 | 33,90 € **14,5/20**
Robe moyennement dense mais jolis arômes épicés, corps convenable, tanin pas trop astringent, caractère de terroir bien marqué, soigné mais moins séducteur que l'aloxe. Vin du domaine.

CHAMBOLLE-MUSIGNY 2008
Rouge | 2012 à 2020 | 36,90 € **16,5/20**
Ensemble très raffiné pour un village, avec la parfaite définition dans ses arômes de fleur du caractère de l'appellation, délicat dans son tanin, adroitement vinifié et élevé et se comparant plus que favorablement avec les vins des producteurs de la commune.

CHASSAGNE-MONTRACHET PREMIER CRU GRANDE MONTAGNE 2008
Blanc | 2016 à 2020 | 42,30 € **16,5/20**
Beaucoup de classe au nez, avec des notes de fleurs blanches et un peu d'iode, nerveux, plein, racé, plus déterminé dans son style que les pulignys de la maison. Terroir de coteau évident, et maturité de raisin juste.

Chassagne-Montrachet premier cru Morgeot 2008
Blanc | 2012 à 2020 | 41 € **16,5/20**
Nez bien défini, légèrement mielleux mais allégé par des notes élégantes de fleur de vigne, corps imposant, grande allonge, complet dans ce millésime.

Chevalier-Montrachet grand cru Les Demoiselles 2008
Blanc | 2018 à 2028 | 231,10 € **18,5/20**
Grand nez de fleur de vigne, texture et corps majestueux, caractère différent de celui d'autres chevaliers, plus marqués par le haut du coteau, plus tendus mais moins somptueux et surtout moins complexes, vin de luxe, dans tout son éclat de jeunesse.

Clos de Vougeot grand cru 2008
Rouge | 2018 à 2033 | 102,30 € **17/20**
Vin acheté mais excellent choix, nez très racé de ronce, ampleur magnifique de texture, finale affirmée, d'un style plus musclé (mais sans lourdeur) que les autres rouges de la maison, grand avenir.

Corton - Charlemagne grand cru 2008
Blanc | 2016 à 2023 | 99 € **17,5/20**
Robe paille clair, grand nez légèrement noiseté, texture riche, presque crémeuse, finale tonique, vin de style et de caractère à l'aube d'une belle carrière, parfait représentant du style de la maison mais un peu écrasé par le montrachet.

Corton grand cru Château Corton Grancey 2008
Rouge | 2018 à 2028 | 58,30 € **16,5/20**
Ce n'est pas le plus coloré de tous mais le nez de fleurs et de petites baies rouges est bien affirmé, la texture onctueuse, le tanin mûr, et la persistance excellente. Vin d'un style indémodable et certainement plus précis qu'il ne l'a été.

Criots-Bâtard-Montrachet grand cru 2008
Blanc | 2016 à 2023 | 222,90 € **17/20**
Expression nette, franche, élégante d'un climat privilégié, notes de fleurs de vigne évidentes, sur cet échantillon boisé fin, avenir assuré.

Échezeaux grand cru 2008
Rouge | 2016 à 2023 | 116,40 € **16,5/20**
Nez floral fort élégant, texture délicate, finale aérienne, vin fin, bien représentatif du terroir et confirmant l'évolution de style attendue des vins de la maison.

Gevrey-Chambertin premier cru Cazetiers 2008
Rouge | 2018 à 2023 | 57,40 € **15,5/20**
Nez précis, de ronce et de fleurs, corps équilibré, tanin nettement dessiné, élégant, pas aussi riche que d'autres mais plus aérien, plus longiligne et peut-être plus fin.

Meursault 2008
Blanc | 2013 à 2018 | 25,60 € **15/20**
Village très réussi, aucune réduction sur cet échantillon, nez frais légèrement citronné, boisé peu marqué, devrait d'ici cinq ans faire un parfait vin de sole.

Meursault premier cru Château de Blagny 2008
Blanc | 2016 à 2020 | 39 € **17/20**
Beau nez riche, élégant, net, typique du millésime, marqué par de beaux agrumes, texture noble, belle intensité de fin de bouche, vin de haute qualité, prêt à vieillir.

Montrachet grand cru 2008
Blanc | 2018 à 2028 | 312,20 € **19/20**
Vignes de la propriété Héritiers Beaucaron, sur Puligny. 2008 le voit sous son plus grand jour, avec un nez absolument merveilleux de fleur de vigne et un éclat que seul ce terroir accorde. Une splendeur !

Romanée-Saint-Vivant grand cru Les Quatre Journaux 2008
Rouge | 2020 à 2033 | 187,20 € **18,5/20**
Le chambertin déçoit mais pas cette saint-vivant, merveilleuse de fruit, de délicatesse dans son tanin, et dotée d'une texture soyeuse d'une suprême élégance. Raisin mûr, vinification respectueuse.

Volnay premier cru En Chevret 2008
Rouge | 2016 à 2020 | 33,90 € **15/20**
Nez puissant, robe bien marquée, saveur légèrement animalisée (plus musc que gibier), bon velouté de texture, très agréable à défaut de précision ultime de définition.

JEAN LATOUR-LABILLE

6, rue du 8-Mai-1945 • 21190 Meursault
Tél. 03 80 21 22 49 • Fax : 03 80 21 67 86
latourlabillefils@wanadoo.fr • www.latour-labille.com
Visite : Du lundi au samedi sur rendez vous.

Ce domaine artisanal fort sympathique renouvelle en 2007 la réussite de ses 2006 et s'affirme progressivement, en raison de la diversité de ses cuvées, comme un des producteurs incontournables du vil-

lage. Il y a encore un peu de vin à vendre et à des prix raisonnables, cela ne durera pas très longtemps car les amateurs vont se ruer sur ces bouteilles.

MEURSAULT MEIX CHAVAUX 2008
Blanc | 2012 à 2020 | 17 € **15/20**
Robe pâle, joli nez très pur de fleur de vigne, très 2008, tendre, fluide mais sans maigreur, assez long, très désoiffant.

MEURSAULT PREMIER CRU CHARMES 2008
Blanc | 2014 à 2020 | 30 € **17/20**
Finesse et plénitude, terroir marqué, plus de vinosité que goutte-d'or, remarquable dans son style.

MEURSAULT PREMIER CRU GOUTTES D'OR 2008
Blanc | 2013 à 2018 | 33 € **16/20**
Belle pureté, beaucoup de souplesse, finesse considérable, un vrai blanc, cristallin, aristocratique.

MEURSAULT PREMIER CRU PERRIÈRES 2007
Blanc | 2014 à 2020 | 35 € **17,5/20**
Noblement aromatique, un rien plus long que charmes, un rien moins ample aussi, mais quelle finesse.

MEURSAULT PREMIER CRU PORUZOTS 2008
Blanc | 2012 à 2020 | 30 € **15,5/20**
Beaucoup de rondeur, de moelleux, léger manque de tension, pur, assez long, boisé imperceptible.

MEURSAULT VIEILLES VIGNES 2008 ☺
Blanc | 2011 à 2014 | 19 € **13,5/20**
Souple, gentiment fruité, facile à boire, assez pur.

SAINT-AUBIN CUVÉE THOMAS 2008
Blanc | 2011 à 2013 | 12 € **13/20**
Simple, franc, pur, petit manque de finesse mais en revanche prêt à boire.

SAINT-AUBIN PREMIER CRU FRIONNES 2008
Blanc | 2012 à 2016 | 17,50 € **15/20**
Nettement au dessus du village, nez de fleur de vigne, belle tension, ensemble pur, terroir bien défini.

DOMAINE LEFLAIVE

Place des Marronniers • 21190 Puligny-Montrachet
Tél. 03 80 21 30 13 • Fax : 03 80 21 39 57
sce-domaine-leflaive@wanadoo.fr • www.leflaive.fr

Domaine prestigieux entre tous, n'aimant pas, comme certains de ses pairs, les dégustations comparatives. Nous n'avons donc pas dégusté les 2008. Quelques vins antérieurs ouverts cette année présentaient une évolution précoce inhabituelle et contraire au caractère indiqué dans les éditions précédentes du guide ! À nos amis sommeliers de signaler la chose au domaine si elle se reproduit chez eux.

OLIVIER LEFLAIVE

Place du Monument • 21190 Puligny-Montrachet
Tél. 03 80 21 37 65 • Fax : 03 80 21 33 94
contact@olivier-leflaive.com
www.olivier-leflaive.com
Visite : Du lundi au samedi sur rendez-vous. Table d'hôte du lundi au samedi, déjeuner et dîner de février à fin décembre.

Après avoir été le premier à créer une maison de négoce spécialisée dans les vins blancs, puis un restaurant (La Table d'Olivier) où il est possible de déguster en situation une large gamme de ses vins, Olivier Leflaive vient d'ouvrir un magnifique hôtel en plein cœur de Puligny, et propose désormais le gîte et le couvert. Les vins du négoce comme ceux du domaine (les premiers et grands crus de Puligny de l'héritage d'Olivier arrivent en 2011), possèdent une grande sûreté de style, grâce à l'expérience et au talent de Frank Grux, un des plus remarquables vinificateurs de Bourgogne.

CHASSAGNE-MONTRACHET PREMIER CRU ABBAYE DE MORGEOT 2007
Blanc | 2012 à 2019 | 48 € **17,5/20**
Toujours aussi ample et complexe, avec un superbe bouquet de fleur de vigne façon bâtard-montrachet !

MEURSAULT PREMIER CRU CHARMES 2007
Blanc | 2013 à 2017 | 47 € **18/20**
Classe évidente, remarquable raffinement aromatique, grande longueur, le meursault comme on le rêve... Il est pratiquement prêt à boire.

MEURSAULT PREMIER CRU PORUZOTS 2007
Blanc | 2013 à 2018 | 47 € **17,5/20**
Magnifique complexité aromatique, entre la fleur de vigne et la fougère, grand style, grande longueur, remarquable.

DOMAINE LEJEUNE

La Confrérie - 1, place de l'Église • 21630 Pommard
Tél. 03 80 22 90 88 • Fax : 03 80 22 90 88
domaine-lejeune@wanadoo.fr
www.domaine-lejeune.fr
Visite : Sur rendez-vous.

Ce domaine de vieille tradition vinifie en raisin entier, ce qui n'est pas pour nous déplaire, et en grand millésime produit des vins purs et élégants. Quand le millésime est moins favorable, en revanche, François-Julien de Pommerol réussit moins ses vinifications. Son neveu ne semble plus connaître de hauts ou de bas et les derniers millésimes, dont un sensationnel 2008, portent le niveau d'ensemble à des sommets jamais atteints.

BOURGOGNE 2009
Rouge | 2011 à 2019 | NC **17/20**
En avant-première du millésime, voici un bourgogne fabuleusement parfumé, complexe, naturel, d'un vinificateur de plus en plus maître de son art ! Rapport qualité-prix sensationnel !

MEURSAULT LES GRANDS CHARRONS 2008
Blanc | 2013 à 2018 | 19 € **16,5/20**
Impeccable réussite, fondée sur les mêmes critères que celle des rouges, vendange impeccablement mûre, vinification précise, sans ego, respect du terroir, un meursault exemplaire.

POMMARD PREMIER CRU ARGILLIÈRES 2008
Rouge | 2018 à 2028 | 26 € **18/20**
Sublime nez floral, grande matière, grande suite en bouche, un rêve de pommard.

POMMARD PREMIER CRU LES POUTURES 2008
Rouge | 2016 à 2023 | 25 € **17,5/20**
Nez de ronce, truffe et épices, remarquable, grande saveur, grande suite en bouche, naturel irremplaçable des vinifications en raisin entier. Incontournable si on aime les grands pommards.

POMMARD PREMIER CRU RUGIENS 2008
Rouge | 2018 à 2028 | 42 € **18,5/20**
Concentré prodigieux de matière pour le millésime, grande longueur, aussi proche du nectar que possible, mais ne pas se presser pour l'ouvrir !

POMMARD TROIS FOLLOTS 2008
Rouge | 2016 à 2022 | 20 € **16,5/20**
Robe foncée, nez floral, superbe matière, grand naturel, boisé intégré, un pommard exemplaire. Et surtout une vendange mûre.

LOUIS MAX

6, rue de Chaux • 21700 Nuits-Saint-Georges
Tél. 03 80 62 43 00 • Fax : 03 80 62 43 16
louismax@louismax.fr • www.louismax.com

Cette firme de négoce vient de changer de propriétaire et a sportivement présenté de nombreux vins à nos dégustations : il y a encore trop de différences de style entre eux pour que nous les fassions entrer dans le guide cette année, mais nous continuerons à suivre l'évolution de la marque.

DOMAINE SÉBASTIEN MAGNIEN

6, rue Pierre Joigneaux • 21190 Meursault
Tél. 03 80 21 28 57 • Fax : 03 20 21 62 80
seb.magnien@yahoo.fr
Visite : sur rendez vous

Nous avons beaucoup aimé deux meursaults présentés par ce jeune artisan vigneron. Un nom à suivre.

MEURSAULT LES GRANDS CHARRONS 2007
Blanc | 2012 à 2015 | 20 € **15,5/20**
Splendide nez très pur et sans réduction rappelant la poire, élégant, cristallin, long, terroir de caractère et vinification attentive.

MEURSAULT LES MEIX CHAVAUX 2007
Blanc | 2012 à 2017 | 20 € **15,5/20**
Notes de fleur de vigne au nez, toujours la même pureté et délicatesse d'élaboration, propriété à suivre et vin plein de charme.

MICHEL MALLARD ET FILS

43, route de Dijon - Cedex 14
21550 Ladoix-Serrigny
Tél. 03 80 26 40 64 • Fax : 03 80 26 47 49
domainemallard@hotmail.fr
Visite : Du lundi au samedi sur rendez-vous.

Un des domaines les plus dynamiques du nord de la Côte de Beaune et qui, sous l'influence de la plus récente génération, remodèle le style de ses vins. Naguère encore virils et rustiques, un peu triturés par des vendanges mécaniques, ils sont en train d'acquérir la précision, la souplesse et la subtilité liées à la qualité des terroirs, et on parle même ici de revenir à des vendanges manuelles. On encourage vivement ces bonnes dispositions.

ALOXE-CORTON PREMIER CRU LES VALOZIÈRES 2007
Rouge | 2012 à 2017 | 28 € **14,5/20**
Robe légère, corps tendre, plus de finesse que joyeuses, tanin fin, prêt à boire.

Corton - Le Rognet-et-Corton grand cru Rognet 2007

Rouge | 2014 à 2019 | 42 € **14,5/20**

Robe claire, nez discret, tanin sans agressivité, mais dans le détail le grand cru ne s'exprime pas avec assez de personnalité.

Ladoix Clos Royer 2007

Rouge | 2012 à 2015 | 15 € **13,5/20**

Tendre, pas très complexe, pas très long mais franc et agréable pour une consommation immédiate.

Ladoix premier cru les Joyeuses 2007

Rouge | 2012 à 2017 | 18 € **14/20**

Plus étoffé et mûr que le clos-royer, texture agréable, boire sans trop tarder.

CHÂTEAU DE LA MALTROYE

16, rue de la Murée • 21190 Chassagne-Montrachet
Tél. 03 80 21 32 45 • Fax : 03 80 21 34 54
chateau.maltroye@wanadoo.fr
Visite : Sur rendez-vous.

Un des domaines classiques de Chassagne, avec une palette complète de climats remarquablement situés, en rouge et en blanc, et une habileté égale de vinification dans les deux couleurs. Les blancs sont vendangés depuis quelques années très mûrs, trop mûrs sans doute, ce qui leur confère de la lourdeur à la naissance : peut-être passaient-ils par une mauvaise phase ? Les rouges fruités et vineux restent fort recommandables mais les 2008 n'ont pas été présentés.

Chassagne-Montrachet La Dent de Chien 2008

Blanc | 2013 à 2016 | NC **15,5/20**

Beaucoup de bois mais matière énorme pour le millésime, très beurré et lactique pour le moment, mais il devrait s'équilibrer.

Chassagne-Montrachet La Romanée 2008

Blanc | 2012 à 2015 | NC **15/20**

Très lactique et beurré, vineux, un peu lourd pour l'année mais fort savoureux. Vin fait pour la table et sans doute à boire dans les cinq ans.

MARATRAY-DUBREUIL

5, place du Souvenir • 21550 Ladoix-Serrigny
Tél. 03 80 26 41 09 • Fax : 03 80 26 49 07
contact@domaine-maratray-dubreuil.com • www.domaine-maratray-dubreuil.com
Visite : De 8h à 11h30 et de 14h à 17h30 du lundi au vendredi. Le samedi sur rendez-vous.

Ce domaine familial, rattaché historiquement à celui de la famille Dubreuil, à Pernand-Vergelesses, travaille de mieux en mieux, sous l'influence de la nouvelle génération. Le patrimoine de vignes est superbe, centré autour de très beaux terroirs du nord de Beaune, et les vins dégustés depuis deux ans nous ont séduits par leur probité dans l'expression de l'origine, et par leur style classique et indémodable.

Corton - Charlemagne grand cru 2007

Blanc | 2016 à 2020 | 40 € **17/20**

Nez de fleur de vigne, bien typé, de la classe, de la longueur et surtout fidèle à l'année. Très recommandable.

Ladoix Nagets 2008

Rouge | 2018 à 2017 | 12 € **13,5/20**

Souple, précis, petite note de gentiane mais aucun assèchement du tanin, style classique.

Ladoix premier cru Les Nagets Monopole 2008

Blanc | 2011 à 2016 | 16 € **14/20**

Robe paille, un peu de miel au nez, peu de bois, souple, facile, pas très complexe mais franc.

Pernand-Vergelesses Vignes Blanches 2008

Blanc | 2012 à 2016 | 12 € **14,5/20**

Net, franc, très pur, terroir bien lisible, avec la tension du millésime, longueur moyenne.

DOMAINE CATHERINE ET CLAUDE MARÉCHAL

6, route de Chalon • 21200 Bligny-lès-Beaune
Tél. 03 80 21 44 37 • Fax : 03 80 26 85 01
marechalcc@orange.fr
www.bourgogne-marechal.com
Visite : Sur rendez-vous.

Ce domaine intègre nous a souvent régalés avec des rouges d'un fruité merveilleusement naturel et rapidement expressif. Du pinot noir gourmand au plus haut point, et des prix sages. Les 2008 et encore plus les 2009 renoueront avec l'amabilité des merveilleux 2005. Ne pas manquer l'aligoté si on veut savoir ce que ce cépage peut faire.

AUXEY-DURESSES 2008

Rouge | 2014 à 2020 | 17 € **15,5/20**

Nez racé, plus de tension et de complexité que dans le ladoix, finale épicée, vin net, assez vineux, à garder un peu plus que la moyenne des autres.

BOURGOGNE ALIGOTÉ 2008 ☺

Blanc | 2011 à 2014 | 11 € **16,5/20**

Nez de fleurs blanches, délicieuse maturité du raisin, charmeur, long, exceptionnel pour son appellation.

BOURGOGNE CUVÉE ANTOINE 2008 ☺

Blanc | 2011 à 2014 | 14 € **16,5/20**

Remarquable nez citronné, avec une petite touche de pamplemousse, rondeur merveilleuse, maturité idéale du raisin, charme immédiat, la perfection dans ce niveau d'appellation.

BOURGOGNE CUVÉE CATHERINE 2008 ☺

Rouge | 2013 à 2018 | 13 € **16/20**

Beaucoup de style, un peu plus de tanin et d'allonge que gravel, grande harmonie : le millésime a convenu au domaine.

BOURGOGNE GRAVEL 2008 ☺

Rouge | 2011 à 2016 | 13 € **15/20**

Excellente couleur, merveilleux nez floral, le pinot dans tout son naturel et sa pureté. Boire sans tarder.

CHOREY-LÈS-BEAUNE 2008

Rouge | 2013 à 2018 | 17 € **14,5/20**

Plus sérieux et un rien plus sec dans son tanin que le savigny, léger manque de finesse.

LADOIX CHAILLOTS 2008

Rouge | 2012 à 2018 | 17 € **14,5/20**

Nez épicé, robe plus claire que dans d'autres villages, fin mais manquant un peu de tendresse et de velouté de texture.

POMMARD LA CHANIÈRE 2008

Rouge | 2016 à 2020 | 26 € **16/20**

Le plus vineux et le plus complet des rouges du domaine, moins charmeur que les bourgognes mais plus ample et soutenu par une masse tannique perceptible mais non excessive.

SAVIGNY-LÈS-BEAUNE VIEILLES VIGNES 2008 ☺

Rouge | 2011 à 2015 | 20 € **16/20**

Jolie couleur, fruité exquis, tanin tendre, aucune amertume, naturel parfait. Délicieux.

VOLNAY 2008

Rouge | 2014 à 2020 | 25 € **16/20**

Élégance et classe, terroir bien lisible, belle longueur, vin de caractère et présentant avec précision la personnalité de son année.

DOMAINE MARQUIS D'ANGERVILLE

21190 Meursault

Tél. 03 80 21 61 75 • Fax : 03 80 21 65 07

info@domainedangerville.fr

Visite : Sur rendez-vous exclusivement.

Pour la première fois, ce grand domaine de tradition n'a pas présenté de vins pour nos dégustations. Son patrimoine de vignes reste le plus prestigieux de la commune de Volnay et Guillaume d'Angerville n'a aucune raison de craindre les comparaisons.

MARTELET ET CHERISEY

4-6, hameau de Blagny • 21190 Puligny-Montrachet

Tél. 06 70 19 79 27

06 89 85 46 48 • Fax : 03 80 26 07 61

vinmarteletcherisey@orange.fr

www.vins-martelet-cherisey.com

Visite : Sur rendez vous

Cette société est liée par succession à l'important domaine du Château de Blagny de la comtesse de Montlivaut. Les 2008 présentés étaient excellents. Nom à suivre, donc.

MEURSAULT BLAGNY LA GENELOTTE 2008

Blanc | 2013 à 2018 | 48 € **16,5/20**

Boisé vanillé très fin, du corps et de l'élégance, longueur digne du lieu, style assuré.

DOMAINE DU CHÂTEAU DE MEURSAULT

Rue du Moulin Foulot - BP n° 6 • 21190 Meursault

Tél. 03 80 26 22 75 • Fax : 03 80 26 22 76

domaine@chateau-meursault.com

www.chateau-meursault.com

Visite : tous les jours 9h à 12h et de 14h à 18h30

Nous sommes heureux de voir la cuvée fétiche du domaine revenir à une qualité digne d'elle en 2008, mais il faudrait assez vite que tout le reste du remarquable patrimoine de vigne de la propriété suive le même chemin.

MEURSAULT PREMIER CRU 2007

Blanc | 2015 à 2022 | 43 € **16,5/20**

Excellent équilibre général, style classique et indémodable, légère réduction amère favorable au long vieillissement. On retrouve avec plaisir nos marques avec cette cuvée prestigieuse, un assemblage de charmes et de perrières.

JEAN-LOUIS MOISSENET BONNARD

Rue des Jardins • 21630 Pommard
Tél. 03 80 24 62 34 • Fax : 03 80 22 30 04
jean-louis.domaine-moissenet-bonnard@wanadoo.fr
www.moissenet-bonnard.com
Visite : du lundi 10h à12h et de 14h à 19h

Ce domaine artisanal est devenu une source de qualité si l'on aime son pommard plein et velouté, rustique mais façon gentleman-farmer, bref si l'on veut de beaux vins d'automne, faits pour les gibiers à plumes. Les derniers millésimes montrent de nets progrès en matière d'élégance et de précision, notamment sur la très belle cuvée de vieilles vignes d'Épenots.

POMMARD PREMIER CRU ÉPENOTS 2008
Rouge | 2018 à 2028 | 34 € **15/20**
Petit manque de maturité de la vendange mais nez sérieux, épicé, corps riche et tannique, conforme à l'idée habituelle du pommard comme vin solide, carré, mais moins artiste que dans des millésimes précédents.

POMMARD PREMIER CRU PÉZEROLLES 2008
Rouge | 2018 à 2024 | 28 € **14,5/20**
Coloré et généreux, plus mûr que les vins d'entrée de gamme (si on ose le mot pour des crus notoires), tanin ferme, un peu rustique, avenir certain. 2007 séduisait infiniment plus.

DOMAINE BERNARD MOREAU ET FILS

3, route de Chagny • 21190 Chassagne-Montrachet
Tél. 03 80 21 33 70 • Fax : 03 80 21 30 05
domaine.moreau-bernard@wanadoo.fr
Visite : Du lundi au vendredi de 8h à 12h et de 14h à 18h, sur rendez-vous.

Excellent domaine de Chassagne, avec des vignes bien réparties, et une belle sûreté actuelle dans les vinifications des rouges et des blancs. On aime ici la vinosité mais avec suffisamment de finesse pour l'équilibrer. La vieille vigne des Grandes-Ruchottes donne le vin le plus complet de ce climat prestigieux, digne d'un grand cru. L'excellence des blancs 2008 rappellera aux amateurs celle du 2005.

CHASSAGNE-MONTRACHET PREMIER CRU CHENEVOTTES 2008
Blanc | 2013 à 2018 | 34 € **17/20**
Admirable nez de fleur de vigne, grande netteté d'expression, long, racé, vraiment excellent.

CHASSAGNE-MONTRACHET PREMIER CRU GRANDES RUCHOTTES 2008
Blanc | 2014 à 2020 | 39 € **17/20**
Notes minérales très racées au nez, long, complexe, subtil, beaucoup de caractère et d'avenir.

CHASSAGNE-MONTRACHET PREMIER CRU MORGEOT 2008
Blanc | 2013 à 2020 | 34 € **16/20**
Robe pâle, vin très nerveux et énergique, fait pour la garde.

MORET-NOMINÉ

1-3, rue Goussery • 21200 Beaune
Tél. 03 80 24 00 70 • Fax : 03 80 24 79 65
moret.nomine@wanadoo.fr
Visite : Sur rendez-vous du lundi au samedi.

Ce jeune négociant spécialisé dans les vins blancs sait sélectionner les meilleures origines et trouver le boisé le plus adapté à chacune d'entre elles. Ses vins brillent par leur constitution harmonieuse et leur précision dans la définition du terroir. Une source de plus en plus sûre pour la restauration de qualité. Les 2007 ont présenté un ensemble remarquablement homogène et digne de confiance pour la belle restauration. On en dira autant des 2008.

MEURSAULT NARVAUX 2008
Blanc | 2012 à 2018 | 17 € **16/20**
Nez déjà ouvert, ensemble très expressif du terroir et du millésime, très beaux agrumes en rétro-olfaction, boisé de qualité.

MEURSAULT PREMIER CRU CHARMES 2008
Blanc | 2015 à 2020 | 28 € **17/20**
Encore plus de caractère et de complexité que genevrières au nez, un rien de suavité en moins, mais il vieillira peut-être mieux.

MEURSAULT PREMIER CRU GENEVRIÈRES 2008
Blanc | 2014 à 2020 | 28 € **17/20**
Superbe exemple de ce grand climat, généreux, long, suave, merveilleux arôme de noisette fraîche en finale, dans la ligne de ce qu'on aime chez ce producteur.

Meursault premier cru Goutte d'Or 2008
Blanc | 2014 à 2020 | 30 € **17,5/20**
Notre préféré des trois premiers crus, associant la finesse de genevrières, avec plus de fraîcheur, et l'intensité de charmes. Long, racé, complet pour l'année.

Puligny-Montrachet 2008
Blanc | 2012 à 2016 | 18 € **14,5/20**
Nerveux, frais, finement construit, boisé intelligent, à boire assez vite.

Rully 2008 ☺
Blanc | 2011 à 2014 | 10,50 € **14/20**
Gras, généreux, très aromatique, terroir bien perceptible, prêt à boire, sans la tension du millésime.

VINCENT ET SOPHIE MOREY

3, hameau de Morgeot
21190 Chassagne-Montrachet
Tél. 03 80 20 67 86
06 76 25 58 35 • Fax : 03 80 21 39 72
morey.vincentetsophie@sfr.fr • www.morey-vins.com
Visite : sur rendez-vous

Domaine artisanal, successeur pour une partie des vignes du Domaine Bernard Morey. Nous avons aimé leur caillerets 2008 et nous le visiterons pour vous donner une idée plus complète de la qualité de leur travail.

Chassagne-Montrachet premier cru Caillerets 2008
Blanc | 2013 à 2018 | 40 € **16,5/20**
Ensemble large, gras, généreux, finale longue et racée sur de petites notes grillées, vin de caractère, digne de son origine.

MOREY COFFINET

6, place du Grand Four
21190 Chassagne-Montrachet
Tél. 03 80 21 31 71 • Fax : 03 80 21 90 81
morey.coffinet@wanadoo.fr
www.domaine-morey-coffinet.com
Visite : Du lundi au samedi sur rendez-vous uniquement. Fermé le dimanche

Nous avons été séduits par la pureté de style des 2008 présentés par ce domaine, propriétaire dans quelques-uns des meilleurs crus de Chassagne, et nous sommes heureux de le faire entrer dans le guide.

Chassagne-Montrachet premier cru Caillerets 2008
Blanc | 2013 à 2018 | 30 € **17,5/20**
Vin de très beau style, à l'équilibre impeccable, avec les notes racées de fleur de vigne des raisins les plus parfaits de 2008. Délicat, allongé, remarquable.

Chassagne-Montrachet premier cru La Romanée 2008
Blanc | 2012 à 2018 | 30 € **17/20**
Grande pureté aromatique, beaucoup de finesse, de race, ensemble naturellement élégant, un vin de style exemplaire, semblant marquer une nouvelle ère pour le domaine.

DOMAINE MARC MOREY ET FILS

3 rue Charles-Paquelin
21190 Chassagne-Montrachet
Tél. 03 80 21 30 11 • Fax : 03 80 21 90 20
domaine.marc-morey@wanadoo.fr
Visite : Sur rendez-vous

Un seul vin a été retenu cette année pour ce domaine largement pourvu en jolis crus, un bon chassagne village blanc 2008.

Chassagne-Montrachet 2007
Blanc | 2012 à 2015 | 19,50 € **14,5/20**
Léger arôme grillé, quelques notes d'agrumes, vin tendre, facile, net.

DOMAINE ALBERT MOROT

Château de la Creusotte - 20, avenue Charles Jaffelin
21200 Beaune
Tél. 03 80 22 35 39 • Fax : 03 80 224750
albertmorot@aol.com
Visite : Sur rendez-vous

Domaine familial de qualité avec des parcelles sur les meilleurs terroirs de Savigny et Beaune, des vieilles vignes, des rendements faibles. Les vins sont parmi les plus colorés et corsés de leurs appellations sans renier leur élégance native, avec parfois des tanins un peu accrocheurs. Les 2008 montrent un peu d'astringence à la naissance mais vieilliront bien.

Beaune premier cru Aigrots 2008
Rouge | 2016 à 2023 | 22 € **14,5/20**
Grande matière, boisé encore mal intégré et trop démonstratif, tanin ferme, vin de garde.

Beaune premier cru Les Bressandes 2008
Rouge | 2016 à 2026 | 25 € **16/20**
Notre préféré en 2008, pour son élégance aromatique et la qualité de sa texture, mais avec un tanin un rien astringent. Typique du style du domaine.

Beaune premier cru Les Teurons 2008
Rouge | 2016 à 2023 | 25 € **16/20**
Grande couleur, corps complet pour l'année, aucune astringence dans le tanin, excellente vinosité pour l'appellation, très recommandable.

Beaune premier cru Les Toussaints 2008
Rouge | 2018 à 2023 | 22 € **15/20**
Grande couleur, vin ample et généreux, tanin un peu astringent mais capable de s'assouplir, grand avenir.

DOMAINE MUSSY

12, ancienne route d'Autun • 21630 Pommard
Tél. 03 80 22 89 11 • Fax : 03 80 24 79 79
domaine.mussy@free.fr • www.domainemussy.com
Visite : Du lundi au vendredi de 8h à 18h et le week-end sur rendez-vous

Ce domaine qui a subi de nombreuses vicissitudes retrouve la sûreté de style qui était la sienne il y a trente ans lorsque le vieux Mussy, vigneron remarquable, l'avait en charge. Nous avons beaucoup aimé le style sobre et classique de ses pommards, et en 2008, particulièrement son pézerolles vieilles vignes.

Pommard premier cru Épenots 2008
Rouge | 2018 à 2023 | 29,50 € **15/20**
Nez floral (rose), texture élégante, finale racée mais un rien trop acide, moins harmonieux que pézerolles mais dans un style assez semblable. Le même raisin, vendangé une semaine plus tard, aurait pu faire du très grand vin.

Pommard premier cru Pézerolles Vieilles Vignes 2008
Rouge | 2018 à 2023 | 26,50 € **16,5/20**
Beau nez racé, de type floral, grande netteté d'expression, tanin bien mieux fondu à la matière que dans certains vins présentés, long, très expressif.

DOMAINE LUCIEN MUZARD ET FILS

11 bis, rue de la Cour-Verreuil • 21590 Santenay
Tél. 03 80 20 61 85 • Fax : 03 80 20 66 02
lucienmuzard@orange.fr
Visite : Du lundi au samedi de 9h à 12h et de 14h à 19 h, sur rendez-vous.

Les frères Muzard ont désormais acquis une rare maîtrise dans tous les domaines, et offrent une gamme complète de santenays, remarquablement constitués et fidèles au terroir. Le style des rouges est exemplaire, les blancs sont en grand progrès. Une petite activité de négoce complète la gamme avec des vins faits avec soin mais pour le moment un peu moins engageants que ceux du domaine.

Chassagne-Montrachet 2008
Blanc | 2012 à 2017 | 32 € **14,5/20**
Robe pâle, nez pur, technique de pressurage au point, finale cristalline, petite note de noisette fraîche.

Corton - Charlemagne grand cru 2008
Blanc | 2016 à 2020 | 62 € **17,5/20**
Excellente fraîcheur et vinosité, finement citronné, long, salin, bien protégé, du style et en principe une belle garde prévisible.

Santenay Champs Claude 2008
Blanc | 2012 à 2016 | 17 € **15/20**
Pâle, très bien vinifié et élevé, pur, quelques notes de fleurs blanches, strictes mais sans réduction noisetée, proche d'un bon chassagne, très agréable immédiatement.

Santenay Champs Claude Vieilles Vignes 2008
Rouge | 2012 à 2018 | 16 € **14,5/20**
Nez de fruits rouges et d'épices, vin vinifié moderne mais intelligent, souple, fidèle au terroir, sans lourdeur, à boire assez frais.

Santenay premier cru Clos de Tavannes 2008
Rouge | 2016 à 2026 | 19 € **17/20**
Étonnante personnalité aromatique rappelant quelques grands côte-de-nuits, finesse, subtilité, longueur, une vraie «tête de cuvée» et comme souvent le sommet de son village.

Santenay premier cru Clos des Mouches 2008
Rouge | 2018 à 2023 | 19 € **16/20**
Robe dense, remarquable expressivité au nez, raisin bien mûr, texture onctueuse, grande matière, grande longueur, vin de fort caractère.

Santenay premier cru La Maladière 2008
Rouge | 2016 à 2023 | 18 € **14,5/20**
Excellente robe pourpre, nez épicé, corps sérieux, bon tanin, un rien austère mais c'est normal pour ce cru au lent développement, grande spécialité du domaine.

DOMAINE ANTOINE OLIVIER

5, rue Gaudin • 21590 Santenay
Tél. 03 80 20 61 35 • Fax : 03 80 20 64 82
domaineolivier@orange.fr • www.domaineolivier.fr
Visite : De 9h à 19h de préférence sur rendez-vous. Fermé dimanche

Antoine Olivier, jeune et dynamique producteur de Santenay, est devenu en quelques années un des vinificateurs les plus accomplis du sud de la Côte de Beaune et celui qui obtient les blancs de Santenay les plus racés et les plus complexes. Il réussit bien les vins rouges et triomphe avec une exceptionnelle cuvée de nuits-damodes, du niveau d'un grand cru.

Meursault Les Pellants 2007
Blanc | 2013 à 2019 | 21 € **15/20**
Réduit au nez, mais très gras, complexe et long pour un village, fait pour vieillir.

Nuits-Saint-Georges premier cru Damodes 2008
Rouge | 2018 à 2026 | 33 € **18/20**
Ultra généreux dans ses arômes de prune, de cerise et de fraise des bois, texture opulente, grande longueur, finale de taffetas.

Santenay Le Biévaux L'Air de Rien 2008
Blanc | 2012 à 2018 | 15,80 € **17,5/20**
Robe pâle, nez très complexe, parfaite note de noisette, fraîcheur et finesse superlatives pour cette appellation, remarquable.

Santenay Les Coteaux sous la Roche 2008
Blanc | 2014 à 2018 | NC **16/20**
Plus ferme et moins complexe que biévaux, mais avec beaucoup de caractère ! Nerveux, plein, frais, attendre trois ans.

Santenay Les temps des c(e)rises 2008
Rouge | 2014 à 2018 | 10,50 € **16/20**
Robe pourpre profonde, corps généreux, saveur évoquant vraiment la cerise, bon tanin ferme et mûr mais un peu plus rustique que celui du savigny, santenay exemplaire néanmoins.

Santenay premier cru Beaurepaire 2008
Rouge | 2016 à 2020 | 15,90 € **17/20**
Robe très dense, tanin épicé, grande maturité du raisin sensible dans une texture idéalement veloutée, belle suite en bouche, vinification précise et exemplaire.

Santenay premier cru Beaureparire 2008
Blanc | 2012 à 2014 | 17,20 € **14/20**
Fluide, délicatement citronné mais moins de caractère que les santenays (jeune vigne ?).

Savigny-lès-Beaune premier cru Peuillets 2008
Rouge | 2015 à 2020 | 15,90 € **17/20**
Robe dense, nez magnifique associant fruits rouges, réglisse et violette dans un ensemble étonnant, parfait équilibre en bouche, un modèle de style.

DOMAINE JEAN-MARC ET HUGUES PAVELOT

1, chemin des Guettottes • 21420 Savigny-lès-Beaune
Tél. 03 80 21 55 21 • Fax : 03 80 21 59 73
hugues.pavelot@wanadoo.fr
www.domainepavelot.com
Visite : Du lundi au vendredi de 10h à 12h et de 14h à 18 h. Le samedi sur rendez-vous

Ce domaine dispose d'une très belle palette de premiers crus sur Savigny et Beaune. Il a pendant longtemps passé, dans son village, pour le producteur le plus authentique du cru la Dominode, dont il possède deux hectares. Nous avons parfois été déçus par quelques bouteilles des années 1990, mais nous retrouvons aujourd'hui le domaine à son meilleur niveau. Les vins de 2008 ont de l'énergie mais aussi un boisé astringent qu'il faudrait affiner.

Beaune premier cru Bressandes 2008
Rouge | 2015 à 2023 | 18,50 € **15,5/20**
Robe foncée, matière riche, affirmée, moins d'amertume ou plus de vinosité que dans les savignys (le rapport entre le vin et le bois est en faveur du vin).

Savigny-lès-Beaune 2008
Rouge | 2012 à 2017 | 12 € **14/20**
Boisé amer dominant le fruit mais jolie structure et texture, à l'exception de la finale. Attendre quatre ans pour voir si cette amertume de bois vert perdure.

Savigny-lès-Beaune premier cru
Aux Gravains 2008
Rouge | 2014 à 2020 | 18,50 € **14/20**
Plein, tannique, léger assèchement astringent en finale, plus de finesse que serpentières, moins de profondeur. Boisé à surveiller.

Savigny-lès-Beaune premier cru Dominode 2008
Rouge | 2016 à 2020 | 20,50 € **14/20**
Belle robe, nez très épicé, saveur durcie par rapport aux serpentières, vin élégant mais tendu et manquant d'harmonie.

Savigny-lès-Beaune premier cru
Les Serpentières 2008
Rouge | 2016 à 2020 | 17 € **15/20**
Robe noire. Grande matière onctueuse pour Savigny, dominant mieux l'amertume du bois que le simple village, du fond, mais il faut attendre.

DOMAINE FERNAND ET LAURENT PILLOT

2, place des Noyers • 21190 Chassagne-Montrachet
Tél. 03 80 21 99 83 • Fax : 03 80 21 92 60
contact@vinpillot.com • www.vinpillot.com
Visite : Sur rendez-vous.

La famille Pillot se décline en de nombreux domaines indépendants, et il faut savoir jongler avec les prénoms. Le domaine Fernand et Laurent dispose d'un superbe patrimoine de vignes sur Chassagne, en blanc et en rouge, ainsi que de jolies parcelles sur Pommard, venues d'une division après mariage du Domaine Pothier. Les vins sont vinifiés avec soin, mais les 2008 ne se situent pas au plus haut niveau. Nous n'avons pas goûté les rouges.

Chassagne-Montrachet premier cru
Les Vergers 2008
Blanc | 2015 à 2018 | 24,10 € **15/20**
Un peu dominé par son bois mais avec suffisamment de vinosité pour s'en libérer dans trois ou quatre ans.

PAUL PILLOT

3, rue Clos Saint-Jean • 21190 Chasagne-Montrachet
Tél. 03 80 21 31 91 • Fax : 03 80 21 90 92
contact@domainepaulpillot.com
wwww.domainepaulpillot.com
Visite : Du lundi au samedi sur rendez-vous.

Encore un autre domaine Pillot, très connu dans la région, et depuis longtemps, pour l'excellence de sa cuvée de chassagne-romanée. Les hasards ne nous ont fait que très récemment goûter l'ensemble de sa production, et nous ne pouvons que confirmer la réputation locale de vins d'une rare pureté d'expression, romanée en tête, suivie de caillerets puis ruchottes.

Chassagne-Montrachet premier cru
Caillerets 2008
Blanc | 2014 à 2018 | env 38 € **15,5/20**
Moins complexe que romanée mais ne manquant pas de personnalité ni de style, finale tendue, citronnée, saline, typique des hauts de coteau.

Chassagne-Montrachet premier cru
Romanée 2008
Blanc | 2014 à 2020 | env 48 € **18/20**
Sublime finesse et complexité aromatique, grande longueur, personnalité inoubliable, le meilleur premier cru de notre dégustation.

CHÂTEAU DE POMMARD

15, rue Marey-Mouge • 21630 Pommard
Tél. 03 80 22 12 59 • Fax : 03 80 24 65 88
contact@chateaudepomard.com
www.chateaudepommard.com
Visite : De 9h30 à 18h tous les jours d'avril à novembre. Certains week-ends pendant l'hiver.

Le domaine, bien connu de nombreux touristes qui y sont royalement accueillis, n'a pas envoyé d'échantillons à déguster cette année.

DOMAINE DE LA POUSSE D'OR

Rue de la Chapelle • 21190 Volnay
Tél. 03 80 21 61 33 • Fax : 03 80 21 29 97
patrick@lapoussedor.fr • www.lapoussedor.fr
Visite : Sur rendez-vous. Fermé le mercredi.

Voici sans doute le domaine de Volnay le plus doté en grands terroirs bourguignons. Élaborés dans une cuverie ultra moderne, les vins rouges sont d'une redoutable précision dans l'expression du terroir et du millésime. Le domaine s'est récemment agrandi de quelques superbes parcelles de Chambolle, mais le premier millésime complètement sous contrôle est 2008. Et il ne snobe ni ne craint les dégustations comparatives, contrairement à d'autres. Mais Patrick Landanger, le propriétaire passionné du domaine, est issu de l'industrie, pas du monde paysan.

Corton - Bressandes grand cru 2008
Rouge | 2014 à 2020 | 47 € **16,5/20**
Finesse, charme, longueur, moyennement corsé mais parfaitement équilibré.

Pommard premier cru Jarollières 2008
Rouge | 2018 à 2026 | 39 € **17/20**
Robe rubis foncée, excellente chair, tanin non agressif, presque plus fondu que dans les volnays, style classique.

Santenay premier cru Clos de Tavannes 2008
Rouge | 2013 à 2020 | 23 € **16/20**
Belle robe, texture fine, tanin racé, raisin mûr, remarquable exemple de ce terroir encore méconnu, sans doute le meilleur de son village.

Santenay premier cru Les Gravières 2008
Rouge | 2013 à 2020 | 23 € **15/20**
Plus souple que tavannes, onctueux, assez long, remarquablement élevé.

Volnay premier cru Caillerets
Clos des Soixante Ouvrées 2008
Rouge | 2018 à 2028 | 44 € **17/20**
Grande robe, vin très dense, terroir ultra défini, race magnifique mais la forme du tanin exige du temps pour un assouplissement nécessaire.

Volnay premier cru Clos de la Bousse d'Or 2008
Rouge | 2014 à 2020 | 42 € **15/20**
Belle robe, nez de violette, dense, un peu astringent en comparaison des santenays.

DOMAINE JACQUES PRIEUR

6, rue des Santenots • 21190 Meursault
Tél. 03 80 21 23 85 • Fax : 03 80 21 29 19
info@prieur.com • www.prieur.com
Visite : Sur rendez-vous uniquement.

Voici un des plus prestigieux domaines de la Bourgogne, administré avec un grand professionnalisme par la famille Labruyère, son principal actionnaire, avec une gamme complète de grands crus et premiers crus, et un style très affirmé et constant. Martin Prieur, aidé d'une des meilleures œnologues de Bourgogne, Nadine Gublin, illustre le meilleur des conceptions de vinification modernes, mises au service du terroir et du millésime. Les 2007 sont irréprochables, dominés par de somptueux grands crus de Côte de Nuits. Les 2008 sont encore plus impressionnants en rouge qu'en blanc.

Beaune premier cru Grèves 2008
Rouge | 2014 à 2020 | NC **15/20**
Malgré la grêle, un vin complet, vineux, généreux mais sans la définition habituelle du terroir.

Chambertin grand cru 2008
Rouge | 2018 à 2028 | NC **18/20**
Nez puissant de raisin mûr, grande onctuosité de matière, texture distinguée, vin aristocratique, de grand avenir, digne du cru.

Chevalier-Montrachet grand cru 2008
Blanc | 2010 à 2016 | NC **18,5/20**
Générosité magnifique, plus gras que d'autres, très travaillé mais vraiment dans l'esprit du cru, grande suite en bouche, dommage qu'il y en ait si peu.

Clos de Vougeot grand cru 2008
Rouge | 2018 à 2028 | NC **18/20**
Puissant, charnu, velouté, saveur nette de truffe, belle matière, élevage soigné, excellent.

Corton - Bressandes grand cru 2008
Rouge | 2018 à 2026 | NC **18/20**
Remarquable de souplesse, d'élégance et d'harmonie, un vrai et noble corton (ce qui n'est pas si courant) avec toute la finesse du lieu-dit Bressandes et un modèle de style.

Corton - Charlemagne grand cru 2008
Blanc | 2016 à 2023 | NC **18,5/20**
Grand nez d'agrumes à dominante citronnée, merveilleuse texture (ici le bâtonnage n'a rien alourdi), long, racé, éclatant de finesse mais aussi de suavité. Grand vin.

Échezeaux grand cru 2008
Rouge | 2018 à 2028 | NC **17,5/20**
Somptueux arôme de rose, corps ample, texture noble de raisin mûr, grande longueur, boisé un rien insistant, très long, complet pour l'année.

Meursault premier cru Perrières 2007
Blanc | 2014 à 2020 | NC **17/20**
Robe or vert, grande sève, grand style, complet, éclatant, raisin d'une superbe onctuosité.

Meursault Santenots 2007
Blanc | 2013 à 2019 | NC **15,5/20**
Énorme gras, puissance évidente, un rien de lourdeur.

Montrachet grand cru 2007
Blanc | 2016 à 2023 | NC **19/20**
Somptueuse étoffe, grande longueur, grande vinosité, plus lactique que d'autres mais sans lourdeur. Un colosse.

Musigny grand cru 2008
Rouge | 2020 à 2033 | NC **18,5/20**
Raisin parfaitement mûr, texture noble, grand développement aromatique, grand avenir.

Volnay Champans 2008
Rouge | 2016 à 2023 | NC **16,5/20**
Le meilleur des volnays du domaine, très rond, ouvert, sans amertume dans le tanin, délicat mais sans égaler en finesse le corton.

DOMAINE PRIEUR-BRUNET

Rue de Narosse • 21590 Santenay-le-Haut
Tél. 03 80 20 60 56 • Fax : 03 80 20 64 31
uny-prieur@prieur-santenay.com
www.prieur-santenay.com
Visite : Du lundi au vendredi de 10h à 12h et 14h à 18h le samedi sur rendez-vous.

Ce domaine nous présente régulièrement toute sa production mais de nombreux vins souffrent un peu de leur mise en bouteille et se montrent assez revêches. Ils vieillissent bien en particulier les rouges, et nous recommandons spécialement la cuvée Claude du santenay-maladières, une des plus accomplies du village.

Meursault Chevalière 2007
Blanc | 2013 à 2019 | 25 € **14/20**
Robe pâle, peu évoluée, légère réduction sur la noisette fraîche, belle acidité, vin net et propre à défaut de fort caractère et pouvant vieillir.

HENRI PRUDHON ET FILS

32, rue des Perrières • 21190 Saint-Aubin
Tél. 03 80 21 36 70 • Fax : 03 80 21 91 55
henri-prudhon@wanadoo.fr • www.henri-prudhon.fr
Visite : Sur rendez-vous

Domaine artisanal et resté modeste et travailleur : nous avons aimé deux de ses excellents blancs 2008 sur Chassagne.

Chassagne-Montrachet Houillères 2008
Blanc | 2013 à 2017 | 20 € **15/20**
Robe légèrement dorée, nez précis, terroir bien marqué, vin très soigné et ne manquant pas de caractère.

Chassagne-Montrachet premier cru Chenevottes 2008
Blanc | 2014 à 2020 | 25 € **16/20**
Léger manque de maturité mais beaucoup de style et de finesse, jouant sur la fraîcheur et probablement les possibilités de garde.

CHÂTEAU DE PULIGNY-MONTRACHET

Rue de But • 21190 Puligny-Montrachet
Tél. 03 80 21 39 14 • Fax : 03 80 21 39 07
chateaudepuligny@wanadoo.fr
www.chateaudepuligny.com
Visite : Sur rendez-vous.

Sous la direction attentive d'Étienne de Montille, ce beau domaine institutionnel (il appartient à la Caisse des Dépôts) produit des vins blancs fins et stylés, avec une recherche constante de transparence dans l'expression du terroir. Leur boisé, discret et respectueux, est à citer en exemple.

Chassagne-Montrachet 2007
Blanc | 2011 à 2014 | NC **16/20**
Très clair, notes légèrement citronnées au nez, grande pureté d'expression, fin de bouche droite pour le village, très agréable.

Meursault premier cru Les Perrières 2007
Blanc | 2012 à 2019 | NC **16,5/20**
Nerveux, tendu, minéral, très pur, style affirmé, ici encore toute la puissance du terroir n'apparaît pas.

Meursault premier cru Les Poruzots 2008
Blanc | 2013 à 2017 | NC **16/20**
Pas très gras ni très vineux mais pur, élégant, délicatement boisé, jouant avec succès sur la fraîcheur, sans donner toute la dimension au terroir.

Saint-Aubin premier cru En Remilly 2007
Blanc | 2012 à 2019 | NC **16,5/20**
Très pur, long, subtil, boisé de premier ordre, terroir parfaitement défini.

DOMAINE RAMONET

4, place Noyers • 21190 Chassagne Montrachet
Tél. 03 80 21 30 88 • Fax : 03 80 21 35 65

Ce domaine illustre ne présente pas ses vins dans les dégustations comparatives. Nous n'en n'avons pas dégusté dans d'autres occasions en 2009 et 2010.

DOMAINE RAPET PÈRE ET FILS

Place de la Mairie • 21420 Pernand-Vergelesses
Tél. 03 80 21 59 94 • Fax : 03 80 21 54 01
vincent@domaine-rapet.com
www.domaine-rapet.com
Visite : Sur rendez-vous.

Incontestablement, Vincent Rapet est un des plus fins vinificateurs de blancs de sa génération, et il obtient de ses vignes de Pernand, du village au superbe corton-charlemagne, un maximum de fraîcheur, de finesse et de transparence dans l'expression du terroir. Les blancs 2006 étaient parmi les mieux équilibrés de ce millésime parfois trop mûr. Tous les 2008 n'ont pas été présentés mais leur niveau était excellent et fidèle à la réputation du domaine.

Beaune premier cru Champimonts 2008

Rouge | 2013 à 2018 | env 22 € **15,5/20**

Excellent beaune classique, joliment coloré, fruité, tendre, suave, au tanin parfaitement intégré.

Corton grand cru 2008

Rouge | 2016 à 2028 | env 40 € **17/20**

Coloré, nez précis et ouvert, saveur riche, tanin fin, terroir bien lisible, belle suite en bouche, un classique du genre.

Pernand-Vergelesses premier cru Île de Vergelesses 2008

Rouge | 2014 à 2020 | 26 € **16/20**

Grand nez floral, large, puissant, long, généreux, du bourgogne fait pour plaire à l'Europe du Nord, avec une sensualité non dissimulée.

Pernand-Vergelesses premier cru Sous Frétille 2008

Blanc | 2014 à 2018 | 23 € **16,5/20**

Pâle, saveur saline évidente (beurre salé), tendu mais sans maigreur, racé en fin de bouche, sûreté de style dans la ligne de la tradition du domaine.

Savigny-lès-Beaune premier cru Fournaux 2008

Rouge | 2014 à 2020 | 19 € **14/20**

Coloré, épicé, un peu sauvage pour un savigny, mais vineux et plein de caractère.

NICOLAS ROSSIGNOL

27, rue de Mont • 21190 Volnay
Tél. 03 80 21 62 43 • Fax : 03 80 21 27 61
nicolas-rossignol@wanadoo.fr
www.nicolas-rossignol.com
Visite : Du lundi au samedi sur rendez vous.

Nicolas Rossignol est certainement dans sa génération un des talents les plus prometteurs de la Côte de Beaune, avec un don de dégustation qui lui permet à chaque nouveau millésime d'affiner et d'affirmer son style. Il a la chance de vinifier et de présenter au public une large palette d'excellents terroirs et de leur donner individualité et séduction à l'intérieur d'une vision moderne du pinot noir, capable de plaire à un public plus diversifié qu'autrefois.

Pommard premier cru Frémiers 2008

Rouge | 2018 à 2026 | 45 € **17/20**

Excellente plénitude de constitution, tanin ferme mais élégant, longueur, classe, race, très beau classicisme de facture.

Savigny-lès-Beaune premier cru Lavières 2008

Rouge | 2016 à 2020 | 20 € **15,5/20**

Excellent fruit mais moins de rondeur de texture que fourneaux, et tanin plus appuyé pour le moment.

Savigny-lès-Beaune premier cru Les Fourneaux 2008

Rouge | 2016 à 2020 | 20 € **16,5/20**

Jolie robe dense, fruité exquis et mûr, tanin velouté, fin et plein, tanin extrait avec justesse.

Volnay premier cru Chevret 2007

Rouge | 2018 à 2023 | 38 € **17/20**

Grande robe, remarquable maturité de vendange, texture veloutée, long, mais toujours (et c'est propre au cru) une petite note confite en fin de bouche.

Volnay premier cru Clos des Angles 2008

Rouge | 2016 à 2023 | 35 € **16,5/20**

Robe délicate, beau nez de violette, caractère volnay séduisant et très marqué, long, raffiné, léger manque de plénitude par rapport à chevret ou frémiers.

Volnay premier cru Santenots 2008

Rouge | 2018 à 2023 | 35 € **15,5/20**

Très coloré, chocolaté et puissant au nez, très onctueux et confit en bouche, léger manque de finesse pure.

DOMAINE ROULOT

1, rue Charles-Giraud • 21190 Meursault
Tél. 03 80 21 21 65 • Fax : 03 80 21 64 36
roulot@domaineroulot.fr

Les 2007 de ce domaine célèbre ont été dignes de sa réputation, des vins d'une étonnante transparence d'expression, les plus fins et les plus purs dont on puisse rêver, d'un équilibre idéal de maturité du raisin. On recommande la dégustation de ces vins à tous les jeunes viticulteurs bourguignons pour comprendre le grand style éternel des vins dignes de leurs terroirs. 2008 sera du même niveau.

BOURGOGNE 2008
Blanc | 2013 à 2016 | NC **15/20**
Pâle, délicatement citronné, frais, finale terminant sur les agrumes, un rien moins de gras qu'en 2007.

MEURSAULT LUCHETS 2007
Blanc | 2010 à 2014 | NC **15/20**
Notes délicates d'agrumes, tendre, pur : ce n'est pas le village le plus racé du domaine mais il donne une idée de la qualité actuelle de son style.

MEURSAULT PREMIER CRU CHARMES 2008
Blanc | 2016 à 2020 | NC **17,5/20**
Raffiné, subtil, élégant, grande pureté finale, le boisé étant imperceptible, long, délicat, remarquable.

CHÂTEAU DE SANTENAY

1, rue du Château • 21590 Santenay
Tél. 03 80 20 61 87 • Fax : 03 80 20 63 66
contact@chateau-de-santenay.com
www.chateau-de-santenay.com
Visite : Du lundi au vendredi de 10h à 12h
et de 14h à 18h sur rendez-vous.

Le Château Philippe le Hardi, à Santenay, dispose d'un très grand vignoble, essentiellement situé à Mercurey et remarquablement cultivé. Ses cuvées de Côte d'Or n'ont pour le moment rien de spécial sauf deux blancs, un délicieux saint-aubin et un santenay-comme plus vineux et corsé. Mais son propriétaire, le Crédit Agricole, est en train de donner les moyens de progresser nettement en qualité.

ÉTIENNE SAUZET

11, rue de Poiseul • 21190 Puligny-Montrachet
Tél. 03 80 21 32 10 • Fax : 03 80 21 90 89
etienne.sauzet@wanadoo.fr • www.etiennesauzet.com

Ce producteur prestigieux a connu des bouteilles à l'évolution trop rapide, sans parler d'une certaine neutralité de style qui tranchait avec la magnifique pureté et la franchise des vins des décennies 1970 et 1980. Il semble avoir retrouvé une grande partie de son savoir-faire avec les excellents 2005. Les millésimes récents, vinifiés avec l'aide du gendre de Gérard Boudot, fils et frère de viticulteurs du Sancerrois, plairont aux amateurs du style le plus authentique des vins de Puligny.

BÂTARD-MONTRACHET GRAND CRU 2008
Blanc | 2015 à 2020 | NC **17,5/20**
Puissant, généreux, boisé parfaitement dosé et intégré, terroir marqué, long, mais il ne surclasse pas le combettes, du moins pour le moment.

CHEVALIER-MONTRACHET GRAND CRU 2008
Blanc | 2014 à 2020 | NC **18/20**
Noblement aérien, remarquable expression du terroir, long, complexe.

PULIGNY-MONTRACHET 2008
Blanc | 2012 à 2015 | NC **15,5/20**
Nerveux, pur, très jolis arômes de fleurs blanches, excellent style.

PULIGNY-MONTRACHET PREMIER CRU
LES COMBETTES 2008
Blanc | 2014 à 2020 | NC **17,5/20**
Splendide matière, très long, complexe, raffiné, style classique des pulignys de Puligny.

PULIGNY-MONTRACHET PREMIER CRU
PERRIÈRES 2008
Blanc | 2013 à 2018 | NC **16,5/20**
Excellente tension au nez et en bouche, subtil, racé, complexe, hautement recommandable.

SEGUIN MANUEL

2, rue de l'Arquebuse • 21200 Beaune
Tél. 03 80 21 50 42 • Fax : 03 80 21 59 38
contact@seguin-manuel.com • www.seguin-manuel.com
Visite : Sur rendez-vous

Maison de négoce reprise en mains par le très consciencieux Thibault Marion de la famille Chanson. Il n'a pas présenté de vins cette année mais nous dégusterons sa production dès que les 2009 seront en bouteille.

HENRI DE VILLAMONT

Rue du Docteur Guyot • 21420 Savigny-lès-Beaune
Tél. 03 80 21 50 59 • Fax : 03 80 21 36 36
regis.abadie@hdv.fr • www.hdv.fr
Visite : Tous les jours de 10h à 17 h.

La maison a sportivement présenté de nombreux 2008 à nos dégustations : nous avons retenu quelques jolis chambolles et chassagnes, avec les qualités habituelles d'équilibre, et aucun défaut dans le boisé. Bon grands-échezeaux du domaine, mais pas exceptionnel.

CHAMBOLLE-MUSIGNY 2008
Rouge | 2016 à 2020 | 26,95 € **14,5/20**
Robe limpide, vin nerveux et précis, tanin épicé, village soigné, peut-être un peu trop simple en finale.

CHAMBOLLE-MUSIGNY PREMIER CRU BAUDES 2008
Rouge | 2016 à 2023 | 39,95 € **15/20**
Net au nez, corps équilibré, texture fine, terroir lisible et subtilement exprimé, vin soigné.

CHASSAGNE-MONTRACHET 2008
Blanc | 2012 à 2015 | 27,05 € **14/20**
Souple, assez onctueux, équilibré en alcool et acidité, agréable immédiatement...

CHASSAGNE-MONTRACHET PREMIER CRU MALTROIE 2008
Blanc | 2012 à 2018 | 37,45 € **15,5/20**
Nez citronné, vin énergique et relativement complexe, avec la vitalité du millésime.

GRANDS-ÉCHEZEAUX GRAND CRU 2008
Rouge | 2018 à 2026 | 92,50 € **16,5/20**
Assez nerveux, fin, texture sobre, léger manque de maturité du raisin, mais cela lui donnera du tonus pour le vieillissement.

MEURSAULT PREMIER CRU CAILLERETS 2007
Blanc | 2013 à 2017 | 42,25 € **15,5/20**
Puissant, chaleureux, un peu trop boisé certes mais avec suffisamment d'étoffe pour le supporter.

DOMAINE ANNE-MARIE ET JEAN-MARC VINCENT

3, rue Sainte-Agathe • 21590 Santenay
Tél. 03 80 20 67 37 • Fax : 03 80 20 67 37
vincent.j-m@wanadoo.fr
Visite : Du lundi au samedi sur rendez-vous.

Ce petit domaine est le plus idéaliste de sa commune, et certainement celui qui sait donner aux santenays la forme la plus élégante et la plus aboutie. La grêle de 2005 fut un véritable drame pour lui, et sa maigre production est épuisée. Les 2006 sont de très belle matière. Ils évoluent plus lentement que chez d'autres, les blancs particulièrement, et n'étaient pas complètement achevés lors de notre grande dégustation.

AUXEY-DURESSES LES HAUTES 2007
Blanc | 2013 à 2018 | NC **17/20**
Raisin plus mûr qu'à Santenay ou du moins mieux marqué par des notes confortables d'agrumes, long, complexe, subtil ,toujours aussi séduisant.

AUXEY-DURESSES PREMIER CRU LES BRETTERINS 2008
Rouge | 2012 à 2018 | 17 € **14,5/20**
Joli fruit, très tendre, harmonieux, prêt à boire, tanin bien enrobé.

SANTENAY PREMIER CRU BEAUREPAIRE 2008
Blanc | 2015 à 2020 | 18,90 € **16/20**
Pâle avec un réduit assez fort de noisette, tendu, racé, très jeune, attendre trois ans.

SANTENAY PREMIER CRU BEAUREPAIRE 2008
Rouge | 2016 à 2020 | 17 € **16,5/20**
Joli nez de fraise, merveilleuse tendresse de raisin mûr, tanin naturel, le style le plus authentique de pinot.

SANTENAY PREMIER CRU GRAVIÈRES 2008
Rouge | 2014 à 2019 | 17 € **17/20**
Belle race aromatique, vin d'une parfaite élégance et d'un naturel exemplaire, un rien plus tendu et complexe que beaurepaire.

DOMAINE JOSEPH VOILLOT

4, place de l'Église • 21190 Volnay
Tél. 03 80 21 62 27 • Fax : 03 80 21 66 63
joseph.voillot@wanadoo.fr • joseph-voillot.com
Visite : Sur rendez-vous

Ce beau domaine, magnifiquement conduit par Jean-Pierre Charlot, produit des vins d'un classicisme indémodable. Il ne nous a pas présenté ses 2008.

La Côte chalonnaise

Nous sommes ici au cœur de la « vieille France », avec des petits villages charmants et tranquilles, mais qui disparaîtraient tragiquement si l'on arrachait les vignes… Il n'en n'est pas question d'autant que les vins sont très agréables, plus vite prêts à boire qu'en Côte d'Or, et de prix encore raisonnable.

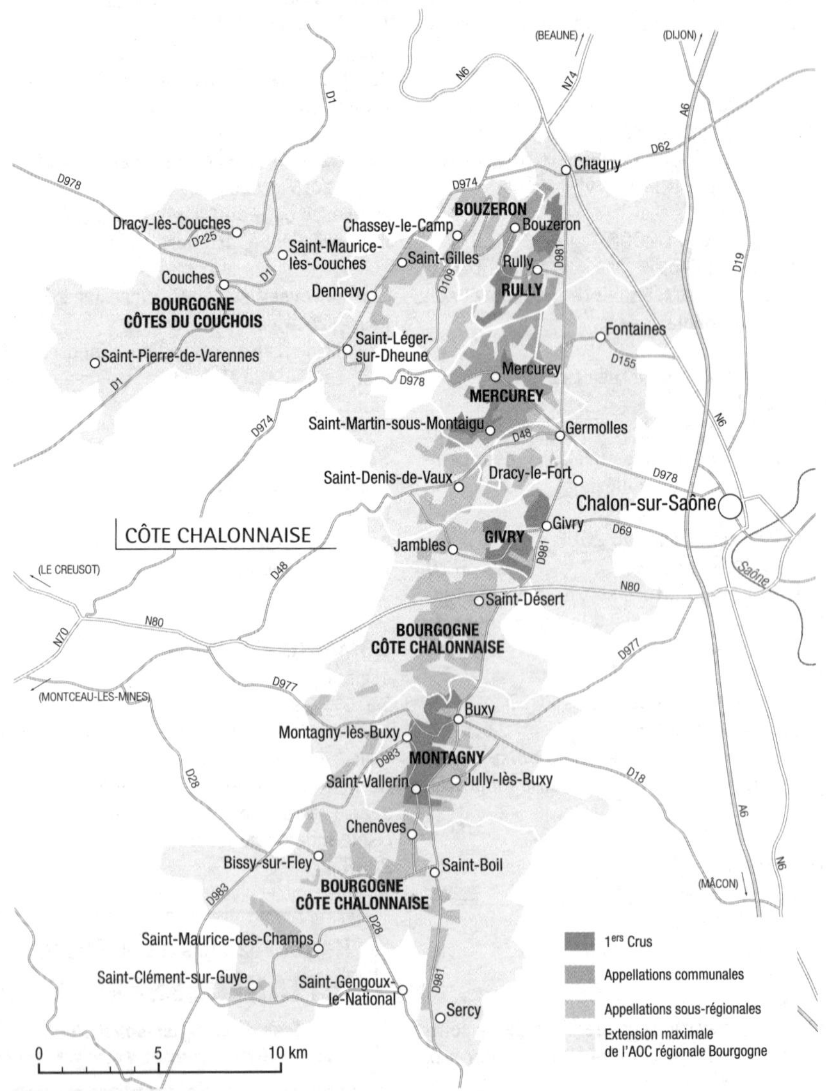

DOMAINE STÉPHANE ALADAME

Rue du Lavoir - • 71390 Montagny-les-Buxy
Tél. 03 85 92 06 01 • Fax : 03 85 92 03 67
stephane.aladame@wanadoo.fr • www.aladame.fr
Visite : Sur rendez-vous.

Figure emblématique de son appellation depuis une quinzaine d'années, Stéphane Aladame propose une large gamme de sept montagnys, que des premiers crus. Tout est ici d'une grande régularité, avec une petite préférence en 2008 pour la Sélection-Vieilles-Vignes et les-coères. Ces vins de plaisir immédiat s'apprécient sur la franchise de leur fruité blanc.

Montagny Découverte 2008

Blanc | 2010 à 2014 | 11 € 14,5/20

Cuvée anciennement dénommée premier cru, sans autre indication. Vin complet, avec un bon fruit citronné, une bouche tendue. Bon équilibre. Pas le plus concentré, mais très digeste, avec une finale qui claque !

Montagny premier cru Les Coères 2008

Blanc | 2010 à 2015 | 13 € 14,5/20

Plus de profondeur que les autres cuvées, mais sans la même tension à ce stade. Le raisin est beau.

Montagny Sélection Vieilles Vignes 2008

Blanc | 2010 à 2014 | 13 € 15/20

Nouveau nom pour l'ancienne cuvée Sélection. Un jus concentré et citronné, une fin de bouche tendue. Plus en longueur qu'en ampleur, mais belle minéralité.

ALBERT BICHOT - DOMAINE ADÉLIE

Domaine Adélie • 71640 Mercurey
Tél. 03 80 24 37 37 • Fax : 03 80 24 37 38
bourgogne@albert-bichot.com • www.albert-bichot.com

Mercurey premier cru Champs Martins 2008

Rouge | 2010 à 2016 | NC 14,5/20

Ce domaine de Mercurey appartient à la maison Albert Bichot, de Beaune, qui l'a acquis en 2005, pour en faire sa tête de pont en Côte Chalonnaise. En rouge, les deux mercureys sont de bons pinots, avec des bouches droites, même si on peut attendre plus de corps d'un tel village. Comme l'an passé, le premier cru champs-martins est supérieur au village, avec un supplément de fraîcheur et d'élan. Les blancs ne nous ont pas été présentés cette année.

DOMAINE BELLEVILLE

5, rue des Bordes • 71150 Rully
Tél. 03 85 91 06 00 • Fax : 03 85 91 06 01
vin@demessey.com • www.domaine-belleville.com
Visite : en semaine 8h-12h et 14h-18h
week-end sur rendez-vous

Ce domaine dispose de forts jolis terroirs sur Rully et Mercurey, mais ne semble pas vouloir consacrer à la vigne tous les efforts nécessaires. Grâce au talent de vinificateur et d'éleveur du directeur technique, Pascal Clément, les vins affichent régulièrement une belle élégance, mais on attend impatiemment un palier supplémentaire. Les rouges 2008 sont homogènes, un peu plus que les blancs.

Mercurey Les Perrières 2008

Rouge | 2010 à 2015 | 13,50 € 14,5/20

Fruité large, bouche charnue, la tension s'affirme sur la fin de bouche, pour conclure sur une finale serrée.

Mercurey premier cru Clos l'Évêque 2008

Rouge | 2010 à 2018 | 15 € 15/20

Note fumée caractéristique du clos-l'évêque, volume ample, vin parfumé, de bonne longueur.

Rully La Perche 2008

Blanc | 2010 à 2015 | 13 € 14,5/20

Bonne tension de bouche, un vin où l'élevage a apporté un bon enrobage de bouche et une note torréfiée gourmande.

Rully premier cru Chapitre 2008

Blanc | 2010 à 2018 | 15 € 15/20

Bouche pure et délicate, un vin droit et ciselé, élégant, très droit.

Rully premier cru Chapitre 2008

Rouge | 2012 à 2018 | 15 € 14,5/20

Note fumée en bouche, texture dense, un vin droit et serré, qu'on peut attendre.

Rully premier cru La Pucelle 2008

Blanc | 2010 à 2018 | 15 € 15/20

Une pucelle bien serrée, gourmande et de bonne longueur, raffinée.

Rully premier cru Les Cloux 2008

Blanc | 2010 à 2018 | 15 € 15/20

Note de fruits jaunes, bouche grasse, léger resserrement en finale. Belle complexité.

Rully premier cru Rabourcé 2008
Blanc | 2010 à 2018 | 15 € **15,5/20**
Plus puissant que les autres premiers crus, plus concentré aussi, avec une note de miel chaud en finale.

DOMAINE JEAN-PIERRE BERTHENET

Rue du Lavoir • 71390 Montagny-les-Buxy
Tél. 03 85 92 17 06 • Fax : 09 70 06 91 70
domaine.berthenet@free.fr • www.vinsberthenet.com
Visite : sur rendez-vous

Montagny premier cru Les Platières 2008
Blanc | 2010 à 2013 | 12 € **13,5/20**
Ce vigneron propose une large gamme de vins de Montagny. Dans le millésime 2008, nous retenons le premier cru les-platières, pour son bon fruit, sa bouche souple et agréable.

DOMAINE MICHEL BRIDAY

31, Grande-Rue • 71150 Rully
Tél. 03 85 87 07 90 • Fax : 03 85 91 25 68
domainemichelbriday@orange.fr
www.domaine-michel-briday.com
Visite : tous les jours, 9h-12h et 14h-18h
(sur rendez-vous le week-end)

Stéphane Briday propose régulièrement de sincères interprétations de Rully, avec de beaux premiers crus (grésigny en blanc, les-pierres et champs-cloux en rouge). Petite rareté, il est le seul à proposer un mercurey clos-marcilly, dense et parfumé. 2008 est bien maîtrisé, avec une préférence pour les rouges, très réguliers dans leur expression de terroir.

Mercurey premier cru Clos Marcilly 2008
Rouge | 2011 à 2018 | 16,50 € **15/20**
Un vin à la texture dense et serrée. Bonne matière tannique, ferme et droite. Il est un peu austère à ce stade, mais l'avenir s'envisage avec confiance.

Rully Les Quatre Vignes 2008
Rouge | 2010 à 2015 | 11 € **14/20**
Bon fruit, un vin à la texture ferme.

Rully premier cru Champs Cloux 2008
Rouge | 2010 à 2015 | 14,30 € **14,5/20**
Un fruité mûr, une bouche ronde, un vin souple et élégant. Velouté.

Rully premier cru Grésigny 2008
Blanc | 2010 à 2015 | 14,85 € **15/20**
Belle expression des terroirs calcaires de Rully, pour ce vin tendu et droit, à la texture serrée. Belle longueur.

Rully premier cru La Pucelle 2008
Blanc | 2010 à 2015 | 15,40 € **14/20**
Un vin calcaire, aérien, avec une belle élégance, une finale fruitée.

Rully premier cru Les Cloux 2008
Blanc | 2010 à 2015 | 15,95 € **14/20**
Une bouche tendue et serrée, où la minéralité s'exprime progressivement, dans un style dense.

Rully premier cru Les Pierres 2008
Rouge | 2010 à 2018 | 15,40 € **15/20**
Nez minéral. Bouche serrée et dense. Gros caractère. Tanins élancés.

DOMAINE BRINTET

105, Grande-Rue - • 71640 Mercurey
Tél. 03 85 45 14 50 • Fax : 03 85 45 28 23
domaine.brintet@wanadoo.fr
Visite : sur rendez-vous.

Ce domaine constitue une adresse sûre sur Mercurey, grâce au travail soigné de Luc Brintet. La viticulture se rapproche petit à petit des principes bios, et les vins affichent des expressions franches et droites. Une belle gamme de premiers crus permet d'explorer les différents terroirs de l'appellation. En 2008, nous avons adoré les rouges, les blancs affichant un caractère moins affirmé.

Mercurey La Charmée 2008
Rouge | 2010 à 2018 | 10,60 € **14,5/20**
Un tanin épicé, poivré. Trame serrée, tanins fins, finale précise. Bonne structure.

Mercurey premier cru Les Champs Martin 2008
Rouge | 2012 à 2023 | 15,60 € **16/20**
Un vin ample, à la bouche large, aux tanins ronds. La supériorité du terroir de champs-martin s'exprime spontanément, ça donne plus de «coffre» au vin.

Mercurey premier cru Les Vasées 2008
Rouge | 2010 à 2018 | 15,60 € **15,5/20**
Un fruit rouge plus prononcé que la-levrière, mais une belle trame dense en bouche. Fin de bouche légèrement poivrée.

Mercurey Vieilles Vignes 2008 ☺
Rouge | 2010 à 2018 | 12,60 € **15/20**
Plus de densité de bouche que les deux autres villages, un jus concentré et compact, une allonge séveuse, une finale ferme.

Mercurey Vieilles Vignes 2008
Blanc | 2010 à 2018 | 13,80 € **14,5/20**
Bon volume de bouche, jus dense, élégant et fin, aromatique sur les fruits blancs et jaunes. Finale fraîche.

Rully 2008 ☺
Rouge | 2010 à 2015 | 10 € **14/20**
Un bon fruit, une bouche souple et ronde. Agréable et digeste.

DOMAINE DU CELLIER AUX MOINES

B.P. 5 • 71640 Mercurey
Tél. 03 85 45 21 61 • Fax : 03 85 98 06 62
contact@domaines-devillard.com
Visite : sur rendez-vous

Givry premier cru
Clos du Cellier aux Moines 2008
Rouge | 2010 à 2015 | 19,50 € **14,5/20**
Philippe Pascal a racheté il y a quelques années cette splendide propriété, située en plein cœur des premiers crus de Givry. Pour l'entretien du vignoble et la vinification, il fait appel aux conseils de Bertrand et Amaury Devillard, d'où un petit air de famille avec les givrys du Domaine de la Ferté, même si les terroirs sont différents. Ce clos-du-cellier-aux-moines 2008 a une bouche bien droite et des tanins fins, mais une palette aromatique moins large que le premier cru servoisine de la Ferté.

CHÂTEAU DE CHAMIREY

lieu-dit Chamirey - • 71640 Mercurey
Tél. 03 85 45 21 61 • Fax : 03 85 98 06 62
contact@chateaudechamirey.com
www.chamirey.com
Visite : Sur rendez-vous.

La famille Devillard conduit avec soin cette grande propriété de Mercurey, où tout est mis en œuvre, à la vigne comme à la cave, pour élaborer des rouges gourmands aux tanins enrobés et des blancs riches et puissants. Les 2008 sont assez proches des 2007, car ici on n'hésite pas à trier très sévèrement le raisin pour ne prendre que le meilleur, comme en 2007.

Mercurey 2008
Blanc | 2010 à 2015 | 16,50 € **15/20**
Fruité savoureux, bouche dynamique, élancée, finale fraîche.

Mercurey 2008 ☺
Rouge | 2010 à 2018 | 16,50 € **15,5/20**
Fruité rouge gourmand, un vin charnu, aux tanins fins. Il offre un volume étonnant pour un village, mais il est dopé avec une bonne proportion de premiers crus.

Mercurey premier cru Clos du Roi 2008
Rouge | 2010 à 2023 | 22 € **16,5/20**
Tanin fin, un vin complexe, à la texture délicate. Superbe toucher de bouche, sensuel et raffiné.

Mercurey premier cru La Mission 2008
Blanc | 2012 à 2023 | 22 € **16/20**
Bouche riche et puissante, ample, grasse. Grosse matière, mais le boisé doit encore se fondre. Vinification précise, finale pure.

Mercurey premier cru Les Ruelles 2008
Rouge | 2010 à 2023 | 22 € **17/20**
Une élégance savoureuse, une bouche de taffetas. Profondeur et volupté, avec beaucoup de raffinement.

LES CHAMPS DE L'ABBAYE

9, rue des Roches-Pendantes • 71510 Aluze
Tél. 03 85 45 59 32 • Fax : 03 85 45 59 32
alainhasard@wanadoo.fr
Visite : Sur rendez vous.

Alain et Isabelle Hasard dirigent l'un des domaines les plus en pointe en matière de biodynamie de la région chalonnaise, ils impriment avec force tout le caractère du sous-sol dans chacune de leurs cuvées. Leur arrivée récente sur de beaux terroirs de Mercurey et de Rully va leur permettre de poursuivre encore plus loin ce beau parcours, on s'en régale d'avance. Les 2008 sont somptueux de personnalité.

Bourgogne 2008 ☺
Blanc | 2010 à 2015 | 10 € **16,5/20**
Notes fumées très nobles. Tendu, racé, complet. Grand équilibre. Quelle splendeur !

Bourgogne 2008 ☺
Rouge | 2010 à 2015 | 10 € **15,5/20**
Un vin minéral, concentré, à la bouche droite. Les tanins sont fins. Bon équilibre, beaucoup de plaisir. Un grand vin de soif.

Bourgogne Côte Chalonnaise
Le Clos des Roches 2008 ☺
Rouge | 2010 à 2018 | 14 € **17/20**
Plus de puissance et de volume de bouche que les-gardes. Un vin avec de la profondeur, mais toujours cette finesse en fin de bouche, et cette précision dans l'enrobage du tanin.

Bourgogne Côte Chalonnaise
Les Gardes 2008 ☺
Rouge | 2010 à 2018 | 14 € **16/20**
Un nez intense, sur les ronces et les sous-bois. Bouche droite, aux tanins fins et longs. Grande persistance, jus savoureux. Magnifique !

Mercurey La Brigadière 2008
Rouge | 2010 à 2018 | 17 € **16,5/20**
Bon volume de bouche. Un vin charnu et fruité, mais encore sur la réserve. Jus fondu, tanins soyeux. Grain très fin. Un équilibre sur la délicatesse.

Mercurey Les Marcoeurs 2008
Rouge | 2010 à 2018 | 18 € **17/20**
Un boisé un peu plus appuyé que sur la-brigadière. Bouche puissante, fruité dominateur, finale longue et fraîche. Subtil et persistant.

Rully Les Cailloux 2008 ☺
Blanc | 2010 à 2018 | 17 € **16,5/20**
Typé par son terroir : tendu, minéral, avec un bon fruit. Bouche charnue, on croque dans les fruits juteux. Splendide équilibre.

DOMAINE DU CLOS SALOMON

16, rue du clos Salomon • 71640 Givry
Tél. 03 85 44 32 24 • Fax : 03 85 44 49 79
clos.salomon@wanadoo.fr
www.du-gardin.com/clossalomon
Visite : Du lundi au samedi de 9h à 12h
et de 14h à 19h. Dimanche sur rendez-vous

Le Clos Salomon est un monopole du domaine éponyme. Sous la conduite appliquée de Ludovic du Gardin et de son équipe, les vins ont bien progressé dans les derniers millésimes. Il est préférable de leur laisser une à deux années en bouteille pour que s'expriment au mieux leur fruité noir et leur mâche souvent sérieuse. 2007 est aujourd'hui délicieux, et 2008 le dépassera certainement.

Givry premier cru Clos Salomon 2008
Rouge | 2010 à 2018 | 14,50 € **15/20**
Belle matière, bouche charnue et fruitée. Tanins fins et enrobés.

Givry premier cru Clos Salomon 2007 ☺
Rouge | 2011 à 2017 | 14 € **15/20**
Un vin au jus dense et concentré. Notes de fruits noirs et d'herbes aromatiques. Savoureux. Une année en bouteille l'a bien ouvert.

Givry premier cru La Grande Berge 2007
Blanc | 2010 à 2014 | NC **14,5/20**
Un vin à la bouche grasse, aux arômes de fruits blancs savoureux. Très franc, finale élancée et citronnée.

Montagny Le Clou 2007
Blanc | 2010 à 2013 | NC **14/20**
Fruité très mûr, presque opulent (ananas). Bouche grasse. Longueur moyenne.

DOMAINE LAURENT COGNARD

9, rue des Fossés • 71390 Buxy
Tél. 06 85 13 91 35 • Fax : 03 85 92 15 40
laurent@domainecognard.fr
Visite : Sur rendez-vous.

Laurent Cognard donne une interprétation savoureuse de Montagny, appellation trop peu connue de la Côte Chalonnaise. La cuvée phare, les-bassets, offre un bon équilibre entre fruité et minéralité. 2007 avait bien convenu à la minéralité des blancs, 2008 fait ressortir le fruité charnu des rouges. 2009, goûté sur fûts, affiche déjà un bon équilibre.

Bourgogne aligoté 2008 ☺
Blanc | 2010 à 2012 | 6,60 € **14/20**
Un aligoté frais et droit, qui claque sur la langue. Beaucoup de fraîcheur, pour ce canon d'apéritif !

Mercurey Les Ormeaux 2008
Rouge | 2010 à 2015 | 11 € **14,5/20**
Un mercurey de bon style, avec une note fumée et un fruit rouge gourmand, et aussi une belle expression sur la fève de cacao.

MONTAGNY LE VIEUX CHÂTEAU 2008
Blanc | 2011 à 2015 | 14 € **15/20**
Un caractère minéral plus affirmé que les-bassets, le sol très pauvre donne de la tension au vin. Un style dépouillé, la finale est tranchante.

MONTAGNY MAXENCE 2008
Blanc | 2011 à 2018 | 18 € **15,5/20**
Un vin pur et concentré, avec une pointe de rondeur, bien équilibrée par la tension de fin de bouche. Aromatique sur des amers nobles (zeste de citron).

MONTAGNY PREMIER CRU LES BASSETS 2008
Blanc | 2011 à 2015 | 12 € **14,5/20**
Encore un peu marqué par son élevage, mais les arômes de fruits blancs sont purs, la finale cristalline. On l'attendra juste un peu.

DOMAINE ANNE-SOPHIE DEBAVELAERE

21, rue des Buis • 71150 Rully
Tél. 03 85 48 65 64 • Fax : 03 85 93 13 29
as.debavelaere@gmail.com • www.rois-mages.com
Visite : sur rendez vous (06.80.38.66.16)

Le domaine réalise l'essentiel de sa production sur Rully, mais produit également un bouzeron floral et parfumé à souhait. Nous préférons régulièrement les vins blancs, toujours francs, élégants et frais. Les vins rouges sont ici proposés avec un millésime de décalage par rapport aux blancs. Les blancs 2008 sont harmonieux, les rouges 2007 sont souples.

BOUZERON 2008
Blanc | 2010 à 2014 | 7,50 € **14,5/20**
Élancé et frais. Belle palette aromatique, sur le floral, les agrumes, le melon. Une appellation originale, à découvrir absolument.

RULLY CLOS DU MOULIN À VENT 2008
Blanc | 2010 à 2015 | 9,80 € **14,5/20**
Parfumé, floral, une bouche élégante. Bon équilibre, sur la dentelle.

RULLY PREMIER CRU LES PIERRES 2008
Blanc | 2010 à 2015 | 12,50 € **14,5/20**
Une bouche à la texture bien serrée, un fruité fin, bonne fraîcheur.

DOMAINE VINCENT DUREUIL-JANTHIAL

10, rue de la Buisserolle - • 71150 Rully
Tél. 03 85 87 26 32 • Fax : 03 85 87 15 01
vincent.dureuil@wanadoo.fr
Visite : Du lundi au samedi de 9h à 12h et de 13h30 à 18h, sur rendez-vous.

Vincent Dureuil incarne la nouvelle génération de Rully, bien qu'il ait déjà près de vingt vinifications à son actif. Sa conversion en cours à l'agriculture biologique porte déjà ses fruits, avec des vins qui ont gagné en pureté d'expression et en droiture de bouche. Si les blancs sont régulièrement nos vins préférés du domaine, nous avouons notre faible pour les rouges en 2008, croquants de fruit.

BOURGOGNE 2008
Rouge | 2010 à 2015 | NC **15/20**
Trame serrée, fruité rouge fin, bouche veloutée. Excellent pinot noir ! Plus de vinosité que le passe-tout-grains, mais moins de croquant de fruit.

BOURGOGNE PASSE-TOUT-GRAINS 2008
Rouge | 2010 à 2014 | NC **15,5/20**
Toujours ce croquant de fruit. Splendide ! Généreux, rond, avec de la tenue. On en boirait des tonneaux !

MERCUREY 2008
Rouge | 2010 à 2018 | NC **15,5/20**
Plus d'ampleur, plus de coffre que les rullys. Le terroir est très lisible. Aromatique gourmande.

NUITS-SAINT-GEORGES 2008
Rouge | 2010 à 2018 | NC **16/20**
On entre dans une dimension supérieure, avec un raisin parfumé, une bouche élancée et veloutée, un tanin suave et riche.

PULIGNY-MONTRACHET PREMIER CRU CHAMP GAINS 2008
Blanc | 2010 à 2018 | NC **15,5/20**
Joli parfum de pêche de vigne. Un vin élégant, à la bouche cristalline.

RULLY 2008
Rouge | 2010 à 2014 | NC **14,5/20**
Texture fondue, crémeuse. Un vin au fruité rouge gourmand et charmeur.

RULLY EN GUESNES 2008
Rouge | 2010 à 2018 | NC **16/20**
Plus droit que maizières, un peu plus de profondeur, mais quelle pureté de sève, quel jus ! Grande classe !

RULLY MAIZIÈRES 2008
Rouge | 2010 à 2018 | NC **15/20**
Bon fruité mûr et gourmand, bouche fine et suave. Beaucoup de charme.

RULLY MAIZIÈRES 2008
Blanc | 2010 à 2014 | NC **14,5/20**
Une grâce et une élégance supérieures au rully village. L'agriculture biologique a donné un supplément de parfum au raisin.

RULLY PREMIER CRU LES MARGOTÉS 2008
Blanc | 2010 à 2018 | NC **15/20**
Belle pureté de jus, droit et élancé, avec une bonne tension. Minéral et parfumé à la fois.

RULLY PREMIER CRU MEIX CADOT VIEILLES VIGNES 2008
Blanc | 2010 à 2018 | NC **15,5/20**
Grain de raisin bien croquant en bouche. Un jus dense et serré. Belle concentration, comme toujours le sommet de la cave, en blanc, à Rully. Mais moins haut que les années précédentes, du moins à ce stade.

DOMAINE DE LA FERTÉ

B.P. 5 • 71640 Mercurey
Tél. 03 85 45 21 61 • Fax : 03 85 98 06 62
contact@domaine-de-la-ferte.com
www.domaine-de-la-ferte.com
Visite : sur rendez-vous

Située à Givry, cette petite propriété appartient à la famille Devillard, également propriétaire du Château de Chamirey. Elle ne propose que deux vins rouges, en quantités très limitées, mais produits avec un soin comparable aux mercureys. Dans un style opulent et riche, croquant de fruit, 2008 est bien réussi.

GIVRY 2008
Rouge | 2010 à 2018 | 13,50 € **15/20**
Un nez puissant, presque opulent. La bouche est ronde, dans un registre de séduction immédiate. Fruité croquant.

GIVRY PREMIER CRU SERVOISINE 2008
Rouge | 2011 à 2023 | 19,50 € **16/20**
Belle matière charnue et ample, tanins enrobés, il faut le laisser se remettre de sa mise.

DOMAINE PHILIPPE GARREY

15, rue de la Croix
71640 Saint-Martin-sous-Montaigu
Tél. 03 85 45 23 20 • Fax : 03 59 35 00 88
phil.garrey@orange.fr • www.phillipegarey.com
Visite : Sur rendez-vous.

Ce domaine a entamé une conversion à la biodynamie, mais les vins affichent déjà ce style naturel, droit et tendu que seuls de beaux raisins peuvent donner. Des tanins fermes mais mûrs et des vinifications précises, sans note boisée, en font de vrais vins de gastronomie, avec une aromatique régulièrement dominée par des notes de fleurs, de poivre et de tabac. 2007 et 2008 sont assez proches.

MERCUREY LA CHAGNÉE 2008
Blanc | 2010 à 2015 | 12,70 € **15,5/20**
Un fruité très pur, qui emplit la bouche. Volume tout en rondeur, profond et savoureux. Un registre floral affirmé. Bon équilibre final.

MERCUREY PREMIER CRU CLOS DE MONTAIGU 2008
Rouge | 2010 à 2018 | 15 € **15,5/20**
Plus en élégance et en charme que le clos-du-paradis, la bouche est fondue, les tanins fins, la finale concentrée.

MERCUREY PREMIER CRU LA CHASSIÈRE 2008
Rouge | 2010 à 2018 | 15 € **15,5/20**
Arômes intenses d'épices (poivre) et de fleurs. Bouche structurée, tanins fermes, bon équilibre.

MERCUREY VIEILLES VIGNES 2008
Rouge | 2010 à 2018 | 12,70 € **15,5/20**
Une aromatique sur le poivre et le tabac. Très naturel dans son expression, une bouche savoureuse, une finale parfumée et légèrement serrée.

DOMAINE HENRI ET PAUL JACQUESON

5 et 7, rue de Chèvremont - • 71150 Rully
Tél. 03 85 91 25 91 • Fax : 03 85 87 14 92
sceajacqueson@lesvinsfrançais.com
Visite : Sur rendez-vous.

Ce domaine, depuis longtemps à la pointe de la qualité sur Rully, est une affaire de famille : d'abord Henri, puis Paul, son fils, qui vient de passer la main

à Marie, sa fille. Les blancs sont ici majoritaires, et tous les niveaux de la gamme bénéficient du même soin, des gourmands vins de soif aux savoureux premiers crus. Les 2008 sont remarquables, les 2009 se présentent bien.

RULLY LES CHAPONNIÈRES 2008
Rouge | 2010 à 2015 | NC **15/20**
Très coulant en bouche, sur un fruité rouge explosif. Finale gourmande.

RULLY PREMIER CRU GRÉSIGNY 2008
Blanc | 2010 à 2023 | 12 € **16/20**
Plus d'ampleur que la-pucelle, avec une tension supérieure, un vin fin, élégant, de très belle longueur.

RULLY PREMIER CRU LA PUCELLE 2008
Blanc | 2010 à 2018 | 12 € **15,5/20**
Gras, épanoui, un vin savoureux et élégant. Bouche pure et gourmande, sur des notes de fruits blancs et de pâte d'amande.

RULLY PREMIER CRU LES CLOUX 2008
Rouge | 2012 à 2023 | 12 € **16/20**
Bonne matière, un vin à la texture étoffée et dense. Il est sérieux aujourd'hui, on va l'attendre.

RULLY PREMIER CRU MARGOTÉS 2008
Blanc | 2010 à 2023 | 12 € **17/20**
C'est la cuvée la plus concentrée des trois premiers crus, avec une bouche tendue et élancée. Équilibre splendide.

DOMAINE JOBLOT

4, rue Pasteur • 71640 Givry
Tél. 03 85 44 30 77 • Fax : 03 85 44 36 72
domaine.joblot@wanadoo.fr
Visite : Sur rendez-vous octobre novembre décembre principalement

Depuis trente ans, Jean-Marc Joblot et son frère Vincent sont fidèles aux mêmes principes de viticulture attentive et de vinifications soignées (avec toujours le même tonnelier), et cette fidélité leur est rendue par leur clientèle, amatrice de ces vins où dominent la gourmandise et la pureté du fruit, des vins régulièrement au sommet de l'appellation. Tout est ici vendu très vite, il faut se dépêcher pour les superbes 2009.

GIVRY PREMIER CRU CLOS DES BOIS CHEVAUX 2009
Rouge | 2010 à 2019 | NC **15,5/20**
Matière bien mûre, bouche ronde, tanins enrobés. Rétro-olfaction gourmande, sur les fruits confits. Belle palette aromatique sur les fruits frais.

GIVRY PREMIER CRU
CLOS DU CELLIER AUX MOINES 2009
Rouge | 2010 à 2024 | NC **16/20**
Plus de longueur et de tension que bois-chevaux, un vin droit et élancé. Belle profondeur.

GIVRY PREMIER CRU CLOS MAROLE 2009
Rouge | 2010 à 2024 | NC **16,5/20**
La bouche est fine et élégante, avec un toucher onctueux et suave. Délicat et parfumé.

GIVRY PREMIER CRU SERVOISINE 2009
Rouge | 2010 à 2024 | NC **16,5/20**
Une texture plus serrée que le clos-marole, mais toujours ce fruité rouge frais et cette belle fraîcheur finale.

GIVRY PREMIER CRU SERVOISINE 2009
Blanc | 2010 à 2024 | NC **16/20**
Un jus parfumé, intensément floral, avec une bouche riche mais bien relancée par une bonne fraîcheur. Tension légèrement saline dans le millésime.

DOMAINE MICHEL JUILLOT

59, Grande-Rue - B.P. 10 • 71640 Mercurey
Tél. 03 85 98 99 89 • Fax : 03 85 98 99 88
infos@domaine-michel-juillot.fr
www.domaine-michel-juillot.fr
Visite : tous les jours, de 9h à 18h30 sans interruption (sauf dimanche jusqu'à 13h)

Laurent Juillot dirige l'un des plus importants domaines de Mercurey. La vaste gamme est inégale, et les entrées de gamme pas toujours au niveau, mais la sélection de vieilles-vignes-de-maillonge ainsi que les premiers crus sont régulièrement réussis. Dans le millésime 2008, quelques vins blancs nous ont déçus par leur manque de pureté, les rouges affichant un caractère supérieur.

MERCUREY LES VIGNES DE MAILLONGE 2008
Rouge | 2010 à 2015 | 14,25 € **14,5/20**
Un joli parfum de fruits rouges et de sous-bois dans ce vin à la bouche ronde. Joli jus, finale élégante.

Mercurey premier cru Clos des Barraults 2008
Rouge | 2011 à 2018 | 22 € **15/20**
Une bouche à la texture serrée, au tanin épicé, dense.

Mercurey premier cru Clos du Roi 2008
Rouge | 2010 à 2018 | 59,50 € le magnum **15,5/20**
Un jus savoureux, concentré et fin. Des arômes poivrés et fruités (rouge) charmeurs.

Mercurey premier cru Les Champs Martins 2008
Rouge | 2010 à 2015 | 19 € **15/20**
Texture serrée, un vin dense, avec une bonne matière. Plus puissant que fin.

Mercurey premier cru Les Combins 2008
Rouge | 2010 à 2015 | 18 € **14,5/20**
Un vin ferme, avec une bonne mâche, une finale dense.

DOMAINE BRUNO LORENZON

14, rue du Reu - • 71640 Mercurey
Tél. 03 85 45 13 51 • Fax : 03 85 45 15 52
domaine.lorenzon@wanadoo.fr et contact@domainelorenzon.com • www.domainelorenzon.com
Visite : Sur rendez-vous.

Bruno Lorenzon est l'un des vignerons les plus doués de sa génération et s'est petit à petit imposé comme le leader de l'appellation Mercurey. Une viticulture méticuleuse et soignée, un tri drastique des vendanges, des vinifications sans chaptalisation ni acidification, tout cela permet de faire ressortir l'authenticité de chaque millésime, dans les deux couleurs, que Bruno réussit avec un égal talent. Les rouges 2008 ont une grande buvabilité, sur le fruit rouge.

Corton - Charlemagne grand cru 2008
Blanc | 2013 à 2028 | 57 € **17,5/20**
Achat de raisins. Nez supérieurement parfumé. Verveine, fleurs blanches. Bouche racée, avec une tension qui allonge la bouche, relayée en deuxième partie par une trame minérale et élancée. Splendide de pureté et de droiture. Une allonge salivante.

Mercurey 2008
Rouge | 2010 à 2018 | 15 € **15,5/20**
Délicat, frais et fin. Bouche élégante, avec une grande buvabilité. Très digeste. La fin de bouche, juteuse, apporte une persistance gourmande.

Mercurey 2008
Blanc | 2010 à 2018 | 15 € **15,5/20**
Nez très pur. Fruité pur, avec une pointe d'aneth. La bouche se resserre en milieu de dégustation, avec une tension minérale gourmande, sans excès. Finale fraîche et droite.

Mercurey premier cru Les Champs Martin 2008
Rouge | 2012 à 2023 | 20 € **16/20**
Plus concentré que le village, un peu plus fermé aussi. La bouche offre une trame plus serrée, avec de l'allonge, de la droiture, mais tout en délicatesse et en pureté. Et toujours cette fin de bouche juteuse.

Mercurey premier cru Les Champs Martin 2008
Blanc | 2010 à 2023 | 20 € **16,5/20**
Belle palette aromatique. La bouche est savoureuse, fraîche et pure. Un peu plus d'épaisseur que 2007, mais un peu moins de tension. Un style différent.

Mercurey premier cru Les Champs Martin Carline 2008
Rouge | 2012 à 2023 | 23 € **17/20**
Nez sur les épices douces, plus subtil et raffiné que Champs-Martin. La bouche est bien charnue, avec de la concentration et de la gourmandise. Les tanins sont soyeux.

Mercurey premier cru Pièce 13 2007
Rouge | 2010 à 2027 | 37 € **17,5/20**
Belle complexité aromatique. Un nez large et épanoui. La bouche est vineuse, mais conserve cette pureté et ce fruité qui est la marque de fabrique du domaine. Un vin qui a sa place dans une dégustation de Côte d'Or...

DOMAINE FRANÇOIS LUMPP

Le Pied du Clou - 36, avenue de Mortières
71640 Givry
Tél. 03 85 44 45 57 • Fax : 03 85 44 46 66
domaine@francoislumpp.com
Visite : Sur rendez-vous.

Ce domaine emblématique de Givry produit année après année des vins parmi les plus soignés de l'appellation, grâce à une application rigoureuse à la vigne, bien relayée par des vinifications sous bois qui amplifient la gourmandise du vin sans négliger la tension des beaux terroirs. Aucune fausse note dans la large gamme, 2008 ne déroge pas à la règle avec un fruité et une chair supérieurs à la moyenne.

GIVRY CLOS DES VIGNES RONDES 2008
Blanc | 2010 à 2015 | 14 € **15/20**
Une aromatique sur les fruits blancs mûrs. Beaucoup d'élégance et de gourmandise. Bouche onctueuse. Un vin croquant. Très bon village.

GIVRY PIED DU CLOU 2008
Rouge | 2010 à 2018 | 14 € **15/20**
Bouche charnue, arômes de raisin rouge très mûr. Texture élégante et ronde.

GIVRY PREMIER CRU CLOS DU CRAS LONG 2008
Rouge | 2012 à 2023 | 18 € **16/20**
Un vin tout en longueur, avec de bons tanins fins et élancés. Finale bien fraîche, qui fait ressortir la densité du vin.

GIVRY PREMIER CRU CLOS JUS 2008
Rouge | 2010 à 2023 | 18 € **16,5/20**
Bouche parfumée et savoureuse, sur la cerise et le cake aux fruits. Les tanins sont gras, la finale fraîche et savoureuse. Toucher de bouche suave et caressant. Aujourd'hui, il offre un plaisir plus immédiat que Le-Clos-du-Cras-Long, mais ils sont proches.

GIVRY PREMIER CRU CRAUSOT 2008
Blanc | 2010 à 2018 | 18 € **15,5/20**
La minéralité de bouche donne de l'allonge au vin, dans un style délié et savoureux.

GIVRY PREMIER CRU PETIT MAROLE 2008
Blanc | 2010 à 2018 | 17 € **15,5/20**
Bouche citronnée, tendue et serrée. Un vin de belle intensité, droit et légèrement salin en fin de bouche.

DOMAINE VINCENT LUMPP

45, rue de Jambles • 71640 Givry
Tél. 03 85 44 52 00 • Fax : 03 85 44 52 01
info@domaine-lumpp.fr • www.domaine-lumpp.fr
Visite : Du lundi au vendredi de 8h à 12h et de 14h à 18h, de préference sur rendez-vous, les samedi et dimanche matin sur rendez-vous.

Baptiste Lumpp, neveu de François, dirige son domaine avec un style qui lui est propre. Les rouges affichent un style volumineux et rond que l'on peut apprécier assez vite. Les blancs ont un caractère plus tendre, moins affirmé. Les 2008 sont assez proches des 2007, et les 2009 dégustés sur fûts s'annoncent dans la lignée.

GIVRY PREMIER CRU CLOS DU CRAS LONG 2008
Rouge | 2010 à 2015 | 14 € **15/20**
Plus de volume que La-Grande-Berge. Encore un peu dominé par son élevage, il offre une belle élégance.

GIVRY PREMIER CRU CLOS JUS 2008
Rouge | 2010 à 2018 | 13 € **14,5/20**
Texture serrée, arômes de fruits noirs. Bons tanins.

GIVRY PREMIER CRU LA GRANDE BERGE 2008
Rouge | 2010 à 2015 | 12 € **15/20**
Bonne matière mûre, un vin avec de la mâche, il est rond et gourmand dès à présent.

GIVRY PREMIER CRU LA GRANDE BERGE 2008
Blanc | 2010 à 2013 | 12 € **14/20**
Plus de densité que Le-Vigron (la vigne est plus âgée). Notes de pêche de vigne, bouche ronde, finale acidulée.

DOMAINE DU MEIX-FOULOT

Touches • 71640 Mercurey
Tél. 03 85 45 13 92 • Fax : 03 85 45 28 10
meixfoulo@club.fr
www.domaine-du-meix-foulot.com
Visite : De 10h à 12h et de 14h à 18h.
Le week-end sur rendez-vous.

Agnès Dewé préfère mettre sur le marché des vins avec un millésime de décalage par rapport à ses voisins de Mercurey, pour leur laisser le temps de s'épanouir en bouteille. Le grand vin est ici le monopole du Clos-du-Château-de-Montaigu, avec ses gourmandes notes de fruits noirs et d'encre de chine. Nous avions été déçus des faux goûts rencontrés dans les 2006, mais les 2007 retrouvent la forme.

MERCUREY PREMIER CRU
CLOS DU CHÂTEAU DE MONTAIGU 2007
Rouge | 2010 à 2017 | 17 € **15,5/20**
Bouche suave et parfumée, des arômes de fruits noirs et d'encre de chine. Tanins enrobés, gras, belle fin de bouche.

MERCUREY PREMIER CRU LES SAUMONTS 2007
Rouge | 2010 à 2017 | 17 € **15/20**
Matière suave, tanin légèrement épicé, bonne densité de bouche. Finale enrobée et corsée.

MERCUREY PREMIER CRU LES VELEYS 2007
Rouge | 2010 à 2017 | 17 € **15/20**
Plus fruité que Les-Saumonts, peut-être un peu moins de mâche, une sensation plus glissante en bouche.

DOMAINE NINOT

2, rue de Chagny • 71150 Rully
Tél. 03 85 87 07 79 • Fax : 03 85 91 28 56
ninot.domaine@wanadoo.fr
Visite : Sur rendez-vous.

Erell Ninot apporte son charme et son sourire à un monde vigneron encore trop masculin, et dirige avec beaucoup d'entrain le petit domaine familial, où elle a repris le travail des sols. Les blancs ont un style aérien et élégant, et les rouges un bon fruité charnu, le tout proposé à des prix très raisonnables. 2007 était agréable, 2008 présente une intensité supérieure.

MERCUREY PREMIER CRU LES CRÊTS 2008
Rouge | 2011 à 2018 | 15 € **15/20**
Trame serrée, un vin dense et concentré. À attendre.

MERCUREY VIEILLES VIGNES 2008
Rouge | 2010 à 2015 | 11 € **15/20**
Fruité ample, bouche charnue, bonne matière tannique. Un vin à la bouche concentrée et élégante.

RULLY CHAPONNIÈRE 2008
Rouge | 2010 à 2015 | 9,50 € **14/20**
Un vin dominé par des notes de fruit rouge et de poivre. Tanins fins, très bon village, droit et élancé.

RULLY PREMIER CRU GRÉSIGNY 2008
Blanc | 2010 à 2018 | 12,50 € **15/20**
Belle pureté de bouche, un vin clair comme de l'eau-de-roche. Bon extrait sec, finale dense.

DOMAINE JEAN-BAPTISTE PONSOT

26, Grande-Rue • 71150 Rully
Tél. 03 85 87 17 90 • Fax : 03 85 87 17 90
domaine.ponsot@orange.fr
Visite : tous les jours sur rendez-vous.

Jean-Baptiste développe petit à petit le domaine familial, et augmente régulièrement la superficie plantée. Les sols sont travaillés, et les vendanges entièrement mécaniques, ce qui exige un gros travail de tri sur la grappe, avant la récolte. Tous les vins sont logés en fûts, avec des élevages de douze mois. Les 2008 ont un bon fruit, dans les deux couleurs.

RULLY 2008
Rouge | 2010 à 2016 | 10 € **14,5/20**
Fruité rouge intense, bouche droite, finale concentrée. Belle élégance.

RULLY PREMIER CRU MOLESME 2008
Blanc | 2010 à 2015 | 12 € **14/20**
Arômes savoureux de fruits jaunes, bouche grasse, fin de bouche agréable.

RULLY PREMIER CRU MOLESME 2008
Rouge | 2010 à 2018 | 12 € **14,5/20**
Bouche charnue, un fruité rouge intense, de bons tanins fermes. Élégant.

RULLY PREMIER CRU MONTPALAIS 2008
Blanc | 2010 à 2015 | 12 € **14,5/20**
Plus de pureté aromatique que molesme, une bouche droite, une finale légèrement tendue.

DOMAINE RAGOT

4, rue de l'École • 71640 Givry
Tél. 03 85 44 35 67 • Fax : 03 85 44 38 84
givry@domaine-ragot.com
www.domaine-ragot.com
Visite : Du lundi au vendredi de 8h à 12h et de 14h à 19h ; le week-end sur rendez-vous.

Nicolas Ragot fait partie des valeurs montantes de Givry. Grâce à de constantes remises en question, les derniers millésimes n'ont cessé de gagner en raffinement de saveur, avec un Clos-Jus régulièrement splendide de profondeur et de gourmandise. Bons 2008, sans doute plus accomplis en rouge, qui succèdent à des 2007 où les blancs étaient les plus réussis.

GIVRY 2008
Rouge | 2010 à 2013 | 8 € **14/20**
Bon fruité rouge, bouche ronde, un vin accessible, souple.

GIVRY CHAMP POUROT 2008
Blanc | 2010 à 2014 | 10 € **14/20**
Fruité jaune charnu, bouche ronde. Agréable.

GIVRY PREMIER CRU CLOS JUS 2008
Rouge | 2010 à 2015 | 14,50 € **15,5/20**
Une race supérieure à la-grande-berge. Un vin à la bouche profonde et veloutée, aux arômes fondants de fruits rouges mûrs. Gourmand.

Givry premier cru Crausot 2008
Blanc | 2010 à 2015 | 16 € **15/20**
Belle ampleur de bouche, un jus savoureux et fin, fruité croquant.

Givry premier cru La Grande Berge 2008
Rouge | 2010 à 2015 | 13,50 € **15/20**
Un vin parfumé, à la texture suave et onctueuse. Finale crémeuse.

Givry Vieilles Vignes 2008
Rouge | 2010 à 2015 | 10,50 € **14,5/20**
Plus de droiture et de concentration que le givry village. Tanins fins, finale délicate.

DOMAINE FRANÇOIS RAQUILLET

19, rue de Jamproyes - • 71640 Mercurey
Tél. 03 85 45 14 61 • Fax : 03 85 45 28 05
francoisraquillet@club-internet.fr
www.domaineraquillet.com
Visite : Du lundi au samedi de 9h à 19h
dimanche sur rendez-vous

La grande régularité de ce domaine depuis quelques années en fait l'une des valeurs sûres de Mercurey. François Raquillet a adroitement corrigé quelques excès d'extraction et d'élevage sous bois, et ses vins y ont gagné en buvabilité et en fraîcheur. Nous préférons les vins rouges, de loin la production majoritaire, pour le raffinement et la variété d'expression des différentes cuvées. Superbes 2008.

Mercurey premier cru Les Naugues 2008
Rouge | 2010 à 2023 | 16 € **16/20**
Un supplément de parfum et de chair par rapport aux vasées. Texture onctueuse, belle longueur. Savoureux et délicat. Très beau jus.

Mercurey premier cru Les Puillets 2008
Rouge | 2010 à 2018 | 15 € **15,5/20**
Moins de finesse que les-vasées, mais un peu plus de corps et de tanin. On peut l'attendre.

Mercurey premier cru Les Vasées 2008
Rouge | 2010 à 2018 | 15,50 € **15,5/20**
Plus de densité et de chair que le village vieilles-vignes. Bouche dense, texture serrée.

Mercurey premier cru Les Veleys 2008
Rouge | 2010 à 2023 | 16 € **16,5/20**
Concentré, corsé, note caillouteuse. Un vin dense, avec de bons tanins fins, une belle longueur, et une finale harmonieuse et élancée, qui monte en puissance.

Mercurey premier cru Les Veleys 2008
Blanc | 2010 à 2015 | 17 € **14,5/20**
Un fruité mûr et charnu, sur la pêche jaune, juteuse à souhait. Gourmand, il emplit bien la bouche.

Mercurey Vieilles Vignes 2008
Rouge | 2010 à 2015 | 12,50 € **15/20**
Bon village, concentré et charnu. Fruité rouge expressif, tanins fermes, bien friand. Très digeste.

DOMAINE MICHEL SARRAZIN ET FILS

26, rue de Charnailles - • 71640 Jambles
Tél. 03 85 44 30 57 • Fax : 03 85 44 31 22
sarrazin2@wanadoo.fr
www.sarrazin-michel-et-fils.fr
Visite : Du lundi au dimanche matin de 9h à 12h et de 14h à 19h.

Guy et Jean-Yves Sarrazin produisent une gamme assez étoffée, essentiellement des givrys, où nous préférons régulièrement le Clos-de-la-Putin, au joli jus parfumé en bouche. En 2008, les blancs offrent une fraîcheur supérieure aux millésimes précédents, et les rouges sont bien fruités, même si les tanins manquent parfois de raffinement.

Givry Champ Lalot 2008
Blanc | 2010 à 2014 | 11,50 € **14/20**
Un vin agréable, à la bouche tendre, aux arômes de fruits blancs (pêche).

Givry Clos de la Putin 2008
Rouge | 2010 à 2015 | 13 € **15/20**
Un vin délicatement parfumé, agréablement concentré, sur des notes de fruits noirs et d'épices (cannelle). Joli jus.

Givry premier cru La Grande Berge 2008
Rouge | 2010 à 2014 | 13,50 € **14/20**
Un vin aux tanins fermes, à la bouche charnue.

Givry premier cru Les Pièces d'Henry 2008
Blanc | 2010 à 2014 | 12,50 € **14/20**
Parfums de pêche de vigne, la bouche est grasse, élégante.

Givry premier cru Vieilles Vignes 2008
Rouge | 2010 à 2015 | 13 € **14,5/20**
Texture serrée, mais tanins fins. Structure ferme.

Mercurey La Perrière 2008
Rouge | 2010 à 2014 | 13 € **14,5/20**
Un vin de bon volume en bouche, aux tanins enrobés. Bon fruit.

DOMAINE THEULOT-JUILLOT

4, rue Mercurey • 71640 Mercurey
Tél. 03 85 45 13 87 • Fax : 03 85 45 28 07
e.juillot.theulot@wanadoo.fr • www.theulotjuillot.eu
Visite : Du lundi au vendredi de 8h30 à 12h et de 13h30 à 18h, week-end sur rendez-vous. Fermé entre le 25 décembre et le 1er janvier.

Grâce à un travail soigné, Jean-Claude et Nathalie Theulot réussissent à tirer le meilleur de leur vignoble en contrôlant la vigueur de leur matériel végétal. Le style du domaine est reconnaissable par ses bouches charnues, pas les plus concentrées de l'appellation mais digestes, avec des tanins enrobés. La qualité est très régulière. En 2008, les rouges sont au dessus, les blancs l'étaient en 2007.

Mercurey premier cru La Cailloute 2008
Rouge | 2010 à 2018 | 14,50 € **15,5/20**
Un joli jus savoureux, qui emplit la bouche de notes de fruit mûr et de viande fraîche.

Mercurey premier cru La Cailloute 2008
Blanc | 2010 à 2015 | 15 € **15/20**
Plus parfumé que Champs-Martin. En bouche, un jus dense et savoureux. Élégant.

Mercurey premier cru
Les Champs Martin 2008
Rouge | 2010 à 2018 | 13,70 € **16/20**
Tanin épicé, bouche charnue. Beaucoup de caractère pour ce vin profond et savoureux. D'ordinaire austère jeune, il est particulièrement ouvert cette année.

Mercurey Vieilles Vignes 2008
Rouge | 2010 à 2015 | 10,50 € **14,5/20**
Tanin légèrement épicé, bouche charnue, bon fruit. Gourmand et concentré.

DOMAINE AUBERT ET PAMÉLA DE VILLAINE

2, rue de la Fontaine • 71150 Bouzeron
Tél. 03 85 91 20 50 • Fax : 03 85 87 04 10
contact@de-villaine.com • www.de-villaine.com
Visite : en semaine, de 9h à 11h30 et de 14h à 17h sur rendez-vous uniquement.

Aubert de Villaine porte à bout de bras l'appellation Bouzeron, grâce à son petit domaine mené selon les règles de l'agriculture biologique. Les bouzerons ont une incomparable expression florale mais les côtes-chalonnaises rouges La-Fortune et La-Digoine expriment toute l'intensité d'un pinot noir idéalement conduit. Tous les millésimes sont ici réussis, et les vins vieillissent sur dix ans et plus.

Bourgogne Côte Chalonnaise La Digoine 2008
Rouge | 2011 à 2018 | NC **16/20**
Moins fruité que la-fortune, plus épicé, un tanin plus serré. Beaucoup de personnalité pour une appellation régionale !

Bourgogne Côte Chalonnaise La Fortune 2008
Rouge | 2010 à 2018 | NC **16/20**
Un pinot bien épicé (poivre), à la bouche fruitée et charnue, savoureuse et concentrée.

Bourgogne Côte Chalonnaise Les Clous 2008
Blanc | 2010 à 2018 | NC **15,5/20**
Superbe chardonnay, à la maturité florale, à la bouche savoureuse et distinguée. Très pur, comme toujours.

Bouzeron 2008
Blanc | 2010 à 2018 | NC **15,5/20**
Une floralité et une richesse de bouche supérieures au 2007. Belle rondeur, sur la plénitude et l'élégance.

Rully Les Saint-Jacques 2008
Blanc | 2011 à 2018 | NC **15/20**
Il n'a pas encore atteint son équilibre, mais la bouche est pure et droite, de bon volume, la finale élancée et fraîche.

Notes personnelles

Le Mâconnais

Un vignoble merveilleusement pittoresque et en plein renouveau qualitatif où règne le chardonnay qui y trouve ses expressions les plus opulentes, en raison d'un surcroît de soleil. Quand cette opulence est disciplinée par des terroirs calcaires, donnant au vin une solide colonne vertébrale, le bonheur est total ! Les prix restent encore sages.

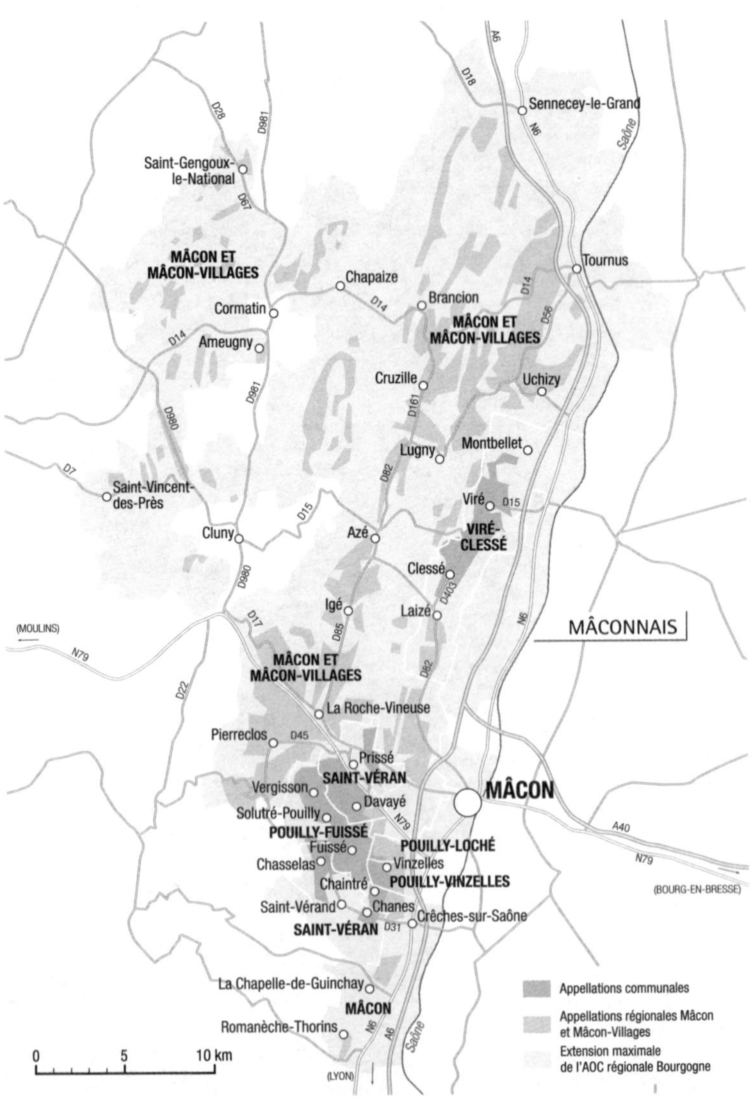

AUVIGUE

3131, route de Davayé - Le Moulin du Pont
71850 Charnay-lès-Mâcon
Tél. 03 85 34 17 36 • Fax : 03 85 34 75 88
vin-auvigue@wanadoo.fr • auvigue.blogspot.com
Visite : en semaine, de 8h à 12h et de 13h30 à 17h30
fermé le week-end, dégustation sur rendez-vous

Pouilly-Fuissé Vieilles Vignes
Blanc | 2010 à 2014 | 15 € **14,5/20**
Nez de mangue avec une touche d'amande, la bouche est suave et tendue.

DOMAINE DANIEL, JULIEN ET MARTINE BARRAUD

Le Nambret • 71960 Vergisson
Tél. 03 85 35 84 25 • Fax : 03 85 35 86 98
contact@domainebarraud.com
www.domainebarraud.com
Visite : Du lundi au samedi de 9h à 12h et de 14h à 18h sur rendez-vous.

Inspiré un temps par Jean-Marie Guffens, ce domaine de Vergisson offre des vins d'une belle profondeur. Le matériel est moderne et permet à Daniel Barraud un travail rigoureux. Le millésime 2008 confirme la précision des vinifications du domaine et offre des saveurs séduisantes. On peut encore goûter des 2001 et 2002 en pleine forme.

Pouilly-Fuissé En Buland 2008
Blanc | 2010 à 2020 | 21,50 € **17/20**
Amande et citron, le nez a de la profondeur, la bouche pleine et bien proportionnée est savoureuse.

Pouilly-Fuissé En France 2008
Blanc | 2011 à 2017 | 13,70 € **15,5/20**
Nez complexe et profond, il y a de la tension et de la richesse.

Saint-Véran Les Pommards 2008
Blanc | 2010 à 2016 | 12,50 € **14,5/20**
Il y a une masse en bouche d'où se dégagent des flaveurs de pain grillé, de beurre, un vin qui se tient bien.

CHÂTEAU DE BEAUREGARD

Maison Joseph Burrier • 71960 Fuissé
Tél. 03 85 35 60 76 • Fax : 03 85 35 66 04
joseph.burrier@wanadoo.fr • www.joseph-burrier.com
Visite : Pour les visites contacter le 03 85 32 90 48.

Avec Frédéric Burrier, qui dirige cette grande propriété familiale, le pouilly-fuissé se présente comme un très beau vin de terroir de Bourgogne du sud. Comme les grandes cuvées sont vendues avec une année de décalage, c'est aujourd'hui le 2008 qui confirme la finesse des vins de la maison.

Fleurie Les Colonies de Rochegrès 2008
Rouge | 2009 à 2015 | NC **14,5/20**
La bouche laisse ressortir une grande minéralité, mais elle apparaît un peu austère dans le millésime.

Moulin-à-Vent La Salomine 2008
Rouge | 2009 à 2015 | NC **15,5/20**
Plus en chair que le clos-des-pérelles, c'est un vin élégant et profond, avec des tanins ronds pour le millésime.

Pouilly-Fuissé Aux Charmes 2008
Blanc | 2010 à 2014 | 21,50 € **14,5/20**
Nez citronné avec une touche de noisette, la bouche est vive et elle apprécie la compagnie de gougères.

Pouilly-Fuissé Vers Cras 2008
Blanc | 2010 à 2015 | 21,50 € **15/20**
On apprécie la tension et la fin de bouche qui a du ressort.

Pouilly-Fuissé Vers Pouilly 2008
Blanc | 2010 à 2016 | 18,70 € **15,5/20**
Vin harmonieux, il y a du gras, de la tension et une longueur noisetée.

Pouilly-Fuissé Vignes Blanches 2008
Blanc | 2010 à 2012 | 21,50 € **14/20**
Vin frais et coulant que l'on boit sur un jambon persillé.

DOMAINE DE LA BONGRAN - JEAN ET GAUTIER THÉVENET

Quintaine - Cidex 654 • 71260 Clessé
Tél. 03 85 36 94 03 • Fax : 03 85 36 99 25
contact@bongran.com • www.bongran.com
Visite : Du lundi au vendredi de 9h à 12h
et de 13h à 18h. Le samedi sur rendez-vous.

Ce producteur célèbre confirme l'efficacité de ses prises de position, parfois jugées idéalistes. Ses vins, issus de vendanges récoltées très mûres, conservent un soupçon de sucre résiduel qui fait leur particularité. Ils n'en sont pas moins toujours équilibrés par une belle acidité, due à un travail rigoureux des sols. Ils évoluent parfaitement.

Viré-Clessé Domaine de Roally - cuvée Tradition 2007
Blanc | 2010 à 2016 | 9 € **15,5/20**
Des rondeurs en attaque et une juste acidité derrière pour l'équilibre. Ce vin attend une volaille à la crème.

Viré-Clessé Domaine Émilian Gillet - cuvée Quintaine 2004
Blanc | 2010 à 2015 | 12 € **16/20**
Nez exotique sur les fruits de la passion, attaque en rondeurs, du volume de bouche et une juste tension derrière.

DOMAINE CHÂTAIGNERAIE LABORIER

Les Bruyères • 71960 Vergisson
Tél. 03 85 35 85 51 • Fax : 03 85 35 82 42
gil.morat@wanadoo.fr
Visite : sur rendez-vous

Ce domaine de cinq hectares produit des pouilly-fuissés d'une grande digestibilité. La cuvée Bélemnites offre de belles rondeurs briochées, avec ce qu'il faut de fraîcheur derrière. Plus minérale, La-Roche possède une tension de première saveur. Notre dégustation des 2008, 2007, 2006 et 2004 nous a pleinement convaincus de la régularité des vins de Gilles et Joëlle Morat, qui n'utilisent ni herbicides, ni pesticides et pratiquent les engrais naturels. Les vendanges sont manuelles.

Pouilly-Fuissé Belemnites 2007
Blanc | 2010 à 2013 | 14 € **15/20**
Fumé, girolle, pain grillé au nez, bonne présence en bouche, puissance et fraîcheur sur la finale.

Pouilly-Fuissé Belemnites 2004
Blanc | 2010 à 2012 | 15 € **14/20**
Ce vin évolue parfaitement avec ses flaveurs de brioche, sa rondeur enveloppante en bouche et sa fin fraîche.

Pouilly-Fuissé La Roche 2008
Blanc | 2010 à 2016 | 16 € **14/20**
Amande et pomme au four avec un côté beurré pour le nez, attaque vive et franche, derrière il y a du vin, et un côté salin et épicé.

Pouilly-Fuissé La Roche 2006
Blanc | 2010 à 2013 | 16 € **14,5/20**
On aime à la fois la droiture de constitution, les accents noisetés et la fin minérale.

DOMAINE CHEVEAU

Hameau de Pouilly • 71960 Solutré-Pouilly
Tél. 03 85 35 81 50 • Fax : 03 85 35 87 88
domaine@vins-cheveau.com • www.vins-cheveau.com
Visite : sur rendez-vous

Pouilly-Fuissé Vers Cras 2008
Blanc | 2010 à 2012 | 14 € **14,5/20**
C'est tendu, crayeux à souhait, avec du fond et du ressort.

Pouilly-Fuissé Vieilles Vignes 2008
Blanc | 2010 à 2012 | 15 € **13/20**
Un pouilly franc et coulant, qui se boit le col ouvert à l'apéritif.

SOPHIE CINIER

rue Adrien Arcelin - CHAMP POTARD
71960 FUISSE
Tél. 03 85 35 66 41 • Fax : 03 85 35 66 41
sophie.cinier@orange.fr
Visite : De 9h à 12h et de 14h à 18h.

Mâcon-Villages 2008
Blanc | 2010 à 2014 | 9,50 € **15/20**
Notes de mangue au nez, séducteur. Très belle matière première. Un vin splendide pour son harmonie. Le vin évolue vers des notes d'ananas et d'orange sanguine en fin de bouche.

COLLOVRAY ET TERRIER

71960 Davayé
Tél. 03 85 35 86 51 • Fax : 03 85 35 86 12
info@collovrayterrier.com • www.collovrayterrier.com
Visite : Du lundi au vendredi de 8h à 12h et de 14h à 18h. Le samedi sur rendez-vous.

Pouilly-Fuissé Plénitude de Bonté 2008
Blanc | 2010 à 2013 | 21,50 € **13/20**
Belle matière sur des notes épicées, bouche offrant des rondeurs, quand ce vin aura digéré son élevage, la note risque d'être meilleure.

DOMAINE CORDIER PÈRE ET FILS

Les Molards • 71960 Fuissé
Tél. 03 85 35 62 89 • Fax : 03 85 35 64 01
domaine.cordier@wanadoo.fr
www.domainecordier.com
Visite : sur rendez-vous.

Ce domaine produit un très grand nombre de cuvées, souvent marquées par un élevage démonstratif sous bois ou par un peu de surmaturité dans les raisins. On aime ici les vins gras, charnus, dans le vrai style local, et les meilleures cuvées font incontestablement partie de l'élite du Mâconnais. Sous le nom de Christophe Cordier, fils de la maison, une activité de négoce s'ajoute au domaine.

Pouilly-Fuissé 2008
Blanc | 2010 à 2013 | 15 € **14/20**
Nez d'amande grillée, de cire et de froment que l'on retrouve dans une bouche ronde qui se termine par des accents réglissés.

Pouilly-Fuissé Vers Cras 2008
Blanc | 2010 à 2015 | 26 € **16/20**
Vin explosif, avec de la richesse, de la tension, des accents exotiques et une pointe de truffe.

Saint-Véran Clos de la Côte 2008
Blanc | 2010 à 2012 | 17 € **14/20**
Nez floral avec une touche d'amande, bouche combinant rondeur et fraîcheur.

DOMAINE DE LA CROIX SÉNAILLET

En Colland • 71960 Davayé
Tél. 03 85 35 82 83 • Fax : 03 85 35 87 22
lacroixsenaillet@wanadoo.fr
www.domainecroixsenaillet.com
Visite : Du lundi au vendredi de 8h à 12h et de 13h30 à 17h30. Le samedi sur rendez-vous.

Les frères Martin, comme leur père, sont partisans de l'agriculture biologique. Leur travail sur le terroir se ressent désormais dans les vins, d'une belle profondeur. Les raisins obtenus sont de qualité, et les vins apparaissent dans une très belle netteté aromatique, propre au millésime et à leur terroir.

Pouilly-Fuissé 2008
Blanc | 2010 à 2014 | 16,40 € **14/20**
Nez floral avec une touche d'herbes coupées, la bouche est fraîche et coulante.

Saint-Véran Dolia 2008
Blanc | 2010 à 2014 | 17,60 € **14,5/20**
Nez crayeux, bouche longue et gracile avec une pointe saline sur la fin.

Saint-Véran La Grande Bruyère 2008
Blanc | 2011 à 2016 | 9,60 € **15/20**
On apprécie la longueur effilée et la fraîcheur de constitution en même temps qu'une grande franchise.

DOMAINE DE LA CROUZE

La Crouze • 71960 Vergisson
Tél. 03 85 37 80 03
pierre.desroches@cegetel.net

Saint-Véran Vieilles Vignes 2008
Blanc | 2010 à 2012 | 8,35 € **14/20**
Enfin un 2008 cohérent avec une maturité équilibrée, une droiture et une petite tension derrière.

DOMAINE DENUZILLER

Le Bourg • 71960 SOLUTRE-POUILLY
Tél. 03 85 35 80 77 • Fax : 03 85 35 83 38
domaine.denuziller@orange.fr
Visite : du lundi au vendredi de 9h à 12h et de 13h30 à 18h30

Pouilly-Fuissé Prestige 2008
Blanc | 2010 à 2014 | 11 € **14,5/20**
Ce vin respecte le millésime en ne voulant pas donner plus qu'il ne faut ; on aime le côté floral et la bouche élégante, vin tout en charmes.

DOMAINE DES DEUX ROCHES

Route de Mâcon • 71960 Davayé
Tél. 03 85 35 86 51 • Fax : 03 85 35 86 12
info@collovrayterrier.com • www.collovrayterrier.com
Visite : Du lundi au vendredi de 8h à 12h et de 13h30 à 17h30. Le samedi sur rendez-vous.

Cette grande propriété est une source sûre pour trouver en volume important des saint-vérans bien faits, d'un bon rapport qualité-prix, dans une appellation où trop de vins indifférents ou médiocres contentent une clientèle peu exigeante ! Les meilleures cuvées, Terres-Noires et Cras, rejoignent l'élite du Mâconnais par leur finesse et leur franchise de fruit. Les autres sont plus irrégulières.

Saint-Véran Les Cras 2007
Blanc | 2010 à 2012 | 21,50 € **14/20**
Vin aux accents épicés avec une touche florale, la bouche offre du fond et une vraie finale sur les épices.

Saint-Véran Les Terres Noires 2008
Blanc | 2010 à 2013 | 13 € **14/20**
On apprécie la longueur et la maturité de ce vin dans une AOC qui est marquée en 2008 par beaucoup de notes végétales.

Saint-Véran Vieilles Vignes 2007
Blanc | 2010 à 2012 | 14,50 € **13/20**
Vin coulant avec des nuances noisetées et une touche florale.

DOMAINE NADINE FERRAND

71960 Pouilly
Tél. 06 09 05 19 74
ferrand.nadine@wanadoo.fr
www.ferrand-pouilly-fuisse.com

Pouilly-Fuissé Prestige 2008
Blanc | 2010 à 2016 | 16,50 € **15/20**
Vin de belle ampleur, alliant en bouche suavité et tension avec une vraie longueur. Belle réussite !

DOMAINE J.-A. FERRET-LORTON

Le Plan • 71960 Fuissé
Tél. 03 85 35 61 56 • Fax : 03 85 35 62 74
ferretlorton@orange.fr
Visite : En semaine sur rendez-vous

Archétypes de leur appellation, avec néanmoins une vraie personnalité, les vins offrent de purs instants de bonheur. La reprise du domaine par la maison beaunoise Louis Jadot assure une superbe continuité, et Audrey Braccini dirige avec aplomb ce domaine référence en essayant de le porter vers les sommets. À 30 euros le Ménétrières 2006, on ne trouve pas meilleur rapport qualité-prix en Bourgogne.

Pouilly-Fuissé Hors Classe
Les Ménétrières 2008
Blanc | 2013 à 2027 | 30 € **18,5/20**
Un vin sur une tension vibrante, avec ce qu'il faut de fumé et de ressort, superbe potentiel. Au fil de l'ouverture, il gagne en intensité.

Pouilly-Fuissé Hors Classe
Les Ménétrières 2006
Blanc | 2010 à 2020 | 30 € **18/20**
Un vin sur des accents de mangue, d'abricot avec une touche noisetée, netteté absolue de tous les constituants, intense, pur, complexe, vin de homard.

Pouilly-Fuissé Hors Classe
Les Ménétrières 2004
Blanc | 2010 à 2017 | 27,75 € **16,5/20**
Le vin dégage des flaveurs d'agrumes et de mangue, attaque en largeur puis s'étire avec le rebond propre au cru.

Pouilly-Fuissé Tête de Cru Le Clos 2008
Blanc | 2011 à 2017 | 24 € **16,5/20**
Nez exotique avec un fond d'amande et d'épices, bouche droite et tendue très harmonieuse, on a une maturité idéale dans un millésime difficile.

Pouilly-Fuissé Tête de Cru Les Perrières 2008
Blanc | 2012 à 2020 | 24 € **17/20**
Mangue, ananas et noisette se mêlent de la façon la plus harmonieuse, la bouche est riche, pleine et de grande longueur.

DOMAINE ANNIE-CLAIRE FOREST

Les Crays • 71960 Vergisson
Tél. 03 85 35 84 79 • Fax : 03 85 35 86 14
forest_annie-claire@wanadoo.fr
Visite : sur rendez-vous.

Petit domaine de Vergisson, mais le travail artisanal porte ses fruits, car dans les récentes dégustations, la cuvée Sur-la-Roche s'est révélée l'une des plus typées et des plus constantes de l'appellation Pouilly-Fuissé. Excellent 2005, comme souvent sur Vergisson, où les raisins font en général moins de sucre qu'au cœur de Fuissé.

Pouilly-Fuissé Sur la Roche 2008

Blanc | 2010 à 2016 | 15,50 € **16/20**

C'est la cuvée de fulgurance avec ses flaveurs florales et noisetées et sa minéralité épanouie derrière. Nous aimerions que toutes les cuvées soient de ce niveau, ce qui permettrait au domaine de figurer à part entière dans le guide.

DOMAINE ERIC FOREST

Le Martelet • 71960 Vergisson

Tél. 06 22 41 42 55

forest.eric@free.fr

Visite : du lundi au vendredi de 9h à 12h et de 13h à 18h

Éric Forest est l'un des jeunes talents du Mâconnais, avec des cuvées de pouilly, saint-véran et mâcon parmi les meilleures de leurs appellations, avec des vins traduisant au mieux la mosaïque des terroirs qui les portent. Biodynamie, vendanges manuelles, élevage bien maîtrisé, tout est réuni pour que le domaine soit l'une des références du Mâconnais.

Mâcon-Villages Sur la Roche 2008

Blanc | 2010 à 2017 | 10 € **15,5/20**

Nez floral type aubépine, avec une pointe d'amande, bouche tendue tout en étant grasse, belle longueur, finit sur une fraîcheur florale, superbe sur un beurre truffé.

Pouilly-Fuissé L'Âme Forest 2008

Blanc | 2011 à 2016 | 12,50 € **16/20**

Voilà une cuvée puissante et tendue, avec des accents noisetés et cette pointe iodée en fin de bouche qui fait la différence.

Pouilly-Fuissé La Côte 2007

Blanc | 2011 à 2017 | 14 € **16,5/20**

Superbe potentiel pour ce vin à la fois tranchant et élégant, les agrumes apparaissent avec la noisette sur la fin de bouche.

Pouilly-Fuissé Les Crays 2008

Blanc | 2010 à 2016 | 16 € **15/20**

Puissant, élégant, crayeux ce vin est déjà bien ouvert pour caresser des saint-jacques poêlées.

CHÂTEAU DE FUISSÉ

Le Plan • 71960 Fuissé

Tél. 03 85 35 61 44 • Fax : 03 85 35 67 34

domaine@chateau-fuisse.fr • www.chateau-fuisse.fr

Visite : Du lundi au vendredi de 8h à 12h et de 13h30 à 17h30. Le week-end sur rendez-vous.

Sur 2008, ce grand classique est sorti dans le peloton de tête grâce à des cuvées d'une maturité juste qui manque souvent sur ce millésime. Le-Clos, à la fois puissant et élégant, donne la réplique à la sole. Plus opulent, Les-Brûlés peut converser avec un chapon. La cuvée Vieilles-Vignes, plus tendue, a du ressort et du style pour caresser des ris de veau truffés. La Tête-de-Cru, bien structurée, peut caresser la sole.

Pouilly-Fuissé Le Clos 2008

Blanc | 2010 à 2013 | 25 € **14/20**

Ce vin est à la fois fin et de bonne longueur sur des nuances noisetées, il est déjà bien sur des gougères.

Pouilly-Fuissé Les Brûlés 2008

Blanc | 2010 à 2016 | 25 € **15/20**

Ce vin aux accents de brioche attaque sur une onctuosité dans des tonalités de beurre frais du meilleur effet avec une fin noisetée et fraîche, c'est classique et c'est bon.

Pouilly-Fuissé Tête de Cru 2008

Blanc | 2011 à 2016 | 20,50 € **15,5/20**

On sent la structure et le gras avec ce qu'il faut de maturité, il convient de lui laisser un peu de temps car cette cuvée est prometteuse.

Pouilly-Fuissé Vieilles Vignes 2008

Blanc | 2010 à 2017 | 27,50 € **16/20**

On a les accents de brioche et de fumé. Si la bouche attaque de façon suave, ce qu'on aime, c'est la tension et la longueur de cette cuvée qui entrera en composition avec un pain de langoustines.

DOMAINE GUFFENS-HEYNEN

En France • 71960 Vergisson

Tél. 03 85 51 66 00 • Fax : 03 85 51 66 09

info.verget@orange.fr • www.guffensheynen.com

Visite : Sur rendez-vous.

Ce tout petit domaine confirme une fois encore qu'il est l'un des hauts lieux mondiaux du chardonnay. Dirigé par Jean-Marie Guffens, il présente des vins d'une éloquence et d'une constance phénoménales. Tout y est : la qualité extraordinaire de la vendange,

la parfaite traduction minérale des sols, travaillés amoureusement et rigoureusement de la même manière depuis plus d'un quart de siècle et l'intensité aromatique. Le pressurage est ensuite diaboliquement précis et permet d'obtenir une pureté cristalline extraordinaire. Il faut absolument carafer les vins pour les saisir dans leur intimité.

MÂCON-VILLAGES PIERRECLOS T
RI DE CHAVIGNE 2007
Blanc | 2010 à 2017 | 28 € **17/20**
Un vin qui a une superbe matière, concentrée, vibrante avec ce qu'il faut de tension.

POUILLY-FUISSÉ LA ROCHE 2008
Blanc | 2010 à 2026 | 15,80 € **18,5/20**
Il faut absolument carafer ce vin pour qu'il exprime au mieux sa pureté quasi cristalline et sa minéralité distinguée, au fil de l'ouverture il devient complexe. On l'apprécie sur une salade de pommes de terre aux truffes.

POUILLY-FUISSÉ TRIS DES HAUTS DE VIGNES 2007
Blanc | 2010 à 2017 | NC **17,5/20**
Ce vin a gagné en raffinement depuis notre dernière dégustation et il s'est étoffé pour gagner en intensité et en pureté. Très tendu, il s'exprime sur une truffe en brioche.

SAINT-VÉRAN CLOS DE PONCETYS 2008
Blanc | 2010 à 2017 | 17 € **17/20**
De haut vol, gras et minéral, avec une légère caramélisation de la saveur, fin de bouche franche et exacte.

SAINT-VÉRAN CLOS DE PONCETYS 2007
Blanc | 2010 à 2016 | NC **17,5/20**
Encore un millésime de haute volée avec un vin à la fois riche et cristalllin, on l'apprécie sur des langoustines à la plancha.

DOMAINE GUILLOT-BROUX

Le Bourg • 71260 Cruzille
Tél. 03 85 33 29 74 • Fax : 01 85 33 29 74
domaine.guillotbroux@wanadoo.fr
www.domaine.guillot-broux.com
Visite : Du lundi au vendredi de 9h à 12h et de 14h à 18h. Le week end sur rendez-vous uniquement

MÂCON-VILLAGES COMBETTE 2008
Blanc | 2010 à 2014 | 13 € **15/20**
Salin, pur et tendu, ce vin possède l'équilibre qu'il faut pour une salade de langoustine, alors que le 2007, plus exotique dans le style, conviendra à des ris de veau au citron confit.

DOMAINE DES HÉRITIERS DU COMTE LAFON

Cartelées • 71960 Milly-Lamartine
Tél. 03 85 37 78 09 • Fax : 03 85 37 65 21
comtes.lafon@wanadoo.fr
Pas de visites.

Créé par Dominique Lafon, un des plus célèbres viticulteurs de la Côte-d'Or, ce domaine est devenu en un peu plus d'une dizaine d'années un des phares du Mâconnais. Peu à peu, avec l'aide de Caroline Gon, il affine sa connaissance des crus individuels et leur donne le maximum d'expression. Les 2007 sont de toute beauté et les 2008 pour l'instant en retrait.

MÂCON-VILLAGES MÂCON CHARDONNNAY
CLOS DE LA CROCHETTE 2008
Blanc | 2010 à 2017 | NC **16/20**
On apprécie la texture ample en attaque et la bouche bien proportionnée avec une belle longueur et ce qu'il faut de maturité. C'est notre cuvée préférée sur le domaine !

MÂCON-VILLAGES MÂCON MILLY-LAMARTINE
CLOS DU FOUR 2008
Blanc | 2010 à 2016 | NC **15/20**
Sur la réserve ce vin a une tension moins noble que sur le 2007.

MÂCON-VILLAGES MÂCON MILLY-LAMARTINE
CLOS DU FOUR 2007
Blanc | 2010 à 2017 | NC **16/20**
Vin très pur, avec un tranchant merveilleux, des notes noisetées et des touches d'agrumes. Le 2005 évolue parfaitement.

MÂCON-VILLAGES MÂCON-BUSSIÈRES
LE MONSARD 2008
Blanc | 2010 à 2014 | NC **14/20**
Vin d'abord immédiat, avec des accents citronnés et des notes d'amande, à boire sur un jambon persillé.

MÂCON-VILLAGES MÂCON-UCHIZY
LES MARANCHES 2007
Blanc | 2010 à 2015 | NC **15/20**
Au bout de deux heures d'ouverture, ce vin émerge et gagne en complexité pour accompagner un boudin blanc.

DOMAINE ROGER LASSARAT

Le Martelet • 71960 Vergisson
Tél. 03 85 35 84 28 • Fax : 03 85 35 86 73
info@roger-lassarat.com • www.roger-lassarat.com
Visite : Ouvert 7 jours sur 7 de 9h à 19h, de préférence sur rendez-vous.

Ce domaine historique de Pouilly possède un bon potentiel de vieilles vignes sur des coteaux bien exposés. Le Clos de France puise sa complexité dans son terroir argilo-limoneux-siliceux, avec des vignes cinquantenaires. La cuvée Racines est un assemblage de trois parcelles de vignes centenaires sur Solutré et Vergisson, qui donnent des vins bien tendus. La cuvée Terroirs-de-Vergisson offre richesse et tension.

Pouilly-Fuissé Clos de France 2008
Blanc | 2010 à 2017 | 16,20 € **15/20**
C'est un vin de belle dimension qui se montre à la fois élégant et généreux.

Pouilly-Fuissé Racines 2007
Blanc | 2010 à 2014 | 17,90 € **14,5/20**
Amande et agrumes dominent au nez, la bouche est longue et tendue, avec de la fraîcheur.

Pouilly-Fuissé Terroirs de Vergisson 2007
Blanc | 2010 à 2019 | 12,80 € **15/20**
On sent le potentiel, il y a du gras et de la tension, avec une bonne longueur.

Saint-Véran Le Cras 2007
Blanc | 2010 à 2013 | 16 € **14/20**
Un saint-véran tendu et bien proportionné qui affiche une belle matière.

CHÂTEAU DE LAVERNETTE

Château de Lavernette • 71150 Leynes
Tél. 03 85 35 63 21 • Fax : 03 85 35 67 32
chateau@lavernette.com • www.lavernette.com
Visite : Tous les jours de 9h à 12h et de 13h à 18h.

Mâcon-Villages Maison du Villard 2008
Blanc | 2010 à 2012 | 12,20 € **13,5/20**
C'est franc et citronné, avec ce qu'il faut de fraîcheur.

DOMAINE NICOLAS MAILLET

La Cure • 71960 Verzé
Tél. 03 85 33 46 76 • Fax : 03 85 33 46 76
vinsnicolasmaillet@orange.fr
www.vins-nicolas-maillet.com
Visite : sur rendez-vous.

Trentenaire truculent, Nicolas Maillet élève tous ces vins en cuve, et cela réussit bien car avec le recul, on peut goûter des vins de quelques années qui évoluent parfaitement. Ici, on privilégie avant tout la fraîcheur avec des cuvées délicieusement lampantes dans les deux couleurs.

Mâcon-Villages 2008
Blanc | 2010 à 2013 | 8 € **13,5/20**
Nez en légère surmaturité, bouche fraîche et bien équilibrée. Plus coulant, le 2007 est parfait aujourd'hui.

Mâcon-Villages Mâcon-Verzé 2008
Blanc | 2010 à 2013 | 9 € **14,5/20**
Vin bien tendu, long et complexe qui a une vraie personnalité.

Mâcon-Villages Mâcon-Verzé Le Chemin Blanc 2008
Blanc | 2010 à 2015 | 12 € **15/20**
Vin encore fermé, structuré par une tension insinuante, beau potentiel, le 2007 citronné se révèle aujourd'hui une très belle bouteille à la fois élégante et puissante.

MERLIN

Domaine du Vieux Saint-Sorlin
71960 La-Roche-Vineuse
Tél. 03 85 36 62 09 • Fax : 03 85 36 66 45
merlin.vins@wanadoo.fr • www.merlin-vins.com
Visite : sur rendez-vous

Bras droit de Jean-Marie Guffens pendant quelques années, Olivier Merlin a eu la bonne idée de reprendre un vignoble très bien situé, sur la Roche-Vineuse. Ses talents de vinificateur se confirment ici encore, en offrant des vins minéraux et d'une précision aromatique parfaite. Les derniers millésimes sont de véritables réussites.

Mâcon-Villages La Roche Vineuse Les Cras 2008
Blanc | 2010 à 2016 | 7,90 € **17/20**
Onctuosité en attaque, beurré, salin en fin, c'est riche et tendu, voici l'un des vins du millésime sur Mâcon.

Mâcon-Villages La Roche Vineuse Vieilles Vignes 2008
Blanc | 2010 à 2014 | 11,50 € **15/20**
Vin tranchant, vif, avec de l'élégance et de la profondeur.

Pouilly-Fuissé Clos des Quarts 2008
Blanc | 2010 à 2017 | 20,50 € **16/20**
Nez de froment et de brioche, attaque puissante, bouche tendue et harmonieuse, c'est une belle réussite !

Saint-Véran Le Grand Bussière 2008
Blanc | 2010 à 2013 | 16,90 € **15/20**
C'est rond, puissant avec une bouche démonstrative, à boire sur un blanc de volaille.

JEAN-PIERRE MICHEL

Place de Quintaine • 71260 Clessé
Tél. 03 85 23 04 82 • Fax : 03 85 23 04 82
vinsjpmichel@orange.fr
Visite : sur rendez-vous du lundi au samedi.

Viré-Clessé Terroirs de Quintaine 2008
Blanc Doux | 2010 à 2014 | 13 € **16/20**
On est sur un vin avec sucres résiduels ; ceux-ci sont bien intégrés dans un registre ananas, avec une bonne acidité en fin, c'est une réussite pour le millésime.

PASCAL PAUGET

Les Crets • 71700 Ozenay
Tél. 03 85 32 53 15
pauget.pascal@wanadoo.fr
Visite : sur rendez vous

Ce domaine, situé au nord du Mâconnais, évolue dans une tendance d'agriculture biologique, avec des parcelles bien identifiées par rapport à leur terroir. Le petit îlot de calcaire de Prety est situé sur la rive gauche de la Saône, il donne des vins tendus alors que les crus provenant du secteur de Tournus sont plus gourmands.

Mâcon Prety 2008
Blanc | 2010 à 2013 | 10 € **14/20**
Flaveurs citronnées avec un zeste d'amande, la bouche est vive et élégante, avec un début de tension. Idéal sur des fromages de chèvre secs.

Mâcon Prety 2007
Blanc | 2010 à 2014 | 10 € **16/20**
Vin plein de nuances, raffiné et riche à la fois. Très belle matière. Longueur sur la fraîcheur. Regoûté cette année, il entretient toujours une conversation avec une bonne tension, bien sur une omelette aux truffes.

Mâcon Terroir de Tournus La Gelaine 2008
Blanc | 2010 à 2012 | 9 € **14,5/20**
Le sous-sol caillouteux et marneux donne un vin aux accents noisetés, qui attaque en rondeurs et se termine sur une petite tension saline, c'est gourmand à souhait et idéal pour la gougère.

DOMAINE DES PONCETYS

Domaine des Poncetys • 71960 Davaye
Tél. 03 85 33 56 22 • Fax : 03 85 35 86 34
domaineponcetys@free.fr • www.macon-davaye.com
Visite : Du lundi au vendredi de 8h à 12h et de 14h à 18h. Le samedi et dimanche sur rendez-vous.

Saint-Véran Clos du Château 2008
Blanc | 2010 à 2012 | 9,20 € **13/20**
Maturité au nez comme en bouche, avec une unité de bon ton.

Saint-Véran Les Chailloux 2008
Blanc | 2010 à 2015 | 9,80 € **14/20**
Nez et bouche d'agrumes, avec une tension et de la vitalité en finale.

DOMAINE RIJCKAERT

Correaux • 71570 Leynes
Tél. 03 85 35 15 09 • Fax : 03 85 35 15 09
rijckaeryt.jean@orange.fr • www.rickjaert.fr
Visite : Du lundi au samedi sur rendez-vous.

Jean Rijckaert est une des références du Mâconnais avec des vins d'esthète que l'on carafe deux heures avant le service pour qu'ils puissent pleinement exprimer leur pureté à travers une tension harmonieuse. Ici les fins de bouche sont superbes, et elles ont fait la différence à travers nos différentes dégustations. Vingt-quatre heures après l'ouverture, les vins sont toujours en grande forme !

Mâcon-Villages Crays Vers Vaux 2007
Blanc | 2010 à 2017 | 14,20 € **16/20**
Vin aristocratique avec son nez de mandarine confite et de noisette, la bouche longue et tendue a beaucoup de style.

Mâcon-Villages Montbellet En Pottes Vieilles Vignes 2007
Blanc | 2010 à 2014 | 14,20 € **14/20**
Noiseté, coulant, ce vin convient à un jambon persillé, il prend de la complexité au fil de l'ouverture.

Viré-Clessé L'Épinet 2008
Blanc | 2010 à 2015 | 12,50 € **16/20**
Vin tranchant et mûr en même temps avec une belle fin saline, progressivement il se tend de la meilleure des façons.

Viré-Clessé Les Verchères 2008
Blanc | 2010 à 2015 | 16,50 € **16/20**
Nez de beurre noisette, attaque onctueuse avec une trame fraîche en fin, de telles caresses sur ce millésime ingrat font du bien.

Viré-Clessé Les Verchères 2007
Blanc | 2010 à 2017 | 16,50 € **15,5/20**
Belle texture avec une attaque suave puis le vin prend de la consistance et du tranchant au fil de l'ouverture pour venir caresser une volaille de Bresse demi-deuil.

CLOS DES ROCS

Chemin de la Colonge • 71000 Loché
Tél. 03 85 32 97 53 • Fax : 03 85 35 69 83
vin@closdesrocs.fr • www.closdesrocs.fr
Visite : sur rendez-vous.

Olivier Giroux produit de bons pouilly-lochés qui jouent dans le registre de la fraîcheur, avec ce qu'il faut de longueur et une vraie plasticité. L'élevage est bien maîtrisé et les vins affichent une juste maturité. Si les cuvées Monopole constituent de belles entrées de gamme, la cuvée Révélation, plus complexe, mérite une plus longue garde.

Pouilly-Loché Monopole 2008 ☺
Blanc | 2010 à 2012 | 13,50 € **14/20**
Vin tendre, délicat et floral qui se boit sur des gougères.

Pouilly-Loché Monopole 2 2008
Blanc | 2010 à 2012 | 13,50 € **14/20**
Plus salin, ce vin montre une belle plasticité et il se boit déjà à la régalade.

Pouilly-Loché Révélation 2008
Blanc | 2010 à 2017 | 18,50 € **15/20**
Nez aux accents de fruits exotiques avec des notes épicées, l'attaque beurrée est élégante et la bouche de belle dimension.

CHÂTEAU DES RONTETS

Les Rontés • 71960 Fuissé
Tél. 03 85 32 90 18 • Fax : 03 85 35 66 80
chateaurontets@wanadoo.fr
Visite : Sur rendez-vous

Claire et Fabio Gazeau-Montrasi ont troqué le métier d'architecte pour celui de vigneron, ils travaillent leurs sols avec bon sens. Leur démarche, qui tend à la biodynamie, est toujours à la recherche de l'expression précise des différentes parcelles. Ils font preuve d'une démarche esthétique jusque dans leurs élevages et leurs vins sont vibrants.

Pouilly-Fuissé Clos Varambon 2008
Blanc | 2011 à 2020 | 14,80 € **17,5/20**
Vin structuré alliant puissance et élégance, avec une tension toute en fraîcheur. L'aromatique viendra d'ici 2012. C'est un modèle de style.

Pouilly-Fuissé Les Birbettes 2008
Blanc | 2011 à 2016 | 23 € **15/20**
Vin tranchant, avec des accents citronnés, bien sur des crevettes grises.

Pouilly-Fuissé Pierrefolle 2008
Blanc | 2011 à 2019 | 20 € **16/20**
Équilibre entre le gras, la fraîcheur et la tension, il y a du potentiel.

DOMAINE NICOLAS ROUSSET

Chemin de Mont • 71960 Prissé
Tél. 03 85 35 89 62
domaine.rousset@wanadoo.fr

Nicolas Rousset est un biodynamiste qui sait mettre en perspective ses vins ; il garde le naturel au niveau de l'aromatique tout en évitant certaines dérives oxydatives. Le saint-véran Le-Petit-Nicolas est délicieusement lampant ; au niveau des pouillys, la trame tendue de la cuvée Esprit-Minéral fait merveille, et la cuvée Henri a de la profondeur.

Pouilly-Fuissé cuvée Henri 2008
Blanc | 2010 à 2013 | 18 € **14,5/20**
Du ressort et une bonne tension pour ce vin qui termine sur une salinité de bon ton.

Pouilly-Fuissé Esprit Minéral 2008
Blanc | 2010 à 2014 | 13,70 € **16/20**
On est sur une tension rafraîchissante, qui conjugue la puissance à l'élégance, vin de langoustines.

Pouilly-Fuissé Terroir de Vergisson 2007
Blanc | 2010 à 2013 | 13,70 € **14/20**
Le crayeux et la fraîcheur de constitution dominent sur ce vin délicieusement lampant.

Saint-Véran Le Petit Nicolas 2009
Blanc | 2010 à 2011 | 9,10 € **14/20**
Vin à la fois croquant et gourmand, sur le floral avec un léger noiseté, il se boit le col ouvert en regardant la Saône.

DOMAINE RAPHAËL SALLET

Domaine de l' Arsentière • 71700 Uchizy
Tél. 03 85 40 50 45 • Fax : 03 85 40 59 86
mrsallet@orange.fr
Visite : Du lundi au vendredi de 8h à 18h sur rendez-vous.

Mâcon-Villages Mâcon-Uchizy Clos des Ravières 2008
Blanc | 2010 à 2014 | 8 € **13,5/20**
Élégant, dans un registre noiseté avec une touche florale, ce vin se boit sur des gougères.

DOMAINE SANGOUARD-GUYOT

Vers la Croix • 71960 Vergisson
Tél. 03 85 35 89 45 • Fax : 03 85 35 89 73
domaine@sangouard-guyot.fr
Visite : Sur rendez-vous.

Pouilly-Fuissé Quintessence 2008
Blanc | 2011 à 2014 | 15 € **14/20**
Nez d'agrumes, la bouche est onctueuse avec une fin qui s'étire sur les épices.

DOMAINE DE LA SARAZINIÈRE

Domaine de la Saraziniére • 71960 Bussières
Tél. 03 85 37 76 04
philippe.trebignaud@wanadoo.fr
Visite : Ouvert tous les jours,su rendez-vous de préférence (téléphoner à l'avance).

La Table de Chaintré est une de ces adresses que les amateurs de vin se passent au fil des millésimes, car ici on prend la température du Mâconnais, et ce Domaine de la Sarazinière y figure en bonne place, avec des 2007 savoureux pour vingt euros sur table... en vieilles vignes rouge comme en blanc. On apprécie l'élégance des vins, leur digestibilité et leur ressort. Les cuvées domaine sont plus en retrait.

Mâcon-Villages cuvée Claude Seigneuret Vieilles Vignes 2007
Blanc | 2010 à 2012 | 9 € **15/20**
Ce mâcon-bussières est délicieux, sa tension élégante, il finit sur la noisette avec une touche saline, on le boit aussi bien le col ouvert que le petit doigt sur la couture du pantalon.

Mâcon-Villages Les Devants Vieilles Vignes 2007
Rouge | 2010 à 2012 | 8 € **16/20**
Nez floral avec un fond de fruits rouges très pur, la bouche présente une trame droite et élégante, avec un fruité gourmand et croquant, ce vin peut se promener sur tout un repas, escortant poissons et viandes blanches.

Mâcon-Villages Tradition 2008
Rouge | 2010 à 2011 | 7 € **13/20**
Cuvée de demi-corps sur les fruits rouges avec une pointe épicée en fin de bouche.

DOMAINE SAUMAIZE-MICHELIN

Le Martelet • 71960 Vergisson
Tél. 03 85 35 84 05 • Fax : 03 85 35 86 77
saumaize-michelin@wanadoo.fr
www.domaine-saumaize-michelin.com
Visite : Du lundi au samedi sur rendez-vous.

C'est l'un des domaines référents du Mâconnais qui produit des vins gourmands, plutôt axés sur le fruit et la fraîcheur grâce à un travail toujours bien mené, tant à la vigne que lors de l'élevage. La qualité est toujours au rendez-vous. À table, ces vins ont du répondant, et on en perçoit toutes les qualités.

Mâcon-Villages Mâcon Vergisson 2008
Blanc | 2010 à 2016 | 10 € **15,5/20**
Frais au nez, floral, tranchant, salin et tendu, c'est déjà très bon.

Pouilly-Fuissé Ampelopsis 2007
Blanc | 2011 à 2020 | 19 € **16/20**
On sent le potentiel, il y a une belle matière avec une longueur qui est de bon aloi, la complexité aromatique va s'affiner avec le temps.

Pouilly-Fuissé Clos sur la Roche 2008
Blanc | 2010 à 2015 | 16,50 € **16/20**
Fumé, crayeux au nez comme en bouche, élégant et puissant, citronné en fin de bouche, ce vin a du style.

Pouilly-Fuissé Les Ronchevats 2008
Blanc | 2010 à 2014 | 16,50 € **14,5/20**
Nez discret, bouche fraîche et bien construite, il y a là matière et fraîcheur.

Saint-Véran Les Crèches 2008
Blanc | 2010 à 2013 | 10 € **14,5/20**
Il y a du fond, de la puissance et des rondeurs tout en conservant de la fraîcheur dans un registre amande.

DOMAINE LA SOUFRANDIÈRE - BRET BROTHERS

Aux Bourgeois • 71680 Vinzelles
Tél. 03 85 35 67 72 • Fax : 03 85 35 67 72
contact@bretbrothers.com • www.bretbrothers.com
Visite : Du lundi au samedi sur rendez-vous.

Toujours homogène, toujours flamboyante, la production des frères Bret se situe très au dessus du niveau habituel de la viticulture de la région, avec de bonnes maturités. La discipline et l'efficacité de la maison la rendent incontournable, que ce soit dans les crus du domaine signés Soufrandière ou ceux du négoce signés Bret.

Mâcon-Villages Mâcon-Uchizy 2008
Blanc | 2010 à 2014 | 10 € **14,5/20**
Nez de fruits jaunes, attaque onctueuse, fin de bouche fraîche et saline. Vin de négoce harmonieux.

Mâcon-Villages Mâcon-Vinzelles Le Clos de Grand-Père 2008
Blanc | 2010 à 2015 | 12 € **15/20**
Nez de mangue et de noisette, attaque riche puis le vin se tend avec une belle fin saline et fraîche.

Pouilly-Vinzelles Les Quarts 2008
Blanc | 2010 à 2017 | 22 € **16,5/20**
Nez floral et profond, bouche longue et élégante avec une belle matière et une fin saline.

Viré-Clessé La Verchère 2008
Blanc | 2010 à 2014 | 14 € **15,5/20**
C'est serré en attaque de bouche, puis le vin s'élargit sur des notes d'amande et de réglisse. Encore un vin de négoce parfaitement réussi, ici on sélectionne un producteur par cuvée et parcelle, pratiquant un mode cultural le plus naturel possible.

DOMAINE LA SOUFRANDISE

Rouette du Clos • 71960 Fuissé
Tél. 03 85 35 64 04 • Fax : 03 85 35 65 57
la-soufrandise@wanadoo.fr • www.soufrandise.fr
Visite : Du lundi au samedi sur rendez-vous.
Fermé pendant les vendanges

Domaine à ne pas confondre avec la Soufrandière des frères Bret à Vinzelles, La Soufrandise est un joli vignoble dans le secteur de Fuissé. Curieusement, et 2008 le vérifie encore, sa vigne de Mâcon-Fuissé donne son vin le plus accompli, délicieusement fruité, les pouillys sont en progrès et 2008 est ici un millésime bien réussi.

Mâcon-Villages Le Ronté 2008
Blanc | 2011 à 2019 | 10 € **16/20**
Nez fermé, un peu citronné, bouche vive et tendue, il y a du potentiel.

Pouilly-Fuissé Clos Marie 2008
Blanc | 2010 à 2017 | 13 € **15/20**
Nez noiseté avec une pointe fumée, bouche déjà très harmonieuse, à la fois riche et fraîche avec une fin menthée.

Pouilly-Fuissé Vieilles Vignes 2008
Blanc | 2010 à 2015 | 15,50 € **15/20**
Nez beurré avec une touche fumée, attaque superbe en rondeurs puis le vin se tend, une vraie valse en bouche.

DOMAINE THIBERT PÈRE ET FILS

Rue Adrien-Arcelin • 71960 Fuissé
Tél. 03 85 27 02 66 • Fax : 03 85 35 66 21
domainethibert@orange.fr
www.domainethibertpereetfils.com
Visite : De 8h30 à 12h30 et de 13h30 à 18h30.
Le samedi après-midi et le dimanche sur rendez-vous

Ce domaine travaille une partie de ses vignes en agriculture biologique, le reste étant conduit de façon raisonnée. Les pouilly-fuissés présentés cette année étaient de très bonne facture, avec une première pour Les-Champs et Les-Ménétrières, qui traduisent au mieux le terroir qui les porte. Le grand style de cette dernière cuvée est évident.

Pouilly-Fuissé Les Champs 2007
Blanc | 2010 à 2012 | 36 € **14,5/20**
On a des flaveurs d'agrumes, une bonne longueur en bouche et une fraîcheur fumée en fin. Ce vin a la tension qu'il faut pour les crustacés.

Pouilly-Fuissé Les Ménétrières 2007
Blanc | 2010 à 2015 | 31 € **16/20**
On apprécie le tranchant et la tension vibrante du vin, avec les agrumes en retour de bouche qui se prolonge de la plus belle des façons, le meilleur vin de la propriété dégusté cette année.

Pouilly-Fuissé Vignes Blanches 2007
Blanc | 2010 à 2012 | 22,50 € **13/20**
Vin sur l'amande, avec des rondeurs en attaque, à boire sur un jambon persillé.

DOMAINE TRIPOZ

450, chemin des Tournons • 71850 Charnay
Tél. 03 85 34 14 52 • Fax : 03 85 20 24 99
didier.tripoz@wanadoo.fr
Visite : Tous les jours sur rendez-vous.

Pouilly-Fuissé Vieilles Vignes 2008
Blanc | 2010 à 2014 | 14,20 € **14/20**
Ce vin a du ressort, avec juste ce qu'il faut de maturité et une tension suggérée en finale.

DOMAINE VALETTE

Clos Reyssié • 71570 Chaintré
Tél. 03 85 35 62 97 • Fax : 03 85 35 68 02
baptiste.valette@wanadoo.fr
Visite : Sur rendez-vous.

Depuis janvier 2010, Gérard Valette s'est retiré pour laisser la place à ses fils Baptiste et Philippe ; ce dernier exploite en plus du domaine 1,5 hectare sur Viré-Clessé. Ici, on prend son temps dans l'élevage pour présenter des vins qu'il convient de carafer au moins une heure avant le service. Les 2006 goûtés sont de grands vins de gastronomie, grâce à une maturité juste, de l'onctuosité et une belle tension. On les retrouve à côté, sur la carte de La Table de Chaintré, le point névralgique des accords mets-vins du Mâconnais.

Mâcon-Villages Chaintré Vieilles Vignes 2006
Blanc | 2010 à 2014 | 13 € **15/20**
Très agrumes avec un poil d'orange confite, ce vin est long avec une belle tension, il faut lui présenter les asperges vertes et sa tartine de foie gras de canard escortés d'une huile de citron, plat superbement réalisé à La Table de Chaintré.

Pouilly-Fuissé Clos de Monsieur Noly 2000
Blanc | 2010 à 2016 | 41 € **16/20**
Orange confite, miel et amande se mêlent de la façon la plus sensuelle, la bouche est onctueuse, avec une fin fraîche et tendue, c'est un vin pour la superbe émulsion de pommes de terre à la truffe noire servie à La Table de Chaintré toute proche.

Pouilly-Fuissé Tradition 2006
Blanc | 2010 à 2013 | 19 € **15/20**
Vin très salin, avec un juste tranchant qui reçoit tout notre agrément.

Viré-Clessé 2006
Blanc | 2010 à 2015 | 17 € **15/20**
Du fond, de l'onctuosité et un côté tranchant avec des notes salines en fin. C'est déjà très bon.

VERGET

Le Bourg • 71960 Sologny
Tél. 03 85 51 66 00 • Fax : 03 85 51 66 09
contact@verget-sa.com • www.verget-sa.com
Visite : Sur rendez-vous.

Il faut acheter en primeurs dans cette petite maison de négoce, dirigée par Jean-Marie Guffens, si l'on veut bénéficier de prix intéressants. Les vins sont de mieux en mieux maîtrisés, qu'il s'agisse des blancs du Mâconnais ou de ceux de Chablis ou de la Côte de Beaune. La production est désormais parfaitement axée sur la finesse, des vins dont le potentiel de garde peut se révéler énorme. Jeunes, il faut absolument les carafer.

Chablis premier cru Côte de Léchet 2008
Blanc | 2010 à 2015 | 18 € **16/20**
Floral et noiseté, bouche avec une jolie matière et une tension bien intégrée.

Mâcon-Villages Mâcon-Charnay Le Clos Saint-Pierre 2008
Blanc | 2010 à 2018 | 8,10 € **16/20**
Nez de noisette fraîche avec une touche d'orange confite et de miel, attaque beurrée avec une onctuosité qui devient tendue en milieu de bouche, très bien pour des ris de veau.

Pouilly-Fuissé Les Combes Vieilles Vignes 2008
Blanc | 2010 à 2019 | 15,80 € **16,5/20**
Le volume de bouche est bien soutenu par une acidité harmonieuse, on a de la puissance mais également de l'élégance.

Pouilly-Fuissé Terroir de Pouilly Les Combes Vieilles Vignes 2008
Blanc | 2010 à 2016 | 15,80 € **16/20**
Vin bien constitué avec une aromatique fraîche sur le citron confit, l'amande et des notes de fro-

ment, la bouche possède de la concentration, de la tension et une fraîcheur réglissée sur sa fin.

PULIGNY-MONTRACHET SOUS LE PUITS 2008
Blanc | 2010 à 2019 | 28,50 € **17/20**
Notes de citron et de fleur de vigne, du nerf, de la suite en bouche et une bonne longueur.

SAINT-VÉRAN TERROIRS DE DAVAYÉ 2007
Blanc | 2010 à 2015 | 11 € **16/20**
Nez d'amande fraîche, on retrouve cette aromatique dans une bouche longue et tendue qui prend son assise après une heure d'ouverture.

DOMAINE VESSIGAUD

Hameau de Pouilly • 71960 Solutré
Tél. 03 85 35 81 18 • Fax : 03 85 35 84 29
contact@domainevessigaud.com
www.domainevessigaud.com
Visite : Du lundi au samedi de 9h à 12h et de 13h30 à 19h. Le dimanche sur rendez-vous

Pierre Vessigaud sait faire des vins de terroir et de gourmandise, ce qui n'est pas si courant. Il cultive impeccablement son vignoble, qui lui rend des raisins porteurs de toute la personnalité du terroir. Sa vinification comme son élevage se font dans le bon sens du vin. Au final, des saveurs équilibrées, que l'on recommande vivement.

MÂCON-VILLAGES MÂCON-FUISSÉ LE HAUT DE FUISSÉ 2008
Blanc | 2010 à 2012 | 10 € **13,5/20**
Vin frais, accents de froment, de fumé et une bouche harmonieuse avec une matière fraîche.

MÂCON-VILLAGES MÂCON-FUISSÉ LES TÂCHES 2008
Blanc | 2010 à 2014 | 15 € **15/20**
Les accents de miel et de noisette dominent dans une bouche où gras et acidité s'équilibrent parfaitement.

POUILLY-FUISSÉ VERS AGNIÈRES 2008
Blanc | 2010 à 2018 | 21 € **12/20**
Marqué par le bois, ce vin est pour l'instant déséquilibré, à revoir.

POUILLY-FUISSÉ VIEILLES VIGNES 2008
Blanc | 2010 à 2018 | 19 € **15/20**
Nez d'une belle fraîcheur. Un vin d'une réelle présence, qui reste en bouche plus longtemps qu'il ne le laissait croire. Sur la gourmandise et sur la fraîcheur, évolue parfaitement.

CLOS DES VIGNES DU MAYNES

Rue des Moines Sagy • 71260 Cruzille
Tél. 03 85 33 20 15 • Fax : 03 85 33 01 91
info@vignes-du-maynes.com
www.vignes-du-maynes.com
Visite : Du lundi au samedi sur rendez-vous

C'est le plus vieux domaine bio de l'histoire de la Bourgogne puisqu'il faut remonter à l'ordre de Cluny pour expliquer cette philosophie poursuivie par la famille Guillot, qui a construit sa cave suivant le nombre d'or. Les rouges qui constituent les deux tiers de la production sont d'une rare élégance et irrésistibles dans les grands millésimes. Les blancs ne sont pas en reste, notre préférence va au viré-clessé.

BOURGOGNE 2009
Rouge | 2010 à 2015 | 16 € **15/20**
Soyeux, longs et séduisants, les tanins présentent des flaveurs cerisées du meilleur effet.

BOURGOGNE AUGUSTE 2009
Rouge | 2011 à 2016 | 22,50 € **16/20**
Complexe, cette cuvée produite les grandes années mêle fruits noirs et rouges avec une fin saline du meilleur effet. Beau potentiel !

MÂCON-VILLAGES CRUZILLE 2009
Rouge | 2010 à 2012 | 13 € **15/20**
On croque les fruits rouges, les tanins sont soyeux et gourmands, c'est une grande réussite et un plaisir immédiat garanti, avec derrière une belle tenue.

MÂCON-VILLAGES MANGANITE 2009
Rouge | 2011 à 2017 | 22,50 € **16/20**
Produite les grandes années, cette cuvée de belle maturité ouvre sur la cerise noire et se termine sur des flaveurs menthées du meilleur effet, les tanins sont caressants et frais avec beaucoup de profondeur.

CAVE DE VIRÉ

En Vercheron • 71260 Viré
Tél. 03 85 32 25 50 • Fax : 03 85 32 25 55
cavedevire@wanadoo.fr • www.cavedevire.fr
Visite : ouvert 7 jours sur 7.

VIRÉ-CLESSÉ VIRÉ D'OR 2007
Blanc | 2010 à 2015 | 13,50 € **14/20**
Nez sur la maturité. Très jolie bouche, harmonieuse, suave et un peu tendue. Longueur fraîche et élégante, ce vin est en pleine forme.

La sélection Bettane et Desseauve pour la Champagne

Le vignoble de Champagne

La Champagne et son vin unique sont la « success story » du vignoble français : la demande nationale et mondiale est insatiable et il n'y en a plus assez ! On le comprend, jamais ce produit hautement civilisé n'a été d'une qualité aussi homogène et maîtrisée, sans que les prix, pour 90 % de la production, ne flambent comme à Bordeaux. Mais combien de temps cela va-t-il durer ?

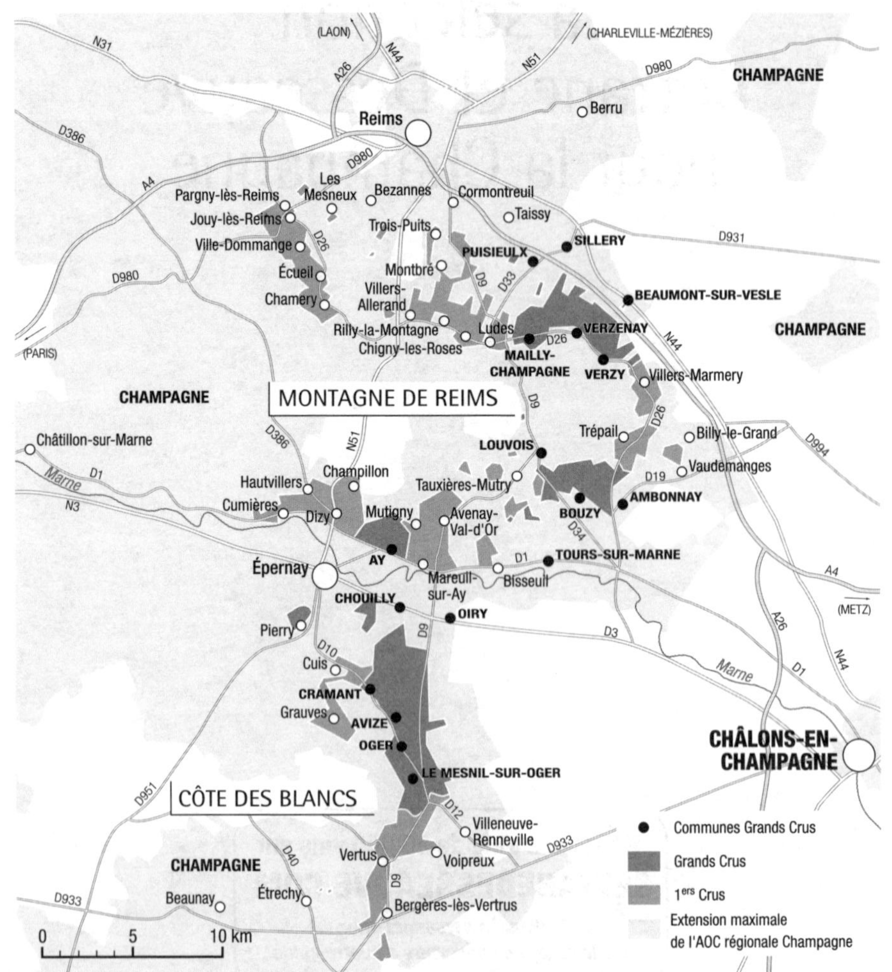

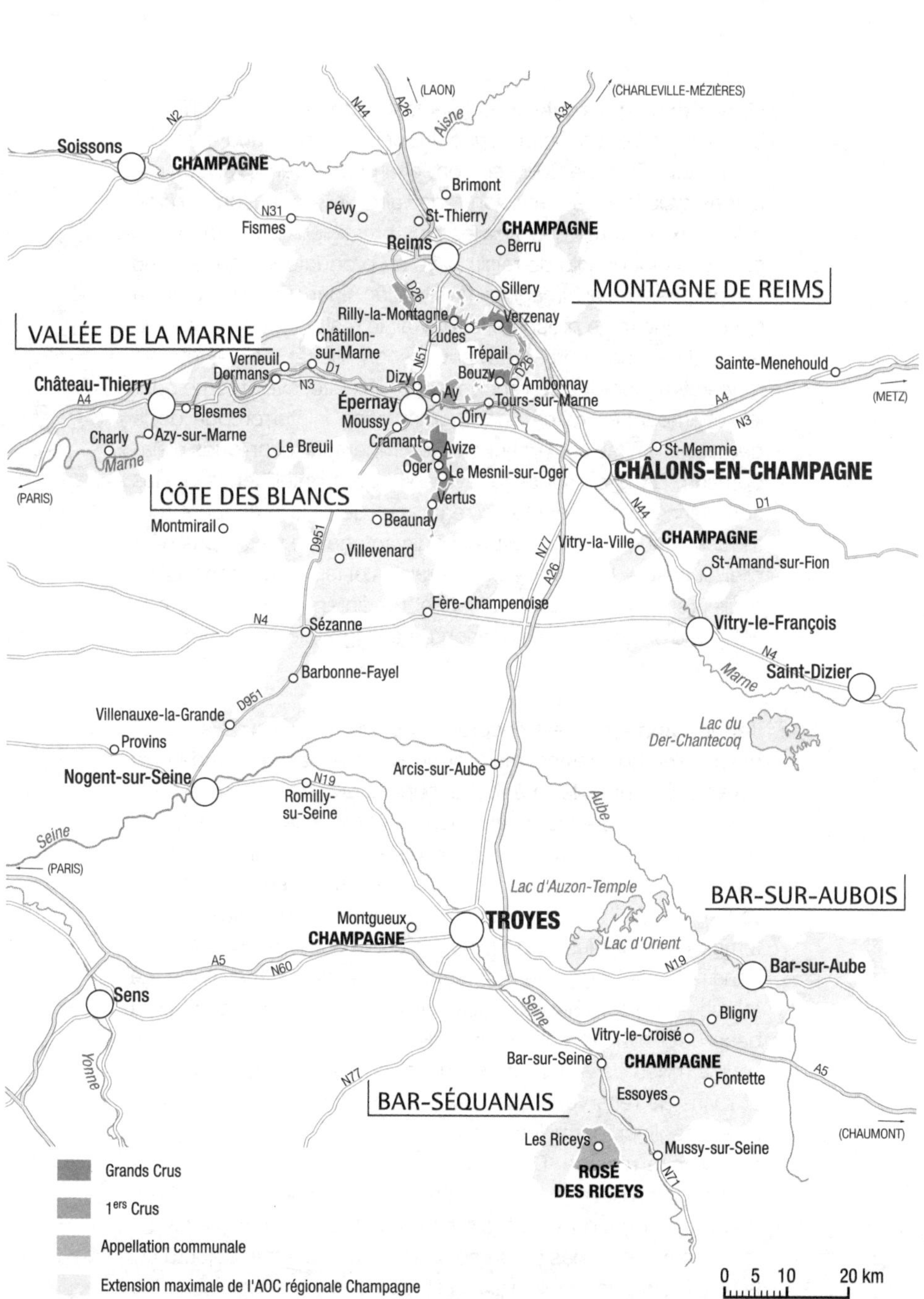
(LAON)
(CHARLEVILLE-MÉZIÈRES)
Soissons
CHAMPAGNE
Brimont
Pévy
St-Thierry
Fismes
CHAMPAGNE
Reims
Berru
Sillery
MONTAGNE DE REIMS
Rilly-la-Montagne
Verzenay
VALLÉE DE LA MARNE
Châtillon-sur-Marne
Ludes
Trépail
Verneuil
Dormans
Bouzy
Ambonnay
Sainte-Menehould
Château-Thierry
Dizy
Ay
Épernay
Tours-sur-Marne
Blesmes
Moussy
Oiry
(METZ)
Charly
Azy-sur-Marne
Le Breuil
Cramant
Avize
St-Memmie
Oger
Le Mesnil-sur-Oger
CHÂLONS-EN-CHAMPAGNE
(PARIS)
CÔTE DES BLANCS
Vertus
Beaunay
Montmirail
CHAMPAGNE
Vitry-la-Ville
Villevenard
St-Amand-sur-Fion
Fère-Champenoise
Sézanne
Vitry-le-François
Saint-Dizier
Barbonne-Fayel
Villenauxe-la-Grande
Lac du Der-Chantecoq
Provins
Arcis-sur-Aube
Nogent-sur-Seine
Romilly-sur-Seine
(PARIS)
Lac d'Auzon-Temple
BAR-SUR-AUBOIS
Montgueux
CHAMPAGNE
TROYES
Lac d'Orient
Bar-sur-Aube
Sens
Bligny
Vitry-le-Croisé
Bar-sur-Seine
CHAMPAGNE
Fontette
Essoyes
BAR-SÉQUANAIS
(CHAUMONT)
Les Riceys
Mussy-sur-Seine
ROSÉ DES RICEYS
Grands Crus
1ers Crus
Appellation communale
Extension maximale de l'AOC régionale Champagne
0 5 10 20 km

L'actualité des millésimes

Une affaire qui roule. L'augmentation de la production était l'actualité d'hier en Champagne. La crise économique et le très abondant millésime 2009 se sont chargés de renvoyer aux calendes grecques la « révision » de l'aire de production ! Même si les prix de vente des vins les plus prestigieux sont en baisse et que le prix du kilo de raisin payé au producteur stagne, avec les grognes qu'on imagine, la situation financière de toute la Champagne reste prospère, et devrait le rester à court et moyen terme. Dès que le prix redevient raisonnable (et malgré tout rémunérateur) les vins se vendent sans difficulté, avec même pour les champagnes rosés une augmentation ininterrompue de la demande, limitée seulement par des impératifs techniques d'élaboration. Dans ce contexte favorable, avec l'intelligence qui les caractérise, les producteurs regardent de plus près leurs méthodes culturales pour respecter davantage (ce n'était pas difficile) leurs sols, leurs vignes, leurs raisins et leurs paysages. C'est d'ailleurs un engagement solennel de l'interprofession, lié à la volonté d'obtenir la classification de ce vignoble au rang de patrimoine mondial.

Jeunes années. Il est encore un peu tôt pour savoir si 2009, malgré l'enthousiasme médiatique suscité par les vendanges sera largement millésimé, beaucoup de grandes maisons hésitant encore, et préférant nettement pour cette catégorie le 2008, plus tendu, plus serré, plus propice à la longue garde. En fait en 2009 les pinots noirs et les surprenants meuniers ont davantage réussi que les blancs : il ne faudra donc pas en leur temps manquer les 2009 produits dans la vallée de la Marne, dans la petite et grande montagne de Reims et dans l'Aube. Le marché d'aujourd'hui est constitué par les bruts sans année à base de 2007, un ensemble plutôt harmonieux, en attendant, vers le milieu de 2011, l'arrivée de la base 2008, exceptionnelle. Les vins de réserve, à base de 2006 ou 2005 ne sont pas non plus à négliger, parmi les plus mûrs et les plus riches en matière de l'histoire récente. Dans les vins millésimés, l'excellent 2002 commence à devenir rare, 2003 n'a pas été millésimé par beaucoup mais quand ils l'ont fait, comme Moët ou Dom Pérignon, le vin ne manque pas de personnalité ! 2004 semble aujourd'hui le plus recommandable, très fin et racé, mais il se termine. 2008 prendra dignement le relai dans deux ou trois ans.

Au siècle dernier. Les cuvées de prestige proposent des millésimes plus anciens, et constituent de loin le marché régulier le plus important pour des vins de cet âge, ce dont il faut remercier les producteurs locaux. Rappelons que seul l'âge, et souvent dix ans ou plus, révèle le potentiel complet des vins issus des grands terroirs champenois (comme de nombreux autres, d'ailleurs), et grâce à la crise on trouve encore en vente, à des prix moins déraisonnables qu'on ne le croit, des 1998 merveilleux, des 1999 plus avancés mais charmeurs, des 2000 moins pleins et moins charmeurs mais fort agréables. Le cas du 1996 est plus ambigu, allant sans transition de l'extraordinaire, sans égal imaginable, au vin mort ! 1995 n'a pas ces états d'âme et séduit pratiquement toujours, 1993, 1992, offrent des réussites ponctuelles, de plus en plus difficiles à trouver, 1990 et 1989 sont plus abondants mais de caractère fort différent, 1990 riche mais un peu trop lourd et avancé, 1989 plus vigoureux et racé fait les plus grandes bouteilles disponibles actuellement. Réjouissons-nous enfin de la continuation de la tendance à doser moins les vins mis sur le marché, qui respecte davantage le style des terroirs et du raisin.

MEILLEURS VINS TOUTES CATÉGORIES

Bollinger,
Champagne, Grande Année rosé, rosé, 2002

Charles Heidsieck,
Champagne, blanc des Millénaires, blanc, 1995

Dom Pérignon,
Champagne, Œnothèque, blanc, 1995

Jacquesson,
Champagne, Dégorgement Tardif, blanc, 1995

Roederer,
Champagne, Cristal, blanc, 2002

LE BONHEUR TOUT DE SUITE

Benoît Lahaye,
Champagne, Brut Nature grand cru

Jean Lallement et fils,
Champagne, Brut rosé

Jean Lallement et fils,
Champagne, Tradition

Sadi Malot,
Champagne, Vieille Réserve blanc de blancs premier cru

MEILLEURS CHAMPAGNES À METTRE EN CAVE

Ayala,
Champagne, Perle d'Ayala Nature, 2002

Billecart-Salmon,
Champagne, Nicolas-François Billecart, 2000

Egly-Ouriet,
Champagne, blanc de Noirs
Vieilles Vignes grand cru Les Crayères, blanc

Henriot,
Champagne, cuvée des Enchanteleurs,1996

Pol-Roger,
Champagne, Sir Winston Churchill, 1998

MEILLEURES CUVÉES DE PRESTIGE

Deutz,
Champagne, Amour de Deutz blanc de blancs, 2002

Drappier,
Champagne, La Grande Sendrée, 2002

G.H. Mumm,
Champagne, Mumm de Cramant grand cru chardonnay

Gosset,
Champagne, Célébris blanc de blancs

Krug,
Champagne, Grande Cuvée

Mailly Grand Cru,
Champagne, Les Échansons, 1999

Moët & Chandon,
Champagne, Vintage Collection, 1995

Taittinger,
Champagne, Prélude Grands Crus

MEILLEURS BRUTS SANS ANNÉE

Bollinger,
Champagne, Spécial Cuvée

Jacquesson,
Champagne, cuvée 734

Jérôme Prévost,
Champagne, Les Beguines

Lancelot Pienne,
Champagne, cuvée de la Table Ronde grand cru
Brut Nature blanc de blancs

Moutard Père et fils,
Champagne, cuvée des Six Cépages

MEILLEURS BRUTS MILLÉSIMÉS

Charles Heidsieck,
Champagne, Millésime, blanc, 2000

Deutz,
Champagne, blanc de blancs, blanc, 2004

Gatinois,
Champagne, Millésimé, blanc, 2004

Philipponnat,
Champagne, Brut 1522, blanc, 2002

Pierre Gimonnet et Fils,
Champagne, premier cru Œnophile Extra-Brut, blanc, 2002

MEILLEURS ROSÉS DE PRESTIGE

Billecart-Salmon,
Champagne, Élisabeth Salmon rosé, 2000

Krug,
Champagne, Brut rosé

Laurent-Perrier,
Champagne, Grand Siècle Alexandra rosé, 1998

Roederer,
Champagne, rosé Millésimé, 2005

Taittinger,
Champagne, Comtes de Champagne rosé, 2004

Veuve Clicquot-Ponsardin,
Champagne, Cave Privée rosé, 1989

MEILLEURS ROSÉS SANS ANNÉE

Ayala,
Champagne, rosé Majeur

Bollinger,
Champagne, rosé

De Sousa,
Champagne, cuvée des Caudalies rosé

Gosset,
Champagne, Grand rosé

Joseph Perrier,
Champagne, Royale Vintage

Palmarès des lecteurs

DOMAINE BERTRAND
Champagne, millésime 2000, blanc
élu Meilleur vin pétillant par les lecteurs !

COQUARD-BOUR
Champagne, brut tradition, blanc

DUMONT
Champagne, brut, rosé

AGRAPART ET FILS

57, avenue Jean-Jaurès • 51190 Avize
Tél. 03 26 57 51 38 • Fax : 03 26 57 05 06
champagne.agrapart@wanadoo.fr
www.champagne-agrapart.com
Visite : Sur rendez-vous.

Avize est le berceau de ce très bon récoltant-manipulant. C'est dire si l'on est ici face à une belle source de champagnes apéritifs, issus de chardonnay de la Côte des Blancs. L'ensemble de la gamme est vinifié avec précision, avec des dosages légers qui mettent en valeur la fraîcheur et la vivacité des cuvées. Cette vivacité encore un peu agressive empêche les vins d'exprimer dans toute leur complexité les grands terroirs de la côte, mais leur droiture leur vaudra beaucoup d'amis.

Blanc de Blancs Extra-Brut 1998

Blanc Extra brut | 2011 à 2016 | 80 € **17,5/20**

Robe or vert intense, cordon très fin, nez épanoui et racé de fleurs blanches, citron et craie, merveilleusement intense mais désormais assagi, grande suite, grande race.

Brut grand cru Vénus 2004

Blanc Brut | 2014 à 2018 | 65 € **16/20**

Nez de noisette amère remarquable, fruité de citron subtil, élégance native évidente mais il faut accepter l'acidité forte de la cuvée, mise à nu par l'absence de dosage. C'est racé mais encore trop jeune.

Extra-Brut grand cru Blanc de Blancs L'Avizoize 2004

Blanc Brut | 2014 à 2019 | 42 € **14/20**

Bulles fines mais cordon persistant, robe pâle, nez strict, un peu amer, d'une amertume de raisin pas assez mûr, attendre que le vin s'équilibre.

Extra-Brut grand cru Minéral 2004

Blanc Brut | 2010 à 2012 | 32 € **14,5/20**

Légèrement praliné au nez, nerveux, frais, inconditionnellement extra-brut, énergique mais ne présentant qu'une seule facette.

Terroirs Brut Blanc de Blancs grand cru

Blanc Brut | 2011 à 2015 | 23 € **16/20**

Dosé légèrement et utilement, légère caramélisation au nez, vin aérien, léger, idéalement apéritif, moins strict mais plus harmonieux que l'extra-brut. Facile à boire et tant mieux !

ALFRED GRATIEN

30, rue Maurice-Cerveaux - B.P. 3 • 51200 Épernay
Tél. 03 26 54 38 20 • Fax : 03 26 54 53 44
contact@alfredgratien.com • www.alfredgratien.com
Visite : Dégustation seulement sur rendez-vous jusqu'à 17h.

Cette discrète maison, grande sœur de l'angevine Gratien-Meyer, a toujours produit des champagnes très sérieusement construits, vineux et profonds. Les vinifications se déroulent systématiquement en fûts et la fermentation malolactique des vins est bloquée, afin de maintenir une vivacité supplémentaire.

Brut

Blanc Brut | 2010 à 2013 | 31,50 € **15/20**

Droit, long, belles notes d'agrumes et de fruits confits, avec un caractère assez rond en finale.

Paradis

Blanc Brut | 2010 à 2017 | 49,90 € **16/20**

Le vin est puissant, avec un caractère révélant à la fois les vinifications en petits fûts et une maturation certaine du vin. L'ensemble possède une allonge profonde qui en fait un beau champagne de table et de méditation.

MICHEL ARNOULD ET FILS

28, rue de Mailly • 51360 Verzenay
Tél. 03 26 49 40 06 • Fax : 03 26 49 44 61
info@champagne-michel-arnould.com
www.champagne-michel-arnould.com
Visite : Tous les jours sur rendez-vous.

Producteur réputé de Verzenay : le style de ses vins est plus léger et tendre que chez Lallement ou Penet, mais fort équilibré et ayant depuis deux ans certainement progressé en finesse et en pureté. Le rosé manque encore de caractère.

Carte d'Or grand cru 2004

Blanc Brut | 2012 à 2015 **16/20**

Excellente pureté aromatique, vin droit, subtil, salin, excellent dosage, beaucoup de style et aucune lourdeur.

grand cru Tradition

Blanc Brut | 2011 à 2013 | 14,90 € **15/20**

Finement minéral et salin, bien dosé, très agréable.

AYALA

1, rue Edmond-de-Ayala - B.P. 6 • 51160 Aÿ
Tél. 03 26 55 15 44 • Fax : 03 26 51 09 04
contact@champagne-ayala.fr
www.champagne-ayala.fr
Visite : Sur rendez-vous de 9h à 11h et de 14h à 17h, sauf samedi et dimanche.

Installée à Aÿ, cette maison produit des champagnes dotés d'une véritable personnalité, droite, svelte, sans aucune lourdeur, dont les cuvées Zéro-Dosage (c'est à dire sans rajout de sucre lors de la mise en bouteille) constituent l'incarnation. L'ensemble ne cesse de progresser et fait d'Ayala une marque hautement recommandable.

Brut Majeur
Blanc Brut | 2010 à 2013 | 25,12 € **16/20**
Excellent brut fin, délié, d'une grande pureté de définition. Parfait apéritif et l'un des meilleurs rapports qualité-prix de Champagne.

Brut Nature
Blanc Brut | 2010 à 2013 | 22,50 € **16/20**
Subtile vivacité, même pureté que le Brut Majeur : un très beau champagne.

Perle d'Ayala 2002
Blanc Brut | 2010 à 2018 | 42 € **16,5/20**
Beau vin svelte et vigoureux, finement élancé, aux notes délicates de torréfaction qui s'imposent dans une finale très persistante. Le vin peut encore vieillir.

Perle d'Ayala Nature 2002
Blanc Brut | 2010 à 2018 | 45 € **17/20**
Splendide de pureté et de droiture : grand champagne à découvrir à table, sur des crustacés ou des poissons fins.

Rosé Majeur
Rosé Brut | 2010 à 2013 | 26 € **16/20**
Arômes finement framboisés, délicatesse et profondeur. La cuvée apparaît en net progrès.

Rosé Nature
Rosé Brut | 2010 à 2015 | 35 € **16,5/20**
Rosé sans concession, pour amateurs exigeants : pur, intense, presque minéral, c'est un vin de très grande intensité et de grande fermeté.

DE BARFONTARC

10200 Baroville
Tél. 03 25 27 07 09 • Fax : 03 25 27 23 00
barfontarc@orange.fr
Visite : en semaine, 9h-12h et 13h30-17h30 samedi, d'avril à septembre et décembre, 9h-12h et 13h30-17h30 ; octobre et novembre 9h-12h ; de janvier à mars, fermé. Fermé dimanche et jours fériés. visites et dégustation 10h ou 15h en semaine.

Blanc de Noirs
Blanc Brut | 2011 à 2013 | 13,75 € **15/20**
Drôle de nom pour un vin puissant et équilibré, très typé Aube, fait pour la table et d'un rapport qualité-prix exceptionnel !

CHAMPAGNE BARNAUT

1, place André-Collard - B.P. 19 • 51150 Bouzy
Tél. 03 26 57 01 54 • Fax : 03 26 57 09 97
contact@champagne-barnaut.fr
www.champagne-barnaut.com
Visite : Ouvert du lundi au samedi de 9h30 à 12h et de 13h30 à 17h30 (samedi sur rendez-vous).

Philippe Secondé est un des plus affables viticulteurs de Bouzy, passionné par son terroir et très raisonnable dans la tarification de ses produits. Il élabore des vins énergiques, parfois un peu lourds et rustiques, mais toujours sincères. À leur meilleur, ils expriment avec beaucoup de naturel la force des pinots noirs du secteur.

Blanc de Noirs
Blanc Brut | 2011 à 2016 | 18 € **15,5/20**
Plutôt pâle pour la catégorie, puissant, forte autolyse au nez, gras, opulent, vraiment fait pour la table ! Finale sur la noisette grillée.

Brut grand cru 2000
Blanc Brut | 2011 à 2015 | 28,50 € **16,5/20**
Robe paille, nez complet, bien ouvert, typique de ce grand cru, corps plein, finale désormais rassise et savoureuse, aidée par un dosage bien fondu, long, idéal à table.

Brut grand cru Grande Réserve
Blanc Brut | 2012 à 2015 | 18 € **14,5/20**
Nerveux, franc, encore un peu jeune, fruité engageant mais petite acidité à fondre.

GRAND CRU AUTHENTIQUE ROSÉ

Rosé Brut | 2013 à 2015 | 19 € **16/20**

Rose soutenu, nez floral et fruité un peu moins éblouissant que l'an dernier, mais vrai vin de gastronomie, avec le fort caractère du terroir. Bon dosage.

SÉLECTION EXTRA-BRUT

Blanc Brut | 2010 à 2011 | 19 € **14/20**

Nez strict, vin droit, précis mais encore simple, acidité à fondre, attendre deux ans en cave.

BEAUMONT DES CRAYÈRES

64, rue de la Liberté • 51530 Mardeuil
Tél. 03 26 55 29 40 • Fax : 03 26 54 26 30
contact@champagne-beaumont.com
www.champagne-beaumont.com
Visite : en semaine, 8h30-12h et 13h30-17h.

Petite coopérative classique de la vallée de la Marne, produisant depuis longtemps des vins équilibrés, souples, réunissant les qualités des trois cépages. Les derniers tirages sont plus précis et retrouvent la qualité habituelle.

GRAND PRESTIGE

Blanc Brut | 2012 à 2013 | 19,15 € **14,5/20**

Robe paille, nez bien évolué, avec les notes de froment et de ferment d'une belle évolution au cours du vieillissement en cave, équilibré et universel.

FRANÇOISE BEDEL

71, Grande-Rue • 02310 Crouttes-sur-Marne
Tél. 03 23 82 15 80 • Fax : 03 23 82 11 49
contact@champagne-bedel.fr
www.champagne-bedel.fr
Visite : Le lundi, mardi, jeudi et vendredi de 9h à 12h30 et de 13h30 à 18h. Les autres jours sur rendez-vous.

Cette petite propriété, située aux portes de Paris ou presque, pratique une viticulture biodynamique idéaliste mais rigoureuse, et ne cesse de progresser dans l'élaboration de champagnes fidèles à la gueule de l'endroit, comme le dirait Jacques Puisais. Les vins présentés cette année brillaient par leur netteté, leur naturel, leur véritable et discrète élégance. Les petits défauts oxydatifs du passé ne sont plus que des souvenirs.

DIS, VIN SECRET

Blanc Brut | 2011 à 2012 | 29,70 € **15,5/20**

Nez pur et harmonieux, mousse non agressive, frais, équilibré, très pur, un vin délicieux à l'apéritif et fidèle à l'idéal du producteur.

ENTRE CIEL ET TERRE

Blanc Brut | 2011 à 2014 | 36,90 € **14,5/20**

Pur meunier, doré, au nez expressif de bon levain, très rond, citronné, avec même un zeste de pamplemousse, gaz carbonique modéré, original, plus fruité que vraiment minéral.

PIERRE BERTRAND

166, rue Louis Dupont • 51480 Cumières
Tél. 03 26 54 08 24 • Fax : 03 26 55 22 08
bertrand.pierre7@wanadoo.fr
www.champagnepierrebertrand.com

BRUT MILLÉSIME 2000

Blanc Brut | 2010 à 2015 | NC **16/20**

Vineux, riche et généreux, ce beau champagne réalisé par un producteur consciencieux de la Vallée de la Marne possède beaucoup de personnalité mais aussi une maturité d'expression qui en fait un champagne de table délicieux aujourd'hui.

BILLECART-SALMON

40, rue Carnot • 51160 Mareuil-sur-Aÿ
Tél. 03 26 52 60 22 • Fax : 03 26 52 64 88
billecart@champagne-billecart.fr
www.champagne-billecart.fr
Visite : Sur rendez-vous.

Cette maison de Mareuil-sur-Aÿ a acquis une réputation internationale au cours des années 1990, grâce à des champagnes aériens et raffinés, dont le rosé est le vin emblématique. Les millésimes et les grandes cuvées sont exceptionnelles.

BRUT

Blanc Brut | 2010 à 2012 | NC **15/20**

Souple, aimable, sans la moindre lourdeur, jolie finale enlevée et aérienne, bon champagne apéritif.

EXTRA-BRUT

Blanc Extra brut | 2010 à 2015 | NC **16/20**

La maturité du raisin est remarquable et donne à cet extra-brut une profondeur ample et mature associée à la nervosité rafraîchissante du non-dosé.

Blanc de Blancs
Blanc Brut | 2010 à 2015 | NC **16,5/20**

Robe pâle, notes très calcaires, finesse et pureté pour un champagne presque janséniste ! Un cas à part dans la gamme.

Brut Rosé
Rosé Brut | 2010 à 2012 | NC **16/20**

Robe très pâle, très apéritif avec une palette aromatique au moins autant axée sur le zeste d'agrumes que sur les fruits rouges, franchise profonde et intense, élégant, raffiné et persistant.

Clos Saint-Hilaire 1998
Blanc Brut | 2010 à 2020 | NC **18/20**

Ce clos de un hectare situé à Mareuil-sur-Aÿ exprime avec ce millésime une personnalité puissante, intense, très marquée par le pinot noir, fait pour la table et incontestablement de grande garde.

Élisabeth Salmon Rosé 2000
Rosé Brut | 2010 à 2018 | NC **18/20**

Dans le même registre à attendre que Nicolas-François 2000, avec un fruit très pur et une allonge de grande persistance.

Grande Cuvée 1998
Blanc Brut | 2010 à 2018 | NC **17/20**

Vin ample et mature, construit pour la table, dans un registre qui paraît néanmoins moins original et subtil que la cuvée Nicolas-François.

Nicolas-François Billecart 2000
Blanc Brut | 2010 à 2020 | NC **18/20**

Élancé, finement fruité, profond et subtil, très persistant. On peut encore lui donner quelques années de cave supplémentaires.

Vintage 2004
Blanc Brut | 2010 à 2018 | NC **18/20**

Très fruité, très ample et expansif, cette cuvée est une réussite allègre et intense, associant vivacité, muscle et profondeur. Le champagne vieillira bien, mais il est également ultra séduisant dans cette prime jeunesse.

BOIZEL

46, avenue de Champagne • 51200 Épernay
Tél. 03 26 55 21 51 • Fax : 03 26 54 31 83
boizelinfo@boizel.fr • www.boizel.com
Visite : Sur rendez-vous.

Cette maison familiale a intégré au milieu des années 1990 le dynamique groupe BCC, dirigé par Bruno Paillard, sans que son management familial (Évelyne Roques-Boizel et son mari la dirigent toujours) et ses principes d'approvisionnement et de vinification aient changé. La gamme est impeccable.

Brut chardonnay
Blanc Brut | 2010 à 2011 | 33,20 € **14/20**

Souple et apéritif, bon équilibre général.

Brut Joyau de France 1996
Blanc Brut | 2010 à 2016 | 65 € **17/20**

Vineux et profond, dans le style intense du millésime, aujourd'hui entrant dans sa maturité.

Brut Millésimé 2002
Blanc Brut | 2010 à 2017 | 38 € **17/20**

Gras, ample et très gourmand, un beau champagne complet et intense.

BOLLINGER

16, rue Jules-Lobet - B.P. 4 • 51160 Aÿ
Tél. 03 26 53 33 66 • Fax : 03 26 54 85 59
contact@champagne-bollinger.fr
www.champagne-bollinger.com

Cette maison d'Aÿ est demeurée familiale et constitue certainement pour beaucoup d'amateurs l'illustration la plus exemplaire du champagne de puristes. Bollinger réalise des champagnes extrêmement vineux, droits, profonds. Pour autant, cette vinosité n'exclut pas, bien au contraire, la plus extrême finesse ! Toutes les cuvées, y compris le brut non millésimé Spécial Cuvée, bénéficient avant leur commercialisation d'une lente maturation dans les caves de la maison. Le R.D. est un champagne parvenu à pleine maturité et dégorgé (c'est-à-dire débarrassé de ses lies) juste avant la commercialisation, pour préserver au maximum la fraîcheur du vin. Le Grande-Année est un champagne vintage de haute volée, généralement au sommet du millésime concerné.

Brut Grande Année 2000
Blanc Brut | 2010 à 2020 | cav. 90 € **18/20**
Profond, intense, long et raffiné, ce 2000 impose une personnalité brillamment construite, plus en élégance qu'en puissance.

Grande Année Rosé 2002
Rosé Brut | 2010 à 2020 | cav. 125 € **19/20**
Vin très droit et pur, mais aussi d'un remarquable raffinement de texture, de bulles et d'arômes.

Rosé
Rosé Brut | 2010 à 2014 | cav. 55 € **18,5/20**
Bouquet très fin de fruits rouges, droiture impressionnante en bouche, délicatesse et fraîcheur, finale pure et longue.

Spécial Cuvée
Blanc Brut | 2010 à 2015 | cav. 40 € **17,5/20**
Grand raffinement et belle vigueur : parfait brut non millésimé, d'une droiture apéritive sans faille.

BONNAIRE ET PAUL CLOUET

1, place André-Tritant • 51150 Bouzy
Tél. 03 26 57 07 31 • Fax : 03 26 58 26 36
contact@champagne-paul-clouet.com
www.champagne-paul-clouet.com
Visite : Du lundi au samedi et sur rendez-vous le dimanche. 8h-12h et 14h-17h.

Nous regroupons sous une seule rubrique deux marques de vignerons différentes mais élaborées dans le même cuvier par Jean-Louis Bonnaire qui est le mari de Marie-Thérèse Clouet, fille de Paul. Mais les entités restent séparées et Marie-Thérèse reçoit à Bouzy les visiteurs dans la maison de ses parents. Les Bonnaire sont une famille bien connue de Cramant, avec vingt-deux hectares de vignes dont une majorité au cœur de la Côte des Blancs, les Clouet, des viticulteurs respectés de Bouzy. Autant dire qu'on disposera de vins issus de deux des plus fameux villages grand cru de la Champagne. Voici certainement une des sources les plus sûres actuelles pour des champagnes de grande origine.

Blanc de Blancs grand cru non dosé ☺
Blanc Brut | 2012 à 2015 | 20 € **16,5/20**
Arôme noble de noisette fraîche, excellente vinosité, finale pure, droite, racée, style impeccable.

Brut Sélection
Blanc Brut | 2012 à 2014 | 16 € **14/20**
Caractère corsé et à l'ancienne, avec un peu de lourdeur dans le dosage, mais une bonne suite en bouche, fait pour la table.

Paul Clouet Brut grand cru
Blanc Brut | 2012 à 2014 | 20 € **14,5/20**
Vineux, assez complexe, dosage faible et parfaitement adapté, léger manque de fraîcheur.

Paul Clouet Rosé
Rosé Brut | 2012 à 2014 | 22 € **15,5/20**
Robe pelure, légèrement évoluée, fruité délicieux et original, vin de caractère, délicieux à l'apéritif.

BONNET GILMERT

16, rue de la Côte • 51190 Oger
Tél. 03 26 59 49 47 ou 03 26 53 86 08
Fax : 03 26 59 00 17
contact@champagne-bonnet-gilmert.com
www.champagne-bonnet-gilmert.com
Visite : tous les jours sauf dimanche, de 9h à 11h30 et de 14h à 18h sur rendez-vous.

Voici encore une bonne adresse pour se fournir en blancs de blancs très apéritifs. Oger est la continuation du fameux vignoble d'Avize, avec sans doute les plus belles terres à chardonnay de toute la Côte des Blancs. Ce producteur soigne visiblement son brut sans année, d'un prix très raisonnable. Il manque quand même au vin le raffinement suprême des meilleurs stylistes. Le rapport qualité-prix reste très attirant.

Cuvée de Réserve grand cru Blanc de Blancs
Blanc Brut | 2011 à 2015 | env 14,50 € **14,5/20**
Ensemble souple, franc, finement minéral, prêt à boire, mais de vinosité moyenne.

Perle de Rosé
Rosé Brut | 2011 à 2013 | env 19,50 € **15/20**
Beaucoup de caractère, nez de fruits rouges compotés, longueur plus marquée que dans le blanc de blancs pour ce tirage.

Précieuse d'Ambroise
Blanc Brut | 2012 à 2017 | env 33 € **15/20**
Vinosité excellente, personnalité affirmée, petit manque de raffinement aromatique.

BOURMAULT

41, rempart du Midi • 51190 Avize
Tél. 03 26 59 79 41 • Fax : 03 26 58 67 74
christian.bourmault@wanadoo.fr
Visite : 10h-12h et 14h-18h sur rendez-vous

Grand Éloge

Blanc Brut | 2011 à 2013 | 16,95 € **14,5/20**

Joli nez toasté, caractère très agréable et apéritif, de la rondeur, de la finesse, bonne suite en bouche.

BRUNO PAILLARD

Avenue de Champagne • 51100 Reims
Tél. 03 26 36 20 22 • Fax : 03 26 36 57 72
info@brunopaillard.com
www.champagnebrunopaillard.com
Visite : Du lundi au vendredi, de 8h30 à 18h.

Tout en maintenant un volume de production volontairement limité, Bruno Paillard a développé cette maison éponyme, réalisant une gamme très complète, de l'impeccable brut non millésimé à la cuvée de prestige Nec-Plus-Ultra («NPU») - sûrement l'un des champagnes vieillissant le plus longuement avant commercialisation - en passant par des millésimes qui affichent sur leur étiquette une œuvre inédite, créée à chaque fois par un artiste différent. La maison a trouvé son rythme de croisière.

Brut Première Cuvée

Blanc Brut | 2010 à 2011 | 29,90 € **16/20**

Peu dosé, très apéritif, exprimant des notes d'agrumes séduisantes mais témoignant en bouche d'une belle maturité : impeccable brut non millésimé.

Première Cuvée Rosé

Rosé Brut | 2010 à 2012 | 44 € **16/20**

Champagne frais, élancé, en tendresse et en allonge.

CANARD-DUCHÊNE

1, rue Edmond-Canard • 51500 Ludes
Tél. 03 26 61 11 60 • Fax : 03 26 61 13 90
info@canard-duchene.fr • www.canard-duchene.fr

Charles VII Blanc de Noirs

Blanc Brut | 2010 à 2011 | 29,90 € **14,5/20**

Cette cuvée au fruit acidulé possède une attaque allègre et vive. Bon apéritif.

Charles VII Rosé

Rosé Brut | 2010 à 2012 | 29,90 € **14/20**

Très fruité et souple, un bon rosé apéritif, franc, acidulé et net.

CATTIER

6, rue Dom-Pérignon • 51500 Chigny-les-Roses
Tél. 03 26 03 42 11 • Fax : 03 26 03 43 13
champagne@cattier.com • www.cattier.com
Visite : Du lundi au vendredi, de 8h à 12h
et de 14h à 18h.

Clos du Moulin

Blanc Brut | 2010 à 2017 | cav. 60 € **16/20**

Assemblage de la récolte 1998, 1999 et 2000, des raisins de l'un des rares et authentiques clos de Champagne, situé à Chigny-les-Roses, ce champagne vineux, puissant et profond possède une véritable personnalité vigoureuse, qu'on réservera à l'accompagnement d'une poularde demi-deuil.

CHANOINE

Allée du Vignoble • 51100 Reims
Tél. 03 26 36 61 60 • Fax : 03 26 36 66 62
www.tsarine.com

Tsarine Premium

Blanc Brut | 2010 à 2011 | 25 € **14,5/20**

Champagne élégant, équilibré, tendre avec une bulle très fine. Vin souple et harmonieux, bon apéritif.

GUY CHARLEMAGNE

4, rue de la Brèche-d'Oger • 51190 Le Mesnil-sur-Oger
Tél. 03 26 57 52 98 • Fax : 03 26 57 97 81
champagneguycharlemagne@orange.fr
www.champagne-guy-charlemagne.fr
Visite : en semaine, de 9h à 12h et de 14h à 18h
samedi matin sur rendez-vous.

Une des propriétés les plus sérieuses du Mesnil, avec un style de vin plus rapide dans son évolution que la moyenne. On préfère ici, de loin, les cuvées millésimées et en particulier la célèbre Mesnillésime, d'une finesse parfois transcendante. Les vins présentés cette année, les plus simples de sa gamme, ne présentaient pas l'assurance de style habituelle.

Brut Réserve grand cru Blanc de Blancs
Blanc Brut | 2011 à 2014 | 18,30 € **13/20**
Bulles fines, peu d'acidité, vin frais mais sans caractère bien marqué, plus commercial qu'une véritable expression exigeante du terroir.

Brut Rosé
Rosé Brut | 2011 à 2013 | 18,80 € **13/20**
Facile, légèrement évolué, naturel, mais on attend plus de cette source.

CHARLES HEIDSIECK

12, allée du Vignoble • 51100 Reims
Tél. 03 26 84 43 00 • Fax : 03 26 84 43 49
claudie.fresne@reny-cointreau.com
www.charlesheidsieck.com
Visite : Sur rendez-vous.

Cette maison propose depuis longtemps des cuvées de prestige - Champagne-Charlie (pour les millésimes de collection) et surtout le Blanc-des-Millénaires - d'une exquise finesse et d'une parfaite maturité. Mais l'ensemble de la gamme est brillamment homogène et s'appuie sur un style très fondu, délicieusement noiseté, éminemment reconnaissable.

Blanc des Millénaires 1995
Blanc Brut | 2010 à 2020 | 160 € **19/20**
Une texture d'un raffinement hors norme, avec sa finesse de taffetas, une longueur raffinée et insinuante, une subtilité aromatique sur des notes de brioche et de noisette, un plaisir de tous les instants : un champagne inoubliable !

Brut Réserve
Blanc Brut | 2010 à 2013 | 33 € **16,5/20**
Rondeur, finesse, tendre moelleux, persistance briochée : brut sans année ultra séduisant, confortable et très persistant.

Millésime 2000
Blanc Brut | 2010 à 2018 | 60 € **18/20**
Avec une année de bouteille supplémentaire, le vin prend toute sa dimension : robe d'un bel or brillant, nez épanoui de toast, noisettes et fruits confits, ampleur gourmande et savoureuse, remarquable équilibre, finale longue et allègre.

Rosé Réserve
Rosé Brut | 2010 à 2013 | 85 € **17/20**
Avec sa robe vieil or, le champagne offre une allonge subtile et tendre, au bouquet très raffiné de fruits confits et de fleurs séchées, d'une grande persistance.

J. CHARPENTIER

88, rue de Reuil • 51700 Villers-sur-Chatillon
Tél. 03 26 58 05 78 • Fax : 03 26 58 36 59
info@jcharpentier.fr • www.jcharpentier.fr
Visite : Dégustation du lundi au samedi de 9h à 12h et de 14h à 18h, dimanche sur rendez-vous.
Visite du lundi au samedi à 10h30, 14h30 et 16h30 et le dimanche sur rendez-vous.

Nous retrouvons avec plaisir ce producteur pionnier dans son secteur de Villers-sous-Châtillon, qui pratique des prix fort raisonnables, avec un nouveau tirage de son Brut Réserve plus conforme à sa qualité habituelle. Les vins de ce secteur sont tendres, équilibrés en acidité et vite prêts à boire.

Brut Prestige
Blanc Brut | 2011 à 2014 | 15,80 € **13/20**
Un peu d'ambre dans la robe, bonne vinosité mais avec un manque d'énergie pour une cuvée de prestige.

Extra-Brut
Blanc Brut | 2012 à 2014 | 14,50 € **14/20**
Bonne nervosité, vin franc, droit, apéritif, longueur moyenne.

Prestige Rosé
Rosé Brut | 2011 à 2015 | 16,60 € **14,5/20**
Le plus original et personnel des vins présentés, excellent fruit, et caractère de terroir plus prononcé.

CHARTOGNE-TAILLET

37-39, Grande-Rue • 51220 Merfy
Tél. 03 26 03 10 17 • Fax : 03 26 03 19 15
chartogne.taillet@wanadoo.fr
www.chartogne-taillet.typepad.fr
Visite : De 8h à 17h sur rendez vous.

Merfy, au cœur du trop méconnu massif de Saint-Thierry, est un des vignobles les plus proches de Reims. Philippe Chartogne, sa femme Élizabeth et leur fils Alexandre font partie de la petite poignée de viticulteurs déterminés et passionnés qui, progressivement, assurent un rayonnement international au champagne de vigneron. Alexandre, en bon disciple d'Anselme Selosse, convertit progressivement le vignoble à la viticulture bio et vient de planter en très haute densité une nouvelle parcelle.

CUVÉE SAINTE-ANNE
Blanc Brut | 2012 à 2013 | cav. 20 € **14/20**
Couleur dorée, notes de miel données par un début de maturité sous verre, très naturel, souple, d'usage universel, pas de tension en fin de bouche.

FIACRE
Blanc Brut | 2012 à 2015 | cav. 30 € **16,5/20**
Grande élégance au nez, notes de froment frais montrant une juste autolyse, le plus long, le plus subtil et le plus racé de la série.

MILLÉSIMÉ 2002
Blanc Brut | 2012 à 2014 | cav. 26 € **15,5/20**
Ce tirage confirme le style du millésime, très fondu mais porté par une saine acidité, le caractère est plus marqué que pour Saint-Anne, particulièrement en fin de bouche.

ROSÉ
Rosé Brut | 2010 à 2014 | cav. 26 € **14,5/20**
Ensemble très fruité et naturel, pas très complexe ni suffisamment corsé pour l'usage à table, mais agréable pour l'apéritif.

CHEMIN

3 rue de Chatillon • 51500 Sacy
Tél. 03 26 49 22 42 • Fax : 03 26 49 74 89

MILLÉSIMÉ 2004 ☺
Blanc Brut | 2012 à 2014 | NC **15/20**
Champagne aérien et spirituel, au joli nez de noisette fraîche, très bien élaboré et d'un bon rapport qualité-prix.

COQUARD-BOUR

Rue de la Maladière • 10200 Bergère
Tél. 03 25 27 39 41 • Fax : 03.25.27.93.17
www.champagne-coquardbour.fr
Visite : sur rendez-vous

BRUT ROSÉ ☺
Rosé Brut | 2011 à 2013 | 13,50 € **15/20**
Robe pâle, délicat arôme de pétale de fleurs, remarquable finesse, vin de style et de caractère, prix angélique !

TRADITION
Blanc Brut | 2011 à 2012 | 12 € **14,5/20**
Finesse et droiture confirmant les énormes progrès des viticulteurs de l'Aube, rapport qualité-prix imbattable !

CHAMPAGNE ROGER COULON

12, rue de la Vigne-du-Roy • 51390 Vrigny
Tél. 03 26 03 61 65 • Fax : 03 26 03 43 68
contact@champagne-coulon.com
www.champagne-coulon.com
Visite : Sur rendez-vous

Voici un récoltant-manipulant exemplaire, par la précision et l'aboutissement de sa démarche et de ses produits. Les très nombreuses petites parcelles du domaine sont réparties autour de Vrigny, aux portes de Reims, un des berceaux historiques du champagne. Quelques-unes sont très vieilles, voire même franches de pied, et leur produit donne tout son intérêt à la cuvée de prestige de la maison.

BLANC DE NOIRS 2003
Blanc Brut | 2010 à 2013 | 24 € **16,5/20**
Toujours aussi richement aromatique, amplement fruité, presque muscaté, et idéalement dosé, il a encore gagné en personnalité.

ESPRIT DE VRIGNY
Blanc Brut | 2012 à 2014 | 26,50 € **14/20**
Robe claire, nez très propre, classique de ce secteur, un rien trop acide mais droit, consensuel, apéritif.

PRESTIGE LES COTEAUX DE VALLIER
Blanc Brut | 2011 à 2015 | 30 € **16/20**
Robe paille, nez délicat de bon froment, bonne évolution sur pointe, délicieusement fruité, maturité atteinte.

RÉSERVE DE L'HOMMÉE
Blanc Brut | 2010 à 2013 | 19,80 € **14/20**
Très chargé en gaz carbonique, bon fruit, bon équilibre, facile à boire, peu de complexité en fin de bouche.

DE SOUSA

12, place Léon-Bourgeois • 51190 Avize
Tél. 03 26 57 53 29 • Fax : 03 26 52 30 64
contact@champagnedesousa.com
www.champagnedesousa.com
Visite : Du lundi au vendredi sur rendez-vous.

Éric de Sousa est un des viticulteurs les plus brillants de la Côte des Blancs et aussi l'un des plus actifs. Les vignes se situent sur les grands crus Avize, Cramant, Oger, Aÿ et Ambonnay. Le brut sans année simple est déjà un produit accompli, mais le savoir-faire de ce brillant vinificateur est davantage perceptible dans ses cuvées Caudalies, millésimées ou non, remarquables expressions de la grandeur du terroir d'Avize.

3 A

Blanc Brut | 2012 à 2014 | 35 € **16,5/20**

Nouvelle cuvée de luxe du domaine, assemblage des grands crus Avize (50 %), Aÿ (25 %) et Ambonnay (25 %). Ensemble typique de l'évolution du producteur vers des vins plus rassis, amples, riches, mais avec un petit déficit en acidité qui l'empêche d'atteindre le grand équilibre.

Brut Blanc de Blancs grand cru Réserve

Blanc Brut | 2010 à 2014 | 28 € **16/20**

Nez complexe, assagi par un vieillissement suffisant, assez large, savoureux, peu dosé, fait pour la table. Issu des lieux dit Marlet, La Fosse, Noyerots, Le Prévot, sur Avize et Oger.

cuvée des Caudalies non millésimé

Blanc Brut | 2010 à 2012 | 46 € **16/20**

Nez de noisette, corps très aérien, salinité remarquable, petite note de pomme liée à la fermentation sous bois, souple, mais prêt à boire. Issu de vignes de 50 ans.

cuvée des Caudalies Rosé

Rosé Brut | 2010 à 2015 | 59 € **17,5/20**

Robe saumon, nez exceptionnellement complexe, original dans ses notes florales, assemblage de 10 % de vin rouge d'Aÿ sur une base Avize pure, grande sève, grand caractère, inimitable mais à ne pas mettre entre toutes les mains!

grand cru Caudalies 2004

Blanc Brut | 2012 à 2016 | 125 € **18/20**

Robe paille, grand nez marqué par le froment, magnifique allonge, énorme matière, fait à l'ancienne, impressionnant.

grand cru Caudalies 2003

Blanc Brut | 2010 à 2013 | 125 € **17/20**

Même tirage que l'an dernier mais évolution très rapide en un an, vers des notes de caramel qui l'alourdissent, mais le retour en bouche de la saveur crayeuse de sa grande origine le rajeunit. Ensemble surprenant, déroutant, mais qui n'a pas dit son dernier mot. En tout cas, un vin artiste et vivant.

DEHOURS ET FILS

2, rue de la Chapelle • 51700 Cerseuil
Tél. 03 26 52 71 75 • Fax : 03 26 52 73 83
champagne.dehours@wanadoo.fr
www.champagne-dehours.fr
Visite : De 9h à 12h et de 14h à 17h, tous les jours

Jérôme Dehours est un des producteurs les plus imaginatifs et les plus ambitieux du secteur de Cerseuil, réputé pour ses pinots meuniers de classe. Il a suivi l'excellente logique de la vinification parcellaire sous bois de ses meilleures vignes, et l'habillage des bouteilles est aussi élégant que le style des vins, réalisés avec de très faibles dosages en sucre. Il faut absolument découvrir le merveilleux coteaux-champenois, largement à la hauteur de bon nombre de grands chablis. Cette année nous retiendrons particulièrement la cuvée Trio au sein d'une gamme homogène (éviter le rosé 2005, décoloré et bizarre).

Confidentielle

Blanc Brut | 2011 à 2013 | 21,20 € **15/20**

Rond, fruité, très accessible, mousse modérée, dosage marqué mais pas excessif, acidité fine en retour de bouche, excellent apéritif.

Extra-Brut Les Genevraux 2004

Blanc Brut | 2011 à 2015 | 37 € **15,5/20**

Pâle, complexe, avec acidité, amertume et salinité bien complémentaires l'une de l'autre, pas dosé, strict, plus intellectuel que sensuel.

Grande Réserve Extra-Brut

Blanc Brut | 2011 à 2013 | 21 € **14,5/20**

Robe pâle, nez de froment fin, bulle fine, un peu d'amertume en finale mais strict et désaltérant.

Les Vignes de la Vallée 2004

Blanc Brut | 2011 à 2015 | 21,90 € **15/20**

Robe pâle, nez minéral très fin, fruité développé, intense, belle acidité, finale saline, beau style.

DELAMOTTE

7, rue de la Brèche-d'Oger
51190 Le Mesnil-sur-Oger
Tél. 03 26 57 51 65 • Fax : 03 26 57 79 29
champagne@salondelamotte.com
www.salondelamotte.com

Discrète maison appartenant au groupe Laurent-Perrier, Delamotte s'est spécialisée dans la réalisation de champagnes clairement apéritifs, dans lesquels le chardonnay tient une place prépondérante. Proposant une gamme volontairement ramassée (un brut, un blanc de blancs, un millésimé), elle s'appuie sur des approvisionnements venus en majorité de la Côte des Blancs pour afficher un caractère frais, élancé et souple, marqué par une palette aromatique où les notes d'agrumes sont bien présentes.

Blanc de Blancs Millésimé 1999

Blanc Brut | 2010 à 2015 | cav. 52 € **16/20**

Beaucoup de fraîcheur, beaucoup d'élégance, superbes notes de zeste de citron mêlées à des nuances grillées, allonge racée.

PAUL DÉTHUNE

2, rue du Moulin • 51150 Ambonnay
Tél. 03 26 57 01 88 • Fax : 03 26 57 09 31
info@champagne-dethune.com
www.champagne-dethune.com
Visite : Du lundi au samedi, de 9h à 12h et de 14h à 17h. Sur rendez-vous.

Propriété classique d'Ambonnay avec un vignoble superbement exposé. Les vins sont de style traditionnel, ronds, vineux, souvent raffinés au vieillissement et de qualité régulière.

Brut Blanc de Noirs grand cru

Blanc Brut | 2011 à 2013 | 24,50 € **15/20**

Nez finement citronné, vin très droit, terroir de qualité, usage universel grâce à un dosage intelligent.

Brut Rosé

Rosé Brut | 2012 à 2014 | 22,50 € **15/20**

Fruité pur de joli pinot noir, ensemble équilibré, lui aussi d'usage universel, vinifié avec soin, dosé avec modération.

DEUTZ

16, rue Jeanson - B.P. 9 • 51160 Aÿ
Tél. 03 26 56 94 00 • Fax : 03 26 56 94 10
France@champagne-deutz.com
www.champagne-deutz.com
Pas de visites mais vente aux particuliers possible.

Cette très élégante maison d'Aÿ a progressivement ciselé une gamme qui impose le respect, depuis son brut non millésimé, Classic, jusqu'à ses cuvées de prestige, William-Deutz (plutôt axée sur les raisins noirs), et Amour-de-Deutz (pur chardonnay).

Amour de Deutz Blanc de Blancs 2002

Blanc Brut | 2015 à 2030 | 130 € **19/20**

Blanc de blancs d'une totale pureté, racé, d'une longueur très fine et harmonieuse, qu'il faut à notre sens attendre en cave, car son potentiel de vieillissement paraît éblouissant.

Amour de Deutz Blanc de Blancs 2000

Blanc Brut | 2010 à 2020 | 130 € **18/20**

Plus tendre que le 2002, c'est un champagne aérien, délicat, mais également profond et non dénué de vigueur.

Blanc de Blancs 2004

Blanc Brut | 2010 à 2018 | 55,30 € **18/20**

Un an de bouteille l'a épanoui : robe pâle et brillante, nez très pur, bouche droite, racée, allonge impressionnante, remarquablement aristocratique.

Brut Classic

Blanc Brut | 2010 à 2014 | 32,50 € **17/20**

Nez très pur et minéral, laissant apparaître après la craie de fines notes citronnées et florales, bouche droite, svelte mais enveloppante, associant une réelle nervosité à un corps velouté et ample. Grand brut !

Brut Millésimé 2005

Blanc Brut | 2012 à 2016 | 45,50 € **17/20**

Beau millésime classique et élancé, avec un peu moins de personnalité à ce stade que le 2006.

Brut Rosé

Rosé Brut | 2010 à 2014 | 42,30 € **17/20**

La robe est assez soutenue tout comme sont bien présents les notes de fruits rouges mûrs. Champagne plein, juvénile, long.

Rosé Millésimé 2006

Rosé Brut | 2012 à 2018 | 46,80 € **17,5/20**

Robe pâle, fruité fin, allonge raffinée, vigueur, mais encore très jeune : donnons lui une ou deux années supplémentaires pour épanouir ses immenses qualités.

William Deutz 1999

Blanc Brut | 2010 à 2020 | 111 € **19/20**

Vineux et ample, avec un bouquet de belle maturité, une ampleur profonde et raffinée, une grande persistance aromatique. Aussi à l'aise seul qu'à table, et délicieux actuellement.

William Deutz Rosé 2000

Rosé Brut | 2010 à 2018 | 111 € **18,5/20**

Grande fraîcheur fruitée avec de fines notes de fraise Mara des bois. Très délicat, tendre et fin.

William Deutz Rosé 1999

Rosé Brut | 2010 à 2020 | 111 € **19/20**

Le génie d'un grand champagne dans sa maturité et sa plénitude. Somptueusement raffiné !

DOM PÉRIGNON

20, avenue de Champagne • 51200 Epernay
Tél. 03 26 51 20 00 • Fax : 03 26 54 84 23
gtemil@mhdfrance.fr • www.domperignon.com
Visite : Sur rendez-vous pour les entreprises uniquement.

La production de cette marque mythique n'a jamais été aussi fine, aussi brillamment construite ni aussi régulière qu'aujourd'hui. Elle le doit à l'extrême qualité de l'approvisionnement, améliorée grâce à l'intégration des anciens vignobles Pommery et Lanson, et à la rigueur du chef de cave Richard Geoffroy.

Dom Pérignon 2000

Blanc Brut | 2010 à 2019 | NC **19/20**

Délicates notes de froment, finesse d'un registre aromatique fondé sur le zeste, le beurre frais, les notes florales, bouche d'une délicieuse et aérienne longueur, délicatesse et intensité. Du grand art !

Dom Pérignon Rosé 2000

Rosé Brut | 2010 à 2018 | NC **19,5/20**

La persistance aromatique de ce rosé paraît presque éternelle : les notes fines de groseille, de fleurs de printemps et de fruits confits sont magnifiquement mêlées, tandis que la bouche conjugue pareillement finesse et intensité.

Œnothèque 1995

Blanc Brut | 2010 à 2020 | NC **19,5/20**

La robe est remarquablement juvénile et le registre aromatique joue avec beaucoup de subtilité mais aussi de présence sur la rencontre entre le fruit confit et l'agrume. Le vin est profond et intense, toujours d'une dimension svelte et aérienne.

PASCAL DOQUET

44, chemin du Moulin-de-la-Cense-Bizet
51130 Vertus
Tél. 03 26 52 16 50 • Fax : 03 26 59 36 71
contact@champagne-doquet.com
www.champagne-doquet.com
Visite : Sur rendez-vous, fermé le dimanche.

Ce jeune domaine est issu d'une division des champagnes Doquet-Jeanmaire, famille bien connue de Vertus, au cœur de la Côte des Blancs. Pascal Doquet tenait à mettre sa vision et sa morale du vin en pratique, et ne pouvait le faire en toute liberté qu'en reprenant ses vignes. Admirateur des Selosse, Larmandier, Agrapart et autres célèbres vignerons bio du voisinage, il cherche à cultiver ses sols de manière aussi raisonnée et raisonnable que possible, et vinifie parcelle par parcelle.

premier cru Le Mont Aimé

Blanc Brut | 2010 à 2012 | 30 € **13/20**

Non dosé, très «nature» au nez avec des notes de pomme, de manzanilla, mais sans oxydation, fin, autolyse simplifiée, vin d'apéro à déconseiller au puriste.

DIDIER DOUÉ

3, voie des Vignes • 10300 Montgueux
Tél. 03 25 79 44 33 • Fax : 03 25 79 40 04
doue.didier@wanadoo.fr
Visite : Sur rendez-vous

Ce viticulteur porte bien son nom : un agriculteur soigneux, amoureux fou de son terroir et qui, à notre sens, produit aujourd'hui les vins les plus réguliers et les plus expressifs du terroir si fin de Mongueux. Les prix restent angéliques pour une telle qualité. Les dosages se sont améliorés !

Brut Rosé

Rosé Brut | 2011 à 2014 | 15,50 € **14/20**

Nerveux, très frais, plus apéritif que destiné à la table, net, mais pas très complexe.

Blanc de Blanc 2002
Blanc Brut | 2012 à 2015 | 17,50 € **15,5/20**
Excellente évolution d'un vin désormais abouti, frais, élégant, typiquement mongueux, et au dosage équilibré qui le respecte, prix raisonnable.

Prestige
Blanc Brut | 2011 à 2013 | 16,50 € **14/20**
Frais, nerveux, simple, franc, apéritif, bon dosage.

DRAPPIER

Rue des Vignes • 10200 Urville
Tél. 03 25 27 40 15 • Fax : 03 25 27 40 15
info@champagne-drappier.com
www.champagne-drappier.com
Visite : Sur rendez-vous et le samedi visite à 16h.

Cette discrète maison familiale peut s'appuyer sur un vignoble de quarante hectares au cœur de la Côte des Bar, largement dominé par le pinot noir, complété par des sources de chardonnay venu de Cramant et des pinots de Bouzy et d'Ambonnay. Tout respire ici le sérieux, de la rigueur de la tenue du vignoble à la qualité impeccable des installations techniques. L'accueil est à la hauteur et justifie le voyage dans un petit village complètement isolé du monde, à proximité de Bar-sur-Aube. On l'aura compris, c'est une adresse sûre pour amateurs de champagnes vineux. De plus en plus, ce producteur fort sérieux s'engage dans la voie difficile, périlleuse mais respectueuse, de la culture biologique, et le fait avec une intelligence et une rigueur qu'on aimerait plus fréquentes.

Brut Nature pinot noir
Blanc Brut | 2010 à 2012 | 29 € **14,5/20**
Champagne vigoureux, dense, terrien, avec une réelle vivacité et du corps, sur des notes de pommes et d'agrumes.

Brut Nature sans soufre ajouté
Blanc Brut | 2010 à 2011 | 32 € **13,5/20**
Robe plus évoluée que le Brut Nature, est-ce dû à l'échantillon (dégorgé en juillet 2009) ou à l'ensemble de la cuvée ? La bouche est plus ronde mais moins vive et donne le sentiment que le sans soufre est une pratique à risques....

Carte d'Or
Blanc Brut | 2010 à 2012 | 27,50 € **14/20**
Rond, souple, d'usage universel, facile à boire et bien construit.

La Grande Sendrée 2002
Blanc Brut | 2010 à 2016 | 60 € **17/20**
Vin noble et vigoureux, de belle définition, avec une vivacité fine et déliée, et des notes de zeste d'agrumes, de la fraîcheur et de la longueur.

Millésime d'Exception 2004
Blanc Brut | 2010 à 2015 | 35 € **16/20**
Ample, généreux, champagne de grande opulence, capable de vieillir remarquablement mais déjà épanoui, méritant de beaux accords gastronomiques : mariez-le au homard.

Quattuor
Blanc Brut | 2010 à 2012 | 42 € **15,5/20**
Joli caractère aromatique, notes presque anisées qui se mêlent à une palette de citron et beurre frais, bouche harmonieuse, équilibrée, un bel hommage aux cépages «oubliés» arbane, petit meslier, blanc vrai, associés au chardonnay.

DUMÉNIL

Rue des Vignes • 51500 Chigny-les-Roses
Tél. 03 26 03 44 48 • Fax : 03 26 03 45 25
info@champagne-dumenil.com
www.champagne-dumenil.com
Visite : du lundi au samedi, 9h-13h et 14h-17h

Blanc de Noirs
Blanc Brut | 2011 à 2013 | 24,50 € **14,5/20**
Blanc de noirs d'usage universel, tendre, joliment bouqueté, avec tout le charme des raisins de la petite montagne.

Brut Nature Millésimé 2002
Blanc Brut | 2011 à 2013 | 32,50 € **15/20**
Légèrement ambré, bonne vinosité, grand naturel d'expression, conforme aux attentes d'aujourd'hui mais un peu cher.

DUMONT

11, rue Gambetta • 51500 Rilly-la-Montagne
Tél. 03 26 03 40 67 • Fax : 03 26 03 84 82
info@champagne-danieldumont.com
www.champagne-danieldumont.com
Visite : sur rendez-vous

Ce producteur peu connu de Champignol a présenté deux vins très bien faits et d'un prix fort raisonnable. Nous suivrons désormais cette adresse.

Brut Rosé

Rosé Brut | 2010 à 2013 | 15 € **15/20**

Robe, caractère et vinosité affirmés, excellent dosage, rosé de table pour vrai amateur.

Millésimé 2004

Blanc Brut | 2012 à 2014 | 19,70 € **15/20**

Nerveux, vineux, précis, racé, remarquable netteté en finale, prix raisonnable.

DUVAL-LEROY

69, avenue de Bammental • 51130 Vertus
Tél. 03 26 52 10 75 • Fax : 03 26 52 12 93
champagne@duval-leroy.com • www.duval-leroy.com
Visite : Du lundi au vendredi de 9h à 12h et de 14h à 17h sur rendez-vous uniquement.

Sous la conduite de Carol Duval, cette maison installée à Vertus, dans la Côte des Blancs, n'a cessé d'élever son niveau d'exigence, en particulier pour son brut Fleur-de-Champagne et les très intéressantes cuvées parcellaires, réalisées avec beaucoup de précision.

150 1999

Blanc Brut | 2010 à 2016 | 82 € **16,5/20**

Champagne de grande vivacité, ample et intense, commençant à entrer dans sa plénitude d'expression, mais indiscutablement doté d'un beau potentiel de garde.

Authentis Clos des Bouveries 2004

Blanc Brut | 2010 à 2015 | 43 € **17/20**

Très pur, raffiné, profond, la plus belle cuvée de la maison, issue d'une parcelle de chardonnay à Vertus.

Authentis Cumières 2003

Blanc Brut | 2010 à 2015 | 42 € **16/20**

Cette cuvée est issue de raisins cultivés en agriculture biologique à Cumières, au cœur de la vallée de la Marne. Dans ce millésime hors norme marqué par la sécheresse, le vin est épicé, puissant, fait pour accompagner une belle volaille rôtie.

Fleur de Champagne rosé de saignée

Rosé Brut | 2010 à 2011 | 41 € **14/20**

Joli rosé tendre et gourmand, d'une dimension limitée mais fine.

EGLY-OURIET

9-15, rue de Trépail • 51150 Ambonnay
Tél. 03 26 57 82 26 • Fax : 03 26 57 06 52
eglyouriet@orange.fr
Visite : Sur rendez-vous.

Par la rigueur de sa discipline de travail, le niveau de son stock garantissant de longs vieillissements sur lies, et la précision de ses étiquettes indiquant la date de dégorgement et le temps de vieillissement sur lies, Francis Egly donne le ton à toute la viticulture champenoise. Les terres chaudes d'Ambonnay permettent au pinot noir d'atteindre une maturité idéale, avec une régularité sans faille depuis dix ans. Les deux cuvées les plus étonnantes de la maison sont certainement l'extraordinaire blanc de noirs, non millésimé, d'une richesse de constitution unique, et le coteaux-champenois, hélas produit en infime quantité, sans doute le meilleur de la Champagne d'aujourd'hui. Mais dès le premier niveau de vin, le très subtil pinot meunier de Vrigny, la qualité reste exemplaire de régularité.

Blanc de Noirs Vieilles Vignes grand cru Les Crayères

Blanc Brut | 2012 à 2020 | 60 € **18/20**

Exceptionnelle vinosité, grande longueur, merveilleuse expression du meilleur pinot noir de ce grand cru.

Brut Terroir de Vrigny

Blanc Brut | 2011 à 2014 | 23 € **16/20**

Meunier complet, sculptural même, avec une vinosité rarissime, dosage parfait.

Coteaux Champenois Ambonnay 2008

Rouge | 2018 à 2028 | 42 € **18,5/20**

Parfum et couleur toujours aussi nobles et étonnants, toujours sur la réduction mais avec plus de subtilité encore qu'il y a quelques années. Le modèle actuel des rouges champenois.

grand cru Tradition

Blanc Brut | 2010 à 2013 | 28,50 € **16/20**

Excellent tirage, saveur complexe liée à une lente autolyse, usage universel, dosage idéal, hautement recommandable.

FILAINE

17 rue Raymond Poincaré • 51480 Damery
Tél. 03 26 58 88 39
alexandrefilaine@orange.fr
Visite : sur rendez-vous

CUVÉE SPÉCIALE

Blanc Brut | 2011 à 2013 | 13 € **16/20**

Légers reflets ambrés, beaucoup de vinosité, finale complexe noblement bouquetée, vin de caractère et remarquable rapport qualité-prix.

CHAMPAGNE FLEURY

43, Grande-Rue • 10250 Courteron
Tél. 03 25 38 20 28 • Fax : 03 25 38 24 65
champagne@champagne-fleury.fr
www.champagne-fleury.fr
Visite : Uniquement sur rendez-vous

Voici sans doute le meilleur producteur actuel de l'Aube, le pionnier absolu de la viticulture biodynamique, et ses vins récoltent aujourd'hui les fruits d'un travail rigoureux des sols. Mais contrairement à tant de ses collègues, vinificateurs imprécis qui nous livrent des vins oxydés et sans expression du terroir, ici les vins ont une précision, une droiture et une digestibilité étonnantes. Le rosé reste la grande spécialité de la maison.

BRUT ROSÉ

Rosé Brut | 2011 à 2013 | 31 € **16,5/20**

Rosé de saignée parfait au bouquet de fleurs très séduisant, frais, délicat, glissant, merveilleux de naturel. N'attendez pas la vinosité d'un grand cru de la Marne.

CUVÉE ROBERT-FLEURY 2000

Blanc Brut | 2011 à 2012 | 36 € **15/20**

Le vin a atteint un plateau, conservant sa vinosité et son naturel, mais avec un début de rancio qui le réserve désormais à un usage gastronomique.

FROMENT-GRIFFON

9, rue du Franc-Mousset • 51500 Sermiers
Tél. 03 26 97 61 62 ou 03 26 97 60 35
Fax : 03 26 97 60 35
champagne.froment-griffon@wanadoo.fr
Visite : sur rendez-vous

PRIVILÈGE 2004

Blanc Brut | 2011 à 2014 | 15,20 € **15/20**

Jolie complexité aromatique, entre l'acacia et la noisette, bulles fines, finale propre et élégante, style assuré comme celui des autres vins présentés, propriété à suivre, prix angélique.

GATINOIS

7, rue Marcel-Mailly • 51160 Aÿ
Tél. 03 26 55 14 26 • Fax : 03 26 52 75 99
champ-gatinois@hexanet.fr
www.champagne-gatinois.com
Visite : Sur rendez-vous

Pierre Cheval exploite un petit domaine prestigieux, sur les meilleures vignes d'Aÿ, le plus fameux cru de la Champagne, et son voisin Bollinger lui achète fidèlement, depuis longtemps, une partie de ses raisins. La force du terroir s'exprime pleinement dans les cuvées non millésimées (particulièrement la Réserve, vieillie un an de plus sur pointe), et surtout le millésimé et le coteaux-champenois. Les vins présentés cette année retrouvaient la force et la plénitude qui ont fait la réputation du producteur, avec un 2004 exceptionnel, archétype du grand vin d'Aÿ. Le rosé doit encore progresser.

BRUT GRAND CRU RÉSERVE

Blanc Brut | 2014 à 2018 | 18,20 € **15/20**

Robe légèrement tachée, grosse matière, dosage faible, forte autolyse, bien trop jeune hélas. N'ouvrir que dans quatre ou cinq ans de vieillissement en cave fraîche !

MILLÉSIMÉ 2004

Blanc Brut | 2010 à 2014 | 24 € **18 /20**

Tout le raffinement aromatique et la vigueur de l'illustre cru et la maîtrise de style habituelle du producteur, grand vin au début d'une longue carrière. Dosage bien étudié.

MICHEL GENET

29, rue des Partelaines • 51530 Chouilly
Tél. 03 26 55 40 51 • Fax : 03 26 59 16 92
champagne.genet.michel@wanadoo.fr
www.michelgenet.com
Visite : Sur rendez-vous

Cette propriété familiale manipule depuis plusieurs générations et dispose de vignes situées sur les beaux emplacements de Chouilly dont les fameuses Partelaines qui ont donné leur nom à la principale rue du village. Les vins sont faits avec précision, sans chichi ni maquillage, et produisent des grands crus de la Côte des Blancs, un peu plus enveloppés et prêts à boire que ceux du village voisin de Cramant, où la famille possède aussi quelques vignes.

EXTRA-BRUT
Blanc Brut | 2011 à 2013 | NC **14,5/20**
Précis, net, équilibré, avec suffisamment de salinité pour exprimer son origine, vin d'amateur.

MILLÉSIMÉ BLANC DE BLANCS GRAND CRU 2004
Blanc Brut | 2012 à 2016 | NC **16/20**
Beaucoup de droiture et de tension, dosage très faible et idéal, et prix encore fort accessible pour un vrai grand cru.

ROSÉ
Rosé Brut | 2012 à 2013 | NC **13,5/20**
Très pâle, frais, net, salin, proche du caractère d'un blanc de blancs, ce qui plaira ou déplaira.

RENÉ GEOFFROY

150, rue du Bois-des-Jots • 51480 Cumières
Tél. 03 26 55 32 31 • Fax : 03 26 54 66 50
info@champagne-geoffroy.com
Visite : 9h - 12h et 14h - 17h du lundi au samedi sur rendez-vous.

Ce domaine, depuis longtemps le plus en vue de sa commune, rentre cette année dans le guide avec des champagne équilibrés, nets, dont une superbe expression de Cumières, la cuvée Empreinte. Nous aimons moins le coteau-champenois.

BLANC DE ROSE
Rosé Brut | 2011 à 2012 | 36 € **14/20**
Forte couleur de rosé de saignée, très fruité, très facile en fait, agréable immédiatement à l'apéritif mais sans la race du vin obtenu par addition de rouge.

PREMIER CRU EMPREINTE
Blanc Brut | 2012 à 2017 | 20 € **17/20**
Base de 2005, nez discret, racé, parfait exemple de la vallée de la Marne, net, savoureux, équilibré, complet.

PREMIER CRU EXPRESSION
Blanc Brut | 2011 à 2015 | 16,50 € **14/20**
Robe pâle, nez citronné, légère amertume, tout en légèreté, fait pour l'apéritif.

PIERRE GIMONNET ET FILS

1, rue de la République • 51530 Cuis
Tél. 03 26 59 78 70 • Fax : 03 26 59 79 84
info@champagne-gimonnet.com
www.champagne-gimonnet.com
Visite : Du lundi au vendredi, de 8h30 à 12h30 et de 14h à 18h , le samedi de 8h30 à 12h30.

Olivier et Didier Gimonnet sont en charge d'une très importante propriété au cœur de la Côte des Blancs et, avec une grande régularité, perpétuent un style de vin indémodable, fondé sur la fraîcheur et la finesse aromatique. L'assemblage (mais dans des proportions diverses) des premiers crus Cuis, Vertus, et des grands crus Cramant et Chouilly permet de donner plus de complexité qu'un mono-cru. Les vins présentés cette année étaient encore une fois exemplaires.

BLANC DE BLANCS PREMIER CRU FLEURON 2004
Blanc Brut | 2011 à 2014 | 28,50 € **16,5/20**
Robe or vert, peu de changement en un an, élégance et légèreté, mais un fruité encore plus accentué et une finale de plus en plus saline.

BRUT BLANC DE BLANCS PREMIER CRU CUIS
Blanc Brut | 2011 à 2015 | 21,50 € **15/20**
Pâle et porteur de superbes reflets verts, nez précis, pur, crayeux, excellente acidité, dosage bien étudié, fruité agréable, archétype du joli blanc de blancs.

GASTRONOME 2005
Blanc Brut | 2010 à 2012 | 24,50 € **15,5/20**
La nouveauté de la série présentée, même pâleur, même or vert, même style mais il n'atteint pas la perfection de l'Œnophile 2002, moins vineux et encore marqué par son dosage récent. Attendre un an.

PREMIER CRU ŒNOPHILE EXTRA-BRUT 2002
Blanc Brut | 2011 à 2014 | 30 € **18,5/20**
Toujours pâle et d'une suprême élégance, mousse aérienne, définition de terroir «Côte des Blancs» parfaite, longueur, race, élan, le blanc de blancs comme on le rêve.

SPÉCIAL CLUB 2004
Blanc Brut | 2012 à 2016 | 35 € **17,5/20**
Robe à reflets verts, nez presque idéal, préservant fruit et minéralité dans un équilibre d'école, mousse délicate, finesse superlative, tonique et raffiné, superbe !

J.M. GOBILLARD ET FILS

38, rue de l'Église • 51160 Hautvillers
Tél. 03 26 51 00 24 • Fax : 03 26 51 00 18
champagne-gobillard@wanadoo.fr
www.champagne-gobillard.com
Visite : vendredi au dimanche, 10h30-12h30 et 14h30-17h30.

Prestige 2006

Blanc Brut | 2010 à 2014 | 19,95 € **15/20**

Fruité et de bonne intensité, c'est un champagne apéritif net et franc, avec un certain fond. Le dosage est perceptible mais pas rédhibitoire.

Tradition

Blanc Brut | 2010 à 2012 | 14,80 € **14/20**

Champagne souple, finement citronné, dosé sans excès, très adapté à un usage apéritif.

GONET-MÉDEVILLE

1, chemin de la Cavotte • 51150 Bisseuil
Tél. 06 07 19 66 78 • Fax : 03 26 57 75 60
contact@gonet-medeville.com
www.gonet-medeville.com
Visite : pas de vente sur le domaine, visites sur rendez-vous.

Ce domaine est né du mariage de deux héritiers de grandes familles de viticulteurs, Xavier Gonet (du Mesnil-sur-Oger) et Julie Médeville (de Preignac, en Sauternais, notamment Château Gilette). Les vignes, remarquablement cultivées, se situent sur d'excellents coteaux de Bisseuil, Ambonnay et Mesnil-sur-Oger, avec les trois cépages champenois, ce qui permet de réussir des assemblages équilibrés dans tous les types de champagne. Les dosages sont ici réduits au minimum, ce qui accentue la pureté d'expression de toutes les cuvées. Les cuvées parcellaires de grands crus et les assemblages cuvée Théophile sont en cours de vieillissement, et promettent énormément.

Blanc de Noirs premier cru

Blanc Brut | 2011 à 2013 | 20 € **15,5/20**

Strict, énergique dans son élan mais délicat dans ses bulles, apéritif remarquable, mais sans le cachet d'un grand bouzy.

Brut Rosé

Rosé Brut | 2010 à 2011 | 22 € **16/20**

Pur, délicat, raffiné dans sa bulle, idéalement très peu dosé, conforme à son habitude.

GOSSET

69, rue Jules-Blondeau - B.P. 7 • 51160 Aÿ
Tél. 03 26 56 99 56 • Fax : 03 26 51 55 88
info@champagne-gosset.com
www.champagne-gosset.com

Relancée par la famille Cointreau, Gosset s'est fait une spécialité de champagnes vineux, intenses et puissants, jamais meilleurs que lorsqu'ils bénéficient de quelques années de garde. La maison produit une gamme qui a pris de l'étoffe, et est désormais dominée au sommet par d'amples et profondes cuvées Célébris, en assemblage classique, en blanc de blancs et en rosé, toutes trois millésimées et proposées en extra-brut, c'est-à-dire très peu dosées en sucre. Tous ces vins sont particulièrement à l'aise à table.

Célébris Blanc de Blancs

Blanc Brut | 2010 à 2017 | 125 € **18,5/20**

Puissant, pur et intense, ce blanc de blancs vineux est un grand champagne de gastronomie, parfaitement à point.

Grand Rosé

Rosé Brut | 2010 à 2015 | 25 € **16,5/20**

Vineux et fruité, ce rosé gourmand et complexe s'épanouit en bouche. Il brille par sa longueur et sa persistance aromatique sur les fruits rouges.

Grande Réserve

Blanc Brut | 2010 à 2017 | 38 € **16/20**

Belle race et grande vigueur, avec une intensité aromatique brillante sur les fruits rouges et beaucoup d'allonge.

GUIBORAT FILS

99, rue de la Garenne • 51530 Cramant
Tél. 03 26 57 54 08
www.champagne-guiborat-fils.com
Visite : sur rendez-vous (06 82 94 07 78)

Blanc de Blancs

Blanc Brut | 2012 à 2015 | 15 € **15,5/20**

Salinité racée sensible dès le nez, vin strict, élégant, tendu, peu dosé, aérien, bien marqué par le craie du terroir. Excellent rapport qualité-prix.

HENRIOT

81, rue Coquebert • 51100 Reims
Tél. 03 26 89 53 00 • Fax : 03 26 89 53 10
contact@champagne-henriot.com
www.champagne-henriot.com

Cette maison familiale constitue le centre originel des activités de la famille Henriot, également propriétaire de Bouchard Père et Fils et de William Fèvre, en Bourgogne. Elle s'attache à produire des champagnes purs et déliés, très apéritifs par leur caractère aérien et fin. Dans une gamme très cohérente et réussie, le Brut-Souverain et surtout le pur chardonnay constituent deux champagnes de haut vol dans leur catégorie respective.

Blanc de Blancs
Blanc Brut | 2010 à 2015 | cav. 34 € **17/20**
Très beau champagne aérien et profond, d'une finesse de texture remarquable et de grande allonge, exprimant de fines notes de zeste et de céréales torréfiées.

Brut Souverain
Blanc Brut | 2010 à 2011 | cav. 29 € **15,5/20**
Gourmand, ample, doté d'une bulle très fine et d'un caractère ultra séduisant, c'est un apéritif de classe.

cuvée des Enchanteleurs 1996
Blanc Brut | 2010 à 2020 | cav. 100 € **19/20**
Grande onctuosité et finesse de texture et de bulle éblouissante, associées à la vigueur et à la droiture du millésime : un champagne éblouissant.

HERBERT

51500 Rilly-la-Montagne
Tél. 03 26 03 49 93 • Fax : 03 26 02 01 39
champagneherbert@wanadoo.fr
www.champagne-stephane-herbert.fr
Visite : tous les jours, 9h-12h 14h-17h30
samedi après-midi et dimanche sur rendez-vous.

Excellence
Blanc Brut | 2011 à 2013 | 18 € **14/20**
Très pâle, pur, tout en finesse, dosage intelligent, toute la souplesse de la «Petite Montagne» qui donne des vins vite prêts à boire.

JACQUART

6, rue de Mars • 51100 Reims
Tél. 03 26 07 88 40 • Fax : 03 26 07 12 07
jacquart@ebc.net • www.jacquart-champagne.fr

Marque développée par un grand groupe coopératif champenois, Jacquart propose un éventail de champagnes solidement construits, surtout en ce qui concerne la gamme Mosaïque.

Brut de Nominée
Blanc Brut | 2010 à 2012 | NC **15/20**
Plein, bien construit, citronné, bonne recherche de finesse de texture associée à une incontestable puissance.

Brut Mosaïque
Blanc Brut | 2010 à 2012 | NC **14,5/20**
Champagne solide, charnu, équilibré. Dosage perceptible mais sans lourdeur, bien construit.

Extra-Brut
Blanc Brut | 2010 à 2012 | NC **15,5/20**
Bonne cuvée vigoureuse et nette, à l'allonge vive mais sans verdeur.

JACQUESSON

68, rue du Colonel-Fabien • 51530 Dizy
Tél. 03 26 55 68 11 • Fax : 03 26 51 06 25
info@champagnejacquesson.com
www.champagnejacquesson.com
Visite : Du lundi au jeudi de 8h à 12h et de 13h30 à 17h30. Sur rendez-vous.

Créée à la fin du XVIIIe siècle, la maison connut un succès certain avant de s'effacer dans la première moitié du XXe siècle. Appartenant depuis plusieurs décennies à la famille Chiquet, elle est devenue progressivement le porte-drapeau du champagne de connaisseurs, traduisant avec une incroyable fidélité le potentiel des terroirs qu'elle illustre, limitant les dosages au strict minimum, faisant vieillir ses cuvées le temps qu'il faut avant de les proposer à la vente. Les vins possèdent ainsi toujours un caractère affirmé qui peut parfois surprendre, du rosé très intense au magnifique blanc d'Avize. Absolument remarquable, le brut non millésimé est numéroté : ainsi la cuvée 733 correspond-elle à des vins de base majoritairement issus du millésime 2005.

cuvée 734
Blanc Brut | 2010 à 2015 | cav. 34 € **18/20**
Force et plénitude, notes de zeste d'orange confit, corps et élégance, grande énergie racée et fine.

Dégorgement Tardif 1995

Blanc Brut | 2010 à 2025 | cav. 140 € **19/20**

Un vin de pleine maturité et de grande jeunesse. Ample, profond, serein, intensément racé, il dégage une formidable impression de persistance et de plénitude.

Millésime 2002

Blanc Brut | 2010 à 2022 | cav. 60 € **18/20**

Très intense et vigoureux, long, puissant, grand champagne de table.

Millésime 2000

Blanc Brut | 2010 à 2016 | cav. 60 € **17/20**

Citronné et vif, ce champagne s'épanouit ensuite en bouche. Un combat brillant entre vivacité et plénitude.

JANISSON-BARADON

2 rue des Vignerons • 51200 Epernay
Tél. 03 26 54 45 85 • Fax : 03 26 54 25 54
info@champagne-janisson.com
www.champagne-janisson.com
Visite : en semaine 9h-12h et 13h30-17h30
et samedi 9h-12h

Cette maison possède de jolies vignes sur la côte d'Épernay et modernise intelligemment le style de ses vins qui apparaissent équilibrés et désaltérants, dans l'esprit de ce secteur de la Marne. La cuvée Spécial Club domine largement les autres.

Brut

Blanc Brut | 2011 à 2013 | 20 € **15/20**

Pur, très net, élégant, frais, apéritif, non dosé, moyennement vineux mais très désaltérant, joli style.

Extra-Brut

Blanc Extra brut eff. | 2010 à 2012 | NC **14/20**

Serré, tendu, sans concession, aucun dosage sensible, apéritif, un peu vif.

Grande Réserve

Blanc Brut | 2011 à 2012 | 23 € **14/20**

Légèrement rassis, bonne amertume, mousse intégrée, pas très complexe.

Millésimé 2002

Blanc Brut | 2010 à 2012 | 29 € **14/20**

Robe légèrement dorée, forte autolyse, assez long, beurré plus que minéral.

Spécial Club 2004

Blanc Brut | 2012 à 2014 | 39 € **16/20**

Très au dessus du lot, gras, arômes beurrés et torréfiés, longueur surprenante, à point !

JOSEPH PERRIER

69, avenue de Paris - B.P. 31
51016 Châlons-en-Champagne
Tél. 03 26 68 29 51 • Fax : 03 26 70 57 16
contact@josephperrier.fr • www.josephperrier.com
Visite : Du lundi au vendredi, de 9h à 11h et de 14h à 16h, sur rendez-vous.

Cette petite maison propose une gamme de haute tenue dès l'excellent brut non millésimé (Royale) et jusqu'à l'une des cuvées de prestige les plus raffinées de Champagne, Joséphine. L'ensemble est impeccable !

Blanc de Blancs Vintage 2002

Blanc Brut | 2011 à 2018 | 50 € **16,5/20**

Gras, généreux, profond et intense, c'est un champagne qui impose une personnalité puissante et persistante.

Brut cuvée Royale

Blanc Brut | 2010 à 2012 | 28,50 € **16/20**

Ample, harmonieux, excellent, bref un modèle de brut non millésimé.

cuvée Royale Vintage 2002

Blanc Brut | 2010 à 2017 | 39 € **17/20**

Gourmand, profond, noiseté, ce champagne charnu et long possède une dimension confortable et noble.

Joséphine 2002

Blanc Brut | 2010 à 2015 | 100 € **18,5/20**

Superbe délicatesse et profondeur fruitée, grande race associée à une suavité remarquable : la cuvée a encore gagné en finesse avec une année supplémentaire de bouteille.

Royale Vintage

Rosé Brut | 2011 à 2013 | 40 € **17/20**

La robe est d'un rose doré profond, le nez exprime de belles notes intenses de fruits rouges. En bouche, le vin est intense et racé.

KRUG

5, rue Coquebert • 51100 Reims
Tél. 03 26 84 44 20 • Fax : 03 26 84 44 49
krug@krug.fr • www.krug.com
Visite : Sur rendez-vous privés.

La maison, qui appartient depuis 1999 au groupe LVMH, demeure la plus brillante illustration de l'art de l'assemblage champenois. Jouant avec une maîtrise consommée des cépages, des origines et des années, Krug affirme en outre son style par l'utilisation systématique des fûts pour vinifier ses vins tranquilles. Ces principes transmettent à l'ensemble des cuvées une personnalité affirmée, toutefois aujourd'hui plus accessible aux «non-krugistes» que par le passé : la Grande-Cuvée, vin phare de la maison, possède, comme le rosé, un style plus souple et allègre qu'autrefois. La maison propose également deux cuvées monocru et monocépage, le très intense et profond Clos-du-Mesnil en chardonnay et l'inédit Clos-d'Ambonnay en pinot noir.

Brut Rosé

Rosé Brut | 2010 à 2016 | cav. 205 € **19/20**

Même souplesse raffinée que la Grande Cuvée, dans un style ultra subtil, jouant la maturité de couleur, d'arômes et de corps, relevant l'ensemble avec une extrême fraîcheur, terminant sur une persistance infinie. Très original et très grand !

Clos d'Ambonnay 1996

Blanc Brut | 2011 à 2026 | NC **19/20**

Ce clos parfaitement ceint de murs est la grande et très prestigieuse nouveauté de la maison. Le premier millésime, 1995, imposait le style élégant et vineux de ce champagne de pinot noir. Le second, 1996, ajoute à cette palette une dimension d'intensité et de profondeur sculpturale qui en font assurément un champagne unique en son genre.

Grande Cuvée

Blanc Brut | 2010 à 2017 | cav. 145 € **19/20**

Superbement raffiné, magnifiquement aromatique sur des notes de zeste, de fruits confits et de très fines nuances de nougatine. De mémoire de dégustateur, c'est l'un des plus beaux tirages de la Grande-Cuvée que nous ayons jamais dégusté !

BENOÎT LAHAYE

33, rue Jeanne-d'Arc • 51150 Bouzy
Tél. 03 26 57 03 05 • Fax : 03 26 52 79 94
lahaye.benoit@wanadoo.fr
Visite : Sur rendez vous.

Ce jeune vigneron fort sérieux de Bouzy pratique une viticulture de premier ordre en ce qui concerne le respect de l'environnement, mais sans la naïveté de quelques-uns de ses collègues, qui abîment chaque année tout ou partie de l'état sanitaire de leur récolte. Ses vins ont une parfaite définition du terroir. Les dégorgements de 2009 sont certainement les plus fruités et purs jamais produits par le vigneron.

Blanc de Noirs Prestige

Blanc Brut | 2011 à 2014 | 22,30 € **16/20**

Robe paille, fruité pur, mousse fine, finale délicate sur l'angélique et les petites baies rouges, aucune lourdeur, vin charmant et plein. Dosage idéal (5 grammes).

Brut Nature grand cru ☺

Blanc Brut | 2011 à 2014 | 19,60 € **16/20**

Base de 2007, non dosé, vignes de Bouzy. Rond, harmonieux, fruité pur de baies rouges, assez long, très glissant, parfait à l'apéritif. Vin de terroir et de plaisir.

grand cru Millésimé 2005

Blanc Brut | 2011 à 2015 | 29,50 € **16,5/20**

Nez particulièrement harmonieux de pomme à cidre (mais sans oxydation), de petits fruits rouges, mousse fine, belle acidité, vin très pur et naturel, gracieux, expression juste du terroir et de la modestie pleine de raison de l'élaborateur.

Naturessence

Blanc Brut | 2010 à 2012 | 27,10 € **16/20**

Robe claire, mousse fine, grande droiture d'expression mais au prix d'une petite amertume liée au chardonnay, sans doute trop important dans l'assemblage. Finale sur du floral de grand style.

JEAN LALLEMENT ET FILS

1, rue Moët et Chandon • 51360 Verzenay
Tél. 03 26 49 43 52 • Fax : 09 71 70 63 90
alex.lallement@wanadoo.fr
Visite : sur rendez-vous tous les jours

Tout petit domaine artisanal de haute qualité, avec des vignes admirablement situées sur Verzenay et Verzy : les vins de Jean-Luc Lallement sont étonnants de vinosité et de rigueur, s'imposant par leur

élan, leur race et leur parfaite interprétation du terroir grand cru.

Brut Rosé

Rosé Brut | 2012 à 2015 | 18,11 € **17/20**

Un des sommets du genre, noble arôme de petits fruits rouges, merveilleuse droiture, finale saline des très grands terroirs !

Tradition

Blanc Brut | 2012 à 2015 | 14,99 € **16,5/20**

Un brut sans année remarquable de puissance et de race, impeccablement dosé, vivement recommandé à tous les puristes du champagne.

LANCELOT-PIENNE

1, place Pierre-Rivière • 51530 Cramant
Tél. 03 26 59 99 86 • Fax : 03 26 57 53 02
contact@champagnelancelotpienne.fr
Visite : Sur rendez-vous du lundi au vendredi, de 9h à 12h et de 14h à 18h.

Ce producteur habite la plus belle maison de Cramant (qui a jadis appartenu à Mumm), avec une vue unique sur les coteaux prestigieux de la commune. On sera ravi par la subtile minéralité qui est le propre des grands vins de Cramant. La cuvée de la Table-Ronde (la femme de Gilles Lancelot est née Perceval, cela ne s'invente pas...) rivalise largement avec le célèbre cramant de Mumm. Le nouveau dosage extra-brut la magnifie encore. Les vins de base peuvent encore gagner en caractère.

Brut Blanc de Blancs

Blanc Brut | 2011 à 2013 | 14,80 € **14/20**

Robe or vert, fruité agréable, dosage consensuel, usage universel, mais il ne donne pas de frissons....

grand cru Blanc de Blancs Marie Lancelot 2004

Blanc Brut | 2013 à 2016 | 25,50 € **16,5/20**

Salin, élégant, encore un peu fermé mais très racé, un vrai cramant.

Grand cru Brut Nature blanc de blancs cuvée de la Table Ronde

Blanc Brut | 2012 à 2017 | 16,80 € **17,5/20**

Parfaite définition du terroir crayeux au nez, droiture exemplaire d'expression, harmonieux, racé, long, superbe style.

LANSON

66, rue de Cour-Lancy • 51100 Reims
Tél. 03 26 78 50 50 • Fax : 03 26 78 50 99
info@lansonpf.com • www.lanson.com
Visite : De 9h à 11h et de 14h à 17h du lundi au vendredi.

Tous les vins de la gamme de cette maison rémoise, bien reprise en main par le groupe BCC, sont vinifiés en bloquant la fermentation malolactique, ce qui a pour effet de conserver une plus grande vivacité aux vins, et parfois un caractère un rien mordant. Cette pratique permet aussi aux champagnes de la maison de bien vieillir.

Black Label

Blanc Brut | 2010 à 2013 | cav. 29 € **15,5/20**

Franc, vif, vigoureux et plein, champagne nerveux mais mature. Très bon tirage.

Extra Âge

Blanc Brut | 2010 à 2015 | cav. 50 € **17/20**

Cette nouvelle cuvée associe pinot noir et chardonnay issus uniquement de premiers et grands crus. Tendu mais raffiné, c'est effectivement le grand vin qui manquait à la marque.

Gold Label 1999

Blanc Brut | 2010 à 2016 | cav. 36 € **16,5/20**

Élégant, souple mais de belle intensité aromatique avec ses notes citronnées, c'est un champagne fin, élancé, racé.

Rosé Label

Rosé Brut | 2010 à 2013 | cav. 34 € **15,5/20**

Robe or rose, fruits rouges fins, discret mais intense, même réussite que le Black Label.

GUY LARMANDIER

30, rue du Général-Kœnig • 51130 Vertus
Tél. 03 26 52 12 41 • Fax : 03 26 52 19 38
guy.larmandier@wanadoo.fr
www.champagne-larmandier-guy.fr
Visite : Du lundi au vendredi, de 9h à 12h et de 14h à 18h, sur rendez-vous. Le samedi de 9h à 12h, sur rendez-vous.

François Larmandier a pris la relève de son père, et cela se sent en particulier dans la meilleure intégration du dosage dans les vins. Les cuvées sont issues en grande partie des terroirs prestigieux de Cramant, Chouilly et Vertus, et sont marquées par la finesse de leur origine. Les très vieilles vignes de Cramant donnent un remarquable blanc de blancs millésimé, d'un insurpassable rapport qualité-prix.

BRUT BLANC DE BLANCS GRAND CRU PERLÉE
Blanc Brut | 2011 à 2014 | env 15,90 € **16/20**
Robe pâle, superbe légèreté de la mousse, dosage peu marqué, vin frais, léger, éminemment apéritif, glissant, comme on aimerait en déguster plus souvent.

CRAMANT BRUT GRAND CRU
Blanc Brut | 2011 à 2014 | 16,90 € **14/20**
Reflets verts marqués, nez délicat de fleurs blanches, mousse fine, joli fruit mais dosage un rien trop marqué.

GRAND CRU CRAMANT BLANC DE BLANCS PRESTIGE 2004
Blanc Brut | 2012 à 2016 | env 22,50 € **15/20**
Or vert lumineux, nez encore discret, mousse dense, énergique, trop jeune en bouche, peu dosé, mis en vente un peu tôt, mais il y a de la matière et du potentiel.

LARMANDIER-BERNIER

19, avenue du Général-de-Gaulle • 51130 Vertus
Tél. 03 26 52 13 24 • Fax : 03 26 52 21 00
champagne@larmandier.fr • www.larmandier.fr
Visite : Sur rendez-vous.

Pierre Larmandier est sans doute le viticulteur le plus réfléchi de sa commune de Vertus, et celui qui exprime ce terroir avec le plus de précision. Tous les champagnes ont ici un naturel exemplaire, mais le succès bien mérité conduit ce producteur à les mettre sur le marché parfois trop tôt. En dehors de son exceptionnel cramant, issu de très vieilles vignes, le produit emblématique de la maison est Terres-de-Vertus, champagne de terroir remarquable de finesse. Les derniers tirages ont donné des vins légers et spirituels mais sans doute pas à garder.

BLANC DE BLANCS PREMIER CRU
Blanc Brut | 2011 à 2013 | 28 € **15,5/20**
Reflets verts de jeunesse, nez de fleurs blanches, joli vin d'apéritif, spirituel, délicat, pas très complexe ni très vineux mais d'un naturel parfait.

ROSÉ DE SAIGNÉE PREMIER CRU EXTRA-BRUT
Rosé Brut | 2011 à 2012 | 35 € **15,5/20**
Robe très soutenue, originale par rapport à la mode, nez merveilleusement fruité ayant conservé le charme aromatique du vin rouge, mousse fine, vin fort agréable mais à ne pas faire vieillir.

TERRE DE VERTUS PREMIER CRU NON DOSÉ
Blanc Brut | 2011 à 2014 | 33 € **17/20**
Pur, délicat, subtil arôme de noisette fraîche, mousse caressante, spirituel, apéritif, style parfait.

TRADITION PREMIER CRU EXTRA-BRUT
Blanc Brut | 2010 à 2011 | 26 € **16/20**
Arôme développé, épicé, noisetté et surtout légèrement iodé, sentant parfaitement la craie de la côte, délicat, apéritif, naturel, hautement recommandable.

VIEILLE VIGNE DE CRAMANT GRAND CRU EXTRA-BRUT 2005
Blanc Brut | 2013 à 2017 | 44 € **16,5/20**
Robe or vert, nez pur, précis, encore discret, mousse fine, non agressive, vin droit, manquant un peu de charme mais surtout un peu trop jeune. Attendre deux ans.

LAURENT-PERRIER

32, avenue de Champagne • 51150 Tours-sur-Marne
Tél. 03 26 58 91 22 • Fax : 03 26 58 17 21
joelle.moreau@laurent-perrier.fr
www.laurent-perrier.fr
Visite : Sur rendez-vous.

Maison encore largement familiale (même si une partie de son capital est en bourse), Laurent-Perrier s'est brillamment développée depuis les années 1950, sous l'impulsion d'un des grands acteurs de la Champagne moderne, Bernard de Nonancourt. Celui-ci a imposé un style élancé et apéritif, illustré par des proportions toujours significatives de chardonnay dans les assemblages. Il fut aussi le premier à croire au potentiel du champagne rosé, et celui-ci demeure toujours l'un des fers de lance de la maison, l'autre étant sans nul doute la fine et très pure cuvée de prestige, Grand-Siècle.

BRUT L.P.
Blanc Brut | 2010 à 2012 | 37 € **15,5/20**
Bon champagne apéritif, souple et fin, au fruité expressif et à la bulle sans agressivité.

BRUT ROSÉ
Rosé Brut | 2010 à 2012 | 77 € **16/20**
Élancé, fin et délicat, un très élégant champagne d'apéritif, aromatique et raffiné.

GRAND SIÈCLE
Blanc Brut | 2010 à 2017 | 168 € 18/20
Belle robe or, nez finement citronné avec des notes d'infusion très élégantes, grande distinction en bouche, finale racée se terminant sur une palette d'arômes fruités ultra séduisante.

GRAND SIÈCLE ALEXANDRA ROSÉ 1998
Rosé Brut | 2010 à 2017 | 252 € 18,5/20
Tout en délicatesse et en longueur, ce vin à la bulle très fine exprime avec beaucoup de charme des notes de petits fruits rouges et de fleurs. Persistance tendre mais impressionnante.

ULTRA BRUT
Blanc Brut | 2010 à 2013 | 51 € 16,5/20
Vif et profond, beau champagne tendu, associant parfaitement minéralité et notes d'agrumes.

LECLERC-BRIANT

67, rue de la Chaude-Ruelle - B.P. 108 • 51204 Épernay
Tél. 03 26 54 45 33 • Fax : 03 26 54 49 59
plb@leclercbriant.com • www.leclercbriant.com
Visite : en semaine 9h-12h et 13h30-17h30.
Le week-end sur rendez-vous.

Pascal Leclerc-Briant produit des vins tenus en haute estime par les connaisseurs. Le vignoble de 30 hectares se situe en grande partie sur Cumières (avec des appoints sur Damery, Dizy, Verneuil, Épernay et Hautvillers) et se convertit à la biodynamie. Les champagnes sont sincères et solides, non dénués d'une certaine rusticité.

CUVÉE DE RÉSERVE
Blanc Brut | 2010 à 2012 | 31 € 14/20
Notes de pommes, de la franchise en bouche, solide et ferme.

LA CROISETTE
Blanc Brut | 2010 à 2013 | 36 € 14/20
Robe dorée, notes de pommes et de noisettes, allonge solide : un blanc de blancs de table.

RUBIS DE NOIRS 2004
Rosé Brut | 2010 à 2014 | 39 € 15,5/20
Ce rosé à la robe très profonde, presque rouge, est une curiosité réussie qui confirme à la fois la belle réussite du millésime 2003 dans cette couleur et le talent original de la maison. Rond, ample et profond, il fera merveille en accompagnant par exemple une tarte aux fruits rouges peu sucrée.

MARIE-NOËLLE LEDRU

5, place de La Croix • 51150 Ambonnay
Tél. 03 26 57 09 26 • Fax : 03 26 58 87 61
info@champagne-mnledru.com
Visite : uniquement sur rendez-vous

Marie-Noëlle Ledru, vigneronne hors pair, dirige cette petite propriété artisanale d'Ambonnay, et est responsable tout à la fois des vignes, de la vinification, de l'administration et du commerce, ce qui indique qu'elle ne chôme pas ! Ses vins sont à son image, francs, robustes, sincères, et plairont aux amateurs de produits authentiques. Les prix de toutes les cuvées restent très raisonnables. Les derniers tirages sont dans le style que nous apprécions depuis longtemps, particulièrement la cuvée Goulté, très représentative de la classe du terroir d'Ambonnay.

BRUT GRAND CRU
Blanc Brut | 2013 à 2018 | 17,90 € 14/20
Bulles modérées, robe paille, nez propre, légère amertume liée à la belle acidité du raisin, simple mais franc, peu dosé, un peu jeune. Attendre deux ans si l'on peut.

CUVÉE DU GOULTÉ BLANC DE NOIRS 2006
Blanc Brut | 2010 à 2011 | 23,30 € 17/20
Malgré le pinot, robe claire à reflets verts, nez précis et racé, maturité plus marquée du raisin, grande finesse, expressif, original, du vrai grand cru.

MILLÉSIMÉ 2005
Blanc Brut | 2015 à 2020 | 21,20 € 14,5/20
Belle mousse, excellente acidité, vin puissant, strict, un peu rustique mais sainement, en raison de sa jeunesse. Laisser reposer cinq ans et Ambonnay parlera.

MILLÉSIMÉ 2002
Blanc Brut | 2011 à 2017 | 29,60 € 16/20
Le vin commence à prendre les notes fines de miel d'Ambonnay, il associe en bouche avec délicatesse les agrumes, le froment, le miel, une pointe de sel et peut désormais servir à table.

CHAMPAGNE MICHEL LORIOT

13, rue de Bel Air • 51700 Sestigny
Tél. 03 26 58 34 01 • Fax : 03 26 58 03 98
info@champagne-loriot.com
www.champagne-loriot.com
Visite : tous les jours sauf dimanche 9h-11h30 et 14h-17h. visites sur rendez-vous.

Brut Rosé ☺
Rosé Brut | 2011 à 2013 | 17,60 € **15/20**
Rose pâle, de la finesse, du caractère, jolie suite en bouche, usage universel.

Extra-Brut
Blanc Brut | 2011 à 2013 | 18,10 € **14,5/20**
Ensemble strict, équilibré, apéritif, bulle sans agressivité, du style et de la personnalité. Longueur moyenne.

pinot meunier Vieilles Vignes 2004
Blanc Brut | 2011 à 2015 | 27 € **17/20**
Ce viticulteur se fait le champion de ce cépage pour cette cuvée de vieilles vignes, parfaite expression du millésime 2004, au nez délicieux de froment. Long, équilibré, idéal dans son format et son contexte de cru et de cépage.

MAILLY GRAND CRU

28, rue de la Libération • 51500 Mailly-Champagne
Tél. 03 26 49 41 10 • Fax : 03 26 49 42 27
contact@champagne-mailly.com
www.champagne-mailly.com
Visite : Du lundi au vendredi de 8h30 à 12h et de 14h à 18h.

Mailly Grand Cru est une coopérative tout à fait originale en Champagne par sa taille, très modeste, et la cohérence de ses produits : elle ne champagnise que les vins du village dont elle a emprunté le nom, et qui est classé grand cru. Les vins du cru Mailly, à dominante de pinot noir, ont moins de puissance que ceux de Aÿ ou Ambonnay, moins de tension que ceux de Verzenay, mais une finesse plus vite dégagée et un équilibre spécifique qui les rend très harmonieux à tout âge. Les cuvées de prestige de la cave en sont aujourd'hui les expressions les plus abouties et rivalisent aisément avec ce qui se fait de mieux en Champagne.

Blanc de Noirs
Blanc Brut | 2011 à 2014 | 33 € **15/20**
Nez puissant, original, épicé, rondeur mais fermeté très Mailly, finale franche, plus confortable que l'extra-brut, fait pour la table, et les entrées type vol-au-vent.

Brut Millésimé 2004
Blanc Brut | 2012 à 2016 | 35 € **17/20**
Nez très typé, sans amertume, notes de froment, de réglisse, d'épices douces, minéralité agréable liée à une salinité de vrai grand cru, peu dosé, sans lourdeur, il illustre parfaitement le savoir-faire maison.

Brut Réserve
Blanc Brut | 2011 à 2011 | 28 € **15/20**
Nez équilibré, notes de miel de bruyère et d'épices, net, confortable, bien dosé, incontestable présence de pinot noir (bergamotte), usage universel.

Extra-Brut
Blanc Brut | 2010 à 2012 | 32 € **14/20**
Très tendu et jusqu'au-boutiste comme il se doit pour cette catégorie, mais avec un peu d'amertume le privant de finesse et de pureté.

L'Air 2005
Blanc Brut | 2011 à 2014 | 48 € **16/20**
Ensemble un rien plus clair, plus discret mais plus fin que 2004. Bulles bien intégrées, finesse considérable, intégrité de style garantie, gras, tendre, très bien fait.

L'Intemporelle 2005
Blanc Brut | 2011 à 2015 | 55 € **17,5/20**
Extrême élégance et raffinement dans l'intégration de la bulle, plus Mailly que le rosé, long, racé, parfait à l'apéritif mais suffisamment vineux pour la table. Grand cru exemplaire et 23 853 bouteilles produites.

Le Feu 2000
Blanc Brut | 2011 à 2014 | 48 € **16/20**
Nez remarquable de fougère et de lierre, qui s'est bien affiné en deux ans, saveur riche, légère amertume finale, dosage sensible mais pas excessif, grande longueur, terroir très marqué, vin de caractère à servir désormais à table en raison de sa finale réglissée.

Les Échansons 1999
Blanc Brut | 2011 à 2014 | 80 € **17,5/20**
Grand Mailly arrivé à glorieuse maturité avec des notes de pomme golden, de réglisse, d'épices, une acidité équilibrant la maturation du bouquet et un

retour du terroir marno-crayeux de la Montagne impressionnant en finale. Superbe.

MARGAINE

3, avenue de Champagne • 51380 Villers-Marmery
Tél. 03 26 97 92 13 • Fax : 03 26 97 97 45
champagne.margaine@terre-net.fr
www.champagne-a-margaine.com
Visite : Du lundi au vendredi de 8h à 12h et de 14h à 18h. Samedi sur rendez-vous.

Les sols de Villers-Marmery, en pleine Montagne de Reims, se distinguent de leurs voisins parce qu'ils sont en fait plus adaptés au chardonnay qu'au pinot noir. Le style des vins est différent de celui de la Côte des Blancs, moins minéral, plus vineux, avec un fruité très élégant, facile à apprécier et d'évolution un peu plus rapide en bouteille.

L'Extra-Brut Blanc de Blancs premier cru
Blanc Brut | 2011 à 2013 | 15,50 € **13/20**
Robe or vert, discrètes touches de fougère au nez, qu'on retrouve en bouche, léger, très sec et droit mais avec une note amère en finale, ce qui casse un peu son harmonie.

Le Brut
Blanc Brut | 2011 à 2014 | 13,50 € **14,5/20**
Robe pâle, nez rappelant la fleur de noisetier et les fruits blancs, peu dosé, très droit en bouche, mousse intégrée, simple mais très franc de goût.

Spécial Club 2002
Blanc Brut | 2011 à 2014 | 20,60 € **17/20**
Très pâle, nez remarquable de finesse, typé noisette, mousse fine, dosage idéal, long, subtil, expression remarquable du chardonnay de ce secteur.

LE MESNIL GRAND CRU

19, rue Charpentier-Larain • 51190 Le Mesnil-sur-Oger
Tél. 03 26 57 53 23 • Fax : 03 26 57 79 54
lemesnil@wanadoo.fr • www.champagnelemesnil.com
Visite : sur rendez-vous

Sous la marque Le Mesnil Grand Cru, la coopérative du village du même nom propose au public à des prix raisonnables des vins très bien faits, profitant d'installations techniques ultra modernes et performantes. C'est en quelque sorte le pendant en Côte des Blancs de l'excellente cave Mailly Champagne et une source très recommandable. Avec deux ou trois grammes de dosage en moins, la déjà remarquable cuvée Sublime pourrait rivaliser en style et force de caractère avec Salon !

Grand Cru
Blanc Brut | 2011 à 2013 | 16,90 € **15/20**
Expression classique du terroir, remarquable équilibre, bulle fine, dosage consensuel, bonne longueur, très agréable.

Sublime 2002
Blanc Brut | 2012 à 2017 | 24,90 € **17,5/20**
Grande complexité aromatique, ensemble très racé et vineux, le parfait grand cru de prestige et un prix encore raisonnable !

MOËT & CHANDON

20, avenue de Champagne • 51200 Épernay
Tél. 03 26 51 20 00 • Fax : 03 26 54 84 23
contact@moet.fr • www.moet.com
Visite : - visite de la cave, du 1/04 au 15/11, de 9h30 à 11h30 et de 14h à 16h30. Du 16/11 au 31/03, fermé les week-ends et jours fériés. Boutique, du 01/04 au 15/11, tous les jours, 9h30-17h30, fermé week-ends et jours fériés du 16/11 au 31/03.

Fer de lance de LVMH dans le secteur, la maison produit 30 millions de bouteilles chaque année, avec une régularité qualitative qui force le respect. Sous l'impulsion de son chef de cave Benoît Gouez, Moët démontre également qu'elle réalise quelques-unes des meilleures cuvées millésimées du marché.

Brut Vintage 2003
Blanc Brut | 2010 à 2014 | cav. 42 € **16/20**
Aujourd'hui parfaitement épanoui, c'est un remarquable champagne ample et suave, d'un caractère aromatique finement torréfié, d'une longueur sans la moindre agressivité.

Brut Impérial
Blanc Brut | 2010 à 2011 | cav. 29,50 € **14,5/20**
Élancée sans aucune lourdeur, la cuvée de champagne la plus vendue au monde possède une franchise très apéritive.

Vintage Collection 1995
Blanc Brut | 2010 à 2018 | cav. 83 € **18/20**
Très juvénile et très Moët, ce millésime de collection est plus qu'un exercice de style : un vin tout en suavité, rondeur et souple fraîcheur.

Vintage Rosé 2003

Rosé Brut | 2010 à 2012 | cav. 46 € **16,5/20**

Belle robe d'un rosé brillant, vin gourmand, tendre et profond, tout en délicatesse fruitée. Aujourd'hui parfaitement épanoui, c'est un champagne absolument délicieux.

PIERRE MONCUIT

11, rue Persault-Maheu • 51190 Le Mesnil-sur-Oger
Tél. 03 26 57 52 65 • Fax : 03 26 57 97 89
contact@pierre-moncuit.fr • www.pierre-moncuit.fr
Visite : Du lundi au vendredi, de 9h à 12h et de 14h à 17h. Samedi, de 10h à 12h30 et de 14h à 18h

Cet important domaine est une source sûre pour la production de blancs de blancs très consensuels, un peu plus souples et plus vite prêts à boire que la majorité des vins du Mesnil, mais porteurs de toute la finesse et de la pureté de ces terroirs exceptionnels. La cuvée Hugues-de-Coulmet provient de vignes du Sézannais et possède évidemment, malgré ses réelles qualités, moins de finesse et de race que les grands crus. En hommage à ses parents, Yves Moncuit baptise désormais son grand cru non millésimé de réserve cuvée Pierre-Moncuit-Delos, un vin au rapport qualité-prix épatant. Une très vieille vigne, au cœur du Mesnil, donne une toute petite production d'un des plus grands blancs de blancs imaginables, la cuvée Nicole-Moncuit.

Pierre-Moncuit-Delos

Blanc Brut | 2012 à 2014 | 18 € **15/20**

Le dernier tirage a beaucoup de caractère et de finesse, avec la finale spéciale propre aux mesnils bien typés.

Rosé

Rosé Brut | 2011 à 2014 | 19,50 € **14/20**

Très pâle, droit, caractère chardonnay très marqué et qui plaira ou déplaira par rapport à la couleur.

MOUTARD PÈRE ET FILS

6, rue des Ponts - B.P. 1 • 10110 Buxeuil
Tél. 03 25 38 50 73 • Fax : 03 25 38 57 72
champagne@champagne-moutard.eu
www.champagne-moutard.fr
Visite : Du lundi au vendredi, de 9h à 12h et de 14h à 18h30 et le samedi de 10h à 12h et sur rendez-vous par la suite. Fermé dimanches et jours fériés.
Sur rendez-vous pour les groupes.

Moutard-Diligent est une des maisons familiales les plus actives et les plus dynamiques de la Côte des Bar, et s'est fait connaître par des vins de lieux-dits isolés et par une petite cuvée de prestige, originale et intelligente, élaborée à partir des six cépages autorisés, arbanne, petit-meslier, pinot blanc, aujourd'hui quasiment disparus, et les trois classiques. Ce vin rare et délicieux se rapproche certainement par son fruit de ce qu'on produisait avant 1850.

Brut Nature

Rosé Brut | 2011 à 2013 | 21,90 € **15/20**

Robe pâle, vin strict, délicat, très tendu mais sans violence dans les bulles, notes de fraise des bois bien marquées en finale, beaucoup d'authenticité.

chardonnay Champ Persin

Blanc Brut | 2011 à 2012 | 19,10 € **14/20**

Original, avec des notes de bonbon acidulé, peu salin mais savoureux, bulle intégrée, dosage raisonnable, du caractère à défaut de finesse.

cuvée des Six Cépages

Blanc Brut | 2012 à 2015 | 44,90 € **17/20**

Complètement original au nez mais complexe, élégant, sans la moindre note alourdissante lactique, nerveux, délicieusement noiseté, expression plus complète et harmonieuse de Buxeuil qu'avec les cuvées mono-cépage, un vin qui devrait faire réfléchir.

pinot noir Vignes Beugneux

Blanc Brut | 2010 à 2012 | 19,10 € **14,5/20**

Nez franc, pur, très typé côte-des-bars, avec des notes de froment et d'herbes amères, puissant, savoureux, pas classique du tout mais très bien défini et très peu dosé.

JEAN MOUTARDIER

Chemin des Ruelles • 51210 Le Breuil
Tél. 03 26 59 21 09 • Fax : 03 26 59 21 25
contact@champagne-jean-moutardier.fr
www.champagne-jean-moutardier.fr
Visite : Du lundi au jeudi de 8h à 12h et de 13h30 à 17h30 et le vendredi jusqu'à 16h30. Le samedi sur rendez-vous.

Jonathan Saxby dirige avec efficacité cette belle maison du secteur du Breuil, réputé pour ses pinots meuniers qui y trouvent des sols d'une qualité remarquable pour exprimer tout leur potentiel. Les installations techniques de la maison, entièrement renouvelées, sont impressionnantes par rapport à sa taille, et lui permettent de travailler dans les meilleures conditions. Les tirages actuels sont très homogènes.

Brut Nature

Blanc Brut | 2011 à 2012 | 19,75 € 14/20
Robe dorée, raisin mûr, mousse non agressive, saveur simple mais franche, apéritif agréable.

Sélection

Blanc Brut | 2011 à 2012 | 16,55 € 14,5/20
Robe or paille, nez discret, pur, plus sur le fruit que sur la salinité, rond, équilibré, très agréable et consensuel, très bien vinifié.

G.H. MUMM

29, rue du Champ-de-Mars • 51100 Reims
Tél. 03 26 49 59 69 • Fax : 03 26 40 46 13
mumm@mumm.com • www.mumm.com
Visite : Du lundi au samedi de 9h à 11h et de 14h à 17h. Fermé les 25 décembre et 1er janvier et les dimanches entre le 1er octobre et les 28/29 février.

La maison, fleuron du groupe Pernod-Ricard en Champagne, réalise des cuvées nettes et souples, d'un style immédiatement accessible. Au sommet de la gamme, la cuvée de prestige R.-Lalou et le toujours impeccable Mumm-de-Cramant se complètent harmonieusement.

Cordon Rouge Millésimé 2002

Blanc Brut | 2010 à 2015 | cav. 38 € 17/20
Des notes de nougatine, une bouche à la fois moelleuse et fraîche, un caractère rond et suave : champagne diablement séducteur !

Mumm de Cramant grand cru chardonnay

Blanc Brut | 2010 à 2017 | cav. 59 € 17/20
Délicat, tendu, avec de belles notes minérales associées à de fines touches d'agrumes, voici une cuvée de chardonnay toujours aussi impeccable.

R. Lalou 1998

Blanc Brut | 2010 à 2018 | cav. 145 € 17/20
Beaucoup de fond et de maturité pour une cuvée ambitieuse qui est aujourd'hui parfaitement à point.

NICOLAS FEUILLATTE

Centre Vinicole - Champagne Nicolas Feuillatte - CD 40 A - chemin de Plumecoq - Chouilly
51200 Épernay
Tél. 03 26 59 55 50 • Fax : 03 26 59 55 82
c.michallet@feuillatte.com • www.feuillatte.com
Visite : du lundi au dimanche sur rendez-vous (pour les groupes) au 03 26 59 55 65.

Disposant d'une richesse et d'une variété d'approvisionnement sans égal que procure l'appartenance au puissant groupe coopératif de Chouilly, Nicolas Feuillate propose une gamme vaste, allant du brut non millésimé à la cuvée de prestige (Palmes-d'Or) en passant par de nombreuses spécialités.

Blanc de Blancs 2004

Blanc Brut | 2010 à 2013 | 31,50 € 14,5/20
Tendre, souple, très universel avec ses jolis arômes fruités et floraux et sa grande fraîcheur.

Blanc de Blancs 2000

Blanc Brut | 2010 à 2015 | 31,50 € 16/20
Robe pâle, fines notes d'agrumes, longueur franche, fraîcheur. Plus convaincant que le pinot noir grand cru dans le même millésime.

cuvée 225 2003

Blanc Brut | 2010 à 2015 | 50 € 16,5/20
Très gras et ample, avec une acidité basse mais non sans fraîcheur, texture de taffetas et bulle fine : un vin ambitieux et remarquablement construit, toujours avec la netteté qui est la marque de fabrique de la maison.

cuvée 225

Rosé Brut | 2010 à 2015 | 60 € 16/20
De loin le plus complexe et le meilleur rosé de la maison, dans un registre vineux mais finement fruité, avec du corps et de la profondeur.

Grande Réserve

Blanc Brut | 2010 à 2013 | 24 € **15/20**

Plus de vigueur que le Brut et la Réserve Particulière, une intensité certaine et toujours du fruit, de l'équilibre, de l'équilibre.

PALMER & CO

67, rue Jacquart • 51100 Reims
Tél. 03 26 07 35 07 • Fax : 03 26 07 45 24
contact@champagne-palmer.fr
Visite : Du lundi au vendredi, 8h-12h et 14h-18h.

Marque issue du secteur coopératif, Palmer est une discrète mais très sûre référence, car dès l'impeccable brut, tous les champagnes séduisent par leur fraîcheur déliée et leur parfaite distinction apéritive.

Amazone de Palmer Brut

Blanc Brut | 2010 à 2014 | 30,20 € **15/20**

Champagne de grande maturité, à la robe dorée, aux arômes de noisette torréfiée, large d'épaules. Il faut le boire, de préférence à table, sur une volaille. On peut lui préférer l'élégance aérienne des 2004.

Blanc de Blancs 2004

Blanc Brut | 2010 à 2013 | 22,30 € **17,5/20**

Confirmation de l'éclatante réussite de la maison dans ce grand millésime, avec ce vin de chardonnay cristallin, pur, racé et très long, d'une remarquable précision de constitution.

Brut

Blanc Brut | 2010 à 2012 | 17,50 € **15/20**

Souple, gouleyant, fruité et facile à boire, avec une finale néanmoins consistante : bon champagne d'apéritif.

Brut Millésimé 2004

Blanc Brut | 2010 à 2014 | 23,10 € **16,5/20**

Nez très frais, ouvert, harmonieux avec ses notes de fruits et d'agrumes, corps souple, élégant et distingué : c'est un beau champagne apéritif, très pur.

Brut Rubis

Rosé Brut | 2010 à 2012 | 20,30 € **14,5/20**

Robe plutôt soutenue, fruité sans exubérance, allonge tendre mais réelle : un rosé plus sérieux que charmeur.

PANNIER

23, rue Roger-Catillon - B.P. 70300
02407 Château-Thierry Cedex
Tél. 03 23 69 51 30 • Fax : 03 23 69 51 31
champagnepannier@champagnepannier.com
www.champagnepannier.com
Visite : lundi au samedi 9h-12h30 et 14h-18h30.
Visites sur rendez-vous

Cette maison est l'émanation de la cave coopérative de Château-Thierry, à la quasi extrémité occidentale de l'appellation et des vignobles de la vallée de la Marne. Elle exprime, dans l'ensemble de sa gamme, un caractère pur et droit qui prend une dimension supérieure encore pour les cuvées issues majoritairement de pinots.

Brut Sélection

Blanc Brut | 2010 à 2012 | 21,40 € **14/20**

Bon brut, équilibré, harmonieux et fruité, dosage généreux mais pas excessif : le registre reste direct et franc.

Égérie Extra-Brut 2000

Blanc Brut | 2010 à 2014 | 52,95 € **15,5/20**

Robe or, nez très brioché, corps ample et solide, une dimension vineuse affirmée. Pour la table.

Égérie Rosé de Saignée

Rosé Brut | 2010 à 2013 | 58,40 € **16/20**

Beau fruité expressif pour un champagne vineux et long, de belle profondeur.

Rosé Velours

Rosé | 2010 à 2012 | 59,50 € **14/20**

Rosé de dessert, harmonieux et fruité, parfait pour accompagner un fraisier !

Vintage 2004

Blanc Brut | 2010 à 2013 | 26,60 € **15/20**

Plus consensuel que le ferme blanc de blancs dans le même millésime, avec des notes florales et de fruits blancs, une rondeur tendre et une bonne allonge.

PÉHU SIMONET

7, rue de la Gare • 51360 Verzenay
Tél. 03 26 49 43 20 • Fax : 03 26 49 45 06
champagne.pehu-simonet@hotmail.fr
www.champagne-pehu-simonet.com
Visite : Sur rendez-vous.

David Pehu, en épousant une fille Simonet, a complété ses vignes de Verzenay par des chardonnays du Mesnil, choix judicieux et qui lui permet de pro-

poser un grand cru millésimé d'une race et d'un équilibre exemplaires. Ce jeune vigneron déterminé a tout pour réussir. Son brut sans année manque encore un peu de style.

Blanc de Noirs
Blanc Brut | 2011 à 2014 | 40 € **14,5/20**
Belle nervosité, bulles fines, légères, tendu, droit, peu dosé, très franc, mais sans toute la vinosité attendue.

Brut Rosé
Rosé Brut | 2012 à 2014 | 25 € **14,5/20**
Fruité amusant, caractère individuel très plaisant, bonne longueur, plus fait pour l'apéro que la table.

PENET-CHARDONNET

4, rue Arthur-Lallement • 51380 Verzy
Tél. 03 26 97 94 73 • Fax : 03 26 97 97 31
contact@penet-chardonnet.com
www.penet-chardonnet.com
Visite : visites sur rendez-vous

Les grands vignerons sont rares à Verzy, au cœur de la grande montagne de Reims. Ce producteur de vieille tradition possède six hectares de grand cru et nous a présenté ses vins pour la première fois cette année. Ils nous sont apparus complets, remarquablement vineux et complexes, dignes du terroir. Les prix sont élevés mais justifiés au regard de la noblesse de la matière première et du vieillissement.

grand cru Grande Réserve
Blanc Brut | 2012 à 2015 | 56 € **17/20**
Magnifique race, grande complexité liée à un vieillissement sur pointe certainement long, remarquable équilibre de dosage.

Réserve grand cru
Blanc Brut | 2012 à 2020 | 30 € **17/20**
Peu de choses le séparent de la Grande Réserve, même race, même minéralité, même longueur, mais le prix est (un peu) moins élevé !

PERRIER-JOUËT

28, avenue de Champagne • 51200 Épernay
Tél. 03 26 53 38 00 • Fax : 03 26 54 54 55
frederique_baveret@perrier-jouet.fr
www.perrier-jouet.com

Perrier-Jouët est une marque célèbre dans le monde entier, grâce en particulier à sa cuvée de prestige Belle Époque, à la bouteille joliment sérigraphiée. Une dégustation verticale de millésimes du siècle dernier et même de celui d'avant nous a d'ailleurs montré à quel point le style ample et raffiné qu'elle développe fait partie des « gènes » de la maison. En revanche, nous n'avons pu déguster la gamme actuelle pour cette édition.

PHILIPPONNAT

13, rue du Pont • 51160 Mareuil-sur-Aÿ
Tél. 03 26 56 93 00 • Fax : 03 26 56 93 18
commercial.france@champagnephilipponnat.com
www.champagnephilipponnat.com
Visite : Du lundi au vendredi sur rendez-vous.

Depuis sa reprise par le groupe Boizel Chanoine Champagne, Charles Philipponnat, le directeur et lointain descendant du fondateur, n'a cessé de perfectionner une gamme de champagnes complète et remarquablement homogène dans un style privilégiant la vinosité donnée par des raisins mûrs. Elle est toujours couronnée par le Clos-des-Goisses, issu d'un étonnant vignoble à forte pente surplombant la rivière.

Brut 1522 2002
Blanc Brut | 2011 à 2016 | 52,95 € **18/20**
Même plénitude que le 2002, classique mais avec une vigueur supplémentaire, qui en fait un champagne aussi séduisant que racé. Clos-des-Goisses mis à part, le plus beau vin jamais réalisé par cette maison.

Réserve Millésimée 2002
Blanc Brut | 2010 à 2016 | 38,60 € **17/20**
Beau vin mûr, très ample et complet, avec un bouquet remarquablement expressif dans un registre noiseté, toasté, finement beurré, et une allonge veloutée superbe.

Royale Réserve
Blanc Brut | 2010 à 2013 | 27,25 € **16/20**
Très ample, complet, gourmand et mature, un beau champagne confortable et racé.

Royale Réserve non dosée
Blanc Brut | 2011 à 2013 | 27,25 € **16/20**
La maturité du raisin favorise pleinement le non-dosage, l'ensemble est ample mais avec un surcroît bienvenu de nervosité par rapport au brut.

PIPER-HEIDSIECK

12, allée du Vignoble • 51100 Reims
Tél. 03 26 84 43 00 • Fax : 03 26 84 43 49
www.piper-heidsieck.com

Seconde marque du groupe cognaçais Rémy-Cointreau, Piper est dirigée par la même équipe et possède le même chef de cave que Charles Heidsieck, mais les champagnes demeurent d'un style bien distinct, plus immédiatement fruités et plus juvéniles aussi dans leur composition. Les cuvées de prestige sont superbes.

Brut Réserve

Blanc Brut | 2010 à 2012 | 26 € **15/20**

De la finesse et de la fraîcheur dans ce champagne au dosage bien maîtrisé, élégant et raffiné.

Brut Sauvage Rosé

Rosé Brut | 2010 à 2013 | 36 € **15,5/20**

La robe est toujours d'un rosé rouge très prononcé, et le vin possède une souple constitution, harmonieuse et onctueuse, finement fruitée.

Rare 1999

Blanc Brut | 2010 à 2019 | 115 € **18/20**

Champagne onctueux, raffiné, aux arômes de beurre frais et de brioche, remarquablement savoureux et complet en bouche.

POL-ROGER

1, rue Henri-Le-Large - B.P. 199 • 51206 Épernay cedex
Tél. 03 26 59 58 00 • Fax : 03 26 55 25 70
polroger@polroger.fr • www.polroger.com

Cette maison de taille moyenne appartient toujours aux familles fondatrices. Elle s'est développée au siècle dernier grâce à des millésimes de haut niveau qui, comme le 1928, font indiscutablement partie du gotha des champagnes, et grâce à un client assidu, Sir Winston Churchill, qui en fit sa marque de chevet. Les grandes cuvées issues de la fin du siècle dernier sont actuellement à leur sommet et à celui de la Champagne tout court.

Brut Réserve

Blanc Brut | 2010 à 2012 | cav. 35 € **15,5/20**

Ample et construit, dosage un rien perceptible mais élégance suave en bouche.

Pure

Blanc Brut | 2010 à 2013 | cav. 42 € **16/20**

Champagne étonnamment mûr, ample, gourmand et suave pour un brut sans dosage en sucre. Le plaisir est immédiat.

Sir Winston Churchill 1998

Blanc Brut | 2010 à 2020 | cav. 166 € **18,5/20**

Ce fougueux 1998 commence à déployer son immense potentiel : Churchill s'arrondit, sans perdre une once de son singulier esprit !

POMMERY

5, place du Général-Gouraud • 51100 Reims
Tél. 03 26 61 62 56 • Fax : 03 26 61 62 96
domaine@vrankenpommery.fr
www.vrankenpommery.com
Visite : Du lundi au dimanche, de 10h à 18h. (boutique)

Pommery est l'une des grandes marques historiques de la Champagne. Devenue le fer de lance de l'ambitieux Paul-François Vranken, la marque conserve le style fin et délié qu'ont toujours apprécié les chefs de cave de la maison. Apanage Rosé et la remarquable Louise en sont assurément les meilleurs ambassadeurs.

Brut Apanage

Blanc Brut | 2010 à 2012 | NC **15,5/20**

Élégant, rond, avec une jolie palette aromatique sur le miel et les notes de nougatine, une bouche aérienne, très fine et ronde. Joli tirage.

Brut grand cru 2002

Blanc Brut | 2010 à 2015 | NC **16/20**

Vin droit, racé et élancé, fines notes de zeste, très tendre mais non dénué de longueur.

Louise 1999

Blanc Brut | 2010 à 2018 | NC **18,5/20**

Fruit délicat et brillant, allonge distinguée, grande délicatesse en bouche. Alliant la tendresse, l'élégance et la profondeur, il constitue une magnifique représentation du champagne à son plus haut niveau.

Rosé Apanage

Rosé Brut | 2010 à 2011 | NC **16/20**

Robe d'un joli et très pâle or rose, nez finement aromatique, allonge subtile.

JÉRÔME PRÉVOST

2, rue Petite-Montagne • 51390 Gueux
Tél. 03 26 03 48 60 • Fax : 03 26 03 48 60
champagnelacloserie@orange.fr
Visite : pas de vente

Gueux est la banlieue chic de Reims avec de nombreuses maisons bourgeoises d'agrément qui ont pris

la place de la vigne. Ce qui en subsiste se trouve sur des sols légèrement sableux qui conviennent au pinot meunier. Jérôme Prévost a appris à vinifier avec et chez Anselme Selosse, en barrique, et obtient des vins d'une réelle distinction sur sa petite vigne des Béguines, qu'il faut boire deux à trois ans après leur mise en vente. Le tirage actuel est à base de 2007 : certainement une étape supplémentaire dans l'évolution vers plus de vinosité et plus d'énergie. Deux champagnes exemplaires.

La Closerie Ultra Brut Rosé
Rosé Brut | 2011 à 2014 | NC **16/20**
Rose pâle lumineux et délicat, nez peu différent en caractère des Beguines, une touche de framboise en plus, aussi strict et nettement dessiné, un rien moins harmonisé.

Les Beguines
Blanc Brut | 2012 à 2015 | NC **17/20**
Robe paille, très pure, cordon de mousse ultra fin, nez complexe et d'une grande précision, autolyse de levures quasi parfaite, bouche rigoureuse, droite, acidité remarquable, produit magistral.

ROEDERER

21, boulevard Lundy • 51100 Reims
Tél. 03 26 40 42 11 • Fax : 03 26 47 66 51
com@champagne-roederer.com
www.louis-roederer.com

Roederer est avec Bollinger la plus brillante illustration des maisons demeurées familiales. Malgré le succès planétaire de Cristal, sa cuvée de prestige, légèrement dominée par des pinots noirs de haute volée, elle a toujours refusé de se lancer dans une course aux quantités produites, préférant rester maître d'un approvisionnement qui s'appuie quasi exclusivement sur un vignoble en propriété (une exception à ce niveau !), parmi les mieux situés et travaillés de Champagne. Le style des champagnes est très axé sur la pureté et la droiture, avec des vins qui gagnent énormément en complexité avec le vieillissement : il ne faut jamais hésiter à mettre en cave toutes les cuvées, notamment le Brut-Premier et Cristal, car la race des terroirs et la finesse des vinifications se révèlent de manière spectaculaire avec le temps.

Brut Premier
Blanc Brut | 2010 à 2014 | cav. 36 € **16,5/20**
Élancé, droit, très pur et raffiné, débarrassé des inutiles rondeurs que lui apportait autrefois un dosage généreux, ce brut non millésimé brille par son raffinement aérien.

Carte Blanche
Blanc | 2010 à 2014 | cav. 36 € **16,5/20**
Un «sec» - c'est un champagne de dessert - harmonieux et profond, marqué par une belle vivacité et la fraîcheur des arômes d'agrumes.

Cristal 2002
Blanc Brut | 2014 à 2025 | cav. 185 € **19,5/20**
Une tension remarquable avec des notes d'agrumes, citron et mandarine, une allonge svelte, élancée et énergique. Magnifique Cristal qu'on a envie d'attendre 4 à 5 ans encore.

Rosé Millésimé 2005
Rosé Brut | 2010 à 2020 | cav. 58 € **19,5/20**
L'un des plus beaux rosés de Champagne actuellement, si ce n'est le plus beau : les arômes sont d'une précision et d'un charme fruité éblouissants, la bulle brille par sa finesse et son élégance, le champagne est allègre et persistant, avec une intensité délicate et raffinée.

Vintage 2003
Blanc Brut | 2010 à 2018 | cav. 56 € **17,5/20**
Raffiné, élancé, mais avec le registre suave et brillant du millésime 2003. La persistance aromatique est remarquable.

RUINART

4, rue des Crayères - B.P. 85 • 51053 Reims Cedex
Tél. 03 26 77 51 51 • Fax : 03 26 82 88 43
info@ruinart.com • www.ruinart.com
Visite : Sur rendez-vous.

Plutôt axés sur les chardonnays, les champagnes de cette maison rémoise appartenant à LVMH témoignent tous d'un caractère finement minéral, avec souvent des notes de craie très subtilement associées à une palette aromatique fruitée et florale. Cette personnalité, sans aucune lourdeur, destine tout particulièrement ces vins à l'apéritif. La maison a assez judicieusement rajeuni le caractère de sa cuvée de prestige, Dom-Ruinart, en blanc et en rosé, et n'a jamais produit une gamme aussi brillamment homogène.

Brut
Blanc Brut | 2010 à 2012 | 27,21 € **16/20**
Superbes notes très fines de caramel au lait et de fruits confits, caractère apéritif affirmé, dosage imperceptible.

Brut Millésimé 2000
Blanc Brut | 2010 à 2017 | 37,97 € **17/20**
Le style minéral et aérien de la marque s'épanouit pleinement dans ce beau millésime complet et raffiné, de grande longueur.

SADI MALOT

35, rue Pasteur • 51380 Villers-Marmery
Tél. 03 26 97 90 48 • Fax : 03 26 97 97 62
sadi-malot@wanadoo.fr
Visite : Du lundi au samedi, de 8h à 12h et de 14h à 19h (sauf le samedi jusqu'à 17h).

Nous avons toujours aimé le style pur et sans façon des vins de ce beau domaine du cœur de la Marne, entre la vallée et la montagne. De tout ce secteur, le terroir de Villers est celui qui convient le mieux au chardonnay, qui ne trace jamais et fait briller des qualités de finesse et de pureté bien connues de tous les chefs de cave. Les prix du domaine restent fort raisonnables.

cuvée de Réserve
Blanc Brut | 2010 à 2011 | 13,40 € **15/20**
Robe pâle, nez bien développé de fleurs blanches, délicieusement fruité, finale sur la noisette fraîche, dosage intelligent, charmeur comme souvent dans ce village.

Millésimé 2005
Blanc Brut | 2012 à 2015 | 19,50 € **14/20**
Robe pâle, un peu d'amertume au nez et une note rassise moins agréable que dans les cuvées non millésimées, dosage alourdissant, mais évidemment matière plus volumineuse.

Vieille Réserve Blanc de Blancs premier cru ☺
Blanc Brut | 2011 à 2014 | 15,30 € **15/20**
Base de 2006, nez flatteur de noisette, parfaitement en place, rond, consensuel, délicat, peut-être un peu trop dosé.

DE SAINT-GALL

7, rue Pasteur • 51190 Avize
Tél. 03 26 57 94 22 • Fax : 03 26 57 57 98
info@de-saint-gall.com • www.de-saint-gall.com
Visite : Du lundi au jeudi de 8h à 12h et de 13h30 à 17h, fermé le week-end et le vendredi à partir de 11h30.

L'Union Champagne est un groupement coopératif s'appuyant sur des vignobles situés en premier ou en grand cru, avec une très nette majorité de villages de la Côte des Blancs. Elle a créé cette marque qui propose une gamme issue d'excellentes origines : on choisit les cuvées les moins dosées, comme l'extra-brut.

grand cru Blanc de Blancs cuvée Orpale 1998
Blanc Brut | 2010 à 2015 | 68 € **15,5/20**
La robe est d'un or encore vif, mais le vin s'exprime sur des arômes de pleine maturité comme la noisette grillée. Il faut le boire à table, c'est un champagne qui conviendra parfaitement à une poularde aux morilles, par exemple.

premier cru Blanc de Blancs Extra-Brut
Blanc Brut | 2010 à 2012 | 33 € **15/20**
Souple et tendre, mais non dénué de finesse : on a là une jolie expression du potentiel des beaux terroirs de la Côte des Blancs pour exalter la fraîcheur apéritive du chardonnay.

SALON

5, rue de la Brèche-d'Oger
51190 Le-Mesnil-sur-Oger
Tél. 03 26 57 51 65 • Fax : 03 26 57 79 29
champagne@salondelamotte.com
www.salondelamotte.com

Toute petite maison née au début du XXe siècle, Salon a toujours produit une unique cuvée millésimée, issue uniquement de chardonnay récolté au Mesnil-sur-Oger, certainement le grand cru le plus prestigieux de la Côte des Blancs. Plusieurs millésimes des décennies 1970 (1976) et 1980 (1982, 1988) témoignent toujours de la formidable propension de ce champagne de cru à continuer à s'épanouir sur de longues durées, mais il faut souligner que la marque n'a cessé de progresser, sous l'administration inspirée de l'équipe qui en a la charge depuis que Laurent-Perrier en est propriétaire.

Brut Millésimé 1997
Blanc Brut | 2010 à 2020 | cav. 300 € **18/20**
C'est un plaisir de grand raffinement, parfaitement à point, exprimant avec élégance des notes de pain grillé et de zeste d'agrume confit. En bouche, c'est un vin profond, brillant et élégant, à la finale déjà tendre.

JACQUES SELOSSE

22, rue Ernest-Vallé • 51190 Avize
Tél. 03 26 57 53 56 • Fax : 03 26 57 78 22
a.selosse@wanadoo.fr
Visite : Sur rendez-vous uniquement. Fermé en août.

Anselme Selosse est le grand vigneron artiste de la Côte des Blancs, celui qui inspire les viticulteurs les plus idéalistes de la nouvelle génération. Le vin le plus original de la maison, mais aussi le plus risqué, est la cuvée Substance, issue de plus de dix millésimes différents élevés ensemble, selon les principes de la solera, les plus vieux éduquant les plus jeunes ! Au plus haut degré de la Champagne, on trouve le rosé, sublime de complexité de parfum, la cuvée Contraste (pur blanc de noirs d'Aÿ ou d'Ambonnay) et, en quantité infime hélas, le millésimé 1988. L'entrée de gamme, grand cru quand même, se compose de la cuvée Version-Originale, non dosée, stricte et destinée aux puristes et la cuvée Initial, d'un appel plus universel. Les vins actuellement en vente portent la marque d'une recherche sans doute excessive mais moralement irréprochable de maturité et de naturel.

GRAND CRU EXTRA-BRUT MILLÉSIMÉ 1999

Blanc Brut | 2012 à 2014 | 93 € **18/20**

Robe dorée, nez magnifiquement épanoui, parfum d'agrumes, vinosité propre au producteur mais sans les excès de cette période. Avize pur, tendre, profond, mais pour amateur averti.

INITIAL GRAND CRU

Blanc Brut | 2011 à 2014 | 48 € **17,5/20**

Robe dorée, raisin ultra mûr, fruité ample, original par cette ampleur même, vinosité étonnante, mais nous sommes à l'opposé du style Gimonnet. Les deux nous ravissent !

LES CARELLES GRAND CRU BLANC DE BLANCS

Blanc Brut | 2012 à 2015 | 66 € **16/20**

Sélection parcellaire du Mesnil-sur-Oger. Robe dorée, caramélisation du raisin qui ne sera pas du goût de tous, mais belle acidité en retour. Vin extrême, plus audacieux qu'harmonieux, il y a en effet un peu trop de pomme dans le bouquet.

TAITTINGER

9, place Saint-Nicaise • 51100 Reims
Tél. 03 26 85 45 35 • Fax : 03 26 50 14 30
marketing@taittinger.fr • www.taittinger.com
Visite : Du lundi au samedi, de 9h30 à 12h et de 14h à 16h30, mais fermé le week-end de mi-novembre à mi-mars.

Repris par le vibrionnant Pierre-Emmanuel Taittinger, la maison est repartie sur un pied ambitieux, et tous les vins - et pas uniquement les plus prestigieux - apparaissent désormais comme de brillants représentants d'une école champenoise classique, fondée sur une élégance apéritive, fraîche et allègre. Il suffit d'ailleurs de se promener dans les vignobles maison, labourés et splendidement tenus, pour comprendre que la maison s'est donnée les moyens de cette ambition ! Toute la gamme a progressé, avec surtout des impressions en bouche beaucoup plus fraîches et fines qu'auparavant. Le brut non millésimé constitue le plus spectaculaire exemple de cette progression.

BRUT MILLÉSIMÉ 2004

Blanc Brut | 2010 à 2014 | cav. 42 € **16/20**

Champagne gras, ample et bien mûr, d'une finesse de bulles certaine et d'une suavité immédiatement séduisante.

BRUT RÉSERVE

Blanc Brut | 2010 à 2012 | cav. 31 € **15/20**

Beaucoup plus frais et moins dosé qu'auparavant en bouche, le brut de Taittinger montre enfin la délicatesse et la profondeur de ses origines. C'est un vin d'apéritif très agréable, à la finale fruitée et franche.

COMTES DE CHAMPAGNE ROSÉ 2004

Rosé Brut | 2010 à 2018 | cav. 230 € **18/20**

Superbe éclat aromatique, grande et subtile allonge, finesse et allégresse : magnifique !

LES FOLIES DE LA MARQUETTERIE

Blanc Brut | 2010 à 2013 | cav. 42 € **18,5/20**

Superbe champagne aérien, à la bulle très fine et à l'allonge subtile, enveloppante et fraîche. Un vin magnifique.

PRÉLUDE GRANDS CRUS

Blanc Brut | 2010 à 2013 | cav. 39 € **17/20**

Remarquable champagne issu uniquement de grands crus : à la fois noble et allègre, profond et élancé.

TARLANT

21, rue principale • 51480 Œuilly
Tél. 03 26 58 30 60 • Fax : 03 26 58 37 31
champagne@tarlant.com • www.tarlant.com
Visite : Ouvert du lundi au samedi de 10h à 12h
et de 13h30 à 17h30.

Ce récoltant-manipulant très dynamique nous a parfois déçus mais est toujours en recherche et présente des vins de plus en plus naturels, nés d'un changement bienvenu de philosophie de culture de la vigne, sous l'influence bénéfique des bios. Le Brut Zéro est fort recommandable en apéritif, en blanc ou en rosé. Les vins de prestige n'ont pas la tension de ceux issus d'autres terroirs de la Marne.

Louis

Rosé Brut | 2012 à 2017 | 40 € **15/20**

Assemblage ambitieux par son élevage, assez lactique, mousse fine, ensemble tendre et raffiné, léger manque d'énergie en fin de bouche.

Rosé Zéro

Rosé Brut | 2011 à 2012 | 27 € **14/20**

Fruité exubérant et amusant, délicieux vin de soif, mais évidemment sans vinosité ni caractère suffisant pour la table.

Zéro

Blanc Brut | 2011 à 2013 | 22 € **14/20**

Simple, facile mais très droit, pur, sans façon, très «tendance».

ALAIN THIÉNOT

4, rue Joseph-Cugnot • 51500 Taissy
Tél. 03 26 77 50 10 • Fax : 03 26 77 50 19
infos@thienot.com • www.thienot.com
Visite : Caveau de vente ouvert du lundi au vendredi, de 9h à 12h et de 14h à 16h.

Tête de pont champenoise de l'entreprenant Alain Thiénot, également propriétaire de Dourthe à Bordeaux et de Canard Duchêne en Champagne, cette marque éponyme progresse régulièrement en sélectionnant avec soin le meilleur des approvisionnements du groupe.

Brut

Blanc Brut | 2010 à 2012 | 28 € **15/20**

Bon brut gourmand et équilibré, aux accents joliment fruités.

Brut Rosé

Rosé Brut | 2010 à 2012 | 34 € **16,5/20**

Robe pâle, fins arômes de fruits rouges et en particulier de fraise des bois, allonge tendre et délicate, très joli rosé fin, svelte et long. Une cuvée en nets progrès.

Grande Cuvée 1999

Blanc Brut | 2010 à 2014 | 70 € **16/20**

Champagne vineux et mature, au caractère rond et ample, à la longueur généreuse.

La Vigne aux Gamins 2000

Blanc Brut | 2010 à 2016 | 120 € **17/20**

Vineux, tendu, aujourd'hui s'épanouissant avec des notes fines de meringue et de citron. Un vin racé, de belle profondeur.

Stanislas 2004

Blanc Brut | 2010 à 2018 | 70 € **16/20**

D'une belle vigueur et très pur, ce juvénile millésime est un champagne franc, direct, profond.

BERNARD TORNAY

Rue du Haut Petit Chemin • 51150 Bouzy
Tél. 03 26 57 08 58 • Fax : 03 26 57 06 62
info@champagne-tornay.fr
www.champagne-tornay.fr
Visite : Ouvert du lundi au samedi.
Le dimanche sur rendez-vous.

Ce producteur fait partie des artisans modestes mais consciencieux qui font la réputation du grand cru Bouzy. Bernard Tornay a épousé une fille Barnaut et exploite des vignes bien situées sur Bouzy et Ambonnay et produit des vins fidèles au style traditionnel de ces terroirs de la vallée de la Marne, marqués par la richesse du pinot noir. Le rosé, en revanche, est un peu lourd, comme souvent chez les vignerons de ce village qui l'aiment comme vin de chasse.

Brut Millésimé 2002

Blanc Brut | 2012 à 2017 | 16,20 € **17/20**

Parfaite définition du style bouzy, notes de miel de bruyère, grande vinosité, finale noble de grand cru.

Extra-Brut

Blanc Brut | 2011 à 2014 | 15,30 € **16/20**

Robe paille, excellente pureté, finale nette et expressive, un des meilleurs sur le marché actuellement.

Palais des Dames
Blanc Brut | 2012 à 2017 | 18,30 € **16/20**
Grande puissance aromatique, dosage consensuel, fait pour la table, assez dans le style d'un beau Clicquot.

CHAMPAGNE VELUT

9, rue du Moulin • 10300 Montgueux
Tél. 03 25 74 83 31 • Fax : 03 25 74 17 25
champ.velut10@gmail.com
Visite : sur rendez vous

Montgueux est la petite perle cachée du vignoble aubois, aux portes de Troyes. Découvert par la très intelligente famille Gonnet (du Mesnil et d'Avize), ce coteau a vite séduit le négoce à la recherche de bons raisins de chardonnay, denrée trop rare à leurs yeux. Seule une poignée d'agriculteurs locaux a pu planter quelques hectares de vignes, dont la famille Velut. Le niveau de viticulture y est fort sérieux, les vins sont un peu simples encore, mais francs, sincères et faciles à comprendre.

Brut Tradition
Blanc Brut | 2012 à 2013 | 13 € **13,5/20**
Facile à boire et à comprendre, un peu trop dosé pour plaire au puriste.

cuvée Spéciale Blanc de Blancs
Blanc Brut | 2011 à 2013 | 15,50 € **14/20**
Droit et propre, avec la fraîcheur spéciale de Montgueux, bon dosage.

Millésimé 2002
Blanc Brut | 2013 à 2017 | 17,50 € **14/20**
Il fait encore très jeune : la fraîcheur aromatique est là mais pas encore la longueur et la complexité.

DE VENOGE

46, avenue de Champagne • 51200 Épernay
Tél. 03 26 53 34 34 • Fax : 03 26 53 34 35
infos@champagnedevenoge.com
www.champagnedevenoge.com

Cette maison d'Épernay appartenant au même groupe que Lanson, Boizel ou Philipponnat, poursuit son chemin avec une gamme assez particulière où l'on retiendra certaines spécialités comme le demi-sec ou le rosé millésimé Louis-XV présenté en carafe.

Blanc de Noirs
Blanc Brut | 2010 à 2012 | cav. 32 € **14/20**
Avec sa robe dorée, ce champagne assez simple mais gras et plein offre une interprétation honorable d'un champagne de pinot, plus apéritif que gastronomique.

Brut Millésimé 2000
Blanc Brut | 2010 à 2015 | cav. 35 € **14,5/20**
Gras et souple, avec un caractère citronné qui aiguise les papilles et se mêle à des notes plus grillées.

Louis XV 2002
Rosé Brut | 2010 à 2015 | 152 € **16/20**
Le flacon en verre blanc est surprenant, mais ce champagne possède une véritable finesse profonde et intense et exprime un raffinement de texture actuellement remarquable.

JEAN-LOUIS VERGNON

1, Grande Rue • 51190 Le Mesnil-sur-Oger
Tél. 03 26 57 53 86 • Fax : 03 26 52 07 06
contact@champagne-jl-vergnon.com
www.champagne-jl-vergnon.com
Visite : Du lundi au vendredi, de 8h à 12h et de 14h à 18h. Le week-end sur rendez-vous.

Cette petite propriété artisanale du Mesnil a connu des hauts et des bas dans les vingt dernières années, mais les dernières dégustations montrent qu'elle a retrouvé un bon niveau de qualité : les vins sont purs, énergiques, dans un style classique de la Côte des Blancs. Les derniers tirages expriment beaucoup mieux le terroir qu'auparavant et rivalisent avec les meilleurs vins du village.

Blanc de Blancs Extra-Brut
Blanc Brut | 2011 à 2013 | NC **14,5/20**
Nez pur, fruité jeune et dynamique de poire, belle acidité, un rien d'amertume finale, nerveux, strict, conforme à la catégorie.

Blanc de Blancs grand cru
Blanc Brut | 2013 à 2018 | NC **15,5/20**
Récolte 2006 dominante, très mesnil au nez, forte acidité, fruit complexe collant parfaitement au terroir, assez long, à faire vieillir !

Confidence 2004
Blanc Brut | 2014 à 2019 | NC **17/20**
Magnifiques reflets verts, bulles plus fines, cordon persistant, nerveux, salin, sans doute en raison de la présence de l'acidité originale du raisin,

emprise étonnante du terroir, remarquable et très loin de son apogée.

VEUVE A. DEVAUX

Domaine de Villeneuve - B.P. 17
10110 Bar-sur-Seine
Tél. 03 25 38 30 65 • Fax : 03 25 29 73 21
info@champagne-devaux.fr
www.champagne-devaux.fr
Visite : Sur rendez-vous pour les professionnels uniquement.

Très important groupe coopératif, l'Union Auboise a fait de cette marque le fer de lance des champagnes de l'Aube. Dans une gamme très large, il faut s'intéresser en priorité aux champagnes D.-de-Devaux, solides et bien constitués dans toutes leurs variétés.

Brut Grande Réserve

Blanc Brut | 2010 à 2012 | cav. 24 € **14/20**

Vin net, franc, souple, d'un style clairement apéritif, avec une finale très fruitée.

D. de Devaux

Blanc Brut | 2010 à 2012 | cav. 34 € **15/20**

Raffinée et élancée, voici une jolie cuvée apéritive, possédant un caractère délié. La dimension est équilibrée et l'ensemble a de l'allure.

D. de Devaux Rosé

Rosé Brut | 2010 à 2013 | cav.40 € **16/20**

Fruit rouge précis, vigueur et sveltesse, beau vin profond et doté d'une véritable personnalité fine et persistante.

VEUVE CLICQUOT-PONSARDIN

12, rue du Temple • 51100 Reims
Tél. 03 26 89 54 40 • Fax : 03 26 89 99 52
www.veuve-clicquot.com
Visite : Sur rendez-vous.

Avec une production plus que doublée en quinze ans, Veuve Clicquot a beaucoup changé pendant cette période. Le brillant Dominique Demarville a l'ambition de placer la production de la maison au plus haut niveau, ce qui est aujourd'hui le cas pour les millésimes et La-Grande-Dame.

Brut Rosé

Rosé Brut | 2010 à 2012 | cav. 45 € **16/20**

Robe brillamment or rose, fruité framboisé fin, allonge plutôt vigoureuse et nerveuse, très apéritif et gourmand.

Carte Jaune

Blanc Brut | 2010 à 2012 | cav. 35 € **15/20**

Champagne rond et assez profond, d'une souplesse certaine qui lui donne un caractère quasi universel. Le dosage n'est pas apparent.

Cave Privée 1990

Blanc Brut | 2010 à 2020 | cav. 150 € **19/20**

Robe d'un bel or étincelant, nez superbe sur la brioche, des notes de jus de viande et un fin caractère noiseté, corps ample et souple, gras, intense et persistant, superbe allonge.

Cave Privée Rosé 1989

Rosé Brut | 2010 à 2018 | cav. 170 € **19/20**

Bel or vieux rose, nez sans exubérance, bouche svelte, profonde, insinuante, un grand champagne de table, pour un gibier à plume par exemple.

VEUVE FOURNY

5, rue du Mesnil - B.P. 12 • 51130 Vertus
Tél. 03 26 52 16 30 • Fax : 03 26 52 20 13
www.champagne-veuve-fourny.com
Visite : Du lundi au vendredi, de 9h à 12h et de 14h à 18h et le samedi sur rendez-vous à 10h, 12h, 15h, 18h.

En très peu de temps, Charles-Henry et Emmanuel Fourny ont transformé cette petite maison familiale installée à Vertus pour en faire une adresse sure et excitante pour les amateurs de champagnes précis, vineux et authentiques. Issus essentiellement de chardonnays du village, peu ou pas dosés, ces champagnes sont à leur meilleur après quelques années de garde.

Blanc de blancs premier cru millésimé 2004

Blanc Brut | 2010 à 2016 | NC **17/20**

Harmonieux et complet, avec une réelle tension et de persistantes notes d'agrumes, c'est un champagne racé et fin.

Premier cru Grande Réserve

Blanc Brut | 2010 à 2013 | NC **15/20**

Droit, fin, intense et direct, un champagne svelte et tendu, idéal pour un apéritif qui se poursuivrait en dégustation d'huîtres...

Rosé premier cru les Rougemonts

Rosé Brut | 2010 à 2014 | NC **16/20**

Fruité, ample, vigoureux et tendu, un rosé très svelte et de belle intensité.

VRANKEN

5, place du Général-Gouraud • 51689 Reims cedex 2
Tél. 03 26 61 62 63 • Fax : 03 26 61 63 98
domaine@vrankenpommery.fr
www.vrankenpommery.com
Visite : Du lundi au samedi, de 9h à 18h.

DEMOISELLE TÊTE DE CUVÉE
Blanc Brut | 2010 à 2011 | NC **13/20**
Souple, correct, agréablement parfumé et dosé sans lourdeur. Un champagne apéritif très accessible et bien réalisé.

CHAMPAGNE WARIS-LARMANDIER

608, rempart du Nord • 51190 Avize
Tél. 03 26 57 79 05 • Fax : 03 26 52 79 52
earlwarislarmandier@wanadoo.fr
www.champagne-waris-larmandier.com
Visite : Du lundi au vendredi , de 9 à 12h et 13h à 18h. Groupe possible sur rendez vous.

Cette maison dispose de vignes prestigieuses au cœur de la Côte des Blancs, comme les autres membres de la famille Larmandier. Les vins sont frais, nets, parfaitement recommandables pour l'apéritif, mais de plus en plus impersonnels et n'exprimant que de façon partielle tout le potentiel du terroir. Les habillages sont en revanche plus inventifs et révélateurs du talent créatif de la propriétaire.

CUVÉE SENSATION
Blanc Brut | 2011 à 2013 | NC **15,5/20**
Robe pâle, vin d'un équilibre particulièrement réussi, aérien, délicat, finale nette, dosage peu perceptible, complètement apéritif mais avec une vraie minéralité.

EMPREINTE MILLÉSIMÉ BLANC DE BLANCS 2004
Blanc Brut | 2010 à 2012 | NC **14/20**
Bouteille kitch mais vin fort honorable, rond, fruité, souple, consensuel à défaut de grande expression.

TRADITION BLANC DE BLANCS GRAND CRU
Blanc Brut | 2011 à 2014 | 15,30 € **14/20**
Nez légèrement amylique mais beaucoup de notes d'agrumes et de vivacité, finale agréable.

La sélection Bettane et Desseauve pour la Corse

Le vignoble de la Corse

Le millésime 2006 rappelle l'immense potentiel des meilleurs vins corses et le talent de ses jeunes ou moins jeunes viticulteurs, de plus en plus d'ailleurs des viticultrices passionnées et ambitieuses, qui rendent justice à des cépages incarnant la finesse dans un univers inondé de lumière et de soleil, dont les rosés de sciaccarellu et les blancs de vermentinu sont les plus éloquents sommets.

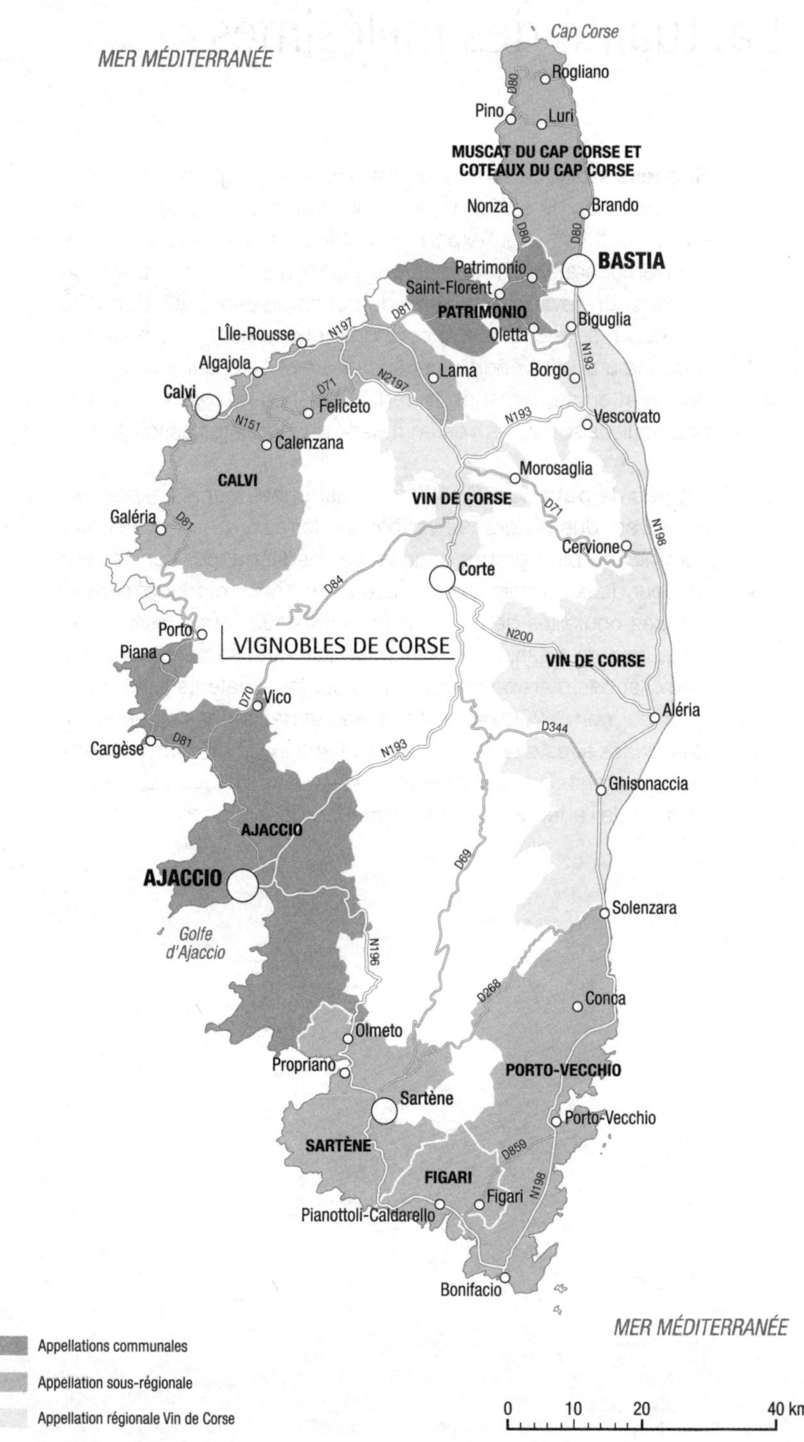
VIGNOBLES DE CORSE
MER MÉDITERRANÉE
Cap Corse
Rogliano
Pino
Luri
MUSCAT DU CAP CORSE ET COTEAUX DU CAP CORSE
Nonza
Brando
BASTIA
Patrimonio
Saint-Florent
PATRIMONIO
Oletta
Biguglia
L'Île-Rousse
Algajola
Calvi
Feliceto
Lama
Borgo
Vescovato
Calenzana
CALVI
Morosaglia
VIN DE CORSE
Galéria
Cervione
Corte
Porto
Piana
VIN DE CORSE
Vico
Aléria
Cargèse
Ghisonaccia
AJACCIO
AJACCIO
Golfe d'Ajaccio
Solenzara
Conca
Olmeto
Propriano
PORTO-VECCHIO
Sartène
Porto-Vecchio
SARTÈNE
FIGARI
Figari
Pianottoli-Caldarello
Bonifacio
MER MÉDITERRANÉE
Appellations communales
Appellation sous-régionale
Appellation régionale Vin de Corse
0 10 20 40 km

L'actualité des millésimes

Success story. Le vin de Corse a le vent en poupe et il l'a mérité. Les quantités ne suffisent plus à alimenter la demande sur l'île, sur le continent et à l'exportation et les prix de vente du raisin, plus rémunérateurs, récompensent ceux qui ont cru au travail de la vigne. En revanche le cycle de consommation, qui était déjà fort court, se raccourcit encore dramatiquement : les meilleurs producteurs ont vendu leur récolte avant l'été qui suit la vendange et on se demande si certains blancs ou rosés ne seront pas épuisés avant l'arrivée en masse des touristes assoiffés !

Un peu de patience. C'est une catastrophe pour les happy few qui savent que les grands vermentino locaux, qu'ils considèrent comme les plus grands blancs de méditerranée, sont à leur meilleur deux ou trois ans après leur naissance et font d'extraordinaires bouteilles de haute gastronomie. Quelques cavistes ou restaurateurs passionnés conservent heureusement quelques vieux flacons mais ne comptez pas sur les amateurs pour divulguer leur nom…2009 a fait des rosés et des rouges splendides, des blancs secs d'une volupté totale, mais des muscat VDN pas aussi complets qu'on le penserait, les raisins s'altérant au fur et à mesure de l'attente d'une plus grande concentration.

MEILLEURS VINS TOUTES CATÉGORIES

Clos Canarelli,
Vin de table, muscat petits grains, blanc

Domaine Antoine Arena,
Vin de pays, bianco gentile, blanc, 2009

Domaine Culombu,
Corse, Clos Culombu Ribbe Rosse, rouge, 2008

Domaine Pieretti,
Corse - Coteaux du Cap Corse, A Murteda, rouge, 2008

Yves Leccia,
Patrimonio, E Croce, rouge, 2008

LE BONHEUR TOUT DE SUITE

Clos Venturi,
Corse, rosé, 2009

Domaine Bernard Renucci,
Corse - Calvi, Vignola, rosé, 2009

Domaine Culombu,
Corse, Clos Culombu, blanc, 2009

Domaine du Comte Peraldi,
Ajaccio, rouge, 2008

Domaine Giudicelli,
Patrimonio, blanc, 2009

MEILLEURS VINS À MOINS DE 10 €

Domaine Culombu,
Corse, Clos Culombu, rosé, 2009

Domaine d'Alzipratu,
Corse, Fiumeseccu, rosé, 2009

Domaine Giacometti,
Patrimonio, cuvée Sarah, rouge, 2007

Domaine Giacometti,
Patrimonio, Sempre Cuntentu, rouge, 2009

Domaine Pieretti,
Corse - Coteaux du Cap Corse, blanc, 2009

MEILLEURS VINS À METTRE EN CAVE

Clos Signadore,
Patrimonio, Clos Signadore, rouge, 2008

Clos Venturi,
Corse, blanc, 2009

Domaine Antoine Arena,
Patrimonio, Grotte di Sole, rouge, 2007

Domaine du Comte Peraldi,
Ajaccio, Clos du Cardinal, rouge, 2008

Domaine U Stiliccionu,
Ajaccio, Antica, rouge, 2008

MEILLEURS BLANCS

Clos Canarelli,
Corse - Figari, 2009

Domaine Antoine Arena,
Muscat du Cap Corse, 2009

Domaine Comte Abbatucci,
Corse, Faustine, 2009

Yves Leccia,
Muscat du Cap Corse, E Crocce, 2009

Yves Leccia,
Patrimonio, E Croce, 2009

MEILLEURS ROSÉS

Clos Teddi,
Patrimonio, Grande cuvée, 2009

Domaine Comte Abbatucci,
Ajaccio, Faustine, 2009

Domaine Giudicelli,
Patrimonio, 2009

Domaine Vaccelli,
Ajaccio, Granit, 2009

Yves Leccia,
Patrimonio, O, 2009

MEILLEURS ROUGES

Clos Canarelli,
Corse - Figari, 2008

Clos Teddi,
Patrimonio, Grande cuvée, 2007

Domaine d'Alzipratu,
Corse - Calvi, Pumonte, 2008

Domaine de Torraccia,
Corse, Oriu, 2005

Domaine Giudicelli,
Patrimonio, 2008

Palmarès des lecteurs

DOMAINE GIUDICELLI
Patrimonio, rosé, 2009
élu Meilleur rosé par les lecteurs !

CLOS ALIVU

Linguizzetta • 20230 San-Nicolao
Tél. 04 95 38 86 38 • Fax : 04 95 38 94 71
clos.alivu@orange.fr
Visite : Ouvert 7 jour sur 7 en été 9h-12h30
et 15h30-19h30

Petit domaine viticole situé sur des terres argilo-calcaires et schisteuses, particulièrement propices à la qualité du vermentinu, le Clos Alivu appartient à Éric Poli, du Domaine de Piana. Depuis deux millésimes, ses vins sont bien représentatifs de l'appellation, avec une nette préférence pour le blanc.

Patrimonio 2009
Blanc | 2011 à 2013 | 8 € **13,5/20**
Jolis arômes aguicheurs d'agrumes, tendre, presque moelleux en bouche, facile à comprendre mais on aimerait une fin de bouche un peu plus stricte.

Patrimonio 2009
Rosé | 2010 à 2011 | 8 € **13/20**
Robe pâle, vin très propre, très tendre, facile, terroir manquant encore de force d'expression.

DOMAINE D'ALZIPRATU

20214 Vilia
Tél. 04 95 62 75 47 • Fax : 04 95 60 32 16
alzipratu@wanadoo.fr •
Visite : de septembre à juin, du lundi au vendredi,
de 9h à 12h et de 13h3 à 17h ;
en juillet et août, du lundi au samedi
de 9h à 12h et de 15h à 19h.

Le superbe couvent d'Alzipratu, célèbre pour son festival de musique conçu par le baron Henry-Louis de la Grange, le grand spécialiste du compositeur Mahler, a donné son nom à un excellent domaine, dirigé intelligemment par Pierre Acquaviva. Le microclimat assez frais de la montagne, tempéré par les embruns de la mer proche, donne des vins nerveux, subtils, plus incisifs que la moyenne. Les derniers millésimes sont les plus brillamment vinifiés, alliant modernisme et respect des terroirs granitiques, avec des blancs délicieux, des rosés époustouflants et des rouges devenus élégants, particulièrement Pumonte, le vin de sélection parcellaire.

Corse - Calvi Fiumeseccu 2009
Rosé | 2010 à 2011 | 9,50 € **15/20**
Rose pâle, nez complexe associant fleurs et agrumes, très rond, raffiné, subtil, excellente vinification.

Corse - Calvi Fiumeseccu 2008
Rouge | 2012 à 2014 | 9,50 € **14,5/20**
Joli nez délicat (myrte, viande fumée, épices, herbes de garrigue), net, précis, fruité, mais conservant un vrai caractère de granit.

Corse - Calvi Pumonte 2009
Blanc | 2011 à 2013 | 15,50 € **15/20**
Encore saturé de CO_2, légère amertume, très belle définition du cépage en bouche, à condition d'aérer le vin une heure à l'avance.

Corse - Calvi Pumonte 2008
Rouge | 2012 à 2017 | 15,50 € **15/20**
Belle maturité du raisin, assez intense en bouche, finale ferme et longiligne de vrai vin de granit, assez pur.

DOMAINE ANTOINE ARENA

20253 Patrimonio
Tél. 04 95 37 08 27 • Fax : 04 95 37 01 14
antoine.arena@wanadoo.fr • www.antoine-arena.fr
Visite : Du lundi au samedi de 9h à 11h et de 16h à 19h.

De tous les vignerons corses, Antoine Arena est sans doute celui qui a eu la plus grande volonté de faire connaître ses vins au-delà de l'île, et ils le méritaient amplement. Les blancs de vermentinu, de muscat et de bianco gentile n'ont que peu de rivaux en Méditerranée en matière de splendeur aromatique et de force de caractère, aussi bien les secs que les vendanges-tardives : des vins d'artiste, qui sont devenus pour nous des références. Nous avouons un faible pour le blanc de la vigne de Carco, un des sommets de la Méditerranée dans cette couleur. Le fils d'Antoine, Pierre-Marie, partage les idéaux du père, et nous nous en réjouissons. La replantation de la partie haute de Carco, terroir extraordinaire par son sol et son exposition, en malvoisie et en vermentino, promet des merveilles.

Muscat du Cap Corse 2009
Blanc | 2010 à 2012 | 17 € **17/20**
Riche, mielleux à souhait, finale encore ferme, aucune lourdeur, élégance parfaite.

Patrimonio bianco gentile 2009
Blanc | 2011 à 2014 | 17 € **17/20**
Large, généreux, grande profondeur de saveur, grande richesse.

Patrimonio Grotte di Sole 2007
Rouge | 2013 à 2017 | 18 € **16/20**
Grand arôme de laurier, tanin ferme, vineux, riche, complexe, de garde.

BERGERIES DE L'ORTOLO

20100 Sartène

Petite coopérative de Sartène et vins souvent très réussis, glissants, faciles à boire. Aucun 2008 ou 2009 n'a été présenté cette année. Nous le regrettons.

CLOS CANARELLI

Tarabucetta • 20114 Figari
Tél. 04 95 71 07 55 • Fax : 04 95 71 07 55
closcanarelli2a@orange.fr
Visite : du lundi au vendredi 8h à 12h et de 14h à 18h.

Yves Canarelli, sans doute le vigneron le plus doué et le plus entreprenant de tout le sud de l'île, dispose désormais de ses propres installations techniques, les plus intelligemment conçues qui soient, où le travail se fait entièrement par gravité. Il peut ainsi continuer à affiner vinification et élevage et créer des normes que le reste de la Corse suivra si elle veut produire du grand vin. Ses blancs de vermentino ont un raffinement dans le toucher de bouche qui le situe à part, les rosés sont merveilleux de subtilité de fruit, les rouges encore un ton en dessous mais ils s'améliorent avec l'essai de nouveaux clones de syrah. Des terroirs de premier ordre sont également en plantation.

Corse - Figari 2009
Blanc | 2010 à 2013 | 17 € **16,5/20**
Merveilleuse finesse et complexité, avec la maîtrise habituelle de l'élevage sous bois, grande élégance en fin de bouche.

Corse - Figari 2008
Rosé | 2012 à 2012 | 10 € **14/20**
Ultra pâle, fruité, agréable, facile à boire mais sans grande complexité.

Corse - Figari 2008
Rouge | 2010 à 2017 | 15 € **16,5/20**
Magnifique complexité de saveur, superbe viandé mais pas au détriment du fruit (mûr et myrtille), élevage luxueux et maîtrisé. Le meilleur rouge de l'histoire du domaine.

Muscat petits grains
Blanc | 2010 à 2012 | 25 € **17/20**
Nouveauté du domaine, remarquable arôme de fleur de vigne, somptueux élevage sous bois, finale de rose ancienne, très long, remarquable ! Triomphe du non muté.

CLOS CAPITORO

Pisciatella • 20166 Porticcio
Tél. 04 95 25 19 61 • Fax : 04 95 25 19 33
info@clos-capitoro.com • www.clos-capitoro.com
Visite : en hiver, du lundi au samedi de 9h à 12h et de 15h à 18 h30 de juin à septembre, du lundi au samedi 9h-12h et 15h-19h30

Les coteaux granitiques du secteur d'Ajaccio sont sans doute les plus originaux de la Corse, dans la mesure où ils sont idéalement adaptés au prince des cépages rouges autochtones, le sciacarello, capable d'emprisonner dans ses arômes à la fois les senteurs d'herbes aromatiques du maquis et les embruns iodés de la mer. Mais ce cépage est capricieux : le Clos Capitoro, bénéficiant d'un parcellaire complexe, excelle dans la production des rouges, même si leur fruité est au départ caché par des élevages trop longs. Quelques millésimes très anciens émerveillent par leur raffinement de texture.

Ajaccio 2009
Rosé | 2010 à 2011 | 8,10 € **14,5/20**
Plus technique qu'expression juste du terroir, fruité, facile, mais agréable pour une consommation immédiate.

Ajaccio Sang pour Sang 2007
Rouge | 2011 à 2013 | env 11,40 € **13,5/20**
Jolis arômes épicés, très coulant, joli style, à boire assez vite.

DOMAINE COMTE ABBATUCCI

Lieu-dit Chiesale • 20140 Casalabriva
Tél. 04 95 74 04 55
dom-abbatucci@wanadoo.fr
www.domaine-comte-abbatucci.com
Visite : du 15/06 au 31/08 tous les jours de 9h à 12h et de 16h à 20h fermé le reste de l'année

Haut-lieu historique du vignoble d'Ajaccio, avec une collection unique de vieux cépages blancs locaux, qui pourra servir un jour proche (nous l'espérons !) à diversifier l'encépagement de toute la Corse.

Jean-Charles Abbatucci pratique avec une générosité contagieuse une viticulture irréprochable, dans le respect du cahier des charges de l'agriculture biodynamique. Les vins récents ont la souplesse, le naturel et le glissant qu'on attend d'eux, et ont nettement progressé en régularité Les blancs de la gamme Collection peuvent avoir une longévité considérable en bouteilles.

Ajaccio Faustine 2009
Rosé | 2011 à 2012 | env 12 € **14,5/20**
Rose pâle, acidulé, fruité, naturel, moyennement vineux, finale pure.

Ajaccio Faustine 2007
Rouge | 2012 à 2015 | env 14 € **14,5/20**
Robe relativement claire, tendre, souple, délicatement épicé, facile à boire, à vraie maturité désormais.

Corse Faustine 2009 ☺
Blanc | 2012 à 2016 | env 16 € **16/20**
Très pâle, finement citronné, très délicat, pur, harmonieux, parfaite expression du terroir.

DOMAINE DU COMTE PERALDI

Chemin du Stiletto • 20167 Mezzavia
Tél. 04 95 22 37 30 • Fax : 04 95 20 92 91
info@domaineperaldi.com • www.domaineperaldi.com
Visite : Du lundi au samedi, de 8h à 12h et de 14h à 18h et l'été jusqu'à 19h.

La grande propriété d'Ajaccio ne s'est jamais aussi bien portée qu'aujourd'hui : une sérieuse reprise en main technique permet en effet de produire à nouveau des vins d'une suprême finesse dans les trois couleurs, et qui répondent à l'élégance de leur habillage, où l'influence bourguignonne est évidente. Les deux cuvées de prestige, le Clos-du-Cardinal en rouge et Clémence en blanc sont parmi les plus raffinées et accomplies de l'île et vieillissent superbement.

Ajaccio 2008 ☺
Rouge | 2011 à 2014 | 8 € **15/20**
Finesse remarquable de fruit, tanin souple, suave, très agréable, long, style pinot noir, merveilleusement buvable.

Ajaccio Clos du Cardinal 2008 ☺
Rouge | 2012 à 2018 | 15 € **16/20**
Long, raffiné, merveilleuse qualité de fruit, dense, long, un des sommets du vin rouge corse. Très long.

Corse 2009
Rosé | 2010 à 2011 | 8 € **13/20**
Pâle, net, bon fruité, mais expression personnelle limitée. Vin équilibré, sans plus.

DOMAINE CULOMBU

Chemin San-Petru • 20260 Lumio
Tél. 04 95 60 70 68 • Fax : 04 95 60 63 46
culombu.suzzoni@wanadoo.fr • www.closculombu.fr
Visite : Du lundi au samedi, de 9h à 12h et de 13h30 à 18h30 (en été 9h-19h30). Prendre rendez-vous pour les groupes.

Peu à peu, ce superbe vignoble de 60 hectares, répartis sur différents types de sols dont une terrasse argileuse idéale pour les raisins rouges, devient une référence incontournable en matière de qualité. Étienne Suzzoni réussit avec le même flair ses blancs, ses rosés et ses rouges, qui partagent la même qualité de fruit, la même élégance et la même pureté, ce qui pour les vins rouges n'allait pas de soi.

Corse - Calvi Clos Culombu 2009
Rosé | 2010 à 2011 | 9,56 € **15/20**
Très pur au nez, très raffiné en texture et longueur, ravissant. Plus pour la soif que pour un plat de haute saveur.

Corse - Calvi Clos Culombu 2009 ☺
Blanc | 2010 à 2014 | 9,56 € **17/20**
Superbe arôme de fleur de vigne, grande finesse aromatique, pureté exceptionnelle.

Corse - Calvi Clos Culombu 2008
Rouge | 2011 à 2014 | 9,56 € **14,5/20**
Rouge facile, tendre, souple, très propre sur le plan œnologique, glissant, manquant un peu de vinosité.

Corse - Calvi Clos Culombu Ribbe Rosse 2008
Rouge | 2010 à 2013 | 18,30 € **16,5/20**
Magnifique fruité, onctuosité parfaite, grande longueur, un des sommets du millésime dans cette couleur et un exemple pour toute la région.

DOMAINE DE FIUMICICOLI

Route de Levie • 20110 Propriano
Tél. 04 95 77 10 20 • Fax : 04 95 76 24 24
domaine.fiumicicoli@laposte.net
www.domaine-fiumicicoli.fr

Voici sans doute la propriété de pointe du vignoble de Sartène, avec des vins d'une grande pureté aromatique et d'un équilibre moderne mais sans

excès, dans les trois couleurs. Quelques vieux pieds de cépages presque disparus contribuent certainement à leur originalité de caractère. 2008 aurait pu avoir plus de puissance ou de vinosité.

Corse - Sartène 2009
Blanc | 2011 à 2012 | 8 € **13/20**
Gentiment fruité, arôme pamplemousse légèrement artificiel mais agréable, net, propre.

Corse - Sartène 2008
Rouge | 2012 à 2014 | 7,50 € **13/20**
Coloré, fruité pur et net de baies rouges, généreux, pas très complexe mais ayant conservé toute la vitalité du raisin.

DOMAINE GENTILE

Olzo • 20217 Saint-Florent
Tél. 04 95 37 01 54 • Fax : 04 95 37 16 69
domaine.gentile@wanadoo.fr
www.domaine-gentile.com
Visite : Sur rendez-vous.

Le Domaine Gentile dispose de quelques-uns des meilleurs terroirs de Patimonio et fut certainement le pionnier de la qualité, avec un niveau de viticulture remarquable et des vinifications modernes et précises. Les vins ont la force et la tenue au vieillissement qu'on attend, avec des rouges sans doute encore supérieurs aux blancs, mais le fils de Dominique a bien l'intention de mettre les blancs au niveau. La cuvée Grande-Expression est sans doute le vin rouge de Patrimonio le plus impressionnant. La propriété, intelligemment, la vend quand elle atteint sa maturité.

Patrimonio 2009
Blanc | 2011 à 2012 | 12,70 € **14,5/20**
Arômes diversifiés entre l'anis et les agrumes, tendre, fin, bien fait, peu d'acidité.

Patrimonio Grande Expression 2007
Rouge | 2012 à 2014 | 20,60 € **14/20**
Très dense, à la limite de la lourdeur, un patrimonio à l'ancienne, fait pour le sanglier.

DOMAINE GIACOMETTI

Casta • 20217 Saint-Florent
Tél. 04 95 37 00 72 • Fax : 04 95 37 19 49
domainegiacometti@orange.fr
Visite : sur rendez-vous 9h-12h et 13h-19h

En limite d'appellation, à l'entrée du désert des Agriates, le terroir change de nature par rapport au cœur de Patrimonio, avec des sols granitiques et un microclimat encore plus sec. Un domaine pilote y avait été planté par Michel Martini dans les années 1960, la famille Giacometti, passionnément respectueuse de la nature et de l'environnement, y continue brillamment son œuvre : les derniers millésimes ont beaucoup progressé en précision et expriment magnifiquement le terroir.

Patrimonio Cru des Agriates 2009
Blanc | 2010 à 2012 | 6 € **14/20**
Joli nez expressif, fines notes de cédrat, souple, tendre, glissant.

Patrimonio Cru des Agriates 2006
Rouge | 2010 à 2012 | 6,50 € **14,5/20**
Très épicé et aromatique, très «maquis», assez long, du style.

Patrimonio cuvée Sarah 2007
Rouge | 2012 à 2014 | 8 € **15/20**
Assez puissant, notes de sauge, d'infusion, fruit mûr, ample, beaucoup de caractère.

Patrimonio Sempre Cuntentu 2009
Rouge | 2012 à 2016 | 9 € **16/20**
Étonnante cuvée de pur sciaccarellu, unique dans l'appellation, très beau nez de laurier, fruité parfaitement respecté, long, goûteux, unique !

DOMAINE GIUDICELLI

20232 Poggio-d'Oletta
Tél. 04 95 35 62 31 • Fax : 04 95 35 62 31
muriel.giudicelli@wanadoo.fr
Visite : Sur rendez-vous.

Encore un domaine de «femme corse». Muriel Giudicelli exploite avec autorité et précision une propriété située au cœur du vignoble historique de Patrimonio. Dans les trois couleurs, ses vins font partie des meilleurs, associant puissance et finesse. Les muscats sont particulièrement exceptionnels, mais il faut choisir la cuvée la plus riche, légèrement passée sous bois.

Muscat du Cap Corse 2009
Blanc liquoreux | 2011 à 2014 | 16 € **15/20**
Belle note de bergamote au nez, fin, aucune lourdeur.

Patrimonio 2009
Blanc | 2011 à 2013 | 15 € **15/20**
Expression juste et anisée du cépage, raisin mûr, naturel parfait. Séduction immédiate.

PATRIMONIO 2009
Rosé | 2012 à 2012 | 15 € **16,5/20**
Rosé excellent sur le fruit, jolie acidité, naturel exemplaire, le parfait rosé de bouillabaisse. Un modèle !

PATRIMONIO 2008
Rouge | 2013 à 2016 | 15 € **15/20**
Ensemble équilibré, avec un grain de tanin civilisé et une excellente suite en bouche.

DOMAINE GRANAJOLO

20144 Sainte-Lucie-de-Porto-Vecchio
Tél. 04 95 70 37 83 • Fax : 04 95 71 57 36
granajolo@aol.com
Visite : Du lundi au vendredi de 9h30 à 13h et de 16h a 19h ; le samedi de 16h a 19h.

Cette propriété revendique une viticulture respectueuse et une vinification qui reste proche du raisin. Les vins sont souples, fruités, naturels, plaisants à boire dans la fougue de leur jeunesse. Quelques bouteilles connaissent néanmoins des déviations animales, surtout en rouge. Les 2008 et 2009 présentés nous ont moins séduits que d'habitude.

CLOS LANDRY

Route de l'Aéroport • 20260 Calvi
Tél. 04 95 65 04 25 • Fax : 04 95 65 37 56
closlandry@wanadoo.fr
Visite : Tous les jours.

Ce domaine classique de Calvi, qui fournissait en rosé toute la Côte, avait banalisé la qualité de ses vins en créant un rosé gris pâle, très souple et facile mais sans style. Il s'est considérablement amélioré et exprime toute la finesse de ses sols siliceux, tout comme le rouge, très délicat et parfumé. Les 2009 ne nous ont pas été présentés.

YVES LECCIA

Morta Piana • 20232 Poggio-d'Oletta
Tél. 04 95 30 72 33 • Fax : 04 95 30 72 33
leccia.yves@wanadoo.fr • www.yves-leccia.com
Visite : tous les jours sauf dimanche 10h-13h et 15h-19h

Yves Leccia est parti en 2005 du vignoble familial, repris par sa sœur Annette, mais en conservant une partie des vignes sur le secteur plus schisteux d'E Crocce. Son talent de vinificateur, unique en Corse, n'a pas changé mais le style des étiquette s'est intelligemment modernisé. Tous les vins présentés cette année brillent par leur finesse et leur plénitude. Avec son épouse, Yves a ouvert à Saint-Florent un bar à vin où il est possible d'apprécier ses produits : on y mange remarquablement.

MUSCAT DU CAP CORSE E CROCCE 2009
Blanc liquoreux | 2011 à 2012 | 22 € **16,5/20**
Grande vinification, vin aérien dans ses arômes floraux, grande suite en bouche, remarquable fraîcheur.

PATRIMONIO E CROCE 2009
Blanc | 2011 à 2013 | 19 € **17/20**
Très grande noblesse aromatique, équilibre étonnant pour l'année, long, complet, bravo !

PATRIMONIO E CROCE 2008
Rouge | 2011 à 2016 | 16 € **17,5/20**
Remarquable pureté de fruit, tanin dompté, grande longueur, netteté impeccable, encore une fois magistral de fraîcheur et de finesse.

PATRIMONIO O 2009
Rosé | 2010 à 2011 | 12 € **15,5/20**
Excellent équilibre, fruité pur de grenade, netteté idéale de caractère.

DOMAINE LECCIA – ANNETTE LECCIA

Morta Piana • 20232 Poggio-d'Oletta
Tél. 04 95 37 11 35 • Fax : 04 95 37 17 03
domaine.leccia@wanadoo.fr • www.domaineleccia.fr
Visite : tous les jours 9h à 12h et de 14h à 19h.

Annette Leccia poursuit l'exploitation du domaine familial, après s'être séparée de son frère Yves, et en conservant l'essentiel des magnifiques terroirs calcaires (la fameuse Petra Bianca) du cœur de Patrimonio. Les vins du domaine restent bien faits techniquement, mais pourraient avoir un peu plus de finesse immédiate. Beau muscat 2009.

MUSCAT DU CAP CORSE 2009
Blanc liquoreux | 2013 à 2011 | 18 € **15/20**
Riche en liqueur mais très équilibré, dans la vraie tradition, vrai produit de dessert.

PATRIMONIO 2007
Rosé | 2010 à 2011 | NC **14/20**
Rosé puissant et sincère, plus minéral que fruité, avec assez de tension pour supporter les épices, terroir bien lisible.

DOMAINE MAESTRACCI – CLOS REGINU

Route de Santa-Reparata • 20225 Feliceto
Tél. 04 95 61 72 11 • Fax : 04 95 61 80 16
contact@domaine-maestracci.com • www.domaine-maestracci.com
Visite : En saison de 9h 12h à 14h 19h30
hors saison sur rendez-vous

Domaine classique du secteur de Calvi, avec une longue tradition d'élaboration de vins de garde, et la capacité de réussir dans les trois couleurs. 2008 est le meilleur millésime récent du domaine, dans les deux crus E-Prove et Clos-Reginu.

Corse - Calvi E Prove 2009
Blanc | 2011 à 2012 | 7 € **14/20**
Net, pur, droit, légère dilution mais caractère du cépage très bien préservé.

Corse Calvi Villa Maestracci 2005
Rouge | 2011 à 2013 | 12 € **14/20**
Robe encore dense, vin sérieux, légèrement asséché par le foudre mais sans dureté, très droit en bouche, très franc, petit manque de finesse.

Corse E Prove 2009
Rosé | 2010 à 2011 | 7 € **14/20**
Rosé pâle mais dynamique, très digeste, apéritif, mais à boire dans l'année.

Corse E Prove 2006
Rouge | 2010 à 2012 | 8 € **14,5/20**
Excellente jeunesse et caractère très sain, respectueux du fruit du raisin, bon tanin.

STÉPHANIE OLMETA

Lieu dit Lustincone
20253 Patrimonio
Tél. 06 75 77 72 13 • Fax : 04 95 37 08 21
stemajanlo@aol.com

Jeune productrice talentueuse de Patrimonio, mais n'ayant pas présenté d'échantillons cette année à nos dégustations.

DOMAINE PIERETTI

Santa-Severa • 20228 Luri
Tél. 04 95 35 01 03 • Fax : 04 95 35 01 03
domainepieretti@orange.fr •
Visite : en été, du lundi au samedi 9h-12 et 16h-20h
reste de l'année sur rendez-vous

Dans les trois couleurs, Lina Venturi se révèle être une des plus grandes stylistes de l'île, avec des vins d'une rare perfection de forme, particulièrement en rouge, avec pour la cuvée vieilles-vignes une finesse de tanin absolument unique. Le terroir schisteux de bord de mer lui permet d'égaler voire de dépasser certains patrimonios. Mais la délicatesse aromatique du blanc est aussi un régal. Décidément les vigneronnes corses ont le vent en poupe.

Corse - Coteaux du Cap Corse 2009
Blanc | 2010 à 2012 | 9 € **16/20**
Nez marin et salé, pur, noble, intense, complet pour l'année, du style !

Corse - Coteaux du Cap Corse A Murteda 2008
Rouge | 2012 à 2014 | 13 € **16,5/20**
Rouge parfait et original d'alicante (nom local du grenache) fruit et constitution aussi parfaites que possible en Corse, précision remarquable de vinification.

Corse - Coteaux du Cap Corse Vieilles Vignes 2008
Rouge | 2010 à 2012 | 14 € **14,5/20**
Excellent vin, très puissant, tannique, moins parfait que Murteda mais d'un style infiniment supérieur aux vins de ses voisins.

Muscat du Cap Corse 2009
Blanc liquoreux | 2010 à 2011 | 15 € **16/20**
Suprême finesse, délicat, net, terriblement apéritif.

DOMAINE BERNARD RENUCCI

20225 Feliceto
Tél. 04 95 61 71 08 • Fax : 04 95 38 28 74
domaine.renucci@wanadoo.fr
www.domaine-renucci.com
Visite : Ouvert de mi-avril à mi-octobre du lundi au samedi, de 10h à 12h et de 15h à 19h.
Sur rendez-vous

Ce domaine est la gloire montante du vignoble de Calvi, avec un vignoble impeccablement cultivé, où l'on trouve un pourcentage idéal entre niellucio et sciacarello, avec une rare maîtrise des vinifications. Dans les trois couleurs, on admirera la finesse et la pureté des arômes, et pour les cuvées Vignola un supplément de vinosité, dans les limites des terres granitiques du secteur. Les prix sont étonnamment sages. 2009 plaira par son volume et la qualité de son fruité.

Corse - Calvi cuvée Vignola 2009
Blanc | 2010 à 2012 | 9,60 € **15/20**
Jolis arômes de cédrat, citron, grande finesse et expressivité, assez fluide et tendre, millésime oblige, mais avec une pureté d'école.

Corse - Calvi Vignola 2009
Rosé | 2010 à 2011 | 9,60 € **15,5/20**
Rose fuchsia, remarquable finesse de fruit, tendre, mûr, d'une imparable précision de vinification.

Corse Vignola 2008
Rouge | 2010 à 2014 | 9,60 € **14,5/20**
Notes de myrte et herbes aromatiques, un peu de violette et de badiane en finale, vin fruité, net, un rien moins élégant que le rosé et le blanc.

CLOS SIGNADORE

Lieu-Dit Mortta Piana • 20232 Poggio-d'Oletta
Tél. 06 15 18 29 81
contact@signadore.com • www.signadore.com
Visite : sur rendez-vous

Christophe Ferrandis, né à Marseille et formé au grand vin par les Saint-Victor, au Château de Pibarnon, a réussi l'exploit d'acheter des vignes magnifiques au cœur de Patrimonio et malgré (ou grâce à) sa grande gueule et son côté rebelle, à se faire accepter par une communauté de vignerons qui n'aime pas trop voir les continentaux d'installer sur place. Ses derniers vins sont superbes, éclatants de vitalité et de corsitude...

Patrimonio Clos Signadore 2008
Rouge | 2012 à 2018 | 25 € **16/20**
Fût neuf évident, encore dominant, mais beaucoup de finesse, de complexité et d'ambition pour une modernisation remarquable du type, sans rien trahir de typicité. Grande garde prévisible.

RICHARD SPURR

Lumio

Un vigneron passionné mais qui oublie régulièrement de donner des vins à nos dégustations comparatives à l'aveugle. Quel dommage!

DOMAINE U STILICCIONU

Lieu-dit Stiliccionu • 20140 Serra di Serro
Tél. 04 95 22 41 19
06 67 22 86 25
www.domainestiliccionu.com
Visite : été tous les jours (de préférence à 11h30 ou à 18h30) sur rendez-vous 06 67 22 86 25

Le jeune Sébastien Poly, vigneron enthousiaste et idéaliste a trouvé en Jean Charles Abbatucci un voisin sachant généreusement partager ses expériences et en deux millésimes son petit domaine a affirmé le style de ses vins. Ses rouges de Sciaccarello ne manquent ni de caractère ni d'éclat et visent le plus haut niveau, qu'ils ne tarderont pas à atteindre.

Ajaccio Antica 2008
Rouge | 2013 à 2016 | 10 € **14,5/20**
Beaucoup de caractère et de naturel, élevage ambitieux, un peu voyant encore, finale complexe.

CLOS TEDDI

Casta • 20217 Saint-Florent
Tél. 06 10 84 11 73 • Fax : 04 95 37 24 07
clos.teddi@orange.fr • www.closteddi.com
Visite : Ouvert 7 jour sur 7 en été 9h-12h30 et 15h30-19h30

Marie-Brigitte Poli confirme qu'elle est une de ces remarquables jeunes vigneronnes corses qui redonnent du sang neuf à la viticulture locale, en recherchant encore plus de finesse dans leurs vins. Tout au bout de l'appellation et d'un seul tenant, le vignoble pousse sur du granit, et non pas du calcaire, ce qui explique l'étonnant profil aromatique du rosé et le glissant naturel des blancs. On peut faire ici de très grandes choses.

Patrimonio 2009
Blanc | 2010 à 2011 | 8 € **13,5/20**
Souple, parfumé, un peu fluide mais très facile à boire, gracile.

Patrimonio Grande Cuvée 2007
Rouge | 2012 à 2015 | 13 € **15/20**
Excellent rouge, précis, tannique, matière riche, notes épicées mais aussi de violette, sérieux, un rien sec dans son tanin.

Patrimonio Grande Cuvée 2009
Rosé | 2010 à 2011 | 10 € **14,5/20**
Robe pâle, nez floral, très précis, jolie acidité, très salin, apéritif, sec, délicieux.

DOMAINE DE TORRACCIA

Lecci • 20137 Porto-Vecchio
Tél. 04 95 71 43 50 • Fax : 04 95 71 50 03
torracciaoriu@wanadoo.fr
Visite : Du lundi au samedi, de 8h à 12h et de 14h à 18h (en juillet et en août jusqu'à 19 h).

Le domaine est un véritable paradis conquis sur les ronces, mais surtout un des hauts lieux de la viticulture corse. Christian Imbert ne s'est pas contenté de faire les vins qu'il aime, très «nature» avec le moins de manipulation possible. Il a aussi mis toute son énergie à défendre la viticulture locale et à la faire rayonner partout en Europe, en créant et en dirigeant une union de viticulteurs très dynamique, l'UVA Corse. Le sommet de la cave est ici le rouge Oriu, au subtil bouquet de garrigue, lent à venir mais inimitable ! Nous nous réjouissons de voir le retour au domaine du fils de Christian et de sa petite famille, ce qui est gage de continuité pour cette propriété exceptionnelle.

Corse 2008
Rouge | 2012 à 2014 | 8,50 € 14/20
Épicé, avec toutes les senteurs du maquis, propre, remarquablement typé.

Corse Oriu 2009
Blanc | 2011 à 2012 | 11,50 € 13,5/20
Tendre, facile, naturel dans ses arômes d'agrumes, glissant.

Corse Oriu 2005
Rouge | 2011 à 2015 | 17,50 € 15/20
Robe légère, évolution intéressante vers la complexité, mais encore une fois trop d'irrégularités en raison de bouchons défectueux.

DOMAINE VACCELLI

Les Cyclamens • 20123 Pila-Canale
Tél. 04 95 24 32 31 • Fax : 04 95 24 35 54
vaccelli@aol.com

L'exemple du comte Abbatucci fait école et le jeune Courrèges pratique dans ce domaine classique d'Ajaccio une viticulture plus méticuleuse et plus respectueuse que naguère. Les vins ont immédiatement gagné en pureté et netteté de saveur. Adresse à suivre.

Ajaccio Granit 2007
Rouge | 2010 à 2013 14/20
Robe légère, très souple, subtil, tanin raffiné, frais en finale, joli terroir.

Ajaccio Granit 2009
Rosé | 2010 à 2012 14/20
Rose légèrement pelure, jolie expression de terroir, citronné, pur, assez long, bien fait.

CLOS VENTURI

Route de Calvi • 20218 Ponte-Leccia
Tél. 04 95 47 61 35 • Fax : 04 95 30 85 57
domaine.vico@orange.fr • www.domainevico.com
Visite : en été, du lundi au samedi de 9h à 12h et de 14h30 à 19h.

Le Clos Venturi porte le nom de Jean-Marc Venturi, le remarquable œnologue corse qui a longtemps dirigé le groupe UVIB, regroupant les deux caves coopératives d'Aleria. Aujourd'hui, il s'occupe avec son fils de son vignoble de Vico, merveilleusement situé en piémont de neiges éternelles, et vient de créer le Clos Venturi, qui se veut l'expression la plus parfaite possible de ses meilleures terres. Pari réussi, car le Clos, dès sa création, a produit le plus complet des vins blancs secs corses, quelque chose qui serait le montrachet de l'île ! C'est stupéfiant de race et d'amplitude, et le vin devrait faire un tabac dans toute la grande restauration de l'île. Un rouge et un rosé s'ajoutent à la gamme, très bien faits, mais pas encore du niveau d'originalité et de complexité du blanc.

Corse 2009
Blanc | 2010 à 2016 | 16 € 16/20
Beaucoup de finesse et de pureté, léger manque d'acidité, long, complexe, fait pour la grande gastronomie.

Corse 2009 ☺
Rosé | 2010 à 2012 | 12,50 € 16/20
Remarquable fruit, acidité vive, belle suite en bouche, beaucoup de classe.

Corse 2007
Rouge | 2010 à 2012 | 16 € 14,5/20
Belle couleur, assez dense, tanin ferme, fruit encore jeune, finale moins complexe relativement que celle du rosé ou du blanc.

Corse muscat 2009
Blanc | 2010 à 2011 | 19 € 14,5/20
Vin non muté, tendre, notes de thé à la bergamote en finale, pas trop riche, très agréable.

DOMAINE VICO

Route de Calvi • 20218 Ponte-Leccia
Tél. 04 95 47 32 04 • Fax : 04 95 30 85 57
domaine.vico@orange.fr • www.domainevico.com
Visite : du 1/06 au 30/09, tous les jours sauf dimanche, de 9h à 12h et de 14h30 à 19h
reste de l'année, tous les jours sauf dimanche, de 9h à 12h et de 14h à 17h

Ce grand domaine est lié au clos Venturi, issu des meilleures parcelles de la propriété, mais produit aussi sous la marque 1769 des vins moins ambitieux mais souvent fins et équilibrés qui donnent une belle idée du potentiel de l'appellation Corse.

Corse 1769 2009
Blanc | 2011 à 2012 | 7,10 € **13/20**
Nerveux, assez amer, bon fruit mais petit manque de vinosité.

Corse 1769 2007
Rosé | 2010 à 2011 | 7,10 € **13/20**
Simple, coulant, bien maîtrisé sur le plan technique.

Notes personnelles

La sélection Bettane et Desseauve pour le Jura

Le vignoble du Jura

Les vins de niche du Jura, consommés avec une touchante fidélité sur place mais méconnus ailleurs, se réveillent et commencent à rêver de devenir universels. Ils ont de solides raisons, dotés qu'ils sont d'une forte et originale personnalité et parce qu'une nouvelle génération en modernise intelligemment le type. Les blancs secs de chardonnay du sud du vignoble ont donné le ton, mais les rouges suivent, et l'avenir est à eux !

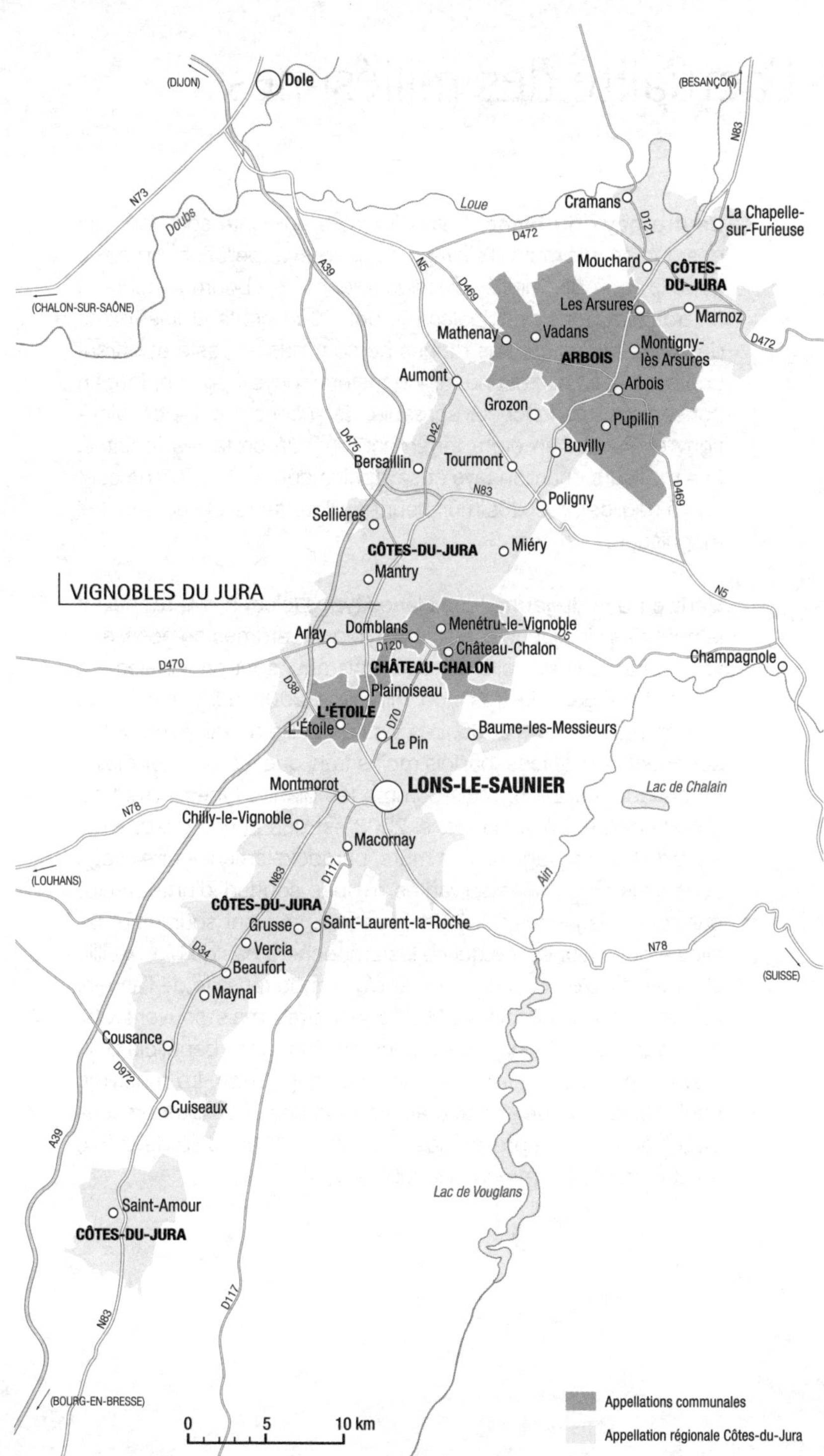
VIGNOBLES DU JURA
(DIJON)
Dole
(BESANÇON)
N83
N73
Doubs
Loue
Cramans
D121
La Chapelle-sur-Furieuse
D472
A39
N5
Mouchard
CÔTES-DU-JURA
(CHALON-SUR-SAÔNE)
D469
Les Arsures
Marnoz
Mathenay
Vadans
Montigny-lès Arsures
D472
ARBOIS
Aumont
Arbois
Grozon
Pupillin
D475
D42
Buvilly
Bersaillin
Tourmont
D469
N83
Poligny
Sellières
CÔTES-DU-JURA
Miéry
Mantry
N5
Arlay
Domblans
Menétru-le-Vignoble
D5
D120
Château-Chalon
D470
CHÂTEAU-CHALON
Champagnole
D38
Plainoiseau
L'ÉTOILE
D70
L'Étoile
Le Pin
Baume-les-Messieurs
LONS-LE-SAUNIER
Lac de Chalain
Montmorot
N78
Chilly-le-Vignoble
Macornay
(LOUHANS)
N83
D117
Ain
CÔTES-DU-JURA
Grusse
Saint-Laurent-la-Roche
Vercia
N78
D34
Beaufort
(SUISSE)
Maynal
Cousance
D972
Cuiseaux
A39
Lac de Vouglans
Saint-Amour
CÔTES-DU-JURA
D117
N83
(BOURG-EN-BRESSE)
0 5 10 km
Appellations communales
Appellation régionale Côtes-du-Jura

L'actualité des millésimes

L'autre pays du blanc. Les millésimes en vente sont fonction des durées minimum d'élevage de chaque appellation. En blanc ouillé (c'est-à-dire vinifiés classiquement, « à la bourguignonne ») on trouvera donc principalement des 2008 droits et fins, dotés de belles maturités. Les rouges ne sont pas en reste et offrent une belle définition et une bonne maturité physiologique, tout en conservant une fraîcheur agréable. La grêle qui a frappé Montigny et Pupillin en été a fortement diminué certaines récoltes. Les meilleurs chardonnays et savagnins ouillés de 2007 ne sont pas à négliger, récoltés mûrs leur équilibre se révèle aujourd'hui magnifique.

L'autre pays du jaune. Les blancs typés (c'est-à-dire rappelant le goût des vins jaunes, avec ces typiques arômes de noix), élevés en partie sous voile pendant trois ans, sont principalement disponibles dans le très bon millésime 2006 qui fait suite au très grand millésime 2005. Les vins de paille du millésime 2006 sont confits et épicés, parfois moins frais que les 2004 et moins précis que les 2005, mais comme les blancs typés seront de grande garde. En vin jaune, si 2003 est une année chaude qui a produit des savagnins très mûrs, paradoxalement leur élevage sous voile les années suivantes n'a pas souffert d'une pareille canicule. Les jaunes 2003 sont tendres, souvent souples et faciles à boire jeunes, ce qui ne les empêchera pas de bien vieillir. Château-Chalon est certainement la grande réussite de l'année. Les jaunes du millésime 2002, concentrés mais souvent vifs, ont gagné en équilibre, surtout les cuvées ayant bénéficié d'un élevage plus long que les six années obligatoires. Le millésime confirme sa grande aptitude au vieillissement. Les plus pressés dégusteront dès à présent les 2001 et les 1999, déjà délicieux, en attendant patiemment les 2002 et 2000.

MEILLEURS VINS TOUTES CATÉGORIES

Domaine André et Mireille Tissot - Stéphane Tissot,
Arbois, Vin Jaune En Spois, blanc, 2003

Domaine Ganevat,
Côtes du Jura, Chardonnay Grusse en Billat, blanc, 2007

Domaine Jacques Puffeney,
Arbois, Vin Jaune, blanc, 2001

Domaine Labet,
Côtes du Jura, Chardonnay en Chalasse Cuvée Julien, blanc, 2008

Domaine Macle,
Château-Chalon, blanc, 2003

LE BONHEUR TOUT DE SUITE

Caves de la Reine Jeanne,
Crémant du Jura, Brut, blanc

Domaine de Saint-Pierre,
Arbois, chardonnay Les Brûlées, blanc, 2008

Domaine Ligier Père et Fils,
Arbois, Les Mille et Une Nuits, blanc, 2006

Domaine Peggy et Jean-Pascal Buronfosse,
Côtes du Jura, chardonnay Le Pré du Bief, blanc, 2008

Fruitière Vinicole d'Arbois - Château Béthanie,
Arbois, cuvée Béthanie, blanc, 2006

MEILLEURS VINS À MOINS DE 10 €

Château d'Arlay,
Côtes du Jura, chardonnay à la Reine, blanc, 2005

Domaine Geneletti Père et Fils,
L'Étoile, Vieille Vigne, blanc, 2006

Domaine Peggy et Jean-Pascal Buronfosse,
Côtes du Jura, Les Ammonites, blanc, 2007

Domaine Rolet Père et Fils,
Arbois, pinot, rouge, 2006

Philippe Vandelle,
L'Etoile vieilles vignes, blanc, 2006

MEILLEURS VINS À METTRE EN CAVE

Domaine André et Mireille Tissot - Stéphane Tissot,
Arbois, Vin Jaune Les Bruyères, blanc, 2003

Domaine Berthet-Bondet,
Château-Chalon, blanc, 2003

Domaine Grand,
Château-Chalon, En Beaumont, blanc, 2003

Domaine Jacques Puffeney,
Arbois, Vin Jaune, blanc, 2000

Domaine Pignier,
Côtes du Jura, savagnin, blanc, 2005

MEILLEURS CHARDONNAYS

Domaine André et Mireille Tissot - Stéphane Tissot,
Arbois, chardonnay Le Clos de La Tour de Curon, blanc, 2007

Domaine Ganevat,
Côtes du Jura, chardonnay Chalasse
Vieilles Vignes « 1902 », blanc, 2007

Domaine Labet,
Côtes du Jura, chardonnay Les Varrons, blanc, 2007

Domaine Pignier,
Côtes du Jura, chardonnay Cellier des Chartreux, blanc, 2006

Pierre Overnoy,
Arbois, chardonnay, blanc, 2007

MEILLEURS VINS JAUNES

Benoit Badoz,
Côtes du Jura, Vin Jaune, 2002

Caveau des Byards,
Château-Chalon, 2002

Domaine Frédéric Lornet,
Arbois, Vin Jaune, 2002

Domaine Rolet Père et Fils,
Arbois, Vin Jaune, 2001

Fruitière Vinicole de Voiteur,
Château-Chalon, 2003

Philippe Vandelle,
L'Étoile, Vin Jaune, 2002

MEILLEURS VINS DE PAILLE

Domaine Berthet-Bondet,
Côtes du Jura, Vin de Paille, blanc, 2005

Domaine de Montbourgeau,
L'Étoile, Vin de Paille, blanc, 2007

Domaine Frédéric Lornet,
Arbois, Vin de Paille, blanc, 2005

Domaine Geneletti Père et Fils,
L'Étoile, Vin de Paille, blanc, 2006

Domaine Rolet Père et Fils,
Arbois, Vin de Paille, blanc, 2005

MEILLEURS ROUGES

Château d'Arlay, Côtes du Jura, 2005

Domaine André et Mireille Tissot - Stéphane Tissot,
Côtes du Jura, pinot noir En Barberon, 2008

Domaine Daniel Dugois,
Arbois, trousseau Grévillière, 2006

Domaine Ganevat,
Côtes du Jura, trousseau Plein Sud, 2008

Philippe Bornard,
Arbois, trousseau Le Garde-Corps, 2007

FRUITIÈRE VINICOLE D'ARBOIS - CHÂTEAU BÉTHANIE

2, rue des Fossés • 39601 Arbois
Tél. 03 84 66 11 67 • Fax : 03 84 37 48 80
contact@chateau-bethanie.com
www.chateau-bethanie.com
Visite : Tous les jours de 10h à 12h et de 15h à 18h. Juillet et août, visites à 11h, 14h ou 16h.

Arbois cuvée Béthanie 2006 ☺
Blanc | 2010 à 2021 | 8,40 € **15/20**
Cuvée phare de la maison, c'est un assemblage de chardonnay ouillé et de savagnin élevé sous voile. Très pur et salin en bouche, c'est une cuvée facile à boire, qui représente une bonne introduction au goût de jaune.

Crémant du Jura cuvée Montboisie 2005
Blanc Brut effervescent | 2010 à 2013 | 9,50 € **14/20**
Frais, mousse élégante, fin et fruité en bouche, facile à boire.

CHÂTEAU D'ARLAY

Route de Saint-Germain • 39140 Arlay
Tél. 03 84 85 04 22 • Fax : 03 84 48 17 96
chateau@arlay.com • www.arlay.com
Visite : Du lundi au vendredi, de 9h à 12h et de 14h à 18h. Le samedi, fermeture à 17h.

Si de nombreux domaines multiplient les cuvées parcellaires, au Château d'Arlay la gamme est courte et classique, avec sept vins produits sur trente hectares. Les cuvées sont très homogènes d'un millésime à l'autre, et les élevages longs (jusqu'à quatre ans) offrent un style classique très typé, avec des vins de paille et des vins jaunes de très bon niveau. Les vins vieillissent admirablement bien et, à défaut d'élargir sa gamme, Alain de Laguiche propose à la vente entre trois et six millésimes de chaque cuvée. Un arrêt au domaine permet également de visiter le château.

Côtes du Jura 2005
Rouge | 2010 à 2020 | 11 € **15,5/20**
Le rouge du domaine est produit avec du pinot noir, c'est un vin charnu au fruité net sur la cerise, pur en bouche avec des tanins fins bien intégrés. 2005 signe une très belle réussite.

Côtes du Jura chardonnay à la Reine 2005
Blanc | 2010 à 2020 | 8,50 € **15/20**
Un vin mûr élevé en cuve, au nez complexe de fleurs et de fruits à chair blanche, charnu en bouche avec une pointe épicée en finale.

Macvin du Jura
Blanc liquoreux | 2010 à 2020 | 19,50 € **16/20**
Un vin de liqueur au nez de gentiane et de fruits jaunes, équilibré en bouche avec un moelleux harmonieux et un équilibre très digeste.

BENOÎT BADOZ

3, avenue de la Gare • 39800 Poligny
Tél. 03 84 37 11 85 • Fax : 03 84 37 11 18
contact@benoit-badoz.com • www.badoz.fr
Visite : De 8h30 à 12h30 et de 14h à 19h.

Côtes du Jura Vin Jaune 2002
Blanc | 2010 à 2023 | 23 € **16/20**
Le nez est ouvert avec une note de fleurs jaunes et d'épices, la bouche est ample et pure avec une acidité fine et une belle harmonie en bouche. Longue finale sur la morille.

DOMAINE BERTHET-BONDET

Rue de la Tour • 39210 Château-Chalon
Tél. 03 84 44 60 48 • Fax : 03 84 44 61 13
berthet-bondet@orange.fr • www.berthet-bondet.net
Visite : Du lundi au vendredi sur rendez-vous. et le samedi rendez-vous.

Le domaine est idéalement situé au cœur de l'appellation Château-Chalon, avec des chardonnays et des savagnins situés sur des parcelles parfois très pentues. Jean et Chantal Berthet-Bondet produisent des vins fins toujours très élégants, avec une maîtrise remarquable du savagnin dans tous les styles. Profitez des vieux millésimes encore en vente au domaine.

Château-Chalon 2003
Blanc | 2013 à 2033 | 30,80 € **17/20**
Nez floral marqué par une pointe de curry, ample en bouche avec un équilibre charnu qui le rend facile à boire jeune. À garder.

Côtes du Jura Naturé 2008
Blanc | 2010 à 2015 | 10,50 € **15/20**
Un savagnin ouillé au nez de rhubarbe, ample et gras en bouche avec une acidité fine. Élégant, avec de la chair et une fine salinité.

Côtes du Jura savagnin 2005
Blanc | 2010 à 2025 | 16,20 € **16/20**
Issu de savagnin élevé trois ans sous voile, c'est un vin fin au nez délicat d'épices et de morille, dense en bouche avec un équilibre profond et une longue finale.

Côtes du Jura Vin de Paille 2005
Blanc liquoreux | 2010 à 2020 | 20,60 € **16,5/20**
Pur et concentré, nez de fruits confits, avec une liqueur bien intégrée, longue finale.

DOMAINE DE LA BORDE

Chemin des Vignes • 39600 Pupillin
Tél. 03 84 66 25 61
julien.mareschal@free.fr • www.domaine-de-la-borde.fr
Visite : De 8h à 19h sauf le dimanche.

Après un diplôme d'œnologue, le jeune Julien Mareschal s'est installé à Pupillin et a produit dans un nouveau chai ses premiers vins en 2003. Le domaine s'étend désormais sur cinq hectares, une taille importante pour une seule personne.

Arbois chardonnay Caillot 2006
Blanc | 2010 à 2021 | 7,40 € **15,5/20**
Un chardonnay mûr, au nez de fruits jaunes avec une pointe toastée, ample en bouche avec du gras et une fine acidité. Belle matière.

Arbois pinot noir Sous la Roche 2006
Rouge | 2010 à 2018 | 7 € **14,5/20**
Élevé en fût, dense et de bonne consistance en bouche avec des tanins mûrs. Bel élevage.

Arbois Savagnin Les Écrins 2005
Blanc | 2010 à 2020 | 12 € **15,5/20**
Un savagnin légèrement typé qui possède un nez épicé et une bouche charnue gourmande. Longue finale dense.

Arbois Tradition 2006
Blanc | 2010 à 2021 | 8 € **15/20**
Assemblage de savagnin et chardonnay ouillé, c'est un vin dense au nez de fruits acidulés mûrs, tendre en bouche avec un caractère charnu très pur. Bien typé.

PHILIPPE BORNARD

rue Croix Bagier • 39600 Pupillin
Tél. 03 84 66 13 51
bornard.philippe@akeonet.com
Visite : sur rendez-vous

Ancien coopérateur, Philippe Bornard s'est mis à commercialiser toute sa production en bouteille à partir du millésime 2005. Travaillant sans soufre pour les vinifications et les mises en bouteille, il suit les pratiques de son ami et voisin Pierre Overnoy pour produire des vins au profil naturel. Un domaine à suivre, en particulier le vieillissement des vins en bouteille.

Arbois Pupillin chardonnay Le Blanc de la Rouge 2007
Blanc | 2010 à 2017 | 10 € **15/20**
Mûr, nez floral, dense en bouche avec du gras et une acidité présente bien intégrée.

Arbois Pupillin melon Le Rouge-Queue 2007
Blanc | 2010 à 2022 | 12 € **16/20**
Produit par du melon à queue rouge, ancienne variété de chardonnay, c'est un vin ouvert au nez de fleurs et de miel, gras et ample en bouche avec de la profondeur. Belle réussite.

Arbois Pupillin pinot noir L'Aide-Mémoire 2007
Rouge | 2011 à 2017 | 12 € **15/20**
Dense, nez de fruits rouges, corsé en bouche avec une belle trame tannique qui apporte de la structure.

Arbois Pupillin ploussard La Chamade 2007
Rouge | 2010 à 2017 | 9,50 € **15/20**
Vinifié en cuve et élevé en foudre, c'est fin, arômes de fruits rouges, net et pur en bouche, un caractère charnu très expressif en 2007.

Arbois Pupillin ploussard Point Barre 2009
Rouge | 2010 à 2015 | 14 € **14,5/20**
Vinifié et élevé avec un minimum d'interventions, fruité net très mûr, tendre, très pur en bouche avec une longue finale sur le fruit.

Arbois trousseau Le Garde-Corps 2007
Rouge | 2012 à 2022 | 12 € **15,5/20**
Discret au nez, ferme et de bonne concentration en bouche, avec des tanins gras en finale. À garder.

Côtes du Jura savagnin Les Marnes 2005
Blanc | 2011 à 2020 | 14 € **16,5/20**
Élevé quatre ans sous voile, ouvert, nez de fruits compotés et de curry doux, ample en bouche avec du gras et une très longue finale épicée.

DOMAINE PEGGY ET JEAN-PASCAL BURONFOSSE

La Combe • 39190 Rotalier
Tél. 03 84 25 05 09 • Fax : 03 84 25 05 09
buronfossepjp@orange.fr
Visite : Du lundi au vendredi, sur rendez-vous et le samedi de 11h à 19h.

Installés à la fin des années 1990, Peggy et Jean-Pascal Buronfosse ont modifié leur projet initial de polyculture pour se consacrer entièrement à la vigne, avec des vins parfaitement élevés à partir de matières mûres et concentrées. Après quelques années de commercialisation, les prix restent toujours sages au regard de la qualité, et succès oblige, les cuvées sont rapidement épuisées. Les délicats millésimes 2007 et 2008 ont été parfaitement gérés, et les rouges du grand millésime 2009 s'annoncent magnifiques. La progression et la régularité méritent la promotion dans notre hiérarchie.

Côtes du Jura chardonnay Le Pré du Bief 2008 ☺
Blanc | 2010 à 2018 | 8 € **15/20**
Salin, fruité acidulé, franc en bouche avec une belle pureté.

Côtes du Jura Les Ammonites 2007
Blanc | 2010 à 2022 | 9 € **16/20**
Mûr, nez ouvert, ample et charnu en bouche avec du gras et une fine acidité bien intégrée.

Côtes du Jura Les Bélemnites 2007
Blanc | 2011 à 2022 | 10 € **15,5/20**
Assemblage majoritaire de savagnin et de chardonnay, c'est un vin ample et acidulé qui possède du gras et une fine acidité. La prise de voile est légère, et l'équilibre très pur.

Côtes du Jura Naturé 2005
Blanc | 2011 à 2018 | 14 € **16/20**
Un savagnin élevé sous voile pendant trois ans, au nez de morille fraîche, complet en bouche avec de la densité et une longue finale épicée.

DOMAINE PHILIPPE BUTIN

2, rue de la Combe • 39210 Lavigny
Tél. 03 84 25 36 26 • Fax : 03 84 25 39 18
ph.butin@wanadoo.fr
Visite : Tous les jours sur rendez-vous.

Château-Chalon 1999
Blanc | 2013 à 2033 **16/20**
Un nez élégant, une bouche ample et profonde avec du gras et une concentration magnifique, sur un goût de jaune délicat et puissant.

CAVEAU DES BYARDS

Caveau • 39210 Le Vernois
Tél. 03 84 25 33 52 • Fax : 03 84 25 38 02
info@caveau-des-byards.fr
www.caveau-des-byards.fr
Visite : Sur rendez-vous.

Château-Chalon 2002
Blanc | 2011 à 2023 | 30 € **16/20**
Nez complexe sur les fruits mûrs et les épices, bouche ample et de bonne densité, concentrée avec une finale longue et acidulée.

LES CHAIS DU VIEUX BOURG

Rue du Vieux Bourg • 39140 Arlay
Tél. 03 84 85 07 91 • Fax : 03 84 85 07 91
bindernagel@club-internet.fr • www.bindernagel.fr
Visite : Sur rendez-vous.

Ancien architecte installé à Arlay depuis 2003, Ludwig Bindernagel exploite avec Nathalie Eigenschenck 2,5 hectares d'un superbe patrimoine de vignes plantées en sélection massale dans les années 1950, sur les terres à dominante calcaire en appellations l'Étoile et Côtes du Jura. Avec un travail du sol dans les vignes et un minimum d'intervention en cave, il produit des vins profonds et racés qui font le succès de quelques restaurants et bars à vins. Des vins d'artiste qui poussent haut la qualité des vins de la région. Les cuvées partent rapidement et il ne faut pas tarder pour les encaver.

Côtes du Jura chardonnay Sous le Cerisier 2007
Blanc | 2010 à 2022 | 12 € **15,5/20**
Un chardonnay épicé qui possède de la profondeur, pur en bouche avec du gras.

Côtes du Jura poulsard 2007
Rouge | 2010 à 2017 | 13 € **14,5/20**
Souple, fruité mûr, marqué par de légers tanins en finale.

L'Étoile savagnin 2005
Blanc | 2010 à 2020 | 18,50 € — 15/20

Le savagnin élevé pour moitié sous voile produit ici un équilibre légèrement typé, marqué par le curry et le cuir au nez, avec une bouche tendre de bonne pureté.

Macvin du Jura La Marc'Ante 2008
Blanc liquoreux | 2010 à 2015 | 24 € — 15/20

Un macvin produit à partir de chardonnay et savagnin, aux parfums de fruits exotiques, ample en bouche avec une liqueur encore très présente.

Macvin du Jura Le Finot 2008
Rouge liquoreux | 2010 à 2015 | 24 € — 15,5/20

Produit à partir de pinot noir et de poulsard, très marqué par les fruits rouges au nez avec une bouche acidulée remarquable de fraîcheur.

CHÂTEAU DE CHAVANES

4, rue Saint-Laurent - BP 19
39600 Montigny-les-Arsures
Tél. 03 84 37 47 95 • Fax : 03 84 37 47 65
f.dechavanes@chateau-de-chavanes.com
www.chateau-de-chavanes.com
Visite : Du lundi au samedi

Arbois Grande Réserve du Château 2007
Blanc | 2011 à 2022 | 13 € — 15/20

Un assemblage de chardonnay et savagnin au profil fruité, dense en bouche avec du gras et une fine acidité.

Arbois Grande Réserve du Château 2007
Rouge | 2010 à 2017 | 13 € — 15/20

Assemblage majoritaire de trousseau avec du pinot noir, c'est un vin mûr au nez de petits fruits rouges, fin et très pur en bouche avec des tanins discrets. La finale est encore marquée par l'élevage sous bois.

Arbois Réserve du Château 2005
Rouge | 2011 à 2020 | 15 € — 15,5/20

Assemblage à majorité de ploussard, c'est un vin au nez complexe de petits fruits rouges, tendre en bouche avec des tanins fins encore présents. À garder.

DOMAINE DANIEL DUGOIS

4, rue de la Mirode • 39600 Les Arsures
Tél. 03 84 66 03 41 • Fax : 03 84 37 44 59
daniel.dugois@wanadoo.fr • www.vins-danieldugois.com
Visite : du lundi au samedi De 9h30 à 12h et de 14h à 18h30. et le dimanche sur rendez-vous.

Basé au cœur de la zone la plus favorable pour les rouges du Jura, le discret Daniel Dugois produit plusieurs cuvées de trousseau, cépage qui représente la moitié de ses vignes. Le savagnin s'exprime de manière puissante, donnant des vins avec ou sans voile destinés à une cuisine de caractère. L'ensemble de la gamme dispose d'un bon potentiel de garde.

Arbois trousseau 2007
Rouge | 2010 à 2017 | 7,10 € — 15/20

Fruité gourmand, ample et assez concentré, avec du gras et une fine acidité. L'extraction mesurée a permis de faire un vin équilibré.

Arbois trousseau Grévillière 2006
Rouge | 2010 à 2021 | 9,20 € — 15,5/20

Le nez initialement réduit mérite de l'aération, la bouche est corsée avec des notes fumées en finale.

Arbois Vin de Paille 2006
Blanc liquoreux | 2010 à 2021 | 19 € — 15,5/20

Robe ambre clair, nez de fruits confits et de fruits secs, tendre en bouche avec une liqueur modérée et une belle acidité.

Arbois Vin Jaune 2002
Blanc | 2010 à 2022 | 27 € — 16/20

Goût fin rehaussé par une acidité très présente, élégant et magnifique en bouche avec une longue finale citronnée. Grande garde.

DOMAINE GANEVAT

La Combe • 39190 Rotalier
Tél. 03 84 25 02 69 • Fax : 03 84 25 02 69
Visite : Sur rendez-vous.

Jean-François Ganevat a repris le domaine familial en 1998, pratiquant la viticulture biologique et l'élevage long avec un minimum de soufre, il produit des vins concentrés très purs. Les chardonnays sont issus de vignes parfois très anciennes, et sont élevés avec des fûts toujours ouillés, leur donnant une salinité et une précision exemplaires. Moins démonstratifs, les rouges sont travaillés sur le fruit avec des rendements minuscules qui leur donnent une concentration inégalée. Après les grands vins de 2005 et 2006, les 2007 et 2008 atteignent un nouveau

palier qualitatif et positionnent le domaine au sommet de la région.

Côtes du Jura chardonnay Chalasse «Vieilles Vignes 1902» 2007
Blanc | 2011 à 2027 | NC **19/20**
Un jus remarquable de densité, pur et profond avec une pureté de texture incroyable. Grande réussite dans le millésime.

Côtes du Jura chardonnay Grusse en Billat 2007
Blanc | 2011 à 2027 | NC **19/20**
Élevé en demi-muid, c'est un vin à la minéralité affirmée, avec un nez d'agrumes mûrs et une bouche dense et tendue par une fine salinité. Une expression remarquable du terroir de schistes de Grusse.

Côtes du Jura chardonnay
Les Chamois du Paradis 2004
Blanc | 2010 à 2019 | NC **17,5/20**
Une partie de la récolte sur le terroir de Grusse a été élevée plus de cinq années en fût, lui permettant d'adoucir son acidité originale. Le vin est très pur avec un nez floral et une bouche d'une grande finesse, cristalline et minérale.

Côtes du Jura Chardonnay
Les Grands Teppes «Vieilles Vignes 1919» 2007
Blanc | 2012 à 2027 | NC **18,5/20**
Ample, caractère épicé, dense et salin en bouche, avec de la profondeur.

Côtes du Jura cuvée Marguerite 2007
Blanc | 2011 à 2022 | NC **18/20**
Produit par du melon à queue rouge, c'est un vin élégant de grande concentration, sec et dense en bouche avec une pureté exceptionnelle et une salinité forte soutenue par une fine acidité.

Côtes du Jura pinot noir cuvée Julien 2008
Rouge | 2010 à 2023 | NC **16/20**
Dense et compact, nez de petits fruits noirs, concentré en bouche avec des notes de fruits des bois. Un pinot noir équilibré de grande pureté.

Côtes du Jura savagnin cuvée Prestige 2005
Blanc | 2013 à 2025 | NC **17,5/20**
Des savagnins verts élevés plus de quatre années sous voile ont donné un vin ample et soyeux au nez de noix fraîche, dense en bouche avec une acidité très fine et une finale longue très pure.

Côtes du Jura trousseau Plein Sud 2008
Rouge | 2010 à 2023 | NC **16/20**
Bonne densité, fruité net, soyeux en bouche avec une finale sur les fruits rouges. Un vin gourmand qui se gardera.

DOMAINE GENELETTI PÈRE ET FILS

Rue Saint-Jean • 39210 Château-Chalon
Tél. 03 84 44 95 06
contact@domaine-geneletti.net
www.domaine-geneletti.net
Visite : en hiver, tous les jours, 10h-12h et 14h-19h
en été 10h-19h

Basé à Château-Chalon, le domaine créé par Michel Geneletti est aujourd'hui dirigé par son fils David. Pratiquant l'agriculture raisonnée, le domaine produit une gamme de vins blancs sur les appellations L'Étoile et Château-Chalon, mais aussi une petite gamme de vins rouges sur les appellations Arbois et Côtes du Jura.

Côtes du Jura poulsard 2009
Rosé | 2010 à 2013 | 7,80 € **14/20**
Souple, fruité pur, léger en bouche avec du gras. Parfait pour l'été.

L'Étoile Au Désaire 2008
Blanc | 2010 à 2018 | 8,30 € **15/20**
Un chardonnay ouillé au nez de fruits acidulés, profond et ample en bouche avec du gras et une fine minéralité.

L'Étoile Vieille Vigne 2006
Blanc | 2010 à 2026 | 8,70 € **16,5/20**
Issu d'une vigne de plus de 80 ans complantée de chardonnay et savagnin, et élevé en fûts non ouillés, c'est un vin dense et très minéral, puissant avec une longue finale. Le voile fin a donné un goût de jaune léger.

L'Étoile Vin de Paille 2006
Blanc Liquoreux | 2010 à 2026 | 19,20 € **16/20**
Liquoreux puissant, marqué par les fruits confits et le miel, riche en bouche avec une acidité fine qui équilibre la forte liqueur.

DOMAINE GRAND

139, rue du Savagnin • 39230 Passenans
Tél. 03 84 85 28 88 • Fax : 03 84 44 67 47
domaine-grand@wanadoo.fr • www.domaine-grand.com
Visite : Tous les jours sauf le dimanche, de 8h à 12h et 14h à 18 h. Fermé le week-end de janvier à mars inclus. Ouvert tous les jours en juillet et en aout.

Emmanuel Grand est à la tête de cet important domaine de 23 hectares, restructuré après le départ de son frère Dominique, et propose une gamme complète de cépages et de styles. Si le crémant représente le tiers de la production, le reste de la gamme nous a semblé trop irrégulier sur les derniers millésimes pour que le domaine reste classé.

Château-Chalon En Beaumont 2003

Blanc | 2013 à 2033 | 30,50 € **16/20**

Le nez est net avec des épices et une pointe de noix fraîche, la bouche est franche en attaque, dense et fine avec une grande pureté. La longue finale signe un vin dense qui vieillira bien.

Côtes du Jura pinot noir Sélection 2009

Rouge | 2010 à 2019 | 8 € **14/20**

Dense, robe violacée, de style corsé avec de l'ampleur et du gras. Un beau pinot noir mûr.

Crémant du Jura Sélection 2007

Blanc Brut effervescent | 2010 à 2012 | 9,50 € **14/20**

Vineux, mousse aérienne, frais en bouche avec un fruité charnu et acidulé, très plaisant.

HENRI MAIRE

Château Boichailles • 39600 Arbois
Tél. 03 84 66 12 34 • Fax : 03 84 66 42 42
info@henri-maire.fr • www.henri-maire.fr
Visite : Pas de visites.

Henri Maire a beaucoup œuvré pour le développement commercial des vins du Jura, donnant à la région une aura dans toute la France. Depuis sa disparition en 2003, la famille a mis en place un directoire présidé depuis début 2009 par Bernard Langlois, pour préparer la maison historique aux enjeux du XXIe siècle : diminution progressive des achats pour se concentrer sur les 300 hectares de vignes propres au domaine, spécialisation de chacun des cinq centres de production sur un type de vin particulier. Le lancement de la gamme Collection-Privée traduit un désir réussi de monter en gamme, avec des vins faciles à boire pour le néophyte.

Arbois Croix d'Argis 2008

Rouge | 2010 à 2015 | 9 € **14,5/20**

Assemblage à dominante de pinot noir, c'est un vin concentré au nez de pivoine, dense et net en bouche avec un bel équilibre.

Arbois Grange Grillard 2007

Blanc | 2010 à 2017 | 14 € **14/20**

Un chardonnay mûr élevé en foudre, tendre et charnu en bouche, avec une fine acidité qui donne de la légèreté et de l'équilibre.

Arbois Montfort 2007

Rouge | 2010 à 2015 | 14 € **14/20**

Franc, nez de fruits rouges, dense et charnu en bouche avec un bel équilibre tendre. Facile à boire.

Crémant du Jura

Blanc Brut effervescent | 2010 à 2013 | 9 € **14/20**

Vineux, au nez d'agrumes, franc et ouvert en bouche avec une mousse légère.

DOMAINE LABET

Place du Village • 39190 Rotalier
Tél. 03 84 25 11 13 • Fax : 03 84 25 06 75
domaine.labet@wanadoo.fr
Visite : Sur rendez-vous le matin

Alain Labet travaille depuis 1997 avec son fils Julien, qui gère les vinifications du domaine et crée ses propres cuvées. Les variations de terroir entre marnes et calcaires proposent successivement des équilibres plus suaves et épicés ou plus profonds et tendus, remarquable outil d'étude des terroirs du Revermont. Si les blancs ouillés sont marqués par la minéralité, les rouges sont parfois un ton en dessous, et les vins de voile plus confidentiels. 2008 est très minéral, dans la droite ligne des millésimes précédents.

Côtes du Jura chardonnay En Chalasse cuvée Julien 2008

Blanc | 2010 à 2018 | NC **17/20**

Une superbe cuvée concentrée, dense et acidulée en bouche avec une minéralité présente qui lui donne une longue finale.

Côtes du Jura chardonnay Les Varrons 2007

Blanc | 2011 à 2022 | NC **16/20**

Fruité net, doté d'un beau gras en bouche avec une acidité fine. Une belle combinaison de gras et de fraîcheur, typique du sol de marnes sur socle calcaire.

Côtes du Jura Fleur de chardonnay 2008
Blanc | 2010 à 2018 | NC **15/20**
Produit sur un terrain calcaire au sommet de la colline des Varrons, c'est un vin de bonne densité, franc et droit en bouche avec une fine minéralité.

DOMAINE LIGIER PÈRE ET FILS

56, rue de Pupillin • 39600 Arbois
Tél. 03 84 66 28 06 • Fax : 03 84 66 24 38
gaec.ligier@wanadoo.fr • www.domaine-ligier.com
Visite : Du lundi au samedi de 10h à 18h30.

Arbois chardonnay Vieilles Vignes 2007
Blanc | 2010 à 2017 | 9 € **14/20**
Un chardonnay mûr et épicé, gras en bouche avec de la fraîcheur.

Arbois Les Mille et Une Nuits 2006 ☺
Blanc | 2010 à 2026 | 10 € **16/20**
Assemblage de savagnin et chardonnay élevés sous voile près de trois ans, c'est un vin ample d'une grande pureté, onctueux en bouche et très fin avec une finale longue sur le curry doux.

Arbois Vin Jaune 2003
Blanc | 2011 à 2023 | 28,50 € **16/20**
Nez élégant et discret, sur les fleurs jaunes et la noix fraîche avec une pointe de fût, dense en bouche avec du gras et une belle patine. Longue finale.

Côtes du Jura trousseau Les Chassagnes 2008
Rouge | 2010 à 2018 | 8,50 € **15/20**
Concentré, nez de fruits rouges, dense et soyeux en bouche.

DOMAINE FRÉDÉRIC LORNET

L'Abbaye • 39600 Montigny-les-Arsures
Tél. 03 84 37 45 10 • Fax : 03 84 37 40 17
frederic.lornet@orange.fr
Visite : Du lundi au vendredi 8h 12h et de 14h à 18h.

Bien entouré par d'autres grands producteurs dans le secteur de Montigny-les-Arsures, Frédéric Lornet a tous les atouts pour produire des cuvées de caractère. La finesse et la pureté des derniers vins mis en vente montrent les progrès réalisés, en particulier avec les trousseaux, qui sont sur leur terroir de prédilection. Le domaine propose également des blancs de grande pureté qui peuvent se mesurer avec les meilleurs de l'appellation.

Arbois chardonnay Les Messagelins 2008
Blanc | 2010 à 2018 | 10 € **15,5/20**
Un beau nez de fleurs jaunes et une bouche dense et pure avec du gras donnent un vin délicieux, à boire ou à garder.

Arbois trousseau des Dames 2008
Rouge | 2010 à 2018 | 10,50 € **15/20**
Dense, nez de petits fruits rouges, franc et acidulé en bouche avec une finale sur la groseille et la réglisse. Gourmand.

Arbois Vin de Paille 2005
Blanc liquoreux | 2011 à 2024 | 24 € **16/20**
Produit uniquement à partir de savagnin en 2005, c'est un vin délicat au nez frais de fruits confits, moelleux en bouche avec une liqueur fondue. Élégant, à boire sur un dessert aux fruits.

Arbois Vin Jaune 2002
Blanc | 2012 à 2032 | 27 € **17/20**
Mis en bouteille en janvier 2010, c'est un vin ample au nez de fleurs et d'épices, concentré et très pur en bouche avec un goût de jaune d'une grande finesse. Pur, taillé pour la grande garde.

DOMAINE MACLE

Rue de la Roche • 39210 Château-Chalon
Tél. 03 84 85 21 85 • Fax : 03 84 85 27 38
maclel@wanadoo.fr
Visite : Du lundi au samedi , de 9h à 12h et de 14h30 à 18h30, de préférence sur rendez-vous.

Si Jean Macle fait partie des personnages incontournables de Château-Chalon, c'est son fils Laurent qui vinifie depuis 1995 et est désormais aux commandes du domaine. Le vin phare de la gamme réduite est le vin jaune de Château-Chalon, connu pour sa grande pureté et sa longévité exceptionnelle. Au domaine, ce dernier est issu de vieilles vignes sur des parcelles dont certaines très pentues sont situées juste sous le village. Laurent fait évoluer la gamme avec du chardonnay pur, ouillé ou de voile, qui démontre que le savagnin n'a pas le monopole des grands vins dans le secteur.

Château-Chalon 2003
Blanc | 2010 à 2033 | 37 € **18/20**
Un château-chalon bien né et déjà facile à aborder jeune avec son caractère ample et gras, moins vif que 2002 mais avec la même longueur phénoménale. Il peut se boire jeune mais vieillira admirablement.

Côtes du Jura 2007
Blanc | 2010 à 2022 | 11 € **16,5/20**
Assemblage traditionnel de chardonnay et d'un peu de savagnin, c'est un vin déjà ouvert au nez de morille et de curry doux, tendre et charnu en bouche avec une longue finale. Une grande réussite.

Côtes du Jura 2006
Blanc | 2011 à 2026 | 11 € **16/20**
La seconde mise en bouteille de cette cuvée a bénéficié d'une année supplémentaire sous voile, lui donnant un caractère franc et pur qui a gagné en onctuosité, tout en restant agréable à boire jeune.

Côtes du Jura chardonnay 2007
Blanc | 2010 à 2017 | 11 € **16/20**
Premier millésime de chardonnay ouillé produit par la maison, avec un nez de fleurs d'acacia avec une pointe de beurre et une bouche dense, profonde et d'une bonne pureté.

Côtes du Jura chardonnay de voile 2006
Blanc | 2010 à 2021 | 11 € **17/20**
Un chardonnay élevé sous voile, au nez délicat de fumée et de fruits à chair blanche, tendre et épicé en bouche avec une longue finale. Le goût de jaune obtenu sans savagnin donne un équilibre très délicat.

LA MAISON DU VIGNERON

Route de Champagnole • 39570 Crancot
Tél. 03 84 87 61 30 • Fax : 03 84 48 21 36
jura@grandsvins.fr
Visite : De 9h à 12h et de 13h à 18h, sauf le dimanche.

Côtes du Jura chardonnay 2007
Blanc | 2010 à 2015 | 5,45 € **14/20**
Un chardonnay mûr au nez de fleurs jaunes, ample en bouche avec du gras et de la fraîcheur.

Côtes du Jura savagnin 2005
Blanc | 2010 à 2020 | 11,20 € **14,5/20**
Un savagnin élevé sous voile au nez franc de fruits jaunes avec une pointe de noix, ample et acidulé en bouche avec une finale nette.

Côtes du Jura Vin de Paille Marcel Cabelier 2002
Blanc Doux | 2010 à 2022 | NC **15,5/20**
Nez de fruits compotés, ample et gras en bouche avec une liqueur puissante qui conserve une belle pureté.

Côtes du Jura Vin Jaune Dom Quillot 2003
Blanc | 2010 à 2023 | 22 € **15,5/20**
Joli nez sur la noix fraîche, bouche ample et grasse avec du corps et un goût de jaune fin.

DOMAINE DE MONTBOURGEAU

53, rue de Montbourgeau • 39570 L'Étoile
Tél. 03 84 47 32 96 • Fax : 03 84 24 41 44
domaine.montbourgeau@wanadoo.fr
www.montbourgeau.com
Visite : Sur rendez-vous.

Nicole Deriaux a repris le domaine familial il y a plus de vingt ans et exploite le terroir argilo-calcaire de la petite appellation L'Étoile, produisant des vins profonds d'une grande pureté. Suivis par une clientèle particulière très fidèle, c'est le chardonnay et le savagnin qui donnent toute leur mesure, en particulier lors d'élevages longs lorsqu'ils prennent le voile.

L'Étoile 2007
Blanc | 2010 à 2017 | 8,30 € **14/20**
Un chardonnay de fruit au nez épicé, tendre en bouche avec de la profondeur.

L'Étoile cuvée Spéciale 2005
Blanc | 2010 à 2020 | 12 € **16/20**
Le chardonnay élevé sous voile a donné un vin ample au nez puissant de fruits secs et de fumée, onctueux en bouche avec de la profondeur. Équilibre précis, très gastronomique avec un goût de jaune mesuré.

L'Étoile Vin de Paille 2007
Blanc liquoreux | 2010 à 2027 | 21,50 € **16/20**
Un vin de robe dorée, miellé au nez avec des notes fruitées fraîches, tendre et onctueux en bouche avec une liqueur fondue. Agréable jeune, il se conservera.

DOMAINE DE L'OCTAVIN

1, rue de la Faïencerie • 39600 Arbois
Tél. 03 84 66 27 39
contact@octavin.fr • www.octavin.fr
Visite : Sur rendez-vous 7 jours sur 7.

Un jeune domaine créé en 2005 par l'œnologue Alice Bouvot, de retour en France après un début de carrière dans le Nouveau Monde, et par Charles Dagant, fils de vigneron d'Arbois. Les raisins proviennent de cinq hectares de vignes situées sur les meilleurs terroirs d'Arbois, travaillées en viticulture biologique, le domaine étant en reconversion. Pas-

sionnés de musique, les vins portent les noms d'opéras célèbres de Mozart.

Arbois Commendatore 2008
Rouge | 2010 à 2023 | 12,90 € **15,5/20**
Un très beau trousseau du terroir des Corvées, de robe dense, parfumé, sur un mélange complexe de petits fruits des bois, concentré en bouche avec une belle pureté et une finesse de tanins remarquable.

Arbois Pamina 2008
Blanc | 2010 à 2018 | 11,90 € **15/20**
Chardonnay ouillé issu du terroir de la Mailloche, c'est un vin pur, au nez de fleurs blanches, net et droit en bouche avec du gras, à la salinité présente.

Arbois Pamina à la Belle Étoile 2008
Blanc | 2012 à 2023 | 12,90 € **15,5/20**
Un chardonnay du terroir de la Mailloche pressé après une nuit de macération pelliculaire, intense et épicé au nez avec une bouche fine qui possède de la densité et du gras. À garder.

Arbois Zerlina 2008
Rouge | 2011 à 2018 | 14 € **15/20**
Assemblage de pinot noir et trousseau de la parcelle En-Curon, c'est un vin souple de bonne concentration, dense avec des tanins encore fermes.

PIERRE OVERNOY

Rue Abbé Guichard • 39600 Pupillin
Tél. 03 84 66 24 27 • Fax : 03 84 66 24 27
emmanuel.houillon@wanadoo.fr
Visite : de préférence sur rendez-vous.

Si Emmanuel Houillon a rejoint Pierre Overnoy en 1990, c'est avec sa famille qu'il a repris la gestion officielle du domaine en 2001, au départ en «retraite active» du désormais légendaire Pierre Overnoy. La gamme de vins limitée à trois cuvées montre la parfaite maîtrise de la vinification et de l'élevage sans soufre de raisins issus de vignes vierges de désherbage chimique, un modèle de production souvent imité dans ses pratiques mais malheureusement rarement égalé une fois le vin en bouteille. Les cuvées sont mises en vente toute l'année, au fil des mises de chaque pièce, ce qui rend délicat l'évaluation précise d'une cuvée en sachant qu'il en existe plusieurs versions. Succès aidant, le domaine n'a que peu de vin à vendre mais en se rendant sur place après s'être annoncé, il est possible de déguster et d'acheter quelques bouteilles.

Arbois chardonnay 2007
Blanc | 2010 à 2017 | 10 € **16,5/20**
Floral, nez légèrement miellé qui traduit une bonne maturité, suivi par une bouche pure et tendue, à la salinité magnifique.

Arbois savagnin 2003
Blanc | 2010 à 2023 | 16 € **17/20**
Le nez franc de noisette de ce vin ouillé est superbe, la bouche tendre et charnue offre un toucher de bouche inégalé, avec une longue finale. Il sera suivi à la vente par un 1999 encore en fût, magnifique de complexité.

DOMAINE PIGNIER

11, place Rouget-de l'Isle • 39570 Montaigu
Tél. 03 84 24 24 30 • Fax : 03 84 47 46 00
pignier-vigneron@wanadoo.fr
www.domaine-pignier.com
Visite : De 9h à 19h, sauf dimanche sur rendez-vous.
Groupes sur rendez-vous.

Installée sur un domaine très ancien qui appartenait à des moines chartreux depuis le XIIIe siècle, la famille Pignier exploite les vignes depuis sept générations. Blancs et rouges se montrent d'un très haut niveau, et si les élevages longs font parfois apparaître un boisé très présent dans les blancs, les rouges sont magnifiques.

Côtes du Jura chardonnay à la Percenette 2008
Blanc | 2010 à 2018 | 13 € **15/20**
Un chardonnay mûr au nez de fruits jaunes acidulés avec une pointe toastée, riche et pur en bouche avec du gras et une minéralité affirmée.

Côtes du Jura chardonnay
Cellier des Chartreux 2006
Blanc | 2011 à 2026 | 11 € **16,5/20**
Des chardonnays élevés sous voile ont donné une cuvée ouverte au nez typé, ample et profonde en bouche avec une grande longueur. Grande garde.

Côtes du Jura poulsard 2009
Rouge | 2010 à 2012 | 9 € **14/20**
Un poulsard de fruit, délicieux, charnu et acidulé en bouche avec une pointe de gaz encore perceptible en finale. À boire sur son fruit.

Côtes du Jura savagnin 2005
Blanc | 2012 à 2035 | 17 € **17/20**
Un savagnin élevé quatre années sous voile, fin et élégant en bouche avec une finesse et une précision remarquables. Très grande garde.

DOMAINE JACQUES PUFFENEY

11, rue de Saint-Laurent • 39600 Montigny-les-Arsures
Tél. 03 84 66 10 89 • Fax : 03 84 66 08 36
jacques.puffeney@wanadoo.fr
Visite : Sur rendez vous

Incontournable dans le secteur d'Arbois, Jacques Puffeney fait partie des vignerons qui marquent le vignoble par la constance de leur production dans un style classique. Conséquence des élevages longs en fût et foudre, les vins partent rapidement après la mise en bouteille. Les chardonnays épicés sont très typés arbois et lorsque le savagnin prend le voile, c'est pour produire des cuvées d'une puissance et d'une précision rarement égalées. Les vinifications en rouge sont également très bien maîtrisées, avec des 2006 au fruité intense qui laisseront place à des 2007 et 2008 d'équilibre plus légers.

Arbois savagnin 2005
Blanc | 2013 à 2020 | 12 € **15/20**
Élevé trois ans sous voile, c'est un vin puissant, épicé au nez et dense en bouche, avec un caractère frais qui lui donne un air rustique. À garder.

Arbois Vin Jaune 2001
Blanc | 2012 à 2030 | 30 € **17,5/20**
Dégusté après la mise en bouteille, c'est un vin complet, au nez élégant de curry et de noisette, ample et fruité en bouche avec un goût de jaune fin et précis. Longue finale.

Arbois Vin Jaune 2000
Blanc | 2012 à 2050 | 29 € **16,5/20**
Une mise de 2010 a donné un vin au nez de vanille et de fleurs jaunes, ample en bouche avec du gras et une fine amertume en finale. Belle trame minérale pour ce vin de garde.

CAVES DE LA REINE JEANNE

5, rue de Bourgogne • 39600 Arbois
Tél. 03 84 66 08 27 • Fax : 03 84 66 25 08
stephane.tissot.arbois@wanadoo.fr
Visite : Sur rendez-vous.

En marge du domaine familial, Stéphane Tissot possède cette maison de négoce basée à Arbois et gérée par Benoît Mulin ; il vinifie et élève des vins issus d'achats de raisin, en partie dans la cave historique de la Reine Jeanne à Arbois. Les vins sont de bonne qualité avec une facilité de dégustation qui les rend très séduisants jeunes. Seuls le crémant et le vin jaune sont disponibles cette année, en attendant la prochaine mise du chardonnay Grain-de-Pierre.

Château-Chalon 2003
Blanc | 2011 à 2023 | 24 € **15,5/20**
Un jaune de grande finesse, au nez de fleurs jaunes et de fruits mûrs avec une pointe de curry, tendre en bouche avec une fine acidité. Déjà accessible jeune, il se gardera.

Crémant du Jura
Blanc Brut effervescent | 2010 à 2012 | 9 € **14,5/20**
Ouvert avec une note toastée au nez, vineux en bouche avec une bulle fine. Délicieux et facile à boire.

DOMAINE RIJCKAERT

Correaux • 71570 Leynes
Tél. 03 85 35 15 09 • Fax : 03 85 35 15 09
rijckaert.jean@orange.fr • www.rijckaert.fr
Visite : Sur rendez-vous.

Les cinq hectares sont plantés quasi exclusivement en chardonnay, produisant des vins de grande race, élevés de manière traditionnelle. L'apport de la barrique est parfois sensible mais toujours très bien fondu, contribuant à la sensation de pureté des vins. Élevés à la manière des chardonnays, les savagnins sont magnifiques de pureté et de gras, mettant en avant le caractère épicé du cépage sans rechercher le goût de jaune.

Arbois chardonnay En Chante Merle 2006
Blanc | 2011 à 2021 | 12,50 € **15,5/20**
Un vin profond, au nez de fleurs avec une pointe beurrée, pur en bouche avec une belle précision. L'élevage doit encore se fondre.

Arbois chardonnay En Paradis 2007
Blanc | 2011 à 2022 | 12,50 € **16/20**
Concentré, ample et profond en bouche avec une bonne densité, de bonne garde.

Arbois savagnin Grand Élevage 2007
Blanc | 2012 à 2022 | 18,30 € **15/20**
Un savagnin élevé vingt-trois mois en fûts ouillés, franc au nez avec une note d'agrumes, dense en bouche avec de la minéralité et du gras. L'acidité reste très présente.

Côtes du Jura savagnin Les Sarres 2007
Blanc | 2010 à 2017 | 14,50 € **15/20**
Un savagnin ouillé au nez de fruits mûrs, tendre et épicé en bouche avec du gras et une fine acidité qui apporte de la fraîcheur en finale.

DOMAINE ROLET PÈRE ET FILS

Route de Dole - Lieu-dit Montesserin, B.P. 67
39600 Arbois
Tél. 03 84 66 00 05 • Fax : 03 84 37 47 41
rolet@wanadoo.fr • www.rolet-arbois.com
Visite : Tous les jours 9h a 12h et de 14h à 18h30 et le dimanche et jours fériés de 9h30 à 12h et de 14h30 à 18h30

L'important domaine familial de 64 hectares est géré par la fratrie Rolet, Bernard et Guy aux vignes et en cave, Pierre et Éliane au commercial. En appellation Arbois mais aussi en Côtes du Jura et L'Étoile, les cuvées sont nombreuses, avec presque la moitié en rouge. La gamme est très homogène et régulière, avec d'importantes capacités de garde. Les vins ont une bonne densité avec parfois un peu de rusticité lorsqu'ils sont jeunes, heureusement les cuvées sont mises en vente après un minimum de vieillissement en bouteille.

Arbois pinot 2006
Rouge | 2012 à 2021 | 8,50 € **15,5/20**
Un pinot noir mûr, au nez de petits fruits noirs et de cacao, concentré en bouche avec un élevage sous bois bien intégré. À garder.

Arbois Vin de Paille 2005
Blanc liquoreux | 2013 à 2025 | 22,50 € **16,5/20**
Encore discret, nez de fruits secs et de miel, riche et onctueux en bouche avec une finale pure et équilibrée sur la noisette et les fruits confits. À garder pour qu'il gagne en intensité.

Arbois Vin Jaune 2001
Blanc | 2011 à 2021 | 27,50 € **16/20**
Bouquet à maturité, complexe et épicé avec une note de noix, harmonieux en bouche avec un équilibre onctueux et gras très agréable. Ouvert, déjà prêt à boire.

Crémant du Jura Cœur de chardonnay 2006
Blanc Brut eff. | 2010 à 2012 | 11,50 € **14,5/20**
Élevé trois ans sur latte, c'est un crémant franc à la mousse compacte, fin en bouche avec une finale sur les fruits exotiques acidulés.

DOMAINE DE SAINT-PIERRE

1, rue du Château • 39600 Mathenay
Tél. 03 84 73 97 23 • Fax : 03 84 37 59 48
domainedesaintpierre2@wanadoo.fr
www.saint-pierre-jura.com
Visite : De 10h à 12h et de 14h à 19h tous les jours. En dehors de ces horaires sur rendez-vous

Philippe Moyne a planté le vignoble en 1988 sur les terres argilo-calcaires du village de Saint-Pierre, et depuis 2000, le nouvel œnologue Fabrice Dodan produit des vins fins après un élevage long. Le domaine de 5,6 hectares est en conversion biodynamique. Moderne dans la conception de ses étiquettes, le domaine utilise le bouchage par capsule à vis sur les cuvées à boire rapidement.

Arbois chardonnay Les Brûlées 2008
Blanc | 2011 à 2023 | 12 € **15/20**
Élevé en fûts de 500 litres neufs, le vin est frais avec une belle matière, le nez floral avec des agrumes étant suivi par une bouche fine et charnue. Bel élevage.

Arbois chardonnay-savagnin Château Renaud 2007
Blanc | 2010 à 2017 | env 10 € **15,5/20**
Un assemblage de chardonnay et savagnin au profil fruité, ample et charnu en bouche avec une acidité fine qui apporte une touche de légèreté.

Côtes du Jura pinot noir Cuvée J 2008
Rouge | 2010 à 2018 | 8,50 € **14,5/20**
Nez fumé, dense et fruité en bouche, avec une bonne pureté.

DOMAINE ANDRÉ ET MIREILLE TISSOT – STÉPHANE TISSOT

Quartier Bernard - B.P. 77
39600 Montigny-les-Arsures
Tél. 03 84 66 08 27 • Fax : 03 84 66 25 08
stephane.tissot.arbois@wanadoo.fr
www.stephane-tissot.com
Visite : Sur rendez-vous.

Véritable «Monsieur 100 000 volts» du Jura, Stéphane Tissot a repris les commandes du domaine familial il y a plus de dix ans avec une énergie peu commune, et développé l'idée de produire de grands vins hors des seuls vins de voile. Tout en passant à la biodynamie, les cuvées parcellaires se multiplient pour donner l'expression la plus juste des terroirs autour d'Arbois mais aussi Château-Chalon. Crémants, blancs ouillés ou typés, vins jaunes, rouges ou liquoreux, la gamme est longue, régulière et

homogène, avec pour certaines cuvées des volumes suffisants pour permettre une présence significative à l'export. Cerise sur le gâteau d'une telle révolution, l'apparition en 2010 de trois vins jaunes d'Arbois de terroirs différents va encore faire parler dans le vignoble.

Arbois chardonnay 2008

Blanc | 2010 à 2018 | 10,60 € **15/20**

Un chardonnay floral qui possède du corps, pur et acidulé avec du gras. Magnifique, très versatile.

Arbois chardonnay La Mailloche 2007

Blanc | 2010 à 2022 | 17 € **17/20**

Marqué par les arômes de sésame grillé, puis très pur en bouche avec de la profondeur et une acidité fine. Grande réussite du millésime.

Arbois chardonnay Le Clos de La Tour de Curon 2007

Blanc | 2012 à 2027 | 58 € **17,5/20**

Mûr, nez épicé avec une note d'écorce d'agrumes, dense en bouche avec du gras. Puissant, de grande garde.

Arbois chardonnay Les Graviers 2008

Blanc | 2011 à 2023 | 16,50 € **16,5/20**

Ample, bonne pureté, précis en bouche avec de la chair et du gras.

Arbois trousseau Singulier 2008

Rouge | 2011 à 2023 | 14,30 € **15,5/20**

Une petite récolte de trousseau a donné un vin concentré au nez de petits fruits rouges, marqué par des tanins encore secs en finale. Grande garde.

Arbois Vin Jaune En Spois 2003

Blanc | 2012 à 2033 | 40 € **18,5/20**

Le nez intense est marqué par une note de morille fraîche et de fruits mûrs, la bouche est ample et fine à la fois avec une grande pureté, du gras et une acidité présente qui soutient la longue finale.

Arbois Vin Jaune Les Bruyères 2003

Blanc | 2011 à 2033 | 45 € **17/20**

Fruité ouvert, tendre et pur en bouche avec une finesse de l'acidité remarquable. Un jaune de caractère.

Côtes du Jura pinot noir En Barberon 2008

Rouge | 2013 à 2028 | 22 € **16,5/20**

Corsé, nez épicé, trame de petits fruits noirs. Bon potentiel de bonification.

DOMAINE DE LA TOURNELLE

5, Petite Place • 39600 Arbois
Tél. 03 84 66 25 76 • Fax : 0384662715
domainedelatournelle@wanadoo.fr
www.domainedelatournelle.com
Visite : en janvier-février sur rendez-vous en été, tous les jours sauf dimanche 10h-12h et 14h30-18h30. Le reste de l'année, ouvert les lundi, mardi, jeudi, vendredi et samedi après-midi.

Pascal et Évelyne Clairet ont démarré le domaine en 1991, exploitant les six hectares de vignes sur Arbois avec le souci de produire des vins naturels. Les argiles du secteur d'Arbois apportent des épices au nez et du gras en bouche, donnant des blancs racés qui possèdent de la profondeur. Le domaine possède un bar à vin au centre d'Arbois, qui permet de déguster tranquillement la production du domaine. N'attendez pas trop pour acheter les rouges toujours très demandés.

Arbois Fleur de savagnin 2007

Blanc | 2011 à 2017 | 12,60 € **15/20**

Un savagnin ouillé au nez de fleurs jaunes, tendre et charnu en bouche avec une finale citronnée.

Arbois Les Corvées sous Curon 2006

Blanc | 2011 à 2021 | 11,70 € **16/20**

Minéral et tendre, salin en bouche avec une grande pureté.

Arbois trousseau des Corvées 2008

Rouge | 2011 à 2018 | 9,50 € **14/20**

Un trousseau net au fruité épicé, de bonne densité mais encore légèrement asséchant en bouche.

DOMAINE CÉLINE ET RÉMI TREUVEY

18, Petite-Rue • 39600 Villette-les-Arbois
Tél. 03 84 66 14 51
commercial@domaine-treuvey.fr
www.domaine-treuvey.fr
Visite : Sur rendez-vous.

Arbois savagnin Curoulet 2008

Blanc | 2010 à 2016 | 9 € **14/20**

Un savagnin ouillé au nez de petits fruits acidulés, ample et gras en bouche avec une finale épicée.

Crémant du Jura 2007

Blanc Brut effervescent | 2010 à 2013 | 6,50 € **14/20**

Franc, nez de fruits acidulés et d'épices, fin en bouche, avec une mousse aérienne et une finale acidulée.

PHILIPPE VANDELLE

186, rue Bouillod • 39570 L'Étoile
Tél. 03 84 86 49 57 • Fax : 03 84 86 49 58
info@vinsphilippevandelle.com
www.vinsphilippevandelle.com
Visite : Ouvert du lundi au samedi de 10h à 12h et de 14h à 19h. Sur rendez-vous dimanche et jours fériés.

L'Étoile Vieilles Vignes 2006

Blanc | 2010 à 2021 | 8 € **16/20**

Un vin profond au nez d'épices et de pomme avec une pointe de noix, tendre en bouche avec du gras et un goût de jaune raffiné.

L'Étoile Vin de Paille 2005

Blanc liquoreux | 2011 à 2025 | 17,50 € **15,5/20**

Un vin de paille élégant au nez de noisette et de fruits secs, ample en bouche avec une liqueur fondue et une note de châtaigne dans la longue finale.

L'Étoile Vin Jaune 2002

Blanc | 2011 à 2023 | 22,50 € **16/20**

Le nez est ouvert, délicat et floral avec une pointe de noix fraîche, la bouche ample et très pure avec une acidité fine. Délicieux.

FRUITIÈRE VINICOLE DE VOITEUR

Route de Nevy • 39210 Voiteur
Tél. 03 84 85 21 29 • Fax : 03 84 85 27 67
voiteur@fvv.fr • www.fruitiere-vinicole-voiteur.fr
Visite : Du lundi au samedi, de septembre à juin de 8h30 à 12h et de 13h30 à 18h, juillet et août de 8h30 à 12h et de 13h30 à 19h. Dimanche et fêtes de 10h à 12h et de 14h à 19h. Groupe sur rendez-vous.

Créée il y a cinquante ans et située au pied du village de Château-Chalon, la fruitière dirigée aujourd'hui par Bertrand Delannay connaît un développement discret mais très régulier, grâce à une gestion saine. Sur 75 hectares de vignes situées autour de Voiteur, les vins sont francs et nets avec une bonne régularité d'un millésime à l'autre.

Château-Chalon 2003

Blanc | 2011 à 2023 | 26,50 € **16/20**

Le nez est discret, la bouche est ample et épurée avec du gras et un goût de jaune fin et délicat.

Côtes du Jura chardonnay élevé en fût de chêne 2007

Blanc | 2010 à 2017 | 6,70 € **14,5/20**

L'élevage en fût de chêne non ouillé a permis une légère prise de voile sur ce vin au nez de curry et de fumée, léger et acidulé en bouche avec du gras. Facile à boire.

Côtes du Jura cuvée Prestige 2006

Blanc | 2010 à 2021 | NC **15/20**

Assemblage de deux tiers de chardonnay floral élevé en foudre et d'un tiers de savagnin sous voile. Tendre, fruité charnu, marqué aromatiquement par une pointe d'épices et de noix dans la longue finale.

Côtes du Jura savagnin 2005

Blanc | 2010 à 2015 | 11,60 € **15/20**

Élevé sous voile pendant trois ans, nez fumé légèrement typé, dense en bouche avec du gras. La finale est fraîche avec une note citronnée.

Notes personnelles

La sélection Bettane et Desseauve pour le Languedoc

Le vignoble du Languedoc

La « nouvelle Californie » française a largement dépassé le cap du dernier vignoble à la mode : elle ne devient que trop « classique », avec une viticulture à deux vitesses, une masse de vins indifférents et au débouché incertain, et une élite de vins de plus en plus raffinés et expressifs de terroirs à la personnalité remarquable. Leur trait commun : le charme et le plaisir immédiats ; nul ne s'en plaindra.

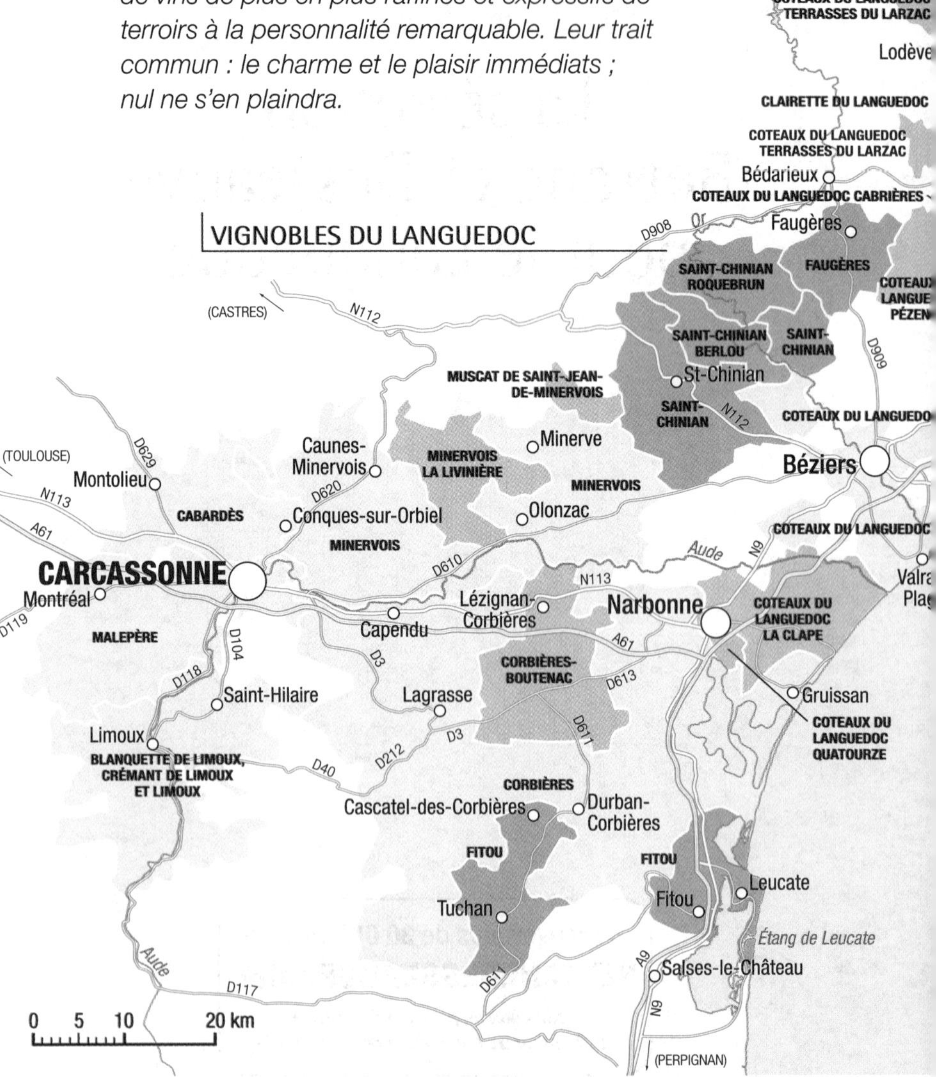

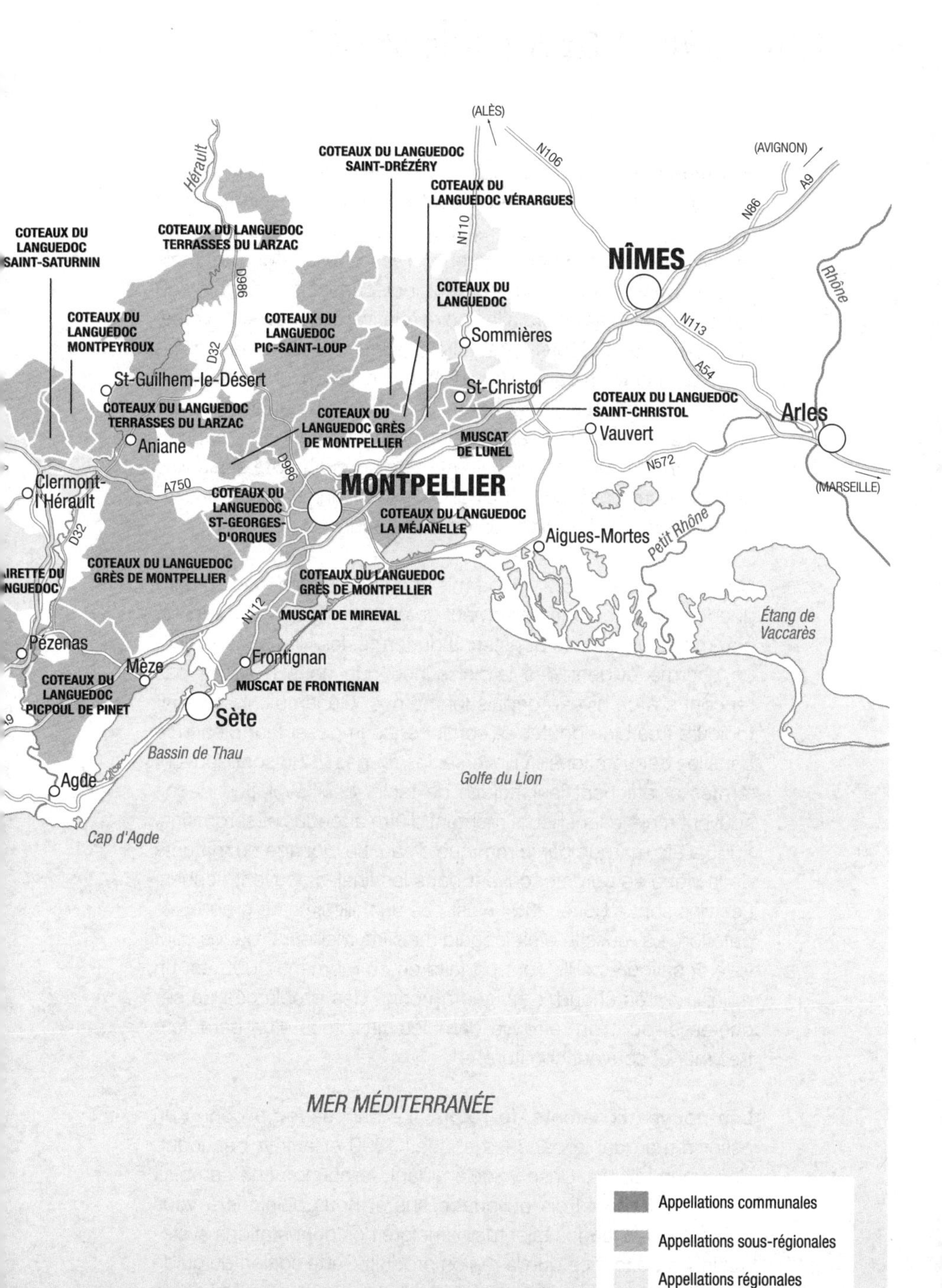

(ALÈS)
(AVIGNON)
N106
A9
N86
Hérault
COTEAUX DU LANGUEDOC SAINT-DRÉZÉRY
COTEAUX DU LANGUEDOC VÉRARGUES
N110
COTEAUX DU LANGUEDOC SAINT-SATURNIN
COTEAUX DU LANGUEDOC TERRASSES DU LARZAC
NÎMES
Rhône
D986
COTEAUX DU LANGUEDOC
COTEAUX DU LANGUEDOC MONTPEYROUX
COTEAUX DU LANGUEDOC PIC-SAINT-LOUP
Sommières
N113
D32
St-Guilhem-le-Désert
A54
St-Christol
COTEAUX DU LANGUEDOC SAINT-CHRISTOL
COTEAUX DU LANGUEDOC TERRASSES DU LARZAC
COTEAUX DU LANGUEDOC GRÈS DE MONTPELLIER
Arles
Vauvert
Aniane
MUSCAT DE LUNEL
N572
D986
Clermont-l'Hérault
A750
COTEAUX DU LANGUEDOC ST-GEORGES-D'ORQUES
MONTPELLIER
(MARSEILLE)
D32
COTEAUX DU LANGUEDOC LA MÉJANELLE
Aigues-Mortes
Petit Rhône
COTEAUX DU LANGUEDOC GRÈS DE MONTPELLIER
COTEAUX DU LANGUEDOC GRÈS DE MONTPELLIER
N112
MUSCAT DE MIREVAL
Étang de Vaccarès
Pézenas
Frontignan
Mèze
COTEAUX DU LANGUEDOC PICPOUL DE PINET
MUSCAT DE FRONTIGNAN
Sète
Bassin de Thau
Agde
Golfe du Lion
Cap d'Agde
MER MÉDITERRANÉE

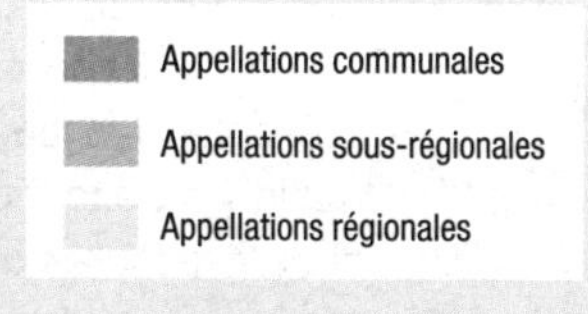

L'actualité des millésimes

En quête d'équilibre. La chaleur de 2009 a produit un millésime chargé en alcool. Les blancs sont souvent gourmands, mûrs mais frais quand le vigneron a adapté sa date de récolte au millésime. Les rouges sont généreux, d'assez bonne qualité, mais tous ne possèdent pas la fraîcheur indispensable. La faible acidité des rouges amènera à les boire relativement vite. À l'inverse, 2008 permettait d'obtenir cette fraîcheur nécessaire à la réalisation d'un grand vin dans le sud. Dans ce millésime, beaucoup de bouteilles sont actuellement dans une phase un peu austère, les éléments de structure l'emportant provisoirement sur l'expression du fruité. 2008 est globalement de bonne qualité et les vins des meilleurs vignerons sont parfois exceptionnels. Ils dépasseront en race 2007 à condition de les attendre un peu.

Une riche palette. 2007 a permis une réussite générale en Languedoc. C'est incontestablement un grand millésime. Équilibrés, commerciaux dans le bons sens du terme, les vins possédaient un charme évident dès la naissance que nous n'avions pas rencontré à ce niveau depuis longtemps. Généreux, ils se sont toujours très bien goûtés et continuent à imposer leur plénitude dans les dégustations. A l'inverse, les rouges 2006 sont souvent fermés et affichent leur rigidité de tanin. Leur évolution déçoit souvent mais les meilleurs méritent d'être attendus et seront fins. 2005 a été marqué par le manque d'eau. Le blocage de maturité de la vigne se perçoit souvent dans les finales souvent sèches. Les vins sont à boire. 2004 n'est pas un millésime de grande réputation. La réussite était inégale mais les meilleurs rouges sont frais et savoureux. Ils sont parfaits en ce moment. 2003 est un millésime très chaud. La vigne a connu des problèmes de sècheresse, que l'on retrouve dans les vins, tous d'un caractère très mûr et souvent confituré.

Les nouveaux talents, le retour. Le Languedoc a connu un essor remarquable dans les années 1990 et attirait beaucoup de jeunes talents. Crise viticole aidant, le phénomène semblait en panne depuis trois ou quatre ans et nous peinions à vous présenter des jeunes talentueux malgré nos dégustations systématiques de tout ce que la région produit. Cette édition du guide nous a rassurés quant à la capacité du Languedoc à se régénérer. La relève des Montcalmès, Mas des Brousses et autres Cal

Demoura est assurée. Elle est indispensable pour que la multitude de talents fasse encore progresser la notion de grand vin languedocien. Le Domaine de Cazaban à Cabardès s'impose en deux millésimes au plus haut niveau de l'appellation. Les Fusionnels leur emboitent le pas à Faugères. Là aussi, deux millésimes ont suffi pour bousculer le niveau des meilleurs rouges de l'AOC. À Saint-Chinian, La Grange-Léon fera partie des domaines à suivre de très près. Vers Aniane, le domaine Vaïsse ne présente qu'un millésime, c'est le premier que nous lui connaissions, mais quel début !

MEILLEURS VINS TOUTES CATÉGORIES

Clos Marie,
Coteaux du Languedoc Pic Saint-Loup, Glorieuses, rouge, 2008

Domaine de Montcalmès,
Coteaux du Languedoc, rouge, 2007

Domaine Peyre Rose,
Coteaux du Languedoc, Oro, blanc, 1997

Hautes Terres de Comberousse,
Coteaux du Languedoc, Roucaillat, blanc, 2007

Prieuré de Saint-Jean de Bébian,
Coteaux du Languedoc, rouge, 2007

LE BONHEUR TOUT DE SUITE

Château de Pech-Redon,
Coteaux du Languedoc, L'Épervier, rouge, 2007

Domaine de la Prose,
Coteaux du Languedoc, Les Embruns, rouge, 2009

Domaine Jean-Marie Sigaud,
Fitou, rouge, 2009

Domaine La Grange Léon,
Saint-Chinian, D'une main à l'autre, rouge, 2008

Mas Cal Demoura,
Coteaux du Languedoc, Les Combariolles, rouge, 2007

MEILLEURS VINS À MOINS DE 6 €

Château de Vaugelas,
Corbières, Le Prieuré, rouge, 2008

Château Guéry,
Vin de pays d' Oc, viognier Serre de Guery, blanc, 2009

Domaine de Roque-Sestière,
Corbières, A l'orée des pins, rouge, 2007

Domaine La Grange Léon,
Saint-Chinian, La rose de Laury, rosé, 2009

Lorgeril - Château de Pennautier,
Minervois, La Borie blanche, rouge, 2009

MEILLEURS VINS À MOINS DE 10 €

Domaine de Cazaban,
Cabardès, Demoiselle Claire, rouge, 2008

Domaine La Croix de Saint-Jean,
Minervois, Lo Mainatge, rouge, 2008

Domaine La Grange Léon,
Saint-Chinian, L'audacieux, rouge, 2008

Domaine Les Amants de la Vigneronne,
Faugères, Le rouge aux Lèvres, rouge, 2008

Les Fusionels,
Faugères, Le Rêve, rouge, 2008

MEILLEURS VINS À METTRE EN CAVE

Domaine Bertrand-Bergé,
Rivesaltes, Tuilé Ma Ga, rouge, 2007

Domaine de Baron Arques,
Limoux, rouge, 2007

Domaine l'Oustal blanc,
Minervois-La-Livinière, Prima Donna, rouge, 2007

Mas Jullien,
Coteaux du Languedoc, rouge, 2007

Prieuré de Saint-Jean de Bébian,
Coteaux du Languedoc, rouge, 2008

MEILLEURS BLANCS

Domaine d'Aupilhac,
Coteaux du Languedoc, Les Cocalières blanc, 2008

Domaine l'Oustal blanc,
Vin de Table, vin de table Naïck 8

Domaine Peyre Rose,
Coteaux du Languedoc, Oro, 1996

Mas Cal Demoura,
Vin de Table, Paroles de Pierres, 2008

Prieuré de Saint-Jean de Bébian,
Coteaux du Languedoc, 2007

MEILLEURS BLANCS EFFERVESCENTS

Caves du Sieur d'Arques,
Blanquette de Limoux, 1531, blanc

Domaine Alain Cavaillès,
Blanquette de Limoux, Résilience, blanc, 2008

Domaine de Fourn,
Blanquette de Limoux, blanc, 2008

Domaine de Martinolles,
Blanquette de Limoux, blanc, 2007

Domaine Guinot,
Crémant de Limoux, Impérial, blanc

Domaine J. Laurens,
Crémant de Limoux, Les Graimenous, blanc, 2008

MEILLEURS ROSÉS

Cave de Cabrières,
Coteaux du Languedoc, 2009

Clos Canos,
Corbières, 2009

Domaine Causse d'Arboras,
Coteaux du Languedoc, 2009

Domaine du Pas de l'Escalette,
Coteaux du Languedoc, Ze Rozé, 2009

Vignerons de Neffies,
Coteaux du Languedoc, Buffe Vent, 2009

MEILLEURS CABARDÈS ROUGES

Château de Jouclary,
Cabardès, Tradition, 2007

Domaine de Cabrol,
Cabardès, Vent d'Est, 2008

Domaine de Cazaban,
Cabardès, Domaine de Cazaban, 2008

Lorgeril - Château de Pennautier,
Cabardès, Château de Pennautier, 2009

Prieuré du Font-Juvénal,
Cabardès, Fontaine de Jouvence, 2007

MEILLEURS CORBIÈRES ROUGES

Cave d'Embres et Castelmaure,
Corbières, n°3 de Castelmaure, 2008

Château de Vaugelas,
Corbières, Château Vaugelas, 2008

Château Vieux Moulin,
Corbières, Les Ailes, 2006

Domaine du Grand Crès,
Corbières, cuvée Majeure, 2007

Domaine Maxime Magnon,
Corbières, Campagnès, 2009

Gérard Bertrand,
Corbières, La Forge, 2008

MEILLEURS COTEAUX DU LANGUEDOC ROUGES

Château Rouquette-sur-Mer,
Coteaux du Languedoc, cuvée Henry Lapierre, 2008

Domaine d'Aupilhac,
Coteaux du Languedoc, Les Cocalières, 2007

Domaine Peyre Rose,
Coteaux du Languedoc, Syrah Léone, 2003

Domaine Vaïsse,
Coteaux du Languedoc, Les Capitelles, 2007

Les Vignes Oubliées,
Coteaux du Languedoc, 2008

Mas des Brousses,
Coteaux du Languedoc, 2008

Mas du Soleilla,
Coteaux du Languedoc, La Clape Clôt de l'Amandier, 2007

MEILLEURS FAUGÈRES ROUGES

Château des Estanilles,
Faugères, Le Clos du Fou, 2007

Domaine Les Amants de la Vigneronne,
Faugères, De Chair et de Sang, 2008

Domaine Ollier-Taillefer,
Faugères, Castel Fossibus, 2007

L'Ancienne Mercerie,
Faugères, Couture, 2007

Les Fusionels,
Faugères, Intemporelle, 2008

MEILLEURS FITOU

Château Champ-des-Sœurs,
Fitou, La Tina, rouge, 2008

Château de Nouvelles,
Fitou, Gabrielle, rouge, 2008

Domaine Bertrand-Bergé,
Fitou, Jean Sirven, rouge, 2007

Les Maîtres Vignerons de Cascastel,
Fitou, Vieilles vignes, rouge, 2008

Mont Tauch,
Fitou, Château de Ségure, rouge, 2007

MEILLEURS MINERVOIS ROUGES

Borie de Maurel,
Minervois, Sylla, 2008

Château Cesseras,
Minervois-La-Livinière, 2007

Domaine des Aires Hautes,
Minervois-La-Livinière, Clos de l'Escandil, 2007

Domaine Jean-Baptiste Sénat,
Minervois, La Nine, 2008

Domaine Le Cazal,
Minervois, Délice du Vent, 2007

Domaine l'Oustal blanc,
Minervois, Giocoso, 2007

Gérard Bertrand,
Minervois-La-Livinière, Le Viala, 2008

MEILLEURS SAINT-CHINIANS ROUGES

Borie La Vitarèle,
Saint-Chinian, Les Schistes, 2008

Château La Dournie,
Saint-Chinian, Élise, 2008

Domaine La Grange Léon,
Saint-Chinian, L'Insolent, 2009

Hecht & Bannier,
Saint-Chinian, 2007

Lorgeril - Château de Pennautier,
Saint-Chinian, Château de Ciffre, Terroirs d'Altitude, 2008

Mas Champart,
Saint-Chinian, Clos de la Simonette, 2008

MEILLEURS ROUGES EN VIN DE PAYS - VINS DE TABLE

Château La Baronne,
Vin de pays d' Hauterive, Pièce de Roche, 2007

Domaine du Grand Crès,
Vin de table, Cressaïa, 2008

Domaine Gayda,
Vin de pays d'Oc, Figure Libre, 2008

Mas Conscience,
Vin de Table, Cieux, 2009

Mas du Soleilla,
L'intrus, 2008

Mas Laval,
Vin de pays de l'Hérault, 2008

Palmarès des lecteurs

DOMAINE DE CAZABAN
Cabardès, Demoiselle Claire, rouge, 2008

DOMAINE DE ROQUE-SESTIÈRE
Corbières, A l'orée des Pins, rouge, 2007

DOMAINE DE ROQUE-SESTIÈRE
Corbières, Carte Blanche, rouge, 2007

CAVE DE CABRIÈRES
Coteaux du Languedoc, rosé, 2009

MAS CAL DEMOURA
Coteaux du Languedoc, L'Infidèle, rouge, 2007

MAS FABREGOUS
Coteaux du Languedoc, Sentier Botanique, rouge, 2007

DOMAINE LES GRANDES COSTES
Coteaux du Languedoc, Musardises, rouge, 2009

DOMAINE LES GRANDES COSTES
Coteaux du Languedoc, La Sarabande, rouge, 2008

DOMAINE RAVAILLE
Coteaux du Languedoc, Cuvée Saint Agnès, rouge, 2008

MAS DE LA SERANNE
Coteaux du Languedoc, Les Ombelles, blanc, 2008

LES VIGNES OUBLIÉES
Coteaux du Languedoc, rouge, 2008

CHÂTEAU L'EUZIÈRE
Coteaux du Languedoc Pic Saint-Loup, Les Escarboucles, rouge, 2008

Palmarès des lecteurs (suite)

DOMAINE J. LAURENS
Crémant de Limoux, Les Graimenous, blanc, 2008

CHÂTEAU CHAMP-DES-SŒURS
Fitou, La Tina, rouge, 2008

DOMAINE LA ROUVIOLE
Minervois, Sélection, rouge, 2006
Élu Meilleur rouge par les lecteurs !

CHÂTEAU SAINTE-EULALIE
Minervois, Plaisir d'Eulalie, rouge, 2008

CHÂTEAU VILLERAMBERT-JULIEN
Minervois, blanc, 2009

HECHT & BANNIER
Saint-Chinian, rouge, 2007

DOMAINE DE CLOVALLON
Vin de pays d' Oc, Les Pomaredes, rouge, 2008

LES DOMAINES PAUL MAS
Vin de pays d' Oc, DA Chardonnay, blanc, 2009

DOMAINE DE L'ARJOLLE
Vin de pays des Côtes de Thongue, Fié gris, blanc, 2007

DOMAINE LA CROIX BELLE
Vin de pays des Côtes de Thongue, n°7, blanc, 2008

DOMAINE L'AIGUELIÈRE

2, place du Square • 34150 Montpeyroux
Tél. 04 67 96 61 43 • Fax : 04 67 44 49 67
christine@aigueliere.com
www.domaine-aigueliere.com
Visite : De 9h à 18h, sur rendez-vous.

Coteaux du Languedoc - Montpeyroux Côte Dorée 2006
Rouge | 2010 à 2010 | 20 € — 13/20
La Côte-Dorée 2006 montre des tanins secs, trop éloignés du fruit par rapport à l'attente sur ce cru.

Coteaux du Languedoc - Montpeyroux Côte Rousse 2006
Rouge | 2010 à 2012 | 20 € — 13/20
2006 a perturbé l'approche fruitée de la syrah et l'entraîne vers la feuille de havane. Nous espérons beaucoup de 2007.

DOMAINE D'AIGUES BELLES

Aiguebelle • 30260 Brouzet-les-Quissac
Tél. 06 07 48 74 65 • Fax : 04 66 77 40 52
gilles.palatan@traxys.com
www.aigues.belles@orange.fr
Visite : Sur rendez-vous.

Ce domaine d'une vingtaine d'hectares, installé dans le Gard, appartient à la famille Palatan. L'ensemble de la gamme est élevé soigneusement avec un usage judicieux de la barrique : Gilles Palatan sait faire varier la proportion de bois neuf et la durée d'élevage, en fonction des matières premières dont il dispose. La réussite en vin de pays d'Oc est exceptionnelle, elle surpassait cette année tout ce que nous avons goûté sous cette dénomination.

Vin de pays d'Oc Classique 2008
Rouge | 2010 à 2013 | 10 € — 15,5/20
Étonnante cuvée qui pinote au nez, bien que l'assemblage de syrah, de grenache et de mourvèdre soit très éloigné du cépage bourguignon... Seul le poivre apporté par la syrah rappelle qu'on est en Languedoc. Remarquable de buvabilité et d'élégance.

Vin de pays d'Oc L'Autre Blanc 2009
Blanc | 2010 à 2014 | 12 € — 16/20
L'Autre-Blanc mérite encore plus son nom cette année, il devient à dominante de sauvignon. Aux antipodes du style variétal du cépage, le style exquis des amers maintient le cap de cette cuvée.

Vin de pays d'Oc L'Autre Blanc 2008
Blanc | 2010 à 2012 | 12 € — 16/20
Avec une dominante de chardonnay, cette cuvée est d'un haut niveau qualitatif. La finale est racée avec une pointe d'amertume qui le complexifie.

Vin de pays d'Oc Le Blanc 2009
Blanc | 2010 à 2012 | 13 € — 15,5/20
Cuvée est à base de chardonnay, d'un grand volume avec une finale beurrée et une pointe de caramel. C'est un joli vin dans ce millésime chaud.

Vin de pays d'Oc Lombarde 2008
Rouge | 2010 à 2011 | 9 € — 15,5/20
Cette cuvée assemble la syrah au grenache et au merlot. Elle est voluptueuse, avec des tanins fins et frais et une véritable buvabilité.

Vin de pays d'Oc Lombarde 2006
Rouge | 2010 à 2013 | 8 € — 15/20
Cette cuvée dégustée à nouveau se montre sous un jour plus ouvert que Nicole 2006, qui a besoin de temps et s'est refermée. Elle est gourmande, avec un joli fruit. On peut la boire.

Vin de pays d'Oc Nicole 2008
Rouge | 2011 à 2014 | 11 € — 15,5/20
Cette cuvée, réalisée à partir de vignes âgées de syrah et cabernet-sauvignon et teintée d'un peu de mourvèdre, a un très joli nez de fruits frais. Encore un peu fermée, elle va s'ouvrir dans les prochains mois.

Vin de pays d'Oc Poirier des Rougettes 2009
Rosé | 2010 à 2010 | 7 € — 15/20
Très beau rosé gourmand en bouche, frais au nez. C'est une réussite avec un volume rare en finale.

DOMAINE DES AIRES HAUTES

Chemin des Aires • 34210 Siran
Tél. 04 68 91 54 40 • Fax : 04 68 91 54 40
gilles.chabbert@wanadoo.fr
Visite : Sur rendez-vous.

Gille Chabbert conduit ce domaine situé à Siran, sur le Petit Causse, au cœur du Minervois. Les vins-de-pays sont des expressions justes de leurs différents cépages. La cuvée du Clos-de-l'Escandil offre des tanins racés, dans un style élégant qui s'est écarté avec intérêt de l'ostentation des années 2000. Ce domaine revient au premier plan.

MINERVOIS-LA-LIVINIÈRE 2007
Rouge | 2010 à 2013 | 9 € **14/20**
Fruité avec des notes d'anis, mais également de cuir et d'épices et de curry, cette cuvée est à boire sur ses arômes évolués.

MINERVOIS-LA-LIVINIÈRE CLOS DE L'ESCANDIL 2007
Rouge | 2010 à 2014 | 16,80 € **16/20**
La matière est noble, élégante, délicatement épicée. Le cuir noble s'est invité dans le bouquet. On peut boire ce vin dès maintenant.

VIN DE PAYS D'OC MALBEC 2008
Rouge | 2010 à 2012 | 7 € **15/20**
Très belle expression du cépage, elles ne sont pas si fréquentes en Languedoc. Fruité, floral et aromatique, le vin se montre gourmand en finale, avec une amertume puissante.

CLOS DE L'AMANDAIE

Mas Arnaud • 34230 Aumelas
Tél. 04 67 88 72 37 • Fax : 04 67 88 72 37
closdelamandaie@free.fr • www.closdelamandaie.com
Visite : Du lundi au vendredi de 18h à 20h.
Ouvert le samedi après-midi et le dimanche matin.

Situé à près de 300 mètres d'altitude, ce domaine capte une fraîcheur bienvenue en millésime chaud, tel 2007. Nous n'avons pu goûter qu'une cuvée du domaine mais elle mérite une attention particulière. À suivre.

COTEAUX DU LANGUEDOC - GRÈS DE MONTPELLIER HUIS CLOS 2007
Rouge | 2010 à 2015 | 14 € **16/20**
Un nouveau producteur dans le guide, et il frappe fort. Le tanin est magnifique, aérien, d'une exquise délicatesse. C'est un vin de grande gourmandise. On en boira beaucoup trop !

DOMAINE LES AMANTS DE LA VIGNERONNE

18, route de Pézenas • 34600 Faugères
Tél. 04 67 95 78 49 • Fax : 04 67 95 79 20
lesamantsdelavigneronne@yahoo.fr
www.lesamantsdelavigneronne.com
Visite : Tous les jours de 10h à 19h.

Nous retrouvons cette année l'un des domaines les plus étonnants de Faugères avec une réussite remarquable pour les cuvées De-Chair-et-de-Sang et Le-Rouge-aux-Lèvres. La matière est magnifique et l'élevage de ces deux cuvées est tout en finesse. Volupté annoncée sur des contre-étiquettes chaudes, très chaudes, volupté rencontrée dans la bouteille. Nous avons souvent des réserves sur les annonces un peu provocantes mais ici, la promesse est tenue dans le vin. Allons-y !

FAUGÈRES DE CHAIR ET DE SANG 2008
Rouge | 2010 à 2014 | 12,50 € **16/20**
Mûr, très mûr, le vin est superbe dans sa texture ouatée. Légère sensation sucrée, trop peut-être, mais cela lui donne un charme rare dans le millésime.

FAUGÈRES LE ROUGE AUX LÈVRES 2008
Rouge | 2010 à 2015 | 8 € **16/20**
Le commentaire de la contre-étiquette appelle à la volupté. La promesse n'est pas superfétatoire. Le vin montre un charnu superbe.

L'ANCIENNE MERCERIE

6, rue de l'Égalité • 34480 Autignac
Tél. 04 67 90 27 02 • Fax : 04 67 90 27 02
ancienne.mercerie@free.fr
Visite : Sur rendez-vous

Cette propriété peu connue du sud de Faugères séduit par la qualité de ses deux cuvées. Nathalie et François Caumette, ingénieurs agronomes et œnologues, travaillent les vignes des grands-pères dans la mercerie de la grand-mère, transformée en cave pour les besoins du vin. Et il s'agit ici de grand vin. Les-Petites-Mains ne sont pas une simple cuvée d'entrée de gamme car la qualité du fruit est enthousiasmante. La cuvée Couture fait appel aux cépages traditionnels, la syrah y mène l'assemblage à hauteur d'un tiers, complétée à parts égales par le grenache, le mourvèdre et le carignan.

FAUGÈRES COUTURE 2008
Rouge | 2010 à 2013 | 14,50 € **14/20**
2008 montre une acidité marquée, un vin sans concession avec des raisins ramassés en juste limite de maturité.

FAUGÈRES COUTURE 2007
Rouge | 2010 à 2013 | 14,50 € **16/20**
Vin suave, épicé et fruité, avec une finale de grand charme. Il peut être bu dès maintenant pour profiter d'un aromatique de grande dimension où les feuilles de havane dominent.

CLOS DE L'ANHEL

11220 Lagrasse
Tél. 04 68 43 18 12 • Fax : 04 68 43 18 12
anhel@wanadoo.fr • www.anhel.fr
Visite : uniquement sur rendez-vous

Corbières Les Dimanches 2008
Rouge | 2010 à 2014 | 13 € **14/20**
Du fruit, ample en bouche avec des tanins ronds et une finale élancée. C'est un vin sincère dans son expression.

CAVE ANNE DE JOYEUSE

41, avenue Charles-de-Gaulle • 11300 Limoux
Tél. 04 68 31 11 30 • Fax : 04 68 74 79 49
commercial.france@cave-adj.com
www.annedejoyeuse.fr
Visite : du lundi au samedi de 9h à 12h
et de 15h à 19h.

Vin de pays d'Oc Ampelausaurus 2008
Blanc | 2010 à 2013 | 7,10 € **14/20**
Joli chardonnay long et complet, avec du fruit et une belle acidité.

Vin de pays d'Oc Social Club sauvignon - chenin
Blanc | 2010 à 2011 | 3,50 € **13/20**
Étonnant vin de 10,5° d'alcool, variétal mais pas végétal. Simple tout en étant fruité et élégant, il mérite qu'on le recherche dans cette catégorie de vins plus digestes.

ANTECH

Domaine de Flassian - Route de Carcassonne
11300 Limoux
Tél. 04 68 31 15 88 • Fax : 04 68 31 71 61
courriers@antech-limoux.com
www.antech-limoux.com
Visite : du lundi au vendredi de 8h à 12h
et de 14h à 18h

La maison Antech est l'un des domaines phares de Limoux avec ses trois quarts de siècle d'histoire. Elle est aujourd'hui dirigée avec compétence par Françoise Antech-Gazeau. Émotion est un nouveau rosé qui agrandit l'offre de Limoux vers une couleur certes à la mode mais non sans intérêt. Nous recommandons également la blanquette méthode ancestrale, épatante sur les desserts aux fruits jaunes.

Crémant de Limoux Émotion 2008
Rosé Brut effervescent | 2010 à 2012 | 8 € **14/20**
Notes torréfiées et de caramel blond, avec un retour en finale des framboises et des groseilles qui donnent à cette jolie bulle rosée une pointe de fraîcheur.

CHÂTEAU D'ANTUGNAC

4, rue du Château • 11190 Antugnac
Tél. 04 68 74 22 38 • Fax : 04 68 74 22 60
info@collovrayterrier.com • www.collovrayterrier.com
Visite : Du lundi au vendredi de 8h à 12h
et de 14h à 18h.

Deux vignerons du Mâconnais, Christian Collovray et Jean-Luc Terrier, du Domaine des Deux Roches, se sont implantés dans l'Aude pour y travailler le chardonnay et le pinot noir alors que tant de locaux se sont cassés les dents sur ce cépage délicat. Le travail des sols et une incontestable maîtrise technique sont les ingrédients de leur réussite, brillante cette année.

Limoux Las Gravas 2008
Blanc | 2010 à 2013 | 15 € **14/20**
Ce vin est un coureur de fond, long, opulent avec une pointe d'amertume tenue par une matière gourmande et lactée.

Limoux Terres Amoureuses 2008
Blanc | 2010 à 2013 | 10 € **16/20**
Très belle matière, élégante en bouche, raffinée et subtile, avec un équilibre de finale rare. L'ensemble est voluptueux.

Vin de pays d'Oc La Closerie des Lys 2009
Blanc | 2010 à 2011 | 5 € **14/20**
Expression aromatique agréable, fruitée, fleurs blanches. Le millésime est un clin d'œil aux déchiffreurs, il est indiqué en chiffres latino-arabes. Le vin, plus accessible, est un bon représentant des vins de pays d'oc.

Vin de pays d'Oc Turitelles 2009
Rouge | 2010 à 2012 | 5 € **13,5/20**
La fraîcheur de cette cuvée séduira les amateurs de vins coulants et simples, avec une acidité légèrement marquée en finale.

Vin de pays de la Haute Vallée de l'Aude pinot noir 2009
Rouge | 2010 à 2011 | 7 € **14/20**
Jolis arômes de pinot noir avec une savoureuse délicatesse en fin de bouche.

DOMAINE DE L'ARJOLLE

7 bis, rue Fournier • 34480 Pouzolles
Tél. 04 67 24 81 18 • Fax : 04 67 24 81 90
domaine@arjolle.com • www.arjolle.com
Visite : Du lundi au samedi, de 9h à 12h et de 14h à 18h.

Le Domaine de l'Arjolle a été fondé dans les années 1970 par la famille Teisserenc. On est ici dans le secteur nord de la zone des Côtes de Thongue. Ce domaine de quatre-vingts hectares axe sa recherche sur le travail du sol et sur l'implantation de nouveaux cépages pour le secteur. A côté d'une gamme réussie de vins de cépages, nous avons remarqué plus particulièrement un oxydatif étonnant, Dernière-Cueillette, habité par un esprit jurassien.

VIN DE PAYS DES CÔTES DE THONGUE 2007
Blanc | 2010 à 2011 | 7 € **13/20**
Cuvée originale, fruitée, avec l'opulence native du millésime.

VIN DE PAYS DES CÔTES DE THONGUE
DERNIÈRE CUEILLETTE 2007
Blanc | 2010 à 2019 | 12 € **15/20**
Ceux qui n'aiment pas les beaux oxydatifs du Jura passeront leur chemin. Ce chardonnay a été réalisé dans la grande tradition, un élevage plus court en prime. Associé à un comté, c'est le bonheur.

VIN DE PAYS DES CÔTES DE THONGUE
SYNTHÈSE DE L'ARJOLLE MERLOT 2007
Rouge | 2010 à 2011 | 11 € **13,5/20**
Étonnant merlot, très original. Il donne une autre idée du cépage en terres chaudes. Gourmand et épicé, c'est un charmeur.

CLOS DES AUGUSTINS

111, chemin de la Vieille
34270 Saint-Mathieu-de-Tréviers
Tél. 04 67 54 73 45 • Fax : 04 67 54 52 77
closdesaugustins@wanadoo.fr
www.closdesaugustins.com
Visite : Tous les jours de 9h à 12h et de 14h à 19h.

COTEAUX DU LANGUEDOC - PIC SAINT-LOUP
LES BAMBINS 2008
Rouge | 2010 à 2012 | 7,90 € **14/20**
Nous avons aimé cette cuvée fraîche, avec un joli jus de fruits noirs, d'épices et de tapenade.

VIN DE PAYS DU VAL DE MONTFERRAND
JOSEPH 2004
Blanc | 2010 à 2013 | 15 € **14,5/20**
Le nez est explosif de fraîcheur. Verveine, tilleul et menthol sont le triptyque aromatique, la fin de bouche légèrement saline est grasse et très élégante.

DOMAINE D'AUPILHAC

28, rue du Plô • 34150 Montpeyroux
Tél. 04 67 96 61 19 • Fax : 04 67 96 67 24
aupilhac@wanadoo.fr • www.aupilhac.com
Visite : De 9h à 12h et de 14h à 17h.

Sylvain Fadat a démarré son exploitation en 1988, à partir d'un petit vignoble familial sur le lieu-dit Aupilhac exposé plein sud. En haut de gamme, les Cocalières sont des parcelles de plus haute altitude, exposées au nord et organisées en terrasses. Quelques notes animales rencontrées par le passé dans certaines cuvées ont disparu des vins présentés cette année. Le savoir-faire du domaine permet désormais au terroir de s'exprimer à plein régime.

COTEAUX DU LANGUEDOC - MONTPEYROUX 2007
Rouge | 2011 à 2015 | 13 € **15,5/20**
Cette cuvée a gagné en netteté aromatique avec un style puissant en bouche, tenue par des notes de réglisse fortes et de poivres.

COTEAUX DU LANGUEDOC
LES COCALIÈRES BLANC 2008
Blanc | 2010 à 2013 | 16 € **17/20**
Un blanc de grand volume issu à parts égales de marsanne, de roussanne, de grenache blanc et de rolle. Il est complexe et épicé, et s'oriente vers la pomme et le gingembre. Un ensemble très atypique, étonnant mais ravissant, tout en délicatesse. Sa personnalité ne plaira pas à tout le monde, ouf, il en restera !

COTEAUX DU LANGUEDOC
LES COCALIÈRES ROUGE 2007
Rouge | 2010 à 2015 | 15 € **17/20**
L'élevage est remarquable sur cette très belle cuvée empyreumatique au nez avec, en bouche, des tanins de grande allure.

VIN DE PAYS DU MONT BAUDILE
LE CARIGNAN 2008
Rouge | 2010 à 2014 | 14,40 € **15,5/20**
Ce carignan étonne. C'est une grande réussite avec une trame tannique à la fois dense et souple et un aromatique agréable. Une réussite.

DOMAINE DES AURELLES

8, chemin des Champs-Blancs • 34320 Nizas
Tél. 04 67 25 08 34 • Fax : 04 67 25 00 38
domainelesaurelles@wanadoo.fr
www.les-aurelles.com
Visite : Sur rendez-vous.

Basile Saint-Germain a recherché en Languedoc des terroirs avec de vieilles vignes. Aurel et Solen obtiennent des cépages traditionnels languedociens des structures délicates de pinots noirs. La maison réalise des vins en rupture de style avec les classiques du Languedoc et mérite d'être visitée pour l'originalité de sa production, orientée vers la finesse et l'élégance. Les blancs ne connaissent que la roussanne. Magnifiques en cuve, ils sont commercialisés assez tard. La phase de fermeture de ce cépage talentueux mais capricieux nécessite alors de la patience pour pouvoir retrouver le vin au plus haut niveau.

COTEAUX DU LANGUEDOC AUREL 2007
Rouge | 2010 à 2013 | 25 € **16,5/20**
La cuvée est de grande délicatesse, plus solaire qu'un terrasses-du-larzac tout en gardant de la fraîcheur. Les épices fines complètent le poivre blanc, la syrah a momentanément pris le pas sur le mourvèdre dans la gamme aromatique.

COTEAUX DU LANGUEDOC AUREL 2006 ☺
Rouge | 2010 à 2014 | NC **16/20**
Très mûr, avec une trame tannique de qualité, suave, le vin est fin, agréablement fruité et tendu.

COTEAUX DU LANGUEDOC SOLEN 2007 ☺
Rouge | 2010 à 2014 | 16 € **16/20**
Épicée, presque romantique, toute en délicatesse, la cuvée est d'une finesse étonnante. Elle rappelle la garrigue et les fleurs sauvages. La finale bénéficie de la fraîcheur des carignans. L'équilibre est impressionnant.

COTEAUX DU LANGUEDOC SOLEN 2005
Rouge | 2010 à 2013 | 16 € **15/20**
Tout en délicatesse, cette cuvée à dominante de carignan, pleine et charnue, offre des senteurs délicates avec une texture raffinée. Les tanins encore perceptibles tendent la finale.

CHÂTEAU D'AUSSIÈRES

RD 613 • 11100 Narbonne
Tél. 04 68 45 17 67 • Fax : 04 68 45 76 38
aussieres@lafite.com • www.lafite.com
Visite : Du lundi au vendredi, de 9h à 11h et de 14h à 16h, sur rendez-vous.

Le hameau d'Aussières, proche de l'abbaye de Fontfroide, témoigne d'une tradition viticole depuis le premier millénaire, mais il avait été progressivement abandonné à la fin du XXe siècle. Les barons de Rothschild, branche Lafite, lui ont redonné vie en 1999, en replantant massivement les vignes à l'abandon et en rénovant complètement les installations. On réalise ici du corbières et du vin-de-pays-d'oc, dans les parties les plus basses en altitude. Dans cette zone climatique plus fraîche des Corbières, les vins produits sont aux antipodes de bien des languedocs surextraits.

CORBIÈRES 2007
Rouge | 2010 à 2013 | 8,20 € **15,5/20**
Assemblage de syrah, de mourvèdre et de carignan. La fin de bouche épicée est complexe et l'élevage est fort bien maîtrisé.

CORBIÈRES BLASON D'AUSSIÈRES 2008
Rouge | 2010 à 2012 | 9,50 € **13,5/20**
L'attaque est ample, avec de la fraîcheur en finale.

VIN DE PAYS D'OC AUSSIÈRES 2008
Rouge | 2010 à 2012 | 8,20 € **13,5/20**
Joli vin de pays avec une belle attaque fruitée et une finale portée par une acidité fraîche.

MAS D'AUZIÈRES

22, rue de la Bénovie - Mas de Fontan
34270 Fontanes
Tél. 04 67 85 39 54 • Fax : 04 67 85 39 54
irene@auzieres.com • www.auzieres.com
Visite : Sur rendez-vous uniquement au 0625451660.

Irène Tolleret a abandonné ses fonctions dans une grande structure coopérative languedocienne pour venir s'implanter dans une zone des Coteaux du Languedoc, au nord de Montpellier, qui sera probablement rattachée à terme au Pic Saint-Loup. Elle bénéficie du soutien de son mari, œnologue, pour travailler ses 9 hectares situés dans la garrigue et les pins. Nous avons particulièrement remarqué les cuvées les-éclats, réalisée à partir d'une dominante de syrah complétée de grenache et de mourvèdre, et le-bois-de-périé, presque exclusivement dédiée

à la syrah. Nous avouons également une réelle sympathie pour la cuvée sympathie pour les stones.

Coteaux du Languedoc Les Éclats 2008
Rouge | 2010 à 2016 | 8 € **15,5/20**
Savoureux quand bien des 2008 sont restés austères, ce rouge charnu aux tanins bien enrobés montre une finale étonnante.

Coteaux du Languedoc Les Éclats 2007
Rouge | 2010 à 2012 | 8 € **16,5/20**
Le fruit est magnifique et évolue tranquillement vers la truffe. Si 2006 se montrait aimable, 2007 est un tombeur. La texture est remarquable, précise en diable. Et le vin a de la réserve !

Coteaux du Languedoc
Sympathie pour les Stones 2007
Rouge | 2010 à 2016 | 15 € **16/20**
L'emprise minérale est forte, le nom de la cuvée ne ment pas. Avec un nez de cassis, fin, long et raffiné, c'est un coteaux-du-languedoc de belle lignée.

DOMAINE DE BABIO

Hameau de Babio • 34210 La Caunette
Tél. 06 86 97 48 42
cecile@domainedebabio.com
www.domainedebabio.com
Visite : Sur rendez-vous.

Dans un contexte de crise viticole, il a fallu du courage à Cécile Weissenbach, jeune œnologue alsacienne, pour venir s'installer en Minervois, en rachetant un petit domaine de 10 hectares. Les amateurs de vins naturels viendront se ressourcer dans la production de Babio. Rien n'est fait ici pour l'épate, mais la recherche de franchise démarre dès le rosé.

Minervois 2008
Rouge | 2010 à 2011 | 6,40 € **15/20**
L'échantillon présenté en cours d'élevage n'était pas sans défauts de prime jeunesse. Pourtant, la race du terroir parlait et la qualité des tanins impressionnait. A regoûter impérativement pour voir si la fin de l'élevage en fera Dr Jekill ou Mr Hyde.

Vin de pays de l'Hérault 2009
Rouge | 2010 à 2012 | 4,50 € **13/20**
Carignan classique et fruité, avec un tanin appuyé, marqué par les épices.

CLOS BAGATELLE

Clos Bagatelle • 34360 Saint-Chinian
Tél. 04 67 93 61 63 • Fax : 04 67 93 68 84
closbagatelle@wanadoo.fr • www.closbagatelle.com
Visite : lundi au samedi De 9h à 12h et de 14h à 18h.

Christine et Luc Simon, le frère et la sœur, mènent ce domaine de plus de 50 hectares sur argilo-calcaires et sur schistes. Ils possèdent une maîtrise technique reconnue et une partie du vignoble est conduite en agriculture inspirée du bio. Les vins sont désormais des classiques de Saint-Chinian.

Saint-Chinian Donnadieu
Camille et Juliette 2009
Rosé | 2010 à 2010 | 5,50 € **14,5/20**
Robe pâle, gris saumoné, c'est un rosé velouté en bouche avec du gras et ce qu'il faut de fraîcheur, dans le même style que 2008.

Saint-Chinian Donnadieu
Camille et Juliette 2008
Rouge | 2010 à 2014 | 5,50 € **14/20**
2008 est structuré avec de la densité tout en restant souple, dans l'esprit de la cuvée. Elle est réalisée à base de grenache, de syrah et de carignan. La finale est fraîche.

Saint-Chinian Donnadieu Mathieu et Marie 2009
Rouge | 2010 à 2013 | 6,40 € **15/20**
Millésime après millésime, cette cuvée à base de syrah met en avant les caractéristiques du cépage, épices et fruits noirs. On en redemande !

Saint-Chinian La Terre de mon Père 2005
Rouge | 2010 à 2011 | 20 € **15/20**
La-Terre-de-mon-Père, très syrah, est l'aboutissement de la gamme avec, en 2005, une surmaturité marquée mais un tanin raffiné.

Saint-Chinian Tradition 2009
Rouge | 2010 à 2012 | 4,70 € **14/20**
Chaud, ce 2009 épicé montre un fruit gourmand, à servir sur une daube.

Saint-Chinian Veillée d'Automne 2006
Rouge | 2010 à 2013 | 9 € **15/20**
De la fraîcheur, avec une trame tannique marquée et une finale épicée et fruitée.

MAS DE LA BARBEN

Route de Sauve • 30900 Nîmes
Tél. 04 66 81 15 88 • Fax : 04 66 63 80 43
masdelabarben@wanadoo.fr
Visite : Du lundi au vendredi, de 9h à 12h et de 14h à 19h, le samedi, de 10h à 12h et de 15h30 à 19h.

La barben est un domaine installé au nord de Nîmes sur le terroir chaud de Sommières. Le cépage majoritaire est le grenache. Les vins sont mis tard sur le marché et dégagent des notes élégantes de garrigue et de fruits mûrs. 2006 a préservé une fraîcheur vivifiante.

Coteaux du Languedoc A l'Improviste 2006

Rouge | 2010 à 2013 | 4,50 € **15/20**

Joli jus dans cet échantillon suave très fruité, avec de fins arômes de tabac brun et de framboise fraîche.

Coteaux du Languedoc Les Lauzières 2006

Rouge | 2010 à 2014 | 8,10 € **15/20**

Le grain est fin dans ce vin fruité et tendu, bien inscrit dans son millésime.

Coteaux du Languedoc Les Sabines 2006

Rouge | 2010 à 2014 | 13,70 € **15,5/20**

Joli rouge bien épicé avec une forte note de poivre blanc accompagnée des senteurs de la garrigue. Un rouge très mûr.

DOMAINE DE BARON'ARQUES

11300 Saint-Polycarpe
Tél. 04 68 31 96 60 • Fax : 04 68 31 54 23
domainedebaronarques@domainedebaronarques.com
www.domainedebaronarques.com
Visite : Sur rendez-vous.

Philippine de Rothschild, propriétaire du Château Mouton-Rothschild, à Pauillac, a créé ce domaine sur Limoux en y apportant la maîtrise de la viticulture et de la vinification bordelaises. L'assemblage varie au gré des millésimes, mais il est généralement dominé par le merlot et le cabernet franc, complétés de syrah et de malbec. Le style des vins montre des matières denses et corsées, qui participent à la recherche du style de la nouvelle appellation Limoux rouge. Le juvénile 2007 et le 2004 plus évolué se goûtent bien. Ils permettront d'attendre les millésimes intermédiaires qui se sont un peu refermés.

Limoux 2007

Rouge | 2010 à 2017 | 30 € **16,5/20**

Long, puissant, intense en saveurs, avec une note épicée en finale qui lui donne une dimension étonnante. La finale de cèdre rappelle Pauillac, un pauillac de belle origine.

Limoux 2004

Rouge | 2010 à 2014 | 32 € **15,5/20**

Très fin, suave, racé, long, très beau volume de bouche, évoquant le havane et le cèdre.

CHÂTEAU LA BARONNE

21, rue Jean-Jaurès • 11700 Moux
Tél. 04 68 43 90 20
info@chateaulabaronne.com
www.chateaulabaronne.com
Visite : De 9h à 12h et de 14h à 18h sur rendez-vous.

Vin de pays d'Hauterive Les Chemins 2008

Rouge | 2010 à 2013 | 12 € **14,5/20**

Ce grand domaine est installé à Fontcouverte entre 100 et 200 mètres d'altitude. Ce 2008 montre d'agréables tanins dans une cuvée fraîche à la belle longueur aromatique. A boire dès maintenant mais le vin a du fond, il évoluera bien.

Vin de pays d'Hauterive Pièce de Roche 2007

Rouge | 2010 à 2014 | 22 € **16/20**

Récolté sur quatre hectares à partir de carignans plus que centenaires, ce 2007 des plus gourmands affiche une grande élégance.

GUILHEM BARRÉ

Chemin de Monpolieu • 11610 Ventenac-Cabardès
Tél. 06 32 38 72 55
guilhem.barre@voila.fr
Visite : Sur rendez-vous

Nouvelle entrée d'un producteur récemment installé, vigneron chez les autres, devenu vigneron autonome en Cabardès. Un domaine à suivre car le premier millésime, 2008, n'était pas facile à négocier, c'est pourtant une réussite.

Cabardès La Dentelle 2008

Rouge | 2010 à 2011 | 9,50 € **14/20**

Première récolte d'un nouveau venu à Cabardès, avec quelques réglages à faire sur certaines cuvées mais le ton est là, les matières sont denses, bien ancrées dans le terroir.

Cabardès Natural Mystic 2008

Rouge | 2010 à 2012 | 14,50 € **15/20**

À base de merlot et de syrah, cette cuvée plus intense que la cuvée Dentelle est corsée et longue. C'est un vin étonnant pour un premier millésime.

DOMAINE BASSAC

92, rue de la Condamine • 34480 Puissalicon
Tél. 04 67 36 05 37 • Fax : 04 67 36 63 27
domainebassac@wanadoo.fr
Visite : Sur rendez-vous

Vin de pays des Côtes de Thongue 2009

Blanc | 2010 à 2010 | 6 € **14/20**

Vin original, avec un beau volume de bouche et une pointe de curry en finale. C'est incontestablement un vin de repas, un loup lui ira bien.

CHÂTEAU LA BASTIDE

Lieu-dit Château La Bastide • 11200 Escales
Tél. 04 68 27 08 47 • Fax : 04 68 27 26 81
chateaulabastide@wanadoo.fr
www.chateau-la-bastide.fr
Visite : De 8h à 12h et de 14h à 17h sur rendez-vous.

Corbières L'Optimée 2008

Rouge | 2010 à 2015 | 12 € **15/20**

Jolie cuvée qui s'exprime sur le jus de viande. De la finesse dans ce joli vin qui évolue vers la truffe.

DOMAINE LA BASTIDE AUX OLIVIERS

3, rue Familongue • 34725 Saint-André-de-Sangonis
Tél. 06 10 29 52 18 • Fax : 04 67 57 26 32
contact@domainedefamilongue.fr
www.domainedefamilongue.fr
Visite : Du lundi au dimanche: sur rendez-vous.

Coteaux du Languedoc L'Esprit 2007

Rouge | 2011 à 2015 | 9,50 € **14,5/20**

L'esprit a besoin d'un peu de temps pour fondre ses tanins. Une cuvée à mettre un peu en cave pour profiter d'une palette aromatique complexe.

Vin de pays d'Oc Puech Cremat 2008

Rouge | 2010 à 2012 | 5,50 € **13/20**

Assemblage de cépages bordelais et méditerranéens, cette cuvée montre une finale fraîche et un fruité agréable.

Vin de pays du Mont Baudile Le Carignan 2008 ☺

Rouge | 2010 à 2012 | 6,20 € **14,5/20**

Beau carignan bien travaillé, frais et fin avec un tanin dense et une finale fraîche et précise.

MAS DE BAYLE

34560 Villeveyrac
Tél. 04 67 78 06 11
www.masdebayle.com
Visite : Sur rendez-vous.

Le domaine est installé à proximité de l'abbaye de Valmagne, l'un des hauts lieux de l'histoire religieuse languedocienne. Les vins ont beaucoup évolué en quelques années et le millésime 2009 rayonne. A suivre !

Coteaux du Languedoc - Grès de Montpellier Odon 2009

Rouge | 2010 à 2012 | 7,95 € **15/20**

Nouveau domaine dans le guide autour d'une cuvée d'esprit, empreinte de délicatesse dans ses saveurs épicées de garrigue et dans la qualité de ses tanins.

Coteaux du Languedoc - Grès de Montpellier Odon 2007

Rouge | 2010 à 2013 | 7,90 € **14/20**

Fruits rouges, un joli jus et une finale gourmande.

Coteaux du Languedoc Tradition 2009

Rouge | 2010 à 2014 | 5,40 € **14/20**

Joli vin agréable goûté en échantillon. La matière est fine, élégante avec de jolis arômes de fruits frais.

Vin de pays des Collines de la Moure 2009 ☺

Rouge | 2010 à 2013 | 4,50 € **14/20**

On se régale en compagnie de ce joli vin de pays fruité à souhait et long.

BEAUVIGNAC

15, coopérative Les Costières de Pomerols -
Avenue de Florensac • 34810 Pomerols
Tél. 04 67 77 01 59
beauvignac@orange.fr • www.cave-pomerols.fr
Visite : du lundi au samedi: 8h30-12h30;14h-18h
dimanche: 10h-12h

Vin de pays d'Oc 2008 ☺

Rouge | 2010 à 2011 | 8 € **14/20**

On se régale de cette cuvée simple mais gourmande de syrah, vinifiée par cette cave coopérative de qualité.

DOMAINE BELLES EAUX

Château Belle-Eaux • 34720 Caux
Tél. 04 67 09 30 96 • Fax : 04 67 90 85 45
contact@mas-belleseaux.com
www.mas-belleseaux.com
Visite : Ouvert le lundi et le vendredi hors saison. En pleine saison du lundi au vendredi de 9h à 12h30 et de 14h à 18h30, le samedi de 10h à 16h

Cette vaste propriété est située au nord de Pèzenas. Entourée de sources qui sont à l'origine du nom, elle s'étend sur près de 100 hectares répartis autour d'une folie du XIXe siècle. Elle appartient à Axa Millésimes depuis 2003, qui consacre des efforts importants pour faire renaître cette marque. La gamme produite couvre des vins-de-pays et des coteaux-du-languedoc. La cuvée sainte-hélène concentre le savoir-faire du domaine. Tous les vins sont réalisés dans un style dense et structuré, d'inspiration résolument moderne.

Languedoc 2009

Rosé | 2010 à 2011 | 5 € **14,5/20**

Joli rosé friand et fruité, avec une structure qui le portera volontiers à table. Sa fraîcheur animera aussi l'apéritif.

Languedoc Les Coteaux 2006

Rouge | 2010 à 2014 | 12 € **14/20**

Issu d'un coteau graveleux, le vin affiche une robe foncée, avec un tanin puissant et une fin de bouche fruitée et très mûre.

Vin de pays d'Oc mourvèdre 2009

Rouge | 2010 à 2014 | 10 € **14/20**

Cuvée où le cépage a été domestiqué. Sans tanin accrocheur, c'est un vin dense avec du fond. Pour un plat solide mais fin en arômes.

Vin de pays de Caux carignan 2009

Rouge | 2010 à 2012 | 10 € **14/20**

Carignan dense et fruité, d'un beau volume en bouche. La finale est réglissée et onctueuse.

DOMAINE DE BELLEVUE

34290 Montblanc
Tél. 04 67 98 50 01 • Fax : 04 67 98 58 66
domainedebellevue@yahoo.fr
www.domainedebellevue.com
Visite : Du lundi au samedi de 9h à 12h et de 14h à 19h

Vin de pays des Côtes de Thongue Rive Droite 2007

Rouge | 2010 à 2012 | 6,50 € **14/20**

À base de merlot, de syrah et de petit verdot, ce rouge est tendu, droit, précis et long. Ce sera un gardiane lover !

CHÂTEAU BELVÈZE

11249 Belvèze-du-Razès
Tél. 04 68 69 13 94

Malepère élevé en fûts de chêne 2008

Rouge | 2010 à 2010 | NC **14/20**

L'un des meilleurs malepères de notre dégustation. La matière est élégante en bouche avec une disposition naturelle pour la grillade de bœuf.

DOMAINE BERTRAND-BERGÉ

38, avenue du Roussillon • 11350 Paziols
Tél. 04 68 45 41 73 • Fax : 04 68 45 03 94
bertrand-berge@wanadoo.fr
www.bertrand-berge.com
Visite : Sur rendez-vous

La rigueur et le travail de Jérôme Bertrand, sur les beaux terroirs de Paziols, ont fait du Domaine Bertrand-Bergé le modèle à suivre pour toute l'appellation. Les entrées de gamme en rouge sont tarifées à un prix raisonnable, tout en étant très au-delà des standards qualitatifs de Fitou. L'onctueuse cuvée Jean-Sirven porte le nom de l'aïeul, qui œuvrait déjà vers une viticulture de qualité au début du siècle dernier. Cette cuvée s'impose aujourd'hui, par sa race et sa densité, dans le gotha des plus grandes cuvées du Sud.

Fitou Jean Sirven 2007

Rouge | 2010 à 2018 | 33 € **18/20**

Grande structure, puissance, longueur impressionnante, finale fraîche dans ce vin qui incarne la notion de grand cru en Fitou.

Fitou Mégalithes 2008
Rouge | 2010 à 2013 | 10,50 € **14/20**
Beau volume de bouche avec au nez des notes intenses et extraverties de fruits à l'alcool.

Fitou Origines 2008
Rouge | 2010 à 2011 | 7 € **14,5/20**
De grande buvabilité, avec un tanin fin, cette cuvée montre en 2008 un profil de vin de soif.

Rivesaltes Tuilé Ma Ga 2007 ☺
Rouge Doux | 2010 à 2019 | 18 € **16/20**
Nez de cacao prononcé, de pruneaux mûrs. Presque iodé, l'ensemble est très équilibré, élégant.

DOMAINE BONIAN

9, ancien chemin de Margon • 34480 Pouzolles
Tél. 04 67 24 77 16 • Fax : 04 67 24 77 16
domainebonian@voil.fr
www.vins-languedoc-bonian.com
Visite : À partir de 17h ou sur rendez-vous.

Vin de pays des Côtes de Thongue
Symphonie 2008 ☺
Rouge | 2010 à 2010 | 6,35 € **13,5/20**
Certes, la pointe de sucrosité enrobe la finale mais on pardonne volontiers cet artifice à ce bouquet de fruits rouges, mûrs et enjôleurs.

BORIE DE MAUREL

Rue de la Sallèle • 34210 Félines-Minervois
Tél. 04 68 91 68 58 • Fax : 04 68 91 63 92
contact@boriedemaurel.fr • www.boriedemaurel.fr
Visite : Tous les jours de 10h à 12h et de 15h à 19h (apéritifs occitans, le week-end de mai à fin septembre.)

Michel Escande, esthète visionnaire, a été l'un des précurseurs du renouveau du Minervois. Son domaine est situé à Félines sur certaines des meilleures zones du cru. Les entrées de gamme recherchent un plaisir immédiat, aisément accessible. La cuvée Sylla doit à la macération carbonique son style raffiné, lui aussi charmeur. On ne fait rien ici comme ailleurs. 2008 fera oublier 2007 !

Minervois Belle de Nuit 2008 ☺
Rouge | 2010 à 2011 | 16 € **15,5/20**
Très agréable, rond, racé. Cette belle généreuse et peu farouche, à base de grenache non éraflé, offrira ses charmes à qui la débouchera.

Minervois Esprit d'Automne 2008
Rouge | 2010 à 2014 | 6 € **14,5/20**
Du fond et un beau fruit, dans un style suave en bouche.

Minervois La Belle Aude 2009
Blanc | 2010 à 2013 | 8 € **15/20**
Uniquement réalisée avec de la marsanne, cette cuvée de grand volume est épicée et complexe.

Minervois Maxime 2008
Rouge | 2010 à 2015 | 16 € **16/20**
Goûté en échantillon avant la mise, Maxime est une cuvée onctueuse qui plaira beaucoup.

Minervois Sylla 2008
Rouge | 2010 à 2015 | 24 € **16,5/20**
Réalisé dans l'esprit du millésime, Sylla est large, en puissance. De la grande syrah et rien d'autre, ou presque.

Minervois Sylla 2006
Rouge | 2010 à 2015 | 24 € **16,5/20**
Le vin commence à évoluer et a perdu son attaque de pamplemousse pour renforcer son arôme de truffe. La finale a du panache !

BORIE LA VITARÈLE

34490 Causses-et-Veyran
Tél. 04 67 89 50 43 • Fax : 04 67 89 70 79
jf.izarn@libertysurf.fr • www.borielavitarele.fr
Visite : Sur rendez-vous

Ce domaine possède ses vignes au milieu de zones boisées, et peut ainsi mener son expérience de biodynamie sans l'influence intempestive de voisins plus interventionnistes sur leurs vignes. Les-Terres-Blanches est une entrée de gamme rafraîchissante et nous avouons un faible pour le raffinement de la cuvée Les-Schistes. La vigne produit naturellement très peu et donne des vins concentrés qui vieillissent remarquablement. Elle conviendra à ceux qui recherchent des saint-chinians plus structurés où la minéralité s'exprime avec précision.

Saint-Chinian Les Crès 2007 ☺
Rouge | 2010 à 2015 | 17,40 € **15,5/20**
Cuvée de grand style avec l'opulence aromatique de 2007. La structure en bouche de ce vin chaleureux montre de la densité.

Saint-Chinian Les Schistes 2008

Rouge | 2010 à 2015 | 11,90 € 16/20

Avec moins d'opulence mais plus de droiture que le 2007, cette cuvée de grenache et syrah affiche un tanin raffiné. Le terroir de schistes de Saint-Chinian illumine ce vin extrêmement aromatique et puissant en goût. Un archétype du terroir !

Saint-Chinian Terres Blanches 2009

Rouge | 2010 à 2014 | 8,30 € 15/20

Changement de style en 2009 dans cette cuvée, avec une buvabilité plus marquée et une longueur étonnante dans un corps longiligne. La finale est délicatement épicée.

CHÂTEAU LE BOUÏS

Route Bleue • 11430 Gruissan
Tél. 04 68 75 25 25 • Fax : 04 68 75 25 26
chateau.le.bouis@wanadoo.fr
www.chateaulebouis.fr
Visite : Du lundi au dimanche de 9h à 12h et de 14h à 18h.

Cette propriété de Gruissan a construit sa réputation sur les rouges, un modèle de style, avec des tanins absolument remarquables. Le domaine exploite des vignes fort bien situées, sur les contreforts du massif de la Clape et en bord de mer. Le domaine vient de changer de mains, il est repris par Frédérique Olivié qui s'essayait aux grands vins en petits volumes dans son garage, à quelques pas de là. L'étiquette des vins de pays ne ralliera pas tous les suffrages et nous avouons ne plus retrouver en bouteille ce que nous aimions tant au Bouis, l'un des meilleurs domaines du Languedoc.

Vin de pays d'Oc Roméo 2007

Rouge | 2010 à 2012 | 32 € 14/20

Roméo 2007 terrasse Juliette 2008 au premier round. Certes, dans ce combat, le poivre et les épices ont dominé le fruit. Roméo est construit pour un plaisir gourmand.

DOMAINE DE BRESCOU

Route de Margon • 34290 Alignan-du-Vent
Tél. 04 67 24 96 66 • Fax : 04 67 24 96 29
info@brescou.com • www.brescou.com
Visite : lundi au vendredi de 8h à 12h et de 13h30 à 17h30 ou sur rendez-vous.

Vin de pays des Côtes de Thongue 2009

Rosé | 2010 à 2010 | 6 € 13/20

Rosé intense, savoureux, sur une palette de fruits rouges suaves et longs en bouche.

MAS DES BROUSSES

2, chemin du Bois • 34150 Puechabon
Tél. 04 67 57 33 75 • Fax : 04 67 57 33 75
geraldine.combes@wanadoo.fr
www.masdesbrousses.fr
Visite : du lundi au dimanche sur rendez-vous.

Géraldine Combes et Xavier Peyraud (du Domaine Tempier, à Bandol) exploitent en Terrasses du Larzac une douzaine d'hectares. Leur premier millésime date de 1997, et le domaine produit aujourd'hui un vin-de-pays issu de merlot et de grenache, ainsi qu'un coteaux-du-languedoc de haute volée qui vieillit remarquablement. Une cuvée de mourvèdre complète la gamme, de haute lignée.

Coteaux du Languedoc - Terrasses du Larzac 2008

Rouge | 2010 à 2015 | 13 € 17/20

2008 est souvent un millésime austère. Il n'en est rien ici. Certes le millésime est droit mais les tanins sont de grand caractère, précis et gourmands. La finale est de grande longueur avec la buvabilité habituelle.

Coteaux du Languedoc - Terrasses du Larzac Mataro 2007

Rouge | 2010 à 2014 | 36 € 17/20

Mataro, le nom espagnol du mourvèdre, est le pilier presque unique de cette nouvelle cuvée. La finesse est étonnante et la matière impeccable s'achève sur une superbe longueur de bouche qui s'envole vers la truffe.

Vin de pays d'Oc Le Chasseur des Brousses 2009

Rouge | 2010 à 2012 | 6,50 € 14/20

Bel ensemble aromatique, souple et facile à boire avec une matière mûre qui commence à évoluer. Il est à point.

MAS BRUGUIÈRE

La Plaine • 34270 Valflaunès
Tél. 04 67 55 20 97 • Fax : 04 67 55 20 97
xavier.bruguiere@wanadoo.fr
www.mas-bruguiere.com

Ce domaine de Valflaunès est situé à l'ombre de l'impressionnant Pic Saint-Loup. Mas Bruguière a été l'un des pionniers du renouveau qualitatif en Languedoc. Xavier, la nouvelle génération des Bruguière, explore la culture en biodynamie. L'Arbouse est une entrée de gamme structurée, complétée par La-Grenadière. La-Septième représente le haut de gamme de la propriété.

Coteaux du Languedoc
- Pic Saint-Loup L'Arbouse 2008
Rouge | 2010 à 2012 | 10 € **13/20**
Vin facile à boire, simple, fruité, il conviendra à une daube.

Coteaux du Languedoc
- Pic Saint-Loup La Grenadière 2007
Rouge | 2010 à 2012 | 16,50 € **14/20**
Ce rouge montre un joli jus épicé, charmeur, simple mais gourmand, avec des notes de fruits noirs et de paprika.

Coteaux du Languedoc
- Pic Saint-Loup Le Septième 2007
Rouge | 2010 à 2014 | 32 € **14,5/20**
La septième génération de vignerons a produit cette cuvée à partir d'une matière de qualité, onctueuse, à l'élevage maîtrisé.

CHÂTEAU DE CABEZAC

16-18, hameau de Cabezac • 11120 Bize-Minervois
Tél. 04 68 46 23 05 • Fax : 04 68 46 21 93
info@chateaucabezac.com
www.chateaucabezac.com
Visite : Du lundi au vendredi, de 8h à 12h et de 14h à 17h et le samedi sur rendez-vous.

Le domaine est situé sur les terrasses quaternaires caillouteuses du plateau de Belvèze, dans la zone des Serres, dont le climat est méditerranéen. Carinu est une expression étonnamment friande du carignan. Belvèze, élevée avec soin, est d'un style classique.

Minervois Alice 2008 ☺
Blanc | 2010 à 2010 | 5,80 € **13/20**
Blanc aromatique réalisé à partir de grenache, muscat et bourboulenc. À la fois gras et vif en bouche, il se termine sur une pointe muscatée.

Minervois Belvèze 2007
Rouge | 2009 à 2013 | NC **15/20**
Cuvée exubérante, fortement marquée par le jus de viande. La finale reste très droite dans un style classique.

Minervois Belvèze 2005
Rouge | 2010 à 2013 | NC **15/20**
Cuvée exubérante, fortement marquée par le jus de viande. La finale reste très droite, dans un style classique.

Vin de pays du Val de Cesse Carinu 2006 ☺
Rouge | 2010 à 2012 | 12 € **14,5/20**
Axé sur la buvabilité tout en étant structuré, avec un fruité charmeur et la finale fraîche du carignan, sans aucune déviance aromatique, cette nouvelle version de Carinu convaincra les plus sceptiques sur les capacités de ce cépage parfois décrié.

MAS DES CABRES

Le Plan - Cidex 1160 • 30250 Aspères
Tél. 06 23 68 14 24 • Fax : 04 66 80 05 60
masdescabres@orange.fr • www.masdescabres.com
Visite : Tous les jours, de 11h à 13h et de 18h à 20h.

Le Mas des Cabres est dirigé par un couple de vignerons qui poursuivent la tradition familiale. Ils sont installés sur Aspères, qui permet de réaliser des bons vins à défaut de permettre des grands vins. Ils produisent avec bonheur deux cuvées qui cherchent et trouvent la gourmandise et la fraîcheur. On apprécie ici le prototype des vins de copains.

Languedoc La Draille 2008
Rouge | 2010 à 2012 | 10 € **14,5/20**
Cette cuvée est très aromatique, fruits noirs et réglisse. La structure est agréable, fruitée et ronde. Il est à boire.

Vin de pays d'Oc Estive 2009 ☺
Rouge | 2010 à 2011 | 5 € **14/20**
2009 a apporté un charnu gourmand à ce vin de fruit. Il sera à boire entre copains, autour d'un plat de charcuteries qu'il mettra en valeur.

CAVE DE CABRIÈRES

Route de Roujan • 34800 Cabrières
Tél. 04 67 88 91 60 • Fax : 04 67 88 00 15
sca.cabrieres@wanadoo.fr • www.cabrieres.com
Visite : ouvert du lundi au dimanche sauf le 1er janvier et 25 decembre

Nous regrettons que trop peu de caves coopératives réalisent des produits de bon niveau pour les relayer dans nos colonnes. Voici l'occasion de parler de l'une d'entre elles, qui mériterait d'être mieux connue. La cave de Cabrières, assistée par un terroir de qualité et par des hommes motivés, ne fait pas beaucoup de bruit mais ses vins parlent pour elle. Nous avons apprécié son très bon rosé, l'un des meilleurs du Languedoc, ainsi que sa clairette vinifiée en sec.

CLAIRETTE DU LANGUEDOC 2009
Blanc | 2010 à 2011 | 4,50 € **14/20**
Agréable réussite en 2009, année chaude. Le vin est frais et citronné, il fera un bel apéritif ou le bonheur d'un saumon mariné.

COTEAUX DU LANGUEDOC 2009
Rosé | 2010 à 2010 | 4,90 € **15/20**
Le nez n'est pas très défini mais la bouche montre le potentiel du rosé à Cabrières. C'est certainement l'un des plus goûteux du Languedoc.

LANGUEDOC CUVÉE FULCRAND CABANON 2009
Blanc moelleux | 2010 à 2013 | 5 € **13/20**
Moelleux agréable, simple mais fruité. Un joli vin d'apéritif ou sur un entremet.

DOMAINE DE CABROL

Route départementale 118 • 11600 Aragon
Tél. 04 68 77 19 06 • Fax : 04 68 77 54 90
cc@domainedecabrol.fr • www.domainedecabrol.com
Visite : Du lundi au vendredi, de 11h à 12h et de 17h à 19h et le samedi, de 11h à 12h et de 15h à 19h.

CABARDÈS LA DÉRIVE 2007
Rouge | 2010 à 2012 | 18 € **15/20**
Puissant, une belle matière qui tiendra tête à un plat haut en saveurs.

CABARDÈS VENT D'EST 2008
Rouge | 2010 à 2012 | 13 € **15/20**
Avec un nez marqué par le cassis et les fruits noirs, un tanin rond et gourmand, ce vin est plus onctueux que frais. La finale saline lui donne l'appétence qui en fera un ténor à table.

DOMAINE CAILHOL-GAUTRAN

Hameau de Cailhol • 34210 Aigues-Vives
Tél. 04 68 91 26 03

MINERVOIS CARRETAL 2008
Rouge | 2010 à 2014 | 12 € **15/20**
Vin à dominante de syrah, avec un aromatique installé sur le jus de viande. Elle est à boire vite sur sa fraîcheur.

MAS CAL DEMOURA

3A, route de Saint-André • 34725 Jonquières
Tél. 04 67 44 70 82 • Fax : 04 67 88 59 35
info@caldemoura.com • www.caldemoura.com
Visite : Sur rendez-vous de 10h30 à 12h et de 14h30 à 18h30.

Vincent Goumard a abandonné son métier dans le conseil financier pour reprendre cette propriété, installée à Jonquières, en Terrasses du Larzac, qui appartenait au père d'Olivier Jullien. La succession s'annonçait délicate, mais ce domaine produit aujourd'hui des vins typiques du secteur avec une trame structurée et puissante et une patte unique qui s'affine millésime après millésime. Les-Combariolles est une cuvée dense de belle plénitude, et l'Infidèle est une entrée de gamme idéale pour comprendre les Terrasses du Larzac. Chaque millésime voit une progression nette qui a porté le domaine dans la cour des grands. Les rouges mais également les blancs sont hautement fréquentables !

COTEAUX DU LANGUEDOC - TERRASSES DU LARZAC FEU SACRÉ 2007
Rouge | 2010 à 2015 | 35 € **16,5/20**
Très fin, subtil, long et racé, c'est un vin de grand volume à forte proportion de grenache.

COTEAUX DU LANGUEDOC - TERRASSES DU LARZAC L'INFIDÈLE 2007
Rouge | 2010 à 2014 | 13,50 € **16/20**
2007 imprègne la cuvée de son style spécifique, opulent et épicé. Le terroir de Cal demoura lui rajoute du fond et une remarquable tenue en finale. La gourmandise, portée ici au paroxysme, nous perdra !

COTEAUX DU LANGUEDOC - TERRASSES DU LARZAC LES COMBARIOLLES 2007
Rouge | 2010 à 2014 | 21 € **16,5/20**
Grand frère de l'Infidèle, Les-Combariolles en 2007 partagent un air de famille évident. Elles complètent la générosité du benjamin par une lon-

gueur complémentaire et une race aérienne en finale. Très belle réussite.

Paroles de Pierres 2008
Blanc | 2010 à 2016 | 18 € 17/20
Vincent a oublié de demander l'agrément en AOC, sa nouvelle cuvée sera donc vin de table alors qu'elle est le grand vin dont il rêvait, sans cépage aromatique comme le viognier ou le muscat. Chenin majoritaire, roussanne et grenache blanc, ce sera donc probablement le meilleur vin de table de cette année.

Vin de pays de l'Hérault L'Étincelle 2008 ☺
Blanc | 2010 à 2013 | 14,50 € 15,5/20
Très aromatique, le chenin donne de la fraîcheur à cet assemblage, et la finale tire vers les arômes légèrement muscatés. Il démontre la possibilité de réaliser un vin frais en terre sudiste.

CAVE DE CAMPLONG

23, avenue de la Promenade
11200 Camplong-d'Aude
Tél. 04 68 43 60 86 • Fax : 04 68 43 69 21
vignerons-camplong@wanadoo.fr
www.camplong.com
Visite : Du lundi au vendredi, de 8h à 12h et de 14h à 18h (l'été jusqu'à 19h) et le samedi, de 9h30 à 12h30 et de 14h à 18h (l'été de 15h à 19 h).

Situé sur le terroir de Lagrasse et au pied de la montagne d'Alaric, le dernier roi wisigoth, cette cave coopérative a su se remettre en question et importer le savoir-faire de deux négociants associés, le Rhodanien Tardieu et le Bourguignon Laurent, pour penser la cuvée C. Les entrées de gamme, Peyres-Nobles et Fontbories, moins extraites que les hauts de gamme, semblent les plus intéressantes et emportent la palme du rapport qualité-prix.

Corbières Château Artos Lacas 2009 ☺
Rouge | 2010 à 2012 | 5 € 14,5/20
Réalisé en macération carbonique, cette cuvée a extrait un très beau fruit, lui aussi idéal pour les soirées entre copains.

Corbières Le C de Camplong 2006
Rouge | 2010 à 2011 | 17,50 € 14/20
En puissance, le C est assez extrait, et derrière une matière moins présente que celle du millésime précédent, il montre des tanins un peu secs.

Corbières Peyres Nobles 2009 ☺
Rouge | 2010 à 2011 | 4,50 € 14/20
Une belle matière, du fruit, de la gourmandise et toujours un excellent rapport qualité-prix, millésime après millésime. Lui et rien d'autre pour les soirées charcuteries entre copains !

CANET-VALETTE

Route de Causses-et-Veyran
34460 Cessenon-sur-Orb
Tél. 04 67 89 51 83 • Fax : 04 67 89 37 50
contact@canetvalette.com • www.canetvalette.com
Visite : Sur rendez-vous.

Marc Valette construit des vins à son image. Ils sont de carrure large et expriment tous une puissance évidente. Il travaille en agriculture biologique et se limite à de très petits rendements. L'échantillon d'Une-et-Mille-Nuits 2007 présenté ne rendait pas justice au vin. La grande cuvée Maghani vieillit bien en affirmant son raffinement au fil du temps.

Saint-Chinian Le Vin Maghani 2006
Rouge | 2010 à 2012 | NC 14/20
Le vin est de grand volume avec une pointe acide qui le tend en finale et qui pourra déranger. La fin de bouche est fraîche, un plat de viande en sauce lui conviendra bien.

CLOS CANOS

Rue de Canos • 11200 Luc-sur-Orbieu
Tél. 04 68 27 00 06 • Fax : 04 68 27 61 08
chateau-canos@wanadoo.fr
Visite : Du lundi au samedi, de 9h à 19h.

Dans une région plus naturellement tournée vers les rouges, le rosé fait partie des valeurs sûres de la maison, et nous n'avons pas trouvé plus délicat en corbières. En blanc, il réalise des vins de soif en sauvignon et en chardonnay. En rouge, Les-Éoliennes est une cuvée facile d'accès et vraiment gourmande.

Corbières 2009 ☺
Rosé | 2010 à 2011 | 6 € 16/20
Rosé intense en saveurs, parfait pour l'apéritif grâce à sa délicatesse de bouche. Le nez est marqué par les agrumes raffinés qui ressortent en finale dans une amertume exquise. À table, il sera au mieux avec la cuisine de l'Asie, sa fraîcheur amortira la puissance des épices.

Corbières Les Éoliennes 2008 ☺

Rouge | 2010 à 2012 | 6 € 14,5/20

Assemblage de syrah et de carignan. Dans le même style que 2007, ce millésime fruits noirs et épices se termine par une pointe de menthol. Les tanins souples le rendent facile à boire dès maintenant.

Vin de pays d'Oc chardonnay 2009

Blanc | 2010 à 2010 | 4,50 € 13/20

Agréable chardonnay de soif, à boire dès maintenant pour capter ses jolis arômes citronnés.

Vin de pays d'Oc sauvignon 2009

Blanc | 2010 à 2010 | 4,50 € 13/20

Agréable sauvignon, à boire sous la tonnelle pour profiter des derniers rayons de soleil.

VIGNERONS DU CAP LEUCATE

2, avenue Francis-Vals • 11370 Leucate
Tél. 04 68 40 01 31 • Fax : 04 68 40 08 90
cave-leucate@wanadoo.fr • www.cave-leucate.free.fr
Visite : Du lundi au dimanche de 9h30 à 12h30 et de 15h à 19h en hiver.
Du lundi au vendredi,de 9h30 à 19h30 sans interruption,en été.

Fitou Cap 42° 2007

Rouge | 2011 à 2014 | 12 € 13,5/20

Le boisé est encore un rien marqué mais la palette aromatique est épicée et complexe, avec des notes de cuir et la saveur des piments doux.

DOMAINE DU CAPITAT

39, route départementale 6009 • 11510 Fitou
Tél. 04 68 45 76 98 • Fax : 04 68 45 76 98
pierre.abelanet@wanadoo.fr
www.abelanet-capitat.fr
Visite : Tous les jours de 9h30 à 12h et de 14h30 à 18h sauf 25 décembre et 1er janvier.

Fitou cuvée Chautrus 2008

Rouge | 2010 à 2014 | 4,60 € 15/20

De beaux arômes au nez, des notes mûres de fruits noirs et en bouche une buvabilité certaine même si l'ensemble est généreux.

DOMAINE DES CAPRIERS

605, avenue de la Gare • 34480 Puissalicon
Tél. 04 67 36 21 08 • Fax : 04 67 36 21 08
contact@domainedescapriers.com
www.domainedescapriers.com
Visite : Du lundi au vendredi, de 17h30 à 19h30.
Le samedi, de 8h30 à 18h.

Vin de pays des Côtes de Thongue Les Larmes d'Emma 2008

Blanc | 2011 à 2012 | NC 13,5/20

La matière de cette cuvée est remarquable, elle a besoin d'un peu de temps pour digérer son boisé, la finale est épicée et longue.

CHÂTEAU DE CARAGUILHES

11220 Saint-Laurent-de-la-Cabrerisse
Tél. 04 68 27 88 99
www.caraguilhes.fr
Visite : du lundi au jeudi de 9h a 13h et de 14h a 18h et le vendredi de 9h a 13h ou sur rendez-vous

Corbières 2009

Rosé | 2010 à 2010 | 7 € 13,5/20

Légèrement amylique, ce rosé regorge de fruits. L'attaque est gourmande.

Corbières Prestige 2008 ☺

Rouge | 2010 à 2015 | 10 € 14/20

Le millésime est réussi avec ce qu'il faut de fraîcheur dans ce vin de grande intensité, profond en saveurs, bien réalisé.

LES MAÎTRES VIGNERONS DE CASCASTEL

Grand-Rue • 11360 Cascastel
Tél. 04 68 45 91 74 • Fax : 04 68 45 82 70
info@cascastel.com • www.cascastel.com
Visite : De 8h à 12h et de 14h à 18h.

Fitou F 2006

Rouge | 2010 à 2012 | 10 € 14,5/20

De la fraîcheur, un jus agréable et épicé, avec une pointe de tabac blond en finale.

Fitou Optimus 2007

Rouge | 2010 à 2014 | 15 € 14,5/20

Un cru d'une belle texture en bouche avec un tanin aérien et une finale fraîche, délicate mais un rien astringente.

Fitou Vieilles Vignes 2008

Rouge | 2010 à 2015 | 7,50 € **15,5/20**

La matière est très belle, le jus raffiné, la finale intense et délicatement cacaotée.

DOMAINE CAUSSE D'ARBORAS

477, rue Georges-Cuvier - Le Mas de Cazes
34090 Montpellier
Tél. 06 11 51 08 41 • Fax : 04 67 04 11 40
causse-arboras@wanadoo.fr
www.causse-arboras.com
Visite : Sur rendez-vous.

Jean-Louis Sagne complète ses activités médicales montpelliéraines par l'exploitation de ce vignoble qu'il a acquis en 2003. Il s'est associé à un technicien de la chambre d'agriculture pour vinifier des terroirs d'altitude des Terrasses du Larzac, au-dessus de Saint-Saturnin. 2003, le premier millésime réalisé, a souffert de la canicule, mais la progression est impressionnante depuis 2004, avec un retour à la fraîcheur permis par la situation des vignes. Le domaine réalise deux cuvées, Les-Cazes et 3-Jean, qui expriment haut et fort un terroir de qualité.

Coteaux du Languedoc 2009

Rosé | 2010 à 2010 | 7,60 € **15/20**

Beau rosé de fruit, souple et aromatique, la matière est belle.

Coteaux du Languedoc Les 3 Jean 2007

Rouge | 2010 à 2012 | 18 € **14,5/20**

Le 2007 succède à un 2006 qui ne restera pas dans les annales. Très aromatique, opulent, l'élevage a pris pour l'instant le pas sur le vin, de grande qualité.

Coteaux du Languedoc Les Cazes 2008

Rouge | 2010 à 2012 | 9 € **14/20**

Le 2008 est plus fluide que les millésimes précédents, un vin facile à boire.

Coteaux du Languedoc Les Cazes 2007

Rouge | 2010 à 2012 | 9 € **15/20**

Éclatant de fruit, gourmand, Les-Cazes 2007 est réalisé à partir de grenache complété de cinsault, de syrah et d'une pointe de mourvèdre.

DOMAINE ALAIN CAVAILLÈS

Chemin d'Alon • 11300 Magrie
Tél. 04 68 31 11 01
www.alaincavailles.com
Visite : Sur rendez-vous

Blanquette de Limoux Résilience 2008

Blanc Brut effervescent | 2010 à 2012 | 8,60 € **15/20**

Blanquette assez puissante, dense, bien équilibrée. Elle a été réalisée pour tenir à table sans faiblir devant un poisson grillé.

DOMAINE DE CAZABAN

Chemin des Eclauzes • 11600 Villegailhenc
Tél. 04 68 72 11 63 • Fax : 04 68 72 11 63
clement.mengus@orange.fr
www.domainedecazaban.com
Visite : Sur rendez-vous

Clément Mengus, jeune alsacien formé à Beaune, a rejoint Cabardès après avoir fait ses armes chez plusieurs viticulteurs phares, en Alsace puis chez Charlopin à Gevrey. Il a repris six hectares majoritairement en syrah, qu'il complète par de nouvelles plantations de cépages atlantiques. En deux millésimes, il a défini une nouvelle norme en cabardès. Le domaine complète son activité par la location de gîtes de charme en plein milieu des vignes.

Cabardès Demoiselle Claire 2008

Rouge | 2010 à 2012 | 8,80 € **16/20**

Le sourire de Claire, la charmante épouse de Clément Mengus, a probablement inspiré ce vinificateur pour réaliser ce vin aux tanins très fins, de grande délicatesse. La finale est magique.

Cabardès Domaine de Cazaban 2008

Rouge | 2010 à 2014 | 16,50 € **16/20**

Assemblage à dominante de merlot complété de syrah, élevé en barriques. Le vin est intense, dense, profond et très long.

Vin de pays des Côtes de Lastours Hors Série N°1 2009

Rosé | 2010 à 2010 | 6 € **14/20**

Ce rosé titre moins de 12°, il est construit sur la délicatesse et recherche la fraîcheur. Les fruits rouges, où la framboise domine, égayent la finale.

VIN DE PAYS DES CÔTES DE LASTOURS
JOURS DE VIGNE 2009
Rouge | 2010 à 2011 | 7,20 € **15,5/20**
Très joli jus de syrah, élégant et très fin, d'une gourmandise absolue. Le magnum lui conviendrait.

VIN DE PAYS DES CÔTES DE LASTOURS
LES PETITES RANGÉES 2008
Rouge | 2010 à 2011 | 10,40 € **15/20**
Assemblage de syrah et de merlot par moitié, ce vin est très fin avec un tanin plus marqué que Demoiselle Claire.

DOMAINE LE CAZAL

Route de Saint-Pons-de-Thomières
34210 La Caunette
Tél. 04 68 91 62 53 • Fax : 04 68 91 62 53
info@lecazal.com • www.lecazal.com
Visite : Tous les jours de 9h à 19h sur rendez-vous.

Le Cazal est situé sur la Caunette, dans l'un des points les plus élevés du Minervois, en zone calcaire. Claude et Martine Derroja utilisent largement la macération carbonique pour vinifier leurs cuvées, réalisées avec des rendements faibles. Les vins truffent à tous les étages. Hélas, la grêle a décimé la récolte 2008.

MINERVOIS DÉLICE DU VENT 2007
Rouge | 2010 à 2012 | 20 € **16/20**
Toujours agréablement truffée mais avec plus de fond, cette cuvée termine la gamme dans un registre moins extraverti.

MINERVOIS LE PAS DE ZARAT 2007
Rouge | 2010 à 2012 | 13 € **15/20**
Le-Pas-de-Zarat fait référence à un éperon rocheux sur la propriété. Syrah, grenache et carignan, c'est un représentant des minervois d'altitude, parfaits à boire jeunes car ils développent rapidement des notes nobles de truffe.

MINERVOIS TRADITION 2007
Rouge | 2010 à 2012 | 5 € **14,5/20**
Vin très aromatique, simple mais particulièrement gourmand, avec le charme de la truffe et des épices douces. Les aficionados ne manquent pas !

CHÂTEAU CAZAL-VIEL

34460 Cessenon-sur-Orb
Tél. 04 67 89 63 15 • Fax : 04 67 89 65 17
info@cazal-viel.com • www.laurent-miquel.com
Visite : Du lundi au samedi de 9h30 à 12h et de 13h à 17h30. le week end sur rendez-vous

VIN DE PAYS D'OC FINESSE
SAUVIGNON BLANC 2009
Blanc | 2010 à 2011 | 7,60 € **14/20**
Récolté avant la maturité absolue, ce sauvignon s'exprime par des notes de pamplemousse vivifiantes. Ce sera un joli vin d'apéritif.

CHÂTEAU DE CAZENEUVE

Cazeneuve • 34270 Lauret
Tél. 04 67 59 07 49 • Fax : 04 67 59 06 91
andre.leenhardt@wanadoo.fr • www.cazeneuve.net
Visite : Sur rendez-vous en semaine. Le samedi de 9h à 12h et de 14h à 18h

André Leenhardt exploite 25 hectares dans la zone du Pic Saint-Loup. Il y produit un très bon blanc de gastronomie, à dominante de roussanne, qui sait fort bien vieillir. En rouge, la cuvée Les-Calcaires est issue de syrah, avec un apport de grenache et de cinsault. Le-Roc-des-Mates reprend le même encépagement, en remplaçant le cinsault par les tanins raffinés du mourvèdre. Ces deux cuvées sont très réussies et constituent de belles affaires. André réalise également Le-Sang-du-Calvaire, qui est une cuvée intégralement dédiée à ce mourvèdre qu'il affectionne.

COTEAUX DU LANGUEDOC - PIC SAINT-LOUP
LE ROC DES MATES 2007
Rouge | 2010 à 2016 | 19 € **15,5/20**
Le Roc-des-Mates est construit sur la puissance. Un vin dense, très profond, où l'intensité de la finale laisse présager un futur radieux.

COTEAUX DU LANGUEDOC - PIC SAINT-LOUP
LE SANG DU CALVAIRE 2007
Rouge | 2011 à 2016 | 34 € **16,5/20**
Cette cuvée n'a pas la puissance absolue du Roc-des-Mates mais elle a capté la finesse du Pic Saint-Loup. Malgré un élevage toasté vanillé qui devra disparaître, l'élégance est au rendez-vous.

Coteaux du Languedoc - Pic Saint-Loup
Les Calcaires 2008

Rouge | 2010 à 2013 | 13,50 € 14/20

Comme souvent, la cuvée démarre austère dans la vie mais en finale, la matière ne demandera qu'à se déployer. Un peu de patience.

CLOS CENTEILLES

Campagne de Centeilles • 34210 Siran
Tél. 04 68 91 52 18 • Fax : 04 68 91 65 92
clos.centeilles@libertysurf.fr
www.clos-centeilles.fr.st
Visite : Sur rendez-vous.

Minervois Clos Centeilles 2003

Rouge | 2010 à 2015 | 15 € 14/20

Dans un style qui n'appartient qu'au domaine, et qui se rapproche des Gran-Reserva espagnoles élevées longtemps sous bois, cette cuvée montre des tanins ronds et patinés par le temps. L'aromatique est portée par les fruits à noyaux.

CHÂTEAU CESSERAS

34210 Cesseras
Tél. 04 68 91 15 70 • Fax : 04 68 91 15 78
pierreandre.coudoulet@wanadoo.fr
Visite : Sur rendez-vous.

Pierre-André Ournac exploite, avec son neveu Guillaume, le Domaine Coudoulet, vaste propriété en vin de pays d'Oc puis, plus récemment, le Château Cesseras, en Minervois. La gamme d'appellations concentre tous les soins du domaine cette année. En vin-de-pays, le viognier et la syrah méritent d'être recherchés.

Minervois-La-Livinière 2007

Rouge | 2010 à 2013 | 12 € 16,5/20

Grand fruit et très beaux tanins, c'est ici un archétype d'un beau la-livinière, d'une grande complexité d'arômes, truffes et épices, remarquablement élevé.

Vin de pays d'Oc Domaine Coudoulet,
sangiovese 2009

Rouge | 2010 à 2010 | 6 € 14/20

Implantation originale du cépage, avec une attaque toute en fruit. La finale montre la puissance tannique du sangiovese. Cette initiative en terre française est à suivre.

Vin de pays d'Oc Domaine Coudoulet,
viognier 2009

Blanc | 2010 à 2010 | 6 € 15/20

Très mûr dans le millésime, mais sans perdre sa fraîcheur de bouche et son fruit éclatant. Un modèle de style !

ALAIN CHABANON

Chemin de Saint-Étienne • 34150 Lagamas
Tél. 04 67 57 84 64 • Fax : 04 67 57 84 65
alainchabanon@free.fr • www.domainechabanon.com
Visite : Mercredi et samedi de 9h30 à 12h30

Coteaux du Languedoc
L'Esprit de Font-Caude 2005

Rouge | 2010 à 2011 | 25,20 € 14/20

Ce rouge est parvenu à maturité, il allie le tanin légèrement accrocheur des 2005 à un aromatique épicé qui s'oriente vers le sous-bois. Il fera un beau mariage avec une daube.

DOMAINE CHABBERT-FAUZAN

Hameau de Fauzan • 34210 Cesseras
Tél. 04 68 91 23 64 • Fax : 04 68 91 31 17
Visite : Tous les jours de 11h à 12h et de 17h à 18h.

Gérard Chabbert est implanté à Fauzan, à 300 mètres d'altitude sur des sols exposés au sud. Ses vignes dominent la vallée de la Cesse. Sans bruit et sans tapage, avec une gentillesse attachante, ce vigneron produit l'un des minervois-la-livinière les plus étonnants à deux pas de Minerve, déesse aux attributs multiples.

Minervois 2008

Blanc | 2010 à 2011 | 6,90 € 14/20

Belle structure de bouche derrière des arômes plaisants, veloutés et frais. Un blanc de charme.

Minervois-La-Livinière
Clos de la Coquille 2007

Rouge | 2010 à 2015 | 9,90 € 15/20

Des arômes torréfiés dus à l'élevage, en bouche un naturel étonnant avec une grande profondeur des saveurs. C'est une belle affaire pour les impatients mais les patients seront récompensés.

CHÂTEAU CHAMP-DES-SŒURS

19, avenue des Corbières • 11510 Fitou
Tél. 04 68 45 66 74 • Fax : 04 68 45 66 74
chateauchampdessoeurs@orange.fr
www.champdessoeurs.fr
Visite : Ouvert du lundi au samedi et le week-end en saison. Sur rendez-vous en hiver.

Dans la course à la qualité lancée à Fitou par le Domaine Bertrand-Bergé, l'outsider à surveiller est assurément le Château Champ-des-Sœurs. Le sérieux, la remise en question permanente et le désir d'aller de l'avant devraient amener Laurent Meynadier à progresser encore. Le domaine, installé sur Fitou, dans la zone maritime de l'appellation, produit une cuvée Bel-Amant qui est en fait le patronyme de sa belle-famille. La cuvée La-Tina est la traduction occitane du mot cuvée. Les amateurs de grand vin y décèleront un très joli modèle de fitou.

FITOU BEL AMANT 2008

Rouge | 2010 à 2014 | 9 € **15/20**

Un rouge frais et équilibré, avec de beaux arômes de cassis et de fruits noirs dans un style mûr et suave.

FITOU LA TINA 2008

Rouge | 2010 à 2015 | 13 € **15,5/20**

Le jus est élégant et frais, bien ancré dans le fruit, avec une acidité marquée en finale qui apporte la fraîcheur nécessaire.

MAS CHAMPART

Bramefan - Route de Villespassans
34360 Saint-Chinian
Tél. 04 67 38 05 59 • Fax : 04 67 38 20 09
mas-champart@wanadoo.fr
Visite : Sur rendez-vous.

Isabelle et Mathieu Champart ont créé leur domaine de toutes pièces en 1976. Cette Parisienne et ce Champenois ont sorti de la coopération leurs beaux terroirs au sud de Saint-Chinian. Le domaine offre une version épurée de l'appellation, avec des vins tendus et très précis, peu démonstratifs en vins jeunes, contrairement aux terroirs de schistes. Le blanc très frais n'est pas en reste par rapport aux autres couleurs.

SAINT-CHINIAN 2008

Blanc | 2010 à 2014 | 11 € **15/20**

Cette cuvée ne démarre jamais en fanfare, il faut chercher à la comprendre car son potentiel est là. Fille prude, elle ne se livrera qu'aux dégustateurs qui feront l'effort d'aller vers elle, elle en vaut la peine.

SAINT-CHINIAN CAUSSE DU BOUSQUET 2007

Rouge | 2010 à 2015 | 11,20 € **16/20**

L'amateur de vins faciles passera son chemin, rien n'est fait ici pour plaire. La profondeur interpellera le fin dégustateur, la race intrinsèque le convaincra.

SAINT-CHINIAN CLOS DE LA SIMONETTE 2008

Rouge | 2010 à 2015 | env 18 € **17/20**

Suave et subtil, racé et fin, incroyablement gourmand, un saint-chinian avec de la fraîcheur. La race des mourvèdres parle.

SAINT-CHINIAN CÔTE D'ARBO 2008

Rouge | 2010 à 2014 | 7,40 € **15,5/20**

Peu expressif en vin jeune, la minéralité et la profondeur du terroir impressionnent. Cette entrée de gamme est un grand petit saint-chinian.

VIN DE PAYS D'OC 2008

Rouge | 2010 à 2012 | 7 € **14,5/20**

Marqué par le poivron, un peu végétal, ce vin de pays d'Oc est d'une grande longueur en bouche. À boire vite, il ne décevra pas.

LES CHEMINS DE BASSAC

9, place de la Mairie • 34480 Puimisson
Tél. 04 67 36 09 67 • Fax : 04 67 36 14 05
info@cheminsdebassac.com
www.cheminsdebassac.com
Visite : Sur rendez-vous

VIN DE PAYS DES CÔTES DE THONGUE ISA 2009

Rosé | 2010 à 2010 | 6 € **14/20**

Jolie cuvée de rosé, pétillante et fraîche, gourmande à souhait mais sans exubérance. On en boira trop !

DOMAINE LES CHEMINS DE CARABOTTE

Jean-Yves Chaperon et Nicole Michel • 34150 Aniane
Tél. 06 07 16 76 13
www.carabotte.com
Visite : Sur rendez-vous.

Coteaux du Languedoc
- Terrasses du Larzac 2007 ☺
Rouge | 2010 à 2013 | 11 € **14,5/20**
Fait pour plaire, ce séducteur se dévoile sur le cassis et les fruits rouges. Les tanins sont simples mais soyeux. Il est à boire.

Coteaux du Languedoc
- Terrasses du Larzac 2006 ☺
Rouge | 2010 à 2014 | 11 € **15/20**
Moins opulent que le 2007 mais plus tendu, ce rouge est frais et élégant.

Vin de pays du Mont Baudile carignan 2008 ☺
Rouge | 2010 à 2012 | 6,50 € **14/20**
Joli vin réussi avec un nez de cassis et une matière tendre et suave en bouche. Il est à boire.

MAS DES CHIMÈRES

34800 Octon
Tél. 04 67 96 22 70 • Fax : 04 67 88 07 00
mas.des.chimeres@wanadoo.fr
www.masdeschimeres.com
Visite : juillet et aout ouvert tous les jours de 10h à 12h et de 17h à 19h et hors saison ouvert la semaine sur rendez-vous le samedi de 15h à 19h et le dimanche de 10h à 12h

L'amateur qui viendra dans le secteur d'Octon verra un paysage dantesque, qui alterne des terres rouges incroyablement arides, le noir des sols basaltiques et une masse d'eau inattendue qui est contenue par le lac artificiel du Salagou. Il trouvera également quelques vignes dont les feuilles parviennent malgré tout à verdir dans cet endroit peu hospitalier en apparence. Guilhem Dardé, paysan vigneron, ainsi qu'il aime le rappeler sur ses étiquettes, a conservé la moustache généreuse languedocienne du paysan mais a beaucoup fait progresser son domaine.

Coteaux du Languedoc
- Terrasses du Larzac 2007
Rouge | 2010 à 2012 | 13 € **14,5/20**
Un vin sincère, calé dans ce paysage difficile mais magnifique. Il est entier, très mûr, sur la cape de havane, à boire sur une gardiane.

Vin de pays des Coteaux du Salagou
Œillade 2009 ☺
Rouge | 2010 à 2010 | 6,20 € **14,5/20**
On aime ce fruité savoureux et frais, dans un millésime très mûr. Le vin est à boire facilement, sur son ouverture actuelle.

CLOS DES CLAPISSES

Route de la Molière • 34800 Octon
Tél. 04 67 72 20 84
clos.clapisses@yahoo.fr
Visite : Sur rendez-vous

Vin de pays d'Oc 2009 ☺
Blanc | 2010 à 2012 | 8 € **15/20**
Cette cuvée est celle que nous avons préférée dans la gamme. Belle matière fine et corsée à la fois, de beaux arômes de pêche et de fruits jaunes.

DOMAINE CLAVEL

Route de Sainte-Croix-de-Quintillargues - Mas de Périé • 34820 Assas
Tél. 04 99 62 06 13 • Fax : 04 99 62 06 14
info@vins-clavel.fr • www.vins-clavel.fr
Visite : Tous les jours de 14h à 19h.

Coteaux du Languedoc - Pic Saint-Loup
Bonne Pioche 2009
Rouge | 2010 à 2012 | 11,70 € **14/20**
Cuvée avec de jolis fruits rouges et une texture légère mais goûteuse.

Coteaux du Languedoc Copa Santa 2007
Rouge | 2011 à 2016 | 14,50 € **14,5/20**
Particulièrement puissant, profond en saveurs, dense, très fruits noirs et garrigue. C'est un vin de grande allure, savoureux à condition de l'attendre.

LE CLOS D'ISIDORE

1, place Clément-Bécat
34570 Murviel-les-Montpellier
Tél. 09 61 47 18 40 • Fax : 04 67 47 20 58
joel.antherieu@orange.fr
Visite : du lundi au vendredi de 17h à 20h et sur rendez-vous au 06 08 33 33 57

Coteaux du Languedoc - Saint-Georges d'Orques
Les Sentiers Pourpres 2008
Rouge | 2010 à 2012 | 12 € **15/20**
Beaucoup de promesse dans ce cru tout en délicatesse. La finale florale touche juste. À découvrir !

LE CLOS DU SERRES

Rue de la Fontaine
34700 Saint-Jean-de-la-Blaquière
Tél. 04 67 88 21 96 • Fax : 04 86 17 23 86
leclosduserres@aliceadsl.fr • www.leclosduserres.fr
Visite : Sur rendez-vous.

Ce jeune couple s'est installé en 2006 à Saint-Jean-de-la-Blaquière, sur les contreforts du Larzac, à près de 300 mètres d'altitude. Le style est friand et charmeur. La gamme est large et démarre par un carignan que peu sont capables d'amener à ce niveau de charme : juvénile en bouche, il n'a que 85 ans. La-Blaca, sur une dominante de syrah, montre un charme étonnant. Avec plus de profondeur mais aussi avec plus d'intensité, Les-Maros rappelle la grande qualité des grenaches. Ce domaine ne cesse de progresser et mérite donc une promotion.

Coteaux du Languedoc La Blaca 2008
Rouge | 2010 à 2013 | 11,50 € **15,5/20**
Très belle cuvée au nez velouté, avec une tenue supérieure au passionnel mais exotique 2007. Bien structuré, avec une réelle gourmandise, le taux de redemande sera fort.

Coteaux du Languedoc Le Clos 2009
Rouge | 2010 à 2012 | 7,50 € **15/20**
Joli vin aux tanins fins, œillade, syrah et grenache, la fraîcheur est remarquable. Un vin facile à boire, on en redemande.

Coteaux du Languedoc Les Maros 2008
Rouge | 2010 à 2015 | 11,50 € **16,5/20**
Le vin est salin, profond, très net avec une grande tenue. Cette alliance inattendue de la structure des Terrasses du Larzac et de la salinité de La Clape étonne.

Vin de pays de l'Hérault
Première Audace 2008
Rouge | 2010 à 2012 | 20 € **15/20**
Étonnant vin sur un fruit éclatant, dans le profil du millésime 2007. Exclusivement réalisé à partir de carignan, le tanin est élégant et l'acidité naturelle du cépage rafraîchit ce vin gourmand.

LE CLOS RIVIERAL

34700 Loiras-du-Bosc
Tél. 04 67 44 72 71 ou
06 72 22 38 68 • Fax : 04 67 44 72 71
belletol@wanadoo.fr • www.leclosrivieral.fr
Visite : Sur rendez-vous

Cette nouvelle propriété est installée vers Saint-Jean-de-la-Blaquière, sur des terroirs de schistes. Olivier Bellet a sorti les vignes familiales de la coopération et positionne à haut niveau ses 2008, son premier millésime. À suivre...

Coteaux du Languedoc - Terrasses du Larzac
Le Rocher des Cistes 2008
Rouge | 2010 à 2012 | 11 € **15/20**
Marquée par le cassis, cette cuvée aromatique est élégante, tenue par une acidité marquée.

Coteaux du Languedoc Les Fontanilles 2008
Rouge | 2010 à 2013 | 7,50 € **15/20**
Très aromatique, porté par le cassis et la réglisse, cette cuvée se remarque. Le tanin est très fin. Un petit carafage sera le bienvenu avant le service.

Vin de pays d'Oc 2008
Rouge | 2010 à 2012 | 5,50 € **15/20**
Une étiquette simple mais très réussie annonce un très beau vin de pays d'oc, dense et frais, gourmand à souhait grâce à la pointe de menthol qui rafraîchit la finale.

DOMAINE DE CLOVALLON

Route du Col-du-Buis • 34600 Bédarieux
Tél. 04 67 95 19 72 • Fax : 04 67 95 11 18
domaine@clovallon.fr • www.clovallon.fr
Visite : Du lundi au vendredi : sur rendez-vous. Samedi de 10h à 12h30 et de 14h30 à 18h.

Catherine Roque, du Mas d'Alezon à Faugères, mène ce domaine situé au pied des monts de l'Orb, en altitude relative, avec une présence de pinot noir importante. Elle y produit une gamme de vins de pays d'oc de qualité. Les-Pomarèdes sont remarquables en rouge, en blanc la cuvée Auriièges as-

semble pour le meilleur chardonnay, viognier, riesling, petit manseng et petite arvine.

Vin de pays d'Oc Les Aurièges 2009
Blanc | 2010 à 2010 | 15 € **14/20**
Joli blanc agréable qui séduit par sa palette de fruits jaunes mûrs. Une acidité discrète lui apporte de la fraîcheur.

Vin de pays d'Oc Les Pomarèdes 2008 ☺
Rouge | 2010 à 2011 | 15 € **14,5/20**
Certes, le style est fluide mais la buvabilité est là. On en boira beaucoup, sans ennui, grâce à la finale fruitée, sucrée et épicée qui lui donne son charme.

Vin de pays d'Oc pinot noir 2009 ☺
Rouge | 2010 à 2012 | 8,50 € **14/20**
Agréable pinot noir aux arômes de griotte, qui montre la possibilité de ce cépage en terres du sud.

CHÂTEAU DE COINTES

11290 Roullens
Tél. 04 68 26 81 05 • Fax : 04 68 26 84 37
gorostis@chateaudecointes.com
www.chateaudecointes.com
Visite : Du lundi au samedi sur rendez-vous.

Malepère 2009
Rosé | 2010 à 2010 | 5 € **13/20**
Rosé à la teinte soutenue, plutôt bâti pour la table où il tiendra tête à un saumon grillé ou à une grillade de viande.

MAS CONSCIENCE

Route de Montpeyroux • 34150 Saint-Jean-de-Fosse
Tél. 04 67 57 77 42 • Fax : 04 67 57 77 42
mas.conscience@wanadoo.fr
Visite : Sur rendez-vous

Geneviève et Laurent Vidal ont revendu le Mas d'Auzières, dans la zone du Pic Saint-Loup, pour revenir vers leurs origines en Terrasses du Larzac. Leur Mas Conscience tire son nom de l'une des poteries de Saint-Jean-de-Fos, village dont cette industrie avait autrefois construit la réputation. Le premier millésime de cette réimplantation a été 2003. Les vignes sont cultivées ici en biodynamie. L'As est un coteaux-du-languedoc qui assemble syrah, grenache et carignan, élevés en cuves tronconiques. Le-Cas est étiqueté en vin de pays car il n'est réalisé qu'à partir du seul carignan, vinifié en cuves inox. Nous lui avons préféré l'Esprit-de-la-Fontaine et Cieux, au sommet !

Cieux 2009 ☺
Rouge | 2010 à 2013 | 10 € **17/20**
Et voilà une nouvelle cuvée lancée dans la compétition des vins de table ! Hyper floral, fruits rouges d'anthologie, tanins de compétition, un vin de table, de grande table !

Coteaux du Languedoc - Terrasses du Larzac L'As 2007
Rouge | 2010 à 2013 | 16 € **16/20**
Encore une remarquable qualité de tanins dans ce terrasses-du-larzac. La finesse du terroir s'exprime avec une évolution vers la feuille de havane.

Coteaux du Languedoc L'Esprit de la Fontaine 2007
Rouge | 2010 à 2012 | 50 € **16/20**
Cette cuvée ressemble beaucoup à l'As, les terroirs ont des points communs et les tanins sont de même qualité avec un peu plus de longueur dans l'As. Les Vidal sont associés à d'autres vignerons, à Gérard Depardieu et à un restaurateur parisien.

DOMAINE COSTE ROUSSE

14, avenue de la Gare • 34480 Magalas
Tél. 09 81 67 37 95 • Fax : 04 67 36 37 95
domaine@costerousse.com • www.costerousse.com
Visite : Sur rendez-vous.

Vin de pays des Côtes de Thongue 2008 ☺
Blanc | 2010 à 2011 | 8,50 € **15/20**
Le nez est fin, très aromatique, la bouche est très marquée par les agrumes, mûre, grasse et de grande longueur. Ce vin a capitalisé sur sa trilogie, chardonnay, sauvignon et clairette.

Vin de pays des Côtes de Thongue Pech de Montfo 2007 ☺
Rouge | 2010 à 2011 | 5,60 € **14/20**
Vin de plaisir, intensément fruité, minéral et avec la tension qu'il faut dans ce millésime opulent.

DOMAINE COSTEPLANE

Mas Costeplane • 30260 Cannes-et-Clairan
Tél. 04 66 77 85 02
contact@costeplane.com • www.costeplane.com
Visite : Sur rendez-vous

VIN DE PAYS D'OC ARBOUSSÈDE 2009
Rosé | 2010 à 2010 | 5,20 € 13/20
Dans un style de vin naturel, le producteur a capté une agréable expression de fruits rouges. Voici un rosé très délicat, juste réalisé pour la soif des soirées de fin d'été.

VIN DE PAYS D'OC CHARDONNAY 2009
Blanc | 2010 à 2010 | 5 € 13/20
Dans un style très « vin naturel », protégé par du gaz qu'il faudra éliminer au service, ce chardonnay simple mais fruité et vivifiant mérite le détour.

DOMAINE COSTES ROUGES

9, rue de Potarouch • 34320 Neffiès
Tél. 04 67 24 86 61
domainecostesrouges@yahoo.fr
www.costesrouges.fr
Visite : Sur rendez-vous

COTEAUX DU LANGUEDOC ÉRIC M 2008 ☺
Rouge | 2010 à 2013 | 15,30 € 14,5/20
Joli vin agréable, vineux et frais, prototype du vin de copains dont les tanins sans accroche feront les soirées paisibles.

DOMAINE COSTES-SIRGUES

30250 Sommières
Tél. 04 66 80 58 72
06 77 14 09 69 ou 06 77 76 97 90
www.costes-sirgues.com

LANGUEDOC BOIS DU ROI 2007
Rouge | 2010 à 2013 | NC 15/20
Les notes cassissées sont intenses dans ce vin structuré et assez puissant, au fruité extraverti.

VIN DE PAYS D'OC MAUVALAT 2007 ☺
Rouge | 2010 à 2013 | NC 15/20
Plus en puissance que Montplaisir, ce vin épicé et charnu est également d'un style accompli.

VIN DE PAYS D'OC MONTPLAISIR 2008 ☺
Rouge | 2010 à 2012 | NC 15/20
Vin original, cassissé et mentholé. En bouche, la matière est fluide, fraîche et élégante. L'absence de soufre imposera une attention particulière au stockage et au transport. Un vin de grand fruit !

DOMAINE DE COURTAL NEUF

Route de Saint-Pierre La Mer • 11560 Fleury d'Aude
Tél. 04 68 90 27 29 • Fax : 04 68 90 27 28
courtal@hotmail.fr
Visite : Sur rendez-vous.

Quel plaisir de voir un domaine se lancer avec un blanc de grand équilibre et un rouge magnifique, savoureux en diable. Les vignes, abandonnées dans le secteur de La Clape depuis un siècle, vivent une véritable renaissance. Elles semblent enthousiastes de ce nouveau départ, nous aussi !

VIN DE PAYS D'OC LE PRINTEMPS 2009 ☺
Rosé | 2010 à 2010 | 4 € 14/20
Joli rosé plein de fruits rouges, dense mais frais et équilibré. Il nouera une belle histoire avec une grillade de bœuf.

VIN DE PAYS D'OC LES BUGADELLES 2009
Blanc | 2010 à 2012 | 10 € 14/20
La reprise de ces vignes abandonnées sur l'île de Lec, à proximité de Narbonne, se poursuit par un 2009 orienté vers l'abricot et la mirabelle. Le boisé mérite un peu de patience.

LES CREISSES

34290 Valros
Tél. 06 75 66 65 78 • Fax : 04 67 98 55 36
lescreisses@free.fr • www.les-creisses.com
Visite : uniquement sur rendez-vous.

VIN DE PAYS D'OC 2007
Rouge | 2012 à 2015 | 11 € 14,5/20
Nez encore marqué par le bois de l'élevage mais avec une belle matière puissante et raffinée. Il mérite que l'on attende quelques années.

VIN DE PAYS D'OC LES BRUNES 2007
Rouge | 2012 à 2015 | 25 € 15/20
A l'identique de la cuvée de base, le nez est encore marqué par le bois de l'élevage mais là aussi la matière est puissante et très raffinée. Une cuvée à base de cabernet-sauvignon, à attendre.

DOMAINE DES CRÈS RICARDS

Domaine des Crès Ricards • 34800 Ceyras
Tél. 04 67 44 67 63 • Fax : 04 67 44 67 63
contact@cresricards.com • www.cresricards.com
Visite : Du lundi au samedi, de 10h à 12h30
et de 15h à 19h.

Ce domaine a été créé par Colette et Gérard Foltran, deux cadres de l'industrie en pré-retraite qui ont courageusement choisi l'aventure vigneronne plutôt que le farniente. Les cuvées du domaine ne tendent pas à être l'expression d'un terroir spécifique, mais plutôt à exprimer la gourmandise. Ce sont des vins modernes, sans aucune accroche de tanin, qui sont à boire sur le fruité éclatant de leur jeunesse. Le domaine vient d'être repris par les domaines Paul Mas. Le futur du style est assuré.

Coteaux du Languedoc Œnothera 2008

Rouge | 2010 à 2013 | 18 € **15/20**

Ce coteaux-du-languedoc opulent et crémeux n'a aucun tanin qui accroche. Plus en largeur qu'en longueur, la finale dense est réglissée.

Vin de pays du Mont Baudile Alexaume 2009

Rouge | 2010 à 2012 | 5,70 € **14,5/20**

Un vin de plaisir intense et profond, dense en fruits noirs, sans l'excès d'alcool de 2009 avec d'agréables notes de réglisse forte.

Vin de pays du Mont Baudile Cousin-Cousine 2009

Rouge | 2010 à 2012 | 7 € **15/20**

Très aromatique, intense, cette cuvée généreuse et fortement réglissée est longue en bouche.

DOMAINE LA CROIX BELLE

Avenue de la Gare • 34480 Puissalicon
Tél. 04 67 36 27 23 • Fax : 04 67 36 60 45
information@croix-belle.com • www.croix-belle.com
Visite : Du lundi au vendredi, de 9h à 12h et de 14h à 18h. Samedi, sur rendez-vous.

Vin de pays des Côtes de Thongue Cascaillou 2007

Rouge | 2010 à 2011 | 13,50 € **14,5/20**

Cascaillou ne passe pas inaperçu. Fort en gueule, aromatique, son bouquet à la fois minéral et fleurs séchées accompagnera à merveille une viande rouge grillée.

Vin de pays des Côtes de Thongue Le Champ des Lys 2009

Blanc | 2010 à 2011 | 6,20 € **14/20**

Assemblage de grenache, viognier, chardonnay et sauvignon, ce blanc capitalise sur l'ensemble des qualités de ces cépages. Aromatique et citronnée, la finale est portée par l'acidité. Elle donnera une autre dimension à un poisson à la crème.

Vin de pays des Côtes de Thongue n°7 2008

Blanc | 2010 à 2011 | 12,90 € **14,5/20**

Assemblage de sept cépages où dominent le viognier, le chardonnay et le grenache blanc. La matière est grasse, longue et épicée.

DOMAINE LA CROIX CHAPTAL

Hameau de Cambous
34725 Saint-André-de-Sangonis
Tél. 04 67 16 09 36 • Fax : 04 67 16 09 36
lacroixchaptal@wanadoo.fr
www.lacroixchaptal.com
Visite : Du lundi au samedi sur rendez-vous

Coteaux du Languedoc Les Sigillés 2009

Rosé | 2010 à 2012 | 7,50 € **14/20**

Le style de ce rosé plaira à ceux qui n'aiment pas les rosés. Avec une attaque de bonbon au caramel, il désorientera certains et ravira ceux qui apprécient une sucrosité en finale. L'ensemble est gourmand.

Vendange du 26 Novembre 2006

Rouge Liquoreux | 2010 à 2011 | NC **14/20**

Vin original, avec des notes de gingembre confit, de raisin de Corinthe. La finale figue sèche lui permettra l'usage d'un cognac en fin de repas, l'alcool en moins.

DOMAINE LA CROIX DE SAINT-JEAN

La Croix de Saint-Jean • 11120 Bize-Minervois
Tél. 04 68 46 35 32 • Fax : 04 68 40 76 55
vfabre@wanadoo.fr
Visite : Sur rendez-vous.

La Croix de Saint-Jean a été créée en 2004 par Michel Fabre, vigneron, et Fabrice Leseigneur, photographe de presse. Le domaine produit deux cuvées sur les terroirs de Minervois, Lo-Mainatge et Lo-Paire. Ce sont deux grandes expressions racées et profondes de ce beau terroir, qui entrent dans le gotha du meilleur de cette appellation.

Minervois Lo Mainatge 2008

Rouge | 2010 à 2013 | 6,50 € **16/20**

Cette cuvée, référence stylistique, conjugue intensité, finesse et longueur. Quelle finale d'une incroyable intensité aromatique, violette, pivoine ! À ce prix...

Minervois Lo Paire 2006

Rouge | 2010 à 2012 | 15 € **14,5/20**

Dans un style intense et fruité, chocolat, la finale est onctueuse, plus en volume que la cuvée Lo-Mainatge.

MAS DE DAUMAS-GASSAC

Mas de Daumas-Gassac • 34150 Aniane
Tél. 04 67 57 71 28 • Fax : 04 67 57 41 03
contact@daumas-gassac.com
www.daumas-gassac.com
Visite : Du lundi au samedi, de 10h à 12h30 et de 14h à 18h30.

On a beaucoup écrit sur le Mas de Daumas-Gassac. Aimé Guibert a su identifier, sur Aniane, des terroirs qualitatifs aptes à porter un cabernet-sauvignon non autorisé par les Aoc locales. En blanc, il a également choisi de vinifier un assemblage de chardonnay, de viognier et de petit manseng qui lui interdisait l'accès à l'Aoc. Son domaine produit donc un rouge et un blanc en vin de pays de l'Hérault, qu'il a su imposer à un niveau de prix inconnu dans cette catégorie. Le blanc reçoit un élevage en cuves inox alors que le rouge est partiellement élevé en barriques. La qualité des rouges connaît des variations, mais ils peuvent être exceptionnels.

Vin de pays de l'Hérault 2009

Blanc | 2010 à 2016 | 35 € **15/20**

Dans l'esprit de 2008, l'attaque est précise mais retenue, la fin de bouche étonne par sa fraîcheur et par une légèreté surprenante. On a capté ici de la subtilité. À l'apéritif pendant quelques années, il tiendra remarquablement la table.

Vin de pays de l'Hérault 2008

Rouge | 2010 à 2010 | 35 €

Non notable, le 2008 que nous avons goûté est marqué par des levures brettanomyces qui perturbent l'aromatique. Souhaitons que le millésime suivant soit un grand Daumas.

DOMAINE JEAN-LOUIS DENOIS

Borde Longue • 11300 Roquetaillade
Tél. 04 68 31 39 12 • Fax : 04 68 31 39 14
jldenois@orange.fr • www.jldenois.com
Visite : Sur rendez-vous.

Limoux Grande Cuvée 2007

Rouge | 2010 à 2014 | 10 € **14,5/20**

Puissant, intense, des notes de fruits rouges et une finale longue.

CHÂTEAU DU DONJON

11600 Bagnoles
Tél. 04 68 77 18 33 • Fax : 04 68 72 21 17
jean.panis@wanadoo.fr
www.chateau-du-donjon.com
Visite : Du lundi au vendredi, de 9h à 12h et de 15h à 19h, les week-end et jours fériés sur rendez-vous.

Cabardès L'Autre 2007

Rouge | 2010 à 2012 | 7 € **14/20**

Marqué par le merlot associé aux cépages méditerranéens, croquant de fruit en 2007, poudre de cacao, le vin est frais et intensément gourmand.

Minervois 2008

Rosé | 2010 à 2010 | 6 € **13/20**

En 2009, ce rosé à la teinte pelure d'oignon est très mûr. Sa rondeur l'amènera plus volontiers à la table qu'à l'apéritif, vers un saumon par exemple.

Minervois cuvée Prestige 2007

Rouge | 2010 à 2012 | 9,50 € **13,5/20**

Les millésimes se ressemblent dans cette cuvée toujours marquée par les écorces d'agrumes issues de l'élevage. Cela confère au vin un style très original, parfaitement adapté à un canard à l'orange où on jouera ton sur ton.

DOMAINE DE LA DOURBIE

Route d'Aspiran • 34800 Canet
Tél. 04 67 44 45 82 • Fax : 04 67 44 47 84
info@ladourbie.fr • www.ladourbie.fr
Visite : Du lundi au vendredi, de 8h30 à 18h. Le samedi en été.

Coteaux du Languedoc Malacoste 2005

Rouge | 2012 à 2014 | 13,70 € **13/20**

La matière est dominée par un boisé qui la perturbe alors qu'elle était, à l'évidence, de grande finesse. Il faudra attendre.

Vin de pays d'Oc Le Pigeonnier de la Dourbie 2009

Rouge | 2010 à 2013 | 5,30 € **14,5/20**

Un vin de pays de grand caractère avec une trame tannique puissante et une capacité de garde. Quel jus et quelle fraîcheur !

CHÂTEAU LA DOURNIE

La Dournie • 34360 Saint-Chinian
Tél. 04 67 38 19 43 • Fax : 04 67 38 00 37
chateau.ladournie@wanadoo.fr
www.chateauladournie.com
Visite : De 9h à 12h et de 14h à 18h du lundi au samedi et le dimanche sur rendez-vous

Les filles de la famille Étienne ont repris ce domaine de Saint-Chinian. Cette grande propriété commercialise plusieurs cuvées. Celle qui porte le nom du château est une belle entrée dans la gourmandise de l'appellation. Plus ambitieuses encore sont Château-Étienne-la-Dournie et la cuvée Élise. Elles ont en commun le profil aromatique puissant que les schistes confèrent aux rouges, avec un supplément de race pour Élise. Cette adresse est une source d'approvisionnement sûre.

Saint-Chinian Château Étienne La Dournie 2008

Rouge | 2010 à 2013 | 9,80 € **14,5/20**

Plus tendu et plus austère que 2008, ce millésime montre un potentiel de garde. Le fruit va se dégager dans les années à venir.

Saint-Chinian Château La Dournie 2008

Rouge | 2010 à 2012 | 6,20 € **14,5/20**

Agréable rouge très fruité, bien dans l'esprit de la gourmandise de l'appellation.

Saint-Chinian Élise 2008

Rouge | 2010 à 2015 | 13,20 € **16/20**

Élise est un bien joli saint-chinian, que les schistes ont coloré de fumé et de réglisse. La finale s'exprime sur des fruits rouges bien mûrs prolongés par des épices suaves.

Vin de pays d'Oc Le Blanc de la Dournie 2008

Blanc | 2010 à 2013 | 4,95 € **15/20**

Très goûteuse, avec des amers exacerbés mais tenus avec un acide marqué sans être agressif, cette cuvée est une grande réussite. Le ménage à trois, roussanne, viognier et vermentino est un tiercé gagnant qui conjugue habilement fraîcheur, arômes et sensations tactiles.

CAVE D'EMBRES ET CASTELMAURE

4, route des Canelles • 11360 Embres-et-Castelmaure
Tél. 04 68 45 91 83 • Fax : 04 68 45 83 56
castelmaure@wanadoo.fr • www.castelmaure.com
Visite : Sur rendez-vous

Prenez un président de cave coopérative et un directeur qui s'entendent comme larrons en foire, aussi facétieux qu'intelligents. Confiez leur la production de raisins d'une soixantaine d'apporteurs motivés, bien encadrés et convenablement rémunérés. Hissez le souci marketing au niveau du perfectionnisme technique. Rajoutez sur les étiquettes le zeste d'impertinence qui chasse l'ennui. Dernier détail, mais il est lui aussi essentiel, un grand terroir. Vous obtiendrez l'une des meilleures caves coopératives de France, qui tient la palme du dynamisme technique et commercial. Toute la gamme est impeccable et les prix ne dissuadent même pas de boire les vins.

Corbières La Grande Cuvée 2007

Rouge | 2010 à 2012 | 10,20 € **14,5/20**

Avec des tanins droits et puissants, la Grande-Cuvée est élancée en 2007, avec une finale graphitée, minérale, un rien moins arrondie que la Pompadour.

Corbières La Pompadour 2008

Rouge | 2010 à 2013 | 7,90 € **15,5/20**

Puissante avec des tanins ronds, La-Pompadour est un vin toujours régulier de cette cave, profond et gourmand, très mûr. La finale épicée est d'une longueur hors norme.

Corbières Le Castelmaure 2008

Rouge | 2010 à 2012 | 4,65 € **14/20**

Belle matière, facile à boire tout en étant assez puissante, épicée et élégante.

Corbières n°3 de Castelmaure 2008

Rouge | 2010 à 2015 | 18,35 € **16/20**

La dominante est la syrah, complétée de grenache et de carignan. Jus de truffe, cet ensemble très fin voit les tanins caresser les épices douces.

CHÂTEAU DE L'ENGARRAN

34880 Laverune
Tél. 04 67 47 00 02 • Fax : 04 67 27 87 89
lengarran@wanadoo.fr • www.chateau-engarran.com
Visite : De 10h à 13h et de 15h à 19h.

Diane et sa sœur Constance sont la troisième génération de femmes à mener avec dynamisme la cinquantaine d'hectares de l'Engarran, disséminés

autour de la belle folie bâtie au XVIIIe siècle. La cuvée Quetton-Saint-Georges se remarque par la fraîcheur que le terroir de Saint-Georges d'Orques parvient à imprimer aux vins. La cuvée Grenache-Majeur, récoltée sur la zone des Grès de Montpellier, imprime un nouveau style plus épuré aux vins du domaine. Elle ne manquera pas d'aficionados.

COTEAUX DU LANGUEDOC - GRÈS DE MONTPELLIER 2008 ☺

Rouge | 2010 à 2012 | 10,50 € **14/20**

La cuvée au nom du domaine est un agréable représentant des grès-de-montpellier, la bouche est onctueuse et la finale épicée montre de la longueur.

COTEAUX DU LANGUEDOC GRENACHE MAJEUR 2007 ☺

Rouge | 2010 à 2014 | 13,50 € **15,5/20**

Cuvée où l'opulence aromatique prime. Les grenaches sont mûrs mais sans sucrosité. Si ce cépage a été souvent pris, en 2007, en flagrant délit de sur-opulence, un doigt dans la confiture, ce n'est pas le cas dans Grenache-Majeur. Il y prend, au contraire, un régime dynamique en bouche. Chaleureuse et rafraîchissante, cette cuvée plaira beaucoup.

COTEAUX DU LANGUEDOC QUETTON SAINT-GEORGES 2007 ☺

Rouge | 2010 à 2016 | 17,90 € **16/20**

Quetton est un assemblage de syrah et de carignan qui concentre le savoir-faire du domaine. Elle montre une jolie note saline, typique de son terroir, la finale est gourmande et racée.

VIN DE PAYS D'OC CUVÉE ADELYS 2008 ☺

Blanc | 2010 à 2014 | 13,95 € **16/20**

Étonnant sauvignon du Sud, sans les aspects variétaux du cépage qui sont remplacés avec succès par la mangue, la banane, les agrumes citronnés et une touche rare de jasmin. L'ensemble est gras, avec la délicatesse que la vinificatrice aime apporter à ses cuvées.

DOMAINE ENTRETAN

10, rue Alizés • 11200 Roubia
Tél. 04 68 43 25 16 • Fax : 04 68 43 25 16
jean.plantade@wanadoo.fr
Visite : Tous les jours sur rendez-vous

MINERVOIS POLÈRE 2006

Rouge | 2010 à 2015 | 10 € **13,5/20**

Comme l'an passé avec le 2005, cette cuvée réalisée avec une proportion significative de mourvèdre surprendra ceux qui n'aiment pas les tanins marqués dans un rouge. Nous l'avons retenue pour la qualité de la matière.

CHÂTEAU DES ERLES

9, rue Pech-de-Grill • 11360 Villeneuve-les-Corbières
Tél. 04 68 45 82 27
francoislurton@francoislurton.com
www.francoislurton.com

FITOU 2004

Rouge | 2010 à 2015 | 31,35 € **15/20**

Fitou complexe et fruité, il bénéficie de la fraîcheur du millésime avec une évolution lente vers les épices.

MAS D'ESPANET

30730 Saint-Mamert
Tél. 04 66 81 10 27 • Fax : 04 66 81 10 27
masespanet@wanadoo.fr • www.masdespanet.com
Visite : Sur rendez-vous.

VIN DE PAYS D'OC CAMILLE 2005 ☺

Ambré | 2010 à 2012 | 23 € **15/20**

Étonnant vin, évolué certes mais très original avec des flaveurs de miel, acacia, fleurs blanches et fruits secs grillés. Ce sera un joli blanc de gastronomie.

VIN DE PAYS D'OC ÉOLIENNE 2008

Rouge | 2010 à 2012 | 11 € **14/20**

Agréable rouge au tanin assez fluide et fruité, avec une finale gourmande.

CHÂTEAU DES ESTANILLES

Lentheric • 34480 Cabrerolles
Tél. 04 67 90 29 25 • Fax : 04 67 90 10 99
louison.estanilles@orange.fr
www.chateaudesestanilles.fr
Visite : Du lundi au vendredi, de 9h à 12h et de 14h à 17h30.

Michel Louison a vendu son domaine à la famille Seydoux. Si les entrées de gamme ne nous ont pas convaincus, les 2007 de la Grande-Cuvée et du Clos-du-Fou renouent avec les années glorieuses du domaine. Des vins riches et puissants mais infiniment savoureux. Nous n'avons pas goûté le rosé de mourvèdre. En grande année, c'est l'un des plus originaux du Sud avec une capacité à défier le temps.

FAUGÈRES GRANDE CUVÉE 2007

Rouge | 2010 à 2015 | 16,50 € **15,5/20**

Cette Grande-Cuvée est magnifique dans sa structure avec une intensité hors pair. La finale réglissée est savoureuse. Nous avons plaisir à la retrouver en grande année.

FAUGÈRES LE CLOS DU FOU 2007

Rouge | 2010 à 2015 | 24 € **16,5/20**

Le Clos-du-Fou montre l'énergie et la densité que peut atteindre Faugères dans un millésime tout en puissance. Cette cuvée demandera du temps pour dégager tout son potentiel mais la gourmandise pointe son nez.

CHÂTEAU L'EUZIÈRE

Ancien Chemin d'Anduze • 34270 Fontanès
Tél. 04 67 55 21 41 • Fax : 04 67 56 38 04
leuziere@chateauleuziere.fr • www.chateauleuziere.fr
Visite : En été, du lundi au samedi, de 10h à 12h et de 16h à 19h. En hiver de 10h à 12h et de 14h à 19h.

Installé à Fontanès, en Pic Saint-Loup, ce domaine propose une gamme marquée par une précision des tanins et par une fraîcheur qui constituent le fil rouge de la production. Tourmaline est réalisée à partir de grenache et de syrah, l'Almandin et Les-Escarboucles sont additionnés de mourvèdre, cette dernière cuvée étant élevée en barriques. Les blancs progressent et font un pied de nez à beaucoup de productions dans cette couleur en Languedoc.

COTEAUX DU LANGUEDOC - PIC SAINT-LOUP L'ALMANDIN 2008

Rouge | 2010 à 2012 | 8,50 € **14/20**

Joli jus gourmand, avec de belles notes de fruits noirs et de chocolat, dans un vin fait pour animer une soirée entre copains. Un civet ou un bourguignon lui iront bien.

COTEAUX DU LANGUEDOC - PIC SAINT-LOUP LES ESCARBOUCLES 2008

Rouge | 2010 à 2015 | 13,50 € **16/20**

L'échantillon présenté montrait un beau volume de bouche avec une matière racée, charnue et onctueuse. La finale est enjôleuse.

COTEAUX DU LANGUEDOC GRAINS DE LUNE 2009

Blanc | 2010 à 2014 | 7,50 € **15,5/20**

Admirable cuvée qui est une synthèse entre les magnifiques amers des agrumes, tendance pamplemousse, et l'acidité des mêmes agrumes, tendance citron. L'ensemble ne laissera pas indifférent.

COTEAUX DU LANGUEDOC L'OR DES FOUS 2008

Blanc | 2011 à 2013 | 13 € **15/20**

Rond, équilibré, fin et dynamique, ce vin est suave, un peu marqué par le bois mais gourmand.

CHÂTEAU D'EXINDRE

La Magdelaine d'Exindre
34750 Villeneuve-les-Maguelone
Tél. 04 67 69 49 77 • Fax : 04 67 69 49 77
catherinegeroudet@yahoo.fr • www.exindre.fr
Visite : De 15h à 19h sauf le mercredi. samedi de 9h à 12h

COTEAUX DU LANGUEDOC MAGDALIA 2008

Rouge | 2010 à 2013 | 8,20 € **14/20**

Cette cuvée, à base de carignan, est agréable et gourmande en 2008, les fruits rouges emmènent la finale.

MUSCAT DE MIREVAL VENT D'ANGES 2009

Blanc Doux | 2010 à 2013 | 10,90 € **13,5/20**

Joli blanc de dessert, délicat et velouté. La finale de fruits jaunes et de sirop de pêche est très agréable, ponctuée par une acidité marquée cette année.

MAS FABREGOUS

Chemin d'Aubaygues • 34700 Soubes
Tél. 04 67 44 31 75 • Fax : 04 67 44 31 75
masfabregous@free.fr
Visite : Sur rendez-vous.

Mas Fabregous produit un vin-de-pays-des-Coteaux-du-Salagou, en limite nord de la zone des appellations contrôlées du Languedoc. Il commer-

cialise également un coteaux-du-languedoc et un terrasses-du-larzac plus racés et marqués par leur terroir. Tous les vins du domaine sont absolument gourmands, faciles à boire, sans aspérité aucune, avec la fraîcheur apportée par les vignes d'altitude. L'amateur trouvera ici un archétype des vins profonds et savoureux, faits pour être partagés. Ces cuvées font du bien.

Coteaux du Languedoc
Sentier Botanique 2007 ☺
Rouge | 2010 à 2013 | 12,50 € 15/20
Toujours gourmande, sur les poivres et les fruits noirs, les tanins de cette cuvée sont fins et bien maîtrisés. 2007 lui donne un aspect solaire et généreux qui lui va bien.

Vin de pays des Coteaux du Salagou
Jardin Grégoire 2008 ☺
Rouge | 2010 à 2015 | 7 € 14,5/20
Lisse, généreux, avec des notes de réglisse forte, ce vin a de la ressource. On peut commencer à le boire mais il peut aussi attendre.

Vin de pays des Coteaux du Salagou
Trinque Fougasse 2008 ☺
Rouge | 2010 à 2012 | 9,50 € 14,5/20
Cette cuvée porte le nom d'un bar réputé de Montpellier. Très aromatique, généreux, ce parfait vin de copains montre un supplément de densité en 2008 par rapport au millésime précédent.

DOMAINE DE FABRÈGUES

34800 Aspiran
Tél. 04 67 44 54 99 • Fax : 04 67 44 79 72
contact@domainefabrègues.fr
www.domainefabregues.fr
Visite : Ouvert du lundi au samedi de 8h à 12h et de 14h à 18h et le dimanche sur rendez-vous.

Coteaux du Languedoc Le Cœur 2007
Rouge | 2010 à 2013 | 15 € 13,5/20
Un vin de fruit, gourmand avec des arômes de fraise bien mûre et de fruits noirs.

Coteaux du Languedoc Le Domaine 2008 ☺
Rouge | 2010 à 2012 | 8,50 € 14/20
Joli vin de plaisir, du fruit, de la gourmandise. C'est à boire sur une viande de bœuf à la texture serrée que ce rouge mettra en valeur.

Vin de pays d'Oc L'Orée 2009 ☺
Blanc | 2010 à 2010 | 6 € 13,5/20
Agréable blanc de tonnelle, rafraîchissant et citronné, idéal pour un apéritif de fin d'été.

CHÂTEAU FAÎTEAU

Route des Mourgues • 34210 La Liviniere
Tél. 04 68 91 48 28 • Fax : 04 68 91 48 28
jna-ch-faiteau@wanadoo.fr
www.chateau-faiteau.leminervois.com
Visite : lundi au samedi en saison de 10h à 12h et de 17h à 19h ou sur rendez-vous

Minervois La syrah 2008
Rouge | 2010 à 2011 | 6 € 13,5/20
Le nez légèrement réduit mérite un léger carafage pour exhiber toutes les fragances épicées et fruitées de ce vin de charme.

DOMAINE DE FAMILONGUE

34725 Saint-André-de-Sangonis
Tél. 04 67 57 59 71
www.domainedefamilongue.fr
Visite : Sur Rendez-vous

Nous avons remarqué cette année l'homogénéité de la gamme de ce domaine. Il alignait une belle série de coteaux-du-languedoc rouges et de vins-de-pays ainsi qu'un rosé profond destiné à la table.

Coteaux du Languedoc 2009 ☺
Rosé | 2010 à 2010 | 5,50 € 14,5/20
Rosé gourmand mais tendu, long et épicé. Sa longueur fera merveille à table.

Coteaux du Languedoc Trois Naissances 2007 ☺
Rouge | 2010 à 2013 | 15,50 € 15/20
Assemblage réalisé à partir de la plupart des cépages méditerranéens, cette cuvée se remarque par la qualité des tanins dans un ensemble dense mais frais.

Vin de pays du Mont Baudile L'Âme 2007
Rouge | 2010 à 2014 | 9,50 € 15/20
Cette cuvée marie élégance et densité dans un ensemble frais et fin. On peut l'attendre un peu.

DOMAINE LES FILLES DE SEPTEMBRE

30, avenue Guynemer • 34290 Abeilhan
Tél. 04 67 39 01 65 • Fax : 04 67 39 01 65
les-filles-de-septembre@club-internet.fr
www.les-filles-de-septembre.com
Visite : Du lundi au samedi, de 10h à 12h et de 14h à 19h ou sur rendez-vous

Les Filles de Septembre sont l'association de deux frères qui ont eu quatre filles. Hélas, pour l'authenticité de l'anecdote, elles ne sont pas toutes nées en septembre, mais ce mois essentiel, celui des vendanges, méritait qu'on le cite dans la dénomination du domaine. Nous avons été étonnés cette année par l'homogénéité de la production ici. Ces filles sont assurément l'un des domaines phares des Côtes de Thongue.

Vin de pays des Côtes de Thongue 2009 ☺
Rosé | 2010 à 2010 | 4 € **13,5/20**
Rosé pelure d'oignon, gras en bouche, fruité. La finale est tendue, serrée. Un rosé de caractère.

Vin de pays des Côtes de Thongue
Clos Marine 2008 ☺
Blanc | 2010 à 2012 | 6,50 € **15,5/20**
Très belle bouteille originale en diable. Cette cuvée dépasse largement bien des bouteilles arborant une AOC. Sauvignon et chardonnay ne permettraient pas le passage en appellation, seul le viognier l'autoriserait, il restera donc vin de pays !

Vin de pays des Côtes de Thongue Danaé 2008 ☺
Rouge | 2010 à 2011 | 5,40 € **14,5/20**
Bel exemple de rouges en Côtes de Thongue fait à partir des bordelais merlot et cabernet. L'ensemble est de beau volume, gras et vraiment gourmand.

Vin de pays des Côtes de Thongue
Delphine de Saint-André 2007 ☺
Rouge | 2010 à 2011 | 7 € **15/20**
Dans le grand style épicé, opulent, salin et gourmand des cuvées du domaine. Le baroque de 2007 en plus.

FONCALIEU

Domaine de Corneille • 11290 Arzens
Tél. 04 68 76 21 68
fauchere@foncalieuvignobles.com

La gamme de ce groupement de producteurs est vaste, avec en point d'orgue deux saint-chinians bien réussis et une base solide produite en coteaux d'Ensérune.

Saint-Chinian Apogée 2008
Rouge | 2010 à 2015 | 22 € **15/20**
Vin en devenir. La trame est serrée et demandera du temps mais l'équilibre est là. La matière est de qualité et a été élevée avec soin.

Vin de pays des Coteaux d'Ensérune
Enseduna 2008 ☺
Rouge | 2010 à 2010 | env 4,50 € **14/20**
Malbec de charme, onctueux, avec la sucrosité apportée par le soleil languedocien. Ce cépage ne cesse de se révéler en dehors de la région de Cahors. Typé, racé, il surprendra.

Vin de pays des Coteaux d'Ensérune
Enseduna marselan 2008 ☺
Rouge | 2010 à 2010 | env 4,50 € **13/20**
Cabernet-sauvignon et grenache réunis par hybridation dans un seul cépage, leur fils naturel, le marselan. Puissant, dense, corsé mais avec une fin de bouche généreuse et fruitée. Le cabernet s'est occupé de l'attaque, le grenache de la finale : un mariage heureux.

PRIEURÉ DU FONT-JUVÉNAL

2, La Prade • 11800 Floure
Tél. 04 68 79 15 55 • Fax : 04 68 79 10 78
scea.cgaf@orange.fr • www.sont-juvenal.com
Visite : Du lundi au vendredi, de 8h à 17h et sur rendez-vous le samedi.

Cette propriété de Conques appartient à un pépiniériste viticole, qui fait une incursion récente mais réussie dans le monde des vignerons. Font-Juvénal, traduisez la fontaine de Jouvence, est le nom de la source qui coule au milieu de cet étonnant cirque, très protégé des vents et des soleils levants et couchants. Les températures nocturnes sont basses et apportent de la fraîcheur à ces vins denses.

Cabardès Fontaine de Jouvence 2007
Rouge | 2010 à 2012 | 4,20 € **15/20**
La cuvée montre une grande puissance, des fruits mûrs. Elle peut être bue dès maintenant.

Cabardès L'Asphodèle 2005
Rouge | 2010 à 2012 | 6,83 € **15/20**
Un nez complexe, malgré une pointe d'évent, précède une matière d'exception avec un tanin des plus fins. C'est l'une des belles cuvées du Cabardès.

MAS FOULAQUIER

34270 Claret
Tél. 04 67 59 96 94 • Fax : 04 67 59 70 65
mas.foulaquier@free.fr • www.masfoulaquier.com
Visite : Ouvert l'été, de 10h à 12h et de 15h à 19h et l'hiver, sur rendez-vous.

Coteaux du Languedoc - Pic Saint-Loup Le Rollier 2007

Rouge | 2010 à 2012 | 14 € **15/20**

Dans la gamme, nous avons aimé le naturel et la buvabilité de cette cuvée tendue en bouche, fraîche avec des tanins lisses, sans accroche. Elle se boira facilement.

DOMAINE DE FOURN

11300 Pieusse
Tél. 04 68 31 15 03 • Fax : 04 68 31 77 65
robert.blanquette@wanadoo.fr
www.robert-blanquette.com
Visite : tous les jours 9h à 10h et de 14h à 19h

Blanquette de Limoux 2008

Blanc Brut effervescent | 2010 à 2012 | 7,10 € **14/20**

Bouche complexe marquée par une amertume soutenue, peau de pamplemousse. Finale fraîche.

LES FUSIONELS

Route de Aigues-Vives • 34480 Cabrerolles
Tél. 04 67 76 91 64 • Fax : 04 67 76 91 64
arielleetjem@les-fusionels-faugeres.com
www.les-fusionels-faugeres.com
Visite : Sur rendez-vous.

Que peuvent faire un jeune éphèbe au profil de surfeur australien (il en vient), une blonde raffinée, craquante de charme et un terroir au nord de l'appellation Faugères ? Tout simplement l'un des meilleurs vins du Languedoc dès leur premier millésime. Et le second ne dément rient. Le-Rêve est magnifique de fruit, assemblage de grenache et de syrah. Intemporelle, constituée à partir de syrah, de grenache et de mourvèdre, rappelle où il faut positionner le magnifique cru Faugères. Un domaine à suivre, évidemment. On vous aura prévenus !

Faugères Intemporelle 2008

Rouge | 2010 à 2014 | 14,50 € **16,5/20**

Très belle matière, dans un profil marqué par les schistes avec beaucoup d'élégance. La finale est racée.

Faugères Le Rêve 2008

Rouge | 2010 à 2014 | 9,90 € **17/20**

Vin aux tanins très fins, avec de beaux arômes de fruits rouges, de fraise et de réglisse. Sans puissance exacerbée, on le boirait en magnum. Montcalmès est en ligne de mire...

CHÂTEAU DE GAURE

Domaine de Gaure • 11250 Rouffiac d'Aude
Tél. 04 75 39 82 37
www.chateaudegaure.com

Limoux mauzac 2008

Blanc | 2010 à 2012 | 25 € **14/20**

Notes de coing, avec une pointe de rancio qui donne un style au vin, il plaira à ceux qui apprécient le style oxydatif ou déplaira fortement aux autres.

Limoux Opidum 2008

Blanc | 2010 à 2013 | 15 € **14/20**

Chardonnay mûr, avec une pointe de vanille apportée par l'élevage. La finale est gourmande, légèrement beurrée mais fraîche.

DOMAINE GAYDA

11300 Brugairolles
Tél. 04 68 20 65 87 • Fax : 04 68 20 78 31
info@domainegayda.com • www.domainegayda.com
Visite : Tous les jours, de 8h à 19h sur rendez-vous au 04 68 31 64 14

Le Domaine Gayda est installé à Brugairolles, dans l'Aude, sur une soixantaine d'hectares. Il réalise des vins de pays d'oc mono-cépages tels les réussis viognier et chardonnay cette année. Plus ambitieuses sont Figure-Libre et surtout Chemins-de-Moscou avec un trio de millésimes 2005, 2006 et 2007 étonnants.

Vin de pays d'Oc Chemin de Moscou 2007

Rouge | 2010 à 2014 | 19,50 € **16/20**

2007 montre une expression aboutie de cette cuvée, certes un peu marquée par le poivre pour l'instant mais le fruit reprendra la primauté. La puissance a été domestiquée et se montre affable. Bien plus accessible au consommateur, la doctrine moscovite s'occidentalise avec ce 2007.

Vin de pays d'Oc Chemin de Moscou 2006
Rouge | 2012 à 2015 | 19,50 € **15/20**
Rouge avec de la profondeur, une réelle complexité en finale. Fermé comme l'est le 2005, une petite garde lui serait idéale.

Vin de pays d'Oc Chemin de Moscou 2005
Rouge | 2011 à 2015 | env 25 € **16/20**
Style tout en puissance, réglisse forte, le vin s'est refermé mais les fondamentaux de fraîcheur, de qualité de tanin et de fruit sont là. À attendre.

Vin de pays d'Oc Figure Libre 2008
Rouge | 2010 à 2012 | 14 € **16/20**
Original, ce cru l'est bien plus par son bouquet de saveurs que par son encépagement de cabernets franc et sauvignon. Le résultat donne une image inédite, plus orientée vers la garrigue et les arômes méditerranéens que vers les classiques bordelais. L'expression que prennent ces cépages est à mille lieux du classique, une figure libre.

Vin de pays d'Oc T'air d'Oc chardonnay 2009
Blanc | 2010 à 2011 | 4,15 € **14/20**
Fleurs blanches et agrumes, c'est un vin de bonne acidité avec une fraîcheur rare en Languedoc.

Vin de pays d'Oc viognier 2009
Blanc | 2010 à 2011 | 6,50 € **14/20**
Agréable, tel qu'en 2008 mais avec un volume de bouche supérieur, rond et gourmand, ce viognier est porté par un nez de violette et d'abricot.

GÉRARD BERTRAND

Château l'Hospitalet - Route de Narbonne-Plage
11100 Narbonne
Tél. 04 68 45 36 00 • Fax : 04 68 45 27 17
vins@gerard-bertrand.com
www.gerard-bertrand.com
Visite : Tous les jours de 9h à 20h.

La gamme de cet entreprenant vigneron couvre la plupart des appellations du Languedoc-Roussillon. Le Domaine de Villemajou et L'Hospitalet proposent des vins très bien réussis et gourmands. Au sommet de la gamme, La-Forge est l'un des corbières les plus raffinés, avec un velouté de texture unique. Seule ombre au tableau, son tarif la range déjà parmi les cuvées de prestige du Languedoc. Le pendant en minervois de La-Forge est la cuvée Le-Viala, et Hospitalitas en coteaux-du-languedoc. Tout le reste de la gamme, et elle est large, mérite un détour.

Corbières La Forge 2008
Rouge | 2010 à 2017 | 35 € **16/20**
Notre échantillon montrait un petit évent qui sera rectifié à la mise en bouteille définitive. La matière est très dense, profonde en saveurs. La-Forge montre le potentiel technique du domaine. Le vin sera à revoir après la mise quand il aura digéré son élevage pour l'instant dominateur. Il pourrait mériter une note supérieure.

Corbières Le Blanc de Villemajou 2009
Blanc | 2010 à 2011 | 10 € **14/20**
Agréable blanc qui s'exprime sur le pamplemousse et les agrumes. Bien fruité, frais, c'est un vin gourmand avec la juste acidité nécessaire en corbières blanc.

Corbières Le rosé de Villemajou 2009
Rosé | 2010 à 2010 | 10 € **13,5/20**
Rosé agréable, avec des notes avenantes de framboise et de baies rouges. La finale est d'une fraîcheur bienvenue.

Corbières-Boutenac Domaine de Villemajou 2008
Rouge | 2010 à 2015 | 10 € **14,5/20**
Gérard Bertrand a déjoué les chausse-trappes du millésime. Le vin montre un joli charnu, du fruit et une matière dense et longue en bouche. L'ensemble est gourmand et frais.

Coteaux du Languedoc - La Clape Château L'Hospitalet 2009
Rosé | 2010 à 2011 | 10 € **14/20**
Rosé de fruit, gourmand et gras, de beau volume. C'est un rosé de terroir, intense et expressif.

Limoux Domaine de l'Aigle 2008
Blanc | 2010 à 2013 | 12 € **14/20**
La dominante de chardonnay se montre un peu beurrée, mais la pointe citronnée donne de la fraîcheur au vin, une certaine idée de la finesse dans l'opulence. Il mérite d'être servi frais.

Minervois-La-Livinière Le Viala 2008
Rouge | 2010 à 2018 | 35 € **17/20**
Le Viala 2008 est suave, d'une exceptionnelle longueur avec l'inspiration aromatique de la garrigue. La finale interminable rappelle que c'est un grand vin, un très grand vin.

DOMAINE GIRARD

5, rue de la Fontaine • 11240 Alaigne
Tél. 04 68 69 05 27 • Fax : 04 68 69 05 27
domaine-girard@wanadoo.fr
Visite : Sur rendez-vous.

Vin de pays d'Oc chardonnay sur lies fines 2009
Blanc | 2010 à 2010 | 6,80 € **12,5/20**
L'élevage sur lies fines donne du volume au vin, dans un style général orienté vers la fraîcheur. L'élevage le marque un peu.

DOMAINE DU GRAND ARC

Le Devez • 11350 Cucugnan
Tél. 04 68 45 01 03 • Fax : 04 68 45 01 03
info@grand-arc.com • www.grand-arc.fr
Visite : Du lundi au samedi, de 10h à 12h et de 15h à 18h sur rendez-vous.

À proximité des châteaux cathares de Queribus, Peyrepertuse et Padern, ce domaine est installé dans la zone montagneuse des Hautes Corbières, qui permet des vins frais. La gamme est cohérente, les entrées de gamme ne vous ruineront pas et le domaine est en progrès, notamment sur la précision des élevages. Toutes les couleurs sont soignées et la régularité de la gamme mérite une promotion au domaine.

Corbières Aux Temps d'Histoire 2008
Rouge | 2011 à 2015 | 12,90 € **15/20**
Encore légèrement marquée par l'élevage, cette cuvée est dense, profonde en saveurs. 2008 lui apporte une fraîcheur bienvenue.

Corbières cuvée des Quarante 2008
Rouge | 2011 à 2015 | 7,60 € **14,5/20**
Cette cuvée montre une vinosité soutenue avec une finale fraîche. Dense dans sa construction de bouche, elle s'épanouira tranquillement si on lui en laisse le temps.

Corbières En Sol Majeur 2008
Rouge | 2010 à 2015 | 10,80 € **15/20**
En-Sol-Majeur, aux tanins onctueux, montre une fraîcheur revigorante en 2008. La finale est profonde en saveurs fruitées.

Corbières La Tour Fabienne 2009
Rosé | 2010 à 2010 | 4,80 € **14,5/20**
Derrière une robe soutenue, le nez de framboise et d'agrumes donne une tonalité fraîche à ce joli rosé très apéritif.

Corbières Réserve Grand Arc 2008
Rouge | 2010 à 2013 | 6 € **14/20**
Ce 2008 sérieusement constitué, profond et frais sera le support d'une côte de bœuf grillée.

CHÂTEAU DU GRAND CAUMONT

Château du Grand Caumont
11200 Lézignan-Corbières
Tél. 04 68 27 10 82 • Fax : 04 68 27 54 59
chateau.grand.caumont@wanadoo.fr
www.grandcaumont.com
Visite : Du lundi au vendredi de 8h30 à 12h et de 14h à 17h30.

Laurence Rigal, après une première vie dans la publicité, est revenue au domaine familial et s'est piquée au jeu du corbières. Avec Patrick Blanchard, elle cherche à s'éloigner ici du style rustico-traditionnel, pour essayer de construire des vins dotés de tanins savoureux, tout en conservant une expression authentique de ce beau terroir des Corbières. En 2009, la cuvée Spéciale est l'un des meilleurs rapports qualité-prix du domaine.

Corbières cuvée Spéciale 2009
Rouge | 2010 à 2012 | 5 € **15/20**
Avec une qualité de tanin bien supérieure à 2008, cette cuvée florale et fruitée est portée par une finale délicate. C'est la voie à suivre.

Corbières cuvée Spéciale 2008
Rouge | 2010 à 2012 | 5 € **14/20**
Le nez de petits fruits noirs est aromatique, la bouche est tenue par une acidité présente.

Corbières Réserve de Laurence 2009
Rouge | 2010 à 2012 | 6,50 € **14/20**
La matière est agréable avec un tanin qui la structure. Le fruit est mûr, dans l'esprit du millésime.

DOMAINE DU GRAND CRÈS

40, avenue de la Mer • 11200 Ferrals-les-Corbières
Tél. 04 68 43 69 08 • Fax : 04 68 43 58 99
grand.cres@wanadoo.fr
www.domainedugrandcres.fr
Visite : Sur rendez-vous.

Le vignoble d'une vingtaine d'hectares est situé à l'est de Lagrasse sur un plateau argilo-calcaire vers 400 mètres d'altitude. Hervé Leferrer, après avoir œuvré à l'INAO et occupé quatre années durant le poste de régisseur du Domaine de la Romanée-Conti, est venu s'implanter ici. Nous suivions depuis

plusieurs années cette propriété des Corbières qui ne cesse de nous étonner.

Corbières cuvée Majeure 2007 ☺
Rouge | 2010 à 2015 | 14,40 € **16/20**
Un nez de poivre, de fruits noirs bien mûrs, le fumé et les épices tendent vers la truffe. On retrouve en bouche une tension minérale dans un vin de style résolument solaire.

Cressaïa 2008
Rouge | 2011 à 2016 | NC **16,5/20**
Ce vin de table provient de la vendange 2008. Moins extraverti que le millésime précédent, il est néanmoins savoureux et très intense. Le tanin est superbe, tout en finesse, mais la patience serait vertueuse.

Languedoc 2008
Blanc | 2010 à 2015 | 10,20 € **15,5/20**
Porté par l'amande amère, ce blanc très frais, minéral et fin est d'un beau volume de bouche. C'est une référence dans cette nouvelle appellation.

CHÂTEAU GRAND-MOULIN

6, boulevard Gallieni - RN 113
11200 Lézignan-Corbières
Tél. 04 68 27 40 80 • Fax : 04 68 27 47 61
chateaugrandmoulin@wanadoo.fr
www.chateau-grand-moulin.com
Visite : Du lundi au samedi, de 9h à 19h.

Corbières Vieilles Vignes 2004 ☺
Rouge | 2010 à 2015 | 7,90 € **14/20**
Fraîcheur, fruité, tanin agréable, bien fait, bel élevage.

DOMAINE LES GRANDES COSTES

2-6, route du Moulin-à-Vent • 34270 Vacquières
Tél. 04 67 59 27 42 • Fax : 04 67 59 27 42
jcgranier@grandes-costes.com
www.grandes-costes.com
Visite : Du lundi au samedi sur rendez-vous

Après une première carrière dans la presse viticole, Jean-Christophe Granier est revenu dans son village de Vacquières, une commune qui pourrait entrer dans la zone du Pic Saint-Loup, en Coteaux du Languedoc. Le domaine est sur la bonne voie et fait preuve de régularité. Il mérite une promotion pour la cohérence de sa gamme.

Coteaux du Languedoc - Pic Saint-Loup Musardises 2009
Rosé | 2010 à 2010 | NC **14,5/20**
Avec sa puissance affirmée et une incontestable gourmandise, ce rosé sera à boire vite et en large rasades.

Coteaux du Languedoc Grandes Costes 2008
Rouge | 2010 à 2014 | 17,50 € **16/20**
Ce 2008 est raffiné, Jean-Christophe a visé juste en matière d'élevage pour laisser en liberté un jus gourmand et fin, intensément fruité et délicatement épicé.

Coteaux du Languedoc La Sarabande 2008 ☺
Rouge | 2010 à 2013 | NC **15/20**
Rouge suave, mûr, épicé mais avec une structure élancée et la buvabilité attendue pour les repas entre copains. Ou entre copines. Un beau moment en perspective, probablement court car on le boira vite.

Coteaux du Languedoc La Sarabande 2007
Rouge | 2010 à 2012 | 11,50 € **15/20**
Un rouge très fruits noirs, épicé et généreux, à boire pour un plaisir immédiat.

Coteaux du Languedoc Musardises 2009 ☺
Rouge | 2010 à 2012 | 8,50 € **14,5/20**
Croquant de fruit, du charme, facile à boire, dans l'esprit de ses prédécesseurs avec la tonalité chaude du millésime.

LA GRANGE DE PHILIP

34600 Bédarieux
Tél. 06 86 08 11 28 • Fax : 04 67 95 35 54
lagrangedephilip@free.fr • lagrangedephilip.free.fr
Visite : Sur rendez-vous.

Vin de pays de la Haute Vallée de l'Orb Ardore 2008
Rouge | 2010 à 2013 | 9,50 € **14/20**
Rouge savoureux, épicé et frais avec une longueur saline bien gourmande.

LA GRANGE DES PÈRES

34150 Aniane
Tél. 04 67 57 70 55 • Fax : 04 67 57 32 04

Malgré nos demandes, il n'a pas été possible de goûter les vins lors de nos dégustations comparatives ni de rendre visite au domaine. Nous regrettons que Laurent Vaillé refuse systématiquement nos de-

mandes d'échantillons. L'expérience que nous en avons par des vins plus anciens goûtés en restauration, mais dont nous ignorons les conditions de stockage, montre que le blanc peut faire partie, en bon millésime, des meilleurs de France. Le rouge est plus hétérogène, de grandes réussites côtoient des millésimes moins nets sur le plan aromatique.

DOMAINE LA GRANGE LÉON

3, rue du Caladou • 34360 Berlou
Tél. 06 73 83 37 68 • Fax : 04 67 89 73 61
lagrangeleon@orange.fr
Visite : Sur rendez-vous.

Joël Fernandez est sorti partiellement de la cave coopérative où était apportée la production des vingt hectares de vignes de l'arrière grand-père Léon. Son premier millésime est 2008 avec trois cuvées, l'Insolent en grenache et syrah, l'Audacieux, un carignan en macération carbonique complété par de la syrah et du grenache et, en Saint-Chinian-Berlou, la cuvée D'une-Main-à-l'Autre, élevée en barrique partiellement. Premier millésime à remarquer d'autant que le blanc n'est pas en reste et frappe fort.

Saint-Chinian D'une Main à l'Autre 2008
Rouge | 2010 à 2015 | 14 € **16,5/20**
De grande finesse, cette cuvée aux tanins très fins a besoin de fondre son élevage mais la matière est superbe.

Saint-Chinian L'Audacieux 2008
Rouge | 2010 à 2015 | 8 € **16/20**
Plus ancrée dans le minéral que l'Insolent, cette cuvée est très imprégnée du terroir qui l'a vu naître. Le fruit est là, mais au deuxième plan. L'ensemble est un remarquable saint-chinian réglissé.

Saint-Chinian L'Insolent 2009
Rouge | 2010 à 2014 | 6 € **15,5/20**
Fruité mais tout aussi minéral, le nez est fin et gourmand, jolie matière, raffinée et longue.

Saint-Chinian La Rose de Laury 2009
Rosé | 2010 à 2010 | 5,50 € **15/20**
Très joli rosé, l'un des rares représentants de Saint-Chinian dans cette couleur. Tendre et fruité, il est gras et délicat en bouche.

Vin de pays d'Oc viognier 2009
Blanc | 2010 à 2010 | 7,50 € **15,5/20**
L'un des plus intéressants représentants de ce cépage en Languedoc. Magnifique fruit, délicates senteurs de violette et d'abricot. À boire sur son fruit actuel.

DOMAINE LA GRANGETTE

Route Pomerols • 34120 Castelnau-de-Guers
Tél. 04 67 98 13 56 • Fax : 04 67 90 79 36
info@domainelagrangette.com
www.domainelagrangette.com
Visite : De 10h à 12h et de 16h à 20h.

Ce domaine a été racheté par des pharmaciens qui ont reconstitué un vignoble en bien mauvais état. Le picpoul-de-pinet en remontrerait à beaucoup de ses pairs. Un verre, une huître, un rayon de soleil : ce tryptique s'approche de l'idéal terrien. Le cabernet franc est un archétype du cépage, impressionnant de précision. Le rosé est étonnant de caractère. Un domaine à suivre.

Picpoul de Pinet L'Enfant Terrible 2009
Blanc | 2010 à 2012 | 5,10 € **14,5/20**
Élégant, toujours frais, agrumes, citrons, de beaux amers. Une douzaine d'huîtres sera parfaite.

Vin de pays des Côtes de Thau La Saignée de Rose 2009
Rosé | 2010 à 2013 | 5,30 € **14,5/20**
On se régalera de ce rosé aux amers d'agrumes et de citron. Les amateurs de rosés gras consensuels passeront leur chemin. À table, il sera le compagnon idéal d'un poisson grillé ou d'un saumon, auxquels il apportera la note fraîche escomptée. À l'apéritif, il sera l'un des rares à résister à l'anchoïade.

MAS GRANIER - MAS MONTEL

Cellier du Mas Montel - Cedex 1110 • 30250 Aspères
Tél. 04 66 80 01 21 • Fax : 04 66 80 01 87
montel@wanadoo.fr • www.masmontel.fr
Visite : De 9h à 12h30 et de 14h à 19h du lundi au samedi.

Jean-Philippe Granier conseille nombre de viticulteurs des Coteaux du Languedoc. Le domaine familial, situé sur le secteur de Sommières, propose des vins parfaitement propres, impeccablement vinifiés, du simple vin-de-pays jusqu'aux coteaux-du-languedoc. Une adresse sûre.

Coteaux du Languedoc Les Grès 2008
Rouge | 2010 à 2015 | 9,50 € **15/20**
Ce rouge est bien inscrit dans le millésime, avec des tanins présents, très droits et un joli jus frais. L'ensemble est bien mûr.

Coteaux du Languedoc Les Marnes 2009
Blanc | 2010 à 2013 | 8,30 € **15,5/20**
Blanc noble et très net, avec la pointe d'amertume des pamplemousses jaunes bien mûrs, l'acidité du citron et la marque minérale du terroir.

Vin de pays d'Oc Mas Montel cuvée Jéricho 2008
Rouge | 2010 à 2012 | 6,70 € **14/20**
Cet assemblage de syrah et de grenache est très aromatique, particulièrement mûr en 2008, avec des fruits rouges et de la réglisse. C'est un vin de copains fait pour être bu dès maintenant.

Vin de pays du Gard Bouquet de Blancs 2009
Blanc | 2010 à 2011 | 4,70 € **14/20**
Le vinificateur a recherché ici le fruit et les arômes de fleurs blanches. Très aromatique, ce sera un parfait vin d'apéritif.

Vin de pays du Gard Camp de l'Oste 2007
Rouge | 2010 à 2014 | 14 € **15,5/20**
Syrah, grenache et mourvèdre produisent cette cuvée mûre et onctueuse, avec des notes aromatiques de jus de viande et de truffe.

CHÂTEAU LA GRAVE

11800 Badens
Tél. 04 68 79 16 00 • Fax : 04 68 79 22 91
chateaulagrave@wanadoo.fr
www.chateau-la-grave.net
Visite : De 8h à 12h et de 13h30 à 17h30, du lundi au vendredi.

Installé à Badens, à l'ouest du Minervois, Jean-François cherche des vins de fruit, très aromatiques en blanc et en rouge, sans chichi, juste pour le plaisir. Il y réussit particulièrement bien dans les trois couleurs, à travers ses cuvées Expression.

Minervois Expression 2009
Blanc | 2010 à 2011 | 6 € **14/20**
Simple comme un bon vin, la pêche au sirop dépasse d'une courte tête les agrumes dans la course aux arômes. Friand à souhait.

Minervois Expression 2009
Rosé | 2010 à 2011 | 5,80 € **14,5/20**
Très aromatique, fraise, framboise, sans vulgarité. Comme chaque année, il plaira trop.

Minervois Tristan et Julien 2009
Rouge | 2010 à 2011 | 5,90 € **14/20**
Du fruit et toujours du fruit. Le prototype du vin simple mais gourmand.

CLOS DU GRAVILLAS

Clos du Gravillas • 34360 Saint-Jean-de-Minervois
Tél. 04 67 38 17 52
nicole@closdugravillas.com
www.closdugravillas.com
Visite : Sur rendez-vous.

Gravillas a été constitué, hectare après hectare, à partir de 1999 par un sympathique jeune couple américano-narbonnais, autour des terroirs de Saint-Jean-du-Minervois. En rouge, le domaine est un ardent défenseur du cépage carignan qui est ici bien traité. L'expression des vins, vraiment originale et savoureuse, est dotée d'une forte personnalité. Les faibles couvertures en soufre jouent parfois des tours à la pureté native du raisin.

Minervois L'Inattendu 2008
Blanc | 2010 à 2011 | env 18 € **13/20**
Sans le panache du 2007, cette cuvée montre un fruité de qualité même si tous les arômes ne sont pas irréprochables cette année. Elle plaira aux amateurs de vins nature.

Sous les Cailloux des Grillons 2008
Rouge | 2010 à 2012 | 8 € **13/20**
Belle attaque, finale marquée par des notes animales qui perturbent la qualité remarquable des tanins.

GRÈS SAINT-PAUL

Route de Restunclùères • 34400 Lunel
Tél. 04 67 71 27 90 ou 06 08 89 09 54
www.gres-saint-paul.com
Visite : Du lundi au samedi de 9h30 à 12h30 et de 14h30 à 19h.

Côté Sud 2007
Rouge | 2010 à 2011 | 15 € **14/20**
Cette cuvée de merlot a capté de la fraîcheur en 2007. Elle est longue et animera bien volontiers une joli soirée entre copains.

Coteaux du Languedoc Antonin 2007
Rouge | 2010 à 2013 | 10 € **14,5/20**
Très mûre en 2007, dans le style opulent qu'affectionne le domaine, cette cuvée onctueuse et chocolatée s'achève par une finale tendue.

Coteaux du Languedoc Syrhus 2006
Rouge | 2010 à 2012 | 28 € **14/20**
Le style est onctueux, mûr avec une bouche grasse, chocolatée et épicée.

ANNE GROS

34210 Cazelles
Tél. 03 80 61 07 95 • Fax : 03 80 61 23 21
domaine-annegros@orange.fr • www.anne-gros.com

Nouvelle venue en Minervois, Anne Gros s'est associée à Jean-Paul Tollot pour s'aventurer hors des richebours ou des échezeaux. Ils sont installés dans un complexe ultra moderne, avec la ferme intention de réaliser ici des vins de saveur. La fraîcheur est le fil rouge de leurs cuvées, qui présentent une belle unité de style.

Minervois La Ciaude 2008
Rouge | 2010 à 2014 | NC **14/20**
La-Ciaude porte une acidité marquée qui rafraîchit la finale.

Minervois Les Carrétals 2008
Rouge | 2010 à 2014 | NC **15/20**
Ce rouge est tendu, profond et très long. La finale est précise, intensément gourmande.

Minervois Les Fontanilles 2008
Rouge | 2010 à 2012 | NC **14,5/20**
Puissant, avec des notes de fumé, ce vin se termine par des arômes lardés gourmands.

CHÂTEAU GUÉRY

4, avenue du Minervois • 11700 Azille
Tél. 04 68 91 44 34 • Fax : 04 68 91 44 34
rh-guery@chateau-guery.com
www.chateau-guery.com
Visite : Du lundi au samedi de 10h à 12h et de 16h à 19h. ou sur rendez-vous

Les Guery sont en Minervois depuis 1635, et se transmettent de génération en génération la passion de la vigne. L'essentiel de l'exploitation produit des vins-de-pays-d'oc particulièrement bien traités. Ici, on sait faire les blancs. Chaque année, la grande question est de savoir qui, du chardonnay, du viognier ou du sauvignon fera le meilleur. En 2009, the winner is "le viognier".

Minervois Les Éolides 2008
Rouge | 2010 à 2012 | 12,50 € **15/20**
Le vin est issu de mourvèdre complété de syrah et de grenache. La classe du mourvèdre emmène la cuvée. Le volume de bouche aérien plaira beaucoup.

Vin de pays d'Oc viognier
Serre de Guéry 2009
Blanc | 2010 à 2011 | 5,50 € **15/20**
Beau viognier tendu, abricot sec, pamplemousse, à boire dans l'année sur le plaisir du fruit. Et ici, ni le fruit ni le plaisir ne manquent à l'appel !

CHÂTEAU GUILHEM

1, boulevard du Château • 11300 Malvies
Tél. 04 68 31 14 41 • Fax : 04 68 31 58 09
contact@chateauguilhem.com
www.chateauguilhem.com
Visite : Du lundi au vendredi, de 9h à 18h fermé le week end

Côtes de la Malepère 2008
Rouge | 2010 à 2011 | 6,50 € **13,5/20**
Cuvée robuste mais sincère, avec des tanins marqués, capables de résister à une pièce de bœuf.

Malepère 2009
Rosé | 2010 à 2010 | 7 € **13/20**
Rosé simple, avec du fruit au nez et des agrumes en bouche.

Vin de pays d'Oc Le Chardonnay 2009
Blanc | 2010 à 2010 | 6 € **13/20**
Joli chardonnay, simple dans sa structure mais agréablement aromatique, avec une pointe d'acidité.

Vin de pays d'Oc Le Sauvignon 2009
Blanc | 2010 à 2010 | 6 € **12,5/20**
Le sauvignon s'est bloqué dans sa maturation, il s'exprime sur ses arômes variétaux, avec une pointe végétale qui évoque le buis.

DOMAINE GUINOT

3, avenue du Chemin-de-Ronde - BP 74
11304 Limoux Cedex
Tél. 04 68 31 01 33 • Fax : 04 68 31 60 05
guinot@blanquette.fr • www.blanquette.fr
Visite : du lundi au vendredi de 9h à 12h et de 14h à 18h. Le samedi matin de 09h à 12h

Crémant de Limoux Impérial

Blanc Brut eff. | 2010 à 2012 | 9,65 € **15,5/20**

Avec des notes de poiré au nez qui ne passent pas inaperçues, ce vin se remarque aussi par sa robe bien dorée. La bouche, avec des fruits blonds et des agrumes bien mûrs, est tout aussi étonnante. Bref, rien n'est fait ici pour se fondre dans l'anonymat. L'ensemble mérite le détour.

MAS HAUT-BUIS

22, Grand-Rue • 34520 La Vacquerie
Tél. 04 67 44 12 13
mashautbuis@hotmail.fr • www.mashautbuis.com
Visite : Ouvert du lundi au dimanche de 10h a 13h et de 15h a 20h.

Coteaux du Languedoc Costa Caoude 2007

Rouge | 2010 à 2012 | 19 € **12/20**

Ce 2007 montre une finale épicée, portée par les fruits noirs avec, en finale, une pointe de feuilles de havane qui sèche le vin.

HAUTES TERRES DE COMBEROUSSE

Comberousse - Route de Gignac
34660 Cournonterral
Tél. 04 67 85 05 18 • Fax : 04 67 85 05 18
paul@comberousse.com • www.comberousse.com

Ce domaine, mené par Paul Reder, produit dans le secteur des Grès de Montpellier certains des vins blancs les plus originaux du Languedoc. Ne cherchez ici aucun produit à la mode. Sans aucune concession, ces blancs très légèrement oxydatifs emportent le dégustateur vers des notes absolument raffinées : le miel, le gingembre et la noix de muscade s'y disputent avec les fruits confits, dans un registre de vins parfaitement secs. Le 2000 parvenu à maturité est une bombe gustative ! Le 2007 aussi.

Coteaux du Languedoc Roucaillat 2007

Blanc | 2010 à 2017 | 9,60 € **18/20**

Le nez est explosif dans le grand style du domaine, légèrement mentholé, floral, verveine. La bouche est encore plus complexe avec un oxydatif parfait car bien intégré au fruit. C'est tout simplement l'un des plus grands vins du Sud.

Coteaux du Languedoc Sauvagine 2009

Blanc | 2010 à 2013 | 7,20 € **14/20**

À base de grenache et de rolle, Sauvagine est une entrée de gamme simple et charmante, une introduction à la cuvée Roucaillat avec son aromatique oxydatif mais gourmand.

DOMAINE HAUTES-TERRES

Route Gignac Comberousse • 34660 Cournonterral
Tél. 04 67 85 05 18 • Fax : 04 67 85 05 18
contact@comberousse.com • www.comberousse.com
Visite : Sur rendez-vous.

Limoux Louis 2008

Blanc | 2010 à 2013 | 11,20 € **15/20**

Style précis, long en bouche, très fin, délicat avec de jolies notes noisetées, belle finale d'amande fraîche.

Vin de pays de la Haute Vallée de l'Aude Maxime 2007

Blanc | 2010 à 2013 | 11,20 € **15/20**

À base de malbec sur une implantation d'altitude, c'est une expression originale du cépage qui peut surprendre ou ravir. Nous sommes plutôt partis vers la seconde voie pour la finale fraîche...

HECHT & BANNIER

3, rue Seguin • 34140 Bouzigues
Tél. 04 67 74 66 38 • Fax : 04 67 74 66 45
contact@hbselection.com • www.hechtbannier.com

Hecht et Bannier sont deux jeunes passionnés de vins qui ont monté un négoce de qualité, ambitieux et original, en Languedoc et Roussillon. La réussite majeure est à rechercher encore cette année en Saint-Chinian. Le côtes-du-roussillon-villages et le faugères sont également bien réussis, dans un style très mûr.

Côtes du Roussillon-Villages 2007

Rouge | 2010 à 2013 | 14,90 € **15/20**

Onctueux, crémeux, avec une belle matière ronde et élégante. La densité fraîche du roussillon est là.

Languedoc 2009

Blanc | 2010 à 2011 | 6,90 € **14/20**

Les cuvées de blanc en AOC Languedoc ne sont pas fréquentes et celle-ci défend bien l'appellation. Fruits mûrs, fraîcheur via une pointe mentholée, la finale est gourmande.

MINERVOIS 2007
Rouge | 2010 à 2013 | 11,90 € **14,5/20**
Minervois souple et onctueux, avec une finale gourmande et ronde.

SAINT-CHINIAN 2007
Rouge | 2010 à 2013 | 14,90 € **15,5/20**
Ce saint-chinian est une réussite, le nez très aromatique de fruits rouges est séducteur. La fin de bouche avec une pointe d'acidité apporte la touche fraîche nécessaire.

SAINT-CHINIAN 2006
Rouge | 2010 à 2013 | NC **16/20**
Belle expression de saint-chinian, fruitée et ronde. L'ensemble est complexe, gourmand.

DOMAINE HENRY

Avenue d'Occitanie • 34680 Saint-Georges-d'Orques
Tél. 04 67 45 57 74 • Fax : 04 67 45 57 74
contact@domainehenry.fr • www.domainehenry.fr
Visite : du lundi au samedi sur rendez-vous

PASSERILLÉ 2008
Rouge liquoreux | 2010 à 2016 | 60 € **15,5/20**
Magnifique nez de fruits noirs surmûris, la fraîcheur est vivifiante. L'ensemble est corsé, cassis-mûre. Très étonnant.

DOMAINE DE L'HORTUS - VIGNOBLES ORLIAC

Domaine de l'Hortus • 34270 Valflaunes
Tél. 04 67 55 31 20 • Fax : 04 67 55 38 03
vins@vignobles-orliac.com
www.vignobles-orliac.com
Visite : Du lundi au vendredi, de 8h à 12h et de 13h à 18h.

Situé au pied des impressionnantes falaises de l'Hortus, ce domaine produit des vins en appellation Pic Saint-Loup et Coteaux du Languedoc, sur des terres en altitude situées au-dessus de la vallée de la Buèges. Les élevages sont parfois un peu visibles, notamment en blanc, mais les rouges, à leur meilleur, sont réalisés avec beaucoup de finesse. La-Bergerie, en rouge, est un vin agréable, à boire vite. Nous n'avions pas vu la grande cuvée en rouge à ce niveau depuis plusieurs années.

COTEAUX DU LANGUEDOC - PIC SAINT-LOUP
DOMAINE DE L'HORTUS GRANDE CUVÉE 2007
Rouge | 2010 à 2015 | 18,50 € **17/20**
Très fin, un vin racé avec de magnifiques notes de jus de viande et de rose fournies par une syrah bien menée de grand millésime. La bouche est onctueuse, superbe de longueur. Faite pour plaire, elle ralliera les dégustateurs à ses charmes opulents.

COTEAUX DU LANGUEDOC CLOS DU PRIEUR 2007
Rouge | 2010 à 2014 | 14,90 € **15/20**
Cette cuvée interpelle, des notes très mûres s'intercalent dans une structure dont certains constituants semblent ramassés en légère sous-maturité. L'ensemble ne manque néanmoins pas de charme.

VIN DE PAYS DU VAL DE MONTFERRAND
BERGERIE DE L'HORTUS 2009
Blanc | 2010 à 2012 | 9,10 € **15/20**
Ce blanc réalisé à partir de chardonnay, de viognier, de sauvignon et de roussanne montre avec régularité une étonnante fraîcheur, avec des notes harmonieuses de fenouil et de garrigue. Très facile à boire, c'est un vin de charme, proportionnellement mieux réussi que le rouge de la Bergerie.

VIN DE PAYS DU VAL DE MONTFERRAND
DOMAINE DE L'HORTUS GRANDE CUVÉE 2008
Blanc | 2010 à 2014 | 18,50 € **15/20**
L'Hortus est un charmeur aux arômes mûrs et gourmands, avec une matière importante en bouche. Il pourra être gardé quelques années pour déployer ses arômes tertiaires.

CHÂTEAU DE L'ILLE

11440 Peyriac-de-Mer
Tél. 04 68 41 05 96 • Fax : 04 68 42 81 73
chateau-de-lille@wanadoo.fr
www.chateaudelille.com
Visite : Sur rendez-vous

CORBIÈRES ANGÉLIQUE 2008
Rouge | 2010 à 2011 | 7,50 € **14/20**
Jolis arômes de fruits rouges, épicés et fruités. Long et savoureux, c'est un vin de charme. Il s'est inspiré de son site naturel, unique !

JEANJEAN

Vignerons et Passions - B.P. 1
34725 Saint-Félix-de-Lodez
Tél. 04 67 88 80 01 • Fax : 04 67 96 65 67
caveau@vignerons-passions.fr
www.vignerons-passions.fr
Visite : Vignerons & Passions : du lundi au vendredi, de 9h à 19h et le samedi, de 9h30 à 12h30 et de 15h à 18h.

Le groupe Jeanjean est un major des vins du sud de la France : il a poursuivi en 2010 son développement en créant avec la maison Laroche un groupe puissant, Advini, qui possède désormais ces deux maisons mais aussi Ogier en vallée du Rhône ou encore Gassier en Provence. Dans une gamme large, Jeanjean s'appuie sur de belles propriétés familiales, comme le Mas Lunès ou Devois des Agneaux, mais aussi de vins réalisés en partenariat avec des caves locales, comme celle de Castelmaure en Corbières ou de Pinet.

COTEAUX DU LANGUEDOC MAS DE LUNÈS 2007
Rouge | 2010 à 2013 | NC **15/20**
Fruité, frais et fin, épicé. Ce cru montre une voie intéressante pour la région, avec la buvabilité en prime.

FAUGÈRES DOMAINE DE FENOUILLET 2008
Rouge | 2010 à 2015 | NC **15/20**
Nous avons aimé l'énergie et la fraîcheur de cette cuvée. Elle n'a pas été réalisée vers la puissance des tanins mais l'intensité de la saveur.

PICPOUL DE PINET 2008
Blanc | 2010 à 2011 | NC **15/20**
Bouche équilibrée et fraîche, pour ce vin gourmand et élancé. Idéal à l'apéritif, avec des crustacés ou des fromages.

CHÂTEAU DE JONQUIÈRES

Château de Jonquières • 34725 Jonquières
Tél. 04 67 96 62 58 • Fax : 04 67 88 61 92
contact@chateau-jonquieres.com
www.chateau-jonquières.com
Visite : Ouvert tous les jours

Isabelle et François de Cabissole ont sorti leur domaine de la coopération pour l'exploiter directement. Le vignoble du beau château de Jonquières, classé monument historique, est installé sur des éboulis calcaires provenant du Larzac, un sol drainant apte à donner des vins de forte expression. La-Baronnie, en 2007, et la cuvée du domaine, en 2008, se positionnent à un niveau où nous ne les avions jamais vus. Bravo !

COTEAUX DU LANGUEDOC
CHÂTEAU DE JONQUIÈRES LA BARONNIE 2007
Rouge | 2010 à 2013 | 15,50 € **16/20**
Nous avons beaucoup aimé la matière suave et très enlevée de cette cuvée dans le millésime. Une belle réussite !

COTEAUX DU LANGUEDOC
DOMAINE DE JONQUIÈRES 2008
Rouge | 2010 à 2013 | 10 € **15/20**
Très joli fruit dans cette cuvée aux tanins aériens. L'ensemble est fin, particulièrement gourmand, à boire dès maintenant.

VIN DE PAYS DE L'HÉRAULT
DOMAINE DE JONQUIÈRES 2007
Blanc | 2010 à 2011 | 13 € **14,5/20**
Très joli vin de pays, particulièrement aromatique, pastèque, melon, groseille et fruits jaunes. Ce petit festival fruité est tenu par une acidité bienvenue. Il est à boire.

CHÂTEAU DE JOUCLARY

Route de Villegailhenc • 11600 Conques-sur-Orbiel
Tél. 04 68 77 10 02 • Fax : 04 68 77 00 21
chateau.jouclary@wanadoo.fr
www.chateau.jouclary@wanadoo.fr
Visite : lundi au samedi de 11h à 19h et le dimanche sur rendez-vous

Pascal Gianesini a repris cette propriété familiale d'une soixantaine d'hectares, consacrée à parité aux vins de pays et aux cabardès. Elle est située dans la zone proche du Minervois sur des sols caillouteux. Les rouges sont d'inspiration plutôt atlantique avec une forte proportion de cépages bordelais. Guillaume de Jouclary, consul de Carcassonne vers 1530, est le nom de la cuvée la plus ambitieuse en rouge, bien dans l'esprit de Cabardès. En blanc, le vin de pays d'oc sauvignon mérite le détour. La Tradition 2007 montre une fraîcheur rare dans le Languedoc.

CABARDÈS CHATEAU JOUCLARY 2009
Rosé | 2010 à 2011 | 5,50 € **14/20**
Puissant en bouche, long, ce rosé se destine à la gastronomie, avec un tartare de saumon relevé d'un trait de citron.

Cabardès cuvée Guillaume de Jouclary 2007
Rouge | 2010 à 2015 | NC **15/20**
Ensemble long en bouche, truffé et épicé. Les tanins sont élégants et gourmands.

Cabardès élevé en fût 2007
Rouge | 2010 à 2012 | 7,50 € **14/20**
Cette cuvée est élevée sous bois pour corser la matière. Elle peut accompagner dès maintenant un petit gibier ou une marinade.

Cabardès Tradition 2007
Rouge | 2010 à 2011 | 5,50 € **15/20**
Cuvée qui recherche la fraîcheur avec de jolies notes de fruits noirs et une pointe de menthol qui donne l'envie d'un deuxième verre.

Vin de pays d'Oc Domaine Jouclary, sauvignon 2009
Blanc | 2010 à 2010 | 5 € **14/20**
Joli sauvignon avec des arômes de fruits jaunes et d'agrumes. La fraîcheur est étonnante dans le millésime et en fait un vin de soif.

MAS JULLIEN

Chemin du Mas Jullien • 34725 Jonquières
Tél. 04 67 96 60 04 • Fax : 04 67 96 60 50
masjullien@free.fr
Visite : De 14h à 18h, du lundi au vendredi, sur rendez-vous. Fermé en janvier, février et mars.

La sensibilité à fleur de peau, ancré dans un humanisme qui devient rare, Olivier Jullien est un artiste qui produit un vin qui lui ressemble. Les rouges, ici plus qu'ailleurs, sont infiniment Languedoc. Ils évoluent lentement et peuvent sembler austères en vin jeune. Le Mas-Jullien nécessitant plusieurs années pour s'ouvrir, Olivier a créé États-d'Âme, qui est accessible plus rapidement tout en ayant la patte du domaine. Il exploite également des terres d'altitude qui ont permis la cuvée Carlan. Les rouges sont au plus haut niveau languedocien, leur régularité mérite une promotion au domaine.

Coteaux du Languedoc 2007
Rouge | 2012 à 2020 | 25 € **17,5/20**
La matière de ce rouge est magnifique. À l'image d'un Léoville-Las-Cases en Médoc, il part dans la vie tendu et très droit, austère. Construite pour la garde, cette cuvée ira loin. Patience...

Coteaux du Languedoc Carlan 2008
Rouge | 2011 à 2019 | NC **17/20**
Cette cuvée est réalisée sur une sélection d'altitude où la fraîcheur domine l'alcool. Le volume en bouche impressionne dans une texture dense, puissante, incroyablement longue, épicée et suave.

Coteaux du Languedoc États d'Âme 2008
Rouge | 2010 à 2012 | 17 € **15/20**
États-d'Âme est un vin différent chaque année, réalisé dans un style plus immédiatement accessible que le Mas-Jullien. 2008 est marqué par une acidité présente mais la matière est exceptionnelle de longueur. Un vin de grand caractère.

Vin de pays de l'Hérault 2008
Blanc | 2010 à 2013 | 23 € **15,5/20**
Un blanc très frais, avec une note végétale soulignée par un minéral très présent. La finale fraîche amènera à le boire dès maintenant.

CHÂTEAU DES KARANTES

40, Le-Haut • 11100 Narbonne-Plage
Tél. 04 68 43 61 70 • Fax : 04 68 32 14 58
chateaudeskarantes@karantes.com
www.karantes.com
Visite : De 9h à 12h30 et de 14h à 18h du lundi au samedi.

Cette propriété appartient à des Américains venus tenter une expérience de vins du Nouveau Monde en Languedoc. Les premiers millésimes ont été un peu caricaturaux, avec des extractions très poussées et des boisés en fanfare. Les matières magnifiques permettaient pourtant de penser qu'il y avait moyen de faire autre chose sur ce terroir près de Narbonne. L'embauche de Nicolas Laverny, qui avait réalisé de splendides minervois au Château Bassanel, pourrait tout changer, si on lui en donne les moyens.

Coteaux du Languedoc - La Clape Bergerie 2009
Rouge | 2010 à 2012 | 7,50 € **14,5/20**
Prototype du beau vin de la-clape à boire entre copains. Il est suave et gourmand à souhait.

Coteaux du Languedoc
Château des Karantes 2008
Rouge | 2010 à 2015 | 14 € **15/20**
Le style est puissant et concentré, mais le millésime a apporté sa touche fraîche.

Coteaux du Languedoc
Diamant des Karantes 2007
Rouge | 2010 à 2015 | 39 € **15,5/20**
Vin agréable et long, avec de la matière et une structure onctueuse. On reconnaît la patte du vinificateur dans la rondeur des tanins.

DOMAINE LACOSTE

Mas de Bellevue • 34400 Saturargues
Tél. 04 67 83 24 83 • Fax : 04 67 71 48 23
Rf.lacoste@gmail.com • www.domainelacoste.fr

Francis Lacoste fait partie des rares vignerons à porter haut l'étendard de Muscat de Lunel. Il s'est fait connaître par la précision aromatique de ses muscats, qui est la résultante de l'exigence qu'il porte à ses vignes et aux vinifications. Il a complété son domaine, jusque-là consacré aux blancs, par quelques hectares de rouge, dans la zone des Coteaux du Languedoc Saint-Christol. Le Clos-des-Estivencs est un assemblage de cépages bien réussi. Le domaine est en cours de cession, espérons que les repreneurs maintiennent la qualité.

Coteaux du Languedoc - Saint-Christol
Clos des Estivencs 2007
Rouge | 2010 à 2015 | 22,60 € **15/20**
Cette cuvée est plus fraîche que le vin de pays. Avec une longueur gourmande, la trame acide qui le tient lui permettra de bien évoluer.

Muscat de Lunel cuvée Lacoste
Blanc Doux | 2010 à 2012 | 7,60 € **14/20**
Agréable muscat avec une sucrosité importante et de jolis arômes de fruits jaunes portés par une acidité bienvenue.

Vin de pays d'Oc muscat passerillé 2007
Blanc liquoreux | 2010 à 2015 | 19,60 € **15/20**
Notes de raisins de Corinthe, l'ensemble est vraiment original, très sucré certes mais vraiment racé.

Vin de pays de l'Hérault Les Estivencs 2007
Rouge | 2010 à 2014 | 17,60 € **14/20**
Onctueux et crémeux, le 2007 est bien mûr, avec une fin de bouche longue.

DOMAINE LACROIX-VANEL

41, boulevard du Puits-Allier • 34720 Caux
Tél. 04 67 09 32 39 • Fax : 04 67 09 32 39
lacroix-vanel@wanadoo.fr
www.domainelacroix-vanel.com
Visite : Sur rendez-vous au 06 81 72 07 74.

Languedoc ...ma non troppo 2008
Rouge | 2010 à 2013 | 16 € **14/20**
Avec une pointe de végétal et des fruits mûrs, cette cuvée fraîche affiche la buvabilité attendue.

CHÂTEAU LAHORE BERGEZ

SCEA Lahore-Bergez, 9, rue Pech-de-grill
11360 Villeneuve-les-Corbières
Tél. 04 68 45 82 27

Les Lurton, bien connus à Bordeaux, s'étaient impliqués dans ce domaine mais les destinées des associés ont divergé. Le domaine est en difficulté, il n'existera peut-être plus à l'heure où nous mettrons sous presse. Quel dommage quand on a pu produire de pareils vins !

Corbières 2009
Rouge | 2010 à 2015 | NC **16/20**
Ici aussi, souhaitons que cette matière première d'un niveau étonnant trouve une bouteille pour régaler les amateurs. Goûté en échantillon, ce 2009 montre un corps de grande finesse, remarquable dans sa texture veloutée et profonde.

CHÂTEAU LANCYRE

Lancyre • 34270 Valflaunès
Tél. 04 67 55 32 74 • Fax : 04 67 55 23 84
chateaudelancyre@wanadoo.fr
www.chateaudelancyre.com
Visite : Du lundi au samedi de 10h à 12h30 et de 14h30 à 18h30.

Bernard Durand a accompagné la reconversion du Pic Saint-Loup de la polyculture à dominante ovine jusqu'à sa reconnaissance en zone viticole qualitative. La grande cuvée est toujours très tannique dans sa jeunesse mais elle a une exceptionnelle capacité à bien vieillir. Le reste de la gamme est de bon niveau, jusqu'au blanc La-Rouvière, étonnamment énergique en 2009.

Coteaux du Languedoc - Pic Saint-Loup
Clos des Combes 2007
Rouge | 2010 à 2014 | 7,60 € **14/20**
Joli jus avec une acidité marquée et une finale gourmande, fraîche et dynamique.

Coteaux du Languedoc - Pic Saint-Loup
Vieilles Vignes 2008

Rouge | 2010 à 2016 | 9,30 € **14,5/20**

Belle attaque sur les fruits noirs, la matière est élégante, facile à boire, très fraîche.

Coteaux du Languedoc
La Coste d'Aleyrac 2008

Rouge | 2010 à 2012 | 6,70 € **14,5/20**

Cuvée fraîche et fine, avec de jolis tanins, dans un ensemble très buvable.

Coteaux du Languedoc La Rouvière 2009

Blanc | 2010 à 2012 | 8,70 € **14/20**

Joli blanc dynamique et frais, avec sa pointe de citron et de salinité. Une huître de Bouzigues grasse et charnue, La-Rouvière et rien d'autre.

MICHEL LAROCHE - MAS LA CHEVALIÈRE

Route de Murviel - 13, chemin rural • 34500 Béziers
Tél. 04 67 49 88 30 • Fax : 04 67 49 88 59
info@larochewines.com • www.larochewines.com

Michel Laroche a complété sa gamme de chablis par cette implantation en terre du sud pour y vinifier des vins de pays d'oc. Il a investi dans un chai ultramoderne, persuadé que la plus grande hygiène était indispensable à la réalisation de vins propres et de grande qualité. L'intégration au groupe Advini va lui donner une efficience commerciale supplémentaire.

Vin de pays d'Oc 2007

Blanc | 2010 à 2012 | 11,90 € **14/20**

Réalisé sur la puissance, cet assemblage de chardonnay complété par une pointe de viognier montre une finale beurrée relevée par le pamplemousse.

Vin de pays d'Oc La Chevalière 2008

Rouge | 2010 à 2013 | 9,90 € **13,5/20**

Vin de style puissant, avec une note intense de fruits noirs. Il peut être bu sans tarder.

Vin de pays d'Oc La Croix Chevalière 2007

Rouge | 2010 à 2014 | 22,90 € **15/20**

Cette cuvée est équilibrée dans un style puissant, Nouveau Monde. Elle évoluera favorablement quelques années.

CHÂTEAU DE LASCAUX

Place de l'Église • 34270 Vacquières
Tél. 04 67 59 00 08 • Fax : 04 67 59 06 06
jb.cavalier@wanadoo.fr • www.chateau-lascaux.com
Visite : Du lundi au samedi, de 10h à 12h et de 14h à 19h. Dimanches et jours fériés sur rendez-vous.

Le Château de Lascaux est dirigé depuis 1990 par Jean-Benoît Cavalier, ingénieur agronome qui préside également aux destinées de la vaste appellation des Coteaux du Languedoc. Le domaine, installé sur Vacquières, exploite des parcelles dont certaines sont classées en Pic Saint-Loup. Ce domaine de 45 hectares, plutôt orienté vers la syrah, est en cours de reconversion vers l'agriculture biologique. Il offre une gamme bien construite de bons languedocs, et s'affirme comme une adresse sûre d'approvisionnement.

Coteaux du Languedoc 2009

Rosé | 2010 à 2010 | 7 € **14/20**

Agréable rosé, plaisant en bouche, avec une finale sur le pamplemousse rose.

Coteaux du Languedoc 2008

Rouge | 2010 à 2015 | 7 € **14,5/20**

Longue, épicée et fruitée, cette cuvée a capté la fraîcheur du millésime. Elle est sérieusement construite, minérale et dense.

Coteaux du Languedoc - Pic Saint-Loup
Le Cavalier 2008

Rouge | 2011 à 2014 | 5,40 € **15/20**

Dense, long en bouche, marqué par la réglisse forte, ce rouge intense a besoin d'un peu de temps.

Coteaux du Languedoc - Pic Saint-Loup
Les Nobles Pierres 2005

Rouge | 2010 à 2012 | 14,50 € **15/20**

C'est un vin dense et profond, bien ancré dans la typicité languedocienne. Sa fin de bouche est réglissée à souhait, puissamment aromatique. La finale commence à évoluer vers les arômes de sous-bois.

Coteaux du Languedoc
Les Pierres d'Argent 2007

Blanc | 2010 à 2012 | 13,50 € **14,5/20**

Blanc de gastronomie, gras en bouche avec de la vivacité. Ce sera le bel accord d'un bar grillé au fenouil.

CHÂTEAU DE LASTOURS

11490 Portel-des-Corbières
Tél. 04 68 48 64 74 • Fax : 04 68 40 06 94
contact@chateaudelastours.com
www.chateaudelastours.com
Visite : D'octobre à mai 10h à 12h30 et 13h30 à 18h fermé le dimanche, de juin à septembre de 10h à 19h tous les jours .

Implanté sur le secteur méditerranéen des Corbières, le domaine a été racheté par la famille Allard, qui gère également le Château Laroque à Saint-Émilion. D'importants travaux sont réalisés sur la propriété, tant dans les équipements techniques que dans la replantation massive du vignoble pour redonner à Lastours tout son prestige. Pour aller encore plus loin, un tout nouveau chai verra le jour en 2010. La gamme a été simplifiée et ne comporte plus que trois rouges et un rosé. Le site de Lastours abrite également un circuit automobile où viennent s'entraîner les meilleures écuries, ainsi qu'un complexe d'œnotourisme, avec une restauration et une hôtellerie de qualité.

Corbières Arnaud de Berre 2008

Rouge | 2010 à 2011 | 6,20 € — 14/20

Cette entrée de gamme du château a été intelligemment réalisée. L'équipe technique a cherché le fruit et la buvabilité.

Corbières Réserve 2007

Rouge | 2010 à 2014 | 18 € — 15/20

La grande cuvée montre le savoir-faire de Lastours. Le vin est fruité et épicé. On rêve de ce que le nouvel outil de vinification, l'un des plus modernes du Languedoc, permettra d'obtenir avec de telles matières.

DOMAINE J. LAURENS

Les Graimenous - Route de La Digne d'Amont
11300 La Digne-d'Aval
Tél. 04 68 31 54 54 • Fax : 04 68 31 61 61
domaine.jlaurens@wanadoo.fr • www.jlaurens.com
Visite : De 9h à 18h. le week end sur rendez-vous

Année après année, les vins du domaine font carton plein dans nos dégustations à l'aveugle. On se régale de la superbe gamme de bulles de cette petite maison. Les blanquettes expriment les jolies nuances de la pomme verte et des fleurs blanches du mauzac. Les crémants, à dominante de chardonnay et de chenin, donnent des vins très raffinés et tout en subtilité. Les dosages parfaitement réalisés et sans aucune lourdeur procurent des fins de bouche absolument nettes. On en redemande.

Crémant de Limoux Clos des Demoiselles 2008

Blanc Brut effervescent | 2010 à 2012 | 10 € — 14/20

Acidité un peu marquée, mais un beau volume de bouche dans ce crémant.

Crémant de Limoux Les Graimenous 2008

Blanc Brut effervescent | 2010 à 2012 | 8 € — 15/20

Ensemble raffiné, avec une bouche délicate et du fond. C'est un produit droit et pur, qui se remarque par son équilibre en finale.

Crémant de Limoux Les Graimenous 2007

Blanc Brut effervescent | 2010 à 2011 | 8 € — 15/20

Dégusté à l'aveugle après une série de 2008, ce millésime montre l'intérêt d'une maturation en bouteille. L'ensemble est complet, complexe et fruité.

Crémant de Limoux Rose n°7

Rosé Brut effervescent | 2010 à 2012 | 9 € — 14/20

Beau crémant, frais, intense, avec une nuance de cacahuète grillée et une finale opulente et gourmande.

CHÂTEAU LAURIGA

Traverse de Ponteillat • 66300 Thuir
Tél. 04 68 53 26 73 • Fax : 04 68 53 58 37
lauriga@wanadoo.fr • www.lauriga.fr
Visite : Du lundi au jeudi de 8h à 12h et de 14h à 18h.

Vin de pays d'Oc 2009

Rosé | 2010 à 2010 | 5,90 € — 13,5/20

Rosé de caractère, puissant, long en bouche, légèrement amylique, il conviendra à merveille à une grillade.

MAS LAVAL

26, rue Jean-Casteran • 34150 Aniane
Tél. 04 67 57 79 23 • Fax : 04 67 57 84 38
contact@maslaval.com • www.maslaval.com
Visite : Sur rendez-vous

Sans bruit mais avec une évidente réussite, les Laval réalisent des vins étonnants. Ils sont aujourd'hui classés en vins de pays, dont la frondeuse Aniane s'est fait une spécialité. Une hygiène irréprochable, un chai climatisé, ce qui n'est pas si fréquent en Languedoc, et des barriques magnifiques, rarement neuves mais d'un an, en provenance du plus emblématique domaine de Bourgogne, permettent une gamme qui ne comporte que deux vins. Les-Pampres, deuxième vin tarifé comme tel, vaut bien des premiers vins ailleurs. Le grand vin porte le nom

du domaine et bouscule les hiérarchies languedociennes.

Vin de pays de l'Hérault 2008

Rouge | 2010 à 2015 | 18 € **16/20**

Syrahs et grenaches anciens ont permis cette cuvée de grande qualité. Le fruit est pour l'instant masqué par un élevage présent mais la matière est belle et très élégante, avec une pointe de havane en finale.

Vin de pays de l'Hérault Les Pampres 2009

Rouge | 2010 à 2012 | 8,50 € **15/20**

La syrah et le mourvèdre, complétés de grenache et de carignan, sont à l'origine de cette cuvée étonnante. 2009 imprime un style très mûr à cette cuvée.

DOMAINE LE CONTE DES FLORIS

10, rue Alfred-Sabatier • 34120 Pézenas
Tél. 06 16 33 35 73 • Fax : 04 67 62 42 66
domaine.floris@gmail.com
www.domainelecontedesfloris.com
Visite : Sur rendez-vous.

Daniel Le Conte des Floris s'est implanté sur le terroir de Pézenas. Les blancs, remarquables de profondeur, démontrent l'intérêt de la roussanne dans ces contrées chaudes, complétée par la variété blanche du carignan qui apporte l'acidité. La gamme de rouges se décline en trois cuvées qui portent le nom de leur sous-sol: Carbonifère, Basaltique et Villafranchien.

Coteaux du Languedoc - Pézenas Homo Habilis 2005

Rouge | 2011 à 2015 | 22 € **16,5/20**

La matière est magnifique, le boisé se fond et livre une matière élégante, de grand volume, aux tanins très fins.

Coteaux du Languedoc Arès 2007

Blanc | 2010 à 2013 | 13 € **14,5/20**

Aromatique et profondément gourmand, Arès, obtenu à partir de carignan blanc et de marsanne, n'a pas l'intensité de 2006. C'est un produit original dans l'univers des blancs languedociens, avec sa finale miellée mais fraîche.

Coteaux du Languedoc Six Rats Noirs 2008

Rouge | 2010 à 2013 | 7,50 € **14/20**

Cuvée tendue, en prise avec le minéral. La proportion de syrah est importante, le nom de la cuvée permettait de le penser.

MOULIN DE LENE

Route de Fouzilhon • 34480 Magalas
Tél. 04 67 36 06 32 • Fax : 04 67 36 46 89
domaine@moulindelene.com
www.moulindelene.com
Visite : De 10h à 12h et de 14h à 18h du lundi au vendredi.

Vin de pays des Côtes de Thongue Romanus 2009

Rouge | 2010 à 2011 | 7,30 € **13/20**

Vin simple, fruité, gourmand. Sans chichi, on en boira facilement une bouteille avec quelques copains. Peut-être une deuxième...

CHÂTEAU DE LA LIQUIÈRE

La Liquière • 34480 Cabrerolles
Tél. 04 67 90 29 20 • Fax : 04 67 90 10 00
info@chateaulaliquiere.com
www.chateaulaliquiere.com
Visite : De 9h à 12h et de 14h30 à 18h30. Le samedi et dimanche sur rendez-vous

Faugères Cistus 2007

Rouge | 2010 à 2015 | 14,30 € **15/20**

Cistus est la cuvée de prestige du domaine. Elle montre en 2007 un équilibre subtil entre puissance de structure et ouverture aromatique vers les épices. C'est un vin généreux dans un millésime faste.

DOMAINE DE LONGUEROCHE

Rue de l'Ancienne Poste • 11200 Roquelongue
Tél. 04 68 41 48 26
cavedelamphore@orange.fr • www.longueroche.fr

Corbières Aurélien 2007

Rouge | 2010 à 2012 | 9 60 € **14/20**

Du fruit, de la fraîcheur avec de beaux tanins et des épices en finale. L'ensemble est équilibré.

LORGERIL - CHÂTEAU DE PENNAUTIER

Vignobles Lorgeril - B.P. 4 • 11610 Pennautier
Tél. 04 68 72 65 29 • Fax : 04 68 72 65 84
contact@lorgeril.com • www.lorgeril.com
Visite : Du lundi au jeudi, de 10h à 18h.
Le vendredi et samedi de 10h à 22h.
Juillet et aout: Du lundi au samedi de 10h à 22h.

L'historique Château de Pennautier, qui appartient à la famille Lorgeril, pourrait faire figure de gardien de la tradition en Cabardès, dans cette appellation investie par de jeunes talents. Mais à y regarder de

près, la gamme évolue par touches vers un cabardès moderne et séduisant. Aux mains d'un couple entreprenant, le domaine s'étend désormais sur plus de deux-cents hectares et produit également du minervois, du corbières, du saint-chinian, du faugères et des roussillons, avec le même souci qualitatif qu'en Cabardès.

Cabardès Château de Caunettes 2009
Rouge | 2010 à 2010 | 5,65 € **14/20**
Vin rond, plein, dense, avec du gras, bien sur une viande rouge.

Cabardès Château de Pennautier 2009
Rouge | 2010 à 2012 | 5,85 € **15/20**
Cette cuvée goûtée après la mise montrait un tanin encore ferme mais un beau nez de fruits suivi d'une bouche généreuse et gourmande.

Cabardès Château de Pennautier 2009
Rosé | 2010 à 2010 | 5,85 € **14,5/20**
Rosé équilibré, à l'intersection des styles du cabardès qui vont des clairets soutenus aux rosés délicats inspirés de la Provence. Du fruit et une bonne longueur.

Cabardès L'Esprit de Pennautier 2006
Rouge | 2010 à 2012 | 14,50 € **15/20**
Le millésime est assez léger en matière, l'élevage a besoin de se fondre mais les tanins sont fins.

Côtes du Roussillon-Villages Mas des Montagnes, Terroirs d'Altitude 2008
Rouge | 2010 à 2014 | 9,50 € **16/20**
Belle bouteille qui respire l'équilibre. Pleine, dense, fraîche et savoureuse.

Faugères Château de Ciffre, Terroirs d'Altitude 2008
Rouge | 2010 à 2013 | 9,90 € **15/20**
Intense en fruits, complet, avec de beaux tanins, chaleureux et épicé.

Languedoc Moulin de Ciffre 2009
Rosé | 2010 à 2011 | 5,35 € **14,5/20**
Belle couleur saumon foncé avec des reflets gris assez soutenus. Très présent en bouche dès l'attaque tout en étant long, sa fraîcheur apéritive accompagnera un poisson grillé.

Minervois La Borie Blanche 2009
Rouge | 2010 à 2013 | 5,65 € **15,5/20**
Vin chaleureux, complexe en fruits noirs et en épices. Très long, il possède une dimension aérienne dont ne disposait pas son prédécesseur. Un cru en progrès !

Saint-Chinian Château de Ciffre, Terroirs d'Altitude 2008
Rouge | 2010 à 2013 | 8,30 € **16/20**
Très joli jus fin et raffiné qui affiche une dimension complémentaire par rapport au saint-chinian générique.

Saint-Chinian Moulin de Ciffre 2009
Rouge | 2010 à 2014 | 5,55 € **15/20**
Dégusté avant la mise, gourmand et long en bouche, ses tanins sont élégants.

Vin de pays d'Oc chardonnay 2009
Blanc | 2010 à 2010 | 5,05 € **14/20**
Joli nez de citron et de fleurs blanches. La bouche se termine par une acidité bienvenue dans le millésime.

DOMAINE MAXIME MAGNON

4, rue des Moulins • 11360 Villeneuve-les-Corbières
Tél. 04 68 45 84 71 • Fax : 04 68 45 84 71
maxime.magnon@orange.fr
Visite : Sur rendez-vous.

Le jeune Maxime Magnon, après un détour chez Selosse et Lallemand, exploite en agriculture biologique une dizaine d'hectares en vin de pays de la Vallée du Paradis et en Corbières, sur Villeneuve. La gamme est originale, constituée en rouge de trois cuvées, où transparaît une envie d'aller vers un vin de grand fruit, très peu protégé en soufre. Elle sera souple sur La-Démarrante, très sympathique mais plus profonde sur Rozeta, et ancrée dans le terroir de schistes et d'argilo-calcaires qui porte les carignans centenaires de Campagnès. En rouge mais aussi en blanc, sans grand bruit, on invente ici le grand corbières du futur.

Corbières Campagnès 2009
Rouge | 2010 à 2014 | 17 € **16/20**
Toujours cette buvabilité unique en corbières avec un échantillon, certes un peu réduit avant la mise, mais qui a tout pour faire une grande bouteille.

Corbières La Bégou 2009
Blanc | 2010 à 2011 | 14 € **15,5/20**
Une majorité de grenache gris marque la cuvée de ses arômes de fleurs et de poire. La fraîcheur dans le millésime est étonnante, permise par le terroir d'altitude.

Corbières Rozeta 2009

Rouge | 2010 à 2013 | 12 € **16/20**

Rozeta, le prénom de l'arrière grand-mère, est en 2009 plus chaude, millésime oblige, mais quelle structure de bouche ! Et toujours cette étonnante buvabilité dans cette cuvée dominée par le carignan !

Vin de pays de la Vallée du Paradis
La Démarrante 2009

Rouge | 2010 à 2012 | 9 € **15/20**

Le grenache s'est ici associé au carignan pour ce vin de copains, sans histoire mais superbement friand.

DOMAINE DE MALAVIEILLE

34800 Mérifonse
Tél. 04 67 96 34 67 • Fax : 04 67 96 32 21
domaine-malavieille@wanadoo.fr
Visite : Sur rendez-vous.

Coteaux du Languedoc - Terrasses du Larzac
Alliance 2007

Rouge | 2010 à 2012 | 10 € **13,5/20**

Cuvée aromatique, bien dans l'esprit des Terrasses du Larzac, avec un nez fruité agréable et une bouche fraîche sans agressivité.

MALYS-ANNE

Domaine Malys-Anne • 11160 Caunes-Minervois
Tél. 04 68 78 01 83
contact@domaine-malys-anne.com
www.domaine-malys-anne.com
Visite : du lundi au samedi de 10h à 21h du 1er juin au 15 sept, sur rendez-vous du 16 sept au 31 mai

Minervois Récital 2007

Rouge | 2010 à 2015 | 12,20 € **14/20**

Plus ouvert que Symphonie avec un charnu de bouche plus gourmand, cette cuvée séduira les amateurs plus pressés.

Minervois Symphonie 2006

Rouge | 2011 à 2015 | 12,80 € **13,5/20**

Récolté en zone plus froide, ce vin demande de la patience pour s'ouvrir. C'est un vin sérieux, sincère, dont l'expression est pour l'instant sur les épices. Un coureur de fond !

Minervois Symphonie 2005

Rouge | 2010 à 2015 | 14 € **14/20**

Toujours sérieusement construite, cette cuvée a besoin de temps. Ce 2005 commence à s'ouvrir et dévoile une palette fruitée agréable.

DOMAINE DE LA MARFÉE

15, rue Vivaldi 34070 montpellier
Tél. 04 67 47 29 37 • Fax : 04 67 47 29 37
www.la-marfee.com

Coteaux du Languedoc Della Francesca 2007

Rouge | 2010 à 2013 | NC **14/20**

Nous avons aimé cette cuvée de caractère avec des tanins puissants et une fin de bouche légèrement animale et corsée, garrigue et réglisse forte.

CLOS MARIE

Route de Cazeneuve • 34270 Lauret
Tél. 04 67 59 06 96 • Fax : 04 67 59 08 56
clos.marie@orange.fr
Visite : Sur rendez-vous uniquement.

Clos Marie est un domaine de Pic Saint-Loup où chaque cuvée, dès l'entrée de gamme, s'approche de l'idéal languedocien. Christophe Peyrus a acquis le sens du grand vin en côtoyant les meilleurs vignerons. Son vignoble, cultivé en biodynamie, fournit des rouges aux tanins très raffinés. La gamme est cohérente avec une Olivette très gourmande, et s'achève par Simon et Les-Glorieuses, très différentes mais racées à souhait.

Coteaux du Languedoc - Pic Saint-Loup
Glorieuses 2008

Rouge | 2010 à 2016 | 45 € **18/20**

Profond en fruits noirs, charnu, ce rouge montre de magnifiques tanins. L'ensemble est racé, de grand style, avec la pointe de fraîcheur qui le dynamise.

Coteaux du Languedoc - Pic Saint-Loup
L'Olivette 2008
Rouge | 2010 à 2014 | 13 € **14,5/20**
Cette cuvée de base est toujours remarquable de franchise. La bouche, toute en fruits, est suave et soyeuse, avec en 2008 l'énergie du millésime.

Coteaux du Languedoc - Pic Saint-Loup
Simon 2008
Rouge | 2010 à 2015 | 24 € **17,5/20**
2008 sera un grand millésime de Simon. A base de grenache et de syrah, cette cuvée montre une finesse exceptionnelle. On peut même commencer à la boire.

CHÂTEAU DE MARMONIÈRES

11110 Vinassan
Tél. 04 68 45 32 70

Coteaux du Languedoc
- La Clape Les Amandiers 2009
Rouge | 2010 à 2012 | NC **14,5/20**
Dans un style plus classique que le cabernet-sauvignon, le vin de La Clape du château est bien marqué par la salinité du cru. Très aromatique, d'un beau volume de bouche, il se boit facilement.

Vin de pays d'Oc cabernet-sauvignon 2009
Rouge | 2010 à 2012 | NC **13/20**
Axel de Voillemont, après s'être longtemps occupé des confédérations viticoles, conduit son domaine de Vinassan. Son cabernet-sauvignon est démonstratif, avec une sensation de sucrosité qui lui donne du confort en bouche et une originalité dans son style.

MAS DE MARTIN

Route de Carnas • 34160 Saint-Bauzille-de-Montmel
Tél. 04 67 86 98 82 • Fax : 04 67 86 98 82
masdemartin@wanadoo.fr • www.masdemartin.info
Visite : Tous les jours, de 9h à 19h.

Christian Mocci a dû doublement renoncer à la Corse puis à l'Éducation Nationale pour diriger ce domaine des Coteaux du Languedoc. Curieux de grands vins et fin dégustateur, il extrait de sa petite vingtaine d'hectares une gamme dont le maître-mot est le charme aromatique. Vénus perdra les simples mortels que nous sommes, incapables de résister à tant de tentation. Plein-Sud et Ultreia, qui incorpore du mourvèdre, font partie des très bons languedocs modernes aux tanins raffinés.

Coteaux du Languedoc Cinarca 2008
Rouge | 2010 à 2013 | 12,50 € **14/20**
La version 2008 de Cinarca est épurée, sans les volumes de Vénus mais avec une trame fraîche qui tient ce vin net et très droit.

Coteaux du Languedoc Plein Sud 2007
Rouge | 2010 à 2013 | 10 € **15/20**
Nouvelle cuvée de la maison, aromatique, épicée et très fraîche. La finale est un patchwork de jus de viande, truffe et menthol.

Coteaux du Languedoc Ultreia 2007
Rouge | 2010 à 2014 | 17 € **16/20**
La race de cette cuvée est au rendez-vous, avec en 2007 un tanin fin et une bouche généreuse.

Coteaux du Languedoc Vénus 2007
Rouge | 2010 à 2012 | 8 € **15/20**
À l'image de la déesse stylisée sur l'étiquette, le vin est enrobé et tentateur. L'ensemble est friand.

Vin de pays du Val de Montferrand
Roi Patriote 2007
Rouge | 2010 à 2013 | 8,50 € **14/20**
Assemblage de cépages méditerranéens et atlantiques, cette cuvée montre de la fraîcheur dans un ensemble agréablement structuré. Un vin pour copains de qualité !

DOMAINE MARTINOLLE-GASPARETS

27, avenue Frédéric-Mistral
11200 Boutenac-Gasparets
Tél. 04 68 27 10 45
www.domaine-martinolle.com
Visite : ouvert du lundi au dimanche

Corbières 2008
Rouge | 2010 à 2012 | 5 € **14/20**
Produit original, goûté avant la mise, très en marge de la production classique du cru Corbières. Fruité expressif, très fraise, relevé par les épices. Un vin certes simple mais de haute expression aromatique à boire dès maintenant. Sa sucrosité fera une transition vers le vin pour un public jeune.

DOMAINE DE MARTINOLLES

Domaine de Martinolles • 11250 Saint-Hilaire
Tél. 04 68 69 41 93 • Fax : 04 68 69 45 97
info@martinolles.com • www.martinolles.com
Visite : Du lundi au vendredi, de 8h à 12h et de 14h à 18h. Le week-end sur rendez-vous.

Le Domaine de Martinolles est dans la même famille depuis trois générations. Le sourire d'Isabelle Vergnes accueillera les visiteurs venus chercher ici une blanquette toujours sérieusement réalisée. Toute la gamme se goûtait très bien cette année, du crémant aux blanquettes, avec un rosé épatant.

Blanquette de Limoux 2007

Blanc Brut eff. | 2010 à 2012 | 6,30 € — 15/20

Ensemble très rond et fruité, avec une finale délicate marquée par de jolis amers d'agrumes qui lui donnent du style.

Blanquette méthode ancestrale Vergnes

Blanc Demi-sec eff. | 2010 à 2011 | 6,70 € — 14/20

Fine bulle, du fruit, long, aromatique, c'est un agréable vin de dessert, gourmand et généreux.

Crémant de Limoux 2006

Blanc Brut effervescent | 2010 à 2012 | 8 € — 14/20

Bel ensemble citronné, assez vif, frais, avec une acidité tendue et longue. C'est un produit clairement apéritif.

Crémant de Limoux

Rosé Brut effervescent | 2010 à 2012 | 9 € — 15/20

Rosé assez tendre, fruité avec de savoureuses notes de framboise. La structure en bouche est soyeuse, veloutée.

DOMAINE DU MAS DE MADAME

Route de Montpellier • 34110 Frontignan
Tél. 06 07 38 77 89
www.mas-de-madame.com
Visite : ouvert du lundi au dimanche de 9h a 20h

Muscat de Frontignan 2007

Blanc Doux | 2010 à 2011 | 9,65 € — 14,5/20

Agréable muscat, tendre, au fruité fin, avec une belle finale d'agrumes très mûrs.

Vin de pays d'Oc Élégance muscat à petits grains 2006

Blanc Doux | 2010 à 2013 | 13,50 € — 15/20

Nez explosif de muscat à petits grains pour ce vin équilibré, long et très frais, qui fera un tabac à l'apéritif ou en dessert.

CHÂTEAU MEUNIER SAINT-LOUIS

Saint-Louis • 11200 Boutenac
Tél. 04 68 27 09 69 • Fax : 04 68 27 53 34
info@pasquier-meunier.com
www.pasquier-meunier.com
Visite : Sur rendez-vous.

Le château appartient à Martine et Philippe Pasquier-Meunier. Cette très grande propriété de plus de 110 hectares en production se fait remarquer par une cuvée Exégèse 2007 particulièrement raffinée. La cuvée A-Capella fait également honneur à Corbières avec un soin particulier apporté désormais aux élevages !

Corbières A Capella 2007

Rouge | 2010 à 2014 | 10,45 € — 15/20

Les tanins du vin sont fins et élégants, bien enrobés. Cette cuvée à la pointe saline s'exprime en charme. L'élevage de ce vin dense en saveurs est bien maîtrisé.

Corbières Prestige 2009

Rouge | 2010 à 2012 | 5,35 € — 13,5/20

Bon représentant des corbières de fruit, avec un tanin souple et charnu, une finale dense et fruitée.

Corbières-Boutenac Exégèse 2007

Rouge | 2010 à 2015 | 32 € — 16/20

L'élevage est bien intégré dans cet échantillon où le charme du millésime s'exprime. Épices, cuirs élégants, olives noires, la bouche est complexe. Une cuvée raffinée !

DOMAINE MIRABEL

Mirabel • 30260 Brouzet-lès-Quissac
Tél. 06 22 78 17 47 • Fax : 04 66 77 48 88
domainemirabel@neuf.fr
Visite : téléphoner au préalable

Le Domaine Mirabel est situé à la limite nord-est de l'aire d'appellation du Pic Saint-Loup, sur un terroir d'argilo-calcaires. L'encépagement est classique, syrah, mourvèdre, grenache, cinsault et carignan, pour les rouges et le rosé, et viognier et roussanne pour le blanc. Le rendement moyen est faible, de l'ordre de 25 hl/ha. Nous aimons beaucoup les trois cuvées de rouges du domaine, Les-Bancels dans un style gourmand, Le-Chant-des-Sorbiers et Les-Éclats, une grande cuvée qui reste à un prix raisonnable. Elles ont la fraîcheur pour dénominateur commun.

Coteaux du Languedoc - Pic Saint-Loup
Le Chant du Sorbier 2008
Rouge | 2010 à 2014 | 9,30 € **15,5/20**
Cette cuvée montre un complément de race et de fruit par rapport au coteaux-du-languedoc du domaine. Elle est également facile à boire.

Coteaux du Languedoc - Pic Saint-Loup
Le Dessert du Loup 2009
Rosé | 2010 à 2010 | 7,50 € **14/20**
Suave, très légèrement sucré, ce rosé est fait pour séduire et sans nulle doute, il y parviendra. Sa bouche raffinée et délicate, bien qu'extravertie, séduira les amateurs de friandises à mâcher mais inquiétera les autres.

Coteaux du Languedoc - Pic Saint-Loup
Les Éclats 2008
Rouge | 2010 à 2015 | 12,50 € **15,5/20**
Avec plus de structure que les autres cuvées, Les-Éclats partagent la même jovialité et la simplicité du vin bien fait, réalisé pour le plaisir d'un bon moment entre amis.

Coteaux du Languedoc - Pic Saint-Loup
Les Éclats 2006
Rouge | 2010 à 2012 | NC **15/20**
Le nez s'affranchit du vanillé de la barrique , c'est une cuvée raffinée et dense, intensément fruitée.

Coteaux du Languedoc Les Bancels 2008
Rouge | 2010 à 2012 | 9,80 € **15/20**
Vin de fruit, tenu par une structure qui s'affirme. La matière est charnue et élégante. On en boira beaucoup.

CHÂTEAU MIRAUSSE

11800 Badens
Tél. 04 68 79 12 30 • Fax : 04 68 79 12 30
Visite : Sur rendez-vous.

Minervois L'Azerolle Vieilles Vignes 2008
Rouge | 2010 à 2011 | 7,50 € **13/20**
Le vin montre une réelle fraîcheur de bouche. La finale est épicée, légèrement poivrée. Agréable.

Minervois Le Grand Penchant 2008
Rouge | 2010 à 2012 | 8 € **14,5/20**
2008 est un vin pimpant alors que son étiquette aux multiples tonalités grises laisse entrevoir plus de retenue. Avec beaucoup de fraîcheur, c'est un vin que l'on boira à l'excès.

Minervois Rouge de l'Azerolle 2009
Rouge | 2010 à 2010 | 5,50 € **13/20**
Vin de style fruité, assez chaud qui fera un vin de copains parfait. Les charcuteries trouveront à qui parler.

DOMAINE MONPLEZY

Chemin Mère-des-Fontaines • 34120 Pézenas
Tél. 04 67 98 27 81 • Fax : 04 67 01 47 44
domainemonplezy@orange.fr
www.domainemonplezy.fr
Visite : Sur rendez-vous

Anne Sutra de Germa, sociologue, a abandonné l'étude des populations montpelliéraines pour celle des populations de vignes familiales. Sortie de la coopération en 1990, elle monte progressivement sa gamme dans un domaine orienté vers la préservation de la biodiversité.

Vin de pays des Côtes de Thongue Félicité 2006
Rouge | 2010 à 2011 | 12,60 € **14/20**
Très net en bouche, puissant et suave, ce rouge déploie avec faste une tonalité saline qui fera un tabac avec une épaule d'agneau.

Vin de pays des Côtes de Thongue
Félicité Blanche 2009
Blanc | 2010 à 2012 | 12,60 € **14/20**
Bel assemblage des cépages nord-rhodaniens, marsanne et roussanne. Ces deux compères se révéleront avec le temps pour donner une autre dimension au vin. Ils sont complétés par une pointe de viognier qui apporte dès à présent la touche fraîche de la finale.

Vin de pays des Côtes de Thongue
Plaisirs Interdits 2009
Rosé | 2010 à 2010 | 5,80 € **13/20**
La pointe de sucrosité marquée en fin de bouche s'inspire des cabernets d'Anjou et fera un bel accord avec des plats asiatiques.

MONT TAUCH

2, rue de la Cave Coopérative • 11350 Tuchan
Tél. 04 68 45 41 08 • Fax : 04 68 45 45 29
contact@mont-tauch.com • www.mont-tauch.fr
Visite : 9h à 12h et de 14h à 18h.

Jean-Marc Astruc préside aux destinées de la Cave du Mont-Tauch ainsi qu'à celles de l'appellation Fitou. Cette coopérative, qui vinifie les deux tiers de l'appellation, a réussi à imposer à ses adhérents une discipline sévère, fondée sur une rémunération

des apports de raisin en fonction de la dégustation des vins qu'ils permettent. La rigueur technique et le dynamisme commercial sont les clés de la réussite de cette cave à la large gamme et d'un bon rapport qualité-prix.

Fitou Château de Ségure 2007

Rouge | 2010 à 2015 | 12,50 € **15/20**

Joli jus avec des tanins fins et ronds, de la finesse et de la fraîcheur. On en boira facilement.

Fitou Château de Ségure 2006

Rouge | 2011 à 2015 | env 9 € **14,5/20**

Vin charnu, épicé et complexe. La finale de belle maturité est élégante, encore marquée par le vanillé de l'élevage. Il faudra donc l'attendre.

Fitou Les Quatre du Pilou 2006

Rouge | 2010 à 2013 | 10,50 € **15/20**

Vin avec du fond, sérieux et dense. La finale est dense, précise et fraîche.

Fitou Montmal 2006

Rouge | 2010 à 2013 | 12,50 € **14,5/20**

Nez très mûr, pruneaux, fruits cuits, agréable matière, finale encore boisée.

DOMAINE DES MONTARELS

34290 Alignan-du-Vent
Tél. 04 67 24 91 31
www.cavecooperative.com
Visite : Du lundi au samedi de 9h à 12h et de 15h à 19h.

Vin de pays des Côtes de Thongue chardonnay 2009

Blanc | 2010 à 2011 | 4,30 € **13,5/20**

Étonnant chardonnay, avec une pointe d'amertume de type pamplemousse jaune et une finale saline.

Vin de pays des Côtes de Thongue chardonnay 2008

Blanc | 2010 à 2012 | 6,80 € **14/20**

Agréable chardonnay, avec un élevage démonstratif mais soigné. L'ensemble est gras, accompli, il sera à l'aise avec un beau poisson grillé.

Vin de pays des Côtes de Thongue Moulin Montarels sauvignon 2009

Blanc | 2010 à 2010 | 3,80 € **13/20**

Sauvignon avec des notes de buis et citron marquées. L'ensemble est fin, très gourmand.

DOMAINE DE MONTCALMÈS

Chemin du Cimetière • 34150 Puéchabon
Tél. 04 67 57 74 16 • Fax : 04 67 57 74 16
gaecbh@wanadoo.fr
Visite : Du lundi au vendredi, sur rendez-vous.

Il faut avoir eu préalablement la curiosité du grand vin pour pouvoir soi-même en produire. Frédéric Pourtalié et son cousin Vincent Guizard ont vinifié pour la Grange des Pères, Olivier Jullien et Alain Graillot. Ils se sont installés en 1999 en Coteaux du Languedoc, dans le secteur des Terrasses du Larzac, sur le terroir de Puechabon. Les tanins de leurs vins rouges sont veloutés et raffinés à l'extrême. Ce dernier dispose, à travers un exceptionnel fruité, de toute la sérénité des grands vins, dans un style absolument naturel et sans esbroufe. 2007 montre un nouveau pas vers le sommet du Languedoc. Nous n'avons pas goûté le blanc cette année dont la production est, il est vrai, limitée. Le quatrième BD n'est pas loin.

Coteaux du Languedoc 2007

Rouge | 2010 à 2015 | 21 € **19/20**

Une incarnation de l'élégance faite languedoc. L'aérien des plus grands barolos a inspiré la cuvée. On est au sommet.

CHÂTEAU MONTFIN

10, rue du Rec-de-l'Aire • 11440 Peyriac-de-Mer
Tél. 04 68 41 93 30 • Fax : 04 68 45 36 26
info@chateaumontfin.com
www.chateaumontfin.com
Visite : Du lundi au vendredi de 10h à 12h30 et de 15h à 18h30 et le samedi en saison.

Corbières Mathilde 2006

Rouge | 2010 à 2011 | 10,50 € **13,5/20**

La matière est onctueuse avec une évolution aromatique vers les épices.

DOMAINE DE MONTMARIN

D 28 • 34290 Montblanc
Tél. 04 67 77 47 70 • Fax : 04 67 77 58 50
montmarin@terre-net.fr
Visite : du lundi au vendredi 8h 12h et 13h 17h (sauf vendredi jusqu'à 16h)

Vin de pays des Côtes de Thongue chardonnay 2009
Blanc | 2010 à 2010 | 3,80 € **13/20**
Chardonnay simple mais élégant, avec une pointe d'amertume et une finale citronnée. Un poisson grillé lui tiendra tête.

Vin de pays des Côtes de Thongue sauvignon 2009 ☺
Blanc | 2010 à 2010 | 3,60 € **13,5/20**
Nez agréable de buis et de verveine, la finale citronnée est dynamique. Il est à boire dès maintenant.

DOMAINE MONTROSE

RN 9 - Tourbes • 34120 Pézenas
Tél. 04 67 98 63 33 • Fax : 04 67 98 65 27
contact@domaine-montrose.com
www.domaine-montrose.com
Visite : Du lundi au vendredi de 8h à 12h et de 13h à 18h, le week-end sur rendez-vous. Les groupes sur rendez-vous également.

Vin de pays des Côtes de Thongue 2009
Rosé | 2010 à 2010 | 4,60 € **13/20**
Rosé agréable avec en finale un tryptique amertume, pointe d'acidité et légère sucrosité qui lui donne son élégance.

Vin de pays des Côtes de Thongue Les Lézards 2008 ☺
Blanc | 2010 à 2012 | 6,20 € **14/20**
Assemblage viognier et grenache. Le premier apporte des notes fleuries, le second apporte le gras. La finale assez fraîche donne au vin de l'énergie.

DOMAINE MORTIÈS

34270 Saint-Jean-de-Cuculles
Tél. 04 67 55 11 12 • Fax : 04 67 55 10 06
contact@morties.com • www.morties.com
Visite : mercredi et vendredi 8h à 18h, samedi 10h à 19h. Ou sur rendez-vous

Au bord d'impressionnantes falaises d'argile noire, ce domaine produit trois cuvées de rouge, dont Jamais-Content nous a impressionné par sa franchise de goût et la qualité de sa structure. Ce vin prend en 2007 une allure de grand languedoc, dont il constitue l'une des belles réussites.

Coteaux du Languedoc - Pic Saint-Loup Jamais Content 2007 ☺
Rouge | 2010 à 2014 | 18 € **16,5/20**
Le fruit est dégagé. Frais, c'est un vin racé, avec des notes de pruneaux et de griotte à l'eau-de-vie. La matière est fine, cuir noble, garrigue, cèdre. Une grande réussite !

Coteaux du Languedoc - Pic Saint-Loup Que Sera Sera 2007
Rouge | 2010 à 2013 | 32 € **14/20**
Cuvée très mûre, onctueuse en bouche, presque crémeuse, avec une finale caramel et épices.

PRIEURÉ DES MOURGUES

Château du Prieuré des Mourgues • 34360 Pierrerue
Tél. 04 67 38 18 19 • Fax : 04 67 38 27 29
prieure.des.mourgues@wanadoo.fr
www.prieuredesmourgues.com
Visite : Sur rendez-vous.

Saint-Chinian 2007 ☺
Rouge | 2010 à 2011 | 7 € **14/20**
Cuvée fraîche et fruitée avec une finale minérale et corsée.

DOMAINE DE MOUSCAILLO

6, rue du Frêne • 11300 Roquetaillade
Tél. 04 68 31 38 25 • Fax : 04 68 31 38 25
mouscaillo@orange.fr
Visite : tous les jours sur rendez-vous

Limoux 2007
Blanc | 2010 à 2014 | 15 € **15,5/20**
Ce vin ne laissera pas indifférent. Acidité marquée mais race de pur-sang. Amertume étirée, elle aussi racée.

Limoux 2004
Blanc | 2010 à 2012 | NC **15/20**
Étonnant vin, réalisé à base de chardonnay et qui prend de grandes allures de... chenin.

DOMAINE NAVARRE

Avenue de Balaussan • 34460 Roquebrun
Tél. 04 67 89 53 58 • Fax : 04 67 89 70 88
thierry.navarre@orange.fr • www.thierrynavarre.com
Visite : Sur rendez-vous.

Thierry Navarre est installé à Roquebrun, au nord de l'appellation Saint-Chinian. Toute la gamme est empreinte d'un grand naturel. Ici, on ne cherche pas forcément à aller au-delà du possible, mais à faire des vins destinés à être bus, avec gourmandise et sans se poser plus de questions qu'il ne faut. L'équilibre et la fraîcheur sont la clef de voûte de toute la gamme, du vin de table aux Aoc. Voici un domaine à fréquenter en confiance, Le-Laouzil est un must cette année.

Vin de Table Œillades 2009

Rouge | 2010 à 2012 | 6,50 € **15/20**

Millésime après millésime, cette cuvée d'œillade, l'autre nom du cinsault, est fraîche et vraiment gourmande. On la boira très facilement.

Saint-Chinian Le Laouzil 2008

Rouge | 2010 à 2014 | 8 € **15,5/20**

Vin d'une gourmandise absolue, avec un raffinement de texture étonnant et cette pointe fraise des bois, fruits mûrs et réglisse que l'on ne trouve qu'à Saint-Chinian.

Saint-Chinian Olivier 2008

Rouge | 2010 à 2013 | 12 € **14/20**

Aromatique, très fruits rouges, dense en bouche avec une finale qui a besoin de s'affiner.

VIGNERONS DE NEFFIES

28, avenue de la Gare - 12, rue du Rec-de-Veyret B.P. 414 • 34320 Neffiès
Tél. 04 67 24 61 98 • Fax : 04 67 24 62 12
cavecoop.neffies@wanadoo.fr
www.cavecooperative.com
Visite : Du lundi au samedi, en été de 9h à 12h et de 15h à 19h et le reste de l'année de 9h à 12h et de 15h à 18h.

Les vignerons de Neffiez vinifient la production de quatre cents hectares dans la zone de Pézenas. Nous n'avons goûté en rouge qu'une cuvée, Hadrien, mais elle mérite le détour. On a évité ici la lourdeur d'élevages inappropriés pour rechercher la pureté du fruit. C'est déjà beaucoup.

Coteaux du Languedoc Buffe Vent 2009

Rosé | 2010 à 2010 | 5 € **15,5/20**

Petit grains de raisins bien mûrs, petite pointe de fraîcheur, petite touche de gaz carbonique, petite pointe de menthol. Voilà les ingrédients d'un grand rosé de charme. Et de petit prix.

Coteaux du Languedoc Hadrien 2009

Rouge | 2010 à 2012 | 6,90 € **15/20**

Très belle cuvée fraîche et facile à boire. Un vin simple mais quel beau fruit ! La finale réglissée est gourmande. Légèrement rafraîchi, Hadrien devient impérial avec une grillade de bœuf.

CHÂTEAU DE LA NÉGLY

Domaine de la Négly • 11560 Fleury-d'Aude
Tél. 04 68 32 36 28 • Fax : 04 68 32 10 69
lanegly@wanadoo.fr
Visite : Du lundi au vendredi de 10h à 12h30 et de 15h à 18h et le samedi ouvert en Juin juillet aout septembre et le dimanche sur rendez-vous

Le Château de La Negly fait partie des références languedociennes. Installé sur La Clape, le domaine gère également le Domaine de Boède à proximité, ainsi qu'un cru de garage, le Clos des Truffiers, sur Saint-Pargoire. La gamme de La Negly est large, elle démarre en rouge par des vins très frais aux tanins fins. L'Ancely, vouée au mourvèdre, est le trait d'union entre cette gamme et des cuvées ambitieuses, produites en tirages limités et recherchées par les amateurs fortunés. Ces dernières sont réalisées en très grande maturité dans un style opulent avec des matières impeccables et des élevages soignés.

Coteaux du Languedoc - La Clape L'Ancely 2004

Rouge | 2010 à 2014 | 53 50 € **16/20**

Le nez complexe est porté par le vanillé toasté de l'élevage. À l'ouverture, l'aromatique est poivré, cuir, et la bouche très belle surfe sur des tanins mûrs et fins. Ce 2004 se tient encore bien.

Coteaux du Languedoc - La Clape La Brise Marine 2009

Blanc | 2010 à 2011 | 8 € **14/20**

Cette cuvée se remarque par une pointe de vivacité en finale. Cette acidité donne de l'énergie au fruité abricoté.

Coteaux du Languedoc - La Clape
La Falaise 2008
Rouge | 2011 à 2016 | 15 € **16,5/20**
Cette cuvée goûtée cette année après la mise a digéré son bois. Elle montre un nez de garrigue, de réglisse et de thym, la matière est onctueuse mais fraîche avec, comme Tradition, un potentiel de garde certain. Une belle bouteille que l'on peut déboucher ou attendre.

Coteaux du Languedoc - La Clape
Les Embruns 2009
Rosé | 2010 à 2010 | 7 € **14/20**
Ce rosé est gras et s'inscrit bien dans ce millésime opulent et chaud. Il sera à l'aise avec une grillade.

Coteaux du Languedoc - La Clape
Tradition 2008
Rouge | 2010 à 2015 | 7,80 € **15/20**
Tradition est une cuvée très ancrée dans la typicité de La Clape, avec un grand volume de bouche. La finale chocolatée est onctueuse, ce vin a du potentiel de garde.

CLOS DES NINES

329, chemin du Pountiou • 34690 Fabrègues
Tél. 04 67 68 95 36 • Fax : 04 67 68 95 36
clos.des.nines@free.fr • www.closdesnines.com

Le Clos des Nines est installé à Fabrègues, dans l'Hérault. Isabelle Mangeart conduit cette propriété de neuf hectares à vocation viticole et oléicole. On oubliera la cuvée 03 2005, dépassée par son élevage sous bois, mais les coteaux-du-languedoc sont gourmands et ont vu des progrès évidents en matière d'élevage. A suivre !

Coteaux du Languedoc L'Orée 2008
Rouge | 2010 à 2012 | 13 € **14,5/20**
Belle matière fine et suave dans ce rouge dense et frais, à boire dès maintenant. Un petit carafage dégagera ses arômes.

Coteaux du Languedoc O 2007
Rouge | 2011 à 2015 | 25 € **15/20**
Belle cuvée racée et onctueuse avec une bouche longue et épicée. Le tanin a besoin d'un peu de temps pour s'affiner. Cela en vaut la peine.

Coteaux du Languedoc Obladie 2009
Blanc | 2010 à 2011 | 17 € **15/20**
L'élevage est mieux intégré que dans des millésimes précédents. Il laisse la matière en liberté, melon, figue fraîche, pêche de vigne. Opulent, il est tenu par une note fraîche en finale.

Ouate 9
Rouge liquoreux | 2010 à 2015 | 20 € **16/20**
Rien en France ne ressemble à ce liquoreux à base de raisins surmûris. Nez curieux avec un profil de vin rouge, la bouche est en rupture. De grande buvabilité, rose, figue non sucrée, la fraîcheur en finale lui donne un charme fou ! À boire avec... rien, pour le plaisir du contenu de la bouteille.

DOMAINE DE NIZAS

Hameau de Sallèles • 34720 Caux
Tél. 04 67 90 17 92 • Fax : 04 67 90 21 78
contact@domainedenizas.com
www.domainedenizas.com
Visite : Du lundi au vendredi, de 9h à 17h.

Vin de pays de Caux carignan
Vieilles Vignes 2008
Rouge | 2010 à 2011 | 11,90 € **14/20**
Agréable carignan rond et onctueux, avec une franchise réelle de fruit. C'est un joli rouge simple mais gourmand.

MAS NOIR

Chemin du Ministre • 34130 Mauguio
Tél. 04 67 12 19 09 • Fax : 04 67 06 92 96
domainetissot@wanadoo.fr • www.masnoir.fr
Visite : Du lundi au samedi 9h30 à 12h30 et de 14h30 à 18h30 et le Dimanche de 11h30 à 16h.

Coteaux du Languedoc Mas Noir
Rouge | 2010 à 2012 | 12 € **13,5/20**
Cuvée non millésimée, toute en réglisse intense. L'élevage de qualité accompagne des tanins agréables dans un style puissant.

CHÂTEAU DE NOUVELLES

SCEA R. Daurat-Fort - Château de Nouvelles
11350 Tuchan
Tél. 04 68 45 40 03 • Fax : 04 68 45 49 21
daurat-fort@terre-net.fr
www.chateaudenouvelles.com
Visite : lundi au samedi de 8h à 12h et de 14h à 17h30.

Le Château de Nouvelles, installé à Tuchan dans une zone assez reculée, a été un pionnier de la progression qualitative en Fitou. Initialement réputé pour ses vins doux naturels, il continue d'offrir une

gamme qui s'avère particulièrement réussie et dont nous ne nous lassons pas, même si ce type de vins n'est pas à la mode. Les rouges progressent, avec un souci d'améliorer les élevages qui devient perceptible dès les entrées de gamme. L'infatigable Jean Daurat, qui a porté haut et fort la réputation du fitou pendant des décennies, est désormais secondé par son fils Jean-Rémy.

Fitou Gabrielle 2008

Rouge | 2010 à 2014 | 13 € — 15,5/20

De beau volume avec du fond et une structure puissante, raffinée, très mûre, un tanin élégant.

Fitou Vieilles Vignes 2007

Rouge | 2010 à 2014 | 10 € — 15/20

On retrouve un dénominateur commun avec la cuvée Gabrielle, un volume de bouche élégant et très mûr. C'est un vin assez gracile dans un style agréable en bouche.

DOMAINE OLLIER-TAILLEFER

Route de Gabian • 34320 Fos
Tél. 04 67 90 24 59 • Fax : 04 67 90 12 15
ollier.taillefer@wanadoo.fr • www.olliertaillefer.com
Visite : Du lundi au samedi en saison et le reste de l'annee sur rendez-vous.

Françoise Ollier et son frère Luc ont repris l'exploitation familiale. Ce domaine produit des vins empreints de naturel et d'humanisme, sans recherche du sensationnel. La cuvée de blanc, Allegro, va chercher la roussanne et le rolle, mais renonce au bois pour exprimer leur naturel. En rouge, Grande-Réserve constitue un vin raffiné, produit en quantité importante et donc aisément disponible. Castel-Fossibus, (traduisez par là « le château de Fos »), emprunte à la syrah, au grenache et au mourvèdre leur fruité fin.

Faugères Allegro 2009

Blanc | 2010 à 2012 | 9 € — 14,5/20

Le style évolue vers des amers marqués de pamplemousse et d'orange sanguine complétés de citron. Bref, ce blanc est un bouquet d'agrumes obtenu par une légère sous-maturité qui a développé des notes végétales mais également de la fraîcheur. Celle-ci n'était pas simple à obtenir en 2009.

Faugères Castel Fossibus 2007

Rouge | 2010 à 2015 | 12,50 € — 17/20

Millésime après millésime, grâce à un élevage bien dosé, fumé et réglissé, cette très belle expression des terroirs de Faugères montre un remarquable raffinement de tanin en finale.

Faugères Grande Réserve 2008

Rouge | 2010 à 2013 | 8,30 € — 15/20

Le 2008 s'écarte du millésime précédent avec un vin marqué par une acidité soutenue, toujours complexe, avec cette patte incomparable des terroirs de schiste.

CHÂTEAU OLLIEUX-ROMANIS

Château Ollieux Romanis - Route départementale 613
11200 Montseret
Tél. 04 68 43 35 20 • Fax : 04 68 43 35 45
ollieuxromanis@hotmail.com
www.chateaulesollieux.com
Visite : Ouvert de 9h à 18h.

En rachetant le Château Ollieux pour l'intégrer à Ollieux-Romanis, la famille Bories vient de reconstituer l'un des plus grands vignobles de Corbières, et met un terme à plus d'un siècle de scission. Dans toutes les cuvées, on recherche la plus grande buvabilité et beaucoup d'élégance, de la cuvée Prestige à la cuvée Or, jusqu'à Atal-Sia, réalisée en appellation Corbières-Boutenac.

Corbières Prestige 2007

Rouge | 2010 à 2014 | 11 € — 15,5/20

Cette cuvée est un vin harmonieux, bien équilibré avec une matière raffinée et un fruité gourmand.

Corbières-Boutenac Atal Sia 2008

Rouge | 2010 à 2015 | 17 € — 17,5/20

2008 a cherché et trouvé un fruit de grande qualité dans un ensemble très frais, merci aux carignans et au millésime. Cette cuvée affine un exceptionnel raffinement de saveurs et de textures.

Corbières-Boutenac cuvée Or 2008

Rouge | 2010 à 2015 | 20 € — 16/20

Si la nouvelle étiquette ne plaira pas à tous les aficionados de cette cuvée, son contenu leur rappellera que l'on fait ici l'un des corbières les plus fins.

Vin de pays de l'Aude Capucine 2009

Rouge | 2010 à 2012 | 4,90 € — 14/20

Du plaisir, du fruit, de la légèreté en bouche et de la gourmandise. Le décor de Capucine est ainsi planté.

LES CELLIERS D'ORFÉE

53, avenue des Corbières • 11200 Ornaisons
Tél. 04 68 27 09 76 • Fax : 04 68 27 58 15
info@cuveesextant.com • www.cuveesextant.com
Visite : De 8h à 12h et de 14h à 18h du lundi au jeudi, le vendredi fermeture à 17h. Le samedi de 9h à 12h.

Les Celliers d'Orfée sont un regroupement de la Cave des Vignerons du Mont Tenarel Octaviana et de la Cave de Griffan, qui regroupe quatre cents adhérents et vinifie plus de 1 800 hectares. La cuvée Sextant, régulièrement remarquée, est un assemblage à parts égales de syrah et de carignan, vinifié en macération carbonique. La cuvée B de Corbières-Boutenac est la plus intéressante de la cave.

Corbières Sextant 2006
Rouge | 2010 à 2013 | 12,50 € **15/20**
Comme souvent, l'échantillon dégusté peine à s'affranchir du boisé de l'élevage. L'aromatique porté par la syrah montre d'agréables arômes de jus de viande et de truffe. Un vin extraverti !

Corbières-Boutenac B 2007
Rouge | 2010 à 2014 | 11 € **15,5/20**
Cuvée profonde, intense en saveurs, fraîche en finale. L'élevage est de belle qualité.

L'OSTAL CAZES

Tuilerie Saint-Joseph • 34210 La Livinière
Tél. 04 68 91 47 79 • Fax : 04 68 91 47 79
lostalcazes@aol.com • www.lostalcazes.com
Visite : Ouvert du mardi au jeudi de 14h à 19h et du vendredi au dimanche de 10h à 12h30 et de 14h à 19h. Fermé le lundi.

Ce domaine a été acquis par Jean-Michel Cazes, le propriétaire du Château Lynch-Bages à Pauillac, en remembrant deux anciennes propriétés de bonne notoriété. Il a passé la main à son fils Jean-Charles, qui a la charge de la faire évoluer. Le secteur chaud où sont implantées les vignes marque les vins, ce sont des minervois denses et sérieusement construits, qui nécessitent un peu de patience.

Minervois Estibals 2007
Rouge | 2010 à 2012 | 12 € **14/20**
2007 a apporté à cette cuvée un volume de bouche et un fruité agréables.

Minervois-La-Livinière 2007
Rouge | 2011 à 2014 | 20 € **15/20**
Dans le style de la-livinière, sur un secteur chaud, ce 2007 est en puissance, marqué par des notes mûres et réglissées. Sérieux, il méritera un peu de temps.

CHÂTEAU D'OUPIA

Rue du Château • 34210 Oupia
Tél. 04 68 91 20 86 • Fax : 04 68 91 18 23
chateau.oupia@aliceadsl.fr
Visite : Du lundi au vendredi de 8h à 11h45 et de 14h à 18h30 sur rendez-vous. Fermé les week-end et jours fériés.

Minervois Les Barons 2007
Rouge | 2011 à 2013 | 7,85 € **13/20**
Réalisé dans un style sérieux, structuré, le vin a de la mâche et une finale qui se déploiera dans le temps.

DOMAINE L'OUSTAL BLANC

4 bis, avenue de la Source • 34370 Creissan
Tél. 04 67 93 68 47 • Fax : 04 67 93 68 47
earl.fonquerle@wanadoo.fr • www.oustal-blanc.com
Visite : Sur rendez-vous.

Claude Fonquerle réalise une gamme de vins précis, frais et racés. Les vins de table permettent à l'artiste quelques excentricités gourmandes en dehors des contraintes de l'Aoc. Ils sont la démonstration d'un grand savoir-faire. Naïck signifie Anne en breton, l'une des filles de Claude. Le numéro qui suit correspond au millésime, qui ne pouvait pas être revendiqué en vin de table. Une dégustation au domaine est toujours un grand moment.

Minervois Giocoso 2007
Rouge | 2010 à 2015 | 15 € **16/20**
Toujours très mûre, cette cuvée s'inspire des modèles castelpapaux. La pointe de fraîcheur en finale lui donne le soupçon d'énergie nécessaire.

Minervois Maestoso 2007
Rouge | 2010 à 2015 | 20 € **16/20**
Récolté très mûr par tiers à partir de syrah, de grenache et de carignan. Le vin est riche en arômes, puissant, long en bouche, corsé, complexe et frais. Un grand languedoc de caractère.

Minervois-La-Livinière Prima Donna 2007
Rouge | 2010 à 2017 | 25 € **17,5/20**
Cette cuvée réconciliera les amateurs de vins de grande buvabilité avec la production du domaine. Magnifique fraîcheur et tanins des plus soyeux. Rassurons-nous, buvabilité n'est pas fluidité, Claude veille.

Vin de Table Naïck 8

Blanc | 2010 à 2016 | 18 € 17/20

L'échantillon dégusté n'était pas en place mais cette cuvée devrait faire l'un des blancs les plus intenses et les mieux réussis du Languedoc. L'intensité des saveurs est splendide !

CLOS PACALIS

13, impasse des Jardins • 11200 Ferrals-les-Corbières
Tél. 04 86 57 38 07 • Fax : 04 83 à7 53 95
contact@clos-pacalis.com
Visite : Sur rendez-vous.

Corbières Agapé 2006

Rouge | 2010 à 2013 | NC 13/20

Cuvée agréable, aux tanins longs et bien dessinés, portée par une acidité marquée. Celle-ci perturbe en finale l'harmonie perçue à l'attaque mais la matière est de belle qualité.

CHÂTEAU LES PALAIS

11220 Saint-Laurent-de-la-Cabrerisse
Tél. 04 68 44 01 63
chateaulespalais@orange.fr
Visite : Du lundi au dimanche de 9h à 12h et de 14h a 19h

Xavier de Volontat, débordant d'énergie et d'activités syndicales, mène cette propriété tel qu'il mène l'appellation Corbières. La gamme est large, dominée par la cuvée Randolin qui concentre le meilleur du domaine.

Corbières Chapelle 2001

Rouge | 2010 à 2015 | NC 15/20

Cette cuvée n'est pas réalisée tous les ans, c'était un essai d'élevage en bois neuf sur un beau millésime. Près de dix années plus tard, le vin n'a pas pris une ride, très dense, gourmand en saveurs, il ne renierait pas une origine castelpapale.

Corbières Randolin 2006

Rouge | 2010 à 2013 | 12 € 14/20

Avec du gras, ce carignan complété de grenache et de syrah s'inscrit bien dans l'esprit des vins profonds en saveurs du terroir de Boutenac.

Corbières Randolin 2005

Rouge | 2010 à 2015 | 15 € 14,5/20

Cette cuvée carignan, grenache et syrah est élevée une douzaine de mois en barrique. Vin d'un style classique dans l'appellation, qui commence tout juste à évoluer mais il a un potentiel de garde.

DOMAINE DE PARAZOLS

11600 Bagnoles
Tél. 04 68 77 06 46 • Fax : 04 68 72 57 41
jean-marie.bertrou@wanadoo.fr
www.parazols-bertou.com
Visite : Le mercredi de 17h à 19h, le samedi de 10h à 12h et de 14h à 17h. du 15/07 au 31/08, du lundi au samedi de 16h à 19h (sur rendez-vous).

Ce domaine exploite deux caves, l'une en Minervois, l'autre en Cabardès. Nous avons préféré aux vins étiquetés au nom du domaine Parazols-Bertrou, les cuvées à tendance inquiétante voire infernale. Elles sont bien plus rondes et fruitées que leur nom laisserait présager : Ni-Ange-Ni-Démon, Le-Démon-de-Parazols et Nuit-Noire.

Cabardès Ni Ange ni Démon 2008

Rouge | 2010 à 2014 | 6,20 € 15/20

Sur le fruit, plein de charme, le vin est velouté dans le style gourmand, plein et fruité de cette cuvée.

Minervois Nuit Noire 2008

Rouge | 2010 à 2014 | 9,90 € 14,5/20

Vin moderne, aux tanins ronds. La maturité a été recherchée ici et permet ce rouge généreux et fruité.

Vin de pays d'Oc Démon de Parazols 2008

Rouge | 2010 à 2013 | 8 € 14,5/20

Cette cuvée illustrée par un dessin de Charles Lebrun est réalisée à base de merlot, de syrah et de cabernet franc. Ses tanins sont ronds et gourmands, dans un ensemble où le fruit domine. La cuvée est à boire.

DOMAINE DU PAS DE L'ESCALETTE

Le Champ de Peyrottes • 34700 Poujols
Tél. 04 67 96 13 42 • Fax : 09 70 622 661
contact@pasdelescalette.com
www.pasdelescalette.com
Visite : De 9h à 18h. Le week end sur rendez-vous

Julien Zernott et Delphine Rousseau ont acquis en 2002 ce vignoble de dix hectares, implanté en terrasses. Situés à 350 mètres d'altitude, au pied du plateau du Larzac, sur des terroirs d'éboulis calcaires, les sols sont travaillés et les vignes menées dans une approche bio. Les raisins sont vendangés à la main et font l'objet de soins attentifs. Ces pratiques et l'altitude relative fournissent aux cuvées un toucher de bouche raffiné. Chacune affirme son style avec une parenté évidente. L'évolution du domaine est patente chaque année.

Coteaux du Languedoc - Terrasses du Larzac
Les Clapas 2008

Rouge | 2010 à 2015 | 12,40 € **16/20**

Le vin est mûr, très généreux, avec la tension de 2008 qui porte la finale minérale. La buvabilité est au rendez-vous.

Coteaux du Languedoc Le Grand Pas 2008

Rouge | 2010 à 2016 | 24 € **16/20**

L'empreinte minérale est forte dans cette cuvée très droite, chaleureuse dans un millésime dont ce n'est pas la caractéristique première. L'ensemble est précis, long et fin.

Coteaux du Languedoc Les Petits Pas 2009

Rouge | 2010 à 2013 | 8,25 € **15/20**

Très net au nez et en bouche, Les-Petits Pas constitue une belle approche du millésime. Les raisins mûrs ont capté la chaleur de 2009 mais la touche fraîche en finale relance la dégustation.

Coteaux du Languedoc Ze Rozé 2009

Rosé | 2010 à 2011 | 8,25 € **15/20**

Rosé de teinte saumon argenté avec une finale fraîche, épicée et gourmande. Délicat, c'est un charmeur.

LES DOMAINES PAUL MAS

Route de Villeveyrac • 34530 Montagnac
Tél. 04 67 90 16 10 • Fax : 04 67 98 00 60
info@paulmas.com • www.paulmas.com
Visite : Sur rendez-vous uniquement.

Les domaines Paul Mas sont implantés autour de Pézenas et de Limoux. Ils produisent une large gamme d'Aoc et de vins de pays du Languedoc et du Roussillon, essentiellement destinée à l'export. La production des domaines est complétée par des achats de raisin et nous aimerions voir plus souvent des négociants de ce type, capables de fournir à l'amateur de très jolis vins à un prix raisonnable.

Coteaux du Languedoc
Château Paul Mas « Clos des Mûres » 2008

Rouge | 2010 à 2014 | 10,50 € **15/20**

Vinifié avec des rendements faibles, le vin montre une grande densité de texture, avec une puissance maîtrisée.

Vin de pays d'Oc
Arrogant Frog Ribet Pink 2008

Rosé | 2010 à 2010 | 5 € **14/20**

On trouve ici un peu de la quintessence du style Paul Mas. Accessible en prix, simple mais pas simpliste, gourmand mais sans vulgarité, soutenu mais frais, ce rosé a un charme fou.

Vin de pays d'Oc Arrogant Frog Ribet Red, cabernet-sauvignon - merlot 2009

Rouge | 2010 à 2012 | 5 € **14/20**

Vin fait pour plaire, où le cabernet-sauvignon et le merlot se sont épanouis sous le soleil du sud.

Vin de pays d'Oc dA carignan
Vieilles Vignes 2009

Rouge | 2010 à 2012 | 6,50 € **13/20**

Carignan très net, puissant mais avec l'acidité naturelle du cépage qui lui donne sa fraîcheur bienvenue.

Vin de pays d'Oc dA Chardonnay 2009

Blanc | 2010 à 2011 | 6,50 € **15/20**

Simplement délicieux. Sans boisé, le chardonnay semble aérien et fin, avec la pointe d'acidité qui doit être son signe de reconnaissance. On ne le mettra pas en cave pour le mariage du petit dernier. Il donne tout, tout de suite et avec panache.

Vin de pays d'Oc Paul Mas merlot 2009

Rouge | 2010 à 2012 | 4,15 € **14/20**

Merlot opulent et fruité, dominé pour l'instant par un boisé généreux. La fraîcheur est conservée.

Vin de pays d'Oc Vignes de Nicole
cabernet-sauvignon - syrah 2009

Rouge | 2010 à 2015 | 6,95 € **15/20**

Grand classique bordelais datant de l'époque où on hermitageait certains médocs avec des cuvées de syrah. Très plein, impressionnant de densité, ce vin de pays en trompera plus d'un...

CHÂTEAU DE PECH-REDON

Route de Gruissan • 11100 Narbonne
Tél. 04 68 90 41 22 • Fax : 04 68 65 11 48
chateaupechredon@wanadoo.fr • www.pech-redon.fr
Visite : Du lundi au samedi, de 9h à 12h et de 14h à 19h .Ferme le dimanche

L'actualité du domaine est difficile. Installé sur les hauteurs de Gruissan, à deux pas de la Méditerranée, pour produire des vins frais, Pech-Redon réalise de longue date les meilleurs vins du secteur de La Clape, l'un des plus intéressants des Coteaux du Languedoc. Des malfaisants ont vidé l'intégralité des cuves de 2009 sauf une. Convoitise de la promotion immobilière omniprésente, jalousie... ce méfait avait probablement pour but de ruiner le

président de La Clape. La solidarité vigneronne a amené presque tous les producteurs du massif à lui donner quelques hectolitres de leur meilleure production pour passer cette épreuve. La production de la seule cuve de 2009 épargnée sera vendue aux enchères. En acquérir une ou deux bouteilles est la seule réponse à ceux qui agissent en mafieux.

COTEAUX DU LANGUEDOC -
LA CLAPE L'ÉPERVIER 2007
Rouge | 2010 à 2014 | 9,50 € **17/20**
Toute la gourmandise de La Clape dans une cuvée racée en diable, infiniment gourmande, thym, romarin. La salinité est remarquable.

COTEAUX DU LANGUEDOC -
LA CLAPE L'ÉPERVIER 2009
Rosé | 2010 à 2012 | 8 € **14,5/20**
Rosé gourmand, fruité, avec une tenue remarquable en finale.

COTEAUX DU LANGUEDOC -
LA CLAPE LA CENTAURÉE 2008
Rouge | 2010 à 2015 | env 16 € **16/20**
Cette cuvée est mûre dans le millésime, avec une pointe de sucrosité. La finale est gourmande, très fruitée, racée.

COTEAUX DU LANGUEDOC -
LA CLAPE LES RESTES 2009
Rouge | 2010 à 2015 | 10 € **15/20**
Le secteur frais de La Clape se retrouve dans ce vin digeste, léger et aérien, porté par une trame acide soutenue. Cette cuvée représente tout ce qu'il reste après le vandalisme subi par le domaine sur son 2009. En acquérir quelques bouteilles sera un acte citoyen !

LA PÈIRA

22, rue du Portail • 34725 Saint-Saturnin-de-Lucian
Tél. 04 99 06 95 10
dejerpierre@yahoo.com • www.la-peira.com
Visite : Sur rendez-vous au 04 67 44 79 48.

COTEAUX DU LANGUEDOC - TERRASSES DU LARZAC
LA PÈIRA 2007
Rouge | 2010 à 2015 | NC **13,5/20**
Cette cuvée réalisée dans un style opulent et crémeux s'achève sur des notes de feuilles de havane et une pointe fraîche.

COTEAUX DU LANGUEDOC - TERRASSES DU LARZAC
OBRIERS DE LA PÈIRA 2007
Rouge | 2010 à 2013 | 10 € **14/20**
L'acidité de cette cuvée très généreuse lui donne une dynamique par rapport au reste de la production qui boxe en catégorie poids lourds. Cette fraîcheur est bienvenue.

DOMAINE DU PETIT CAUSSE

De la Sallèle • 34210 Félines-Minervois
Tél. 04 68 91 66 12 • Fax : 04 68 91 66 12
chabbert-philippe@orange.fr
www.domaine-du-petit-causse.leminervois.com
Visite : Du lundi au vendredi de 11h30 à 13h30 et de 17h à 19h.

Ce domaine est situé à Félines-Minervois dans la zone du Petit Causse, dont le domaine a emprunté le nom. La famille Chabbert sort progressivement le domaine de la coopération. Elle présente des vins au fruité savoureux, empreints de naturel et d'une grande buvabilité, qui conjuguent raffinement et simplicité. La cuvée Andréa apporte un supplément de finesse à une gamme qui ne manque pas de gourmandise, dès le rosé.

MINERVOIS 2008
Rouge | 2010 à 2012 | 5,50 € **14,5/20**
Toujours très friande, cette entrée de gamme ravira les amateurs en quête d'un minervois sincère bien qu'il soit bâti pour le plaisir.

MINERVOIS GRIOTTE DE VENTAJOUX 2008
Rouge | 2010 à 2014 | 7,50 € **15,5/20**
Le marbre noir de Félines est appelé la griotte à cause de ses incrustations rouges en forme de cerise. La cuvée se remarque toujours par ses fruits rouges dans un style gourmand.

MINERVOIS-LA-LIVINIÈRE ANDRÉA 2008
Rouge | 2010 à 2015 | 11,50 € **15,5/20**
La cuvée porte le nom de la grand-mère qui possédait les vignes. On perçoit un fruité rouge magnifique et la qualité des tanins est au rendez-vous. Le boisé soutient l'ensemble sans le dominer.

MINERVOIS-LA-LIVINIÈRE ANDRÉA 2007
Rouge | 2010 à 2013 | 11,50 € **15/20**
La prise de bois forte du début de cette cuvée a été digérée par la matière. Si le fruit est en retrait par rapport au 2008, ce 2007 est à boire dès maintenant pour le plaisir.

VIN DE PAYS DE L'AUDE
LO ROSAT DE SYRAH 2009

Rosé | 2010 à 2011 | 4 € **14,5/20**

Rosé de personnalité. Sa couleur donne le ton, il est gras, équilibré, frais et aromatique. Le volume est réjouissant. L'apéritif lui conviendra mais il ne reculera pas devant une grillade.

DOMAINE PEYRE ROSE

34230 Saint-Pargoire
Tél. 04 67 98 75 50 • Fax : 04 67 98 71 88
peyrerose@orange.fr
Visite : Sur rendez-vous.

Marlène Soria a abandonné en 1983 une première carrière dans l'immobilier, pour planter les zones de garrigue qu'elle défrichait. Aujourd'hui, son exploitation, perdue au bout d'un chemin introuvable, est conduite en agriculture biologique. Marlène produit deux cuvées de rouge à dominante de syrah, le Clos-des-Cistes et Syrah-Léone. Les-Cistes proviennent de la partie la plus haute du domaine, installée sur des sols caillouteux très durs. Cette cuvée porte plus d'acidité que Syrah-Léone, installée sur des roches plus friables et facilement traversées par l'eau. Une nouvelle cuvée, Marlène-n°3, a vu le jour en 2003. Nous avons regoûté les trois cuvées de 2003, ce millésime apporte une note sèche qui peut surprendre au nez et à l'attaque. Il faut comprendre ces vins de Marlène sur la finale, avec une suavité sans équivalent. Il faut également parler du blanc, réalisé à partir de rolle, de roussanne et de viognier, qui joue lui aussi dans un registre hors norme. Il ravira les amateurs de vins de voile, dont nous sommes.

COTEAUX DU LANGUEDOC CLOS DES CISTES 2003

Rouge | 2010 à 2018 | 54 € **16,5/20**

2003 évolue ici vers des notes légèrement sèches avec une pointe de confiture de figue. Les tanins, typiques du millésime, se fondront-ils ? La fin de bouche est unique dans sa texture.

COTEAUX DU LANGUEDOC MARLÈNE N°3 2003

Rouge | 2011 à 2017 | 54 € **16/20**

Un vin hors du temps, profond et dense, avec des tanins marqués par le millésime. Ils demanderont de la patience pour se gommer mais le potentiel est là. En finale, cuir et épices douces, avec une note sèche qui étonne mais la texture est superbe de suavité.

COTEAUX DU LANGUEDOC ORO 1997

Blanc | 2010 à 2017 | 44 € **19/20**

Ceux qui n'apprécient pas les vins de voile passeront leur chemin. Les amateurs des grands jaunes du Jura et des meilleurs finos andalous subiront un choc gustatif avec ce blanc 1997.

COTEAUX DU LANGUEDOC ORO 1996

Blanc | 2010 à 2019 | 42 € **17/20**

À mi-chemin entre un blanc sec du Languedoc et un grand fino de Jerez, ce 1996 est réservé aux amateurs de grands oxydatifs, c'est absolument délicieux.

COTEAUX DU LANGUEDOC ORO 1995

Blanc | 2010 à 2019 | 43 € **16,5/20**

L'attaque aromatique sur les fruits confits et la noix est absolument remarquable, tenue par une pointe d'oxydation. La structure désarçonnera ceux qui aiment classer les vins par type ou par similitude.

COTEAUX DU LANGUEDOC SYRAH LÉONE 2003

Rouge | 2010 à 2013 | 54 € **17,5/20**

Intensément aromatique, de grande profondeur, ce 2003 est marqué par le millésime. Cette cuvée porte une pointe de menthol qui lui donne un avantage par rapport à ses deux consœurs.

DOMAINE DE PEYRONNET

9, avenue de la Libération • 34110 Frontignan
Tél. 04 67 48 34 13 • Fax : 04 67 48 14 42
caves.favuer@wanadoo.fr
www.domainepeyronnet.com
Visite : lundi samedi 9h-12h et 14h-19h

VIN DE PAYS D'OC ÉTOILE D'AUTOMNE 2006

Blanc Liquoreux | 2010 à 2015 | 12,80 € **16/20**

Pêche, fruits jaunes très mûrs, une matière onctueuse, très élégante. Voici une belle cuvée de blanc liquoreux, un produit rare dans le Sud.

DOMAINE PICCININI

23, route des Meulières • 34210 La Livinière
Tél. 04 68 91 44 32 • Fax : 04 68 91 58 65
domainepiccinini@orange.fr
Visite : Sur rendez-vous.

Vin de pays d'Oc Helius Petri cabernet franc 2008

Rouge | 2011 à 2015 | 5,80 € **14/20**

Agréable cabernet franc avec un très beau volume de bouche. La finale a besoin d'un peu de patience.

MAS PLAN DE L'OM

Chemin de la Charité
34700 Saint-Jean-de-la-Blaquière
Tél. 04 67 10 91 25 • Fax : 04 67 10 91 25
plan-de-lom@wanadoo.fr • www.plan-de-lom.net
Visite : Sur rendez-vous.

Les vins du Mas Plan de l'Om ne sont pas réalisés pour décrocher des médailles, mais simplement pour être bus. Et nous nous surprenons souvent dans notre cave à rechercher ces vins quand nous avons envie d'une boisson sans esbroufe, tout simplement naturelle et sincère, afin de la partager en bonne compagnie. Le domaine vient d'être repris par l'ancien propriétaire du Domaine Mortiès.

Coteaux du Languedoc Œillade 2008

Rouge | 2010 à 2013 | 8 € **14,5/20**

Nouveau millésime, nouveau style mais même buvabilité. L'ensemble est assez dense, gourmand, facile à boire.

Coteaux du Languedoc Paysage 2008

Rouge | 2010 à 2013 | 10 € **14/20**

Avec une dominante de carignan, Paysage a un grain de tanin moins fin que l'Œillade mais plus de densité et de volume en bouche. Une belle cuvée.

Coteaux du Languedoc Roucan 2007

Rouge | 2010 à 2015 | 16 € **14,5/20**

Réalisé à partir de syrah, intensément fruité et profond en saveurs, ce vin structuré montre beaucoup de charme.

DOMAINE DU POUJOL

34570 Vailhauques
Tél. 04 67 84 47 57
cripps.poujol@free.fr • www.domainedupoujol.com
Visite : Sur rendez-vous.

Le Domaine du Poujol est situé au nord-ouest de Montpellier. Robert Cripps avait travaillé dans le négoce londonien du vin avant de se former à la vinification chez Carneros Creek puis dans d'autres wineries californiennes. Kim, de son côté, s'occupait de la gestion des vignobles de Beringer et de Seagram. Ils ont pris la décision de venir s'implanter en France et ont arrêté le choix du Languedoc, après un passage chez Méo-Camuzet en Bourgogne pour parfaire leur style. Ils proposent un ensemble réussi de vins-de-pays et de coteaux-du-languedoc. Nous avons vu cette année des cuvées récoltées parfois avec une maturité un peu juste.

Coteaux du Languedoc Jazz 2009

Rouge | 2010 à 2013 | 7 € **14,5/20**

Frais, ce millésime voit cohabiter une note végétale avec un fruité mûr. Il sera à l'aise sur une grillade de bœuf.

DOMAINE LA PRADE MARI

34210 Aigne
Tél. 04 68 91 22 45 • Fax : 04 68 91 22 45
domainelaprademari@wanadoo.fr
www.laprademari.com
Visite : Sur rendez-vous.

Éric Mari a repris les vignes familiales en 2001 dans le secteur chaud des Mourels, près de la cité de Minerve. Amoureux de ses vignes, ce jeune viticulteur avisé réalise deux cuvées : Le-Conte-des-Garrigues et Gourmandise-des-Bois, élevée en barriques neuves ou d'un an.

Minervois Conte des Garrigues 2007

Rouge | 2010 à 2013 | 10 € **15/20**

L'échantillon n'est pas encore en place avec une prise de bois forte mais la qualité des tanins est là, dans un équilibre d'ensemble très abouti.

Minervois Gourmandise des Bois 2008

Rouge | 2010 à 2012 | 16 € **15/20**

L'échantillon présenté montrait une pointe d'évent qui ne se retrouvera pas à la mise. Une cuvée à goûter dès qu'elle sera disponible, la matière est riche et onctueuse, dans un style mûr.

DOMAINE PREIGNES LE NEUF

Route de Béziers • 34450 Vias
Tél. 04 67 21 51 48 ou 06 19 71 44 06
Fax : 04 13 33 50 76
contact@preignesleneuf.com
www.preignesleneuf.com
Visite : en été, tous les jours, de 8h à 19h ; en hiver, en semaine, de 8h à 17h.

Vin de pays des Coteaux du Libron chardonnay Prestige 2009

Blanc | 2010 à 2011 | 5 € — 13/20

Chardonnay sudiste qui a su garder de la fraîcheur. Aromatique, il sera un agréable vin d'apéritif sous la tonnelle.

CHÂTEAU PRIEURÉ BORDE-ROUGE

Domaine de Borde-Rouge • 11220 Lagrasse
Tél. 05 34 40 59 20 • Fax : 05 34 40 59 21
contact@borde-rouge.com • www.borde-rouge.com
Visite : Sur rendez-vous.

Corbières Carminal 2008

Rouge | 2010 à 2013 | 7,80 € — 14/20

Avec plus de fraîcheur que 2007, le 2008 lui ressemble dans son expression aromatique d'herbes sèches, de thym et d'anis.

Corbières Carminal 2007

Rouge | 2010 à 2012 | 7,80 € — 14/20

Vin fruité réalisé dans un style mûr, floral et épicé. À boire avec une viande rouge à la trame dense, un faux-filet grillé, par exemple.

Corbières Rubellis 2009 ☺

Rouge | 2010 à 2012 | 5,50 € — 14/20

Joli vin de fruit à l'attaque mûre. La finale est florale et délicate.

CHÂTEAU PRIEURÉ DE BUBAS

11700 Comigne
Tél. 04 68 79 18 48 • Fax : 04 68 79 18 55
odr01@wanadoo.fr
Visite : Ouvert du lundi au dimanche de 9h à 20h.

Corbières Clos Bubas 2007

Rouge | 2010 à 2014 | 16 € — 15,5/20

Rouge étonnant, aux notes salines en bouche et aux senteurs de garrigue. Les tanins sont fins et l'ensemble est mûr, épicé avec une pointe d'amertume délicate.

DOMAINE DE LA PROSE

Domaine de la Prose • 34570 Pignan
Tél. 04 67 03 08 30 • Fax : 04 67 03 48 70
domaine-de-la-prose@wanadoo.fr • www.laprose.com
Visite : Du lundi au samedi de 9h à 12h et de 15h à 19h

Saint-Georges d'Orques, aux portes de Montpellier, bénéficie d'une fraîcheur particulière. Bien que le Domaine de la Prose emprunte son nom à un lieu-dit plutôt qu'à la littérature, il produit néanmoins des vins de civilisation. Il réalise sur cette zone, ainsi que sur le secteur des Grès de Montpellier, une gamme de vins dépouillés d'artifices inutiles, et tous d'une grande pureté.

Coteaux du Languedoc Grande Cuvée Saint-Georges 2007

Rouge | 2010 à 2013 | 22 € — 14/20

La matière première est de grande qualité avec un élevage qui ne l'a pas vraiment respectée. La Prose est pourtant l'un des meilleurs producteurs du secteur, il est regrettable que les fournisseurs de bois ne le servent pas mieux.

Coteaux du Languedoc Les Cadières 2009

Blanc | 2010 à 2013 | 8,50 € — 15,5/20

La palme de la fraîcheur des blancs du Languedoc en 2009. Toujours un bel amer étiré, profond et long. En magnum, « des fois qu'on vienne à manquer » pour reprendre l'expression de Lino Ventura dans « Ne nous fâchons pas ».

Coteaux du Languedoc Les Embruns 2009 ☺

Rouge | 2010 à 2014 | 13 € — 17/20

Cette cuvée Les-Embruns a très bien réussi son millésime. La fraîcheur est omniprésente dans la dégustation avec en finale de jolies notes salines. La complexité de cette ravissante cuvée est étonnante.

CHÂTEAU PUECH-HAUT

2250, route de Teyran • 34160 Saint-Drézéry
Tél. 04 99 62 27 27 • Fax : 04 99 62 27 29
chateau.puech-haut@wanadoo.fr
www.chateau-puech-haut.com
Visite : Du lundi au samedi, de 10h à 12h et de 14h à 18h.

Nous n'avons pas été jusqu'à présent enthousiasmés par la production de ce domaine pourtant de renom, qui met en avant des œnologues vedettes. Force est de constater une évolution cette année. Il ne faut pas retenir systématiquement le haut de gamme mais les intermédiaires, bien mieux élevés. Espérons

que le domaine fasse des économies sur ses achats de barriques neuves, tout le reste de la vigne à l'entrée du chai semble en place. À suivre...

Coteaux du Languedoc Prestige 2009
Rosé | 2010 à 2010 | 9,10 € **14/20**
Si la production de rouges de ce domaine réputé nous semble orientée vers la recherche de matières très denses et surboisées, ce joli rosé gourmand joue dans un autre registre, avec des notes orangées raffinées, et une finale délicate.

Coteaux du Languedoc Prestige 2008
Blanc | 2010 à 2012 | 15,50 € **15/20**
Grande surprise, les blancs de Puech-Haut amorcent une tendance vers le respect d'une matière ramassée à juste maturité. La fin de bouche, verveine et fleurs blanches, est exquise et assez fraîche.

Coteaux du Languedoc Tête de Bélier 2007
Rouge | 2010 à 2015 | NC **15/20**
Cette cuvée est onctueuse, tendue et bien élevée, sans boisé ostentatoire, elle montre un fruité mûr, très mûr mais agréable. Les tanins tiennent la finale, cette inflexion de style de la cuvée est la bienvenue.

DOMAINE RAVAILLE

Ermitage du Pic-Saint-Loup • 34270 Cazevieille
Tél. 04 67 55 20 15 • Fax : 04 67 55 23 49
ermitagepic@free.fr • www.ermitagepic.fr
Visite : De 9h à 12h et de 14h à 18h du lundi au samedi.

Coteaux du Languedoc Ermitage du Pic Saint Loup 2008
Rouge | 2010 à 2014 | 9 € **14/20**
Cuvée en puissance, avec un élevage encore marqué et, en bouche, une finale dense, portée par l'acidité mais suave.

Coteaux du Languedoc Saint-Agnès 2008
Rouge | 2010 à 2014 | 14 € **14,5/20**
Avec une acidité marquée, cette cuvée est suave et onctueuse. La finale épicée fera un bel accord avec un tajine aux pruneaux.

Coteaux du Languedoc Saint-Agnès 2008
Blanc | 2010 à 2013 | 12 € **14/20**
Avec une acidité puissante, cette cuvée aromatique et volumineuse en bouche sera le compagnon idéal d'un poisson en sauce de belle origine.

LA RÉSERVE D'O

Rue du Château • 34150 Arboras
Tél. 06 76 04 03 88
contact@lareservedo.fr • www.lareservedo.fr
Visite : Sur rendez-vous

La Réserve d'O est un domaine d'Arboras sur les hauteurs des Terrasses du Larzac. Les vins de la cuvée qui porte le nom du domaine sont réalisés dans un style très gourmand. Une cuvée sans soufre, la Sanssoo, sert admirablement 2009. C'est un exercice à haut risque mais la netteté aromatique du vin était irréprochable au printemps 2010, lors de notre dégustation.

Coteaux du Languedoc - Saint-Saturnin Sanssoo 2009
Rouge | 2010 à 2012 | 9,90 € **15/20**
Vinifié sans protection en soufre ajouté, ce vin est gourmand de fruit, élégant, avec des tanins raffinés. Il conviendra de le protéger et de ne pas lui faire subir de températures élevées au transport et au stockage pour éviter toute déviation aromatique.

Coteaux du Languedoc - Terrasses du Larzac 2008
Rouge | 2010 à 2014 | 11,40 € **14,5/20**
Fruité noir et matière dense sont les caractéristiques aromatiques de cette agréable cuvée qui vieillira bien. Un civet de lièvre ne lui fera pas peur, elle le relèvera de sa fraîcheur.

Coteaux du Languedoc - Terrasses du Larzac 2006
Rouge | 2009 à 2014 | NC **14,5/20**
2006 donne à cette cuvée un relief très différent. Une pointe d'acidité maintient cette cuvée qui ne montre pas de signes marquées d'évolution. Les poivres sont très présents en finale, notamment les poivres blancs.

Coteaux du Languedoc - Terrasses du Larzac O 2006
Rouge | 2010 à 2014 | 18 € **14,5/20**
2006 donne à cette bouteille un relief très différent. Une pointe d'acidité maintient cette cuvée qui ne montre pas de signes marqués d'évolution. Les poivres sont très présents en finale, notamment les poivres blancs.

CHÂTEAU RICARDELLE

Route de Gruissan • 11100 Narbonne
Tél. 04 68 65 21 00 • Fax : 04 68 32 58 36
ricardelle@wanadoo.fr • www.chateau-ricardelle.com
Visite : de 9h à 19h tous les jours

L'histoire viticole est ici ancienne, la qualité l'est moins. Elle ne date que d'une vingtaine d'années, quand Bruno Pellegrini a acquis le domaine. Si les élevages sont parfois un peu marqués, les cuvées possèdent ce charme particulier des bons vins du secteur de La Clape.

Coteaux du Languedoc Blason 2008
Rouge | 2010 à 2014 | 15 € **15/20**

Blason assemble la syrah, le grenache et le carignan. L'ensemble est bien mûr en 2008, avec un boisé qui a besoin de se fondre.

Coteaux du Languedoc Closablières 2008
Rouge | 2010 à 2014 | 11 € **14/20**

Jolie cuvée avec de la tenue en bouche, une bonne acidité et une longueur savoureuse.

Coteaux du Languedoc cuvée Juliette 2008
Rouge | 2010 à 2014 | 25 € **15/20**

La qualité du jus est remarquable en 2008, avec un boisé encore marqué. La fin de bouche, réglisse forte et épices, est gourmande.

Vin de pays d'Oc Alencades 2008
Rouge | 2010 à 2012 | 7,50 € **15/20**

Alencades est un vin de pays inspiré des atlantiques merlots et cabernets mâtinés de marselan, un hybride de grenache et de... cabernet-sauvignon, toujours lui. Ce rouge est fruité, avec une texture tannique présente et une finale fraîche.

CAVES RICHEMER

1, rue du Progrès • 34340 Marseillan
Tél. 04 67 77 20 16 • Fax : 04 67 77 62 50
contact@richemer.fr

Vin de pays des Côtes de Thau Terre Mer 2009
Blanc | 2010 à 2011 | 4,80 € **12,5/20**

Ce blanc à base de terret, un cépage aux multiples couleurs, est aromatique, assez puissant et légèrement salin. Il conviendra bien aux plateaux de fruits de mer où sa salinité, son amertume et son acidité joueront avec l'iode des coquillages.

DOMAINE RIMBERT

Place de l'Aire • 34360 Berlou
Tél. 04 67 89 74 66 • Fax : 04 67 89 73 98
domaine.rimbert@wanadoo.fr
www.domainerimbert.com
Visite : Sur rendez-vous.

Jean-Marie Rimbert s'est installé en 1994 sur Saint-Chinian. C'est l'un des viticulteurs qui révèlent le mieux ce terroir méconnu des schistes de Berlou. El-Carignator montre l'intérêt des carignans, qui trouvent de l'acidité sur ces sols. Les cuvées Travers-de-Marceau, Mas-au-Schiste et Berlou sont un hymne à cette roche qui colore tous les vins de notes de vieille rose. L'artiste connaît des hauts et des bas. A leur meilleur, les saint-chinians peuvent montrer des arômes d'une délicatesse étonnante.

El Carignator 2007
Rouge | 2010 à 2014 | 15 € **14/20**

Cette cuvée en vin de table porte désormais un millésime. C'est l'une des belles expressions du cépagne carignan dans un style puissant, gourmand et frais, fraise Mara des bois et airelles.

Saint-Chinian Berlou 2006
Rouge | 2010 à 2012 | 13 € **14,5/20**

Berlou est un cru au sein de l'aire d'appellation Saint-Chinian. Situé sur les schistes, il produit un vin aux tanins fins, fruité et très aromatique.

Saint-Chinian Les Travers de Marceau 2008
Rouge | 2010 à 2013 | 6,50 € **14/20**

2008 est frais et fruité, dans un ensemble moins charnu que les millésimes précédents, plus en longueur.

CHÂTEAU RIVES BLANQUES

Domaine Rives-Blanques • 11300 Cépie
Tél. 04 68 31 43 20 • Fax : 04 68 31 43 20
rives-blanques@wanadoo.fr
www.rives-blanques.com
Visite : Sur rendez-vous

Après une première vie dans la finance, les Panman, Hollandais d'origine mais qui ont longtemps habité en Irlande, ont fini par s'installer à Cépie, dans la zone du limoux. Ils sont aidés par Éric Vialade qui veille sur la propriété. Les élevages, qui étaient souvent marqués par le passé, ont été revus à un niveau beaucoup plus juste. On dégage ainsi une fraîcheur de fruit bienvenue.

Limoux cuvée de l'Odyssée 2008
Blanc | 2010 à 2015 | 8,95 € **15,5/20**
Blanc fin, racé, droit et très long, la finale est complexe : fruits exotiques mûrs et acidité soutenue. L'élevage a besoin de se fondre.

Limoux cuvée Occitania 2008
Blanc | 2010 à 2012 | 8,95 € **15,5/20**
Limoux avec une acidité épurée, long et fin. La finale est soutenue par une pointe d'amertume présente.

Limoux La Trilogie 2008
Blanc | 2010 à 2015 | 15,50 € **14,5/20**
Matière étonnante d'intensité, un peu marquée par le bois mais l'ensemble est de qualité.

Vin de pays d'Oc chardonnay - chenin 2009
Blanc | 2010 à 2011 | 4,80 € **15/20**
Blanc racé, avec une finale où s'étirent de beaux amers de pamplemousse et d'agrumes.

DOMAINES ROBERT VIC

Domaine Preignes le Vieux • 34490 Vias
Tél. 04 67 21 67 82
jeromevic@preignes.com • www.preignes.com
Visite : Du lundi au vendredi de 8h à 18h.

Vin de pays des Coteaux du Libron Alicante 2009
Rouge | 2010 à 2014 | 6 € **13/20**
Certes, l'alicante n'est pas le cépage le plus fin qui soit mais bien traité, il parvient à communiquer une rondeur gourmande avec une fraîcheur soutenue. La couleur est également soutenue, nous n'en attendions pas moins de ce cépage teinturier qui, pourchassé depuis des lustres, est aujourd'hui une rareté, un témoin du passé languedocien.

CHÂTEAU DU ROC

Château du Roc • 11700 Montbrun-des-Corbières
Tél. 04 68 32 84 84 • Fax : 04 68 32 84 85
jacques.bacoux@sfr.fr • www.chateau-roc.com
Visite : ouvert du lundi au dimanche de 8h a 12h et de 14h à 18h

Corbières 2008
Rouge | 2010 à 2013 | 4,50 € **14,5/20**
Dans un style très mûr, avec une résonance plus méditerranéenne qu'en provenance des Hautes-Corbières, cette cuvée ne manque pas de charme.

Corbières Excelsius 2008
Rouge | 2011 à 2013 | 11 € **14/20**
Plus enlevée que la cuvée de base, nous avouons une petite préférence pour cette dernière, plus accessible qu'Excelsius qu'il conviendra d'attendre.

DOMAINE DE LA ROCHELIERRE

17, rue du Vigné • 11510 Fitou
Tél. 04 68 45 70 52 • Fax : 04 68 45 70 52
lapointrochelierre@orange.fr
Visite : Horaire d'été tous les jours de 9h à 12h et de 14h à 19h.
Horaire d'hiver de 14h à 18h ou sur rendez-vous.

Fitou Noblesse du Temps 2008
Rouge | 2010 à 2014 | 18 € **15/20**
Belle matière, intense et complexe avec une finale épicée et fraîche. Le boisé a besoin de se fondre un peu.

Muscat de Rivesaltes 2009
Blanc Doux | 2010 à 2011 | 8,50 € **14/20**
Floral, fruité, porté par les agrumes, ce muscat est long et gourmand. Une tarte aux abricots et à la pistache sera le grand accord.

CHÂTEAU DE ROMILHAC

Chemin des Geyssières • 11100 Narbonne
Tél. 04 68 41 59 67 • Fax : 04 68 41 59 67
chateau-de-romilhac@wanadoo.fr
www.chateau-romilhac.com
Visite : Sur rendez-vous.

Élie Bouvier, après une première carrière dans l'agro-alimentaire, a repris en 1992 cette propriété à l'abandon. Après des replantations importantes, il a réalisé de gros investissements et dispose aujourd'hui d'installations de vinification performantes. Il réalise une gamme agréable à boire.

Corbières Les Terrasses 2007
Rouge | 2010 à 2011 | 11,50 € **13,5/20**
2007 est déjà un peu évolué, à boire, avec des notes aromatiques de poivre et de girofle.

Corbières Rapsodie 2007
Rouge | 2010 à 2011 | 11,50 € **14,5/20**
Le vin a bien évolué par rapport à l'échantillon présenté l'an passé. Fruits noirs, épices douces, fraîcheur, c'est une belle cuvée de grande gourmandise.

Vin de pays des Coteaux de Narbonne
Ma Préférence 2009
Blanc | 2010 à 2010 | 6 € **13/20**
Voici un joli blanc de soif, sans autre prétention que de rafraîchir la bouche de sa touche citron et pamplemousse.

Vin de pays des Coteaux de Narbonne
Sarah 2007
Rouge | 2010 à 2011 | 8 € **13,5/20**
Ce vin de pays assez vineux a bien évolué. Épicé, avec des notes de poivre et de cuir, il est facile à boire.

DOMAINE DE ROQUE-SESTIÈRE

8, rue des Étangs • 11200 Luc-sur-Orbieu
Tél. 04 68 27 18 00 • Fax : 04 68 27 04 18
roque.sestiere@wanadoo.fr
Visite : De 10h à 18h.

Le domaine produit beaucoup de blancs, dans une appellation tournée à près de 98 % vers les rouges et vers quelques rosés. Pour s'y retrouver dans la gamme, il suffit de savoir que la cuvée Carte-Noire concerne les blancs et que la cuvée Carte-Blanche concerne des rouges. La constance qualitative du domaine est la marque des bonnes adresses, dans les trois couleurs. Roland Lagarde va bientôt se retirer et laisse un bel outil à celui qui prendra la suite.

Corbières 2009
Rosé | 2010 à 2011 | 4,50 € **15/20**
Rosé aussi intense en couleur qu'en arômes, très fruits rouges. Tendre en bouche, onctueux, il sera parfait dès l'apéritif mais sa vraie place est à table.

Corbières A l'Orée des Pins 2007
Rouge | 2010 à 2013 | 5 € **15,5/20**
Nous ne connaissions pas cette cuvée, qui a trouvé en 2008 un charnu rare dans le millésime. Très habilement vinifiée, en puissance, la longueur est étonnante. A ce prix...

Corbières Carte Blanche 2007
Rouge | 2010 à 2013 | 8 € **15/20**
Les tanins de ce vin charnu et solaire sont très ronds et accompagnent une matière de qualité. La finale épicée termine fraîche.

Corbières Carte Noire 2009
Blanc | 2010 à 2013 | 5 € **14/20**
Grasse en bouche, longue, avec une finale pamplemousse et citron, cette cuvée est à boire. Elle peut aussi attendre pour satisfaire ceux qui apprécient les corbières blancs un peu évolués, ces vins peuvent étonner en gastronomie.

Corbières Vieilles Vignes 2009
Blanc | 2010 à 2012 | 6,50 € **14/20**
Ce blanc est une référence dans l'appellation, avec une fraîcheur et une longueur étonnantes sur la mandarine et le pamplemousse.

DOMAINE DE ROQUEMALE

25, route de Clermont • 34560 Villeveyrac
Tél. 04 67 78 24 10 • Fax : 04 67 78 24 10
contact@roquemale.com • www.roquemale.com
Visite : mardi au samedi de 10h à 12h et de 16h à 19h

Coteaux du Languedoc - Grès de Montpellier
Mâle 2008
Rouge | 2010 à 2015 | 18 € **14/20**
Voici un rouge construit sur la puissance avec un élevage de qualité. Fruits noirs intenses au nez et en finale.

CLOS DES ROQUES

Chemin du Tribi • 34210 Cesseras
Tél. 04 68 91 28 70 • Fax : 04 68 91 16 72
closdesroques@free.fr • www.closdesroques.fr
Visite : Sur rendez-vous.

Minervois-La-Livinière Mal Pas 2007
Rouge | 2010 à 2013 | 16 € **15,5/20**
Belle cuvée de la-livinière, très nette au nez, longue et dense. Le tanin est ici de qualité, très fin, suave et élégant.

DOMAINE ROSIER

Rue Farman - B.P. 23 • 11300 Limoux
Tél. 04 68 31 48 38 • Fax : 04 68 31 34 16
domaine-rosier@wanadoo.fr

Blanquette de Limoux
Blanc Brut eff. | 2010 à 2012 | 4,50 € **13,5/20**
De la fraîcheur, de jolies notes de pomme verte, un ensemble frais et fruité.

DOMAINE DE ROUDÈNE

Espace des Écoles • 11350 Paziols
Tél. 04 68 45 43 47 • Fax : 04 68 45 43 47
domainederoudene@caramail.com
www.domainederoudene.fr
Visite : Sur rendez-vous pour les groupes. De 9h à 12h30 et de 14h30 à 19h30, sauf dimanche, que le matin jusqu'à 13h .

Fitou Jean de Pila 2007
Rouge | 2010 à 2014 | 6,20 € **14/20**
Fraîcheur, équilibre, jolie texture agréable, tanin rond, bonne buvabilité.

ROUIRE-SÉGUR

12, rue des Fleurs • 11220 Ribaute
Tél. 04 68 27 19 76
Visite : du lundi au samedi sur rendez-vous

Corbières 2009 ☺
Rosé | 2010 à 2010 | 4,50 € **14/20**
Rosé très agréable, avec des notes de pamplemousse et de mandarine. La finale montre une pointe d'amertume et d'acidité qui se complexifient.

CHÂTEAU ROUQUETTE-SUR-MER

Route Bleue • 11100 Narbonne-Plage
Tél. 04 68 65 68 65 • Fax : 04 68 65 68 68
bureau@chateaurouquette.com
www.chateaurouquette.com
Visite : du lundi au dimanche de 10h à 12h et de 15h à 19h

Jacques Boscary a investi dans ce domaine au bord de la mer. Le vignoble bien tenu montre que le secteur de La Clape peut produire de grands vins. Pour preuve, les multiples cuvées du domaine, impeccablement vinifiées, avec cette année un supplément de raffinement pour Henry-Lapierre et Le-Clos-de-la-Tour. L'élégance et la gourmandise ont été visiblement cherchées et trouvées. Un domaine à suivre.

Coteaux du Languedoc Arpège 2009
Blanc | 2010 à 2012 | 8,40 € **15/20**
Blanc de charme, floral, fruité, agrumes. La finale est très fraîche, avec une typicité la-clape apportée par la pointe de salinité.

Coteaux du Languedoc cuvée Henry Lapierre 2008
Rouge | 2010 à 2014 | 18,95 € **17/20**
Cette cuvée légèrement plus fine et plus harmonieuse que l'Esprit-Terroir est marquée par les embruns du secteur de La Clape. Elle ne passe pas inaperçue.

Coteaux du Languedoc L'Absolu 2008
Rouge | 2010 à 2013 | 60 € **16,5/20**
La bouteille en verre épais annonce une lourdeur qu'on ne retrouve pas dans le vin. Les mourvèdres apportent ici une race particulière. La finale est longue, avec un volume de bouche important et un empyreumatique prononcé.

Coteaux du Languedoc L'Esprit Terroir 2009 ☺
Rouge | 2010 à 2012 | 8,40 € **16/20**
Le nez empyreumatique peut gêner ou ravir. En bouche, la matière est magnifique, avec un jus superbe et une finesse de tanin remarquable. Un vin qui a la « gueule » de son terroir salin.

DOMAINE LA ROUVIOLE

34210 Siran
Tél. 04 68 91 42 13 • Fax : 04 68 91 42 13
franck.leonor@wanadoo.fr • www.larouviole.fr
Visite : Du lundi au vendredi de 9h à 12h et de 15h à 19h (téléphoner avant de venir) et le samedi sur rendez-vous.

Franck Léonor a abandonné l'Éducation Nationale pour reprendre le domaine familial situé à Siran, au cœur qualitatif du Minervois. Il exploite une douzaine d'hectares de cette appellation, et les vins sont ici sérieusement construits, dans un style profond et dense. Ils font de l'adresse une valeur sûre.

Minervois Sélection 2006 ☺
Rouge | 2010 à 2012 | 9,50 € **14,5/20**
Avec ses notes de moka, de fumé et de réglisse, ce rouge est le prototype du minervois bien réalisé. La finale est gourmande et fraîche.

Minervois-La-Livinière 2006
Rouge | 2010 à 2015 | 18 € **14,5/20**
Encore marquée par l'élevage, cette cuvée dense montre le sérieux de la maison. Elle est structurée, avec du fond.

DOMAINE DU SACRÉ-CŒUR

34360 Assignan
Tél. 04 67 38 17 97 • Fax : 04 67 38 24 52
gaecsacrecoeur@wanadoo.fr
www.domainedusacrecoeur.com
Visite : du lundi au dimanche

Saint-Chinian Charlotte 2007

Rouge | 2010 à 2012 | env 12 € — 14/20

Florale en 2007, Charlotte est un saint-chinian issu des zones argileuses. Cette cuvée montre un fruité agréable en finale.

DOMAINE SAINT-ANDRIEU

1, chemin d'Aigues-Vives • 34150 Montpeyroux
Tél. 04 67 96 61 37 • Fax : 04 67 96 63 20
giner.charles@wanadoo.fr
www.saintandrieu-boisantin.com
Visite : Sur rendez-vous.

Coteaux du Languedoc - Montpeyroux Les Marnes Bleues 2006

Rouge | 2010 à 2011 | 14,70 € — 13/20

Très aromatique, avec des effluves de cassis dominantes, c'est un vin simple et agréable.

Coteaux du Languedoc Mas Félix 2008

Rouge | 2010 à 2012 | 6,30 € — 13,5/20

Frais, très aromatique, de beaux fruits rouges et un agréable velouté de texture lui confèrent du charme.

Coteaux du Languedoc Saint-Andrieu Vallongue 2007

Rouge | 2010 à 2011 | 7,40 € — 13/20

Rouge fruité, agréable, avec ce qu'il faut de velouté pour arrondir la finale de fruits noirs.

DOMAINE SAINT-AURIOL

Les Domaines Auriol - 12, rue Gustave-Eiffel
11200 Lezignan-Corbières
Tél. 04 68 58 15 15 • Fax : 04 68 58 15 16
info@saint-auriol.com • www.saint-auriol.com
Visite : Sur rendez-vous

Corbières 2009

Blanc | 2010 à 2015 | 8,15 € — 13,5/20

Ce blanc est intéressant pour sa structure, puissant en saveurs sans être d'un style alourdi. Il aura probablement une évolution intéressante en bouteille, comme souvent chez ce vigneron.

Corbières 2009

Rosé | 2010 à 2010 | 5,60 € — 14,5/20

Comme souvent ici, ce rosé ne passe pas inaperçu. De magnifiques arômes de fruits rouges très frais dominent une matière tendue mais onctueuse, très fine.

DOMAINE SAINT-GEORGES D'IBRY

Route d'Espondeilhan • 34290 Abeilhan
Tél. 04 67 39 19 18 • Fax : 04 67 39 07 44
info@saintgeorgesdibry.com
www.saintgeorgesdibry.com
Visite : ouvert du lundi au samedi de 9h à 12h et de 14h a 19h

Michel Cros exploite ce domaine sur Abeilhan, entre Agde et Pézenas. La production se partage entre côtes-de-thongue et vins-de-pays-d'oc. Excellence en blanc et 1860 en rouge sont très aromatiques. On ne peut pas accuser la Cuvée-des-Amis, en rosé, de dilution ou de pâleur. Folle-Sagesse déroutera, comme tous les oxymores. C'est un séducteur.

Vin de pays des Côtes de Thongue cuvée 1860 2008

Rouge | 2010 à 2011 | 14 € — 14,5/20

La matière est superbe, l'élevage un peu marqué noix de coco, mais l'ensemble se remarque par sa suite en bouche.

Vin de pays des Côtes de Thongue cuvée des Amis 2009

Rosé | 2010 à 2011 | 4,70 € — 14/20

Rosé intense, puissant, gourmand. 100 % caractère, 0 % dilution. Ceux qui recherchent un archétype du rosé maigrichon iront voir ailleurs.

Vin de pays des Côtes de Thongue Excellence 2009

Blanc | 2010 à 2010 | 6,10 € — 14,5/20

L'assemblage est réalisé à partir de chardonnay, sauvignon, muscat et viognier. Leur traduction aromatique est pamplemousse et melon. La bouche est de grand volume avec une finale amère-acide élégante. C'est une belle bouteille.

Vin de pays des Côtes de Thongue Folle Sagesse 2009

Blanc Demi-sec | 2010 à 2013 | 13 € — 15,5/20

Étonnant dans le sud de la France, ce vin a gardé une teneur en sucre à l'image d'un demi-sec ligérien. Ce qui étonne le plus est son équilibre remarquable. L'acide et l'amer sont portés par les notes traditionnelles d'agrumes des vins blancs des Côtes de Thongue.

CHÂTEAU SAINT-JACQUES D'ALBAS

Le Bas • 11800 Laure-Minervois
Tél. 04 68 78 24 82 • Fax : 04 68 78 48 08
stjacques.albas@wanadoo.fr
www.chateaustjacques.com
Visite : De 9h à 12h et de 14h à 18h.

Ce domaine, situé à Laure, en plein cœur du Minervois, a été repris récemment, et les nouveaux propriétaires ont investi les moyens nécessaires. L'offre est vaste mais l'entrée de gamme est soignée. Cette année, les vins reviennent dans le clan des très bons représentants de la région.

Minervois Clos de Garric 2008

Rouge | 2010 à 2011 | 4,50 € **14/20**

Minervois très agréable, à base de grenache et de syrah. Un prototype de cuvée sur le fruit frais mais avec une pointe d'épice et de truffe. Un vin sérieux réalisé pour des moments qui ne le seront pas.

Minervois Domaine Saint Jacques d'Albas 2008

Rouge | 2010 à 2012 | 5,80 € **15/20**

Très expressif au nez, fruits rouges frais et fruits évolués, sérieusement construit, la matière de ce vin est suave.

Minervois La Chapelle 2007

Rouge | 2011 à 2013 | 15,50 € **15/20**

L'élevage a besoin de se fondre mais cette cuvée très marquée par la syrah est d'un bel équilibre, dans un style charmeur.

Minervois La Chapelle 2006

Rouge | 2010 à 2012 | 15,50 € **14/20**

La matière est dense, charnue et les tanins se sont fondus dans un ensemble frais, aux arômes d'épices et de laurier.

PRIEURÉ DE SAINT-JEAN DE BÉBIAN

Route de Nizas • 34120 Pézenas
Tél. 04 67 98 13 60 • Fax : 04 67 98 22 24
info@bebian.com • www.bebian.com
Visite : Sur rendez-vous.

Bébian est la rare expression d'un classicisme languedocien à la fois généreux et raffiné, et surtout capable de vieillir harmonieusement. Le blanc, à forte dominante de roussanne, est une cuvée qui compte en Languedoc. La-Chapelle, en blanc, prend son autonomie par rapport à sa grande sœur, certes dans le rôle de la starlette, plus incisive et plus fraîche, mais non sans amateurs. Le domaine vient d'être revendu à des investisseurs, la nouvelle équipe technique ne manque pas de talent.

Coteaux du Languedoc 2008

Rouge | 2010 à 2020 | env 25 € **17/20**

L'échantillon présenté a besoin de terminer son élevage. Tout semble en place et le vin, un grand vin assurément, pourra probablement mériter une note plus élevée après la mise, tant la matière semble belle.

Coteaux du Languedoc 2007

Blanc | 2010 à 2015 | 27 € **16,5/20**

Avec comme souvent plus de concentration mais moins de fraîcheur que 2006, ce 2007 montre un étonnant soyeux en bouche. C'est un vin très raffiné, un grand charmeur !

Coteaux du Languedoc 2007

Rouge | 2010 à 2018 | 26 € **18/20**

Grand vin de grand millésime, 2007 apporte à Bébian une complexité de structure et d'aromatique rares. La finale de très grand volume, épicée et infiniment juteuse, marquera les esprits.

Coteaux du Languedoc La Chapelle de Bébian 2009

Blanc | 2010 à 2011 | 13 € **15/20**

Vif et citronné, avec une pointe minérale qui tend le vin. La finale légèrement amère lui donne une dimension particulière.

Coteaux du Languedoc La Chapelle de Bébian 2007

Rouge | 2010 à 2014 | 12 € **16/20**

Le boisé perturbant signalé l'an passé s'est admirablement fondu. L'aromatique a pris le pas avec un nez assez exceptionnel d'essences de fleurs et de framboises bien mûres qui ne renierait pas une origine bourguignonne. Une pointe de sucrosité marque cette cuvée d'un charme étonnant.

DOMAINE SAINT-JEAN DU NOVICIAT

Mas du Novi - Route de Vilveyrac • 34530 Montagnac
Tél. 04 67 24 07 32 • Fax : 04 67 24 07 32
contact@masdunovi.com • www.masdunovi.com
Visite : Du lundi au dimanche de 10h à 19h.

La famille bordelaise Palu, implantée dans le négoce de bière et de liquides alimentaires en Afrique,

a acquis ce très beau domaine en 1994. Les cuvées vinifiées en cuves sont vendues sous le nom de Saint-Jean-du-Noviciat, rappelant que la propriété était rattachée à l'abbaye de Valmagne toute proche. Si Castapiane, un vin mousseux rouge inspiré du lambrusco italien, intriguera les amateurs, les blancs méritent le détour. En rouge, le milieu de gamme est vendu sous le nom de Mas-du-Novi, et la cuvée Prestigi concentre les meilleures parcelles.

Coteaux du Languedoc
Mas du Novi Prestigi 2007
Rouge | 2010 à 2012 | 10,30 € **15/20**
Prestigi, terme occitan facile à traduire, est une cuvée à dominante de syrah épicée et fruitée, large en dimensions olfactives.

Coteaux du Languedoc N de Novi 2008
Rouge | 2010 à 2014 | env 30 € **16/20**
Goûté brut de cuve l'an passé, ce rouge ressortait nettement au milieu d'une dégustation de grès-de-montpellier. L'élevage a su garder sa finesse native.

Coteaux du Languedoc N de Novi 2007
Rouge | 2011 à 2014 | 18,50 € **15/20**
La matière est belle. Un peu de patience permettra au boisé de s'estomper et de révéler une finale charnue, d'une grande qualité de fruit.

Vin de pays d'Oc Lou Blanc 2009
Blanc | 2010 à 2013 | 9,50 € **14,5/20**
Des notes salines aromatiques font de ce blanc de gastronomie un vin de caractère.

MAS SAINT-LAURENT

34140 Mèze
Tél. 04 67 43 92 30 • Fax : 04 67 43 99 61
massaintlaurent@wanadoo.fr
Visite : Sur rendez-vous.

Picpoul de Pinet 2008
Blanc | 2010 à 2011 | 6 € **14,5/20**
Joli picpoul, assez plein, mûr avec une finale ronde et de bon volume. Une bourriche d'huîtres et rien d'autre.

CHÂTEAU SAINT-MARTIN DE LA GARRIGUE

34530 Montagnac
Tél. 04 67 24 00 40 • Fax : 04 67 24 16 15
contact@stmartingarrigue.com
www.stmartingarrigue.com
Visite : De 8h à 12h et de 13h30 à 17h30.

Ce grand domaine de cent soixante hectares, dont soixante plantés en vignes, appartient à la famille Guida, qui a œuvré dans la grande distribution. Les terroirs exploités, sur les Grès de Montpellier et Picpoul de Pinet, produisent des vins axés sur la fraîcheur et sur le plaisir. 2008 ne montre pas l'exubérance de son prédécesseur mais la cuvée de rouge, au nom du domaine, est remarquable.

Coteaux du Languedoc 2007
Rouge | 2010 à 2014 | 13 € **16/20**
Agréable rouge aux notes salines. Racé, assez plein, avec une finale longue et épicée, c'est une réussite.

Coteaux du Languedoc Bronzinelle 2009
Rouge | 2010 à 2012 | 9 € **13,5/20**
Blanc agréable, dans un style opulent avec des flaveurs de melon, de citron et la pointe de thym qui va bien pour faire couleur locale.

Coteaux du Languedoc Bronzinelle 2009
Blanc | 2010 à 2013 | 9 € **15/20**
Nous ne connaissions pas le blanc de cette cuvée, cette première rencontre nous a séduits. Melon, verveine et romarin, certes, l'élevage a besoin de se fondre mais l'ambition en blanc est là, un archétype du blanc languedocien actuel.

Coteaux du Languedoc Tradition 2009
Rosé | 2010 à 2010 | 6,15 € **13/20**
Rosé vineux et dense, gourmand. Il accompagnera une entrée fraîche et une viande grillée.

Coteaux du Languedoc Tradition 2008
Rouge | 2010 à 2012 | 6,15 € **13,5/20**
Entrée de gamme agréable et facile à boire.

DOMAINE SAINT-PIERRE DE SERJAC

34480 Puissalicon
Tél. 04 68 32 26 61 • Fax : 04 68 65 39 03
info@abbaye-des-monges.com
www.abbaye-des-monges.com
Visite : visite libre 7 jours sur 7 de 8h30 à 12h
et de 14h à 18h et jusqu'a 20h l'été.

VIN DE PAYS DES CÔTES DE THONGUE
ESPRIT(S) DE VIN 2009
Rouge | 2010 à 2011 | 3,35 € **14/20**
Paul de Chefdebien réalise une cuvée de soif autour des classiques grenache, syrah et carignan. L'ensemble est gourmand, fruité, le vin de copains par excellence. Son intensité en fruits et sa pointe de sucrosité dynamisent le taux de redemande.

CHÂTEAU SAINTE-EULALIE

Château Sainte-Eulalie • 34210 La Livinière
Tél. 04 68 91 42 72 • Fax : 04 68 91 66 09
info@chateausainteeulalie.com
www.chateausainteeulalie.com
Visite : de 11h à 13h et de 15h à 17h
ou sur rendez-vous

Mené par un couple d'œnologues, le domaine est constitué de 35 hectares d'un seul tenant, situés vers 250 mètres d'altitude. Cette situation sur les hauteurs de La Livinière permet une gamme de rouges et de rosés au fruité de très belle qualité. Les sols sont très caillouteux et l'intégralité de la production est en appellation Minervois et Minervois-La-Livinière. La cuvée Cantilène est produite en volumes conséquents que l'amateur pourra aisément se procurer. Le-Printemps-d'Eulalie est un très beau rosé qui fait honneur à cette couleur.

MINERVOIS PLAISIR D'EULALIE 2008
Rouge | 2010 à 2011 | 4,60 € **14,5/20**
Beau fruit avec des tanins ronds et mûrs, c'est un vin de plaisir produit en grand volume. Il y en aura pour tout le monde et à ce prix...

MINERVOIS PRINTEMPS D'EULALIE 2009
Rosé | 2010 à 2011 | 4,60 € **14,5/20**
Dans un style mûr, voici un bon rosé, attachant par la qualité de son fruité.

MINERVOIS-LA-LIVINIÈRE LA CANTILÈNE 2007
Rouge | 2010 à 2012 | 11,35 € **14,5/20**
La Cantilène de Sainte-Eulalie était en 881 le premier poème en langue française. Cette cuvée qui lui est dédiée montre des tanins agréables, une fin de bouche aromatique et fraîche où le boisé transparaît.

SAINTE-LUCIE D'AUSSOU

11200 Boutenac
Tél. 04 68 45 12 35

CORBIÈRES-BOUTENAC LADYBIRD 2007
Rouge | 2010 à 2014 | 14 € **14/20**
Cuvée fruitée, avec des tanins souples et une agréable onctuosité en bouche. L'aromatique est plaisant, un rien de maturité complémentaire l'aurait transcendée.

DOMAINE SAINTE-MARIE DES CROZES

36, avenue des Corbières • 11700 Douzens
Tél. 06 14 60 60 91 • Fax : 04 68 79 20 57
bernard.alias@wanadoo.fr
www.saintemariedescrozes.com

Ce domaine de taille moyenne, mené par Madame Alias, produit des vins de pays et des corbières. Il est situé dans le nord-ouest de l'appellation, au pied de la montagne d'Alaric, dans des zones où les influences océaniques deviennent perceptibles. La cuvée Les-Mains-sur-les-Hanches est réalisée à partir de grenache, dans un style qui recherche et trouve la délicatesse des arômes et des perceptions tactiles.

CORBIÈRES LES MAINS SUR LES HANCHES 2009
Rouge | 2010 à 2013 | 10 € **14/20**
La chaleur de 2009 se retrouve dans le verre, la finale est florale, fruitée dans un style délicat.

DOMAINE SALITIS

11600 Conques-sur-Orbiel
Tél. 04 68 77 16 10
salitis@orange.fr
Visite : du lundi au dimanche de 8h à 12h
et de 14h à 17h

VIN DE PAYS D'OC SAUVIGNON 2009
Blanc | 2010 à 2010 | 5,20 € **13,5/20**
Sauvignon avec une agréable amertume qui évoque la peau blanche du pamplemousse. Il fera un apéritif qui soutiendra la discussion.

DOMAINE JEAN-BAPTISTE SÉNAT

12, rue de l'Argen-Double • 11160 Trausse-Minervois
Tél. 04 68 78 38 17 • Fax : 04 68 78 26 61
charlotte.senat@gmail.fr
www.domaine-jeanbaptistesénat.fr
Visite : Du lundi au dimanche, sur rendez-vous.

Jean-Baptiste Sénat, vigneron talentueux et perfectionniste, la sensibilité à fleur de peau, ne cesse de se remettre en question pour progresser. Il exploite 15 hectares dans la partie centrale du Minervois, qui n'est pas la plus chaude mais la plus sèche. Le style des vins recherche la buvabilité et la finesse. Arbalètes-et-Coquelicots, inspirée de Guns and Roses, est une entrée de gamme destinée aux copains. La-Nine est un métissage de vignes jeunes et de vieux carignans issus d'un patchwork de terroirs. Mais-où-est-donc-Ornicar mixe des cinsaults et des grenaches en recherche de buvabilité et de gourmandise. Le-Bois-des-Merveilles dispose d'un supplément de caractère et de complexité.

Minervois La Nine 2008

Rouge | 2010 à 2015 | 9 € **16/20**

La-Nine tire son nom de la parcelle qui la produit. Encore sur la réserve mais avec un potentiel certain, elle montre de la fraîcheur et un bon équilibre d'ensemble en 2008.

Minervois Le Bois des Merveilles 2008

Rouge | 2010 à 2015 | 18 € **16/20**

Encore légèrement boisé, ce Bois-des-Merveilles est dominé par des carignans frais associés à de beaux mourvèdres et à des grenaches. La matière est fine, élégante, d'un style aérien caractéristique de l'élégance des beaux minervois.

Minervois Mais où est donc Ornicar 2009

Rouge | 2010 à 2012 | 12 € **15,5/20**

Millésime après millésime, cette cuvée reste un prototype du vin gourmand au fruité charnu, grasse en bouche tout en restant fraîche, harmonieuse et bien équilibrée. 2009, malgré son niveau d'alcool un peu plus soutenu, ne déroge pas à l'habitude.

Vin de pays des Coteaux de Peyriac Arbalète and Coquelicots 2009

Rouge | 2010 à 2012 | 7,50 € **15/20**

Pastiche du groupe Guns and Roses, cette nouvelle cuvée montre un fruit éclatant et une buvabilité remarquable. La fraîcheur domine ici la chaleur des 2009. L'ensemble est un splendide vin de copains !

CHÂTEAU DE SÉRAME

11200 Lézignan-Corbières
Tél. 05 56 35 53 00 • Fax : 05 56 35 53 79
contact@dourthe.com • www.chateaudeserame.com
Visite : En semaine sur rendez-vous.

Cette ancienne propriété du XIIe siècle, installée à Lézignan, a été reprise par le Bordelais Dourthe en 2001, qui y a réalisé d'importants investissements à la vigne et au chai pour faire renaître cette belle endormie. Sérame présente une gamme de vins de pays d'oc. En rouge, le corbières bénéficie de la maîtrise bordelaise de l'élevage sous bois, qui a su préserver les expressions de terroir.

Corbières Château de Sérame 2008

Rouge | 2010 à 2013 | 6,50 € **13,5/20**

Corbières dense à l'attaque, avec une matière gourmande. Long en saveurs fruitées et épicées, la finale avec une pointe d'acidité reste délicate.

Minervois Réserve 2007

Rouge | 2010 à 2014 | 8,90 € **15/20**

Avec des notes de fruits noirs, un nez agréable, ce minervois ne manque pas de structure. Il se remarque par la droiture et la finesse des tanins procurées par le mourvèdre qui compose la cuvée pour moitié. La marque du terroir de grès, situé entre Olonzac et Lézignan, se perçoit dans la finale.

Vin de pays d'Oc merlot Réserve 2008

Rouge | 2010 à 2011 | 4 € **13,5/20**

Merlot du sud, rond en bouche, fruité et gourmand. Ce sera un joli rouge pour grillade de viandes.

Vin de pays d'Oc syrah Réserve 2008

Rouge | 2010 à 2012 | 4 € **15/20**

Syrah épicée qui a bénéficié d'un élevage de qualité. Le fruit gourmand en fait une belle syrah languedocienne.

Vin de pays d'Oc viognier Réserve 2009

Blanc | 2010 à 2011 | 4 € **14/20**

Joli viognier avec un corps plein et un aromatique abricoté et floral.

LES VIGNERONS DE SÉRIGNAN

114, avenue Roger-Audoux • 34410 Sérignan
Tél. 04 67 32 23 26 • Fax : 04 67 32 59 66
vignerons-de-serignan.34@wanadoo.fr
www.vignerons-serignan.com
Visite : lundi au samedi de 9h à 12h et de 15h à 18h et l'été 19h. le dimanche en juillet et août de 9h à 12h.

VIN DE PAYS DES COTEAUX DU LIBRON CHARDONNAY-VIOGNIER VERMEIL DU CRÈS 2009
Blanc | 2010 à 2015 | 4,70 € **13/20**
Blanc net et aromatique, tenu par une acidité rafraîchissante et une finale mûre, abricotée.

MAS DE LA SÉRRANE

Route de Puéchabon • 34150 Aniane
Tél. 04 67 57 37 99 • Fax : 04 67 57 37 99
mas.seranne@wanadoo.fr • www.mas-seranne.com
Visite : du lundi au samedi de 10h a 12h et de 15h a 19h le dimanche sur rendez-vous

Le Mas de la Serrane, situé dans la zone des Terrasses du Larzac, en Coteaux du Languedoc, appartient à Jean-Pierre Venture. On mesure le chemin parcouru depuis dix ans par ce néo-vigneron, qui s'est extirpé de l'industrie agro-alimentaire pour revenir à la vigne. Il s'est patiemment construit un domaine d'une quiwnzaine d'hectares, où il travaille une large palette de cépages. La gamme de rouges profonds est orienté vers la gourmandise, dans un style accessible et flatteur.

COTEAUX DU LANGUEDOC ANTONIN ET LOUIS 2007
Rouge | 2010 à 2012 | 17,50 € **16/20**
2007 s'inscrit dans le style gourmand de la cuvée avec une pointe de grillé. La syrah marque le nez d'épices et de jus de viande. Il est fait pour plaire et il plaira.

COTEAUX DU LANGUEDOC LES GRIOTTIERS 2008
Rouge | 2010 à 2012 | 7,50 € **14,5/20**
Un nez fruité, une matière agréable, les tanins sont raffinés dans un style généreux, avec une fraîcheur bienvenue.

COTEAUX DU LANGUEDOC LES OMBELLES 2008
Blanc | 2010 à 2012 | 9,50 € **15/20**
Voici un blanc vif et rafraîchissant, avec une pointe d'amertume typée par le pamplemousse. La dynamique de la finale lui autorisera un apéritif de fin d'été ou un poisson grillé, voire cuisiné en sauce.

DOMAINE DE SERRES

Herminis • 11000 Carcassonne
Tél. 04 68 25 29 82 • Fax : 04 68 25 03 94
info@chateaudeserres.com
www.chateaudeserres.com
Visite : Au 06 80 45 27 78, sur rendez-vous.

VIN DE PAYS DE LA CITÉ DE CARCASSONNE
L'ESPRIT 2009
Rouge | 2010 à 2012 | 8 € **14,5/20**
Avec une forte proportion de cabernet franc et de merlot, complétés d'un peu de cabernet-sauvignon, l'Esprit est un vin fin, léger mais profond, réalisé dans un style élégant.

DOMAINE SERRES-MAZARD

Place Fontvieille • 11220 Talairan
Tél. 04 68 44 02 22 • Fax : 04 68 44 08 47
mazard.jeanpierre@free.fr • www.serres-mazard.com
Visite : Toute la semaine de 9h à 19h.

Ce domaine, situé dans l'Aude à Talairan, au cœur du pays cathare, produit une gamme de vins agréables, toujours délicats et bien fruités. La gamme s'articule autour de trois cuvées, l'Origine, Henri-Serres et Annie. Une tendresse fruitée et épicée pourrait être leur commun dénominateur.

CORBIÈRES ANNIE 2006
Rouge | 2010 à 2013 | 15 € **14,5/20**
Cuvée à base de syrah et de carignan. Le millésime 2006 est prêt à boire. Il n'a pas l'opulence aromatique du 2007 qui suivra mais cette cuvée Annie fera un joli vin de gastronomie. Un bœuf en sauce ou un petit gibier lui iront comme un gant.

CORBIÈRES HENRI SERRES 2007
Rouge | 2010 à 2012 | 11 € **14/20**
Le charme aromatique de cette cuvée s'oriente en 2007 vers la garrigue mais également vers la truffe et les épices.

CORBIÈRES L'ORIGINE 2007
Rouge | 2010 à 2012 | 7,50 € **13,5/20**
Le nez est aromatique, lavande, thym, garrigue. La bouche de ce vin, à boire dès maintenant, est fraîche.

CAVES DU SIEUR D'ARQUES

Route de Carcassonne • 11300 Limoux
Tél. 04 68 74 63 00 • Fax : 04 68 74 63 12
g.marty@sieurdarques.com • www.sieurdarques.com
Visite : De 9h à 18h30.

La coopérative du Sieur d'Arques est l'acteur économique majeur de Limoux, car elle met en marché seize millions de bouteilles. La gamme Toques-et-Clochers, de diffusion plus large, regroupe un ensemble de jolis vins, avec plusieurs chardonnays issus des différentes zones de l'appellation. La fréquentation des bulles y est également hautement recommandable.

BLANQUETTE DE LIMOUX 1531
Blanc Brut effervescent | 2010 à 2012 | NC **14/20**
Bulle fine et élégante, jolie fraîcheur en finale. C'est une blanquette apéritive et précise avec un volume de bouche confortable.

BLANQUETTE DE LIMOUX BULLE N°1
Blanc Brut effervescent | 2010 à 2012 | 11 € **13,5/20**
Blanquette intense, à l'attaque marquée, puissante en bouche. Un produit qui pourra aller de l'apéritif à la table.

CRÉMANT DE LIMOUX TOQUES ET CLOCHERS 2006
Blanc Brut effervescent | 2010 à 2012 | 19 € **14/20**
Nez frais avec encore quelques notes de levure, bouche élancée avec une acidité remarquée et une finale plus ronde, marquée par le caramel blond. L'ensemble reste néanmoins frais et digeste.

LIMOUX TOQUES ET CLOCHERS
HAUTE VALLÉE 2008
Blanc | 2010 à 2016 | 11,70 € **16/20**
Grand élégance de bouche sur une matière raffinée, intense et d'un équilibre étonnant entre acidité et amertume gourmande.

DOMAINE JEAN-MARIE SIGAUD

Château Haute-Borie • 46700 Soturac
Tél. 05 65 22 41 80
sigaud.jm@orange.fr
www.vignobles-sigaud.winealley.com
Visite : Sur rendez-vous

L'ancien président de l'appellation Cahors fait une entrée remarquée dans le cru Fitou, avec une première cuvée étonnante. À suivre de près !

FITOU 2009
Rouge | 2010 à 2015 | 8 € **16/20**
Étonnante fraîcheur dans le millésime, avec un tanin très rond et incroyablement élégant.

MAS DU SOLEILLA

Route de Narbonne Plage • 11100 Narbonne
Tél. 04 68 45 24 80 • Fax : 04 68 45 25 32
vins@mas-du-soleilla.com • www.mas-du-soleilla.com
Visite : De 9h à 19h.

La propriété provient du partage d'un grand domaine du massif de La Clape, où les vins bénéficient des entrées maritimes. Il a été acquis par un Suisse passionné de vins, qui propose des vins-de-pays et des coteaux-du-languedoc. L'ensemble des vins démontre un beau savoir-faire qui a gagné l'ensemble des cuvées. Les élevages s'affinent millésime après millésime pour mieux mettre en avant une qualité de jus étonnante, infiniment tendre et savoureuse.

COTEAUX DU LANGUEDOC -
LA CLAPE CLÔT DE L'AMANDIER 2007
Rouge | 2010 à 2015 | 35 € **17/20**
Un grand Clôt-de-l'Amandier avec une bouche magnifique et un jus de grand millésime, fin, délié et racé.

COTEAUX DU LANGUEDOC -
LA CLAPE L'INTRUS 2008
Rouge | 2010 à 2015 | 17 € **17/20**
Le jus est splendide, fin, avec un tanin très arrondi. La fin de bouche est florale, intensément fruitée, d'un volume étonnant, avec une finale à la salinité gourmande.

COTEAUX DU LANGUEDOC LES BARTELLES 2008
Rouge | 2010 à 2015 | 18 € **16/20**
Grand vin qui a besoin de fondre son élevage mais avec beaucoup de longueur. Tanins fins, onctueux et racés avec la pointe iodée des embruns qui baignent le cru.

COTEAUX DU LANGUEDOC LES CHAILLES 2008
Rouge | 2010 à 2014 | 14 € **16/20**
Le jus est magnifique, avec une pointe de sucrosité qui plaira ou dérangera, mais une race en bouche évidente. Il mérite le détour.

DOMAINE STELLA NOVA

Avenue de Fontès • 34720 Caux
Tél. 06 62 43 56 64 • Fax : 04 67 25 35 28
stellanova@wanadoo.fr • www.stellanova.fr
Visite : Sur rendez-vous.

Coteaux du Languedoc Castor et Pollux 2009
Rouge | 2010 à 2012 | NC **14,5/20**
Castor-et-Pollux est la version antique de Syrah-et-Cinsault. Ces ménages ont gardé beaucoup de fraîcheur en 2009, leur descendance improbable pourrait être baptisée menthol.

Coteaux du Languedoc Diabolo Nature 2009
Rosé | 2010 à 2012 | NC **14/20**
Rosé très foncé, intense en couleur et en saveurs. Fin et dynamique, il se présente en antithèse des rosés de Provence.

LES TERRASSES DE GABRIELLE

9, avenue Loscos • 34310 Capestang
Tél. 04 67 93 38 23
pascal.o@aliceadsl.fr

Saint-Chinian 2008 ☺
Rouge | 2010 à 2014 | 9 € **15/20**
Ce saint-chinian est la première vinification d'un producteur sorti de la coopération. Le cépage majoritaire est le lledoner pelut, une variante du grenache, complété de syrah et de mourvèdre. Le poivre blanc est la dominante de ce 2008. Un nouveau domaine à suivre de près !

DOMAINE TERRES GEORGES

Rue des Jardins • 11700 Castelnau-d'Aude
Tél. 06 30 49 97 73 • Fax : 04 68 43 79 39
info@domaineterresgeorges.com
www.domaineterresgeorges.com
Visite : Le mardi et le jeudi, de 18h à 19h et les autres jours sur rendez-vous.

Minervois Quintessence 2007
Rouge | 2010 à 2011 | 9 € **13,5/20**
Jus de viande au nez, truffe, l'attaque est plaisante. Les tanins en bouche sont bien présents et appellent une viande relevée.

Vin de pays d'Oc
merlot - cabernet-sauvignon 2006
Rouge | 2010 à 2011 | 7,97 € **13/20**
Rouge aromatique, à boire sur ses arômes de légère évolution, sous-bois et viandés.

TERROIRS DU VERTIGE

11350 Padern
Tél. 04 68 45 41 75

Corbières Prestige 2007 ☺
Rouge | 2010 à 2014 | NC **14,5/20**
Joli grain de tanin avec une nuance minérale marquée, des tanins ronds et soyeux et une fin de bouche onctueuse. C'est un vin de caractère.

Corbières Rosée d'Octobre 2009
Rosé | 2010 à 2012 | NC **13/20**
Rosé à la couleur intense virant sur la pelure d'oignon. Il est gourmand en bouche, fruité et assez gras.

TERROIRS EN GARRIGUES

23, route de Béziers • 34490 Corneilhan
Tél. 04 67 37 71 63
coop.corneilhan@wanadoo.fr
Visite : Du lundi au vendredi midi de 8h à 12h et de 14h à 18h.

Vin de pays des Coteaux du Libron 2008
Rouge | 2010 à 2011 | 4 € **12/20**
Vin de pays simple, avec un bon fruit.

DOMAINE LA TOUR BOISÉE

1, rue du Château-d'Eau • 11800 Laure-Minervois
Tél. 04 68 78 10 04 • Fax : 04 68 78 10 98
info@domainelatourboisee.com
www.domainelatourboisee.com
Visite : Du lundi au vendredi, de 9h à 12h et de 14h à 18h et le week-end sur rendez-vous.

Ce domaine de Laure, sur les grès et les marnes gréseuses, a fait partie des précurseurs du renouveau de l'appellation Minervois. Jean-Louis Poudou, l'une des figures de l'appellation, continue à faire avancer le domaine. La cuvée À-Marie-Claude, en blanc, a été construite pour la gastronomie, dans un style méditerranéen qui ne laissera pas indifférent. Les vins ne sont pas définis selon les canons récents de la mode mais dans un style classique qui a besoin de temps pour s'affirmer.

Minervois À Marie-Claude 2003
Blanc | 2010 à 2013 | 11,30 € **15/20**
À-Marie-Claude 2003 est un vin puissant, en rupture avec le style des languedocs blancs modernes. Très grasse, épicée, encore boisée, la cuvée s'installe en produit de gastronomie et prend le temps du temps.

Minervois Jardin Secret 2003

Rouge | 2010 à 2013 | 19,80 € **14,5/20**

Les tanins sont fins et denses, dans un vin de style classique, épicé, cuir, cannelle, moka. La perception d'acidité est renforcée par l'évolution lente de la matière.

LA TOUR PENEDESSES

Route de Faugères • 34320 Gabian
Tél. 04 67 95 17 21 • Fax : 04 67 95 44 03
domainedelatourpenedesse@yahoo.fr
www.latourpenedesses.com
Visite : ouvert de 9h à 13h et de 13h45 à 19h

Alexandre Fouque produit des vins parfois superbes, parfois excessifs, à son image. Il a surfé sur un millésime 2009 mûr et puissant pour s'approcher des grands crus du Priorat de l'autre côté de la frontière espagnole. Vin de dégustation plutôt que vin destiné à la table, son échantillon de Raisins-de-la-Colère 2009 a besoin de temps pour digérer un boisé ostentatoire mais de grande qualité. Bref, vous l'aurez compris, on ne s'ennuie jamais dans cette cave.

Coteaux du Languedoc - Pézenas Les Volcans 2008

Rouge | 2010 à 2015 | 13 € **14/20**

Rouge puissant, dense, chaleureux et épicé. Le vin a du fond et fera un bel accord avec un magret.

Faugères Les Raisins de la Colère 2009

Rouge | 2010 à 2015 | 19 € **15/20**

Les amateurs de vins nature élevés sans apport de bois passeront leur chemin, ceux qui recherchent humblement les contours d'un grand cru de Faugères, qui reste encore à inventer, viendront en chercher ici une esquisse.

CAVE LES TROIS BLASONS

34210 Azillanet
Tél. 04 68 91 22 61 • Fax : 04 68 91 19 46
les3blasons@wanadoo.fr • www.lestroisblasons.com

Minervois 2008

Rouge | 2010 à 2012 | 4 € **13,5/20**

Joli fruit agréable, gourmand, classique du Minervois avec une finale agréable et soyeuse.

Minervois Château Vidal La Marquise 2007

Rouge | 2010 à 2011 | 6 € **13/20**

Cuvée réalisée dans un style immédiatement accessible, fruité avec de la structure.

DOMAINE TURNER-PAGEOT

3, avenue de la Gare • 34320 Gabian
Tél. 04 67 00 14 33
www.turnerpageot.com
Visite : Sur rendez-vous

Coteaux du Languedoc Carmina Major 2008

Rosé | 2010 à 2012 | 14 € **13/20**

Cuvée réalisée par les techniciens du Prieuré Saint-Jean-de-Bébian. Si la matière peut être encore affinée, les saveurs méditerranéennes de la finale signent un beau début.

Coteaux du Languedoc La Rupture 2009

Blanc | 2010 à 2013 | 16 € **14,5/20**

Blanc volumineux, puissant dans le millésime tout en gardant de la fraîcheur. Il se destine plutôt à la gastronomie.

Coteaux du Languedoc Le Blanc 2009

Blanc | 2010 à 2012 | 9 € **14,5/20**

Blanc réalisé avec les marsannes et roussanes habituelles en Rhône Nord. Acclimatées en Languedoc, elles donnent ici aussi un vin opulent et ambitieux, chargé en arômes de fruits jaunes mûrs. L'ensemble est frais et dense.

DOMAINE VAÏSSE

12, route d'Aniane • 34150 Puechabon
Tél. 04 67 57 28 86
domaine.vaisse@free.fr

Nouveau domaine découvert cette année, de deux hectares sur Puechabon, l'un des secteurs les plus intéressants à proximité d'Aniane. Il produit une entrée de gamme, l'Aphyllante et Les-Capitelles, issues pour moitiés de syrah et de mourvèdre. La suite s'annonce intéressante...

Coteaux du Languedoc L'Aphyllante 2007

Rouge | 2010 à 2013 | cav. 19,80 € **14/20**

Entrée de gamme agréable et fraîche, avec un tanin rond et une finale gourmande, fruits noirs et épices.

Coteaux du Languedoc Les Capitelles 2007

Rouge | 2010 à 2016 | cav. 24 € **17/20**

Incroyable suite en bouche, racée et d'une magnifique longueur. Dense mais sans puissance de tanin intempestive, c'est une très belle réussite.

DOMAINE DE VALENSAC

Route départementale 28 • 34510 Florensac
Tél. 04 67 77 41 16 • Fax : 04 67 77 53 77
valensac@orange.fr
Visite : du lundi au vendredi de 10h à 12h
et de 14h à 17h

Vin de pays d'Oc chardonnay 2009
Blanc | 2010 à 2010 | 4,50 € **13/20**
Chardonnay vif, agréable et équilibré, il ira de l'apéritif jusqu'à un joli poisson grillé.

Vin de pays de l'Hérault Entre Nous 2009
Blanc | 2010 à 2010 | 5,35 € **13,5/20**
Ce vin est réalisé à partir de sauvignon et de petit manseng, son style est fruité, vif avec une fin de bouche propre.

VALJULIUS

Chemin de Boujan • 34490 Corneilhan
Tél. 06 08 80 31 60
www.valjulius.com
Visite : Sur rendez-vous

Vin de pays des Coteaux du Libron 2009 ☺
Blanc | 2010 à 2011 | 9 € **14/20**
Gras, aromatique, tilleul, verveine et fleurs blanches, ce joli vin de beau volume en bouche est gras, frais et aromatique.

Vin de pays des Coteaux du Libron 2008
Rouge | 2010 à 2012 | 12 € **13,5/20**
Le fruit est là, charmeur, épicé, avec une fin de bouche poivrée et gourmande, une pointe sucrée.

Vin de pays des Coteaux du Libron 2007 ☺
Rouge | 2010 à 2012 | 12 € **15/20**
Étonnant 2007, au fruité épicé de grande allure. Un vin simple, certes, mais incroyablement gourmand.

CHÂTEAU DE VAUGELAS

11200 Camplong-d'Aude
Tél. 04 67 93 10 10 • Fax : 04 67 93 10 05
chateauvaugelas@wanadoo.fr
www.chateauvaugelas.com
Visite : Du lundi au vendredi de 8h à 12h et de 14h à 19h à la propriété.
Samedi et dimanche de 14h à 19h au caveau du clos.

Cette propriété appartient à la famille Bonfils, très implantée dans les vignobles du Sud et également en Montagne Saint-Émilion. La propriété est en bordure de l'Orbieu, sur des galets roulés. Le terroir n'est pas facile, mais le domaine parvient, par son savoir-faire et son exigence, à se positionner au niveau des très bons corbières. La cuvée baptisée Prestige est en fait l'entrée de gamme. Le-Prieuré est intermédiaire, avec plus de fraîcheur et la cuvée simplement étiquetée sous le nom du château offre le rouge le plus fin.

Corbières Château Vaugelas 2008 ☺
Rouge | 2010 à 2014 | 10 € **16/20**
Ce rouge est élégant, profond, subtil avec une fraîcheur en fin de bouche. La finale légèrement saline est savoureuse.

Corbières Le Prieuré 2008
Rouge | 2010 à 2014 | 5,50 € **15,5/20**
L'ensemble est complexe. Dès le nez, le fruité intense ressort, on le retrouve en bouche avec une matière suave, épicée délicatement. Une belle bouteille.

Corbières Prestige 2008 ☺
Rouge | 2010 à 2014 | 5 € **14/20**
Cette cuvée montre un charme aromatique intense, vanillé et exubérant. La matière est de très belle qualité.

DOMAINE VENTENAC

1, rue du Jardin • 11610 Ventenac
Tél. 04 68 24 93 42
www.vignoblesalainmorel.fr
Visite : Sur rendez-vous

Cabardès 2009
Rosé | 2010 à 2010 | 6,50 € **14/20**
Rosé de caractère, intense en saveurs de fruits rouges avec une sensation légèrement sucrée mais une finale fraîche.

Cabardès syrah 2009
Rouge | 2010 à 2010 | 6,50 € **14/20**
Syrah récoltée dans la plaine, avec un joli nez fruité, à la bouche gourmande. Un vin de plaisir plus marqué par le terroir que par le cépage. Cette cuvée nous a semblé plus intéressante que les cuvées de prestige généreusement boisées.

Vin de pays d'Oc chardonnay 2009 ☺
Blanc | 2010 à 2010 | 6,50 € **14/20**
Joli vin au nez d'agrumes, avec une pointe saline qui lui donne une dimension complémentaire.

CHÂTEAU VIEUX MOULIN

Château Vieux Moulin
11700 Montbrun-des-Corbières
Tél. 04 68 43 29 39 • Fax : 04 68 43 29 36
alex.they@vieuxmoulin.net • www.vieuxmoulin.net
Visite : De 9h à 12h et de 14h à 18h.

Alexandre They a repris les vignes familiales qui produisaient essentiellement du vin vendu en vrac. Il s'est fait une spécialité de vins assez concentrés et chaleureux, en limitant le rendement moyen de l'exploitation à moins de 30 hl/ha. La syrah en vin de pays d'Oc est une expression réussie de ce que le cépage peut produire sur ces terroirs très chauds. Le corbières Les-Ailes est réalisé dans le même style mais avec une profondeur de goût supérieure, apportée par le terroir. La cohérence de la gamme mérite une promotion.

Corbières 2009

Rosé | 2010 à 2010 | 5 € 14/20

Ce rosé est tendre, avec une finale d'une gourmande fraîcheur.

Corbières 2007

Rouge | 2010 à 2013 | 5,50 € 16/20

Un corbières minéral, équilibré, long en bouche, avec une grande buvabilité permise par la touche fraîche en finale.

Corbières Les Ailes 2006

Rouge | 2010 à 2014 | 14 € 16/20

Cuvée haut de gamme qui est une référence en corbières dans le millésime. Très onctueuse, cerise noire, la finale est gourmande et complexe.

Corbières Vox Dei 2006

Rouge | 2010 à 2012 | 7 € 14/20

Belle attaque dans ce rouge tenu par une acidité qui donne de la fraîcheur, la finale est serrée.

Vin de pays d'Oc syrah 2009

Rouge | 2010 à 2012 | 11 € 14/20

Syrah intense, fruitée, à la texture onctueuse. La finale est longue et gourmande.

CHÂTEAU DU VIEUX PARC

1, avenue des Vignerons • 11200 Conilhac-Corbières
Tél. 04 68 27 47 44 • Fax : 04 68 27 38 29
louis.panis@orange.fr • www.chateau-vieuxparc.fr
Visite : De 9h à 12h et de 14h à 19h.

Corbières cuvée Air de Rien 2008

Rouge | 2010 à 2011 | 5 € 14/20

Vin de fruit simple mais friand, à boire dès maintenant sur une grillade de bœuf.

Corbières Sélection 2007

Rouge | 2010 à 2011 | 9,50 € 14/20

De jolies notes de jus de viande et de fruits rouges dans cette cuvée Sélection issue du terroir de Lézignan-Corbières. Avec une sensation de sucrosité, les tanins de ce vin sont raffinés. La fin de bouche commence à évoluer vers des notes tertiaires. L'élevage devra se fondre.

LES VIGNERONS DE FLORENSAC

5, avenue des Vendanges • 34510 Florensac
Tél. 04 67 77 00 20 • Fax : 04 67 77 79 66
cave.florensac@wanadoo.fr • www.vinipolis.fr
Visite : hors saison: lundi de 9h à 12h30 et de 14h à 18h,du mardi au samedi 9h 18h. et le dimanche de 11h à 15h30.
en saison:le lundi de 9h à 12h30 et de 14h à 19h, du mardi au samedi de 9h à 19h et le dimanche de 10h 16h30.

Vin de pays des Côtes de Thau muscat 2009

Blanc | 2010 à 2010 | 4,89 € 14/20

Très joli nez de muscat, aromatique mais sans vulgarité comme trop souvent. Celui-ci est distingué, volubile et élégant. On le boira vite, un tube de l'été-automne 2010.

Vin de pays des Côtes de Thau viognier 2009

Blanc | 2010 à 2010 | 4,89 € 14/20

Joli viognier très aromatique avec des notes fraîches et une finale précise. La violette de fin de bouche en fera un apéritif gourmand.

VIGNERONS DE LA VICOMTÉ

Domaines des 3 Fontaines • 34230 Le Pouget
Tél. 04 67 96 82 87 • Fax : 04 67 96 81 17
vignerons@la-vicomte.fr
Visite : du mardi au samedi de 10h à 18h30

Vin de pays de la Vicomté d'Aumelas
Les Palisses 2009
Rouge | 2010 à 2010 | 2,15 € **12/20**
Certes, si vous lui demandez sa main lors d'un repas arrosé avec ce rouge à 2,15 euros, elle vous prendra pour un épouvantable radin et vous encourrez un refus. A contrario, son acceptation sera la garantie que votre union ne se fera pas par intérêt. Très simple, sans tanin accrocheur, c'est un rouge plaisant, facile à boire avec son fruité agréable.

LES VIGNERONS DE SAINT-GÉLY

Saint-Gély • 30630 Cornillon
Tél. 04 66 82 21 03
Visite : lundi au samedi de 9h à 12h et de 14h à 18h sauf du 1/11 au 31/03 fermeture à 17h

Vin de pays d'Oc viognier
élevé sous voile 1998
Blanc | 2010 à 2020 | NC **15/20**
Disons-le tout de suite, ce vin n'a rien à voir avec les blancs classiques du sud de la France. La parenté est à rechercher plus au nord, vers Château-Chalon en Jura ou plein sud, vers Xérès. Le nez est très marqué par le voile (curry, noix, épices). La bouche est assez fluide mais se termine sur le bouquet classique des vins jaunes.

VIGNERONS DU SOMMIÈROIS

2, rue de l'Arnède • 30250 Sommières
Tél. 04 66 80 03 31
www.les-vignerons-du-sommierois.com
Visite : lun sam 8H30 12H30 15H 19H juillet août le dim 9h à 13h.

Coteaux du Languedoc Aura 2007
Rouge | 2010 à 2012 | 5,50 € **14/20**
Cette cuvée en majorité à base de syrah a connu un élevage respectueux mais affirmé, qui a mis en valeur la qualité des tanins. Le fruité rouge de la finale est vraiment séducteur.

LES VIGNES OUBLIÉES

Chemin du Mas Jullien • 34725 Joncquieres
Tél. 04 67 69 49 13
lesvignesoubliees@gmail.com

Association du maître Olivier Jullien et d'un amateur passionné et viticulteur talentueux, Jean-Baptiste Granier, initié aux meilleures sources, ces vignes oubliées sont des parcelles d'altitude de Saint-Privat en haut des Terrasses du Larzac. Le résultat sonne fort dès les premiers millésimes. Pouvait-il en être autrement?

Coteaux du Languedoc -
Terrasses du Larzac 2008
Rouge | 2010 à 2015 | NC **17/20**
Le style du 2008 par rapport à son prédécesseur affirme en race et en fraîcheur ce qu'il perd en opulence. Droit, très fin, la subtilité s'affirme encore dans ce millésime.

Coteaux du Languedoc -
Terrasses du Larzac 2007
Rouge | 2010 à 2013 | NC **17/20**
Très joli cuvée aux arômes mûrs, fins et frais. La race du vin est manifeste, avec une subtile palette qui porte une finale des plus délicates.

VILLA DONDONNA

Le Barry • 34150 Montpeyroux
Tél. 04 67 96 68 34 ou 06 09 18 43 46
villadondona@wanadoo.fr • www.villadondona.com
Visite : Sur rendez-vous

Tenu par un médecin britannique devenu vigneron languedocien avec sa famille, cette propriété bénéficie de l'incroyable énergie mise en œuvre pour réaliser de jolis vins. Le montpeyroux et la cuvée Oppidum font honneur à cette appellation peu connue, cernée par les vibrionnants terrasses-du-larzac alentour.

Coteaux du Languedoc - Montpeyroux 2008
Rouge | 2010 à 2013 | 9 € **15/20**
Vin de charme, léger, très fruits rouges, il donne tout de suite des arômes sucrés et subtils de fraises mûres. Un vin de plaisir.

Coteaux du Languedoc -
Montpeyroux Oppidum 2006
Rouge | 2010 à 2015 | 18 € **15/20**
Dans un style très différent de la cuvée au nom du domaine, ce 2006 a beaucoup de fond et une densité étonnante. De jolis fruits, fraise mûre et épices sont les tenons aromatiques de cette cuvée.

CHÂTEAU VILLERAMBERT-JULIEN

D 620 • 11160 Caunes-Minervois
Tél. 04 68 78 00 01 • Fax : 04 68 78 05 34
contact@villerambert-julien.com
www.villerambert-julien.com
Visite : En hiver, du lundi au vendredi de 9h à 11h30 et de 14h à 18h30 et le samedi sur rendez-vous. En été, ouvert également le samedi et le dimanche, sans rendez-vous.

Implantée à Caunes-Minervois, le pays du marbre rose qui permit le Grand Trianon et l'Opéra Garnier, cette propriété est l'une des références de la région. L'évolution stylistique des rouges vers plus de buvabilité amène parfois à des matières peu structurées. Rareté dans une région orientée vers le rouge, c'est le blanc qui nous a vraiment régalé cette année.

MINERVOIS 2009
Blanc | 2010 à 2012 | 9,90 € **15/20**
Nous sommes ravis de revoir cette cuvée sous un jour aussi dynamique, fraîche et d'une intensité rare en saveurs.

MINERVOIS 2006
Rouge | 2010 à 2012 | 14 € **14/20**
Classique de l'appellation, faite avec soin, cette cuvée du château montre des tanins fins et un aromatique agréable, sur de jolis fruits portés par une acidité marquée.

MINERVOIS INCARNAT 2008
Rouge | 2010 à 2011 | 7,90 € **13,5/20**
Clin d'œil à la production du marbre Incarnat sur Minervois, cette cuvée conjugue un aromatique plaisant avec de la fluidité en bouche.

DOMAINE VORDY MAYRANNE

Mayranne • 34210 Minerve
Tél. 04 68 91 80 39 • Fax : 04 68 91 80 39
vordy.didier@orange.fr
Visite : Sur rendez-vous du lundi au samedi de 9h à 12h et de 14h à 18h.

MINERVOIS LOUISE 2008
Rouge | 2010 à 2011 | 5,60 € **14/20**
Sans recherche de tanins intempestifs, cette cuvée est dédiée aux gourmands qui raffolent des fruits noirs et des épices.

CHÂTEAU LA VOULTE-GASPARETS

Rue des Corbières • 11200 Boutenac
Tél. 04 68 27 07 86 • Fax : 04 68 27 41 33
chateaulavoulte@wanadoo.fr

Patrick Reverdy et son fils Laurent sont très attachés à leurs vignes de carignan dont le terroir de Corbières-Boutenac s'est fait une spécialité. On est ici en pleine zone délimitée pour ce cru. La cuvée de base est une référence en corbières. La cuvée Romain-Pauc, baptisée ainsi en hommage à un aïeul de la famille, marie des carignans et des grenaches largement quadragénaires à des syrahs et des mourvèdres plus jeunes.

CORBIÈRES 2009
Blanc | 2010 à 2011 | 7,50 € **14,5/20**
Raffinée, la matière s'exprime à travers les agrumes et le pamplemousse. La finale est à la fois grasse et fraîche.

CORBIÈRES CUVÉE RÉSERVÉE 2008
Rouge | 2010 à 2014 | 8,40 € **14,5/20**
Sans l'exubérance de 2007, cette cuvée très sérieuse montre beaucoup de fond. Année après année, elle est l'une des références en corbières.

CORBIÈRES-BOUTENAC ROMAIN PAUC 2008
Rouge | 2011 à 2015 | 18 € **16/20**
Sans la générosité de 2007 mais très dense, plein, 2008 sera un beau millésime de Romain-Pauc, profond et puissant. À attendre un peu.

CORBIÈRES-BOUTENAC ROMAIN PAUC 2007
Rouge | 2010 à 2013 | 18 € **16/20**
Tanin délicat, très fins, une belle matière chocolat et épices, une fin de bouche explosive. Soyeux, raffiné et frais.

DOMAINE ZÉLIGE-CARAVENT

30260 Corconne
Tél. 04 66 77 10 98 ou 06 87 32 35 02
contact@zelige-caravent.fr • www.zelige-caravent.com
Visite : Sur rendez-vous.

Ce domaine récent, mené en bio, a été créé par Luc Michel qui a sorti les vignes de la grand-mère de la coopération. Il est installé à Corconne sur la gravette, des petits éboulis d'effondrement au pied des Cévennes. La gamme est assez vaste, avec des noms aussi charmants que Jardin-des-Simples à base de cinsault, Velvet à majorité de syrah, Nuits-d'Encre dédiée à l'alicante ou Fleuve-Amour à majorité de grenache. Rien ne passe en bois, ce qui est une solution sage pour garder la fraîcheur fruitée. À suivre.

COTEAUX DU LANGUEDOC - PIC SAINT-LOUP
ELLIPSE 2008
Rouge | 2010 à 2013 | 12 € **15/20**
Jolie cuvée fraîche, d'un grand naturel, gourmande, avec des tanins fins et frais. Elle est obtenue par assemblage d'une dominante de syrah complétée de carignan.

COTEAUX DU LANGUEDOC - PIC SAINT-LOUP
NUITS D'ENCRE 2008 ☺
Rouge | 2010 à 2012 | 19 € **15/20**
Vin étonnant, très élégant, avec de beaux tanins fins et aériens. Cette cuvée de pur alicante, cépage détesté, est pourtant superbe dans sa texture. Pour la rareté mais aussi pour le plaisir.

COTEAUX DU LANGUEDOC - PIC SAINT-LOUP
VELVET 2007 ☺
Rouge | 2010 à 2015 | 15 € **15,5/20**
Très belle matière ronde et satinée. La trame épicée de la dominante de syrah s'est développée dans ce millésime opulent. Il s'en dégage un fruité gourmand avec une pointe réglissée.

La sélection Bettane et Desseauve pour la Provence

La Provence

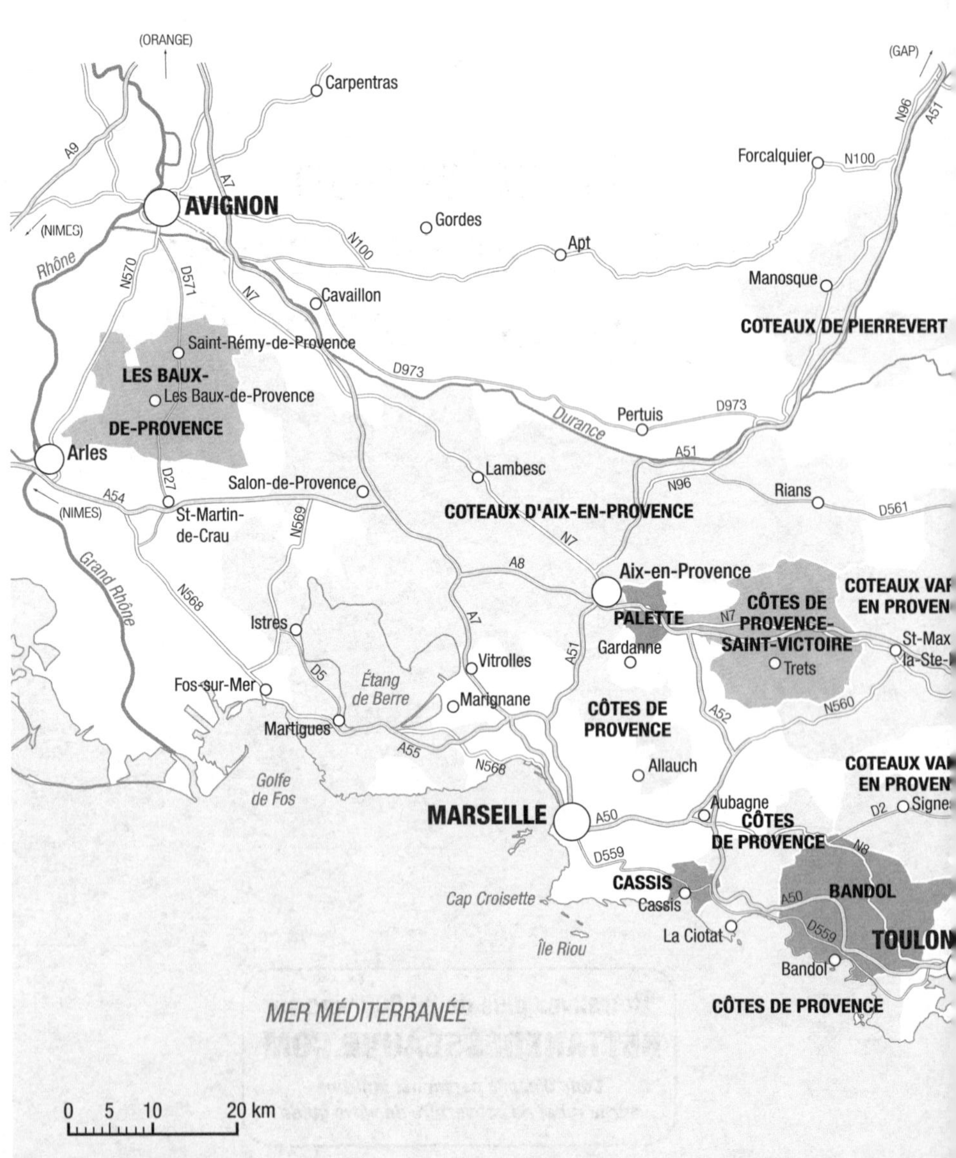
(ORANGE)
(GAP)
Carpentras
AVIGNON
(NIMES)
Rhône
Forcalquier
N100
Gordes
Apt
Manosque
Cavaillon
Saint-Rémy-de-Provence
COTEAUX DE PIERREVERT
LES BAUX-
Les Baux-de-Provence
DE-PROVENCE
D973
Durance
Pertuis
Arles
Lambesc
A51
N96
Rians
D561
Salon-de-Provence
St-Martin-de-Crau
COTEAUX D'AIX-EN-PROVENCE
Grand Rhône
Aix-en-Provence
PALETTE
CÔTES DE PROVENCE-SAINT-VICTOIRE
Trets
Gardanne
Istres
Vitrolles
Fos-sur-Mer
Étang de Berre
Marignane
Martigues
CÔTES DE PROVENCE
Allauch
Golfe de Fos
MARSEILLE
Aubagne
CÔTES DE PROVENCE
CASSIS
Cassis
Cap Croisette
La Ciotat
BANDOL
TOULON
Île Riou
Bandol
MER MÉDITERRANÉE
CÔTES DE PROVENCE
0 5 10 20 km

On ne prenait pas trop la Provence du vin au sérieux, pas plus que ses vins rosés, fer de lance de la production. Le renversement qui rend ces mêmes rosés beaucoup plus estimables, parce qu'ils ont progressé et parce que tout le monde les aime, devrait attirer davantage l'attention sur les blancs et les rouges, expressions originales et uniques de cépages rares (rolle, mourvèdre), et vins de grande classe.

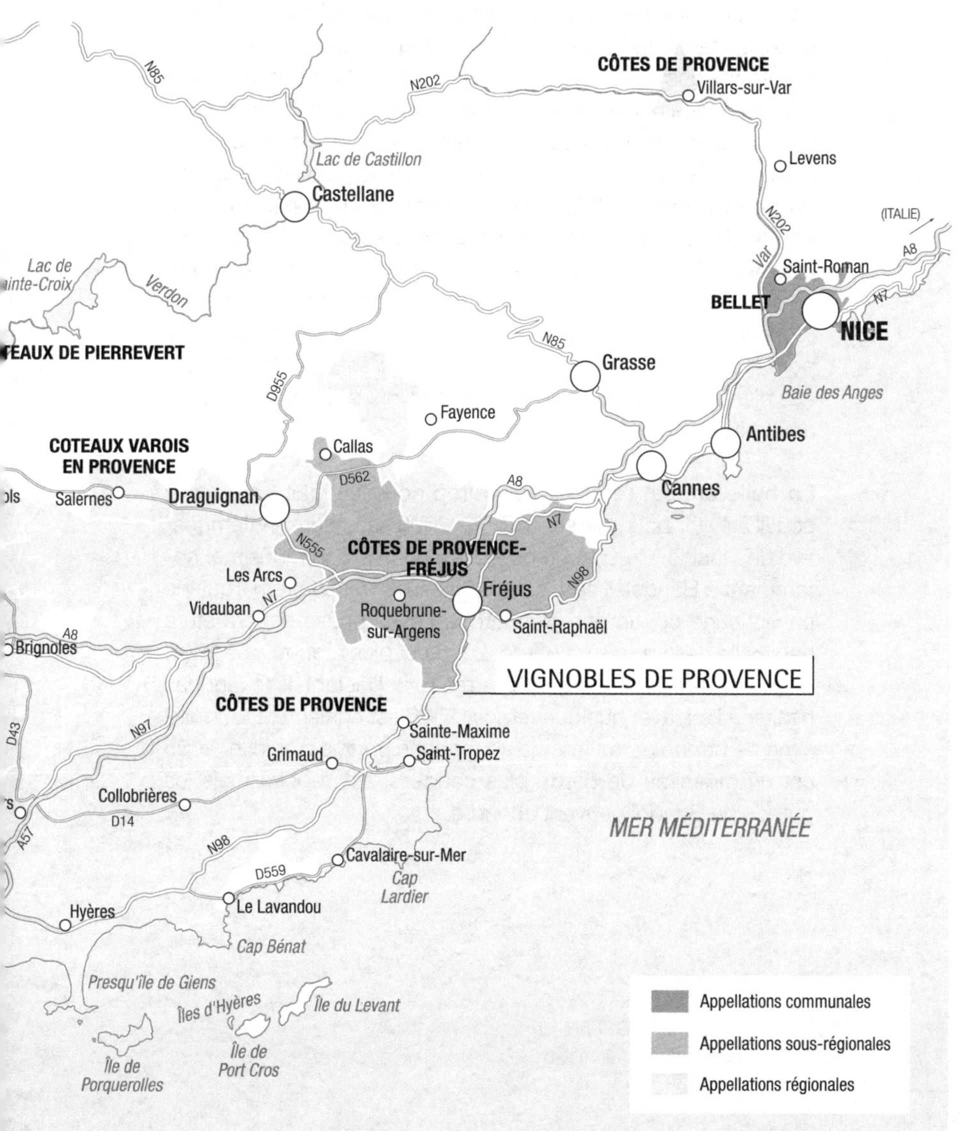

L'actualité des millésimes

Rosé land. L'hiver pluvieux a permis à la plupart des régions de Provence d'emmagasiner une réserve en eau nécessaire au bon développement de la vigne en 2009. Cependant la fin de l'été s'est montrée tourmentée. Certaines zones comme la Sainte-Victoire, l'Étang de Saint-Berre et le golfe de St-Tropez, touchés par des orages de grêle, ont perdu parfois jusqu'à 40 % de volume. Le déficit hydrique "modéré" enregistré dans les zones littorales n'a pas nui à la maturité des raisins, et les zones qui ont été épargnées par les épisodes pluvieux de septembre n'ont pas subi de pression phytosanitaire, favorisant ainsi le développement de raisins très sains. Les rosés, dont le poids dans la production varie entre 80 % et 90 % suivant les régions, sont plus en réussite sur les côtes-de-provence, sainte-victoire, lalonde, et coteaux-varois, en revanche on reste dubitatif sur la qualité inégale des coteaux-d'aix. Les rouges sont dans leurs langes, ils paraissent cependant hétérogènes. Il conviendra de réserver pour leur caractère homogène les vins du secteur de Lalonde. Les blancs aromatiques ont des expressions allant des agrumes aux fruits exotiques.

La belle année. Une extraction trop poussée était le principal écueil à éviter pour réaliser de bons 2008 sans dureté intempestive des tanins. Ce sera un bon, voire un très bon millésime, notamment à Bandol. Il sera à boire vite sur son fruité remarquable en vin jeune ou, un peu plus tard, après la phase de fermeture habituelle des rouges de garde. 2008 est plus régulier que 2007, un millésime de grande garde, fermé pour l'instant. Il ne faut pas hésiter à l'encaver quelque temps. 2006 est également un millésime de bonne garde, même s'il manque parfois d'acidité. 2005 est un millésime de garde plus courte. Il est à boire mais les grands de Bandol peuvent attendre.

Et les blancs ? La multiplication du rosé en Provence amène cette couleur à plus de 80 % des volumes produits. Cette couleur est certes infiniment respectable, mais elle se développe au détriment du rouge et surtout des blancs. Ces derniers ne représentent plus que 2 % des volumes dans certaines zones. Pourtant, la région a une réelle capacité pour produire de très grands blancs. Pour ne citer que Bellet et Bandol, une dégustation des meilleurs surprendra tous les amateurs sincères qui ne juraient dans cette couleur que par la Bourgogne, la Loire ou l'Alsace. Les blancs ici sont hors du commun et sont un savant dosage d'amertume exquise et d'acidité rafraîchissante. Certes, du côté des producteurs, le rosé est une machine à cash, entendez par là qu'il améliore considérablement la trésorerie des exploitations qui le produisent. Mais laisser le consommateur oublier qu'il existe d'autres couleurs dans la région est une erreur grossière de gestion qui se paiera tout aussi cash, au prochain renversement de mode. Les modes sont versatiles. Celle du rosé pourrait ne pas déroger à la règle !

MEILLEURS VINS TOUTES CATÉGORIES

Château de Bellet,
Bellet, Rose de Bellet, rouge, 2007

Château Vannières,
Bandol, rouge, 2008

Domaine de l'Abbaye de Lérins,
Vin de pays des Alpes-Maritimes, Saint-Lambert, rouge, 2008

Domaine La Suffrène,
Bandol, rouge, 2007

Domaine Tempier,
Bandol, Cabassaou, rouge, 2008

LE BONHEUR TOUT DE SUITE

Château Grand Boise,
Côtes de Provence Sainte-Victoire, rosé, 2009

Château Minuty,
Côtes de Provence, Prestige, blanc, 2009

Château Sainte-Roseline,
Côtes de Provence, Lampe de Méduse, blanc, 2009

Domaine de la Bégude,
Bandol, rosé, 2009

Domaine Dupuy de Lôme,
Bandol, rosé, 2009

MEILLEURS VINS À MOINS DE 10 €

Château Henri Bonnaud,
Palette, Cuvée 100% Rolle, blanc, 2009

Château Paradis,
Coteaux d'Aix-en-Provence, Terre de Provence, rouge, 2007

Domaine de Triennes,
Vin de pays du Var, Auréliens, rouge, 2007

Domaine du Deffends,
Coteaux Varois en Provence, rosé d'une Nuit, rosé, 2009

Domaine Le Galantin,
Bandol, rosé, 2009

MEILLEURS VINS À METTRE EN CAVE

Château de Pibarnon,
Bandol, rouge, 2007

Château Romanin,
Les Baux-de-Provence, rouge, 2006

Château Simone,
Palette, blanc, 2007

Domaine Tempier,
Bandol, La Migoua, rouge, 2008

Domaines Bunan,
Bandol, La Rouvière, rouge, 2006

MEILLEURS BLANCS

Château Sainte-Roseline,
Côtes de Provence, La Chapelle, 2009

Domaine de Gavoty,
Côtes de Provence, Clarendon, 2008

Domaine de Trévallon,
Vin de pays des Bouches-du-Rhône, 2007

Domaines Bunan,
Bandol, Moulin des Costes, 2009

Domaines Ott,
Côtes de Provence, blanc de blancs Clos Mireille, 2007

MEILLEURS ROSÉS

Château de Bellet,
Bellet, 2009

Château de Pibarnon,
Bandol, 2009

Château d'Esclans,
Côtes de Provence, Garrus, 2008

Château Roubine,
Côtes de Provence, inSpire, 2009

Château Sainte-Marguerite,
Côtes de Provence, Lalonde, 2009

Château Sainte-Roseline,
Côtes de Provence, La Chapelle, 2009

Domaine du Pey Neuf,
Bandol, 2009

Domaine Saint-André de Figuière,
Côtes de Provence, Confidentielle, 2009

MEILLEURS ROUGES DE BANDOL

Château de Pibarnon,
Bandol, 2004

Château Jean-Pierre Gaussen,
Bandol, 2007

Château Salettes,
Bandol, 2007

Domaine de l'Hermitage,
Bandol, 2007

Domaine de Terrebrune,
Bandol, 2006

Domaine Tempier,
Bandol, La Tourtine, 2008

Domaines Bunan,
Bandol, Moulin des Costes, 2006

Moulin de la Roque,
Bandol, 2008

MEILLEURS ROUGES DES CÔTES DE PROVENCE

Château Sainte-Roseline,
Côtes de Provence, Prieuré, 2007

Domaine de la Courtade,
Côtes de Provence, 2006

Domaine de Rimauresq,
Côtes de Provence, Quintessence, 2006

Domaine Saint-André de Figuière,
Côtes de Provence, Réserve, 2007

Dupéré-Barrera,
Côtes de Provence, Très Longue Macération, 2008

MEILLEURS ROUGES DES COTEAUX D'AIX, LES BAUX, COTEAUX VAROIS

Château Paradis,
Coteaux d'Aix-en-Provence, Terre des Anges, 2008

Château Romanin,
Les Baux-de-Provence, 2007

Château Sulauze,
Coteaux d'Aix-en-Provence, Cuvée Lauze, 2007

Château Vignelaure,
Coteaux d'Aix-en-Provence, 2005

Château Vignelaure,
Coteaux d'Aix-en-Provence, 2006

Domaine des Béates,
Coteaux d'Aix-en-Provence, Les Béates, 2007

Domaine du Deffends,
Coteaux Varois en Provence, Clos de la Truffière, 2007

Domaine Hauvette,
Les Baux-de-Provence, Améthyste, 2006

Mas de la Dame,
Les Baux-de-Provence, Coin Caché, 2007

Palmarès des lecteurs

CHÂTEAU COUSSIN SAINTE-VICTOIRE
Côtes de Provence, Cuvée Collection, blanc, 2009

DOMAINE DE L'ABBAYE DE LÉRINS

Île Saint-Honorat - B.P. 157 • 06416 Cannes cédex
Tél. 04 92 99 54 10 • Fax : 04 92 99 54 41
mariepaques@abbayedelerins.com
www.abbayedelerins.com
www.excellencedelerins.com

Le Père Nicolas, abbé du monastère, poussé par l'étoilé Jacques Chibois, décida de développer une politique qualitative de la vigne. De 1 500 bouteilles en 1992, la production est passé à 35 000 bouteilles aujourd'hui. La cuvée mourvèdre offre un soyeux de tanins unique ! C'est l'une des meilleures de l'Hexagone. Les blancs sont au diapason. Une retraite ici s'impose !

Vin de pays des Alpes-Maritimes
Saint-Honorat 2008
Rouge | 2010 à 2014 | 32 € **16/20**
Nez de mûre et myrtille d'une belle profondeur, l'attaque est suave et se prolonge de la plus belle des façons sur des notes épicées avec un fruit bien présent en fin.

Vin de pays des Alpes-Maritimes
Saint-Lambert 2008
Rouge | 2011 à 2017 | 90 € **18/20**
On a le côté tendu du mourvèdre avec des tanins satinés et juteux d'une grande précision, ce vin est irrésistible !

Vin de pays des Alpes-Maritimes
Saint-Pierre 2008
Blanc | 2010 à 2014 | env 20 € **16/20**
Composée de 90 % de clairette et de 10 % de chardonnay, cette cuvée se montre épicée au nez, en bouche l'attaque est onctueuse et fraîche, puis elle prend de la hauteur avec des touches de poivre gris et de fleurs.

Vin de pays des Alpes-Maritimes
Saint-Sauveur 2008
Rouge | 2010 à 2015 | 40 € **16,5/20**
Nez superbe de violette, avec une touche de rose que l'on retrouve dans une bouche aux tanins soyeux de grande race. C'est long et tendu.

DOMAINE DE L'ANGUEIROUN

1077, chemin de l'Angueiroun
83230 Bormes-les-Mimosas
Tél. 04 94 71 11 39 • Fax : 04 94 71 75 51
angueiroun@wanadoo.fr • www.angueiroun.fr
Visite : uniquement ouvert en juillet août,
de 8h à 12h et de 14h à 17h

Le Domaine de l'Angueiroun est installé dans une vallée de Bormes-les-Mimosas sur des sols de micaschiste et de grès. Éric Dumon l'a repris en 1999 et l'a fait sortir de l'ombre, menant une démarche respectueuse de l'environnement. La qualité des cuvées Prestige nous a de nouveau convaincus. C'est à suivre de près.

Côtes de Provence Prestige 2009
Rosé | 2010 à 2011 | 13 € **14,5/20**
Nez très frais aux accents de fruits rouges et d'amande, la bouche a du ressort et de la subtilité.

Côtes de Provence Prestige 2008
Rouge | 2011 à 2015 | 15 € **13,5/20**
Ce vin a de la matière et les tanins s'affinent avec le temps.

Côtes de Provence Prestige 2008
Blanc | 2010 à 2012 | 15 € **14,5/20**
Nez vanillé avec une touche d'exotisme, en bouche il y a une belle matière qui se met en place avec une aromatique fruits jaunes et de la fraîcheur.

DOMAINE DE LA BASTIDE BLANCHE

367, route des Oratoires
83330 Sainte-Anne-du-Castellet
Tél. 04 94 32 63 20 • Fax : 04 94 32 74 34
contact@bastide-blanche.fr • www.bastide-blanche.fr
Visite : De 10h à 18h en semaine l'été,
sinon sur rendez-vous.

Le domaine est mené par Michel Bronzo, soutenu par une direction technique de pointe qui veille également sur le Château des Baumelles. La bastide blanche est installée sur des sols d'argile rouge où est réalisée la cuvée Fontanieu, et d'argile caillouteuse pour la cuvée Estagnol. Tout est mené en biodynamie, ce qui apporte une réelle intensité aux vins.

Bandol 2009
Rosé | 2010 à 2012 | 11,10 € **14,5/20**
Vin gourmand, réussi, avec de l'étoffe. Il ira facilement à table, accompagner un saumon aux herbes.

Bandol Château des Baumelles 2009

Rosé | 2010 à 2012 | 11,10 € **14,5/20**

Joli rosé de caractère, fruité, épicé et aromatique.

Bandol Fontanéou 2008

Rouge | 2010 à 2017 | env 15 € **15/20**

Avec un fruité de grande qualité, le vin est chaleureux, mûr. Le style est original.

DOMAINE DES BÉATES

Route de Caireval - B.P. 52 • 13410 Lambesc
Tél. 04 42 57 07 58 • Fax : 04 42 57 19 70
contact@domaine-des-beates.com
www.domaine-des-beates.com
Visite : De 8h à 18h ou sur rendez-vous.

La famille Terrat a converti ce grand domaine de Lambesc à la biodynamie. Les vins rouges et blancs de la gamme classique nous sont apparus plus convaincants que lors de la dernière édition. Les-Béatines, cuvées plus immédiates, constituent de bons rapports qualité-prix.

Coteaux d'Aix-en-Provence Les Béates 2008

Blanc | 2010 à 2011 | 9,50 € **14/20**

Ce vin, avec ses arômes de fraîcheur citronnée et d'herbes coupées, est vif et bien équilibré en bouche, il évolue mieux que prévu.

Coteaux d'Aix-en-Provence Les Béates 2007

Rouge | 2010 à 2014 | 13 € **15/20**

Nez de cassis et d'épices qui fait saliver, la bouche confirme avec des tanins juteux, marquée par un fruit bien dégagé et de la fraîcheur.

Coteaux d'Aix-en-Provence Terra d'Or 2007

Rouge | 2012 à 2017 | 26 € **14/20**

Nez très plein marqué par la garrigue, l'olive et les baies noires, bouche ample, avec des tanins pour l'instant fougueux, il lui faudra un peu de temps pour qu'ils se mettent en place.

CHÂTEAU BEAULIEU

13840 Rognes en Provence
Tél : 04 42 50 20 19 • Fax : 04 42 50 19 53
infos@pgadomaines.com

Beaulieu est, conformément à son nom, une magnifique propriété reprise en 2002 par l'homme d'affaires Pierre Guénant. Avec une bonne partie de la production axée sur le rosé, c'est assurément un domaine à suivre.

Coteaux d'Aix-en-Provence 2009

Rosé | 2010 à 2011 | NC **14/20**

Robe or rose, notes acidulées au nez comme en bouche, corps charnu, allègre, facile à boire.

CHÂTEAU DE BEAUPRÉ

3525 RN 7 • 13760 Saint-Cannat
Tél. 04 42 57 33 59 • Fax : 04 42 57 27 90
contact@beaupre.fr • www.beaupre.fr
Visite : De 9h à 12h et de 14h à 18h30.

Coteaux d'Aix-en-Provence Collection du Château 2008

Blanc | 2010 à 2011 | 13,70 € **14/20**

Nez d'agrumes avec une pointe d'anis, la bouche est longue et élégante.

DOMAINE DE LA BÉGUDE

La-Cadière-d'Azur, route des garrigues
83330 Le Camp-du-Castellet
Tél. 04 42 08 92 34 • Fax : 04 42 08 27 02
contact@domainedelabegude.fr
www.domainedelabegude.fr
Visite : Du lundi au vendredi, de 9h à 15h.
Sur rendez-vous en dehors de ces horaires

Ce domaine appartient à une famille qui fut célèbre à Bordeaux pour avoir longtemps dirigé le Château Giscours. Immense (plus de cinq-cents hectares, dont seuls dix-sept sont plantés de vignes), possédant une importante oliveraie, la propriété a été restaurée par le sémillant Guillaume Tari à la suite de son acquisition en 1996. Les matières sont excellentes mais les élevages marqués nécessitent de la patience. Goûtez le rosé 2009, il ne laissera pas indifférent.

Bandol 2009

Rosé | 2010 à 2012 | 15 € **16,5/20**

Nez de caramel et de fruits rouges bien frais, la matière est très longue, subtile. On est à mille lieues d'un rosé classique. Ce 2009 invente une quatrième couleur à Bandol.

Bandol 2007

Rouge | 2011 à 2018 | 20 € **14,5/20**

Encore marqué par le bois de l'élevage, la matière est puissante. A l'image du 2006, ce millésime a besoin de temps pour s'exprimer à plein. Il méritera d'être goûté à nouveau d'ici à deux ans pour mieux cerner l'évolution du cru.

Bandol 2006

Rouge | 2012 à 2018 | 21 € **15/20**

Le boisé est encore marqué : ce beau jus complexe et épicé a besoin d'un peu de temps pour s'exprimer à plein.

Bandol La Brulade 2006

Rouge | 2012 à 2018 | 40 € **14/20**

Encore fortement marquée par le bois, cette bouteille montre une structure dense. Le vin a du fond, une puissance rentrée qui ne demandera qu'à s'exprimer. Il faudra l'attendre.

CHÂTEAU DE BELLET

440, chemin de Saquier • 06200 Nice

Tél. 04 93 37 81 57 • Fax : 04 93 37 93 83

chateaudebellet@aol.com

Visite : Sur rendez-vous.

Ce domaine viticole et son château Renaissance sont dans la même famille depuis le XVe siècle. Implanté sur la colline des Séoules, sur les hauteurs de Nice, le vignoble exposé sud-sud-ouest bénéficie des embruns qui tempèrent la chaleur estivale. Les cuvées Baron-G., en blanc et en rouge, concentrent le savoir-faire du domaine. Le blanc est à base de vermentino, complété d'un léger apport de chardonnay. Le rouge fait appel au braquet et à la folle noire, complétés de grenache. Le rosé est l'un des plus originaux qui soit.

Bellet 2009

Rosé | 2010 à 2013 | 17 € **16,5/20**

Si 2009 n'a pas l'intensité de 2008, c'est l'un des vins les plus originaux de la planète, épicé, subtil, raffiné avec une intensité unique de vieille rose.

Bellet Baron G. 2008

Rouge | 2010 à 2014 | 25 € **16/20**

2008 n'a pas l'opulence de son prédécesseur. Ce sera un millésime que l'on pourra boire plus tôt. Suave et raffiné, nous avons aimé sa finale charnue et complexe, d'une délicatesse rare.

Bellet Rose de Bellet 2007

Rouge | 2010 à 2015 | 27 € **18/20**

Grande délicatesse de tanins, le vin s'est un peu refermé mais tout est là. Les impatients sortiront les 2008, les avisés mettront ce 2007 splendide en cave. Sa fraîcheur fera légende.

CHÂTEAU DE BERNE

Route de Salernes • 83510 Lorgues

Tél. 04 94 60 43 60 • Fax : 04 94 60 43 58

info@chateauberne.com • www.chateauberne.com

Visite : Ouvert tous les jours ; en hiver de 10h à 18h, en été de 9h à 18h.

Côtes de Provence cuvée Spéciale 2008

Blanc | 2010 à 2012 | 15 € **14,5/20**

Vin concentré et frais, avec des accents d'anis et d'agrumes.

CHÂTEAU HENRI BONNAUD

945, chemin de la Poudrière • 13100 Le Tholonet

Tél. 04 42 66 86 28 • Fax : 04 42 66 94 64

contact@chateau-henri-bonnaud.fr

www.chateau-henri-bonnaud.fr

Visite : sur rendez-vous.

Le terroir d'éboulis calcaires est typique de l'Aoc Palette. Les rouges dominent, avec des assemblages de grenache, carignan et mourvèdre orientés sud-est. Ils ont ce qu'il faut de concentration et de soyeux dans le dessin des tanins. Les blancs savoureux sont plantés sur le versant nord du Tholonet, gage de fraîcheur.

Palette 2009

Rosé | 2010 à 2011 | 16 € **15/20**

Framboise et poivre de Madagascar se mêlent de la meilleure des façons dans une bouche à la fois structurée et fraîche.

Palette 2007

Rouge | 2010 à 2014 | 21 € **15/20**

Un rouge aux accents de garrigue, avec de la profondeur et des tanins enrobés et tendus.

Palette cuvée 100 % rolle 2009

Blanc | 2010 à 2012 | 8,50 € **15/20**

Vin bien tendu aux accents d'anis, de poivre blanc et de fleurs, la bouche est longue et distinguée.

Palette Quintessence 2008

Blanc | 2010 à 2012 | 25 € **16/20**

Nez anisé avec une touche fumée, bouche puissante, tranchante et longue avec une réelle vibration.

CHÂTEAU DE BRÉGANÇON

639, route de Léoube • 83230 Bormes-les-Mimosas
Tél. 04 94 64 80 73 • Fax : 04 94 64 73 47
chateaudebregancon@wanadoo.fr
www.chateaudebregacon.fr
Visite : Tous les jours de 9h à 12h et de 14h à 19h.

Côtes de Provence Prestige 2009
Rosé | 2010 à 2011 | 12,80 € **13,5/20**
De l'équilibre pour ce rosé, avec ses accents de framboise et sa bouche croquante et fraîche.

Côtes de Provence Prestige 2009
Blanc | 2010 à 2012 | 12,80 € **14,5/20**
Fruits exotiques au nez avec une pointe de vanille, il y a une belle matière en bouche avec un bon retour fruité.

DOMAINES BUNAN

B.P. 17 • 83740 La Cadière-d'Azur
Tél. 04 94 98 58 98 • Fax : 04 94 98 60 05
bunan@bunan.com • www.bunan.com
Visite : été, lundi au samedi 9h-12h30 et 14h-19h, dimanche et jours fériés 10h-12h et 16h-19h
hiver, lundi au samedi 9h-12h 14h-18h

Les domaines Bunan dirigent plusieurs propriétés installées sur La-Cadière-d'Azur et sur Le-Castellet : le Moulin des Costes, le Mas de la Rouvière et le Château La Rouvière. Le rouge 2006 de La Rouvière nous a beaucoup plu. Le Moulin des Costes se remarque également dans cette couleur et affiche un blanc qui rappelle que l'appellation peut également briller dans cette couleur.

Bandol La Rouvière 2006
Rouge | 2010 à 2020 | 21,50 € **17/20**
Bandol juteux, séveux, long en bouche, épicé, complexe.

Bandol Moulin des Costes 2009
Blanc | 2010 à 2011 | 15,50 € **16,5/20**
Puissant, long, épicé, l'amertume est gourmande. On croque la peau blanche du pamplemousse. Raffiné, corsé et subtil.

Bandol Moulin des Costes 2006
Rouge | 2010 à 2018 | 15,50 € **16/20**
Du fonds, des tanins fins, subtils avec une finale moka, chocolat en poudre. L'ensemble est fin, frais en finale.

MAS DE CADENET

Chemin départemental 57
13530 Trets-en-Provence
Tél. 04 42 29 21 59 • Fax : 04 42 61 32 09
guy.negrel@masdecadenet.fr • www.masdecadenet.fr
Visite : Du lundi au samedi, de 8h à 12h
et de 14h à 19h.

Guy Negrel dirige ce domaine familial installé à Trets, au pied de la montagne Sainte-Victoire. Le rosé et le rouge font appel à une forte proportion de grenache. Le premier est complété de cinsault et le second a trouvé la syrah pour principal partenaire. La gamme Négrel-Cadenet est la plus concentrée et les cuvées Domaine sont friandes.

Côtes de Provence Sainte-Victoire 2009
Blanc | 2010 à 2011 | 9 € **14/20**
Floral, fruits jaunes, ce vin a du ressort et se montre élégant.

Côtes de Provence Sainte-Victoire 2009
Rosé | 2010 à 2011 | 9 € **13,5/20**
La fraise et la groseille au nez, la tendreté en bouche, ce vin se montre très friand.

Côtes de Provence Sainte-Victoire
Mas Négrel Cadenet 2007
Rouge | 2010 à 2015 | 18 € **13,5/20**
Ce vin trapu et intense mérite un carafage, pour caresser dans le sens du poil une terrine de gibier.

CHÂTEAU CALISSANNE

R.D. 10 - • 13680 Lançon-de-Provence
Tél. 04 90 42 63 03 • Fax : 04 90 42 40 00
commercial@chateau-calissanne.fr
www.calissanne.fr
Visite : Du lundi au samedi, de 9h à 19h
et le dimanche de 9h à 13h.

Calissanne est installé à Lançon-de-Provence, où les vignes sont plantées sur des éboulis de falaises calcaires. Les trois couleurs se déclinent en cuvée-du-château, cuvée Prestige, et Clos-Victoire. Ce dernier donne des vins plus concentrés et élégants. Toute la production est d'inspiration moderne avec toutefois des inégalités.

Coteaux d'Aix-en-Provence 2009
Rosé | 2010 à 2011 | NC **14/20**
Vin équilibré dans un registre groseille et framboise, avec une touche de poivre gris.

Coteaux d'Aix-en-Provence Clos Victoire 2008
Blanc | 2010 à 2012 | NC **15/20**
Nez de fleurs blanches, attaque sur l'amande fraîche, bouche de belle longueur avec juste ce qu'il faut de fraîcheur en fin. Ce vin a toujours autant de classe et évolue parfaitement.

Coteaux d'Aix-en-Provence Clos Victoire 2003
Rouge | 2010 à 2013 | NC **14/20**
Les tanins se fondent, ils prennent de beaux accents de cassis et d'olive noire, avec une texture soyeuse. Le 2006 est en devenir.

CHÂTEAU LA CALISSE

Route Départementale 560 • 83670 Pontèves
Tél. 04 94 77 24 71 • Fax : 04 94 77 05 93
contact@chateau-la-calisse.fr
www.chateau-la-calisse.fr
Visite : tous les jours de 9h à 18h.

Au Château La Calisse, les rendements sont faibles et la vigne menée en agriculture biologique, les vendanges s'effectuent manuellement. Le vignoble, situé à près de 400 mètres et balayé par le mistral, profite d'une influence continentale. Le style est élégant comme Patricia Ortelli, qui fait passer sa passion à travers ses vins.

Coteaux Varois en Provence
Patricia Ortelli 2009
Blanc | 2010 à 2012 | 12,50 € **14/20**
Ananas et citron vert se mêlent dans une bouche régulée par une bonne acidité.

Coteaux Varois en Provence
Patricia Ortelli 2008
Blanc | 2010 à 2011 | 12,50 € **15/20**
Le vin évolue sur des accents de pêche blanche avec une touche florale rappelant l'huile d'œillette, il y a de la fraîcheur en fin de bouche.

Coteaux Varois en Provence
Patricia Ortelli - Étoiles 2008
Rouge | 2010 à 2013 | 30 € **14/20**
Le cassis et l'olive noire sont les flaveurs dominantes pour ce vin tout en rondeurs.

Coteaux Varois en Provence
Patricia Ortelli - Étoiles 2007
Rouge | 2010 à 2012 | 30 € **14/20**
Tanins souples et gourmands marqués par la myrtille, le cassis et les épices, qui s'étirent progressivement en bouche.

DOMAINE DU CLOS D'ALARI

717, route de Mappe • 83510 Saint-Antonin-du-Var
Tél. 04 94 72 90 49 • Fax : 04 94 72 90 51
domaine.du.clos.alari@orange.fr
Visite : sur rendez-vous

Côtes de Provence Grand Clos 2009
Rosé | 2010 à 2011 | 9 € **14/20**
Nez de groseille, de rose et de poivre, la bouche est élégante, longue et caressante.

LES COTEAUX DE BELLET

325, chemin de Saquier - Saint-Romain de Bellet
06200 Nice
Tél. 04 93 29 92 99 • Fax : 04 93 18 10 19
lescoteauxdebellet@wanadoo.fr
Visite : du lundi au vendredi de 15h à 18h.

Bellet 2009
Rosé | 2010 à 2010 | 12,50 € **13,5/20**
Robe pelure d'oignon, le vin a du gras dans un style où s'affirme la typicité provençale, complétée par la pointe aromatique de Bellet dans la finale.

DOMAINE DE LA COURTADE

83400 Île de Porquerolles
Tél. 04 94 58 31 44 • Fax : 04 94 58 34 12
domaine@lacourtade.com • www.lacourtade.com
Visite : Du lundi au vendredi sur rendez-vous

La Courtade est l'un des rares domaines de Porquerolles qui maintienne haut les couleurs de la Provence. L'Alycastre est une cuvée coulante à un prix raisonnable. Les bouteilles étiquetées au nom du château vont plus loin dans la recherche de profondeur, avec des matières plus intenses, mais elles demandent un peu de patience pour s'affirmer.

Côtes de Provence 2007
Blanc | 2010 à 2013 | 16,80 € **15/20**
Des flaveurs de fruits exotiques émergent, avec en bouche à la fois de la richesse et de la fraîcheur. Bien pour un loup au fenouil.

Côtes de Provence 2006
Rouge | 2010 à 2017 | 16,80 € **16/20**
Olives, fruits noirs et une petite touche de poivre de Pondichéry se mêlent dans un nez complexe, la bouche confirme cette excellente impression avec des tanins à la fois fermes, longs et racés. Beau potentiel.

Côtes de Provence L'Alycastre 2008
Rouge | 2010 à 2011 | 8,60 € **13/20**
Tanins souples aux accents de fruits rouges avec une petite touche d'épices, on le boit le col ouvert.

Côtes de Provence L'Alycastre 2009
Rosé | 2010 à 2011 | 8,60 € **13/20**
Nez de fruits rouges, bouche coulante.

CHÂTEAU COUSSIN

Route de Puyloubier • 13530 Trets-en-Provence
Tél. 04 42 61 20 00 • Fax : 04 42 61 20 01
sumeire@sumeire.com • www.sumeire.com
Visite : De 8h30 à 12h et de 14h à 17h30.

Ce domaine doit son nom à Jean-Baptiste Coussin, avocat à la cour d'Aix au siècle des Lumières. Aujourd'hui, ce sont les Sumeire qui plaident la cause des cuvées baignées par la luminosité chère à Cézanne. Les vins ont gagné en régularité et précision sur les derniers millésimes et sont hautement recommandables pour la bouillabaisse ou le sanglier.

Côtes de Provence cuvée Collection 2009
Blanc | 2010 à 2011 | NC **15,5/20**
Nez d'aubépine et de poivre gris, belle bouche florale et tendue.

Côtes de Provence cuvée Sélection 2007
Rouge | 2012 à 2017 | 14,10 € **15/20**
Matière dense, avec de jolis tanins et du ressort.

Côtes de Provence Sainte-Victoire 2009
Rosé | 2010 à 2011 | 11,30 € **14/20**
C'est tendre, floral et croquant, avec des accents de fraise sur la fin de bouche.

CHÂTEAU DE CRÉMAT

442, chemin de Crémat • 06200 Nice
Tél. 04 92 15 12 15 • Fax : 04 92 15 12 13
chateau.cremat@wanadoo.fr
Visite : Du lundi au vendredi de 9h à 18h.

La bâtisse est un château-fort construit… au début du XXe siècle, dans le style des folies architecturales que l'on peut trouver sur la région de Nice. La propriété a été reprise en 2000 par un industriel hollandais, Cornélis Kamerbeck, qui se passionne pour ses quatorze hectares de vignes. Les installations de pointe devraient permettre de réaliser ici de très grands vins.

Bellet 2009
Blanc | 2010 à 2012 | 20 € **13/20**
Très bel amer étiré, une bonne structure acide avec une finale légère.

Bellet 2008
Rouge | 2010 à 2012 | 20 € **14/20**
Vin agréable, fruité, sans puissance démonstrative, il est à boire dès maintenant, arrondi par une pointe de sucrosité en finale. Le vin, juste assemblé, va se fondre.

DOMAINE DALMERAN

45, avenue Notre-Dame du Château
13103 Saint-Étienne-du-Grès
Tél. 04 90 49 04 04 • Fax : 04 90 49 15 39
chateau.dalmeran@wanadoo.fr • www.dalmeran.com
Visite : de 10h à 12H30 et de 14h à 18h30.

La dizaine d'hectares plantés sur ce versant nord des Alpilles, sur des sols argilo-calcaires, donne des rouges de plus en plus accomplis qui peuvent bien évoluer dans le temps, avec une fraîcheur de fin de bouche de bon aloi. Neil Joyce peut être fier de ses derniers millésimes.

Les Baux-de-Provence 2006
Rouge | 2010 à 2015 **14,5/20**
On apprécie la plasticité tannique, la longueur et la fraîcheur qui font de ce vin un compagnon de table idéal pour une côte de veau.

Les Baux-de-Provence 2005
Rouge | 2010 à 2013 **14/20**
La souplesse des tanins, leur longueur et leur fraîcheur sur fond de garrigue et de fruits rouges permet d'envisager une côte de veau.

Les Baux-de-Provence 2001
Rouge | 2010 à 2012 **15/20**
Le tanin onctueux et velouté de ce vin avec une fin mentholée convient à une tourte de faisan aux truffes.

Les Baux-de-Provence 2009
Rosé | 2010 à 2011 | NC **14/20**
Vin aux accents de framboise et d'agrumes, la bouche est longue et bien structurée.

MAS DE LA DAME

Route Départementale 5
13520 Les Baux-de-Provence
Tél. 04 90 54 32 24 • Fax : 04 90 54 40 67
masdeladame@masdeladame.com
www.masdeladame.com
Visite : 8h30 à 19h tous les jours.

Situé sur le versant sud des Alpilles, ce domaine possède des sols drainants et le mistral favorise l'état sanitaire des raisins. Il peut s'enorgueillir d'avoir été peint par Van Gogh et les tanins des rouges sont parfaitement dessinés, avec une préférence pour le Coin-Caché ! Les blancs 2007 nous ont ravis.

Les Baux-de-Provence Coin Caché 2007
Rouge | 2010 à 2014 | 20 € **15/20**
Vin profond, avec une fraîcheur de fruits que l'on n'a pas sur l'autre cuvée goûtée, le Coin-des-Amants. L'aromatique décline les fruits noirs et l'eucalyptus.

Les Baux-de-Provence Coin Caché 2007
Blanc | 2010 à 2012 | 20 € **13,5/20**
Accents d'amande et de pamplemousse se mêlent et apportent une douce amertume avec une texture caressante.

Les Baux-de-Provence La Stèle 2007 ☺
Blanc | 2010 à 2011 | 9 € **14,5/20**
Les 20 % de muscadelle apportent des arômes floraux à un nez sur les fruits jaunes avec une pointe d'épices, la bouche est croquante et charmeuse.

DOMAINE DU DEFFENDS

Chemin du Deffends • 83470 Saint-Maximin La-Sainte-Baume
Tél. 04 94 78 03 91 • Fax : 04 94 59 42 69
domaine@deffends.com • www.deffends.com
Visite : De 9h à 12h et de 15h à 18h.

Juché à 400 mètres au-dessus de Saint-Maximin, le Domaine du Deffends est situé sur un plateau argilo-calcaire qui permet d'apercevoir la montagne Sainte-Victoire et l'Esterel. Cette situation privilégiée limite la chaleur estivale tout en faisant bénéficier d'un mistral puissant qui contribue à l'état sanitaire du vignoble. C'est une adresse très sûre, qui produit de longue date des vins de belle qualité à des prix accessibles, avec un Clos-de-la-Truffière digne de son nom, ce rouge figure parmi les meilleurs de Provence.

Coteaux Varois en Provence
Champs de la Truffière 2007
Rouge | 2011 à 2015 | 10,80 € **15/20**
Un peu sur la réserve, ce cru devrait parfaitement évoluer sur une matière dense et sensuelle. Le 2006 a de la conversation.

Coteaux Varois en Provence
Champs du Bécassier 2008
Rouge | 2010 à 2012 | 8,80 € **14,5/20**
On apprécie la plasticité des tanins et leur fraîcheur.

Coteaux Varois en Provence Marie-Liesse 2008
Rouge | 2010 à 2012 | 12,80 € **14,5/20**
C'est une cuvée toujours très élégante et fraîche, avec un joli fruit et une matière dynamique.

Coteaux Varois en Provence
Rosé d'une Nuit 2009
Rosé | 2010 à 2013 | 8,80 € **15/20**
Rosé de repas avec une belle structure et des arômes nets de fruits rouges, avec une touche d'épices.

Vin de pays Portes de Méditerranée
Rosé des Filles 2009 ☺
Rosé | 2010 à 2011 | 9,80 € **14,5/20**
Vin harmonieux dans un registre frais et floral, vin galant de table de nuit.

CHÂTEAU DES DEMOISELLES

Route de Callas • 83920 La Motte
Tél. 04 94 70 28 78 • Fax : 04 94 47 53 06
contact@chateaudesdemoiselles.com
www.chateaudesdemoiselles.com
Visite : Visites tous les jours a 11h30 en semaine

Ancienne propriété de la famille Grimaldi, ce domaine a été racheté en 2005 par la famille Teillaud, qui la possédait jusqu'à la fin des années 1970. Ce retour aux sources motive pleinement Aurélie Bertin, qui dirige également l'autre propriété familiale, Sainte-Roseline, et un énorme travail a ici été entrepris dans les vignes. Depuis 2007, les vins ont bénéficié des travaux effectués sur la propriété pour les vinifications, ce qui permet de déguster des vins mieux définis dans leur structure. Les cuvées produites sont élégantes et coulantes.

Côtes de Provence 2009
Rosé | 2010 à 2011 | 10,60 € **13/20**
Rosé frais et coulant, dans un registre framboise, groseille.

Côtes de Provence 2009
Blanc | 2010 à 2012 | 11,30 € **14,5/20**
Nez d'anis et de fleurs blanches, la bouche est vive et aromatique avec un côté croquant.

Côtes de Provence 2007
Rouge | 2010 à 2011 | 11,90 € **14,5/20**
Tanins souples et gourmands, marqués par la myrtille, le cassis et les épices, ce vin évolue parfaitement.

DOMAINE LA DONA TIGANA

25, avenue Pierre-Imbert • 13260 Cassis
Tél. 04 42 01 02 26
contact@ladonatigana.com • www.ladonatigana.com

Ce domaine de sept hectares est né en 1998, grand millésime de foot, par la volonté de Jean Tigana, l'un des joueurs-clés du carré magique des champions d'Europe 1984. Les coteaux qui dominent la baie de Cassis sont orientés plein ouest en terrain argilo-calcaire caillouteux, terroir propice à la production des grands blancs de cassis. Nous avons pleinement apprécié cette couleur avec un 2009 qui s'impose, à la fois mûr, frais et salin. Le rosé est idéal pour l'échauffement.

Cassis 2009
Rosé | 2010 à 2011 | NC **14/20**
Nez de framboises et d'agrumes, attaque sur le fruit, bouche fraîche, avec une jolie fin épicée, idéal pour une bouillabaisse.

Cassis 2009
Blanc | 2010 à 2013 | NC **15/20**
Nez de pamplemousse, attaque harmonieuse et fraîche, avec une bouche de belle longueur et une fin saline de première saveur.

DUPÉRÉ-BARRERA

254, rue Robert-Schumann • 83130 La Garde
Tél. 04 94 23 36 08
vinsduperebarrera@hotmail.com

Négociants de talent dans le Sud-Est, vignerons bio en Côtes de Provence, Emmanuelle Dupéré et Laurent Barrera se hissent dans le haut du bouchon des vins rouges de Provence avec des cuvées concentrées de bonne complexité. La cuvée Très-Longue-Macération est l'une des plus abouties de la Provence.

Côtes de Provence Clos de la Procure 2008
Rouge | 2010 à 2013 | 13 € **14/20**
Vin sur des fruits noirs croquants avec des rondeurs, il se boit déjà bien.

Côtes de Provence Très Longue Macération 2008
Rouge | 2010 à 2015 | 25 € **16/20**
Beaucoup de fruits noirs au nez, la bouche est longue avec des tanins juteux et une belle complexité, c'est l'un des vins les plus complets du millésime.

DOMAINE DUPUY DE LÔME

624, route de Toulon - RN 8
83330 Sainte-Anne-d'Évenos
Tél. 04 94 05 22 99 • Fax : 04 94 05 22 99
domainedupuydelome@orange.fr
www.dupuydelome.com
Visite : Du mardi au samedi de mai à aout: 9-12h et 13h30-17h. Sur rendez-vous le reste de l'année

Bandol 2009
Blanc | 2010 à 2012 | 11 € **15/20**
Pointe d'agrumes, citron, épices, un vin de beau volume avec une amertume agréable.

Bandol 2009
Rosé | 2010 à 2012 | 11 € **16,5/20**
Rosé de grand volume, de grande amplitude, le fruit est superbe, tenu par une matière dense. La finale est d'une étonnante persistance.

Bandol 2007
Rouge | 2012 à 2020 | 14 € **14/20**
Encore marqué par le bois, complexe en bouche, la finale est fraîche.

CHÂTEAU D'ESCLANS

4005, route de Callas - • 83920 La Motte
Tél. 04 94 60 40 40 • Fax : 04 94 70 23 99
chateaudesclans@sachalichine.com
www.chateaudesclans.com
Visite : Hiver : du lundi au vendredi de 9h à 18h, samedi et dimanche de 9h à 19h. Été : du lundi au vendredi de 10h à 19h.

La production du domaine a fait couler beaucoup de rosé et cela continue ! Sacha Lichine, qui posséda Château Prieuré-Lichine, à Margaux, a repris cette propriété. La cuvée Garrus 2008, qui sort à 80 euros, est plus équilibrée qu'en 2007 ; ce vin confidentiel ne doit pas masquer les autres cuvées du château, plus équilibrées dans leur fraîcheur de

constitution, comme le rosé Whispering-Angels ou le délicieux Esclans. Au bout du compte, on ne peut que louer la grande majorité de la production, et tant pis pour les quelques bouteilles élevées luxueusement à l'ombre des barriques en pleurs, Sacha Lichine a ce sens de la mise en scène et c'est pour cela qu'on l'aime.

Côtes de Provence Esclans 2008 ☺
Rosé | 2010 à 2012 | 20 € **15/20**
Très aromatique avec ses accents floraux et ses touches de framboise, ce vin est un charmeur, il est destiné aux rendez-vous galants.

Côtes de Provence Garrus 2008
Rosé | 2011 à 2015 | 80 € **16/20**
On apprécie l'intensité en bouche avec à la fois puissance, élégance et fraîcheur ; l'élevage est bien maîtrisé et le boisé intégré comme il le faut.

Côtes de Provence Les Clans 2008
Rosé | 2010 à 2012 | 50 € **15,5/20**
Il s'affirme par son ampleur et ses flaveurs épicées, c'est un vin de repas.

Côtes de Provence Whispering Angels 2009 ☺
Rosé | 2010 à 2012 | 14 € **14/20**
Fraise et agrumes se mêlent au nez, la bouche est élégante et fraîche.

CHÂTEAU LA FONT DU BROC

83460 Les Arcs-sur-Argens
Tél. 04 94 47 48 20 • Fax : 04 94 47 50 46
caveau@chateau-fontdubroc.com
www.chateau-fontdubroc.com
Visite : en hiver, du lundi au samedi 10h à 18h
en été, du lundi au samedi 10h-19h

Côtes de Provence 2007
Rouge | 2010 à 2012 | 20 € **13,5/20**
Vin élégant où émergent les fruits noirs et la tapenade, à boire sur une côte de veau.

CHÂTEAU DE FONTLADE

Route de Cabasse • 83170 Brignoles
Tél. 04 94 59 24 34 • Fax : 04 94 72 02 88
fontlade@orange.fr • www.chateau-de-fontlade.com
Visite : de 10h à 19h du lundi au vendredi.

Coteaux Varois en Provence Saint-Qvinis 2009
Rosé | 2010 à 2011 | 5,75 € **13,5/20**
Rosé vineux et trapu, idéal pour accompagner un repas.

DOMAINE DE FRÉGATE

Route de Bandol • 83270 Saint-Cyr-sur-Mer
Tél. 04 94 32 57 57 • Fax : 04.94.32.24.22
domainedefregate@wanadoo.fr
www.domainedefregate.fr
Visite : De mars à octobre, tous les jours de 8h30 à 12h30 et de 13h30 à 18h.

Bandol 2007
Rosé | 2010 à 2016 | 12 € **14/20**
Le vin a de la fraîcheur, avec un volume en bouche un peu fluide. Bon, mais à boire assez vite.

DOMAINE LE GALANTIN

690, chemin du Galantin
83330 Le Plan-du-Castellet
Tél. 04 94 98 75 94 • Fax : 04 94 90 29 55
domaine-le-galantin@wanadoo.fr
www.le-galantin.com
Visite : Du mardi au samedi, de 6h à 12h et de 14h à 17h30.

Bandol 2009
Blanc | 2010 à 2012 | 11,30 € **15/20**
Bel amer, citronné, puissant, fin, de bonne longueur.

Bandol 2009 ☺
Rosé | 2010 à 2012 | 9,80 € **14,5/20**
De la fraîcheur, une finale dense et aromatique avec une belle longueur.

CHÂTEAU GASSIER

Chemin départemental 57 • 13114 Puyloubier
Tél. 04 42 66 38 74 • Fax : 04 42 66 38 77
gassier@chateau-gassier.fr

Côtes de Provence 2009
Rosé | 2010 à 2011 | 7 € **13,5/20**
Ce domaine est l'antenne provençale du groupe Advini. Installé au pied de la montagne Sainte-Victoire, sur un sol de marnes calcaires et de grès argileux, le terroir façonne des rosés élégants. Ce côtes-de-provence, avec une amertume marquée par les agrumes, montre un fruité intense et long en bouche.

CHÂTEAU JEAN-PIERRE GAUSSEN

1585, chemin de l'Argile - BP 23
83740 La Cadière-d'Azur
Tél. 04 94 98 75 54 • Fax : 04 94 98 65 34
jp.gaussen@free.fr
Visite : Du lundi au samedi, de 9h à 12h et de 14h à 19h (17h30 en hiver). Dimanche de 9h à 12h, uniquement l'été et sur rendez-vous.

Jean-Pierre et Julie Gaussen ont créé ce domaine il y a quarante-cinq ans. Ils produisent régulièrement des vins puissants et sans concession. La classe du 2007 rayonnait dans notre dégustation à l'aveugle. Il est néanmoins parti pour une garde longue.

Bandol 2007
Rouge | 2013 à 2020 | 24 € **17/20**
Superbe jus, intense, frais, très raffiné. Ce vin de grande amplitude, très net et complexe est à attendre, sinon à carafer plusieurs heures.

DOMAINE DE GAVOTY

Le Grand Campdumy • 83340 Cabasse
Tél. 04 94 69 72 39 • Fax : 04 94 59 64 04
domaine.gavoty@wanadoo.fr • www.gavoty.com
Visite : Du lundi au samedi, de 8h à 12h et de 14h à 18h30.

La cuvée Clarendon, qui porte le nom du pseudonyme du critique musical Bernard Gavoty, signe les vins les plus aboutis de ce domaine exemplaire. Le rosé y est tendre et vineux et le blanc est l'un des seuls de Provence à pouvoir bien évoluer dans le temps pour accompagner la rabasse. L'accueil à la propriété est délicieux.

Côtes de Provence Clarendon 2009
Rosé | 2011 à 2013 | 12,60 € **15/20**
Framboise, groseille et fraise jaillissent du verre, le vin a de la structure, comme à son habitude, c'est un rosé de repas.

Côtes de Provence Clarendon 2008
Blanc | 2010 à 2015 | 16 € **17/20**
Nez de pêche blanche et d'herbes coupées, bouche longue et fraîche, tranchante sur sa fin, ce vin goûté en élevage évolue parfaitement en bouteille.

Côtes de Provence Clarendon 2007
Rouge | 2010 à 2014 | env 11 € **15/20**
Bel équilibre pour cette cuvée aux tanins veloutés et longs, marquée par une concentration juste, sur fond de romarin et de fruits noirs.

CHÂTEAU GRAND BOISE

Chemin de Grisole - B.P. n°2 • 13530 Trets
Tél. 04 42 29 22 95 • Fax : 04 42 61 38 71
nicolas.gruey@grandboise.com
www.grandboise.com
Visite : De 9h à 12h et de 14h à 18h tous les jours

Dès le Moyen-Âge, les terres viticoles de Grand Boise sont choyées par les moines et depuis le millésime 2008, c'est Olivier Dauga qui chante laudes, matines et vêpres pour les vinifications, et là on veut bien suivre tous les offices ! En effet, toutes les cuvées ont gagné en fraîcheur de constitution et en pureté de fruit. À suivre de près.

Côtes de Provence cuvée Mazarine 2009
Blanc | 2011 à 2013 | 6,50 € **13/20**
Vin qui sent pour l'instant l'hérétique, à revoir car le côté grillé de l'élevage perturbe pour l'heure la dégustation, mais nous ne sommes pas inquiets pour la suite.

Côtes de Provence Olympe 2009 ☺
Rosé | 2010 à 2011 | 6,50 € **14/20**
Rosé dans un style acidulé, franc et coulant pour se mettre en train et s'échauffer la voix le matin, avant le premier casse-croûte.

Côtes de Provence Sainte-Victoire 2009 ☺
Rouge | 2011 à 2014 | 7,50 € **14/20**
On sent une forme d'élégance, avec un élevage fin, et le fruit apparaît sur la fin de bouche.

Côtes de Provence Sainte-Victoire 2009
Rosé | 2010 à 2013 | 7,50 € **15/20**
Délicieux nez de fraise écrasée, attaque puissante, de la longueur et surtout une finale ébouriffante avec une petite pointe minérale du meilleur effet, vin de ripailles.

DOMAINE DU GROS'NORÉ

675, chemin de l'Argile • 83740 La Cadière-d'Azur
Tél. 04 94 90 08 50 • Fax : 04 94 98 20 65
alainpascal@gros-nore.com • www.gros-nore.com
Visite : De 9h à 12h et de 14h à 18h du lundi au samedi (samedi seulement en période estivale)

Bandol 2009
Rosé | 2010 à 2012 | 12,50 € **14/20**
De l'ampleur et une minéralité bien perceptible dans ce rosé fruité.

Bandol 2008
Rouge | 2011 à 2017 | 16 € **15,5/20**
Vin structuré, puissant, avec une longueur étonnante. La finale est tabac brun, profonde et gourmande.

DOMAINE HAUVETTE

Voie Aurélia - La Haute-Galine
13210 Saint-Rémy-de-Provence
Tél. 04 90 92 03 90 • Fax : 04 90 92 08 91
Visite : Sur rendez-vous.

Ce domaine phare est adossé au nord du massif des Alpilles, sur Saint-Rémy. Dominique Hauvette a mis en place un mode de culture en biodynamie, depuis 2003, avec de petits rendements. La propriété produit des rouges de grand style grâce à leur pureté de fruit et la précision dans le dessin de leurs tanins. Les blancs sont également de bonne facture.

Coteaux d'Aix-en-Provence 2007
Blanc | 2010 à 2014 | 28 € **14/20**
Nez un peu muscaté, attaque ronde, c'est tendu derrière.

Les Baux-de-Provence Améthyste 2007
Rouge | 2011 à 2018 | 28 € **16/20**
Nez très profond de fruits noirs et d'épices, attaque onctueuse et puis la bouche se resserre sur des tanins racés.

Les Baux-de-Provence Améthyste 2006
Rouge | 2011 à 2020 | 28 € **16,5/20**
Ce vin aux tanins bien tendus est classique, au niveau flaveurs, on est sur des fruits noirs avec une fin fumée et fraîche.

DOMAINE DE L'HERMITAGE

Le Rouve - B.P. 41 • 83330 Le Beausset
Tél. 04 94 98 71 31 • Fax : 04 94 90 44 87
contact@domainesduffort.com
www.domainesduffort.com
Visite : Du lundi au vendredi de 9h à 12h et de 14h à 18h.

Bandol 2009
Blanc | 2010 à 2012 | 16 € **14/20**
Épicé, agrumes et fleurs blanches, ce blanc est étonnant, mais typique de bandol.

Bandol 2007
Rouge | 2011 à 2016 | env 16 € **16/20**
Belle matière raffinée, jus suave, fin et long. De l'attaque à la finale, tout est complexe dans ce vin qui évolue bien, même si l'élevage a pris, pour l'instant, le pas sur le fruit.

CHÂTEAU HERMITAGE SAINT-MARTIN

Le Haut Pansard • 83250 La Londe
Tél. 04 94 00 44 44 • Fax : 04 94 00 44 45
enzo@chateauhermitagesaintmartin.com
www.chateauhermitagesaintmartin.com
Visite : en semaine 9h-12h et 14h-18h
samedi 9h30-12h30 et 14h-17h.

Achetée en 1999 par G. Enzo Fayard sur la région de Cuers, cette propriété dispose d'un terroir argilo-calcaire qui permet d'obtenir des rouges à la fois puissants et élégants avec ce qu'il faut de fraîcheur. La cuvée Enzo ouvre la gamme et l'Ikon constitue la cuvée prestige, plus concentrée. Les blancs et rosés sont très aromatiques.

Côtes de Provence Enzo 2008
Blanc | 2010 à 2013 | 8,85 € **14/20**
Nez très aromatique avec une symphonie d'anis, de poire et de fleurs blanches, avec une bouche onctueuse au fruité croquant.

Côtes de Provence Enzo 2008
Rosé | 2010 à 2011 | 8,85 € **14/20**
Accents de goyave et de pamplemousse rose, avec une bouche caressante sur les agrumes et une pointe épicée en fin.

Côtes de Provence Enzo 2004
Rouge | 2010 à 2015 | 8,85 € **14/20**
Ce vin à la fois onctueux et tendu présente des tanins puissants et élégants qui commencent à bien se fondre.

Vin de pays du Var Ikon 2007
Rouge | 2010 à 2015 | 22 € **14,5/20**
Superbe texture, tanins longs et bien enrobés.

Vin de pays du Var Ikon 2007
Blanc | 2010 à 2013 | 22 € **14/20**
Nez de pêche, épices, abricot confit, c'est rond, abricoté et équilibré.

DOMAINE DU JAS D'ESCLANS

3094, route de Callas • 83920 La Motte-en-Provence
Tél. 04 98 10 29 29 • Fax : 04 98 10 29 28
mdewulf@terre-net.fr • www.jasdesclans.fr
Visite : Sur rendez-vous.

Un jas est un mas ou une bergerie. Celui-ci s'est reconverti en vignoble pour profiter des embruns de la Méditerranée, que l'on aperçoit depuis le domaine. Le potentiel des trois couleurs est exploité dans une cuvée de base, qui fait mieux que tenir son rang. Les Wulf ont créé la cuvée-du-Loup, qui regroupe les sélections les plus qualitatives.

Côtes de Provence cuvée du Loup 2009
Rosé | 2010 à 2011 | 9,50 € **12,5/20**
Le vin est en retrait pour l'instant au niveau de l'équilibre, par rapport aux millésimes précédents.

Côtes de Provence cuvée du Loup 2009
Blanc | 2011 à 2014 | 15 € **15,5/20**
On sent la structure, une belle matière, des rondeurs, ce vin a besoin de temps pour s'épanouir, au niveau aromatique la mangue et la vanille dominent, idéal pour un foie gras.

Côtes de Provence cuvée du Loup 2007
Rouge | 2011 à 2014 | 15 € **13/20**
Nez de confiture de myrtille et de chocolat, en bouche on a le beurre de cacao, vin chaleureux qui entre en composition avec des mets relevés comme des terrines de gibier.

CHÂTEAU DE JASSON

813, route de Collobrières
83250 La Londe-les-Maures
Tél. 04 94 66 81 52 • Fax : 04 94 05 24 84
chateau.de.jasson@wanadoo.fr
www.chateaujasson.com
Visite : tous les jours de 9h30 à 12h30 et de 14h30 à 19h

Benjamin de Fresne, ancien chef de cuisine, et son épouse Marie-Andrée veillent aux destinées de ce domaine de seize hectares, complantés de cépages d'origines très diverses. Les rendements sont raisonnables et toutes les cuvées ont été baptisées du prénom d'une reine d'origine provençale, sauf Victoria, dont la filiation locale est plus éloignée.

Côtes de Provence Éléonore 2008
Rosé | 2010 à 2011 | 13 € **15,5/20**
Nez délicieusement framboisé avec une touche de groseille, très belle tenue en bouche et une fin menthée.

Côtes de Provence Jeanne 2009
Blanc | 2010 à 2011 | 13 € **12,5/20**
Nez d'anis, avec un côté sauvageon qui perturbe pour l'instant la dégustation.

Côtes de Provence Victoria 2008
Rouge | 2011 à 2013 | 14 € **14/20**
Nez de mûre, bouche qui se met progressivement en place, il y a du fond.

DOMAINE LAFRAN-VEYROLLES

Route de l'Argile - • 83740 La Cadière-d'Azur
Tél. 04 94 90 13 37 • Fax : 04 94 90 11 18
contact@lafran-veyrolles.com
www.lafran-veyrolles.com
Visite : du lundi au vendredi de 8h30 à 12h et de 14h à 17h (18h en été). Le week-end sur rendez-vous.

Bandol 2007
Rouge | 2010 à 2017 | 18 € **14,5/20**
Vin puissant dans le style du domaine, tendu, profond avec une matière raffinée et équilibrée, longue en finale. Très mûr, l'alcool est présent.

DOMAINE DE LA LAIDIÈRE

426, chemin de Font-Vive - Sainte-Anne-d'Évenos
83330 Évenos
Tél. 04 98 03 65 75 • Fax : 04 94 90 38 05
info@laidiere.com • www.laidiere.com
Visite : en semaine 9h-12 et 13h30-18h, samedi 10h30-12h.

Le Domaine de la Laidière est situé à la sortie de Toulon, près des gorges d'Ollioules. Les vignes ont été plantées de cépages nobles, sur des restanques orientées principalement au sud-est. Cette propriété familiale est aujourd'hui dirigée par Freddy Estienne. L'ensemble de la gamme est constitué de vins sérieux et bien vinifiés. Discret en vin jeune par manque d'expression du fruit, le rouge demande de la patience. Le blanc 2008 est en net progrès par rapport à son prédécesseur, et rappelle que Bandol peut très bien réussir dans cette couleur aussi.

Bandol 2009
Blanc | 2010 à 2012 | 14,50 € **14,5/20**
Style moderne, longueur moyenne. Un blanc agréable avec une belle amertume en finale.

Bandol 2009
Rosé | 2010 à 2012 | 14 € **14,5/20**
Bon rosé frais et friand, marqué par de beaux fruits rouges. La longueur va s'intensifier avec le temps.

Bandol 2008
Rouge | 2012 à 2018 | 14,50 € **15,5/20**
Tanin très fin dans ce bandol suave, long et gourmand. Le joli nez de garrigue se poursuit dans un ensemble équilibré, élevé à l'ancienne.

CHÂTEAU LÉOUBE

83230 Bormes-les-Mimosas

Côtes de Provence 2009
Rosé | 2010 à 2011 | 12,10 € **13/20**
Agréable rosé de teinte pelure d'oignon. Gras, c'est un vin d'apéritif qui accompagnera un saumon.

CHÂTEAU MALHERBE

Route du Fort de Brégançon
83230 Bormes-les-Mimosas
Tél. 04 94 64 80 11 • Fax : 04 94 71 84 46
chateau-malherbe@wanadoo.fr
www.chateau-malherbe.com
Visite : Ouvert du lundi au samedi de 9h à 13h et de 13h30 à 19h30.
De 9h à 20h y compris le dimanche de juin à septembre.

Entre la mer et le massif des Maures, au pied de Brégancon, cet ancien vignoble tutoie la résidence des présidents de la République. Les cuvées Pointe-du-Diable peuvent figurer dans la cave de l'Élysée, notamment en rouge et en blanc. Plus simples, les cuvées Domaine se boivent rapidement.

Côtes de Provence 2008
Blanc | 2010 à 2011 | 16,90 € **13/20**
Vin aux accents de fenouil, avec une attaque en rondeur et une pointe anisée en fin de bouche.

Côtes de Provence Pointe du Diable 2008
Blanc | 2010 à 2012 | 13,30 € **14,5/20**
Nez avec une pointe abricotée et poivrée, bouche à la fois onctueuse et ferme avec de la longueur, vin de loup au fenouil.

Côtes de Provence Pointe du Diable 2007
Rouge | 2010 à 2013 | 15,70 € **14/20**
Nez de fruits rouges et d'épices, que l'on retrouve dans une bouche ferme de bonne longueur.

CHÂTEAU MENTONE

401, chemin de Mentone
83510 Saint-Antonin-du-Var
Tél. 04 94 04 42 00 • Fax : 04 94 37 27 57
info@chateaumentone.com
www.chateaumentone.com
Visite : La semaine de 10h à 18 h.

Côtes de Provence 2009
Blanc | 2010 à 2012 | NC **13,5/20**
Nez miellé, la bouche est de la même veine avec une pointe de fenouil en fin.

VILLA MINNA VINEYARD

Roque-Pessade • 13760 Saint-Cannat
Tél. 04 42 57 23 19 • Fax : 04 42 57 27 69
contact@villaminnavineyard.fr
www.villaminnavineyard.fr
Visite : Du lundi au samedi de 9h à 19 h.

Ce domaine de quinze hectares est situé entre Aix et Salon-de-Provence, en bordure de la Via Aurélia. Les vignes sont enherbées naturellement, les traitements sont limités et les désherbants, pesticides et engrais chimiques sont bannis. Les vendanges sont manuelles et acheminées en cagettes. Ces efforts se traduisent par des rouges mûrs, concentrés et complexes avec une fraîcheur de bon aloi.

Vin de pays des Bouches-du-Rhône 2007
Blanc | 2010 à 2012 | 18 € **14/20**
Flaveurs d'anis avec une pointe de fruits blancs, la bouche est fraîche et de bonne longueur.

Vin de pays des Bouches-du-Rhône Minna Vineyard 2006
Rouge | 2012 à 2020 | 18 € **14,5/20**
Vin pour l'instant un peu compact, mais il y a du potentiel avec des accents de baies noires et d'eucalyptus en finale.

Vin de pays des Bouches-du-Rhône Villa Mina 2006
Rouge | 2010 à 2014 | 12 € **14/20**
On apprécie la fraîcheur de tanins, avec une matière à la fois concentrée et souple.

CHÂTEAU MINUTY

Route de la Berle • 83580 Gassin
Tél. 04 94 56 12 09 • Fax : 04 94 56 18 38
infominuty@orange.fr • www.chateauminuty.com
Visite : Du lundi au vendredi, de 9h à 12h et de 14h à 18 h.

Les vicissitudes de l'histoire avaient presque anéanti ce vignoble, qui couvrait la presqu'île de Saint-Tropez il y a plus d'un siècle. Heureusement la famille Matton racheta la bâtisse Napoléon III et la chapelle en 1936. Ils ont patiemment reconstitué soixante-quinze hectares de vignes sur ces terres d'argile et de micaschiste.

Côtes de Provence Prestige 2009
Rosé | 2010 à 2011 | 15 € **13/20**
Nez de fruits rouges avec une touche florale, bouche franche et coulante.

Côtes de Provence Prestige 2009
Blanc | 2010 à 2011 | 15 € **15/20**
Nez de fruits blancs et d'aubépine, de grand charme, la bouche est au diapason.

Côtes de Provence Prestige 2007
Rouge | 2010 à 2012 | 20 € **14,5/20**
Le vin a gagné en structure par rapport à notre dégustation initiale.

CHÂTEAU DE LA NOBLESSE PIGNATEL

1685, chemin de l'Argile • 83740 La Cadière-d'Azur
Tél. 04.94.98.72.07 • Fax : 04 94 98 40 41
chateau.noblesse@gmail.com
www.chateaudelanoblesse.com
Visite : 10h-12h et 14h-18h tous les jours

Bandol 2007
Rouge | 2012 à 2020 | 12 € **15/20**
Structuré, puissant, le vin est plein, dense, tout en étant velouté. Il a besoin de temps.

DOMAINE DE L'OLIVETTE

Chemin de l'Olivette • 83330 Le Castellet
Tél. 04 94 98 58 86 • Fax : 04 94 32 68 43
contact@domaine-olivette.com
www.domaine-olivette.com
Visite : semaine 9h-12h et 14h-18h, le week-end sur rendez-vous.

Bandol 2009
Rosé | 2010 à 2010 | 12,70 € **15/20**
Beau rosé, séveux, expression gourmande d'agrumes et de fruits rouges.

CHÂTEAU D'OLLIÈRES

83410 ollieres
Tél. 04 94 59 85 57 • Fax : 04 94 59 85 57
info@chateau-ollieres.com
www.chateau-ollieres.com
Visite : ouvert le samedi en juillet et aout. uniquement sur rendez vous

Coteaux Varois en Provence Clos de l'Autin 2009
Rosé | 2010 à 2011 | 14 € **13,5/20**
Nez de confiture de fruits rouges avec des épices, la bouche est longue et structurée, c'est un rosé de repas.

Coteaux Varois en Provence
cuvée Prestige 2009
Rosé | 2010 à 2011 | 11 € **13,5/20**
Nez de petits fruits rouges, bouche avec une matière bien présente se terminant sur des notes mentholées.

Coteaux Varois en Provence
cuvée Prestige 2008
Rouge | 2010 à 2014 | 12,50 € **14/20**
On apprécie la bouche pleine et gourmande aux accents d'olive noire et d'épices, vin de gibier.

DOMAINES OTT

Route du Fort de Brégançon
83250 La Londe Les Maures
Tél. 04 94 01 53 50 • Fax : 04 94 01 53 51
closmireille@domaines-ott.com
www.domaines-ott.com
Visite : en semaine 9h-12h 14h-18h samedi 10h-12h 14h-18h

En bordure de mer, le Clos Mireille se situe sur Lalonde, à proximité du Fort de Brégançon. Il mérite à coup sûr d'être servi à la table présidentielle voisine, pour honorer les hôtes de la France, car c'est l'un des meilleurs blancs de Provence. Son terroir bénéficie des embruns qui confèrent ces flaveurs iodées tant recherchées sur ce cru.

Bandol Château Romassan 2005
Rouge | 2010 à 2014 | NC **14,5/20**
Ensemble fruité, suave, avec un beau volume de bouche.

Côtes de Provence Blanc de Blancs
Clos Mireille 2008
Blanc | 2010 à 2015 | 18,90 € **15,5/20**
Nez riche, bouche à l'attaque onctueuse, avec des accents de fenouil et de fleurs blanches et une fin menthée.

Côtes de Provence Blanc de Blancs
Clos Mireille 2007
Blanc | 2010 à 2013 | 18,90 € **16,5/20**
On aime la droiture de constitution de ce blanc de blancs, avec ses accents d'iode et de fleurs blanches, et en fin de bouche des touches de zestes d'agrumes et une juste tension. Ce vin évolue bien, il apprécie la chair de la daurade.

CHÂTEAU PARADIS

Quartier Paradis • 13610 Le Puy-Sainte-Réparade
Tél. 04 42 54 09 43 • Fax : 04 42 54 05 05
chateauparadis@wanadoo.fr
www.chateauparadis.com
Visite : en semaine 9h à 12h30 et de 14h à 18h.
le week-end 10h-13h et 15h-19h.

Les coteaux calcaires argilo-sableux du domaine sont en culture raisonnée. Sur les rouges, la puissance du cabernet-sauvignon se mêle avec bonheur au fruité du grenache et aux épices de la syrah. La rondeur du grenache blanc relève toute la complexité aromatique du sauvignon dans les blancs à l'harmonie angélique.

Coteaux d'Aix-en-Provence
Terre de Provence 2009
Rosé | 2010 à 2011 | 7,50 € **14,5/20**
On apprécie ce rosé structuré, aux accents de framboise qui peut courtiser la grillade.

Coteaux d'Aix-en-Provence
Terre de Provence 2007
Rouge | 2010 à 2015 | 9,50 € **15,5/20**
Les accents de garrigue et d'épices émergent d'une bouche charnue et pleine, bien proportionnée.

Coteaux d'Aix-en-Provence
Terre des Anges 2009
Blanc | 2010 à 2011 | 12 € **14/20**
Nez de raisin frais, bouche ronde et miellée avec une pointe d'agrume.

Coteaux d'Aix-en-Provence Terre des Anges 2008
Rouge | 2010 à 2015 | 18 € **15/20**
Nez de confiture de myrtille, de mûre et d'épices, la matière en bouche est pleine et soyeuse et les tanins sont gourmands.

DOMAINE DU PEY NEUF

367, route de Sainte-Anne • 83740 La Cadière-d'Azur
Tél. 04 94 90 14 55 • Fax : 04 94 26 13 89
domaine.peyneuf@wanadoo.fr

Bandol 2009
Blanc | 2010 à 2011 | NC **15/20**
Bandol blanc de caractère, long et épicé avec une jolie matière.

Bandol 2009

Rosé | 2010 à 2012 | NC **16/20**

Joli volume de bouche, rond, très fin, la finale est subtile, gourmande, aérienne. Une délicatesse raffinée.

Bandol 2008

Rouge | 2011 à 2018 | NC **14,5/20**

Plein, assez puissant, le style du vin est un peu rustique, avec une pointe de tabac, dans un style joufflu. Chaud, d'une fraîcheur limitée, mais il a du fond.

CHÂTEAU DE PIBARNON

410, chemin de la Croix-des-Signaux
83740 La Cadière-d'Azur
Tél. 04 94 90 12 73 • Fax : 04 94 90 12 98
contact@pibarnon.fr • www.pibarnon.fr
Visite : du lundi au samedi de 9h à 12h
et de 14h à 17h.

Le Château de Pibarnon est une bastide du XVIIIe siècle, installée à 300 mètres d'altitude dans un cirque orienté vers la mer. Les mourvèdres de Pibarnon disposent là d'un support idéal, qui permet à ce cépage capricieux d'exprimer tout son raffinement. Le rosé est régulièrement l'un des plus savoureux de Provence. Le rouge, corsé en vin jeune, développe au vieillissement une subtile palette de nuances aromatiques méditerranéennes, avec une qualité de tanins qui le hisse au niveau des grands vins de France.

Bandol 2009

Blanc | 2010 à 2012 | 20,50 € **15/20**

Joli vin gourmand, racé, porté par le pamplemousse et le citron. La finale est fraîche.

Bandol 2009

Rosé | 2010 à 2012 | 20 € **15,5/20**

Agréable, avec une belle attaque. C'est un rosé bien construit, long et dense. La finale est raffinée.

Bandol 2007

Rouge | 2014 à 2022 | 26 € **17/20**

Ce vin puissant ne se livre pas à l'ouverture mais après carafage, son nez original, très orienté garrigue, commence à s'exprimer. Il dévoile alors l'énergie rentrée du grand millésime 2007 à Bandol.

Bandol 2004

Rouge | 2011 à 2018 | 28 € **16/20**

Un fruité évolué et fin, avec des arômes agréables de tabac blond et des épices. On est sur un beau millésime de Bandol.

CHÂTEAU RASQUE

Route de Flayosc • 83460 Taradeau
Tél. 04 94 99 52 20 • Fax : 04 94 99 52 21
accueil@chateaurasque.com
www.chateaurasque.com
Visite : de 9h à 18h en semaine. Le week-end de 10h à 12h et de 14h à 18h.

Cette propriété est plantée sur des coteaux caillouteux exposés plein sud. Les vendanges manuelles préservent la qualité des raisins portés jusqu'aux chais. Les blancs ont de la fraîcheur, les rouges ce qu'il faut d'intensité, avec en point d'orgue une cuvée Héritage précise. En rosé, la cuvée Alexandra est élégante alors que le Clos-de-Madame se révèle plus charpenté.

Côtes de Provence Alexandra 2009

Rosé | 2010 à 2011 | 14,50 € **14,5/20**

Toujours beaucoup d'élégance, avec des accents de rose et une pointe poivrée, on apprécie la délicatesse de la bouche.

Côtes de Provence Blanc de Blanc 2008

Blanc | 2010 à 2011 | 19,30 € **14/20**

Florale avec des notes de fruits jaunes, l'aromatique de ce vin ne manque pas de charme, la bouche offre une belle fraîcheur.

Côtes de Provence Clos de Madame 2006

Rouge | 2010 à 2014 | 22 € **14,5/20**

On a une matière compacte en bouche, avec du potentiel, sur fond de fruits noirs et de tapenade.

Côtes de Provence Héritage 2007

Rouge | 2010 à 2013 | 25 € **14/20**

Vin qui a une bonne présence en bouche, avec ce qu'il faut de ressort et une finale fraîche.

DOMAINE DU REVAOU

3ème Borrels • 83250 La Londe Les Maures
Tél. 04 94 65 68 44 • Fax : 04 94 35 88 54
bernard.scarone@wanadoo.fr ou
domaine-revaou@orange.fr
Visite : De juin à septembre du lundi au samedi de 10h à 12h et de 15h à 18h30. d'octobre à mai, du mardi au samedi de 15h à 18h (vendredi et samedi de 10h à 12h).

En lisière de forêt, ce domaine est éloigné des sentiers convenus de la Provence. Il produit dans les trois couleurs des vins d'une belle franchise de constitution, avec notamment des rouges frais et bien dans leurs tanins. Orientée vers une culture la plus proche de la nature, cette propriété a du répondant.

CÔTES DE PROVENCE 2008
Rosé | 2010 à 2011 | env 8 € **13/20**
C'est franc, joyeux et concentré.

CÔTES DE PROVENCE LALONDE 2008
Rouge | 2010 à 2013 | 8,50 € **14/20**
Nez frais de griotte, attaque et bouche élégante, avec une fin sur la cerise.

CÔTES DE PROVENCE RÉSERVE 2006
Rouge | 2010 à 2012 | env 15,50 € **14/20**
Nez profond de baies de cassis, bouche tendue, très en fruits.

CÔTES DE PROVENCE RESTANQUE 2008
Rouge | 2010 à 2015 | env 7,10 € **14/20**
Fruits noirs, épines de pin, garrigue, le nez est très frais, on retrouve tous ces ingrédients dans une bouche qui présente des tanins longs se terminant sur l'eucalyptus.

CHÂTEAU REVELETTE

13490 Jouques
Tél. 04 42 63 75 43 • Fax : 04 42 67 62 04
chatreve@aol.com • www.revelette.fr
Visite : Du lundi au vendredi de 14h à 18h ; le samedi de 10h à 12h et de 14h à 18h.

Peter Fischer anime ce domaine de Jouques depuis le milieu des années 1980, avec un mode cultural qui se veut le plus naturel possible. Les entrées de gamme portent le nom du château, ce sont des cuvées souples et fruitées qui gardent de la fraîcheur. Les crus plus concentrés sont appelés Grand-Rouge et Grand-Blanc, avec un élevage adapté.

COTEAUX D'AIX-EN-PROVENCE
CHÂTEAU REVELETTE 2009
Rosé | 2010 à 2012 | 9 € **14,5/20**
Les accents de framboise et de fraise, avec une touche de menthe, se mêlent dans une bouche longue et fraîche.

COTEAUX D'AIX-EN-PROVENCE
CHÂTEAU REVELETTE 2009
Blanc | 2010 à 2012 | 9,50 € **14/20**
Anis et fleurs des champs donnent le ton de ce vin qui a su conserver de la fraîcheur sur ce millésime.

COTEAUX D'AIX-EN-PROVENCE
CHÂTEAU REVELETTE 2007
Rouge | 2010 à 2013 | 9,50 € **14/20**
Fruit bien dessiné avec une touche épicée, les tanins sont frais et élégants.

COTEAUX D'AIX-EN-PROVENCE
LE GRAND ROUGE 2007
Rouge | 2011 à 2017 | 19 € **14,5/20**
On a une belle structure, avec plus de fraîcheur dans le dessin des tanins que sur les millésimes précédents.

DOMAINE RICHEAUME

Domaine Richeaume • 13114 Puyloubier
Tél. 04 42 66 31 27 • Fax : 04 42 66 30 59
shoesch@hotmail.com
Visite : du lundi au vendredi, de 8h à 12h et de 13h à 17h.

Ce domaine, situé au pied de la montagne Sainte-Victoire, appartient à la famille Hoesch. Il est cultivé en agriculture bio et propose une gamme où les rouges s'appuient notamment sur le cabernet-sauvignon et la syrah. Les vins sont puissants, bien élevés, avec de l'élégance et ce qu'il faut de fraîcheur de fruit.

CÔTES DE PROVENCE COLUMELLE 2008
Rouge | 2011 à 2016 | 27 € **14,5/20**
Nez profond de fruits noirs et d'épices, la bouche est structurée avec une finale qui prend des notes fumées.

CÔTES DE PROVENCE TRADITION 2006
Rouge | 2010 à 2017 | 17 € **15/20**
Nez de violette, bouche soyeuse avec des tanins longs, épicés et fondus. Vin de biche.

DOMAINE DE RIMAURESQ

Route de Notre-Dame-des-Anges - B.P. 26
83790 Pignans
Tél. 04 94 48 80 45 • Fax : 04 94 33 22 31
rimauresq@wanadoo.fr • www.rimauresq.fr
Visite : En été de 9h à 12h et de 15h à 18h ; en hiver de 9h à 12h et de 14h à 17h.

Près du point culminant du massif des Maures, les sous-sols de schiste et de quartz qui portent les vignes de Rimauresq lui permettent de réaliser des vins profonds très accomplis. Une cuvée porte le nom du château et l'autre, étiquetée R-de-Rimauresq, représente une sélection des meilleurs terroirs, elle offre un supplément de densité.

Côtes de Provence Quintessence 2006
Rouge | 2012 à 2019 | 28,50 € **16/20**
Les accents d'olive avec une pointe épicée apparaissent au nez, une trame serrée en bouche conjugue puissance et élégance, ce vin est profond.

Côtes de Provence R 2009
Rosé | 2011 à 2013 | 13,40 € **15/20**
Ce rosé est pour l'instant une pierre brute, on sent une matière riche et puissante.

Côtes de Provence R 2007
Rouge | 2010 à 2017 | 19 € **15,5/20**
Nez d'olive noire sur fond d'épices avec une touche de fruits noirs, les tanins sont longs et parfaitement dessinés.

DOMAINE ROCHE REDONNE

Chemin des Paluns - • 83740 La Cadière-d'Azur
Tél. 04 94 90 11 83 • Fax : 04 94 90 00 96
roche.redonne@free.fr
Visite : Lundi, mercredi et samedi de 10h à 12h et de 14h à 18 h, sur rendez-vous de préférence.

Geneviève Tournier a repris des terres familiales sur les communes de La-Cadière et du Castellet. Le premier millésime du domaine date de 1988. La cuvée des Bartavelles est réalisée à base de mourvèdre. 2008 est une grande réussite.

Bandol La Malissonne 2008
Rouge | 2011 à 2020 | 18 € **15,5/20**
La matière est fine, épicée, avec une largeur imposante en finale. La fin de bouche saline est de grand charme mais elle devra fondre son bois.

CHÂTEAU ROMANIN

Route de Cavaillon • 13210 Saint-Rémy-de-Provence
Tél. 04 90 92 45 87 • Fax : 04 90 92 24 36
contact@romanin.com • www.romanin.com
Visite : En été de 9h30 à 19h et en hiver de 9h30 à 18h.

Le Château Romanin, situé au pied des Alpilles, dans un cadre magique, a été racheté par Jean-Louis Charmolüe, ex-propriétaire de Montrose. Les rouges de Romanin atteignent un haut niveau dans la précision du dessin des tanins et dans leur fraîcheur de constitution. Le blanc évolue parfaitement. 2006 et 2007 sont de grandes réussites.

Les Baux-de-Provence 2009
Blanc | 2010 à 2016 | 11 € **15/20**
On apprécie la fraîcheur aromatique et la structure harmonieuse de ce vin aux accents d'agrumes et de fleurs blanches.

Les Baux-de-Provence 2007
Rouge | 2010 à 2016 | 18 € **16/20**
Nez profond de fruits noirs, de figue sèche, tanins enveloppants, longs et soyeux avec une texture quasi crémeuse.

Les Baux-de-Provence 2006
Rouge | 2010 à 2020 | 17 € **17/20**
Nez profond de garrigue, bouche droite avec des tanins un peu serrés et un beau retour de myrtille et d'eucalyptus en fin. Idéal sur une pièce de bœuf.

Les Baux-de-Provence La Chapelle de Romanin 2007
Rouge | 2010 à 2014 | 10,50 € **14,5/20**
Nez floral très élégant avec des touches de fruits noirs. La trame est fraîche et digeste avec des tanins harmonieux.

MOULIN DE LA ROQUE

Le Vallon B.P. 26 • 83740 La Cadière-d'Azur
Tél. 04 94 90 10 39 • Fax : 04 94 90 08 11
cave@laroque-bandol.fr • www.laroque-bandol.fr
Visite : Uniquement sur rendez-vous, sauf en juillet et août où une visite est organisée tous les jeudis soir à 17h30

Bandol 2008
Rouge | 2013 à 2020 | NC **16/20**
Du fond dans ce classique des rouges de Bandol. Les fruits sont frais en finale. Bien équilibré, il sera de garde.

Bandol Grande Réserve 2009
Rosé | 2010 à 2012 | 11 € **14/20**
De jolis amers, une finale saline avec une pointe d'agrumes. Une huître grasse, le bonheur !

CHÂTEAU ROUBINE

R.D. 562 • 83510 Lorgues
Tél. 04 94 85 94 94 • Fax : 04 94 85 94 95
riboud@chateauroubine.com
www.chateauroubine.com
Visite : Sur rendez-vous de 9h à 18h du lundi au samedi. Ouvert le dimanche du 15 juin au 15 septembre.

Valérie Riboud-Rousselle dirige avec charme et efficacité cette très jolie propriété de Lorgues, implantée en cirque autour du château. Elle la fait évoluer par touches, pour amener les vins au niveau du potentiel que permet ce terroir viticole déjà exploité au XIVe siècle par les Templiers. Le domaine est en progrès sur ses différentes cuvées.

Côtes de Provence 2009
Blanc | 2010 à 2012 | 13,90 € **14,5/20**
Herbes sèches, fleurs blanches, ce vin se révèle long en bouche, idéal sur un poisson au fenouil.

Côtes de Provence 2007
Rouge | 2010 à 2014 | 13,90 € **15/20**
Nez d'œillet et de pivoine, tanins suaves, longs et élégants qui laissent une bouche fraîche.

Côtes de Provence inSpire 2009
Rosé | 2010 à 2012 | 25,80 € **16/20**
Nez complexe de pétale de rose, de fraise des bois et de poivre de Pondichéry, la bouche longue et élégante défile dans le prêt-à-goûter des meilleurs rosés de Provence.

Côtes de Provence inSpire 2009
Blanc | 2010 à 2011 | 29,50 € **14/20**
Nez de fenouil et de fruits secs, la bouche est fraîche et coulante, avec une fin florale.

Côtes de Provence Inspire 2006
Rouge | 2011 à 2014 | 29,50 € **15/20**
Nez de cassis avec des touches de vanille et de résine, le vin est puissant et évolue parfaitement.

Côtes de Provence Terre de Croix 2006
Rouge | 2010 à 2015 | 20 € **14,5/20**
Vin terrien, compact, avec de la puissance de nature à se glisser sur un gibier.

CHÂTEAU DU ROUËT

Route de Bagnols-en-Forêt • 83490 Le Muy
Tél. 04 94 99 21 10 • Fax : 04 94 99 20 42
chateau.rouet@wanadoo.fr • www.rouet.com
Visite : Tous les jours de 8h à 12h et de 14h à 18h. l'été 19h

Côtes de Provence Belle Poule 2009
Rosé | 2010 à 2011 | 9 € **13,5/20**
Tendre, floral et épicé, voici un bon rosé d'apéritif !

DOMAINE SAINT-ANDRÉ DE FIGUIÈRE

B.P. 47 • 83250 La Londe-les-Maures
Tél. 04 94 00 44 70 • Fax : 04 94 35 04 46
figuiere@figuiere-provence.com
www.figuiere-provence.com
Visite : Du lundi au samedi, de 9h à 12h et de 14h à 18 h.

Ce domaine est situé sur le terroir de La-Londe, en bordure maritime. Les vignes ont en moyenne 35 ans, ce qui n'est pas si fréquent en Provence. Ici on s'inspire de l'agriculture biologique pour conduire le travail de la vigne sur ces sols de schistes. Dans les trois couleurs, les cuvées Réserve et Vieilles-Vignes sont les plus intéressantes. Les rosés et les rouges restent l'une des priorité de la Provence.

Côtes de Provence Confidentielle 2009
Rosé | 2010 à 2012 | env 22 € **16/20**
Il y a du monde au balcon, avec des formes bien épanouies pour ce rosé frais et sensuel.

Côtes de Provence Réserve 2007
Rouge | 2010 à 2014 | 20,25 € **16/20**
Nez frais et velouté qui fait saliver, les tanins sont souples, longs et soyeux avec ce qu'il faut de concentration et de fraîcheur.

Côtes de Provence Vieilles Vignes 2009
Rosé | 2010 à 2012 | 10,30 € **15/20**
Encore une belle réussite pour ce rosé vineux et élégant, en phase avec un râble de lapin.

Côtes de Provence Vieilles Vignes 2009
Blanc | 2010 à 2011 | 10,90 € **15/20**
Anis, poivre et fleurs blanches s'épanouissent dans une bouche subtile. Vin harmonieux.

CHÂTEAU SAINT-BAILLON

R.N. 7 • 83340 Flassans-sur-Issole
Tél. 04 94 69 74 60 • Fax : 04 94 69 80 29
chateau.st.baillon@wanadoo.fr
www.chateau-saint-baillon.com
Visite : lundi en samedi 9h-12h 12h30-18h30
dimanche sur rendez-vous

Saint-Baillon est situé dans le centre du Var, à 300 mètres d'altitude, où le climat est rude, sur des sols argilo-calcaires rocailleux. Le château commercialise des vins rouges à maturité, ce qui dénote dans le paysage provençal où il est d'usage de ne produire que des rouges à commercialisation rapide et des rosés vendus dans les six mois qui suivent leur récolte. Il faut reconnaître aux rouges du domaine un potentiel à évoluer vers des arômes frais, sans sécheresse de tanins, ce qui n'est pas si fréquent dans cette couleur. C'est l'une des valeurs sûres de la Provence.

Coteaux Varois en Provence
Clos Barbaroux 2004
Rouge | 2011 à 2016 | 21,10 € 13,5/20
Vin pour l'instant sur la réserve, avec une matière compacte, il faut lui laisser du temps.

Côtes de Provence L'Oppidum 2006
Rouge | 2010 à 2013 | 25,30 € 15/20
On aime la fraîcheur de tanins et la bonne longueur en bouche, sur fond d'olive noire et de mûre.

Côtes de Provence Le Roudaï 2004
Rouge | 2010 à 2014 | 21,10 € 14,5/20
Du fond et de la fraîcheur, avec des fruits noirs et de l'olive, ce vin guette la gigue de chevreuil et se comporte toujours de la meilleure des façons.

DOMAINE DE SAINT-JEANNET

800, route des Sausses • 04270 Saint-Jeannet
Tél. 04 93 24 96 01 • Fax : 04 93 24 96 01
contact@vignoblestjeannet.fr

Georges Rasse résiste à la pression immobilière du Niçois. Adepte des petits rendements, ces rouges sont élevés dans des bonbonnes au soleil avant un passage en barrique, les blancs sont bâtonnés et vieillis en barrique, la couleur des rosés est obtenue par pigeage au pied pour éclater les baies sans les écraser. Les vins sont ici d'un grand naturel.

Vin de pays des Alpes-Maritimes
Pressoir Romain 2007
Blanc | 2010 à 2012 | 12 € 15/20
Nez très net avec des accents floraux et anisés, la bouche a du ressort et une bonne longueur avec un bel équilibre.

Vin de pays des Alpes-Maritimes
Pressoir Romain 2006
Rouge | 2010 à 2011 | 12 € 13,5/20
Nez de fruits noirs, bouche fraîche et bien construite, aux tanins coulants.

Vin de pays des Alpes-Maritimes Prestige 2007
Blanc | 2010 à 2012 | 16 € 14,5/20
Nez de pêche blanche, d'anis et de muscat que l'on retrouve dans une bouche à l'attaque onctueuse, puis le vin se tend avec une belle longueur et une fin fraîche.

CLOS SAINT-VINCENT

Chemin Collet des Fourniers - Saint-Roman de Bellet
06200 Nice
Tél. 04 92 15 12 69 • Fax : 04 92 15 12 69
contact@clos-st-vincent.fr • www.clos-st-vincent.fr
Visite : Du lundi au samedi sur rendez-vous.

Joseph Sergi a racheté en 1993 cette propriété qui compte aujourd'hui cinq hectares en production, surface respectable en Aoc Bellet. La gamme Di-Gio est réalisée à partir de folle noire pour les rouges et de rolle pour les blancs. La gamme du Clos est complétée en rouge par un zeste de grenache. Les rosés, quant à eux, sont issus du cépage très local, le braquet. Le domaine s'installe en outsider du Château de Bellet, les deux propriétés phares de cette appellation à l'heure actuelle.

Bellet 2008
Blanc | 2010 à 2011 | 26,50 € 15/20
Très beau fruit qui a besoin d'un léger carafage pour se déployer dans son absolu. Agrumes, citrons, vanille.

Bellet Le Clos 2007
Rouge | 2010 à 2016 | 29,50 € 16/20
Grand millésime qui conjugue puissance et finesse. La finale est très intense, complexe, plus en puissance qu'un château de Bellet.

Bellet Vino di Gio 2007
Rouge | 2010 à 2016 | 65 € **16,5/20**
Élevée en bois neuf, cette matière va nécessiter un peu de temps pour s'en affranchir mais elle est de grande qualité.

CHÂTEAU SAINTE-MARGUERITE

B.P. 1 - Chemin du Haut Pansard • 83250 La Londe
Tél. 04 94 00 44 44 • Fax : 04 94 00 44 45
info@chateausaintemarguerite.com
www.chateausaintemarguerite.com
Visite : Du lundi au vendredi 9h-12h30 et 14h-18h samedi 9h30-12h30 et 14h-19h.

La propriété, située sur La-Londe-Les-Maures, produit des vins issus de l'agriculture biologique. Les derniers millésimes sont frais et purs avec ce qu'il faut de concentration, ce sont des crus qui se tiennent bien à table, ils témoignent ainsi du travail entrepris par Brigitte et Jean-Pierre Fayard. Le domaine mérite pleinement un deuxième BD.

Côtes de Provence Lalonde 2009
Rosé | 2010 à 2012 | 14,50 € **16/20**
Grand rosé de repas, gras en attaque, épicé, framboise en bouche et tendu en finale.

Côtes de Provence Symphonie 2009 ☺
Rosé | 2010 à 2012 | 14,50 € **15/20**
Nez de poivre rose, de fruits rouges avec une touche florale. C'est harmonieux, dans un registre élégant et frais.

Côtes de Provence Symphonie Or 2008
Blanc | 2010 à 2013 | 15,50 € **16/20**
Accents de miel, de fleurs blanches, on a du gras et de la fraîcheur en bouche, c'est puissant et élégant avec une fin anisée.

Côtes de Provence Symphonie Pourpre 2006
Rouge | 2011 à 2015 | 15,50 € **15/20**
Nez profond d'épices et de fruits noirs, la bouche est encore tannique, il faut laisser quelques mois pour que les tanins s'arrondissent pour caresser un sanglier rôti.

Côtes de Provence Vieilles Vignes 2007
Rouge | 2010 à 2015 | NC **15,5/20**
Style argilo-calcaire, avec des flaveurs de cassis et épices, la texture est suave, longue et tendue.

CHÂTEAU SAINTE-ROSELINE

83460 Les Arcs-sur-Argens
Tél. 04 94 99 50 30 • Fax : 04 94 47 53 06
contact@sainte-roseline.com
www.sainte-roseline.com
Visite : Du lundi au vendredi, de 9h à 12h30 et de 14h à 18h30 en hiver, de 9h à 19h en été. Samedi, dimanche et jours fériés de 10h à 12h et de 14h à 18 h. Groupes sur rendez-vous. Une visite guidée à 14h30 du lundi au vendredi.

Bien mis en valeur par Aurélie Bertin, ce domaine démarre sa gamme dans les trois couleurs par une cuvée Lampe-de-Méduse de plus en plus aboutie dans sa fraîcheur de constitution. Les cuvées Prieuré et La-Chapelle, plus ambitieuses, ont une garde plus longue ; suivant les millésimes, elles rivalisent pour le titre de meilleur vin de la région.

Côtes de Provence La Chapelle 2009
Blanc | 2012 à 2017 | 24 € **17/20**
Les fruits de la passion et les épices donnent le ton aromatique, la bouche offre une certaine richesse mais également de la fraîcheur, le 2008 évolue parfaitement et l'on se régale du 2007. Cette cuvée est maintenant parfaitement en place.

Côtes de Provence La Chapelle 2009
Rosé | 2010 à 2013 | 21,90 € **16,5/20**
Nez de poivre rose, de framboise avec un côté floral très frais, la chair se montre savoureuse avec du style et une subtilité propre à cette cuvée.

Côtes de Provence Lampe de Méduse 2009 ☺
Blanc | 2010 à 2012 | 12,95 € **16,5/20**
On se régale tout de suite avec les accents d'anis et de réglisse et une bouche croquante, fraîche et gourmande.

Côtes de Provence Lampe de Méduse 2009 ☺
Rosé | 2010 à 2011 | 12,10 € **15,5/20**
Fraise écrasée et pétale de rose constituent l'aromatique dominante de ce rosé qui claque en bouche.

Côtes de Provence Prieuré 2007
Rouge | 2010 à 2017 | 18,90 € **16/20**
Fruits noirs, épices et réglisse émergent ; la bouche a du ressort et une bonne longueur.

CHÂTEAU SALETTES

Chemin des Salettes • 83740 La Cadière-d'Azur
Tél. 04 94 90 06 06 • Fax : 04 94 90 04 29
salettes@salettes.com • www.salettes.com
Visite : Du lundi au jeudi de 8h à 12h et de 13h30 à 19h. Le vendredi de 8h à 12h et de 14h à 19h. Le samedi de 9h30 à 12h30 et de 16h à 19h.

Bandol 2007

Rouge | 2011 à 2018 | 15,50 € **16/20**

Réalisé dans un style moderne, moka, torréfié, avec une sensation de sucrosité en finale qui lui donne une originalité. Très élégant !

DOMAINE DE LA SANGLIÈRE

3886, route de Léoube • 83230 Bormes-les-Mimosas
Tél. 04 94 00 48 58 • Fax : 04 94 00 43 77
remy@domaine-sangliere.com
www.domaine-sangliere.com
Visite : du lundi au samedi, de 9h à 12h et de 15h à 18h

Côtes de Provence Prestige 2008

Rouge | 2010 à 2013 | 9,50 € **14/20**

Nez de cassis frais et de lavande, bouche harmonieuse avec une maturité juste.

Côtes de Provence Spéciale 2008

Rouge | 2010 à 2012 | 7,40 € **13/20**

Nez de cassis et d'olive noire, attaque en rondeur, les tanins sont frais, vin de demi-corps.

CHÂTEAU SIMONE

Chemin de la Simone • 13590 Meyreuil
Tél. 04 42 66 92 58 • Fax : 04 42 66 80 77
chateau-simone@orange.fr • www.chateau-simone.fr
Visite : du lundi au samedi de 9h à 12h et de 14h à 18h.

Entre Aix et la montagne Sainte-Victoire, le Château Simone possède des vignes situées à environ 200 mètres d'altitude, sur un versant nord qui leur épargne la morsure du soleil provençal. Grenache, mourvèdre, syrah et plusieurs cépages secondaires composent l'assemblage des rouges qui évoluent parfaitement. Le blanc, réalisé essentiellement à partir de clairette, trouve une dimension exceptionnelle, avec une capacité à admirablement évoluer.

Palette 2007

Blanc | 2013 à 2027 | 27,50 € **16/20**

On sent la structure et le potentiel, avec une aromatique sur le fenouil, les fleurs blanches et un léger côté poivré, ce vin prendra son gras et sa forme d'ici quelques mois pour épauler un millefeuille de céleri aux truffes.

Palette 2006

Rouge | 2010 à 2020 | 27 € **17/20**

Grande harmonie pour ce vin aux accents d'aiguille de pin et de fruits rouges, les tanins sont longs et très élégants avec une fraîcheur et une texture uniques sur la Provence. Vin de grand style.

Palette 1999

Rouge | 2010 à 2014 | env 70 € **16/20**

Les tanins sont fondus et ils rendent compte de l'aptitude à bien évoluer des rouges de Simone, ce 1999 est caressant, suave tout en restant tendu, le toucher de tanin et son prolongement ont de la classe.

DOMAINE DE SIOUVETTE

Route départementale 98 - • 83310 La Mole
Tél. 04 94 49 57 13 • Fax : 04 94 49 59 12
contact@siouvette.com • www.vins-siouvette.com
Visite : Du lundi au samedi de 8h à 12h30 et de 14h à 19h. Dimanche matin de 8h à 12h30.

Côtes de Provence Le Clos 2006

Rouge | 2010 à 2013 | 15 € **14/20**

Nez profond de fruits noirs, il y a une belle matière en bouche, à la fois concentrée et fraîche.

DOMAINE DE LA SOURCE

303, chemin de Saquier - Saint-Roman de Bellet
06200 Nice
Tél. 04 93 29 81 60 • Fax : 04 93 29 81 60
contact@domainedelasource.fr
www.domainedelasource.fr
Visite : 9h-20h tous les jours (visites et dégustations possibles)

Bellet 2008

Rouge | 2010 à 2013 | 25 € **14/20**

L'échantillon dégusté montrait une rondeur gourmande, la note végétale de la finale est complexifiée par les épices délicates de la folle noire.

Bellet Diamant Blanc 2009

Blanc | 2010 à 2011 | 22 € **14/20**

Un blanc étonnant, de forte personnalité, le domaine n'en manque pas non plus. Agrumes, pamplemousse, acides, amers soutiendront la discussion pendant l'apéritif. La bouteille risque d'être vite bue. Prévoir une seconde pour l'entrée serait raisonnable.

DOMAINE DE SOUVIOU

RN 8 • 83330 Le Beausset
Tél. 04 94 90 57 63 • Fax : 04 94 98 62 74
souviou@aol.com • www.domaine-souviou.fr
Visite : D'avril à octobre, tous les jours de 9h à 12h et de 15h à 19h. De novembre à mars, tous les jours de 8h à 12h et de 14h à 18h.

Bandol 2009
Blanc | 2010 à 2012 | 14 € **14/20**

L'ensemble est élégant, avec une pointe d'austérité qui ne dégage pas les arômes. La longueur en bouche est étonnante dans ce vin à forte personnalité.

Bandol 2007
Rouge | 2012 à 2016 | 15 € **15/20**

L'acidité tient ce vin goûteux et séveux, avec une finale élégante et fruitée, légèrement torréfiée. La matière est belle.

DOMAINE LA SUFFRÈNE

1066, chemin de Cuges • 83740 La Cadière-d'Azur
Tél. 04 94 90 09 23 • Fax : 04 94 90 02 21
suffrene@wanadoo.fr • www.domaine-la-suffrene.com
Visite : du lundi au vendredi de 9h à 12h et de 14h à 18h

Le domaine propose deux cuvées en rouge, l'une au nom du domaine, l'autre sous la dénomination Les-Lauves, le nom d'un lieu-dit vers le sommet de La-Cadière-d'Azur. La proportion de vieux mourvèdres y atteint 90 %. Tout est très sérieusement vinifié ici, les trois couleurs sont de haut niveau. La régularité que nous constatons dans la gamme et dans la durée mérite au domaine une promotion.

Bandol 2009
Blanc | 2010 à 2012 | 11,50 € **16/20**

Savoureux et long, de beau volume, buis, épices et pamplemousse. L'amer est le chaînon de cette construction. Étonnant mais fin !

Bandol 2009
Rosé | 2010 à 2011 | 10 € **15/20**

Rosé dans l'air du temps, fortement inspiré par le pamplemousse. De belle fraîcheur, c'est un vin original, avec du coffre.

Bandol 2007
Rouge | 2013 à 2020 | 13 € **18/20**

Finale de havane, de fruits noirs très mûrs, en puissance, épicée et longue. La pointe d'alcool est compensée par un zeste de menthol. Un bandol de grand caractère !

CHÂTEAU SULAUZE

R.N. 569 - Chemin du Vieux Sulauze
13140 Miramas
Tél. 04 90 58 02 02 • Fax : 04 90 58 04 37
domaine.sulauze@wanadoo.fr
www.domainedesulauze.com
Visite : Du lundi au samedi de 9h à 12h et de 14h à 18h30.

Cet ancien monastère, dont Guillaume Lefèvre a repris les rênes en 2004, est actuellement en cours de conversion à l'agriculture biologique. Les vingt-neuf hectares produisent une grande variété de blancs, qui vont du sec au passerillé, en passant par le sec-tendre. Plus musclés, les rouges gardent néanmoins de la fraîcheur.

Coteaux d'Aix-en-Provence cuvée Lauze 2007
Rouge | 2010 à 2014 | 14 € **15/20**

Composée de 80 % de cabernet, 15 % syrah et 5 % mourvèdre, cette cuvée a survolé notre dégustation de coteaux-d'aix grâce à sa longueur, ses tanins assagis et soyeux.

Coteaux d'Aix-en-Provence Galinette 2008
Blanc | 2010 à 2011 | 7,40 € **13,5/20**

Nez de fleurs blanches, que l'on retrouve dans une bouche rafraîchissante dominée par les agrumes.

DOMAINE TEMPIER

Le Plan du Castellet - • 83330 Le Castellet
Tél. 04 94 98 70 21 • Fax : 04 94 90 21 65
info@domainetempier.com
www.domainetempier.com
Visite : Du lundi au vendredi, de 9h à 12h et de 14h à 18h.

Le domaine est de réputation ancienne puisqu'il est dans la même famille depuis le début du XIXe siècle. La famille Peyraud est aujourd'hui assistée par Daniel Ravier qui conduit avec brio le domaine dans l'esprit Tempier. Le vignoble s'étale sur Le-Beausset, Le-Castellet et La-Cadière, où il est partiellement implanté sur des restanques qui font face à la mer. La cuvée de base est de bon niveau et les trois cuvées, Cabassaou (la plus provençale), La-Migoua

(la plus fraîche) et La-Tourtine (la plus dense), font figure de référence dans l'appellation.

Bandol 2008
Rouge | 2011 à 2015 | 23 € **15,5/20**
Vin dense, assez profond, gourmand. La fin de bouche a besoin d'un peu de temps pour s'installer.

Bandol Cabassaou 2008
Rouge | 2011 à 2018 | 48 € **17,5/20**
Corsé mais frais, la structure de ce vin est dense avec une finale épicée, d'une belle amplitude en bouche. Raffiné mais sans ostentation, le charme discret d'un gentleman bandolais.

Bandol La Migoua 2008
Rouge | 2012 à 2020 | 35 € **17/20**
Suave et plein, avec des arômes de garrigue, c'est un bandol de caractère, très imprégné par le minéral. Avec du fond et un réel équilibre général, il ne décevra pas à l'évolution.

Bandol La Tourtine 2008
Rouge | 2011 à 2018 | 35 € **16,5/20**
Joli jus délicat dans ce bandol mûr, de facture moderne. La finale est fruitée, intense en saveurs. Construit en privilégiant la finesse native du raisin, il a besoin de temps pour complexifier ses arômes.

DOMAINE DE TERREBRUNE

724, chemin de la Tourelle • 83190 Ollioules
Tél. 04 94 74 01 30 • Fax : 04 94 88 47 51
delille@terrebrune.fr • www.terrebrune.fr
Visite : Du lundi au samedi, de 8h à 12h30 et de 14h à 18h (sauf juillet-août, fermeture 18h30)

Bandol 2009
Blanc | 2010 à 2012 | 14,50 € **16/20**
Tenu par une structure acide, le vin est plaisant et citronné, la finale est incroyablement longue.

Bandol 2006
Rouge | 2011 à 2018 | 18,50 € **16,5/20**
Joli jus corsé et très fin, un nez légèrement animal mais en bouche une gourmandise qui allie un grand naturel à une texture élancée, suave et complexe, tenue par l'acidité.

DOMAINE DE TOASC

213, chemin de Cremat • 06200 Nice
Tél. 04 92 15 14 14 • Fax : 04 92 15 14 00
domaine-de-toasc@wanadoo.fr
www.domainedetoasc.com
Visite : ouverture à partir de septembre

Bellet 2009
Blanc | 2010 à 2011 | 17 € **14/20**
Peau de pamplemousse, citron, l'ensemble est fin, long, amer mais suave.

Bellet 2008
Rouge | 2010 à 2011 | 16 € **13,5/20**
Le style est original, avec sa pointe d'iode, son corps gourmand et une finale légèrement animale et saline.

Bellet cuvée du Père 2007
Rouge | 2010 à 2012 | 24 € **14,5/20**
Cuvée marquée par l'opulence de 2007, avec une pointe animale complexifiée par les épices.

CHÂTEAU LA TOUR DE L'EVÊQUE

83390 Pierrefeu
Tél. 04 94 56 33 58 • Fax : 04 94 56 33 49
regine.sumeire@toureveque.com
www.toureveque.com
Visite : Caveau de dégustation mais pas de visites.

Régine Sumeire administre avec talent le Château La Tour de l'Évêque, qui produit à Pierrefeu des cuvées de plus en plus abouties. Nous avons également retenu son Château Barbeyrolles, classique en rosé de la région de Saint-Tropez. Il est ici très pâle tout en disposant d'une texture veloutée.

Côtes de Provence Château Barbeyrolles 2009
Rosé | 2010 à 2011 | 12,40 € **14,5/20**
Élégant, frais et tendre, ce rosé est un séducteur pour l'apéritif.

Côtes de Provence
Château La Tour de l'Évêque 2006
Rouge | 2010 à 2013 | env 11 € **14/20**
Frais et épicé, voilà un vin qui attend son gibier à plumes.

Côtes de Provence Château La Tour de l'Évêque Blanc de Blancs 2009
Blanc | 2010 à 2012 | 10,50 € **15/20**
Nez discret de fenouil, la bouche monte crescendo avec de la richesse et de la subtilité.

Côtes de Provence Pétale de Rose 2009
Rosé | 2010 à 2011 | 10,50 € **14/20**
On apprécie le soyeux de la bouche et la matière très fraîche.

DOMAINE DE LA TOUR DES VIDAUX

Hameau les Vidaux - Route de Pignans
83390 Pierrefeu-du-Var
Tél. 04 94 48 24 01 • Fax : 04 94 48 24 02
info@tourdesvidaux.com • www.tourdesvidaux.com
Visite : Du lundi au samedi de 9h à 12h et de 14h30 à 18h30.

Installé sur le versant méridional du massif des Maures, ce domaine exploite les sols schisteux d'une petite vallée. Marlène et Paul Volker ont repris le vignoble et l'ont sorti de la coopération. En rosé, la cuvée Farnoux est construite à partir du cépage cinsault, très majoritaire. Nous avons également apprécié le bon niveau des rouges.

Côtes de Provence cuvée Farnoux 2009
Rosé | 2010 à 2011 | 6,60 € **13/20**
Rose et poivre blanc se mêlent de façon harmonieuse, l'attaque en bouche est belle puis le vin devient plus droit. À tenter sur de la charcuterie.

Côtes de Provence cuvée Farnoux 2007
Rouge | 2010 à 2013 | 13,90 € **13/20**
Cette cuvée plus en extraction offre des fruits confiturés en attaque avec une petite sécheresse derrière, à boire sur un gibier.

Côtes de Provence cuvée Saint-Paul 2007
Rouge | 2010 à 2013 **15/20**
Nez élégant de fruits noirs avec des touches florales, les tanins sont suaves et soyeux, frais, épicés et de bonne longueur.

Côtes de Provence Sainte-Madeleine 2009
Blanc | 2010 à 2012 | 6,60 € **14/20**
Nez de citron vert, la bouche est franche et coulante avec du ressort.

DOMAINE DE LA TOUR DU BON

714, chemin de l'Olivette
83330 Le Brûlat-du-Castellet
Tél. 04 98 03 66 22 • Fax : 04 98 03 66 26
tourdubon@wanadoo.fr • www.tourdubon.com
Visite : Du lundi au vendredi, de 9h à 12h et de 14h à 18h, samedi et dimanche sur rendez-vous.

Bandol 2009
Rosé | 2010 à 2011 | 12 € **15/20**
Consensuel, classique, ce rosé plaira à tous, il le mérite. Frais et fin.

Bandol 2007
Rouge | 2012 à 2018 | 16 € **14/20**
De jolis tanins tiennent ce rouge raffiné, délicat, de demi-corps.

DOMAINE DE TRÉVALLON

Vieux chemin d'Arles à Saint-Rémy
13103 Saint-Étienne-du-Grès
Tél. 04 90 49 06 00 • Fax : 04 90 49 02 17
info@domainedetrevallon.com
www.domainedetrevallon.com
Visite : Uniquement sur rendez-vous.

Eloi et Floriane Dürrbach et leurs enfants continuent de faire de Trévallon l'un des fleurons du vignoble français. Le rouge inclut cabernet-sauvignon et syrah à parité. Au bout de quelques années, on en apprécie les tanins frais, élégants et vibrants. Le blanc est à l'unisson, avec également un réel potentiel. Ces vins appellent la truffe !

Vin de pays des Bouches-du-Rhône 2007
Blanc | 2013 à 2023 | 55 € **16,5/20**
Ce vin a pris des formes de plus en plus harmonieuses, il y a la richesse, la fraîcheur et des notes miellées, avec beaucoup de fond. A garder pour un millefeuilles de céleri aux truffes.

Vin de pays des Bouches-du-Rhône 2007
Rouge | 2014 à 2023 | 45 € **17/20**
Superbe potentiel, avec une matière merveilleuse et ces tanins graciles et profonds qui poussent à réserver ce vin en magnum.

Vin de pays des Bouches-du-Rhône 2001
Rouge | 2010 à 2025 | 55 € **18/20**
On vibre pleinement sur ce vin à la structure puissante et élancée, avec un enrobage de tanins harmonieux, se terminant sur la garrigue et sur l'eucalyptus.

DOMAINE DE TRIENNES

R.N. 560 • 83860 Nans-les-Pins
Tél. 04 94 78 91 46 • Fax : 04 94 78 65 04
triennes@triennes.com • www.triennes.com
Visite : en semaine 9h-12h et 13h-18h
samedi 10h-19h (en saison) et 10h-18h
(de novembre à avril)

Entre le massif de la Sainte-Baume et le mont Aurélien, les vignes bénéficient des nuits fraîches et d'un long cycle végétatif qui confère une complexité aux vins. Jérémy Seysses, l'homme orchestre du Domaine Dujac en Bourgogne, donne un nouveau souffle à la propriété en affinant le style, tout en tenant compte du concours très précieux de Rémy Laugier, œnologue et directeur de l'exploitation.

Vin de pays du Var Auréliens 2007
Rouge | 2010 à 2013 | 8,10 € — 15,5/20
Les fruits rouges et les épices offrent une fraîcheur de bon aloi au nez, on retrouve cela de la façon la plus cohérente en bouche.

Vin de pays du Var Saint-Auguste 2006
Rouge | 2010 à 2014 | 11,20 € — 16/20
Les flaveurs de myrtille et d'olive s'épanouissent dans une bouche concentrée avec des tanins élégants et frais.

Vin de pays du Var Sainte-Fleur 2008
Blanc | 2010 à 2012 | 11,20 € — 16/20
Ce vin 100 % viognier séduit par sa fraîcheur de constitution avec une aromatique élégante, où abricot frais et mangue se répondent harmonieusement dans une bouche croquante.

CHÂTEAU LES VALENTINES

Route de Collobrières - RD 88
83250 La Londe-les-Maures
Tél. 04 94 15 95 50 • Fax : 04 94 15 95 55
contact@lesvalentines.com • www.lesvalentines.com
Visite : 9h00 - 19h00 du lundi au samedi

Repris en 1997 par Gilles Pons, le vignoble s'étend sur vingt-trois hectares entourés de pinèdes et de garrigues. La culture se veut la plus naturelle possible et les vins sont d'une grande digestibilité, avec ce qu'il faut de délicatesse et de fraîcheur tout en restant concentrés. On s'oriente de plus en plus vers un développement de la production en rouge et c'est tant mieux!

Côtes de Provence 2009
Rosé | 2010 à 2011 | 10,90 € — 14/20
Élégance au nez comme en bouche, avec des accents floraux et de groseille qui précèdent une fin menthée.

Côtes de Provence 2009
Blanc | 2010 à 2012 | 12,90 € — 14,5/20
Nez d'anis et de poire, que l'on apprécie dans une bouche bien proportionnée.

Côtes de Provence Bagnard 2007
Rouge | 2012 à 2016 | 19,50 € — 15/20
Nez dégagé d'olive, de fruits noirs, c'est frais, la bouche est structurée, à attendre trois ans.

CHÂTEAU VANNIÈRES

Chemin de Saint-Antoine • 83740 La Cadière-d'Azur
Tél. 04 94 90 08 08 • Fax : 04 94 90 15 98
info@chateauvannieres.com
www.chateauvannieres.com
Visite : du lundi au samedi, 8h30-12h30 et 14h-18h

Le Château Vannières, situé entre le village de La-Cadière-d'Azur et Saint-Cyr-sur-Mer, cultive une trentaine d'hectares de vignes exposées au sud et à l'ouest, sur un terroir de marnes et de calcaires d'un seul tenant, en plein mistral. Réalisés dans un profil classique, les rouges ont une indéniable capacité à vieillir, en prenant assez rapidement des nuances de tabac et de cuir, qui se laissent tranquillement patiner par le temps.

Bandol 2008
Rouge | 2011 à 2018 | env 26 € — 18/20
Jus étonnant, gracile, mûr, très typé par la garrigue avec une finesse étonnante et une finale vraiment goûteuse. L'élevage a besoin de se fondre pour mieux cerner l'origine du terroir. Un grand charmeur !

CHÂTEAU VIGNELAURE

Route de Jouques • 83560 Rians
Tél. 04 94 37 21 10 • Fax : 04 94 80 53 39
info@vignelaure.com • www.vignelaure.com
Visite : Du lundi au vendredi, de 9h à 18h.

Ce domaine a été révélé par Georges Brunet, l'ancien propriétaire du Château La Lagune, cru classé du Médoc. Il avait identifié ici des sols argilo-calcaires graveleux qui n'étaient pas sans parenté avec son ancienne propriété. Le domaine a ensuite connu des succès divers jusqu'à la reprise par Bengt Sundstrom qui en a confié la direction technique à Philippe

Bru. Toute la gamme de rouges a pour dénominateur commun la fraîcheur de fruit et l'élégance.

Coteaux d'Aix-en-Provence 2008
Rouge | 2012 à 2016 | NC **14,5/20**
Issu de 70 % de cabernet-sauvignon et de 30 % de syrah, ce vin est encore dans ses langes, on sent pour le moment une belle matière marquée par les fruits noirs.

Coteaux d'Aix-en-Provence 2006
Rouge | 2010 à 2019 | 20 € **15,5/20**
Ce vin doit être carafé au moins deux heures avant le service pour que les tanins respirent et que la belle structure puisse donner la réplique à une pièce de bœuf.

Coteaux d'Aix-en-Provence 2005
Rouge | 2010 à 2015 | 19,50 € **15/20**
Nez floral et épicé, on apprécie les tanins fins qui respectent pleinement le millésime avec du fond et une finale menthée, note revue à la hausse.

DOMAINE DE LA VIVONNE

3345, Montée du Château • 83330 Le Castelet
Tél. 04 94 98 70 09 • Fax : 04 94 90 59 98
info@vivonne.com • www.vivonne.com
Visite : Du lundi au vendredi de 8h à 18h. Le week-end de 9h à 13h et de 15h à 19h.

Bandol 2009
Rosé | 2010 à 2010 | 13 € **14/20**
Rosé original et séveux, caramel blond, avec une note d'évolution qui amènera à le boire sans attendre.

Bandol 2008
Rouge | 2011 à 2016 | 14,50 € **14/20**
Réalisé dans un style puissant, ce cru est épicé, long avec une générosité en finale. Le vin a encore besoin d'élevage pour que ses composants s'affinent.

Notes personnelles

La sélection Bettane et Desseauve pour le Roussillon

Le Roussillon

Si l'on aime les « r » qui roulent et l'accentuation énergique des Catalans on ne sera pas déçu par les vins actuels du Roussillon, hauts en couleur, hauts en saveur et plus ambitieux dans leur élaboration. Seul sujet d'inquiétude, les vins doux naturels, qui sont pourtant

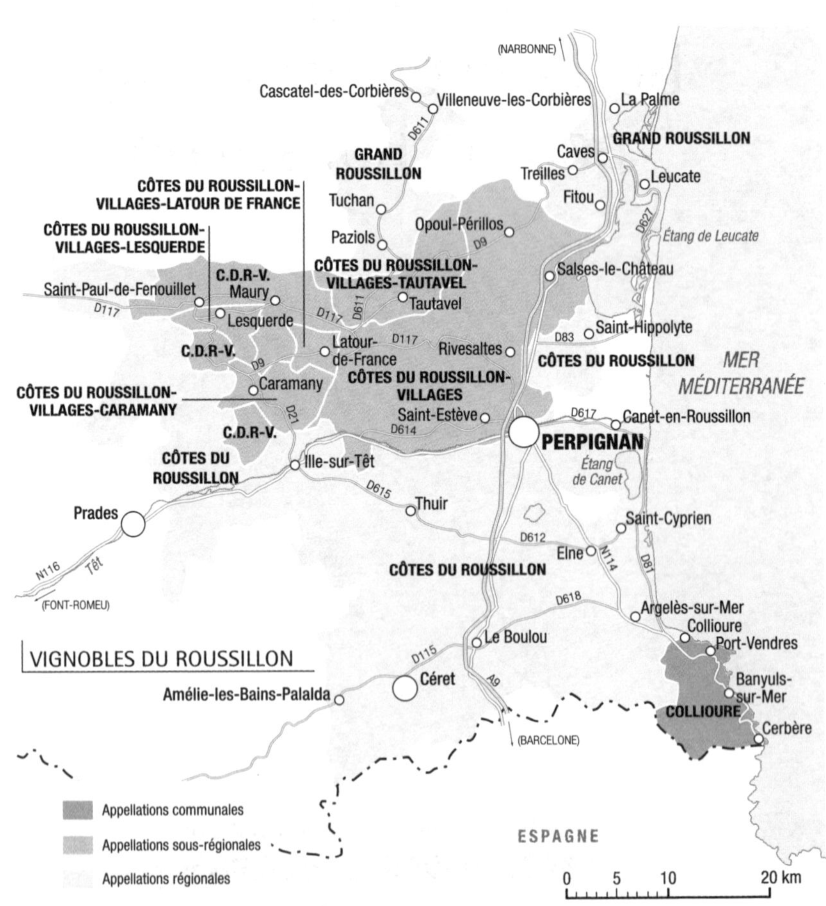

à notre sens l'expression la plus originale de cette magnifique région, sont en crise. À vous d'aider à sauver un patrimoine et une palette de goûts dont la perte serait irréparable.

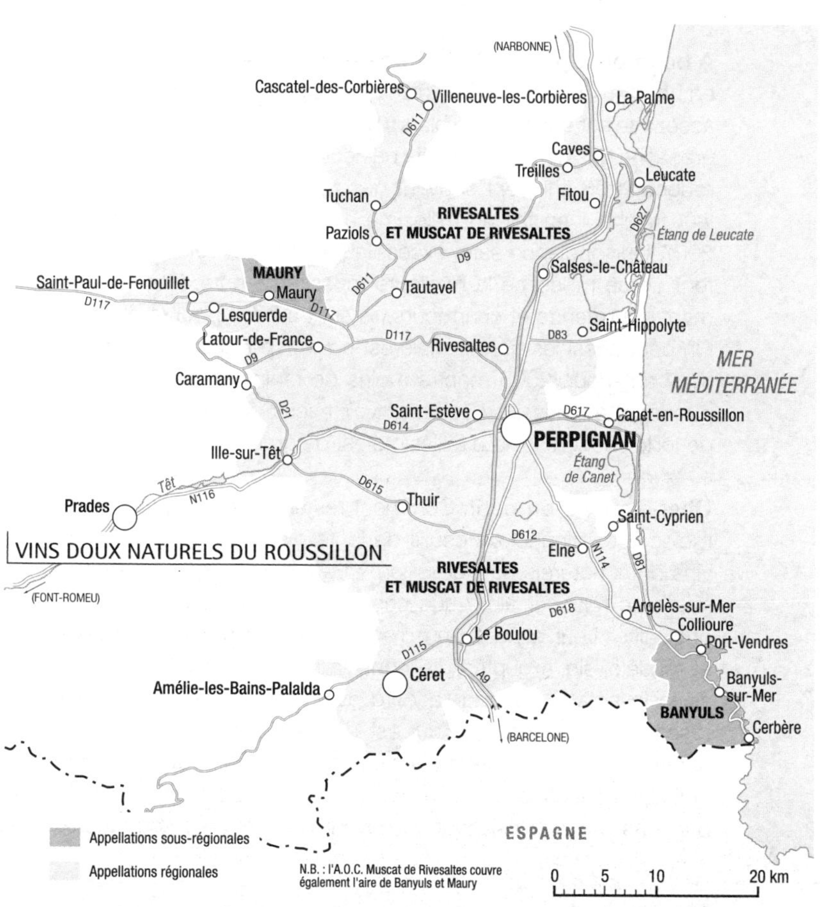

L'actualité des millésimes

L'air des montagnes. Les tendances générales relevées pour les vins du Languedoc peuvent s'appliquer à ceux du Roussillon bien que nous soyons souvent surpris par la relative fraîcheur de bien des roussillons par rapport à leurs homologues languedociens. Certes, le Roussillon est plus au sud, supporte un ensoleillement très important et manque d'eau depuis des années. Il faut rechercher l'origine de cette relative fraîcheur que nous constatons dans les meilleurs vins par leur provenance de terroirs élevés en altitude ou par l'emprise marine importante sur le vignoble qui adoucit le soleil du sud.

A boire ou à garder ? 2009, assez bon millésime en rouge et en blanc, un peu chargé en alcool, sera généreux. Il sera à boire assez vite sur son fruit. En blanc, beaucoup de cuvées à base de grenache gris nous ont séduits par leur intensité aromatique. Les rouges 2008 affichent souvent des tanins un peu rigides mais leur fraîcheur en fait un millésime à rechercher. L'équilibre des 2007, leur opulence sans excès, leur complexité et leur finesse font de ce millésime la meilleure réussite récente. Particulièrement gourmands et charmeurs, ils sont à boire pour la plupart. On peut aussi les garder mais est-ce indispensable ? En millésime antérieur, 2005 montre moins de tanins secs qu'en Languedoc. Le Roussillon semble avoir mieux géré les problèmes de forte sècheresse. Le millésime est de grande qualité ici.

Chef-d'œuvre en péril. Comment rester insensible à ce patrimoine exceptionnel en cours de lente disparition que sont les vins doux naturels du Roussillon ? Leur commerce ne parvient pas à se relancer alors que ces vins devraient surfer sur leur originalité. Leur style a peu d'équivalents au monde, Portugal et Andalousie exceptés. Ils sont l'allié exceptionnel des cuisines inventives. Quand l'accord avec des rouges, blancs ou rosés est impossible, ce qui est souvent le cas, un vin doux naturel tuilé ou ambré sera la botte secrète. Voyager avec eux dans l'espace culinaire mondial est passionnant : la plupart des cuisines asiatiques trouvent des accords somptueux avec ceux que l'on appelle par leurs initiales, les VDN. Mais le voyage dans le temps en leur compagnie est encore plus trépidant. Nombre de producteurs possèdent des stocks de vieux, voire de très vieux millésimes. Avec un peu de tact et quelques billets pas forcément oranges ou verts, la découverte de goûts inconnus mais passionnants devient possible. Certes, le prix des vins augmente un peu quand on s'aventure au-delà du siècle précédent. Mais une remontée dans le XIXe siècle en Roussillon coûte désormais bien moins cher qu'une excursion dans les 2009 de certains vins plus au nord. Dans l'espace ou dans le temps, en voyage, il faut sauver le soldat VDN !

MEILLEURS VINS TOUTES CATÉGORIES

Domaine Boudau,
Vin de pays des Côtes catalanes, blanc

Domaine du Clos des Fées,
Côtes du Roussillon-Villages, Le Clos des Fées, rouge, 2007

Domaine Gardiès,
Côtes du Roussillon-Villages, La Torre, rouge, 2008

La Cave de l'Abbé Rous,
Collioure, Cyrcée, rouge, 2008

Mas Amiel,
Maury, Vintage Charles Dupuy, rouge, 2007

LE BONHEUR TOUT DE SUITE

Château Montana,
Côtes du Roussillon, rouge, 2008

Domaine Boudau,
Rivesaltes, Sur Grains, rouge, 2008

Domaine de l'Èdre,
Côtes du Roussillon-Villages, Carrément rouge, rouge, 2008

Domaine Gardiès,
Côtes du Roussillon, Les Glacières, blanc, 2009

Domaine Le Roc des Anges,
Côtes du Roussillon-Villages, Segna de Cor, rouge, 2008

MEILLEURS VINS À MOINS DE 6 €

Château de Jau,
Côtes du Roussillon-Villages, Le Jaja - cuvée de syrah, rouge, 2008

Château Montana,
Côtes du Roussillon, Le rouge Eternel, rouge, 2008

Mas Crémat,
Vin de pays des Côtes catalanes, Les Balmettes, blanc, 2009

Vignobles du Rivesaltais,
Côtes du Roussillon, Château Pézilla, rouge, 2009

MEILLEURS VINS À MOINS DE 10 €

Domaine Boudau,
Côtes du Roussillon, Le Clos, rouge, 2009

Domaine Mounié,
Muscat de Rivesaltes, blanc, 2009

Domaine Singla,
Vin de pays des Côtes catalanes, Passe-Temps, rouge, 2007

Mas Karolina,
Vin de pays des Côtes catalanes, blanc, 2008

Mas Karolina,
Vin de pays des Côtes catalanes, rouge, 2008

MEILLEURS VINS À METTRE EN CAVE

Domaine de la Rectorie,
Banyuls, Parcé Frères, rouge, 2008

Domaine du Clos des Fées,
Côtes du Roussillon-Villages, La Petite Sibérie, rouge, 2007

Domaine Gardiès,
Côtes du Roussillon-Villages, Les Falaises, rouge, 2008

Domaine Sarda-Malet,
Rivesaltes, La Carbasse, rouge, 2007

La Cave de l'Abbé Rous,
Banyuls grand cru, Christian Reynal, rouge, 1998

MEILLEURS BLANCS

Coume del Mas,
Collioure, Consolation, 2008

Domaine de la Rectorie,
Collioure, L'Argile, 2009

Domaine de l'Èdre,
Vin de pays des Côtes catalanes, Carrément blanc, 2008

Domaine du Clos des Fées,
Vin de pays des Côtes catalanes, grenache blanc vieilles vignes, 2008

Domaine Gardiès,
Côtes du Roussillon, Clos des Vignes, 2009

Domaine Le Roc des Anges,
Vin de pays des Pyrénées-Orientales, Vieilles Vignes, 2008

Domaine Sarda-Malet,
Côtes du Roussillon, Terroir de Mailloles, 2007

Mas Karolina,
Côtes du Roussillon-Villages, 2008

MEILLEURS ROSÉS

Domaine de la Rectorie,
Collioure, Côté Mer, 2009

Domaine de Vénus,
Vin de pays des Côtes catalanes, 2009

Domaine Madeloc,
Collioure, Foranell, 2009

La Cave de l'Abbé Rous,
Collioure, Cornet & Cie, 2009

La Préceptorie de Centernach,
Côtes du Roussillon, Coume Marie, 2009

Les Clos de Paulilles,
Collioure, 2009

MEILLEURS ROUGES

Domaine Cazes,
Collioure, Notre Dame des Anges, 2008

Domaine du Clos des Fées,
Côtes du Roussillon-Villages, vieilles vignes, 2007

Domaine Gardiès,
Côtes du Roussillon-Villages, Clos des Vignes, 2008

Domaine Le Roc des Anges,
Vin de pays des Pyrénées-Orientales, 1903, 2008

Domaine Sarda-Malet,
Côtes du Roussillon, Terroir de Mailloles, 2005

Domaine Singla,
Côtes du Roussillon-Villages, Mataro, 2008

MEILLEURS VINS DOUX NATURELS

Coume del Mas,
Banyuls, Galateo, rouge, 2008

Domaine de Rancy,
Rivesaltes, Ambré, 1991

Domaine des Schistes,
Rivesaltes, Solera, Ambré

Domaine Sarda-Malet,
Rivesaltes, Le Serrat, Ambré, 2000

Maison Destavel,
Rivesaltes, Ambré, 1947

Mas Amiel,
Maury, Millésime, rouge, 1969

Palmarès des lecteurs

LA CAVE DE L'ABBÉ ROUS
Collioure, Cornet & Cie, rosé, 2009

DOMAINE BERTA-MAILLOL
Collioure, Arrels, rouge, 2008

DOMAINE BERTA-MAILLOL
Collioure, Barral, rouge, 2007

DOMAINE DES SCHISTES
Côtes du Roussillon-Villages, Les Terrasses, rouge, 2008

DOMAINE DES CHÊNES
Rivesaltes, Tuilé, rouge, 2004
Élu Meilleur vin doux par les lecteurs !

DOMAINE LAFAGE
Rivesaltes, Hors d'âge, ambré

DOMAINE DE L'ÈDRE
Vin de pays des Côtes catalanes, Carrément Blanc, blanc, 2008

LA CAVE DE L'ABBÉ ROUS

56, avenue Charles-de-Gaulle
66650 Banyuls-sur-Mer
Tél. 04 68 88 72 72 • Fax : 04 68 88 30 57
contact@banyuls.com • www.abberous.com

La Cave de l'Abbé Rous est l'entité du Cellier des Templiers destinée aux professionnels. L'amateur trouvera ces produits chez les cavistes et les restaurateurs, et ils méritent d'être recherchés car tout est ici de haut niveau, en banyuls et en collioure, dans les trois couleurs.

Banyuls grand cru cuvée Christian Reynal 1998
Rouge Doux | 2010 à 2040 | 30,50 € **17/20**
Qui verra la fin de ce banyuls parti pour la postérité mais déjà si charmeur, onctueux, délicatement cacaoté avec une finale d'épices douces ?

Collioure Cornet & Cie 2009 ☺
Rosé | 2010 à 2011 | 11,50 € **16/20**
Encore un très beau rosé de cette cave. Intense en couleur, il montre un équilibre magnifique. La séduction incarnée.

Collioure Cyrcée 2008
Rouge | 2012 à 2020 | 24 € **17/20**
Ce millésime très mûr imprime son caractère sur cette cuvée toujours racée, un must de Collioure mais elle devra fondre son bois.

Collioure In Fine 2009
Blanc | 2010 à 2012 | 16 € **15/20**
Matière racée avec un élevage qui marque un peu le vin pour l'instant. Un peu de patience en cave lui donnera le temps d'affirmer son « moi» profond.

Collioure In Fine 2008
Rouge | 2010 à 2014 | 16 € **15/20**
Souple, cette cuvée se reconnaît par la pointe d'iode apportée par les embruns qui marquent la finale.

Collioure In Fine 2007
Blanc | 2010 à 2012 | 16 € **15/20**
Le terroir de Collioure imprime au vin sa profondeur et sa race aromatique.

MAS AMIEL

66460 Maury
Tél. 04 68 29 01 02 • Fax : 04 68 29 17 82
contact@lvod.fr • www.masamiel.fr
Visite : Sur rendez-vous.

Le Mas Amiel a été l'un des pionniers de la renaissance qualitative et commerciale de Maury. Ce grand domaine a intelligemment complété sa gamme. En rouge, nous avons préféré cette année la pureté de fruit de Notre-Terre, qui complète des vins doux naturels universellement réputés. Les cuvées Vintage-Réserve sont très réussies depuis des lustres, et Charles-Dupuy est le chef de file de ce style au domaine. Les maurys élevés en mode réducteur ou en mode oxydatif sont une arme absolue pour toutes les préparations à base de chocolat.

Côtes du Roussillon-Villages Carérades 2008
Rouge | 2010 à 2017 | NC **15/20**
Le boisé de l'élevage n'est pas le plus fin qui soit et perturbe la dégustation pour l'instant, mais la matière est très belle. Elle finira par prendre le dessus.

Côtes du Roussillon-Villages Notre Terre 2008
Rouge | 2010 à 2016 | NC **15,5/20**
Notre-Terre, pur produit des schistes de la zone de Maury, prend en 2008 de l'altitude. Nous saluons cette inflexion de style vers des matières plus aériennes qui ne perdent pas en intensité.

Maury Millésime 1969
Rouge Doux | 2010 à 2040 | 70 € **18/20**
Le toucher de bouche de ce 1969 est exceptionnel, café moka, avec un léger grillé. La finale interminable est d'une délicatesse infinie. Un quadra en pleine forme !

Maury Vintage 2008
Rouge Doux | 2010 à 2018 | 15,50 € **14/20**
La première marche vers les vins doux de la maison fait pénétrer dans un univers étonnant de saveurs cacaotées.

Maury Vintage Blanc 2008
Blanc Doux | 2012 à 2019 | 16,50 € **16/20**
Les maurys blancs ne sont pas légion. Pourtant, au vieillissement, ils peuvent proposer une palette des plus complexes. Celui-ci montre un équilibre entre l'acide, le sucre et la matière qui étonnera dans quelques années.

Maury Vintage Charles Dupuy 2007
Rouge Doux | 2010 à 2030 | 32 € **18/20**
Le nez est enthousiasmant, une quintessence de fruits noirs et un zeste de magie qui ravira à la fois les grands amateurs et les béotiens en maury. La bouche confirme cette finesse et cette élégance.

BERNARD MAGREZ GRANDS VIGNOBLES

Château Pape Clément - 216, avenue du Docteur-Nancel-Pénard • 33600 Pessac
Tél. 05 57 26 38 38 • Fax : 05 57 26 38 39
chateau@pape-clement.com
www.bernard-magrez.com
Visite : - boutique à Pessac : du lundi au samedi à 11h 19h30, dimanche 9h à 12h - boutique à Paris : du lundi au samedi, de 10h à 19h30

Parallèlement à son activité bordelaise, Bernard Magrez a repris ou acquis plusieurs domaines du Languedoc et du Roussillon. Les principes sont les mêmes qu'à Bordeaux : suivis attentivement par Michel Rolland, les vins se partagent entre cuvées de domaines et sélections d'exception. Le style puissant, concentré et mûr de ces vins méridionaux est relevé par des élevages qui essaient de ne pas surjouer au-delà des matières.

Collioure L'Excellence de mon Terroir 2008
Rouge | 2010 à 2016 | 14,90 € **15/20**
Belle cuvée tout en rondeurs, avec des tanins très fins et une fin de bouche délicatement iodée, bien dans l'esprit de Collioure, grand terroir du Sud !

Côtes du Roussillon Gérard Depardieu en Roussillon 2007
Rouge | 2010 à 2014 | 16 € **14,5/20**
Dans un style puissant mais sans extraction inadaptée, ce vin très mûr, profondément réglissé, montre un art consommé de l'élevage. Généreuse en 2007, la finale fruits mûrs et olive est gourmande.

Côtes du Roussillon La Passion d'une Vie 2007
Rouge | 2010 à 2018 | 13,90 € **15/20**
Dense, gourmand et intense, puissant en alcool, avec des arômes de fruits noirs et d'épices.

Côtes du Roussillon Si mon Père savait... 2007
Rouge | 2010 à 2015 | 8,50 € **15/20**
Le vin exprime la générosité du Roussillon par des notes de confiture, de fruits noirs et de réglisse. La finale qui commence à s'ouvrir est agréablement aromatique, originale et gourmande.

Vin de pays des Côtes catalanes Passion Blanche 2008
Blanc | 2010 à 2012 | 13,90 € **14,5/20**
Jolie matière gourmande et fruitée, dans un vin d'un beau volume.

DOMAINE BERTA-MAILLOL

Route des Mas • 66650 Banyul-sur-Mer
Tél. 04 68 88 00 54 • Fax : 04 68 88 00 54
domaine@bertamaillol.com • www.bertamaillol.com
Visite : De 10h à 12h30 et de 15h30 à 19h.

Situé dans la vallée de la Baillaury à proximité de la mer, ce domaine exploite une quinzaine d'hectares plantés en terrasses. Il est exploité par les descendants de Maillol, plus connu pour ses sculptures, notamment ses bronzes, que pour ses peintures. Nous avons été séduits par les banyuls du domaine, avec en point d'orgue une magnifique solera. Le domaine produit également des collioures de qualité.

Banyuls Solera Rancio
Ambré Doux | 2010 à 2030 | 18 € **16/20**
Joli rancio élégant et raffiné qui ravira les amateurs du style.

Collioure Arrels 2008
Rouge | 2010 à 2014 | 10,80 € **14,5/20**
Les « arrels » sont les racines. Ce rouge dense, très fruits noirs et épices, se goûte très bien dès maintenant.

Collioure Barral 2007
Rouge | 2010 à 2013 | 12,60 € **14,5/20**
Un archétype du bon collioure, charmeur en diable et original.

DOMAINE DE BLANES

Mas Blanes • 66370 Pézilla-la-Rivière
Tél. 04 68 92 00 51 • Fax : 04 68 38 08 90
mariebories@aol.com • www.domainedeblanes.com
Visite : Sur rendez-vous.

Le domaine est installé sur Pézilla-la-Rivière, dans une zone de plaine, sur des argiles, des calcaires et des parties limoneuses. Marie-Pierre Borie, grande connaisseuse des meilleurs vins de France, transpose à ses crus ce qu'elle a appris ailleurs. Elle réalise avec énergie des blancs et des rouges sincères dès les vins de pays.

Côtes du Roussillon (d.) de Blanes 2008
Rouge | 2010 à 2016 | 12 € **15/20**
Dans un style assez puissant, ce vin très droit se remarque par la précision de sa constitution. Un bel exemple de côtes-du-roussillon sérieusement réalisé.

Côtes du Roussillon Cami de la Berne 2008
Rouge | 2012 à 2015 | 29 € **14/20**
La matière est belle et racée, mais un peu dominée par le bois à ce stade. Elle méritera un peu de patience.

Vin de pays d' Oc (d.) de Blanes 2008
Blanc | 2010 à 2012 | 14 € **13/20**
Grenache blanc puissant en saveurs, il est destiné plutôt à la table.

Vin de pays des Côtes catalanes Le Clot 2008
Rouge | 2010 à 2012 | 10 € **13/20**
Vin puissant en arômes de fruits noirs, toujours corsé. L'ensemble est gourmand et se tiendra à table face à un plat puissant.

DOMAINE BOUDAU

6, rue Marceau - B.P. 60 • 66602 Rivesaltes
Tél. 04 68 64 45 37 • Fax : 04 68 64 46 26
contact@domaineboudau.fr • www.domaineboudau.fr
Visite : D'octobre à mai: du lundi au vendredi de 10h à 12h et de 15h à 18h; le samedi matin de 10h à 12h. De juin à septembre: du lundi au samedi de 10h à 12h et de 15h à 19h.

Installé en zone chaude sur le Crest, zone caillouteuse située autour de Rivesaltes, ce domaine a abandonné le négoce pour se concentrer sur sa propre production. Véronique et Pierre Boudau, frère et soeur, réalisent des vins remarquables qui méritent une promotion dans notre classement. Les Clos sont exceptionnels à ce prix et le muscat sec vous fera changer d'avis sur ce produit.

Côtes du Roussillon Le Clos 2009
Rouge | 2010 à 2016 | 6,40 € **16/20**
Que de charme, un très beau fruit et un volume aérien en bouche. L'un des meilleurs rapports qualité-prix de France ?

Côtes du Roussillon-Villages Henri Boudau 2007
Rouge | 2010 à 2018 | 9,80 € **15/20**
Ici aussi, la matière est remarquable, dans le grand style des Clos, avec un rien de matière en plus et du bois qui masque le fruit. Se fondra-t-il au vieillissement ?

Côtes du Roussillon-Villages Patrimoine 2007
Rouge | 2010 à 2017 | 16 € **15,5/20**
Le fruit commence à reprendre le pas sur l'élevage. Très mûr, rond, avec des tanins d'un charme fou, c'est un séducteur.

Muscat de Rivesaltes 2009
Blanc Doux | 2010 à 2011 | 9 € **15,5/20**
Beaucoup de saveurs, un festival de fruits jaunes gourmands. Voilà le muscat de dessert idéal !

Rivesaltes Sur Grains 2008
Rouge Doux | 2010 à 2018 | 9,90 € **16/20**
Encore de la gourmandise, cette fois-ci en version mutée. Toujours ce fruité éclatant, avec des tanins présents mais gommés par l'onctuosité ambiante. La finale est tout en charme.

Vin de pays des Côtes catalanes
Blanc Doux | 2010 à 2019 | 5,30 € **17,5/20**
« Des pierres naquirent des fleurs », annonce l'étiquette. Exceptionnel rancio sec d'un équilibre étonnant. La longueur est superlative.

Vin de pays des Côtes catalanes muscat sec 2009
Blanc | 2010 à 2010 | 6,20 € **15/20**
Une bombe aromatique à savourer dans l'année. Quel équilibre ! S'il fallait dessiner un muscat sec, ce serait celui-là. Sans aucune vulgarité : gourmandise, volupté et plaisir.

CHÂTEAU DE CALADROY

66720 Bélesta-de-la-Frontière
Tél. 04 68 57 10 25 • Fax : 04 68 57 27 76
contact@caladroy.com • www.caladroy.com
Visite : De 8h à 12h et de 13h30 à 17h30 du lundi au samedi et le dimanche du mois de juillet au mois de septembre

Côtes du Roussillon-Villages Les Schistes 2007
Rouge | 2010 à 2011 | 7,30 € **14,5/20**
Ce beau château défensif est situé dans un superbe endroit entre mer de vignes et mer d'oliviers. La cuvée Les-Schistes est ronde et gourmande. Elle a une belle attaque sur les fruits rouges avec la pointe d'acidité apportée par les schistes.

DOMAINE CALVET-THUNEVIN

Avenue Jean-Jaurès, Rond Point Est • 66460 Maury
Tél. 04 68 51 05 57 • Fax : 04 68 59 17 28
contact@thunevin-calvet.fr • www.thunevin-calvet.fr
Visite : De 9h à 12h et de 14h à 19h.

Jean-Luc Thunevin, qui a construit sa notoriété avec le Château Valandraud à Saint-Émilion, s'est associé à Jean-Roger Calvet pour créer une structure dédiée aux vins du Roussillon qu'il affectionne. Les vins sont élevés avec des boisés de qualité hérités du savoir-faire bordelais. Le style reste construit sur la puissance mais évolue avec bonheur vers plus d'élégance.

Côtes du Roussillon-Villages Hugo 2007

Rouge | 2010 à 2018 | 30 € — 16/20

Généreuse, cette cuvée concentrée a bénéficié d'un élevage en progrès qui laisse la matière s'exprimer. Elle est de grande qualité.

Côtes du Roussillon-Villages Les Dentelles 2007

Rouge | 2010 à 2017 | 18 € — 15,5/20

Les-Dentelles sont réalisées dans un style puissant et chaleureux. À l'évolution, les matières se sont affinées et dégagent un aromatique de belle qualité.

Côtes du Roussillon-Villages Les Trois Marie 2007

Rouge | 2012 à 2019 | 100 € — 16/20

Dense et structurée, cette cuvée est toujours très ancrée dans les fruits noirs et la réglisse forte. Elle a trouvé en 2007 un équilibre entre buvabilité et puissance. Il faudrait idéalement l'attendre un peu.

Maury 2007

Rouge Doux | 2010 à 2028 | 25 € — 16/20

Maury puissant, dégagé des limbes et devenu onctueux en bouche. C'est un vin chaleureux et généreux, idéal sur les desserts à base de chocolat.

Vin de pays des Côtes catalanes Constance 2007

Rouge | 2010 à 2014 | 6 € — 15/20

Le style est intense et profond, avec des notes de réglisse et de fruits noirs. Un vin sur la puissance, dont les tanins sont veloutés.

DOMAINE DE LA CASA BLANCA

16, avenue de la Gare • 66650 Banyuls-sur-Mer
Tél. 04 68 88 12 85 • Fax : 04 68 88 04 08
domainedelacasablanca@orange.fr
Visite : lundi au samedi de 10h30 à 13h et de 15h30 à 19h d'avril à septembre sinon ouvert sur rendez vous.

Banyuls 2007

Rouge Doux | 2010 à 2019 | 15 € — 16/20

Grand fruit au nez, en bouche fruits noirs intenses et fruits à noyau, elle est racée, précise, étonnamment longue.

Collioure 2008

Rouge | 2010 à 2014 | 13 € — 15/20

Beaucoup de plaisir dans cette cuvée ronde et gourmande, bien marquée par le terroir de Collioure qui lui confère son originalité.

DOMAINE CAZES

4, rue Francisco-Ferrer • 66602 Rivesaltes
Tél. 04 68 64 08 26 • Fax : 04 68 64 69 79
info@cazes.com • www.cazes-rivesaltes.com
Visite : En hiver, du lundi au vendredi de 8h à 12h et de 14h à 18h30, sur rendez-vous. En été, de 8h à 19h, week-end et jours fériés compris. Restaurant ouvert.

Cette propriété a fait sensation en confiant, en 2004, sa commercialisation au négociant Jeanjean, pour se recentrer sur son métier de producteur de vins. Sur le plan technique, le domaine gère près de deux cents hectares de vignes, et a eu le courage de passer en biodynamie pour rééquilibrer ses sols. Après une phase difficile, 2007 et 2008 ont retrouvé les expressions de fruit attendues dans les rouges d'un domaine qui fut l'un des pionniers qualitatifs du Roussillon. Les vins doux naturels, grande spécialité de la maison, sont toujours d'anthologie.

Collioure Notre-Dame des Anges 2008

Rouge | 2010 à 2015 | 14 € — 16/20

Beau collioure, complètement dans l'esprit du cru. Suave, iodé, raffiné et subtil. La longueur impressionne.

Côtes du Roussillon-Villages Alter 2007

Rouge | 2010 à 2013 | 11 € — 14,5/20

La matière est corsée, réglisse forte. La finale est persistante, équilibrée et dynamique. C'est un vin gourmand avec beaucoup de charme.

Côtes du Roussillon-Villages Ego 2008

Rouge | 2010 à 2012 | 7,50 € **15,5/20**

Très beau 2008, profond, gourmand, très gras, avec l'intensité de la matière attendue. La fin de bouche est ravissante, très roussillon, c'est-à-dire intense en arômes de fruits noirs corsés et avec une fin de bouche gourmande et fraîche.

Côtes du Roussillon-Villages
Marie Gabrielle 2008

Rouge | 2010 à 2012 **13,5/20**

Le vin se goûte bien désormais, avec une matière souple mais intense en saveurs, très fruits noirs.

Rivesaltes Grenat 2006

Rouge Doux | 2010 à 2015 | 9,90 € **14/20**

Joli grenat tout en fruits rouges, gourmand, avec une bonne sucrosité en finale qui le réservera aux desserts. Un clafoutis aux cerises n'en reviendra pas.

LA PRÉCEPTORIE DE CENTERNACH

1, route de Lansac • 66220 Saint-Arnac
Tél. 04 68 59 26 74 • Fax : 04 68 59 99 07
lapreceptorie@wanadoo.fr • www.la-preceptorie.com
Visite : Sur rendez-vous en dehors de juin à septembre. En juin le samedi et en juillet aout septembre du mercredi au samedi sur rendez-vous.

Les frères Parcé sont à l'origine de cette création sur Maury, qui complète leur offre de collioures et de banyuls du Domaine de La Rectorie. Ils ont compris que la zone des Fenouillèdes était capable de produire des vins blancs très élégants à partir des cépages qui étaient autrefois traditionnellement utilisés pour les vins doux naturels. Ils en font la démonstration avec une évolution stylistique à suivre de près.

Côtes du Roussillon Coume Marie 2008

Rouge | 2010 à 2017 | 11 € **15,5/20**

Large en saveurs, très fin, Coume-Marie est un vin aux tanins élégants, de belle classe.

Côtes du Roussillon Coume Marie 2006

Blanc | 2010 à 2011 | 11 € **15/20**

Blanc aromatique et racé, agrumes, pamplemousse. L'équilibre entre l'acidité et la délicate amertume du fruit est abouti.

Côtes du Roussillon Terres Nouvelles 2009

Blanc | 2010 à 2011 | 15 € **15,5/20**

Le style est un peu exubérant mais la fraîcheur est là, gourmande. Un vin de tonnelle chic !

Côtes du Roussillon-Villages 2009

Rosé | 2010 à 2011 | 11 € **15,5/20**

Rosé aussi beau à regarder qu'à savourer. Le fruité intense est organisé entre la grenadine, la framboise et les baies. À conseiller aux amateurs sincères qui méprisaient cette couleur avant lui. Le repentir est accepté.

Côtes du Roussillon-Villages
Terres Nouvelles 2008

Rouge | 2010 à 2016 | 20 € **15,5/20**

Encore sous le boisé de l'élevage, cet échantillon montre une structure dense, avec des tanins ronds mais présents. La finale légèrement iodée est remarquable.

Maury Aurélie 2008

Rouge Doux | 2010 à 2019 | 13,80 € **15,5/20**

Goûté sur échantillon, les notes de chocolat et de fruits très mûrs enrobaient harmonieusement les tanins. Tout est en place pour que ce 2008 devienne une belle bouteille.

DOMAINE DES CHÊNES

7, rue du Maréchal-Joffre • 66600 Vingrau
Tél. 04 68 29 40 21 - 06 87 70 15 87
Fax : 04 68 29 10 91
domainedeschenes@wanadoo.fr
Visite : Du lundi au vendredi, de 9h à 12h et de 14h à 18h de mai à septembre.

Alain Razungles, professeur d'œnologie à Montpellier, exploite au pied du cirque de Vingrau un petit domaine familial. Il recherche la netteté aromatique et la franchise des vins. Les rouges sont bien réussis, avec une cuvée La-Carissa d'un raffinement remarqué. Le domaine réalise une gamme de vins doux naturels parfois étonnante mais réussie, que nous vous incitons à découvrir.

Côtes du Roussillon-Villages - Tautavel
La Carissa 2006

Rouge | 2010 à 2016 | 19 € **16/20**

Petite bombe aromatique, très ouverte avec une évolution légèrement iodée et saline que lui a donné le temps. La qualité des tanins est superlative. La finale lorgne ouvertement vers la truffe et le jus de viande.

Côtes du Roussillon-Villages - Tautavel
Le Mascarou 2006

Rouge | 2012 à 2019 | 9,70 € **15/20**

Le Mascarou n'a pas l'exubérance aromatique de la Carissa. Plus en tension, structurée et encore sur la réserve, cette cuvée a besoin de temps mais tout est en place pour un futur prometteur.

Rivesaltes Tuilé 2004

Rouge Doux | 2010 à 2030 | 13,50 € 15,5/20

Cette cuvée a trouvé un équilibre, entre l'intensité et l'onctuosité d'une matière de grande qualité et la buvabilité que l'on aime trouver dans un vin doux naturel quand il n'est pas inutilement alourdi par la sensation sucrée.

DOMAINE DU CLOS DES FÉES

69, rue du Maréchal-Joffre • 66600 Vingrau
Tél. 04 68 29 40 00 • Fax : 04 68 29 03 84
info@closdesfees.com • www.closdesfees.com
Visite : De 9h à 12h et 14h à 18h.

Si Hervé Bizeul n'existait pas, il faudrait l'inventer car il tente d'imposer la notion de grand cru en Roussillon. Parfois décrié mais souvent admiré, l'ex-journaliste-sommelier déploie une énergie considérable. Il a décomplexé beaucoup de producteurs locaux qui étaient les premiers à ne pas croire au potentiel de leur terroir. Certes, La-Petite-Sibérie, ou plutôt son prix, est éclairé en pleins phares mais elle ne doit pas occulter le reste d'une gamme dont certains vins sont à des prix très accessibles.

Côtes du Roussillon-Villages
La Petite Sibérie 2007

Rouge | 2012 à 2020 | 200 € 17/20

Cette cuvée construite pour montrer ce dont le Roussillon est capable demande toujours du temps pour fondre son élevage sous bois. La réglisse et les fruits noirs sont relayés par la pointe de menthol qui justifie le nom du cru.

Côtes du Roussillon-Villages
Le Clos des Fées 2007

Rouge | 2010 à 2018 | 50 € 17/20

Le mourvèdre donne de la classe à cette cuvée encore sous l'emprise de son bois d'élevage, mais la matière prendra le dessus. Un must dans un style puissant et sans concession.

Côtes du Roussillon-Villages
Vieilles Vignes 2007

Rouge | 2012 à 2019 | 25 € 16/20

Les épices et la réglisse dominent pour l'instant le fruit de ce Vieilles-Vignes. Très mûr, avec des tanins soyeux et raffinés, c'est un représentant des meilleurs roussillons rouges, aussi fermé qu'un Léoville-Las-Cases en vin jeune.

Vin de pays des Côtes catalanes
grenache blanc Vieilles Vignes 2008

Blanc | 2010 à 2011 | 18 € 16/20

Saveur intense de jolis agrumes, fruité et long en bouche, bel équilibre entre l'amer et l'acide.

LE CLOS DES VINS D'AMOUR

3, route de Lesquerde • 66460 Maury
Tél. 06 14 35 18 89 • Fax : 04 68 34 97 07
vignoblesdornier@sicoe.com
Visite : sur rendez-vous.

Maury Alcôve 2007

Rouge Doux | 2010 à 2019 | 16 € 14/20

Les domaines Dornier commercialisent leurs vins sous le nom romantique de Clos des Vins d'Amour. C'est un joli vin muté sur le fruit, aux arômes de chocolat. La finale est délicate et subtile.

COUME DEL MAS

3, rue Alphonse-Daudet • 66650 Banyuls-sur-Mer
Tél. 04 68 88 37 03
coumedelmas@aliceadsl.fr
Visite : uniquement sur rendez-vous.

Philippe Gard, professeur d'agronomie reconverti en vigneron, n'a pas son pareil pour expliquer les sols de Banyuls, secteur où il s'est transformé en vigneron. Il dirige également le Mas Christine avec un associé, quand il ne réalise pas des études de sols pour les autres. Ce fin connaisseur des terroirs du Roussillon produit une gamme large avec beaucoup de produits absolument remarquables.

Banyuls Galateo 2008

Rouge Doux | 2010 à 2018 | 15 € 17/20

Galateo est une étoile du banyuls dont il faudra suivre la traîne, délicate à souhait. Quel équilibre !

Collioure Consolation 2008

Blanc | 2010 à 2013 | 22 € 16/20

Quel drôle de nom pour un collioure aussi racé que celui-ci. Droit, précis, intense avec toute la minéralité dont est capable ce magnifique terroir. Ce lot de Consolation vaut bien des gros lots !

Collioure Schiste 2008

Rouge | 2010 à 2018 | 15 € 16/20

Cette cuvée Schistes est particulièrement réussie en 2008. Très collioure, ses tanins sont savoureux dans un style vraiment buvable mais avec la race native de ce terroir.

Côtes du Roussillon Consolation
The Wild Boar 2008
Rouge | 2010 à 2015 | 13 € **15/20**
Certes un peu marquée au nez par un cassis dominant, cette cuvée de syrah montre une fin de bouche intense aux tanins très fins. La finale de grande longueur ravira les aficionados du domaine.

MAS CRISTINE

3 rue alphonse daudet • 66650 Banyuls-sur-Mer
Tél. 03 26 86 70 81 • Fax : 03 26 35 47 24
info@tramontanewines.com • www.mas-cristine.fr
Visite : Sur rendez-vous contactez philippe gard au 0468883703

Ce domaine du Roussillon a une gamme limitée. Un blanc de belle ampleur, parfaitement adapté à la belle gastronomie, et un rouge des plus classiques, parfaitement frais comme savent l'être les très bons roussillons, bien qu'ils soient dans la zone climatique la plus chaude de France.

Côtes du Roussillon 2009
Blanc | 2010 à 2011 | 10 € **15/20**
Étonnant blanc d'une grande fraîcheur. Avec ses notes de poire et d'agrumes, il est plutôt destiné à la table où les plats les plus intenses lui iront comme un gant.

Côtes du Roussillon 2008
Rouge | 2010 à 2018 | 10 € **15,5/20**
Le style est très mûr, avec des fruits noirs intenses et des notes importantes de réglisse en finale.

DOMAINE DANJOU-BANESSY

1-bis, rue Thiers • 66600 Espira-de-l'Agly
Tél. 04 68 64 18 04 • Fax : 04 68 67 53 48
bendanjou@hotmail.fr
www.domainedanjou-banessy.com
Visite : Sur rendez-vous.

À Espira de l'Agly, le Domaine Danjou-Banessy est un domaine familial très ancien. Après des études de lettres, Benoît Danjou est devenu vigneron (ou artisan-vigneron, comme il le rappelle sur ses bouteilles) en sortant ses vignes de la coopération. La biodynamie inspire sa conduite du vignoble. Nous avons particulièrement remarqué le côtes-du-roussillon, avec un assemblage à majorité grenache et syrah, complétés de mourvèdre et de carignan, ainsi que la cuvée Adam, qui privilégie le grenache, sur des schistes. Ce sont des vins profonds en saveurs et sincères.

Côtes du Roussillon 2009
Rouge | 2010 à 2014 | 14 € **15/20**
Beaucoup de charme, notes de fruits raffinés. Un vin pour le plaisir.

Côtes du Roussillon-Villages Adam 2009
Rouge | 2010 à 2012 | 17 € **15/20**
Beaucoup de fruit dans cet échantillon avec une matière noble et raffinée, aux tanins doux, voluptueux.

DOMAINE DES DEMOISELLES

Mas Mulés • 66300 Tresserre
Tél. 04 68 38 87 10 • Fax : 04 68 38 87 10
domaine.des.demoiselles@wanadoo.fr
Visite : Du mardi au dimanche de 10h à 13h et de 16h à 20h, ouvert le lundi en période estivale, sinon sur rendez-vous.

Rivesaltes Solera
Ambré Doux | 2010 à 2018 **15/20**
Bel ambré à la robe orange mordorée du plus bel effet. Équilibré, il montre une finale gourmande de fruits secs et confits.

DOMAINE DEPEYRE

1, rue Pasteur • 66600 Cases-de-Pène
Tél. 04 68 28 32 19 • Fax : 04 68 28 32 19
brigitte.bile@orange.fr
www.domaine-depeyre-66.com
Visite : Sur rendez-vous.

Serge Depeyre et Brigitte Bile se sont installés en 2002 entre Rivesaltes et Maury, sur treize hectares, dans la vallée de l'Agly. Le terroir, volcanique et calcaire, est essentiellement composé de marnes et de schistes noirs. Les vendanges sont manuelles. Le côtes-du-roussillon-villages, assemblage des cépages classiques du secteur, est déjà très gourmand. La cuvée Sainte-Colombe est plus en puissance, chaleureuse. Rubia-Tinctoria montre une finesse étonnante qui nous a séduits.

Côtes du Roussillon-Villages 2009
Rouge | 2010 à 2016 | 9 € **14,5/20**
Joli jus, rond, suave et charmeur en diable. C'est un beau représentant du Roussillon en rouge. Puissant, suave et frais.

Côtes du Roussillon-Villages
Rubia Tinctoria 2009
Rouge | 2010 à 2019 | 18 € **16/20**
Grand fruit, belle fraîcheur, très beaux tanins dans l'esprit du sud. De l'opulence, une grande maturité, quel charme !

MAISON DESTAVEL

23, rue de la Sardane • 66000 Perpignan
Tél. 04 68 35 53 74
www.destavel.com

Rivesaltes 1947
Ambré Doux | 2010 à 2029 | 111 € **17/20**
Robe ambrée du plus bel effet, le vin a pris des notes de rancio, figue, curry et noix. Elles dominent un corps onctueux, très agréable en bouche, d'un bel équilibre.

VIGNOBLES DOM BRIAL

14, avenue du Maréchal-Joffre • 66390 Baixas
Tél. 04 68 64 22 37 • Fax : 04 68 64 26 70
contact@dom-brial.com • www.dom-brial.com
Visite : Du lundi au samedi De 8h30 à 12h
et de 14h à 18h.

Le Roussillon a une exceptionnelle capacité à réaliser des vins doux naturels d'anthologie, capables de défier le temps. Un demi-siècle et souvent un siècle ne perturbent pas ces vins mutés, bien au contraire, en leur laissant le temps de complexifier leurs arômes. Dom Brial fait partie de ceux qui ont su garder ces trésors. Ne les pillez pas, il faudra en garder pour les générations à venir, mais savourez quelques-uns de ces montreurs d'histoire.

Côtes du Roussillon-Villages
Les Hautes Terrasses 2008
Rouge | 2010 à 2012 | 5,20 € **13/20**
Rouge fruité et agréable. De jolis fruits noirs à l'attaque, soutenus par une finale fraîche.

Rivesaltes Grande Réserve 1969
Ambré Doux | 2010 à 2050 | 69 € **18/20**
1969, année erratique pour les rouges mais exceptionnelle pour les ambrés. La complexité en bouche est fascinante, elle ressemble aux meilleures eaux-de-vie de cognac, avec un alcool contenu à 16°. Fruits secs, figues, abricots confits, raisins de Corinthe, pruneaux, la liste serait interminable.

DOMAINE DE L'ÈDRE

1, rue des Écoles • 66600 Vingrau
Tél. 06 08 66 17 51 • Fax : 04 68 54 65 18
contact@edre.fr • www.edre.fr
Visite : Du lundi au vendredi après 18h.

Imaginez que vous ayez la passion et le sens du grand vin, un garage qui pourrait avantageusement se transformer en chai à condition de laisser la voiture dehors, quelques vignes héritées de vos parents et des week-ends insuffisamment occupés par l'animation de votre club de vin. Tous les ingrédients seraient réunis pour suivre l'exemple du Domaine de l'Èdre, créé en 2002 par Jacques Castany et Pascal Dieunidou, qui cultivent leurs vignes comme un jardin botanique.

Côtes du Roussillon-Villages
Carrément Rouge 2008
Rouge | 2010 à 2015 | 14 € **16/20**
Toujours aussi gourmande, cette cuvée chocolatée et très fruits noirs est complétée en 2008 par une pincée de poivre du plus bel effet.

Côtes du Roussillon-Villages L'Edre 2008
Rouge | 2010 à 2015 | 26 € **16/20**
Toujours très inspirée par la réglisse forte, cette cuvée est volumineuse en bouche dans un style toujours très mûr. Le volume de bouche est impressionnant.

Vin de pays des Côtes catalanes
Carrément Blanc 2008
Blanc | 2010 à 2011 | 14 € **16/20**
Complexe en arômes et en saveurs, le trio grenache gris, grenache blanc et maccabeu produit un vin tendu avec une précision aromatique étonnante.

CAVE L'ÉTOILE

26, avenue du Puig-del-Mas
66651 Banyuls-sur-Mer
Tél. 04 68 88 00 10 • Fax : 04 68 88 15 10
info@cave-letoile.com • www.caveletoile.com
Visite : Du lundi au dimanche de 9h a 13h
et de 15h à 19h

Banyuls Extra Vieux 1994
Rouge Doux | 2010 à 2019 | 21,15 € **14/20**
Agréables notes d'orange et de fruits secs dans ce banyuls parvenu à maturité.

Banyuls grand cru 1991
Rouge Doux | 2010 à 2018 | 24,50 € **15/20**
Ce 1991 a trouvé un bel équilibre entre l'alcool et un aromatique clairement emmené par les fragrances d'orange amère et confite.

DOMAINE FONTANEL

25, avenue Jean-Jaurès • 66720 Tautavel
Tél. 04 68 29 04 71 • Fax : 04 68 29 19 44
domainefontanel@hotmail.com
www.domainefontanel.com
Visite : De 10h à 12h et de 14h à 19h.

Installée sur Estagel et Tautavel, cette entreprise familiale est tenue par le discret Pierre Fontanel. Il dispose d'un exceptionnel patrimoine de vieilles vignes qui sont installées sur des sols très variés. La dégustation cette année mettait en avant la cuvée Tradition, moins marquée par l'acidité que les autres cuvées. L'ambré 1999 est remarquable.

Côtes du Roussillon-Villages Tradition 2008
Rouge | 2010 à 2018 | 8,50 € **15/20**
La cuvée Tradition se goûte bien en 2008, avec de jolis arômes de baies noires et de cassis qui lui donnent beaucoup de charme.

Rivesaltes 1999
Ambré liquoreux | 2010 à 2018 | 13 € **16/20**
La couleur brique orangée annonce la mandarine, la cannelle et les fruits secs en finale. Pas très puissant en bouche, la persistance de ce vin très frais est remarquable.

DOMAINE GARDIÈS

Chemin de Montpins • 66600 Espira de l'Agly
Tél. 04 68 64 61 16 • Fax : 04 68 64 69 36
domgardies@wanadoo.fr • www.domaine-gardies.fr
Visite : De 9h à 12h30 et de 14h à 17h30 sur rendez-vous.

Millésime après millésime, le Domaine Gardiès réalise une gamme toujours réussie, au sommet de ce qui se fait en Roussillon. En coulisses, Jean Gardiès aide nombre de jeunes qui s'implantent à bien démarrer leur exploitation viticole. Sa communication est discrète, il laisse le devant de la scène à d'autres. Il nous semble toutefois essentiel de promouvoir ce domaine à la catégorie supérieure au vu de cette incroyable régularité à ce niveau de qualité.

Côtes du Roussillon Clos des Vignes 2009
Blanc | 2010 à 2012 | 21 € **16/20**
Cette cuvée a encore progressé en intensité de saveurs. Très pure, minérale, elle est d'une fraîcheur étonnante.

Côtes du Roussillon Les Glacières 2009 ☺
Blanc | 2010 à 2013 | 14 € **17/20**
Millésime après millésime, le fumé des grenaches gris et leurs arômes de melon, d'amande fraîche, de pêche et d'abricot ravissent. La finale cette année oscille entre l'acidité et la belle amertume des agrumes. Un concentré de talent.

Côtes du Roussillon-Villages
Clos des Vignes 2008
Rouge | 2010 à 2018 | 19 € **16,5/20**
Le style est puissant mais le tanin très rond est parfaitement enveloppé. L'ensemble de grande profondeur est onctueux en bouche, la finale impressionne par sa longueur et sa densité.

Côtes du Roussillon-Villages La Torre 2008
Rouge | 2010 à 2018 | 30 € **18/20**
La puissance habituelle des cuvées du domaine est toujours là, mais les fruits noirs les plus raffinés et les épices douces lui donnent une complexité supplémentaire. La race des grands mourvèdres parle fort.

Côtes du Roussillon-Villages Les Falaises 2008
Rouge | 2012 à 2019 | 42 € **17/20**
Ce cru est revenu en 2008 vers sa puissance habituelle. Intense, gourmand mais réalisé pour de grands amateurs pas pressés. Les autres se reporteront vers le Clos-des-Vignes.

Côtes du Roussillon-Villages
Les Millères 2008
Rouge | 2010 à 2015 | 12 € **15/20**
Autre millésime, autre style. 2008 est plus chaleureux en bouche. Fruits noirs, acidité marquée, la finale est onctueuse.

DOMAINE GAUBY

Lieu-dit La Muntada • 66600 Calce
Tél. 04 68 64 35 19 • Fax : 04 68 64 41 77
domaine.gauby@wanadoo.fr • www.domainegauby.fr
Visite : Sur rendez vous uniquement.

Le Domaine Gauby est progressivement devenu un laboratoire permanent où se préparent les évolutions stylistiques des vins du Roussillon. Si certaines cuvées de rouge goûtées en fût l'an passé étaient au

plus haut niveau, d'autres nous avaient déçus. Nous n'avons hélas pas reçu les échantillons demandés cette année malgré plusieurs relances et nous ne pourrons pas infirmer ces craintes. Le seul vin dégusté du domaine cette année l'a été dans un restaurant. C'était un blanc, qui nous a inquiétés car cette couleur semblait jusqu'à présent épargnée.

Côtes du Roussillon-Villages
Les Calcinaires 2008
Blanc | 2010 à 2010 | 13,50 € **12/20**
Dégustée en mars 2010, cette cuvée au nez végétal était à bout de souffle, sans densité ni matière. C'est une déception pour un 2008 du domaine.

CHÂTEAU DE JAU

66600 Cases-de-Pène
Tél. 04 68 38 90 10 • Fax : 04 68 38 91 33
daure@wanadoo.fr • www.clos-de-paulilles.com
Visite : Du lundi au vendredi, de 9h à 17h. Du 1er au 15 juin et en septembre, de 10h à 19h, du 15 juin au 31 août, tous les jours de 10h à minuit.

Grande propriété de la vallée de l'Agly, le Château de Jau a bâti sa réputation autour de produits de qualité, innovants et remarqués par leur design tels que le Jaja-de-Jau, une cuvée d'entrée de gamme à l'étonnant rapport qualité-prix. L'équipe technique a changé et oriente les vins vers des bouches fraîches, ce qui n'est pas toujours simple sous le climat du Roussillon, avec une recherche de profondeur et de volupté.

Côtes du Roussillon-Villages 2007
Rouge | 2010 à 2011 | 7,50 € **15/20**
Caressant dès l'attaque, ce rouge atteint son apogée. Le style est d'une belle buvabilité, aromatique avec des notes de sous-bois et d'épices qui ont succédé au fruit frais.

Côtes du Roussillon-Villages
Le Jaja - cuvée de syrah 2008
Rouge | 2010 à 2011 | 4,50 € **14,5/20**
Agréable cuvée, bien marquée par le fruité intense et les épices de la syrah. Il faut en capter l'aromatique dès maintenant, un vin de copains sympathique et gourmand.

DOMAINE JOLIETTE

Route de Vingrau-Montpins • 66600 Espira-de-l'Agly
Tél. 04 68 64 50 60 • Fax : 04 68 64 18 82
mercier.joliette@wanadoo.fr
www.joliette-mercier.com
Visite : lundi au vendredi de 8h à 12h et de 14h à 18h et samedi et dimanche sur rendez-vous.

Rivesaltes 1990
Ambré Doux | 2010 à 2019 | 15,50 € **15,5/20**
Bel ambré, intense à la fois en couleur et en saveurs. Il étonne par son équilibre et sa fraîcheur, l'alcool se fait discret devant le fruit et les épices.

MAS KAROLINA

29, boulevard de l'Agly
66220 Saint-Paul-de-Fenouillet
Tél. 06 20 78 05 77 • Fax : 04 68 84 78 30
mas.karolina@wanadoo.fr • www.mas-karolina.com
Visite : Du lundi au vendredi, de 10h à 12h et de 15h à 18h. Le samedi et dimanche sur rendez vous

Caroline Bonville est une Bordelaise dynamique qui a abandonné ses terres natales pour s'implanter sur le terroir de Maury. Elle est amoureuse du grenache, et se lance volontiers dans des expériences œnophiles qui étonneront l'amateur. Dans ce domaine, les vins de pays sont aussi soignés que les vins d'appellation. Une promotion nous semble vraiment méritée.

Côtes du Roussillon-Villages 2008
Blanc | 2010 à 2011 | NC **17/20**
Légèrement rancio, tentateur en diable, ce blanc a une expression aromatique d'une intensité de saveurs étonnante. Bravo !

Côtes du Roussillon-Villages 2007
Rouge | 2010 à 2017 | 12 € **16/20**
Rouge réalisé dans le style du domaine, toujours gourmand et friand, épicé à souhait mais avec une finale de grand charme. La pointe d'iode est ravissante.

Vin de pays des Côtes catalanes 2008
Blanc | 2010 à 2011 | 9,30 € **14,5/20**
Cette cuvée est toujours une expression étonnante des cépages méditerranéens, le grenache gris, le maccabeu et le muscat. L'attaque est vive et la finale est très aromatique et rafraîchissante.

Vin de pays des Côtes catalanes 2008

Rouge | 2010 à 2013 | 8 € **15,5/20**

Très belle expression de fruits noirs avec une texture soyeuse et raffinée. Voilà le vin du plaisir gourmand à boire là, sur son fruit !

DOMAINE LAFAGE

Mas Miraflors - Route de Canet • 66000 Perpignan
Tél. 04 68 80 35 82 • Fax : 04 68 80 38 90
contact@domaine-lafage.com
www.domaine-lafage.com
Visite : De 10h a 12h30 et de 14h30 a 19h, tous les jours en été, du mardi au samedi en hiver.

Côtes du Roussillon Léa 2008

Rouge | 2010 à 2015 | 14,80 € **13/20**

Cuvée des Aspres, soutenue par un élevage encore présent dont la matière est puissante. Un vin parfait pour un gibier pas trop évolué.

Rivesaltes Hors d'Âge

Ambré Doux | 2010 à 2018 | 12 € **15,5/20**

C'est en bouche plutôt qu'au nez que se révèle cet ambré à la finale de grande complexité. Fruits secs, pruneaux, abricot confit, épices douces, quel bouquet final !

Vin de pays des Côtes catalanes
Côté chardonnay 2008

Blanc | 2010 à 2010 | 8 € **13/20**

Légèrement grillé, intense, ce chardonnay défend les couleurs du cépage dans une version sudiste aux arômes mûrs, tout en conservant de la fraîcheur.

Vin de pays des Côtes catalanes
Nicolas grenache noir 2008

Rouge | 2010 à 2013 | 9 € **13/20**

Avec ses arômes ronds et mûrs, ce vin de pays montre des tanins gourmands et agréables.

MAS DE LAVAIL

Départementale 117, Km 4, route de Maury
66460 Maury
Tél. 04 68 59 15 22 • Fax : 04 68 29 08 95
masdelavail@wanadoo.fr
Visite : Du lundi au samedi, de 10h30 à 12h30 et de 15h30 à 19h. le dimanche matin sur rendez-vous.

À mi-chemin entre Maury et Estagel, le Mas de Lavail, créé en 1999 par un ancien responsable de cave coopérative, propose une gamme sans fausse note. Nicolas Batlle, la nouvelle génération, continue les vendanges manuelles et le labour des parcelles. La gamme de vins secs et de vins doux est de bon niveau avec en point d'orgue le maury Expression.

Côtes du Roussillon-Villages Tradition 2008

Rouge | 2010 à 2014 | 6,80 € **13,5/20**

Ce rouge est suave avec une pointe tabac légèrement asséchante en finale. Ce sera un bel accord avec une gardiane.

Maury Expression 2008

Rouge Doux | 2010 à 2018 | 10,50 € **16/20**

Extrêmement onctueux, de grand équilibre, ce maury rappelle que la maison maîtrise le mutage !

Vin de pays des Côtes catalanes Ego 2006

Rouge | 2010 à 2016 | 13 € **15/20**

Cette cuvée élevée en fût de chêne mérite une commercialisation retardée. Le vin prend maintenant une enveloppe aromatique de réglisse particulièrement intense, dans l'esprit des confiseries de l'enfance. Un filet de porc aux pruneaux, vite !

DOMAINE MADELOC

1 bis, avenue du Général-de-Gaulle
66650 Banyuls-sur-Mer
Tél. 04 68 88 38 29 • Fax : 04 68 88 04 65
domaine-madeloc@wanadoo.fr
www.domainespierregaillard.com
Visite : Du lundi au vendredi, de 8h30 à 12h30 et de 14h à 18h.

Pierre Gaillard exploite désormais seul les nouvelles parcelles qui constituent la production de Madeloc. En Banyuls, Cirera et, avec encore plus d'intensité, Robert-Pagès expriment la race des vins de ce cru étonnant. En vin sec sur cette aire d'appellation, banyuls devient collioure. Le rosé Foranell est étonnant et la gamme de rouge est emmenée avec panache par Serral.

Banyuls Robert Pagès

Rouge Doux | 2010 à 2019 | 15 € **16/20**

La version présentée cette année n'était plus millésimée. Peu importe, la texture et le velouté de bouche étaient remarquables.

Collioure Foranell 2009

Rosé | 2010 à 2010 | 7 € **15/20**

Légèrement amylique au nez, bonbon, puis d'une intensité de saveur étonnante en bouche, en prise avec le minéral, un très beau rosé de gastronomie qui ne laissera pas indifférent.

Collioure Magenca 2006

Rouge | 2010 à 2014 | 17 € **14,5/20**

Réalisé à base de grenache noir, de mourvèdre et de carignan, le 2006 est assez puissant en structure mais la finale fraîche garde une excellente buvabilité.

Collioure Serral 2007

Rouge | 2010 à 2015 | 14 € **16/20**

Marquée au nez par la syrah, cette cuvée de grand volume en bouche est séduisante, avec la pointe iodée apportée par le terroir de Collioure.

Collioure Trémadoc 2008

Blanc | 2010 à 2013 | 14 € **15/20**

Exotique, épicé, agrumes, ce vin en arômes plus qu'en structure montre une expression racée du cru, parfaite expression minérale des schistes.

MARIUS

Mas Saint-Michel - Chemin de Sainte-Barbe
66000 Perpignan
Tél. 04 68 56 72 38 • Fax : 04 68 56 47 60
sardamalet@wanadoo.fr

Cette propriété est une création de Jérôme Malet (du Domaine Sarda-Malet) et de Frédéric Engerer (gérant de Château Latour, à Pauillac). Elle est dédiée au cabernet-sauvignon, avec des boutures transplantées du Médoc en terre du sud. L'élevage est réalisé dans des barriques venues également du premier cru. La qualité de la matière première est soutenue par une finesse des bois utilisés qui dénote en Languedoc-Roussillon. Le résultat final mérite le détour.

Vin de pays des Côtes catalanes 2007

Rouge | 2011 à 2016 | cav. 40 € **16/20**

Le vin affiche la plénitude du millésime avec un tanin fin. Plus prêt à boire que 2006, structuré, fin et très long, c'est un ovni dans le monde des vins de pays.

Vin de pays des Côtes catalanes 2006

Rouge | 2013 à 2018 | cav. 40 € **15/20**

Élevé dans des barriques de Latour, le grain de tanin est très fin. Ce cabernet-sauvignon montre un équilibre frais grâce aux influences maritimes de la zone de Perpignan.

DOMAINE DU MAS BLANC

9, avenue du Général-de-Gaulle
66650 Banyuls-sur-Mer
Tél. 04 68 88 32 12 • Fax : 04 68 88 72 24
domainemasblanc@free.fr
www.domainedumasblanc.com
Visite : De 9h à 12h et de 14h à 18h. Sur rendez-vous les samedis, dimanches et jours fériés.

Le Mas Blanc poursuit dans la voie qui fut tracée par le célèbre docteur Parcé. La gamme de collioures rouges sort des sentiers battus mais nous n'avons retenu cette année que le seul Cosprons-Levants, un collioure rouge de 2005. Le reste de la gamme se goûtait mal ou présentait des déviations aromatiques étonnantes.

Collioure Cosprons Levants 2005

Rouge | 2010 à 2015 | 18,50 € **16/20**

La texture est de grande qualité, avec une finesse remarquable, très buvable. L'aromatique encore un peu dissocié amènera à lui laisser encore un peu de temps.

DOMAINE MAS CRÉMAT

66600 Espira-de-l'Agly
Tél. 04 68 38 92 06 • Fax : 04 68 38 92 23
mascremat@mascremat.com • www.mascremat.com
Visite : du lundi au samedi de 8h30 à 12h et de 14h à 18h30 et le dimanche sur rendez vous.

Christine et son frère, Julien Jeannin, font partie de la branche des Mongeard-Mugneret qui a abandonné Échezaux, Richebourg et autres Clos-Vougeot pour la vallée de l'Agly en Roussillon. Ils ne totalisent pas cinquante ans à eux deux mais ils produisent avec compétence et intelligence des vins à l'image de leur jeunesse. Les maîtres-mots sont ici fraîcheur et simplicité.

Côtes du Roussillon Dédicaces 2006

Rouge | 2010 à 2015 | 17 € **16/20**

Cette cuvée de pur grenache a constitué la première vinification de la nouvelle génération. Structurée et épicée, elle est longue à souhait.

Côtes du Roussillon L'Envie 2008

Rouge | 2010 à 2015 | 7,70 € **14,5/20**

Cette cuvée montre un joli fruité gourmand avec des tanins ronds.

Rivesaltes Le Grenat 2007

Rouge Doux | 2010 à 2019 | 8,80 € **15,5/20**

Cassis intense, une infusion de fruits noirs puis en bouche une matière onctueuse très élégante et suave. Un vin de charme, pour l'instant sur des notes sauvages au nez mais sans agressivité de bouche. On est résolument en dehors du consensus mou.

Vin de pays des Côtes catalanes
Les Balmettes 2009
Blanc | 2010 à 2010 | 5 € **14/20**
A base de maccabeu et de grenache blanc, ce joli vin frais, agrumes et pamplemousse, se boit très facilement.

DOMAINE MODAT

Le Plas • 66720 Cassagnes
Tél. 04 68 54 39 14 ou 06 11 64 40 38
contact@domaine-modat.com
www.domaine-modat.com
Visite : sur rendez vous

On peut cumuler une charge des plus sérieuses dans l'administration judiciaire avec la passion du grand vin, le Domaine Modat en est une démonstration sur le terroir de Caramany. Attendu que la créativité prend le pas sur la rigidité du Code Civil dès qu'on franchit la porte de la cave, les vins montrent une pureté de fruit étonnante. Les premières vinifications nous ont épatés et beaucoup d'essais sont en cours.

Côtes du Roussillon-Villages - Caramany
Comme Avant 2007
Rouge | 2010 à 2017 | 12 € **15/20**
Joli rouge intense en fruits noirs, fortement marqué par le cassis. Les tanins de cet assemblage de syrah, grenache et carignan sont nobles, suaves et très ronds. La finale est d'une étonnante longueur.

Côtes du Roussillon-Villages - Caramany
Sans Plus Attendre 2007
Rouge | 2010 à 2017 | 14,50 € **15,5/20**
Cette cuvée est dédiée à la syrah, épicée et fruitée à souhait avec un grand volume de bouche. Un joli début dans le monde du vin.

CHÂTEAU MONTANA

Route de Saint-Jean-Lasseille
66300 Banyuls-dels-Aspres
Tél. 04 68 37 54 84 • Fax : 04 68 21 86 37
chateaumontana@wanadoo.fr
www.chateaumontana.fr
Visite : Du lundi au samedi midi et sur rendez-vous le week-end.

Côtes du Roussillon 2008
Rouge | 2010 à 2013 | 9,50 € **14/20**
Rouge corsé, aux tanins ronds, fins et harmonieux, avec une persistance en bouche agréable.

Côtes du Roussillon - Les Aspres
L'Astre Noir 2008
Rouge | 2010 à 2015 | 33 € **15/20**
Dans l'esprit plus souple des Aspres, la qualité du tanin est remarquable. Une nouvelle cuvée à suivre.

Côtes du Roussillon Le Rouge Éternel 2008
Rouge | 2010 à 2011 | 5,95 € **13/20**
Joli rouge de fruit, frais et agréable. À boire entre amis autour de cochonnailles, pour leur donner de l'énergie.

DOMAINE MOSSÉ

Château Mossé
66300 Sainte-Colombe-de-la-Commanderie
Tél. 04 68 53 08 89 • Fax : 04 68 53 35 13
chateau.mosse@wonderline.fr
www.chateau-mosse.com
Visite : Tous les jours sauf le samedi sur rendez-vous de 8h à 12h et de 13h30 à 17h30 en hiver. De 8h à 12h et de 15h à 18h en été.

Rivesaltes 1994
Ambré Doux | 2010 à 2016 | 14,50 € **14/20**
Agréable ambré, puissant en saveurs de fruits secs, abricots et figues.

DOMAINE MOUNIÉ

1, avenue du Verdouble • 66720 Tautavel
Tél. 04 68 29 12 31 • Fax : 04 68 29 05 59
domainemounie@free.fr
Visite : Sur rendez-vous en hiver et en été de 11h à 12h et de 15h à 17h.

Muscat de Rivesaltes 2009
Blanc Doux | 2010 à 2011 | 8,70 € **15/20**
Toujours très aromatique, ce muscat s'exprime sur de jolis fruits jaunes gourmands à l'envie.

DOMAINE MUDIGLIZA

20, rue de Lesquerde
66220 Saint-Paul-de-Fenouillet
Tél. 06 79 82 03 46 ou 04 68 35 01 99
www.masmudigliza.fr
Visite : sur rendez-vous.

Dimitri Glipa, d'origine bordelaise, s'est installé dans la vallée de l'Agly. Il y produit un côtes-du-roussillon de grande allure, Carminé. Ses incursions en vin doux naturel à Maury sont également très réussies. Un domaine à suivre.

Côtes du Roussillon Carminé 2008
Rouge | 2010 à 2016 | 11 € **15/20**
Ce 2008 montre une nouvelle progression vers la qualité de texture. C'est un vin de fruits, élégant, de charme, facile à boire.

Maury 2008
Rouge Doux | 2010 à 2019 | 13 € **15/20**
Maury en rondeur, avec une qualité réelle de tanins et une finale agréablement chocolatée.

CHÂTEAU DE L'OU

Route de Villeneuve • 66200 Montescaut
Tél. 04 68 54 68 67 • Fax : 04 68 54 68 67
chateaudelou66@orange.fr • www.chateau-de-lou.fr
Visite : Du lundi au samedi, de 8h à 19 h, dimanche sur rendez-vous.

Muscat de Rivesaltes 2009
Blanc Doux | 2010 à 2010 | 8 € **14/20**
Agréable muscat, intense en fruits, abricots confits, d'une grande expression aromatique.

CLOT DE L'OUM

66720 Belesta
Tél. 06 60 57 69 62 • Fax : 04 68 62 19 78
emonne@web.de • www.clotdeloum.com
Visite : Sur rendez vous 04 68 57 82 32.

Côtes du Roussillon-Villages Numero Uno 2007
Rouge | 2010 à 2014 | 28 € **14,5/20**
Si d'autres cuvées du domaine ne nous ont pas semblé irréprochables, cette cuvée de syrah au nez encore un peu réduit montre un tanin fin, délié, avec beaucoup de charme. Un petit carafage lui conviendra bien.

JEAN-PHILIPPE PADIÉ

11, rue des Pyrénées • 66600 Calce
Tél. 06 99 53 07 66 • Fax : 04 68 64 29 85
contact@domainepadie.com
www.domainepadie.com
Visite : Sur rendez-vous.

Vin de pays des Côtes catalanes Milouise 2008
Blanc | 2010 à 2011 | 27 € **13/20**
Vin étonnant, avec une minéralité réelle qui s'efface derrière une pointe grillée extravertie apportée par l'élevage. On peut aimer ou détester. Nous nous sommes placés à mi-chemin !

LES CLOS DE PAULILLES

Château de Jau • 66600 Cases-de-Pène
Tél. 04 68 38 90 10 • Fax : 04 68 38 91 33
daure@wanadoo.fr • www.clos-de-paulilles.com
Visite : en saison de 10h à 19h.

Les Clos de Paulilles et le Château de Jau, en Roussillon, appartiennent à la famille Dauré. Le vignoble occupe un cirque en bord de mer, implanté en terrasses. Il profite des embruns et des variations climatiques pour produire des vins expressifs dans les trois couleurs. Le rosé n'est pas le parent pauvre de la gamme, le blanc est délicatement fruité et le rouge est une réussite. En saison, la guinguette du domaine permet de se restaurer et de déguster sereinement toute la production ainsi que celle du Château de Jau.

Collioure 2009
Rosé | 2010 à 2011 | 7,50 € **14,5/20**
Rosé long et salin. Un vin original et fruité, même si une pointe de bonbon perturbe la race du terroir.

Collioure 2008
Blanc | 2010 à 2011 | 12,10 € **15/20**
Les Clos de Paulilles ont, millésime après millésime, cette spécialité de blancs marquée par les fruits exotiques et le pamplemousse rose. Un peu d'évolution lui permettra de passer de l'apéritif où il faisait merveille en vin jeune à la table aujourd'hui avec un poisson grillé.

Collioure 2006
Rouge | 2010 à 2012 | 12,50 € **14,5/20**
Cuvée très originale en arômes et en saveurs intenses de garrigue, avec une pointe saline et de fruit, bien ancrée dans le terroir de Collioure. La finale est dense.

DOMAINE PIQUEMAL

1, rue Pierre-Lefranc • 66600 Espira-de-l'Agly
Tél. 0468640914 • Fax : 04 68 38 52 94
contact@domaine-piquemal.com
www.domaine-piquemal.com
Visite : Du lundi au vendredi, de 8h à 12h et de 14h à 18h.

Piquemal, situé à Espira-de-l'Agly, est un domaine dont les vins ne manquent pas d'originalité. Le savoir-faire du domaine s'exprime dès les vins-de-pays ainsi que dans les deux cuvées phare, Galatée et Pygmalion, l'une sur l'actualité du fruit, l'autre sur le potentiel d'une garde légèrement supérieure.

Côtes du Roussillon Tradition 2007
Rouge | 2010 à 2016 | 6,75 € **14/20**
Sapide et intense en saveurs, ce rouge s'achève en bouche par des notes marquées de réglisse forte.

Côtes du Roussillon-Villages Galatée 2007
Rouge | 2010 à 2017 | 14 € **16/20**
Très belle cuvée sur de magnifiques fruits noirs croquants et charnus. Toute en charme, cette cuvée recherche, millésime après millésime, à approcher la volupté.

Côtes du Roussillon-Villages Pygmalion 2007
Rouge | 2010 à 2018 | 14 € **16/20**
L'encépagement de Pygmalion est similaire à celui de la cuvée Galatée, mais l'élevage est partiellement réalisé en bois neuf au lieu de la cuve traditionnelle. Le fruit parle un peu moins fort mais le potentiel de garde sera peut-être légèrement supérieur.

DOMAINE POUDEROUX

2, rue Émile-Zola • 66460 Maury
Tél. 04 68 57 22 02 • Fax : 04 68 57 11 63
domainepouderoux@orange.fr
www.domainepouderoux.fr
Visite : De 11h à 19h et sur rendez vous

L'essentiel de la production est tourné vers des vins doux naturels de type rimage particulièrement bien réalisés. En parallèle des vins doux naturels, le sommet de la cave est emmené par La-Mouriane, constituée de vieilles syrahs et de très vieux grenaches.

Côtes du Roussillon-Villages La Mouriane 2006
Rouge | 2010 à 2016 | 32 € **16/20**
Grand vin raffiné, sans aspérité, tout en finesse, sur les fruits à l'eau-de-vie. La finale est longue et soyeuse.

Côtes du Roussillon-Villages Terre Brune 2007
Rouge | 2010 à 2015 | 14,50 € **15/20**
Cette cuvée, réalisée dans un style puissant, montre un tanin plus fin que Latour-de-Grès. Contrairement à d'autres millésimes, ce 2007 est buvable dès aujourd'hui.

Maury Vendange Mise Tardive 2005
Rouge Doux | 2010 à 2018 | 15,50 € **16/20**
L'élevage long apporte une note de feuilles de havane en finale. Cette cuvée transcrit la chaleur et la sécheresse de 2005. Elle sera parfaite sur une viande blanche aux pruneaux pour changer du sacro-saint mariage entre le maury et le chocolat.

Vin de pays des Côtes catalanes
Roc de Plane 2008
Blanc | 2010 à 2011 | 13 € **14/20**
Blanc gras en bouche. La finale aromatique est marquée par la poire et les fleurs blanches. Un vin délicat.

DOMAINE PUIG-PARAHY

Le Fort Saint-Pierre - Rue du Presbytère
66300 Passa
Tél. 06 14 55 71 71 • Fax : 04 68 38 88 77
www.puig-parahy.fr
Visite : sur rendez vous.

Si le rivesaltes 1971 vous semble un peu jeune, vous pourrez toujours acheter au domaine un 75. Un 1875, bien sûr. Ne raflez pas tout, laissez-en un peu pour les générations suivantes. De toutes façons, le bisaïeul n'est plus de ce monde pour apprécier sa cuvée anniversaire...

RIVESALTES 1971
Rouge Doux | 2010 à 2100 | 66 € **16/20**
Ce 1971 est arrivé à maturité. Et les 1875 de la cave (à la vente) sont là pour rappeler que la maturité des vins doux peut durer bien plus longtemps que celle des humains. Café, moka, épices... quelle onctuosité !

VIN DE PAYS D' OC MUSCAT SEC 2009
Blanc | 2010 à 2010 | 6,30 € **14,5/20**
Bel exemple de muscat sec parfaitement apéritif, élégant et raffiné. Il est à boire sur son fruit actuel.

DOMAINE DE RANCY

11, rue Jean-Jaurès • 66720 Latour-de-France
Tél. 04 68 29 03 47 • Fax : 04 68 29 03 47
info@domaine-rancy.com • www.domaine-rancy.com

Ce domaine de Latour de France, installé sur une petite vingtaine d'hectares, s'est fait une spécialité de vins doux naturels ambrés hors du temps. On y trouvera ici une collection exceptionnelle, qui n'hésite pas à remonter au demi-siècle. Bref, rien n'est vraiment à la mode ici mais tout est passionnant.

RIVESALTES 1993
Ambré Doux | 2010 à 2030 | 18,50 € **15,5/20**
Le domaine maîtrise merveilleusement les ambrés. Ce 1993 moelleux et parvenu à maturité montre une éclatante palette de figues, d'épices et de fruits secs, derrière laquelle l'alcool se fait discret. C'est comme çà que nous les aimons !

RIVESALTES 1991
Ambré Doux | 2010 à 2030 | 18,50 € **17/20**
Très bel ambré, bien marqué par les fruits secs. Il est un rien plus droit que le 1993 qui montrait une onctuosité légèrement supérieure. La finale miel de sapin et noisettes séchées mérite le détour.

VIN DE PAYS DES CÔTES CATALANES
VIN ISSU DE RAISINS SURMÛRIS (RANCIO SEC)
Blanc | 2010 à 2030 | 12,50 € **15/20**
Dans la grande tradition des rancios secs, il permettra aux amateurs de jaunes du Jura de venir s'encanailler dans le sud. C'est un vin qui ne laisse pas indifférent, subtil à l'envie.

DOMAINE DE LA RECTORIE

65, avenue du Puig-Delmas • 66650 Banyuls-sur-Mer
Tél. 04 68 88 13 45 • Fax : 04 68 81 02 42
larectorie@wanadoo.fr • www.la-rectorie.com
Visite : Tous le jours sauf le dimanche, de 10h à 12h et de 16h à 19h.

La Rectorie (« le presbytère» en catalan) est le nom du lieu-dit où est implanté le domaine. Il s'est fait une spécialité de la production de grands banyuls et collioures. La Rectorie profite des embruns, dont les fragrances iodées et salines marquent délicatement les trois couleurs. Toute la gamme est de haute qualité.

BANYULS LÉON PARCÉ 2008
Rouge Doux | 2010 à 2020 | 16 € **16/20**
Agréable banyuls, intense en saveurs, très équilibré.

BANYULS PARCÉ FRÈRES 2008
Rouge Doux | 2010 à 2040 | env 18 € **17/20**
Le nez annonce une matière magnifique qui est au rendez-vous en bouche. Velouté à souhait, ce banyuls part pour un lointain futur. On peut aussi le consommer dès maintenant.

COLLIOURE CÔTÉ MER 2009
Rosé | 2010 à 2011 | 14 € **15/20**
Joli rosé de couleur fuchsia, élégant et délicat. Il sera bu très facilement.

COLLIOURE CÔTÉ MER 2008
Rouge | 2010 à 2015 | 14 € **16/20**
Toujours aussi gourmand, Côté-Mer ne se départ pas, millésime après millésime, de la pointe de salinité qui le positionne en archétype du terroir de Collioure avec le petit complément de gourmandise qui le démarque de la cuvée Montagne.

COLLIOURE CÔTÉ MONTAGNE 2008
Rouge | 2010 à 2015 | 20 € **15/20**
Assemblage grenache, carignan, syrah et mourvèdre, ce rouge se montre raffiné en 2008, sérieux tout en étant savoureux.

COLLIOURE L'ARGILE 2009
Blanc | 2010 à 2016 | 20 € **16/20**
Les embruns ont coloré ce collioure de notes iodées et salines. Ce grand blanc très pur, marqué par la vanille, affiche beaucoup de charme avec le volume de 2009.

DOMAINE RIÈRE CADÈNE

Mas Bel Air - Chemin de Saint-Génis-de-Tanyères
66000 Perpignan
Tél. 04 68 63 87 29
www.domainerierecadene.com
Visite : De 9h à 19h tous les jours

RIVESALTES 1997
Ambré Doux | 2010 à 2017 | 18 € **14/20**
Agréable notes orangées dans un vin intense et très fruité. La finale sur la mandarine impériale appelle les crêpes !

DOMAINE LE ROC DES ANGES

2, place de l'Aire • 66720 Montner
Tél. 04 68 29 16 62 • Fax : 04 68 29 45 31
rocdesanges@wanadoo.fr • www.rocdesanges.com
Visite : Sur rendez-vous.

Marjorie Gallet est installée sur les schistes gris de Tautavel. Son domaine, Le Roc des Anges, fait partie des nouvelles références du Roussillon. Son blanc sec a su tirer le meilleur parti du très grand cépage que peut être le grenache gris lorsqu'il est vinifié avec soin. Elle a remis en culture de vieilles parcelles, qui produisent des rouges dont la qualité de tanin et la grande élégance étonnent. Tout est de haut niveau ici, en blanc comme en rouge, en vin de pays et en appellation.

CÔTES DU ROUSSILLON-VILLAGES
SEGNA DE COR 2008
Rouge | 2010 à 2019 | 13,50 € **17/20**
Toute en puissance, cette cuvée concentre d'incroyables arômes de fruits noirs. L'équilibre d'ensemble est de grande classe.

PASSERILLÉ 2008
Blanc liquoreux | 2010 à 2017 | 18 € **16,5/20**
Agrumes, pêche, fleurs blanches, mirabelle... la complexité aromatique est là, la fraîcheur aussi et la race de fin de bouche complète le tableau. Un magnifique 2008 des plus originaux !

VIN DE PAYS DES PYRÉNÉES-ORIENTALES 1903 2008
Rouge | 2010 à 2014 | 32 € **16,5/20**
Tout en puissance, mais avec une fin de bouche raffinée, c'est un carignan de concours, entraîné pour obtenir le premier prix de beauté.

VIN DE PAYS DES PYRÉNÉES-ORIENTALES
VIEILLES VIGNES 2008
Blanc | 2010 à 2014 | 18 € **17/20**
Vin de grande personnalité, minéral et tendu, particulièrement expressif en arômes. Une pointe d'amertume lui convient à merveille.

DOMAINE ROSSIGNOL

Route de Villemolaque • 66300 Passa
Tél. 04 68 38 83 17 • Fax : 04 68 38 83 17
domaine.rossignol@free.fr
www.domaine.rossignol.fr
Visite : Du lundi au samedi de 10h à 12h30
et de 16h à 19h.

CÔTES DU ROUSSILLON - LES ASPRES
LES SCHISTES 2008
Rouge | 2010 à 2012 | 6,80 € **14/20**
Rouge agréable, rond, long en bouche et facile à boire.

MUSCAT DE RIVESALTES 2009
Blanc Doux | 2010 à 2012 | 7,30 € **13/20**
Agréable muscat, fruité et gourmand. Pour une tarte aux pêches !

RIVESALTES GRENAT 2007
Rouge Doux | 2010 à 2018 | 8,30 € **14/20**
Agréable grenat, rond en bouche, avec un fruit délicat.

CHÂTEAU SAINT-ROCH

Mas Cayrol • 66460 Maury
Tél. 04 68 80 35 82 • Fax : 04 68 80 38 90
contact@domaine-lafage.com
www.chateau-saint-roch.fr
Visite : En été au château Saint Roch de 15h à 19h. En hiver au domaine Lafage pour dégustation à Mas Niraflors, Route de Canet 66000 Perpignan de 9h à 12h et de 14h à 18h.

CÔTES DU ROUSSILLON SYRAH - GRENACHE 2009
Rosé | 2010 à 2010 | 6 € **13,5/20**
Rosé intense en saveurs, agrumes et fruit rouges. C'est un vin facile à boire qui reste frais en finale.

CÔTES DU ROUSSILLON-VILLAGES CHIMÈRES 2008
Rouge | 2010 à 2018 | 11 € **14/20**
La dominante est ici le grenache noir. Il produit un vin très mûr, charmeur, intense en notes réglissées.

Côtes du Roussillon-Villages Kerbuccio 2008
Rouge | 2010 à 2016 | 23 € **14/20**
Grenache, syrah et mourvèdre sont le trio de la cuvée. Puissant, dense, c'est un vin classique du Roussillon.

DOMAINE SAINT-SÉBASTIEN

10, avenue Fontauné • 66650 Banyuls-sur-Mer
Tél. 04 68 88 30 14
contact@domaine-st-sebastien.com
www.domaine-st-sebastien.com
Visite : tous les jours de 10h à 13h et de 14h à 19h.

Ce domaine de Banyuls nous a présenté deux cuvées qui partent du même esprit technique mais dont les terroirs s'expriment très différemment. Inspiration-Marine justifie son qualificatif, les notes salines, iodées et légèrement camphrées trahissent l'influence des embruns. Inspiration-Céleste recherche une élégance absolue. Une affaire de style, certes, mais un match à rejouer souvent. Le reste de la gamme de rouge n'est pas en reste.

Collioure Inspiration Céleste 2008
Rouge | 2010 à 2016 | 20 € **16/20**
Dans un style différent d'Inspiration-Marine, Inspiration-Céleste gagne en finesse et même en pureté ce qu'elle perd en intensité absolue. La finale parfaitement précise impressionne.

Collioure Inspiration Marine 2008
Rouge | 2010 à 2015 | 18 € **15,5/20**
Ce cru étonne par la profondeur de ses saveurs fruitées relevées par la pointe d'iode caractéristique du terroir.

DOMAINE SARDA-MALET

Mas Saint-Michel - Chemin de Sainte-Barbe
66000 Perpignan
Tél. 04 68 56 72 38 • Fax : 04 68 56 47 60
sardamalet@wanadoo.fr • www.sarda-malet.com
Visite : Du lundi au vendredi, de 9h à 12h et de 14h à 17h, samedi et dimanche sur rendez-vous.

La qualité des fruits est une tradition chez les Malet. Dans l'un des derniers quartiers agricoles de la ville de Perpignan, Jérôme produit une gamme de vins qui fait partie de l'élite du Roussillon. Son style met en avant le raffinement, plutôt qu'une concentration extrême dont on finit toujours par se lasser. Son grand vin sec est la cuvée du Terroir-de-Mailloles en rouge. La-Carbasse montre l'accord intime qui peut exister entre les grenaches du Roussillon et l'alcool du mutage.

Côtes du Roussillon Terroir de Mailloles 2007
Blanc | 2012 à 2018 | 23 € **16/20**
Vin miellé, large et opulent, destiné à la gastronomie. Minéral, sans fruits ni fleurs, il recherche l'expression du terroir et a besoin de temps pour s'exprimer.

Côtes du Roussillon Terroir de Mailloles 2006
Rouge | 2012 à 2016 | 23 € **16/20**
2006 montre des tanins concentrés et une finale corsée, pour l'instant plus en puissance qu'en nuances. Cette cuvée est destinée aux patients mais tout est là, ce vin sera grand.

Côtes du Roussillon Terroir de Mailloles 2005
Rouge | 2010 à 2012 | 23 € **16,5/20**
Grand vin raffiné, dont l'élevage se fond dans une matière corsée. Il exprime une remarquable finesse avec un grain de tanin racé, intensément réglisse.

Rivesaltes La Carbasse 2007
Rouge Doux | 2010 à 2030 | 20 € **17/20**
Beau millésime de rivesaltes avec une structure caressante, onctueuse, délicatement cacaotée. La finale pruneaux est superbe.

Rivesaltes La Carbasse 2006
Rouge Doux | 2010 à 2027 | 20 € **16/20**
Corsée, pruneaux, presque sauvage, cette cuvée sur les fruits à noyaux montre des tanins un peu rebelles qui la signent. Très cacao dans ses arômes, elle réveillera un dessert au chocolat.

Rivesaltes Le Serrat 2000
Ambré Doux | 2010 à 2030 | 14 € **17/20**
Magnifique rancio, pur, droit, d'une élégance irréprochable. Il magnifiera un comté ou un cigare. Il ressourcera une fin de soirée consacrée à la méditation sur les grands vins oxydatifs.

DOMAINE DES SCHISTES

1, avenue Jean-Lurçat • 66310 Estagel
Tél. 04 68 29 11 25 • Fax : 04 68 29 47 17
sire-schistes@wanadoo.fr
www.domaine-des-schistes.com
Visite : Sur rendez-vous.

Sur les contreforts roussillonnais du massif des Corbières, ce domaine exploite un terroir exposé au nord et au sud-ouest, constitué de schistes gris et noirs ainsi que d'éboulis calcaires. Jacques Sire et Mickaël, son fils, réalisent des blancs et des rouges

de style moderne qui cherchent à plaire et le font sans vulgarité.

Côtes du Roussillon Les Terrasses Blanches 2008
Blanc | 2010 à 2012 | 12,50 € **15/20**
Bel élevage qui se fait discret, jolie longueur en bouche avec une finale racée.

Côtes du Roussillon-Villages La Coumeille 2006
Rouge | 2011 à 2017 | 18 € **15/20**
Cette cuvée haut de gamme a été élevée avec soin. Le boisé marque encore un peu une matière première puissante et tannique.

Côtes du Roussillon-Villages Les Terrasses 2008 ☺
Rouge | 2010 à 2019 | 12,50 € **16/20**
Très fruits noirs, intensément cassis au nez. En bouche, le tanin est velouté, onctueux et enrobé. Millésime après millésime, cette cuvée Les-Terrasses demeure l'un des très beaux rouges du Roussillon.

Maury La Cerisaie 2008
Rouge Doux | 2010 à 2040 | 13 € **16/20**
Encore dans les limbes, ce maury tout en énergie et en fruit part dans la vie confiant. Il nous succédera probablement.

Rivesaltes Solera
Ambré Doux | 2010 à 2027 | 14 € **18/20**
Cette solera est un rivesaltes réalisé dans l'esprit des jerez andalous. La finale de noix, d'orange amère, de figue sèche et de tabac blond est exceptionnelle et vraiment délicate.

DOMAINE SINGLA

4, rue de Rivoli
66250 Saint-Laurent-de-la-Salanque
Tél. 04 68 28 30 68 • Fax : 04 68 28 30 68
laurent.debesombes@free.fr
www.domainesingla.com
Visite : Sur rendez-vous.

Passionné, Laurent de Besombes exploite deux terroirs, l'un en bord de mer sur des sols argilo-calcaires et l'autre sur des terres blanches, les calcaires de Thuir. En démarche bio, le domaine progresse avec des vins suaves, très aromatiques aux tanins bien soyeux. La gamme est large, en vin de pays et en Aoc. On y fait de passionnantes rencontres.

Côtes du Roussillon La Pinède 2007
Rouge | 2010 à 2017 | 9 € **15/20**
Cerné de pinèdes, le vin porte bien son nom. Dans un style fin avec des tanins élégants, il joue l'intensité des saveurs, bien inscrit dans l'évolution stylistique du domaine.

Côtes du Roussillon-Villages Castell Vell 2007
Rouge | 2010 à 2017 | 17 € **16/20**
2007 a bien réussi à cette cuvée à base de syrah, les tanins sont très fins et onctueux, et elle porte une fraîcheur réconfortante en finale.

Côtes du Roussillon-Villages Mataro 2008
Rouge | 2010 à 2019 | 15 € **16/20**
Cette cuvée porte le nom de son cépage, le mourvèdre en catalan. Elle est très onctueuse, ronde en bouche avec une structure tannique bien enrobée.

Vin de pays des Côtes catalanes Passe-Temps 2007
Rouge | 2010 à 2016 | 9 € **15/20**
Un grenache patiné de carignan avec un beau volume en bouche, sa finale soyeuse s'exprime dans le registre fruits noirs et garrigue.

DOMAINE SOL-PAYRÉ

Rue de Paris • 66200 Elne
Tél. 04 68 22 17 97
www.sol-payre.com
Visite : Lundi au samedi 9h à 12h et de 15h à 18h

Côtes du Roussillon - Les Aspres Scelerata Âme Noire 2007 ☺
Rouge | 2010 à 2015 | 14,50 € **15/20**
Ce domaine d'Elne produit un étonnant rouge, avec des arômes de garrigue, de petit gibier, d'olives et de fruits noirs particulièrement inten ses. C'est un produit sans concession dont la puissance aromatique séduira ou dérangera.

CELLIER DES TEMPLIERS

66650 Banyuls-sur-Mer
Tél. 04 68 98 36 70 • Fax : 04 68 98 36 91
marketinggicb@templers.com • www.banyuls.com
Visite : Du 1er Avril au 30 octobre 7jours/7 de 10h à 19h30. Du 1er novembre au 31 Mars, du lundi au samedi de 10h à 13h et de 14h30 à 18h.

Banyuls grand cru cuvée Amiral François Vilarem 1999

Ambré Doux | 2010 à 2017 | 33 € **13/20**

Dans un registre figues, feuilles de havane et fruits secs, ce banyuls tiendra compagnie à un cigare. Il apaisera la fin de soirée de ses volutes aromatiques.

LES TERRES DE FAGAYRA

2, place de l'Aire • 66720 Montner
Tél. 04 68 29 16 62
www.terresdefagayra.com
Visite : sur rendez vous

Marjorie et Stéphane Gallet, du Roc des Anges, ont cherché ici un terroir de schistes pour y produire des maurys. Fagayra en rouge est réalisé uniquement à base de grenache, Op. Nord est un assemblage de grenache et de carignan noir. Quant au rare maury blanc, c'est un assemblage de grenache gris et de maccabeu que nous incitons à découvrir. Toutes les cuvées conjuguent le talent.

Maury Fagayra 2009

Blanc Doux | 2010 à 2019 | 28 € **16/20**

Très jolis arômes d'agrumes avec une pointe d'épices qui se développera avec le temps. L'amertume de la finale est racée.

Maury Fagayra 2008

Blanc Doux | 2010 à 2017 | 28 € **15,5/20**

Robe légèrement teintée, nez délicat d'agrumes, de pamplemousse, le vin évolue lentement vers une bouche épicée et curry.

Maury Op. Nord 2008

Rouge Doux | 2010 à 2019 | 38 € **15/20**

Cette cuvée a été produite à 1200 exemplaires. Corsée, presque sauvage en arômes, elle ne laisse pas indifférent. La fluidité de la matière est remarquable.

DOMAINE LA TOUR VIEILLE

12, route de Madeloc • 66190 Collioure
Tél. 04 68 82 44 82 • Fax : 04 68 82 38 42
contact@latourvieille.fr
Visite : Sur rendez-vous.

Le Domaine La Tour Vieille existe depuis 1982, au travers de la reprise de deux domaines familiaux, l'un situé à Collioure et l'autre sur la commune de Banyuls. Jean Baills a apporté ses vignes récemment pour compléter l'offre du domaine. Planté sur argiles et sur schistes, le vignoble est essentiellement implanté sur des coteaux abrupts surplombant la Méditerranée, où les nuances viennent de l'exposition, de l'altitude et de l'influence des vents.

Banyuls Reserva

Rouge Doux | 2010 à 2020 | 13 € **16,5/20**

Joli banyuls aux tanins fins et serrés. La finale est particulièrement aromatique, longue et élégante, épices et fruits secs.

Banyuls Rimage Mise Tardive 2006

Ambré Doux | 2010 à 2018 | 15 € **14/20**

Banyuls rond et crémeux, avec en finale une pointe de feuilles de tabac.

Collioure Les Canadells 2009

Blanc | 2010 à 2011 | 13 € **15,5/20**

Goûté en échantillon. Ce collioure gras et subtil a subi les influences maritimes qui fournissent l'iode et les notes salines de sa finale gourmande. Un amant de choix pour la cuisine des poissons grillés.

Collioure Puig Oriol 2007

Rouge | 2010 à 2014 | 13 € **16/20**

Avec un nez très original d'iode et de fruits noirs, ce rouge intense en saveurs s'achève sur de très beaux tanins ronds et gourmands.

VAQUER

1 et 2, rue des Écoles • 66300 Tressere
Tél. 04 68 38 89 53 • Fax : 04 68 38 84 42
domainevaquer@terre-net.fr
Visite : Sur rendez-vous au 06 10 23 67 43.

Rivesaltes Grenat L'Extrait 2007

Rouge Doux | 2010 à 2018 | 11 € **14/20**

Intense en fruits noirs, ce 2007 est gourmand et long en bouche, à travers une finale qui s'étire vers les caramels et les épices.

Rivesaltes Post Scriptum 1995

Rouge Doux | 2010 à 2019 | 13 € **14,5/20**

Très long en bouche, rond, intense en saveurs de caramel brun, ce vin doux ne manque pas de charme !

Vin de pays des Côtes catalanes cuvée Bernard Vaquer 2009

Rouge | 2010 à 2015 | 7,80 € **13,5/20**

De jolis fruits mûrs, aucun tanin accrocheur, une bonne buvabilité qui amènera à trop en boire, voici le 2009.

Vin de pays des Côtes catalanes L'Effrontée 2008

Blanc | 2010 à 2010 | 13,50 € **14/20**

Blanc gras en bouche, avec des notes de poires et de fleurs blanches. La petite pointe d'amertume évoque le pamplemousse, la finale est fraîche.

Vin de pays des Côtes catalanes L'Effrontée 2007

Blanc | 2010 à 2012 | 13,50 € **15/20**

Joli nez de poire et de fleurs blanches, ce blanc est gras en bouche, complexe et épicé.

DOMAINE DE VÉNUS

13, avenue Jean-Moulin
66220 Saint-Paul-de-Fenouillet
Tél. 04 68 59 18 81 • Fax : 04 68 59 18 81
domainedevenus@aliceadsl.fr
www.domainedevenus.com

Visite : tous les jours, de 9h à 17h sur rendez vous.

Ce nouveau domaine, fondé par une dizaine d'amis, est situé à Saint-Paul-de Fenouillet, à l'ouest de Perpignan. On est ici sur des terres de schistes noirs patiemment remembrées pour disposer d'une petite quinzaine d'hectares. Les Démons-de-Vénus ont bénéficié d'un élevage de premier plan, et le côtes-du-roussillon 2005 est épatant, infiniment gourmand. L'ensemble de la gamme tend vers la recherche de buvabilité et vers la simplicité, vertu bien plus complexe à obtenir qu'il n'y parait !

Côtes du Roussillon 2009

Rosé | 2010 à 2011 | 7,95 € **14,5/20**

Rosé intense en saveurs, complexe, avec un fruité rouge croquant et une sensation de douceur fraîche en finale.

Côtes du Roussillon 2005

Rouge | 2010 à 2012 | 9,90 € **15/20**

Contrairement à beaucoup de 2005, ce vin ne présente aucun tanin sec. D'une buvabilité étonnante, il se remarque par une intensité de saveurs rare due à l'altitude des vignes.

Côtes du Roussillon-Villages Les Démons 2006

Rouge | 2011 à 2015 | 32 € **15,5/20**

Rouge puissant et structuré, gras, épicé. Ce vin frais à dominante de syrah est construit sur la finesse. Le cépage a eu la politesse de laisser la préséance au terroir et à sa fraîcheur.

VIGNERONS CATALANS EN ROUSSILLON

1870, avenue Julien-Panchot - B.P. 29000
66962 Perpignan Cedex 9
Tél. 04 68 85 04 51 • Fax : 04 68 55 25 62
contact@vigneronscatalans.com
www.fruitecatalan.com

Côtes du Roussillon-Villages Haute Coutume Granit des Capitelles 2008

Rouge | 2010 à 2012 | env 7 € **13/20**

Rouge agréable et aromatique, marqué par les notes de lavande et de fruits gourmands.

Rivesaltes Ambré 1988

Ambré Doux | 2010 à 2019 | 8 € **14/20**

Bel ambré avec des saveurs intenses de fruits secs et de pêche confite. Ce sera un joli accompagnant pour une tarte aux fruits jaunes.

LES VIGNERONS DE CASES DE PÈNE

2, boulevard du Maréchal-Joffre
66600 Cases-de-Pène
Tél. 04 68 38 91 91 • Fax : 04 68 38 92 41
chateau-de-pena@wanadoo.fr
www.chateaupena.com

Visite : Ouvert du lundi au samedi et en juillet aout le dimanche matin.

Située dans la vallée de l'Agly, cette coopérative sérieuse se fait remarquer par la franchise des produits qu'elle commercialise. La cuvée Pierres-Noires, élevée en barriques, est le fleuron d'une jolie gamme faite pour plaire et qui y parvient avec charme et sincérité.

Côtes du Roussillon-Villages Pierres Noires 2007

Rouge | 2010 à 2012 | 14 € **14/20**

Le 2007, corsé et déjà profond, allie des tanins souples à des arômes riches.

LES VIGNERONS DE TERRATS

46, avenue des Corbières • 66302 Terrats
Tél. 04 68 53 02 50 • Fax : 04 68 53 23 06
contact@terrassous.com • www.terrassous.com
Visite : Du lundi au samedi de 8h30 à 12h et de 14h à 18h30.

La Cave de Terrats est installée sur le secteur des Aspres, au sud-ouest de Perpignan, sur les contreforts du Canigou. Les vignes sont plantées sur des terres de galets roulés et des argilo-calcaires. Les cuvées Pierres-Plates, en blanc et en rouge, sont des vins simples mais agréables. Le-Parfum et Le-Grenat-de-Terrassous sont des vins doux naturels parfaitement fréquentables.

Rivesaltes Grenat de Terrassous 2005

Rouge Doux | 2010 à 2014 | 7,55 € **14/20**

Agréable grenat, joliment fruité, fin, aromatique et long, un joli vin de fin de repas.

Rivesaltes L'Ambre 2000

Ambré Doux | 2010 à 2019 | 7,20 € **16/20**

Bel ambré, complexe et racé. La finale est complexe, légèrement rancio, de grande finesse. Les fruits secs y jouent un festival.

Rivesaltes Le Parfum de Terrassous 2003

Ambré Doux | 2010 à 2019 | 10,30 € **14/20**

Bel ambré très aromatique, avec une sucrosité marquée. Il évoque en finale les abricots secs et les figues. C'est une bonne introduction aux ambrés.

LES VIGNERONS DES ALBÈRES

Route de Brouilla • 66740 Saint-Genis-des-Fontaines
Tél. 04 68 89 60 18 • Fax : 04 68 89 80 45
vigneronsdesalberes@wanadoo.fr
www.vignerons-des-alberes.com
Visite : Du lundi au samedi matin de 9h15 à 12h15 et de 15h à 18h.

Vin de pays d' Oc Massada

Rouge | 2010 à 2011 | 2,50 € **13/20**

Vin de fruit, non millésimé, c'est d'une grande buvabilité, sans chichi mais non sans gourmandise.

VIGNOBLES DU RIVESALTAIS

B.P. 56 • 66602 Rivesaltes Cedex
Tél. 04 68 64 06 63 • Fax : 04 68 64 64 69
commercial@vignobles-rivesaltais.com
www.arnauddevilleneuve.com
Visite : du lundi au samedi, de 9h à 12h et de 14h à 19h. Juillet et août de 9h à 19h.

Côtes du Roussillon Château Pézilla 2009

Rouge | 2010 à 2014 | 5,20 € **13/20**

Simple et agréable, voici un rouge de fruit pour les soirées entre copains, autour d'une charcuterie.

Vin de pays des Côtes catalanes muscat moelleux 2009

Blanc Doux | 2010 à 2010 | 4,55 € **14/20**

Muscat moelleux naturellement, c'est à dire sans mutage tel les muscats-de-rivesaltes. Frais, il s'exprime dans un registre de demi-sec autour d'arômes d'agrumes bien mûrs.

La sélection Bettane et Desseauve pour la Savoie et le Bugey

La Savoie et le Bugey

On aurait tort de limiter les vins de Savoie à l'accompagnement roboratif des fondues après une rude journée de ski. Ses vins blancs d'altesse et de roussette rivalisent avec les meilleurs de France et quelques artistes façonnent des mondeuses capables de soutenir la comparaison avec de belles syrahs du nord du Rhône.

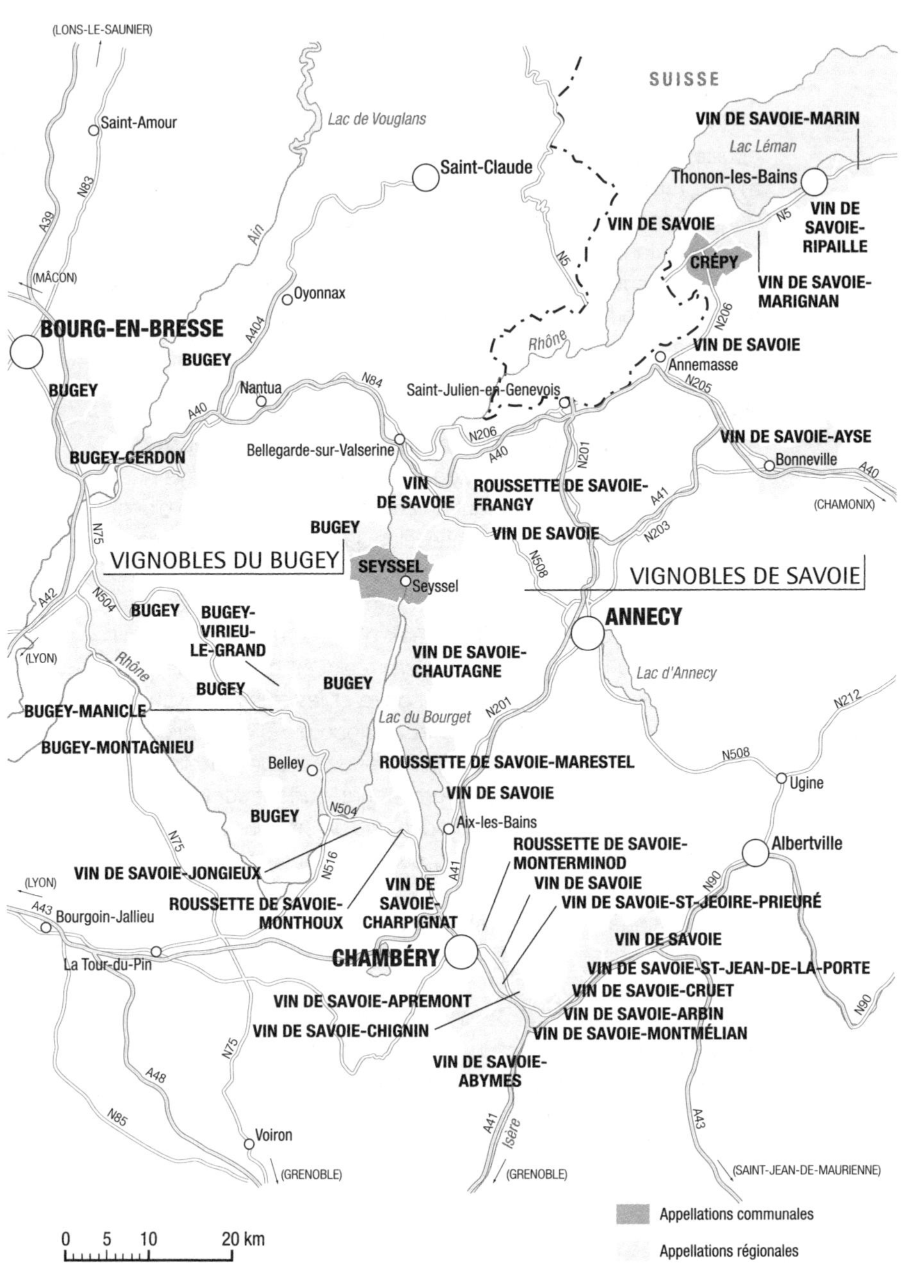
SUISSE
Lac Léman
Lac de Vouglans
VIGNOBLES DU BUGEY
VIGNOBLES DE SAVOIE
BOURG-EN-BRESSE
Saint-Amour
Saint-Claude
Oyonnax
Nantua
Bellegarde-sur-Valserine
Saint-Julien-en-Genevois
Annemasse
Thonon-les-Bains
Bonneville
Seyssel
ANNECY
Lac d'Annecy
Lac du Bourget
Belley
Aix-les-Bains
Ugine
Albertville
CHAMBÉRY
Bourgoin-Jallieu
La Tour-du-Pin
Voiron
VIN DE SAVOIE-MARIN
VIN DE SAVOIE-RIPAILLE
VIN DE SAVOIE-MARIGNAN
CRÉPY
VIN DE SAVOIE
VIN DE SAVOIE-AYSE
ROUSSETTE DE SAVOIE-FRANGY
SEYSSEL
BUGEY
BUGEY-CERDON
BUGEY-VIRIEU-LE-GRAND
BUGEY-MANICLE
BUGEY-MONTAGNIEU
VIN DE SAVOIE-CHAUTAGNE
ROUSSETTE DE SAVOIE-MARESTEL
ROUSSETTE DE SAVOIE-MONTERMINOD
VIN DE SAVOIE-ST-JEOIRE-PRIEURÉ
VIN DE SAVOIE-JONGIEUX
ROUSSETTE DE SAVOIE-MONTHOUX
VIN DE SAVOIE-CHARPIGNAT
VIN DE SAVOIE-ST-JEAN-DE-LA-PORTE
VIN DE SAVOIE-CRUET
VIN DE SAVOIE-ARBIN
VIN DE SAVOIE-MONTMÉLIAN
VIN DE SAVOIE-APREMONT
VIN DE SAVOIE-CHIGNIN
VIN DE SAVOIE-ABYMES
(LONS-LE-SAUNIER)
(MÂCON)
(LYON)
(GRENOBLE)
(CHAMONIX)
(SAINT-JEAN-DE-MAURIENNE)
Rhône
Ain
Isère
Appellations communales
Appellations régionales
0 5 10 20 km

L'actualité des millésimes

Vive le Bugey libre ! En Savoie ou dans la région Bugey qui accède en 2009 à l'AOC, les millésimes sont souvent rapidement épuisés et les domaines procèdent à plusieurs mises. Les premières mises en bouteille dès le mois de février suivant la vendange concernent souvent les vins à boire le plus rapidement, l'élevage étant prolongé à neuf voire douze mois pour les cuvées plus ambitieuses. La qualité de la garde prévisible se constate souvent facilement à l'ouverture de la bouteille, la qualité du bouchon indiquant sans équivoque l'ambition de la cuvée.

Pas simple. En 2010 on trouve donc une majorité de vins du millésime 2009. Cette année chaude et atypique a causé des soucis au vigneron, contraint de trouver le bon compromis pour ses dates de vendange durant un automne très chaud. En blanc, de nombreuses cuvées de chasselas, jacquère et de roussette ont souffert d'une récolte trop précoce, qui donne au vin de la fraîcheur mais aussi des goûts herbacés désagréables. Les meilleures cuvées ont été récoltées plus mûres, quitte à avoir conservé une légère dose de sucre résiduel, et possèdent un équilibre sur la pomme douce, la poire et les fruits à noyau. Le bergeron a été récolté très mûr et manque parfois de fraicheur. La grêle sur le secteur de Chignin a endommagé certaines récoltes. Les rouges sont très prometteurs, surtout sur le cépage mondeuse, mais le gamay a produit une de ses plus belles réussites de la décennie, avec des cuvées fruitées et tendres. Le pinot noir a souffert de la chaleur. La date de récolte était également critique, l'excès de soleil ayant entrainé des montées rapides de richesse des baies sans que la maturité physiologique soit atteinte.

Ils sont prêts. Les vins du millésime 2008 et 2007 devraient être bus, à part quelques cuvées haut de gamme, tant en blanc qu'en rouge. Les meilleures cuvées de 2006 et 2005 sont à maturité et entrent dans une phase secondaire.

MEILLEURS VINS TOUTES CATÉGORIES

Domaine Dupasquier,
Roussette de Savoie, Marestel altesse, blanc, 2007

Domaine Genoux,
Vin de Savoie, Arbin mondeuse La Noire, rouge, 2009

Domaine Grisard,
Vin de Savoie, mondeuse vieilles vignes, rouge, 2009

Domaine Louis Magnin,
Vin de Savoie, Arbin mondeuse La Brova, rouge, 2007

Gilles Berlioz,
Vin de Savoie, mondeuse, rouge, 2009

LE BONHEUR TOUT DE SUITE

Domaine André et Michel Quénard,
Vin de Savoie, Chignin Vieilles Vignes, blanc, 2009

Domaine de Bel-Air,
Bugey Mousseux, Virginie Brut de Chardonnay, blanc, 2007

Domaine de Soléyane,
Bugey, Le Lièvre d'Automne, blanc, 2008

Domaine Trichon,
Bugey, Chardonnay, blanc, 2009

Perrier Père et Fils,
Vin de Savoie, Chignin Bergeron, blanc, 2009

MEILLEURS VINS À MOINS DE 6 €

Cave de Chautagne,
Vin de Savoie, Chautagne Gamay, rouge, 2009

Château de la Violette,
Vin de Savoie, mondeuse, rouge, 2009

Domaine de Soléyane,
Bugey, Les Coccinelles, rouge, 2008

Domaine Les Aricoques,
Vin de Savoie, Mondeuse, rouge, 2009

Domaine Saint-Germain,
Vin de Savoie, Gamay vieilles vignes, rouge, 2009

MEILLEURS VINS À MOINS DE 10 €

Adrien Vacher,
Vin de Savoie, Chignin Bergeron Privilège, blanc, 2008

Domaine André et Michel Quénard,
Vin de Savoie, Chignin-Bergeron, blanc, 2009

Domaine Bouvet,
Vin de Savoie, Chignin-Bergeron Sainte-Dominique, blanc, 2008

Jacques Maillet,
Vin de Savoie, Chautagne, rouge, 2009

Perrier Père et Fils,
Vin de Savoie, Arbin Mondeuse Graine De Terroir, rouge, 2007

MEILLEURS VINS À METTRE EN CAVE

Domaine de l'Idylle,
Vin de Savoie, Arbin mondeuse, rouge, 2009

Domaine Genoux,
Vin de Savoie, Arbin mondeuse La Belle Romaine, rouge, 2009

Domaine Louis Magnin,
Vin de Savoie, Chignin-Bergeron Grand Orgue, blanc, 2007

Domaine Saint-Germain,
Vin de Savoie, persan, rouge, 2009

Les Fils de Charles Trosset,
Vin de Savoie, Arbin Mondeuse Cuvée Harmonie, rouge, 2009

MEILLEURS BLANCS

Domaine de Ripaille,
Vin de Savoie, Ripaille, 2008

Domaine Delalex,
Vin de Savoie, Marin Clos du Pont, 2008

Domaine Jean-Pierre et Jean-François Quénard,
Roussette de Savoie, cuvée Anne-Sophie, 2008

Domaine Jean-Pierre et Jean-François Quénard,
Vin de Savoie, Le Bergeron d'Alexandra, 2008

Domaine Louis Magnin,
Roussette de Savoie, 2008

Gilles Berlioz,
Vin de Savoie, Chignin-Bergeron, 2008

MEILLEURS ROUGES

Domaine de Vens-le-Haut,
Vin de Savoie, mondeuse, 2008

Domaine Grisard,
Vin de Savoie, Saint-Jean de La Porte mondeuse, 2008

Domaine Jean-Pierre et Jean-François Quénard,
Vin de Savoie, Mondeuse cuvée Élisa, 2008

Domaine Saint-Germain,
Vin de Savoie, mondeuse La Pérouse, 2007

Les Fils de Charles Trosset,
Vin de Savoie, Arbin Mondeuse Prestige des Arpents, 2009

Palmarès des lecteurs

DOMAINE DE L'IDYLLE

Vin de Savoie, Arbin mondeuse, rouge, 2009

DOMAINE DES ANGES

Hameau des Murs • 73800 Les Marches
Tél. 04 79 28 03 41 • Fax : 04 79 71 52 59
domainedesanges@wanadoo.fr
www.domainedesanges.fr
Visite : De 8h à 12h et de 14h à 19h.

VIN DE SAVOIE LES ABYMES 2009 ☺
Blanc | 2010 à 2012 | 4 € **13,5/20**
Charnu, équilibre léger, sec en bouche avec une légère amertume qui apporte de la fraîcheur.

DOMAINE LES ARICOQUES

Planaz • 74270 Desingy
Tél. 04 50 32 81 52 • Fax : 04 50 44 75 42
aricoques@orange.fr
www.vins-de-savoie-lesaricoques.fr
Visite : De 9h à 12h et de 12h à 18h.

SEYSSEL 2009
Blanc | 2010 à 2013 | 5,30 € **14/20**
Nez ouvert sur la poire, bouche de bonne densité, légèrement douce avec une belle fraîcheur.

VIN DE SAVOIE 2009
Rosé | 2010 à 2011 | 4,75 € **13/20**
La robe rose bonbon soutenue et brillante laisse place à un nez discret et à une bouche ample, acidulée avec un fruité net.

VIN DE SAVOIE GAMAY 2009 ☺
Rouge | 2010 à 2013 | 4,75 € **14/20**
Souple et fruité, marqué par une acidité fine en bouche, facile à boire.

VIN DE SAVOIE MONDEUSE 2009
Rouge | 2012 à 2019 | 5,15 € **14,5/20**
Le nez encore discret laisse place à une bouche charnue, acidulée avec des tanins encore secs en finale. À garder.

DOMAINE DE BEL-AIR

Route du Colombier • 01350 Culoz
Tél. 04 79 87 04 20 • Fax : 03 79 87 18 23
domainecellierbelair@orange.fr
Visite : Du lundi au vendredi ouvert le soir à partir de 17h30. Le samedi de 10h à 12h et de 16h à 19h. Le dimanche matin de 10h à 12h.

BUGEY MOUSSEUX VIRGINIE
BRUT DE CHARDONNAY 2007 ☺
Blanc Brut eff. | 2010 à 2012 | 7,30 € **15,5/20**
Un mousseux au nez net de fleurs blanches avec une touche vanillée, doté d'une mousse compacte en bouche avec un beau fruit. Une cuvée très réussie.

GILLES BERLIOZ

Le Viviers - Cedex 4000 • 73800 Chignin
Tél. 04 79 28 00 51 • Fax : 04 79 71 58 80
domainegillesberlioz@wanadoo.fr
Visite : sur rendez-vous.

Gilles Berlioz et son épouse ont repris le domaine au début des années 1990, en réduisant la surface travaillée et en entamant une conversion à la biodynamie en 2001. Sur le terroir de Chignin, les vins blancs possèdent une pureté cristalline avec des élevages adaptés à chaque millésime. La vieille parcelle de mondeuse a été arrachée après le millésime 2003, mais la jeune parcelle a donné un magnifique vin dès le millésime 2009. Le domaine n'ayant pas présenté d'échantillons ces deux dernières années, seules deux cuvées ont été dégustées.

VIN DE SAVOIE CHIGNIN-BERGERON 2008
Blanc | 2010 à 2016 | 18 € **14,5/20**
Un vin léger, pur en bouche avec un petit manque de concentration qui le destine à une consommation rapide plus qu'à une grande garde.

VIN DE SAVOIE MONDEUSE 2009
Rouge | 2010 à 2019 | 20 € **16/20**
Les jeunes vignes de la parcelle nouvellement plantée ont donné un vin généreux en 2009, tendre en bouche avec une belle pureté. Un vin délicieux déjà ouvert, pour amateurs des mondeuses fruitées de Chignin.

CAVEAU SANDRINE BIGOT

Cornelle • 01640 Boyeux-Saint-Jérôme
Tél. 04 74 36 92 47 • Fax : 04 74 36 92 47
sandrine.bigot@luxinet.fr

Bugey Cerdon Méthode Ancestrale 2009
Rosé Demi-sec eff. | 2010 à 2011 | 5,85 € **14/20**
Un vin au nez intense de framboise, net et vineux en bouche avec un moelleux bien intégré. À essayer sur un crumble aux fruits rouges.

CAVEAU SYLVAIN BOIS

Les Mortiers • 01350 Beon
Tél. 04 79 87 23 26 • Fax : 04 79 87 23 26
cavesylvainbois@yahoo.fr

Bugey chardonnay 2009 ☺
Blanc | 2010 à 2012 | 4,30 € **14/20**
Chardonnay bien fait, floral au nez, de bonne densité en bouche, avec de la fraîcheur.

DOMAINE BOUVET

Le Villard • 73250 Fréterive
Tél. 04 79 28 54 11 • Fax : 04 79 28 51 97
contact@domaine-bouvet.com
www.domaine-bouvet.com
Visite : Du lundi au vendredi de 8h30 à 12h et de 13h30 à 17h30 et le samedi sur rendez-vous.

Vin de Savoie Chignin-Bergeron Sainte-Dominique 2008
Blanc | 2010 à 2016 | 9 € **15/20**
Joli nez de fruits mûrs, bouche ample et pure, saline avec une noté grillée en finale.

Vin de Savoie mondeuse Guillaume Charles 2007
Rouge | 2010 à 2017 | 17 € **14/20**
La robe violacée laisse place à un nez de fruits noirs avec un toasté très présent, ample en bouche avec de la profondeur. La finale est de bonne longueur, vanillée. Bel élevage encore marqué.

Vin de Savoie pinot noir Le Beau Chêne 2009 ☺
Rouge | 2010 à 2015 | 6,70 € **14/20**
Fruité, nez de cerise noire, souple en bouche avec de la chair et une finale marquée par des tanins fins. Tendre, prêt à boire, un des plus beaux pinots du millésime en Savoie.

LE CAVEAU BUGISTE

326, rue de la Vigne-du-Roi • 01350 Vongnes
Tél. 04 79 87 92 32 • Fax : 04 79 87 91 11
caveau-bugiste@wanadoo.fr • www.caveau-bugiste.
Visite : Tous les jours 9h à 12h et de 14h à 19 h.

Bugey chardonnay Vieilles Vignes 2009
Blanc | 2010 à 2013 | 6,80 € **14/20**
Chardonnay mûr au nez floral, net en bouche avec de la chair et du gras.

Bugey cuvée Symphonie 2009
Rosé | 2010 à 2011 | 6,20 € **13/20**
Un rosé plaisir au nez de petits fruits, net et acidulé en bouche avec une finale aromatique.

LE CELLIER DU PALAIS

Village de l'Église • 73190 Apremont
Tél. 04 79 28 33 30 • Fax : 04 79 28 28 61
bea-bernard@wanadoo.fr
www.lecellierdupalais.com
Visite : Du lundi au samedi de 9h à 12h et de 14h à 19 h. Fermé le dimanche.

Propriété de la famille Bernard depuis 1700, le Cellier du Palais est situé sur les pentes du mont Granier. Béatrice Bernard et son père René exploitent des vignes à majorité de cépages blancs sur le cru Apremont. La lutte raisonnée est pratiquée dans les vignes et les vins sont travaillés sur la finesse avec la salinité typique des vins d'Apremont. 2008 offre de belles acidités rendant les vins très sapides, 2009 est plus tendre et facile à boire jeune.

Vin de pays d' Allobrogie mondeuse 2009
Rouge | 2011 à 2019 | 7 € **13,5/20**
Un vin assez léger au nez fruité, marqué par des tanins serrés en bouche qui assèchent la finale. Belle minéralité.

CAVE DE CHAUTAGNE

Lieu-dit Saumont • 73310 Ruffieux
Tél. 04 79 54 27 12 • Fax : 04 79 54 51 37
caveau@cave-de-chautagne.com
www.cavedechautagne.com
Visite : De 9h à 12h et de 14h à 19h en été, en hiver jusqu'à 18 h.

ROUSSETTE DE SAVOIE 2009

Blanc | 2010 à 2012 | 5,15 € **13/20**

Nez de fruits à chair blanche, léger en bouche avec un peu de gras et une douceur sensible en finale.

VIN DE SAVOIE CHAUTAGNE GAMAY 2009

Rouge | 2010 à 2013 | 5 € **14,5/20**

Un nez tendre et fruité, une bouche pure, fine et délicatement acidulée signent un gamay gourmand de toute beauté.

DOMAINE CHEVALIER BERNARD

Le Haut • 73170 Jongieux
Tél. 06 60 77 14 76 • Fax : 04 79 44 00 33
jpb@numero.fr
Visite : sur rendez-vous.

VIN DE SAVOIE GAMAY 2009

Rosé | 2010 à 2011 | 3,90 € **13/20**

Un rosé léger, floral au nez avec une bouche fruitée de bonne pureté.

VIN DE SAVOIE JONGIEUX MONDEUSE 2009

Rouge | 2010 à 2019 | 4,90 € **15/20**

Nez épicé marqué par le poivre, souple et de bonne concentration en bouche avec une finale sur les fruits noirs et les épices.

DOMAINE DELALEX

Marinel • 74200 Marin
Tél. 04 50 71 45 82 • Fax : 04 50 71 06 74
samueldelalex@wanadoo.fr • www.domaine-delalex.com
Visite : de 9h à 12h et de 15h à 19 h, sauf le dimanche.

Claude Delalex et son fils Samuel gèrent le domaine familial, produisant principalement du chasselas sur le cru Marin et une petite quantité de gamay. Le cru Marin trouve ici un producteur de choix, en particulier sur la cuvée Clos-du-Pont, issue d'une parcelle pentue sur les bords de la Dranse. Légers en alcool, les vins sont gourmands et immédiatement plaisants.

VIN DE SAVOIE MARIN CLOS DU PONT 2008

Blanc | 2011 à 2015 | 6 € **14,5/20**

La robe est très pâle, le nez agréable sur les fleurs blanches, avec une bouche pure qui possède de la fraîcheur et du gras. Un vin dense qui se conservera quelques années.

VIN DE SAVOIE MARIN TRADITION 2008

Blanc | 2010 à 2013 | 5,50 € **14/20**

Franc, nez de fruits acidulés, salin en bouche. Le léger perlant apporte une fraîcheur supplémentaire.

DOMAINE DUPASQUIER

Aimavigne • 73170 Jongieux
Tél. 04 79 44 02 23 • Fax : 04 79 44 03 56
Visite : Du lundi au samedi, de 8h30 à 12h et de 14h30 à 19h30. Le matin sur rendez-vous.

Noël Dupasquier fait partie des vignerons à la fois discrets et incontournables en Savoie. Les élevages de près d'un an en foudres, plutôt inhabituels pour la région, apportent de la structure et du gras à des vins issus de raisins récoltés mûrs. Sur l'impressionnant coteau calcaire très pentu de Marestel, l'Altesse se sublime, et développe avec le temps une complexité et une minéralité dignes des plus grands blancs. Après des 2007 de très bon niveau, 2008 a souffert de la dégradation de l'état sanitaire, avec une très petite récolte de Marestel 2008.

ROUSSETTE DE SAVOIE ALTESSE 2008

Blanc | 2010 à 2014 | 7,50 € **13/20**

Marqué par les fruits acidulés, c'est un vin sec de bonne densité, gras en bouche avec une fine acidité. Dommage que le caractère asséchant de la finale rende la finale courte.

ROUSSETTE DE SAVOIE MARESTEL ALTESSE 2007

Blanc | 2012 à 2022 | 9,50 € **16/20**

Un vin mûr, au nez d'agrumes et de miel avec une pointe de tilleul, riche en bouche avec du gras, de la pureté et une douceur encore présente qui devra se fondre. À garder deux ans.

MAISON YVES DUPORT

Le Lavoir • 01680 Groslée
Tél. 04 74 39 74 33 ou 06 87 38 75 29
Fax : 04 74 39 71 11
duport.yves@orange.fr • www.yvesduport.fr
Visite : Du lundi au vendredi de 9h à 12h et de 14h à 18h. Le samedi matin de 9h à 13h.
Les dimanches et jours fériés sur rendez-vous

Bugey chardonnay
Sélection Vieilles Vignes 2009
Blanc | 2011 à 2014 | 6,10 € **14/20**
Dense et charnu, du gras, avec une légère amertume en finale.

Bugey Mousseux Montagnieu
Méthode Traditionnelle 2008
Blanc Brut effervescent | 2010 à 2012 | 7,50 € **13,5/20**
Un mousseux léger, frais et net en bouche, avec une bulle fine. Finale courte.

Bugey Roussette de Montagnieu altesse 2008
Blanc | 2010 à 2012 | 7,50 € **14/20**
Fin, fruité acidulé net, pur en bouche, avec de la fraîcheur.

DOMAINE DUPORT ET DUMAS

Pont Bancet • 01680 Groslee
Tél. 04 74 39 75 19 • Fax : 04 74 39 70 05
duportdumas.vinsdubugey@orange.fr
Visite : Du lundi au vendredi, sur rendez-vous.
Samedi, de 9h à 12h et de 14h à 19 h.

Jean-Philippe Dumas, aidé par son beau-père Jacques Duport, a quitté la propriété familiale et créé en 1996 ce domaine situé sur les éboulis calcaires de Groslée. Si roussette et mondeuse réussissent bien, le chardonnay et le pinot noir, issus du Clos du Colombier à l'arrière du domaine, donnent des résultats intéressants après un élevage sur lies de neuf mois en fûts. Après la remise en ordre des vignes, la cuverie est progressivement renouvelée. Les travaux d'amélioration devraient faire encore progresser les vins.

Bugey chardonnay 2008
Blanc | 2010 à 2013 | 4,80 € **14/20**
Mûr, du gras, léger en bouche mais plaisant.

Bugey mondeuse 2006
Rouge | 2011 à 2016 | 6,50 € **14/20**
Une mondeuse de bonne densité, fruitée et épicée au nez, avec une finale fruitée. Millésime oblige, on est un ton en dessous de l'excellent 2005.

DOMAINE GENOUX

Château de Mérande - 450, chemin des Moulins
73800 Arbin
Tél. 04 79 65 24 32 • Fax : 04 79 65 24 32
domaine.genoux@wanadoo.fr
www.domaine-genoux.com
Visite : Du lundi au vendredi de 9h à 12h et de 14 à 19 h.

Vin de Savoie Arbin mondeuse
La Belle Romaine 2009
Rouge | 2011 à 2019 | 8 € **15/20**
La robe est très foncée, le nez corsé sur les petits fruits noirs, laissant place à une bouche souple et assez légère marquée par des tanins encore secs en finale.

Vin de Savoie Arbin mondeuse La Noire 2009
Rouge | 2012 à 2024 | 18 € **16,5/20**
Un vin à la robe violacée opaque, au nez de fruits noirs confiturés, très riche en bouche avec une forte extraction et une grande concentration. La fin de bouche est marquée par des tanins gras. De grande garde à encaver.

DOMAINE GIACHINO

Chemin du Mimoray La Pallud • 38530 Chapareillan
Tél. 04 76 92 37 94 • Fax : 04 76 92 37 94
giachino.frederic@orange.fr
Visite : De 8h à 12h et 14h à 18 h.

Vin de Savoie Apremont 2009
Blanc | 2010 à 2012 | 9 € **13/20**
Frais, nez de chèvrefeuille, salin en bouche avec une fine amertume.

DOMAINE GRISARD

Chef-lieu La Tronche • 73250 Freterive
Tél. 04 79 28 54 09 • Fax : 04 79 71 41 36
gaecgrisard@aol.com • www.domainegrisard.com
Visite : De 8h à 12h et de 13h30 à 18h30.

Jean-Pierre Grisard a repris seul la gestion du domaine et l'a rebaptisé à la suite du départ en 2010 de son frère Philippe. Plus de dix cépages différents sont proposés dans une vaste gamme de plus de vingt cuvées. Viticulture respectueuse de l'environnement, travail des sols, le domaine ne ménage pas ses efforts pour récolter des raisins de qualité. La gamme est vaste mais sans faille, et lorsque le millésime le permet, les vins savent se montrer grandioses. Ils sont alors d'un rapport qualité-prix exceptionnel, comme c'est le cas pour les rouges 2009.

VIN DE SAVOIE MONDEUSE VIEILLES VIGNES 2009
Rouge | 2012 à 2019 | 5,20 € **16/20**
Le nez est corsé et très mûr, la bouche est ample, onctueuse, de bonne densité avec une finale poivrée. Une mondeuse racée.

VIN DE SAVOIE SAINT-JEAN DE LA PORTE MONDEUSE 2008
Rouge | 2011 à 2018 | 6,10 € **14,5/20**
Nez de petits fruits rouges, riche et acidulé en bouche avec une finale plus sèche.

DOMAINE DE L'IDYLLE

Saint-Laurent - L'Église • 73800 Cruet
Tél. 04 79 84 30 58 • Fax : 04 79 65 26 26
tiollier.idylle@wanadoo.fr
www.vignerons-independants.com/idylle
Visite : De 10h à 12h et 15h à 18h30 du lundi au samedi.

VIN DE SAVOIE ARBIN MONDEUSE 2009
Rouge | 2012 à 2024 | 6,80 € **15/20**
Un vin à la robe foncée, riche et souple en bouche avec un fruité concentré. Le léger gaz carbonique encore présent apporte de la fraîcheur, la finale est longue sur le poivre noir. De bonne garde.

VIN DE SAVOIE CRUET 2009
Blanc | 2010 à 2014 | 4 € **14/20**
Bonne densité, charnu et acidulé en bouche avec du gras et un fruité léger. La légère salinité rend le vin sapide.

DOMAINE LUPIN

Rue du Grand-Pont • 74270 Frangy
Tél. 04 50 32 29 12 • Fax : 04 50 44 75 04
lupin.bruno@aliceadsl.fr

ROUSSETTE DE SAVOIE FRANGY 2009
Blanc | 2010 à 2012 | 5,40 € **13,5/20**
Un nez agréable de pomme mûre et une bouche tendre et saline donnent un cru charnu marqué par le perlant et une légère douceur en finale.

DOMAINE LOUIS MAGNIN

90, chemin des Buis • 73800 Arbin
Tél. 04 79 84 12 12 • Fax : 04 79 84 40 92
louis.magnin@wanadoo.fr • www.domainelouismagnin.fr
Visite : Du lundi au samedi, sur rendez-vous.

Fleurons de la région savoyarde, reconnus en Savoie et hors des frontières, les vins de Louis et Béatrice Magnin sont denses, mûrs, et surtout constants d'un millésime à l'autre. Le travail acharné à la vigne et les élevages longs donnent naissance à des cuvées de grande garde. 2009 dégusté avant la mise s'annonce très grand en rouge mais ne négligez pas 2007 et 2008, très réussis en blanc comme en rouge.

ROUSSETTE DE SAVOIE 2008
Blanc | 2011 à 2018 | 18 € **15,5/20**
Le nez d'agrumes mûrs laisse place à une bouche dense au moelleux équilibré par une forte acidité. Un vin de caractère, à garder.

VIN DE SAVOIE ARBIN MONDEUSE LA BROVA 2007
Rouge | 2010 à 2022 | 16 € **17/20**
Un vin au nez de tabac, de fumée et de fruits noirs, le boisé est encore présent mais la cuvée offre un équilibre concentré et charnu, parfaitement élevé. Bravo !

VIN DE SAVOIE CHIGNIN-BERGERON GRAND ORGUE 2007
Blanc | 2012 à 2022 | 16 € **16/20**
Un vin ample encore fermé au nez, sec en bouche avec du gras et une longue finale. De garde.

JACQUES MAILLET

Venaise Dessus • 73310 Serrières-en-Chautagne
Tél. 04 79 63 74 56 • Fax : 04 79 63 74 56
jacques-maillet@orange.fr
Visite : Sur rendez-vous.

VIN DE SAVOIE CHAUTAGNE 2009
Rouge | 2010 à 2013 | 9,80 € 15/20
Un nez de bonne intensité sur la cerise griotte et la violette, suivi par une bouche tendre, fruitée et souple avec une finale sur le jus de cassis. Un gamay aromatique et plaisant.

VIN DE SAVOIE CHAUTAGNE AUTREMENT 2008
Rouge | 2010 à 2014 | 11,50 € 14/20
Un nez ouvert sur les petits fruits rouges et le cassis laisse place à une bouche finement acidulée avec des tanins encore présents en finale. Une cuvée gourmande à boire sur son fruit.

JEAN MASSON ET FILS

Le Villard • 73190 Apremont
Tél. 04 79 28 23 02 • Fax : 04 79 28 38 79
dom.jeanmassonetfils@wanadoo.fr

VIN DE SAVOIE APREMONT CUVÉE NICOLAS 2009
Blanc | 2010 à 2012 | 5,50 € 13,5/20
Franc, nez de poire, légèrement charnu en bouche avec une finale salée.

MICHEL ET XAVIER MILLION-ROUSSEAU

Monthoux • 73170 Saint-Jean-de-Chevelu
Tél. 04 79 36 83 93 ou 06 86 95 34 26
Fax : 04 79 36 80 08
vinsmillionrousseau@orange.fr

ROUSSETTE DE SAVOIE MONTHOUX 2009 ☺
Blanc | 2010 à 2012 | 6 € 14/20
Un vin aromatique, mûr en bouche avec un équilibre léger et une légère salinité.

VIN DE SAVOIE JONGIEUX JACQUÈRE 2009
Blanc | 2010 à 2013 | 4,50 € 13,5/20
Le nez discret laisse place à une bouche dense et charnue, équilibrée avec une finale acidulée.

PASCAL PAGET

Tormery • 73800 Chignin
Tél. 06 68 09 23 26
pascal.paget2@wanadoo.fr
Visite : Sur rendez-vous.

VIN DE SAVOIE MOUSSEUX MÉTHODE TRADITIONNELLE L'ÉMOUSTILLANTE 2008
Blanc Brut effervescent | 2010 à 2011 | 6 € 13,5/20
Nez de pomme, dense et de bonne vinosité en bouche avec une mousse compacte. Le dosage est modéré.

PERRIER PÈRE ET FILS

Saint-André • 73800 Les Marches
Tél. 04 79 28 11 45 • Fax : 04 79 28 09 91
info@vins-perrier.com • www.vins-perrier.com
Visite : Sur rendez-vous.

VIN DE SAVOIE APREMONT CUVÉE GASTRONOMIE 2009
Blanc | 2010 à 2012 | 5,10 € 14/20
Ample, du fond, frais et charnu en bouche, finale sur la poire.

VIN DE SAVOIE ARBIN MONDEUSE GRAINE DE TERROIR 2007
Rouge | 2010 à 2017 | 7,10 € 14,5/20
Le vin est marqué par une légère note boisée, puis se montre souple et de bonne densité avec une bonne pureté. Bel élevage.

VIN DE SAVOIE CHIGNIN 2009
Blanc | 2010 à 2013 | 5,10 € 14/20
Fruité au nez, c'est un vin ample et sec qui possède du gras.

VIN DE SAVOIE CHIGNIN-BERGERON 2009 ☺
Blanc | 2010 à 2015 | 7,80 € 15,5/20
Un bergeron de robe soutenue, au nez surmûri sur les fruits jaunes, ample en bouche, avec du gras et de la fraîcheur.

DOMAINE ANDRÉ ET MICHEL QUÉNARD

Torméry - Cedex 210 • 73800 Chignin
Tél. 04 79 28 12 75 • Fax : 04 79 28 19 36
am.quenard@wanadoo.fr
Visite : Dégustation et vente le matin jusqu'à 11h 45, l'après-midi de 13h30 à 16h 45.
De préférence sur rendez-vous.

Situé sur le coteau pentu de Torméry, à Chignin, le domaine exploite de belles parcelles sur un terroir

idéal, composé d'un sol argilo-calcaire pierreux qui repose sur un socle calcaire. Depuis plus de dix ans, Michel Quénard gère avec rigueur le grand domaine familial, pratiquant la culture raisonnée et effectuant un important travail des sols.

VIN DE SAVOIE CHIGNIN VIEILLES VIGNES 2009 ☺
Blanc | 2010 à 2013 | 6 € **15/20**
Ouvert et aromatique, riche, au nez de fruits mûrs, salin en bouche avec un perlant qui apporte de la fraîcheur. Belle réussite.

VIN DE SAVOIE CHIGNIN-BERGERON 2009
Blanc | 2010 à 2015 | 8,50 € **15/20**
Un vin de fruit au nez d'abricot, dense en bouche avec de la chair et une finale nette. Typé.

VIN DE SAVOIE MOUSSEUX
MÉTHODE TRADITIONNELLE 2008
Blanc Brut effervescent | 2010 à 2011 | 6,50 € **14/20**
Discret au nez, frais en bouche avec une bulle très effervescente. L'image modèle de ce que pourrait être un jour une AOC Crémant de Savoie.

LES FILS DE RENÉ QUÉNARD

Le Villard • 73800 Chignin
Tél. 04 79 28 01 15 • Fax : 04 79 28 18 98
fils.rene.quenard@wanadoo.fr
www.lesfilsderenequenard.com
Visite : De 9h à 12h et de 14h à 18 h.

Jacky et Georges Quénard ont vendu fin 2008 le domaine à Claire Taittinger et au négociant Philippe Viallet. Les vins ont changé d'étiquettes sans changer de nom. Après un millésime de transition, nous attendons donc la prochaine édition de ce guide pour évaluer plus complètement cette reprise en main.

VIN DE SAVOIE CHIGNIN-BERGERON
LA BERGERONNELLE 2008
Blanc | 2010 à 2014 | 9,60 € **13,5/20**
Une cuvée au nez toasté, dense en bouche avec du gras et une fine acidité.

DOMAINE JEAN-PIERRE ET JEAN-FRANÇOIS QUÉNARD

Caveau de la Tour Villard • 73800 Chignin
Tél. 04 79 28 08 29 • Fax : 04 79 28 18 92
j.francois.quenard@wanadoo.fr • www.jf-quenard.com

Jean-François Quénard a pris la suite de son père au domaine familial et a contribué à tripler la taille du domaine depuis son arrivée en 1987. Pratiquant l'agriculture raisonnée, le domaine produit des vins équilibrés, avec un haut de gamme élevé longuement sur lies avec bâtonnage. Si les prix décollent et rejoignent progressivement le niveau de qualité des vins, ils restent très raisonnables en comparaison d'autres régions.

ROUSSETTE DE SAVOIE CUVÉE ANNE-SOPHIE 2008
Blanc | 2010 à 2018 | 10 € **15/20**
Une roussette mûre de bonne concentration, équilibrée en bouche avec une acidité franche et de la chair. Légère touche toastée en finale qui trahit l'élevage sous bois.

VIN DE SAVOIE LE BERGERON D'ALEXANDRA 2008
Blanc Doux | 2010 à 2018 | NC **15,5/20**
Une récolte tardive de bergeron a donné un vin moelleux au nez de fruits confits, tendre en bouche avec un fruité pur et un moelleux harmonieux. À boire au dessert ou pour lui seul.

VIN DE SAVOIE MONDEUSE CUVÉE ÉLISA 2008
Rouge | 2011 à 2018 | 10,50 € **15,5/20**
Concentré, profond et mûr, élégant avec un fruité tendre en bouche. Un vin bien né qui se gardera. Belle réussite.

DOMAINE PASCAL ET ANNICK QUÉNARD

Le Villard - Cedex 4800 • 73800 Chignin
Tél. 04 79 28 09 01 • Fax : 04 79 28 13 53
pascal.quenard.vin@wanadoo.fr
Visite : Du lundi au samedi, de 9h à 12h et de 14h à 19 h.

Pascal Quénard est désormais le seul producteur de la famille, son père Raymond ayant pris officiellement sa retraite en 2006. Les vins sont élevés en cuve et font presque systématiquement leur malolactique, ce qui donne, après un peu de garde en bouteille, des bouches pures et de bonne densité, marquées pas la profondeur issue des parcelles sur socle calcaire. Les 2009 goûtés avant la mise nous ont semblé prometteurs sur les rouges mais décevants en blanc.

Vin de Savoie mondeuse La Sauvage 2009
Rouge | 2011 à 2015 | 8 € **13,5/20**
Charmeur, nez de violette et de poivre, ample en bouche avec de la pureté et des tanins fins en finale. L'ensemble reste léger.

CLAUDE QUÉNARD ET FILS

Le Villard • 73800 Chignin
Tél. 04 79 28 12 04 • Fax : 04 79 28 00 55
la.gerbelle@wanadoo.fr
www.vins-de-savoie-quenard.com
Visite : 8h-12h et 14h-18h lundi au samedi
fermé dimanche et jours fériés

Vin de Savoie Saint-Jeoire Prieuré 2009
Blanc | 2010 à 2012 | 4 € **13/20**
Une robe claire, un nez pur de fruits à chair blanche et de fleurs blanches, et une bouche cristalline, acidulée et légère donnent un vin équilibré facile à boire. Un millésime 2009 bien géré.

CAVEAU QUINARD

201, route du Lit-au-Roi • 01300 Massignieu de Rives
Tél. 04 79 42 10 18 • Fax : 09 70 62 70 89
caveauquinard@orange.fr
Visite : Du lundi au vendredi de 9h30 à 12h
et de 14h30 à 18h l'hiver et jusqu'à 19h l'été,
et le samedi 10h à 12h et 15h à 19 h,
sinon sur rendez-vous.

Bugey gamay 2009 ☺
Rouge | 2010 à 2013 | 3,90 € **14/20**
Un vin friand au nez de petits fruits, tendre en bouche avec une bonne pureté.

Bugey Mousseux Brut Rosé 2008
Rosé Brut effervescent | 2010 à 2012 | 6,20 € **14/20**
Un mousseux au nez de fruits rouges, dense en bouche avec une mousse compacte.

Roussette du Bugey 2009 ☺
Blanc | 2010 à 2013 | 4,30 € **14/20**
Une roussette parfumée, au nez floral, tendre en bouche avec du fruit.

DOMAINE DE RIPAILLE

Domaine de Ripaille • 74200 Thonon-les-Bains
Tél. 04 50 71 75 12 • Fax : 04 50 71 72 55
domaine.ripaille@wanadoo.Fr • www.ripaille.com
Visite : Du lundi au vendredi de 10h à 12h et de 14h à 18h (17h en hiver); le samedi matin de 10h à 12h.

Le domaine historique, situé sur les rives du lac Léman à Thonon-les-Bains, produit une seule cuvée de chasselas en cru Ripaille, avec des mises en bouteille échelonnées du printemps à l'automne en fonction de la maturité des cuvées. La maîtrise des rendements, la récolte à maturité et une vinification avec malolactique permettent de produire un vin qui possède de la densité et du gras.

Vin de Savoie Ripaille 2009
Blanc | 2010 à 2013 | 6,10 € **14,5/20**
Un vin au nez aromatique, de bonne densité en bouche avec du gras. Une mise de début d'année intéressante, qui possède du fond. Les mises plus tardives en 2010 se garderont plus longtemps.

Vin de Savoie Ripaille 2008
Blanc | 2010 à 2013 | 6,10 € **14,5/20**
Un millésime mûr qui possède une belle acidité, frais en bouche, avec un fruité mûr. À boire à l'apéritif ou sur des poissons du Lac.

DOMAINE RONDEAU

Hameau de Cornelle • 01640 Boyeux Saint-Jérôme
Tél. 04 74 37 12 34
bernard.rondeau01@orange.fr
Visite : sur rendez-vous.

Cerdon Méthode Ancestrale 2009 ☺
Rosé Demi-sec eff. | 2010 à 2011 | 6 € **14,5/20**
Un cerdon élégant doté d'une bonne vinosité, fin en bouche avec une légère amertume noble qui apporte de la fraîcheur. Très apéritif.

DOMAINE DE ROUZAN

152, chemin de la Mairie • 73190 Saint Baldoph
Tél. 04 79 28 25 58 • Fax : 04 79 28 21 63
denis.fortin@wanadoo.fr

Vin de Savoie Apremont Cuvée Sélection 2009
Blanc | 2010 à 2012 | 4,91 € **13,5/20**
Une cuvée fraîche, acidulée et dotée d'un léger perlant, avec des arômes de fruits acidulés. Bonne tenue.

DOMAINE SAINT-GERMAIN

Route du Col-du-Frêne • 73250 Saint-Pierre-d'Albigny
Tél. 04 79 28 61 68 • Fax : 04 79 28 61 68
vinsstgermain1@aol.com
Visite : Sur rendez-vous.

La pluralité des cépages blancs et rouges montre le souci d'exploiter au mieux les ressources du terroir, avec en particulier des gamays, pinots noirs et chardonnays qui sont très au-dessus des vins médiocres que la région produit généralement. Les vins du millésime 2007, goûtés après leur mise en bouteille sont magnifiques, en particulier les mondeuses et le persan, et 2008 est prometteur. Un jeune domaine à suivre de près.

Vin de Savoie gamay Vieilles Vignes 2009

Rouge | 2010 à 2015 | 5,40 € **15,5/20**

Robe violacée, le vin est ouvert sur un nez de petits fruits noirs, tendre en bouche avec des tanins présents en finale. Grande réussite en 2009.

Vin de Savoie mondeuse La Pérouse 2007

Rouge | 2010 à 2017 | 9,60 € **14,5/20**

Notes de cuir au nez, avec une bouche ample, charnue, de bonne densité et finement acidulée. Racé.

Vin de Savoie persan 2009

Rouge | 2012 à 2024 | 12,60 € **15,5/20**

Corsé, nez d'épices (paprika, safran) et de petits fruits noirs, dense en bouche avec une acidité fine rehaussée par une présence encore sensible de gaz. À garder.

DOMAINE DE SOLÉYANE

Le Chenay • 01300 Parves
Tél. 04 79 81 32 58 • Fax : 04 79 81 32 58
domainedesoleyane@orange.fr
www.domaine.soleyane.free.fr
Visite : Sur rendez-vous.

Après un parcours varié dans plusieurs régions de France, Olivier et Marie-Éliane Lelièvre ont jeté leur dévolu, en 2003, sur un vignoble situé à Parves, sur les hauteurs de Belley, une colline entourée par deux bras du Rhône qui regarde le vignoble de Savoie. La régularité des premiers millésimes est remarquable, et après trois ans de culture biologique dans les vignes, le grand millésime 2009 dégusté avant la mise s'annonce très prometteur.

Bugey Le Lièvre d'Automne 2008

Blanc | 2010 à 2015 | 6,70 € **15/20**

Bonne densité, pur et frais en bouche avec une fine salinité.

Bugey Les Coccinelles 2008

Rouge | 2010 à 2013 | 5,70 € **14,5/20**

Un gamay complété par un peu de mondeuse, fruité et acidulé avec de la densité et du gras. Bonne tenue.

DOMAINE THIERRY TISSOT

42, quai du Buizin • 01150 Vaux-en-Bugey
Tél. 06 81 14 02 17 • Fax : 09 54 08 02 37
thierrytissot.bugey@free.fr
Visite : Sur rendez-vous.

Bugey mondeuse Mataret 2007

Rouge | 2010 à 2017 | 7 € **14/20**

Une mondeuse au nez fumé et net, souple en bouche avec une finale épicée.

Roussette du Bugey Mataret 2008

Blanc | 2011 à 2015 | 7 € **14/20**

Dense en bouche, avec de l'amertume. À garder.

DOMAINE TRICHON

Le Poulet • 01680 Lhuis
Tél. 04 74 39 81 10 • Fax : 04 74 39 80 87
claire@domaine-trichon.fr • www.domaine-trichon.fr
Visite : Du lundi au vendredi de 8h à 18h. Le samedi et dimanche sur rendez-vous

Bugey chardonnay 2009

Blanc | 2010 à 2014 | 5 € **15/20**

Mûr et pur, fruité et dense en bouche, avec une finale nette.

Bugey Mousseux Méthode Traditionnelle 2007

Blanc Brut effervescent | 2010 à 2012 | 6 € **13,5/20**

Un brut léger au fruité net, marqué par une légère touche amère en finale.

LES FILS DE CHARLES TROSSET

280, chemin des Moulins • 73800 Arbin
Tél. 04 79 84 30 99 • Fax : 04 79 84 30 99
louis.trosset@univ-savoie.fr
Visite : sur rendez-vous.

VIN DE SAVOIE ARBIN MONDEUSE CUVÉE HARMONIE 2009
Rouge | 2010 à 2019 | 10 € **15/20**
Une mondeuse au nez de fruits noirs, de bonne densité en bouche avec des tanins gras. Des notes de mûre et de vanille dans la finale. Un vin de fruit élégant.

VIN DE SAVOIE ARBIN MONDEUSE
PRESTIGE DES ARPENTS 2009
Rouge | 2011 à 2019 | 10 € **14,5/20**
Un vin au fruité mûr, dense en bouche avec un fruité léger dont la souplesse est masquée par des tanins très présents qui assèchent la finale.

DOMAINE UCHET

Pierre Grosse • 73190 Apremont
Tél. 06 75 49 26 21
yannickuchet@orange.fr
Visite : Sur rendez-vous.

VIN DE PAYS D' ALLOBROGIE 2009
Rosé | 2010 à 2011 | 4,20 € **13/20**
Un rosé de robe soutenue, fruité en bouche avec du gras.

VIN DE SAVOIE APREMONT 2009 ☺
Blanc | 2010 à 2012 | 4,80 € **14/20**
Le nez est ouvert sur la poire, la bouche est riche avec du gras, de bonne maturité.

ADRIEN VACHER

ZA Plan Cumin - 10, rue de la Mondeuse
73800 Les Marches
Tél. 04 79 28 11 48 • Fax : 04 79 28 09 26
vacher.adrien@wanadoo.fr
Visite : De 9h à 12h et de 13h30 à 17h30.
Du lundi au vendredi.

ROUSSETTE DE SAVOIE LA SASSON 2009
Blanc | 2010 à 2014 | 4,82 € **14/20**
Une roussette mûre, au nez de fruits à chair blanche mûrs, tendre en bouche avec de la chair et une finale acidulée sur la pomme mûre.

VIN DE SAVOIE CHIGNIN-BERGERON PRIVILÈGE 2008
Blanc | 2010 à 2016 | 8,94 € **15/20**
Un bergeron élevé sur lies, ample en bouche avec du gras et une finale longue très pure.

DOMAINE DE VENS-LE-HAUT

Le Crêt • 74910 Seyssel
Tél. 04 50 48 42 38 • Fax : 04 50 48 42 38
contact@domainedevens.com • www.domainedevens.com
Micro-domaine créé et emmené par Georges Siegenthaler en 2003, avec l'ambition de produire des vins de la qualité des vins de garage, si la taille de l'exploitation confirme cette dénomination, avec pour l'instant moins de cinq mille bouteilles produites. Les deux rouges sont profonds et d'une pureté exemplaire, en particulier le gamay qui est une des meilleures cuvées de Savoie. Le blanc à base de molette est un bel exemple du potentiel de ce cépage vinifié en vin tranquille.

VIN DE PAYS D' ALLOBROGIE MOLETTE 2008
Blanc | 2010 à 2014 | 7 € **14/20**
Blanc sec de bonne concentration, au nez de fleurs jaunes avec une note épicée, équilibré, avec du gras. Forte personnalité.

VIN DE SAVOIE GAMAY 2008
Rouge | 2010 à 2013 | 9 € **14/20**
Nez de petits fruits rouges, dense et vineux en bouche avec du gras et de légers tanins. Belle réussite dans un millésime difficile.

VIN DE SAVOIE MONDEUSE 2008
Rouge | 2010 à 2015 | 9 € **14,5/20**
Nez de fruits rouges, souple et acidulé avec un équilibre léger qui manque d'un peu de maturité pour être grand. Bel élevage sous bois.

DOMAINE DE VÉRONNET

La Cheytraz • 73310 Serrières-en-Chautagne
Tél. 04 79 63 73 11 • Fax : 04 79 63 73 11
alain.bosson@wanadoo.fr • www.veronnet.com
Visite : Ouvert tous les jours de 9h à 19h sauf le dimanche et les jours fériés

VIN DE SAVOIE CHAUTAGNE 2009

Rouge | 2010 à 2013 | 4,60 € **13,5/20**

Concentré, nez de petits fruits, tendre en bouche avec une finale acidulée.

CHÂTEAU DE LA VIOLETTE

Le Bourg • 73800 Les Marches
Tél. 04 79 28 13 30 • Fax : 04 79 28 09 26
achgayet@aol.com
Visite : Tous les jours sauf le dimanche de 9h à 12h et de 14h à 19 h.

VIN DE SAVOIE GAMAY 2009 ☺

Rouge | 2010 à 2015 | 5,10 € **14/20**

La robe soutenue et le nez de fruits noirs annoncent un vin ample, de bonne densité avec un fruité net. Il se gardera quelques années.

VIN DE SAVOIE MONDEUSE 2009

Rouge | 2011 à 2017 | 5,26 € **14/20**

Le nez est surmûri, la bouche est tendre, souple avec des tanins légers en finale. Léger mais bien fait.

Notes personnelles

La sélection Bettane et Desseauve pour le Sud-Ouest

Le Sud-Ouest

Les vins de cette magnifique région, si diverse, si attachante, sont depuis toujours liés à une gastronomie universellement admirée : ils en tirent aujourd'hui les bénéfices car ils n'ont jamais été tentés de briller comme des bêtes à concours,

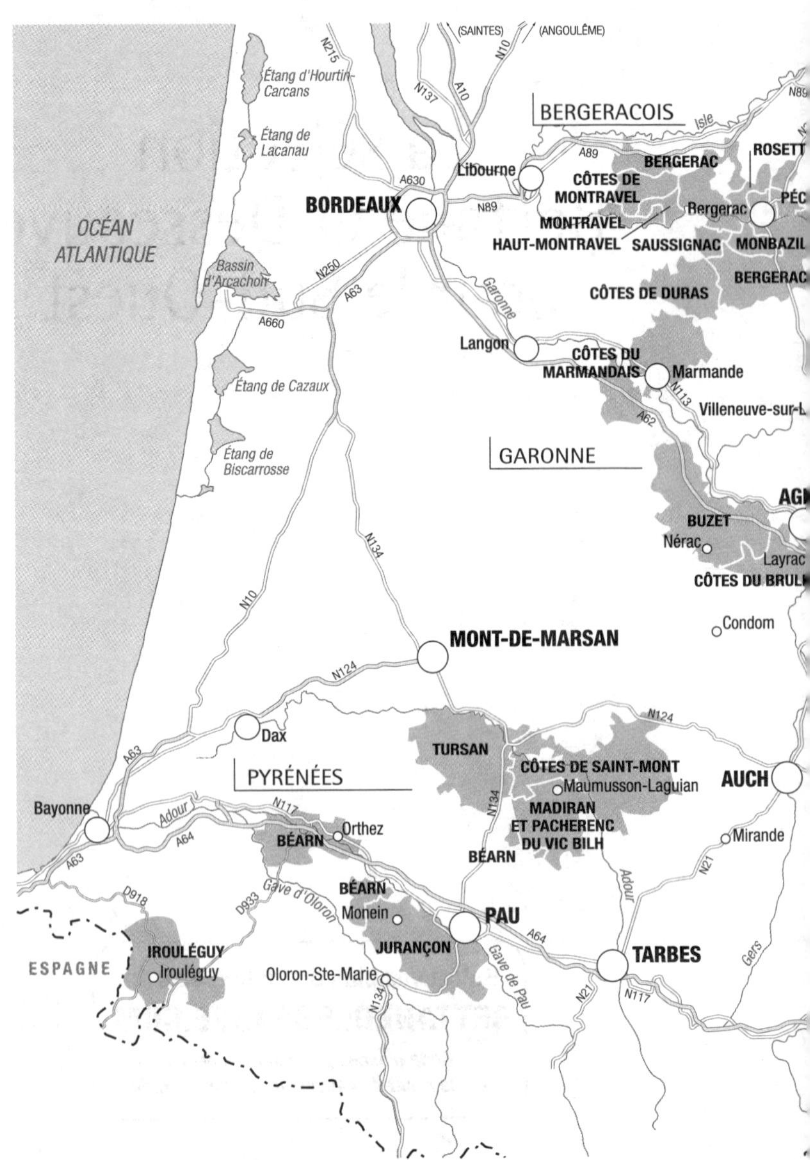

mais comme de bons compagnons de table, et c'est bien de cela que la plupart des amateurs gourmands ont besoin. Et l'on peut encore se les offrir...

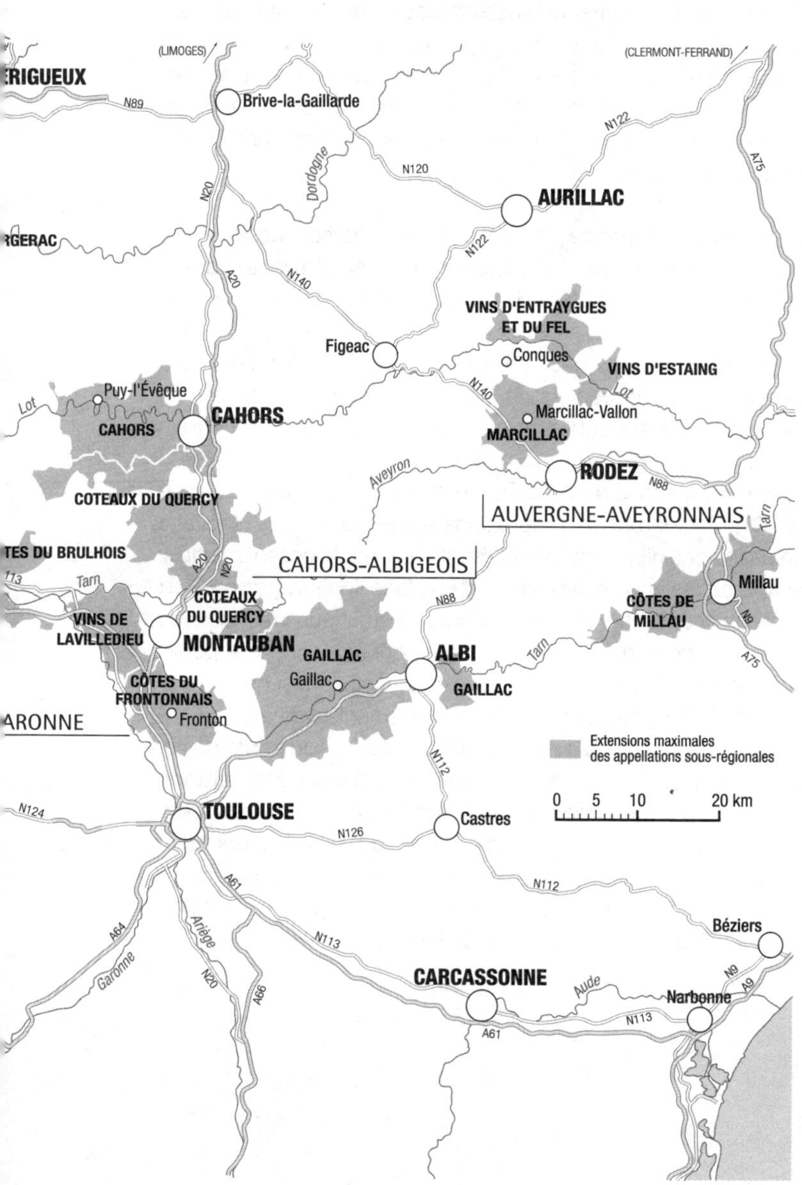

L'actualité des millésimes

Variété et équilibre. Cette vaste région continue à offrir le plus large panorama français en matière de types de vin, et à des prix toujours aussi amicaux. 2008 a été ici ou là marqué par des grêles dramatiques pour les producteurs concernés mais qui n'ont pas vraiment affecté l'ensemble de la mise en marché. Partout les vins sont bien réussis, grâce à une fin de cycle végétatif inespérée et des charges en raisin modérées ou même faibles. Les terroirs s'expriment parfaitement, l'acidité dispense de la fraîcheur et les textures ont la densité qui autorise une bonne tenue dans le temps.

Le plaisir et l'exigence. On préférera certainement pour les vins liquoreux ou moelleux 2007, encore largement en vente dans le Bergeracois, car les 2008 de Jurançon, à quelques exceptions près ne transportent pas. Pour les rouges on constate avec plaisir la continuation du beau mouvement de retour à la confiance des meilleurs producteurs de Cahors par rapport à leur terroir, leur cépage et leur public, marqué par l'organisation fort réussie des journées mondiales du malbec : il y aura de beaux 2008 mais il faudra sans doute les boire après les vins voluptueux de 2009 qui leur feront de l'ombre dans leur jeunesse. Les madirans de base sont infiniment plus plaisants que par le passé, même si tout n'est pas encore parfaitement en place. Mais la surprise, fort agréable, est venue de la personnalité aromatique irrésistible de nombreux frontons et gaillacs rouges, qui réconcilient le public avec des vins fruités, sans vulgarité ou sollicitation technologique du fruit. À Bergerac, malgré un débourrement tardif avec un retard de 10 jours sur la moyenne, les conditions du printemps et de l'été ont été très favorables, floraison quasi parfaite, véraison rapide et homogène, sans chaleur excessive ; vins blancs secs, aromatiques, ronds, plus alcooleux que lors des derniers millésimes. C'est sur les rouges qu'il faut chercher les plus grands succès. Les grandes cuvées de rouge 2008 offrent de belles surprises, surtout sur le secteur de Montravel.

MEILLEURS VINS TOUTES CATÉGORIES

Château Montus - Château Bouscassé,
Madiran, Montus prestige, rouge, 2008

Château Moulin Caresse,
Montravel, 100 pour Cent, rouge, 2008

Château Tirecul La Gravière,
Monbazillac, Madame, blanc, 2006

Domaine de Souch,
Jurançon, Mary Kattalin, blanc, 2007

Domaine Vignau La Juscle,
Jurançon, Vendanges tardives, blanc, 2008

LE BONHEUR TOUT DE SUITE

Causse Marines,
Gaillac, Peyrouzelles, rouge, 2008

Château d'Aydie - Vignobles Laplace,
Vin de table, Maydie vintage, rouge, 2008

Domaine de Cabarrouy,
Jurançon Sec, blanc, 2008

Producteurs Plaimont,
Pacherenc du Vic Bilh, Saint-Martin , blanc, 2008

MEILLEURS VINS À MOINS DE 6 €

Château Pique-Sègue,
Montravel, Subtilité, blanc, 2009

Domaine d'Escausses,
Gaillac, La Vigne blanche, rouge, 2008

La Cave d'Irouleguy,
Irouleguy, Argi d'Ansa, rosé, 2009

Le Roc,
Fronton, La Saignée, rosé, 2009

Vins Alain Brumont,
tannat, merlot, syrah, rouge, 2009

MEILLEURS VINS À MOINS DE 10 €

Château de Rousse,
Jurançon, tradition, blanc, 2008

Château Le Chabrier,
Bergerac, Contrepoint, blanc, 2004

Clos Bengueres,
Jurançon, Plaisir d'Automne, blanc, 2008

La Cave d'Irouleguy,
Irouleguy, Kattalingori, rouge, 2008

Le Roc,
Fronton, La Folle Noire d'Ambat, rouge, 2009

MEILLEURS VINS À METTRE EN CAVE

Château du Cèdre,
Cahors, Le Cédre, rouge, 2007

Château Les Croisille,
Cahors, Divin, rouge, 2007

Château Montus - Château Bouscassé,
Madiran, Château Montus, rouge, 2008

Clos Lapeyre,
Jurançon Sec, Mantoulan, blanc, 2008

Domaine Plageoles,
Gaillac, Vin de Voile, blanc, 1999

Les Roques de Cana,
Cahors, Sanguis Christi, rouge, 2008

MEILLEURS BLANCS SECS

Château Tour des Gendres,
Bergerac Sec, Anthologia, 2007

Domaine Belmont,
Vin de pays du Lot, chardonnay dolmen, 2008

Domaine Cauhapé,
Jurançon Sec, La Canopée, 2008

Domaine Mouthes Le Bihan,
Côtes de Duras, Perette et les Noisetiers, 2008

Producteurs Plaimont,
Saint-Mont, Empreinte, 2009

Vignoble des Verdots,
Bergerac Sec, Le Vin selon David Fourtout, 2008

MEILLEURS BLANCS MOELLEUX ET LIQUOREUX

Château Jolys,
Jurançon, cuvée Jean, 2008

Château Tirecul La Gravière,
Monbazillac, 2006

Vignoble des Verdots,
Monbazillac, Les Tours des Verdots, 2002

Château de Rousse,
Jurançon, Séduction, 2008

Château Montus - Château Bouscassé,
Pacherenc du Vic Bilh, Bouscassé Brumaire, 2008

Clos Thou,
Jurançon, Suprême de Thou, 2007

MEILLEURS CAHORS

Château du Cèdre,
Cahors, GC, rouge, 2007

Château Eugénie,
Cahors, Cuvée de l'Aïeul, rouge, 2007

Château la Reyne,
Cahors, Le Prestige, rouge, 2008

Château Lacapelle Cabanac,
Cahors, Malbec Original, rouge, 2007

Château Lagrezette,
Cahors, Dame d'Honneur, rouge, 2007

Clos Triguedina,
Cahors, New Black Wine, rouge, 2007

Domaine Cosse Maisonneuve,
Cahors, les Laquets , rouge, 2007

Mas Del Perié,
Cahors, Les Acacias, rouge, 2007

MEILLEURS MADIRAN-IROULEGUY

Cave de Crouseilles,
Madiran, C de Crouseilles, rouge, 2008

Château d'Aydie - Vignobles Laplace,
Madiran, Château d'Aydie Prestige, rouge, 2008

Château de Viella,
Madiran, Château Viella Prestige, rouge, 2008

Château Montus - Château Bouscassé,
Madiran, La Tyre, rouge, 2008

Domaine Ameztia,
Irouleguy, rouge, 2008

Domaine Berthoumieu,
Madiran, cuvée Charles de Batz, rouge, 2008

Domaine Brana,
Irouleguy, rouge, 2007

Domaine Guy Capmartin,
Madiran, cuvée du Couvent, rouge, 2008

La Cave d'Irouleguy,
Irouleguy, Axeridoy, rouge, 2007

MEILLEURS ROUGES DE FRONTON

Château Bouissel,
Fronton, Le Bouissel, 2008

Château Cransac,
Fronton, Renaissance, 2006

Château Plaisance,
Fronton, Thibaut de Plaisance, 2008

Château Plaisance,
Fronton, Tot Çò Que Cal, 2008

Le Roc,
Fronton, Réservée, 2006

MEILLEURS ROUGES DU GRAND BERGERACOIS

Château Le Chabrier,
Bergerac, Gros Caillou, 2005

Château Moulin Caresse,
Montravel, Coeur de Roche, 2009

Château Tour des Gendres,
Bergerac, Anthologia, 2000

Domaine de l'Ancienne Cure,
Bergerac, Extase, 2008

Domaine Mouthes Le Bihan,
Côtes de Duras, Les Apprentis, 2007

Vignoble des Verdots,
Côtes de Bergerac, Le Vin selon David Fourtout, 2008

Palmarès des lecteurs

DOMAINE GUIRARDEL
Jurançon, Bi de Prat, blanc, 2008

VINS ALAIN BRUMONT

Château • 32400 Maumusson-Laguian
Tél. 05 62 69 74 67 • Fax : 05 62 69 70 46
contact@brumont.fr
Visite : - sur le domaine: en hiver, en semaine 8h-18h30 (vendredi à 17h) et samedi sur rendez-vous été, lundi au samedi 8h-18h30
- caveau Torus : du mardi au samedi 10h-12h30 14h-17h

En dehors des vins de propriété, Montus et Bouscassé, chacun vinifié à la source, dans des cuviers indépendants, Alain Brumont a développé un important volume de vins de négoce, le plus souvent vinifiés par lui-même et ses équipes, et qui bénéficient de son considérable savoir-faire. Ainsi de Torus, qui donne le ton en matière de madirans et de pacherencs de négoce. On aimerait voir des résultats semblables à Bergerac ou à Cahors.

MADIRAN TORUS 2008
Rouge | 2013 à 2016 | 8,48 € **14/20**
Riche en couleur, très enveloppé, assez viril dans son tanin, bien fait, mais on souhaiterait pour une consommation plus immédiate un peu plus de fruit.

VIN DE PAYS DES CÔTES DE GASCOGNE GROS MENSENG - SAUVIGNON 2009
Blanc | 2011 à 2012 | 5,06 € **13/20**
Beaucoup d'arômes, vin moderne, très fruité, plus sec en fin de bouche que nombre de blancs de la région, facile à boire.

VIN DE PAYS DES CÔTES DE GASCOGNE TANNAT, MERLOT, SYRAH 2009
Rouge | 2011 à 2012 | 5,06 € **14/20**
Bonne illustration du potentiel de ces terroirs, beaucoup de rondeur et de fruit, netteté parfaite d'expression, aucun boisé et bouchon parfait et garanti comme tel, comme on peut le lire dessus.

DOMAINE AMEZTIA

64430 Saint-Étienne-de-Baigorry
Tél. 06 83 23 19 70 • Fax : 05 59 37 93 68
ameztia@wanadoo.fr
Visite : Tous les jours de 10h a 12h et de 15h a 19h. Groupes sur rendez-vous

Jean-Louis Costera exploite sur Saint-Étienne-de-Baïgorry une exploitation agricole en polyculture. Il a développé la petite vigne familiale passée de trois à sept hectares tout en continuant son métier initial de berger, et a quitté la cave coopérative en 2001 pour réaliser des vins qui s'affranchissent du style rustique parfois rencontré dans l'appellation Irouléguy. À la vigne, il apporte une attention particulière au tannat, plus fragile qu'il n'y paraît quand on veut préserver sa subtilité. Il y a ici une grâce naturelle dans les vins.

IROULEGUY 2009
Rosé | 2010 à 2011 | 7 € **13,5/20**
Rosé gras, d'acidité faible, avec une capacité à aller vers la table.

IROULEGUY 2008
Rouge | 2011 à 2015 | 10 € **15,5/20**
Dans un style corsé, le nez est épicé, la bouche grasse, fruitée, avec un beau volume. La note poivron méritera un carafage.

IROULEGUY EZTIA 2009
Blanc | 2010 à 2011 | 11 € **15,5/20**
Le nez est marqué par la vanille, très mûr. Le boisé a besoin de se fondre, c'est un joli vin.

DOMAINE DE L'ANCIENNE CURE

EARL Christian Roche - L'Ancienne Cure
24560 Colombier
Tél. 05 53 58 27 90 • Fax : 05 53 24 83 95
ancienne-cure@wanadoo.fr
www.domaine-anciennecure.fr
Visite : 9h - 19h du lundi au samedi

En rugbyman passionné, Christian Roche aime les vins qui ont du punch, et cette année en rouge il y a de l'élégance ! La gamme se divise en trois : le domaine, l'Abbaye, d'un niveau supérieur, et enfin l'Extase, réalisée uniquement lorsque la qualité du millésime le permet. Les plus belles émotions proviennent des liquoreux qui sont ici superbes.

BERGERAC EXTASE 2008
Rouge | 2011 à 2016 | env 18 € **16/20**
Nez profond et racé, avec des accents de fruits noirs, de fumé et des franges florales, la bouche est soyeuse avec des tanins longs et vibrants. Belle maîtrise de l'élevage.

BERGERAC JOUR DE FRUIT 2008
Rouge | 2010 à 2012 | 6 € **15/20**
Tanins juteux sur les fruits noirs et les épices, avec une sève gourmande.

BERGERAC SEC EXTASE 2007
Blanc | 2010 à 2013 | 18 € **14,5/20**
Nez très aromatique de mangue et de pêche blanche, bouche dense avec une meilleure défini-

tion en fin de bouche que l'an passé, avec juste ce qu'il faut de fraîcheur.

MONBAZILLAC ABBAYE 2007
Blanc Liquoreux | 2010 à 2016 | env 29 € **15/20**
Vin profond, onctueux, aux accents de miel et de gingembre, très belle longueur.

DOMAINE ARRETXEA

Maison Arretxea • 64220 Irouléguy
Tél. 05 59 37 33 67 • Fax : 05 59 37 33 67
arretxea@free.fr
Visite : Sur rendez-vous.

Ce domaine exemplaire d'Irouléguy travaille en respectant des règles éthiques très rigoureuses sur des coteaux particulièrement escarpés. Thérèse et Michel Rieuspeyroux, sympathique couple de viticulteurs, travaillent en agriculture biologique. Pour désherber, ils ont remplacé les molécules de synthèse par... les brebis d'un berger voisin qui viennent passer l'hiver dans les vignes. La production cette année se goûtait mal. Gageons que tout devrait revenir dans l'ordre l'année prochaine.

IROULEGUY 2008
Rouge | 2010 à 2012 | NC **13,5/20**
Rouge gourmand malgré la maturité juste de 2008. On pourra le boire assez vite grâce à ses tanins assez souples.

IROULEGUY HAITZA 2008
Rouge | 2011 à 2015 | 16 € **13,5/20**
Vin fruité, dense, la juste maturité imposera quelques années de patience.

IROULEGUY HEGOXURI 2009
Blanc | 2010 à 2011 | 17 € **15/20**
Acidité marquée, du volume, finale courte, peu aromatique. Commence à mieller. Il est fermé à ce stade. À revoir.

CHÂTEAU D'AYDIE - VIGNOBLES LAPLACE

64330 Aydie
Tél. 05 59 04 08 00 • Fax : 05 59 04 08 08
pierre.laplace@wanadoo.fr
www.famillelaplace.com
Visite : De 9h à 12h30 et de 14h à 20h tous les jours

Les frères Laplace gèrent cette grande propriété et un petit négoce attenant avec beaucoup de courage, d'abnégation même, mais avec l'intelligence de notre époque. Ils ont su adapter le style des vins locaux aux nécessités contemporaines, recherchant plus d'équilibre et de précision dans les vinifications et ils ne sont jamais en manque d'imagination pour créer des vins de caractère à des prix fort raisonnables, comme le moelleux Aramis ou le vin fortifié type vintage qui est un sommet du genre.

MADIRAN AUTOUR DU FRUIT 2008
Rouge | 2012 à 2015 | 6,50 € **15/20**
Fruit très pur, agréable et net, corps plein mais souple, tanin fondu, belle longueur, parfait compagnon de table.

MADIRAN CHÂTEAU D'AYDIE PRESTIGE 2008
Rouge | 2013 à 2018 | 13,50 € **15,5/20**
Excellente qualité de fruit (cerise) rappelant la vérité du raisin quand il ne dévie pas sur l'animal, texture élégante, bonne fraîcheur, du style !

MAYDIE VINTAGE 2008
Rouge liquoreux | 2010 à 2018 | 12,50 € **16/20**
Remarquable fruit de cerise, que la fortification obtient du raisin tannat, vinification impeccable, intensité et élégance de caractère digne d'un beau maury, vin étonnant méritant le plus vif succès.

VIN DE PAYS DU COMTÉ TOLOSAN ARAMIS 2008
Blanc liquoreux | 2012 à 2016 | 4,50 € **14/20**
Un moelleux de petit manseng, délicieusement bouqueté, sans aucune lourdeur, pur, proposé à un prix angélique, le vrai apéro du fauché intelligent.

DOMAINE BARRÈRE

Place de l'Église • 64150 Lahourcade
Tél. 05 59 60 08 15 • Fax : 05 59 60 07 38
earl.barrere@orange.fr
Visite : Du lundi au samedi 8h à 19 h. Groupes sur rendez-vous. Du 8/10 au 15/11 sur rendez-vous

Anne-Marie Barrère, sa mère et sa sœur forment un trio éminent de femmes vigneronnes qui continuent une tradition séculaire à partir de deux superbes vignobles : le clos de la Vierge et le clos Cancaillaü. Le clos de la Vierge, par son microclimat et son sol, convient aux vins secs, Cancaillaü aux vins moelleux. Les prix sont ici d'une sagesse rare et l'accueil délicieux. En 2008, année jalouse, le secteur de Cancaillaü est sans doute celui qui a le mieux réussi du Jurançonnais.

JURANÇON GOURMANDISE 2008
Blanc Liquoreux | 2012 à 2018 | 14,40 € **16/20**
Beau jaune lumineux à reflets verts, beaucoup de fruit et de personnalité, dans un équilibre plus

satisfaisant et plus conforme à la nature du millésime que le sec. Délicieux dès maintenant.

Jurançon Sec Confidences 2008
Blanc | 2011 à 2014 | 6,80 € **14/20**
Robe dorée, signe de raisins bien mûrs, beaucoup de gras, moins d'arômes exotiques que d'autres, plus fidèle à un style traditionnel mais intelligemment assoupli, moins de charme que le 2007 mais de la droiture et du potentiel.

CHÂTEAU DE BEAULIEU

47180 Saint-Sauveur-de-Meilhan
Tél. 05 53 94 30 40 • Fax : 05 53 94 81 73
chateau_de_beaulieu@hotmail.com
www.chateaudebeaulieu.net
Visite : sur rendez-vous uniqument.

Côtes du Marmandais 2008
Rouge | 2010 à 2016 | env 8,80 € **14/20**
Un vin agréable et bien fait, au nez puissant, mûr et fondu, à la bouche très aromatique, avec une belle trame tannique, du fruit et de l'allonge. Savoureux et équilibré.

Côtes du Marmandais 2007
Rouge | 2010 à 2014 | env 8,80 € **13,5/20**
Belle concentration de fruit, myrtille, framboise et mûre, avec des notes épicées. La bouche, encore marquée par le boisé et des tanins un peu fermes, présente néanmoins une belle chair, de la franchise et de la fraîcheur. Belle exploitation du terroir.

CHÂTEAU BELINGARD

Belingard • 24240 Pomport
Tél. 05 53 58 28 03 • Fax : 05 53 58 38 39
contact@belingard.com • www.belingard.com
Visite : De 9h à 12h30 et de 14h à 18h30 du lundi au samedi, groupes sur rendez-vous

Bergerac Sec 2009
Blanc | 2010 à 2012 | 4,85 € **13,5/20**
Épices, fleurs blanches et agrumes se mêlent dans une bouche coulante et rafraîchissante.

Monbazillac Blanche de Bosredon 2007
Blanc Liquoreux | 2010 à 2017 | 24 € **15/20**
Déclinant la rose, l'ananas et les épices, voilà un vin d'équilibre marqué par une harmonieuse fraîcheur aromatique.

DOMAINE BELLAUC

Chemin de Las Bordes • 64360 Monein
Tél. 09 75 97 34 56 • Fax : 05 59 21 27 17
domaine@bellauc.com • www.bellauc.com

Révélation de nos dernières dégustations, cette toute petite et très jeune exploitation artisanale du secteur réputé de Cancaillaü produit des vins sans aucune compromission, précis dans l'expression du terroir et très prometteurs ! En 2008, le vin sec Marie-Blanque se présentait mieux que le liquoreux, pas complètement fini. La volonté de ce viticulteur de produire un vin aussi naturel que possible à partir d'une viticulture propre est à encourager même si cela augmente les risques.

Jurançon La Céleste 2008
Blanc liquoreux | 2012 à 2016 | 30 € **14/20**
Vin complexe, pas encore complètement formé, un léger goût de bouchon le perturbe, mais on sent parfaitement la qualité du passerillage. Il faudra redéguster l'an prochain.

Jurançon Sec L'Impertinente 2008
Blanc | 2012 à 2016 | 18 € **15/20**
Vin très naturel et, par son caractère légèrement moelleux, aux antipodes du style ultra sec défendu par certains. Mais ce n'est pas un vin d'apéritif.

Jurançon Sec Marie Blanque 2008
Blanc | 2012 à 2016 | 18 € **16/20**
Robe or vert, vin de fort caractère, presque poivré, doté d'une matière remarquable, finale complexe, un vin en liberté.

DOMAINE BELLEGARDE

Quartier Coos • 64360 Monein
Tél. 05 59 21 33 17 • Fax : 05 59 21 44 40
contact@domainebellegarde-jurancon.com
www.domainebellegarde-jurancon.com
Visite : en semaine de 10h à 12h à 14h à 18h30.

Voici un domaine qui sait trier ses raisins en phase finale et peut proposer des liquoreux remarquables, au sein d'une gamme de vins souples, faciles à boire, et qui devrait intéresser de nombreux restaurateurs du Sud-Ouest. Pascal Labasse sait trouver le juste équilibre entre œnologie moderne et maîtrisée et expression du terroir.

JURANÇON CUVÉE THIBAULT 2008
Blanc liquoreux | 2014 à 2020 | 14,50 € **16,5/20**
Robe dorée aux nuances ambrées, passerillage évident avec sa note de caramel, collant, riche, long en bouche, remarquable pour le millésime.

JURANÇON CUVÉE TRADITION 2008
Blanc liquoreux | 2013 à 2018 | 9,50 € **15/20**
Vin très bien fait, riche, plein, soutenu par une excellente acidité, tendu mais sans raideur.

JURANÇON SEC LA PIERRE BLANCHE 2008
Blanc | 2011 à 2014 | 11,50 € **15/20**
Jolis arômes de pamplemousse, vinification moderne et précise, fruité délicieux, finale légèrement relevée par de beaux amers.

DOMAINE BELMONT

Le Gagnoulat • 46250 Goujounac
Tél. 05 65 36 68 51 • Fax : 05 65 36 60 59
belmont@domainebelomont.com
Visite : Sur rendez-vous.

Ce domaine a la chance de ne pas être situé dans l'aire de l'appellation contrôlée, ce qui laisse toute liberté à son propriétaire dans le choix de l'encépagement. Judicieusement conseillé par Claude Bourguignon, Christian Belmon, architecte très en vue à Cahors et passionné de vin et de viticulture, a choisi le chardonnay pour les blancs, le cabernet franc et la syrah pour les rouges, en veillant à trouver les meilleurs clones (la syrah vient de chez Gérard Chave). La viticulture est d'inspiration biologique et les raisins sont cueillis à maturité optimale. Le blanc est de loin le meilleur à cent kilomètres à la ronde et les rouges, par leur finesse et leur beauté de fruit, devraient donner à réfléchir à tous les producteurs de cahors.

VIN DE PAYS DU LOT CHARDONNAY DOLMEN 2008
Blanc | 2012 à 2018 | 16,70 € **17/20**
Grande réussite, vin complet, d'une véritable noblesse d'expression, sans aucun équivalent connu dans tout le Sud-Ouest, et plus de vinosité qu'en 2007.

VIN DE PAYS DU LOT SYRAH - CABERNET FRANC 2008
Rouge | 2013 à 2020 | env 16,70 € **15,5/20**
Ensemble d'une rare finesse de tanin et d'un charme aromatique évident, association parfaite de deux cépages idéalement complémentaires. C'est encore meilleur que le 2007.

CLOS BENGUERES

Chemin des Écoles • 64360 Cuqueron
Tél. 05 59 21 48 40 • Fax : 05 59 21 43 03
bengueres@free.fr • www.clos-bengueres.com
Visite : Toute la journée du lundi au vendredi.

Jeune propriété très sympathiquement gérée du secteur de Cancaillaü et qui s'applique à bien faire sans grands moyens. La qualité moyenne a beaucoup progressé en deux ans, et dans tous les types de vin on retrouve les mêmes caractères de droiture, franchise et sens du juste moment pour vendanger. Le Chêne-Couché est un jurançon de race, complet, raffiné, très expressif des terroirs de Cancaillaü,les plus réputés de l'appellation.

JURANCON LE CHÊNE COUCHÉ 2008 ☺
Blanc liquoreux | 2014 à 2018 | 14 € **17/20**
Robe ambrée, fortement passerillé, plein de caractère et de noblesse, boisé très bien intégré, un des sommets du millésime dans l'appellation.

JURANÇON PLAISIR D'AUTOMNE 2008
Blanc liquoreux | 2013 à 2018 | 9 € **16/20**
Légère caramélisation au nez, vin très juste, très équilibré, au fruité pur, harmonieux et respectant le terroir. Excellent !

JURANÇON SEC LES GALETS 2009 ☺
Blanc | 2012 à 2015 | 7 € **15/20**
Remarquablement fruité, pur et opulent, vin plaisir.

DOMAINE BERTHOUMIEU

Dutour • 32400 Viella
Tél. 05 62 69 74 05 • Fax : 05 62 69 80 64
barre.didier@wanadoo.fr
www.domaine-berthoumieu.com
Visite : Du lundi au samedi, de 8h à 12h et de 14h à 19h, dimanche sur rendez-vous.

Didier Barré est un des vinificateurs les plus expérimentés et les plus doués du Sud-Ouest, et ses vins associent plénitude de constitution et finesse à un degré rare à Madiran. Les meilleures parcelles, situées sur les coteaux de Viéla, sont impeccablement cultivées, elles donnent la cuvée Charles-de-Batz, un rouge très puissant mais pur et sans les déviations animales qui déparent tant de vins locaux.

MADIRAN CUVÉE CHARLES DE BATZ 2008
Rouge | 2014 à 2018 | 13,50 € **16/20**
Grand nez vanillé et épicé, construction puissante mais tournant vers Bordeaux par le côté strict et

mesuré du tanin, retour de bouche complexe et racé, vin de très beau style.

MADIRAN HAUTE TRADITION 2008
Rouge | 2013 à 2018 | 7,80 € **14,5/20**
Vin plein et tendu, dense, strict mais sans dureté : il lui faut du canard pour s'épanouir, mais sa franchise est parfaite.

CHÂTEAU DU BLOY

SCEA Lambert Lepoittevin-Dubost - Le Blois
24230 Bonneville
Tél. 05 53 22 47 87 • Fax : 05 53 27 56 34
château.du.bloy@wanadoo.fr
Visite : du lundi au vendredi de 9h à 12h
puis de 14h à 18 h

Nous sommes ici au cœur de l'appellation Montravel, sur les meilleurs coteaux et les mieux exposés du lieu-dit Blois, plantés avec les cépages bordelais classiques, en blanc comme en rouge, selon le cahier des charges d'une des appellations les plus rigoureuses sur ce plan de tout le pays. Une viticulture et une vinification soignées donnent des vins droits et précis, avec un élevage qui s'intègre avec le temps.

MONTRAVEL 2008
Blanc | 2010 à 2015 | NC **14/20**
Frais, floral et épicé, ce vin évolue parfaitement et il peut à ce stade caresser une salade de langoustines aux agrumes.

MONTRAVEL 2007
Blanc | 2010 à 2013 | NC **14/20**
Nez épicé avec des touches florales, la bouche est longue et fraîche.

MONTRAVEL LE BLOY 2008
Rouge | 2012 à 2017 | NC **13/20**
Nez marqué par les épices, les tanins sont encore serrés en bouche, il faut absolument attendre avant qu'ils se fondent.

DOMAINE DU BOIS DE POURQUIÉ

24560 Conne-de-Labarde
Tél. 05 53 58 25 58 • Fax : 05 53 61 34 59
domaine-du-bois-de-pourquie@wanadoo.fr
www.vins-bdp.com
Visite : Du lundi au samedi 9h à 19h et dimanche seulement le matin

BERGERAC MERLOT 2009
Rouge | 2010 à 2011 | 5,20 € **13,5/20**
Cette cuvée merlotée est gourmande, avec des rondeurs, elle donne déjà du plaisir.

BERGERAC SEC RÉVÉLATION 2009
Blanc | 2010 à 2012 | 9,70 € **13/20**
Poivré, fruits jaunes et coulant, ce vin se boit sur le fruit de sa jeunesse.

DOMAINE BONNET - LABORDE

La Chalosse • 47180 Lagupie
Tél. 06 14 74 78 90 • Fax : 05 53 83 43 07
domainebonnet-laborde@orange.fr
Visite : sur rendez-vous sauf le dimanche

CÔTES DU MARMANDAIS CLOS DE L'ADRET 2007
Rouge | 2010 à 2011 | 8,50 € **13/20**
Du caractère et de la fraîcheur pour cette cuvée au nez épanoui de cassis, de myrtille, à la bouche tout aussi fruitée, alliant souplesse et vivacité.

DOMAINE BORDENAVE

Quartier Ucha • 64360 Monein
Tél. 05 59 21 34 83 • Fax : 05 59 21 37 32
contact@domaine-bordenave.com
www.domaine-bordenave.com
Visite : Du lundi au samedi, de 9h à 19h et le dimanche sur rendez-vous. Groupes sur rendez-vous.

Gisèle Bordenave a porté la propriété familiale à un haut niveau de qualité, aussi bien par l'excellence et la régularité des vins que par la restauration très réussie des bâtiments d'accueil, où le public prendra une vraie leçon de viticulture locale. On préférera néanmoins, comme souvent à Jurançon, les moelleux aux secs.

JURANÇON CUVÉE DES DAMES 2008
Blanc liquoreux | 2012 à 2016 | 11,70 € **16/20**
Le meilleur vin du domaine en 2008, gras, onctueux, au fruité pur et bien dégagé, très harmonieux.

Jurançon Harmonie 2008
Blanc liquoreux | 2012 à 2016 | 9,70 € **14/20**
Robe pâle, vin net, légèrement passerillé, moyennement complexe mais très agréable.

DOMAINE BORDENAVE-COUSTARRET

Chemin Ranque • 64290 Lasseube
Tél. 05 59 21 72 66
domainecoustarret@wanadoo.fr
Visite : lundi au samedi 9h-12h et 13h30-18h
dimanche sur rendez-vous

Ce domaine artisanal nous a présenté des 2008 de haute qualité, aussi bien en sec qu'en moelleux, et nous sommes ravis de le faire entrer dans le guide. Le rapport qualité-prix est ici remarquable.

Jurançon 2008
Blanc liquoreux | 2012 à 2016 | 8,50 € **16/20**
Robe dorée, vin très pur, d'un équilibre fort agréable et d'une rare droiture, long, fin, très réussi.

Jurançon Le Barou 2008
Blanc liquoreux | 2013 à 2018 | 14 € **15,5/20**
Très riche, harmonieux, long, associant des notes lactiques de caramel à la vivacité du citron, plus généreux que fin.

Jurançon Sec Renaissance 2008
Blanc | 2012 à 2015 | 7,50 € **15/20**
Très jolis arômes de citron et de pamplemousse, vivant, précis, très pur.

CHÂTEAU BOUISSEL

200, chemin du Vert • 82370 Campsas
Tél. 05 63 30 10 49 • Fax : 05 63 64 01 22
chateaubouissel@orange.fr
www.chateaubouissel.com
Visite : du lundi au samedi, 10h-12h et 14h-19h
fermé dimanche et jours fériés

Cette propriété familiale a entamé une conversion à l'agriculture biologique, à l'initiative de Nicolas Selle, jeune vigneron motivé par les enjeux de la viticulture contemporaine. Toutes les cuvées offrent une même franchise dans les arômes et les touchers de bouche, ronds et harmonieux.

Fronton La Négrette de Bouissel 2009
Rouge | 2010 à 2014 | 16,05 € **13,5/20**
Fruité mûr, bien rouge, notes d'épices. Tanins ronds, bouche charnue, équilibre relevé.

Fronton Le Bouissel 2008
Rouge | 2010 à 2015 | 9,30 € **14,5/20**
Nez savoureux et profond. Beau travail d'élevage, ça marque le vin mais les arômes sont élégants. Tanins enrobés, finale fraîche.

DOMAINE BRANA

3-bis, avenue du Jaï-Alaï
64220 Saint-Jean-Pied-de-Port
Tél. 05 59 37 00 44 • Fax : 05 59 37 14 28
brana.etienne@wanadoo.fr • www.brana.fr
Visite : Visites du chais à Ispoure du 1er juillet au 15 septembre de 10h30 à 12h et de 14h30 à 18h30. Vente toute l'année à la distillerie. Magasin rue de l'église ouvert du lundi au samedi, sauf le mardi, sauf en janvier de 10h à 12h et de 14h à 19h.

La quatrième génération de Brana a, depuis 1985, complété l'activité de négoce en vin par des plantations de vignes en Irouléguy, sur des terroirs de grès et argilo-calcaires. Les installations sont ultra modernes et une attention particulière est donnée au cabernet franc, dénommé ici axeria, essentiellement mené en élevage long en barrique. La production des domaines est complétée par des achats de raisin. L'un des viticulteurs partenaires est Jean-Claude Berrouet, ex-vinificateur de Petrus.

Irouleguy 2007
Rouge | 2010 à 2013 | NC **15,5/20**
Le vin commence à s'ouvrir, avec des notes empyreumatiques de cendres et de tabac. Tanins très ronds, finale complexe.

Irouleguy Axeria 2008
Rouge | 2010 à 2015 | 20,50 € **15/20**
Fruité, marqué par le cabernet, avec une finale subtile et complexe.

Irouleguy Brana 2009
Blanc | 2010 à 2011 | 14,65 € **15/20**
Joli nez d'agrumes, de pamplemousse, belle acidité étirée. Un vin plaisant à boire dès maintenant, mais avec du fond.

DOMAINE DE BRAZALEM

B.P. 17 • 47160 Buzet-sur-Baïse
Tél. 05 53 84 74 30 • Fax : 05 53 84 74 24
buzet@vignerons-buzet.fr
www.vignerons-buzet.fr
Visite : sur place de 9h à 12 et de 14h à 18h sauf le dimanche visite payante et degustations gratuites

Buzet 2008

Rouge | 2010 à 2016 | 6 € **14/20**

D'un style élégant et charmeur, cette cuvée développe un nez épanoui, fruité, avec des notes fleuries et balsamiques, une bouche tout aussi aromatique, charnue et fraîche.

CLOS DU BREIL

Le Breil • 24560 Saint-Léon-d'Issigeac
Tél. 05 53 58 75 55 ou 06 88 74 90 23
Fax : 05 53 58 75 55
leclosdubreil@free.fr • leclosdubreil.free.fr
Visite : Du lundi au samedi de 9h à 19h sans interruption. Sur rendez-vous les dimanches et jours fériés.

Côtes de Bergerac Domaine 2008

Rouge | 2010 à 2013 | 9 50 € **14/20**

Fruits noirs et réglisse émergent au nez, on apprécie le velouté de la bouche et l'élevage juste qui contribue à l'harmonie du vin.

DOMAINE DE CABARROUY

Chemin Cabarrouy • 64290 Lasseube
Tél. 05 59 04 23 08 • Fax : 05 59 04 21 85
domaine.cabarrouy@orange.fr
Visite : tous les jours 10h-12h15 et 14h-19h dimanche 10h-12h30 dimanche après-midi et jours fériés sur rendez-vous

Ce domaine pratique une viticulture de plus en plus attentive et obtient, sur des sols calcaires très particuliers, des vins fins et originaux, remarquablement réussis en 2007.

Jurançon 2007

Blanc liquoreux | 2012 à 2017 | 8 € **16/20**

Beaucoup de fraîcheur sur des notes d'ananas, de cédrat, et une finale confite mais sans lourdeur, beaucoup de délicatesse. Un secteur tout à fait original par son sol lui a donné naissance.

Jurançon Sec 2008

Blanc | 2012 à 2015 | 6 € **16/20**

Un vin d'une rare finesse, aux arômes subtils d'agrumes, plus sur le citron que sur le pamplemousse, très agréable.

CHÂTEAU LA CAMINADE

Vignobles Resses & Fils • 46140 Parnac-Luzech
Tél. 05 65 30 73 05 • Fax : 05 65 20 17 04
resses@wanadoo.fr • www.chateau-caminade.com
Visite : Du lundi au venddredi, de 8h à 12h et de 14h à 18h30 samedi sur rendez-vous

La Caminade est un ancien presbytère appartenant depuis plus d'un siècle à la famille Resses. Elle exploite un joli vignoble de trente-cinq hectares sur Parnac et a immédiatement adhéré à la charte qualité. La cuvée Commandery possède un beau type de cahors de vallée du Lot, elle est en général veloutée et souple. La cuvée Esprit, plus boisée et plus corsée, demande deux ans de vieillissement supplémentaire pour trouver son équilibre.

Cahors Commandery 2007

Rouge | 2012 à 2017 | 14 € **14,5/20**

Vin charnu et souple, au boisé fondu : vinification soignée et élevage largement plus travaillé que chez bien d'autres producteurs.

Cahors Esprit 2007

Rouge | 2012 à 2017 | 32 € **15/20**

Nez complexe et racé de prune et de violette, texture généreuse, belle longueur, cahors de race et de plaisir, intelligemment travaillé.

DOMAINE GUY CAPMARTIN

Le Couvent • 32400 Maumusson
Tél. 05 62 69 87 88 • Fax : 05 62 69 83 07
capmartinguy@mcom.fr
Visite : du lundi au samedi 9h-13h et 14h-19h dimanche sur rendez-vous

Propriété fort sérieuse de Madiran, «Le Couvent» produit des vins sincères, très typés par leur mâche, leur intensité et leur rugosité non violente, capables de supporter parfaitement le bois neuf. Ces beaux gaillards accompagneront parfaitement le canard sous toutes ses formes.

Madiran cuvée du Couvent 2008

Rouge | 2014 à 2018 | env 10,50 € **15,5/20**

Nez puissant, associant chocolat et épices, de la mâche mais sans agressivité, un madiran de caractère !

Pacherenc du Vic Bilh 2009
Blanc | 2012 à 2016 | 6 € **15/20**
Robe paille, forte maturité du raisin, vin gras, complet, avec de l'allonge.

CHÂTEAU CARROL DE BELLEL

93, chemin de Boujac • 82370 Campsas
Tél. 06 76 33 35 05 • Fax : 05 63 30 11 19
gilbert.gasparotto@wanadoo.fr
Visite : en semaine 14h-18h
samedi 9h-12h et 14h-18h

Fronton cuvée Gino 2008
Rouge | 2010 à 2013 | 6,50 € **13/20**
Cette cuvée est bien gourmande, avec son fruité rouge frais, sa bouche tendre et sa finale légèrement saline.

DOMAINE CAUHAPÉ

Quartier Castet • 64360 Monein
Tél. 05 59 21 33 02 • Fax : 05 59 21 41 82
contact@cauhape.com • www.cauhape.com
Visite : du lundi au vendredi de 8h à 12h30
et de 13h30 à 18h

Voici, et de loin, le domaine privé le plus important de Jurançon et la marque la plus diffusée dans l'univers de la grande restauration et des cavistes de luxe. Henri Ramonteu a su à la fois perfectionner la production, en quantité très réduite, de vins très liquoreux au bouquet spectaculaire et à la longueur en bouche fascinante, et proposer un large volume de vins secs d'une qualité régulière, avec en haut de gamme sa cuvée Canopée, récoltée à haute maturité du raisin et élevée sous bois, ce qui lui donne une vinosité unique dans l'appellation. Dans certains millésimes, les liquoreux contiennent une certaine proportion de raisins botrytisés qui contribuent à leur originalité de style et à la sensation de «rôti».

Jurançon Noblesse du Temps 2008
Blanc liquoreux | 2011 à 2019 | 28,50 € **16/20**
Robe pâle, vin très aromatique, pas aussi concentré que dans d'autres millésimes, mais délicat, long, soigné, supérieur à Symphonie !

Jurançon Sec La Canopée 2008
Blanc | 2013 à 2018 | 22,50 € **17/20**
Robe or vert, individualité de style inimitable, raisin ultra mûr, magnifique onctuosité, grande longueur, boisé maîtrisé. Grande allure vues les difficultés du millésime.

Jurançon Symphonie de Novembre 2008
Blanc liquoreux | 2012 à 2018 | 19 € **15/20**
Robe or vert, boisé insistant, un peu d'amer à fondre sur une matière fine et équilibrée mais sans grandeur.

CAUSSE MARINES

Le Causse • 81140 Vieux
Tél. 05 63 33 98 30 • Fax : 05 63 33 96 23
causse.marines@gmail.com
www.causse-marines.com
Visite : 8h-20h tous les jours sauf dimanche

Patrice Lescarret est un vigneron engagé, qui donne une interprétation très personnelle du terroir gaillacois grâce à un travail de tous les instants sur son vignoble. Ses cuvées ont parfois un nom original, héritage d'un temps où il fallait ruser avec les règles concernant l'étiquetage pour faire figurer le cépage ou le millésime sur l'ancienne catégorie des vins de table, car ici on est rarement dans les canons de l'AOC. Splendides 2008.

Gaillac Grain de Folie Douce 2008
Blanc liquoreux | 2010 à 2015 | 10,50 € **15,5/20**
Notes de fleurs séchées, de tisane, d'abricot sec. La bouche est moyennement concentrée mais bien équilibrée. C'est un vin frais et gourmand, à la fin de bouche rafraîchissante.

Gaillac Les Greilles 2008
Blanc | 2010 à 2014 | 9,50 € **14,5/20**
Arômes gourmands de fruits et d'épices douces, bouche ronde. Un vin au fruité gourmand, très pur, très naturel.

Gaillac Peyrouzelles 2008 ☺
Rouge | 2010 à 2016 | 7,50 € **16/20**
Complexité aromatique, sur le fruit noir, les épices, quelques notes animales qui demandent un peu d'aération. Bons tanins frais, bouche dynamique élancée, très pure.

Vin de France Dencon 2008
Blanc | 2010 à 2016 | 13,50 € **15,5/20**
Très anisé, très floral, arômes flatteurs, bouche gourmande, bien ronde. Le bâtonnage lui donne de l'épaisseur et une rondeur «sucrante» mais pas sucrée, qui appelle les poissons au beurre blanc.

Vin de France Les 7 Souris 7002 2007
Rouge | 2010 à 2017 | 30 € **16/20**
Des notes puissantes de violette, une pointe de chocolat, mais ça ne fait pas «syrah du Rhône».

Élégant et complexe. La bouche offre un grain fin et savoureux, une finale gourmande, avec une bonne fraîcheur.

Vin de France Préembulles ☺
Blanc Brut effervescent | 2010 à 2012 | 10,50 € **16/20**
Très pur, très frais. Arômes de pomme, d'anis. Ça embaume son mauzac. Bulle intégrée au vin, c'est gourmand et désaltérant. L'apéritif parfait !

Vin de France Rasdu 6002 2006 ☺
Rouge | 2010 à 2016 | 13,50 € **16/20**
Nez puissant, épicé, note camphrée, un vin très corsé, aux tanins enrobés, à la finale puissante, mais il a la richesse de bouche des 2006.

Vin de France Zacmau 2008
Blanc | 2010 à 2016 | 13,50 € **15,5/20**
Nez pur et concentré. Bouche dense, qui doit encore se desserrer un peu, le vin est jeune. Belle pureté de fruit, finale droite et «sèche».

CHÂTEAU CAZE

45, rue de la Négrette • 31620 Villaudric
Tél. 05 61 82 92 70
chateau.caze@wanadoo.fr • www.chateaucaze.com
Visite : mardi au samedi 9h-12h et 15h-19h
fermé dimanche lundi et jours fériés

Fronton Patrimoine 2008
Rouge | 2010 à 2013 | env 7,30 € **13/20**
Carton plein pour ce domaine cette année, avec notamment cette cuvée Patrimoine 2008, gourmande de fruits rouges, à la bouche bien arrondie par l'élevage. Elle présente plus de délicatesse que la cuvée Concerto, dans le même millésime, plus marquée par des notes de viande cuite mais toujours sur un registre gourmand. Enfin, le fronton rosé 2009 a une bouche bien charnue, ainsi qu'une petite note herbacée qui apporte de la complexité au vin.

CHÂTEAU DU CÈDRE

Bru • 46700 Vire-sur-Lot
Tél. 05 65 36 53 87 • Fax : 05 65 24 64 36
chateauducedre@wanadoo.fr
www.chateauducedre.com
Visite : Du lundi au vendredi de 9h à 12h et de 14h à 18h,, week-end sur rendez-vous

Cette propriété continue dans la tourmente actuelle à soigner viticulture et vinification et à montrer le bon exemple à toute l'appellation. Pascal Verhaegue et son frère savent cueillir les malbecs à maturité optimale et leur donner le cachet épicé, tendu et subtil propre aux magnifiques terroirs de première terrasse de Vire. Les excès d'extraction d'un passé récent ont été abandonnés. Les vins restent puissants et concentrés en raison du contrôle strict des rendements mais leur tanin est harmonieux et le boisé de plus en plus adapté aux matières. Il faut simplement attendre trois à cinq ans de plus la cuvée Grand-Cru, un peu saturante à sa naissance. 2007 part dans sa vie de bouteille mieux équilibré que tous les millésimes précédents.

Cahors Château du Cèdre 2007
Rouge | 2013 à 2019 | 13 € **15/20**
Raisin mûr, ensemble harmonieux, élevage maîtrisé.

Cahors GC 2007
Rouge | 2015 à 2022 | 65 € **17/20**
Très proche du Cèdre (en dégustation à l'aveugle), même plénitude et noblesse de caractère.

Cahors Le Cèdre 2007
Rouge | 2013 à 2022 | 30 € **17/20**
Arôme complexe et noble, une étape vers la production de grand vin, associant puissance, finesse et intensité de caractère.

CHÂTEAU LE CHABRIER

24240 Razac-de-Saussignac
Tél. 05 53 27 92 73 • Fax : 05 53 23 39 03
chateau.le.chabrier@free.fr • chabrier.jimdo.com
Visite : tous les jours (sur rendez-vous) 9h-12h et 14h-17h

Pierre Carle abandonne en 1991 son métier d'ingénieur pour vivre sa passion de la vigne en constituant un domaine qui domine la Dordogne. Respect des sols, selon les méthodes de l'agriculture biologique, et de petits rendements permettent d'obtenir des vins de belle pureté en blanc comme en rouge. Toutes les cuvées sont d'un excellent rapport qualité-prix.

Bergerac Contrepoint 2004
Blanc | 2010 à 2014 | 6,10 € **15,5/20**
Nez où se mêlent orange confite et miel, vin tendu et frais en bouche se terminant sur les agrumes, il y a beaucoup de fraîcheur et une grande digestibilité. C'est l'un des meilleurs blancs du Bergeracois.

BERGERAC GROS CAILLOU 2005
Rouge | 2010 à 2016 | 12 € **16/20**
Tanins superbement dessinés, avec une longueur tendue et enrobée, terminant sur l'eucalyptus. Idéal sur un foie gras poêlé.

BERGERAC LA CANTATE DU PAYSAN 2007
Blanc | 2011 à 2017 | 8,50 € **15,5/20**
Nez d'écorce d'orange avec une touche florale, la bouche est longue et tendue, avec une fin saline.

BERGERAC LA CANTATE DU PAYSAN 2006
Blanc | 2010 à 2015 | 8,50 € **15,5/20**
Ce vin tendu arbore un profil longiligne, avec ce qu'il faut de maturité et une pointe saline que l'on trouve peu sur la région.

CHÂTEAU DE CHAMBERT

Les Hauts Coteaux • 46700 Floressas
Tél. 05 65 31 95 75 • Fax : 05 65 31 93 56
info@chambert.com • www.chambert.com
Visite : Caveau de vente ouvert de 9h à 12h30 et de 14h à 18h du lundi au vendredi et le samedi en été. Visites en juillet et août. Groupe sur réservation toute l'année.

Situé sur les calcaires maigres du Causse, qui n'aiment pas trop les années sèches, Chambert est actuellement bien repris en main sous la direction de Stéphane Derenoncourt et de ses collaborateurs. Le vignoble est vaste (60 hectares) et homogène. Mais aucun vin n'a été présenté cette année ou n'est ressorti de nos dégustations à l'aveugle.

DOMAINE CHATER

Vignoble de la Lègue • 47120 Saint-Sernin-de-Duras
Tél. 05 53 64 67 14 • Fax : 05 53 64 67 14
info@domainechater.com • www.domainechater.com

CÔTES DE DURAS MERLOT - CABERNET 2007
Rouge | 2010 à 2014 | 6,50 € **14/20**
Vin ayant de la couleur. Jolie bouche pour ce vin typique, ponctuée par de jolis tanins.

LES CHEMINS D'ORIENT

19, chemin du Château-d'Eau • 24100 Creysse
Tél. 06 75 86 47 54 • Fax : 05 53 22 08 38
regis.lansade@wanadoo.fr
www.les-chemins-d-orient.com
Visite : Du lundi au vendredi de 8h a 12h et 14h a 20h, sur rendez-vous le week-end.

En souvenir de leurs campagnes humanitaires et de leur passion pour l'Asie Centrale, Régis Lansade et Robert Saléon-Terras ont baptisé leur propriété Chemins d'Orient. Ici pas de désherbants, les vendanges sont manuelles et la vinification, la plus douce possible. Chaque millésime porte un nom de cuvée qui représente la totalité de la production.

PECHARMANT CUVÉE DIDIER LEFÈVRE 2007
Rouge | 2011 à 2015 | 17 € **14/20**
Nez de fruits rouges et d'épices, la bouche est souple avec de belles rondeurs.

PECHARMANT CUVÉE NOTSHAQ 2008
Rouge | 2012 à 2016 | 17 € **14/20**
Nez frais de fruits noirs avec une touche poivrée, structure pour l'instant compacte, il faut lui laisser le temps de s'affiner.

DOMAINE DE CINQUAU

Chemin des Cinquau • 64230 Artiguelouve
Tél. 05 59 83 10 41 • Fax : 05 59 83 12 93
info@jurancon.com • www.jurancon.com
Visite : en semaine 9h-18h. week-end sur rendez-vous

Nous faisons entrer ce domaine important dans le guide, car il confirme en 2008 tous les progrès pressentis les années précédentes. Le vignoble agrandi et réorganisé est superbe, le vinificateur très compétent et le propriétaire passionné par la remise en valeur de son patrimoine. Un producteur à suivre de près.

JURANÇON CUVÉE HENRI 2008
Blanc liquoreux | 2012 à 2018 | 10 € **15,5/20**
Nerveux mais plein, jolie salinité, de la précision et du style, propriété en grand progrès.

JURANÇON CUVÉE MARGUERITE 2008
Blanc liquoreux | 2015 à 2020 | 20 € **16,5/20**
Petit manseng pur, robe pâle, boisé encore un peu insistant, mais très grande délicatesse et pureté de fruit, beaucoup de classe. Attendre au moins trois ans.

Jurançon Sec 2008

Blanc | 2012 à 2016 | 15 € **14/20**

Boisé soigné, vin gras, net, pur, adroitement vinifié.

CHÂTEAU CLUZEAU

Le Petit Cluzeau • 24240 Flaugeac
Tél. 05 53 24 33 71 • Fax : 05 53 24 33 71
marc.saury@chateaucluzeau.com
www.chateaucluzeau.com
Visite : Sur rendez-vous.

Rachetée par la famille Saury, cette propriété de dix hectares possède des sols calcaires et argilo-calcaires orientés sud, sud-ouest avec 1,3 hectare de Monbazillac. C'est l'un des seuls domaines à pratiquer la vendange à la main sur l'intégralité de son vignoble. Les vins produits sont harmonieux, en bergerac comme en monbazillac.

Bergerac 2009

Blanc | 2010 à 2012 | 8 € **13/20**

Vin coulant sur les agrumes et les fleurs blanches, on le boit le matin au saut du lit.

Bergerac L'Empyrée 2007

Rouge | 2011 à 2015 | 14 € **15/20**

Nez floral très délicat, la bouche est élégante avec de la tenue et des tanins frais bien dessinés, concentration harmonieuse pour ce côtes-de-bergerac qui évolue parfaitement.

Bergerac Sec L'Envol 2008

Blanc | 2010 à 2011 | 14 € **14/20**

Bel équilibre entre le fruit, la fraîcheur et la concentration, dans des registres floraux et agrumes. On retrouve ce vin complètement épanoui.

Monbazillac Bois Blanc 2008

Blanc Liquoreux | 2010 à 2013 | 12 € **13,5/20**

Monbazillac sur des accents miellés avec des touches épicées, la bouche respecte la maigreur du millésime.

CHÂTEAU LA COLOMBIÈRE

190, route de Vacquiers • 31620 Villaudric
Tél. 05 61 82 44 05 • Fax : 05 61 82 57 56
vigneron@chateaulacolombiere.com
www.chateaulacolombiere.com
Visite : De 9h30 à 12h30 et de 14h à 18h30.

Fronton Vin Gris 2009

Rosé | 2010 à 2013 | 6,20 € **13/20**

Le château a tiré profit de la maturité du millésime pour proposer cet authentique rosé de soif, aux arômes purs, à la bouche souple et tendre, moyennement concentrée mais fraîche.

COMTE DE NÉGRET

33, avenue des Vignerons - B.P. 8 • 31620 Fronton
Tél. 05 62 79 97 79 • Fax : 05 62 79 97 70
contact@vinovalie.com • www.cavedefronton.fr
Visite : en été, du lundi au samedi, 9h-12h30 et 14h-19h

Fronton Pont de l'Horm 2008

Rouge | 2010 à 2013 | 4,95 € **12,5/20**

Derrière cette marque s'abrite la cave coopérative de Fronton, le principal metteur en marché de l'appellation. Si les cuvées très ambitieuses, concentrées et tanniques, nous laissent perplexes par leurs excès, nous préférons sans réserve l'équilibre de cette cuvée Pont-de-l'Horm, bien proportionnée entre négrette et fer servadou, qui offre un nez fruité intense mais frais, une petite note végétale apportée par le fer, une bouche ronde, et une finale légèrement cassissée. C'est simple, mais bien fait !

DOMAINE COSSE MAISONNEUVE

Les Beraudies • 46700 Lacapelle-Cabanac
Tél. 06 87 16 68 08 • Fax : 05 65 24 22 37
laquets.maisonneuve@gmail.com
Visite : Sur rendez-vous.

L'association de Mathieu Cosse, brillant jeune œnologue, fou de grands vins et de gastronomie, et de Catherine Maisonneuve, une des viticultrices les plus idéalistes de ce pays, nous donne quelques-uns des vins les plus complets et les plus sincères de Cahors. Deux belles cuvées sont ici produites : La-Fage illustre l'originalité de caractère des meilleurs terroirs, et Les-Laquets, issus des raisins les plus mûrs du Causse, est un vin souvent sans rival dans l'appellation en densité et en potentiel. Le domaine produit en petites quantités des vins rouges de pays de

Quercy exceptionnels, à partir du gamay et surtout du cabernet franc.

Cahors La Fage 2007
Rouge | 2013 à 2019 | 12 € **15,5/20**
Raisin parfaitement mûr et trié, texture onctueuse, tanin ferme, fruité encore discret.

Cahors Les Laquets 2007
Rouge | 2015 à 2022 | 25 € **16,5/20**
Ensemble majestueux et sans concession, tanin très ferme, matière serrée, grandes possibilités de garde, et sans la petite réduction des 2006.

DOMAINE DES COSTES

4, rue Jean-Brun • 24100 Bergerac
Tél. 05 53 57 64 49 • Fax : 05 53 61 69 08
jean-marc.dournel@orange.fr
www.domainedescostes.fr
Visite : Du lundi au samedi de 10h à 12h et de 14h à 18 h.

Œnologue bardé de diplômes, Jean-Marc Dournel reprend avec enthousiasme le domaine de ses beaux-parents, sur Pécharmant : «Après une période d'adaptation, j'ai complètement réorganisé ma façon de faire. En 2003, la vigne a été conduite en culture biologique et la biodynamie vient d'être mise en place». Le 2007 marque ce changement.

Pecharmant 2008
Rouge | 2011 à 2015 | env 11 € **14/20**
Il y a un beau fruit au départ, puis les tanins se resserrent, à attendre.

Pecharmant 2007
Rouge | 2012 à 2017 | 11 € **14,5/20**
Le vin a tendance à se refermer pour l'instant. Il convient de l'attendre encore quelques mois.

CHÂTEAU CRANSAC

Impasse de Lissard - B.P. 61 • 31620 Fronton
Tél. 05 62 79 34 30 • Fax : 05 62 79 34 37
secretariat@chateaucransac.com
www.chateaucransac.com
Visite : De 9h à 12h et de 14h à 18h en semaine samedi et dimanche (de juin à août) 10h-12h et 15h-18h

Fronton Renaissance 2006
Rouge | 2010 à 2014 | 7,60 € **14,5/20**
Une cuvée un peu atypique pour l'appellation, mais qui nous régale de son nez de fruit frais et de viande fraîche. La bouche est équilibrée, avec de bons tanins et une fraîcheur qui faisait défaut dans les autres cuvées.

CHÂTEAU LES CROISILLE

Fages • 46140 Luzech
Tél. 05 65 30 53 88 • Fax : 05 65 30 53 88
chateaulescroisille@wanadoo.fr
www.chateaulescroisille.fr
Visite : tous les jours 9h-18h

La sympathique famille Croisille a donné son nom à une excellente exploitation artisanale dont tous les vins en remontrent à bien d'autres en matière de solidité de constitution et de probité dans l'expression de l'origine. Situé sur l'excellent terroir de Fages, le vignoble donne des vins intenses mais équilibrés, tous réussis en 2006. La cuvée de prestige, qui bénéficie des conseils de Pascal Veraeghe, est certainement l'un des sommets de l'appellation. 2007 voit le domaine en progrès constants et le fils maison nous prépare de sacrées surprises dans le millésime 2009.

Cahors 2007
Rouge | 2013 à 2019 | 6 € **15/20**
Excellent vin, noblement aromatique et parfaitement équilibré ; on sent le bon terroir et une assurance technique à citer en exemple.

Cahors Divin Croisille 2007
Rouge | 2014 à 2022 | 20 € **17/20**
Ce jour là le sommet de notre dégustation de 2007, vin magnifique par son ampleur de texture, son harmonie, la fusion du bois. Hautement recommandé.

Cahors Noble Cuvée 2007
Rouge | 2013 à 2019 | 8,80 € **15,5/20**
Beaucoup de richesse, tanin un rien ferme encore mais matière remarquable et sincère.

CAVE DE CROUSEILLES

64350 Crouseilles
Tél. 05 59 68 10 93 • Fax : 05 59 68 14 33
d.degache@crouseilles.com
Visite : Du lundi au vendredi de octobre à avril, de 9h30 à 12h30 et de 14h à 18 h, de mai à septembre de 9h à 13h et de 14h à 19h

La reprise par les producteurs de Plaimont de la cave coopérative de Crouseilles, pionnière du Madiran, située au cœur de son vignoble historique, a donné des ailes à l'équipe qui l'a en charge, entraî-

nant une remarquable progression de la qualité. Les rouges des cuvées sélectionnées se sont améliorés, mais ce sont surtout les pacherencs qui en ont profité : nous avons été épatés par le niveau moyen des moelleux et des liquoreux, merveilleusement complexes et expressifs. Les 2008 sont à ce jour le millésime le plus réussi en rouge, mais les blancs, quoiqu'excellents n'égaleront pas les 2007. Il en reste heureusement à la vente.

Madiran C de Crouseilles 2008
Rouge | 2014 à 2018 | 15,40 € **16/20**
Remarquable maturité du raisin, et encore une fois vinification accomplie, donnant un madiran exemplaire dans un millésime difficile.

Madiran Château de Crouseilles 2008
Rouge | 2012 à 2016 | 9,40 € **14,5/20**
Bien assoupli et civilisé par rapport à ce qu'on a connu, beau travail d'élevage sur une vinification précise, ensemble homogène et agréable.

Madiran Folie de Roi 2008 ☺
Rouge | 2013 à 2016 | 7,50 € **14,5/20**
Beaucoup de netteté aromatique, corps sous contrôle, tanin sans excès, simple, bien élevé, très agréable.

Pacherenc du Vic Bilh Grains de Givre 2008 ☺
Blanc liquoreux | 2012 à 2018 | 13,90 € **16/20**
Le meilleur style de moelleux pour cette appellation, nez de raisins confits, excellente acidité, liqueur parfaitement intégrée, que du plaisir.

Pacherenc du Vic Bilh
Prélude à l'Hivernal 2008 ☺
Blanc liquoreux | 2012 à 2015 | 16,50 € **15/20**
Beaucoup d'arômes, texture de raisin confit, du panache et de la vivacité, qualités peu communes en 2008.

ELIAN DA ROS

La Clotte • 47250 Cocumont
Tél. 05 53 20 75 22 • Fax : 05 53 94 79 29
e_daros@club-internet.fr
Visite : Sur rendez-vous du lundi au samedi

Dans le paysage vallonné du Marmandais, à Cocumont, se trouvent les seize hectares de la propriété d'Elian Da Ros. Les vignes sont cultivées selon les principes de la biodynamie, appris au Domaine Zind-Humbrecht dont Elian fut le bras droit durant de longues années. Il produit des vins de caractère qui sont pleins de charme.

Côtes du Marmandais Chantf Coucou 2007
Rouge | 2010 à 2014 | 15 € **15/20**
Couleur sombre et profonde. Bouche très gourmande, aux notes épicées. Grande longueur, se terminant sur des tanins très fins.

Côtes du Marmandais Chante Coucou 2006
Rouge | 2010 à 2014 | 15 € **15/20**
60 % merlot, 20 % malbec et 20 % cabernet-sauvignon pour l'assemblage de cette belle cuvée flatteuse, au nez épanoui de fruits très mûrs et d'épices. Joli boisé, bouche franche, charnue, très charpentée mais aromatique et agréable.

Côtes du Marmandais Clos Baquey 2006
Rouge | 2010 à 2020 | 23 € **16,5/20**
Nez puissant et racé, avec un très joli fruit mûr et un boisé raffiné. Bouche savoureuse, bien tramée, élégante, vigoureuse et équilibrée. Un réel potentiel de garde.

Côtes du Marmandais Coucou Blanc 2008 ☺
Blanc | 2010 à 2015 | 15 € **15/20**
Nez aux notes de fleurs. Bouche minérale d'une grande longueur. Grande définition aromatique pour ce joli blanc.

Côtes du Marmandais Le Vin est une Fête 2008
Rouge | 2010 à 2011 | 7 € **13,5/20**
Cette cuvée porte bien son nom ! Nez très épanoui et charmeur avec un joli fruit, bouche tendre, suave, très aromatique, fraîche et longue. Un vrai vin de plaisir, gourmand et équilibré.

MAS DEL PERIÉ

46090 Trespoux
Tél. 05 65 30 18 07 • Fax : 05 65 53 12 13
masdelperie@wanadoo.fr • www.masdelperie.com
Visite : 8h-20h tous les jours

Voici une propriété fort prometteuse pour l'avenir, située sur le Causse. Un jeune viticulteur talentueux est à l'œuvre, avec le désir de produire des vins exprimant avec précision le terroir mais offrant une pureté de fruit capable de séduire un large public. Les millésimes en cour d'élevage sont encore plus accomplis que les délicieux 2007.

Cahors La Pièce 2007
Rouge | 2013 à 2019 | 49 € **14,5/20**
Élevage plus marqué que pour Acacias, ensemble puissant mais précis, tanin net, vin de caractère mais d'une certaine façon moins accompli que son voisin de cave.

Cahors Les Acacias 2007
Rouge | 2013 à 2019 | 21 € **16/20**

Excellent vin, très respectueux du raisin et du terroir, extraction adroite de tanin noble, finesse et caractère.

VIGNERONS DE DONZAC

3458, avenue du Bruhlois • 82340 Donzac
Tél. 05 63 39 91 92 • Fax : 05 63 39 82 83
info@vigneronsdubrulhois.com
www.vigneronsdubrulhois.com

Visite : du lundi après-midi au samedi, 9h30-12h et 14h30-18h30 fermé lundi matin et dimanche

Château Grand Chêne 2009
Rosé | 2010 à 2012 | 4,80 € **14/20**

En comparaison avec la cuvée 1808, le Château-Grand-Chêne est un rosé plus aristocratique. Beaucoup de finesse et de gourmandise.

Rosé 1808 2009
Rosé | 2010 à 2012 | 3,95 € **13,5/20**

Le nom de ce rosé vient de la date de la création du département par Napoléon. Jolie couleur rosée, belle fraîcheur, gourmand en bouche, de la vivacité et de l'équilibre. Classique et authentique.

DOMAINE D'ESCAUSSES

La Salamanderie • 81150 Sainte-Croix
Tél. 05 63 56 80 52 • Fax : 05 63 56 87 62
jean-marc.balaran@wanadoo.fr
www.domainedescausses.com

Visite : Du lundi au samedi de 9h à 19 h.
Dimanche sur rendez-vous.

Jean-Marc Balaran travaille désormais avec sa fille Aurélie, qui a ramené ses vignes de l'Enclos des Roses dans le domaine familial. Son domaine est un grand classique de l'appellation, et les vins privilégient les assemblages de cépages, ce qui permet de faire ressortir une identité de terroir. Bons 2008, dans une gamme très homogène.

Gaillac L'Enclos des Roses 2008
Rouge | 2010 à 2015 | 11 € **14,5/20**

Le nez est très poivré (le duras). Belle aromatique sur les épices. La bouche est droite, avec une très jolie fraîcheur. Beaucoup de finesse et de délicatesse dans le toucher de bouche.

Gaillac L'Enclos des Roses 2008
Blanc Doux | 2010 à 2015 | 7,90 € **14/20**

Bouche riche et pure, fruité fin, l'équilibre de bouche fait peut-être ressortir la sucrosité au détriment de la fraîcheur.

Gaillac La Croix Petite 2008
Rouge | 2011 à 2016 | 8,95 € **15,5/20**

Le boisé est présent, et demande encore à se fondre. Mais l'élevage est de qualité et la matière est mûre, les tanins ronds. Texture suave, finale fraîche.

Gaillac La Vigne Blanche 2008
Rouge | 2010 à 2015 | 5,95 € **15/20**

Notes de violette, de fruits rouges, d'épices. Belle palette aromatique. Bouche riche, charnue, tanins épicés, bonne structure, finale fraîche.

Gaillac La Vigne de l'Oubli 2008
Blanc | 2010 à 2015 | 8,60 € **14,5/20**

L'élevage est perceptible au nez, mais il apporte de gourmands arômes de beurre frais, qui complètent les notes de fruits jaunes et d'ananas. Bouche riche et expressive, l'élevage a apporté une bonne rondeur.

Gaillac Les Vendanges Dorées 2008
Blanc Doux | 2010 à 2016 | 8,95 € **15/20**

La liqueur est concentrée, bien tendue par une fraîcheur de bouche bienvenue. Équilibre savoureux.

Gaillac Premières Côtes L'Enclos des Roses 2008
Blanc | 2010 à 2014 | 13,80 € **14/20**

Tendu, bouche droite, belle pureté, belle amertume de fin de bouche, qui prolonge la dégustation.

DOMAINE ETXEGARAYA

64430 Saint-Étienne-de-Baïgorry
Tél. 05 59 37 23 76 • Fax : 05 59 37 23 76
etxegaraya@wanadoo.fr • www.etxegaraya.com

Visite : De 10h à 12h30 et de 15h à 19h tous les jours sauf le dimanche.

Irouléguy 2009
Rosé | 2010 à 2012 | 7 € **15,5/20**

Style particulier avec une matière importante et du fond. Ce vin de forte personnalité est construit comme un rouge, une entrecôte bien persillée ne lui fera pas peur.

Irouléguy 2008
Rouge | 2010 à 2015 | 8,50 € **14/20**
Bel aromatique, encore corsé, la matière est veloutée. Un vin marqué par quelques notes végétales, avec du potentiel.

CHÂTEAU EUGÉNIE

Rivière Haute • 46140 Albas
Tél. 05 65 30 73 51 • Fax : 05 65 20 19 81
couture@chateaueugenie.com
www.chateaueugenie.com
Visite : De 9h30 à 12h30 et de 14h à 19h
du lundi au samedi.

La famille Couture maintient de solides traditions vigneronnes à Albas, sur le Causse, et produit depuis cinq ans des vins de caractère qui sont en net progrès sur le plan de la pureté aromatique. Le terroir très spécial du secteur donne des vins de fort caractère, avec une tendance à truffer au vieillissement qui convient particulièrement au diamant noir qu'on y trouve en hiver.

Cahors cuvée de l'Aïeul 2007
Rouge | 2012 à 2017 | 10 € **16/20**
Un des sommets du millésime, grande matière, texture très riche, tanin enrobé, grande persistance, beau vin de gibier au caractère intégralement préservé.

Cahors Haute Collection 2007
Rouge | 2015 à 2019 | env 22 € **15/20**
Très épicé au nez, caractère local affirmé, tanin un rien sec mais finale assurée, commençant à partir sur la truffe noire.

DOMAINE D'EYBRO

47120 Soumensac
Tél. 05 53 89 01 81 • Fax : 05 53 89 07 66
domaine-eybro@orange.fr
Visite : 9h-12h et 14h-18h tous les jours sauf dimanche

Côtes de Duras 2009
Rosé | 2010 à 2012 | 4,50 € **13,5/20**
Jolie robe framboise pour ce rosé tout en équilibre, qui nous offre une bouche d'une belle longueur fraîche et agréable.

CHÂTEAU LE FAGÉ

24240 Pomport
Tél. 05 53 24 57 19

Monbazillac 2007
Blanc Liquoreux | 2010 à 2015 **14/20**
Les bonbons au miel constituent l'aromatique dominante, la bouche onctueuse et fraîche est apéritive.

Monbazillac Grande Réserve 2007
Blanc Liquoreux | 2010 à 2017 **15,5/20**
Ananas frais et gingembre confit offrent un nez profond qui est confirmé par une bouche à la liqueur harmonieuse. C'est une des cuvées de référence sur le millésime.

DOMAINE DE FERRANT

47120 Esclottes
Tél. 05 53 84 45 02 • Fax : 05 53 93 52 10
vignobles.vuillien@free.fr
Visite : du lundi au vendredi de 9h à 17 h

Côtes de Duras 2009
Rosé | 2010 à 2011 | 3,50 € **14/20**
Très jolie robe. Nez pur, bouche harmonieuse et équilibrée, vin vif et droit.

Côtes de Duras 2008
Blanc | 2010 à 2012 | 3,50 € **13,5/20**
Un nez épanoui et puissant de fruits blancs, avec des nuances fumées, minérales et de groseille, une bouche fondante, fruitée, charnue, pour ce blanc de style plus gras que vif. Agréable.

CAVE COOPÉRATIVE DE GAN-JURANÇON

53, avenue Henri-IV • 64290 Gan
Tél. 05 59 21 57 03 • Fax : 05 59 21 72 06
www.cavedejurancon.com

Nous faisons entrer ici la seule cave coopérative de France refusant la dégustation comparative et fermant au journaliste l'entrée de ses installations pharaoniques. Mais c'est mal connaître notre curiosité et il est facile d'acheter à la boutique quelques bouteilles pour se faire une idée du niveau du producteur largement majoritaire d'une appellation que nous aimons tant. Les vins dégustés n'étaient pas vraiment mauvais mais sans personnalité et vinifiés pour plaire à un public peu regardant. Il était à cet égard navrant de constater la banalité du clos Mirabel, une des expositions les plus fabuleuses qui soient, une vigne qui a appartenu un temps au jeune

Henri IV ! À la limite, le vin sec Brut-Océan était le plus satisfaisant à son niveau de petit blanc d'apéritif facile à boire. Tout cela se vend bien, tant mieux, et gagne des médailles dans tous les concours à moins de cinq euros la bouteille, ce qui n'est pas glorieux.

CHÂTEAU GAUDOU

Lieu-dit Gaudou • 46700 Vire-sur-Lot
Tél. 05 65 36 52 93 • Fax : 05 65 36 53 60
info@chateaudegaudou.com
www.chateaudegaudou.com
Visite : en semaine, de 9h à 12h et de 15h à 18h
samedi 15h-18h

Ce château domine les superbes coteaux de Viré et jouxte Triguedina et Le Cèdre. Nous sommes ici sur les superbes troisièmes terrasses caillouteuses du Lot, les plus qualitatives. Issus d'un terroir géré avec sagesse et rigueur par la famille Durou, présente depuis seulement sept générations (les Mellot de Sancerre n'ont pas de souci à se faire), les vins possèdent la vigueur et le tempérament des meilleurs rouges de l'appellation.

Cahors Réserve de Caillau 2007
Rouge | 2013 à 2019 | 30 € **15,5/20**
Robe dense, nez puissant de vendange mûre, charnu, velouté, tanin habilement extrait, moelleux fort plaisant, riche, équilibré, un vrai cahors.

DOMAINE DU GRAND BOURDIEU

Les Vignerons de Buzet - Avenue des Côtes de Buzet
47160 Buzet-sur-Baïse
Tél. 05 53 84 74 30 • Fax : 05 53 84 74 24
buzet@vignerons-buzet.fr
Visite : en semaine, 9h-12h et 14h-18h

Buzet 2008
Rouge | 2010 à 2018 | 5 € **14,5/20**
Un vin de caractère faisant preuve d'une belle élégance, tant au nez, épanoui, mûr et aux jolies nuances minérales, qu'en bouche, ample, flatteuse, vigoureuse et très vive.

Buzet 2007
Rouge | 2010 à 2017 | 5 € **14/20**
Beau vin typé, au nez marqué par des arômes minéraux et épicés, à la bouche dense, savoureuse, fruitée, fraîche et de bonne tenue.

DOMAINE DU GRAND MAYNE

47120 Villeneuve-de-Duras
Tél. 05 53 94 74 17 • Fax : 05 53 94 77 02
domaine-du-grand-mayne@wanadoo.fr
www.domaine-du-grand-mayne.com
Visite : en semaine 9h-17h
week-end sur rendez-vous

Côtes de Duras 2007
Rouge | 2010 à 2014 | 5,15 € **13/20**
Du fruit et de la fraîcheur pour ce vin agréable.

GRANDE MAISON

24240 Monbazillac
Tél. 05 53 58 26 17 • Fax : 05 53 24 97 36
grandemaison.monbazillac@gmail.com
www.grande-maison.fr
Visite : De préférence sur rendez-vous.

L'exposition générale de ce domaine d'une vingtaine d'hectares est plein sud et toutes les parcelles sont en coteaux plus ou moins accentués. Ceci permet de produire des monbazillacs de belle expression avec un millésime 2005 toujours de haute volée. Le 2006, dans un style moins opulent, a du charme.

Monbazillac Le Château 2006
Blanc Liquoreux | 2010 à 2016 | 20 € **14,5/20**
Le miel et la cire dominent an nez, la bouche attaque de façon onctueuse et offre une assez belle tenue.

Monbazillac Les Monstres 2006
Blanc Liquoreux | 2011 à 2015 | 60 € **13/20**
Des Monstres un peu en retrait pour l'instant par rapport au 2005, il faut carafer la bouteille.

Monbazillac Tête de Cuvée 2007
Blanc | 2010 à 2013 | 12,20 € **15/20**
De la maturité, une richesse juste en bouche avec de la tension derrière, ce vin est taillé pour les meilleurs crustacés.

CHÂTEAU DE GUEYZE

56, avenue des Côtes-de-Buzet
47160 Buzet-sur-Baïse
Tél. 05 53 84 74 30 • Fax : 05 53 84 74 24
buzet@vignerons-buzet.fr • www.vignerons-buzet.fr
Visite : Ouvert de 9h à 12h et de 14h à 18h

Depuis 1953, la Cave des Vignerons de Buzet en a fait son fleuron et en principe obtient ici ses meilleures cuvées. Après quelques années de flottement, une nouvelle équipe, sérieuse et passionnée

a remis à plat tout le travail à la vigne et donné plus de précision aux vinifications.

BUZET BARON D'ARDEUIL VIEILLES VIGNES 2008
Rouge | 2010 à 2015 | 6,85 € **15/20**
Belle réussite, nez puissant, complexe et très mûr, bouche de belle ampleur, avec une attaque franche et charnue, des tanins rigoureux et une belle allonge. Du caractère et un potentiel certain.

BUZET CHÂTEAU DE GUEYZE 2007
Rouge | 2010 à 2014 | 12 € **14/20**
Robe rubis. Nez expressif. Belle matière en bouche. Tanins de bonne constitution.

BUZET DOMAINE DE LA CROIX 2009
Rosé | 2010 à 2012 | 4,50 € **13,5/20**
Couleur pétale de rose foncé, ce vin exprime la fraîcheur.

BUZET L'EXCELLENCE 2008
Rouge | 2010 à 2015 | 4,95 € **15/20**
D'une couleur presque noire, cette cuvée nous offre un nez expressif sur le fruit. La bouche est pleine, avec de la densité et de beaux tanins.

DOMAINE GUIRARDEL

Quartier Marquemale - Chemin Bartouille
64360 Monein
Tél. 05 59 21 31 48 • Fax : 05 47 74 85 92
jurancon@domaine-guirardel.fr
www.vins-jurancon.fr/guirardel
Visite : De préférence sur rendez-vous

Monsieur Casaubielh est une des grandes figures, aussi modeste qu'érudite, de la viticulture de Jurançon et sa famille cultivait déjà une vigne au même endroit sous Henri IV ! Les bâtiments de la ferme sont d'une beauté indescriptible, tout comme le paysage constitué par les terrasses du vignoble de cinq hectares qui les jouxtent. L'exploitation a la chance aujourd'hui d'être reprise par la fille du propriétaire, ingénieur de formation, et qui en très peu de temps s'est transformée en vigneronne confirmée. Le moelleux Bi-de-Prat de la propriété est un des vins les plus authentiques et les plus accomplis de l'appellation.

JURANÇON BI DE PRAT 2008
Blanc liquoreux | 2014 à 2018 | 14,50 € **16/20**
Bel arôme d'orange amère, riche, onctueux, parfaitement passerillé, équilibré pour la garde, mais un peu moins éclatant que le 2007.

CHÂTEAU HAUT BERNASSE

24240 Monbazillac
Tél. 05 53 58 36 22 • Fax : 05 53 61 26 40
contact@haut-bernasse.com
www.haut-bernasse.com
Visite : en semaine, du 9h à 12h30 et de 13h30 à 18h

MONBAZILLAC 2007
Blanc liquoreux | 2010 à 2017 | 22 € **13,5/20**
Le miel domine le nez comme la bouche, qui se révèle onctueuse avec une fin sur le gingembre. Vin pour un curry de poulet.

CHÂTEAU HAUT LAVIGNE

Michau Lavigne • 47120 Saint-Astier
Tél. 05 53 20 01 94
nadia.lusseau@orange.fr • www.hautlavigne.free.fr

CÔTES DE DURAS NADIA 2009
Blanc | 2010 à 2012 | 6 € **14/20**
Nez expressif et complexe. La bouche est pleine, ronde, offrant un joli gras.

CHÂTEAU HAUT-MONPLAISIR

Monplaisir • 46700 Lacapelle-Cabanac
Tél. 05 65 24 64 78 • Fax : 05 65 24 68 90
chateau.hautmontplaisir@wanadoo.fr
www.chateau-haut-monplaisir.com
Visite : Du lundi au vendredi, de 9h à 12h et de 14h à 18h. Week-end et jours fériés sur rendez-vous

Une petite vingtaine d'hectares bien cultivés, sur la bonne terrasse de l'appellation, la célèbre troisième, avec l'appoint des judicieux conseils de Pascal Verhaegue. Il y a tout ici pour bien faire et les 2005 présentés étaient sains, agréables et bien typés. La famille Fournié peut encore produire des cuvées plus denses et plus racées mais les 2007 sont fort honorables et dans la ligne de qualité souhaitée par le domaine.

CAHORS PRESTIGE 2007
Rouge | 2012 à 2017 | 9,90 € **13,5/20**
Matière assez fine, ensemble équilibré à part un petit assèchement final, on est sur la bonne voie mais il faut encore faire progresser le niveau de viticulture.

CAHORS PUR PLAISIR 2007
Rouge | 2011 à 2019 | 19,60 € **14/20**
Boisé un peu asséchant mais vin fait de façon ambitieuse et soignée : un peu plus de richesse dans le raisin et l'ensemble sera encore plus équilibré.

CHÂTEAU LES HAUTS D'AGLAN

46700 Soturac
Tél. 05 65 36 52 02 • Fax : 05 65 24 64 27
isabelle.auriat@terre-net.fr
www.les-hauts-d-aglan.fr
Visite : Lundi au samedi de 9h à 12h et de 14h à 19h et le dimanche sur rendez-vous

Isabelle Rey exploite un beau vignoble de quatorze hectares, situé sur de hautes terrasses et exposé plein sud. Elle produit des vins charnus et fruités. Le 2007 nous a moins plu que l'excellent 2006.

DOMAINE LES HAUTS DE RIQUETS

Les Riquets • 47120 Baleyssagues
Tél. 05 53 83 83 60 • Fax : 05 53 83 83 60
marie-jose.bireaud@wanadoo.fr
www.domainelesriquets.com
Visite : De 9h à 19h.

Côtes de Duras cuvée Le Mignon 2008

Rouge | 2010 à 2018 | 12 € **13,5/20**

Assemblage de merlot et cabernet franc issus d'un terroir calcaire et élevés en barrique, cette cuvée offre un nez expressif, au fruit pur et délicat, avec de suaves notes florales et de guimauve, une bouche richement fruitée, franche et très vive.

DOMAINE ILARRIA

64220 Irouléguy
Tél. 05 59 37 23 38 • Fax : 05 59 37 23 38
ilarria@wanadoo.fr
Visite : lundi au samedi, 10h-12h et 14h-18h

Irouleguy 2007

Rouge | 2010 à 2014 | 11 € **14,5/20**

Le vin a bien évolué. Une note saline termine une bouche fine, délicate, corsée.

LA CAVE D'IROULÉGUY

Route de Saint-Jean-Pied-de-Port • 64430 Saint-Étienne-de-Baïgorry
Tél. 05 59 37 41 33 • Fax : 05 59 37 47 76
contact@cave-irouleguy.com
www.cave-irouleguy.com
Visite : De mai à septembre, tous les jours, de 9h à 12h et de 14h à 18h d'octobre à avril, dimanche fermé

Cette coopérative de taille moyenne (130 hectares) joue pourtant un rôle capital dans l'économie de la toute petite appellation Irouléguy et le joue bien. On y pratique une viticulture disciplinée et respectueuse de l'environnement, et les vins dans les trois couleurs ont la vivacité et le charme aromatique des vrais vins de montagne.

Irouleguy Andere d'Ansa 2009

Blanc | 2010 à 2012 | 6,60 € **15/20**

Style assez tranchant, très droit, avec une vivacité marquée. L'ensemble est équilibré et aromatique.

Irouleguy Argi d'Ansa 2009

Rosé | 2010 à 2011 | 5,60 € **15/20**

Rosé frais et pimpant, dynamique tout en étant d'un style mûr et généreux.

Irouleguy Axeridoy 2007

Rouge | 2010 à 2015 | 8,30 € **15,5/20**

Un joli grain de tanin, fin et gourmand. Il appelle une côte de bœuf.

Irouleguy Kattalingori 2008

Rouge | 2012 à 2015 | 8,90 € **15,5/20**

Tanins racés et fins, avec une sensation tactile raffinée suave, dans un millésime qui a besoin de temps. Une nouvelle cuvée en bio avec une persistance incroyable.

Irouleguy Xuri 2009

Blanc | 2010 à 2012 | 9,60 € **15,5/20**

Vin de beau volume, avec des arômes très mûrs d'abricots et de fruits jaunes en limite de la surmaturité.

MICHEL ISSALY

Domaine de la Ramaye - Sainte Cécile d'Avès
81600 Gaillac
Tél. 05 63 57 06 64
contact@michelissaly.com • www.michelissaly.com
Visite : Du lundi au vendredi de 10h à 12h et de 14h à 19 h samedi sur rendez-vous fermé le dimanche.

Michel Issaly est un vigneron engagé qui assume ses convictions. Depuis le millésime 2007, il a volontairement arrêté la vinification sous bois, la remplaçant par un an en cuve suivi de deux ans de maturation en bouteille, avant commercialisation. Cela paye dès les premiers millésimes, les vins y gagnent en fraîcheur et en pureté de fruit ce qu'ils y ont perdu en volume et en puissance.

Gaillac La Combe d'Avès 2007

Rouge | 2010 à 2014 | 15 € **14/20**

Premier millésime avec une évolution radicale de la vinification. Le millésime est moins charnu que

2006, mais le vin est plus frais et plus élégant. Il est savoureux aujourd'hui, sur son fruit croquant. Très digeste. L'absence d'élevage sous bois a amélioré la buvabilité du vin.

GAILLAC LA COMBE D'AVÈS 2006
Rouge | 2010 à 2015 | 15 € **14,5/20**
C'est mûr, c'est riche, mais on a quelques notes boisées au nez qui demanderont un peu de temps à se fondre. C'est le dernier millésime à avoir vu le bois.

GAILLAC LE GRAND TERTRE 2008
Rouge | 2010 à 2015 | 23 € **15,5/20**
Un vin riche, à la bouche pulpeuse, aux tanins croquant. Savoureux et gourmand, il fond littéralement en bouche, grâce à une petite rondeur sucrée imperceptible, fondue dans une maturité élevée, mais le tout bien équilibré.

GAILLAC LE VIN DE L'OUBLI 1999
Blanc | 2010 à 2019 | 30 € **15/20**
Un nez de raisin, qui se complexifie à l'aération. L'oxygène lui fait perdre les notes éthérées de l'ouverture. La bouche est pure et élégante, épaisse et compacte, une finale resserrée. Un très beau vin de voile, qu'il faut bien faire respirer.

GAILLAC PREMIÈRES CÔTES LES CAVAILLÈS BAS 2008
Blanc | 2010 à 2014 | 12 € **14,5/20**
Un vin à bien aérer. Beau nez de fruits frais et de fleurs, puissant. Bouche riche, savoureuse et parfumée, finale complexe. Un blanc de gastronomie. C'est riche, mais ça ne plaira pas à tout le monde.

CHÂTEAU DE LA JAUBERTIE

Ryman SA • 24560 Colombier
Tél. 05 53 58 32 11 • Fax : 05 53 57 46 22
jaubertie@wanadoo.fr
www.chateau-jaubertie.com
Visite : Dégustations à partir d'avril du lundi au samedi de 10h à 17h et à partir d'octobre du lundi au vendredi de 10h à 17h

Ce château fut le pionnier du renouveau des vins blancs secs de Bergerac : Henry Ryman, amoureux de la Dordogne et de ses paysages, a adopté le sauvignon comme cépage principal, ce qui confère aux vins une netteté aromatique et une vivacité de caractère immédiatement séduisantes. Son fils continue son œuvre avec un vignoble encore mieux cultivé et plus âgé.

BERGERAC 2009
Blanc | 2010 à 2012 | 6,50 € **14/20**
Vif, concentré et floral, ce vin a du ressort et une gourmandise immédiate.

BERGERAC 2008
Rouge | 2011 à 2015 | 6,50 € **14/20**
Nez frais avec une dominante de fruits noirs, la bouche est harmonieuse avec une fin mentholée.

BERGERAC MIRABELLE 2008
Blanc | 2010 à 2012 | 15,50 € **13/20**
L'élevage a tendance à marquer encore le vin, il faut pour retrouver le fruit le mettre en relation avec un poulet aux agrumes.

BERGERAC MIRABELLE 2007
Rouge | 2011 à 2014 | 15,50 € **14/20**
Du fond et des fruits noirs avec de la suavité et de la fraîcheur.

CHÂTEAU JOLYS

Société Latrille - 330, route Chapelle-de-Rousse
64290 Gan
Tél. 05 59 21 72 79 • Fax : 05 59 21 55 61
chateau.jolys@wanadoo.fr • www.chateau-jolys.com
Visite : Du lundi au vendredi de 8h à 12h et de 13h30 à 18h.

Ce domaine, un des plus importants en surface de l'appellation, se trouve au cœur du terroir de Jurançon, sur des demi coteaux de plus en plus soigneusement cultivés. Marion Latrille a pris en charge les vinifications et cela se sent dans la précision et la finesse de tous les types de vins produits en 2008, à Jolys comme à Jurques.

JURANÇON 2008
Blanc liquoreux | 2011 à 2016 | 8,50 € **14/20**
Robe pâle, nez fruité, net, pur, peu passerillé en bouche mais d'un bouquet de citron élégant et facile à apprécier. Bon point de départ pour apprécier le cru.

JURANÇON CUVÉE JEAN 2008
Blanc liquoreux | 2013 à 2017 | 13 € **17/20**
Parfait moelleux et expression pure et complète du terroir dans une année difficile mais moins perturbée que chez d'autres. Finale saline remarquable.

JURANÇON SEC PAULINE 2008
Blanc | 2011 à 2014 | 12 € **14,5/20**
Largement doré, fait avec du raisin mûr, type de sec très gras et naturel, mais précis dans ses arômes et sa fin de bouche.

CHÂTEAU JONC-BLANC

24230 Vélines
Tél. 05 53 74 18 97 • Fax : 05 53 74 18 97
jonc.blanc@free.fr
Visite : Sur rendez-vous uniquement

Isabelle Carles et Franck Pascal sont aux commandes depuis le début de ce millénaire et ils sont en agriculture bio, ce qui permet de donner aux vins un grand naturel, les blancs échappent aux stéréotypes pêche blanche ou jaune souvent trop exubérants. Cette couleur donne le ton avec un zeste d'avance sur les rouges, qui sont en progrès depuis le millésime 2007.

BERGERAC CLASSIK 2007
Rouge | 2010 à 2016 | 8,50 € **14,5/20**
Ce vin a du fond et une juste concentration, il s'affirme pleinement sur une pièce de bœuf.

BERGERAC LE SENS DU FRUIT 2007
Rouge | 2010 à 2013 | 6,50 € **14/20**
Fruits rouges, avec une pointe florale, ce vin a des tanins croquants bien construits.

MONTRAVEL 2008
Blanc | 2010 à 2013 | 16 € **15,5/20**
Bouche miellée, avec un zeste d'orange et des accents de menthe, on a un naturel rafraîchissant.

MONTRAVEL LE SENS DU FRUIT 2009
Blanc | 2010 à 2013 | 6,50 € **14/20**
Beaucoup de naturel pour ce vin aux accents de poire et de réglisse, à la trame fraîche et coulante.

CLOS LE JONCAL

Le Joncal • 24500 Saint-Julien-d'Eymet
Tél. 05 53 61 84 73 • Fax : 05 53 61 84 73
rolandtatarddujoncal@gmail.com
www.closlejoncal.com
Visite : en semaine, de 9h à 12h et de 15h à 19h (sur rendez-vous)

BERGERAC SEC 2008
Blanc | 2010 à 2012 | 14 € **13/20**
Très pamplemousse, ce vin est avenant et coulant.

BERGERAC SEC 2007
Blanc | 2010 à 2012 | 14 € **14/20**
Bouche riche à l'attaque, avec des pointes florales et de la mirabelle, fin rafraîchissante.

CLOS D'UN JOUR

Le Clos d'un Jour • 46700 Duravel
Tél. 05 65 36 56 01 • Fax : 05 65 36 56 01
s.azemar@wanadoo.fr • leclosdunjour.blogg.org
Visite : De 9h à 19h tous les jours

En très peu de temps, cette toute petite propriété arrive au sommet de son appellation en suivant les exemples de haute viticulture des meilleurs vignerons du Sud-Ouest : Véronique et Stéphane Azemar vont même plus vite que leurs pairs en proposant sous l'intrigant nom de Un-Jour-sur-Terre une étonnante cuvée de rouge élevée, en effet, comme on le faisait au temps des Romains, dans des jattes en terre cuite. L'objectif est d'obtenir un échange d'oxygène utile au vin sans l'apport aromatique inévitable du bois. Un-Jour est en général plus corsé et plus long à se faire qu'Un-Jour-sur-Terre. Le 2007 est dans la lignée.

CAHORS UN JOUR 2007
Rouge | 2015 à 2022 | 13 € **15/20**
Grande couleur, vin intense, de caractère rustique mais de forte authenticité, à faire impérativement vieillir.

CAHORS UN JOUR SUR TERRE 2007
Rouge | 2013 à 2019 | 13 € **14,5/20**
Moins chargé en matière que Un-Jour mais riche, généreux dans sa finale, avec la même authenticité de caractère.

CHÂTEAU DE JURQUE

Société Latrille - 33 A, route de la Chapelle-de-Rousse
64290 Gan
Tél. 05 59 21 72 79 • Fax : 05 59 21 55 61
chateau.de.jurque@orange.fr
www.chateau-jolys.com
Visite : La semaine de 8h à 12h et de 13h30 à 17h

Cette propriété a été reprise en main et replantée par la famille Latrille de Château Jolys, sur des terres classiques du hameau même de Jurançon. Les vins ont révélé un charme aromatique encore supérieur à Jolys dans un style très technique et moderne. Les progrès se poursuivent en 2008, avec un ensemble sans faute et capable de séduire un large public.

Jurançon Sec Émotion 2008
Blanc | 2011 à 2014 | 15 € **15/20**
Robe or vert, nez d'agrumes fort net et élégant, excellente vinification, marquant pour le cru une nouvelle étape.

Jurançon Sec Fantaisie 2008
Blanc | 2011 à 2013 | 9,40 € **14,5/20**
Il porte bien son nom avec ses arômes espiègles et un peu exotiques de pamplemousse, mais avec beaucoup de charme. Modernisation réussie, équilibre fait pour l'apéritif.

Jurançon Séduction 2008
Blanc liquoreux | 2013 à 2018 | 13,80 € **16/20**
Boisé lactique encore un peu dominant, excellente acidité et finale saline du meilleur effet, terroir de classe, moelleux moderne capable de séduire, il porte bien son nom.

DOMAINE LABRANCHE-LAFFONT

Domaine Labranche-Laffont
32400 Maumusson-Laguian
Tél. 05 62 69 74 90 • Fax : 05 62 69 76 03
labranchelaffont@aol.com
Visite : Du lundi au samedi, de 9h30 à 12h30 et de 14h à 19h

Christine Dupuy a porté à un niveau fort honorable de qualité cette propriété qui ne dispose pas des terroirs les plus faciles à travailler. Elle produit à partir d'une viticulture exemplaire des vins charnus, réguliers, un rien rustiques, avec une perle rare, une très vieille vigne largement centenaire dont les pieds produisent un nectar à la texture très veloutée. Le suivi d'une année sur l'autre est exemplaire, même dans des années de petite récolte en raison d'accidents climatiques comme en 2007 ou 2008. Heureusement pour elle, 2009 retrouve la normalité.

Madiran Vieilles Vignes 2008
Rouge | 2012 à 2016 | 13,50 € **14,5/20**
L'année fut dure ici (grêle terrible) et le tanin s'en ressent mais cette cuvée présente un corps et des possibilités de garde miraculées. Du beau travail.

CHÂTEAU LACAPELLE CABANAC

46700 Lacapelle-Cabanac
Tél. 05 65 36 51 92 • Fax : 09 70 62 11 04
contact@lacapelle-cabanac.com
www.lacapelle-cabanac.com
Visite : lundi, mardi, jeudi et vendredi 14h-18h mercredi 9h-12h30. Week-end sur rendez-vous

Le village de Lacapelle-Cabanac dispose d'un des plus grands terroirs de l'appellation, sur le Causse, permettant au raisin de bien mûrir dans tous les millésimes, même en année de sécheresse. Les vins ont la trame et la droiture caractéristiques du calcaire, avec le départ d'arôme de truffe attendu.

Cahors malbec Original 2007
Rouge | 2015 à 2022 | 14,45 € **16/20**
Beau nez de prune, vin complet, grande matière, tanin authentique sans rusticité, long, complexe, issu d'un terroir de grande valeur.

Cahors malbec XL 2007
Rouge | 2012 à 2017 | 12,27 € **14/20**
Beaucoup de puissance et de tension, réduction marquée, vin de caractère.

CHÂTEAU LADESVIGNES

Ladesvignes • 24240 Pomport
Tél. 05 53 58 30 67 • Fax : 05 53 58 22 64
chateau.ladesvignes@wanadoo.fr
www.ladesvignes.com
Visite : en semaine, de 9h à 12h et de 13h30 à 18h week-end sur rendez-vous

Ce domaine regroupe de belles cuvées en rouge comme le Pétrocore, dense et suave, et le Velours-Rouge, plus souple. L'essentiel de la production est consacrée à des monbazillacs frais, subtils et bien proportionnés. La cuvée Domaine toujours fraîche et une cuvée Automne réalisée les grandes années avec ce qu'il faut de passerillage, comme en 2003 et 2005. La vue du château sur la vallée de la Dordogne est splendide.

Côtes de Bergerac Pétrocore 2006
Rouge | 2010 à 2015 | 8,70 € **14,5/20**
Les tanins légèrement enveloppés et le fruité bien intégré s'expriment, à condition de carafer le vin deux heures avant le service.

Côtes de Bergerac Velours Rouge 2006
Rouge | 2010 à 2013 | 7 € **14/20**
Ce millésime difficile est bien maîtrisé, avec juste ce qu'il faut de maturité et des tanins élégants de bonne longueur.

Monbazillac Automne 2005
Blanc Liquoreux | 2010 à 2019 | 14,50 € **15/20**
Ce vin tient toujours le haut du bouchon, il se révèle séduisant avec ses accents de mangue, d'abricot confit, de miel et une matière concentrée avec ce qu'il faut de fraîcheur.

CHÂTEAU LAFFITTE-TESTON

32400 Maumusson
Tél. 05 62 69 74 58 • Fax : 05 62 69 76 87
info@laffitte-teston.com • www.laffitte-teston.com
Visite : Du lundi au samedi, de 9h à 12h30 et de 13h30 à 19 h.

Jean-Marc Laffitte a mis au point un style de vin fort original dans le Madiranais, en privilégiant, pour les rouges, la finesse du tanin et l'équilibre, et pour les pacherencs, un type de vin sec mais élaboré avec des raisins pleinement mûrs. Il a très bien réussi dans les deux cas et sans doute encore plus en blanc, avec sa célèbre cuvée Éricka qui domine encore aujourd'hui la production locale. Sa fille Éricka prend peu à peu sa suite, avec la même philosophie. Les 2008 blancs restent des modèles du genre. Les rouges ont souffert hélas de la grêle.

Pacherenc du Vic Bilh Rêve d'Automne 2008 ☺
Blanc liquoreux | 2013 à 2018 | 9,90 € **15/20**
Beaucoup de fraîcheur et de netteté, vinification adroite et très en progrès pour cette catégorie, sans recherche frénétique de sucre.

Pacherenc du Vic Bilh Sec Ericka 2009
Blanc | 2012 à 2016 | 9,10 € **16/20**
Magnifique arôme d'agrumes, remarquable précision dans la vinification, un exemple pour l'appellation.

DOMAINE LAFFONT

32400 Maumusson
Tél. 05 62 69 75 23 • Fax : 05 62 69 80 27
pierre@domainelaffont.fr
Visite : Sur rendez-vous

Pierre Speyer, d'origine belge, personnage fort attachant par son énorme sensibilité est un fou de grand vin et il tente en permanence l'impossible dans sa toute petite propriété (quatre hectares) de Maumusson : cela casse parfois mais quand cela passe, cela donne des vins d'une folle générosité de caractère, d'un éclat et d'une longueur en bouche qui font qu'on ne les oublie pas. Hélas ses déesses protectrices Hécate et Érigone n'ont pas empêché une méchante grêle de ravager le vignoble par deux fois en 2007 et 2008, ne lui permettant pas de produire le grand vin habituel. Mais il faut soutenir la flamme du vigneron en lui achetant tout ce que l'on peut dans son stock antérieur.

Madiran Érigone 2007
Rouge | 2013 à 2017 | 12,40 € **14,5/20**
Vin très puissant, au tanin ferme, sauvage mais sans vulgarité, plein de caractère mais à réserver pour les gibiers en raison de sa force.

CHÂTEAU LAGREZETTE

Domaine de Lagrézette • 46140 Gaillac
Tél. 05 65 20 07 42 • Fax : 05 65 20 06 93
adpsa@lagrezette.fr • www.chateau-lagrezette.tm.fr
Visite : De 10h à 18h.

Cru vedette de Cahors, Lagrezette est avant tout une œuvre de mécénat : Alain-Dominique Perrin y a mis beaucoup de sa fortune personnelle pour créer puis entretenir une propriété modèle dans une appellation en proie à tous les doutes et toutes les démissions. Avec l'aide de Michel Rolland, il a révolutionné le goût et la texture des vins de la région en recherchant une maturité plus poussée du raisin et un élevage plus luxueux. Une cuvée de printemps, à boire jeune, permet d'attendre le cahors normal et le vin de prestige Le-Pigeonnier, ce dernier exigeant sept à huit ans de bouteilles pour digérer complètement son boisé. Le cru continue à donner l'exemple d'une viticulture disciplinée (même si légèrement moins perfectionniste qu'il y a quelques années) et d'une vinification luxueuse, ambitieuse, digne du patrimoine du terroir.

Cahors 2007
Rouge | 2015 à 2019 | 17 € **15/20**
Franc de goût, équilibré dans sa puissance, robe très colorée, tanin très ferme, un classique du genre, fait pour la garde.

Cahors Dame d'Honneur 2007
Rouge | 2014 à 2020 | 35 € **16/20**
Beaucoup de vinosité et de force, boisé sensible, tanin ferme, style recherché et complètement assumé dans son côté «bordelais».

CHÂTEAU LAMARTINE

Lamartine • 46700 Soturac
Tél. 05 65 36 54 14 • Fax : 05 65 24 65 31
chateau-lamartine@wanadoo.fr
www.cahorslamartine.com
Visite : 9h-12h et 14h-18h30 du lundi au samedi.

Cette propriété impeccablement tenue donne la mesure du secteur de Soturac, sur des terres essentiellement situées sur la terrasse la plus qualitative de l'appellation. Les vins un peu austères à leur naissance développent en bouteille beaucoup de finesse : la Cuvée-Particulière présente l'équilibre le plus satisfaisant avec le boisé, même si elle naît moins corsée que la cuvée Expression. En 2008, comme dans les années précédentes, cette dernière est celle qui finit le mieux en bouteille, ce qui est rassurant, avec la droiture et la finesse propres à cette propriété. Le cahors de base pourrait avoir plus de caractère.

Cahors Expression 2007
Rouge | 2013 à 2019 | 21 € — **15/20**

Beau nez puissant de prune et de chocolat noir, vineux, tanin bien enrobé, égal à lui même.

CLOS LAPEYRE

La Chapelle-de-Rousse - Chemin du Couday
64110 Jurançon
Tél. 05 59 21 50 80 • Fax : 05 59 21 51 83
contact@jurancon-lapeyre.fr
www.jurancon-lapeyre.fr
Visite : Du lundi au vendredi, de 8h30 à 12h30 et de 14h à 18h. Samedi 14h-18h. Dimanche sur rendez-vous

Jean-Bernard Larrieu fait partie de l'élite des vignerons de Jurançon, appellation qui a de la chance avec ses meilleurs producteurs. Il pratique une viticulture très propre et vinifie habilement les secs et les liquoreux. Quelques irrégularités étaient apparues au milieu des années 1990, ce n'est plus qu'un souvenir. À leur meilleur, le bouquet de ses vins développe puissamment les arômes de truffe blanche ou noire (selon les millésimes) propres aux terroirs de La-Chapelle-des-Rousses, les plus originaux du secteur. Ses vins blancs secs se distinguent de la plupart par leur vigueur et leur fort mais remarquable goût de terroir. Mais ce ne sont pas des vins «primeurs».

Jurançon La Magendia 2006
Blanc liquoreux | 2016 à 2023 | 16,50 € — **15/20**

Riche mais d'une indomptable acidité qui le rend un peu sauvage pour le moment ! L'année le marque mais dans dix ans ce sera une autre affaire !

Jurançon Lapeyre 2008
Blanc liquoreux | 2015 à 2020 | 11,50 € — **14/20**

Franc, droit, très net mais encore jeune ! Un peu plus de fruité ne lui nuirait pas.

Jurançon Sec Mantoulan 2008
Blanc | 2016 à 2023 | 17 € — **17/20**

Le sec le plus personnel et le plus complexe de toute notre dégustation, d'une vigueur sans concession à la mode, et capable de truffer noblement dans huit à dix ans.

Jurançon Sec Vitatge Vielh 2006
Blanc | 2013 à 2018 | 12 € — **13,5/20**

Puissant, avec une amertume presque tannique à fondre. Très sec, tendu et jeune. Attendre.

CAMIN LARREDYA

Rousse • 64110 Jurançon
Tél. 05 59 21 74 42 • Fax : 05 59 21 76 72
jm.grussaute@wanadoo.fr • www.caminlarredya.fr
Visite : Sur rendez-vous.

Voici une excellente source pour les vins demi-moelleux et moelleux, au caractère classique et assez rapides à se développer en bouteille. Les meilleures «terrasses» donnent même un vin exceptionnellement riche et subtil et de prix encore fort accessible. Jean-Marc Grussaute convertit progressivement son vignoble à la viticulture biodynamique et affine à chaque nouveau millésime un style de vin déjà très assuré. En raison d'une méchante grêle, sa production de 2008 sera très réduite et il ajoute une activité de négoce d'achat de raisin pour fournir sa clientèle.

Jurançon Au Capcéu 2007
Blanc liquoreux | 2013 à 2019 | 18 € — **16,5/20**

Grande concentration et fort passerillage, long, extraverti, idéal sur le foie gras de canard poêlé.

Jurançon Sec A l'Esguit 2008
Blanc | 2012 à 2016 | 12 € — **15/20**

Joli nez citronné, beaucoup de finesse, de pureté et de fraîcheur, sans trop de sollicitation aromatique du raisin, fait pour l'apéro !

CHÂTEAU LAULERIE

Le Gouyat • 24610 Saint-Méard-de-Gurçon
Tél. 05 53 82 48 31 • Fax : 05 53 82 47 64
cointac@vignoblesdubard.com
www.vignoblesdubard.com
Visite : en semaine 8h-12h et 14h-18h
samedi sur rendez-vous.

Le vignoble s'étend sur les coteaux qui dominent la rive droite de la Dordogne, dans la partie ouest de l'aire d'appellation Bergerac. Ce domaine prévaut pour ses cuvées de montravel, notamment celles de la Comtesse-de-Ségur, dans lesquelles ne rentrent que les vignes anciennes à faible rendement, situées sur les parcelles les mieux exposées.

Montravel 2009

Blanc | 2010 à 2012 | 4,90 € 13/20

Un blanc sec fringuant et lampant pour le casse-croûte.

Montravel Comtesse de Ségur 2009

Blanc | 2010 à 2013 | 8,90 € 14/20

Du tranchant en bouche sur fond d'agrumes, ce montravel se met bien en place.

Montravel Comtesse de Ségur 2008

Rouge | 2011 à 2016 | 9,90 € 14/20

Nez immédiat de fruits noirs avec une pointe de poivron rouge en fin, la bouche est agréable et de bonne longueur.

CHÂTEAU LAUROU

2250, route de Nohic • 31620 Fronton
Tél. 05 61 82 40 88 • Fax : 05 61 82 73 11
guy.salmona@wanadoo.fr
Visite : tous les jours sur rendez-vous

Guy Salmona est devenu vigneron en 1997, après une première carrière dans l'informatique, mais il a vite pris les bons réflexes, au point d'être élu président du syndicat d'appellation. Ses vins sont de bons représentants de l'appellation, on les apprécie pour leur charme fruité.

Fronton Délit d'Initiés 2008

Rouge | 2010 à 2013 | 8 € 13/20

Un vin puissant et expressif, très typé négrette. La bouche est ronde, les tanins souples, mais on apprécierait un supplément de corps et de tension.

Fronton Tradition 2008

Rouge | 2010 à 2013 | 5,50 € 12,5/20

Un fronton traditionnel, comme son nom l'indique, au fruité rouge, aux tanins souples.

CHÂTEAU LES MERLES

Les Merles • 24520 Mouleydier
Tél. 05 53 63 43 70
alain.lajonie@wanadoo.fr

Pecharmant L'Envol 2008

Rouge | 2010 à 2014 | 8,50 € 14,5/20

Nez mêlant fruits et épices, bouche gourmande avec des tanins juteux.

CHÂTEAU MOLHIÈRE

La Moulière • 47120 Duras
Tél. 05 53 83 70 19 • Fax : 05 53 83 07 30
molhiere@wanadoo.fr
Visite : De 9h à 19h.

Côtes de Duras cuvée Pierrot 2005

Rouge | 2010 à 2013 | 15 € 15/20

Charnue, puissante et bien constituée, cette petite cuvée, issue de bas rendements et élevée en barrique de chêne, révèle un nez riche de confiture de mûre et de pruneau ainsi qu'une trame savoureuse.

Côtes de Duras Les Maréchaux 2006

Rouge | 2010 à 2011 | 6,80 € 13,5/20

Assez simple d'expression, avec un fruit fondu et des notes de vanille, une bouche franche, fruitée et fraîche, cette cuvée est agréable à boire dès à présent.

Côtes de Duras Terroir des Ducs 2008
Blanc | 2010 à 2012 | 5 € **13/20**
Un blanc amusant et expressif avec ses arômes de résineux, miel et fruits blancs, sa bouche rondouillarde, fruitée et bien vive.

CHÂTEAU MONESTIER LA TOUR

La Tour • 24240 Monestier
Tél. 05 53 24 18 43 • Fax : 05 53 24 18 14
contact@chateaumonestierlatour.com
www.chateaumonestierlatour.com
Visite : De 9h à 12h et de 14h à 17h
(dégustations sur rendez-vous)

Le château a été adroitement et magnifiquement restauré par un riche mécène belge, Philippe Haseth-Möller, qui a demandé à Stéphane Derenoncourt de superviser les vinifications : si des progrès louables ont été effectués, nous sommes plus convaincus par les rouges de bonne maturité que par les blancs manquant de définition.

Bergerac Château Monestier La Tour 2008
Rouge | 2012 à 2017 | 10 € **14,5/20**
Nez d'encre et de cassis, il y a une belle matière avec un élevage qui pour l'instant domine, il faut lui laisser le temps.

Bergerac Sec Tour de Monestier 2009
Blanc | 2011 à 2013 | 6,45 € **14/20**
Le vin se met en place, il parait plus équilibré que lors des millésimes précédents.

Côtes de Bergerac Émily 2008
Rouge | 2011 à 2016 | 15 € **14,5/20**
Vin aux accents de fruits noirs et d'épices, bouche intense et charpentée, avec des tanins qui commencent à s'arrondir.

DOMAINE MONT RAMÉ

47120 Duras
Tél. 05 53 83 70 78 • Fax : 05 53 83 70 78
manuel.baritaud@domainemontrame.com
www.domainemontrame.com
Visite : Sur rendez-vous (06 66 41 77 00)

Côtes de Duras 2009
Blanc | 2010 à 2011 | 10 € **14/20**
Robe d'un joli jaune paille, le boisé est présent au nez. Sa bouche est dense, avec de la vivacité.

Côtes de Duras 2007
Blanc | 2010 à 2011 | 10 € **13/20**
Du sauvignon fermenté en barrique et élevé sur lies pour ce blanc riche et épanoui, aux arômes assez complexes, miellés, vanillés, beurrés et fruits blancs, à la bouche chaleureuse, mûre, un peu marquée par le boisé.

CHÂTEAU MONTDOYEN

Lieu-dit Le Puch - Château Montdoyen
24240 Monbazillac
Tél. 05 53 58 85 85 • Fax : 05 53 61 67 78
contact@chateau-montdoyen.com
www.chateau-montdoyen.com
Visite : De 9h30 à 17h30.

Côtes de Bergerac Tout Simplement 2008
Rouge | 2010 à 2015 | 17 € **14/20**
Nez profond de fruits noirs compotés, la bouche est ronde avec des tanins gourmands.

CHÂTEAU MONTUS – CHÂTEAU BOUSCASSÉ

32400 Maumusson-Laguian
Tél. 05 62 69 74 67 • Fax : 05 62 69 70 46
contact@brumont.fr • www.brumont.fr
Visite : Du lundi au samedi, de 8h à 13h
et de 14h à 19 h.

Les terroirs incomparables de Montus et la Tyre permettent la maturation optimale du tannat, encore faut-il savoir porter, par la vinification et l'élevage, au plus haut niveau le potentiel du terroir. Les vins sont monumentaux, avec une force et une violence évidentes mais complètement domptées et sous contrôle, ce qui est un véritable tour de force. Les blancs du Pacherenc ont la même fougue, la même complexité, le même luxe dans leur élaboration et frapperont certainement l'imaginaire de nombreux amateurs. Bouscassé, aux installations techniques tout aussi monumentales et perfectionnées, donne un madiran de plus en plus généreux et harmonieux et des pacherencs exemplaires. L'ensemble de ces domaines constitue sans doute le sommet actuel de la viticulture du Sud-Ouest mais Alain Brumont nous réserve de sacrés surprises pour l'avenir, encore à l'état d'essais, qui devraient préfigurer le madiran de la prochaine génération.

Madiran Bouscassé 2008
Rouge | 2013 à 2018 | env 13,50 € **15,5/20**
Remarquable maturité de raisin pour l'année, de l'onctuosité, de la force et un terroir parfaite-

ment lisible. Madiran Tradition de grande envergure.

Madiran Château Montus 2008

Rouge | 2014 à 2020 | env 20,40 € — 17/20

Onctuosité remarquable, boisé parfaitement intégré, immenses proportions, le grand madiran moderne et universel, sans rien renier de ses origines.

Madiran La Tyre 2008

Rouge | 2016 à 2020 | env 95 € — 16/20

Nous ne lui avons pas trouvé sa qualité habituelle de tanin mais son côté monumental est bien présent. Mais faut-il la mettre dans les mains des amoureux de la marque dans cet état ?

Madiran Montus Prestige 2008

Rouge | 2016 à 2020 | env 42,40 € — 17,5/20

Résurrection pour 2008 de la cuvée Prestige et on le comprend tant sa générosité, son harmonie et sa longueur marqueront les esprits. Le vin est plus équilibré que La-Tyre.

Pacherenc du Vic Bilh Bouscassé Brumaire 2008

Blanc Liquoreux | 2013 à 2020 | env 20,10 € — 17/20

Une richesse et une onctuosité qui le classent à part, un rôti remarquable du raisin et beaucoup d'avenir.

DOMAINE DU MOULIN

Chemin des Crêtes • 81600 Gaillac
Tél. 05 63 57 20 52 • Fax : 05 63 57 66 67
domainedumoulin81@orange.fr
www.ledomainedumoulin.com
Visite : Tous les jours de 9h à 12h et de 14h à 19h .

Gaillac Florentin 2008

Rouge | 2010 à 2015 | 20 € — 15,5/20

Le jeune Nicolas Hirissou nous bluffe régulièrement dans nos dégustation à l'aveugle avec sa cuvée Florentin, une micro cuvée de pur braucol, au fruité noir cassissé et concentré, avec en bouche des tanins enrobés et une finale fraîche. Le reste de la gamme est plus simple.

CHÂTEAU MOULIN CARESSE

1235, route de Couin
24230 Saint-Antoine-de-Breuilh
Tél. 05 53 27 55 58 • Fax : 05 53 27 07 39
moulin.caresse@cegetel.net
www.pays-de-bergerac.com/vins/chateau-moulin-caresse
Visite : en semaine, de 9h à 12h et de 14h à 18h
week-end sur rendez-vous

Une verticale des montravels rouges du domaine de 2001 à 2009 donne un bel aperçu de ce Moulin-Caresse qui monte en puissance sur les derniers millésimes, avec un 2008 superbe. Pilier de la toute jeune appellation Montravel, Jean-François Deffarge est un viticulteur talentueux qui semble trouver progressivement son style, et sa nouvelle cuvée Cœur-de-Roche deviendra une référence pour le Bergeracois.

Bergerac Magie d'Automne 2009

Rouge | 2011 à 2014 | env 7,50 € — 15,5/20

Tanins pulpeux et gourmands, bouche de bonne longueur, on prend déjà beaucoup de plaisir.

Montravel 100 pour Cent 2008

Rouge | 2012 à 2020 | 13,50 € — 17,5/20

Nez vertigineux de myrtille, de mûre et d'eucalyptus, les tanins sont à la fois longs, tendus, enrobés, soyeux et juteux, avec une belle fin menthée. C'est le vin du millésime !

Montravel 100 pour Cent 2007

Rouge | 2010 à 2016 | 13,50 € — 15,5/20

Tanins souples, sur fond de fruits rouges, ce vin de bonne longueur commence à trouver ses marques et surtout respecte le millésime.

Montravel 100 pour Cent 2007

Blanc | 2010 à 2014 | 13,50 € — 15,5/20

Nez d'agrumes avec une petite touche saline, bouche tendue juste ce qu'il faut.

Montravel Cœur de Roche 2009

Rouge | 2013 à 2020 | NC — 17,5/20

Cette nouvelle cuvée vendangée à la main d'après une sélection des meilleurs terroirs promet beaucoup par sa profondeur et son dessin précis des tanins. Elle n'est pour l'instant que dans ses langes.

DOMAINE MOUTHES LE BIHAN

Mouthes • 47120 Saint-Jean-de-Duras
Tél. 05 53 83 06 98 • Fax : 05 53 89 62 70
contact@mouthes-le-bihan.com
www.mouthes-le-bihan.com
Visite : De 9h à 18h lundi et jeudi, les autres jours sur rendez-vous.

Chez Catherine et Jean-Mary Le Bihan, les vignes sont travaillées à l'ancienne, labourées, sans d'engrais ni désherbant chimique. Leur cuvée Les-Apprentis, issue des meilleures vignes de rouge, et leur blanc de prestige, Perette-et-les-Noisetiers, constituent le sommet actuel de la qualité en Côtes de Duras.

Côtes de Duras La Pie Colette 2007
Rouge | 2010 à 2012 | 6,50 € **13,5/20**
Nez pur et exubérant, entièrement axé sur le fruit. Bouche charnue, tout aussi aromatique, tendre et fraîche pour cette cuvée facile à boire.

Côtes de Duras La Pie Colette 2006
Rouge | 2010 à 2012 | 6,50 € **14/20**
Une cuvée de pur merlot généreusement fruitée, gouleyante, très facile à boire. Parfait vin d'été.

Côtes de Duras Les Apprentis 2007
Rouge | 2010 à 2016 | 17 € **15,5/20**
Robe sombre et profonde. Nez complexe, très fruité. Bouche ample, bien structurée, finissant sur des tanins d'une grande finesse.

Côtes de Duras Pérette et les Noisetiers 2008
Blanc | 2010 à 2014 | 25 € **16/20**
Belle exubérance au nez. Bouche dense, complexe, aromatique, du gras, bien enrobée. Joli vin.

Côtes de Duras Pérette et les Noisetiers 2005
Blanc | 2010 à 2013 | 25 € **16/20**
La robe commence à bien dorer, le nez développe des arômes de miel, rehaussés d'une discrète note de barrique. La vendange a été faite à haute maturité et la vinification a respecté la plénitude du raisin.

Côtes de Duras Vieillefont 2007
Rouge | 2010 à 2013 | 10 € **14,5/20**
Bien plus réussi que le 2006, ce vin développe un nez fin et épanoui, aux arômes de fruits noirs et de fleurs, une jolie bouche fondante, chaleureuse, avec une trame tannique suave qui tapisse bien le palais, et de la fraîcheur.

PARLANGE ET ILL

384, avenue Édouard-Herriot • 46000 Cahors
Tél. 06 37 68 86 25
contact@terroir-explorer.com
www.terroir-explorer.com
Visite : sur rendez vous.

Cahors Wineatic La Pièce 2008 ☺
Rouge | 2013 à 2018 | 9,50 € **14,5/20**
Petite entreprise de négoce nouvelle, à encourager vivement car ambitieuse et dévouée au terroir. Ce premier vin est droit, nerveux, avec un fruité d'autant plus intéressant qu'il n'est pas noyé dans le bois.

DOMAINE DU PETIT MALROMÉ

47120 Saint-Jean-de-Duras
Tél. 05 53 89 01 44 • Fax : 05 53 89 01 44
petitmalrome@wanadoo.fr
www.petitmalrome.com

Céleste Blanche 2009 ☺
Blanc | 2010 à 2012 | 5,10 € **13,5/20**
De jolies notes de sauvignon pour cette cuvée qui en est composée à 90 %. Les 10 % de sémillon se ressentent dans la bouche qui est agréable et équilibrée.

CHÂTEAU PIQUE-SÈGUE

Ponchapt • 33220 Port-Sainte-Foy
Tél. 05 53 58 52 52 • Fax : 05 53 58 77 01
chateau-pique-segue@wanadoo.fr
Visite : De 9h à 12h et de 14h à 17h en semaine

Déjà à la fin du XIXe siècle, le domaine était cité comme «l'une des plus belles exploitations du canton», avec la réputation d'élaborer les vins des meilleurs crus de Montravel et Bergerac. Philip et Marianne Mallard l'ont agrandi et remanié depuis 1990.

Bergerac 2007
Rouge | 2010 à 2012 | 4,66 € **12/20**
Le côté un peu végétal du vin sur fond de fruits rouges s'accorde avec un filet de cabillaud aux piquillos.

Montravel Subtilité 2009
Blanc | 2011 à 2016 | 4,66 € **14/20**
Les flaveurs d'abricot frais et de fleurs blanches offrent un nez charmeur, la bouche suit avec un fruité croquant.

MONTRAVEL TERRE DE PIQUE-SÈGUE, ANIMA VITIS 2007
Rouge | 2010 à 2013 | 13,60 € **15/20**
C'est fin et racé, avec un respect parfait du millésime qui ne pouvait pas donner plus.

DOMAINE PLAGEOLES

Très-Cantous • 81140 Cahuzac-sur-Vère
Tél. 05 63 33 90 40 • Fax : 05 63 33 95 64
vinsplageoles@orange.fr • www.vins-plageoles.com
Visite : septembre à juin, du lundi au samedi, de 8h à 12h et de 14h à 18 h. juillet et août, du lundi au samedi 8h-12h et 15h-19h30

Les Plageoles (Robert et Bernard, son fils) ont été à l'origine du renouveau du vignoble gaillacois, en faisant connaître dans toute la France toutes les variétés possibles du cépage mauzac. Tous les cépages sont ici vinifiés et mis en bouteille séparément, avec une grande régularité. Il ne faut pas manquer les 2009.

GAILLAC BRAUCOL 2009 ☺
Rouge | 2010 à 2015 | 7,80 € **15,5/20**
Très beaux tanins soyeux, fraîcheur aromatique mais également splendide équilibre de bouche. C'est un millésime somptueux pour découvrir le Gaillacois.

GAILLAC LEN DE LEL 2009 ☺
Blanc liquoreux | 2012 à 2019 | 10 € **16/20**
Marqué par son élevage, qui fait ressortir aujourd'hui des notes de coco et de vanille. Mais la bouche est d'une grande concentration, avec une liqueur bien équilibrée. On l'attendra.

GAILLAC MAUZAC ROUX 2009 ☺
Blanc liquoreux | 2010 à 2016 | 11 € **15,5/20**
Note de fruits très purs, cassonade. La bouche est concentrée, avec une agréable liqueur, élancée et fraîche. Très gourmand.

GAILLAC MUSCADELLE 2009
Blanc liquoreux | 2012 à 2024 | NC **16,5/20**
Bouche très liquoreuse. Arômes de fruits confits mais aussi une savoureuse note de poivre blanc. C'est un grand vin liquoreux.

GAILLAC ONDENC 2009 ☺
Blanc liquoreux | 2012 à 2019 | 10 € **16/20**
Dominé par les agrumes (jus de citron, citron confit), il est encore très jeune. L'élevage lui donne de savoureux arômes, mais sa vivacité équilibre bien sa liqueur. Bon potentiel.

GAILLAC PREMIÈRES CÔTES MAUZAC VERT 2009
Blanc | 2010 à 2015 | NC **15/20**
Grande pureté de fruit. C'est mûr, avec de francs arômes de fruits blancs.

GAILLAC PREMIÈRES CÔTES ONDENC 2009
Blanc | 2010 à 2015 | 11 € **14,5/20**
Plus floral, plus délicat que le mauzac vert. La bouche est plus tendue, avec de beaux amers en fin de bouche.

GAILLAC PRUNELARD 2009
Rouge | 2010 à 2015 | 16 € **15,5/20**
Fruité mûr et concentré, bouche charnue, tanins ronds. Grosse matière, le vin a encore besoin de se civiliser un petit peu.

GAILLAC SYRAH 2009
Rouge | 2010 à 2015 | NC **15/20**
Une syrah épicée, aux arômes de fruits noirs, avec de bons tanins, mais peut-être moins de subtilité et d'élégance que le duras ou le braucol.

GAILLAC VIN D'AUTAN 2007
Blanc Liquoreux | 2010 à 2022 | 50 € **16/20**
Notes de tisane (verveine), de gingembre, de fruits confits. En bouche, on retrouve de gourmands arômes de pomme au four, de pâte de fruits, une grande richesse de liqueur, bien équilibrée, mais sans la tension ni l'éclat des meilleurs cuvées de doux en 2009.

GAILLAC VIN DE VOILE 1999
Blanc | 2010 à 2024 | 25 € **16/20**
Nez complexe, racé, arômes nobles. Belles notes de fruit mûr, de curry aussi, de froment. C'est en bouche que la différence avec les jaunes jurassiens s'affirme, c'est un peu plus gras, un peu moins «sec». On n'a pas l'acidité des jaunes du Jura, on regarde plus vers les xérès d'Espagne.

VIN DE FRANCE MAUZAC NOIR 2009 ☺
Rouge | 2010 à 2015 | 7,80 € **15/20**
Bien concentré, arômes de fruits noirs mûrs, de chocolat. Il a des faux airs de merlot de rive droite bordelaise. La bouche est charnue, la finale fraîche.

PRODUCTEURS PLAIMONT

Route d'Orthez • 32400 Saint-Mont
Tél. 05 62 69 62 87 • Fax : 05 62 69 61 68
f.lhautapy@plaimont.fr • www.plaimont.com
Visite : Du lundi au samedi de 9h à 12h30 et de 14h30 à 19 h. Le dimanche de 14h à 18h.

Producteurs Plaimont est la marque de la coopérative la plus dynamique du Sud-Ouest et sans doute de France, celle qui a ressuscité les terroirs de Plaimont, jadis voués aux céréales ou aux vignes d'Armagnac, et su imposer largement leurs produits en France et à l'étranger. Le sens collectif des coopérateurs permet des sélections vraiment étonnantes, comme les blancs et les rouges du Faîte, Arte-Benedicte, le rouge superbe du Monastère (les vignes appartiennent aux célèbres sœurs Laborde, journalistes de télévision) et bien entendu les pacherencs de vendanges tardives.

MADIRAN MAESTRIA 2008
Rouge | 2012 à 2015 | 6,80 € **14/20**
Excellente modernisation du type simple de madiran, beaucoup de fruit et de souplesse mais sans perte de corps ou d'énergie.

PACHERENC DU VIC BILH SAINT-MARTIN 2008
Blanc liquoreux | 2013 à 2018 | 11,45 € **16/20**
Complet pour l'année, magnifique acidité entièrement préservée et fruité pur, sans lourdeur, malgré la richesse de la liqueur.

SAINT-MONT CHÂTEAU DE SABAZAN 2008
Rouge | 2012 à 2016 | 12,50 € **14,5/20**
Excellent velouté de texture, vin gras, tendre, très équilibré, vinifié avec soin.

SAINT-MONT EMPREINTE 2009
Blanc | 2018 à 2018 | 11,50 € **16,5/20**
Très expressif au nez et en bouche, remarquablement vinifié et sélectionné, un des sommets du millésime et la confirmation de la superbe forme de la cave.

SAINT-MONT HAUTS DE VERGELLES 2008
Blanc | 2011 à 2012 | 5,60 € **13 /20**
Très sollicité au nez dans la direction de notes d'agrumes très prononcées, rappelant les thiols de sauvignon, sympathique et vif, vin d'apéro.

SAINT-MONT LE FAÎTE 2008
Blanc | 2012 à 2016 | 15 € **14,5/20**
Assez riche, corps complet, du gras mais une finale saline du meilleur effet, vin de caractère.

SAINT-MONT MONASTÈRE 2008
Rouge | 2014 à 2018 | 14,50 € **14,5/20**
La vigne des sœurs Laborde a encore produit un vin complet, complexe, fortement tannique, qui devra digérer son bois.

SAINT-MONT PREMIUM DU MARQUIS DE SEILLAN 2008
Rouge | 2012 à 2015 | 4,80 € **14/20**
Notes poivrées au nez, épicé et plein en bouche, boisé bien intégré, ensemble simple mais plaisant, d'usage universel.

CHÂTEAU PLAISANCE

102, place de la Mairie • 31340 Vacquiers
Tél. 05 61 84 97 41 • Fax : 05 61 84 11 26
chateau-plaisance@wanadoo.fr
www.chateau-plaisance.fr
Visite : du mercredi au samedi 9h-12h et 15h-19h

Marc Penaveyre est un vigneron enthousiaste, qui porte haut les couleurs de son appellation et de son cépage local, la négrette. Ses vins ont une concentration et une gourmandise que l'on peut citer en exemples. Les 2008 et 2009 dégustés cette année sont d'une rare homogénéité, avec notamment une cuvée To-Ço-Que-Cal particulièrement intense.

FRONTON 2009
Rosé | 2010 à 2014 | 6,40 € **15/20**
Bon rosé concentré, au fruité fin et savoureux, à la bouche délicate et fraîche, bien équilibré. On attend avec impatience les terrasses ensoleillées.

FRONTON ALABETS 2009
Rouge | 2010 à 2015 | 10,70 € **15/20**
Cette pure négrette offre un fruité noir intense, une bouche charnue et des arômes de réglisse gourmands. Tanins fins et frais. C'est croquant de fruit.

FRONTON THIBAUT DE PLAISANCE 2008
Rouge | 2010 à 2018 | env 9,50 € **15,5/20**
Belle élégance, tanins fondus, texture crémeuse et savoureuse, fruité fin et frais, bel envol de la fin de bouche.

FRONTON TOT ÇÒ QUE CAL 2008
Rouge | 2010 à 2018 | env 16,90 € **16,5/20**
Robe d'encre. Le nez est du sirop de cassis frais. Bouche suave, tanins enrobés, finale gourmande et concentrée. Bravo !

CHÂTEAU PONZAC

Le Causse • 46140 Carnac-Rouffiac
Tél. 05 65 31 99 48 • Fax : 05 65 31 99 48
chateau.ponzac@wanadoo.fr
Visite : De 8h à 20h tous les jours

Mathieu Molinié et son épouse confirment à chaque millésime qu'ils sont deux des espoirs les plus brillants de l'appellation Cahors. Une viticulture très attentive et qui devrait en faire réfléchir beaucoup. Une belle précision de vinification révèle le potentiel des terroirs du Causse.

Cahors Éternellement 2008
Rouge | 2013 à 2019 | 14,50 € **15/20**
Beaucoup de fruit, texture généreuse, tanin assez fin, terroir marqué.

Cahors Éternellement 2007
Rouge | 2013 à 2019 | 14,50 € **15/20**
Bon boisé, vin de bonne vinosité, assez long, vendangé mûr, un peu d'austérité en finale. Ensemble racé.

DOMAINE PUY SERVAIN

Calabre • 33220 Port Sainte-Foy Ponchapt
Tél. 05 53 24 77 27 • Fax : 05 53 58 37 43
oenovit.puyservain@wanadoo.fr
www.puyservain.com
Visite : Du lundi au vendredi de 8h a 12h et de 14h a 18h samedi sur rendez-vous.

Haut-Montravel Terrement 2007
Blanc Liquoreux | 2010 à 2016 | 12,50 € les 50 cl **15,5/20**
Nez d'ananas frais, bouche longue avec une texture précise et raffinée se terminant sur les fruits exotiques, on évolue ensuite sur le miel et les épices.

Montravel cuvée Marjolaine 2009
Blanc | 2011 à 2013 | 8,80 € **13,5/20**
Coulant, sur un fruité croquant, ce vin offre un charme immédiat, mais peut bien évoluer.

Montravel Terrement 2008
Rouge | 2010 à 2015 | 8 € **14/20**
Nez fermé, mais on sent une belle matière en bouche et des tanins de qualité.

CHÂTEAU PUYPEZAT ROSETTE

Route de Rosette • 24100 Bergerac
Tél. 05 53 23 50 30 • Fax : 05 53 61 99 04
contact@chateau-puypezat.com
www.chateau-puypezat.com
Visite : du lundi au vendredi de 9h à 12h et de 13h à 19h

Rosette 2009
Blanc liquoreux | 2010 à 2013 | 10 € **14/20**
Nez de nougat et de fleurs blanches, la bouche est franche et coulante.

CHÂTEAU LA RAYRE

La Rayre • 24560 Colombier
Tél. 05 53 58 32 17 • Fax : 05 53 24 55 58
vincent.visselle@wanadoo.fr
www.chateau-la-rayre.fr
Visite : sur rendez-vous tous les jours

Monbazillac 2007
Blanc Liquoreux | 2010 à 2014 | 16 € **14/20**
Jolie matière miellée qui devrait s'affiner et s'affirmer avec l'élevage.

Monbazillac Premier Vin 2007
Blanc Liquoreux | 2010 à 2016 | 20 € **14/20**
Produite à 600 bouteilles, cette cuvée 100 % muscadelle offre une aromatique exubérante de pêche, de rose et d'épices, la bouche sur le fruit est croquante.

CHÂTEAU LE RAZ

24610 Saint-Méard-de-Gurçon
Tél. 05 53 82 48 41 • Fax : 05 53 80 07 47
vignobles-barde@le-raz.comewww.le-raz.com
Visite : en semaine, de 8h30 à 12h 15 et de 14h à 18h30 samedi sur rendez-vous

Montravel 2009
Blanc | 2010 à 2012 | 4,30 € **13/20**
Frais avec une dominante d'agrumes, ce vin s'offre déjà à nous.

Montravel cuvée Les Filles 2007
Rouge | 2010 à 2013 | 10 € **14,5/20**
On joue ici l'élégance et on respecte le millésime, avec une juste concentration et de la fraîcheur.

CHÂTEAU LA REYNE

Leygue • 46700 Puy-l'Évêque
Tél. 05 65 30 82 53 • Fax : 05 65 21 39 83
chateaulareyne@cegetel.net
chateaulareyne.unblog.fr
Visite : en semaine 9h-12h et 14h18h
week-end sur rendez-vous.

La famille Vidal gère avec beaucoup d'efficacité une propriété emblématique du renouveau de l'appellation Cahors. Elle sait donner au vin un côté moderne, par un tanin plus lisse et moins rustique, mais respecte la force et la valeur de superbes terroirs de troisième terrasse.

Cahors Grande Réserve 2008
Rouge | 2013 à 2019 | 6 € **15/20**
Vin très puissant et chaleureux, alcool perceptible, tanin velouté, très bien vinifié mais pas fait pour les mauviettes.

Cahors Le Prestige 2008
Rouge | 2014 à 2020 | 8 € **16,5/20**
Remarquable d'onctuosité et d'élan, plus de fondu que Grande-Réserve, exceptionnel départ dans la vie et vin à suivre de près.

CHÂTEAU RICHARD

24240 Monestier
Tél. 05 53 58 49 13
info@chateaurichard.com

Richard Doughty est l'un des pionniers de l'agriculture biologique en Bergeracois, et à ce titre ses vins arborent une pureté de fruit de bon aloi.

Bergerac cuvée Osée 2009
Rouge | 2011 à 2015 | 7,50 € **13,5/20**
On aime le naturel de ce vin composé de 55 % merlot, 40 % cabernet franc et 5 % cabernet-sauvignon, on reste sur les fruits rouges frais avec des tanins qui s'étirent progressivement.

RIGAL ET FILS

Château Saint-Didier • 46140 Parnac
Tél. 05 65 30 70 10 • Fax : 05 65 20 16 24
marketing@rigal.frewww.rigal.fr

Cahors Le Vin Noir 2008
Rouge | 2012 à 2018 | cav. 45 € **15,5/20**
Vinifié à l'ancienne, le vin noir est dense, d'une puissance rentrée qui se livre en finale. Réglisse forte, épices, la longueur est étonnante.

Cahors Les Pierres Blanches 2008
Rouge | 2010 à 2015 | 12 € **14/20**
Jolie cuvée avec des tanins étonnamment frais et soyeux. La fin de bouche appelle un deuxième verre.

Cahors Les Terrasses 2007
Rouge | 2012 à 2015 | 3,90 € **13,5/20**
Une vraie et bonne cuvée de négoce, pour la première fois depuis longtemps dans cette maison appartenant désormais au groupe Jeanjean. Le vin est équilibré et harmonieux.

Cahors Les Terres Rouges 2008
Rouge | 2010 à 2017 | 12 € **14,5/20**
Cette cuvée est ancrée dans le terroir, faite de puissance rentrée et de minéralité marquée. Un vin d'esthète.

LE ROC

1605 C, route de Toulouse - • 31620 Fronton
Tél. 05 61 82 93 90 • Fax : 05 61 82 72 38
leroc@cegetel.net • www.leroc-fronton.com
Visite : Du lundi au vendredi, sur rendez-vous, de 10h à 18h. Accueil sans rendez-vous le samedi.

Millésime après millésime, les vins de Frédéric Ribes présentent un supplément de parfum et de raffinement par rapport à ses pairs. Si les entrées de gamme expriment un charme fruité immédiat, dans leur jeunesse, les cuvées plus ambitieuses méritent généralement de patienter quatre à cinq ans minimum. Une adresse incontournable dans la région, car les prix restent très modérés.

Fronton Don Quichotte 2008
Rouge | 2010 à 2018 | 9 € **15,5/20**
Arômes élégants et raffinés, fruité cassis bien mûr, tanins fins, finale dynamique. C'est un millésime que l'on appréciera vite.

Fronton La Folle Noire d'Ambat 2009 ☺
Rouge | 2010 à 2015 | 6 € **15,5/20**
Grande intensité aromatique. Fruit noir, réglisse. La bouche est gourmande et bien juteuse, les tanins longs, cette pure négrette est croquante, explosive de charme.

Fronton La Saignée 2009
Rosé | 2010 à 2013 | 5 € **15/20**
Un rosé concentré, vineux, riche et puissant. Son intensité déplaira aux amateurs de rosé légers, il lui faut de la viande.

Fronton Réservée 2006
Rouge | 2010 à 2018 | 8 € **15,5/20**
Il faut l'aérer, pour que sa complexité aromatique se développe bien dans le verre. Bouche ronde et harmonieuse, structure tannique riche, un vin droit qui se bonifiera encore quelques années.

LES ROQUES DE CANA

Les Roques • 46140 Saint-Vincent-Rives-d'Olt
Tél. 06 10 30 56 95
domainelesroquesdecana@gmail.com
www.lesroquesdecana.com
Visite : Sur rendez-vous.

Beaucoup de moyens sont mis en œuvre ici pour vinifier cet important domaine de Saint-Vincent-Rive-d'Olt, avec des étiquettes singulières, bondieusardes mais qu'on n'oublie pas, ce qui est le signe du bon marketing ! Les premiers vins ont du caractère et le producteur ne cherche qu'à mieux faire.

Cahors Sanguis Christi 2008
Rouge | 2016 à 2020 | 33,50 € **15/20**
Beaucoup de puissance, boisé très marqué pour le moment (le malbec boise facilement), tanin ferme, complexe, vin ambitieux mais bien parti.

DOMAINE ROTIER

Petit-Nareye • 81600 Cadalen
Tél. 05 63 41 75 14 • Fax : 05 63 41 54 56
rotier.marre@domaine-rotier.com
www.domaine-rotier.com
Visite : du lundi au samedi de 9h à 12h et de 14h à 19h. fermé dimanche et jours fériés

Alain Rotier est le président de l'AOC Gaillac, et dirige en parallèle le domaine familial. Après plusieurs années d'essais, il a officiellement entamé une conversion à l'agriculture biologique. La gamme se décline en trois catégories : Initiale (des vins de négoce, vendus sous la marque Rotier), Gravels (en référence au terroir de graves de la propriété) et Renaissance (le haut de gamme).

Gaillac L'Âme 2007
Rouge | 2010 à 2022 | 22 € **16/20**
Nez très concentré, sur des notes de poivre intenses et de pâte de fruits noirs. La bouche est dense, riche, la texture veloutée et suave. Dans un millésime réputé pas très charnu comme 2007, c'est un joli pied-de-nez ! C'est un grand vin, mais le rapport qualité-prix joue en faveur de Renaissance.

Gaillac Les Gravels 2008
Rouge | 2010 à 2015 | 7,40 € **14,5/20**
Plus concentré, plus tannique, plus structuré que Initiales, la bouche offre une belle mâche, avec de la fraîcheur.

Gaillac Renaissance 2008
Blanc | 2010 à 2015 | env 9,60 € **14/20**
Bouche ronde et grasse, la vinification en barrique a apporté de l'épaisseur. Plaisant.

Gaillac Renaissance 2008
Blanc liquoreux | 2010 à 2015 | env 13,60 € **15/20**
Un équilibre un peu plus pataud que le 2007. Moins de nervosité, moins de fraîcheur, un fruité un peu plus lourd.

Gaillac Renaissance 2007
Rouge | 2010 à 2017 | 9,90 € **15,5/20**
Le nez respire le braucol, par ses notes concentrées de fruit noir (cassis) et d'herbes coupées. Intense, profond, les tanins sont bien enrobés, la texture suave, la finale concentrée. Un grand gaillac très civilisé par son élevage, sans note boisée ostentatoire, qui finit frais.

Gaillac Renaissance 2007
Blanc liquoreux | 2010 à 2017 | 13,60 € **15,5/20**
Jolie nez, typique des raisins botrytisés, sur la pâte de fruits et l'abricot sec. La bouche est bien liquoreuse, gourmande, avec un bon équilibre entre liqueur et fraîcheur. Très joli, même si ça n'a pas la tension ou la nervosité d'un 2009.

CHÂTEAU DE ROUSSE

La Chapelle-de-Rousse • 64110 Jurançon
Tél. 05 59 21 75 08 • Fax : 05 59 21 76 54
chateauderousse@wanadoo.fr
Visite : De 9h à 19h tous les jours

Un des classiques de Jurançon par la nature truffée du vin, au bouquet sensationnel et inoubliable, et pourtant encore fort peu connu à l'extérieur du canton de Gan. Le vignoble devant le château forme un parfait fer à cheval, aussi beau à voir que le vin est noble. Le panorama sur les Pyrénées vaut aussi le voyage. Le potentiel pour un grand cru est donc présent, comme le confirment les magnifiques moelleux 2008. Reste à savoir réussir les vinifications en sec.

Jurançon Séduction 2008

Blanc liquoreux | 2013 à 2019 | 15 € **17/20**

Robe dorée, parfait passerillage, beaucoup de race et d'allonge, un modèle de style. Le terroir parle.

Jurançon Tradition 2008

Blanc liquoreux | 2013 à 2020 | 8,50 € **17/20**

Complet et noblement racé, avec le départ de truffe inimitable de ce secteur de l'appellation, passerillage magnifique, grande ouverture de saveur.

CHÂTEAU DE SALETTES

Lieu-dit Salettes - • 81140 Cahuzac-sur-Vere
Tél. 05 63 33 60 60 • Fax : 05 63 33 60 61
salettes@chateaudesalettes.com
www.chateaudesalettes.com
Visite : été ouvert tous les jours
hiver fermé du lundi au mercredi.

Cette belle propriété appartient à la famille Derrieux, tout comme le Château de Lacroux, également sur Gaillac. Sur ce terroir argilo-calcaire, les vins supportent une vinification en barrique, ce qui leur donne une concentration supérieure, et un bon potentiel de garde sur quelques années.

Gaillac 2007

Rouge | 2010 à 2015 | 9,50 € **14,5/20**

Bonne structure tannique, un vin avec de la mâche et de gourmands arômes de fruits rouges et noirs, qui saura tenir tête à un canard. Ce n'est pas un millésime très charnu.

Gaillac L'Aoutouno 2006

Blanc liquoreux | 2010 à 2016 | 9,30 € **15,5/20**

La bouche est bien liquoreuse, sur des fruits blancs et jaunes confits. L'ensemble est frais et équilibré.

Gaillac Premières Côtes 2007

Blanc | 2010 à 2015 | 9,30 € **15/20**

Très floral, intense. La bouche est concentrée et gourmande, bien ronde, avec une belle palette aromatique. Bon équilibre. À boire légèrement chambré, pour bien profiter de sa palette florale puissante.

DOMAINE SERGENT

32400 Maumusson
Tél. 05 62 69 74 93 • Fax : 05 62 69 75 85
contact@domaine-sergent.com
www.domaine-sergent.com
Visite : Du lundi au samedi du 9h à 19h

Corinne Dousseau, qui gère ce domaine avec sa sœur, fait partie des meilleurs espoirs de l'appellation Madiran. Après avoir fait le tour du monde et en particulier vinifié en Nouvelle-Zélande à Dry River, petite propriété culte, elle vinifie désormais les vins du domaine familial avec beaucoup de précision. La cuvée de prestige provient d'une jeune vigne remarquablement située à proximité d'une des parcelles de Montus. Le vin est étonnant de plénitude, il faudra le suivre... La cuvée normale est plus souple, typique de son secteur.

Pacherenc du Vic Bilh 2009

Blanc | 2012 à 2016 | 5,50 € **14/20**

Robe pâle, belle netteté aromatique, amertume élégante en fin de bouche, vin très soigneusement fait.

DOMAINE DE SOUCH

805, chemin de Souch • 64110 Laroin
Tél. 05 59 06 27 22 • Fax : 05 59 06 51 55
domaine.desouch@neuf.fr
Visite : du lundi au samedi, 8h30-12h30 et 14h-18h30
dimanche sur rendez-vous

Yvonne Hegoburu, octogénaire d'une vitalité encore étonnante et amoureuse du vin vrai et pur, réussit de façon unique les grandes cuvées de moelleux qui n'ont aujourd'hui aucun équivalent en puissance et en originalité d'expression. Le vignoble est cultivé de la façon la plus noble, s'inspirant de l'école biodynamique. On se ruera sur les sublimes cuvées Pour-René et Marie-Kattalin, avec leur irrésistible nez de truffe. Un nouveau jeune régisseur a vinifié pour la première fois en 2008. Mais il n'a pu éviter un développement en fin d'élevage d'une amertume et d'une acidité liées à une vendange difficile et très petite en volume, à cause de la grêle. Les splendides moelleux 2007 sont toujours en vente, heureusement, en petites quantités.

Jurançon Domaine de Souch 2007

Blanc liquoreux | 2013 à 2019 | 21 € **16,5/20**

La truffe blanche pointe son nez, avec un équilibre étonnant, encore un peu d'austérité en raison de la densité de texture, terroir racé.

Jurançon Mary Kattalin 2007
Blanc liquoreux | 2014 à 2019 | 26 € **17,5 /20**
Toujours aussi étonnant, grande finale citronnée, finesse et pureté superlatives. Il permettra d'attendre les 2009, car ici 2008 a souffert d'une méchante grêle.

Jurançon Sec 2009
Blanc | 2013 à 2017 | 18 € **16/20**
Après mise, le vin a retrouvé sa forme, très net, ample, dense, concentré, parfaitement équilibré en acidité et sans amertume finale (excellent pressurage du raisin).

CLOS THOU

Chemin Larredya • 64110 Jurançon
Tél. 05 59 06 08 60 • Fax : 05 59 06 87 81
clos.thou@wanadoo.fr • www.clos-thou.fr
Visite : du lundi au samedi, 9h-12h30 et 14h30-19h dimanche et jours fériés sur rendez-vous

Petit domaine situé sur les terres les plus réputées de l'appellation, Thou brille par la régularité et la typicité de sa production : on mettra nettement au-dessus du reste sa cuvée Suprême-de-Thou, sublime vin moelleux aux arômes truffés étonnants, mais chaque bouteille possède une vraie personnalité. 2008 montre ici les difficultés du millésime mais il reste encore des grands 2007.

Jurançon Sec cuvée Guilhouret 2008
Blanc | 2011 à 2014 | 7,50 € **14/20**
Un sec très technique, conservant du gaz carbonique, ouvertement aromatique et exotique.

Jurançon Suprême de Thou 2007
Blanc liquoreux | 2012 à 2017 | 15,50 € **17/20**
Le 2007 est toujours en vente et a permis, contrairement à 2008, de donner une pleine dimension à ce sommet de Jurançon. Admirable richesse et onctuosité.

CHÂTEAU TIRECUL LA GRAVIÈRE

24240 Monbazillac
Tél. 05 53 57 44 75 • Fax : 05 53 61 36 49
bilancini.bruno@wanadoo.fr • www.vinibilancini.com
Visite : Décembre et janvier, du lundi au vendredi de 9h à 12h et de 14h à 17h30. Le reste de l'année jusqu'à 18h ou sur rendez-vous

Un des hauts lieux mondiaux de la production de vins liquoreux. Tirecul offre des vins d'une générosité de caractère hors norme et d'une perfection d'élaboration digne d'Yquem. Claudie et Bruno Bilancini sont experts dans la vendange et la vinification de raisins complètement botrytisés et savent emprisonner toute leur extravagante palette de parfum.

Monbazillac 2006
Blanc Liquoreux | 2011 à 2019 | 24 € **17,5/20**
Épices, abricot, prunes, on a du ressort au nez comme en bouche avec un vin qui se présente avec un parfait équilibre et du style.

Monbazillac Madame 2006
Blanc Liquoreux | 2011 à 2024 | 76 € **18,5/20**
On sent la race à travers un nez complexe marqué par l'abricot, le miel, le gingembre, les fruits exotiques. La bouche longue, tendue et fraîche confirme cette excellente impression.

Vin de pays du Périgord Andréa 2008
Blanc | 2010 à 2015 | env 18 € **16/20**
Nez de pêche et d'abricot avec une pointe épicée, belle entrée de bouche onctueuse puis le vin se tend avec une finale longue et fraîche. Idéal sur des langoustines escortées de mayonnaise.

CHÂTEAU DE TIREGAND

118, route de Sainte-Alvere • 24100 Creysse
Tél. 05 53 23 21 08 • Fax : 05 53 22 58 49
contact@chateau-de-tiregand.com
www.chateau-de-tiregand.com
Visite : De 9h30 à 12h et de 14h à 17h30 du lundi au samedi.

Détruit par les gelées de 1956, le vignoble fut reconstitué à partir de plantations en vignes hautes et larges. Aujourd'hui, celles-ci sont réalisées en rangs serrés à une densité de 5800 pieds par hectare, soit un peu plus dense que la vigne traditionnelle sur Pécharmant. La maturité est ainsi plus précoce et la concentration meilleure.

Pecharmant Château de Tiregand 2007
Rouge | 2010 à 2012 | 9,25 € **14/20**
Vin aux tanins souples, fruit bien dégagé, il donne déjà du plaisir et évolue bien, dans un équilibre qui respecte le millésime.

Pecharmant cuvée Grand Millésime 2007
Rouge | 2010 à 2015 | 19,80 € **13,5/20**
Bonne concentration, marquée par une bouche aux senteurs intenses de fruits noirs, mais l'élevage a tendance à durcir le vin.

CHÂTEAU TOUR DES GENDRES

Lieu-dit les Gendres - Les Gendres • 24240 Ribagnac
Tél. 05 53 57 12 43 • Fax : 05 53 58 89 49
familledeconti@wanadoo.fr
www.chateautourdesgendres.com
Visite : en semaine, de 9h à 12h et de à 14h à 18h
week-end sur rendez-vous

Située sur l'emplacement d'une ancienne villa gallo-romaine, cette propriété appartient à la famille de Conti depuis 1981. Le terroir est essentiellement argilo-calcaire. Luc de Conti est considéré comme un maniaque de la qualité, tous ses vins sont là pour le prouver, avec des cuvées toujours harmonieuses.

Bergerac Anthologia 2000

Rouge | 2011 à 2015 | 39 € **16/20**

Encore fermé, on sent le potentiel et la richesse de la cuvée.

Bergerac Sec Anthologia 2007

Blanc | 2012 à 2017 | 39 € **16/20**

Nez de pêche blanche, avec des touches d'aubépine, la bouche est riche et longue, avec un joli croquant de fruits.

Bergerac Sec Moulin des Dames 2007 ☺

Blanc | 2010 à 2013 | 19 € **15/20**

Délicieusement abricoté, avec une touche de poivre gris, ce vin conjugue longueur en bouche et élégance.

Côtes de Bergerac Moulin des Dames 2008

Rouge | 2010 à 2013 | 19 € **15/20**

Nez de fruits noirs et d'épices, bouche avec de belles rondeurs et des tanins bien dessinés.

CLOS TRIGUEDINA

46700 Puy-l'Évêque
Tél. 05 65 21 30 81 • Fax : 05 65 21 39 28
contact@jlbaldes.com • www.jlbaldes.com
Visite : De 9h à 12h et de 14h à 18h du lundi au samedi

Cette propriété diffuse largement ses vins dans la restauration française et à l'étranger, et reste une ambassadrice privilégiée de l'appellation. Les vins sont charnus et généreux, surtout la cuvée Prince-Probus, et de nombreux millésimes sont en vente. Les Baldès n'ont pas un caractère commode et apprécient peu la critique, mais nous nous devons de reconnaître que leurs 2007 et 2008 sont tous très bien vinifiés et élevés et font honneur à leur appellation. Le New-Black-Wine va jusqu'au bout, et avec panache, d'une certaine logique dans la puissance mais ne se révèle qu'après deux ou trois ans de bouteille.

Cahors New Black Wine 2007

Rouge | 2014 à 2022 | 47,95 € **16/20**

Fort réussi, grand nez de pruneau et myrtille, chair éloquente par sa largeur de texture, grande fin de bouche, plus en force qu'en finesse mais c'est ici la règle du jeu.

Cahors Prince Probus 2007

Rouge | 2013 à 2019 | 25,95 € **15,5/20**

Excellente matière, élevage soigné, finale longue, assurée, du beau travail !

Cahors Trilogie Les Galets 2007

Rouge | 2013 à 2019 | 66,35 € le coffret de 3 bouteilles **14,5/20**

Beaucoup de richesse de matière, un peu d'astringence, caractère individuel évident.

CLOS TROTELIGOTTE

Le Cap Blanc • 46090 Villesèque
Tél. 06 74 81 91 26 • Fax : 05 65 36 94 58
contact@clostroteligotte.com
www.clostroteligotte.com
Visite : en semaine, de 9h à 12h et de 14h à 18h
samedi sur rendez-vous

Cette propriété de dix hectares sur les hauteurs de Cahors, dans un paysage d'une rare austérité marqué par le blanc du sol, pratique une viticulture intelligente et raisonnée. Les vins produits par Christian et Emmanuel Rybinski se signalent par leur finesse et leur équilibre, particulièrement la cuvée Perdrix. Les bouteilles sont habillées de façon élégante par des étiquettes joliment pensées.

Cahors La Perdrix 2007

Rouge | 2014 à 2017 | env 8 € **14,5/20**

Beau nez généreux rappelant la myrtille, caractère de raisin mûr, tanin bien extrait, un peu d'astringence à fondre, joli style.

LA TRUFFIÈRE-BEAUPORTAIL

Route du Hameau de Pécharmant - Lieu-dit Beauportail • 24100 Bergerac
Tél. 05 53 24 85 16 • Fax : 05 53 61 28 63
truffiere-beauportail@wanadoo.fr
Visite : sur rendez-vous tous les jours

Deux domaines qualitatifs regroupés en un, cela ne peut que satisfaire l'amateur : tout d'abord La Truffière, dont la sélection de grains nobles est l'une des plus abouties de Monbazillac, puis Beauportail,

l'un des bons domaines de Pécharmant. Les 2007 et 2008 constituent des références dans leurs appellations respectives.

MONBAZILLAC GRAINS NOBLES DE LA TRUFFIÈRE 2007
Blanc Liquoreux | 2010 à 2019 | 13,50 € **15,5/20**
Miel, gingembre confit et cire se mêlent dans une bouche onctueuse et épicée de belles mensurations. Vin complet.

PECHARMANT 2008
Rouge | 2010 à 2016 | 9 € **14/20**
Nez profond sur les fruits noirs et les épices, les tanins de la bouche sont harmonieux.

PECHARMANT QUINTESSENCE 2007
Rouge | 2010 à 2017 | 19 € **14,5/20**
Nez de mûre et de menthe, belle matière en bouche, c'est long et réglissé avec un retour de fruits derrière.

CHÂTEAU VARI

24240 Monbazillac
Tél. 05 53 24 97.55
contact@chateau-vari.com
Visite : sur rendez-vous

Les monbazillacs du Château Vari deviennent des références pour l'appellation, et les cavistes dignes de ce nom ne se privent pas pour faire rentrer des Réserve-du-Château ou des cuvées Gold. Les 2008 souvent en retrait sur le secteur sont ici parfaitement réussis. Une verticale de Réserve-du-Château depuis 2003 nous a pleinement convaincus.

BERGERAC CUVÉE GOLD 2008
Blanc Liquoreux | 2010 à 2017 | 35 € les 50 cl **14,5/20**
Flaveurs de gingembre, de miel et d'ananas, la bouche offre un bel équilibre pour le millésime.

MONBAZILLAC RÉSERVE DU CHÂTEAU 2009
Blanc Liquoreux | 2012 à 2020 | 16,50 € **15,5/20**
Beaucoup d'espoir pour cette cuvée complexe avec une pureté de fruits dans le registre exotique et miel, avec une belle liqueur.

MONBAZILLAC RÉSERVE DU CHÂTEAU 2003
Blanc Liquoreux | 2010 à 2016 | 16,50 € **15/20**
Nez de prune, d'abricot, avec une touche de miel, l'attaque est superbe, avec une belle onctuosité, on sent le millésime en fin.

VIGNOBLE DES VERDOTS

Les Verdots • 24560 Conne-de-Labarde
Tél. 05 53 58 34 31 • Fax : 05 53 57 82 00
verdots@wanadoo.fr • www.verdots.com
Visite : De 9h à 12h et 14h à 18h du lundi au samedi.

Le-Clos-des-Verdots est l'entrée de gamme dans un registre fruité et souple, Les-Tours-des-Verdots offre plus de chair et de concentration. Le-Grand-Vin est quant à lui construit avec une sélection plus poussée. Quand l'année s'y prête, Le-Vin-selon-David-Fourtout constitue le très haut de gamme. Les monbazillacs sont également des références.

BERGERAC CLOS DES VERDOTS 2007
Rouge | 2010 à 2013 | 6,50 € **14,5/20**
Cette cuvée merlotée se révèle gourmande tout en respectant le millésime. C'est toujours un bon rapport qualité-prix.

BERGERAC SEC LE VIN SELON DAVID FOURTOUT 2008
Blanc | 2013 à 2019 | 36 € **16/20**
On sent une belle matière mûre avec une bouche équilibrée, il faut absolument attendre ce vin.

CÔTES DE BERGERAC LE VIN SELON DAVID FOURTOUT 2008
Rouge | 2013 à 2019 | 36 € **16/20**
Gros volume et plénitude en bouche pour ce vin encore brut, aujourd'hui on commence à boire le 2005, à condition de le carafer.

MONBAZILLAC LES TOURS DES VERDOTS 2002
Blanc Liquoreux | 2010 à 2019 | 36 € **17/20**
Une référence, avec un nez profond de fruits secs, de mangue, de prune, d'abricot, on retrouve cette complexité dans une bouche à la fois riche et tendue. En 2009, pour fêter dignement l'arrivée des jumelles, il y aura au moins trois cuvées.

CHÂTEAU LA VIEILLE BERGERIE

Malauger • 24100 Bergerac
Tél. 05 53 61 35 19 • Fax : 05 53 61 35 19
Visite : 10h12h 15h19h tous les jours sauf dimanche (sauf juillet et août)

BERGERAC VIEILLES VIGNES 2007
Rouge | 2010 à 2012 | 5 € **13,5/20**
Très feuille de cassis, ce vin offre une bonne matière et se boit déjà allègrement. Bien pour le millésime.

CHÂTEAU DE VIELLA

Route de Maumusson • 32400 Viella
Tél. 05 62 69 75 81 • Fax : 05 62 69 79 18
contact@chateauviella.fr
www.chateauviella.fr
Visite : du lundi au samedi de 8h à 12h30
et de 14h à 19h dimanche sur rendez-vous.

Viella possède les terres les plus remarquables de Madiran, celles où le tannat mûrit le mieux. L'inévitable Alain Brumont a acquis certainement les meilleures d'entre elles mais Didier Barré et Alain Bortolussi se partagent les autres. Ce dernier a redonné vie aux vingt-cinq hectares de vignes qui entourent le château et a restauré ce dernier. Il profite de ce cadre remarquable pour développer en saison une politique fort intelligente d'animation culturelle liée au vin. Vinificateur méticuleux, il propose des cuvées de grande vinosité qui demandent au moins trois ans avant de s'épanouir. En 2008, seule la cuvée Prestige a la tenue habituelle. 2009 devrait retrouver le succès d'ensemble.

MADIRAN CHÂTEAU VIELLA PRESTIGE 2008
Rouge | 2014 à 2018 | 12 € **15,5/20**
Robe noire, tout en puissance et en générosité, comme d'habitude.

DOMAINE VIGNAU LA JUSCLE

Chemin Mantoulan • 64110 Saint-Faust
Tél. 05 59 83 03 66 • Fax : 05 59 83 03 71
michelvalton@yahoo.fr • www.vignaulajuscle.com
Visite : Sur rendez-vous.

Le petit bijou de vignoble de Vignau-la-Juscle est la perle cachée de l'appellation Jurançon. Il appartient à Michel Valton, médecin urologue, qui s'en occupe avec une pertinence de grand chirurgien et qui prend tous les risques pour ne produire qu'un seul vin, récolté au sommet du passerillage du raisin. Son coteau est un véritable bijou de viticulture de montagne, et désormais une petite production de vin de pays rouge, d'une personnalité peu commune, dépasse largement la consommation personnelle du propriétaire !

JURANÇON VENDANGES TARDIVES 2008
Blanc Liquoreux | 2015 à 2022 | 25 € **17,5/20**
Encore une fois le sommet du millésime en liquoreux, un festival aromatique où le caramel le dispute glorieusement à l'abricot, avec une persistance qui le classe à part ! C'est aussi une leçon de vinification et d'élevage.

CHÂTEAU VIGUERIE DE BEULAYGUE

1650, chemin de Bonneval
82370 Labastide-Saint-Pierre
Tél. 05 63 30 54 72 • Fax : 05 63 30 54 72
ce.faure@gmail.com
Visite : Du lundi au vendredi de 10h à 19h.

FRONTON L'ENCHANTEUR 2007
Rouge | 2010 à 2013 | 11,50 € **13/20**
Ce classique de l'appellation nous propose cette cuvée haut de gamme, majoritairement négrette, récoltée très mûre et élevée 18 mois. Elle offre un fruité frais et gourmand, et une bouche bien souple, que l'on apprécie déjà.

Notes personnelles

La sélection Bettane et Desseauve pour le Val de Loire

Le vignoble de la Loire

Le vignoble de la Loire accompagne tout le cours du plus long des fleuves français, de sa naissance liée à la région Rhône, jusqu'à l'océan, avec même une courte intrusion en … bourgogne à Pouilly-sur-Loire. On y trouvera tous les types de vin possibles, et une expression très fine d'un très grand nombre de cépages.

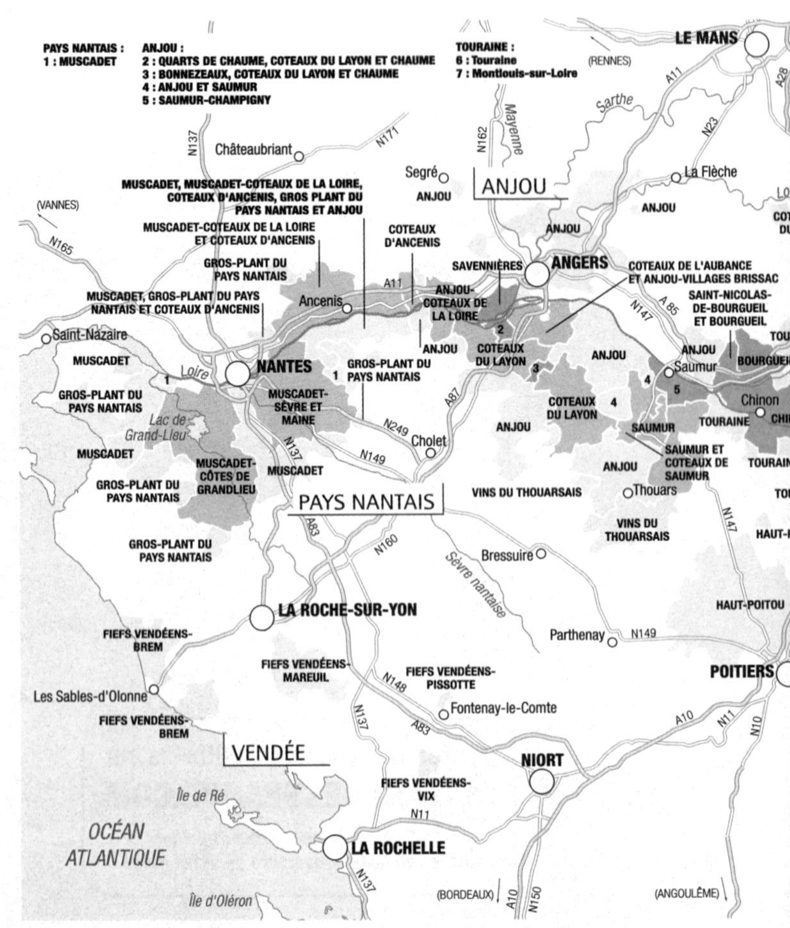

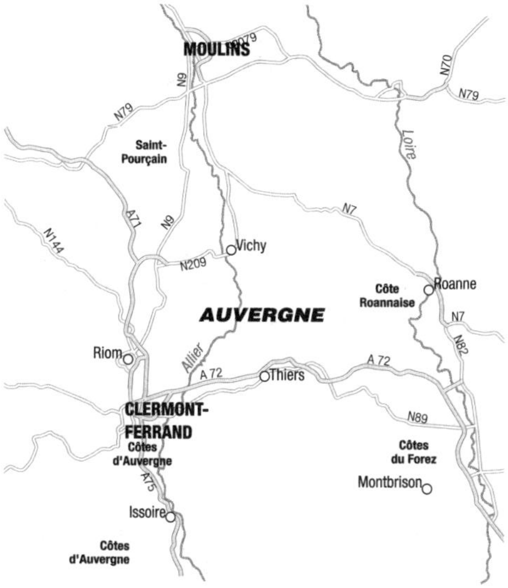

MOULINS
N79
N9
N70
Loire
Saint-Pourçain
N7
A71
N144
Vichy
N209
Côte Roannaise
Roanne
AUVERGNE
Riom
Allier
A 72
Thiers
N82
CLERMONT-FERRAND
Côtes d'Auvergne
N89
Côtes du Forez
A75
Montbrison
Issoire
Côtes d'Auvergne

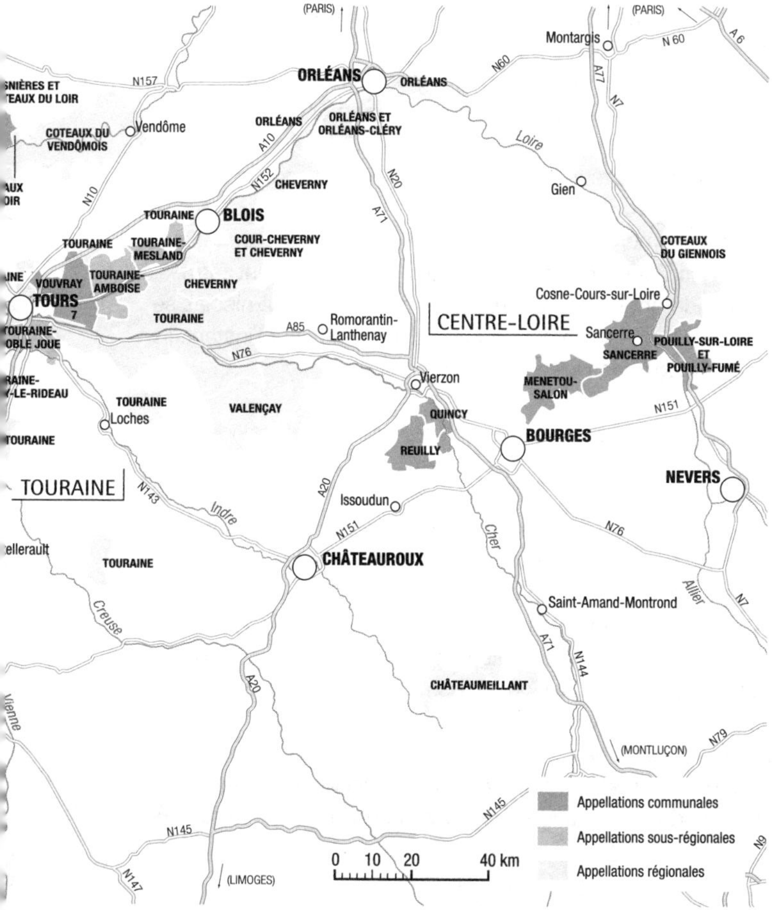

(PARIS)
Montargis
N 60
A6
A77
N157
ORLÉANS
ORLÉANS
N60
N7
SNIÈRES ET
TEAUX DU LOIR
COTEAUX DU VENDÔMOIS
Vendôme
ORLÉANS
ORLÉANS ET ORLÉANS-CLÉRY
A10
Loire
N152
CHEVERNY
N20
Gien
AUX
OIR
N10
TOURAINE
BLOIS
A71
TOURAINE
TOURAINE-MESLAND
COUR-CHEVERNY ET CHEVERNY
COTEAUX DU GIENNOIS
INE
VOUVRAY
TOURAINE-AMBOISE
CHEVERNY
Cosne-Cours-sur-Loire
TOURS
TOURAINE
A85
Romorantin-Lanthenay
CENTRE-LOIRE
Sancerre
POUILLY-SUR-LOIRE ET POUILLY-FUMÉ
TOURAINE-
OBLE JOUE
N76
SANCERRE
RAINE-
-LE-RIDEAU
Vierzon
MENETOU-SALON
TOURAINE
Loches
VALENÇAY
QUINCY
N151
TOURAINE
BOURGES
REUILLY
NEVERS
TOURAINE
N143
A20
Indre
Issoudun
N151
Cher
N76
ellerault
TOURAINE
CHÂTEAUROUX
Creuse
Allier
N7
Saint-Amand-Montrond
A71
N144
A20
CHÂTEAUMEILLANT
Vienne
(MONTLUÇON)
N79
N145
N145
N147
(LIMOGES)
N9

0 10 20 40 km

Appellations communales
Appellations sous-régionales
Appellations régionales

L'actualité des millésimes

Le Pays Nantais. Après deux petites récoltes en 2008 et 2007, voici revenu le temps d'une année de volume normal. Les vendanges ont bénéficié d'un très bon état sanitaire. Équilibre et rondeur sont les maîtres-mots du millésime. Les vins se caractérisent par leur gras et leur bonne acidité, avec des flaveurs de poire, d'agrumes et de fruits confits. Déjà très souples, ils seront prêts à boire. 2009 est le deuxième beau millésime de la décennie, après 2005.

L'Anjou, le Saumurois et la Touraine. Le stress hydrique dû à l'ensoleillement prolongé a généré en 2009 certains déséquilibres pour les rouges sur schistes. Les blancs secs s'annoncent sous de meilleures auspices. Les rosés s'avèrent friands et dotés de belles notes d'agrumes. Les rosés tendres, comme le cabernet d'Anjou, rappellent les agrumes (pamplemousse) et les fruits rouges (comme la fraise). La plupart ont été vinifiés en pressée plutôt qu'en saignée pour conserver ces arômes fruités. Les très grandes réussites sont les liquoreux avec un botrytis harmonieux et une bonne acidité. Les argilo-calcaires et calcaires du Saumurois sont en réussite avec des blancs superbes. Les rouges 2008 sont désormais à la vente. Souvent fermés, ils demanderont un peu de temps en cave. Les saint-nicolas se goûtent bien plus facilement que les bourgueils pour l'instant. Ils sont à privilégier en vins à boire vite.

Le Centre. Des mois d'août et de septembre au climat idéal, un volume de récolte limité font de 2009 un millésime riche avec de puissants arômes en bouche. Ce millésime ne sera exceptionnel que si on a su préserver de la fraîcheur. Une forte constitution et de la vinosité caractérisent les vins de ce millésime. Les blancs montrent des arômes de fruits à chair blanche et de fruits exotiques. Des nuances florales et minérales, parfois agrémentées d'une touche végétale, viennent appuyer cette belle fraîcheur olfactive. La bouche est généreuse : attaque fondue, puis du gras et du charnu, voire de la chaleur, pour finir sur une vivacité équilibrée. Les rouges, sous une robe d'un rubis profond parfois nuancée de reflets violets, expriment la concentration. Les tanins sont de texture tendre lorsque les vins proviennent des terroirs calcaires ou d'extraction douce et plus austères pour ceux des terroirs argilo-calcaires et argilo-siliceux ou quand les macérations ont été prolongées. Corsés et fermes, ce sont des vins aptes à la garde.

Le vin nature est-il naturellement bon ? Une visite approfondie du dernier salon des vins de Loire nous a montré que la mode des vins dits naturels ne s'estompait pas dans la région mais semblait au contraire reprendre une vigueur nouvelle, soutenue entre autres par des restaurateurs parisiens en mal de mode ou de discours commercial. Si les vins menés en agriculture biologique nous semblent ouvrir une voie prometteuse, une part significative des meilleurs vins de ce guide est élaborée selon des préceptes bios ou inspirés par le bio, les vins naturels, quant à eux, ne cessent de nous interpeller par leur médiocrité bien trop fréquente. Certes, les contre-exemples existent mais sont l'arbre qui ne saurait cacher la forêt.

Jeunes vieillards. L'argument commercial majeur mis en avant par les tenants du vin nature est l'absence de protection complémentaire en soufre ajouté. Il convient de rappeler que le soufre est présent naturellement dans le vin. L'un des progrès majeurs de l'œnologie du milieu du xxe siècle a été de comprendre la nécessité d'une teneur en soufre minimale pour éviter les accidents œnologiques lors de la transformation du vin, de son transport puis de son stockage. S'il est presque toujours nécessaire de compléter la teneur en soufre d'un vin quelle que soit sa couleur, le rajout nécessaire doit être d'autant plus faible que la récolte est saine, convenablement triée et travaillée dans une cave à la propreté irréprochable. Mais en insuffisance de soufre, beaucoup de blancs deviennent prématurément ternes et oxydés. Comment comprendre un coteaux-du-layon de deux ans d'âge qui prend une couleur brun acajou et qui n'exprime plus les fruits frais mais seulement le curry ? Sans soufre, nombre de rouges évoluent vers des arômes d'écurie, de sueur animale quand on ne va pas encore plus avant dans le repoussant ou vers une reprise de fermentation en bouteille qui transforme le vin en soda.

Pur et buvable. Notre vision du vin de Loire n'est pas celle-là. Il doit être désaltérant, gourmand et croquant de fruit quand on le vinifie pour qu'il soit bu rapidement. Réalisé avec plus d'ambition, il montrera des saveurs élégantes et racées, expression complexe d'une adéquation réussie entre cépages et terroirs. Quel que soit le type de vin envisagé, sa pureté aromatique sera irréprochable. L'histoire des hommes alterne entre actions excessives et réactions excessives. Trop de soufre malmène le buveur. Trop peu de soufre malmène le vin, ainsi que le buveur par voie de conséquence. Un juste compromis serait la solution.

MEILLEURS VINS TOUTES CATÉGORIES

Château Pierre-Bise,
Quarts de Chaume, blanc licquoreux, 2009

Clos rougeard,
Saumur-Champigny, Clos du Bourg, rouge, 2009

Domaine Alphonse Mellot,
Sancerre, Générations, blanc, 2008

Domaine de la Taille aux Loups,
Vouvray, Clos de Venise, blanc, 2008

Domaine Didier Dagueneau,
Pouilly-Fumé, Astéroïde, blanc, 2008

Domaine Huet,
Vouvray, Clos du Bourg, blanc, 2009

LE BONHEUR TOUT DE SUITE

Château du Hureau,
Saumur-Champigny, Fours à Chaux, rouge, 2009

Domaine du Rocher des Violettes,
Montlouis-sur-Loire, Touche-Mitaine, blanc, 2008

Domaine Frédéric Mabileau,
Saumur, Chenin blanc, blanc, 2007

Domaine Philippe Alliet,
Chinon, Vieilles Vignes, rouge, 2008

Henry et Jean-Sebastien Marionnet,
Touraine, Vinifera Côt franc de pied, rouge, 2009

MEILLEURS VINS À MOINS DE 6 €

Domaine Brégeon,
Muscadet Sèvre-et-Maine, sur lie, blanc, 2007

Domaine de la Pépière,
Muscadet Sèvre-et-Maine, Clos des Briores Vieilles Vignes, blanc, 2009

Domaine des Guyons,
Cabernet d'Anjou, Free Vol, rosé, 2009

Domaine Laurent Rabusseau,
Chinon, Le Clos Berchu, rouge, 2009

Domaine Pierre-Luc Bouchaud,
Muscadet Sèvre-et-Maine, Le Perd Son Pain, blanc, 2009

MEILLEURS VINS À MOINS DE 10 €

Domaine Albane et Bertrand Minchin,
Valençay, Claux Delorme, rouge, 2009

Domaine des Guyons,
Saumur, Vent du Nord, blanc, 2009

Domaine Vincent Pinard,
Sancerre, Florès, blanc, 2008

Domaine Yannick Amirault,
Bourgueil, rosé d'Equinoxe, rosé, 2008

Les Berrycuriens,
Quincy, Villalin, blanc, 2009

Pierre et Bertrand Couly,
Chinon, Le V de Pierre et Bertrand Couly, rouge, 2009

MEILLEURS VINS À METTRE EN CAVE

Domaine Antoine Sanzay,
Saumur-Champigny, Les Poyeux, rouge, 2009

Domaine aux Moines,
Savennières - Roche aux Moines, blanc, 2008

Domaine Charles Joguet,
Chinon, Clos de la Dioterie, rouge, 2008

Domaine de la Chevalerie,
Bourgueil, Busardières, rouge, 2008

Domaine de Saint-Just,
Saumur, Coulée de Saint-Cyr, blanc, 2008

Domaine du Clos Naudin,
Vouvray, blanc, 2008

MEILLEURS BLANCS SECS D'ANJOU

Château Pierre-Bise,
Savennières, Clos Le Grand Beaupréau, 2009

Château Yvonne,
Saumur, 2007

Clos rougeard,
Saumur, Brézé, 2007

Coulée de Serrant,
Savennières - Coulée de Serrant, 2007

Domaine des Guyons,
Saumur, L'Ardile, 2009

Domaine des Roches Neuves,
Saumur, Insolite, 2009

Domaine Guiberteau,
Saumur, Brézé, 2007

MEILLEURS BLANCS SECS DE TOURAINE

Domaine de Bellivière,
Coteaux du Loir, Vieilles Vignes Eparses, 2008

Domaine de la Taille aux Loups,
Montlouis-sur-Loire, Remus, 2008

Domaine du Clos Naudin,
Vouvray, 2008

Domaine François Chidaine,
Vouvray, Clos Baudoin, 2008

Domaine Huet,
Vouvray, Le Mont, 2009

MEILLEURS BLANCS SECS DU PAYS NANTAIS

Domaine Brégeon,
Muscadet Sèvre-et-Maine, Gorgeois, 1999

Domaine Bruno Cormerais,
Muscadet Sèvre-et-Maine, Clisson, 2007

Domaine de la Chauvinière,
Muscadet Sèvre-et-Maine, Clos Les Monthys Vigne de 1914, 2008

Domaine de l'Écu,
Muscadet Sèvre-et-Maine, Expression d'Orthogneiss, 2000

Domaines Joseph Landron,
Muscadet Sèvre-et-Maine, Fief du Breuil, 2008

MEILLEURS BLANCS SECS DU SANCERROIS

Château de Tracy,
Pouilly-Fumé, 101 Rangs, 2008

Domaine Alphonse Mellot,
Sancerre, Edmond, 2008

Domaine Didier Dagueneau,
Pouilly-Fumé, Silex, 2008

Domaine Gérard Boulay,
Sancerre, Clos de Beaujeu, 2008

Domaine Henri Bourgeois,
Sancerre, Jadis, 2008

Domaine Pascal Cotat,
Sancerre, Monts Damnés, 2008

Domaine Vincent Pinard,
Sancerre, Harmonie, 2008

MEILLEURS BLANCS EFFERVESCENTS

Domaine Bouvet-Ladubay,
Saumur Mousseux, Cuvée Trésor, blanc, 2007

Domaine Bouvet-Ladubay,
Saumur Mousseux, Taille Princesse de Gérard Depardieu, blanc, 2006

Domaine de la Taille aux Loups,
Montlouis-sur-Loire, Triple Zéro, blanc

Domaine François Chidaine,
Montlouis-sur-Loire, blanc, 2002

Domaine Vincent Carême,
Vouvray, L'Ancestrale, blanc

Langlois-Château,
Crémant de Loire, Quadrille, blanc, 2002

MEILLEURS BLANCS DEMI-SECS

Domaine de la Sansonnière,
Vin de France, Les Fouchardes, 2008

Domaine du Clos Naudin,
Vouvray, 2008

Domaine du Rocher des Violettes,
Montlouis-sur-Loire, Les Borderies, 2008

Domaine François Chidaine,
Montlouis-sur-Loire, Clos Habert, 2008

Domaine Jousset,
Montlouis-sur-Loire, Sur le Fil, 2008

Domaine Richou,
Anjou-Villages, Grandes Rogeries, 2007

Domaine Vincent Carême,
Vouvray, Tendre, 2008

MEILLEURS BLANCS MOELLEUX ET LIQUOREUX

Château Pierre-Bise,
Coteaux du Layon, Les Rouannières, 2009

Domaine des Baumard,
Quarts de Chaume, 2007

Domaine du Clos Naudin,
Vouvray, Réserve, 2009

Château de Fesles,
Bonnezeaux, 2007

Domaine de la Bergerie,
Quarts de Chaume, 1996

Domaine des Petits Quarts,
Bonnezeaux, Le Malabé, 2007

Château La Varière,
Quarts de Chaume, Les Guerches, 1997

Domaine aux Moines,
Savennières - Roche aux Moines, cuvée de l'Abbesse, 2008

Domaine des Sablonnettes,
Coteaux du Layon Rablay, Fleur d'Erables, 2008

MEILLEURS ROSÉS

Domaine Claude Lafond,
Reuilly, cuvée Cognette, 2008

Domaine Jacques Vincent,
Reuilly, pinot gris, 2009

Domaine Vacheron,
Sancerre, 2008

Domaines Tatin,
Reuilly, 2009

Les Berrycuriens,
Reuilly, Les Chatillons, 2009

Pierre et Bertrand Couly,
Chinon, 2009

MEILLEURS ROUGES DE L'ANJOU

Château de Villeneuve,
Saumur-Champigny, Le Grand Clos, 2005

Château du Hureau,
Saumur-Champigny, Lisagathe, 2009

Clos rougeard,
Saumur-Champigny, Poyeux, 2009

Domaine Antoine Sanzay,
Saumur-Champigny, Les Poyeux, 2008

Domaine des Roches Neuves,
Saumur-Champigny, Franc de Pieds, 2009

Domaine des Roches Neuves,
Saumur-Champigny, Marginale, 2009

MEILLEURS ROUGES DE TOURAINE

Domaine de la Butte,
Bourgueil, Perrières, 2009

Domaine de la Chevalerie,
Bourgueil, Chevalerie, 2008

Domaine de la Cotelleraie,
Saint-Nicolas-de-Bourgueil, Le Vau Jaumier, 2008

Domaine Philippe Alliet,
Chinon, L'Huisserie, 2008

Domaine Yannick Amirault,
Bourgueil, La Petite Cave, 2007

Henry et Jean-Sebastien Marionnet,
Vin de pays du Jardin de la France, Bouze, 2009

MEILLEURS ROUGES DU SANCERROIS

Domaine Albane et Bertrand Minchin,
Touraine, Franc du Côt Lié, 2009

Domaine Alphonse Mellot,
Sancerre, Générations, 2008

Domaine du Carrou,
Sancerre, La Jouline, 2008

Domaine Lucien Crochet,
Sancerre, cuvée Prestige, 2005

Domaine Vacheron,
Sancerre, La Belle Dame, 2007

Domaine Vincent Pinard,
Sancerre, cuvée Charlouise, 2008

Palmarès des lecteurs

DOMAINE LES GRANDES VIGNES
Anjou, L'Aubinaie, rouge, 2009

PIERRE ET BERTRAND COULY
Chinon, La Haute Olive, rouge, 2009

DOMAINE DE LA TAILLE AUX LOUPS
Montlouis-sur-Loire, Remus, blanc, 2008

DOMAINE DE LA TAILLE AUX LOUPS
Vouvray, Clos de Venise, blanc, 2008
élu Meilleur blanc sec par les lecteurs et Meilleur vin toutes catégories confondues !

Le Pays nantais

L'océan tout proche apporte ses notes salines et iodées à des vins secs très légers mais subtils, qui sont les meilleurs compagnons des huîtres, fruits de mer et poissons grâce à leur générosité ! Ces vins se boivent jeunes mais les meilleurs surprendront après dix ou quinze ans de bouteille et méritent une gastronomie digne d'eux.

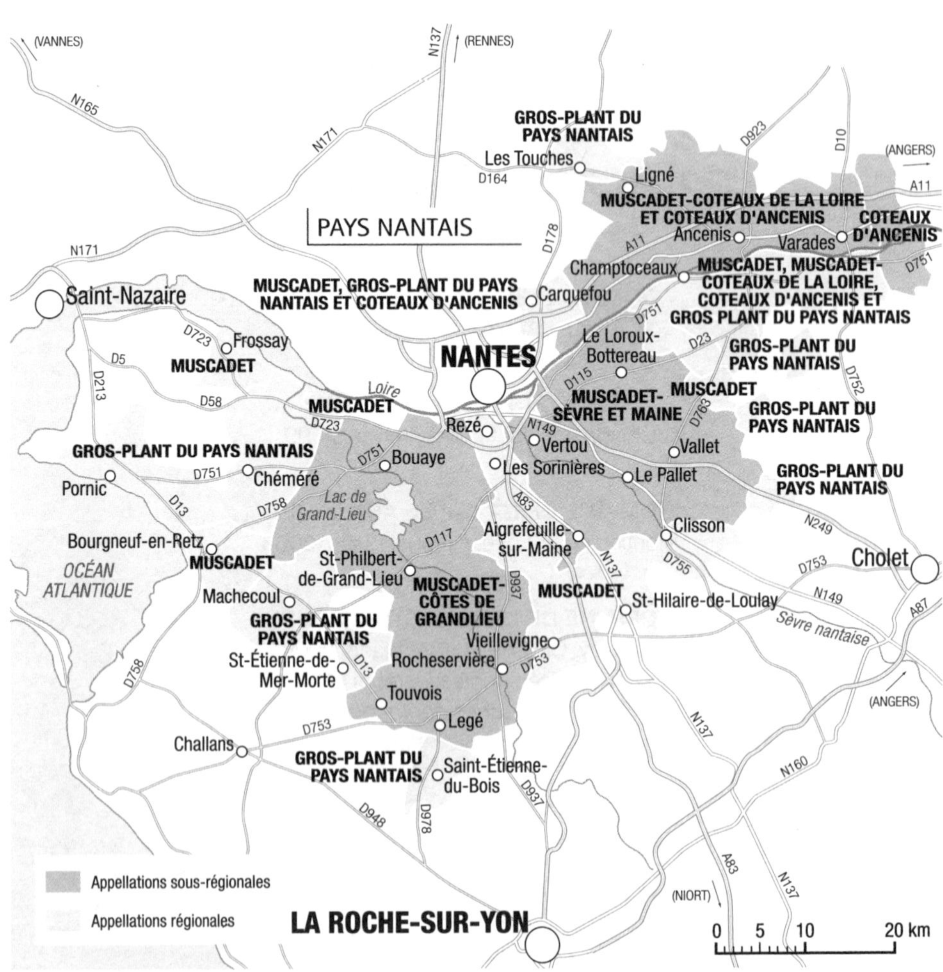

DOMAINE DE L'AUJARDIÈRE

Domaine de L'Aujardière
44310 Saint-Philbert-de-Grand-Lieu
Tél. 06 27 43 81 91 • Fax : 02 40 78 05 19
eric@chevalierledomaine.com
www.chevalierledomaine.com
Visite : De 8h à 19h du lundi au samedi.

Éric Chevalier a repris le domaine familial en 2000. Il cultive maintenant vingt-huit hectares de vignes conduits selon les principes de la lutte raisonnée, avec une vinification parcellaire. La gamme des côtes-de-grandlieu est élégante et de plus en plus qualitative. Nous avons toujours un faible pour le fié gris coproduit avec Michèle Vételé, sommelière du restaurant Anne de Bretagne à La Plaine. Avec son mari Philippe, deux étoiles au Michelin, elle met pleinement en valeur les crus du Pays Nantais.

FIÉ GRIS 2009 ☺
Blanc | 2010 à 2012 | 6,80 € **16/20**
Abricot confit, pêche blanche avec une pointe poivrée marquent le nez ; la bouche est croquante et rafraîchissante, on reste sous le charme.

MUSCADET CÔTES DE GRANDLIEU
CLOS DE LA BUTTE 2009
Blanc | 2010 à 2014 | 3,80 € **14,5/20**
Pamplemousse confit et pain grillé sont les dominantes aromatiques de ce vin vif et mûr.

MUSCADET CÔTES DE GRANDLIEU LA NOË 2009 ☺
Blanc | 2010 à 2017 | 4,50 € **15/20**
Complexe, citron vert, vibrant, ce vin devrait parfaitement évoluer.

MUSCADET CÔTES DE GRANDLIEU LA NOË 2007
Blanc | 2010 à 2014 | 4,50 € **14/20**
Salin, structuré, ce vin est un ami du plateau du comtés.

MUSCADET CÔTES DE GRANDLIEU
LES HAUTS DE LA BUTTE 2007
Blanc | 2010 à 2015 | 3,80 € **14,5/20**
Ce vin, issu d'une arène granitique et de son altération, présente des nuances de fleurs blanches et d'agrume, la bouche élégante a de la tenue et une juste tension. Il évolue parfaitement.

DOMAINE PIERRE-LUC BOUCHAUD

La Hautière • 44690 Saint-Fiacre-sur-Maine
Tél. 02 40 36 95 23 • Fax : 02 40 36 79 56
muscadet@bouchaud.fr • www.bouchaud.fr
Visite : Sur rendez-vous.

Pierre-Luc Bouchaud a repris l'exploitation en alliant des savoir-faire ancestraux à une technologie adaptée. Depuis 2003, le domaine a obtenu le label Terra Vitis, La cuvée phare, Le-Perd-son-Pain, est l'une des plus abouties du Muscadet. Elle évolue parfaitement dans un style salin, avec ce qu'il faut au niveau de l'assise.

MUSCADET SÈVRE-ET-MAINE CUVÉE SUR LIES 2009
Blanc | 2010 à 2012 | 3,70 € **14/20**
Floral au nez, ce vin est élégant et tendu, tout en restant très coulant.

MUSCADET SÈVRE-ET-MAINE
LE PERD SON PAIN 2009
Blanc | 2012 à 2020 | 4,10 € **16/20**
Très coquille d'huître, il est bien tendu. Avec plus d'élevage sur lie, ce vin deviendra Château-Thébaud.

MUSCADET SÈVRE-ET-MAINE
LE PERD SON PAIN 2008
Blanc | 2010 à 2017 | 4 € **15,5/20**
Nez d'abricot agrémenté de mandarine, la bouche tranchante dévoile des nuances iodées délicieuses dans un style effilé.

DOMAINE BRÉGEON

5, Les Guisseaux • 44190 Gorges
Tél. 02 40 06 93 19 • Fax : 02 40 06 95 91
Visite : du lundi au samedi, 9h à 12h30
et de 15h à 19h. Dimanche matin sur rendez-vous

Vendangeant à la main, Michel Brégeon élève sur lies fines ses muscadets entre deux et cinq ans, en vertu de la charte de qualité définie par l'association des vignerons du Gorgeois. La cuvée gorgeois, issue de 2 hectares de vignes de plus de cinquante ans, est de haute volée et constitue l'une des meilleures du Muscadet. Amateurs et sommeliers déprimés par l'inflation du prix des grands crus, c'est ici qu'il faut encaver.

MUSCADET SÈVRE-ET-MAINE 2003
Blanc | 2010 à 2019 | 8,50 € **16,5/20**
Orange confite et fumé se mêlent dans une bouche qui prend de la dimension, sur un registre d'orange avec des touches iodées.

Muscadet Sèvre-et-Maine 2002

Blanc | 2010 à 2019 | 8,50 € **16/20**

Ce qui est bien avec Michel Brégeon, c'est qu'il y a de belles réserves en cave comme ce 2002 qui fait figure de jeunot, avec un beau tranchant et une juste tension. À boire sous la Vierge Noire qui protège ce domaine.

Muscadet Sèvre-et-Maine 1995

Blanc | 2010 à 2019 | NC **16/20**

La sauge, la bourrache et l'iode se mêlent allègrement, la bouche attaque en onctuosité puis se tend en milieu de bouche, c'est très long avec une belle fin saline.

Muscadet Sèvre-et-Maine Gorgeois 2004

Blanc | 2010 à 2025 | 9,20 € **16,5/20**

Ce vin goûté avant son agrément pour devenir gorgeois reçoit pleinement le nôtre, il tire droit avec une tension iodée du meilleur effet.

Muscadet Sèvre-et-Maine Gorgeois 1999

Blanc | 2010 à 2017 | NC **17/20**

Flaveurs d'orange confite, la bouche est équilibrée entre la minéralité et les agrumes, elle peut prolonger un homard grillé.

Muscadet Sèvre-et-Maine sur lie 2009

Blanc | 2011 à 2015 | 4 € **15,5/20**

Encore dans ses langes, cette cuvée claque déjà bien en bouche, avec une aromatique fraîche et une réelle fin de bouche.

Muscadet Sèvre-et-Maine sur lie 2007

Blanc | 2010 à 2019 | 4 € **16/20**

Cette fois le vin est en bouteille, on apprécie la superbe structure en bouche, le potentiel du vin est évident, il convient de le carafer.

DOMAINE LA CHAUME

85770 Vix
Tél. 02 51 00 49 38
contact@la-chaume.net
www.prieure-la-chaume.com

Créé par Christian Chabirand, ce domaine se situe dans une région méconnue pour ses vins : la Vendée et plus précisément sur un terroir calcaire de beau potentiel qualitatif. Cette bizzarerie géographique ne se retrouve pas dans le style des vins, d'un beau classicisme non dépourvus de race et vieillissant fort bien, comme le prouve nos récentes dégustations des 2006 et 2005.

Vin de pays de la Vendée Bellae Domini 2005

Rouge | 2010 à 2014 | NC **15/20**

D'une personnalité plus svelte et fine que Orfeo, cette cuvée offre un beau 2005 épanoui, aux tanins racés et au fruit très précis.

Vin de pays de la Vendée Orféo 2006

Rouge | 2010 à 2013 | NC **15/20**

Désormais assagi en bouteille, ce 2006 développe un long corps onctueux et soyeux, joliment accompagné par des arômes de fruits rouges frais.

DOMAINE DE LA CHAUVINIÈRE

La Chauvinière • 44690 Château-Thébaud
Tél. 02 40 06 51 90 • Fax : 02 40 06 51 90
domaine-de-la-chauniere@wanadoo.fr
www.domaine-de-la-chauviniere.com
Visite : Sur rendez-vous entre 9h et 12h et entre 14h et 18h30.

Ce domaine a de grands terroirs, avec les vignes centenaires du Clos des Montys qui s'ajoutent au Château Thébaud et au fermage du Château de la Bretesche. Les vignes sont conduites en lutte raisonnée, et les vinifications s'effectuent dans un ancien monastère sous l'égide de Jérémie Huchet. Les crus produits offrent une gamme complète, du vin de copain à celui de grande gastronomie.

Muscadet Sèvre-et-Maine Clos Les Monthys Vigne de 1914 2008

Blanc | 2010 à 2020 | 8,90 € **17,5/20**

Voici l'une des grandes cuvées du Muscadet, délicieusement iodée, la bouche offre une tension élégante et se prolonge de belle façon sur des nuances salines, avec une pureté quasi cristalline.

Muscadet Sèvre-et-Maine Granit de Château Thébaud 2005

Blanc | 2010 à 2017 | 9,40 € **15/20**

Nez marqué par les fruits jaunes et une pointe de fumé, ce vin a le côté explosif des terroirs de granit avec l'élégance du secteur de Château Thébaud.

Muscadet Sèvre-et-Maine L'Inattendu 2008

Blanc | 2010 à 2017 | 5,20 € **15/20**

Issue des meilleures cuves du Château La Bretesche, ce vin salin et tendu se montre à la fois long et élégant, il peut courtiser la chair subtile de l'araignée.

Muscadet Sèvre-et-Maine sur lie 2009
Blanc | 2010 à 2011 | 4,45 € **14/20**
Ce vin perle encore sur la fin de bouche, il virevolte en bouche.

DOMAINE DES COGNETTES

Bournigal - 1, chemin des Sauts • 44190 Clisson
Tél. 02 40 54 45 62
vincentperraud@wanadoo.fr
www.domainedescognettes.fr
Visite : du lundi au samedi, de 8h à 12h30 et de 14h à 19h15 (sauf samedi, fermeture à 18h).

Le vignoble est implanté sur les coteaux de la Sèvre Nantaise et la Moine sur des sols de granite et de gabbro qui permettent de produire de grands muscadets, de belle tension, avec une pureté aromatique digne d'éloges. Le Granite-de-Clisson est la grande cuvée du domaine, et il se révèle être l'un des meilleurs de la région.

Muscadet Granite de Clisson 2005
Blanc | 2010 à 2019 | 8,50 € **16/20**
Élégant, complexe, une petite touche florale, très vibrant, ce clisson est le meilleur produit sur la propriété.

Muscadet Granite de Clisson 2004
Blanc | 2010 à 2019 | 8,50 € **14,5/20**
Attaque arrondie, et derrière c'est très tranchant et massif, ce vin a du ressort.

Muscadet Sèvre-et-Maine 2009
Blanc | 2010 à 2012 | 4 € **13/20**
Amande et pamplemousse au nez, frais et coulant en bouche. Le 2008 est plus droit, plus tranchant, plus iodé, le 2006 plus long et salin.

Muscadet Tentation des Cognettes 2004
Blanc | 2011 à 2020 | 7,10 € **14,5/20**
5 ans sur lie, embouteillé en novembre 2009, ce vin est plus en structure qu'en arômes.

DOMAINE BRUNO CORMERAIS

La Chambaudière • 44190 Saint-Lumine-de-Clisson
Tél. 02 40 03 85 84
b.mf.cormerais@wanadoo.fr
www.domaine-bruno-cormerais.com
Visite : Du lundi au samedi, de 10h à 12h30 et de 15h à 18h, sinon sur rendez-vous.

Bruno Cormerais produit des vins sur lies de bon niveau. Notre préférence ira au granite-de-clisson, dont le terroir justifie vraiment l'Aoc. La-Réserve-de-Bruno, au fruité frais, ou la Sélection-de-Maxime, plus intense, peuvent mûrir en cave quelques années. La collection de Vieilles-Vignes ou la cuvée Prestige ont également du répondant.

Muscadet Sèvre-et-Maine Clisson 2007
Blanc | 2011 à 2019 | 10,50 € **16,5/20**
Nez d'écorce d'orange, riche et concentré avec une belle minéralité en fin. 2006 ouvre sur les fruits secs, il se révèle tendu, salin et iodé.

Muscadet Sèvre-et-Maine
La Chambaudière 2009
Blanc | 2010 à 2013 | env 5 € **14/20**
Très citron vert, ce vin claque bien en bouche.

Muscadet Sèvre-et-Maine Prestige 2009
Blanc | 2010 à 2014 | env 7 € **15,5/20**
La mangue domine le nez de ce vin riche. Derrière, le fruit est bien présent.

Muscadet Sèvre-et-Maine Vieilles Vignes 2008
Blanc | 2010 à 2017 | env 6,20 € **15/20**
Fruits exotiques au nez, superbement tendu et salin en bouche.

LES FRÈRES COUILLAUD

SCEA de la Ragotière - Château de la Ragotière
44330 La Regrippière
Tél. 02 40 33 60 56 • Fax : 02 40 33 61 89
freres.couillaud@wanadoo.fr
www.freres-couillaud.com
Visite : De 8h à 12h et de 14h à 18h du lundi au vendredi.

Ce vignoble de soixante-dix hectares se situe sur l'un des coteaux les plus élevés du Sèvre-et-Maine. Les sols de schistes et micaschistes produisent des vins récoltés à bonne maturité, alliant puissance et élégance, avec un potentiel de garde pouvant dépasser les dix ans, on peut ainsi remonter le temps jusqu'en 1947.

Muscadet 2006
Blanc | 2010 à 2015 | 9 € **14/20**
Élevé 26 mois sur lie, ce vin offre un nez de pêche blanche, une structure à la fois riche et tendue. Le 2001 est encore frais.

Muscadet Sèvre-et-Maine
Château de la Ragotière Vieilles Vignes 2008
Blanc | 2010 à 2014 | 5,70 € **14/20**
Ces vieilles vignes sont citronnées, vives et iodées en fin.

Muscadet Sèvre-et-Maine La Ragotière 2008
Blanc | 2010 à 2011 | 5,20 € **13/20**
Droit, vif, salin, ce vin se boit de bon matin sur les fruits de mer du petit déjeuner.

DOMAINE DE L'ÉCU

La Bretonnière • 44430 Le Landreau
Tél. 02 40 06 40 91 • Fax : 02 40 06 46 79
bossard.guy.muscadet@wanadoo.fr
Visite : du lundi au samedi midi uniquement sur rendez-vous

Mélomane, biodynamiste, Guy Bossard produit de vrais vins de garde, de ceux qu'on a plaisir à retrouver quelques années après la mise en bouteille. Expression-de-Gneiss, Expression-d'Orthogneiss ou Expression-de-Granite, ces cuvées expriment au mieux le naturel et la minéralité élégante de leur terroir. Ludwig Hahn est une bulle de haut vol. Il faut absolument que les grandes cuvées mûrissent en cave.

Muscadet Cuvée Boss'Art 2009
Blanc | 2010 à 2011 | 5,45 € **14/20**
Nez de fleurs blanches et d'iode, la bouche est lampante, c'est le muscadet d'huîtres.

Muscadet Sèvre-et-Maine
Expression d'Orthogneiss 2009
Blanc | 2010 à 2017 | 7,30 € **15,5/20**
L'iode et les fruits secs se retrouvent au nez comme en bouche dans une expression fraîche et tendue.

Muscadet Sèvre-et-Maine
Expression d'Orthogneiss 2000
Blanc | 2010 à 2016 | NC **17/20**
C'est toujours meilleur quand le vin évolue, on en a ici l'exemple avec ce vin aux accents de pimprenelle, de pierre à fusil et de fumé, en bouche on aime son gras et sa tension. Superbe !

Muscadet Sèvre-et-Maine
Expression de Gneiss 2009
Blanc | 2011 à 2018 | 7,15 € **16/20**
Ce vin se met progressivement en place autour de la minéralité qui constitue la trame conductrice.

Muscadet Sèvre-et-Maine
Expression de Granite 2009
Blanc | 2011 à 2020 | 7,60 € **16,5/20**
Puissance contenue, vin sur la réserve, voici un vin de garde qui est pour l'instant dans ses langes, avec un profil limpide et tendu. Le 2008 commence son ascension dans l'échelle du plaisir iodé.

DOMAINE LE FAY D'HOMME

Les Coteaux • 44690 Monnières
Tél. 02 40 54 62 06 • Fax : 02 40 54 64 20
contact@lefaydhomme.com • www.lefaydhomme.com
Visite : De 9h à 12h et de 14h à 18h du lundi au samedi

Vincent Caillé s'est lancé avec enthousiasme dans la démarche Monnières-Saint-Fiacre, fruit d'une réflexion de reconnaissance de cru communal sur un terroir de gneiss ou orthogneiss, recouvert par une couche de surface mêlée de graviers et d'argiles, sur des vieilles vignes. Ses vins incarnent le renouveau du Muscadet.

Muscadet Sèvre-et-Maine
Clos de la Févrie 2007
Blanc | 2010 à 2015 | 6 € **14/20**
Les flaveurs de fruits secs avec une touche de fumé dominent, ce vin est tonique et persistant.

Muscadet Sèvre-et-Maine
Domaine Le Fay d'Homme 1989
Blanc | 2010 à 2014 | env 7 € **15/20**
Les vieux millésimes se portent bien, comme ce vin qui a encore de la tenue, des accents d'agrumes, et une droiture ponctuée par quelques notes fumées.

Muscadet Sèvre-et-Maine
La Part du Colibri 2008
Blanc | 2010 à 2012 | 4,90 € **12,5/20**
Vin coulant sur des nuances de citron vert et d'iode, à boire sur des charcuteries.

Muscadet Sèvre-et-Maine Vieilles Vignes 2008
Blanc | 2015 à 2019 | 5,50 € **13/20**
Ce vin offre des flaveurs de fleurs blanches et une touche de pamplemousse, il finit sur les embruns.

DOMAINE GADAIS PÈRE ET FILS

Les Perrières • 44690 Saint-Fiacre-sur-Maine
Tél. 02 40 54 81 23 • Fax : 02 40 36 70 25
musgadais@wanadoo.fr • www.gadaispereetfils.fr
Visite : du lundi au vendredi 9h-13h et 15h-19h samedi sur rendez-vous

Christophe Gadais est l'un des chefs de file du Muscadet et ses crus sont parmi les plus qualitatifs. Les cuvées Avineaux et Grande-Réserve-du-Moulin sont de bons rapports qualité-prix. Les Vieilles-Vignes,

tendues et délicieusement iodées, se révèlent particulièrement harmonieuses par leur élégance et leur digestibilité.

MUSCADET SÈVRE-ET-MAINE
GRANDE RÉSERVE DU MOULIN 2009
Blanc | 2010 à 2013 | 5,90 € **15/20**
Belle maturité au nez comme en bouche, avec en fin de bouche l'iode et un léger perlant.

MUSCADET SÈVRE-ET-MAINE
LE MUSCADET AUX AVINEAUX 2008
Blanc | 2010 à 2013 | NC **15/20**
Ce vin excite toujours le palais avec ses touches citronnées et salines qui ouvrent de belles perspectives à un bouquet de crevettes grises.

MUSCADET SÈVRE-ET-MAINE VIEILLES VIGNES 2009
Blanc | 2012 à 2020 | 7,80 € **15,5/20**
On apprécie la plénitude du vin avec un ressort salin et une superbe tension.

MUSCADET SÈVRE-ET-MAINE VIEILLES VIGNES 2008
Blanc | 2010 à 2019 | 7,80 € **15,5/20**
Vin droit et iodé avec une touche florale, on apprécie l'élégance.

DOMAINE DE LA GANOLIÈRE

2, La Ganolière • 44190 Gorges
Tél. 02 40 06 98 87 • Fax : 02 40 06 98 87
earl.boucher@wanadoo.fr
Visite : en semaine, 8h à 12h et de 14h à 19h
samedi 8h-12h et après-midi sur rendez-vous

La Ganolière a appartenu aux seigneurs de Remouillé, et aujourd'hui elle est un fief important pour le Gorgeois, avec des 2004 et 2005 de haut vol. Brigitte et Christophe Boucher confirment leur classement dans le peloton de tête du Muscadet, non seulement pour leurs crus communaux mais aussi pour leur muscadet-sur-lie l'Arche-de-la-Ganolière, avec des 2008 et 2009 vifs et fringuants.

MUSCADET SÈVRE-ET-MAINE
ARCHE DE LA GANOLIÈRE 2009
Blanc | 2010 à 2015 | 4,20 € **15/20**
Goûté en élevage, ce vin s'annonce prometteur, il a en plus de ses habituels accents iodés un retour de fruits jaunes délicieux.

MUSCADET SÈVRE-ET-MAINE
ARCHE DE LA GANOLIÈRE 2008
Blanc | 2010 à 2014 | 4,20 € **15/20**
Délicieusement lampant, ce vin finement tendu avec ses accents iodés est l'un de nos coups de cœur en 2008, il cousine au niveau de son glissant avec l'Amphibolite de Landron. Ce n'est pas grave docteur, prescrivez-moi un magnum !

MUSCADET SÈVRE-ET-MAINE GORGES 2005
Blanc | 2010 à 2021 | 8,50 € **16/20**
Ce vin a évolué au niveau de l'aromatique vers plus de complexité, on trouve l'orange confite, les fruits jaunes et un tranchant unique avec cette fin iodée très racée.

DOMAINE XAVIER GOURAUD

1, Le Pin • 44330 Mouzillon
Tél. 02 40 36 62 85
xaviergouraud@free.fr • www.xaviergouraud.fr
Visite : Tous les jours de 10h à 12h30 et de 15h à 18h sauf le dimanche sur rendez-vous.

Xavier Gouraud effectue un réel travail de terroirs, et a la chance de posséder des vignes sur gabbro, qui donnent un Rubis-de-la-Sanguèze-Clos-Barillère bien ciselé, c'est la cuvée la plus aboutie de la propriété. Les-Rigoles-du-Pin et les Perrières sont des cuvées plus souples. Ici, les vendanges sont manuelles.

MUSCADET SÈVRE-ET-MAINE LES PERRIÈRES 2009
Blanc | 2010 à 2011 | 3,90 € **13/20**
Citronné, vif et pimpant, ce vin appelle le plateau de fruits de mer.

MUSCADET SÈVRE-ET-MAINE
LES RIGOLES DU PIN 2009
Blanc | 2010 à 2013 | 4,60 € **14/20**
Coquille d'huître au nez, un léger perlant en bouche pour ce vin, friand, long et salin avec une légère tension.

MUSCADET SÈVRE-ET-MAINE
SEIGNEURIE DE LA BARILLÈRE 2009
Blanc | 2012 à 2019 | 4,20 € **15/20**
Très minéral au nez comme en bouche, ce vin a du potentiel et on lui présentera les langoustines.

DOMAINE DE LA GRANGE

44330 Mouzillon
Tél. 02 40 33 93 60 • Fax : 0240362979
contact@dhardy.com • www.dhardy.com
Visite : en semaine, de 8h à 18h, samedi 9h-12h30 et le week-end sur rendez-vous

Muscadet Sèvre-et-Maine Domaine Bretonnière 2008
Blanc | 2010 à 2012 | 4,70 € **13/20**
Vif, coulant, citronné, ce vin se lampe sur des palourdes.

DOMAINES VÉRONIQUE GÜNTHER-CHÉREAU

Château du Coing de Saint-Fiacre - La Bourchinière
44690 Saint-Fiacre-sur-Maine
Tél. 02 40 54 85 24 • Fax : 02 51 71 60 96
contact@chateau-du-coing.com
www.chateau-du-coing.com
Visite : Du lundi au vendredi, de 9h à 12h30 et de 13h30 à 18h. Week-end sur rendez-vous

De sa voix douce et charmeuse, Véronique Günther-Chéreau vous explique comment elle a débuté avec un millésime extraordinaire, le 1989. On peut louer également les vertus des 2009, 2008 tout comme celles des 1993, 1995 ou 1997, encore en pleine forme. La gamme des vins présentés est homogène, du vin coulant aux crus communaux plus complexes.

Muscadet Sèvre-et-Maine Château de la Gravelle 2009
Blanc | 2010 à 2012 | 6,50 € **14/20**
Flaveurs citronnées avec des touches florales, ce vin offre sa fraîcheur et son allant.

Muscadet Sèvre-et-Maine Château du Coing de Saint-Fiacre Comte de Saint-Hubert 2005
Blanc | 2010 à 2020 | 8,50 € **16/20**
On a des agrumes et une pointe saline qui dominent dans une bouche bien construite, ce millésime se révèle l'un des plus enveloppés de la décennie, le 1997 est encore en grande forme.

Muscadet Sèvre-et-Maine Château du Coing l'Ancestrale 2004
Blanc | 2010 à 2016 | 9 € **15,5/20**
On apprécie la réserve et le tranchant de cette cuvée qui décline des nuances de coquille d'huître, avec une structure bien affirmée.

Muscadet Sèvre-et-Maine Grand Fief de la Cormeraie 2009
Blanc | 2011 à 2017 | 6,50 € **15/20**
On apprécie sa tension harmonieuse en bouche et sa maturité rafraîchissante.

DOMAINE LA HAUTE-FÉVRIE

109, La Févrie • 44690 Maisdon-sur-Sèvre
Tél. 02 40 36 94 08 • Fax : 02 40 36 96 69
haute-fevrie@netcourrier.com
www.vigneron-independant.com/membres/domaine-lahaute-fevrie
Visite : Du lundi au vendredi 8h30-12h et 14h-18h samedi 10h-12h et 14h-17h et sur rendez-vous

Sébastien Branger travaille avec son père Claude. Adeptes de la culture raisonnée, ils vendangent toute la récolte à la main. Ce travail permet de produire des cuvées reflétant l'expression la plus fidèle du terroir, avec de belles perspectives d'évolution dans le temps.

Muscadet Sèvre-et-Maine 2009
Blanc | 2010 à 2011 | 3,45 € **13/20**
Nez de bonbon acidulé, attaque vive, bouche fraîche se terminant sur des notes de pamplemousse.

Muscadet Sèvre-et-Maine Clos Joubert 2007
Blanc | 2010 à 2016 | 5,50 € **14/20**
Vin de structure, persistant dans son intensité saline avec une touche de fumé en fin.

Muscadet Sèvre-et-Maine Excellence Vieilles Vignes 2008
Blanc | 2011 à 2018 | 4,65 € **14,5/20**
Le vin s'est un peu refermé, et l'aromatique est en retrait, il faut le carafer une heure avant le service pour le présenter à des crevettes grises.

Muscadet Sèvre-et-Maine Les Gras Moutons 2007
Blanc | 2010 à 2012 | 4,95 € **12,5/20**
Nez de citron vert, on retrouve cela dans une bouche vive à l'attaque mais cela devient mou derrière.

DOMAINES JOSEPH LANDRON

Les Brandières • 44690 La Haye-Fouassières
Tél. 02 40 54 83 27 • Fax : 02 40 54 89 82
domaines.landron@wanadoo.fr
www.domaines-landron.com
Visite : Du lundi au vendredi, de 8h30 à 12h30 et de 14h à 17h30, samedi sur rendez-vous.

Les vins de la propriété évoluent parfaitement avec le temps et ils ont le caractère joyeux de Jo Landron. Le-Fief-du-Breuil 1993 est toujours en pleine forme. 2009 et 2008 s'annoncent sous les meilleurs auspices, constituant l'une des priorités d'achat pour l'amateur. Ici, toutes les cuvées sont de grand style et méritent le magnum.

Muscadet Amphibolite 2009 ☺
Blanc | 2010 à 2011 | 9,50 € **16/20**
Vin de plaisir total, qui semble avoir emmagasiné toutes les flaveurs iodées de l'Atlantique, avec un perlant qui frise sur la langue, à boire en magnum en fredonnant des chansons de marin.

Muscadet Sèvre-et-Maine
Clos La Carizière 2009
Blanc | 2011 à 2016 | 8 € **16,5/20**
On sent le potentiel et la maturité, l'aromatique viendra avec le temps.

Muscadet Sèvre-et-Maine
Domaine de la Louvetrie 2008
Blanc | 2010 à 2017 | 6,50 € **15,5/20**
Ce 2008 évolue parfaitement, on en apprécie la trame élégante et une aromatique iodée qui commence à se dessiner.

Muscadet Sèvre-et-Maine Fief du Breil 2008
Blanc | 2010 à 2020 | 10 € **17/20**
On sent le potentiel de cette cuvée taillée pour la garde avec à la fois une puissance iodée et une élégance fumée.

Muscadet Sèvre-et-Maine Haute Tradition 2007
Blanc | 2011 à 2020 | 13 € **17/20**
Des épaules et des formes harmonieuses, ce vin a besoin encore de quelques années pour pleinement s'affirmer.

Muscadet Sèvre-et-Maine Hermine d'Or 2009
Blanc | 2010 à 2017 | 9 € **16/20**
Toujours vif et citronné, ce vin présente une longueur élégante.

DOMAINE GILLES LUNEAU

Les Forges • 44190 Gorges
Tél. 02 40 54 05 09 • Fax : 02 40 54 05 67
chateau-elget@wanadoo.fr
www.chateauelget-muscadet.com
Visite : en semaine, de 8h30 à 12h30 et de 14h à 19h30 week-end sur rendez-vous.

Ce domaine possède des parcelles sur gabbro. Ce terroir permet d'obtenir des muscadets de garde, racés, avec une minéralité bien affirmée. Autre beau terroir, le Granite de Clisson, très qualitatif pour son potentiel. Les muscadets produits sur le Château Elget sont plus immédiats, tout en présentant un réel charme.

Muscadet Sèvre-et-Maine
Château Elget cuvée Prestige 2009 ☺
Blanc | 2010 à 2012 | 5,20 € **13/20**
C'est vif, citronné et coulant avec un léger perlant en fin.

Muscadet Sèvre-et-Maine
Château Elget cuvée Prestige 2005
Blanc | 2010 à 2016 | NC **15/20**
Finesse, puissance, élégance avec une juste tension, ce vin a tout pour lui et il apprécie la langoustine.

Muscadet Sèvre-et-Maine Clisson 2007
Blanc | 2011 à 2019 | 8,80 € **15,5/20**
C'est fermé mais on sent le potentiel et surtout la tension qui vous prend à partir de la fin de bouche.

Muscadet Sèvre-et-Maine Gorges 2004
Blanc | 2010 à 2017 | 9,10 € **15/20**
On sent une bonne vibration iodée, avec une minéralité à la fois élégante et puissante.

DOMAINE PIERRE LUNEAU-PAPIN

La Grange • 44430 Le Landreau
Tél. 02 40 06 45 27 • Fax : 02 40 06 46 62
domaineluneaupapin@wanadoo.fr
www.domaineluneaupapin.com
Visite : lundi au vendredi 9h-12h30 et 15h-18h samedi sur rendez-vous

Ce domaine privilégie la sélection parcellaire, avec des cuvées précises notamment le L-d'Or, produit sur des terroirs granitiques qui traduisent les côtés iodés propres aux vins du secteur. La cuvée Excelsior, sur schistes de Goulaine, décline la minéralité dans ce qu'elle a de plus noble. Pure-de-Roche et Pueri-Solis complètent bien la gamme.

Muscadet Sèvre-et-Maine
Bute de la Roche 2008
Blanc | 2012 à 2020 | 9 € **16/20**
Pur, droit, cristallin, très iodé, ce vin bien né a tout pour lui, car le potentiel est évident.

Muscadet Sèvre-et-Maine Clos des Allées 2008
Blanc | 2010 à 2013 | 7 € **14/20**
Citronné, fumé, pamplemousse, friand, coulant, ce vin confirme en bouteille les promesses de l'élevage.

Muscadet Sèvre-et-Maine Excelsior 2006
Blanc | 2010 à 2019 | 14 € **15/20**
Superbe nez, épices, poivre, salin en bouche, tendu, de la réserve, avec un poil d'exotisme.

Muscadet Sèvre-et-Maine L d'Or 2008
Blanc | 2010 à 2018 | 8 € **15/20**
Nez frais et iodé avec une bouche saline de bonne longueur.

Muscadet Sèvre-et-Maine Pueri Solis 2009
Blanc | 2010 à 2019 | 14 € **15,5/20**
Nez exotique dans un registre mangue, papaye, attaque sur la mangue, puis c'est salin et tendu derrière.

CHÂTEAU MARIE DU FOU

2, place Circulaire • 85320 Mareuil
Tél. 02 51 97 20 10 • Fax : 02 51 97 21 58
contact@mourat.com • www.mourat.com

Forteresse redoutée au Moyen-Âge, le château Marie du Fou veille désormais sur soixante-sept hectares de vignes surplombant les vallées du Lay et de l'Yon. Le terroir, constitué d'une majorité de schistes associés à quelques parcelles sur rhyolites, bénéficie d'un micro-climat issu de trois écosystèmes, le bocage vendéen, la plaine de Luçon et le marais poitevin. La gamme de vins produits est techniquement très au point.

Fiefs Vendéens 2009
Rouge | 2010 à 2013 | 5,95 € **14,5/20**
Les tanins sont gourmands, avec un fruit bien présent et une bouche rafraîchissante.

Fiefs Vendéens 2009
Rosé | 2010 à 2011 | 5,95 € **13,5/20**
On a une expression de framboise et de fraise avec de la longueur, et la fraîcheur ligérienne en fin.

Fiefs Vendéens Clos Saint-André 2009
Blanc | 2010 à 2016 | 10,90 € **14,5/20**
Nez d'agrumes avec une pointe d'abricot, la bouche s'étire autour de ces flaveurs, ce vin présente beaucoup de charme.

Fiefs Vendéens Collection 2009
Rosé | 2010 à 2012 | 4,85 € **14/20**
Ce rosé offre des notes d'agrumes et de fruits rouges, il se montre à la fois structuré et rafraîchissant.

Vin de pays de la Vendée Grenouillère 2009
Rouge | 2010 à 2012 | 10,90 € **15/20**
Le cépage négrette est roi dans ce vin qui mêle les fruits noirs au poivre gris, on aime cette gourmandise de tanins et cette fin épicée.

DOMAINE MÉNARD-GABORIT

La Minière • 44690 Monnières
Tél. 02 40 54 61 06 • Fax : 02 40 54 66 12
philippe.menard7@wanadoo.fr
www.domaine-menard-gaborit.fr
Visite : Du lundi au samedi de 8h à 12h et de 14h à 19h.

Depuis 1734, la vigne est une affaire de famille chez les Ménard-Gaborit. L'agriculture raisonnée est de mise pour un souci plus poussé de l'environnement. Mais le véritable développement durable, c'est la démarche de cru communal, pour des parcelles qui reçoivent l'agrément pour devenir Monnières-Saint-Fiacre.

Muscadet Sèvre-et-Maine Monnières - Saint-Fiacre 2006
Blanc | 2010 à 2017 | 8,50 € **14,5/20**
Nez de mangue avec une touche iodée, la bouche est équilibrée et élégante, ce vin peut courtiser le brochet au beurre blanc.

Muscadet Sèvre-et-Maine
Moulin de la Minière 2009
Blanc | 2010 à 2012 | 3,20 € **13,5/20**
Ce vin claque en bouche, on apprécie son perlant iodé rafraîchissant.

Muscadet Sèvre-et-Maine Prestige 2008
Blanc | 2010 à 2011 | env 3,90 € **13/20**
Droit et floral, ce muscadet est coulant à souhait.

DOMAINE DE LA PÉPIÈRE

44690 Maisdon-sur-Sèvre
Tél. 02 40 03 81 19 • Fax : 02 40 06 69 85
earl.lapepiere@orange.fr
Visite : en semaine, de 9h à 12h et de 14h à 18h
samedi sur rendez-vous

La taille courte, la fertilisation, l'utilisation de la sélection massale pour le renouvellement du vignoble, le labour des sols et la récolte manuelle permettent progressivement d'évoluer vers la culture biologique. Les vins sont élevés sur lies, sans soutirage pendant six à vingt-quatre mois suivant les cuvées qui sont toutes de haut vol.

MUSCADET 2009
Blanc | 2010 à 2012 | 4 € **15/20**
C'est un modèle de muscadet, avec la fraîcheur iodée, un léger perlant et la plasticité légèrement tendue.

MUSCADET SÈVRE-ET-MAINE CLOS DES BRIORES VIEILLES VIGNES 2009
Blanc | 2010 à 2017 | 4,90 € **16,5/20**
Cette cuvée de vieilles vignes sur granit affiche une attaque mûre en début de bouche et une structure vibrante très pure qui prolonge bien.

MUSCADET SÈVRE-ET-MAINE GRANITE DE CLISSON 2007
Blanc | 2010 à 2020 | 8,50 € **16,5/20**
Nez profond mêlant les fruits secs, l'iode, la coquille d'huître. La bouche affiche une belle tension. Le 2005 possède une structure plus opulente.

MUSCADET SÈVRE-ET-MAINE LES GRAS MOUTONS 2008
Blanc | 2010 à 2018 | 4,90 € **15,5/20**
On apprécie la précision de cette cuvée de gneiss argileux dans sa structure tranchante, c'est l'un des seuls Gras-Moutons à ne pas être mou en fin de bouche.

MUSCADET SÈVRE-ET-MAINE SUR LIE 2009
Blanc | 2010 à 2015 | 4 € **15/20**
On a une belle trame minérale comme colonne vertébrale, et un ressort aromatique bien défini autour des fruits secs, le pamplemousse rose et une fin saline.

DOMAINE DE LA POITEVINIÈRE

44190 Gorges
Tél. 02 40 06 96 93
vincent.rineau@wanadoo.fr
www.domaine-de-la-poiteviniere.com
Visite : Du lundi au vendredi de 17h à 20h, le samedi de 11h à 20h, le dimanche sur rendez-vous.
Fermeture annuelle la 3ème semaine d'août

Vincent Rineau présente des cuvées d'une grande franchise de constitution. Le muscadet-sur-lie claque en bouche, grâce à une fraîcheur iodée de bon aloi. Les sèvre-et-maines ont une densité qui s'affine avec le temps, quant aux gorgeois, ils sont taillés comme il se doit pour la garde, et épauleront dans quelques années homard et langouste.

MUSCADET SÈVRE-ET-MAINE SUR LIE 2008
Blanc | 2010 à 2017 | 3,50 € **14/20**
À ce stade, le vin se referme et apparaît un peu brut pour le profane, on perçoit son potentiel.

MUSCADET SÈVRE-ET-MAINE SUR LIE 2004
Blanc | 2010 à 2017 | 4,70 € **14,5/20**
Ce vin s'affine avec le temps, et il devient plus subtil dans sa tension saline, avec du fond en fin de bouche.

MUSCADET SÈVRE-ET-MAINE SUR LIE 2003
Blanc | 2010 à 2012 | 5 € **13,5/20**
Ce millésime plus riche affiche plus de rondeurs, mais sa trame se tend en milieu de bouche.

DOMAINE DAMIEN RINEAU

1, La Maison Neuve • 44190 Gorges
Tél. 06 71 98 48 21 • Fax : 02 40 06 98 27
rineau.damien@wanadoo.fr
Visite : Tous les jours, de 8h à 20h sur rendez-vous sauf le dimanche.

Dégusté une première fois au restaurant Anne de Bretagne à La Plaine-sur-Mer, le gorgeois du domaine nous fit bonne impression, et lors de nos dernières dégustations à l'aveugle sur le secteur, le 1999 est sorti dans le peloton de tête. Damien Rineau appartient à la neuvième génération de vignerons installée dans la région de Gorges, et ses vins sont élevés plusieurs années sur lie avant d'être commercialisés.

MUSCADET SÈVRE-ET-MAINE GORGEOIS 1997
Blanc | 2010 à 2016 | 11,90 € **14,5/20**
On a la rondeur et des touches exotiques du millésime avec derrière le tranchant propre au terroir de gabbro.

DOMAINE SAINT-NICOLAS

11, rue des Vallées • 85470 Brem-sur-Mer
Tél. 02 51 33 13 04 • Fax : 02 51 33 18 42
contact@domainesaintnicolas.com
www.domainesaintnicolas.com
Visite : Sur rendez-vous du lundi au samedi de 9h à 12h et de 14h à 18 h.

Grâce à Thierry Michon, on peut bronzer de l'intérieur du côté des Sables-d'Olonnes. Ce vigneron s'est taillé un fief en Pays Vendéen, et il porte haut la particule de la biodynamie. Ce travail herculéen et la qualité des vins produits expliquent certains prix pour les grandes cuvées. Il convient de bien carafer les rouges avant le service. On apprécie le naturel et la fraîcheur de constitution de toutes les cuvées.

FIEFS VENDÉENS JACQUES 2006
Rouge | 2010 à 2013 | 18 € **15,5/20**
On aime ce fruité croquant sur la cerise fraîche, les tanins sont longs et frais avec une pointe épicée.

FIEFS VENDÉENS LE HAUT DES CLOUS 2007
Blanc | 2010 à 2014 | 18 € **16/20**
Rondeurs en attaque puis pureté en bouche, avec une belle fin saline.

FIEFS VENDÉENS LE POIRÉ 2007
Rouge | 2010 à 2015 | 21 € **16/20**
C'est gourmand, tout en fruits rouges frais, avec une note poivrée, avec le temps le vin prend du volume.

FIEFS VENDÉENS LES CLOUS 2009
Blanc | 2010 à 2013 | 9 € **15/20**
Salin et long sur des nuances exotiques, ce vin donne déjà du plaisir.

FIEFS VENDÉENS REFLETS 2009
Rouge | 2010 à 2014 | 9,50 € **16/20**
Beau nez de fruits rouges très pur, avec une bouche gourmande et croquante.

DOMAINE DE LA TOURLAUDIÈRE

174, rue de Bonne-Fontaine • 44330 Vallet
Tél. 02 40 36 24 86 • Fax : 02 40 36 29 72
vigneron@tourlaudiere.com • www.tourlaudiere.com
Visite : en semaine de 9h à 12h30 et de 15h à 19h week-end sur rendez vous.

Entre Vallet et La Chapelle-Heulin, ce domaine s'étend sur une quarantaine d'hectares, avec à sa tête un couple expérimenté qui pratique la lutte raisonnée comme mode cultural. Ici, la cuvée domaine est franche et coulante, les vieilles-vignes plus tendues et Les-Schistes-de-Goulaine constituent la cuvée la plus aboutie et la plus complexe.

MUSCADET SÈVRE-ET-MAINE 2008
Blanc | 2010 à 2012 | env 4 € **13/20**
Coulant et floral, ce vin se boit sur des huîtres chaudes.

MUSCADET SÈVRE-ET-MAINE VIEILLES VIGNES 2005
Blanc | 2010 à 2015 | env 5 € **14/20**
Délicieusement iodée, cette cuvée bien tendue a du ressort, et elle s'affirme sur une mouclade.

DOMAINE JEAN-LUC VIAUD

La Renouère • 44430 Le Landreau
Tél. 02 40 06 40 65 • Fax : 02 40 06 45 43
jean_luc.viaud@club-internet.fr
Visite : ouvert le samedi de 9h à 12h30 et de 14h à 18h30.

C'est par les schistes de Goulaine que Jean-Luc Viaud et son épouse Bernadette, œnologue et prof de viticulture, s'expriment totalement. Ce terroir privilégié du Muscadet est composé de roche tendre appelée schiste ou gneiss, et les vieilles vignes, par leur enracinement, y font merveille. Les rendements ne doivent pas excéder quarante-sept hectolitres à l'hectare et l'élevage sur lies dure au minimum dix-huit mois. Sur le Clos du Panloup,cela permet d'obtenir un vin qui se chante, avec une structure élégante déclinant une expression minérale dotée d'une complexité aromatique.

MUSCADET SÈVRE-ET-MAINE CLOS DU PANLOUP 2009
Blanc | 2010 à 2013 | 3,70 € **13/20**
Nez salin avec des notes d'agrumes, bouche vive et chantante qui pousse à la gaudriole pour les jeunes filles «au père».

MUSCADET SÈVRE-ET-MAINE CLOS DU PANLOUP 2008
Blanc | 2010 à 2013 | 3,70 € **13/20**
Nez floral, bouche franche et droite se terminant sur des notes salines. En Panloup, les années paires ont du répondant.

MUSCADET SÈVRE-ET-MAINE
FLEUR DE PANLOUP 2007
Blanc | 2011 à 2020 | 7,30 € **15/20**
On sent le potentiel de ce vin plus riche et moins immédiat, on en apprécie pour l'instant la persistance saline.

Notes personnelles

L'Anjou et le Saumurois

Du soleil dans le verre, c'est ainsi que l'on décrit le fruité si remarquable et explosif des vins blancs angevins, bénéficiant d'un climat étonnamment chaud, avec la possibilité de produire, si le marché le souhaite, un important volume de liquoreux, dont les meilleurs sont le charme incarné. Les rouges en nets progrès sont les plus corsés de la Loire.

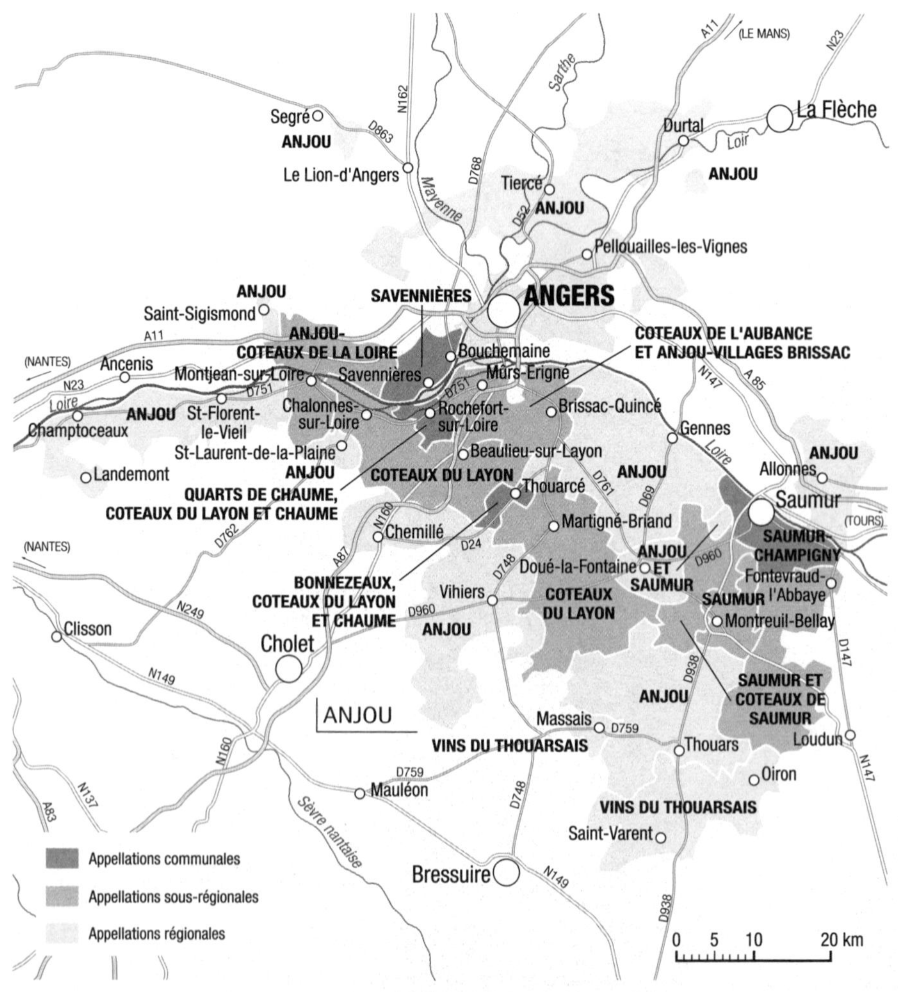

ACKERMAN

19, rue Léopold-Palustre
49400 Saint-Hilaire-Saint-Florent
Tél. 02 41 53 03 10 • Fax : 02 41 53 09 16
contact@ackerman.fr • www.ackerman.fr
Visite : De 9h30 à 12h30 à 14h 18h30, tous les jours et les groupes sur rendez-vous.

Crémant de Loire Grande Réserve
Blanc Brut effervescent | 2010 à 2011 | NC **13/20**
C'est apéritif, la bulle est allègre avec une fin sur l'amertume rafraîchissante du chenin.

DOMAINE DE BABLUT

Vignobles Daviau • 49320 Brissac-Quincé
Tél. 02 41 91 22 59 • Fax : 02 41 91 24 77
daviau.contact@wanadoo.fr
www.vignobles-daviau.fr
Visite : Du lundi au samedi, de 9h à 12h et de 14h à 18h30.

Christophe Daviau a repris les cinquante hectares du vignoble familial qui existe depuis le XVIe siècle. Celui-ci, mené en agriculture biologique depuis plus de dix ans, a progressé sur ses blancs secs. Les coteaux-de-l'aubance et les anjous-villages restent de grands classiques de l'Anjou.

Anjou Ordovicien 2005
Blanc | 2010 à 2020 | 9,70 € **14/20**
Assez belle matière, attaque en rondeurs puis le vin se tend dans des nuances de fruits secs et de fumé.

Anjou Petit Princé 2008
Blanc | 2012 à 2020 | 8,45 € **14/20**
Un blanc qui a du fond avec ses accents d'agrumes, et un fruit qui émerge dans une bouche bien construite.

Anjou Petit Princé 2007
Blanc | 2010 à 2020 | 8,45 € **14/20**
Un blanc qui a du fond avec ses accents d'agrumes, il aime la daurade.

Coteaux de l'Aubance Grandpierre 2007
Blanc Liquoreux | 2010 à 2015 | 18,10 € **15,5/20**
Rôti élégant, moelleux équilibré entre le sucre et l'acidité, bien sur une tarte aux abricots.

Coteaux de l'Aubance Sélection 2007
Blanc liquoreux | 2010 à 2017 | 10,40 € **13/20**
Flaveurs de confiture d'abricot, avec une bouche franche.

DOMAINE PATRICK BAUDOUIN

Princé • 49290 Chaudefonds-sur-Layon
Tél. 02 41 74 95 03 • Fax : 02 41 74 95 03
domaine@patrick-baudoin.com
www.patrick-baudouin.com
Visite : sur rendez-vous

Chantre du Layon, Patrick Baudoin appartient à ceux qui croient que les bio-secs ont un avenir en Anjou, et au vu de nos dégustations, nous ne pouvons que lui emboîter le coude car les cuvées présentées affichent une belle forme.

Anjou Cornillard 2007
Blanc | 2010 à 2015 | 18 € **15/20**
Sur ce terroir, durant quatre ans furent produits des liquoreux en Coteaux du Layon, Patrick a pris ici la juste mesure de son terroir, avec un vin riche et puissant tout en restant frais et élégant.

Anjou Effusion 2008
Blanc | 2010 à 2014 | 13,50 € **14,5/20**
Minéral, tendu, avec des nuances de fruits secs et de fumé, un vin de gastronomie, pour crustacés.

Anjou Les Gâts 2008
Blanc | 2010 à 2014 | 18 € **13,5/20**
Vin avec du ressort, qui se boit le matin sur des rillettes.

Coteaux du Layon 2007
Blanc liquoreux | 2010 à 2014 | 15 € **14/20**
On est sur des nuances de coing et de fumé avec de la fraîcheur, bel équilibre pour cette entrée de gamme.

DOMAINE DES BAUMARD

8, rue de l'Abbaye • 49190 Rochefort-sur-Loire
Tél. 02 41 78 70 03 • Fax : 02 41 78 83 82
contact@baumard.fr • www.baumard.fr
Visite : De 10h à 12h et de 14h à 17h30 sauf le dimanche et jours fériés.

Florent Baumard est le chef de file ligérien de la capsule à vis, afin d'éviter les vices de l'horrible goût de bouchon. Il conditionne ainsi toutes ses cuvées. Nous n'avons pas le recul suffisant pour juger du bien fondé du procédé, et c'est donc à la force du poignet que nous proclamons la belle régularité des vins dégustés.

Coteaux du Layon Carte d'Or 2007
Blanc Liquoreux | 2010 à 2015 | 8,90 € **14/20**
Très pâte de fruits, avec des accents d'abricot et un bon équilibre.

COTEAUX DU LAYON CUVÉE SAINTE CATHERINE 2007
Blanc Liquoreux | 2010 à 2016 | 18,70 € **15/20**
Nez d'abricot sec avec des nuances de tilleul, la bouche est parfaitement équilibrée, elle se livre sur un tajine de volaille au coing.

QUARTS DE CHAUME 2007
Blanc Liquoreux | 2010 à 2019 | 33,80 € **18/20**
Toujours aussi beau, avec ce rôti fin, subtil et cette longueur effilée. C'est déjà très bon !

SAVENNIÈRES CLOS DE SAINT-YVES 2007
Blanc | 2010 à 2016 | env 12,30 € **16/20**
Au bout de trois heures de carafage, ce vin prend de l'assise avec ses accents exotiques au nez et une trame précise dans le dessin de sa structure bien tendue, et une longueur qui s'affirme au fil de l'ouverture.

CHÂTEAU BELLERIVE

Chaume • 49190 Rochefort-sur-Loire
Tél. 02 41 78 33 66 • Fax : 02 41 78 68 47
info@vignobles-alainchateau.com
www.domaine-belle-rive.com
Visite : Du lundi au vendredi, de 8h à 12h et de 14h30 à 17h30, sur rendez-vous. Samedi et dimanche sur rendez-vous de mai à septembre.

Alain Château possède plusieurs vignobles en Anjou, le Château Bellerive étant le plus convaincant. Les liquoreux constituent le point d'orgue de ses productions et nous avons régulièrement remarqué le quarts-de-chaume, qui présente cette typicité spécifique avec une élégance et la retenue malgré la richesse en sucre.

QUARTS DE CHAUME 2007
Blanc Liquoreux | 2010 à 2019 | 32,50 € **14/20**
Encore marqué par son élevage qui lui confère des notes de vernis, le vin est moins convaincant que l'an passé, mais il y a une matière qui devrait reprendre le dessus.

QUARTS DE CHAUME 2005
Blanc Liquoreux | 2010 à 2025 | 32,50 € **16/20**
L'équilibre et la fraîcheur ont été préservés, et ont permis cette belle bouteille étonnamment inspirée par des arômes plus bonnezeaux que quarts-de-chaume, qui évolue parfaitement.

DOMAINE DE LA BERGERIE

49380 Champ-sur-Layon
Tél. 02 41 78 85 43 • Fax : 02 41 78 60 13
domainede.la.bergerie@wanadoo.fr
www.yves-guegniard.com
Visite : Du lundi au vendredi de 9h à 12h30 et de 14h à 19 h.

Yves Guégniard mène le Domaine de la Bergerie, à Champ-sur-Layon. Il exploite également le Clos du Grand Beaupréau, remarquable terroir de Savennières. En rouge, l'Évanescence est l'une des meilleures cuvées de l'Anjou. Fragrance est un coteaux-du-layon puissant et le quarts-de-chaume s'impose en dégustation par son velouté et son élégance. On retrouve ces vins à la Table de la Bergerie où le gendre de la maison, David Guitton, formé chez les plus grands étoilés, compose une cuisine ligérienne toute en mesure.

ANJOU LA CERISAIE 2008
Rouge | 2011 à 2018 | 5,10 € **14/20**
Nez de fruits noirs et de poivre gris, bouche aux tanins gourmands se terminant sur la myrtille.

ANJOU-VILLAGES ÉVANESCENCE 2007
Rouge | 2010 à 2019 | 11,50 € **15/20**
Nez de fruits noirs et de réglisse, belle qualité de tanins, alliant la finesse et la puissance, pouvant épauler un râble de lièvre à la réglisse.

QUARTS DE CHAUME 1996
Blanc Liquoreux | 2010 à 2020 | env 40 € **17/20**
Goûté sur un dessert aux agrumes de David Guitton, ce vin aux flaveurs de truffe et d'ananas frais offre une belle texture satinée et tendue avec une fin de bouche sur l'abricot, rafraîchissante. Superbe équilibre !

SAVENNIÈRES CLOS LE GRAND BEAUPRÉAU 2008
Blanc | 2010 à 2017 | env 11,50 € **16,5/20**
Savennières gras et savoureux, de bonne maturité, avec une attaque onctueuse miellée, puis le vin prend le tranchant caractéristique avec une fin sur la minéralité.

SAVENNIÈRES LA CROIX PICOT 2008
Blanc | 2010 à 2019 | env 10 € **15,5/20**
Ce savennières n'a pas fait sa malo, il se présente dans toute sa rectitude avec une belle fin saline, il est idéal pour le fromage de chèvre.

Savennières La Croix Picot 2007
Blanc | 2010 à 2013 | 10 € **15,5/20**
Très tranchant, rond en attaque, puis minéral, ce vin offre un bel équilibre.

DOMAINE DE BOIS MOZÉ

Le Bois Mozé • 49320 Coutures
Tél. 02 41 57 91 28 • Fax : 02 41 57 93 71
boismoze@ansamble.fr
Visite : Du lundi au vendredi, de 9h à 12h30 et de 13h30 à 17h30, sur rendez-vous

René Lancien est un industriel qui vit sa passion du vin à travers son domaine, où il infléchit avec son épouse Odile le style des cuvées pour augmenter leur niveau qualitatif, aidé dans cette tâche par son œnologue Mathilde Giraudet-Crapier qui a travaillé avec Thierry Michon. La gamme de rouges est de plus en plus précise et le Château-Rousset, en aubance, s'annonce somptueux. Ce domaine est à suivre de près.

Anjou-Villages Champ Noir 2008
Rouge | 2010 à 2017 | env 7,20 € **14,5/20**
On apprécie la droiture des tanins en début de bouche, avec ce qu'il faut de plasticité à partir du milieu, et un fruité déclinant la prune.

Anjou-Villages Jean-Joseph 2008
Rouge | 2012 à 2020 | env 9 € **15/20**
Nez de prune d'Ente, une belle matière en bouche qui marque bien la progression de ce cru au fil des millésimes, du niveau des meilleurs rouges de l'Anjou.

Coteaux de l'Aubance 2009
Blanc liquoreux | 2011 à 2017 | env 7,80 € **14/20**
On apprécie les flaveurs d'abricot sec, l'attaque délicate et tendue, avec une fin de bouche très rafraîchissante.

Coteaux de l'Aubance Château Rousset 2009
Blanc liquoreux | 2011 à 2020 | NC **16/20**
Superbe équilibre, avec du fond, de la fraîcheur et de la complexité sur l'un des meilleurs terroirs de l'Aubance. Cette cuvée est à suivre de près, c'est l'une des futures grandes de l'Anjou.

DOMAINE BOUVET-LADUBAY

11, rue Jean-Ackerman
49400 Saumur-Saint-Hilaire-Saint-Florent
Tél. 02 41 83 83 83 • Fax : 02 41 50 24 32
bouvetladubay@vinsdusiecle.com
www.bouvet-ladubay.fr
Visite : de juin à septembre, du lundi au samedi, 9h-19h d'octobre à mai, du lundi au samedi, 9h-12h30 et 14h-18h toute l'année, dimanche 10h-12h30 et 14h30-18h.

Patrice Monmousseau, le sémillant directeur est toujours en fermentation et il utilise la technique des plus grands crus pour élaborer ses cuvées de bulles avec lesquelles on pétille de plaisir. À l'origine des journées nationales du Livre et du Vin, il élabore également de bonnes cuvées de vins tranquilles, celle consacrée à Jean Carmet se boit le col ouvert en regardant la Loire.

Bourgueil 2007
Rouge | 2010 à 2015 | 6,37 € **14/20**
Nez de fruits rouges, vin qui selon l'expression consacrée par Jean Carmet «fait du bien aux joues».

Saumur Mousseux cuvée Trésor 2007
Blanc Brut eff. | 2010 à 2017 | 13,47 € **16,5/20**
Élevée en fût de chêne, cette cuvée supporte ce type d'élevage, elle se révèle à la fois puissante, tendue et harmonieuse, avec une bulle qui peut accompagner une terrine de saumon et se promener sur une partie du repas.

Saumur Mousseux Taille Princesse de Gérard Depardieu 2006
Blanc Brut effervescent | 2010 à 2013 | 17,56 € **16/20**
Cette nouvelle cuvée, où l'acteur s'est impliqué, a du fond et de la droiture avec des accents d'agrumes et de brioche ; la bulle permet de donner du tonus à des rillettes de truite ou de saumon.

CHÂTEAU DU BREUIL

Le Breuil • 49750 Beaulieu-sur-Layon
Tél. 02 41 78 32 54 • Fax : 02 41 78 30 03
ch.breuil@wanadoo.fr
Visite : en semaine 9h-12h et 14h-18h
week-end sur rendez-vous

Anjou Clos du Frère Étienne 2007
Blanc | 2010 à 2019 | 11,50 € **15/20**
Contrairement à ce que les arômes très mûrs annoncent, le vin est parfaitement sec. L'équilibre

est obtenu entre fraîcheur et fruit. La longueur impressionne, ce vin évolue parfaitement.

Coteaux du Layon Beaulieu 2007
Blanc Liquoreux | 2010 à 2020 | 14,20 € **16/20**
Miel, abricot, fruits secs, le nez est profond, la bouche est un juste équilibre entre la liqueur, le fruit et la fraîcheur finale.

DOMAINE CADY

20, Valette • 49190 Saint-Aubin-de-Luigné
Tél. 02 41 78 33 69 • Fax : 02 41 78 67 79
domainecady@yahoo.fr • www.domainecady.fr
Visite : en semaine, de 9h à 12h et de 15h à 18h30 week-end sur rendez-vous

Installé à Saint-Aubin-de-Luigné, sur des sols constitués d'argiles et de schistes, ce domaine propose une jolie gamme de vins qui débute par un coteaux-du-layon apéritif. Plus complexes, Les-Varennes conserve de l'acidité derrière la liqueur, et le chaume est plus en rondeur, bien qu'ancré dans son terroir. La cuvée Volupté reste insensible au temps.

Cabernet d'Anjou 2009
Rosé Demi-sec | 2010 à 2020 | 4,80 € **14/20**
Velouté et souple, très framboise et groseille, ce vin ouvre par une sucrosité intégrée à une acidité qui apporte sa touche finale.

Coteaux du Layon Chaume 2008
Blanc Liquoreux | 2010 à 2020 | 13,20 € **15/20**
Vif, de belle longueur, dans un registre tendu et abricoté, ce vin est déjà en grande forme.

Coteaux du Layon Saint-Aubin Les Varennes 2008
Blanc Liquoreux | 2010 à 2017 | 12,20 € **14/20**
Nuances de pâte de coing, attaque onctueuse, bouche fraîche avec une pointe fumée.

DOMAINE DES CHAMPS FLEURIS

50-54, rue des Martyrs • 49730 Turquant
Tél. 02 41 38 10 92 • Fax : 02 41 51 75 33
domainechamps-fleuris@wanadoo.fr
www.champs-fleuris.com
Visite : Du lundi au samedi, de 8h à 12h et de 14h à 18h dimanche matin sur rendez-vous.

Patrice Rétif réalise des rouges sérieux et profonds, capables de bien évoluer. La cuvée des Roches provient du terroir des Rôtissants. Elle prend une grande dimension quand l'élevage s'estompe. Les-Tufolies et Vieilles-Vignes sont accessibles plus rapidement, bien dans l'esprit de ce qu'on peut attendre d'un bon saumur-champigny.

Saumur Les Damoiselles 2008
Blanc | 2010 à 2017 | 7,20 € **14/20**
Ce vin s'est étoffé depuis notre dernière dégustation, il a gagné de l'onctuosité en début de bouche et une tension avec un côté citronné en fin de bouche.

Saumur-Champigny Les Roches 2008
Rouge | 2013 à 2020 | 13,50 € **15,5/20**
Ce vin offre des tanins longs, enrobés et tendus, il est taillé pour la garde et les viandes rouges.

Saumur-Champigny Les Tufolies 2009
Rouge | 2011 à 2014 | 6 € **14/20**
Ce vin est souple, avec des accents de fruits rouges et une pointe épicée.

Saumur-Champigny Vieilles Vignes 2009
Rouge | 2011 à 2017 | 7 € **14,5/20**
C'est très bien, du fond, de la longueur, témoin de la réussite des 2009. Le 2008 plus classique confirme tous les espoirs de l'an passé.

DOMAINE DE CHÂTEAU GAILLARD

Ruette du Moulin • 49260 Montreuil-Bellay
Tél. 02 41 52 31 11 • Fax : 02 41 52 39 94
matthieu.bouchet@neuf.fr
Visite : sur rendez-vous uniquement

Sans esbroufe ni détour, ce domaine en biodynamie depuis 1962 prévaut pour son grolleau gourmand et croquant et son saumur rouge, pur, franc et racé, sans la raideur habituelle de la plupart des vins de ce secteur. Mathieu et Sylvaine Bouchet tracent leur sillon sans faire de bruit et ils méritent un arrêt sur tanins.

Vin de France Fleur Bleue 2009
Rouge | 2010 à 2013 | 4,50 € **14/20**
Un vin gourmand à partir de grolleau, très franc, plein et charnu sur les fruits noirs et le thym, que l'on boit sur une saucisse aux lentilles vertes du Berry.

Saumur 2007
Rouge | 2010 à 2015 | 6,50 € **16/20**
Un fruité pur et des tanins longs et élégants respectent ce millésime difficile. C'est déjà bon et il y a du potentiel.

MOULIN DE CHAUVIGNÉ

Le Moulin de Chauvigné • 49190 Rochefort-sur-Loire
Tél. 02 41 78 86 56 • Fax : 02 41 78 86 56
info@moulindechauvigne.com
www.moulindechauvigne.com
Visite : Sur rendez-vous.

Sylvie Plessis-Termeau est à la cave et Christian est à la vigne. Le domaine se partage entre Savennières et Coteaux du Layon. Sur cette AOC, la cuvée de base est orientée vers des expressions florales et fruitées, alors que La-Croix-Blanche est plus concentrée. Le savennières Clos-Brochard, issu d'un sol volcanique, donne des vins de belle étoffe.

Coteaux du Layon 2009
Blanc liquoreux | 2010 à 2019 | NC **14/20**
Très abricot et fruits jaunes, ce vin offre un équilibre sucre, acidité qui permet de le servir dès l'apéritif.

Coteaux du Layon La Croix Blanche 2009
Blanc Liquoreux | 2010 à 2023 | NC **15,5/20**
Miel, agrumes et fruits exotiques, ce vin offre onctuosité et fraîcheur en bouche avec une belle matière.

Coteaux du Layon La Croix Blanche 2007
Blanc Liquoreux | 2010 à 2017 **15/20**
La tension acide permet de bien tenir le vin qui offre un soyeux rafraîchissant en finale.

Savennières 2009
Blanc | 2010 à 2015 | NC **14,5/20**
Vin droit et tendu avec des amers traditionnels, bien soutenus par la maturité du millésime.

Savennières Clos Brochard 2009
Blanc | 2010 à 2017 | NC **16/20**
Vin incisif avec des touches d'agrumes, il se révèle iodé et direct d'accès, on le boit sur une terrine d'huîtres.

Savennières Clos Brochard 2007
Blanc | 2011 à 2017 | NC **15/20**
Ce vin de bon potentiel dispose d'une belle matière, comme il se referme, il convient de le laisser tranquille quelques mois, ou de le carafer trois heures avant de le boire.

DOMAINE DU CLOSEL

Château des Vaults - 1, place du Mail
49170 Savennières
Tél. 02 41 72 81 00 • Fax : 02 41 72 86 00
closel@savennieres-closel.com
www.savennieres-closel.com
Visite : De 9h30 à 18h30 tous les jours

Ce domaine familial, situé au centre de Savennières, possède un beau patrimoine de vieilles vignes. Les cuvées affichent l'identité de leur parcelle d'origine. En blanc, la structure des vins exprime intensément la minéralité de chaque terroir, et c'est le clos-du-papillon qui fournit ici les expressions les plus distinguées.

Savennières Château des Vaults - La Jalousie 2007
Blanc | 2010 à 2016 | 12,10 € **15/20**
Nez miellé avec une touche florale, la bouche traduit cette aromatique dans un registre onctueux, à carafer deux heures avant le service.

Savennières Le Clos du Papillon 2007
Blanc | 2010 à 2017 | env 24 € **15,5/20**
On apprécie ce vin qui s'étire en bouche, avec un registre très agrume et une tension harmonieuse.

DOMAINE DU COLLIER

62, place du Collier • 49400 Chacé
Tél. 02 41 52 69 22 • Fax : 02 41 52 69 22
domaineducollier@wanadoo.fr
www.domaineducollier.free.fr
Visite : pas de vente à la propriété

Sur ses six hectares cultivés en biodynamie, Antoine Foucault joue dans le répertoire de son père Charly avec des vins qui ont le rythme des chansons de Boby Lapointe et une bouche rabelaisienne. Le chenin, sur les célèbres coteaux de Brézé, donne depuis 2004 deux cuvées de blancs qui le plus souvent ont le profil de grands crus bourguignons dans leur tension et leur structure. En rouge, les cabernets francs traduisent au mieux l'expression du terroir de Saumur, avec des finales souvent salines.

Saumur 2007
Blanc | 2012 à 2025 | cav. 24 € **15/20**
Vin élégant, avec des touches cristallines, ce type longiligne conviendra à des langoustines.

Saumur 2002
Blanc | 2010 à 2019 | cav. 25 € **16,5/20**

Nez iodé avec quelques touches réglissées, tension et appétence saline jubilatoires, le vin se montre long et bien construit.

Saumur Clos de Ripaille 2007
Rouge | 2011 à 2017 | cav. 30 € **14,5/20**

Fruits rouges compotés, vin aux tanins tendus avec juste ce qu'il faut d'enrobage, fin saline.

Saumur La Charpentrie 2006
Blanc | 2011 à 2026 | cav. 32 € **16/20**

Ce vin très pur doit attendre encore quelques années en bouteille, on apprécie sa générosité et son ressort.

Saumur La Charpentrie 2005
Blanc | 2010 à 2020 | cav. 32 € **17/20**

Vin explosif du niveau d'un grand cru de Bourgogne. Il y a tout : la richesse, le tranchant et la fraîcheur dans l'élégance. Le homard lui conviendra.

CLOS DES CORDELIERS

GAEC Domaine Ratron le clos des cordeliers
49400 Souzay-Champigny
Tél. 02 41 52 95 48 • Fax : 02 41 52 99 50
domaine-ratron@clos-des-cordeliers.com
www.clos-des-cordeliers.com
Visite : Du lundi au samedi de 8h à 12h
et de 14h à 18h30. Le dimanche sur rendez-vous

Ce domaine historique de Champigny élabore deux cuvées : Tradition est issue de parcelles présentant du tuffeau en sous-sol, on l'apprécie pour sa souplesse, et la cuvée Prestige provient des vignes les plus anciennes sur un terroir de calcaires lacustres, lui conférant un potentiel de garde important.

Saumur-Champigny Prestige 2009
Rouge | 2012 à 2020 | env 12 € **15/20**

Fruits noirs et épices dominent au nez, les tanins sont amples avec un joli velouté, ce vin encore en élevage est porteur d'espoirs.

Saumur-Champigny Tradition 2009
Rouge | 2010 à 2013 | 7 € **14,5/20**

La violette se mêle de la façon la plus subtile aux fruits rouges, les tanins sont souples, frais et veloutés.

Saumur-Champigny Tradition 2008
Rouge | 2010 à 2014 | 7 € **14/20**

Le fruit est bien dégagé, il se montre croquant, les tanins sont souples et frais, ce vin se boit le col ouvert.

CLOS CRISTAL

49400 Souzay-Champigny
Tél. 02 41 52 96 08 • Fax : 02 41 52 97 81
contact@clos-cristal.com • www.clos-cristal.com
Visite : sur rendez-vous

Depuis 1928, les Hospices de Saumur exploitent ce clos de dix hectares légué par Antoine Cristal qui fit boire ce cabernet de Souzay à son ami Clemenceau. Aujourd'hui, le Père-La-Victoire se nomme Éric Dubois, il a ce sens cultural et une habileté d'élevage qui ont permis à ce vin de sortir dans le peloton de tête des champignys depuis 2005.

Saumur-Champigny Clos Cristal 2008
Rouge | 2011 à 2020 | 8,50 € **15/20**

Couleur pourpre, nez profond se développant sur les fruits rouges, relevés de notes poivrées et épicées. La bouche est structurée avec des tanins serrés. Ce vin donnera toute sa mesure d'ici cinq ans. Les 2006 et 2007 sont également très bien réussis.

Saumur-Champigny Les Murs 2008
Rouge | 2015 à 2025 | 14 € **15/20**

Certes les tanins sont serrés mais ils sont de qualité, ce vin offrira de belles perspectives à l'horizon 2015.

DOMAINE PHILIPPE DELESVAUX

Les Essards-Lahaielongue - La Haie-Longue
49190 Saint-Aubin-de-Luigné
Tél. 02 41 78 18 71 • Fax : 02 41 78 68 06
dom.delesvaux.philippe@wanadoo.fr
Visite : Sur rendez-vous.

Coteaux du Layon Sélection de Grains Nobles 2006
Blanc Liquoreux | 2010 à 2016 | 26 € **16/20**

Ce domaine a refusé de fournir des échantillons. nous avons cependant découvert sa production lors de dégustations bio. Elle est apparue cette année année très irrégulière, sauf ce vin aux accents de rhum, raisins de Corinthe, miel, avec une richesse bien enrobée.

DOMAINE BRUNO DUBOIS

98, rue de la Paleine • 49260 Saint-Cyr-en-Bourg
Tél. 02 41 38 56 62
bd@wanadoo.fr

Chez les Dubois du Saumurois, il faut se faire un prénom et Bruno est en train de sortir du bois, avec un blanc du meilleur style, à la fois long, riche et tendu, avec cette réserve cheninée et la légère amertume rafraîchissante de fin de bouche. Les rouges offrent des tanins serrés et profonds qui gardent, après un carafage, une bonne plasticité.

Saumur Blanc du Bois 2007
Blanc | 2010 à 2015 | NC **15/20**
Enveloppant et tendu, ce chenin noiseté et salin offre une belle profondeur.

Saumur-Champigny 2009
Rouge | 2012 à 2020 | NC **16/20**
Les tanins sont plus enveloppants, avec une suavité en début de bouche, puis ils se resserrent avec une belle fin réglissée.

Saumur-Champigny 2008
Rouge | 2011 à 2020 | NC **15,5/20**
Tanins soyeux, vin bien construit avec des nuances de fruits noirs très purs. Harmonieux et stylé.

DOMAINE CHRISTELLE DUBOIS

8, route de Chacé • 49260 Saint-Cyr-en-Bourg
Tél. 02 41 51 61 32 • Fax : 02 41 51 95 29
ch-dubois@hotmail.com
Visite : tous les jours sur rendez-vous 9h-12h et 14h-18h

Saumur-Champigny cuvée d'Automne 2008
Rouge | 2010 à 2012 | 7 € **14/20**
Vin aux tanins frais et séveux, qui donne déjà du plaisir.

DOMAINE FABIEN DUVEAU

36, rue de l'Église • 49400 Chacé
Tél. 06 30 87 32 24
fabienduveau@yahoo.fr
Visite : Du lundi au samedi de 10h à 12h et de 14h à 18h

Saumur Mambo 2008
Blanc | 2010 à 2015 | 8,20 € **15/20**
Nez de poire William et de bourgeon de cassis, la bouche longue et épicée allie puissance, élégance et pureté.

Saumur-Champigny Cha Cha Cha 2008
Rouge | 2010 à 2017 | 8,20 € **14/20**
Accents de fruits noirs et d'épices au nez comme en bouche, les tanins sont juteux et de bonne longueur.

CHÂTEAU D'EPIRÉ

SCEA Bizard-Litzow, chais du Château d'Epiré, village d'Epiré • 49170 Savennières
Tél. 02 41 77 15 01 • Fax : 02 41 77 16 23
luc.bizard@wanadoo.fr • www.chateau-epire.com
Visite : De 10h à 18h.

Savennières 2008
Blanc | 2012 à 2020 | 10,50 € **14/20**
Nez de poire et de pomme, avec une touche fumée, l'attaque en bouche se révèle saline, le corps est droit, on termine sur le pamplemousse rose.

CHÂTEAU DE FESLES

Fesles - B.P. 49459 • 49380 Thouarcé
Tél. 02 41 68 94 16 • Fax : 02 41 68 94 30
sauvion@sauvion.fr
Visite : De 10h à 12h30 et 14h à 17h30

Cette propriété de référence en Anjou est connue pour son bonnezeaux particulièrement racé qui atteint un équilibre d'anthologie dans les millésimes favorables. Les blancs secs produits sont de bon niveau, avec une expression de chenin très classique qui s'affirme au bout de quelques années.

Anjou La Chapelle 2007
Blanc | 2012 à 2020 | 12 € **15/20**
Nez épicé avec de la puissance, bouche bien structurée avec du ressort.

Anjou Vieilles Vignes 2007
Rouge | 2011 à 2015 | 6 € **13,5/20**
Tanins souples aux accents de fruits rouges, avec de la fraîcheur en bouche.

Anjou Vieilles Vignes 2008
Blanc | 2010 à 2015 | 7,50 € **14,5/20**
Notes acidulées au nez avec une pointe de miel, bouche franche et équilibrée.

Bonnezeaux 2007
Blanc Liquoreux | 2011 à 2020 | 25 € **17,5/20**
Nez de citron confit et d'ananas, bouche puissante, élégante et superbement tendue. Le vin devient plus complexe avec le temps.

DOMAINE FL

11, place François-Mitterrand • 49100 Angers
Tél. 02 72 73 59 16 • Fax : 02 72 73 58 22
commercial@domainefl.com • www.domainefl.com
Visite : Sur rendez-vous

Ce domaine d'une trentaine d'hectares qui réunit l'ex-domaine Jo Pithon et le Château de Chamboureau appartient à Philip Fournier, industriel qui œuvre dans la téléphonie. Conduit en biodynamie, il regroupe un bon patrimoine de vignes sur Savennières, Quarts de Chaume et Layon. Il reçoit les conseils de Stéphane Derenoncourt, l'un des grands consultants du Bordelais.

Anjou Le Cochet 2008
Rouge | 2010 à 2015 | 14,40 € **14/20**
Tanins juteux, présentant de la souplesse et de la longueur, dans un style fruits noirs et épices.

Anjou Les Blanches Bergères 2008
Blanc | 2010 à 2016 | 10,80 € **14/20**
Chenin dans une expression construite autour des agrumes et de la pointe d'amertume du pamplemousse.

Savennières Chamboureau 2008
Blanc | 2011 à 2018 | 15,60 € **14,5/20**
Trame élancée, avec le tranchant et la longueur, on est avant tout sur la structure, l'aromatique viendra avec le temps.

DOMAINE LES GRANDES VIGNES

Lieu-dit La Roche Aubry • 49380 Thouarcé
Tél. 02 41 54 05 06 • Fax : 02 41 54 08 21
vaillant@domainelesgrandesvignes.com
www.domainelesgrandesvignes.com
Visite : Du lundi au samedi, de 9h à 12h30 et de 14h à 19 h, sur rendez-vous.

Jean-François, Dominique et Laurence Vaillant réalisent avec brio tous les types de vins de Loire. Ils se sont passionnés pour les rouges et parviennent à leur donner le charnu et la rondeur qui manquent trop souvent dans la région. Les blancs secs et les liquoreux nous ont également impressionnés avec des layons et bonnezeaux de haute volée.

Anjou L'Aubinaie 2009
Rouge | 2010 à 2016 | 6,50 € **15/20**
Les tanins juteux sont enveloppants et gourmands, on prend déjà du plaisir sur une terrine de canard.

Anjou La Varenne de Combre 2008
Blanc | 2011 à 2020 | 11 € **16/20**
Grand blanc de crustacé, avec sa juste tension, sa richesse et sa fraîcheur enveloppante en fin.

Bonnezeaux Le Malabé 2008
Blanc Liquoreux | 2012 à 2024 | 18 € **16/20**
Puissance et élégance avec une tension et une complexité qui traduit le potentiel de ce grand terroir.

Coteaux du Layon Le Pont Martin 2007
Blanc Liquoreux | 2010 à 2017 | 12 € **16/20**
Ce 2007 a trouvé un juste équilibre et il donne déjà du plaisir avec ses accents de fruits jaunes et une concentration rafraîchissante.

DOMAINE DU GUÉ D'ORGER

La Piquellerie • 49130 Ste Gemmes sur Loire
Tél. 06 14 76 66 01
gue.dorger@wanadoo.fr
Visite : Sur rendez-vous.

Savennières Les Fougeraies 2008
Blanc | 2010 à 2015 | 13,50 € **16/20**
Il y a une maturité juste et la tension de bon aloi, avec beaucoup de ressort et des amers bien maîtrisés.

DOMAINE GUIBERTEAU

3, impasse du Cabernet - Mollay
49260 Saint-Just-sur-Dive
Tél. 02 41 38 78 94 • Fax : 02 41 38 56 46
domaine.guiberteau@wanadoo.fr
www.domaineguiberteau.fr
Visite : Sur rendez-vous

Romain Guiberteau produit de magnifiques blancs issus de grands terroirs comme Brézé et le Clos des Carmes, où il montre tout le potentiel du saumur dans cette couleur dès que les boisés d'élevage s'estompent. Les rouges s'assagissent après une jeunesse fougueuse, il faut les attendre quelques années.

SAUMUR BRÉZÉ 2007
Blanc | 2014 à 2023 | 31 € **17/20**
L'élevage bien intégré permet de dynamiser une colonne vertébrale d'une droiture et d'une richesse structurantes. Ce vin est porteur de beaucoup d'espoir.

SAUMUR CLOS DES CARMES 2007
Blanc | 2013 à 2020 | 38 € **17/20**
Le Clos des Carmes est l'un des trois grands terroirs de Saumur, en blanc, avec un premier millésime profond et vibrant sur une structure bien affirmée dans sa tension et sa précision.

SAUMUR DOMAINE 2009
Blanc | 2010 à 2020 | 12 € **15,5/20**
Ce vin élevé en cuve est déjà de première saveur. Droit, avec la maturité du millésime il se positionne sur une huître.

SAUMUR DOMAINE 2008
Blanc | 2012 à 2017 | 12 € **15/20**
Vin bien corseté qui affiche déjà un bel aplomb pour taquiner les meilleurs poissons marins.

SAUMUR DOMAINE 2008
Rouge | 2011 à 2016 | 15 € **14/20**
Fruits rouges au nez, tanin entre fermeté et rigidité, à attendre.

SAUMUR LES ARBOISES 2007
Rouge | 2010 à 2017 | 31 € **15/20**
C'est le meilleur rouge 2007 goûté sur le domaine, il allie puissance et élégance tout en respectant le millésime.

SAUMUR LES MOTELLES 2007
Rouge | 2010 à 2017 | 25 € **14/20**
Il y a le respect du millésime, avec une concentration élégante et une finale épicée.

DOMAINE DES GUYONS

7, rue Saint-Nicolas • 49260 Le Puy-Notre-Dame
Tél. 02 41 52 21 15 • Fax : 02 41 38 88 24
domainedesguyons@wanadoo.fr
Visite : tous les jours sauf mercredi après-midi 8h-12h et 14h-18h

Franck et Ingrid Bimond réalisent au Puy-Notre-Dame des saumurs blancs de haute volée qui deviennent progressivement des références par leur richesse de constitution et leur fraîcheur. 2009 est dans la lignée des superbes 2008. Le cabernet-d'anjou est également une référence par son croquant et sa gourmandise.

CABERNET D'ANJOU FREE VOL 2009
Rosé Demi-sec | 2010 à 2014 | 4 € **16/20**
Cuvée de grand charme aux accents de fruits rouges, avec juste ce qu'il faut de sucrosité et surtout de la fraîcheur, idéal sur un dessert aux fruits rouges.

SAUMUR L'ARDILE 2009
Blanc | 2011 à 2023 | 10 € **18/20**
Pureté, tension juste, puissance, élégance, ce vin iodé à souhait avec des touches d'agrumes est l'un des plus grands blancs du millésime, idéal sur une crème de tourteau et d'oursin.

SAUMUR MURMURE 2009
Rouge | 2012 à 2016 | 6 € **14/20**
On sent du fond, et le fruit qui revient derrière.

SAUMUR VENT DU NORD 2009
Blanc | 2011 à 2021 | 6 € **16,5/20**
Nez d'épices avec des touches de mangue et une pointe saline, il y a une belle matière en bouche et une minéralité épanouie.

CHÂTEAU DU HUREAU

Le Hureau • 49400 Dampierre-sur-Loire
Tél. 02 41 67 60 40 • Fax : 02 41 50 43 35
philippe.vatan@wanadoo.fr • www.domaine-hureau.fr
Visite : Du lundi au vendredi, de 9h à 12h30 et de 14h à 17h30 samedi sur rendez-vous

Philippe Vatan est un ingénieur agronome rationnel et avisé ; il recherche de la fraîcheur et du volume en bouche dans ses rouges, en évitant des tanins

agressifs. Son entrée de gamme est un modèle. Lisagathe est un joli vin de garde structuré, récolté sur des coteaux argileux. La parcelle des Fevettes fournit un vin très fin mais qui vieillit très bien, en développant d'élégantes notes de pivoine. Le saumur blanc et le coteaux-de-saumur sont de très bon niveau.

Saumur-Champigny Fours à Chaux 2009
Rouge | 2011 à 2020 | env 11 € **17,5/20**
Quand on a une telle qualité de tanins alliant la puissance, l'élégance et la gourmandise, on se dit qu'il faut oser le magnum.

Saumur-Champigny Fours à Chaux 2008
Rouge | 2010 à 2017 | 11 € **15/20**
La profondeur de fruit est toujours là, et ce vin possède déjà un réel charme.

Saumur-Champigny Lisagathe 2009
Rouge | 2011 à 2020 | 17 € **18/20**
Sensualité des tanins, qui sont profonds, frais et enveloppants avec de la tension et une fin sur les fruits noirs et la menthe, une des cuvées du millésime, superbe.

Saumur-Champigny Lisagathe 2003
Rouge | 2010 à 2016 | 17 € **16,5/20**
Velouté, équilibré et dense, avec beaucoup de fond, ce 2003 possède une fraîcheur rare sur le millésime.

Saumur-Champigny Tuffe 2009
Rouge | 2010 à 2014 | 8 € **15/20**
Nez de pivoine et de fruits rouges, tanins suaves avec un joli fruit et une fin fraîche et poivrée.

Saumur-Champigny Tuffe 2008
Rouge | 2011 à 2020 | 8 € **15,5/20**
Vin délicat et élégant, avec des flaveurs de fruits rouges et une pointe florale.

DOMAINE DE JUCHEPIE

Les Quarts • 49380 Faye-d'Anjou
Tél. 02 41 54 33 47
contact@juchepie.com • www.juchepie.com
Visite : Sur rendez-vous.

Moustaches effilées, voix de ténor, Eddy Osterling et son épouse assouvissent leur passion des grands liquoreux. Leurs crus du Layon cultivés de façon biodynamique pousseraient volontiers à la galanterie. Les vins dégustés révèlent une belle forme dans leur définition aromatique et leur structure, de quoi mettre la serviette sur la tête et entonner la chanson de la Paulée des Vins de Loire.

Anjou Le Sec de Juchepie - Le Clos 2007
Blanc | 2010 à 2015 | 17 € **14,5/20**
Un sec digne de ce nom avec de la matière et une bonne tension.

Anjou Le Sec de Juchepie - Les Monts 2007
Blanc | 2010 à 2015 | 13 € **14/20**
Il y a une belle matière, c'est rond en attaque, puis sec derrière avec une juste fraîcheur.

Coteaux du Layon Faye d'Anjou La Passion 2002
Blanc Liquoreux | 2010 à 2017 | 47 € **16/20**
Flaveurs de mandarine au nez comme en bouche, avec des notes miellées, attaque ample et bouche de bonne longueur. Le 2004 tout aussi complexe décline une aromatique entre miel et coing. Le 2006 est riche de promesses.

Coteaux du Layon Faye d'Anjou Quintessence de Juchepie 2002
Blanc Liquoreux | 2010 à 2019 | 60 € **16/20**
Coing, miel, tilleul, avec de l'onctuosité et de la fraîcheur, ce vin est sensuel, idéal pour une tarte aux pommes.

LANGLOIS-CHÂTEAU

3, rue Léopold-Palustre - B.P. 57
49400 Saint-Hilaire-Saint-Florent
Tél. 02 41 40 21 40 • Fax : 02 41 40 21 49
contact@langlois-chateau.fr
www.langlois-chateau.fr
Visite : 10h à 12h30 et de 14h à 18h30 tous les jours d'avril à octobre

Cette maison centenaire qui appartient à Bollinger propose toute une gamme de vins de qualité, dont une partie importante provient de ses propres vignes. Son offre est concentrée autour de saumurs rouges et blancs, dont le Vieilles-Vignes est le point d'orgue. Sur le terrain des bulles, une gamme de crémants-de-loire absolument impeccable est menée par la cuvée Quadrille.

Crémant de Loire
Blanc Brut effervescent | 2010 à 2011 | 12 € **15/20**
Crémant stylé avec une bulle fine, bouche possédant des accents de brioche et d'agrumes, bel équilibre.

Crémant de Loire Quadrille 2002 ☺
Blanc Brut effervescent | 2010 à 2012 | 17,45 € **16/20**
Extra-brut en 2002, cette cuvée assemble le chenin, les deux cabernets et le chardonnay. Le fruit est très net, fin, frais, la pointe d'iode fera un tabac avec des crustacés. La fin de bouche est magnifique. Le vin évolue parfaitement.

Saumur Vieilles Vignes du Domaine Langlois-Chateau 2005
Blanc | 2011 à 2020 | 16,60 € **15/20**
Accents d'épices au nez, attaque onctueuse, puis le vin se tend et il devient intéressant avec un bon potentiel.

Saumur-Champigny Bretonnière 2005 ☺
Rouge | 2010 à 2015 | 13,95 € **15/20**
Attaque droite et ferme, sur les fruits rouges, puis le vin s'étoffe pour devenir plaisant.

DOMAINE DAMIEN LAUREAU

Chemin du Grand Hamé - Epiré • 49170 Savennières
Tél. 09 64 37 02 57 • Fax : 02 41 72 87 39
damien.laureau@orange.fr • www.damien-laureau.fr
Visite : Sur rendez-vous au 06 07 59 19 99

Damien Laureau a repris en 1999 le domaine viticole familial avec un patrimoine de vignes passionnant sur Savennières : Les-Genêts, Le-Bel-Ouvrage, et le Roche-aux-Moines sont de mieux en mieux réalisés, avec des 2008 de belle facture et d'un grand naturel. Le futur de ce domaine reste toujours aussi exaltant.

Savennières - Roche aux Moines 2008
Blanc | 2012 à 2020 | 29 € **17/20**
On sent une superbe structure, l'aromatique viendra ensuite.

Savennières Le Bel Ouvrage 2008
Blanc | 2010 à 2017 | 22 € **17/20**
L'une des réussites du millésime, par ses côtés tranchants et mûrs, avec une longueur bien ciselée.

Savennières Les Genêts 2008
Blanc | 2012 à 2020 | 14,50 € **16/20**
Le meilleur Genêts produit sur la propriété, avec plus d'intensité dans la tension, et plus de précision.

DOMAINE RENÉ-NOËL LEGRAND

13, rue des Rogelins • 49400 Varrains
Tél. 02 41 52 94 11 • Fax : 02 41 52 49 78
renenoel.legrand@wanadoo.fr
Visite : De 8h à 21h sur rendez-vous.

René-Noël Legrand est installé sur les argilo-calcaires de Varrains. Ses vignes âgées en moyenne d'une quarantaine d'années ne produisent que des rouges qu'il commercialise à travers différentes cuvées qui sont toutes sérieusement construites. Les-Lizières sont denses mais pourront être consommées jeunes sur leur fruit. Les-Terrages affichent une puissance qui incitera à les attendre quelques années. La-Chaintrée est élevée en fûts de chêne de grande contenance et de plusieurs vins. Ce boisage délicat convient bien à la matière de cette cuvée car il l'assouplit en lui apportant du charnu.

Saumur-Champigny La Chaintrée 2006
Rouge | 2010 à 2020 | 7,50 € **15/20**
On a une matière bien étoffée pour le millésime, les tanins ont du rythme et du répondant. À carafer pour une entrecôte.

Saumur-Champigny Les Lizières 2008
Rouge | 2010 à 2016 | 6,20 € **14,5/20**
Toujours beaucoup de charme pour cette cuvée aux accents de fruits rouges et à la plasticité de bon ton.

Saumur-Champigny Les Rogelins 2006
Rouge | 2014 à 2023 | 13 € **14/20**
Une robe soutenue, un fruité frais de framboise et des touches de violette qui se développent au nez et imprègnent une bouche longue et bien construite. À ouvrir à partir de 2015.

Saumur-Champigny Les Terrages 2006
Rouge | 2010 à 2018 | 6,50 € **14,5/20**
Ce vin évolue parfaitement, il a de l'assise, une bonne maturité et des tanins qui ont du ressort, il est parfait sur une viande rouge.

DOMAINE RICHARD LEROY

52, Grande Rue • 49750 Rablay-sur-Layon
Tél. 02 41 78 51 84 • Fax : 02 41 78 51 84
sr.leroy@wanadoo.fr
Visite : Sur rendez-vous.

Ex-col blanc de la finance, Richard Leroy change de col tout en conservant sa couleur de prédilection puisqu'il est devenu adepte du chenin. Sur ses trois hectares qu'il cultive comme un jardin, ce biodynamique produit des vins haute-couture que tout

amateur se doit d'encaver au plus vite. Il y a de la vibration et du potentiel !

Anjou Clos des Rouliers 2008
Blanc | 2010 à 2015 | NC **15/20**
Élégant, long et traçant, ce vin se livre progressivement avec une trame harmonieuse.

Anjou Clos des Rouliers 2007
Blanc | 2010 à 2015 | NC **15,5/20**
On a une belle trame et une concentration juste, avec ce vin longiligne qui a du ressort.

Anjou Noëls de Montbenault 2008
Blanc | 2010 à 2017 | NC **16/20**
C'est l'un des meilleurs blancs secs 2008 de Loire, avec une expression onctueuse en attaque et tendue sur la finale, idéal sur des saint-jacques. 2007 établit également une belle conversation.

DOMAINE DE MIREBEAU

Mirebeau • 49750 Rablay-sur-Layon
Tél. 02 41 78 29 57
domainedemirebeau@orange.fr
Visite : sur rendez-vous

Anjou Moque Souris 2008
Blanc | 2010 à 2012 | 11 € **14/20**
Nez d'agrumes, bouche à l'attaque onctueuse, puis tendu, frais et salin.

Coteau Kanté 2007
Rouge | 2010 à 2012 | 17 € **14,5/20**
Groleau superbe issu de vignes de 87 ans, on a le cassis, le poivre noir, et des tanins juteux et gourmands, grand plaisir.

DOMAINE AUX MOINES

La Roche aux Moines • 49170 Savennières
Tél. 02 41 72 21 33 • Fax : 02 41 72 86 55
info@domaine-aux-moines.com
www.domaine-aux-moines.com
Visite : De 9h30 à 12h30 et de 13h30 à 19h.

Vigneronne de mère en fille, Tessa mène aujourd'hui ce domaine. Les neuf hectares sont essentiellement destinés à produire du savennières-roche-aux-moines en trois niveaux de sucrosité. Le sec est superbe, le moelleux a le rôle ingrat des cadets coincés entre deux personnalités immenses. Le doux est magnifique de fruits. Il faut absolument attendre tous ces crus pour qu'ils expriment leur potentiel exceptionnel.

Savennières - Roche aux Moines 2008
Blanc | 2012 à 2031 | 14 € **17/20**
Nez iodé avec un côté légèrement fumé, bouche ciselée et puissante, vin en devenir. Le 2007, très classique, se referme.

Savennières - Roche aux Moines 1992
Blanc | 2010 à 2017 | 16 € **17/20**
Nez de cire, de miel avec une pointe de truffe, le vin est à la fois onctueux en attaque et sec derrière, tout en restant long et caressant, superbe sur une blanquette de veau.

Savennières - Roche aux Moines cuvée de l'Abbesse 2008
Blanc Doux | 2010 à 2020 | 18 € **16,5/20**
Nez de prune avec une pointe fumée. Attaque onctueuse sur les fruits jaunes confits, puis le vin prend du tranchant et une sacrée longueur.

Savennières - Roche aux Moines cuvée des Nonnes 2006
Blanc liquoreux | 2010 à 2016 | 16 € **15/20**
Le vin a gardé la minéralité du terroir en s'enrichissant d'arômes de fruits confits où domine l'abricot.

DOMAINE ÉRIC MORGAT

Clos Ferrard • 49170 Savennières
Tél. 02 41 72 22 51
contact@ericmorgat.com
Visite : sur rendez-vous

Éric Morgat produit un savennières issu de très faibles rendements, ramassé mûr et élevé sous bois. Il recherchait la rondeur plutôt que le caractère incisif du chenin, sur son terroir cultivé en agriculture biologique. Sur les derniers millésimes, on assiste à un changement de style avec des vins plus droits.

Savennières L'Enclos 2008
Blanc | 2011 à 2024 | 22 € **16/20**
Nez de mangue avec une pointe épicée, bouche explosive avec une tension et de la puissance. Le 2007 est plus droit et le 2002 offre des rondeurs miellées soutenues par une bonne acidité.

DOMAINE MOSSE

4, rue de la Chauvière • 49750 Saint-Lambert du Lattay
Tél. 02 41 66 52 88 • Fax : 02 41 68 22 10
domaine.mosse@wanadoo.fr • www.domainemosse.com
Visite : sur rendez-vous

Le naturel des 2008 de René Mosse nous a pleinement convaincus sur ce domaine qui figure en bonne place chez Jacky Dallais, l'étoilé du Petit-Pressigny. «Il faut aimer la nature pour apprécier ces vins, accepter qu'un vin vivant exprime un caractère différent selon le moment, tout le contraire du monde standardisé qui nous entoure.» Notre préférence va aux blancs qui sont des vins de gastronomie.

Anjou 2008

Rouge | 2010 à 2015 | 12 € **14/20**

Vin aux tanins gourmands, avec fraîcheur et rondeur.

Anjou 2008

Blanc | 2010 à 2014 | 11,50 € **14/20**

Belle entrée de bouche et suite harmonieuse, on a la fraîcheur en fin, ce vin aime la géline de Touraine.

Anjou Les Bonnes Blanches 2008

Blanc | 2011 à 2015 | 18,90 € **15/20**

Il y a du fond, une belle matière, de la structure et de la précision.

Savennières Arena 2008

Blanc | 2010 à 2015 | 21 € **15/20**

Voilà un savennières en rondeurs, avec de la fraîcheur derrière et surtout une grande digestibilité.

DOMAINE DE NERLEUX

4, rue de la Paleine • 49260 Saint-Cyr-en-Bourg
Tél. 02 41 51 61 04 • Fax : 02 41 51 65 34
contact@domaine-de-nerleux.fr
www.domaine-de-nerleux.fr
Visite : lundi au samedi 8h-12h30 et 13h30-17h30

Ce classique du Saumurois sort régulièrement dans nos dégustations de champignys, la cuvée de Nerleux est croquante et printanière, la Cuvée-des-Châtains plus complexe et la cuvée de Loups-Noirs est concentrée, avec un élevage approprié. En blanc, les Nerleux et les Loups-Blancs ont de la percussion. Les grandes années, les coteaux-de-saumur valent le détour !

Saumur Les Loups Blancs 2008

Blanc | 2012 à 2020 | 9,80 € **13,5/20**

Nez de noix de coco, en bouche on sent une belle matière pour l'instant dominée par l'élevage.

Saumur Les Nerleux 2009

Blanc | 2010 à 2017 | 5,20 € **14,5/20**

Salin et citronné, ce chenin a du ressort, avec une belle matière en entrée de bouche et une tension harmonieuse, belle fin iodée.

Saumur-Champigny Clos des Châtains 2008

Rouge | 2010 à 2015 | 7,40 € **14/20**

Nez profond avec des nuances de cerise noire, la bouche charnue est fraîche et ses tanins sont longs tout en gardant une belle souplesse.

Saumur-Champigny Les Loups Noirs 2008

Rouge | 2010 à 2017 | 13,50 € **15/20**

Nez profond de myrtille, tanins longs et juteux, beau potentiel.

CHÂTEAU DES NOYERS

Les Noyers • 49540 Martigné-Briand
Tél. 02 41 54 03 71 • Fax : 02 41 54 27 63
chateaudesnoyers@wanadoo.fr
www.chateaudesnoyers.fr
Visite : Du lundi au vendredi, de 9h à 12h et de 14h à 19h et sur rendez-vous le week-end.

Coteaux du Layon 2009

Blanc Liquoreux | 2011 à 2020 | 10 € **14,5/20**

Un layon franc et frais avec des flaveurs déclinant l'abricot, la bouche est tendue avec une pointe de fumé derrière.

DOMAINE OGEREAU

44, rue de la Belle-Angevine
49750 Saint-Lambert-du-Lattay
Tél. 02 41 78 30 53 • Fax : 02 41 78 43 55
contact@domaineogereau.com
www.domaineogereau.com
Visite : Du lundi au samedi, de 9h à 12h
et de 14h à 19 h, sur rendez-vous.

Ce domaine familial est exploité par Vincent Ogereau, dont la cave est située dans le bourg de Saint-Lambert, en face du musée de la vigne et du vin. Il dispose d'une collection de beaux terroirs, qu'il mène selon une démarche inspirée de l'agriculture biologique avec un point d'orgue pour le layon clos-des-bonnes-blanches et le savennières clos-du-grand-beaupréau.

Anjou-Villages Côte de la Houssaye 2007

Rouge | 2010 à 2017 | env 13,70 € **15/20**

Très fruits noirs, ce vin a du fond, il peut déjà se boire sur une viande rouge ou se garder.

Coteaux du Layon Saint-Lambert 2008

Blanc Liquoreux | 2010 à 2015 | env 9,80 € **14/20**

Nez d'ananas et d'épices, la bouche est franche et coulante.

Coteaux du Layon Saint-Lambert Clos des Bonnes Blanches 2008

Blanc Liquoreux | 2010 à 2026 | NC **16/20**

Ananas confit au nez comme en bouche, c'est onctueux et tendu, frais et riche en même temps .

Coteaux du Layon Saint-Lambert Clos des Bonnes Blanches 2007

Blanc Liquoreux | 2010 à 2026 | 27 € **16/20**

Ananas confit au nez comme en bouche, c'est onctueux et tendu, frais et riche en même temps.

Savennières Clos le Grand Beaupréau 2007

Blanc | 2010 à 2020 | env 12 € **15,5/20**

Nez épicé, attaque tranchante puis la bouche prend de la rondeur avec une fin fraîche, un vin idéal sur des crevettes.

Savennières Clos le Grand Beaupréau 2002

Blanc | 2010 à 2025 | NC **15/20**

Complexe, racé, salin et tranchant, ce savennières a encore un gros potentiel.

DOMAINE DU PETIT MÉTRIS

13, chemin de Treize-Vents - Le Grand Beauvais
49190 Saint-Aubin-de-Luigné
Tél. 02 41 78 33 33 • Fax : 02 41 78 67 77
domaine.petit.metris@wanadoo.fr
www.domaine-petit-metris.com
Visite : sur rendez-vous

Hervé et Pascal Renou réalisent près de la moitié de leur production en liquoreux, où se concentrent les vins les plus intéressants de la cave. Leurs vignes sont implantées sur des sols à dominante de schistes, en Coteaux du Layon, en Chaume et en Quarts de Chaume. Le chaume Les-Tetuères s'épanouit après quelques années de bouteille.

Chaume 2007

Blanc Liquoreux | 2010 à 2015 | 10,50 € **13/20**

Cette cuvée est un peu compacte et manque pour l'instant de nuances.

Chaume Les Tétuères 1996

Blanc Liquoreux | 2010 à 2020 | 21 € **16/20**

Très pâte d'abricot, ce vin est à point avec ce qu'il faut d'onctuosité et de longueur pour caresser une tarte aux fruits jaunes.

Quarts de Chaume Les Guerches 2007

Blanc Liquoreux | 2010 à 2018 | 30 € **15/20**

Pâte de fruit, miel, ananas, ce vin généreux en sucre se boit sur un carpaccio d'ananas Victoria.

Savennières Clos de la Marche 2007

Blanc | 2010 à 2020 | 8,80 € **15/20**

Belle structure, bien typé, long et frais, avec du ressort, ce vin attend la langouste.

DOMAINE DES PETITS QUARTS

CA Douve • 49380 Faye-d'Anjou
Tél. 02 41 54 03 00 • Fax : 02 41 54 25 36
Visite : Du lundi au samedi, de 8h à 12h
et de 14h à 17h30

Jean-Pascal Godineau a hérité de la passion des liquoreux, et trente de ses quarante hectares leur sont consacrés. Le coteaux-du-layon faye-d'anjou est de haut niveau, et les bonnezeaux d'une pureté et d'une richesse d'anthologie. On peut les apprécier jeunes mais ils savent défier le temps. Parmi ces merveilles, la cuvée produite sur le Malabé bénéficie d'un supplément de raffinement.

Bonnezeaux 2007

Blanc Liquoreux | 2010 à 2026 | 17 € **15/20**

Très orange confite, ce vin offre déjà un bel équilibre entre la liqueur et la fraîcheur.

Bonnezeaux élevé en fûts de chêne 2004

Blanc Liquoreux | 2010 à 2016 | 16 € **15,5/20**

Ce millésime bien maîtrisé évolue de mieux en mieux, avec du fond, de l'onctuosité et de la fraîcheur.

Bonnezeaux Le Malabé 2007

Blanc Liquoreux | 2010 à 2018 | 20 € **17,5/20**

Très ananas, cette cuvée est toujours aussi subtile, avec une liqueur bien équilibrée.

CHÂTEAU PIERRE-BISE

Impasse Chanoine de Deouvres
49750 Beaulieu-sur-Layon
Tél. 02 41 78 31 44 • Fax : 02 41 78 41 24
chateaupb@hotmail.com
Visite : lundi au samedi sur rendez-vous

Chez les Papin, les maillons entre Joëlle, Claude et leurs enfants sont solides. Leur quête de la perfection trouve son aboutissement dans des layons et quarts-de-chaume de très haut vol dans leur précision structurelle et aromatique. Les savennières ont également beaucoup de style, et les entrées de gamme constituent d'excellents rapports qualité-prix. Ici, chaque vin correspond parfaitement à son écosystème.

Anjou Haut de la Garde 2009
Blanc | 2010 à 2020 | NC **15,5/20**

Vin déjà bien formé avec une texture dynamique et beaucoup de ressort dans la structure.

Coteaux du Layon Haut de la Garde 2008
Blanc Liquoreux | 2010 à 2020 | 7,75 € **16/20**

Pur et vibrant avec des accents abricotés, cette entrée de gamme en Layon a beaucoup de style, et elle indique la qualité des vins sur un millésime très difficile.

Coteaux du Layon L'Anclaie 2008
Blanc Liquoreux | 2010 à 2027 | 13,50 € **18/20**

Fin, long, tendu, suave, avec des notes déclinant l'ananas, ce vin plus intense en liqueur que les Rouannières offre une grande précision dans le style.

Coteaux du Layon Les Rouannières 2009
Blanc Liquoreux | 2012 à 2039 | NC **18,5/20**

On attend beaucoup de ce vin minéral et déclinant des registres abricotés du meilleur effet. Goûté en élevage, il se révèle très prometteur.

Coteaux du Layon Les Rouannières 2008
Blanc Liquoreux | 2010 à 2020 | NC **17,5/20**

Plus stricte dans sa forme que le 2007, ce 2008 a beaucoup de ressort et d'énergie, il évoluera parfaitement.

Coteaux du Layon Les Rouannières 2007
Blanc Liquoreux | 2010 à 2018 | 17 € **17,5/20**

Précis et fruité, dynamique, les abricots au sirop de la finale le rendent de plus en plus irrésistible, d'autant que les agrumes et les fruits exotiques se mêlent à l'ensemble de la plus belle des façons.

Quarts de Chaume 2009
Blanc Liquoreux | 2012 à 2070 | env 24 € **19/20**

Goûté en élevage, ce 2009 est une promesse d'éternité avec sa texture soyeuse en attaque et sa superbe longueur dans un registre de fraîcheur onctueuse.

Quarts de Chaume 2008
Blanc Liquoreux | 2010 à 2029 | 22 € **18,5/20**

Moins aromatique que le 2007, ce vin est de grand style, on aime sa pureté et sa structure vibrante.

Quarts de Chaume 2007
Blanc Liquoreux | 2010 à 2028 | 30 € **18,5/20**

Pureté au nez comme en bouche , l'expression de ce quarts-de-chaume est particulièrement aboutie ; il est magnifique d'intensité avec un toucher de bouche satiné et une superbe fin fraîche sur l'abricot.

Savennières - Roche aux Moines 2008
Blanc | 2010 à 2027 | 15 € **17/20**

Dans sa tension et sa puissance, ce vin nous dit qu'il est d'un terroir noble où les vins évoluent avec grâce et pureté. Comme il a fait sa fermentation malolactique, il se montre plus aimable en attaque.

Savennières Clos Le Grand Beaupréau 2009
Blanc | 2011 à 2023 | NC **17,5/20**

Goûté en élevage, on aime l'attaque prometteuse et la tension qui vous prend à partir du milieu de bouche.

Savennières Clos Le Grand Beaupréau 2008
Blanc | 2010 à 2024 | 11,50 € **17/20**

Goûté en comparatif avec le Beaupréau de la Bergerie, ce vin apparaît plus tendu et marqué de façon harmonieuse par les acides et amers propres aux grands savennières. Il se révèle très long dans sa pureté.

Savennières Le Clos de Coulaine 2007
Blanc | 2010 à 2020 | 9,75 € **16,5/20**

Nez d'agrumes, de brioche et de raisins secs, la bouche est tranchante et effilée avec une très belle longueur.

DOMAINE PITHON-PAILLÉ

19, rue Saint-Vincent
49750 Saint-Lambert-du-Lattay
Tél. 02 41 78 68 74
contact@pithon-paille.com • www.pithon-paille.com
Visite : sur rendez-vous

Entre négoce de qualité avec des vignerons partenaires et cinq hectares de vignes personnelles, Jo Pithon rebondit de la meilleure des façons en s'affirmant comme l'une des grandes signatures des anjous blancs secs issus du mode de culture biologique. Les Treilles constituent déjà une cuvée de haute volée, et au fil des millésimes, le domaine va s'étoffer avec de nouveaux crus.

Anjou 2008
Blanc | 2010 à 2015 | 14 € **14/20**
Cet anjou blanc de négoce est d'un abord immédiat, sur les fruits secs, avec une juste tension.

Anjou La Fresnaie 2008
Blanc | 2010 à 2016 | 18 € **15/20**
Ex-Clos-des-Bois, ce vin claque déjà bien en bouche, il possède une trame élancée où maturité et acidité sont bien équilibrées.

Anjou Les Treilles 2008
Blanc | 2010 à 2017 | 30 € **16,5/20**
C'est un coteau magnifique exhumé par toute l'équipe ! Certes, ce ne sont que des jeunes vignes, mais il y a déjà tout dans ce vin, le tranchant, la juste maturité et la tension vibrante.

Chinon Vieilles Vignes 2008
Rouge | 2010 à 2016 | 14 € **14,5/20**
Les raisins sont de qualité et l'élevage bien maîtrisé ; ce vin structuré a un joli fond et des tanins droits et frais, avec ce qu'il faut en enrobage.

CHÂTEAU PRINCÉ

Petit-Princé • 49610 Saint-Melaine-sur-Aubance
Tél. 02 41 57 82 28 • Fax : 0241381804
m.levron@chateaudeparnay.fr
www.chateaudeparnay.fr
Visite : Sur rendez-vous.

Mathias Levron et Régis Vincenot ont remis en culture en 2002 ces sols de schistes durs sur les hauteurs, et de schistes altérés en parties basses ; les résultats se font sentir à tous les stades avec des vins bien équilibrés. La production du Château de Parnay sur le Saumurois est également à la hauteur.

Anjou Villages Brissac Château Princé 2008
Rouge | 2010 à 2020 | 8,50 € **15,5/20**
Nez de fruits noirs profond, tanins longs, suaves en attaque et épicés en fin, sans le côté rustique que l'on rencontre trop souvent sur la région, il y a du fond et de la plasticité.

Coteaux de l'Aubance 2007
Blanc liquoreux | 2010 à 2015 | 10,50 € **15/20**
Vin bien ciselé, avec des touches d'abricot frais et une pointe fumée, la bouche est un juste équilibre entre le fruit, le moelleux et la fraîcheur.

Crémant de Loire J. Delmare Prestige 2007
Blanc Brut effervescent | 2010 à 2011 | NC **14/20**
Bulle digeste avec ce qu'il faut de longueur, bien pour l'apéritif.

Saumur Château de Parnay, Clos des Murs 2008
Blanc | 2011 à 2019 | 19 € **15/20**
On apprécie la structure à la fois riche et tranchante, ce vin est taillé pour une garde qui lui permettra de croiser un sandre grillé.

Saumur-Champigny Château de Parnay 2008
Rouge | 2011 à 2016 | 6,10 € **14/20**
Nez de myrtille avec une touche épicée, tanins bien dessinés, avec un élevage encore présent qui devrait se fondre.

DOMAINE RICHOU

Chauvigné • 49610 Mozé-sur-Louet
Tél. 02 41 78 72 13 • Fax : 02 41 78 76 05
domaine.richou@wanadoo.fr • www.domainerichou.fr
Visite : tous les jours, de 8h30 à 12h
et de 14h à 18h30 sauf dimanche et jours fériés

Le Domaine Richou est situé dans le secteur le plus à l'ouest de l'Aubance. Damien et Didier Richou travaillent les sols pour obtenir des vins élégants et frais. Les blancs secs et les coteaux-de-l'aubance ont du style. Les Trois-Demoiselles, quand le millésime s'y prête, propulse les coteaux-de-l'aubance au firmament des liquoreux. Les vins progressent de belle manière. Il convient de les suivre de très près.

Anjou Chauvigné 2007
Blanc | 2010 à 2020 | 6,35 € **15/20**
Ce vin discret au nez offre une entrée de bouche riche, puis il se tend avec une petite pointe d'agrumes en fin de bouche.

Anjou Les Rogeries 2007
Blanc | 2010 à 2016 | 10,20 € **16/20**
On aime la tension et la précision dans ce vin et cette fin de bouche très fraîche. Goûté à plusieurs reprises, il convient aux crustacés les plus nobles.

Anjou-Villages Brissac 2007
Rouge | 2010 à 2015 | 8,20 € **14/20**
Accents de fruits noirs bien dégagés, les tanins sont à la fois souples et puissants avec ce qu'il faut de velouté et de fraîcheur.

Anjou-Villages Grandes Rogeries 2007
Blanc Demi-sec | 2010 à 2020 | 14,20 € **16/20**
Subtil demi-sec avec une tension parfaite sur fond d'agrumes, c'est très précis.

Coteaux de l'Aubance Les Violettes 2007
Blanc Liquoreux | 2010 à 2017 | env 19 € **15/20**
Avec un nez de pêche et de fruits frais, voici une expression des coteaux-de-l'aubance qui devient plus complexe avec le temps, note à la hausse.

Coteaux de l'Aubance Sélection 2008
Blanc liquoreux | 2010 à 2020 | 9,30 € **16/20**
Pour le moment, on est plus en structure qu'en arômes, et on aime la pureté et le tranchant avec une belle fraîcheur ligérienne.

DOMAINE DES ROCHELLES

Jean-Yves Lebreton
49320 Saint-Jean-des-Mauvrets
Tél. 02 41 91 92 07 • Fax : 02 41 54 62 63
jy.a.lebreton@wanadoo.fr
www.domainedesrochelles.ue
Visite : Du lundi au samedi de 9h à 12h et de 14h à 19h. Fermé les jours fériés et le dimanche.

Ce domaine mené par Jean-Yves Lebreton et son fils Jean-Hubert possède des terroirs de schistes altérés dont sont issues La-Croix-de-Mission, élevée en cuve, et Les-Millerits, élevés sous bois. Le cabernet-sauvignon s'y trouve à son aise et y parvient régulièrement à bonne maturité avec une inspiration de grand médoc. Les coteaux-de-l'aubance sont excellents et ils font honneur à l'appellation.

Anjou-Villages Brissac 2007
Rouge | 2010 à 2017 | 6,80 € **14/20**
Tanins plus souples, on est sur les fruits rouges, vin de casse-croûte.

Anjou-Villages Brissac Croix de Mission 2008
Rouge | 2012 à 2020 | 9 € **16,5/20**
Belle suavité de tanins, avec des touches florales et épicées sur fond de fruits noirs, c'est long et élégant.

Anjou-Villages Brissac Croix de Mission 2007
Rouge | 2010 à 2016 | 9 € **15,5/20**
On apprécie le nez de fruits noirs avec une touche d'épices, les tanins sont suaves et fermes avec la juste maturité et concentration.

Anjou-Villages Brissac Les Millerits 2003
Rouge | 2010 à 2016 | 17 € **14/20**
Moins de fraîcheur aromatique que sur Croix-de-Mission, le millésime y est certes pour quelque chose, mais l'élevage semble mal intégré.

Coteaux de l'Aubance 2008
Blanc liquoreux | 2010 à 2017 | 12 € **15,5/20**
On aime la pureté, et ses accents de mangue et d'abricot, on apprécie sa longueur et sa fraîcheur.

Coteaux de l'Aubance Ambre de Roches 2007
Blanc liquoreux | 2010 à 2023 | 8,10 € **16/20**
Bel équilibre entre la sucrosité et l'acidité, avec une attaque suave et une bouche vibrante, un vin de tarte aux abricots.

DOMAINE DES ROCHES NEUVES

56, boulevard Saint-Vincent • 49400 Varrains
Tél. 02 41 52 94 02 • Fax : 02 41 52 49 30
thierry-germain@wanadoo.fr
www.rochesneuves.com
Visite : du lundi au samedi, de 8h à 12h et de 13h30 à 19h, sur rendez-vous

Les vignes conduites en biodynamie sont plantées sur argilo-calcaires recouvrant du tuffeau. Les derniers millésimes sont marqués par une plus grande pureté aromatique et des textures d'un grand raffinement. Thierry Germain est un perfectionniste qui ne fait jamais les choses à moitié. La cuvée Domaine est fraîche avec une souplesse de tanins, les Terres-Chaudes ont la profondeur des terroirs de Poyeux, la Marginale exprime l'absolu du cabernet franc ligérien. La cuvée Franc-de-Pieds se révèle voluptueuse avec une précision de texture et un éclat aromatique de première saveur et les blancs sont au diapason ; les progrès sont sensibles.

Saumur Insolite 2009
Blanc | 2012 à 2023 | 16 € **17/20**
Juste tension, bouche vibrante, agrumes en attaque de bouche et fin saline, ce vin encore dans ses langes a tout pour lui.

Saumur-Champigny 2009 ☺
Rouge | 2010 à 2013 | 9 € **16/20**
Fruité croquant, tanins suaves de belle maturité, cette gourmandise cabernetée se boit le col ouvert en chantant les hymnes rabelaisiens du Saumurois.

Saumur-Champigny Franc de Pieds 2009
Rouge | 2010 à 2016 | 25 € **18,5/20**
On sent une belle matière, ce vin sera enjôleur avec sa texture voluptueuse et sa précision aromatique.

Saumur-Champigny Marginale 2009
Rouge | 2013 à 2025 | env 25 € **19/20**
On tient encore là l'un des vins du millésime, il est voluptueux, avec une fraîcheur aromatique ligérienne et une profondeur vertigineuse.

Saumur-Champigny Marginale 2008
Rouge | 2011 à 2020 | 22 € **17,5/20**
Puissance et élégance avec un fruité bien intégré, ce vin devient plus complexe au fil des mois, et il constitue l'une des réussites majeures du millésime.

Saumur-Champigny Terres Chaudes 2009 ☺
Rouge | 2010 à 2017 | 16 € **18/20**
Toujours bien enrobé au niveau du tanin, ce vin allie sève, fraîcheur et sensualité, avec en plus un soyeux unique de texture, tout en gourmandise et en profondeur, les bouteilles seront trop petites....

Saumur-Champigny Terres Chaudes 2008
Rouge | 2010 à 2018 | 16 € **16,5/20**
Onctueuse dans son tanin, Terres-Chaudes est structurée, avec une juste tension et une fraîcheur de fruit qui nous amène à revoir sa note à la hausse.

CLOS ROUGEARD

15, rue de L'Église • 49400 Chacé
Tél. 02 41 52 92 65 • Fax : 02 41 52 98 34
Visite : sur rendez-vous

L'œil frétillant, les bacchantes lustrées, les frères Foucault produisent, dans la région de Chacé, les plus grands vins rouges de cabernet franc. Issus de terroir silico-calcaire, les trois hectares de Poyeux ont fait la réputation de la maison. Isolé depuis 1988, l'hectare de Clos du Bourg provient de vignes de 77 ans sur argilo-calcaires. En blanc, sur cent-vingt ares, les secs constituent l'une des références absolues en matière de chenin. Leur minéralité possède un raffinement qui se révèle avec l'âge. Les 2009 rouges s'annoncent fulgurants et les 2008 à réserver au plus vite. Les 2004 et 2006 ont ce supplément de chair et de raffinement qui font la différence dans un millésime difficile. C'est le meilleur domaine de Loire !

Saumur Brézé 2007
Blanc | 2013 à 2025 | NC **18/20**
Plus de tension et de pureté que dans le 2006, avec une superbe fin saline.

Saumur-Champigny Clos du Bourg 2009
Rouge | 2017 à 2100 | NC **20/20**
Des promesses de grande sensualité avec une densité de millésime exceptionnel, un Clos qui pourrait dépasser le légendaire 2005.

Saumur-Champigny Clos du Bourg 2008
Rouge | 2016 à 2100 | NC **19/20**
Sève vibrante et juteuse, avec un ressort tactile époustouflant de classicisme. Ce Clos est bien parti pour surpasser le très racé 2002.

Saumur-Champigny Clos du Bourg 2006
Rouge | 2017 à 2030 | NC **18,5/20**
L'enrobage tannique qui fait la différence et cette vibration qui vous prend à partir du milieu de bouche pour se prolonger. Il devrait dépasser le 1988, une référence puisque c'était le premier millésime, et en ce moment il est en grande forme.

Saumur-Champigny Clos Rougeard 2008
Rouge | 2013 à 2024 | NC **16,5/20**
On sent dès cette première cuvée le classicisme du millésime, avec sa droiture étirée qui se prolonge de la façon la plus harmonieuse avec une juste maturité de tanins.

Saumur-Champigny Clos Rougeard 2006
Rouge | 2011 à 2017 | NC **16/20**
Parfaite réussite pour ce millésime généralement ingrat sur la Loire, les tanins sont à la fois souples et droits avec cette touche crayeuse propre au cru.

Saumur-Champigny Poyeux 2009
Rouge | 2016 à 2043 | NC **19/20**
Nez profond de fruits noirs et de prune qui fait saliver, finesse, puissance et fraîcheur se retrouvent dans une bouche harmonieuse qui appelle aux plus beaux cantiques.

Saumur-Champigny Poyeux 2008
Rouge | 2014 à 2090 | NC **18,5/20**
Attaque en rondeurs, puis les tanins se tendent et se prolongent sur un fruit magnifiquement intégré pour se terminer sur des nuances quasi salines.

Saumur-Champigny Poyeux 2006
Rouge | 2012 à 2023 | NC **17/20**
Un peu de rondeurs en début de bouche fait du bien dans ce millésime de brutes, puis à partir du milieu de bouche, on joue très classique, avec ce qu'il faut de tension et une belle fraîcheur.

CHÂTEAU DE LA ROULERIE

49190 Saint-Aubin-de-Luigne
Tél. 02 41 54 88 26 • Fax : 02 41 68 94 01
philippemile.germain@wanadoo.fr
Visite : Du lundi au samedi, sur rendez-vous.

Anjou 2008
Blanc | 2010 à 2015 | 7,50 € **13,5/20**
Nez sur le fumé avec quelques notes florales, la bouche est tendue et coulante.

Anjou Les Terrasses 2008
Blanc | 2013 à 2020 | 12 € **14/20**
Du fond sur ce vin pour l'instant droit dans ses bottes, il lui faut quelques années avant qu'il croise un noble poisson de Loire.

DOMAINE DES SABLONNETTES

L'Espérance • 49750 Rablay-sur-Layon
Tél. 02 41 78 40 49 • Fax : 02 41 78 61 15
domainedessablonnettes@wanadoo.fr
www.lessablonettes.free.fr
Visite : sur rendez-vous

C'est l'un de nos coup de cœur sur le Layon. Joël Ménard est un biodynamiste historique, et ses crus ont toute la fraîcheur et la finesse recherchées des amateurs. Avec de tels vins, on ne cale pas au milieu du verre, on ne s'embourbe pas dans des profils sirupeux, et les vins évoluent parfaitement. Les blancs secs et les rouges sont francs et coulants.

Coteaux du Layon Rablay Fleur d'Erables 2008
Blanc Liquoreux | 2010 à 2020 | 10 € **16,5/20**
On apprécie le parfait équilibre entre la pureté aromatique déclinant les fruits jaunes, la sucrosité bien intégrée et la fraîcheur.

Coteaux du Layon Rablay L'Aubépine 1996
Blanc Liquoreux | 2010 à 2019 | NC **16/20**
Ananas confit, coing avec gingembre, trame riche et fraîche, ce vin possède encore beaucoup de conversation.

Coteaux du Layon Rablay Noblesse 1996
Blanc Liquoreux | 2010 à 2020 | env 17 € **16/20**
Quelle jeunesse, au niveau de la robe, de l'aromatique abricotée et de la fraîcheur, avec une longueur tendue. Idéal sur une tarte aux abricots.

Coteaux du Layon Rablay Vieilles Vignes 2009
Blanc Liquoreux | 2010 à 2022 | 12,40 € **16/20**
Superbe attaque abricotée dans un registre satiné, avec une tension bien maîtrisée, c'est déjà très bon.

DOMAINE DE SAINT-JUST

Mollay - 12, rue de la Prée
49260 Saint-Just-sur-Dive
Tél. 02 41 51 62 01 • Fax : 02 41 67 94 51
infos@st-just.net • www.st-just.net
Visite : De 9h a 12 h30 et de 14h a 17h30 lundi au vendredi toute l'année et le samedi 10h30-17h30 (de mai à septembre)

Yves Lambert travaille avec son fils Arnaud qui s'occupe des vignes cultivées dans une démarche proche de la biodynamie. Ici toute la gamme est irréprochable. Les blancs sont d'une finesse exquise et constituent un hymne à la délicatesse. Les rouges sont... au même niveau. L'âge respectable des vignes y est pour beaucoup, le talent également. Une adresse de référence.

Saumur Coulée de Saint-Cyr 2008
Blanc | 2010 à 2027 | 16 € **18/20**
Cette cuvée est divine ! Ce vin, dont l'élevage sous bois est un modèle, montre une grande complexité avec de merveilleux arômes d'agrumes et une tension superbe, au fil de l'ouverture il gagne en raffinement. À carafer absolument !

Saumur-Champigny Clos Moleton 2007
Rouge | 2010 à 2020 | 20 € **16,5/20**
C'est l'un des joyaux de ce domaine exemplaire, ses tanins bien dessinés ont un velouté séducteur et une bonne fraîcheur aromatique.

Saumur-Champigny Clos Moleton 2000
Rouge | 2010 à 2015 | NC **15,5/20**
Sur ce millésime difficile, ce vin sonne juste, avec des tanins longs et lissés, et un équilibre idéal pour une côte de veau aux champignons de Paris.

Saumur-Champigny Montée des Roches 2008
Rouge | 2010 à 2014 | 13 € **14,5/20**
Nez de fruits rouges avec une touche florale, la bouche est souple et elle ne veut pas aller au-delà de ce que propose le millésime.

DOMAINE DE LA SANSONNIÈRE

La Sansonnière • 49380 Thouarcé
Tél. 02 41 54 08 08 • Fax : 02 41 54 08 08
Visite : Samedi matin sur rendez-vous.

Mark Angeli, biodynamiste convaincu, parvient à faire exprimer à sa gamme un grand naturel. Il protège peu ses cuvées en soufre pour leur garder toute leur gourmandise. Il conviendra en tout cas de ne pas exposer les vins à des conditions climatiques trop chaudes pendant le transport et le stockage.

La Lune 2008
Blanc | 2010 à 2014 | cav. 18 € **13,5/20**
Nez de coing et de pomme, attaque onctueuse, bouche caressante avec ce qu'il faut de fraîcheur.

Les Fouchardes 2008
Blanc Demi-sec | 2010 à 2015 | cav. 24 € **15,5/20**
On sent une belle texture à la fois caressante et la tension qu'il faut derrière.

Les Jeunes Vignes des Gélinettes 2006
Rouge | 2010 à 2012 | cav. 25 € **14/20**
Nez explosif de fruits noirs, la bouche est à la fois puissante et fraîche, avec des tanins qui se resserrent sur sa fin.

Les Vieilles Vignes des Blanderies 2008
Blanc | 2010 à 2015 | cav. 35 € **15,5/20**
Ce vin a du volume et une colonne vertébrale bien cheninée.

DOMAINE ANTOINE SANZAY

19, rue des Roches-Neuves • 49400 Varrains
Tél. 02 41 52 90 08 • Fax : 02 41 50 27 39
antoine-sanzay@wanadoo.fr
Visite : Sur rendez-vous.

Ce jeune viticulteur de Varrains ne manque pas de talent. Il produit un blanc sur la puissance mais avec beaucoup de fond. En rouge, le saumur-champigny montre de superbes notes d'une rare élégance. Plus intense et élevée sous bois, Les-Poyeux, qui existe depuis 2008, est l'une des plus belles cuvées de l'appellation. C'est l'un des domaines à suivre de très près.

Saumur Les Salles Martin 2007
Blanc | 2010 à 2015 | env 15 € **15/20**
La tension et la structure remarquées l'an passé s'affirment de façon plus précise, elles sont de connivence sur une terrine de crevettes.

Saumur-Champigny 2009
Rouge | 2010 à 2015 | 10 € **16/20**
Gourmand, sur une déclinaison de fruits noirs, ce vin pousse à la chanson rabelaisienne.

Saumur-Champigny Les Poyeux 2009
Rouge | 2014 à 2036 | env 17 € **18/20**
La race du 2008, avec la suavité des grands 2009, c'est superbe !

Saumur-Champigny Les Poyeux 2008
Rouge | 2014 à 2025 | 17 € **17/20**
Tanins encore serrés, on sent la magnifique structure. Le fruité est d'une grande pureté avec une touche florale en fin. Un vin racé, à garder entre trois et cinq ans, avant qu'il ne s'arrondisse et commence à dévoiler sa noble origine.

COULÉE DE SERRANT

Château de la Roche-aux-Moines • 49170 Savennières
Tél. 02 41 72 22 32 • Fax : 02 41 72 28 68
info@coulee-de-serrant.com
www.coulee-de-serrant.com
Visite : Du lundi au samedi, de 9h à 12h et de 14h à 17h30.

La Coulée de Serrant est un promontoire de schistes sur le versant nord de la Loire, à une dizaine de kilomètres d'Angers. Elle a été identifiée de longue date comme terroir d'exception. Curnonsky, le prince élu des gastronomes, la comptait parmi les cinq plus grands vins de France. Cultivée depuis 1980 en biodynamie, elle donne un vin parfois difficile à goûter jeune, et qui ne se comprend vraiment

que sur la durée, quand le terroir affirme sa personnalité. Le domaine, mené par Nicolas Joly bien épaulé par sa fille, vinifie également le savennières Les-Vieux-Clos et le savennières-roche-aux-moines Le-Clos-de-la-Bergerie.

Savennières - Coulée de Serrant 2008
Blanc | 2011 à 2020 | 45 € **17/20**
On sent une colonne vertébrale et la droiture du millésime, laissons-lui le temps de s'affirmer.

Savennières - Coulée de Serrant 2007
Blanc | 2010 à 2025 | 45 € **18,5/20**
On aime la texture soyeuse et tendue, la complexité et les rebondissements de saveurs, il faut prendre son temps pour apprécier ce cru sur une fricassée de homard breton.

Savennières - Coulée de Serrant 2006
Blanc | 2010 à 2018 | 48 € **16/20**
C'est seulement vingt-quatre heures après l'ouverture que ce vin donne toute sa mesure, avec ses accents de miel au nez et une bouche iodée et onctueuse, il cajole une langouste aux épices.

Savennières - Roche aux Moines
Le Clos de la Bergerie 2008
Blanc | 2011 à 2017 | 29 € **15,5/20**
Vin droit et salin marqué par son millésime, il faut absolument le carafer.

Savennières - Roche aux Moines
Le Clos de la Bergerie 2007
Blanc | 2010 à 2017 | 29 € **18/20**
Nez aux accents de mirabelle et d'iode, bouche onctueuse à l'attaque, puis elle affirme sa minéralité, c'est excellent sur une volaille truffée.

Savennières Les Vieux Clos 2008
Blanc | 2010 à 2019 | 20 € **16,5/20**
Un savennières d'une grande pureté ! Minéral avec quelques accents de cire, il fait merveille sur une huître en gelée.

CHÂTEAU SOUCHERIE

Lieu-dit la soucherie • 49750 Beaulieu-sur-Layon
Tél. 02 41 78 31 18 • Fax : 02 41 78 48 29
contact@domaine-de-la-soucherie.fr
www.domaine-de-la-soucherie.fr
Visite : du lundi au samedi 9h-18h

Du château Soucherie, on bénéficie d'un superbe point de vue sur le vignoble de l'Anjou. Le changement de propriétaire a donné un nouveau souffle à ce grand domaine qui s'oriente vers une conversion naturelle dans le domaine cultural. Au vu de la dégustation du seul anjou blanc, 2009 s'annonce ici comme une grande réussite. Les 2008 présentés nous ont également convaincus.

Anjou 2009
Blanc | 2010 à 2017 | 10,50 € **15,5/20**
Nez aux accents d'agrumes avec une pointe de fenugrec, la bouche est concentrée et tendue avec une superbe fin saline, c'est comme cela qu'on aime les anjous blancs.

Chaume 2008
Blanc liquoreux | 2010 à 2017 | env 18 € **14,5/20**
Nuances de miel et de fumé en bouche, attaque miellée, puis le vin se tend avec des nuances salines, on termine sur l'abricot sec, c'est gourmand et frais.

Coteaux du Layon 2008
Blanc liquoreux | 2010 à 2014 | 9,50 € **13,5/20**
Ce vin ne surjoue pas le millésime, il attaque en douceur puis se tend, et on a plus l'impression d'avoir un sec tendre, mais il donne de l'agrément.

Savennières Clos des Perrières 2008
Blanc | 2010 à 2020 | 17 € **14,5/20**
Ce vin élancé et tranchant est sans concession, il a une belle longueur, c'est un vin de crustacés, il convient de le carafer deux heures avant le service.

CHÂTEAU DE SURONDE

Suronde • 49190 Rochefort-sur-Loire
Tél. 02 41 78 66 37
chateaudesuronde@yahoo.fr
www.chateaudesuronde.fr
Visite : Sur rendez-vous.

Quarts de Chaume 2007
Blanc liquoreux | 2010 à 2016 | 33 € les 50 cl **14/20**
La matière première est splendide, avec une onctuosité et une aromatique déclinant le miel et l'abricot confit, il y a encore sur ce millésime une touche oxydative qui perturbe un peu.

CHÂTEAU DE TARGÉ

49730 Parnay
Tél. 02 41 38 11 50 • Fax : 02 41 38 16 19
edouard@chateaudetarge.fr • www.chateaudetage.fr
Visite : du lundi au samedi, 9h-12h et 14h-18h
sur rendez-vous le dimanche

Saumur Quintessence 2006

Blanc | 2011 à 2016 | env 19 € **15/20**

Cette cuvée bien structurée de vieilles vignes est encore marquée par son élevage, mais le fruit revient bien derrière, il faut l'attendre encore quelques mois.

Saumur-Champigny 2008

Rouge | 2010 à 2013 | 7,50 € **13,5/20**

On est sur une souplesse de tanins avec des accents de fruits rouges.

Anjou 2009

Rouge | 2010 à 2014 | 4,95 € **13/20**

Vin avec des tanins longs et épicés, aux accents de fruits noirs.

Coteaux du Layon 2008

Blanc Liquoreux | 2010 à 2020 | 7,60 € **13,5/20**

Vin sur la fraîcheur avec des nuances d'ananas, idéal pour l'apéritif.

Rosé d'Anjou 8 1/2 2009

Rosé Demi-sec | 2010 à 2014 | 4,95 € **14/20**

Confiture de fruits rouges, ce vin est rond et frais, bien pour les desserts printaniers à base de fraise ou framboise.

CHÂTEAU LA TOUR GRISE

1, rue des ducs d'Aquitaine
49260 Le-Puy-Notre-Dame
Tél. 02 41 38 82 42 • Fax : 02 41 52 39 96
contact@latourgrise.com • www.latourgrise.com
Visite : sur rendez-vous

Saumur Puy-Notre-Dame 2008

Rouge | 2010 à 2017 | 9,50 € **14/20**

Il y a une structure encore ferme de tanins qui commencent à s'assouplir pour ce premier-né de la nouvelle appellation Saumur-Puy-Notre-Dame.

DOMAINE DES TROTTIÈRES

Lieu-dit les Trottières • 49380 Thouarcé
Tél. 02 41 54 14 10 • Fax : 02 41 54 09 00
lestrottieres@wanadoo.fr
Visite : Du lundi au vendredi de 9h à 12h
et de 14h à 17h30 le samedi sur rendez-vous.

Ne cherchez pas ici de cuvées surconcentrées, ici on joue la partition dans le tempo, sans rien surjouer : l'anjou blanc est gourmand sans agressivité, le cabernet-d'anjou est beau dans sa robe orange, son velouté sait se montrer savoureux, l'anjou rouge correspond à ce qu'on a envie de boire lorsqu'on sort des charcuteries.

Anjou 2009

Blanc | 2010 à 2014 | 4,65 € **14/20**

Frais avec des notes florales et des nuances fumées, ce vin présente une bonne tension.

CHÂTEAU LA VARIÈRE

49320 Brissac
Tél. 02 41 91 22 64 • Fax : 02 41 91 23 44
beaujeau@wanadoo.fr • www.chateaulavariere.com
Visite : Du lundi au vendredi, de 10h à 12h et de 14h à 17h, le week-end sur rendez-vous.

Ce domaine produit des vins secs, blancs et rouges, où la cuvée La-Chevalerie se remarque par son encépagement de pur cabernet-sauvignon. Sa production de liquoreux est superbe, coteaux-de-l'aubance, quarts-de-chaume et coteaux-du-layon laissent clairement transparaître leur terroir. Le bonnezeaux est une référence.

Anjou-Villages Brissac La Grande Chevalerie 2005

Rouge | 2013 à 2020 | env 19 € **15/20**

Nez de fruits noirs, bouche aux tanins longs et puissants se terminant sur les épices, à attendre, cela fera une très belle bouteille.

Anjou-Villages Brissac Seigneurie de la Varière 2008

Rouge | 2012 à 2019 | NC **14,5/20**

Tanins bien dessinés dans un registre velouté et corseté.

Bonnezeaux La Roche 2009

Blanc Liquoreux | 2010 à 2020 | env 21 € **16/20**

Belles promesses pour ce vin à la texture raffinée et à la matière bien équilibrée.

Bonnezeaux Melleresses 1997

Blanc Liquoreux | 2010 à 2020 | NC **16/20**

Nez d'abricot sec et de coing, bouche onctueuse avec en plus la noix de muscade, grande longueur.

Coteaux de l'Aubance Clos de la Division 2007
Blanc Liquoreux | 2010 à 2017 | NC **16/20**
On est sur des nuances de coing et d'abricot, il y a une liqueur harmonieuse avec une belle fraîcheur.

Quarts de Chaume Les Guerches 1997
Blanc Liquoreux | 2010 à 2020 | NC **16,5/20**
Nez d'écorce d'orange et de miel, bouche onctueuse très homogène avec une merveilleuse longueur miellée.

DOMAINE DU VIEUX PRESSOIR
49260 Vaudelnay
Tél. 02 41 52 21 78
vieuxpressoir@wanadoo.fr

Saumur Elégance 2008
Blanc | 2010 à 2016 | 4,90 € **13,5/20**
Nez avec un poil de truffe blanche et d'agrumes, belle bouche, avec toutefois une pointe de sécheresse en fin.

CHÂTEAU DE VILLENEUVE
Château de Villeneuve - 3, rue Jean-Brevet
49400 Souzay-Champigny
Tél. 02 41 51 14 04 • Fax : 02 41 50 58 24
jpchevallier@chateaudevilleneuve.com
www.chateau-de-villeneuve.com
Visite : De 9h à 12h et de 14h à 18h
tous les jours sauf dimanche et jours fériés

Situé sur la côte calcaire de Souzay, le Château de Villeneuve est l'un des meilleurs domaines de Loire. Œnologue de formation, Jean-Pierre Chevalier s'oriente vers l'agriculture biologique. La cuvée Domaine constitue l'un des meilleurs rapports qualité-prix : pleine de fruits, elle se révèle souple et croquante. La cuvée Vieilles-Vignes présente plus de densité avec un velouté de texture raffiné. Issu d'une parcelle de cinq hectares devant le château, le Grand-Clos est l'une des grandes cuvées de l'appellation. Les blancs ne sont pas en reste. Les vins évoluent parfaitement en bouteille.

Saumur Les Cormiers 2007
Blanc | 2011 à 2019 | 13 € **16/20**
Il y a du fond, des flaveurs florales et une tension bienvenue, le vin doit être carafé deux heures avant le service.

Saumur-Champigny 2009
Rouge | 2010 à 2016 | env 8,50 € **15,5/20**
On apprécie la souplesse de tanins et ce côté tuffeau sur fond de fruits rouges, avec une entrée de bouche enrobée et un côté plus resserré en fin.

Saumur-Champigny 2008
Rouge | 2010 à 2013 | 8 € **15,5/20**
On sent les fruits rouges, la droiture de constitution et cette plasticité rafraîchissante ; en 2008 comme en 2007, il n'y a pas eu de Vieilles-Vignes ni de Grand-Clos, il n'y a eu qu'une cuvée Château-de-Villeneuve.

Saumur-Champigny Le Grand Clos 2006
Rouge | 2010 à 2024 | 17 € **18/20**
Superbe matière, on sent le potentiel et une belle maturité, belle intensité et des tanins stylés et frais. Sur ce millésime difficile, on tient là une superbe bouteille.

Saumur-Champigny Le Grand Clos 2005
Rouge | 2010 à 2025 | NC **19/20**
Nez profond de fruits noirs frais, l'attaque et le toucher de tanins sont soyeux, puis on a la plénitude du millésime avec une chair caressante et une fin menthée, c'est magnifique.

Saumur-Champigny Le Grand Clos 2002
Rouge | 2010 à 2026 | NC **18,5/20**
Nez qui fait saliver avec ses accents de framboise et de menthe poivrée, les tanins s'étirent en bouche de la façon la plus raffinée, avec ce qu'il faut de tension et d'enrobage.

Saumur-Champigny Le Grand Clos 1993
Rouge | 2010 à 2015 | NC **16/20**
Heureuse surprise, avec ce nez de fraise des bois, cette attaque suave et ces tanins bien corsetés affichant une belle maturité.

Saumur-Champigny Vieilles Vignes 2006
Rouge | 2010 à 2019 | 13 € **16/20**
Robe grenat profond, arômes de fruits rouges et de fumé précédant une bouche droite, aux tanins fermes et frais.

CHÂTEAU YVONNE

12, rue Antoine-Cristal • 49730 Parnay
Tél. 02 41 67 41 29 • Fax : 02 41 67 41 29
chateau.yvonne@wanadoo.fr
Visite : Du lundi au samedi sur rendez-vous
de 9h à 19h.

Les vignes sont conduites en bio et font l'objet de soins attentifs. Le blanc et le rouge sont vinifiés et élevés en barriques. Ils passent ensuite en cuve pour mise en bouteille sans filtration. Le blanc est très gras, parfois luxueusement élevé. Le rouge ne surjoue pas les millésimes, et s'adapte à ce que Dame Nature fournit, sans recherche de concentration excessive. Leur point commun est la fraîcheur revigorante de leurs finales.

Saumur 2007

Blanc | 2010 à 2019 | 18 € 17/20

C'est toujours un grand saumur avec une puissance en bouche spécifique, la pointe d'amertume du chenin en finale, et tout au long de la dégustation, la race sous-jacente du terroir, ce vin rayonne !

Saumur-Champigny Château Yvonne 2008

Rouge | 2011 à 2019 | 15 € 16,5/20

Certes les tanins sont encore serrés, mais ils sont très longs, épicés sur la mûre et le cassis, ils se mettent progressivement en place avec un joli fruit derrière ; beau potentiel.

Saumur-Champigny Château Yvonne 2007

Rouge | 2010 à 2017 | 15 € 16/20

Délicieux, les tanins sont fondus et soyeux, frais tout en ayant de la longueur.

Saumur-Champigny La Folie 2007

Rouge | 2010 à 2015 | 10 € 15,5/20

Robe sombre et intense, délicats parfums de fruits rouges relevés de notes poivrées. En bouche, on découvre une bonne matière et des tanins frais.

Notes personnelles

La Touraine

Ces vins incarnent le classicisme ligérien, fait de grâce et de légèreté dans la puissance, d'harmonie dans l'équilibre entre l'alcool, l'acidité et le tannin. Le revers dela médaille est la soumission aux aléas des millésimes, et de l'inégalité du savoir-faire des producteurs.

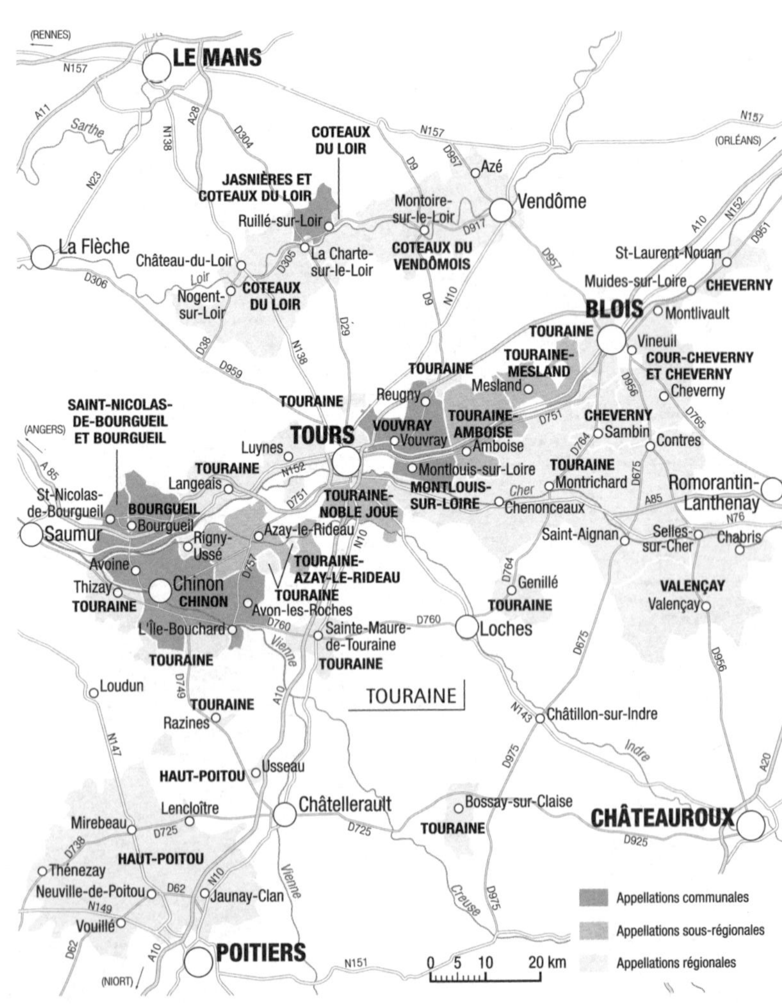

DOMAINE PHILIPPE ALLIET

Briançon - Départementale 8
37500 Cravant-les-Coteaux
Tél. 02 47 93 17 62 • Fax : 02 47 93 17 62
philippe.alliet@wanadoo.fr
Visite : Sur rendez-vous.

Claude et Philippe Alliet sont unis sous le régime de la communauté du cabernet franc. Leur dernier enfant, l'huisserie, est une parcelle de très jeunes vignes plantées en coteau, sur un terroir argilo-siliceux qui commence à prendre son régime de croisière. La cuvée Vieilles-Vignes, sur sables graveleux, gagne chaque année en distinction, et le Coteau-de-Noiré est devenu l'une des références de l'appellation pour les terroirs argilo-calcaires. À maturité, cette cuvée jouerait les trouble-fêtes dans une dégustation de Premiers du bordelais. Essayez avec le 2003.

Chinon Coteau de Noiré 2008
Rouge | 2010 à 2019 | 20 € **18/20**
Assurément l'un des plus grands rouges de Loire. L'échantillon dégusté est d'une exceptionnelle onctuosité avec un charme tannique inouï.

Chinon L'Huisserie 2008
Rouge | 2010 à 2019 | 17 € **18/20**
Au fil des millésimes, Philippe a trouvé la clé de cette huisserie bien moins massive que par le passé. Elle est en 2008 d'une exceptionnelle onctuosité, étonnante dans la subtilité de sa texture. Réglisse et pivoine portent la finale.

Chinon Vieilles Vignes 2008
Rouge | 2010 à 2020 | 15 € **17/20**
Ces vieilles vignes affichent une éclatante jeunesse, dans un style fruits noirs et épices. La finale onctueuse montre un jus superbe avec une touche d'eucalyptus.

DOMAINE THIERRY AMIRAULT

37140 Saint-Niolas-de-Bourgueil
Tél. 02 47 97 75 25
amirault.thierry@wanadoo.fr
Visite : De 9h à 18h du lundi au vendredi.
Pour les groupes, nous consulter.

Saint-Nicolas-de-Bourgueil
Clos des Quarterons 2009
Rouge | 2010 à 2012 | NC **13,5/20**
Avec du fruit et un joli jus, ce saint-nicolas est un vin de charme. Une côtelette d'agneau suffirait à son bonheur et au nôtre !

DOMAINE YANNICK AMIRAULT

5, pavillon du Grand-Clos • 37140 Bourgueil
Tél. 02 47 97 78 07 • Fax : 02 47 97 94 78
info@yannickamirault.fr • www.yannickamirault.fr
Visite : sur rendez-vous

Éternel anxieux, Yannick Amirault est un perfectionniste qui donne le bon tempo sur Bourgueil et Saint-Nicolas, ayant la chance de posséder un bon patrimoine de vieilles vignes. La-Coudraye est l'un des meilleurs rapports qualité-prix du Val de Loire, Les-Quartiers reflète l'élégance des terroirs calcaires de Bourgueil, et le Rosé-d'Equinoxe est l'un des plus harmonieux de la Loire. Tout est au plus haut niveau.

Bourgueil La Coudraye 2009
Rouge | 2010 à 2015 | 8,50 € **15,5/20**
Un fruit incroyable dans une entrée de gamme qui est déjà racée ! Elle ira plus loin qu'on ne le perçoit à la première gorgée.

Bourgueil La Petite Cave 2007
Rouge | 2010 à 2018 | 17 € **17,5/20**
Cette texture soyeuse qui sous-tend un fruité frais, avec juste ce qu'il faut de tension, est une pure gourmandise. Les fruits rouges s'y disputent avec les épices douces et le cuir le plus noble.

Bourgueil Le Grand Clos 2008
Rouge | 2010 à 2019 | 16 € **17,5/20**
Ce vin est une priorité d'achat. Le tanin est un modèle ligérien, l'élevage a été réalisé avec un bois d'une qualité trop rare en Loire. Certes, le vin connaîtra des phases de fermeture mais il retrouvera cette suavité et ce glissant. De la soie liquide !

Bourgueil Rosé d'Équinoxe 2008
Rosé | 2010 à 2011 | 8 € **17/20**
Tous les dégustateurs professionnels qui ont approché ce rosé en ont acheté un carton... Il est exceptionnel dans sa structure et dans ses arômes.

Saint-Nicolas-de-Bourgueil
Les Malgagnes 2008
Rouge | 2010 à 2019 | 18 € **17/20**
Un 2008 racé, profond, particulièrement dense mais où le tanin s'affiche déjà gourmand. Une invitation au plaisir mais dans un style chic. On peut aussi l'attendre sans se presser.

DOMAINE DE L'AUMONIER

Villequemoy • 41110 Couffy
Tél. 02 54 75 21 83 • Fax : 02 54 75 21 83
www.domaine-aumonier.com

Sophie et Thierry Chardon conduisent leur domaine de quarante-trois hectares en AOC Touraine en conversion vers l'agriculture biologique. Les rouges se goûtent très bien car on cherche ici à éviter trop d'extraction qui conduit rapidement les rouges ligériens vers l'amertume et la dureté de tanins. Le sauvignon blanc mérite également d'être recherché. Un passage par l'Aumonier ne sera pas prétexte à grande pénitence.

TOURAINE 2009
Rouge | 2010 à 2011 | 6,20 € **14/20**
Délicatement épicé, ce gamay est rond et suave. Une pointe d'amertume lui donne du relief.

TOURAINE HENRI 2008
Blanc | 2010 à 2012 | 8 € **15/20**
Cette cuvée est uniquement réalisée à base de chenin. C'est un blanc charmeur, mûr et frais, très agréable dès maintenant.

TOURAINE LOUIS 2008
Rouge | 2010 à 2012 | 7 € **14,5/20**
Épicée et poivrée, cette cuvée ne manque pas de caractère. Les tanins sont gourmands et la finale est corsée par le côt.

TOURAINE SAUVIGNON 2009
Blanc | 2010 à 2012 | 7 € **15/20**
Beaucoup de charme dans ce sauvignon mûr, puissant, bien taillé pour la gastronomie.

DOMAINE BERNARD BAUDRY

9, coteau de Sonnay • 37500 Cravant les coteaux
Tél. 02 47 93 15 79 • Fax : 02 47 98 44 44
bernard-baudry@chinon.com
Visite : Sur rendez-vous du lundi au samedi midi..

Bernard Baudry travaille avec son fils Mathieu. Ils ont bâti leur réputation sur les cabernets de garde, séveux et tanniques. Ici, les cuvées prennent le nom des terroirs qui les portent. Les-granges assemblent les raisins de sols de graviers et d'argiles, cela permet de produire un vin souple et frais, que l'on boit dans les trois ans. Les-grézeaux, sur argilo-siliceux, disposent d'une belle finesse et d'une structure permettant au vin de bien traverser le temps (les 1989 sont encore en pleine forme). Plus profonde, la-croix-boissée, sur argilo-calcaire, se révèle plus dense. Francs de pieds, les ceps du Clos Guillot produisent un vin charnu, suave et plein. Les parcelles de chenin sont au diapason. Les 2007 sont particulièrement réussis dans la précision du dessin des tanins.

CHINON 2009
Rouge | 2010 à 2014 | 8,75 € **15/20**
Un chinon que l'on boira à loisir. Il a troqué la puissance tannique habituelle de chinon par une intensité de saveurs.

CHINON LA CROIX BOISSÉE 2009
Blanc | 2010 à 2013 | 16 € **15/20**
Vin étonnant, avec des arômes de poire marqués. Le fruit est superbe, tendu par un amer savoureux.

CHINON LE CLOS GUILLOT 2008
Rouge | 2010 à 2017 | 12 € **16/20**
Le nez est complexe, frais et intense. La bouche fraîche amènera à le boire sans délai alors qu'il est de garde.

CHINON LES GRANGES 2009
Rouge | 2010 à 2015 | 7,60 € **16/20**
Le fruit est savoureux, avec une finale longue et fraîche, sans aspérités.

DOMAINES BAUDRY-DUTOUR

La Morandière • 37220 Panzoult
Tél. 02 47 58 53 01 • Fax : 02 47 58 64 06
info@baudry-dutour.fr • www.baudry-dutour.fr
Visite : Du mardi au vendredi, de 10h à 12h et de 14h à 18h. Le samedi de 10h à 12h et de 15h à 17h.

Il convient de parler au pluriel lorsqu'on aborde cette propriété, avec en premier lieu Christophe Baudry, issu d'une vieille famille viticole de Cravant, et Jean-Martin Dutour, ingénieur agronome et œnologue. Leur association permet aujourd'hui de coiffer plusieurs domaines qui appartiennent à l'histoire du Chinonnais. Après des premiers millésimes d'extraction généreuse, on revient à des vins plus frais dans un style fruité, floral avec ce qu'il faut de concentration.

CHINON CHÂTEAU DE SAINT-LOUANS 2008
Rouge | 2010 à 2012 | 30 € **14/20**
Nez floral, avec ensuite une dominante de cerise de Montmorency, un fruité onctueux dans une bouche plus large que longue, menée par la vanille.

Chinon Domaine du Roncée 2009
Rouge | 2010 à 2018 | 7 € **14/20**
Onctueux, assez puissant, ce vin regorge de fruits.

Chinon Domaine du Roncée
Les Marronniers 2008
Rouge | 2010 à 2015 | 11 € **14,5/20**
Cassis et myrtille se mêlent dans un nez qui possède également quelques accents floraux. Derrière cette intensité fruitée, les tanins sont longs et élégants.

DOMAINE DE BEL-AIR

EARL Raymond et Jean-Louis Loup - Domaine de bel air • 37500 Cravant-les-Coteaux
Tél. 02 47 98 42 75
jean-louis.loup@wanadoo.fr
www.domainedebelair.fr
Visite : sur rendez-vous, du lundi au samedi, de 9h à 12h30 et de 14h à 18h. Portes ouvertes le 1er week-end du mois de juin

Chinon Gabriel 2009
Rouge | 2010 à 2015 | 5,50 € **14,5/20**
Chinon tout en fruit, encore en élevage. Si la bouteille confirme, ce sera un agréable rouge bien inscrit dans la modernité ligérienne.

VINCENT BELLIVIER

12, rue de la Tourette • 37420 Huismes
Tél. 02 47 95 54 26
vincent.bellivier@wanadoo.fr
Visite : sur rendez-vous

Chinon 2008
Rouge | 2010 à 2015 | 5,50 € **14/20**
Chinon structuré avec des tanins assez marqués et une fin de bouche en rondeur. Une côte de veau ferait un bel accord.

DOMAINE DE BELLIVIÈRE

Bellivière • 72340 Lhomme
Tél. 02 43 44 59 97 • Fax : 02 43 79 18 33
info@belliviere.com • www.belliviere.com
Visite : Sur rendez-vous, samedi de préférence.

Éric Nicolas réécrit avec beaucoup de style l'histoire des vins de la Sarthe. Cet as du chenin est revenu à la sélection massale, et sa conduite du vignoble se révèle irréprochable de millésime en millésime. Les vinifications sont exemplaires, et les cuvées traduisent au plus juste la marque de leur terroir : les coteaux-du-loir ont une belle assise, et les jasnières une profondeur et un raffinement uniques pour le secteur. Il convient de carafer ces vins deux heures avant le service.

Coteaux du Loir L'Effraie 2008
Blanc | 2010 à 2019 | 15,40 € **16/20**
Très beau nez d'abricot frais et de poivre, la bouche est tendue, dans un style parfaitement sec, par les agrumes relevés d'une pointe saline.

Coteaux du Loir Vieilles Vignes Éparses 2008
Blanc | 2010 à 2019 | 22 € **16,5/20**
Dans le même style que le 2006, ce 2008 exprime des nuances de pêche et de réglisse. Sa richesse de constitution lui permet d'accompagner parfaitement un poulet rôti. L'apéritif est aussi l'un de ses terrains de jeux favoris.

Jasnières Calligramme 2008
Blanc | 2010 à 2019 | 32 € **16/20**
Goûté en échantillon, ce vin était légèrement dominé par une prise de bois qui demande quelques mois de patience pour s'estomper. Ce vin très riche, complexe en arômes, est d'une grande fraîcheur.

Jasnières Les Rosiers 2008
Blanc | 2010 à 2019 | 18,90 € **16/20**
La minéralité, en style sec, soutient ce vin délicat, précis et sapide.

DOMAINE DES BESSONS

113, rue de Blois • 37530 Limeray
Tél. 02 47 30 09 10
francois.euquin@wanadoo.fr
Visite : Du 1er avril au 30 octobre, de 9h à 19h, les dimanches sur rendez-vous. De novembre à mars sur rendez-vous.

Touraine Amboise Arroma 2009
Blanc | 2010 à 2010 | 4,50 € **14/20**
Blanc vif et aromatique, nerveux et citronné. Il sera parfait pour un apéritif. La finale minérale et délicate ne manque pas de charme.

DOMAINE DES BOIS VAUDONS

30, route de la Vallée • 41400 Saint-Julien-de-Chedon
Tél. 02 54 32 14 23 • Fax : 02 54 32 84 03
merieau2@wanadoo.fr • www.merieau.com
Visite : Du lundi au samedi de 9h à 12h30 et de 14h à 18h30 et le dimanche matin.

TOURAINE CENT VISAGES 2009 ☺
Rouge | 2010 à 2013 | 8 € **15/20**
Une cuvée originale de malbec avec la puissance du cépage et, en finale, une pointe d'amertume qui corse l'ensemble.

TOURAINE LE BOIS JACOU 2009
Rouge | 2010 à | 5,50 € **13/20**
Très mûr, nous sommes ici aux antipodes du gamay de soif inodore et sans saveur. On se situe plutôt dans un style de touraine rouge épicé et puissant, très crémeux.

TOURAINE TIRAGE LIMITÉ SAUVIGNON 2008
Blanc | 2010 à 2012 | 14,50 € **15/20**
Cette cuvée est issue de vieilles vignes de fié gris. Puissante, très droite en bouche, la finale est complexe, parfaitement mûre.

CHÂTEAU DE LA BONNELIÈRE

Route Marcay, rue des Basses Vignes - Lieu-dit Launay, B.P. 60232 • 37500 La-Roche-Clermault
Tél. 02 47 93 16 34 • Fax : 02 47 98 48 23
info@plouzeau.com • www.plouzeau.com
Visite : Du mardi au samedi de 11h à 13h et de 15h à 19h d'avril a fin septembre. Hors saison les consulter.

CHINON LA CHAPELLE 2007
Rouge | 2012 à 2019 | 10,90 € **14,5/20**
Toujours marquée par son élevage, cette cuvée a du potentiel et une belle matière. Espérons qu'il se fonde !

CHINON RIVE GAUCHE 2009 ☺
Rouge | 2010 à 2012 | 6,20 € **13/20**
Cuvée tout en fruits pour boire entre copains avec une charcuterie.

DOMAINE DES BOUQUERRIES

4, les Bouquerries • 37500 Cravant-les-Coteaux
Tél. 02 47 93 10 50 • Fax : 02 44 93 41 94
gaecdesbouquerries@wanadoo.fr
Visite : du lundi au samedi 8h-12h et 14h-18h

Ce domaine de Cravant-les-Coteaux pratique des rendements raisonnables et possède un intéressant patrimoine de vieilles vignes. Nous avons préféré les entrées de gamme, Tradition tarifée à un prix d'ami et Royale dont le prix reste bon prince.

CHINON CUVÉE ROYALE 2009
Rouge | 2010 à 2016 | 5,70 € **14/20**
La cuvée Royale reste très accessible à ce prix. Elle est ronde, un peu plus structurée que la cuvée Tradition mais elle reste généreuse en arômes.

CHINON TRADITION 2009 ☺
Rouge | 2010 à 2014 | 4,50 € **14,5/20**
Réalisé dans un style coulant, ce chinon ne manque pas d'atout. Assez puissant, ses tanins sont totalement enrobés par un fruité noir qualitatif.

DOMAINE PIERRE BRETON

8, rue du Peu-Muleau • 37140 Restigné
Tél. 02 47 97 30 41 • Fax : 02 47 97 46 49
domainebreton@yahoo.fr • www.domainebreton.net
Visite : Sur rendez-vous.

Catherine et Pierre Breton constituent des références dans le monde du bio ligérien, car on a la fraîcheur de fruit, la digestibilité et un naturel de constitution. L'utilisation plus que modérée du soufre joue parfois des tours à la pureté aromatique mais la digestibilité pourrait être le crédo général de la gamme, l'une des plus gourmandes de la Loire, qui pousse à la gaudriole.

BOURGUEIL GALICHETS 2007 ☺
Rouge | 2010 à 2013 | 12 € **15/20**
Ce vin conjugue fraîcheur et onctuosité. Il est à boire sur son fruit actuel, entre copains.

BOURGUEIL NUIT D'IVRESSE 2008 ☺
Rouge | 2010 à 2014 | 14 € **16/20**
Bien qu'elle ne soit pas protégée par du soufre ajouté, cette cuvée ne présente pour l'instant aucune des déviations aromatiques que l'on rencontre trop souvent dans ce type de vins. Elle est d'une étonnante densité et complexité de saveurs. Il faudra la conserver et la transporter au frais pour ne pas altérer toutes ces qualités.

BOURGUEIL PERRIÈRES 2007
Rouge | 2010 à 2015 | 18 € **16/20**
De beaux tanins dans cette cuvée longue, dense et épicée.

CAVE BRUNEAU-DUPUY

14, La Martelière • 37140 Saint-Nicolas-de-Bourgueil
Tél. 02 47 97 75 81 • Fax : 02 47 97 43 25
info@cave-bruneau-dupuy.com
www.cave-bruneau-dupuy.com
Visite : sur rendez-vous ouvert de 8h à 18h
du lundi au samedi.

Saint-Nicolas-de-Bourgueil Tradition 2009 ☺
Rouge | 2010 à 2014 | 4,90 € **14/20**
Cet échantillon goûté avant la mise montrait la rondeur de 2009 avec des tanins caressants. La bouche d'un beau volume est onctueuse.

DOMAINE PAUL BUISSE

69, route de Vierzon • 41400 Montrichard
Tél. 02 54 32 00 01 • Fax : 02 54 32 09 78
contact@paul-buisse.com • www.paul-buisse.com
Visite : Du lundi au vendredi de 8h à 12h et de 14h à 18h (sauf le vendredi à 17h). Sur rendez-vous le samedi matin

Ce domaine a été racheté par la famille Chainier, qui réalisait jusque-là à Montrichard des vins pour les marques de distributeurs. Il veut faire de cette propriété réputée son fer de lance qualitatif et y produit une jolie gamme de touraines et un saumur-champigny puissant, avec du fond.

Saumur-Champigny L'Exceptionnel 2008
Rouge | 2011 à 2015 | 11 € **14,5/20**
Puissant, structuré, ce saumur-champigny juteux est très calé sur les fruits noirs. Sa trame tannique demandera un peu de patience.

Touraine Clos des Ronceveaux 2008 ☺
Blanc | 2010 à 2011 | 5,90 € **15/20**
Originale cuvée du cépage fié gris également appelé le sauvignon rose. Très mûr, vanillé, tout en étant sec, ce vin s'invitera volontiers à table.

Touraine Cristal 2009
Blanc | 2010 à 2011 | 5,55 € **14/20**
Vin ciselé, tendu, très inspiré par le pamplemousse et les agrumes.

DOMAINE DE LA BUTTE

La Butte • 37140 Bourgueil
Tél. 02 47 97 81 30 • Fax : 02 47 97 99 45
labutte@jackyblot.fr • www.jackyblot.fr
Visite : Sur rendez-vous.

À l'origine de la résurrection de l'appellation Montlouis, Jacky Blot perfectionne depuis 2002 ses cabernets francs sur Bourgueil. Recherchant la sensualité, ce néo-bourgueillois sélectionne ses parcelles sur le modèle bourguignon, avec un Pied-de-la-Butte gourmand, un Haut plus complexe et un Mi-Pente sensuel et structuré. Perrières plaira à ceux qui sont persuadés qu'il n'existe pas de grand vin sans élevage sous bois.

Bourgueil Le Haut de la Butte 2009 ☺
Rouge | 2010 à 2015 | 10 € **15/20**
Goûtée sur fût, cette cuvée montre des tanins gourmands.

Bourgueil Le Haut de la Butte 2008 ☺
Rouge | 2010 à 2015 | 10 € **16/20**
Très jolie sensation en bouche d'un vin construit sur la délicatesse.

Bourgueil Mi-Pente 2007 ☺
Rouge | 2010 à 2018 | 16 € **16,5/20**
Le fruit de cette cuvée prend le dessus. Complexifié par les épices, il se montre charmeur, porté par des tanins longs et bien enrobés.

Bourgueil Perrières 2009 ☺
Rouge | 2010 à 2016 | 13 € **16,5/20**
Goûté sur fût. La puissance de ce terroir s'exprime tout en montrant un joli jus raffiné, aérien dans sa structure.

DOMAINE VINCENT CARÊME

1, rue du Haut-Clos • 37210 Vernou-sur-Brenne
Tél. 02 47 52 71 28 • Fax : 02 47 52 01 36
vin@vincentcareme.fr • www.vincentcareme.fr
Visite : sur rendez-vous

Ayant des parents qui possédaient quelques arpents de vigne sur Vouvray, Vincent Carême est revenu au pays, après des études viticoles et des vinifications en Afrique du Sud, en Muscadet et en Anjou. Ses deux principaux terroirs se situent sur des sols d'argile à silex pour le Peu-Morier, et sur une dominante de calcaire pour les Aubuis, où les vignes se développent à fleur de coteau. Certes, tous les vins ne sont pas au plus haut niveau, mais quand l'artiste s'en donne les moyens, certaines cuvées s'approchent assurément du sommet de Vouvray.

Vouvray ☺
Blanc Brut effervescent | 2010 à 2011 | 9 € **15/20**
Cet effervescent est agréable en bouche, typé par son cépage, avec une bonne longueur. Aucun dosage n'a été ajouté, la finale est construite autour

des sucres naturels du raisin non fermentés. Ce vin évolue parfaitement et est un pur régal.

Vouvray L'Ancestrale ☺
Blanc Brut eff. | 2010 à 2011 | 11,50 € **15,5/20**
Magnifique pétillant naturel, un vin dont la fermentation se termine en bouteille sans sucres ni levures ajoutés. Les 15 grammes de sucre résiduel arrondissent un vin très net, élancé. Un plaisir intense mais simple.

Vouvray Tendre 2008
Blanc Demi-sec | 2010 à 2015 | 19 € **15/20**
Récolté sur des argiles à silex, cette cuvée avec 30 grammes de sucre résiduel voit vivacité et rondeur s'équilibrer parfaitement. Un grand blanc de gastronomie sur une volaille ou sur un poisson à la crème.

DOMAINE DE LA CHAPINIÈRE

4, chemin de la Chapinière • 41110 Chateauvieux
Tél. 02 54 75 43 00 • Fax : 02 54 75 31 60
contact@lachapiniere.com • www.lachapiniere.com
Visite : du mardi au samedi, de 10h à 19h .
Le dimanche de 10h à 13h.

Touraine 2009
Blanc | 2010 à 2010 | 4,95 € **14/20**
Tendu, fleurs et agrumes, ce sauvignon se boira facilement sur un fromage de chèvre.

Touraine cuvée Voltaire 2007
Rouge | 2010 à 2011 | 7,50 € **15/20**
Les tanins se sont arrondis et le vin est devenu soyeux, frais et gourmand.

DOMAINE DE LA CHEVALERIE

7-14, rue du Peu-Muleau • 37140 Restigné
Tél. 02 47 97 46 32 • Fax : 02 47 97 45 87
chevalerie@caslot.fr • www.domainedelachevalerie.fr
Visite : De 9h à 12h et de 14h à 18h tous les jours
dimanche sur rendez-vous

Ce domaine d'un seul tenant produit des cuvées précises, épousant pleinement leur terroir, dans un registre de tension et de fraîcheur. Les 2006 se sont affinés et les tanins s'arrondissent, les 2007 constituent également de belles références, et 2008 sonne juste. Ici, le 1906 et bien d'autres millésimes d'avant-guerres rappelleront à tous ceux qui affirment que les vins de Loire ne vieillissent pas que le doute est une vertu.

Bourgueil Busardières 2008
Rouge | 2010 à 2030 | 15 € **17/20**
Ce vin, comme toutes les grandes cuvées du domaine, ira loin, grâce à sa structure déjà bien en place, et ses nuances aromatiques déclinant les fruits rouges et les fleurs légèrement poivrées. C'est un vin de cabernet franc raffiné.

Bourgueil Chevalerie 2008
Rouge | 2010 à 2015 | 12,50 € **17/20**
On retrouve des parfums de pivoine sur fond de fruits rouges, la bouche est ronde, exceptionnellement tendre. Une côte de veau juteuse serait un absolu.

Bourgueil Galichets 2009 ☺
Rouge | 2010 à 2014 | 8,50 € **16/20**
Le glissant du 2009 termine une bouche intensément fruitée, toujours très subtile et précise. La finale est portée par la juste tension nécessaire à l'équilibre global du vin.

DOMAINE FRANÇOIS CHIDAINE

5, Grand Rue • 37270 Montlouis-sur-Loire
Tél. 02 47 45 19 14 • Fax : 02 47 45 19 08
francois.chidaine@wanadoo.fr
www.francois-chidaine.com
Visite : Du lundi au samedi de 10h à 12h
et de 14h30 à 19h.

François Chidaine a précédé de quelques années la jeune garde de Montlouis, qui rend si passionnante la progression de cette petite appellation. Il produit des vouvrays qui partagent le même brio que ses montlouis. L'intégralité de la gamme est d'un haut niveau qualitatif, et fait de cette adresse une valeur sûre pour amateurs exigeants. Il parvient à domestiquer remarquablement le chenin mais certains de ses terroirs imposent un peu de patience. Respectons-les.

Montlouis-sur-Loire 2002
Blanc Brut effe. | 2010 à 2011 | env 9,30 € **15,5/20**
De grande précision, cette cuvée vibrante et harmonieuse s'exprime dans un registre intense et fruité.

Montlouis-sur-Loire Clos Habert 2008 ☺
Blanc Demi-sec | 2010 à 2019 | 14,40 € **16/20**
Les arômes de mangue et d'ananas de ce cru sont tenus par une pointe de sucre qui donne au vin sa tendresse.

Vouvray Clos Baudoin 2008

Blanc | 2012 à 2020 | 14,40 € **16,5/20**

Minéral à souhait, racé, ce blanc de grand équilibre n'attend que le nombre des années pour finir de se déployer pleinement.

Vouvray Le Bouchet 2008

Blanc Demi-sec | 2010 à 2020 | 14,40 € **16/20**

La trame acide tient un vin aux fragrances de pêche, d'agrumes, de citron confit. Encore un demi-sec d'excellente fréquentation.

DOMAINE PATRICE COLIN

5, impasse de la Gaudetterie
41100 Thoré-la-Rochette
Tél. 02 54 72 80 73 • Fax : 02 54 72 75 54
colinpatrice41@orange.fr
Visite : Sur rendez vous, ouvert de 9 h à 12 h et de 14 à 19 h.

Figure de proue des Coteaux du Vendômois, Patrice Colin pratique la lutte intégrée et raisonnée, de la plantation à la récolte. Il bénéficie de très vieilles vignes : le pineau d'aunis est centenaire, il constitue l'orgueil de cette propriété, donnant des vins frais et épicés. Le chenin va sur ses quatre-vingts millésimes, permettant d'obtenir des crus allant du sec au moelleux, en passant par le sec tendre. Ces vins évoluent parfaitement avec le temps. Les autres cuvées sont délicieusement lampantes.

Coteaux du Vendômois 2009

Rosé | 2010 à 2011 | NC **14/20**

C'est frais et gourmand, sur les fruits rouges, avec une pointe d'épices.

Coteaux du Vendômois cuvée Pierre à Feu 2009

Blanc | 2010 à 2014 | NC **14,5/20**

Floral avec des flaveurs de fruits secs, ce vin a de la fraîcheur et un côté fumé, on le sert sur des fromages de chèvre.

Coteaux du Vendômois vieilles vignes 2008

Rouge | 2010 à 2013 | NC **14/20**

Fruits rouges avec une touche épicée, ce vin se boit sur des charcuteries.

Coteaux du Vendômois Vignes d'Emilien Colin 2008

Rouge | 2010 à 2013 | NC **15/20**

100 % pineau d'Aunis, c'est soyeux, épicé et gourmand.

DOMAINE DES CORBILLIÈRES

41700 Oisly
Tél. 02 54 79 52 75 • Fax : 02 54 79 64 89
dominique.barbou@wanadoo.fr
www.domainedescorbillieres.com
Visite : Sur rendez-vous.

Dominique Barbou est l'un des vignerons les plus consciencieux de la Touraine. Les rendements raisonnables et le travail des vignes permettent d'obtenir des vins de belle facture. En rouge, la délicatesse des tanins impressionne et pourra servir de référence. Les blancs ne sont pas en reste. Le domaine est en phase de progression, c'est une source de produits de très belle qualité, très précis.

Touraine 2009

Rouge | 2010 à 2011 | 5 € **14,5/20**

Dessinez le gamay de soif idéal. Dominique Barbou l'a fait. A 5 euros, que demander de plus ?

Touraine 2009

Blanc | 2010 à 2011 | 6,05 € **14,5/20**

Très beau 2009, la maturité très aboutie est au service de l'élégance. La cuvée est, en bouche, sur un petit nuage de taffetas. Elle va néanmoins vite évoluer.

Touraine Fabel Barbou 2008

Blanc | 2010 à 2011 | 7,50 € **14,5/20**

Ce vin se présente très bien, avec des flaveurs d'agrumes, de pamplemousse et de kumquat. La structure est longue et fraîche.

Touraine Les Demoiselles 2008

Rouge | 2010 à 2011 | 6,05 € **14,5/20**

Cette cuvée assemble côt, cabernet franc et pinot noir. Très facile à boire, elle se termine par une finale fruitée aux tanins délicats.

DOMAINE DE LA COTELLERAIE

2, La Cotelleraie • 37140 Saint-Nicolas-de-Bourgueil
Tél. 02 47 97 75 53 • Fax : 02 47 97 85 90
gerald.vallee@wanadoo.fr
Visite : De 9h à 18h du lundi au samedi.

Gérald Vallée a repris le domaine familial, situé entièrement sur Saint-Nicolas de Bourgueil. La gamme est étonnante, avec des vins au toucher de bouche soyeux et raffiné, qui évoluent parfaitement. Les 2006 ont une suavité unique pour le millésime, les 2007 ont tenu leurs promesses et 2008 ne faillira pas.

SAINT-NICOLAS-DE-BOURGUEIL LA CROISÉE 2009

Rouge | 2010 à 2012 | 8,50 € **15/20**

Tanins fin, gourmands. Le glissant est superbe et la bouche est étonnante de volume.

SAINT-NICOLAS-DE-BOURGUEIL
LE VAU JAUMIER 2008

Rouge | 2010 à 2016 | 16 € **16,5/20**

Une trame tannique de grande qualité est présente en bouche. Elle portera loin cette cuvée soyeuse et gourmande.

SAINT-NICOLAS-DE-BOURGUEIL
LES PERRUCHES 2009

Rouge | 2010 à 2014 | 9,50 € **16/20**

Dans le style très mûr de 2009, la texture est soyeuse, sur fond de fruits mûrs, avec des tanins gourmands. Quel plaisir, on est vraiment sur l'un des sommets des vins de Loire.

CHÂTEAU DE COULAINE

37420 Beaumont-en-Véron
Tél. 02 47 98 44 51 • Fax : 02 47 93 49 15
chateaudecoulaine@club-internet.fr
Visite : Du lundi au samedi sur rendez-vous.
fermé le mercredi et pendant les vendanges

Planté en vignes dès le XIVe siècle, ce vignoble a failli disparaître, après la grave crise du phylloxéra puisque, de 1902 à 1988, il ne restait qu'un hectare du domaine initial. Heureusement, Étienne de Bonnaventure a ressuscité ce vignoble historique. L'âge des vignes aidant et le mode cultural tourné vers le bio contribuent au succès grandissant de ce domaine. Les vins peu protégés méritent un stockage et un transport sans excès de chaleur.

CHINON 2008

Blanc | 2010 à 2013 | 16 € **14,5/20**

Le sol de graviers et de tuffeau s'exprime dans ce blanc minéral et puissant. Le temps l'affinera.

CHINON CLOS DE TURPENAY 2008

Rouge | 2010 à 2012 | 16 € **14/20**

Large, gras, glissant, ce vin est à boire sur son fruit.

CHINON LES PICASSES 2008

Rouge | 2010 à 2014 | 17 € **15/20**

Le nez profond est vanillé, floral, on a la violette, la pivoine. La bouche gourmande est tenue par des tanins juteux et longs.

PIERRE ET BERTRAND COULY

4, rue de Saint-Louans • 37500 Chinon
Tél. 02 47 93 43 97 • Fax : 02 47 93 05 99
contact@pd-couly.com • www.pb-couly.com
Visite : 10h-19h tous les jours toute l'année

Pierre et Bertrand ont reformé depuis 2004 un vignoble qui compte chaque année de nouvelles cuvées. Ils affichent un bel optimisme et il y a de quoi, car leurs vins ont cette race ligérienne avec fruits, fraîcheurs, accents de violette, et les textures soyeuses sont parmi les meilleures de Loire en cabernet franc. Au delà des cuvées de «simple» chinon, s'ajoute une cuvée située sur argilo-calcaire, baptisée V, plus complexe, avec une pureté et une fraîcheur de fruits du meilleur effet. Elle est complétée depuis 2008 par le Clos-de-la-Haute-Olive, à la profondeur digne des meilleures cuvées ligériennes de cabernet franc.

CHINON 2009

Rosé | 2010 à 2011 | 6,80 € **15/20**

À la fois tendre et tendu, ce rosé de soif, fruité et minéral, n'attire pas l'ennui.

CHINON 2008

Rouge | 2010 à 2015 | 7,30 € **15/20**

C'est soyeux et gourmand, avec la juste maturité du fruit et la pointe de minéralité qui le rend intelligent.

CHINON LA HAUTE OLIVE 2009

Rouge | 2010 à 2019 | 9,80 € **16/20**

Deuxième millésime de cette nouvelle cuvée proche du Clos de l'Olive. 2009 l'a doté d'un fruit généreux et bien mûr. Plus large que longue, elle est onctueuse à souhait mais le temps fera évoluer cette géométrie.

CHINON LA HAUTE OLIVE 2008

Rouge | 2010 à 2018 | 8,80 € **16/20**

Pour la première année de cette cuvée de jeunes vignes, c'est une franche réussite, les tanins sont longs, frais et soyeux ; que du bonheur !

CHINON LE V DE PIERRE ET
BERTRAND COULY 2009

Rouge | 2010 à 2020 | 7,80 € **16,5/20**

2009 apporte à cette cuvée une rondeur particulière et une acidité plus faible. Elle ne permettra peut-être pas à ce millésime d'aller aussi loin que son prédécesseur, les paris sont ouverts.

Chinon Le V de Pierre et Bertrand Couly 2008

Rouge | 2011 à 2019 | 7,80 € **16/20**

L'une des meilleures cuvées ligériennes du millésime, profondeur, longueur des tanins. Légèrement refermée, le temps lui apportera la dimension qu'un fruit croquant estompe pour l'instant.

COULY-DUTHEIL

12, rue Diderot - B.P. 234 • 37502 Chinon cedex
Tél. 02 47 97 20 20 • Fax : 02 47 97 20 25
info@coulydutheil-chinon.com
www.coulydutheil-chinon.com
Visite : Du lundi au vendredi, de 8h à 12h et de 14h à 17h30

Après un passage à vide suite à une scission familiale, le domaine Couly-Dutheil continue. Il propose deux clos réputés, le Clos-de-l'Olive et le Clos-de-l'Écho, un terroir mythique, argilo-calcaire, qui fait face au Château de Chinon. C'est avec plaisir que nous avons retrouvé le domaine en forme depuis l'an passé. Quelques millésimes antérieurs nous avaient inquiété.

Chinon 2008 ☺

Rouge | 2010 à 2013 | 9,70 € **14/20**

Vin bien fruité, aux tanins coulants ; à boire à l'heure du casse-croûte.

Chinon Clos de l'Écho 2008

Rouge | 2012 à 2020 | 16,45 € **16/20**

Grand classique de la maison, avec du fond, un tanin enlevé et une bonne maturité. Comme toujours, il convient d'attendre un peu pour ouvrir cette bouteille.

Chinon Clos de l'Olive 2008

Rouge | 2011 à 2020 | 16,65 € **15/20**

Tanins élégants, un vin très mûr, aux arômes de grillé léger. Il prendra une autre dimension au vieillissement.

Chinon Les Chanteaux 2007 ☺

Blanc | 2010 à 2014 | 12 € **14,5/20**

Net, vif, sur le citron et le pamplemousse, il sera parfait avec un poisson à la crème. L'apéritif conviendra également fort bien.

Chinon René Couly 2009 ☺

Rosé | 2010 à 2011 | 7,65 € **14,5/20**

Ce rosé très fruits rouges, framboise mais aussi menthe est une vraie gourmandise.

DOMAINE SÉBASTIEN DAVID

La Gardière • 37140 Saint-Nicolas-de-Bourgueil
Tél. 02 47 97 89 64 • Fax : 02 47 97 95 05
davidseb@wanadoo.fr
Visite : Sur rendez-vous.

Installé depuis 1999, Sébastien David est un biodynamiste qui vendange ses 5,20 hectares à la main et qui ne soufre pas ses vins. L'Hurluberlu est réalisé à partir d'une macération carbonique. En grande année, il convient de rechercher le Vin-d'une-Oreille, provenant de vignes de 80 ans sur un coteau argilo-calcaire. Néanmoins, Ni-Dieu-Ni-Maître sera le mot d'ordre dans le millésime 2009.

Saint-Nicolas-de-Bourgueil Hurluberlu 2009

Rouge | 2010 à 2010 | 8,50 € **13/20**

Vin à boire sur son fruit croquant. Sans arrière-pensée, pour le plaisir d'une assiette de charcuteries.

Saint-Nicolas-de-Bourgueil Ni Dieu ni Maître 2009 ☺

Rouge | 2010 à 2014 | 15 € **15,5/20**

Le vin a l'intensité des fruits noirs corsés par la réglisse. La structure charnue montre un tanin très lisse, précis. L'ensemble est séveux. Sans extraction au-delà de ce que le raisin pouvait fournir, ce vin permettra de réfléchir sereinement à la portée actuelle du slogan anarchiste.

DOMAINE PIERRE-JACQUES DRUET

7, rue de la Croix-Rouge - Le Pied-Fourrier
37140 Benais
Tél. 02 47 97 37 34 • Fax : 02 47 97 46 40
pjdruet@wanadoo.fr
Visite : Du lundi au samedi, de 9h à 12h et de 14h à 18h ou sur rendez-vous.

Les dégustateurs reprochant aux cabernets de Loire de transpirer le poivron vert, beaucoup de domaines se sont orientés vers des extractions excessives, souvent accompagnées de boisés outranciers. Ces viniplanchistes dénigrent à souhait les vins de Pierre-Jacques Druet. Si certaines cuvées connaissent parfois des évolutions hétérogènes, à leur meilleur, les vins ont une buvabilité hors pair ! Avec de tels chefs-d'œuvre, il faut oser le magnum !

Bourgueil Cent Boisselées 2007

Rouge | 2010 à 2014 | NC **15/20**

Vin gourmand, intense en saveurs fruitées, à boire dès à présent.

BOURGUEIL FIEF DE LOUYS 2005
Rouge | 2010 à 2015 | NC **15/20**
Vin étonnant, sapide et frais. On le boira avec une facilité étonnante.

BOURGUEIL GRAND MONT 2005
Rouge | 2014 à 2027 | NC **16,5/20**
Tanins longs et enrobés, avec ce qu'il faut de fermeté, gros potentiel.

BOURGUEIL GRAND MONT 2003
Rouge | 2010 à 2015 | NC **16/20**
Après une phase de fermeture, le vin a retrouvé une puissance souple, faite d'énergie rentrée et d'onctuosité. La fraîcheur étonne dans ce millésime.

NATHALIE ET DAVID DRUSSÉ

1, impasse de la Villatte
37140 Saint-Nicolas-de-Bourgeuil
Tél. 02 47 97 98 24 • Fax : 02 47 97 61 89
drusse@wanadoo.fr • www.drusse-vindeloire.com
Visite : 9h-12h30 et 14h-19h du lundi au samedi
dimanche sur rendez-vous

BOURGUEIL LE ROY DE RESTIGNÉ 2009
Rouge | 2010 à 2015 | 5,50 € **14/20**
Un rien de fermeté par rapport au bourgueuil, la finale est agréable, fruitée, élégante.

SAINT-NICOLAS-DE-BOURGUEIL
VIEILLES VIGNES 2009
Rouge | 2010 à 2014 | 6 € **14/20**
Plus mûre que le 2008, cette cuvée montre une finale très ronde, une côte de veau serait sublimée.

SAINT-NICOLAS-DE-BOURGUEIL
VIEILLES VIGNES 2008
Rouge | 2010 à 2012 | 6 € **14/20**
La tendresse du cru, dans un ensemble souple et fruité. Belle finale.

DOMAINE FRISSANT

1, Chemin Neuf • 37530 Mosnes
Tél. 02 47 57 23 18 • Fax : 02 47 57 23 25
xf@xavierfrissant.com • www.xavierfrissant.com
Visite : du lundi au samedi de 9h à 12h30 et de 14h à 19h. Le dimanche matin 10h à 12h sur rendez-vous.

Xavier Frissant est l'une des figures de proue de Touraine-Amboise, la cuvée de fié gris, La-Griffe-d'Isa, est l'une des plus originales de la région. En rouge, les assemblages sont parfaitement maîtrisés, les raisins ramassés ont la maturité voulue, avec toujours une fraîcheur de bon aloi. La cuvée de moelleux, la Folie-des-Roses nous a charmés. Un domaine à suivre.

LA GRIFFE D'ISA - LA FOLIE DES ROSES 2008
Blanc liquoreux | 2010 à 2015 | 15 € **15/20**
Un nez magnifique dans cette cuvée de moelleux, suivi par une bouche gourmande. La liqueur ne s'impose pas et se fait raffinée dans un équilibre situé entre un demi-sec et un moelleux.

TOURAINE AMBOISE RENAISSANCE 2008
Rouge | 2010 à 2012 | 6,50 € **14,5/20**
On retrouve dans cette très agréable cuvée de touraine toute la sérénité ligérienne. Les tanins sont gourmands et très agréables.

TOURAINE LA GRIFFE D'ISA - FIÉ GRIS 2009
Blanc | 2010 à 2011 | 10,50 € **15,5/20**
Ensemble très aromatique, dans l'esprit du cépage fié gris. La matière est précise et très fraîche.

JÉRÔME GODEFROY

19, Le Plessis • 37140 Chouzé-sur-Loire
Tél. 02 47 95 16 56
domaine.godefroy@orange.fr
www.domainegodefroy.fr
Visite : De 8h à 19h du lundi au samedi ; dimanche matin sur rendez-vous.

Nouvelle entrée dans le guide pour ces deux cuvées de bourgueil et de saint-nicolas-de-bourgueil. Elles ont en commun un support acide un peu marqué mais la qualité du tanin impressionne. Très délicat, il se montre taffetas en bouche. Un domaine à suivre.

BOURGUEIL RÉSERVE GABIN 2008
Rouge | 2010 à 2013 | 8 € **14,5/20**
Dans cette cuvée, c'est surtout la qualité du tanin, fin et aérien, qui impressionne.

BOURGUEIL VIEILLES VIGNES 2008
Rouge | 2010 à 2015 | 5,20 € **15/20**
Le tanin est de grande qualité, raffiné et élégant, soutenu par une acidité un peu marquée. Un vin tout en délicatesse.

DOMAINE LA GRANGE TIPHAINE

La Grange Tiphaine • 37400 Amboise
Tél. 09 64 04 32 09 • Fax : 02 47 57 39 49
lagrangetiphaine@wanadoo.fr
www.lagrangetiphaine.com
Visite : 9h-12h30 et 13h30-17h tous les jours sauf dimanche après-midi.

Ce clarinettiste œnologue exploite les vignes familiales sur Amboise et Montlouis avec succès. Il revient sur le devant de la scène avec des 2008 et 2007 qui jouent juste. Les vins sont précis, les pétillants ont beaucoup de naturel.

MONTLOUIS-SUR-LOIRE CLEF DE SOL 2008 ☺
Blanc | 2010 à 2017 | 12 € **14,5/20**
Ce montlouis long et tendu montre en finale une belle expression de fruits et d'agrumes.

MONTLOUIS-SUR-LOIRE LES GRENOUILLÈRES 2008
Blanc | 2010 à 2015 | 12 € **14,5/20**
Cuvée portée par sa trame acide qui est relevée par le minéral en finale.

MONTLOUIS-SUR-LOIRE NOUVEAU NEZ 2008
Blanc Brut effervescent | 2010 à 2011 | 11 € **14,5/20**
On apprécie la fraîcheur de bulle et la digestibilité de cette cuvée très fraîche.

TOURAINE AMBOISE BÉCARRE 2008 ☺
Rouge | 2010 à 2015 | 10 € **14,5/20**
Belle fraîcheur dans ce touraine droit et net, dont la finale évoque fruits noirs et pruneaux.

TOURAINE AMBOISE CLEF DE SOL 2008
Rouge | 2010 à 2015 | 12 € **14/20**
Marquée par le côt, cette cuvée a du fond, du fruit et une acidité marquée. Un foie de veau ou des rognons poêlés seraient un bel accord.

DOMAINE GROSBOIS

Le Pressoir • 37220 Panzoult
Tél. 06 87 74 49 03
grosboisnicolas@yahoo.fr
Visite : De 8h à 12h et de 14h à 17h du lundi au samedi.

CHINON BŒUF ALAIS 2008 ☺
Rouge | 2010 à 2015 | 12 € **15/20**
Les entrées de gamme de ce domaine ne nous ont pas séduits mais cette cuvée ainsi que le Clos-du-Noyer possédaient une allonge gourmande et un tanin raffiné.

CHINON CLOS DU NOYER 2008
Rouge | 2010 à 2014 | 12 € **14/20**
Cette cuvée a le gras attendu, un tanin rond et une finale puissante en fruits noirs, corsée. Un rôti de veau fera son affaire.

DOMAINE DES HUARDS

Les Huards • 41700 Cour-Cheverny
Tél. 02 54 79 97 90 • Fax : 02 54 79 26 82
infos@gendrier.com • www.gendrier.com
Visite : Du lundi au samedi de 9 h à 12 h et de 14 h à 19 h.

Situé entre Loire et Sologne, à deux pas des châteaux de Cheverny et de Chambord, le Domaine des Huards exploite 34 hectares de vignes conduites en culture biodynamique, sur un terroir à dominante argilo-calcaire. La cuvée de cheverny, en rouge, est axée sur le gamay, complété de pinot noir et de cabernet franc. Encore plus aboutie, la cuvée le-pressoir est essentiellement vouée au pinot noir. Le domaine est l'un des meilleurs représentants des appellations Cheverny et Cour-Cheverny. Les 2007 nous ont conquis par leur pureté de fruit et leur justesse d'expression.

CHEVERNY 2009
Rouge | 2010 à 2012 | NC **14/20**
Nez floral, corbeille de fruits rouges, tanins croquants et gourmands, finale fraîche.

CHEVERNY LE VIVIER 2008
Rouge | 2010 à 2012 | NC **13/20**
Vin aux tanins un peu serrés, avec un côté incisif et une fin sur les fruits rouges.

COUR-CHEVERNY 2007
Blanc | 2010 à 2016 | NC **14,5/20**
Belle longueur, de la tension, il y a une droiture de bon aloi, et un réel potentiel.

COUR-CHEVERNY 2005
Blanc | 2010 à 2016 | NC **15/20**
Sec, tendre avec une entrée de bouche sur ses sucres et une belle tension derrière.

DOMAINE HUET

11-13, rue de la Croix-Buisée • 37210 Vouvray
Tél. 02 47 52 78 87 • Fax : 02 47 52 66 74
contact@huet-echansonne.com
www.huet-echansonne.com
Visite : Du lundi au samedi.

Noël Pinguet est devenu l'un des mentors de la biodynamie ligérienne, avec des vouvrays moelleux et demi-secs vibrants, et surtout des secs de gastronomie d'une précision unique, qui traduisent au mieux l'expression de leur terroir : la tendreté crayeuse du Haut-Lieu sur l'onctuosité des rillettes, la minéralité du Mont cajolant les saint-jacques, et la puissance tranchante du Clos-du-Bourg taillée pour le homard. Ces vins ont un profil accessible dès maintenant et ils défieront le temps. Les échantillons de 2009 en liquoreux impressionnent.

Vouvray Clos du Bourg 2009

Blanc | 2011 à 2030 | 16 € **17/20**

On sent avant tout une structure puissante, grasse, mûre et tranchante à la fois. Ce vin dévoile son potentiel et sa pureté au bout de deux heures de carafage.

Vouvray Clos du Bourg 1985

Blanc liquoreux | 2010 à 2040 | 35 € **18,5/20**

Exceptionnelle bouteille de moelleux disponible à la propriété, avec une quantité de sucre limitée, 40 grammes par litre. Les accords en gastronomie sur viandes blanches et volailles seront un moment d'émotion. Ce jeune adulte de 25 ans fera assurément un beau vieillard chez les patients.

Vouvray Clos du Bourg Première Trie 2009

Blanc liquoreux | 2010 à 2013 | 32 € **18/20**

Goûté en échantillon, cette cuvée encore sur les arômes post-fermentaires de melon possède les plus grandes qualités. Élégance, raffinement, délicatesse.

Vouvray cuvée Constance 2009

Blanc liquoreux | 2010 à 2050 | 65 € la bt de 50 cl **17,5/20**

La cuvée Constance n'est pas réalisée dans tous les millésimes. Dégustée en échantillon, elle montre en 2009 une grande richesse de sucre, plus de 150 grammes au litre, et une acidité marquée, nécessaire pour soutenir cette liqueur. Au niveau aromatique, les agrumes et la poire ouvrent le bal.

Vouvray Le Mont 2009

Blanc | 2010 à 2030 | 16 € **17,5/20**

L'acidité puissante de ce cru soutient la minéralité. Ce chenin racé est construit pour la grande garde.

DOMAINE DE L'HUMELAYE

16, rue de l'Humelaye • 37140 Bourgueuil
Tél. 02 47 97 47 72 • Fax : 02 47 97 46 36
contact@earlmarchesseau.fr
www.vinmarchesseau.fr
Visite : De 9h à 12h et de 14h à 19h du lundi au vendredi. Le week-end sur rendez-ouvs.

Chinon Le Pommier Rond 2009

Rouge | 2010 à 2015 | 5,50 € **15/20**

Chinon floral aux tanins fins, réalisé dans un style gourmand. C'est un vin de plaisir

DOMAINE CHARLES JOGUET

La Dioterie • 37220 Sazilly
Tél. 02 47 58 55 53 • Fax : 02 47 58 52 22
contact@charlesjoguet.com • www.charlesjoguet.com
Visite : De 9h à 18h du lundi au vendredi
samedi sur rendez-vous

Cette propriété phare du Chinonnais a produit des 2006 qui avaient du mal à émerger. Ce millésime, particulièrement difficile pour les cabernets de Loire, semble avoir aujourd'hui trouvé ses marques sur ce domaine. Les 2007 et 2008 nous ont paru plus homogènes. Les vins sont réalisés dans un style classique, ils ne brillent pas dans les dégustations de vins jeunes car ils sont bâtis pour la grande garde, sans concession.

Chinon Clos de la Dioterie 2008

Rouge | 2010 à 2025 | 20 € **16,5/20**

Quelle longueur dans la suavité, l'une des références du millésime ! Le nez profond, tout en restant discret, fait saliver, les tanins sont mûrs, frais et tendus.

Chinon Clos du Chêne Vert 2008

Rouge | 2013 à 2025 | 19 € **15/20**

Avec ses parfums de pivoine et de rose sur fond de fruits noirs et d'épices, les tanins sont longs. Ce 2008 traverse une crise d'adolescence qui nécessite, comme chacun sait, de la patience.

Chinon cuvée de la Cure 2008
Rouge | 2010 à 2013 | 11 € **14/20**
On apprécie la souplesse de tanins, dans un style fruité, souple et charmeur.

Chinon Les Petites Roches 2008
Rouge | 2010 à 2016 | 9,50 € **14/20**
Chinon marqué par la minéralité, à boire sans retenue.

Chinon Les Varennes du Grand Clos 2008
Rouge | 2012 à 2020 | 16 € **15/20**
Les tanins sont denses et structurés. Cette cuvée très corsée pour l'instant évolue parfaitement, il faut se montrer patient.

DOMAINE JOUSSET

36, rue des Bouvineries • 37270 Montlouis-sur-Loire
Tél. 02 47 50 70 33
bertrand.jousset@wanadoo.fr
Visite : Sur rendez-vous.

Voici encore un exemple du dynamisme de Montlouis. Ce domaine a été repris par un couple sans grands moyens, selon le schéma classique des nouveaux arrivants ici, où l'un des deux travaille à l'extérieur pendant que l'autre essaie de lancer le domaine. Le premier millésime produit a été 2004, et le réveil des très vieilles vignes issues de sélection massale se fait progressivement. Elles remercient ceux qui les remettent en culture, en dotant les vins de notes sensorielles hors des palettes classiques.

Montlouis-sur-Loire Bubulle 2008
Blanc Brut effervescent | 2010 à 2011 | 12 € **14/20**
Bubulle est un vin joueur, avec une mousse tenue par une acidité soutenue. Il fait dans le registre apéritif.

Montlouis-sur-Loire L'Appétillant
Blanc Brut effervescent | 2010 à 2011 | 9 € **14/20**
Jolie bulle très chenin, marquée par le biscuit et le pralin. C'est un vin sans sucre résiduel que sa rondeur amènerait pourtant volontiers vers un dessert.

Montlouis-sur-Loire Premier Rendez-Vous 2008
Blanc | 2010 à 2013 | 12 € **14,5/20**
Nez de citron confit qui précède une bouche coulante, avec ce qu'il faut de tension sur la fin.

Montlouis-sur-Loire Singulier 2008
Blanc | 2011 à 2016 | 16 € **15/20**
On sent une trame qui se tend et un vin dynamique tenu par une acidité soutenue.

Montlouis-sur-Loire Sur le Fil 2008
Blanc Demi-sec | 2010 à 2018 | 30 € **15/20**
L'équilibre d'un tendre avec le potentiel d'accords étonnants en gastronomie. Citrons mûrs et confits, pêches, oranges et mandarines : ils sont tous là !

DOMAINE DE LA LANDE

20, route du Vignoble • 37140 Bourgueil
Tél. 02 47 97 80 73 • Fax : 02 47 97 95 65
earl.delaunay.pfils@wanadoo.fr
Visite : sur rendez-vous

La famille Delaunay présente une gamme de bourgueils en rupture avec beaucoup de vins inutilement puissants. Le style de la maison consiste à produire des rouges élégants, pas très intenses en couleur mais savoureux en finale. Toutes les cuvées sont dans ce style avenant avec un petit complément de texture pour la cuvée Prestige.

Bourgueil cuvée Domaine 2008
Rouge | 2010 à 2012 | 5,20 € **14,5/20**
Tanins gracieux, élégants, dans une cuvée de fruit à boire vite. Une entrecôte et voilà !

Bourgueil Les Graviers 2008
Rouge | 2011 à 2014 | 6 € **14,5/20**
Avec une minéralité plus marquée que la cuvée du domaine, ce bourgueil terrien montre une personnalité affirmée. Un peu de patience serait idéal.

Bourgueil Prestige 2007
Rouge | 2010 à 2018 | 8 € **15/20**
Cette cuvée a du fond, les tanins sont longs et élégants, ce vin devrait évoluer parfaitement. C'est l'un des bons classiques de Bourgueil.

Bourgueil Prestige 2006
Rouge | 2010 à 2015 | 10 € **15/20**
Dans un style plus puissant que d'autres millésimes, ce 2006 partage la finesse de tanins habituelle de la cuvée.

DOMAINE ANGÉLIQUE LÉON

2, rue des Capelets • 37420 Savigny-en-Véron
Tél. 02 47 58 92 70 • Fax : 02 47 58 93 37
leon.vindechinon@wanadoo.fr
Visite : lundi au samedi, 9h-12h et 14h-19h sur rendez-vous.

A l'ouest de l'appellation Chinon, le vignoble s'étend au sud de la Loire, au confluent avec la Vienne. Les sables et graviers composent majoritairement ces sols de plaine repris partiellement à la culture de l'asperge. Ils donnent des cabernets francs aimables rapidement, violettes et petits fruits rouges. Le 2009 et le 2008 méritent d'entrer dans le guide pour leur charme.

CHINON 2009
Rouge | 2010 à 2015 | env 6 € **15,5/20**
Cuvée de grand charme, tout en fruits, pour boire vite mais assidûment.

CHINON 2008
Rouge | 2010 à 2015 | 6,20 € **15/20**
Très belle cuvée de chinon, aux tanins graciles, fins et élégants. On en boira largement entre copains.

CHÂTEAU DE LIGRÉ

Château de Ligré - 1, rue Saint-Martin • 37500 Ligré
Tél. 02 47 93 16 70 • Fax : 02 47 93 43 29
chateau.de.ligre@wanadoo.fr
Visite : De 9h à 12h et de 14h à 18h.

CHINON 2009
Rouge | 2010 à 2015 | 6,40 € **14/20**
Cru historique de la Rabelaisie, le Château de Ligré a retrouvé un style grâce au travail de Pierre Ferrand qui, sans faire de bruit, produit des vins élégants et frais avec une souplesse de tanins équilibrée. Ce vin fruité possède des flaveurs de pivoine portées par des tanins juteux et élégants.

CHINON 2008
Rouge | 2012 à 2015 | 8,80 € **14/20**
Ce vin possède des flaveurs de rose et de pivoine portées par des tanins juteux et élégants.

DOMAINE FRÉDÉRIC MABILEAU

6, rue du Pressoir • 37140 Saint-Nicolas-de-Bourgueil
Tél. 02 47 97 79 58 • Fax : 02 47 97 45 19
contact@fredericmabileau.com
www.fredericmabileau.com
Visite : De 8h30 à 12h et de 14h à 18h du lundi au samedi.

Frédéric Mabileau joue le registre floral et frais, et c'est tant mieux : voilà ce que l'on est en droit d'attendre d'un saint-nicolas de bourgueil. Pour en arriver là, ce nouveau talent du cabernet franc, qui a repris l'intégralité du domaine familial en 2003, pratique l'enherbement, l'ébourgeonnage, travaille son sol, vendange manuellement et ramasse en caisses. Les entrées de gamme sont régulièrement excellentes, c'est à cela que l'on reconnaît une grande maison. Cela mérite également une promotion dans notre classement.

SAINT-NICOLAS-DE-BOURGUEIL ÉCLIPSE 2008
Rouge | 2010 à 2015 | 18 € **16/20**
Éclipse est la cuvée la plus ambitieuse du domaine. Avec la grâce des 2008 du domaine, sa puissance tannique nécessitera quelques années de patience.

SAINT-NICOLAS-DE-BOURGUEIL
LES COUTURES 2008
Rouge | 2010 à 2015 | 10,50 € **16/20**
La pivoine, la rose et la réglisse sont les caractéristiques classiques de cette cuvée. Nous en apprécions beaucoup la délicatesse en 2008.

SAINT-NICOLAS-DE-BOURGUEIL
LES ROUILLÈRES 2009
Rouge | 2010 à 2014 | 8,80 € **15/20**
Belle définition de tanin dans cette cuvée franche et délicate. De la classe pour une entrée de gamme.

SAINT-NICOLAS-DE-BOURGUEIL RACINES 2008
Rouge | 2010 à 2015 | 9,50 € **16/20**
Construite avec un peu plus de retenue que 2007, ce 2008 garde son délicieux nez floral de rose, avec sa corbeille de fruits rouges. La bouche est concentrée, terrienne.

SAUMUR CHENIN BLANC 2007
Blanc | 2010 à 2015 | 14 € **17/20**
Excellente cuvée de chenin, impeccablement vinifiée, où le cépage s'ébat en liberté. Les fragrances de fruits mûrs le disputent aux agrumes.

DOMAINE LYSIANE & GUY MABILEAU

17 rue du vieux chene
37140 saint nicolas de bourgueil
Tél. 02 47 97 70 43 • Fax : 0247977043
lg.mabileau@aliceadsl.fr
Visite : De 9h à 19h tous les jours.

SAINT-NICOLAS-DE-BOURGUEIL
CUVÉE DOMAINE 2009
Rouge | 2010 à 2011 | 5,10 € **13/20**
Rouge agréable aux tanins ronds. Un vin de charme à boire à grandes gorgées.

SAINT-NICOLAS-DE-BOURGUEIL
VIEILLES VIGNES 2009
Rouge | 2010 à 2013 | 5,90 € **14,5/20**
Un joli jus dans cette cuvée de saint-nicolas, franche, fruitée et charnue. Elle saura patienter quelques années.

HENRY ET JEAN-SEBASTIEN MARIONNET

La Charmoise • 41230 Soings
Tél. 02 54 98 70 73 • Fax : 02 54 98 75 66
henry@henry-marionnet.com
www.henry-marionnet.com
Visite : en semaine 8h30-12h30 et 14h-18h
week-end sur rendez-vous.

Henry Marionnet, docteur-ès gamay, sauvignon et côt, consulte toute l'année. Les cuvées les plus simples ont déjà beaucoup à dire et les cuvées spéciales sont remarquables, avec un gamay-de-bouze charnu, un première-vendange très velouté et un vinifera d'une rare pureté. Le côt est le plus soyeux de toute la Loire : on ne peut s'empêcher de revenir vers son charme envoûtant. Les vignes de 150 ans sont en pleine forme, le phylloxera qui a pourtant anéanti le reste du vignoble français ne s'y est pas risqué. Et, si l'on vous explique qu'un gamay de Touraine vinifié sans soufre de 1976, 1990 ou 1996 ne peut être que trépassé en 2010, venez consulter le docteur sans attendre. Il vous expliquera son gamay avec une sympathie et une intelligence uniques.

TOURAINE M DE MARIONNET 2009
Blanc | 2010 à 2015 | 15,50 € **15,5/20**
Le M de Marionnet est issu d'un sauvignon cueilli très mûr. Le gras qui étoffe le vin compense son acidité naturelle et laisse sa personnalité s'exprimer à travers une amertume bien maîtrisée. Nez d'écorce d'orange et d'épices, peau de mandarine et pamplemousse. La bouche racée allie richesse et fraîcheur.

TOURAINE PREMIÈRE VENDANGE 2009
Rouge | 2010 à 2012 | 9,80 € **15/20**
Que de charme, dans ce concentré de fruits noirs aux tanins ronds et parfaitement gourmands !

TOURAINE SAUVIGNON 2009
Blanc | 2010 à 2011 | 7,30 € **14/20**
Voici un sauvignon de caractère, frais et vif, à boire largement. Le prototype du blanc de copains !

TOURAINE VINIFERA CÔT FRANC DE PIED 2009
Rouge | 2010 à 2014 | 11,50 € **17/20**
Il y a toujours un choc gustatif à la dégustation de cette cuvée. Merveilleusement florale, fruitée et racée, elle fait succomber les plus farouches adversaires du côt.

TOURAINE VINIFERA GAMAY FRANC DE PIEDS 2009
Rouge | 2010 à 2012 | 10,80 € **15,5/20**
Encore une gourmandise absolue, à la fois intensément fruitée, charnue et bien juteuse.

VIN DE PAYS DU JARDIN
DE LA FRANCE BOUZE 2009
Rouge | 2010 à 2015 | 10,80 € **16,5/20**
Le gamay de Bouze est un gamay à jus rouge, une rareté dans le monde des cépages à peau noire. D'un grand fruit, racé, corsé et très frais, l'intensité est magnifique.

DOMAINE THIERRY MICHAUD

20, rue des Martinières • 41140 Noyers-sur-Cher
Tél. 02 54 32 47 23 • Fax : 02 54 75 39 19
thierry@domainemichaud.com
www.domainemichaud.com
Visite : en semaine, de 9h à 12h et de 14h à 19h
le samedi de 9h à 18h.

Cette propriété de vingt hectares, située sur la rive droite du Cher, constitue l'un des domaines phare de la région. Thierry Michaud se bat pour obtenir l'appellation Chenonceaux, qui permettrait de mieux mettre en valeur ses différentes cuvées. Le gamay sonne toujours juste, Ad-Vitam, un peu plus concentré est d'un excellent rapport qualité-prix.

Touraine Ad Vitam 2008
Rouge | 2010 à 2013 | 4,80 € **15/20**
C'est un vin généreux, aux saveurs intenses de fruits noirs. Les tanins sont mûrs, bien dessinés. Un achat d'urgence.

Touraine gamay 2009
Rouge | 2010 à 2012 | 3,70 € **14,5/20**
Rouge gourmand, à boire à grandes lampées avec des rillons et plus généralement avec des charcuteries.

Touraine sauvignon 2009
Blanc | 2010 à 2011 | env 4 € **13,5/20**
Blanc original, avec ses notes légèrement herbacées au nez, fleurs blanches et zestes d'agrumes. Le fruit bien mûr est gourmand.

DOMAINE DU MORTIER

37140 Saint-Nicolas-de-Bourgueil
Tél. 02 47 97 94 68 • Fax : 02 47 97 94 68
info@boisard-fils.com • www.boisard-fils.com
Visite : Sur rendez-vous.

Le Domaine du Mortier est mené en agriculture biologique. Il utilise peu de soufre et en indique la teneur sur les contre-étiquettes. Grâce à une viticulture attentive et à un peu de gaz carbonique qui protégeait les bouteilles, aucun vin présenté n'était déviant au moment de notre dégustation. Ils correspondaient à ce moment-là à l'idéal du vin peu soufré, tout en fruits, en parfaite gourmandise. Il conviendra de les faire transporter sans choc thermique pour préserver ces grandes qualités.

Les Arthuis cabernet-sauvignon 2008
Rouge | 2010 à 2011 | 8 € **14,5/20**
Ce vin de cabernet-sauvignon a du fond et des tanins mûrs, puissants et corsés, à servir sur une viande intense en saveurs ou sur des abats.

Saint-Nicolas-de-Bourgueil Dionysos 2008
Rouge | 2010 à 2012 | 10 € **15,5/20**
Légèrement protégée en soufre, cette cuvée montre un grand volume de bouche, intensément fruité.

Saint-Nicolas-de-Bourgueil Graviers 2009
Rouge | 2010 à 2012 | 8 € **15/20**
La minéralité se conjugue aux fruits dans l'expression aromatique intense de cette cuvée. À savourer sans tarder.

Saint-Nicolas-de-Bourgueil Les Sables 2009
Rouge | 2010 à 2012 | 7,50 € **15/20**
Sans soufre rajouté, cette cuvée exprime un fruit charnu particulièrement intense. Il faudra veiller à ne pas l'exposer à des chocs thermiques lors du transport. Le gaz dissous qui la protège demandera un carafage préalable.

NAU FRÈRES

52, rue de Touraine • 37140 Ingrandes-de-Touraine
Tél. 02 47 96 98 57
naufrères@wanadoo.frVisite : Du lundi au samedi de 9h à 12h et de 14h à 19h ; sur rendez-vous uniquement.

Ce domaine est dirigé par les deux frères Nau, qui produisent trois cuvées. Les-Varennes sont un vin de fruit bien qu'une matière dense leur permette de bien évoluer. Blottières se goûtait très bien dans les millésimes récents. Le haut de gamme, la cuvée Vieilles-Vignes, nous a beaucoup plu en 2005. Son équilibre mérite de le rechercher, il en reste au domaine.

Bourgueil Les Blottières 2008
Rouge | 2010 à 2014 | 6 € **14,5/20**
Très ligérien dans l'esprit, ce bourgueil se montre charmeur avec des tanins ronds et une matière profonde en saveurs.

Bourgueil Les Varennes 2008
Rouge | 2010 à 2013 | 5,50 € **14,5/20**
Vin souple, fruité, agréable à boire dès maintenant.

Bourgueil Vieilles Vignes 2005
Rouge | 2010 à 2015 | 8,80 € **15/20**
Ce 2005 en pleine forme est savoureux. Les tanins sont gourmands, épicés et fruités. Rien ne presse mais il est déjà très accessible.

DOMAINE DU CLOS NAUDIN

14, rue de la Croix-Buisée • 37210 Vouvray
Tél. 02 47 52 71 46 • Fax : 02 47 52 73 81
leclosnaudin.foreau@orange.fr
Visite : Du lundi au vendredi de 9h à 12h et de 14h à 18h de préférence sur rendez vous.

Philippe Foreau produit sur le célèbre terroir des Perruches des vouvrays d'une fraîcheur de fruit exceptionnelle, capables de traverser les décennies. Ses vins d'une pureté extraordinaire font la courte échelle à tous les plats étoilés, car les finales sur les zestes d'agrumes sont vibrantes. Une dégustation

exclusive de ces vins d'anthologie vers 17 heures se suffit à elle-même. Attention, jeunes, ces vins peuvent paraître hermétiques, mais dans le temps, ils gagnent toujours en raffinement, c'est la pierre brute qui devient pierre polie. Jeunes, les vins se bonifient au bout de vingt-quatre heures. Il ne faut pas oublier les bulles dynamiques des moustillants qui présentent une très grande qualité.

Vouvray 2008
Blanc | 2011 à 2030 | 11 € **17/20**

Nez pur où l'on retrouve les zestes d'agrumes avec des touches florales, la bouche est ciselée avec un volume de bouche remarquable. Un grand vouvray.

Vouvray 2008
Blanc liquoreux | 2011 à 2030 | 19,20 € **18/20**

Un nez très abricot sec, ponctué de notes minérales. La bouche, parfaitement équilibrée entre richesse et fraîcheur, est un régal. Pour le meilleur !

Vouvray 2008
Blanc Demi-sec | 2010 à 2013 | 13,70 € **15/20**

La pointe de moelleux lui apporte le confort de bouche indispensable à une poularde rôtie. À table, absolument !

Vouvray Réserve 2009
Blanc liquoreux | 2010 à 2030 | 37 € **18/20**

Cette réserve a trouvé un volume de bouche et une race aromatique superlatifs par rapport au moelleux classique. L'équilibre est remarquable.

DOMAINE DE LA NOBLAIE

21, rue des Hautes-Cours - Le Vau Breton
37500 Ligré
Tél. 02 47 93 10 96 • Fax : 02 47 93 26 13
contact@lanoblaie.fr • www.lanoblaie.fr
Visite : Lundi au vendredi de 9h à 12h et de 14h à 18h.

Les Manzagol, Corréziens d'origine devenus fromagers à Poissy, ont remonté cette propriété de Chinon très ancienne qui était à l'abandon. Avec les Billard, ils ont à cœur de proposer un bel ensemble de produits sincères menés par un superbe blanc de chenin, Le-Pont-des-Anges.

Chinon La Noblaie 2009
Rouge | 2010 à 2016 | 7,50 € **14,5/20**

Vin sérieusement construit, dont les tanins sont soyeux. Il mériterait idéalement un peu de patience.

Chinon La Part des Anges 2007
Blanc | 2010 à 2015 | 13,50 € **15,5/20**

Chenin raffiné, savoureux, très mûr, intense en arômes de fruits jaunes. Il rappelle que certains terroirs de Chinon se prêtent bien à cette couleur. Une volaille blanche fera son affaire mais il sera aussi la star d'un apéritif raffiné.

Chinon Les Blancs Manteaux 2008
Rouge | 2010 à 2015 | 8,70 € **15/20**

Délicieux accents de violette et de fruits rouges pour ce vin agile et bien construit. Les tanins sont souples, élégants, bien dans l'esprit de ce millésime mûr.

Chinon Les Chiens Chiens 2008
Rouge | 2010 à 2018 | 10 € **14/20**

Chinon structuré, puissant avec des tanins longs qui ont besoin de temps. L'équilibre est là, donc aucune inquiétude.

DOMAINE DE NOIRÉ

160, rue de l'Olive • 37500 Chinon
Tél. 02 47 93 44 89 • Fax : 02 47 98 44 13
domaine.de.noire@orange.fr
www.domainedenoire.com
Visite : Du lundi au vendredi de 10h à 12h et de 14h à 19h ; samedi de 10h à 12h et de 14h à 18h ; dimanche sur rendez-vous.

Chinon Élégance 2007
Rouge | 2010 à 2015 | 7,50 € **14/20**

Jean Max, le sympathique président de l'appellation Chinon, réalise un vin moderne, sur la finesse, avec une trame tannique légère qui soutient une finale fraîche et gourmande.

DOMAINE OCTAVIE

Marcé • 41700 Oisly
Tél. 02 54 79 54 57 • Fax : 02 54 79 65 20
domaineoctavie@domaineoctavie.com
www.domaineoctavie.com
Visite : Du lundi au samedi de 8h30 à 12h30 et de 14h à 18h30.

Touraine gamay 2009
Rouge | 2010 à 2011 | 4,50 € **13,5/20**

Voici un gamay dont la Loire a le secret, charnu et gourmand, épicé et fruité, avec des tanins ronds.

Touraine Prestige d'Octavie 2009
Blanc | 2010 à 2011 | 5,50 € **14/20**
Ce sauvignon minéral est intensément fruité. Il montre une finale d'agrumes dans un ensemble bien mûr, gras mais élancé.

DOMAINE DE PALLUS

Pallus • 37500 Cravant les coteaux
Tél. 02 47 93 00 05 • Fax : 02 47 93 05 06
jeanbernard.sourdais@free.fr
www.domainedepallus.com
Visite : de 9h à 12h et de 14h à 18h.

Chinon 2007
Rouge | 2010 à 2017 | 29 € **14,5/20**
Floral, sur les fruits rouges, ce vin a de l'élégance, de la fraîcheur et du fond, avec des tanins de bonne maturité. L'élevage est encore marqué.

DOMAINE FRANÇOIS PINON

Vallée de Cousse - 55, rue Jean-Jaurès • 37210 Vernou-sur-Brenne
Tél. 02 47 52 16 59 • Fax : 02 47 52 10 63
francois.pinon@wanadoo.fr
Visite : Sur rendez-vous

Vouvray Tradition Silex Noir 2008
Blanc Demi-sec | 2010 à 2015 | 8,60 € **14/20**
Agréable cuvée sur les agrumes et la minéralité, elle évoluera tranquillement.

DOMAINE LES PINS

8, route du Vignoble • 37140 Bourgueil
Tél. 02 47 97 47 91 • Fax : 02 47 97 98 69
philippe.pitault@wanadoo.fr
Visite : Du lundi au samedi de 9h à 12h et de 14h à 18h ; dimanche matin sur rendez-vous.

Ce domaine produit des 2008 et 2007 élevés en cuve particulièrement réussis. Leur style délicat et fin peut servir d'inspiration à Bourgueil. À suivre.

Bourgueil Clos Les Pins 2008
Rouge | 2010 à 2016 | 6,20 € **15/20**
Dense, profond avec des tanins longs. Un vin sérieux parfait sur une entrecôte aux sarments. Un magret de canard serait tout aussi grandi.

Bourgueil Clos Les Pins 2007
Rouge | 2010 à 2014 | 6,20 € **15/20**
Dans un style différent de 2008, avec une ouverture aromatique vers des notes balsamiques et un fruit long et savoureux.

Bourgueil Les Rochettes 2008
Rouge | 2010 à 2013 | 5,85 € **14/20**
Bon représentant de Bourgueil dans le millésime, souple en tanins tout en étant intense en saveurs, bien structuré.

LES POËTE

9, route de Boisgisson • 18120 Preuilly
Tél. 06 61 62 88 52 • Fax : 02 48 51 07 99
lespoete.touraine@yahoo.fr • www.lespoete.com
Visite : sur rendez-vous

Jean-Michel Sorbe, figure emblématique de Reuilly et Quincy, a transmis le virus du vin à son fils Guillaume qui a déniché, dans le secteur de Thésée-La-Romaine, deux hectares de vignes qu'il cultive comme un jardin avec toute la famille, d'où le vocable poëte, clin d'œil à la branche paternelle. Les vins produits ont un fruit bien dessiné, avec de belles perspectives pour les cuvées issues de côt.

Touraine cabernet - côt 2009
Rouge | 2010 à 2011 | 5,50 € **14,5/20**
Tel qu'en 2008, un assemblage bien maîtrisé, et surtout un fruité pur avec des tanins droits et frais. L'ensemble est délicat.

Touraine Le Côt des Poëtes 2008
Rouge | 2010 à 2014 | 11 € **14,5/20**
Tanins juteux et bien enrobés, avec une expression de mûre, une petite pointe fumée et une acidité qui tient le vin.

DOMAINE LAURENT RABUSSEAU

La Berthelottière • 37220 Chezelles
Tél. 02 47 58 52 11
06 34 50 00 50 • Fax : 02 47 58 52 11
scearabusseau@orange.fr
Visite : sur rendez-vous

Chinon 2009
Rosé | 2010 à 2010 | 4 € **14,5/20**
Bon rosé pimpant et fruité. Goûté en échantillon, ce devrait être un tombeur. Presque tannique dans sa structure intime, les meilleurs viandes rouges au barbecue lui iront comme un gant.

Chinon Le Clos Berchu 2009

Rouge | 2010 à 2012 | 4 € **15,5/20**

Rouge étonnant, dans le style du Domaine de la Chevalerie, à Bourgueuil. Les tanins sont aériens, intensément fruités. On se régale. Si la mise en bouteille de cet échantillon respecte la matière, ce sera un exceptionnel vin de copains, savoureux en diable !

DOMAINE OLGA RAFFAULT

1, rue des Caillis • 37420 Savigny-en-Véron
Tél. 02 47 58 42 16 • Fax : 02 47 58 83 61
infos@olga-raffault.com • www.olga-raffault.com
Visite : du lundi au samedi, 9h-12h30 et 14h-18h30

Chinon Les Barnabés 2008

Rouge | 2010 à 2016 | 7 € **14/20**

Chinon aux tanins tendres, suave et fruité.

Chinon Les Peuilles 2006

Rouge | 2010 à 2015 | 7,80 € **15/20**

Cette cuvée a bien évolué. De style tendre, elle est presque prête à boire.

DOMAINE VINCENT RICARD

19, rue de la Bougonnetière • 41140 Thésée
Tél. 02 54 71 00 17 • Fax : 02 54 71 00 17
domaine.ricard@wanadoo.fr
www.domaine-ricard.com
Visite : sur rendez-vous.

Vincent Ricard a pour mentor Philippe Alliet. Cette star du Chinonnais a suscité très tôt sa vocation, et dès l'âge de 14 ans, Vincent savait qu'il marcherait sur les traces des quatre générations qui l'ont précédé. L'héritage est de choix, avec un beau patrimoine de vieilles vignes en sauvignon, car sur ce domaine, les blancs de belle maturité constituent une priorité.

Touraine Le Petiot 2009

Blanc | 2010 à 2011 | 6,50 € **14/20**

Franc et coulant, ce vin a du ressort dans sa structure fraîche et pimpante, ainsi que dans son aromatique qui décline les fleurs blanches, les agrumes et une fine minéralité.

Touraine Point d'Interrogation 2008

Blanc | 2011 à 2014 | 25 € **14,5/20**

Cette cuvée baptisée d'un point d'interrogation regroupe des sauvignons de soixante-cinq ans ! Élevée en barriques neuves, la très belle matière première a besoin de temps pour fondre cet élevage.

Touraine Vilain P'tit Rouge 2008

Rouge | 2010 à 2012 | 8,50 € **13,5/20**

Cuvée franche, sur les fruits rouges, fraîche, que l'on boit sans se poser de question.

CHÂTEAU DE RIVIÈRE

37500 La Roche Clernaut
Tél. 02 47 93 03 29

Chinon 2009

Rouge | 2010 à 2015 | NC **14,5/20**

Des tanins savoureux, un fruit éclatant, un vin bien dans la lignée des chinons modernes de fruit, imprégnés de saveurs gourmandes.

DOMAINE DU ROCHER DES VIOLETTES

38, rue Rocher-des-Violettes • 37400 Amboise
Tél. 06 15 96 52 47
06 25 07 22 70 • Fax : 02 47 23 57 82
xavier.weisskopf@hotmail.com
www.lerocherdesviolettes.com

Xavier Weisskopf a fait ses classes dans l'un des meilleurs domaines de Gigondas, le Château de Saint-Cosme. Il s'est implanté près d'Amboise, sur huit hectares de chenin et un hectare de rouge, et en quelques millésimes, il est devenu l'une des références de l'appellation. Ses terroirs sont plantés de vieilles vignes issues de sélections massales. Les blancs impressionnent, dans une appellation Montlouis qui ne manque pourtant pas de talents. En rouge, ses touraines se hissent au plus haut niveau de l'appellation en 2008.

Montlouis-sur-Loire La Négrette 2008

Blanc | 2011 à 2019 | 13 € **16/20**

Ce vin taillé pour la garde est tenu par une magnifique trame acide. Elle porte un fruité complexe qui va s'épanouir, si on lui en laisse le temps.

Montlouis-sur-Loire Les Borderies 2008

Blanc Demi-sec | 2010 à 2019 | 12 € **15,5/20**

Les 18 grammes au litre de sucre résiduel semblent mangés par la structure acide du vin. L'ensemble résultant semble presque sec. Ce sera un grand blanc de gastronomie.

Montlouis-sur-Loire Touche-Mitaine 2008
Blanc | 2010 à 2019 | 10 € **17/20**
La trame acide est serrée. Elle s'associe à une minéralité complexe dans un ensemble très pur, dynamique.

Touraine cabernet franc 2009
Rouge | 2010 à 2019 | 9 € **16/20**
Cet échantillon montre un tanin d'une volupté rare. La finale est onctueuse, d'une gourmandise incroyable.

Touraine côt 2009
Rouge | 2010 à 2015 | 9 € **16/20**
Issu de vieilles vignes, ce côt montre une exceptionnelle palette de poivres gris et blancs. Quand on pense que le côt ne pourra bientôt plus exister seul en appellation Touraine...

DOMAINE ROUET

lieu-dit Chezelet • 37500 Cravant-les-Coteaux
Tél. 02 47 93 19 41 • Fax : 02 47 93 96 58
domainedesrouet@orange.fr
Visite : du lundi au samedi 9h-19h
dimanche sur rendez-vous

cuvée des Battereaux 2008
Rouge | 2010 à 2015 | 8 € **13/20**
Rouge agréable aux tanins onctueux. Il fera une belle alliance avec une entrecôte grillée aux herbes.

DOMAINE ROUSSEAU FRÈRES

Le Vau • 37320 Esvres-sur-Indre
Tél. 02 47 26 44 45 • Fax : 02 47 26 53 12
rousseau-frères@wanadoo.fr
www.rousseau-frères.com
Visite : Du lundi au samedi de 9h à 12h
et de 14h à 19h.

Touraine
Rosé Brut effervescent | 2010 à 2011 | 5,70 € **13/20**
Ce pétillant naturel, marqué par la fraise et la framboise, se boit large. Il sera à l'aise à l'apéritif ou avec une soupe de fruits rouges.

Touraine Noble Joué 2009
Rosé | 2010 à 2010 | 4,50 € **13,5/20**
Présent à la cour de Louis XI, le noble-joué a failli disparaître au XXe siècle, grignoté par l'urbanisation. Heureusement, une poignée de vignerons, sensibilisés par Jacques Puisais, se sont bien battus pour ce gris issu des cépages pinot meunier, pinot gris et pinot noir. On apprécie ce 2009 croquant, fruité et frais, un très bon vin d'apéritif.

DOMAINE FRANTZ SAUMON

15, chemin des Cours - Husseau
37270 Montlouis-sur-Loire
Tél. 02 47 35 83 65 ou 0616834790
f.saumon@sfr.fr
Visite : sur rendez-vous

Frantz Saumon est installé au Husseau, près de Montlouis. Il vendange à la main et est en cours de conversion vers l'agriculture biologique. Il fait partie des nouveaux talents qui font de Montlouis l'une des appellations les plus passionnantes du moment, en Val de Loire. La gamme de montlouis est à suivre de près.

Montlouis-sur-Loire Le Clos du Chêne 2008
Blanc | 2010 à 2019 | 20 € **15/20**
Cette cuvée est moins marquée en bois que par le passé, ce qui permet au fruit de s'exprimer pleinement. Ce 2008 a trouvé un bel équilibre entre le minéral et l'acidité.

Montlouis-sur-Loire Minéral + 2009
Blanc Demi-sec | 2010 à 2019 | 13 € **14,5/20**
La matière arrondie par un peu de sucre destine le vin à la belle gastronomie faite de poissons et de viandes blanches.

DOMAINE DE LA TAILLE AUX LOUPS

8, rue des Aitres - Husseau
37270 Montlouis-sur-Loire
Tél. 02 47 45 11 11 • Fax : 02 47 45 11 14
lataille auxloups@jackyblot.fr • www.jackyblot.fr
Visite : De 9h a 18h tous les jours
fermé le dimanche de novembre à avril.

Les jeunes loups de Montlouis doivent beaucoup à Jacky Blot. Il a construit depuis près de vingt ans la renommée d'une appellation qui souffre de l'ombre de Vouvray en termes de notoriété, mais qui surprend par la qualité de ses produits. Jacky poursuit sur sa lancée. Il continue à montrer la voie tout en affinant son style, que ce soit en bulles, en blancs secs ou en liquoreux, pouvant comparer grâce à ses crus aussi bien Montlouis que Vouvray.

Montlouis-sur-Loire Remus 2008
Blanc | 2010 à 2019 | 12 € **16/20**
Le tranchant des agrumes et l'abricot sec se marient parfaitement à la minéralité subtile de cette cuvée.

Montlouis-sur-Loire Triple Zéro
Blanc Brut effervescent | 2010 à 2011 | 12 € **15,5/20**
Voici un pétillant de Loire d'une élégance telle qu'il faudrait en avoir en permanence dans sa cave pour fêter tous les événements. Le taux de redemande est incroyable !

Vouvray Clos de Venise 2008
Blanc | 2010 à 2019 | 15 € **18/20**
Droit, presque tranchant, ce vouvray est une magnifique bouteille d'une précision et d'un équilibre exceptionnel.

DOMAINE TALUAU ET FOLTZENLOGEL

Chevrette - 11 Chevrette
37140 Saint-Nicolas-de-Bourgueil
Tél. 02 47 97 78 79 • Fax : 02 47 97 95 60
joel.taluau@wanadoo.fr
www.vins-taluau-foltzenlogel.com
Visite : De 8h30 à 12h et de 13h30 à 18h du lundi au samedi.

Saint-Nicolas-de-Bourgueil L'Expression 2009
Rouge | 2010 à 2014 | 5,90 € **14,5/20**
Avec du jus, ce 2009 est plus rond que son prédécesseur, la finale est gourmande, bien dans l'expression de saint-nicolas.

Saint-Nicolas-de-Bourgueil Vau Jaumier 2008
Rouge | 2010 à 2013 | 6,80 € **13/20**
Expression assez puissante du cabernet qui méritera un peu de patience. La finale est florale.

Saint-Nicolas-de-Bourgueil
Vieilles Vignes 2008
Rouge | 2011 à 2014 | env 9 € **14,5/20**
Ce vin puissant montre un joli jus en bouche. Avec un peu de temps, ce sera une belle bouteille du cru.

Le centre-Loire

Les calcaires anciens, les mêmes que ceux de Champagne ou de Chablis, conviennent admirablement au sauvignon qui y trouve ses expressions les plus gracieuses mais aussi les plus tendues et minérales. Le réchauffement climatique fait mieux mûrir les pinots noirs et favorise la production de rouges de plus en plus réussis.

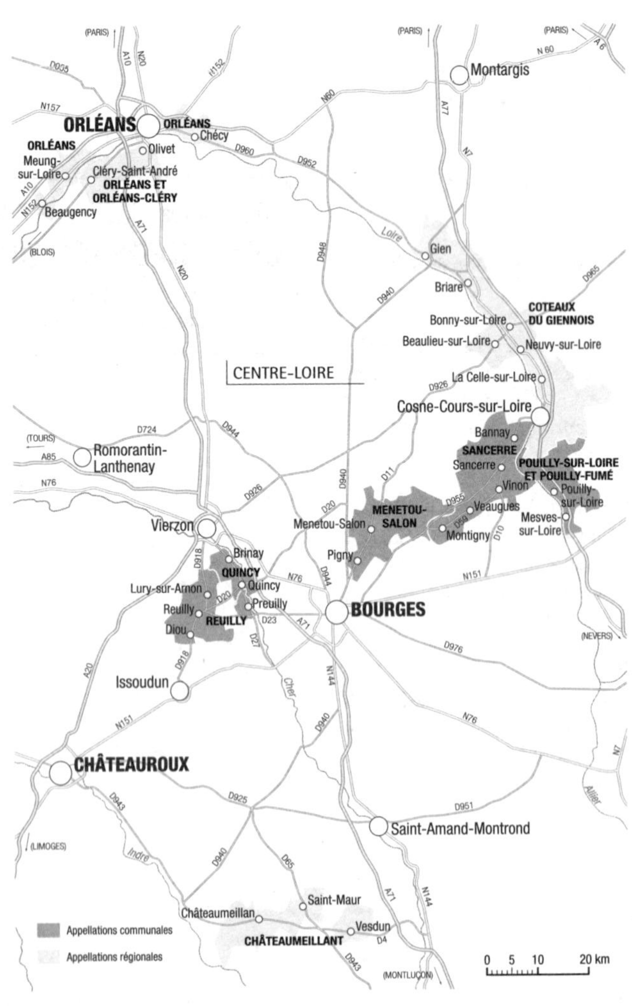

DOMAINE DE L'ARBRE BLANC

Rue de l'Arbre-Blanc • 63450 Saint-Sandoux
Tél. 04 73 39 40 91 • Fax : 04 73 39 40 91
gounan.frederic@free.fr
Visite : sur rendez-vous

Frédéric Gounan cultive ses deux hectares en biodynamie. La cuvée Vinzelle, produite à partir de gamay Beaujolais, sur des grès roses, se révèle coulante. Les vieux gamays permettent de réaliser des vins gourmands. Les cuvées de pinot noir donnent Les-Petites-Orgues, un bon vin de cassecroûte, et Les-Grandes-Orgues, un cru plus profond. En 2007, il n'y a que deux cuvées car ici on n'a pas voulu surjouer le millésime, et c'est réussi !

VIN DE PAYS DU PUY-DE-DÔME
LA CAILLASSE 2007
Rouge | 2010 à 2012 | 11,80 € **14,5/20**
Gamay et pinot noir composent l'assemblage de ce vin aux tanins gourmands et aux flaveurs de fruits noirs, belle réussite sur ce millésime difficile.

VIN DE PAYS DU PUY-DE-DÔME LES ORGUES 2007
Rouge | 2010 à 2011 | 15 € **13/20**
Pas de petites ni de grandes orgues pour ce millésime qui est l'expression de l'intégralité des deux cuvées. Le vin est frais et coulant avec un bel équilibre pour les charcuteries du matin.

DOMAINE BAILLY MICHEL ET FILS

Les Loges • 58150 Pouilly-sur-loire
Tél. 03 86 39 04 78 • Fax : 03 86 39 05 25
domaine.michel.bailly@wanadoo.fr
www.micheldavidbailly.com
Visite : en semaine de 8h à 12h et de 13h30 à 17h30 sur rendez-vous le week-end.

Ce domaine familial de dix-sept hectares produit depuis quelques millésimes des cuvées de bonne maturité. Depuis 2006, il se montre plus régulier et avec la belle tenue de ses 2007, il a fait son entrée dans le guide avec une gamme sans faille. Les vins issus de sélections parcellaires affichent des personnalités bien marquées, et ils possèdent le juste équilibre entre acidité, maturité et la signature minérale du terroir. Les 2009 plus riches s'affirment par leur puissance.

POUILLY-FUMÉ LES BINES 2009
Blanc | 2011 à 2014 | 11 € **14/20**
Nez de fruits exotiques, la bouche a de la puissance et une bonne fin sur la fraîcheur.

POUILLY-FUMÉ LES TERRASSES 2009
Blanc | 2011 à 2014 | 15 € **14/20**
Vin riche aux accents de gingembre confit et réglisse, la bouche est généreuse et sphérique.

POUILLY-FUMÉ LES TONNES 2007
Blanc | 2010 à 2014 | 12,50 € **16/20**
Ce vin long, aux accents d'abricot sec et de fleurs blanches, a de la classe et une minéralité tout en élégance. Regoûté cette année, il a toujours autant de charme.

POUILLY-FUMÉ LES VALLONS 2009
Blanc | 2010 à 2013 | 12 € **14/20**
Flaveurs de pêche jaune, la bouche offre un bel équilibre en attaque et se termine sur le gingembre frais.

DOMAINE BAILLY-REVERDY

43, rue de Venoize • 18300 Bué
Tél. 02 48 54 18 38 • Fax : 02 48 78 04 70
bailly.reverdy@wanadoo.fr
Visite : De 9h à 12h et de 14h 18h.

SANCERRE LA MERCY DIEU 2009
Blanc | 2010 à 2014 | 10 € **15/20**
Nez floral avec des accents de mangue, la bouche est tendue et fraîche avec un retour de fruits jaunes et une fin saline.

SANCERRE MONTS DAMNÉS 2009
Blanc | 2011 à 2017 | 17 € **15/20**
Il y a une juste maturité et la tension que l'on devrait trouver sur tous les monts-damnés.

DOMAINE ÉMILE BALLAND

Route Nationale 7 - B.P. 9 • 45420 Bonny-sur-Loire
Tél. 02 38 31 62 59 • Fax : 03 86 39 22 57
emile.balland@orange.fr
Visite : Sur rendez-vous.

Émile Balland est en train de se faire un prénom, dans une famille qui brille sur le Sancerrois depuis quelques siècles. Œnologue, ingénieur, travailleur infatigable, ses blancs du Giennois ont de la tenue et les rouges ne sont pas en reste, bien gainés dans une structure à la puissance mesurée. Les sancerres sont au diapason.

COTEAUX DU GIENNOIS LE GRAND CHEMIN 2008
Blanc | 2010 à 2011 | 14,30 € **14/20**
Style élancé et serré, avec un vin plus fermé qu'à l'habitude.

Coteaux du Giennois Les Beaux Jours 2009
Rouge | 2010 à 2011 | 10,60 € **13/20**
Nez de fruits rouges, bouche aux tanins souples et coulants.

Coteaux du Giennois Les Beaux Jours 2009
Blanc | 2010 à 2011 | 10,60 € **14/20**
Flaveurs florales avec une touche d'agrume, la bouche est vive et printanière.

Sancerre Croq' Caillote 2008
Blanc | 2010 à 2015 | 17,15 € **15/20**
On apprécie la vivacité et l'agilité de ce vin qui se termine sur une note fumée, très bien sur un saumon fumé.

LES BERRYCURIENS

Le Buisson Long - Route de Quincy • 18120 Brinay
Tél. 02 48 51 30 17 • Fax : 02 48 51 35 47
le6emesens@wanadoo.fr
Visite : De 9h à 12h et de 14h à 18h du lundi au samedi.

Les Berrycuriens sont des arcandiers qui ont bien tourné. Depuis le milieu des années 1990, ces vignerons du samedi cultivent amoureusement leurs lopins de vigne encadrés par le chevronné Jean-Michel Sorbe, qui leur apporte son sens cultural et œnologique. Au fil des millésimes, les vins sont plus précis et ils gagnent en complexité. 2009 est le meilleur millésime jamais produit pour ces épicuriens du vin.

Quincy La Loge de Vigne 2009
Blanc | 2010 à 2012 | 6,90 € **15,5/20**
Nez très aromatique de fruits blancs et d'agrumes, la bouche de juste maturité est d'une fraîcheur digeste.

Quincy Villalin 2009
Blanc | 2010 à 2013 | 8,50 € **16,5/20**
C'est l'un des vins de l'année sur le secteur, avec son nez abricoté, sa touche d'épices et son volume en bouche. La fin fraîche et tendue a du style.

Reuilly 2009
Rouge | 2010 à 2012 | 7,50 € **15/20**
Enfin un pinot noir réussi sur le secteur, avec ses arômes floraux, les fruits rouges et la fraîcheur.

Reuilly Les Chatillons 2009
Rosé | 2010 à 2014 | 8,50 € **15/20**
Un pinot gris à la fois souple et sur le fruit, avec ce qu'il faut de longueur pour la galette aux pommes de terre.

DOMAINE GÉRARD BOULAY

Le Cul de Beaujeu - Chavignol • 18300 Sancerre
Tél. 02 48 54 36 37 ou 06 33 34 25 96
ax : 02 48 54 30 42
boulayg-vigneron@wanadoo.fr
Visite : Sur rendez-vous.

En différenciant bien ses terroirs de Chavignol, Gérard Boulay a gagné en précision sur les derniers millésimes. Les amateurs de sauvignons tendus et minéraux seront ravis. La cuvée Tradition présente un joli fruit, Monts-Damnés est iodée et fidèle à son terroir. Le Clos-de-Beaujeu est plus cristallin. La cuvée Comtesse offre un sacré potentiel avec une richesse contenue. Les 2008 regoûtés en bouteille ont de l'allure.

Sancerre 2008
Blanc | 2010 à 2013 | 10 € **15/20**
Belle entrée de gamme, avec une fraîcheur minérale et une longueur harmonieuse, ce vin évolue parfaitement.

Sancerre Clos de Beaujeu 2008
Blanc | 2010 à 2017 | 15 € **17/20**
Ce vin a de l'assise, et s'il tend à se refermer, osez le carafage pour que l'exotisme et la minéralité jouent la plus belle des partitions.

Sancerre Comtesse 2007
Blanc | 2011 à 2019 | 20 € **16,5/20**
Agrumes et fruits exotiques, avec une structure minérale qui s'affirme progressivement à condition de carafer le vin au préalable.

Sancerre Monts Damnés 2008
Blanc | 2010 à 2017 | 15 € **16,5/20**
Ce vin émerge progressivement, il est tendu avec ce qu'il faut de maturité.

DOMAINE HENRI BOURGEOIS

Chavignol • 18300 Sancerre
Tél. 02 48 78 53 20 • Fax : 02 48 54 14 24
domaine@henribourgeois.com
www.henribourgeois.com
Visite : Du lundi au vendredi, de 9h à 12h30 et de 14h à 18h30.

Les Bourgeois hissent leurs grandes cuvées parmi les vins de l'élite du Sancerrois. Dans le registre élégant, on apprécie la subtilité et la régularité des Monts-Damnés, la profondeur de la cuvée d'Antan et la minéralité épanouie de la cuvée Jadis, qui constituent un hymne aux grands sauvignons. La Bourgeoise reste toujours une valeur sûre.

Pouilly-Fumé La Demoiselle 2008
Blanc | 2010 à 2014 | NC **15/20**
Délicatesse en nez comme en bouche, ce vin à la tension élégante s'affirme sur le turbot.

Sancerre d'Antan 2008
Blanc | 2011 à 2019 | NC **17/20**
Il y a de la maturité et une belle matière, on se doit de l'attendre car ce vin est un coureur de fond.

Sancerre Jadis 2008
Blanc | 2011 à 2017 | NC **17/20**
Bel équilibre avec à la fois de la tension, de la maturité et une grande longueur.

Sancerre La Bourgeoise 2008
Blanc | 2010 à 2013 | NC **14,5/20**
On ne se pose pas de question, ce vin floral et élégant se boit allègrement dans les trois ans sur un crottin de Chavignol.

DOMAINE DU CARROU

7, place du Carrou • 18300 Bué
Tél. 02 48 54 10 65 • Fax : 02 48 54 38 77
contact@dominique-roger.fr
www.dominique-roger.fr
Visite : Du lundi au vendredi de 9h à 12h et de 14h à 18h30.

Dominique Roger est méticuleux, il tient compte de la spécificité de chaque terroir, et la régularité est sans faille, avec une sève plus intense à partir des sept derniers millésimes sur ses rouges, car ici 35 % du domaine est planté en pinot noir. Orgueil du Sancerrois, La-Jouline offre une concentration rafraîchissante dans les deux couleurs. Les cuvées Domaine sont de bonnes affaires.

Sancerre 2008
Rouge | 2010 à 2014 | 12 € **15/20**
Tanins suaves et fins avec juste ce qu'il faut en enrobage, dans un registre allant de la griotte à la cerise noire.

Sancerre Chêne Marchand 2008
Blanc | 2010 à 2016 | 12 € **16/20**
C'est devenu l'une des belles cuvées du domaine, avec ses accents oscillant entre les agrumes et l'exotisme, et une longueur étirée et tendue.

Sancerre La Jouline 2009
Blanc | 2010 à 2016 | 14 € **16/20**
On sent le potentiel, la maturité, pour l'instant l'élevage domine, mais il y a une jolie matière derrière.

Sancerre La Jouline 2008
Rouge | 2011 à 2022 | 16 € **17,5/20**
On aime cette délicatesse de cerise noire et cette fraîcheur aromatique unique sur le secteur et surtout ces tanins suaves qui s'étirent et se prolongent pour caresser les ris de veau de Baptiste Fournier, chef brillant de l'auberge de la Tour.

DOMAINE CHAVET

Route de Bourges • 18510 Menetou-Salon
Tél. 02 48 64 80 87 • Fax : 02 48 64 84 78
contact@chavet-vins.com • www.chavet-vins.com
Visite : Du lundi au samedi de 8h à 12h et de 13h30 à 18h30, et le dimanche sur rendez-vous.

Menetou-Salon 2009
Blanc | 2010 à 2013 | 8,20 € **14/20**
Les fruits exotiques soutenus par une bonne tension font de ce vin un charmeur de la première heure.

DOMAINE DANIEL CHOTARD

5, rue des Fontaines - Reigny
18300 Crézancy en Sancerre
Tél. 02 48 79 08 12 • Fax : 02 48 79 09 21
sancerre@danielchotard.fr • www.chotard-sancerre.com
Visite : Du lundi au samedi de 8h à 19h et de 14h à 18h30

Sancerre 2009
Blanc | 2010 à 2013 | 8,10 € **14/20**
Les agrumes confits sont expressifs au nez comme en bouche, avec de la fraîcheur derrière, ce vin se boit à la régalade.

Sancerre 2008
Blanc | 2010 à 2011 | 7,80 € **14/20**
Ce vin évolue vers des notes d'ananas, en bouche il se montre tranchant et vif.

DOMAINE FRANÇOIS COTAT

Domaine François Cotat • 18300 Chavignol
Tél. 02 48 54 21 27 • Fax : 02 48 78 01 41
sarlfrancoiscotattouchetouche@bbox.fr

À l'origine, il y avait Francis et Paul Cotat, qui soignaient avec affection leurs parcelles situées sur

Chavignol. Ces frères ont partagé leur domaine entre leurs fils Pascal et François. Ce dernier possède les mêmes terroirs que Pascal, avec en plus des Culs-de-Beaujeu. Il convient de se montrer patient avec de tels vins taillés pour la garde. C'est toujours un sport national pour se procurer des échantillons du domaine, c'est pourquoi il convient de remercier Didier Turpin, restaurateur talentueux de La Pomme d'Or sur Sancerre, qui a encore facilité notre dégustation de l'année.

SANCERRE CUL DE BEAUJEU 1998
Blanc | 2010 à 2015 | NC **16,5/20**
Chaque année, on suit ce 1998 qui prend du volume avec en fond une minéralité qui fait merveille sur un saumon de Loire.

SANCERRE LES CAILLOTES 2008
Blanc | 2010 à 2017 | NC **15,5/20**
Nez fumé avec une touche citronnée, bouche vive et allègre, c'est tranchant, franc et tendu avec une longueur harmonieuse.

SANCERRE MONTS DAMNÉS 2007
Blanc | 2013 à 2024 | NC **16/20**
Les nuances crayeuses, les flaveurs d'agrumes et de menthe commencent à apparaître avec une juste tension en bouche, il vaut mieux attendre pour que ce vin prenne son profil de croisière.

DOMAINE PASCAL COTAT

98, chemin des Grous • 18300 Sancerre
Tél. 02 48 54 14 00 • Fax : 02 48 54 14 00
Visite : Du lundi au vendredi, de 8h à 12h
et de 14h à 18 h.

Pascal Cotat est un adepte des vendanges tardives en surmaturité, qui permettent d'obtenir des vins onctueux avec généralement un peu de sucre résiduel. Ces vins traversent les décennies sans problème, et ils contribuent à la légende des grands vins de Sancerre. Monts-Damnés et Grande-Côte sont à encaver et à garder au moins une dizaine d'années. Les amateurs qui veulent faire une verticale le peuvent chez Didier Turpin à La Pomme d'Or sur Sancerre, une table incontournable pour de telles agapes.

SANCERRE LA GRANDE CÔTE 2007
Blanc | 2013 à 2022 | 14 € **16/20**
Ce vin est dans une phase de fermeture, d'ailleurs aucun amateur ne se risquerait à ouvrir une telle bouteille tout de suite ; il faut l'encaver pour son potentiel et attendre.

SANCERRE MONTS DAMNÉS 2008
Blanc | 2010 à 2023 | 14 € **17/20**
Nez de citron confit avec des touches crayeuses, belle structure en bouche. Le vin se goûte déjà bien, avec ses flaveurs iodées et salines en finale, sur des saint-jacques aux trompettes de la mort avec une sauce citronnée.

DOMAINE FRANÇOIS CROCHET

Marcigoué • 18300 Bué
Tél. 02 48 54 21 77 • Fax : 02 48 54 25 10
francoiscrochet@wanadoo.fr
Visite : De 8h30 à 12h et de 13H30 à 18h
du lundi au samedi.

François Crochet conduit ses arpents de vigne en lutte raisonnée et pratique l'enherbement. L'ensemble de ses cuvées joue la carte de l'élégance et de la finesse. 2006 et 2007 ont marqué une évolution qualitative du domaine, que nos dernières dégustations confirment. La parcelle la plus éloignée du domaine, baptisée Exils, offre un terroir de silex et des vins bien typés.

SANCERRE 2009
Blanc | 2010 à 2012 | 9,20 € **13/20**
Les accents de citron vert émergent au nez comme en bouche, ce vin claque en bouche et il convient au crottin de Chavignol.

SANCERRE 2008
Rouge | 2010 à 2012 | 9,90 € **14/20**
Cette cuvée aux accents de fruits rouges se boit le col ouvert sur un blanc de volaille.

SANCERRE EXILS 2008
Blanc | 2010 à 2017 | 15 € **16/20**
Ce vin confirme les promesses de l'élevage, avec une juste tension, de la fraîcheur aromatique et une belle longueur.

SANCERRE RÉSERVE DE MARCIGOUÉ 2008
Rouge | 2011 à 2016 | 17 € **16/20**
Très cerise noire et épices, cette cuvée a du fond et elle possède l'une des plus belles trames du millésime.

DOMAINE LUCIEN CROCHET

Place de l'Église • 18300 Bué
Tél. 02 48 54 08 10 • Fax : 02 48 54 27 66
contact@lucien-crochet.fr • www.lucien-crochet.fr
Visite : du lundi au vendredi 8h30-12h
et 13h30-17h30. Samedi sur rendez-vous

Gilles Crochet est au Berry ce que Christophe Roumier est à la Bourgogne, dans le raffinement des tanins de ses vins rouges. En blanc, le sancerre Le-Chêne-Marchand, issu d'un terroir de caillottes, offre un fruit et des accents floraux distingués. La cuvée Prestige, délicieusement concentrée, provient d'un assemblage des plus vieilles vignes.

SANCERRE CROIX DU ROY 2006
Rouge | 2010 à 2014 | 13,50 € **16/20**
Floral avec une pointe de cerise, ce vin est d'une grande délicatesse au nez, la bouche est de la dentelle avec le fruit présent et de délicieux retours floraux.

SANCERRE CUVÉE PRESTIGE 2005
Rouge | 2010 à 2020 | 28 € **18/20**
Au fil de nos dégustations, force est de reconnaître que ce vin possède un grain et une suavité de tanin uniques sur Sancerre. Un modèle du genre pour tous les pinots noirs de Loire, il possède une vibration rare.

SANCERRE LE CHÊNE MARCHAND 2008
Blanc | 2010 à 2014 | NC **16/20**
Les accents de mangue et une pointe florale précèdent une bouche bien tendue, le vin prend du volume et s'affirme sur une salade de langoustines à l'huile d'œillette.

DOMAINE DIDIER DAGUENEAU

Le Bourg • 58150 Saint-Andelain
Tél. 03 86 39 15 62 • Fax : 03 86 39 07 61
silex@wanadoo.fr
Visite : de 8h à 11h et de 13h30 à 17h

Didier Dagueneau était un extrémiste de la qualité. C'était l'un des hommes les plus attachants du vignoble en même temps qu'un maître cultural. Aujourd'hui, son fils Benjamin reprend le flambeau et assure dignement la continuité, les 2007 et 2008 sont exceptionnels dans la définition de la pureté cristalline de chaque cru. 2009 s'annonce superbe ! On est dans le registre de la fulgurance.

POUILLY-FUMÉ 2008
Blanc | 2010 à 2014 | NC **16,5/20**
Magnifique entrée de gamme sur le fumé, avec un ressort de première saveur.

POUILLY-FUMÉ ASTÉROÏDE 2008
Blanc | 2011 à 2020 | NC **19,5/20**
Une minéralité vibrante avec des nuances d'agrumes et de citron vert, alliant puissance et élégance, fait de ce vin un raffinement total ; c'est l'une des réussites majeures du millésime.

POUILLY-FUMÉ BLANC FUMÉ DE POUILLY 2008
Blanc | 2010 à 2015 | NC **16,5/20**
Magnifique entrée de gamme sur le fumé avec un ressort de première saveur.

POUILLY-FUMÉ BUISSON RENARD 2008
Blanc | 2011 à 2020 | NC **18/20**
On a l'abricot et des nuances de fumé au nez, la bouche est sur la retenue avec une structure à la fois puissante et élégante.

POUILLY-FUMÉ PUR SANG 2008
Blanc | 2010 à 2019 | NC **17,5/20**
Déjà en grande forme, par son tranchant, sa juste maturité, et sa longueur vibrante, la fin saline a un sacré ressort.

POUILLY-FUMÉ SILEX 2008
Blanc | 2012 à 2020 | NC **19,5/20**
C'est déjà bien en formes, avec une fulgurance au niveau de la tension, une bouche d'une précision d'orfèvre. Grandissime !

POUILLY-FUMÉ SILEX 1996
Blanc | 2010 à 2017 | NC **19/20**
Nez de truffe blanche avec une pointe d'agrumes, l'attaque soyeuse est de grand style, la bouche possède un ressort cristallin superbe, avec une fin saline ; idéal sur une salade de langoustines aux truffes.

POUILLY-FUMÉ SILEX 1986
Blanc | 2010 à 2014 | NC **17/20**
Nez d'ananas frais, avec une pointe de fumé, l'attaque est caressante puis le vin se tend ; un vin de saint-jacques.

SANCERRE LE MONT DAMNÉ 2008
Blanc | 2010 à 2019 | NC **19/20**
Cette cuvée de jeunes vignes est toujours l'un des sommets du Sancerrois, avec une tension raffinée dans le registre cristallin et crayeux.

DOMAINE SERGE DAGUENEAU ET FILLES

Les Berthiers • 58150 Pouilly-sur-Loire
Tél. 03 86 39 11 18 • Fax : 03 86 39 05 32
sergedagueneaufilles@wanadoo.fr •
www.s-dagueneau-filles.fr
Visite : Du lundi au vendredi, de 9h à 12h
et de 14h à 17h30, samedi sur rendez-vous.

Chez les Dagueneau, le repère est l'arrière-grand-mère Léontine, vigneronne au caractère bien trempé qui donna son nom à une cuvée à la tension et à l'élégance vibrante, issue d'un terroir exclusivement calcaire. Ici le blanc fumé est coulant, Les-Chaudoux plus onctueux et la cuvée Les-Filles plus riche, autant de vins qui font honneur à Florence disparue lors de l'élaboration de ce guide.

Pouilly-Fumé Fumé 2009

Blanc | 2010 à 2013 | 12 € **14/20**

Ce vin aux accents de fruits jaunes prend une touche fumée du meilleur effet sur sa finale.

Pouilly-Fumé La Léontine 2008

Blanc | 2010 à 2017 | 26 € **15,5/20**

On a du fond et de la maturité sur ce vin qui sera encore mieux d'ici une paire d'années, pour le moment c'est une pierre brute.

Pouilly-Fumé Les Filles 2008

Blanc | 2010 à 2014 | 24 € **14,5/20**

Accents d'agrumes avec une touche fumée, la bouche de bonne longueur est élégante.

DOMAINE FOUASSIER

180, avenue de Verdun • 18300 Sancerre
Tél. 02 48 54 02 34 • Fax : 02 48 54 35 61
contact@fouassier.fr • www.fouassier.fr
Visite : Sur rendez-vous

Les sélections parcellaires permettent une belle pédagogie du Sancerrois pour ce vignoble en conversion biodynamique : le point d'orgue va à la cuvée des Romains, l'un des terroirs les plus solaires de l'appellation. Les-Chailloux, sur silex, et les-Grands-Groux, sur calcaire, marquent bien aussi leur provenance.

Sancerre Clos Paradis 2008

Blanc | 2010 à 2012 | 9,50 € **14/20**

Situé sur un terroir calcaire exposé plein sud, ce vin aux accents de mangue offre une attaque onctueuse en même temps qu'une tension bien suggérée sur la fin.

Sancerre Les Chailloux 2008

Blanc | 2010 à 2014 | 9,50 € **14/20**

Nez dans des nuances exotiques, la bouche confirme, on se cale alors sur du saumon fumé.

Sancerre Les Chasseignes 2008

Blanc | 2010 à 2014 | 9,50 € **14,5/20**

Les agrumes dominent le nez, le gras est équilibré par une acidité de fin de bouche.

Sancerre Les Romains 2008

Blanc | 2010 à 2015 | 9,50 € **15/20**

Maturité au nez que l'on retrouve en début de bouche, la trame est classique pour ce terroir solaire de Sancerre.

DOMAINE LA GEMIÈRE – DANIEL MILLET ET FILS

1, La Gemière - Champtin
18300 Crézancy-en-Sancerre
Tél. 02 48 79 07 96 • Fax : 02 48 79 02 10
contact@domainelagemiere.fr
www.domainelagemiere.fr
Visite : Tous les jours de 8h à 12h et de 13 h30 à 18h30.

Sancerre 2009

Blanc | 2010 à 2012 | 7,70 € **14/20**

Salin sur fond d'agrumes, ce vin claque bien en bouche.

DOMAINE GEOFFRENET-MORVAL

2, rue de la Fontaine • 18190 Venesmes
Tél. 06 07 24 44 94 • Fax : 09 70 62 66 41
sabien.geoffrenet@wanadoo.fr
www.geoffrenet-morval.com
Visite : Les vendredi après-midi seulement.

Châteaumeillant Comte de Barcelone 2009

Rosé | 2010 à 2012 | 10,90 € **13,5/20**

Ce vin franc et fruité appelle les charcuteries.

Châteaumeillant Version Originale 2009

Rouge | 2010 à 2012 | 10,90 € **13,5/20**

La cerise et quelques touches poivrées marquent ce vin qui se boit sur sa fraîcheur.

DOMAINE GILBERT

Les Faucards • 18510 Menetou-Salon
Tél. 02 48 66 65 90 • Fax : 02 48 66 65 99
info@domainegilbert.fr
www.domainephilippegilbert.fr
Visite : Du lundi au vendredi, de 8h30 à 12h30 et de 14h à 17h30.

Philippe Gilbert est un vigneron d'une grande probité, il travaille depuis quelques millésimes de la façon la plus naturelle possible pour la conduite de la vigne, avec un directeur technique de talent, Jean-Philippe Louis. Cela se répercute au niveau de la qualité des vins, les derniers millésimes sont de belle tenue.

Menetou-Salon 2009

Blanc | 2010 à 2014 | 12 € **15,5/20**

Voilà une belle entrée de gamme, avec une juste maturité, du ressort et une bonne longueur.

Menetou-Salon 2009

Rouge | 2010 à 2013 | 13,50 € **15/20**

Cerise et une touche florale émergent de ce vin bien en tanins, se terminant sur une note fraîche.

Menetou-Salon Les Renardières 2008

Blanc | 2010 à 2015 | 20 € **15,5/20**

Très agrumes avec une pointe de poivre d'Indonésie, ce vin est long et tendu, il s'entend avec les poissons les plus subtils.

Menetou-Salon Les Renardières 2008

Rouge | 2010 à 2015 | 21 € **15,5/20**

Les fruits rouges et la réglisse se mêlent dans une bouche aux tanins qui s'étirent et se terminent sur une note épicée.

DOMAINE CLAUDE ET FLORENCE THOMAS LABAILLE

Chavignol • 18300 Sancerre
Tél. 02 48 54 06 95 • Fax : 02 48 54 07 80
thomas.labaille@wanadoo.fr
Visite : sur rendez vous

Adepte des petits rendements, Jean-Paul Labaille a succédé à son beau-père au milieu des années 1990. Cet ex-employé de France-Télécom connecte bien ses différentes cuvées, portées sur neuf hectares par les meilleurs terroirs de Chavignol, avec notamment une parcelle située sur les Monts Damnés.

Sancerre Authentique 2009

Blanc | 2010 à 2014 | 9 € **14,5/20**

Nez crayeux, vin à la tension élégante, du ressort en fin, bon pour des langoustines en Bellevue.

Sancerre Fleur de Galifard 2009

Blanc | 2011 à 2017 | 19 € **15,5/20**

Vin puissant avec du ressort, il gagnera en raffinement après élevage.

Sancerre Les Aristides 2009

Blanc | 2010 à 2013 | 12 € **14/20**

Fleurs blanches, souple, citronné et incisif, ce vin fait merveille sur les fromages de chèvre.

DOMAINE CLAUDE LAFOND

Le Bois Saint-Denis - Route de Graçay
36260 Reuilly
Tél. 02 54 49 22 17 • Fax : 02 54 49 26 64
claude.lafond@wanadoo.fr • www.claudelafond.com
Visite : De 9h à 12h et de 13h30 à 18h du lundi au samedi. Sur rendez-vous en dehors de ces plages horaires

«Pour moi, le vin, c'est un sol, une plante, un climat et des hommes», explique Claude Lafond. D'une belle régularité ce domaine phare de l'Indre produit des cuvées de blancs et de rosés bien constituées. Depuis 2006, une partie des rouges est vendangée à la main, ce qui permet une meilleure définition.

Reuilly cuvée Cognette 2008

Rosé | 2010 à 2014 | NC **15/20**

Élaboré avec son ami Alain Nonnet, chef de la Cognette à Issoudun, ce pinot gris épicé et framboisé est à la fois puissant et élégant, il fait merveille sur des galettes de pommes de terre.

Reuilly La Raie 2009

Blanc | 2010 à 2011 | 7,50 € **14/20**

Acidulé avec une petite pointe de fumé, ce vin vif et fringant appelle la tourte au sauvignon.

Reuilly Les Grandes Vignes 2008

Rouge | 2010 à 2011 | 7,50 € **14/20**

Vin de plaisir immédiat, avec des tanins souples et cerisés et une touche soyeuse, ce vin prend des accents de noyau à l'évolution.

DOMAINE SERGE LALOUE

Rue de la Mairie • 18300 Thauvenay
Tél. 02 48 79 94 10 • Fax : 02 48 79 92 48
contact@serge-laloue.fr • www.serge-laloue.fr
Visite : en semaine, de 9h à 12h et de 14h à 17h30
week-end sur rendez-vous

Les coteaux exposés est et sud-est ont des sols caillouteux riches en silex, ou argilo-calcaires de deux types, appelés Caillotes et Terres Blanches. Franck et Christine Laloue ont rejoint leur père sur la propriété, et ces deux générations réunies produisent des blancs de belle étoffe et des rouges sérieux.

SANCERRE 2009
Blanc | 2010 à 2012 | env 8 € **14/20**
Vif et coulant, ce vin s'offre à nous dans un registre floral avec des touches de pamplemousse rose.

SANCERRE 2008
Blanc | 2010 à 2012 | NC **13/20**
Nez de buis avec une touche citronnée, la bouche est vive et coulante.

SANCERRE 2008
Rouge | 2010 à 2012 | env 9,40 € **13,5/20**
Dans un registre cerisé, ce vin se montre coulant et frais.

SANCERRE CUL DE BEAUJEU 2009
Blanc | 2011 à 2017 | NC **15,5/20**
On apprécie la maturité du nez avec ses accents de mangue et une touche fumée, la bouche est longue et tendue. Très belle cuvée.

SANCERRE SILEX 2008
Blanc | 2010 à 2015 | env 9,40 € **16/20**
Superbe nez où se mêlent les fleurs blanches, l'iode et les agrumes, la bouche reprend cette palette aromatique avec en plus la mangue et une tension bien calibrée.

DOMAINE LAPORTE

Cave de la Cresle - Route de Sury-en-Vaux, B.P. 34
18300 Saint-Satur
Tél. 02 48 78 54 20 • Fax : 02 48 54 34 33
contact@laporte-sancerre.com
www.laporte-sancerre.com
Visite : en semaine, de 8h30 à 12h et de 13h30 à 17h
et le week-end sur rendez-vous.

La-Vigne-de-Beaussopet, sur silex, est l'un des meilleurs pouilly-fumés. Le Rochoy est un coteau sancerrois de silex bien exposé. Plus complexe, Le-Grand-Rochoy regroupe des vieilles vignes de ce secteur, donnant un vin plus ample, avec une minéralité bien épanouie. La-Comtesse, située dans les Monts Damnés, a déjà acquis ses lettres de noblesse.

POUILLY-FUMÉ LA VIGNE DE BEAUSSOPPET 2008
Blanc | 2010 à 2015 | 17,75 € **15/20**
C'est une nouvelle fois l'un des meilleurs pouillys de la dégustation avec son profil long et tendu, et sa touche fumée bien dans le style.

SANCERRE LA COMTESSE 2008
Blanc | 2010 à 2015 | 18,70 € **15,5/20**
On apprécie la tension et la subtilité du terroir des Monts Damnés dans ce vin aux accents d'agrumes, avec une touche crayeuse.

SANCERRE LE ROCHOY 2009
Blanc | 2010 à 2013 | 14,95 € **14,5/20**
Nez un peu variétal, la bouche tendue et crayeuse est supérieure et se trouve déjà bien en place.

SANCERRE LE ROCHOY 2008
Blanc | 2010 à 2014 | 14,95 € **14/20**
Nez de bourgeon de cassis, bouche tranchante assez bien construite.

DOMAINE YVES MARTIN

18300 Chavignol
Tél. 02 48 54 24 57 • Fax : 0248542457
chavipierrot@orange.fr
Visite : sur rendez-vous

SANCERRE 2009
Blanc | 2010 à 2016 | 10 € **14/20**
Ce vin marqué par son terroir de Chavignol a du ressort et une bonne longueur, avec une fin crayeuse.

SANCERRE CUL DE BEAUJEU 2008
Blanc | 2011 à 2018 | 12 € **14/20**
Un peu introverti, ce vin a du potentiel et il devrait s'affirmer au début de 2011, car on sent une structure propre aux meilleurs terroirs de Chavignol.

DOMAINE ALPHONSE MELLOT

3, rue Porte-César - B.P. 18 • 18300 Sancerre
Tél. 02 48 54 07 41 • Fax : 02 48 54 07 62
alphonse@mellot.com • www.mellot.com
Visite : Visites sur rendez-vous.

Alphonse Junior, bien épaulé par sa sœur Emmanuelle, est toujours en ébullition. Ce duo prolonge le travail de Senior, qui a trouvé là de dignes successeurs en même temps que des complices... Sur les derniers millésimes, Junior ajoute une intuition de génie, qui permet d'obtenir des résultats à la hauteur de son travail, les vins sont somptueux.

Sancerre Edmond 2008
Blanc | 2011 à 2020 | 32 € **18/20**
Nez de mangue, avec une touche de vanille et de citron vert, attaque en bouche ample, la matière est riche avec une finale longue, épicée et une pointe de fumé. Ce vin apprécie la compagnie du homard.

Sancerre Générations 2008
Blanc | 2010 à 2019 | 30 € **19/20**
Ce vin à la fois riche et ferme ouvre sur des flaveurs iodées, avec une touche de miel et de fruits secs, on aime sa tension qui se termine sur une note de fraîcheur vive et citronnée, du meilleur effet sur un brochet de Loire en croûte de sel.

Sancerre Générations 2008
Rouge | 2011 à 2019 | 52 € **18,5/20**
Nez profond de cerise noire, de poivre rose et de mûre, bouche ample et généreuse avec des tanins veloutés et pulpeux d'une grande fraîcheur, vin de grand style, idéal sur des côtelettes de chevreuil à la braise de sarments de vigne.

Sancerre Grands-Champs 2008
Rouge | 2010 à 2017 | 45 € **17/20**
Nez de cerise burlat, avec une touche d'épices, vin bien construit qui offre une bouche aux tanins fermes et pulpeux, bien en phase avec une terrine de foie de volailles et ris de veau.

Sancerre La Demoiselle 2008
Blanc | 2010 à 2019 | 26 € **16,5/20**
Ce premier millésime d'une vigne de 52 ans provient d'un terroir d'argiles à silex exposé sud, sud-est, on apprécie son tranchant avec des flaveurs salines sur fond de pamplemousse rose, idéal sur des huîtres chaudes.

Sancerre La Demoiselle 2008
Rouge | 2011 à 2017 | 39 € **17/20**
Nez kirsché avec une pointe de fumé, la bouche allie puissance et élégance avec des tanins soyeux savoureux.

Sancerre La Moussière 2009
Blanc | 2010 à 2014 | 17 € **16/20**
Nez d'agrumes avec une touche beurrée, on retrouve ces caractéristiques dans une bouche à l'attaque large et épicée avec une bonne vivacité en fin, de nature à amadouer un bar au safran.

Sancerre Les Romains 2008
Blanc | 2010 à 2014 | 27 € **16/20**
Nez d'agrumes avec une pointe épicée, la bouche se révèle bien structurée, parfaitement équilibrée entre le moelleux suggéré et la fraîcheur.

DOMAINE JOSEPH MELLOT

Route de Ménétréol • 18300 Sancerre
Tél. 02 48 78 54 54 • Fax : 02 48 78 54 55
josephmellot@josephmellot.com
www.josephmellot.com
Visite : Sur rendez-vous.

Sancerre La Chatellenie 2009
Blanc | 2010 à 2013 | 12,90 € **13,5/20**
La mangue domine au nez comme en bouche, on a derrière de la fraîcheur, ce qui donne une bouche vive de bonne longueur.

DOMAINE ALBANE ET BERTRAND MINCHIN

Saint-Martin • 18340 Crosses
Tél. 02 48 25 02 95 • Fax : 02 48 25 05 03
tour.saint.martin@wanadoo.fr
Visite : Du lundi au vendredi, de 8h30 à 12h et de 14h à 17h30 (vendredi jusqu'à 17 h). Le week-end sur rendez-vous.

Installé sur Morogues, Bertrand Minchin travaille avec application. S'il appartient aux ténors de Menetou, c'est sur Valençay et la Touraine qu'il suscite l'enthousiasme avec des rouges d'une texture pulpeuse inégalable qui vourloutent et des blancs tendus harmonieusement. Les 2009 s'annoncent superbes dans toutes les appellations.

Menetou-Salon Célestin 2008
Rouge | 2011 à 2019 | 19,90 € **16/20**
La cerise noire avec des accents réglissés donne le ton aromatique, les tanins sont longs, tendus et soyeux.

Touraine Franc du Côt Lié 2009
Rouge | 2011 à 2017 | 12,90 € **17,5/20**
Ce vin est gourmand, profond, avec ce qu'il faut de tension et des tanins enrobés et frais sur les fruits noir et l'eucalyptus, dans une année comme 2009, c'est l'une des priorité ligérienne pour les amateurs de côt.

Touraine Hortense 2009
Blanc | 2010 à 2015 | 9,70 € **16/20**
Floral, mangue, ce vin a de la classe et sa tension élégante ne manque pas de style.

Valençay Claux Delorme 2009
Rouge | 2010 à 2015 | 7,90 € **16,5/20**
Tanins juteux et mûrs, avec ce soyeux unique sur Valençay, on se régale déjà.

Valençay Claux Delorme 2009
Blanc | 2010 à 2012 | 7,70 € **15,5/20**
Nez d'agrumes avec une pointe de fumé, la bouche confirme avec ce qu'il faut de dynamisme et de fraîcheur.

DOMAINE HENRY NATTER

Place de l'Église • 18250 Montigny
Tél. 02 48 69 58 85 • Fax : 02 48 69 51 34
info@henrynatter.com • www.henrynatter.com
Visite : Du lundi au vendredi sur rendez-vous de 9h à 12h et de 14h à 17h.

Les Natter sont respectueux de l'environnement de leur îlot viticole de Montigny. Le sous-sol argilo-calcaire et la bonne maturité des vendanges permettent d'obtenir des blancs avec des touches souvent exotiques, sans aucune lourdeur. Les rouges sont élégants et précis. Toutes ces cuvées gagnent de la complexité au bout de deux ou trois ans.

Sancerre Cuvée Magnum l'Expression de Cécile 2008
Blanc | 2010 à 2015 | 25,20 € **14/20**
Belle franchise, accents citronnés et crayeux, vin frais et bien dessiné.

Sancerre L'Enchantement 2005
Rouge | 2010 à 2020 | 12,50 € **15/20**
Les tanins sont maintenant bien lissés, ils évoluent vers des notes de noyau de cerise et de menthe.

DOMAINE DU NOZAY

Château du Nozay
18240 Sainte-Gemme-en-Sancerrois
Tél. 02 48 79 30 23 • Fax : 02 48 79 36 64
nozays@aol.com
Visite : De 9h à 11h30 uniquement sur rendez-vous

Il faut lire les vers de la contre-étiquette, qui donne avec humour le ton de ce domaine familial où Philippe de Benoist, flanqué de son fils Cyril, ne vinifie qu'une cuvée, sous l'œil attentif de Pierre, l'autre garçon, directeur du Domaine de Villaine, à Bouzeron. Ce sancerre blanc, élégant et subtil dans sa tension claque bien en bouche.

Sancerre 2009
Blanc | 2010 à 2013 | 10 € **15/20**
On a une aromatique fraîche et florale, la bouche est classique, elle allie vivacité et agrumes, elle est de bonne longueur.

Sancerre 2008
Blanc | 2010 à 2014 | NC **15/20**
Nez de fleurs blanches, accents de citron vert en bouche, avec une tension élégante.

DOMAINE HENRY PELLÉ

Route d'Aubinges • 18220 Morogues
Tél. 02 48 64 42 48 • Fax : 02 48 64 36 88
info@henry-pelle.com • www.henry-pelle.com
Visite : Du lundi au vendredi, de 9h à 12h et de 13h30 à 17h30, samedi sur rendez-vous.

Le travail à la vigne comme celui en cuverie permettent une véritable sélection des terroirs. Ainsi en blanc, on a des expressions bien marquées : Morogues est délicieusement tonique et le Clos-de-Ratier prendra de la complexité avec l'âge des vignes. Le Clos-des-Blanchais reste également une référence en sauvignon.

Menetou-Salon Clos de Ratier 2008
Blanc | 2010 à 2014 | 15 € **16,5/20**
Précis dans sa minéralité, c'est le meilleur Ratier produit, et il constitue l'une des bouteilles du millésime, il évolue parfaitement.

MENETOU-SALON CLOS DES BLANCHAIS 2008
Blanc | 2010 à 2012 | env 15 € **15/20**
Flaveurs d'agrumes avec une touche d'aubépine, la bouche est souple avec une fin crayeuse.

MENETOU-SALON LES CRIS 2008
Rouge | 2010 à 2011 | env 18 € **13/20**
Vin de demi-corps sur les fruits rouges, à boire sur sa jeunesse.

MENETOU-SALON MOROGUES 2009
Blanc | 2010 à 2012 | NC **14/20**
Vin frais et coulant sur des notes citronnées, à boire à l'apéritif.

DOMAINE VINCENT PINARD

42, rue Saint-Vincent • 18300 Bué
Tél. 02 48 54 33 89 • Fax : 02 48 54 13 96
vincent.pinard@wanadoo.fr
www.domaine-pinard.com
Visite : Sur rendez-vous

Grand spécialiste des rouges, Vincent Pinard et ses fils Florent et Clément ont bien affiné le style de leurs blancs. Ce domaine présente désormais de sacrées garanties en la matière, avec un déclic qui se situe à partir des millésimes 2006 et 2007, quand sont apparues de nouvelles cuvées parcellaires comme Le-Petit-Chemarin ou Le-Chêne Marchand. Les 2008 sont de très haute volée.

SANCERRE CUVÉE CHARLOUISE 2008
Rouge | 2010 à 2017 | 19,80 € **18/20**
Enrobé et floral, ce vin devient plus complexe, il s'affirme par sa texture soyeuse et le croquant de son fruit. Note en hausse.

SANCERRE CUVÉE NUANCE 2008
Blanc | 2010 à 2014 | 13,20 € **15,5/20**
On attaque bien, avec une cuvée à la juste maturité et une bonne tension derrière.

SANCERRE FLORÈS 2008
Blanc | 2011 à 2017 | 9,90 € **17/20**
Velouté, caressant avec une texture magnifique, ce vin est d'une grande sensualité.

SANCERRE HARMONIE 2008
Blanc | 2010 à 2017 | 19,80 € **17,5/20**
Cette cuvée est de plus en plus accomplie, elle a gagné en pureté et en précision avec ce vin de haute volée.

SANCERRE PETIT CHEMARIN 2008
Blanc | 2010 à 2017 | 25 € **17,5/20**
Ce vin à la fois dense, élancé et salin offre le meilleur des tranchants avec une superbe longueur, c'est l'un de nos coups de cœur !

SANCERRE PINOT NOIR 2008
Rouge | 2010 à 2012 | 13,20 € **15/20**
Cerise burlat au nez, épicé et pulpeux en bouche, ce vin est gourmand à souhait.

SANCERRE VENDANGES ENTIÈRES 2008
Rouge | 2010 à 2017 | 26 € **17,5/20**
C'est l'une des grandes cuvées de rouge du Sancerrois, par sa texture suave, son fruité de cerise noire et sa longueur pulpeuse.

DOMAINE DES POTHIERS

Les Pothiers • 42155 Villemontais
Tél. 04 77 63 15 84 • Fax : 04 77 63 19 24
domainedespothiers@yahoo.fr
Visite : De 8h à 12h et de 14h a 19h.

Toutes les cuvées de Romain Payre sont vendangées manuellement, à partir de terroirs granitiques. La cuvée Référence se boit sur le fruit de sa jeunesse. Plus complexe, le Domaine-des-Pothiers est une sélection de vieilles vignes que l'on peut boire au bout de trois ans. De demi-garde, Clos-du-Puy est issu de vignes de plus de quatre-vingts ans.

CÔTE ROANNAISE CLOS DU PUY 2009
Rouge | 2010 à 2013 | 8,50 € **15,5/20**
Ce vin bien structuré possède un fruit bien dégagé, on le boit sur un civet de lapin.

CÔTE ROANNAISE INTÉGRALE 2009
Rouge | 2010 à 2013 | 14 € **14/20**
Pour l'instant, le boisé domine en attaque, heureusement le fruit reprend le dessus derrière. À revoir car il y a une belle matière.

CÔTE ROANNAISE N°6 2009
Rouge | 2010 à 2013 | 7,50 € **15/20**
Nez de fruits noirs avec une touche florale, la bouche attaque de façon gourmande puis les tanins se resserrent et s'étirent, bien pour une grillade.

CÔTE ROANNAISE RÉFÉRENCE 2009
Rouge | 2010 à 2011 | 6 € **14,5/20**
Ce vin aux accents de framboise et de cassis se boit de la façon la plus gourmande sur un saucisson brioché.

PRIEUR PIERRE ET FILS

Rue Saint-Vincent • 18300 Verdigny
Tél. 02 48 79 31 70 • Fax : 02 48 79 38 87
prieur-pierre@netcourrier.com
www.vinsancerre-prieurpierre.com
Visite : en semaine de 9h à 12h et de 14h à 18h
week-end sur rendez-vous

Ce domaine a produit, sur les derniers millésimes, des cuvées de rouge de bonne facture. La cuvée de base possède toujours un joli fruit, et la cuvée Maréchal-Prieur talonne les meilleurs chaque année, grâce à sa concentration mesurée et sa précision aromatique. Toutes les vignes de pinot noir sont enherbées, le travail du sol s'effectue de façon scrupuleuse et les vendanges sont manuelles avec un tri sélectif, les raisins sont égrappés à 100 %. Les blancs sont vifs et agiles.

Sancerre 2008
Rouge | 2010 à 2012 | env 9,70 € **13,5/20**
On est sur les fruits rouges avec une trame droite en bouche.

Sancerre 2008
Blanc | 2010 à 2012 | 9 € **13/20**
C'est frais, avec des accents d'herbes coupées et un côté citronné, il se boit sur un crottin.

Sancerre cuvée Maréchal Prieur 2008
Rouge | 2010 à 2014 | NC **14/20**
L'élevage domine en attaque mais il y a ce qu'il faut de fruit derrière pour que cela devienne harmonieux.

ROGER ET DIDIER RAIMBAULT

Chaudenay • 18300 Verdigny
Tél. 02 48 79 32 87 • Fax : 02 48 79 39 08
didier@raimbault-sancerre.com
www.raimbault-sancerre.com
Visite : du lundi au samedi De 8h à 12h et de 13h30 à 18h30. Dimanche sur rendez-vous.

Sancerre 2009
Blanc | 2010 à 2011 | 7,90 € **13,5/20**
Floral avec quelques accents de pamplemousse, ce vin vif et coulant apprécie le crottin de Chavignol sec.

MICHEL REDDE ET FILS

La Moynerie • 58150 Saint-Andelain
Tél. 03 86 39 14 72 • Fax : 03 86 39 04 36
thierry-redde@michel-redde.com
www.michel-redde.com
Visite : De 8h à 18h.

Avec l'arrivée de la jeune génération, on élabore les cuvées en isolant chaque type de terroir. Sur Tracy, Les-Champs-des-Billons traduisent l'élégance des terroirs de caillotes, composés d'argile et de calcaires. Sur Pouilly, Les-Cornets sont issus de marnes, appelées également terres blanches, qui donnent des vins plus opulents. Les-Bois-de-Saint-Andelain proviennent de sols où cohabitent argiles et silex, cette cuvée allie la fraîcheur et une minéralité assez tendre. Cette année, seules les cuvées classiques du domaine ont été présentées.

Pouilly-Fumé La Moynerie 2007
Blanc | 2010 à 2014 | 14 € **14,5/20**
Le côté fumé saute au nez, puis le vin se tend et prend de l'allonge pour venir caresser une terrine d'écrevisses.

Pouilly-Fumé Majorum 2006
Blanc | 2010 à 2017 | 35 € **15,5/20**
L'exotisme va bien à l'entrée de bouche, puis cela devient plus sérieux et la trame se fait plus tendue, avec de la longueur.

Pouilly-Fumé Petit Fumé 2009
Blanc | 2010 à 2012 | 10 € **14/20**
Ce vin porte en lui le profil du pouilly fringant que l'on boit sur sa fraîcheur dès 10 heures sur des rillettes de saumon.

Pouilly-sur-Loire Gustave Daudin 2007
Blanc | 2010 à 2014 | env 17 € **14/20**
Ce vin à la fois rond et vif se boit au petit déjeuner sur une omelette au jambon.

DOMAINE VALÉRY RENAUDAT

3, place des Écoles • 36260 Reuilly
Tél. 02 54 49 38 12 • Fax : 02 54 49 38 26
domaine@valeryrenaudat.fr • www.valeryrenaudat.fr
Visite : De 9h à 12h30 et de 13h30 à 19h sur rendez-vous. Le week-end uniquement le matin.

Valéry Renaudat officia sept mois dans une winery américaine. Revenu en France, il opte pour le Bordelais puis la Bourgogne. De retour au pays, il achète des vignes sur Quincy et sur Reuilly. Le pinot noir sur argilo-calcaires est toujours bien constitué. Le quincy, encore cette année, était supérieur au reuilly

blanc, dans l'affirmation de sa tension rafraîchissante.

Quincy Les Nouzats 2009

Blanc | 2010 à 2012 | 7,40 € **14/20**

Ce vin à la fois tendu et frais fait merveille sur un chèvre de Valençay.

Reuilly Les Lignis 2009

Blanc | 2010 à 2012 | 7,40 € **13,5/20**

Ce vin fringant claque bien en bouche sur des rillons au sauvignon.

DOMAINE NICOLAS ET PASCAL REVERDY

Maimbray • 18300 Sury-en-Vaux
Tél. 02 48 79 37 31 • Fax : 02 48 79 41 48
reverdypn@wanadoo.fr
Visite : Le lundi, mardi, jeudi, vendredi et samedi de 9h à 12h et 14h30 à 18h. dimanche sur rendez-vous

La disparition tragique de Nicolas Reverdy a plongé les amateurs dans la consternation. Pascal et l'épouse de Nicolas font front. Les cuvées Terre-de-Maimbray, issues de terroirs argilo-calcaires, constituent de bons rapports qualité-prix. Les Vieilles-Vignes proviennent de sols d'argile bleue, cela donne des vins plus intenses.

Sancerre À Nicolas 2008

Rouge | 2012 à 2017 | 14,50 € **15,5/20**

Cette cuvée spéciale, en hommage à Nicolas, offre une robe profonde, un boisé élégant domine la bouche puis le fruit reprend le dessus, à attendre.

Sancerre Anges Lots 2009

Blanc | 2010 à 2014 | 13,50 € **15,5/20**

Nez exotique, la bouche est tranchante et elle s'étire de la meilleure des façons, c'est un vin pour le saint-pierre.

Sancerre Terre de Maimbray 2009

Blanc | 2010 à 2013 | 8,70 € **14,5/20**

On a déjà une belle palette aromatique, avec les fruits jaunes, le gingembre et une touche florale, la bouche est longue et bien dessinée.

Sancerre Terre de Maimbray 2008

Rouge | 2010 à 2013 | 9,40 € **15,5/20**

Très belle trame, avec un fruité pur déclinant la cerise noire, les tanins sont juteux.

DOMAINE REVERDY-DUCROUX

Rue du Pressoir - Chaudoux • 18300 Verdigny
Tél. 02 48 79 31 33 • Fax : 02 48 79 36 19
reverdy.ducroux.sancerre@wanadoo.fr
www.reverdy-ducroux.fr
Visite : en semaine, de 8h à 12h et de 13h30 à 18h le week-end sur rendez-vous.

Sancerre Montée de Bouffant 2008

Blanc | 2010 à 2017 | 14,50 € **15,5/20**

L'écorce d'orange et le pamplemousse sont les flaveurs dominantes de cette cuvée à la fois persistante et enrobée juste ce qu'il faut par un élevage bien maîtrisé.

CLAUDE RIFFAULT

Maison Sallé • 18300 Sury-en-Vaux
Tél. 02 48 79 38 22 • Fax : 02 48 79 36 22
claude.riffault@wanadoo.fr
Visite : De 9h à 12h et de 14h à 19h.

Stéphane Riffault tient solidement la barre de cette propriété familiale avec son père Claude. Son frère Benoît, qui a repris en main les destinées du Domaine Sauzet, à Puligny, surveille la manœuvre. Les vignes sont labourées et enherbées, et les ébourgeonnages sont stricts. Les cuvées sont toujours bien différenciées suivant les terroirs et les progrès s'observent au fil des millésimes.

Sancerre Desmalet 2009

Blanc | 2011 à 2017 | 13 € **16,5/20**

Ce vin a de l'ampleur avec des flaveurs exotiques et minérales, la bouche longue et tendue a du ressort, il convient à un bar aux agrumes.

Sancerre Desmalet 2008

Blanc | 2010 à 2014 | 14 € **15/20**

Cette nouvelle cuvée sur terres blanches joue le registre de la finesse, avec des flaveurs citronnées et une structure délicatement tendue.

Sancerre La Noue 2009

Rouge | 2010 à 2014 | env 12 € **15/20**

Délicieusement cerisé, ce vin offre des tanins élégants plus savoureux que sur les millésimes précédents.

Sancerre Les Boucauds 2009

Blanc | 2010 à 2013 | 9,50 € **14,5/20**

Les flaveurs d'iode et de citron se mêlent de la meilleure des façons dans une bouche vive et tendue.

Sancerre Les Chasseignes 2009

Blanc | 2010 à 2013 | 9,50 € **15,5/20**

Justement tendu, ce vin a une fin iodée du meilleur effet.

Sancerre Les Pierrotes 2008

Blanc | 2010 à 2015 | 9,20 € **16/20**

Nez très subtil de citron vert et de fumé, on retrouve cette aromatique dans une bouche superbement tendue.

MATTHIAS ET EMILE ROBLIN

Maimbray • 18300 Sury-en-Vaux Sancerre
Tél. 02 48 79 48 85 • Fax : 02 48 79 48 85
matthias.emile.roblin@orange.fr
Visite : Sur rendez-vous.

Sancerre Ammonites 2008

Blanc | 2011 à 2015 | 13 € **13,5/20**

Fermée à double tour, cette cuvée devrait émerger au début de 2011, pour que l'on apprécie sa droiture de constitution.

JEAN-MAX ROGER

11, place du Carrou • 18300 Bué
Tél. 02 48 54 32 20 • Fax : 02 48 54 10 29
contact@jean-max-roger.fr • www.jean-max-roger.fr
Visite : en semaine, de 8h à 12h et de 14h à 17h30
week-end sur rendez-vous

Travaillant avec ses deux fils, Étienne et Thibault, Jean-Max Roger produit des vins que l'on doit attendre pour qu'ils dévoilent toutes leurs qualités aromatiques. Les rouges, bien constitués, évoluent de belle façon et gagnent en complexité avec l'âge. Les blancs gagnent en précision sur les derniers millésimes.

Sancerre cuvée CD 2008

Blanc | 2010 à 2013 | 10 € **14/20**

Citron et pamplemousse se mêlent dans un nez frais qui se retrouve dans une bouche vive et élégante.

Sancerre cuvée CM 2008

Blanc | 2010 à 2014 | 10 € **14,5/20**

Tranchant, salin, harmonieux, ce vin s'exprime parfaitement sur un saumon fumé.

Sancerre La Grange Dimière 2006

Rouge | 2010 à 2015 | 10 € **14,5/20**

Voilà une bouteille à point, avec ses flaveurs cerisées et sa bonne longueur qui convient à un blanc de volaille.

Sancerre Les Caillottes 2008

Blanc | 2010 à 2012 | 10 € **14/20**

Rondeur, structure, de l'ampleur, ce vin gagne à l'ouverture.

DOMAINE DE LA ROSSIGNOLE

Rue de la Croix Michaud - Chaudoux
18300 Verdigny
Tél. 02 48 79 34 93 • Fax : 02 48 79 33 41
cherrier@easynet.fr
Visite : sur rendez-vous

Sancerre 2009

Blanc | 2010 à 2011 | 9 € **13/20**

Ce vin vif et acidulé est un vin de copains, que l'on boit sur un crottin de Chavignol sec.

DOMAINE ROBERT SÉROL

Les Estinaudes • 42370 Renaison
Tél. 04 77 64 44 04 • Fax : 04 77 62 10 87
contact@domaine-serol.com
www.domaine-serol.com
Visite : Du lundi au samedi, de 9h à 12h
et de 14h à 19h. Dimanche matin sur rendez-vous

Ce domaine possède un vignoble où le gamay s'exprime totalement sur les sols de granit et de porphyre. Le travail des Serol est exemplaire, et le soutien de Pierre Troisgros total. Mises en scène pour les besoins du guide par Michel Troisgros, les différentes cuvées ont prouvé leur bonne tenue à table sur des plats de homard, tripes ou truffes.

Côte Roannaise cuvée Troisgros 2009 ☺

Rouge | 2010 à 2013 | 7,30 € **15,5/20**

Cette sélection effectuée par Pierre et Michel Troisgros, sur les parcelles les plus anciennes, ouvre sur les fruits noirs et fait tanins de velours en attaque, la fin est fraîche et épicée.

Côte Roannaise L'Incorruptible 2009

Rouge | 2010 à 2012 | 8 € **15,5/20**

Cette cuvée vinifiée sans soufre regorge de fruits noirs, la bouche est gourmande et de bonne dimension.

Côte Roannaise La Croix Saint-Paul 2009
Rouge | 2010 à 2012 | 6,90 € **14,5/20**
Ce vin issu de vignes de 40 à 60 ans offre des flaveurs qui mêlent le cassis et le poivre noir, la bouche est droite et coulante.

Côte Roannaise Les Blondins 2009 ☺
Rouge | 2010 à 2012 | 6,75 € **15/20**
Les flaveurs de framboise et de poivre avec une touche de cassis s'expriment dans une bouche pleine et gourmande, vin de viande blanche.

DOMAINES TATIN

Le Tremblay • 18120 Brinay
Tél. 02 48 75 20 09 • Fax : 02 48 75 70 50
jeantatin@wanadoo.fr • www.domaines-tatin.com
Visite : Du lundi au vendredi, de 8h à 18h, le week-end sur rendez-vous.

Chanta Wilk exploite le Domaine des Ballandors, planté essentiellement en jeunes vignes. Cela donne des cuvées aux flaveurs de fleurs et de groseille blanche, que l'on boit rapidement. Plus masculins et plus complexes, les vins du Domaine du Tremblay sont ceux de Jean Tatin, son compagnon, qui joue sur Quincy et sur Reuilly.

Quincy Ballandors 2009
Blanc | 2010 à 2012 | 7,50 € **14/20**
Fleurs blanches et kiwi donnent le tempo d'une aromatique fraîche, la bouche est coulante à souhait.

Quincy cuvée Sucellus 2007
Blanc | 2011 à 2015 | 12,50 € **14,5/20**
Ce vin est puissant avec des accents épicés et une aromatique qui décline les fruits exotiques.

Quincy Domaine du Tremblay Vieilles Vignes 2008
Blanc | 2010 à 2014 | 9 € **15/20**
On apprécie la tension et la longueur de ce vin gracile et harmonieux.

Reuilly 2009
Blanc | 2010 à 2011 | 7,50 € **13,5/20**
Citronné au nez comme en bouche, ce vin se boit sur des rillettes d'anguille.

Reuilly 2009 ☺
Rosé | 2010 à 2014 | 7,50 € **15,5/20**
Fruits rouges et agrumes, ce pinot gris affiche une belle onctuosité en attaque, avec une belle structure derrière ; il devrait bien évoluer.

DOMAINE JEAN TEILLER

13, route de la Gare • 18510 Menetou-Salon
Tél. 02 48 64 80 71 • Fax : 02 48 64 86 92
domaine-teiller@wanadoo.fr • www.domaine-teiller.fr
Visite : De 8h30 à 12h et de 13h30 à 18h du lundi au samedi.

Jean-Jacques Teiller travaille maintenant avec sa fille Patricia et son gendre Olivier Luneau, qui ont fait leurs premiers assemblages sur les bancs du lycée viticole de Beaune. Le trio évolue en soignant le cultural et un élevage plus précis. Progressivement, il prend sa place dans le quatuor gagnant de l'appellation.

Menetou-Salon 2009
Blanc | 2010 à 2012 | 7,90 € **14/20**
Nez d'agrumes, bouche vive et fraîche, idéale pour un fromage de chèvre.

Menetou-Salon Hommage 2008
Rouge | 2010 à 2015 | 10 € **15/20**
Ces vieilles vignes plantées en 1970 donnent sur ce millésime un vin aux accents de cerise noire et d'épices, la bouche est bien proportionnée.

Menetou-Salon Mademoiselle T 2008
Blanc | 2010 à 2014 | 10 € **15/20**
Sur un millésime difficile, ce vin a de l'allonge, une bonne maturité et une tension qui s'affirme progressivement.

DOMAINE THOMAS ET FILS

Chaudoux - rue du pressoir • 18300 Verdigny
Tél. 02 48 79 38 71 • Fax : 02 48 79 38 14
contact@domainethomas.fr • www.domainethomas.fr
Visite : Du lundi au vendredi, de 9h à 12h et de 14h à 18h. Le samedi de 9h à 12h, les samedi après-midi, dimanches et jours fériés sur rendez-vous.

Sancerre Ultimus 2008
Blanc | 2010 à 2014 | 14 € **14/20**
Accents de fleurs blanches et citron vert sont les flaveurs de début de bouche, puis le vin s'étire et il se fait tranchant.

CHÂTEAU DE TRACY

58150 Tracy-sur-Loire
Tél. 03 86 26 15 12 • Fax : 03 86 26 10 73
contact@chateau-de-tracy.com
www.chateau-de-tracy.com
Visite : De 8h à 12h et de 13h30 à 17h30. du lundi au vendredi matin. Vendredi après-midi et week-end sur rendez-vous

Veste à carreaux, moustache effilée, le comte d'Estutt d'Assay, propriétaire de ce château viticole, adopte une attitude so british. Il vous montre les coteaux bien exposés de Tracy et Vilmay. Dans sa jeunesse, le pouilly-fumé est franc, les cuvées Mademoiselle-T et Haute-Densité ont permis au domaine de franchir un cap qualitatif et les 101-Rangs de silex sur la butte de Tracy sont l'une des cuvées du millésime sur 2008. Nous accrocherons donc un deuxième BD au nœud papillon de Sir Henry.

Pouilly-Fumé 2008
Blanc | 2010 à 2012 | 17 € **14,5/20**
Le bourgeon de cassis et des touches florales marquent ce classique de la maison, qui s'affirmera sur des crustacés, ce vin maintenant en bouteille a du ressort.

Pouilly-Fumé 101 Rangs 2008
Blanc | 2010 à 2017 | 60 € **17,5/20**
Cette cuvée issue des vieilles vignes de silex de la butte de Tracy fait merveille, par son intensité, sa juste maturité et sa tension qui se termine sur des notes abricotées et salines. C'est du cousu vin !

Pouilly-Fumé Haute Densité 2008
Blanc | 2011 à 2015 | 44 € **15,5/20**
Prometteur à sa naissance, il confirme par la suite, au niveau de la densité et de la tension.

Pouilly-Fumé Haute Densité 2006
Blanc | 2010 à 2016 | 44 € **16,5/20**
Ce vin est maintenant à point, avec ses flaveurs de mangue et de pamplemousse confit, la bouche est à la fois onctueuse et tendue.

Pouilly-Fumé Mademoiselle T 2009
Blanc | 2010 à 2014 | 11,50 € **15/20**
Nez de pêche blanche avec des touches de carvi, la bouche de bonne maturité s'étire de la meilleure des façons.

DOMAINE VACHERON

1, rue du Puits-Poulton - B.P. 49 • 18300 Sancerre
Tél. 02 48 54 09 93 • Fax : 02 48 54 01 74
vacheron.sa@wanadoo.fr
Visite : tous les jours de 10h à 12h et de 14h à 18h.

Jean-Dominique et Jean-Laurent Vacheron ont apporté un souffle biodynamique à ce domaine phare du Sancerrois, sous le regard bienveillant de leurs pères Jean-Louis et Denis. Le travail à la vigne paie pleinement avec des blancs tranchants. Cuvée phare, Les-Romains bénéficie de l'une des meilleures expositions de l'appellation. Les rouges restent toujours des références, ils sont meilleurs à table après un passage en carafe.

Sancerre 2008
Rosé | 2010 à 2013 | 10 € **15,5/20**
Nez de fraise et de rose, bouche superbement équilibrée sur le fruit et la fraîcheur.

Sancerre 2008
Blanc | 2010 à 2014 | 14 € **15/20**
Nez iodé avec une petite touche florale, c'est bien tendu et subtil.

Sancerre 2008
Rouge | 2010 à 2013 | 15 € **15,5/20**
Dans un millésime difficile, ce vin tire bien son épingle du jeu avec ses accents de cerise fraîche et sa tension, avec juste ce qu'il faut d'enrobé.

Sancerre 2007
Blanc | 2010 à 2012 | 14 € **15/20**
Subtilement salin, voilà un vin bien né qui donne un plaisir raffiné dans un mode iodé harmonieux.

Sancerre La Belle Dame 2007
Rouge | 2012 à 2020 | 26 € **17/20**
La texture dense et veloutée a de la classe, elle donne au fruit un bel éclat. Au fil de l'élevage, l'excellente impression des premières dégustations se confirme et le vin devient plus complexe.

Sancerre Les Romains 2008
Blanc | 2010 à 2015 | 24 € **15,5/20**
Vin précis qui peut paraître austère mais qui réserve de belles surprises après un carafage, il accompagne très bien un saumon cuit à basse température.

Sancerre Les Romains 2007
Blanc | 2012 à 2016 | 24 € **16,5/20**
C'est tranchant avec une pureté quasi cristalline, belle expression minérale.

DOMAINE JACQUES VINCENT

11, chemin des Caves • 18120 Lazenay
Tél. 02 48 51 73 55 • Fax : 02 48 51 14 96
vincent.pierre.18@hotmail.fr • www.vinimarket.fr
Visite : Du lundi au samedi, de 9h à 12h et de 14h à 19h. Dimanche sur rendez-vous.

Issu d'un pressurage puis d'une légère macération, le pinot gris constitue la grande originalité de Reuilly. Plus de plantations sur les sables graveleux ou argileux permettraient à l'appellation de bien se démarquer, même si cette combinaison sol-cépage demande plus de soins à la vigne et en cuverie. Passionné par la question, Jacques Vincent est le seul vigneron sur l'appellation à posséder une majorité de pinot gris sur son domaine, avec 60 %. Chaque année, sa cuvée est l'une des plus recherchées, pour son élégance et sa fraîcheur. Au niveau aromatique, le vin évolue avec le temps : le côté pêche blanche de la jeunesse, selon les millésimes, disparaît pour laisser la place aux fruits confits et aux épices. Par sa digestibilité, ce cru est taillé pour la gastronomie.

REUILLY PINOT GRIS 2009
Rosé | 2010 à 2017 | 7 € **15/20**
Nez de fruits rouges et une touche de pêche blanche, la bouche est à la fois ronde en attaque et fraîche derrière.

REUILLY PINOT GRIS 2008
Rosé | 2010 à 2015 | NC **15/20**
Avec ses accents de pêche blanche et de poivre, ce vin a une attaque onctueuse en bouche, se terminant sur le fruit frais. Très bien pour un pâté de pommes de terre.

La sélection Bettane et Desseauve pour la Vallée du Rhône

La vallée du Rhône

Deux parties très distinctes pour un vignoble qui a le vent en poupe. Un vignoble mouchoir de poche entre Vienne et Valence, encore marqué par le Massif Central, et un océan de vignes ensoleillées au sud de Montélimar, d'obédience alpine, mais marquées par le climat de Provence. Le caractère des vins est ici la générosité et parfois l'exubérance.

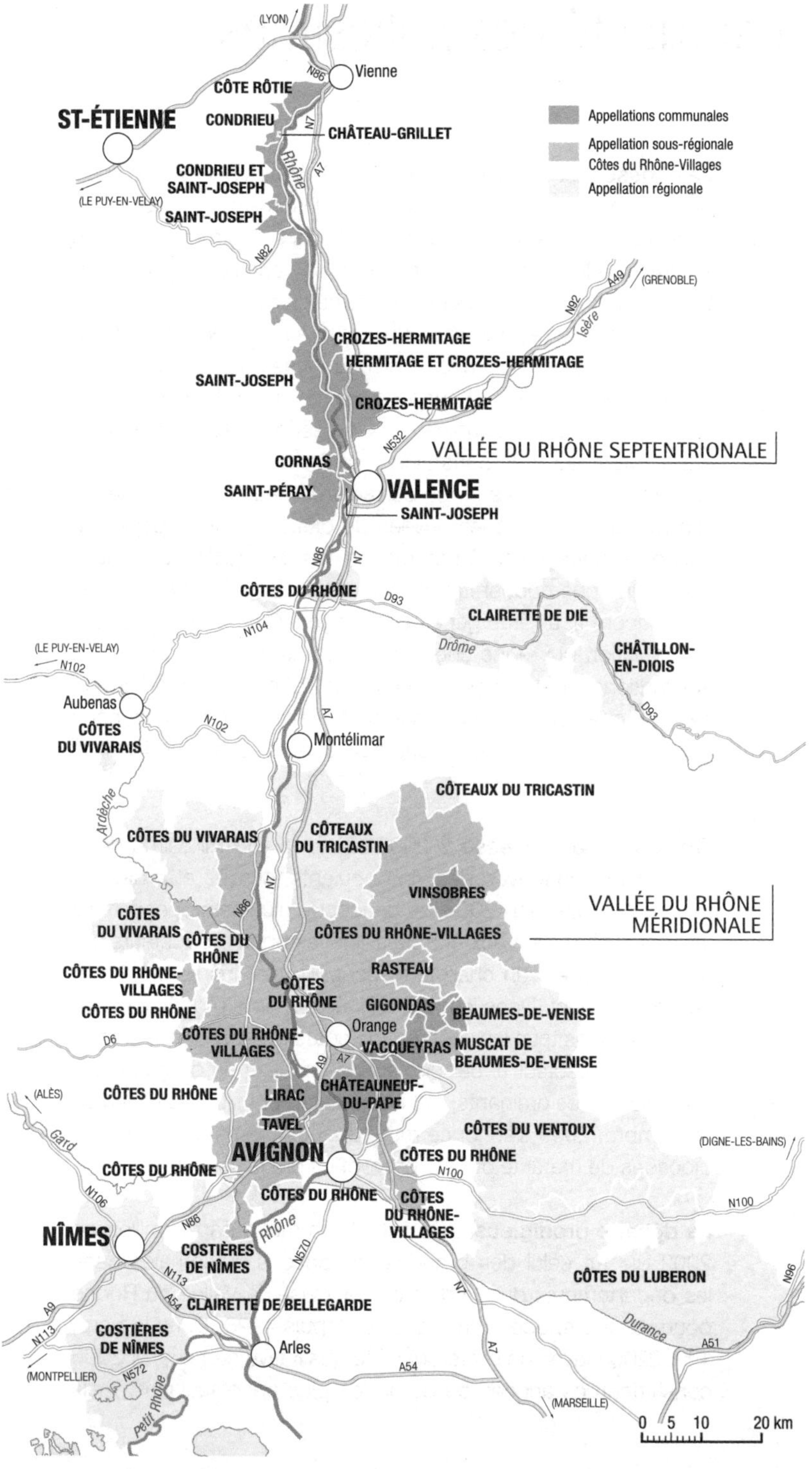

(LYON)
Vienne
CÔTE RÔTIE
ST-ÉTIENNE
CONDRIEU
CHÂTEAU-GRILLET
CONDRIEU ET SAINT-JOSEPH
(LE PUY-EN-VELAY)
SAINT-JOSEPH
Rhône
N86
N7
A7
N82

Appellations communales
Appellation sous-régionale Côtes du Rhône-Villages
Appellation régionale

(GRENOBLE)
A49
N92
Isère
CROZES-HERMITAGE
HERMITAGE ET CROZES-HERMITAGE
SAINT-JOSEPH
CROZES-HERMITAGE
N532

VALLÉE DU RHÔNE SEPTENTRIONALE

CORNAS
SAINT-PÉRAY
VALENCE
SAINT-JOSEPH
N86
N7
CÔTES DU RHÔNE
D93
CLAIRETTE DE DIE
Drôme
CHÂTILLON-EN-DIOIS
D93
N104
(LE PUY-EN-VELAY)
N102
Aubenas
CÔTES DU VIVARAIS
N102
A7
Montélimar
CÔTEAUX DU TRICASTIN
Ardèche
CÔTES DU VIVARAIS
CÔTEAUX DU TRICASTIN
VINSOBRES

VALLÉE DU RHÔNE MÉRIDIONALE

N86
N7
CÔTES DU VIVARAIS
CÔTES DU RHÔNE
CÔTES DU RHÔNE-VILLAGES
CÔTES DU RHÔNE-VILLAGES
RASTEAU
CÔTES DU RHÔNE
GIGONDAS
CÔTES DU RHÔNE
BEAUMES-DE-VENISE
D6
CÔTES DU RHÔNE-VILLAGES
Orange
VACQUEYRAS
MUSCAT DE BEAUMES-DE-VENISE
A9
A7
(ALÈS)
CÔTES DU RHÔNE
LIRAC
CHÂTEAUNEUF-DU-PAPE
TAVEL
CÔTES DU VENTOUX
Gard
AVIGNON
CÔTES DU RHÔNE
(DIGNE-LES-BAINS)
CÔTES DU RHÔNE
N100
N106
CÔTES DU RHÔNE
CÔTES DU RHÔNE-VILLAGES
N100
NÎMES
N86
Rhône
COSTIÈRES DE NÎMES
N570
N113
CÔTES DU LUBERON
N96
A54
CLAIRETTE DE BELLEGARDE
N7
A9
Durance
N113
COSTIÈRES DE NÎMES
Arles
A51
(MONTPELLIER)
N572
A54
A7
Petit Rhône
(MARSEILLE)
0 5 10 20 km

L'actualité des millésimes

La chasse aux trésors. La vallée du Rhône n'a jamais été aussi passionnante à explorer qu'aujourd'hui. Dans le nord, les grandes maisons, les domaines stars et leurs mythiques vins sont tous au sommet de leur forme, avec en outre de véritables choix stylistiques assumés pour chacun d'entre eux. Leurs cuvées de base sont également recommandables, et beaucoup de producteurs moins célèbres se sont mis au diapason, ce qui permet à l'amateur de trouver son bonheur à des tarifs, sinon doux, du moins raisonnables. Dans le sud, le paysage est peut-être encore plus enthousiasmant. Les bons vins y sont légion, les très bons et les excellents nombreux, et les tarifs demeurent angéliques si l'on met à part quelques cuvées de châteauneuf-du-pape. Ce cercle vertueux est dû à une reprise en main qualitative de plusieurs groupes coopératifs du Vaucluse et du Gard (hélas pas tous encore !), à l'émergence d'un négoce de qualité et surtout à l'émulation qui règne chez les vignerons. Il touche toutes les appellations, crus, villages ou côtes-du-rhône et le grand cru du secteur, châteauneuf, n'y échappe pas non plus : jamais nous n'avons dégusté autant de châteauneufs réussis que dans les derniers millésimes !

Opulence ou sveltesse ? 2007 est un grand millésime de la vallée du Rhône, avec des vins opulents, suaves et profonds, mais il n'est pas seul. 2008 est beaucoup plus hétérogène, mais les vins sveltes, nerveux et fruités que les bons producteurs ont réussi possèdent un charme évident. Et certains surprendront au vieillissement. Dans le nord, l'année a même produit d'excellents vins dans tous les secteurs de côtes (c'est-à-dire la grande majorité du secteur !), car ces sols de schiste ou de granit décomposés, très drainants, ont immédiatement filtré les pluies de septembre. 2009 s'annonce remarquable, même si parfois des blocages de maturité ont été provoqués par la sécheresse.

La décade prodigieuse. De fait, si l'on met à part le millésime 2002 qui fut celui des grandes inondations automnales dans les départements du Gard et du Vaucluse, la Vallée du Rhône poursuit une épopée remarquable depuis 1998. Dans le nord, 1999, 2003 (avec de l'hétérogénéité qualitative certaine) et 2005 constituent les années de garde les plus spectaculaires, mais tous les autres millésimes sont intéressants. 2004 et 2006 ne sont pas inoubliables, avec des rouges souplement constitués mais parfois charmants. Dans le sud, 1998 demeure un millésime hors norme, puissant et ultra riche. 1999, dans un registre plus souple et souvent plus équilibré, peut valoir le détour, tout comme le solide 2001. 2003 et 2005 sont des grands millésimes de soleil et de chaleur, pour autant, les meilleurs vins sont sans sécheresse et iront loin. 2004 rappelle 1999, 2006 apparaît souvent plus pointu.

MEILLEURS VINS TOUTES CATÉGORIES

Chapoutier,
Ermitage, L'Ermite, rouge, 2008

Château de Beaucastel,
Châteauneuf-du-Pape, Hommage à Jacques Perrin, rouge, 2007

Château de Beaucastel,
Châteauneuf-du-Pape, roussanne vieilles vignes, blanc, 2008

Château Rayas,
Châteauneuf-du-Pape, rouge, 2008

Domaine Jean-Louis Chave,
Hermitage, blanc, 2007

E. Guigal,
Côte Rôtie, La Landonne, rouge, 2006

LE BONHEUR TOUT DE SUITE

Chapoutier,
Luberon La Ciboise, blanc, 2009

Château de Beaucastel,
Côtes du Rhône, Coudoulet, rouge, 2008

Domaine la Ferme Saint-Martin,
Beaumes de Venise, Terres Jaunes, rouge, 2009

Jean-Luc Colombo,
Vin de pays d' Oc, viognier La Violette, blanc, 2009

Ogier,
Côtes du Rhône, Oratorio, rouge, 2009

MEILLEURS VINS À MOINS DE 6 €

Domaine de Cassan,
Côtes du Ventoux, Les Eclausels, rouge, 2009

Domaine de Grangeneuve,
Coteaux du Tricastin, Tradition, rouge, 2008

Domaine Richaud,
Vin de Table, rouge, 2009

Domaine rouge Garance,
Côtes du Rhône, rosée de Garance, rosé, 2009

Les Vignerons d'Estézargues,
Côtes du Rhône-Villages, Signargues Domaine de Perillère Vieilles Vignes, rouge, 2009

MEILLEURS VINS À MOINS DE 10 €

Château d'Aquéria,
Tavel, Château d'Aqueria, rosé, 2009

Cros de la Mûre,
Côtes du Rhône, rouge, 2007

Domaine Sainte-Anne,
Côtes du Rhône-Villages, Notre Dame des Cellettes, rouge, 2007

Les Vignerons d'Estézargues,
Côtes du Rhône, Domaine d'Andézon, rouge, 2008

Prieuré de Montézargues,
Vin de table de France, rouge

MEILLEURS VINS À METTRE EN CAVE

Chapoutier,
Ermitage, Le Pavillon, rouge, 2008

Château de la Gardine,
Châteauneuf-du-Pape, Immortelle, rouge, 2007

Delas,
Hermitage, Les Bessards, rouge, 2007

Jean-Luc Colombo,
Cornas, La Louvée, rouge, 2007

Tardieu-Laurent,
Châteauneuf-du-Pape, vieilles vignes, rouge, 2008

MEILLEURS BLANCS DU NORD DE LA VALLÉE DU RHÔNE

Chapoutier,
Ermitage, L'Ermite, 2008

Château Grillet,
Château-Grillet, 2008

Delas,
Hermitage, Marquise de la Tourette, 2007

Domaine Georges Vernay,
Condrieu, Coteau de Vernon, 2008

Domaine Jean-Louis Chave,
Hermitage, Vin de Paille, 1997

E. Guigal,
Hermitage, Ex-voto, 2007

MEILLEURS BLANCS DU SUD DE LA VALLÉE DU RHÔNE

Brotte,
Châteauneuf-du-Pape, 2008

Château de Beaucastel,
Châteauneuf-du-Pape, 2008

Château de la Gardine,
Châteauneuf-du-Pape, 2008

Château de Vaudieu,
Châteauneuf-du-Pape, 2008

Château Rayas,
Châteauneuf-du-Pape, 2009

Domaine de Beaurenard,
Châteauneuf-du-Pape, Boisrenard, 2008

Domaine des Bernardins,
Muscat de Beaumes-de-Venise, Hommage

Domaine Viret,
Côtes du Rhône, La Coudée d'Or, 2009

MEILLEURS ROSÉS DU SUD DE LA VALLÉE DU RHÔNE

Château de Trinquevedel,
Tavel, 2009

Domaine de la Mordorée,
Tavel, La Dame Rousse, 2009

Domaine Lafond Roc-Épine,
Tavel, 2009

Domaine Pélaquié,
Tavel, 2009

Domaine Saint-Amant,
Côtes du Rhône,

Prieuré de Montézargues,
Tavel, 2009

MEILLEURS ROUGES DU NORD DE LA VALLÉE DU RHÔNE

Chapoutier,
Côte Rôtie, La Mordorée, 2008

Delas,
Hermitage, Marquise de la Tourette, 2007

Domaine Auguste Clape,
Cornas, 2008

Domaine Georges Vernay,
Côte Rôtie, La Maison rouge, 2007

Domaine Jean-Louis Chave,
Hermitage, 2007

Domaine Jean-Michel Stephan,
Côte Rôtie, Coteaux de Tupin, 2008

Domaine Vincent Paris,
Cornas, La Geynale, 2008

E. Guigal,
Côte Rôtie, La Turque, 2006

Ferraton Père & Fils,
Ermitage, Le Méal, 2008

MEILLEURS ROUGES DU SUD DE LA VALLÉE DU RHÔNE

Château de la Gardine,
Châteauneuf-du-Pape, Les Générations, 2006

Château Rayas,
Châteauneuf-du-Pape, 2008

Clos des Papes,
Châteauneuf-du-Pape, 2008

Cuvée du Vatican,
Châteauneuf-du-Pape, Sixtine, 2008

Domaine de la Barroche,
Châteauneuf-du-Pape, Signature, 2008

Domaine de la Vieille Julienne,
Châteauneuf-du-Pape, 2007

Domaine du Mont-Thabor,
Châteauneuf-du-Pape, 2008

Domaine du Pegau,
Châteauneuf-du-Pape, Da Capo, 2007

Domaine La Soumade,
Rasteau, Fleur de Confiance, 2007

Domaine Moulin Tacussel,
Châteauneuf-du-Pape, Hommage à Henry Tacussel, 2008

Ogier,
Châteauneuf-du-Pape, Clos de l'Oratoire, 2009

Patrick Lesec Selections,
Châteauneuf-du-Pape, Pierres Dorées, 2007

Tardieu-Laurent,
Gigondas, vieilles vignes, 2008

Palmarès des lecteurs

DOMAINE RICHAUD
Côtes du Rhône, Terres d'Aigues , rouge, 2009

DOMAINE LA FERME SAINT-MARTIN
Côtes du Ventoux, La Gérine, rouge, 2009

Le Rhône Nord

La région se spécialise dans des cuvées « haute couture », petites quantités mais grand savoir-faire, avec des tissus d'une étoffe unique, syrah pour les rouges, marsanne et roussane ou viognier pour les blancs.

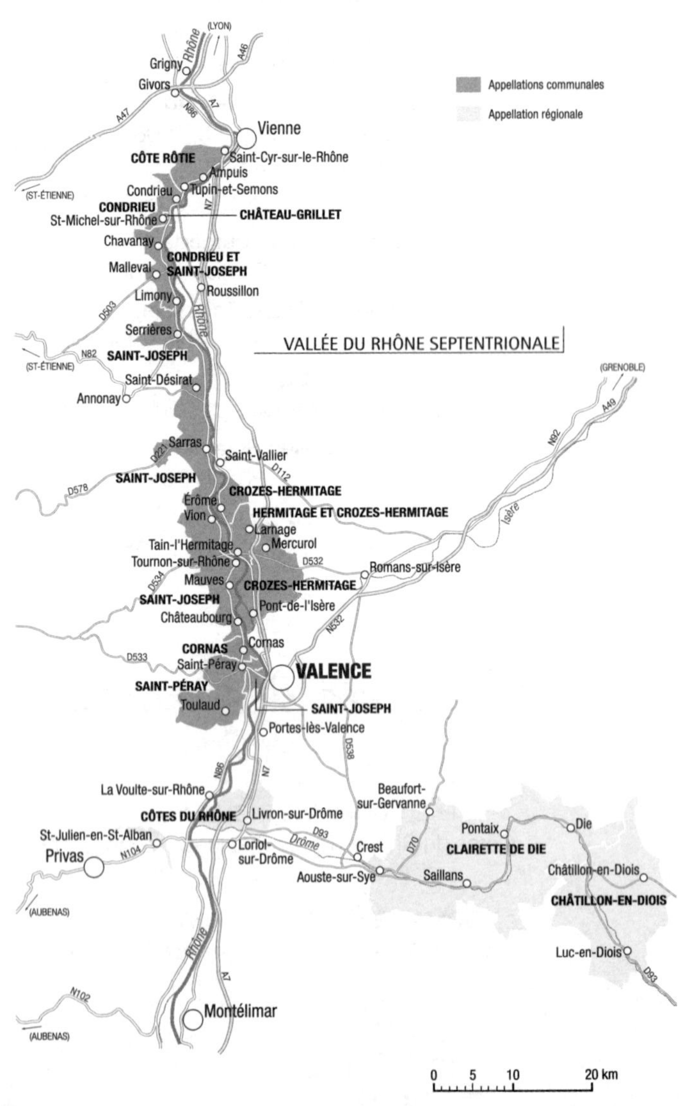

DOMAINE BELLE

Quartier les Marsuriaux • 26600 Larnage
Tél. 04 75 08 24 58 • Fax : 04 75 07 10 58
domaine.belle@wanadoo.fr •
Visite : Tous les jours sur rendez-vous.

Ce domaine propose des crozes-hermitages très typés, avec la minéralité propre aux caolins du secteur de Larnage, qui donnent beaucoup de relief à la bouche. Les élevages longs permettent ici de décaler les millésimes en vente, on se régalera donc avec les 2007 proposés cette année. En 2008, les deux crozes proposés étaient de bonne facture, avec une seule cuvée en rouge au lieu des trois habituelles, Louis-Belle et Roche-Pierre n'ont pas été produits.

CROZES-HERMITAGE LES PIERRELLES 2008
Rouge | 2010 à 2014 | 13 € **14,5/20**
En 2008, les cuvées Louis-Belle et Roche-Pierre on été reversées dans Les-Pierrelles. Les arômes sont poivrés, la bouche droite, les tanins fermes mais ronds. C'est un vin plaisant, charnu, que l'on appréciera jeune.

CROZES-HERMITAGE LES TERRES BLANCHES 2008
Blanc | 2011 à 2015 | 14,50 € **15/20**
Un crozes savoureux et fin, à la minéralité affirmée en bouche (petite sensation granuleuse). Pas très opulent ni très ample, mais droit et tendu, avec une bonne fraîcheur.

HERMITAGE 2007
Blanc | 2011 à 2017 | 41,50 € **16/20**
Un fruité blanc et gourmand, une bouche grasse et pure, avec de la droiture et de la fraîcheur.

HERMITAGE 2007
Rouge | 2011 à 2017 | 41,50 € **16/20**
Nez profond et généreux, dominé par les fruits noirs, légèrement confiturés, avec quelques touches d'épices douces. Le boisé commence à se fondre. La bouche est riche et savoureuse, avec des tanins gras et bien enrobés, une finale concentrée et harmonieuse. Il affiche plus de personnalité et d'équilibre que le 2006, à ce stade.

SAINT-JOSEPH LES RIVOIRES 2007
Rouge | 2010 à 2017 | 21,50 € **15/20**
Un jus fin et élégant, avec des tanins soyeux. La bouche est concentrée, rehaussée par des notes réglissées qui soulignent la fraîcheur. Beau travail d'élevage.

DOMAINE CHRISTOPHE BILLON

Rozier • 69420 Ampuis
Tél. 04 74 56 17 75 • Fax : 04 74 56 17 75
domainebillonchristophe@orange.fr
Visite : sur le rendez-vous

Christophe Billon vient de s'installer à son compte après avoir travaillé dans plusieurs domaines de la région. Riches et charnues, bien élevées, ses côte-rôties sont de bons exemples de l'appellation. Sa courte gamme rétrécit encore en 2008, puisqu'il n'a pas produit sa cuvée La-Brocarde, et a tout reversé dans Les-Élotins.

CÔTE RÔTIE LES ÉLOTINS 2008
Rouge | 2010 à 2018 | 23 € **14,5/20**
Goûté sur échantillons avant mise, l'élevage marque le vin, mais la matière est soyeuse, la finale pure et élancée.

DOMAINE BOISSONNET

51, rue de la Boute • 07340 Serrières
Tél. 04 75 34 07 99 • Fax : 04 75 34 04 55
domaine.boissonnet@orange.fr
www.domaine-boissonnet.fr
Visite : sur rendez vous et la semaine de 9h à 12h et de 13h à 16h.

CONDRIEU 2008
Blanc | 2010 à 2014 | 23 € **13,5/20**
Frédéric Boissonnet est installé à Serrières, dans la partie nord de l'appellation Saint-Joseph. Cette année, nous avons sélectionné son condrieu 2008, pour son aromatique dominée par les zestes d'agrumes. C'est un vin qui privilégie la délicatesse à la concentration, mais les arômes sont savoureux. En rouge, le saint-joseph Bélive 2008 offrait une bouche souple, un bon fruité rouge frais avec une pointe épicée.

DOMAINE PATRICK ET CHRISTOPHE BONNEFOND

Route de Rozier • 69420 Ampuis
Tél. 04 74 56 12 30 • Fax : 04 74 56 17 93
gaec.bonnefond@terre-net.fr •
Visite : Du lundi au vendredi de 9h à 12h et de 13h30 à 19 h. Le week-end sur rendez-vous.

Christophe Bonnefond possède de belles parcelles en Rochains et Côte Rozier, deux climats de la Côte Rôtie. Les aléas climatiques l'ont poursuivi en 2007 (ses parcelles ont été fortement grêlées) puis en 2008 (l'humidité et des départs en pourriture, nécessitant des tris très sévères), mais heureusement,

les raisins de 2009 étaient splendides. Nous goûterons les côte-rôties de ce millésime l'an prochain. La cuvée Colline-de-Cozou est l'ancienne cuvée d'assemblage, désormais baptisée.

Condrieu Côte Chatillon 2009
Blanc | 2010 à 2015 | 35 € **14/20**
Arômes fins de fruits séchés (abricot, ananas). Bouche pure, au jus délié, de concentration moyenne mais équilibrée.

Côte Rôtie Colline de Couzou 2008
Rouge | 2010 à 2015 | env 27 € **14,5/20**
Le nez est bien poivré, arôme typique des vins jeunes du millésime. La bouche est souple, de concentration moyenne, mais le tanin un peu strict en fin de bouche apporte une légère amertume qu'il faudra compenser par des viandes mijotées.

Côte Rôtie Côte Rozier 2008
Rouge | 2011 à 2018 | env 40 € **15,5/20**
Robe plus soutenue que la Colline-de-Couzou. L'élevage est encore perceptible au nez, la bouche est ronde. Il doit se remettre de sa mise récente, mais il est déjà harmonieux et gourmand.

Côte Rôtie Les Rochains 2008
Rouge | 2011 à 2018 | env 40 € **16/20**
Une trame tannique solide, avec un joli grain. Un vin puissant et riche, qui doit encore trouver son équilibre en bouche, mais qui présente déjà une fin de bouche juteuse, sur des notes de tabac.

Vin de pays des Collines rhodaniennes Sensation du Nord syrah 2009 ☺
Rouge | 2010 à 2015 | 10 € **14/20**
Un vin bien gourmand, aux arômes de fruits noirs agrémentés d'une petite touche de tabac. Une syrah ronde et croquante, bien équilibrée. Finale élancée, comme souvent dans ce beau millésime.

DOMAINE DE BONSERINE

2, chemin de la Vialliere • 69420 Ampuis
Tél. 04 74 56 14 27 • Fax : 04 74 56 18 13
bonserine@wanadoo.fr
www.domainedebonserine.com
Visite : lundi au samedi de 9h à 17h.

Ce domaine a été acquis en 2006 par la famille Guigal, mais a conservé une direction autonome. La viticulture est très soignée, et les vignes sont labourées, même en coteau. Les vinifications se font sous bois, demi-muids ou fûts, pour des élevages longs, jusqu'à trente-six mois. Les deux sélections parcellaires de côte-rôtie La-Viallière et La-Garde ne devraient pas être produites en 2008.

Condrieu 2008
Blanc | 2010 à 2018 | 28 € **15,5/20**
Un vin fin et élégant, avec de subtiles notes florales et anisées, droit en bouche, à la finale équilibrée et tendue.

Côte Rôtie La Sarrasine 2008
Rouge | 2010 à 2018 | 28 € **15/20**
Ce devrait être la seule cuvée de côte-rôtie produite dans le millésime. Ludovic Richard a privilégié le fruit et il a bien fait, c'est un vin de demi-corps, gourmand, fin et élancé, qui sera vite prêt à boire.

DOMAINE LES BRUYÈRES

Bruyères - Chemin du Stade
26600 Beaumont-Monteux
Tél. 04 75 84 74 14 • Fax : 04 75 84 14 06
domainelesbruyeres@orange.fr
Visite : sur rendez-vous

David Reynaud a sorti le domaine familial de la coopérative en 2003 et a obtenu sa certification bio en 2006, ce qui lui permet d'obtenir des raisins très purs, qu'il respecte grâce à des vinifications au plus près de la parcelle. En 2008, son crozes blanc est épatant, un ton au dessus des rouges, mais tout est d'une belle droiture.

Crozes-Hermitage Aux Bêtises d'Héloïse et Léa 2008 ☺
Blanc | 2010 à 2014 | 7,40 € **14,5/20**
Nez développé, avec des notes de pomme, de miel et d'anis. En bouche, une bonne fraîcheur et de la tension donnent de l'éclat à ce vin obtenu à partir d'un très joli raisin.

Crozes-Hermitage Georges Reynaud 2008
Rouge | 2010 à 2014 | 7,05 € **14/20**
Quelques notes de fruit cuit au nez, relayées par des touches épicées et boisées, la bouche est un peu déséquilibrée en alcool mais sa jolie longueur le remet sur pied.

Crozes-Hermitage Les Croix 2008
Rouge | 2010 à 2015 | 9,20 € **14,5/20**
Les vieilles vignes de cette cuvée ont apporté concentration et fraîcheur, avec un bon équilibre de bouche, des tanins fermes mais mûrs. Bonne droiture.

CHAPOUTIER

18, avenue du Docteur-Paul-Durand
26600 Tain-l'Hermitage
Tél. 04 75 08 28 65 • Fax : 04 75 08 81 70
chapoutier@chapoutier.com • www.chapoutier.com
Visite : Du lundi au vendredi de 9h à 12h30 et de 14h à 19 h, samedi de 9h30 à 13h et de 14h à 19 h, dimanche de 10h à 13h et de 14h à 18h.

L'opiniâtreté de Michel Chapoutier et de ses équipes à conduire en biodynamie ses vignobles pourtant plantés sur d'abrupts coteaux aura été payante en 2008. Peu d'autres caves de la région ont présenté des vins aussi complets, rayonnants et éclatants en blancs, concentrés et charnus en rouge, mais c'était au prix de sélections très poussées. La maison a su faire les sacrifices nécessaires, mais il n'y en aura pas beaucoup, les fameuses sélections parcellaires seront encore plus rationnées qu'à l'accoutumée.

Châteauneuf-du-Pape Barbe Rac 2008
Rouge | 2010 à 2023 | NC — **17,5/20**

Une concentration et une élégance supérieures à Croix-de-Bois, des tanins raffinés et ronds, une finale gourmande.

Châteauneuf-du-Pape Croix de Bois 2008
Rouge | 2010 à 2023 | NC — **16,5/20**

Nez très gourmand, de fruits mûrs et d'épices. C'est haut en alcool, mais avec un bon équilibre de bouche, sur la puissance.

Condrieu In Vitare 2008
Blanc | 2010 à 2016 | 32 € — **15/20**

Un viognier pur et frais, avec une grande finesse de bouche. Pas très concentré ni très aromatique, mais une grande pureté, une bouche fraîche sans excès ni lourdeur. Très digeste.

Cornas Les Arènes 2008
Rouge | 2010 à 2018 | NC — **15,5/20**

Bien minéral, concentré et frais, aux arômes gourmands de fruits frais. Excellent style.

Côte Rôtie La Mordorée 2008
Rouge | 2013 à 2023 | NC — **18/20**

Notes de jus de viande, de lard, c'est gourmand et profond. Un jus noir et savoureux envahit la bouche, c'est serré et concentré, avec beaucoup d'élégance tactile et un bel équilibre.

Côte Rôtie Les Bécasses 2008
Rouge | 2010 à 2023 | NC — **16/20**

Un jus suave et fondu, de superbes tanins enrobés et fins, une fraîcheur aromatique et gustative. Arômes concentrés de fruits noirs et de fleurs sauvages.

Côtes du Rhône Belleruche 2009 ☺
Blanc | 2010 à 2014 | 6,50 € — **15/20**

Plus classique dans ses arômes que le luberon La-Ciboise, c'est un vin gras et gourmand, aux notes de fruits blancs, à la bouche équilibrée et vive.

Côtes du Rhône Belleruche 2008 ☺
Rouge | 2010 à 2014 | 6,50 € — **14,5/20**

Une bouche mûre et gourmande, avec des notes cacaotées (le grenache), des tanins qui resteront toujours un peu fermes, et une finale équilibrée.

Crozes-Hermitage Les Meysonniers 2008
Rouge | 2010 à 2016 | NC — **15/20**

Belle prise de bouche, savoureuse et parfumée, avec de belles notes florales. Un vin éclatant de pureté.

Crozes-Hermitage Varonniers 2008
Rouge | 2013 à 2023 | NC — **16/20**

Un nez assez serré, qui rappelle les granits de Saint-Joseph. La bouche est racée, les tanins fins, la finale élancée. Sa bonne acidité mérite qu'on patiente un peu.

Ermitage de l'Orée 2008
Blanc | 2010 à 2018 | NC — **17/20**

Un vin éclatant dès sa prime jeunesse, aux notes florales et réglissées intenses, à la bouche bien concentrée. La bonne maturité est bien équilibrée par une bonne fraîcheur. Grande persistance.

Ermitage L'Ermite 2008
Blanc | 2013 à 2028 | NC — **18/20**

Une personnalité à part, hors normes. La tension de bouche est remarquable, elle évoque certains charlemagnes. Le vin est aujourd'hui resserré sur lui-même, mais quelle longueur ! Bravo !

Ermitage L'Ermite 2008
Rouge | 2013 à 2028 | NC — **19/20**

Le plus parfumé et le plus majestueux des quatre. Il se partage entre la volupté des arômes, la bouche à la fois large et profonde, la finale dense et pure. Tanin ultra fin. Une race supérieure.

Ermitage Le Méal 2008
Blanc | 2010 à 2023 | NC — **17,5/20**

Nez fin et raffiné, sur les épices douces (curry), l'anis, la vanille. La bouche est riche et savoureuse, avec un jus dense et parfumé sur les fruits jaunes. Finale corsée et envolée, sur un curry fort.

Ermitage Le Méal 2008
Rouge | 2013 à 2023 | NC **17,5/20**
Un nez opulent, qui rappelle les tartes aux fruits noirs. Gourmand, raffiné, le tanin est serré, un équilibre splendide entre concentration et allonge, avec beaucoup de sève et de générosité. Très méal, très sudiste.

Ermitage Le Pavillon 2008
Rouge | 2013 à 2028 | NC **18,5/20**
Il est tout en droiture et en concentration. Des arômes de fruits noirs, d'encre, il est bien typé bessards. La bouche est juteuse, les tanins serrés sont délicatement enrobés, la finale se prolonge longtemps. Quelle rétro-olfaction !

Ermitage Les Greffieux 2008
Rouge | 2013 à 2023 | NC **17/20**
Un beau greffieux, savoureux et charnu, aux tanins épais, avec une grosse matière à la maturité impeccable. La rigueur à la vigne et en cave paye, il n'y a rien à redire dans ce vin à cause du millésime. La maturité est élevée, les tanins sont mûrs.

Gigondas 2008 ☺
Rouge | 2010 à 2015 | 17,50 € **15,5/20**
Fruité généreux et intense, notes de confiture de myrtille, très gourmand, bouche droite et concentrée, un équilibre supérieur au châteauneuf La-Bernardine.

Hermitage Chante-Alouette 2008
Blanc | 2010 à 2018 | NC **16/20**
Un très beau nez, frais et élégant. Arômes purs de fruits jaunes, de miel fin. La bouche est concentrée, tout en droiture, de largeur moyenne, mais sur une aromatique savoureuse et une finale grillée.

Hermitage Monier de la Sizeranne 2008
Rouge | 2010 à 2023 | NC **16,5/20**
Fruité noir, concentré, pointe de graphite, le granite ressort bien dans ce millésime. Bouche savoureuse, séveuse même, finale élancée. Belle persistance aromatique. Superbe pour ce volume de production.

Luberon La Ciboise 2009 ☺
Blanc | 2010 à 2014 | 4,50 € **16/20**
Un nez puissant, intense, avec une note de truffe persistante. La bouche est gourmande, riche, la complexité des cépages donne une réelle richesse de saveur. La finale est bien tendue, et le prix angélique.

Luberon La Ciboise 2009 ☺
Rouge | 2010 à 2015 | 4,50 € **16/20**
Arômes profonds de chocolat et de violette, bouche gourmande, tanins ronds, finale concentrée. Superbe !

Saint-Joseph Deschants 2008
Blanc | 2010 à 2016 | 13,50 € **15/20**
Une belle concentration, avec un jus fin et savoureux sur des notes de fleurs, une finale citronnée très élégante. Pur et tendu, on reconnaît bien le style Chapoutier.

Saint-Joseph Les Granits 2008
Blanc | 2010 à 2018 | NC **15,5/20**
Un vin bien concentré, aux arômes de fleurs, de miel et de fruits savoureux. La bouche est grasse et parfumée, la finale enlevée et dynamique.

Saint-Joseph Les Granits 2008
Rouge | 2010 à 2023 | NC **17,5/20**
C'est mûr et concentré, sur des notes savoureuses de fruits noirs et de réglisse. Les tanins sont gras, la texture enrobée et élancée, la fin de bouche aromatique et fraîche. Quelle pulpe !

Tavel 2009 ☺
Rosé | 2010 à 2014 | 8 € **14,5/20**
Un vrai tavel, profond et savoureux, aux arômes de sirop de fruit, à la fin de bouche concentrée mais fraîche. Très bel équilibre, la puissance du vin est bien domptée.

DOMAINE JEAN-LOUIS CHAVE

37, avenue du Saint-Joseph • 07300 Mauves
Tél. 04 75 08 24 63 • Fax : 04 75 07 14 21

Ce domaine est indissociable de la colline de l'Hermitage, Gérard hier, Jean-Louis aujourd'hui. Les rouges sont une brillante synthèse des différents quartiers de la colline, une cuvée Cathelin, encore plus typée bessards, étant produite uniquement dans les années jugées exceptionnelles. Les blancs s'imposent régulièrement par leur puissance et leur allonge fraîche. Les 2008 ne seront mis en bouteille que l'an prochain, mais les 2007 dégustés cette année iront visiblement plus loin dans la vie, particulièrement le blanc.

Hermitage 2007
Blanc | 2010 à 2027 | NC **19/20**

Très gras, le grand vin de l'Hermitage, avec son côté pâte d'amandes. Gras, savoureux, il fond en bouche. Il est très tentant aujourd'hui, mais l'attendre va considérablement le tonifier. Splendide. L'équilibre dans la puissance. La fraîcheur dans l'opulence.

Hermitage 2007
Rouge | 2010 à 2027 | NC **18,5/20**

Fruité concentré, noir. Bouche fraîche et harmonieuse, avec des notes réglissées qui rafraîchissent la finale. Même si la texture est dense, on a envie de le boire, pour sa gourmandise.

Hermitage Vin de Paille 1997
Blanc | 2010 à 2017 | NC **18/20**

Des arômes de fruits confits très nobles, raffinés. Pomme séchée, datte, raisin sec. La bouche est d'une gourmandise ! C'est savoureux, concentré et frais. Une superbe acidité, car il y a bien 150 g/l de sucres !

Saint-Joseph 2007
Rouge | 2010 à 2017 | NC **17/20**

Il n'est pas sans rappeler une jolie côte-rôtie, par ses arômes frais et délicats. Bouche concentrée, texture dense mais précise, allonge et fraîcheur. On se régale ! Beaux tanins longs. Jean-Louis a réussi son pari de vin de charme et de plaisir, accessible à tous.

DOMAINE YANN CHAVE

La Burge • 26600 Mercurol
Tél. 04 75 07 42 11 • Fax : 04 75 07 47 34
chaveyann@yahoo.fr

Yann Chave est en pleine conversion à l'agriculture biologique. Les élevages se font ici sous inox ou sous bois, selon les cuvées. En 2008, son crozes blanc nous a déçus, dominé par une amertume trop variétale. Les deux crozes rouges présentés étaient souples, dans l'esprit du millésime, l'hermitage rouge n'a pas été produit.

Crozes-Hermitage 2008
Rouge | 2010 à 2013 | 13,50 € **13/20**

Des arômes épicés et fruités au nez, la bouche est d'ampleur moyenne, assez souple.

Crozes-Hermitage Le Rouvre 2008
Rouge | 2010 à 2014 | 18 € **14/20**

Le vin doit s'aérer un peu, pour présenter ses notes poivrées. La bouche est droite, avec une acidité prononcée, et un grain de tanin appuyé (mais mûr) en finale.

DOMAINE DU CHÊNE

8, Le Pêcher • 42410 Chavanay
Tél. 04 74 87 27 34 • Fax : 04 74 87 02 70
m.rouviere@terre-net.fr
www.domaineduchenerouviere.com
Visite : Sur rendez-vous

Ce domaine élabore généralement des vins rouges charnus et des blancs savoureux, mais il a été durement touché en 2008, avec les pluies de septembre mais aussi de la grêle. Fort sagement, Marc Rouvière a choisi de ne pas produire de saint-joseph Anaïs rouge dans ce millésime, privilégiant la gourmandise du fruit pour l'ensemble de la gamme.

Condrieu 2008
Blanc | 2010 à 2015 | 24 € **14,5/20**

Un joli condrieu, au fruité expressif et frais, sur la pêche jaune plus que l'abricot. La bouche est juteuse, de concentration moyenne, mais on se régale de ses arômes gourmands.

Saint-Joseph 2008
Blanc | 2010 à 2014 | 13 € **14/20**

Un joli nez fruité, avec quelques notes de beurre frais, la bouche est grasse, parfumée, agréable.

Saint-Joseph 2008
Rouge | 2010 à 2014 | 13 € **14/20**

Un nez de fruits mûrs et de fleurs, intense. La bouche est droite, le tanin est ferme sans être épanoui, c'est un vin équilibré, bien maîtrisé dans le millésime.

DOMAINE AUGUSTE CLAPE

146, avenue Colonel-Rousset • 07130 Cornas
Tél. 04 75 40 33 64 • Fax : 04 75 81 01 98
Visite : Sur rendez-vous.

Ce domaine incarne l'idéal du cornas pour de nombreux amateurs. La très courte gamme s'articule principalement autour de deux cuvées : Renaissance, issue des jeunes vignes, et la « grande » cuvée, sans nom particulier, qui exprime la quintessence du terroir de Cornas en assemblant plusieurs origines. 2008 est profond et dense, 2009 s'annonce exceptionnel.

Cornas 2008

Rouge | 2010 à 2028 | 36 € **17,5/20**

Robe d'encre. Nez profond et velouté, de graphite, de fruits noirs, de réglisse. Texture dense, tanins fins mais resserrés. Note minérale légèrement saline en toute fin de bouche.

Cornas Renaissance 2008

Rouge | 2010 à 2018 | 20 € **15,5/20**

Un fruité mûr, des tanins fins, une bouche juteuse, à la granulosité gourmande. Finale serrée mais fraîche.

DOMAINE CLUSEL-ROCH

15, route du Lacat - Verenay • 69420 Ampuis
Tél. 04 74 56 15 95 • Fax : 04 74 56 19 74
contact@domainecluselroch.fr
www.domaine-clusel-roch.fr
Visite : Du lundi au samedi sur rendez-vous.

Gilbert Clusel et son épouse Brigitte Roch cultivent avec application leur petit domaine selon les préceptes bios, une prouesse compte tenu de la forte pente des coteaux. Cela donne aux vins une bonne densité de bouche, les côte-rôties ont généralement une bonne mâche, dans un style assez traditionnel, des cuvées qui vieillissent harmonieusement. Toute la gamme a été produite en 2008.

Condrieu Verchery 2009

Blanc | 2009 à 2015 | NC **15/20**

Riche, mûr, bouche intense et concentrée, avec un gros extrait sec, c'est un vin qui doit s'asseoir à table.

Côte Rôtie Classique 2008

Rouge | 2009 à 2015 | NC **14/20**

Un vin équilibré, le volume de bouche est assez souple mais c'est le millésime, bouche agréablement concentrée et légèrement charnue.

Côte Rôtie La Petite Feuille 2008

Rouge | 2009 à 2014 | NC **13/20**

Tendre et friand, on a privilégié la souplesse et la gourmandise pour cette cuvée de jeunes vignes, avec succès.

Côte Rôtie Les Grandes Places 2008

Rouge | 2009 à 2015 | NC **15/20**

On sent une mâche nettement supérieure à la cuvée Classique, bonne concentration en bouche. La longueur est moyenne mais aucune rusticité dans l'expression du tanin. Bien fait.

Coteaux du Lyonnais Guillaume Clusel 2009

Rouge | 2009 à 2014 | NC **13,5/20**

Le fils de Brigitte Roch et Gilbert Clusel rejoint le domaine parental, et propose de son côté cette cuvée au fruité mûr et gouleyant, aux tanins ronds, à boire sans façon, pour se désaltérer ou pour le plaisir.

JEAN-LUC COLOMBO

12, rue des Violettes • 07130 Cornas
Tél. 04 75 84 17 10 • Fax : 04 75 84 17 19
colombo@vinscolombo.fr • www.vinsjlcolombo.com
Visite : Sur rendez-vous du lundi au samedi de 9h30 à 12h30 et 14h30 à 19h30. Visite des vignobles sur rendez vous.

Consultant pour de nombreuses propriétés de la région, Jean-Luc Colombo applique ses propres conseils à son domaine de Cornas mais aussi à une activité de négoce qui couvre toute la vallée du Rhône et même au-delà. Ses cuvées de cornas La-Louvée ou Les-Ruchets constituent des expressions particulièrement civilisées, soyeuses et profondes, de l'appellation. Les rouges 2008 seront bus jeunes, en attendant les 2009.

Cornas La Louvée 2007

Rouge | 2012 à 2022 | 60 € **17/20**

Un cornas concentré, à la texture minérale et serrée, aux tanins élégants. Beaucoup de finesse et d'allonge, mais il est encore un peu sur la réserve.

Cornas Les Ruchets 2007

Rouge | 2010 à 2017 | 55 € **16,5/20**

Plus de race, et surtout une plus grande fraîcheur que Terres-Brûlées. Il est fin, élégant, bien droit.

Cornas Terres Brûlées 2007

Rouge | 2010 à 2017 | 38,20 € **15,5/20**

Un vin élégant et suave, à la texture ferme mais mûre, les tanins sont bien enrobés. Puissant, savoureux, riche.

Côtes du Rhône Les Forots 2007

Rouge | 2010 à 2013 | 10,60 € **14/20**

Belle tension, dans ce vin élancé et frais. Belle texture de bouche.

Saint-Joseph Les Lauves 2007

Rouge | 2010 à 2017 | 17,60 € **16/20**

Un vin concentré, aux arômes puissants d'herbes sauvages et de fruits noirs. Frais et envoûtant. La bouche est très pure, avec de superbes tanins et une grande gourmandise dans les arômes de fruits frais. Belle élégance.

Vin de pays d' Oc viognier La Violette 2009
Blanc | 2010 à 2014 | 6,70 € **15,5/20**
Un joli viognier très aromatique, aux notes gourmandes d'abricot et de fleurs. Très marqué par son cépage, mais croquant, frais et fin.

Vinsobres Au Pied de la Terre 2008
Rouge | 2010 à 2015 | 9,50 € **14/20**
Un vin charnu et velouté, avec de bons tanins polis, des arômes de fruits rouges élégants. Puissant mais équilibré.

DOMAINE COMBIER

RN 7 • 26600 Pont-de-l'Isère
Tél. 04 75 84 61 56 • Fax : 04 75 84 53 43
domaine-combier@wanadoo.fr
www.domaine-combier.com
Visite : Sur rendez-vous.

Conséquence du succès des vins de Laurent Combier, il est préférable de s'adresser chez les cavistes et bars à vins pour les savourer. Mais ce serait dommage de passer à côté, tant les entrées de gamme vinifiées sur le fruit que la très régulière cuvée du Clos-des-Grives, dans les deux couleurs. En 2008, le doublement des équipes de vendangeurs a permis de préserver l'essentiel. 2009 s'annonce évidemment très au dessus.

Crozes-Hermitage 2009
Blanc | 2010 à 2016 | 15 € **15/20**
Belle palette aromatique, sur les fruits blancs, le beurre frais, l'anis. La bouche est grasse et savoureuse, sa finale pure appelle les terrines de poisson.

Crozes-Hermitage 2008
Rouge | 2010 à 2013 | 25 € **14,5/20**
Bon fruité gourmand, un vin tendre et rond, très friand. Il montre qu'on pouvait faire des bons vins dans ce millésime décrié parfois à l'excès. Aucune note épicée, c'est rond et juteux.

Crozes-Hermitage Clos des Grives 2009
Blanc | 2010 à 2024 | NC **15,5/20**
Le boisé est gourmand, la roussanne donne des notes très grillées au vin, de raisin sec aussi. C'est riche, assez haut en alcool mais équilibré. Il appelle des préparations assez relevées, et pourquoi pas des currys.

Crozes-Hermitage Laurent Combier 2009
Rouge | 2010 à 2015 | 11 € **15,5/20**
Fruité très mûr, profond et envoûtant, fruit noir et cacao. La bouche est juteuse, les tanins fins. Belle longueur, de la concentration et de la gourmandise. Une «fruit bomb» à la française, avec de l'équilibre en fin de bouche.

DOMAINE DE LA CÔTE SAINTE-ÉPINE

17, chemin de la Côte Sainte-Épine
07300 Saint-Jean-de Muzols
Tél. 04 75 08 85 35 • Fax : 04 75 08 85 35
andre@vinealis.qc.ca • www.vinealis.qc.ca
Visite : tous les jours sur rendez-vous

Mickaël Desestre a la chance d'exploiter des vignes plus que centenaires sur la Côte Sainte-Épine, une magnifique exposition de Saint-Joseph au sol de granit décomposé. Il ne produit qu'un vin rouge (et un blanc anecdotique), à la texture étonnante mais caractéristique. La pluviométrie catastrophique du millésime 2008 a eu ici moins d'impact qu'en d'autres endroits de la vallée.

Saint-Joseph 2008
Rouge | 2010 à 2015 | 13 € **15,5/20**
Le nez est concentré, sur des notes de fleurs et de fruit rouge légèrement cuit. En bouche, il y a une bonne matière, une texture suave et une fin de bouche qui exprime bien toute la minéralité particulière de ce terroir très sableux. On peut juste lui reprocher une chaleur un peu excessive, mais c'est une belle bouteille.

DOMAINE COURBIS

Route de Saint-Romain • 07130 Châteaubourg
Tél. 04 75 81 81 60 • Fax : 04 75 40 25 39
domaine.courbis@numeo.fr
www.vins-courbis-rhone.com
Visite : Du lundi au vendredi de 9h à 12h et de 14h à 18h. Le samedi sur rendez-vous exclusivement.

Ce domaine est un grand classique du sud de Saint-Joseph et de Cornas. En 2008, les sommets de la gamme que sont le saint-joseph Les-Royes, le cornas Les-Eygats et le cornas La-Sabarotte n'ont pas été produits, ce qui a bénéficié aux vins d'entrée de gamme, vinifiés sur la souplesse, avec du fruit.

Cornas Champelrose 2008
Rouge | 2010 à 2014 | 23 € **13,5/20**
Matière concentrée, l'élevage se fond assez vite, c'est un cornas assez souple, à la bouche ronde,

aux arômes de fruits noirs et rouges mais aussi une petite pointe de chaleur en finale.

Saint-Joseph 2008
Rouge | 2010 à 2014 | 16 € **13/20**
Fruité noir concentré, note de tapenade. Bouche ronde, longueur moyenne mais un vin souple, sans dureté, ce qui est assez rare dans le millésime.

Saint-Joseph Les Royes 2008
Blanc | 2010 à 2013 | 23 € **13/20**
Un vin mélangeant notes de fruité blanc et élevage vanillé, la bouche est flatteuse, même si le vin y perd un peu de caractère.

DOMAINE PIERRE ET JÉRÔME COURSODON

3, place du Marché • 07300 Mauves
Tél. 04 75 08 18 29 • Fax : 06 75 08 75 72
pierre.coursodon@wanadoo.fr
Visite : Du lundi au samedi de 8h à 12h et de 14h à 18h, sur rendez-vous le dimanche et groupe sur rdv.

Jérôme Coursodon cultive quinze hectares uniquement en Saint-Joseph. En 2008, la cuvée Le-Paradis-de-Saint-Pierre n'a pas été produite en rouge, mais elle existe bien en blanc. Les vins sont gourmands et flatteurs, même si le rouge L'Olivaie aurait gagné en fraîcheur avec une aromatique boisée moins prononcée.

Saint-Joseph L'Olivaie 2008
Rouge | 2010 à 2015 | 21 € **14,5/20**
Nez concentré, sur le fruit noir et la tapenade. En bouche, l'élevage est un peu appuyé, les arômes sont élégants mais présents. Ce qu'il gagne en élégance, il le perd en naturel.

Saint-Joseph Le Paradis Saint-Pierre 2008
Blanc | 2010 à 2015 | 25 € **14,5/20**
Le fruité est plus frais et plus fin que dans la cuvée Silice, avec une petite pointe réglissée en bouche. C'est gourmand et fin, à boire sur des plats à la crème.

Saint-Joseph Silice 2008
Blanc | 2010 à 2012 | 16 € **13,5/20**
Arômes de fruits secs, de cire et de miel. La bouche affiche toujours ce registre miellé, c'est un vin à boire, il évolue assez vite.

Saint-Joseph Silice 2008
Rouge | 2010 à 2014 | 16 € **13,5/20**
La bouche est charnue, les tanins sont ronds, c'est un vin souple et facile à boire, de concentration et de longueur moyennes.

DOMAINE YVES CUILLERON

58 RN 86 - Verlieu • 42410 Chavanay
Tél. 04 74 87 02 37 • Fax : 04 74 87 05 62
cave@cuilleron.com • www.cuilleron.com
Visite : Sur rendez-vous de 9h à 12h et de 14h à 17h30.

Yves Cuilleron est le plus important vigneron producteur de la région. Sa gamme compte une vingtaine de références, Condrieu et Côte Rôtie constituant le gros des volumes. En 2008, toutes les cuvées ont été produites, sauf les liquoreux, mais Yves n'en a présenté qu'une par appellation lors de notre passage, d'où notre sélection restreinte.

Condrieu Les Chaillets Vieilles Vignes 2008
Blanc | 2010 à 2015 | 36,20 € **15/20**
De gourmandes notes de jus d'abricot, une bouche concentrée mais sans lourdeur, un style pur et frais. Beaucoup de subtilité dans les arômes.

Cornas Les Vires 2008
Rouge | 2010 à 2014 | 38,90 € **14,5/20**
Un cornas souple, aux gourmands arômes de fruits rouges, sur un équilibre tendre. Il est déjà prêt à boire.

Côte Rôtie Les Terres Sombres 2008
Rouge | 2010 à 2014 | 43 € **14,5/20**
La bouche offre moins d'équilibre et de chair que le saint-joseph, le tanin est moins épanoui. Il se livre déjà, dans un équilibre de demi-corps.

Saint-Joseph Le Lombard 2008
Blanc | 2010 à 2014 | 16,30 € **14/20**
Bouche grasse, arômes élégants de tisane et de compote de fruits blancs. Bien élancée, la fin de bouche étire la dégustation et lui donne de la fraîcheur.

Saint-Joseph Les Serines 2008
Rouge | 2010 à 2016 | 25,70 € **15/20**
Trame serrée et dense, mais les tanins sont mûrs. Gourmands arômes de fruits noirs, et une petite pointe fumée en fin de bouche.

SAINT-PERAY LES CERFS 2008
Blanc | 2010 à 2014 | 15,60 € **14/20**
Un vin marqué par des notes légèrement fumées. Bonne matière, mûre et élégante. Bouche gourmande, élancée, finale fraîche.

CHÂTEAU CURSON

Château Curson • 26600 Chanos-Curson
Tél. 04 75 07 34 60 • Fax : 04 75 07 30 27
domainespochon@wanadoo.fr
www.chateaucurson.fr
Visite : Du lundi au samedi, de 14h à 18h sur rendez-vous.

Étienne Pochon dirige cette propriété familiale avec beaucoup de régularité. La gamme Étienne-Pochon correspond à l'entrée de gamme, le Château-Curson est un cran au dessus. En 2008, les blancs sont bien réussis, élégants et gourmands, notamment Château-Curson, les rouges sont plus légers (pas de Château-Curson rouge 2008).

CROZES-HERMITAGE CHÂTEAU CURSON 2008
Blanc | 2010 à 2015 | 13,50 € **14,5/20**
Arômes gourmands de miel et de noisette grillée. Bouche grasse, parfumée, finale élégante et savoureuse.

CROZES-HERMITAGE ÉTIENNE POCHON 2008
Blanc | 2010 à 2014 | 8,50 € **13,5/20**
Arômes discrets de fleurs et de miel. Bouche fraîche, élégante, bien droite.

CROZES-HERMITAGE ÉTIENNE POCHON 2008
Rouge | 2010 à 2013 | 8,50 € **13/20**
Un nez au fruité un peu cuit, la bouche est souple, moyennement charnue, la fin de bouche légèrement poivrée.

DELAS

ZA de l'Olivet • 07300 Saint-Jean-de-Muzols
Tél. 04 75 08 60 30 • Fax : 04 75 08 53 67
france@delas.com • www.delas.com
Visite : Magasin ouvert du lundi au samedi de 9h30 à 12h et de 14h30 à 18h30. Ouvert tous les jours en Juillet et en Août

Cette vieille maison, propriété des champagnes Deutz, propose une très large gamme de vins de toute la vallée du Rhône. Sous la conduite intelligente de Jacques Grange, de nombreuses cuvées sont parmi les plus savoureuses représentations de leurs appellations respectives. Le millésime 2008 se présente ici mieux en blanc qu'en rouge. Si les rouges du sud de la vallée peuvent présenter des déséquilibres en raison d'un manque de chair qui fait ressortir l'alcool, ceux du nord sont plus homogènes.

CONDRIEU CLOS BOUCHER 2008
Blanc | 2011 à 2018 | 31,10 € **15,5/20**
Nez raffiné et pur, bouche droite, mais toujours cette grande nervosité dans le vin, qui l'allonge mais en le faisant paraître plus mince.

CONDRIEU LA GALOPINE 2008
Blanc | 2010 à 2018 | 28,11 € **15/20**
Nez très ouvert, sur un registre floral et anisé très séduisant. La bouche est bien nerveuse, avec beaucoup d'acidité, mais la tension étire le vin, et du coup semble le rétrécir.

CORNAS CHANTE-PERDRIX 2007
Rouge | 2010 à 2017 | env 29 € **16,5/20**
La bouche est bien concentrée, les tanins gras font saliver, c'est un vin juteux et gourmand. Raffiné. Plus de classe que le Sainte-Épine, mais un style différent.

CÔTES DU RHÔNE SAINT-ESPRIT 2008
Rouge | 2010 à 2014 | 6,40 € **14/20**
La syrah donne des notes de violette et de fruits rouges. C'est gourmand, rond, avec un indéniable charme fruité.

CROZES-HERMITAGE
DOMAINE DES GRANDS CHEMINS 2007
Rouge | 2010 à 2017 | 14,95 € **15,5/20**
Notes de fruit noir, de graphite, petit jus de viande, pointe poivrée. Beaux tanins, gras et savoureux. Finale concentrée.

CROZES-HERMITAGE LE CLOS 2007
Rouge | 2010 à 2017 | 22,13 € **16,5/20**
Arômes de purée de fruits frais, concentrés et gourmands. La bouche est savoureuse, les tanins enrobés, la finale fraîche et pure, avec une jolie rétro-olfaction.

CROZES-HERMITAGE LES LAUNES 2008
Rouge | 2010 à 2015 | 10,41 € **14,5/20**
Un nez très floral, épicé, mais sans aucune note herbacée ou végétale. La bouche est ronde, sans aspérités, tout en charme. Bel équilibre, sur la légèreté.

Gigondas Les Reinages 2007

Rouge | 2010 à 2017 | env 17 € **15/20**

Le nez est intense et concentré, sur des notes de fruits noirs et de poivre, de réglisse aussi. En bouche, les tanins sont gras, la finale puissante mais équilibrée.

Hermitage Les Bessards 2007

Rouge | 2012 à 2027 | env 82 € **18/20**

Nez concentré, intense, sur l'encre de chine et le graphite, la suie de cheminée, encore austère car il est très jeune. Des notes boisées reviennent ensuite, et demandent à se fondre. La bouche est compacte, serrée mais gourmande, les tanins longs mais soyeux, l'enrobage raffiné, la finale élancée et droite.

Hermitage Marquise de la Tourette 2008

Blanc | 2013 à 2023 | 33,49 € **17,5/20**

Il est encore marqué par son élevage, mais le jus est concentré et fin, avec une texture légèrement granuleuse, savoureuse (de petits tanins, issus du bois et du terroir). Finale fraîche, sur des notes d'agrumes.

Hermitage Marquise de la Tourette 2007

Rouge | 2010 à 2022 | 41,86 € **17/20**

Le vin commence à prendre quelques notes viandées, agrémentées d'olives et de fruits noirs. La bouche est grasse et épaisse, avec des notes de tabac et d'encre typiques. C'est une bonne synthèse des granites de la colline. Très belle qualité de tanins.

Hermitage Marquise de la Tourette 2007

Blanc | 2012 à 2022 | 29,90 € **18/20**

Le vin est dans son âge ingrat, il faut attendre qu'il se refasse. Le beau miel revient avec un peu d'aération, et se combine harmonieusement avec une texture dense et à la granulosité fine et savoureuse. C'est un vin blanc avec de petits tanins, très étonnant ! Il est très proche du 2008.

Saint-Joseph François de Tournon 2007

Rouge | 2010 à 2017 | 17,94 € **15,5/20**

On retrouve le tanin épicé des granits de l'Ardèche, mais avec un bel enrobage, qui fera défaut en 2008. Belle chair, dans ce vin strict et droit, à la finale rafraîchissante.

Saint-Joseph Sainte-Épine 2007

Rouge | 2010 à 2017 | 27,51 € **16,5/20**

On est sur la granulosité sableuse de ce magnifique terroir, la bouche est juteuse, concentrée, pleine de sève. Les tanins sont enrobés, la finale élancée et persistante.

DOMAINE BENJAMIN ET DAVID DUCLAUX

34, route de Lyon • 69420 Tupin-Semons

Tél. 04 74 59 56 30 • Fax : 04 74 56 64 09

contact@coterotie-duclaux.com

www.coterotie-duclaux.com

Visite : sur rendez-vous

L'arrivée des deux frères, David et Benjamin, a petit à petit révolutionné le style des vins, vers plus de fraîcheur et d'élégance. Deux cuvées de côte-rôtie sont proposées, à partir de parcelles dans le sud de l'appellation : La-Germine, la plus facile des deux, et Maison-Rouge, qui offre plus de chair et de suavité. En 2008, elles proposent des arômes gourmands, on les appréciera jeunes.

Côte Rôtie La Germine 2008

Rouge | 2010 à 2016 | 35 € **14/20**

Arômes puissant de confiture de fruits noirs, bouche épaisse, longueur et ampleur moyennes, on le boira jeune.

Côte Rôtie Maison Rouge 2008

Rouge | 2010 à 2016 | 45 € **14,5/20**

Plus élégant, plus fin, plus frais que La-Germine. Savoureux et fin, un peu moins concentré peut-être que les millésimes précédents, mais très digeste.

DOMAINE GUY FARGE

18, chemin de la Roue • 07300 Saint-Jean-de-Muzols

Tél. 06 08 21 31 72 • Fax : 04 75 08 12 10

guyfarge@orange.fr

Visite : Ouvert le vendredi de 14h à 19h,le samedi de 9h à 13h et sur rendez vous.

Saint-Joseph Gourmandise 2008

Rouge | 2010 à 2013 | 11 € **13/20**

Guy Farge a longtemps été vice-président de la cave de Tain. Il en est sorti en 2007, pour exploiter son domaine de douze hectares, qui dispose de splendides terrasses, avec beaucoup de vignes centenaires. Dans le millésime 2008, nous avons retenu le saint-joseph Gourmandise, au nom prémonitoire, souple avec un bon fruit. Le cornas Harmonie, en 2008, est charnu, avec des arômes de fruits noirs concentrés, mais manque un peu de fraîcheur.

DOMAINE FAYOLLE FILS ET FILLE

9, rue du Ruisseau • 26600 Gervans
Tél. 04 75 03 33 74 • Fax : 04 75 03 32 52
contact@cave-fayolle.com • www.cave-fayolle.com
Visite : Du lundi au vendredi de 9h à 12h et de 13h30 à 18h. Le week-end sur rendez-vous.

Cette cave est née en 2002 de la scission du domaine fondé par Jules Fayolle. La propriété a sportivement présenté ses 2008 à la dégustation, mais le millésime méritait-il autant de cuvées distinctes, surtout en crozes rouge ? Malgré le travail en cave, la raideur du tanin reste perceptible, et nous avons préféré le fruité simple mais frais de la cuvée Sens. Les blancs s'en sortent mieux.

Crozes-Hermitage Les Pontaix 2008

Blanc | 2010 à 2014 | 12 € **14/20**

Nez de fruits blancs un peu compotés, la bouche affiche une bonne épaisseur, avec une pointe de miel en finale, même si l'on apprécierait un peu plus de fraîcheur.

Crozes-Hermitage Sens 2008

Rouge | 2010 à 2014 | 9 € **13,5/20**

Un crozes bien dans l'esprit du millésime, du fruit complété de bonnes touches poivrées. La bouche est d'ampleur moyenne, mais ronde et équilibrée.

Hermitage Les Dionnières 2008

Rouge | 2010 à 2015 | 30 € **15/20**

Un vin à la texture veloutée et suave, à la bouche parfumée. Les tanins sont ronds, mais l'ampleur et la longueur moyennes. C'est un hermitage qui se livre vite.

Hermitage Les Dionnières 2008

Blanc | 2010 à 2016 | 25 € **15/20**

Notes de fleurs et d'anis. La bouche est tendre, de concentration moyenne, mais les arômes sont purs. L'ampleur est limitée, mais l'ensemble reste frais.

FERRATON PÈRE & FILS

13, rue de la Sizeranne • 26600 Tain-l'Hermitage
Tél. 04 75 08 59 51 • Fax : 04 75 08 81 59
ferraton@ferraton.fr • www.ferraton.fr
Visite : Du mardi au samedi de 9h à 12h et de 14h à 18h.

Acquise par sa consœur Chapoutier en 1998, cette petite maison a conservé une direction autonome et un style spécifique, comme le prouvent les 2008, avec des blancs d'un bon niveau et des rouges plus souples, à boire plus rapidement. À noter un excellent cornas Les-Grands-Mûriers, une appellation qui s'en sort souvent bien dans le millésime.

Cornas Les Grands Mûriers 2008 ☺

Rouge | 2010 à 2016 | 28 € **15/20**

Dense et charnu, avec des notes de fruits noirs, de réglisse. La trame est moins serrée que d'habitude, mais on a une belle mâche. Finale délicate, florale, sur une touche florale (géranium).

Côtes du Rhône Samorëns 2009 ☺

Blanc | 2010 à 2015 | 5,50 € **15,5/20**

Belle palette aromatique au nez (fruit blanc, amande, fleurs). En bouche, on se régale, avec un jus gourmand et onctueux, pur et frais. De beaux amers en fin de bouche ramènent de la fraîcheur.

Côtes du Rhône-Villages Plan de Dieu 2008 ☺

Rouge | 2010 à 2013 | 7 € **14,5/20**

Nez très mûr, de fruit rouge compoté mais gourmand, une note de chocolat aussi. La bouche est charnue, concentrée, avec un bel équilibre. Encore un millésime réussi pour cette cuvée plaisante année après année.

Crozes-Hermitage La Matinière 2009

Blanc | 2010 à 2017 | 10,50 € **15/20**

Aromatique puissante, très florale. Bel équilibre de bouche, dans ce vin concentré qui finit sur de beaux amers.

Crozes-Hermitage Le Grand Courtil 2008

Rouge | 2010 à 2016 | env 25 € **15/20**

Des arômes poivrés profonds. En bouche, de beaux tanins droits et tendus. Un vin avec une belle fraîcheur, savoureux, à la buvabilité certaine.

Ermitage Le Méal 2008

Rouge | 2010 à 2018 | NC **16,5/20**

Un nez typique du méal : puissant, solaire, méditerranéen, avec des arômes de fruits noirs et de chocolat. En bouche, des tanins fins et gras, une bonne concentration. Le volume de bouche est certes plus faible que les millésimes précédents, mais c'est un très joli vin !

Ermitage Le Reverdy 2008

Blanc | 2012 à 2018 | NC **15,5/20**

Notes de mie de pain, de boulangerie. La bouche est parfumée et tendue, mais avec une bonne réserve sous-jacente, et une belle sapidité finale, très «sèche».

ERMITAGE LES DIONNIÈRES 2008
Rouge | 2010 à 2018 | NC **15,5/20**
Un nez concentré, où à ce stade l'élevage est perceptible. En bouche, des tanins ronds, un bon équilibre, des arômes savoureux de fruits rouges et de chocolat.

SAINT-JOSEPH LES OLIVIERS 2008 ☺
Blanc | 2010 à 2018 | NC **16/20**
C'est LE grand vin blanc de la maison en 2008. Le nez est puissant et profond. Notes riches de fruits mûrs, de beurre frais, de fleurs dorées au soleil, de réglisse aussi. La bouche est grasse, savoureuse, avec une aromatique qui évolue sur les agrumes (mandarine). Ça finit tendu et concentré. Il y en a eu très peu, mais quel beau vin !

DOMAINE PIERRE FINON

20, impasse des Vieux Murs • 07340 Charnas
Tél. 04 75 34 08 75 • Fax : 04 75 34 06 78
domaine.finon@wandoo.fr
Visite : Ouvert de 9h à 12h et de 14h à 19h du lundi au samedi.

Pierre Finon est installé sur le plateau de Charnas, enherbe ses vignes et égrappe généralement ses rouges. Le domaine a réduit sa gamme en 2008, préférant reverser le saint-joseph Caprice-d'Héloïse dans la cuvées de rouge Les-Rocailles. La cuvée de saint-joseph Les-Jouvencelles ne nous a pas été présentée.

CONDRIEU 2008
Blanc | 2010 à 2014 | 22 € **14/20**
Un condrieu tendre, aux arômes de fruits jaunes mûrs, à la bouche compacte. Un délicieux apéritif, puissant en alcool mais savoureux et persistant.

SAINT-JOSEPH LES ROCAILLES 2008
Rouge | 2010 à 2013 | 12,50 € **13/20**
La bouche est charnue, mais le fruité est un peu cuit. C'est un vin souple, à boire assez vite.

SAINT-JOSEPH QUATUOR 2008
Blanc | 2010 à 2013 | 11 € **13,5/20**
Un vin gras et mûr, aux arômes savoureux de fruits blancs et de fleurs. Très digeste, très frais. Concentration moyenne, mais c'est le millésime.

DOMAINE PIERRE GAILLARD

Lieu-dit Chez Favier • 42520 Malleval
Tél. 04 74 87 13 10 • Fax : 04 74 87 17 66
vinsp.gaillard@wanadoo.fr
www.domainespierregaillard.com
Visite : Sur rendez-vous.et du lundi au vendredi de 9h a 18h.

Après une longue expérience comme chef de culture chez Vidal-Fleury et Guigal, Pierre Gaillard s'est mis à son compte pour exploiter aujourd'hui trente hectares. La vaste gamme est reconnaissable entre toutes, car chaque bouteille est habillée d'une étiquette colorée distincte. En 2008, les rouges sont délicieux. Les blancs se présentaient très bien, mais comme ils n'étaient pas en bouteille lors de notre dégustation, nous avons préféré ne pas les noter.

CÔTE RÔTIE 2008
Rouge | 2010 à 2018 | 36 € **15,5/20**
Une côte-rôtie florale, de demi-corps, mais parfumée et délicate, avec un bel équilibre et de la droiture.

CROZES-HERMITAGE 2008
Rouge | 2010 à 2015 | 13 € **15/20**
Un crozes aux arômes floraux intenses, aux tanins longs. Beaucoup de caractère, dans ce vin séveux, droit et profond.

SAINT-JOSEPH 2008 ☺
Rouge | 2010 à 2018 | 13,50 € **15/20**
Un saint-joseph concentré et tendu, de beaux arômes de cassis frais (pas le sirop de cassis, lourd) avec une bouche riche en bons tanins, qui montre bien qu'on pouvait faire de très bons vins en 2008 !

SAINT-JOSEPH CLOS DE CUMINAILLE 2008
Rouge | 2010 à 2018 | 19 € **15,5/20**
Tout en longueur et en droiture, ce saint-joseph est fin et frais, avec des tanins élégants et une finale qui décolle.

SAINT-JOSEPH LES PIERRES 2008
Rouge | 2011 à 2018 | 26 € **16/20**
Un vin plus enrobé que le saint-joseph «générique», au boisé discret mais savoureux. Il est un cran au dessus, plus riche, plus fin, plus frais. Mais moins sur la minéralité aujourd'hui, c'est l'élégance qui domine.

DOMAINE JEAN-MICHEL GERIN

19, rue de Montmain - Verenay • 69420 Ampuis
Tél. 04 74 56 16 56 • Fax : 04 74 56 11 37
gerin.jm@wanadoo.fr • www.domaine-gerin.fr
Visite : Du lundi au vendredi de 8h à 12h et de 13h30 à 17h, sur rendez-vous.

Jean-Michel Gerin a créé ce domaine phare de la Côte Rôtie, où les rouges sont systématiquement éraflés. Les deux cuvées phare, Les-Grandes-Places et La-Landonne, sont sévèrement rationnées. Non produites en 2008, elles sont venues doper Champin-le-Seigneur. Dans ce millésime, les vins sont tendres mais très digestes.

Condrieu La Loye 2008
Blanc | 2010 à 2015 | 30 € **14,5/20**
Joli condrieu tendre et épicé. Les arômes sont fins et purs, la bouche cristalline et fraîche. C'est un vin trompeur en dégustation à l'aveugle, mais qui accompagnera avec délice une rigotte de chèvre.

Côte Rôtie Champin Le Seigneur 2008
Rouge | 2010 à 2018 | 30 € **15/20**
Un vin tout en charme et en rondeur. De demi-corps, mais très digeste. Aujourd'hui, l'élevage est encore perceptible, mais il est déjà gourmand et élancé. Il gagnera en complexité et en profondeur d'ici deux à trois ans.

Saint-Joseph 2008
Rouge | 2010 à 2015 | 13,50 € **14,5/20**
Nez concentré, avec une pointe fumée très agréable. La bouche est droite, les tanins mûrs, la finale élancée. Un vin très digeste, fait pour la table.

Vin de pays des Collines rhodaniennes syrah 2008
Rouge | 2010 à 2013 | 9 € **13,5/20**
Le nez commence à développer des notes animales et épicées. La bouche est ronde, c'est un vin de charme, à boire maintenant.

DOMAINE PIERRE GONON

34, avenue Ozier • 07300 Mauves
Tél. 04 75 08 45 27 • Fax : 04 75 08 65 21
gonon.pierre@wanadoo.fr
Visite : Du lundi au samedi sur rendez-vous.

Les deux frères Jean et Pierre Gonon ont officiellement demandé leur agrément en agriculture biologique cette année, dans la droite ligne de leurs efforts entrepris depuis une décennie vers plus de naturel et de pureté dans le raisin. Ce travail paye en 2008, avec des rouges qui donnent beaucoup de plaisir fruité, et des blancs concentrés et pleins, dont un étonnant liquoreux, à goûter absolument.

Saint-Joseph 2008
Rouge | 2010 à 2014 | 16 € **14,5/20**
Il doit se remettre de sa mise, mais on le boira vite, sur sa rondeur et son charme fruité et épicé. Ça manque un peu de fond par rapport aux millésimes précédents. C'est un vin de plaisir, à boire en attendant des millésimes plus concentrés.

Saint-Joseph Les Oliviers 2008
Blanc | 2010 à 2016 | 20 € **15/20**
Un peu moins de roussanne qu'à l'accoutumée. Nez gourmand de fruits mûrs, blancs et jaunes. Bouche grasse, bien resserrée sur la langue, finale parfumée. Belle élégance, moins puissant que 2007.

Vin de pays de l' Ardèche Les Îles Feray 2008
Rouge | 2010 à 2013 | 9 € **13/20**
Une bouche au grain appuyé, mais sans caractère végétal. Petites notes poivrées. Fruité gourmand, ampleur moyenne, à boire jeune.

Vin de pays des Collines rhodaniennes 2008
Blanc Liquoreux | 2010 à 2015 | 18 € **14,5/20**
Un vin étonnant, une sélection botrytisée de marsanne et de roussanne, récoltées à 20 degrés potentiels fin septembre, en même temps que les autres raisins blancs. Belle robe ambrée. Nez sur l'abricot confit, le caramel, la pâtisserie, le pain d'épices. Belle palette, originale pour un liquoreux ! La bouche est concentrée, avec de la tension. Ce n'est pas extrêmement long, mais c'est équilibré (environ 100 grammes par litre de résiduels). Une expérience originale, il faut profiter de l'occasion, il n'y en aura évidement pas tous les ans !

DOMAINE ALAIN GRAILLOT

Les Chênes Verts • 26600 Pont-de-l'Isère
Tél. 04 75 84 67 52 • Fax : 04 75 84 79 33
graillot.alain@wanadoo.fr
Visite : Sur rendez-vous.

Alain Graillot est l'un des vignerons à l'origine du dynamisme de l'appellation Crozes-Hermitage. Aujourd'hui c'est Maxime, son fils, qui a repris le domaine, avec la même philosophie. Les crozes rouges sont vinifiés en vendanges entières, avec une recherche de l'extraction. La cuvée phare, La-Guiraude, n'a pas été produite en 2008.

Crozes-Hermitage 2009
Blanc | 2010 à 2014 | 16 € **14/20**
Bon fruit gourmand, un vin franc et gourmand, qui a préservé une bonne fraîcheur. À boire.

Crozes-Hermitage 2008
Rouge | 2010 à 2016 | 15 € **14,5/20**
Nez mélangeant des notes florales et de ronces, que l'on doit à la vendange entière. La bouche est parfumée, sans aucune raideur de tanin, c'est fin et long, avec une vivacité qui signe le millésime en fin de bouche.

Saint-Joseph 2008
Rouge | 2010 à 2018 | 15 € **15/20**
Tendu, concentré, avec une texture au grain serré en bouche. Les sols filtrants de Saint-Joseph ont mieux supporté les pluies de septembre que Crozes.

CHÂTEAU GRILLET

42410 Verin
Tél. 04 74 59 51 56 • Fax : 04 78 92 96 10
Visite : Sur rendez-vous.

Sans relâche, Isabelle Baratin se bat pour remettre sa propriété sur le devant de la scène. Château Grillet, c'est une ode au viognier, une enclave au sein de l'appellation Condrieu (et une appellation en soi), et surtout un extraordinaire sol de granit décomposé, presque sableux, dans un amphithéâtre exposé plein sud. Si les vins affichent une très grande finesse, ils ont beaucoup gagné en pureté et en raffinement dans les derniers millésimes. Leur discrétion de jeunesse n'entame en rien leur potentiel de bonification au vieillissement, comme le confirment les 2003 et 2005 dégustés cette année.

Château-Grillet 2008
Blanc | 2010 à 2023 | NC **17/20**
Un vin emprunt d'une grande pureté, tant au nez qu'en bouche. Le nez est fin et délicat, sur des notes d'amande et aussi une touche délicatement iodée. La bouche présente une texture fine très délicate, légèrement minérale et une belle longueur, sur des arômes fins d'abricot et d'amande grillée. Comme toujours, il démarre discrètement, mais il gagnera en richesse d'expression avec quelques mois de bouteille.

DOMAINE BERNARD GRIPA

5, avenue Ozier • 07300 Mauves
Tél. 04 75 08 14 96 • Fax : 04 75 07 06 81
gripa@wanadoo.fr
Visite : Du lundi au vendredi de 9h à 12h et de 13h30 à 18h, samedi sur rendez-vous.

Au domaine familial depuis 1998, Fabrice Gripa a pris la suite de son père Bernard en 2006. Dans le millésime 2008, il a préféré ne pas produire ses cuvées supérieures, Le-Berceau en saint-joseph blanc et rouge, ce qui lui permet de présenter une gamme gourmande et équilibrée, qui se livrera vite.

Saint-Joseph 2008
Blanc | 2010 à 2014 | 15 € **14/20**
Un style moins immédiatement accessible que le saint-péray. La bouche est grasse, équilibrée, les arômes purs, il demande à s'ouvrir dans le verre. La finale est concentrée.

Saint-Joseph 2008
Rouge | 2010 à 2015 | 15,80 € **14,5/20**
Un saint-joseph corsé et droit, avec de bons tanins pour le millésime, une bouche compacte, des arômes sur l'olive noire et la fumée.

Saint-Peray Les Pins 2008
Blanc | 2010 à 2014 | 13,50 € **13,5/20**
Un saint-péray droit et tendu, très pur, à la bouche fraîche. Bien équilibré, très digeste, aromatique classique sur les fruits blancs et une pointe d'amande.

E. GUIGAL

Château d'Ampuis • 69420 Ampuis
Tél. 04 74 56 10 22 • Fax : 04 74 56 18 76
contact@guigal.com • www.guigal.com
Visite : sur rendez-vous.

Voilà une formidable aventure humaine et familiale, développée par Marcel aujourd'hui secondé par son fils Philippe, qui dépasse largement le seul cadre de Côte Rôtie et de Condrieu, où la maison est le principal opérateur. La démarche de Guigal consiste à juxtaposer la production issue de ses propres vignobles (dont les mythiques côte-rôties La-Mouline, La-Landonne ou La-Turque) à une formidable affaire de négoce, extraordinaire tant par les volumes concernés que par la qualité et la régularité sans faille. Les élevages très longs font que la maison dispose de plusieurs années de stocks, ce qui lui permet par exemple de faire l'impasse sur le millésime 2008, où elle a choisi de ne rien acheter en

rouge. Il est vrai que la maison commercialise actuellement son côtes-du-rhône 2006...

CHÂTEAUNEUF-DU-PAPE 2005 ☺
Rouge | 2010 à 2025 | cav. 25,90 € **18/20**
Une grande année pour l'appellation. Des arômes complexes, tertiaires, épicés, viandés, fruités, mais aussi réglisse, tabac. Vaste palette. Bouche concentrée et racée, avec de superbes tanins, de la fraîcheur et beaucoup d'équilibre.

CONDRIEU LA DORIANE 2008
Blanc | 2010 à 2023 | cav. 49,90 € **16,5/20**
Une bouche grasse et épaisse caractérise ce vin mûr et onctueux. Son élevage intégralement en fût neuf lui a donné de gourmands arômes épicés, mais il les digère bien.

CÔTE RÔTIE CHÂTEAU D'AMPUIS 2004 ☺
Rouge | 2010 à 2024 | cav. 69,90 € **18/20**
Bouquet épanoui, de fleurs sauvages et de fruits noirs (cassis). Les tanins sont fins et élégants, la bouche est gourmande, la finale fraîche et pure. Tout en charme.

CÔTE RÔTIE LA LANDONNE 2006
Rouge | 2012 à 2026 | NC **19/20**
Nez de fleurs et de ronces. Le grain de tanin est dense et épais, le volume de bouche est phénoménal, grâce à une vinification en rafles entières. Énorme mâche, c'est un vin surpuissant mais qui reste équilibré et surtout bien frais.

CÔTE RÔTIE LA MOULINE 2006
Rouge | 2012 à 2026 | NC **17,5/20**
Un grain de bouche délicat et élégant, relayé par un jus réglissé et pur. Il faut encore qu'il se fonde un peu en bouteille.

CÔTE RÔTIE LA TURQUE 2006
Rouge | 2012 à 2026 | NC **18,5/20**
De superbes tanins gras et longs, une trame dense, un grain très fin, des arômes de fruits noirs frais. Plus austère que La-Mouline, mais plus de race aussi.

CÔTES DU RHÔNE 2009 ☺
Blanc | 2010 à 2014 | cav. 6,90 € **15/20**
Belle aromatique, sur les fruits blancs très mûrs. Bouche ronde et gourmande. La fin de bouche est concentrée et fraîche, on va se régaler cet été.

CÔTES DU RHÔNE 2009 ☺
Rosé | 2010 à 2014 | cav. 6,90 € **15,5/20**
Une robe bien soutenue, annonciatrice d'arômes de fruits rouges concentrés (groseille, salade de fruits). La bouche est charnue et pulpeuse, la finale ronde. À ce niveau de production, c'est remarquable !

CÔTES DU RHÔNE 2006
Rouge | 2010 à 2014 | cav. 6,90 € **15,5/20**
Nez de fruits noirs, notes de viande et de cuir. La bouche est fondue, les tanins élégants, il présente un équilibre mûr et plein de charme.

HERMITAGE EX-VOTO 2007
Blanc | 2010 à 2027 | cav. 100 € **17,5/20**
Un grand hermitage, complexe et racé. Toute la palette des arômes fruités et grillés est là. La bouche est délicate et tendue, la finale serrée mais juteuse, avec une pointe saline appétissante.

HERMITAGE EX-VOTO 2006
Rouge | 2010 à 2026 | cav. 219,50 € **18/20**
41 mois en barrique lui ont apporté ces tanins gras, une bouche fondante, une texture crémeuse, des arômes savoureux de fruits noirs et de beurre frais. De l'élégance et de la puissance, dans un équilibre très frais.

SAINT-JOSEPH LE SAINT-JOSEPH 2008
Blanc | 2010 à 2018 | cav. 25 € **15,5/20**
Superbe. Concentré et droit, sa réduction actuelle est porteuse des meilleures promesses pour demain. Un vin savoureux et parfumé.

SAINT-JOSEPH LE SAINT-JOSEPH 2007
Rouge | 2010 à 2017 | cav. 25 € **15,5/20**
Une belle tension, de gourmands arômes d'épices douces, c'est un saint-joseph suave et élégant. On comprend immédiatement pourquoi il rencontre un tel succès commercial !

SAINT-JOSEPH VIGNES DE L'HOSPICE 2007
Rouge | 2010 à 2022 | cav. 45,90 € **16,5/20**
Robe noire, nez concentré. Arômes profonds de graphite et de fruits noirs. Bouche concentrée, aux tanins suaves et enrobés, à la finale fraîche et élancée. Dense et droit. Splendide !

DOMAINE DES HAUTS-CHÂSSIS

26600 La-Roche-de-Glun
Tél. 04 75 84 50 26 • Fax : 04 75 84 50 26
domaine.des.hauts.chassis@wanadoo.fr

Franck Faugier, longtemps coopérateur à la cave de Tain, propose désormais une petite gamme en Crozes-Hermitage et Saint-Joseph. Son travail soigné et ses vinifications rigoureuses ont payé en 2008, avec des vins qui affichent des fruités francs et des bouches souples, que l'on appréciera jeunes mais avec beaucoup de plaisir, notamment la cuvée de crozes Les-Galets. La cuvée Les-Châssis n'a pas été produite cette année-là.

Crozes-Hermitage Esquisse 2008

Rouge | 2010 à 2014 | NC **13,5/20**

Un crozes au fruité rouge harmonieux et gourmand, avec quelques notes de jus de viande. La bouche est suave et parfumée, la longueur moyenne mais avec des tanins ronds, sans rugosité. Un vin de fruit, très digeste et bien équilibré dans ce difficile millésime.

Crozes-Hermitage Les Galets 2008

Rouge | 2010 à 2015 | NC **14,5/20**

Plus gras que la cuvée Esquisse, avec des tanins mieux enrobés, une bouche savoureuse et fraîche. Texture caressante, avec beaucoup d'élégance.

Saint-Joseph 2008

Rouge | 2011 à 2015 | NC **14/20**

On retrouve bien le terroir granitique de Saint-Joseph, avec ce tanin légèrement épicé. La bouche est bien tendue, la finale serrée, mais on l'attendra quelques mois de plus qu'il retrouve son équilibre en bouteille.

DOMAINE PHILIPPE ET VINCENT JABOULET

La Négociale • 26600 Mercurol
Tél. 04 75 07 44 32 • Fax : 04 75 07 44 06
jabouletphilippeetvincent@wanadoo.fr
www.jaboulet-philipp-vincent.fr
Visite : Du lundi à vendredi de 8h30 à 12h et de 14h à 18h. Le samedi matin en été.

Philippe et son fils Vincent Jaboulet ont créé leur propre domaine après le rachat de la maison familiale éponyme, leur premier millésime étant 2006. Dans une gamme comportant des crozes-hermitages, des ermitages et des cornas, seules deux cuvées étaient prêtes lors de nos dégustations, mais tous les vins seront bien produits en 2008.

Cornas 2008

Rouge | 2010 à 2015 | 27 € **14/20**

Des arômes floraux intenses, une bouche puissante au grain de tanin appuyé. S'il n'est pas très enrobé, sa grosse mâche accompagnera cependant volontiers gibiers et viandes en sauce.

Ermitage 2008

Blanc | 2011 à 2018 | 34 € **15,5/20**

Nez délicat de fruits blancs, note anisée, mais la complexité est moyenne. La bouche est parfumée, avec du gras et une belle pureté aromatique. Le vin gagne en volume en s'aérant, il doit encore se remettre de sa mise.

DOMAINES PAUL JABOULET AÎNÉ

8, rue Monier • 26600 Tain-l'Hermitage
Tél. 04 75 84 68 93 • Fax : 04 75 84 56 14
info@jaboulet.com • www.jaboulet.com
Visite : De 8h30 à 11h30 et de 13h30 à 17h30.

Depuis le rachat au début de l'année 2006, le travail de Caroline Frey et ses équipes, conseillées par l'œnologue bordelais Denis Dubourdieu, n'a cessé de rajeunir le style des vins, vers plus de pureté, d'équilibre et de raffinement en bouche. Si les moyens nécessaires ont été consentis, il faudra un peu de temps pour que les vignes s'adaptent à leurs nouvelles contraintes de culture. Dans un millésime délicat comme 2008, l'accent a été mis sur le fruité et la gourmandise des vins. Autre choix important : seules quatre cuvées ont été produites à partir des vignes du domaine. Ainsi, il n'y aura pas d'hermitage La-Chapelle 2008.

Crozes-Hermitage Domaine de Thalabert 2008

Rouge | 2010 à 2014 | 29 € **14,5/20**

Nez gourmand de fruits rouges agrémenté d'épices bien relevées. Bouche corsée, grain épais, la finale est ronde mais se livre assez vite. Seul un petit flottement en bouche empêche sa note de monter.

Crozes-Hermitage Domaine La Mule Blanche 2008

Blanc | 2010 à 2014 | 25 € **14/20**

La bouche est assez grasse, mais sans le raffinement ni la gourmandise habituels. Une petite note éthérée au nez, qui vient polluer l'équilibre aromatique. Et encore cette tenue de bouche qui tombe un peu vite.

Hermitage Chevalier de Sterimberg 2008
Blanc | 2010 à 2018 | 54 € **15,5/20**
Le vin doit s'aérer, pour gagner en pureté. La bouche est élégante, avec de la vivacité, de l'élan et une finale à la tonalité citronnée. Mais le registre aromatique n'est pas très large.

Hermitage La Petite Chapelle 2008
Rouge | 2010 à 2018 | 69 € **15,5/20**
Un joli jus suave, des arômes savoureux, dominés par le poivre et la tomate confite. On ne dégustera pas de Chapelle en 2008, mais La-Petite-Chapelle fait bien partie de la famille. Elle a un caractère méal prononcé (fruit cuit typique du millésime), sudiste, chaud.

DOMAINE JAMET

Le Vallin • 69420 Ampuis
Tél. 04 74 56 12 57 • Fax : 04 74 56 02 15
domainejamet@wanadoo.fr
Visite : Sur rendez-vous uniquement du lundi au samedi de 9h à 12h et de 14h à 18h30.

Jean-Paul Jamet dirige ce domaine avec son frère Jean-Luc. Les 25 parcelles, réparties sur 15 lieux-dits de l'appellation, permettent de présenter une excellente synthèse du terroir de Côte Rôtie, notamment dans la cuvée d'assemblage. La Côte-Brune, issue du climat du même nom, est réalisée chaque année, mais en volumes extrêmement limités en 2008. Si les vins du millésime sont plus souples qu'à l'ordinaire, ils sont friands et gourmands.

Côte Rôtie 2008
Rouge | 2010 à 2017 | NC **15/20**
Un vin au nez épicé, à la bouche tendre, de concentration moyenne, mais au jus délié et suave. Issu d'une vendange égrappée, avec peu d'extraction, les tanins sont beaux, sans raideur.

Côte Rôtie Côte Brune 2008
Rouge | 2010 à 2018 | NC **16/20**
Un vin droit et fin, à la bouche fraîche, aux notes de tabac brun. Sans la même chair que d'habitude, mais élancé et droit. Très pur. L'équilibre a été privilégié, plus que l'extraction.

DOMAINE JASMIN

14, rue des Maraîchers • 69420 Ampuis
Tél. 04 74 56 16 04 • Fax : 04 74 56 01 78
jasmin.pa@wanadoo.fr
Visite : Sur rendez-vous.

Ce petit domaine exploite 11 parcelles sur 8 lieux-dits en Côte Rôtie, à partir desquelles Patrick Jasmin n'élabore qu'une seule cuvée, un authentique vin d'assemblage. 2008 a été bien maîtrisé, on l'appréciera jeune même si les vins du domaine vieillissent harmonieusement.

Côte Rôtie 2008
Rouge | 2010 à 2018 | 26 € **15/20**
On retrouve bien le style du domaine, avec cette côte-rôtie aux tanins fermes, structurée et dense, un rien moins en chair que d'habitude, mais c'est le millésime.

DOMAINE DES LISES

Les Chênes Verts • 26600 Pont-de-l'Isère
Tél. 04 75 55 77 94 ou 06 19 27 58 77 ou 06 25 33 43 53 • Fax : 04 75 55 13 49
domainedeslises@wanadoo.fr
Visite : sur rendez-vous.

Maxime Graillot, le fils d'Alain, a l'esprit entrepreneur. En parallèle de ses activités au domaine familial, il a créé sa propre structure, le Domaine des Lises, où il applique des vinifications légèrement différentes. En complément de ses vignes en propriété, sur Crozes, Maxime achète aussi un peu de raisins en Saint-Joseph et en Cornas, avec de très bons résultats en 2008.

Cornas 2007
Rouge | 2010 à 2016 | 25 € **15/20**
Nez concentré et parfumé, la bouche est suave et élancée. Évidemment, le contraste entre 2007 et 2008 est saisissant. Droit et frais, fruité gourmand.

Crozes-Hermitage 2009
Rouge | 2010 à 2014 | 15 € **14/20**
Nez où dominent des notes épicées. Bouche souple, un vin à boire sur sa jeunesse.

Crozes-Hermitage Équinoxe 2009
Rouge | 2010 à 2014 | 9 € **15/20**
Charnu, pulpeux, fruit mûr rouge et noir croquant. Sans excès de structure, c'est un vin d'été, de bistro, à boire dans la décontraction.

DOMAINE JOHANN MICHEL

La Ferme de Chavaran - Chemin de Ploye
07130 Saint-Péray
Tél. 04 75 40 56 43 • Fax : 04 75 40 56 43
johann-michel@wanadoo.fr
Visite : Du lundi au samedi de 9h à 18h et le dimanche sur rendez-vous.

Saint-Peray 2008

Blanc | 2010 à 2014 | 11 € **14/20**

Johann Michel est un jeune vigneron qui s'installe petit à petit sur Cornas et Saint-Péray. Ses vignes sont jeunes, ce qui donne aujourd'hui des vins encore un peu souples, mais le travail est soigné. Le cornas 2008 qu'il nous a présenté présentait une bouche souple et fruitée, mais un peu tendre. Nous avons préféré le saint-péray, riche, puissant et concentré, avec de francs arômes de fruits blancs et d'amande, à la bouche élégante et savoureuse. L'étiquette informe clairement le consommateur que ce vin n'a pas été filtré ni collé, et effectivement la robe est légèrement trouble.

DOMAINE MICHELAS - SAINT-JEMMS

Bellevue Les Chassis • 26600 Mercurol
Tél. 04 75 07 86 70 • Fax : 04 75 08 69 80
michelas.st.jemms@wanadoo.fr
www.michelas-st-jemms.fr
Visite : Du lundi au samedi de 9h à 12h et de 14h à 18h, fermé dimanche et jours fériés

Crozes-Hermitage Signature 2008

Rouge | 2010 à 2013 | 9,50 € **12,5/20**

Cet important domaine viticole de 53 hectares, répartis entre Crozes-Hermitage, Saint-Joseph, Cornas et Hermitage, nous avait séduits avec une gamme assez homogène en 2007. Les 2008 n'ont malheureusement pas connu la même réussite, avec quelques cuvées au boisé mal intégré, des bouches souvent flottantes, et aussi des tanins secs. Ce crozes d'entrée de gamme, baptisé Signature, offre cependant un registre floral et poivré sincère, son grain de tanin certes un peu raide (mais c'est le millésime) en fait un vin de plaisir rapide.

DOMAINE DU MURINAIS

Quartier Champ-Bernard
26600 Beaumont-Monteux
Tél. 04 75 07 34 76 • Fax : 04 75 07 35 91
lltardy@aol.com
Visite : Du lundi au samedi de 8h à 12h et de 15h à 19h.

Luc Tardy propose une courte gamme de quatre vins, uniquement des crozes-hermitages, généralement de bonne facture. En blanc, Marine affiche une belle gourmandise en 2008, tandis que le rouge Les-Amandiers se montre souple, à boire jeune. Les cuvées de crozes Vieilles-Vignes et Caprice-de-Valentin, en rouge, n'ont pas été produites cette année-là.

Crozes-Hermitage Les Amandiers 2008

Rouge | 2010 à 2013 | 11 € **13,5/20**

Une aromatique moins élégante que dans les millésimes précédents, avec quelques notes de jus de viande, mais les tanins sont ronds, la finale tendre, c'est un vin qui se livre vite.

Crozes-Hermitage Marine 2008

Blanc | 2010 à 2014 | 12 € **14/20**

Notes gourmandes de fruits blancs, de pâte d'amande. La bouche est riche, grasse, savoureuse et parfumée.

MAISON NICOLAS PERRIN

23, rue La Pérouse • 26000 Valence
Tél. 04 90 11 12 21 • Fax : 04 90 11 12 08
njaboulet@gmail.com
www.maison-nicolas-perrin.com

Une collaboration entre deux grandes familles de la vallée du Rhône, Nicolas Jaboulet, originaire du la partie septentrionale, et les frères Perrin, issus de la vénérable famille chatelneuvoise, propriétaires du Château de Beaucastel. Le but de leur projet est de réunir leurs expertises en assemblage et élevage des grands vins de la vallée, en produisant des cuvées amples et généreuses sur des appellations légendaires comme l'Ermitage, Côte Rôtie et Saint-Joseph. Nous trouvons ce partenariat très prometteur et attendons avec impatience l'évolution de ce projet innovant.

Ermitage 2007

Rouge | 2011 à 2015 | 58 € **15,5/20**

Le vin est tendu, avec une belle minéralité, de la chair, avec un beau boisé intégré et harmonieux.

Saint-Joseph 2007
Rouge | 2010 à 2013 | 19 € **14/20**
Un saint-joseph du sud, au caractère équilibré, il y a une belle qualité de fruit, pas d'une très grande intensité, à boire jeune.

DOMAINE NIERO

Impasse du Pressoir - Rue de la Mairie
69420 Condrieu
Tél. 04 74 56 86 99 • Fax : 04 74 56 86 99
domaine@vins-niero.com • www.vins-niero.com
Visite : Le jeudi et vendredi de 8h a 12h et 13h30 à 17h30, le samedi de 9h à 12h et le reste de la semaine sur rendez-vous

Côte Rôtie 2008
Rouge | 2010 à 2014 | 26 € **13,5/20**
Robert et son fils Rémi dirigent ce petit domaine, qui produit des vins essentiellement sur Côte Rôtie et Condrieu. Les 2007 dégustés l'an passé étaient frais et élégants, les 2008 plus en demi-corps. Nous avons préféré la côte-rôtie, au fruité tendre, à la bouche souple, avec un équilibre digeste même si la corpulence reste moyenne.

DOMAINE MICHEL ET STÉPHANE OGIER

3, chemin du Bac • 69420 Ampuis
Tél. 04 74 56 10 75 ou 06 85 11 64 35
Fax : 04 74 56 01 75
sogier@domaine-ogier.fr
Visite : Sur rendez-vous.

Stéphane Ogier a beaucoup développé le domaine familial, notamment en replantant des vignes sur Seyssuel, ou en se lançant dans une petite activité de négoce. Les élevages sont longs, ce qui explique la commercialisation avec un millésime de décalage pour certaines cuvées. Les côte-rôties Lancement et Belle-Hélène ne seront pas produites en 2008.

Condrieu 2008
Blanc | 2010 à 2015 | NC **14,5/20**
Une note anisée prononcée au nez, très rafraîchissante. La bouche est parfumée, d'agréable concentration, la finale droite et serrée.

Côte Rôtie La Belle Hélène 2007
Rouge | 2010 à 2017 | NC **15/20**
Actuellement, l'élevage domine plus que dans Lancement. C'est un vin concentré, compact, mais un élevage peut-être trop poussé, qui assèche un peu la fin de bouche.

Côte Rôtie Lancement 2007
Rouge | 2010 à 2017 | NC **15,5/20**
Nez concentré et élégant, la bouche est gourmande et juteuse, avec de la profondeur et une matière veloutée.

Côte Rôtie Réserve du Domaine 2007
Rouge | 2010 à 2014 | NC **14,5/20**
C'est un vin qui se livre assez vite, avec des tanins longs, il est agréablement parfumé, bien équilibré.

DOMAINE VINCENT PARIS

Chemin des Peyrouses • 07130 Cornas
Tél. 04 75 40 13 04 • Fax : 04 75 80 03 24
vinparis@wanadoo.fr
Visite : sur rendez-vous

Vincent Paris est un jeune vigneron qui a su investir pour acquérir de belles parcelles, essentiellement sur Cornas. Sa gamme est restreinte mais gagne en intensité année après année. Au sommet se trouvent les cuvées Granit-60°, récoltée sur des pentes à 60°, et La-Geynale, issue de vignes presque centenaires. 2008 a bien réussi à Cornas, et les vins ont beaucoup d'expression.

Cornas Granit 30° 2008
Rouge | 2010 à 2018 | NC **15/20**
Un nez minéral et concentré, dominé par des arômes de fruits noirs et de graphite. Bouche grasse et gourmande, tanins élégants, belle fraîcheur de fin de bouche.

Cornas Granit 60° 2008
Rouge | 2010 à 2018 | NC **16/20**
Une concentration supérieure à la cuvée 30°, un fruité fin et élégant (salade de fruits noirs), une bouche dense, aux tanins fermes, une finale enlevée et puissante.

Cornas La Geynale 2008
Rouge | 2012 à 2018 | NC **16,5/20**
Un nez intense et concentré, envoûtant, sur le fruit noir, les olives et les épices fortes, une note d'encens également. Bouche élancée, avec des tanins qui demanderont un peu de patience, mais la fermeté et la concentration en bouche annoncent une grande bouteille demain.

Saint-Joseph 2008
Rouge | 2010 à 2018 | NC **14,5/20**
Un nez expressif, sur de gourmandes notes de fruits rouges et de fleurs. La bouche est tendre,

droite et élancée, avec de bons tanins et une finale juteuse.

DOMAINE ANDRÉ PERRET

17, route nationale 86 • 42410 Chavanay
Tél. 04 74 87 24 74 • Fax : 04 74 87 05 26
andre.perret@terre-net.fr • www.andreperret.com
Visite : Sur rendez-vous.

André Perret dispose de belles parcelles en Condrieu et Saint-Joseph. Ses condrieux affichent toujours une personnalité supérieure, fondée sur la pureté et la délicatesse. Le millésime 2008 a produit ici des vins irréprochables, très nets, même s'ils affichent une concentration et un éclat en retrait par rapport aux années précédentes. On les boira plus vite, voilà tout.

Condrieu 2008 ☺
Blanc | 2010 à 2015 | 20 € **13,5/20**
Un condrieu très citronné, avec une bonne acidité, qui s'enfonce bien droit en bouche. Pas très ample, mais bien équilibré.

Condrieu Chéry 2008
Blanc | 2011 à 2016 | 30 € **15/20**
Il présente plus de matière que le Clos-Chanson, mais avec moins d'équilibre à ce stade. La bouche est riche, la finale concentrée, il a de bonnes bases.

Condrieu Clos Chanson 2008
Blanc | 2010 à 2016 | 30 € **14,5/20**
Une concentration supérieure au condrieu générique, avec des arômes fruités fins, un équilibre tendre mais précis. Finale fraîche et élégante, qui fait bien saliver.

Saint-Joseph 2008
Rouge | 2010 à 2015 | 11 € **14,5/20**
Nez bien fruité, agrémenté de touches florales (violette). La bouche est ronde, avec de bons tanins, certes pas très longs mais ronds et souples. C'est un vin charmant, de bonne concentration, qui s'apprécie déjà, grâce à l'apport de la cuvée Les-Grisières, non produite dans ce millésime.

DOMAINE PICHON

36, le Grand Val - Lieu-dit Verlieu • 42410 Chavanay
Tél. 04 74 87 06 78 • Fax : 04 74 87 07 27
chrpichon@wanadoo.fr • www.domaine-pichon.fr
Visite : Du lundi au samedi de 10h à 12h
et de 14h à 18h et sur rendez-vous.

Christophe Pichon concentre l'essentiel de sa production sur Saint-Joseph, Condrieu et Côte Rôtie. Le haut de gamme est constitué ici par les deux cuvées de côte-rôtie : Rozier, une sélection parcellaire au cœur de la Côte Rozier, et surtout La-Comtesse-en-Côte-Blonde, un vin suave au tanin caressant. Les 2008 n'ont pas la concentration des millésimes antérieurs, mais des arômes épicés et charmeurs.

Condrieu 2008
Blanc | 2010 à 2015 | 25 € **14,5/20**
Un vin aux arômes de fruits mûrs, à la bouche gourmande et concentrée. Bon équilibre, la fin de bouche laisse apparaître une belle tension.

Côte Rôtie La Comtesse en Côte Blonde 2008
Rouge | 2010 à 2018 | 45 € **15/20**
Une belle côte-rôtie suave et élégante, avec des arômes profonds de violette et de tabac blond. Elle présente un équilibre tendre.

Côte Rôtie Rozier 2008
Rouge | 2010 à 2015 | 27 € **14,5/20**
Charnu, gourmand, avec des tanins ronds et une fin de bouche fraîche et fruitée rouge.

Saint-Joseph 2008
Blanc | 2010 à 2014 | 15 € **14,5/20**
Nez gourmand de fruits blancs légèrement compotés, note de miel. Bouche parfumée et concentrée, finale savoureuse. Bon équilibre, tendu et droit.

DOMAINE DES REMIZIÈRES

26600 Mercurol
Tél. 04 75 07 44 28 • Fax : 04 75 07 45 87
contact@domaineremizieres.com
www.domaineremiziere.com
Visite : lundi au samedi de 9h à 12h et de 14h à 18h30
le dimanche matin sur rendez-vous.

Philippe Desmeure a fortement développé le domaine familial, l'amenant de quatre à trente hectares de vignes. Tous les vins passent sous bois, avec des âges de fûts variables. Les cuvées Autrement, en crozes-hermitage et hermitage rouges, sont des exercices de style sur des sélections très poussées,

produites à 1500 bouteilles seulement, mais non réalisées en 2008. Le reste de la production, plus accessible, est toujours impeccable et franc de goût.

Crozes-Hermitage cuvée Christophe 2008
Rouge | 2010 à 2018 | 13,30 € **15/20**
Notes de fruits mûrs, de confiture de fruits noirs, mais sans lourdeur. La bouche est ronde, mais le petit manque de concentration du millésime fait ressortir la chaleur de la fin de bouche.

Crozes-Hermitage cuvée Particulière 2008
Blanc | 2010 à 2014 | 8,60 € **14,5/20**
Une bouche concentrée, aux arômes fruités et à la texture assez grasse pour l'année. Il se livre facilement.

Crozes-Hermitage cuvée Particulière 2008 ☺
Rouge | 2010 à 2015 | 8,60 € **14,5/20**
Nez épicé concentré, avec quelques notes de gibier. Bouche bien charnue, juteuse, avec de bons tanins, pas très longs mais mûrs. Il se livre déjà pour notre plus grand plaisir.

Hermitage cuvée Émilie 2008
Blanc | 2010 à 2018 | 30,10 € **16,5/20**
Le boisé est perceptible mais il va se fondre. La bouche affiche de la concentration, soutenue par une jolie fraîcheur même si la fin de bouche est généreuse en alcool. Il évoluera plus vite que d'autres millésimes, mais c'est un bel hermitage, taillé pour les poissons en sauce.

Hermitage cuvée Émilie 2008
Rouge | 2011 à 2018 | 33,10 € **16/20**
Nez raffiné, mélangeant les épices et les fruits noirs. La bouche offre une texture suave, de beaux tanins fermes, qui doivent encore s'arrondir un peu, une finale à la note réglissée.

DOMAINE RICHARD

RD 1086 - Lieu-dit Verlieu • 42410 Chavanay
Tél. 04 74 87 27 15 • Fax : 04 74 87 05 09
h.richard@42.sideral.fr • www.domainerichard.com
Visite : Du lundi au samedi de 11h à 18h.

Condrieu M de Martial 2008
Blanc | 2010 à 2014 | 23 € **13,5/20**
Hervé Richard a repris le domaine familial en 1989, avec des vignes sur Condrieu et Saint-Joseph. Le millésime 2008 n'a pas été aussi bien maîtrisé que les précédents, nous n'avons donc retenu que cette cuvée de condrieu Vieilles-Vignes, riche et concentrée, même si l'alcool est légèrement perceptible en fin de bouche.

DOMAINE GILLES ROBIN

Les Châssis Sud • 26600 Mercurol
Tél. 04 75 08 43 28 • Fax : 04 75 08 43 64
gillesrobin@wanadoo.fr • www.gillesrobin.com
Visite : Sur rendez-vous uniquement.

Ce domaine ne vend pas aux particuliers, mais on le trouvera chez les cavistes et les restaurants. Gilles Robin élabore une jolie gamme de crozes-hermitages, complétée d'un saint-joseph. Il n'a pas été épargné par les pluies en 2008, mais son travail à la vigne et en cave a payé, donnant à ses vins une rondeur rare dans le millésime. Plus épicée, Papillon est à boire rapidement.

Crozes-Hermitage Albéric Bouvet 2008 ☺
Rouge | 2010 à 2015 | 16 € **15/20**
Une bouche bien ronde, de beaux tanins, un élevage fondu signent ce crozes gourmand et élégant, au fruité croquant.

Crozes-Hermitage Les Marelles 2008
Blanc | 2010 à 2014 | 14 € **14,5/20**
Il a un peu plus pris le bois que 2007. Bouche savoureuse et parfumée, joli gras, finale sur le fruit blanc et jaune. Savoureux, même si le petit manque de matière se remarque en finale, qui se rétrécit et tombe assez vite.

Crozes-Hermitage Papillon 2008
Rouge | 2010 à 2014 | 12 € **14/20**
Un nez assez épicé, la signature du millésime. Bouche tendre, tanins croquants, on le boit jeune pour son charme et sa souplesse. Le tanin n'est pas très long, mais bien rond.

Saint-Joseph André Péalat 2008
Rouge | 2010 à 2015 | 19 € **15/20**
Une bouche veloutée, avec une jolie chair, un fruité gourmand, un bon saint-joseph à la bouche tendue et élancée, tout en rondeur.

DOMAINE SAINT-CLAIR

Quartier le Colombier • 26600 Beaumont-Monteux
Tél. 04 75 84 63 23 • Fax : 04 75 84 63 23
domainesaintclair@orange.fr

Denis Basset est sorti de la cave coopérative en 2007, année de sa première vinification. Ce jeune vigneron aux idées claires nous avait séduits l'an passé par le sérieux de son travail. Il confirme dans

le très délicat millésime 2008, avec deux cuvées de crozes-hermitage tout à fait plaisantes, dont une Fleur-Enchantée raffinée et suave.

Crozes-Hermitage Étincelle 2008
Rouge | 2010 à 2013 | NC **13/20**
Le nez mélange des notes fruitées et épicées. La bouche est gourmande pour le millésime, avec de la rondeur, et une finale un rien élevée en alcool.

Crozes-Hermitage La Fleur Enchantée 2008
Rouge | 2010 à 2014 | NC **14,5/20**
Un raffinement et une gourmandise supérieurs à la cuvée Étincelle. L'élevage a donné un bel équilibre à ce vin, qui offre une belle fraîcheur en finale et des arômes gourmands.

DOMAINE MARC SORREL

128 bis, avenue Jean-Jaurès
26600 Tain-l'Hermitage
Tél. 04 75 07 10 07 • Fax : 04 75 08 75 88
marc.sorrel@wanadoo.fr • www.marcsorrel.com
Visite : Sur rendez-vous.

Ce domaine fait partie des grands noms de l'Hermitage. Dans la gamme restreinte de six vins, il ne faut pas passer à côté de l'hermitage Les-Rocoules, un blanc puissant mais toujours équilibré, et l'hermitage Le-Gréal, un rouge fin et tendu, assemblage astucieux des lieux-dits Greffieux et Méal. En 2008, ce dernier n'a pas été produit, et il n'y aura pas de vente primeurs non plus cette année.

Crozes-Hermitage 2008
Blanc | 2010 à 2015 | 14 € **15/20**
Le nez est très floral. La bouche est marquée par les fruits blancs, les jaunes et les agrumes. C'est gourmand et bien vif. C'est très calcaire, tendu et citronné, typique des terroirs de Larnage.

Crozes-Hermitage 2008
Rouge | 2010 à 2014 | 12 € **14/20**
Le nez est sur le millésime : poivre, tomate confite. Bouche droite et élancée, bons tanins, concentration moyenne mais du charme et du fruit. Un vin de plaisir, à boire jeune.

Hermitage 2008
Blanc | 2010 à 2018 | 35 € **15/20**
Les arômes sont encore réservés, mais la bouche est équilibrée, avec du gras. La fin de bouche est légèrement serrée, ce qui offre une tension bienvenue.

Hermitage 2008
Rouge | 2010 à 2018 | 35 € **15,5/20**
Un vin concentré, à la texture serrée, avec des notes de poivre, de tabac et d'encre. On l'appréciera jeune, sa tension et sa droiture sauront séduire un large public. Il est dopé par l'apport du Gréal, et cela lui convient bien.

Hermitage Les Rocoules 2008
Blanc | 2012 à 2022 | 65 € **16,5/20**
Un jus subtil et concentré. Il donnera du charme et de l'élégance d'ici quelques années. Ce ne sera pas un style puissant de l'Hermitage, mais fin et délicat. Notre expérience nous prouve que Marc Sorrel réussit bien les années réputées «faibles» et que les vins vieillissent bien, comme en 1993. La tension et la vivacité de fin de bouche garantissent un bon et long épanouissement en bouteille.

DOMAINE JEAN-MICHEL STEPHAN

1, ancienne route de Semons - Tupin
69420 Tupin-Semons
Tél. 04 74 56 62 66 • Fax : 04 74 56 62 66
jean-michel.stephan3@wanadoo.fr
Visite : Sur rendez-vous.

Jean-Michel Stephan est un puriste, et ses vins lui ressemblent. Le domaine travaille entièrement sans soufre, et les différentes cuvées vins doivent impérativement être conservées dans des caves fraîches ou des armoires réfrigérées. Comme ils n'ont pas vu l'oxygène durant leur élaboration, il est préférable de les carafer longuement. Les côte-rôties 2008 offrent une belle droiture pour le millésime.

Condrieu La Roncharde 2008
Blanc | 2010 à 2016 | 80 € **15/20**
Une texture délicatement minérale pour ce vin très pur, très tendre, aux gourmands arômes d'abricot frais. Sa subtilité en leurrera plus d'un.

Côte Rôtie 2008
Rouge | 2010 à 2016 | 40 € **15/20**
Les arômes sont parfumés et frais, dans le style habituel de la maison. La bouche est un peu moins en volume qu'à l'accoutumée, avec une finale sur un jus corsé. On l'apprécie déjà.

Côte Rôtie Coteaux de Bassenon 2008
Rouge | 2010 à 2018 | 65 € **15,5/20**
Une bonne acidité donne de la droiture à ce vin fin et élégant, à la fin de bouche resserrée, avec une texture minérale affirmée.

Côte Rôtie Coteaux de Tupin 2008
Rouge | 2010 à 2023 | 65 € **16,5/20**
Belle texture concentrée et gourmande, arômes floraux et épicés, finale très expressive, minérale et tendue.

CAVE DE TAIN

22, route de Larnage • 26600 Tain-l'Hermitage
Tél. 04 75 08 20 87 • Fax : 04 75 07 15 16
contact@cavedetain.com • www.cavedetain.com
Visite : mi-saison de 9h à 12h30 et de 13h30 à 18h30. haute saison, haute saison 9h a 19h, le dimanche et jours fériés de 10h à 12h30 et de 14h à 18h.

Hermitage Au Cœur des Siècles 2008
Blanc | 2010 à 2016 | 29 € **13,5/20**
La cave de Tain est l'un des acteurs historiques de la région, depuis sa fondation par Louis Gambert de Loche en 1933. Aujourd'hui encore, elle pèse 50 % de l'appellation Crozes-Hermitage et 25 % de l'Hermitage. Grâce au dynamisme de sa directrice, Julie Campos, la cave a su investir judicieusement dans de performantes installations techniques, qui devraient payer dans les millésimes à venir. Elle a même ouvert cette année un restaurant au pied de la colline, une cuisine inspirée par les saveurs orientales. Dans la gamme qui nous a été présentée, nous avons retenu cette cuvée Au-Cœur-des-Siècles, une pure marsanne élevée en fût, avec une bouche tendre et des notes d'amande.

DOMAINE DU TUNNEL

20, rue de la République • 07130 Saint-Péray
Tél. 04 75 80 04 66 • Fax : 04 75 80 06 50
domaine-du-tunnel@wanadoo.fr •
Visite : Du lundi au samedi de 9h à 12h et de 14h à 20h, dimanche sur rendez-vous.

Sandrine et Stéphane Robert proposent une gamme régulière en saint-péray, cornas et saint-joseph. Les rouges constituent l'essentiel de la production, ils sont vinifiés en levures indigènes, avec des fins de cuvaison assez chaudes, et entonnés dans des fûts de plusieurs vins. Charnus et ronds, on les apprécie jeunes. Le cornas Vin-Noir n'a pas été produit en 2008.

Cornas 2008
Rouge | 2010 à 2015 | 21 € **15/20**
Aujourd'hui en train de se resserrer, c'est un cornas concentré et droit, avec de petits tanins gourmands. Il bénéficie de la reverse des vins normalement destinés à la cuvée Vin-Noir, que Sandrine et Stéphane ont préféré ne pas produire cette année.

Saint-Joseph 2008
Rouge | 2010 à 2015 | 15 € **15/20**
Un vin charnu et concentré, l'expression est ronde, avec une aromatique sur le poivre en fin de bouche. Savoureux.

Saint-Peray roussanne 2008
Blanc | 2010 à 2014 | 16 € **15/20**
Notes de fruits grillés, de foin doré au soleil. La bouche est grasse, avec une fine amertume très appétissante. C'est fin et frais, mais il faut le boire jeune.

DOMAINE VALLET

La Croisette RN 86 • 07340 Serrières
Tél. 04 75 34 04 64 ou 06 09 26 45 91
Fax : 04 75 34 14 68
domaine.vallet@orange.fr
www.domaine.vallet.orange.fr
Visite : sur rendez-vous

Saint-Joseph 2008
Blanc | 2010 à 2014 | 11 € **12,5/20**
Anthony Vallet élabore une courte gamme en Condrieu et Saint-Joseph, et alterne désherbage chimique et travail des sols quand ses coteaux le permettent. Le millésime 2008 était particulièrement délicat dans la région, et nous n'avons retenu que ce saint-joseph blanc, aux arômes fruités assez discrets, à la bouche fondue et d'honnête concentration.

DOMAINE GEORGES VERNAY

1, route Nationale • 69420 Condrieu
Tél. 04 74 56 81 81 • Fax : 04 74 56 60 98
pa@georges-vernay.fr • www.georges-vernay.fr
Visite : Du lundi au vendredi de 9h à 12h et de 14h à 18h.

Georges Vernay puis sa fille Christine ont fait de ce domaine l'ambassadeur des grands vins de Condrieu, dont les trois cuvées expriment chacune un style différent : finesse et délicatesse pour Les-Terrasses-de-l'Empire, richesse et puissance pour Les-Chaillées-de-l'Enfer, et pureté et raffinement pour Le-Coteau-de-Vernon. Le domaine a récemment beaucoup progressé sur ses rouges : Blonde-du-Seigneur et Maison-Rouge sont deux expressions de côte-rôtie, plus parfumée et veloutée pour la

première, plus corsée et épicée pour la seconde. Les derniers millésimes sont tous réussis.

Condrieu Coteau de Vernon 2008
Blanc | 2012 à 2023 | 60 € **17,5/20**
Palette aromatique plus large que les deux précédents, avec de gourmandes notes de zestes d'agrumes, la bouche est savoureuse, avec un jus fin et serré. Finale racée mais compacte, il faut l'attendre un peu. On a bien la colonne et la concentration de bouche de Vernon.

Condrieu Les Chaillées de l'Enfer 2008
Blanc | 2010 à 2023 | 50 € **16,5/20**
Nez parfumé, bien ouvert, sur les fruits blancs et une rafraîchissante touche d'anis. Bouche concentrée et droite, qui se prolonge par une bonne finale élancée et vive.

Condrieu Les Terrasses de l'Empire 2008
Blanc | 2010 à 2018 | 36 € **15/20**
Bel équilibre, vif et élancé, sur des notes de fruits fins et frais, une bouche dynamique et pure, et une belle tension.

Côte Rôtie Blonde du Seigneur 2007
Rouge | 2010 à 2027 | 37 € **18/20**
Agréables notes de viande cuite et d'épices fortes (clou de girofle) à l'ouverture, un nez puissant et intense, qui évolue sur un fruité noir et des notes plus minérales (fumée, graphite). Complexe à souhait. La bouche est à l'avenant, épaisse, avec des tanins gras fondants, une finale élancée où l'on mâche un grain savoureux.

Côte Rôtie La Maison Rouge 2007
Rouge | 2012 à 2027 | 60 € **18,5/20**
À ce stade, il est moins remis de sa mise que Blonde-du-Seigneur. Mais en bouche, le jus est de toute beauté. Corsé, concentré, élégant et raffiné, le toucher est superbe de délicatesse, avec une grande gourmandise des arômes.

Saint-Joseph La Dame Brune 2007
Rouge | 2012 à 2022 | 32 € **16,5/20**
Il est encore sur ses arômes d'élevage, beurre et noix de coco, mais cela va se fondre. La bouche est concentrée et charnue, avec une texture vraiment suave, et beaucoup d'harmonie et de fraîcheur. Sa bonne acidité le tiendra longtemps.

VIDAL-FLEURY

48, route de Lyon • 69420 Tupin-et-Semons
Tél. 04 74 56 10 18 • Fax : 04 74 56 19 19
vidal-fleury@wanadoo.fr • www.vidal-fleury.com
Visite : Du lundi au jeudi de 8h à 12h et de 14h à 17h30. Le vendredi de 8h à 11h30 et de 14h à 16h30.

Cette belle maison appartient à Guigal mais a toujours été gérée de façon autonome. Grâce à ses nouvelles installations, elle continue de rajeunir le style de ses cuvées, avec des vins exprimant plus de fruit et de fraîcheur qu'autrefois. Sa vaste gamme couvre plusieurs millésimes : 2005 en côte-rôtie, somptueux, 2007 dans les crus du Rhône nord, bien réussi, 2008 à boire jeune en rouge, et 2009, concentré et très fruité. Sans oublier le très régulier muscat-de-beaumes-de-venise, original et parfumé.

Châteauneuf-du-Pape 2007
Rouge | 2010 à 2017 | cav. 28,50 € **16/20**
Un vin charnu et riche, aux arômes de fruit à noyau et de chocolat, avec un alcool présent mais équilibré, de bons tanins. Harmonieux et fondu. Il a un équilibre qui faisait défaut au 2006.

Condrieu 2007
Blanc | 2010 à 2015 | cav. 30,50 € **15/20**
Un vin gourmand et fruité, avec de francs arômes d'abricot frais. La bouche est équilibrée, la finale pure et vive. Beaucoup de plaisir.

Cornas 2007
Rouge | 2010 à 2015 | cav. 28 € **15/20**
Un cornas de bon style, rajeuni. Le vin y gagne en tonus, en fraîcheur et en équilibre, les arômes sont frais.

Côte Rôtie Brune et Blonde 2005
Rouge | 2010 à 2018 | cav. 40 € **15/20**
Une côte-rôtie très florale, avec de bons tanins fermes, un jus savoureux et dense, une finale élancée. Bonne structure, mais non dénuée d'élégance et de finesse.

Côte Rôtie Côte Blonde La Chatillonne 2005
Rouge | 2010 à 2020 | cav. 65 € **16/20**
Après près de quatre années d'élevage sort cette jolie côte-rôtie gourmande et suave, aux tanins gras et fins, à la finale fraîche et enlevée. C'est bon, et dans un grand millésime !

Côtes du Rhône 2009
Blanc | 2010 à 2014 | cav. 8,60 € **14/20**
Un très bon côtes-du-rhône floral et ouvert, à la bouche fraîche et élancée. Bonne tenue en bouche.

Côtes du Rhône 2009 ☺
Rosé | 2010 à 2014 | cav. 7,30 € **15,5/20**
Très belle robe grenat. Nez gourmand, qui rappelle la grenadine de notre enfance. La bouche est parfumée, riche et savoureuse. Il est taillé pour la table. Ce vin donne soif !

Côtes du Rhône 2007
Rouge | 2010 à 2014 | cav. 7,20 € **14/20**
Le nouvel assemblage est un peu plus rond et chaud que celui de l'an passé, avec un fruité plus compoté, des tanins plus ronds, mais une gourmandise supérieure en bouche.

Côtes du Rhône-Villages 2009
Rouge | 2010 à 2015 | cav. 8,30 € **15/20**
Très marqué par la syrah, avec de gourmandes notes de violette, un jus parfumé et rond en bouche, de bons tanins. Bel équilibre.

Crozes-Hermitage 2008 ☺
Blanc | 2010 à 2015 | cav. 13 € **14/20**
Arômes de cire et de miel, mais cela reste frais et élégant. La bouche est parfumée et élancée, l'absence de fermentation malolactique le conserve bien droit.

Muscat de Beaumes-de-Venise 2008
Blanc liquoreux | 2010 à 2018 | cav. 19,20 € **15,5/20**
Une grande réussite pour ce vin concentré et pur, aux gourmands arômes de grain de muscat, de mandarine. Une grande finesse, à l'équilibre très proche du 2007. Il est préférable de l'aérer un peu, et surtout d'être vigilant quant à sa température de service, assez fraîche.

Tavel 2009
Rosé | 2011 à 2019 | cav. 11,60 € **15,5/20**
La bouche est vineuse et concentrée, il faut lui laisser quelques mois en bouteille pour qu'il digère sa mise. Belle pureté de fruit.

Ventoux 2009 ☺
Rouge | 2010 à 2014 | cav. 5,96 € **14/20**
Un vin rond et fruité, majoritairement syrah, avec de francs arômes de fruits noirs juteux. On le boit jeune et tendre.

DOMAINE FRANÇOIS VILLARD

330, route du Réseau Ange
42410 Saint-Michel-sur-Rhône
Tél. 04 74 56 83 60 • Fax : 04 74 56 87 78
vinsvillard@wanadoo.fr
Visite : Sur rendez-vous.

François Villard a créé de toutes pièces son domaine qui couvre aujourd'hui vingt-cinq hectares. Cet hyperactif se lance en permanence dans de nouvelles aventures, comme Les Vins de Vienne, ou le Bistrot de Serine, à Ampuis. Cela ne l'empêche pas de continuer à veiller à ses vinifications, et de nous proposer des vins rayonnants de fruit et de gourmandise. Le millésime 2009 s'annonce puissant et riche.

Condrieu De Poncins 2009
Blanc | 2010 à 2019 | 37,50 € **16/20**
Un condrieu de belle race. Encore discret car il est jeune, il faudra éviter de le boire trop vite, mais on sent immédiatement la pureté du jus et son allonge élégante et parfumée.

Condrieu Les Terrasses du Palat 2009
Blanc | 2010 à 2015 | 30 € **14/20**
Un échantillon riche et puissant, avec un gros volume de bouche. Il bénéfice à plein de la maturité du millésime.

Côte Rôtie La Brocarde 2008
Rouge | 2010 à 2018 | 50 € **16/20**
Plus d'ambition que Le-Gallet-Blanc, mais grâce à une meilleure concentration et des tanins bien mûrs, le vin est profond et élégant, son élevage s'intègre bien.

Côte Rôtie Le Gallet Blanc 2008
Rouge | 2010 à 2015 | 36 € **14,5/20**
On a bien préservé le fruit et la gourmandise des arômes. La bouche est moins charnue qu'à l'accoutumée, on le boira jeune.

Saint-Peray Version Longue 2008
Blanc | 2010 à 2015 | 19,50 € **15/20**
Plus gras, plus de longueur, plus de concentration et de finesse que la «version courte».

LES VINS DE VIENNE

1, Zone d'Activité de Jassoux • 42410 Chavanay
Tél. 04 74 85 04 52 • Fax : 04 74 31 97 55
contact@lesvinsdevienne.fr • www.vinsdevienne.com
Visite : Du lundi au vendredi de 8h à 12h et de 13h à 17 h. sauf le vendredi fermeture a 16h. Sur rendez-vous pour les dégustations.

Aventure débutée en 1998, les Vins de Vienne proposent à la fois des vins issu d'un vignoble en propre, du négoce de raisins et du négoce de vins. 2008 ne restera pas dans les mémoires, d'autant que les échantillons présentés en demi-bouteilles semblaient évoluer rapidement, avec de nombreux problèmes de bouchons. La maison a choisi de produire la plupart de ses cuvées, sans que les différences sautent aux yeux le jour de notre dégustation. Peut-être le déménagement de la cuverie en cours d'année a-t-il perturbé le travail en cave ? Nous goûterons les 2009 avec grand intérêt.

Côte Rôtie Les Essartailles 2008
Rouge | 2010 à 2018 | 34,50 € **15/20**
La bouche est épicée et concentrée, avec une trame serrée, une fin de bouche où ressort la minéralité des schistes.

Côtes du Rhône Les Laurelles 2009
Blanc | 2010 à 2013 | 9 € **14/20**
Un fruité franc et gourmand, avec une touche anisée. La bouche est parfumée, la finale fraîche.

Saint-Joseph L'Arzelle 2008
Rouge | 2010 à 2016 | 18 € **14/20**
Des tanins mieux enrobés que l'entrée de gamme, une bouche fraîche et équilibrée, une finale en rondeur.

Saint-Joseph Les Archevêques 2008
Rouge | 2011 à 2018 | 22 € **14,5/20**
Un vin droit, aux tanins élancés, à la bouche fraîche et harmonieuse. Il présente une concentration supérieure à l'Arzelle.

Saint-Peray 2008
Blanc | 2010 à 2013 | 12 € **13,5/20**
La bouche est grasse, les arômes assez discrets mais élégants. On l'apprécie déjà.

DOMAINE ALAIN VOGE

4, impasse Équerre • 07130 Cornas
Tél. 04 75 40 32 04 • Fax : 04 75 81 06 02
contact@alain-voge.com • www.alain-voge.com
Visite : De 9h à 18h la semaine sur rendez-vous le samedi

Cette propriété est l'un des pionniers de l'appellation Cornas. Après 50 ans de travail acharné, Alain Voge passe progressivement la main à Albéric Mazoyer. La gamme est large, entre les cuvées vinifiées en cuve et celles passées sous bois, des saint-pérays aux cornas, et les vins vieillissent avec bonheur. Très sagement, le domaine ne produit pas ses cuvées haut de gamme si le millésime ne s'y prête pas : ainsi, pas de cornas Les-Vieilles-Fontaines en 2007 ni en 2008.

Cornas Les Chailles 2008
Rouge | 2010 à 2015 | 21 € **15/20**
Arômes épicés et tension typique des cornas. Bon volume de bouche, les tanins sont présents, fermes mais sans rudesse. Un vin que l'on boira jeune. C'est très plaisant.

Cornas Les Vieilles Vignes 2008
Rouge | 2010 à 2018 | 31 € **16/20**
Fruité profond et concentré, sur la mûre. Bouche bien charnue, tanins gras. Un volume et une chair splendides dans ce millésime souvent décrié. Preuve que l'âge des vignes et une sélection rigoureuse font beaucoup dans la qualité d'un vin ! L'apport des Vieilles-Fontaines le dope bien.

Saint-Peray Fleur de Crussol 2008
Blanc | 2010 à 2018 | 22 € **15,5/20**
Un vin élégant et suave, aux arômes purs de jus de fruits blancs et de fleurs. Bouche harmonieuse et élancée.

Saint-Peray Harmonie 2008
Blanc | 2010 à 2014 | 12 € **14/20**
Jolis arômes floraux, la bouche est grasse et fraîche. Concentration moyenne, mais très apéritif, avec sa finale gourmande.

Saint-Peray Terres Boisées 2008
Blanc | 2010 à 2015 | 15 € **15/20**
Jolie matière, texture gourmande, bien enrobée par l'élevage en barrique, qui a apporté de gourmandes notes grillées.

Notes personnelles

Le Rhône Sud

Le grenache, complété par une symphonie de cépages d'appoint, y donne aux rouges l'ampleur, le moelleux et le velouté qui séduisent désormais toute la planète, avec plus de puissance et de pompe côté Vaucluse, plus de sérieux côté Gard, alors catholique ou protestant, à vous de choisir !

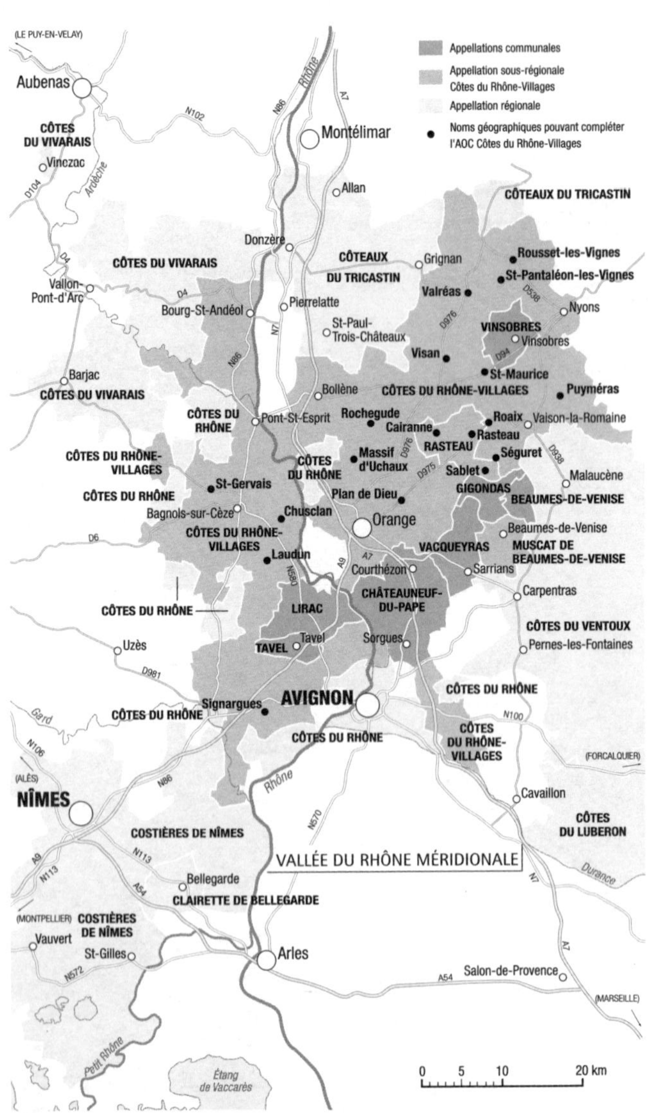

DOMAINE D'AÉRIA

Route de Rasteau • 84290 Cairanne
Tél. 04 90 30 88 78 • Fax : 04 90 30 78 38
domaine.aeria092@orange.fr
Visite : Sur rendez-vous.

Véritable valeur sûre du secteur depuis des décennies, Roland Gap tire de ses vignes des vins somptueux. Ce domaine de dix-huit hectares, un des plus anciens du village, produit des vins solaires et charpentés dans un style traditionnel. Du simple côtes-du-rhône à la cuvé Bouto-Novo, tous les vins sont solides et bien construits, avec un très bon potentiel de vieillissement.

Côtes du Rhône 2008
Rouge | 2010 à 2013 | 6 € **14/20**
Belle concentration de fruit noirs, d'épices et de cuir au nez. Le vin est svelte en bouche avec une belle texture et des tanins souples.

Côtes du Rhône-Villages Cairanne
Bouto Novo 2007
Rouge | 2012 à 2016 | 12 € **15/20**
Un nez fumé de syrah et de barriques, texture suave et intense avec une belle trame tannique. Encore très jeune.

Côtes du Rhône-Villages Cairanne
cuvée Prestige 2005
Rouge | 2010 à 2014 | 11 € **14,5/20**
Belle concentration en bouche pour cette cuvée de vieilles vignes de grenache et mourvèdre. Le vin est serré et dense, très mourvèdre.

Côtes du Rhône-Villages Rasteau 2008
Rouge | 2011 à 2014 | 8,50 € **14,5/20**
Floral avec des notes de poivre blanc au nez, sérieusement construit en bouche, dense avec un fruit mûr et des tanins savoureux.

DOMAINE ALARY

Route de Rasteau - La Font d'Estevenas
84290 Cairanne
Tél. 04 90 30 82 32 • Fax : 04 90 30 74 71
alary.denis@wanadoo.fr
Visite : de 8h à 12h et de 14h à 18h tous les jours sauf dimanche en hiver sur rendez-vous

Dans cette commune de Cairanne, riche en vignerons talentueux, Daniel et Denis Alary, père et fils, ont su donner à leurs productions un cachet bien particulier, en jouant sur des terroirs variés, avec des expositions différentes. Les vins sont d'un caractère sérieux, souvent réservé dans leur jeunesse, avec une forte personnalité, ils sont authentiques et naturels.

Côtes du Rhône-Villages Cairanne 2008
Rouge | 2010 à 2013 | 7,30 € **14,5/20**
Très beau 2008, souple et soyeux en bouche sur des fruits rouge frais, savoureux et prêt à boire.

Côtes du Rhône-Villages La Brunotte 2008
Rouge | 2010 à 2014 | 8,20 € **15/20**
Plus dense, avec un côté plus strict grâce à l'assemblage qui contient du mourvèdre. Une belle matière expressive en bouche avec une longueur charnue.

Côtes du Rhône-Villages
La Font d'Estévenas 2008
Blanc | 2010 à 2013 | 7,90 € **15/20**
Arômes de fleurs blanches (chèvrefeuille) et de fruits jaunes confits au nez, belle texture pleine en bouche avec de la fraîcheur.

Côtes du Rhône-Villages La Jean de Verde 2007
Rouge | 2012 à 2018 | 12,50 € **16/20**
Des notes de tabac, laurier et épices douces, le vin est intense et bien charpenté, tanins bien défini, construit pour le long terme.

Vin de pays de la Principauté d'Orange 2008
Rouge | 2010 à 2012 | 4,30 € **13,5/20**
Franc, fruité et agréable, le vin est soyeux en bouche avec beaucoup de charme.

DOMAINE AMIDO

Le Palais Nord • 30126 Tavel
Tél. 04 66 50 04 41 • Fax : 04 66 50 04 41
domaineamido@cegetel.net
Visite : Du lundi au vendredi de 8h à 12h et de 14h à 18h week-end sur rendez-vous

Lirac 2008
Rouge | 2010 à 2012 | 8,25 € **14/20**
Joli nez parfumé de fruits rouges, un vin pur, rond et généreux en bouche, sur le fruit, très agréable.

Tavel 2009
Rosé | 2010 à 2011 | 8 € **14/20**
La robe est belle, légèrement cuivrée, belle qualité savoureuse en bouche, riche et gras, avec du caractère.

DOMAINE DES AMOURIERS

Les Garrigues de l'Étang • 84260 Sarrians
Tél. 04 90 65 83 22 • Fax : 04 90 65 84 13
domaine-des-amouriers@aliceadsl.fr
Visite : De 8h à 12h.

Ce domaine, qui fut le pionnier de l'amélioration qualitative de Vacqueyras, se situe sur le plateau de Sarrians, sur les sols argilo-sableux. La propriété s'étend sur vingt-cinq hectares, produisant des vins dans les AOC Vacqueyras et Côtes du Rhône ainsi qu'en vin de pays de Vaucluse. Les vinifications en cuves béton permettent aux vins d'exprimer parfaitement leur terroirs, avec des tanins droits. Solides, francs, et souvent fermés dans leur jeunesse, ils méritent d'être conservés plusieurs années en bouteille.

VACQUEYRAS LES GENESTES 2008
Rouge | 2012 à 2017 | 12 € **15/20**
Réglisse et épices douces au nez, le vin est plein et suave en bouche avec une très belle qualité de fruit, long et savoureux.

VACQUEYRAS SIGNATURE 2008
Rouge | 2011 à 2016 | 9 € **14,5/20**
Un joli vin, beaux fruits mûrs, souple et agréable en bouche, avec une fraîcheur prononcée, belle matière.

CÔTES DU RHÔNE CLÉMENTIA BLANC 2008
Blanc | 2010 à 2012 | 8,50 € **14/20**
Un assemblage de viognier et roussanne avec une pointe de clairette, le vin est aromatique et frais avec une belle pureté de fruit et une personnalité sudiste.

CÔTES DU RHÔNE-VILLAGES CAIRANNE L'ANCESTRALE DU PUITS 2007
Rouge | 2011 à 2015 | 16 € **15/20**
Légèrement moins concentré que la Veilles-Vignes mais tout aussi savoureux en bouche, un vin sérieusement construit avec une belle longueur épicée.

CÔTES DU RHÔNE-VILLAGES CUVÉE DES GALETS 2007
Rouge | 2010 à 2015 | 9,50 € **15/20**
Arômes d'épices douces et fruits confits au nez, la bouche est intensément fruitée, la texture dense et savoureuse, tanin sérieux.

CÔTES DU RHÔNE-VILLAGES MOURVÈDRE
Rouge | 2011 à 2015 | 22 € **15/20**
Le vin commence à s'ouvrir. Un nez typique du mourvèdre, un peu rustique avec des notes de fruits cuits et d'épices douces, la bouche est ample et après quelques années en bouteille les tanins se sont assouplis et le boisé fondu.

DOMAINE LES APHILLANTHES

Chemin Saint-Jean • 84850 Travaillan
Tél. 04 90 37 25 99 • Fax : 04 90 37 25 99
lesgalets84@wanadoo.fr
Visite : sur rendez-vous

Hélène et Daniel Boullé exploitent leurs 37 hectares de vignes sur la commune de Travaillan sur un terroir argilo-calcaire avec des galets roulés. Les vignes sont cultivées en biodynamie et c'est en 2000 qu'ils ont construit leur cave pour vinifier leurs raisins eux-mêmes. Les raisins sont vendangés à la main et vinifiés traditionnellement avec des fermentations en cuve béton et des élevages longs en cuve ou en barrique selon la cuvée. Les vins sont concentrés, richement fruités, avec des extractions ambitieuses. Ils ont besoin de deux à trois ans en bouteille avant d'exprimer le meilleur de leur terroir.

CÔTES DU RHÔNE 2007
Rouge | 2010 à 2015 | 6 € **14,5/20**
Concentré et richement fruité, avec des arômes de mûres, de laurier et de ronces, le vin est ample et généreux en bouche, avec une belle longueur.

CHÂTEAU D'AQUÉRIA

Route de Roquemaure • 30126 Tavel
Tél. 04 66 50 04 56 • Fax : 04 66 50 18 46
contact@aqueria.com • www.aqueria.com
Visite : De 8h à 12h et de 14h à 18h en semaine

Le domaine, très vaste, a la particularité d'être le seul à s'étendre d'un seul tenant sur les deux appellations Tavel et Lirac. Ses galets roulés en surface et son sous-sol sablo-argileux produisent des vins assez frais, les vignes souffrant moins de la chaleur que dans d'autres zones. Le tavel d'Aquéria contient huit des neuf cépages autorisés dans l'appellation. C'est une des fiertés de Vincent Bez qui gère avec discrétion et sagesse ce magnifique domaine depuis une vingtaine d'années, avec désormais l'aide de son frère Bruno, venu le seconder dans les vignes. Le tavel est une référence pour l'appellation, mais il ne faut pas passer à côté des vins rouges et blancs, faits avec la même précision et finesse que le grand rosé.

CÔTES DU RHÔNE 2008
Rouge | 2010 à 2012 | 6,50 € **14/20**
Nez de poivre blanc, légèrement végétal, la bouche est ronde et généreuse, épicée et gou-

leyante. Un très agréable 2008 à boire jeune, sur le fruit.

Lirac
Blanc | 2010 à 2013 | 9 € **14/20**
Nez très expressif de fruits exotiques, le vin est frais et franc en bouche, avec une bonne longueur.

Lirac Château d'Aqueria 2007
Rouge | 2010 à 2015 | 9 € **15/20**
Arômes de liqueur de thym au nez, beaux fruits noirs, très mûrs, structure souple avec beaucoup du caractère, tanins présents et savoureux.

Lirac Héritage d'Aquéria 2007
Rouge | 2010 à 2017 | 19,85 € **16,5/20**
Un vin magnifique pour sa finesse de texture, son joli grain de tanin et son fruit velouté et élégant.

Tavel 2009
Rosé | 2010 à 2012 | 9,60 € **17/20**
D'une couleur foncée avec des reflets violets, ce vin a trouvé l'équilibre parfait entre la richesse et l'acidité, le fruité et la fraîcheur, le parfum floral et épicé.

DOMAINE PAUL AUTARD

Route de Châteauneuf • 84350 Courthézon
Tél. 04 90 70 73 15 • Fax : 04 90 70 29 59
jean-paul.autard@wanadoo.fr • www.paulautard.com
Visite : du lundi au vendredi de 9h à 13h et de 15h à 19h, samedi et dimanche sur rendez-vous

Ce cru du nord de l'appellation réalise des vinifications adroites, en raisins égrappés, qui donnent un caractère très suave à ces vins issus d'un terroir de trente hectares, entre Courthézon et Bedarrides. La cuvée Côte-Ronde possède ainsi une personnalité à la fois moderne et moelleuse, très étonnante.

Châteauneuf-du-Pape 2008
Rouge | 2010 à 2018 | 28 € **15/20**
Beaux arômes de ronce et de mûre, allonge et volume sérieux. De la réserve et de la profondeur.

Châteauneuf-du-Pape 2008
Blanc | 2010 à 2014 | 30 € **15,5/20**
Le vin est perceptiblement boisé, mais l'ensemble se révèle gras, suave et tendre, relevé par des notes d'agrumes fines.

Châteauneuf-du-Pape cuvée La Côte Ronde 2008
Rouge | 2012 à 2018 | 39 € **16/20**
Le boisé est indiscutablement encore très présent, mais le vin ne sèche pas : on apprécie au contraire son beau volume rond.

BALMA VENITIA

Quartier Ravel • 84190 Beaumes-de-Venise
Tél. 04 90 12 41 00 • Fax : 04 90 65 02 05
vignerons@beaumes-de-venise.com
www.beaumes-de-venise.com
Visite : Tous les jours de 8h30 à 12h30 et de 14h à 19h.

Sous la marque Balma Venitia (Beaumes-de-Venise en latin), les vignerons coopérateurs réalisent environ 75 % de la production de cette jeune appellation en rouge. Si toute la gamme n'est pas d'un niveau complètement homogène, on y trouve de nombreuses cuvées tout à fait intéressantes, avec des expressions de saveur bien nuancées, dotées de tanins précis et sans raideur. Leur gamme de muscats-de-beaumes-de-venise est également très intéressante et même étonnante, avec des cuvées dans les trois couleurs : blanc, rosé et rouge !

Beaumes de Venise Terres des Farisiens 2008
Rouge | 2010 à | env 7 € **14/20**
Des arômes poivrés au nez, belle matière florale, pas trop concentré mais agréable en bouche.

Beaumes de Venise Terres du Trias 2007
Rouge | 2010 à 2013 | env 9 € **14/20**
Joliment fruité avec des épices douces et une belle fraîcheur, chaud en finale.

Muscat de Beaumes-de-Venise Bois Doré
Blanc Doux | 2010 à 2015 | 12,50 € **14,5/20**
Couleur jaune paille, très boisé, élaboré à partir de raisins passerillés, il est richement fruité, une cuvée à part mais pas sans intérêt.

Muscat de Beaumes-de-Venise Cristal d'Or 2009
Blanc liquoreux | 2010 à 2013 | 9,40 € **14,5/20**
Très agrume au nez, belle concentration et sensation d'équilibre en bouche, le vin est frais, sans aucune lourdeur.

DOMAINE ÉLODIE BALME

Quartier Saint-Martin - Route d'Orange
84110 Rasteau
Tél. 06 20 55 20 87
balme.elodie@wanadoo.fr
Visite : Sur rendez-vous.

Ancienne stagiaire chez Marcel Richaud, Élodie Balme vinifie maintenant 7,5 hectares repris à son père en 2006. Personnalité radieuse, elle réalise des vins qui lui ressemblent. Les vignes se situent sur les communes de Rasteau et de Roaix, et toutes sont de belles expressions de grenache, gorgées de soleil et de fruits noirs. Ce sont de vrais vins de plaisir, fruités et soyeux, avec de belles constructions en bouche. Les cuvées 2009 continuent parfaitement dans la lignée de ses premières vinifications, des vins richement fruités, profonds, de belles expressions de grenache.

CÔTES DU RHÔNE 2009
Rouge | 2010 à 2013 | 7 € **14,5/20**
Un fruit noir succulent et frais avec une texture soyeuse, tanin savoureux, belle longueur en finale.

CÔTES DU RHÔNE-VILLAGES RASTEAU 2009
Rouge | 2010 à 2014 | 11 € **15,5/20**
Du concentré de fruits, riche et généreux, une belle structure en bouche, floral avec des notes de figues rôties, bel équilibre.

VIN DE PAYS DU VAUCLUSE 2009
Rouge | 2010 à 2012 | 5,50 € **14/20**
Fruit concentré et mûr, avec 20 % de merlot, le vin est souple, rond et gourmand.

DOMAINE DE LA BARROCHE

19, avenue des Bosquets
84230 Châteauneuf-du-pape
Tél. 06 83 85 72 04 • Fax : 04 90 83 71 94
julien@domainelabarroche.com
www.domainelabarroche.com
Visite : sur rendez-vous.

En reprenant ce domaine familial en 2002, Julien Barrot a pu s'appuyer sur un vignoble très ancien, situé essentiellement dans le nord et nord-est de l'appellation. Le domaine produit deux cuvées spéciales : La-Fiancée, étonnant assemblage de jeunes syrahs et de très vieux grenaches, et Pure, issue de grenaches centenaires plantés sur safres.

CHÂTEAUNEUF-DU-PAPE 2008
Rouge | 2010 à 2016 | 19 € **15/20**
Beau vin harmonieux avec sa robe souple, son fruité tendre, assez long dans un registre tapissant.

CHÂTEAUNEUF-DU-PAPE SIGNATURE 2008
Rouge | 2010 à 2018 | 31 € **17/20**
Vin gras, robe grenat subtile, allonge fine et délicate, fraîche subtilité.

LA BASTIDE SAINT DOMINIQUE

Chemin Saint-Dominique • 84350 Courthezon
Tél. 04 90 70 85 32 • Fax : 04 90 70 76 64
contact@bastidesaintdominique.com
www.bastidesaintdominique.com
Visite : du lundi au vendredi de 8h30 à 12h et de 13h30 à 18h et le week end sur rendez-vous

CHÂTEAUNEUF-DU-PAPE 2008
Rouge | 2010 à 2016 | 17 € **15/20**
Beau vin à la robe rubis, au nez de griotte, au corps harmonieux et persistant, à la longueur souple.

CHÂTEAUNEUF-DU-PAPE CHLORIS 2008
Rouge | 2010 à 2016 | 25 € **16,5/20**
Très séduisant nez de fruits rouges et noirs, corps svelte, belle intensité, beaucoup de fraîcheur. Long.

CHÂTEAU BEAUBOIS

Route de Générac • 30640 Franquevaux
Tél. 04 66 73 30 59 • Fax : 04 66 73 33 02
chateau-beaubois@wanadoo.fr
www.chateau-beaubois.com
Visite : Tous les jours de 9h à 12h et de 14h à 18h.

Le duo fraternel de Fanny et François Boyer dirige le Château Beaubois avec un dynamisme et une détermination exemplaires. Les vignobles qui entourent le château sont composés du terroir typique des Costières, des galets roulés sur des sols argilo-calcaires, avec une belle influence maritime due à la proximité de la Méditerranée. Toute la gamme est recommandée, le style moderne et fruité a tendance à plaire à une clientèle internationale.

COSTIÈRES DE NÎMES CONFIDENCE 2008
Blanc | 2010 à 2012 | 11 € **15/20**
Une belle expression de grenache blanc, pure et épanouie au nez, la bouche est franche et florale

avec une touche de cire d'abeille et une belle rondeur en finale.

Costières de Nîmes Confidence 2008
Rouge | 2011 à 2014 | 10 € **15/20**
Dense et profond avec de superbes notes de fruits noirs, de la confiture, laurier, boisé léger. Un joli vin, profond et harmonieux.

Costières de Nîmes Élégance 2009
Blanc | 2010 à 2012 | 8,50 € **14,5/20**
Un joli vin, suave et raffiné, notes de fleurs blanches et amande amère, bonne longueur.

Costières de Nîmes Élégance 2009
Rosé | 2010 à 2011 | 8,50 € **14,5/20**
Un rosé assez pâle aux reflets cuivrés, de la race en bouche, suave et ample, joliment parfumé.

Costières de Nîmes Élégance 2008
Rouge | 2010 à 2012 | 8,50 € **14,5/20**
Vin rond et souple, savoureux avec ses notes de petits fruits sauvages, ronces et sous-bois, un rien plus léger que d'habitude, mais très agréable !

Costières de Nîmes Expression 2009
Blanc | 2010 à 2011 | 6 € **13,5/20**
Fruits exotiques au nez, la bouche est pleine et expressive, mais un rien lourde.

CHÂTEAU DE BEAUCASTEL

Chemin de Beaucastel • 84350 Courthézon
Tél. 04 90 70 41 00 • Fax : 04 90 70 41 19
contact@beaucastel.com • www.beaucastel.com
Visite : Sur rendez-vous

La propriété est d'un seul tenant, située sur un terroir très spectaculaire de galets roulés, avec un sous-sol très argileux (limitant ainsi le stress hydrique) qui occupe tout le nord-est de l'appellation, autour du lieu-dit Coudoulet. Outre un côtes-du-rhône issu de terroirs contigus, Coudoulet-de-Beaucastel, le domaine produit quatre vins : en blanc, une cuvée classique où la roussanne est dominante, et même exclusive dans la cuvée roussanne-Vieilles-Vignes. En rouge, le mourvèdre joue un grand rôle, puisqu'il représente près d'un tiers des plantations, autant que le grenache. Dans la cuvée Hommage-à-Jacques-Perrin, les vieilles vignes de mourvèdre sont quasi exclusives. L'ensemble de ces vins est depuis longtemps au sommet de l'appellation, mais les vinifications ont gagné en précision et en raffinement dans les dernières années.

Châteauneuf-du-Pape 2008
Blanc | 2010 à 2016 | 52 € **16,5/20**
Robe dorée, suavité riche et profonde, arômes de pêche de vignes, de fleurs et de miel, allonge généreuse.

Châteauneuf-du-Pape 2007
Rouge | 2012 à 2022 | 52 € **17/20**
Beau vin puissant, structuré, intense, dévoilant une grande élégance aromatique, impressionnant de persistance et de volume en finale.

Châteauneuf-du-Pape Hommage à Jacques Perrin 2007
Rouge | 2010 à 2024 | 220 € **18,5/20**
À l'intensité habituelle de la cuvée s'ajoute ici une plénitude et une onctuosité impressionnantes. Même si son potentiel de garde est certain, c'est un vin déjà délicieux à déguster aujourd'hui...

Châteauneuf-du-Pape roussanne Vieilles Vignes 2008
Blanc | 2010 à 2018 | 80 € **19/20**
Chaque millésime de la roussanne Vieilles-Vignes est un éblouissement, mais ce 2008 l'est peut-être plus encore que les précédents tant le vin associe plénitude, fraîcheur, parfum envoûtant, longueur, subtilité et intensité. Du grand art !

Côtes du Rhône Coudoulet 2008 ☺
Rouge | 2010 à 2015 | env 14 € **16/20**
Très beau fruit associant avec une grande fraîcheur les fruits noirs et rouges, allonge svelte, élancée, savoureuse et intense. Délicieux.

DOMAINE DE BEAURENARD

SCEA Paul Coulon et Fils - 10, avenue Pierre-de-Luxembourg • 84230 Châteauneuf-du-Pape
Tél. 04 90 83 71 79 • Fax : 04 90 83 78 06
paul.coulon@beaurenard.fr • www.beaurenard.fr
Visite : Ouvert du lundi au samedi De 9h à 12h et de 13h30 à 17h30. Et le dimanche sur rendez-vous

Beaurenard est l'un des classiques de l'appellation. Trente-deux hectares de vignes en Châteauneuf et vingt-cinq en Côtes du Rhône et à Rasteau constituent un patrimoine appréciable et bien mis en valeur par Daniel et Frédéric Coulon. Les vins sont d'un style très puissant, tant la cuvée classique que celle de prestige, Boisrenard. Il faut leur donner le temps de s'épanouir en cave, ils vieillissent remarquablement.

Châteauneuf-du-Pape 2008
Rouge | 2010 à 2016 | 25 € **16/20**
Charnu, harmonieux et intense, bons arômes de fruits rouges, allonge persistante et corps soyeux.

Châteauneuf-du-Pape Boisrenard 2008
Blanc | 2010 à 2016 | 38 € **17/20**
Superbe blanc finement boisé, remarquablement construit, ample, enjôleur avec ses arômes de fruits blancs et de fleurs d'été, son allonge gourmande.

DOMAINE DES BERNARDINS

138, avenue Gambetta • 84190 Beaumes-de-Venise
Tél. 04 90 62 94 13 • Fax : 04 90 65 01 42
contact@domaine-des-bernardins.com
www.domaine-des-bernardins.com

Ce domaine attachant de Beaumes de Venise signe chaque année l'un des plus beaux vins doux de France : son muscat conjugue, avec un délicieux équilibre, une finesse de parfum, une souple et ronde richesse de constitution et surtout une fraîcheur inégalable en bouche. Le vin a toujours une magnifique robe cuivrée grâce à des vignes complantées en muscat à petits grains blancs et rouges ! En 2008, la famille a sorti une nouvelle cuvée qui rend hommage à leur grand-père Louis Castaud, qui était à l'origine de l'appellation Beaumes de Venise. C'est un assemblage de cinq millésimes, chacun vinifié et élevé séparément et ensuite assemblé, comme c'était la tradition dans les années 1930.

Beaumes de Venise 2009
Rouge | 2010 à 2013 | 7,80 € **13,5/20**
Agréablement fruité, floral avec des notes de fruits rouges, le vin est savoureux, avec un tanin légèrement amer.

Côtes du Rhône Les Balmes 2009
Rosé | 2010 à 2011 | 4,90 € **13,5/20**
Frais et floral, c'est un rosé délicat avec de la rondeur en bouche. À boire très frais.

Côtes du Rhône Les Balmes 2007
Rouge | 2010 à 2012 | 5,90 € **13,5/20**
Nez aromatique, parfums de garrigue et de fruits rouges, bel équilibre en bouche, un vin franc et agréable.

Muscat de Beaumes-de-Venise 2009
Blanc liquoreux | 2011 à 2015 | 11,10 € **15,5/20**
Belle couleur cuivrée, aromatique au nez, la bouche présente des notes de sucre roux, caramel, il est riche et floral, mais l'ensemble manque un peu de fraîcheur.

Muscat de Beaumes-de-Venise Hommage
Blanc liquoreux | 2010 à 2020 | 15,60 € **18/20**
Une couleur étonnante, les mêmes tons de cuivre que la cuvée normale, mais plus foncés. Le bouquet est infiniment complexe et profond, avec des notes de noix, raisins secs et sultanines et une touche de caramel, une bouche riche et profonde. Un vin de très grand style, vendu à un prix plus que raisonnable. (bouteille de 50 cl)

Vin de pays du Vaucluse
Doré des Bernardins 2008
Blanc | 2010 à 2012 | 4,90 € **14/20**
Muscat à petits grains vinifié en vin blanc sec. Un nez qui met l'eau à la bouche, floral, expressif, 100 % muscat. En bouche, le vin est aussi aromatique et les papilles sont étonnées de trouver un vin sec.

MAS DE BOIS LAUZON

Route de Châteauneuf • 84100 Orange
Tél. 04 90 34 46 49 • Fax : 04 90 34 46 61
masdeboislauzon@wanadoo.fr
www.masdeboislauzon@wanadoo.fr
Visite : Du lundi au samedi de 9h à 12h et de 14h à 18h30.

Cette propriété du nord de l'appellation Châteauneuf travaille sérieusement depuis plusieurs années en réalisant des vins chaleureux, profonds et suaves. Une cuvée de vieilles vignes, Quet, est réalisée ainsi qu'un mourvèdre, Tintot, dans les années où le capricieux cépage atteint sa maturité optimale.

Châteauneuf-du-Pape 2008
Rouge | 2012 à 2018 | 25 € **15/20**
Robe profonde, notes intenses de mûre et de ronce, une certaine profondeur onctueuse, longueur charnue mais finale un rien abrupte encore. Attendons-le.

DOMAINE HENRI BONNEAU

Rue Joseph-Ducros • 84230 Châteauneuf-du-Pape
Tél. 04 90 83 73 08 ou 04 66 89 75 62
ou 06 80 99 08 75 • Fax : 04 90 83 73 08
le.ballon.rouge@wanadoo.fr • www.le-ballon-rouge.fr

Véritable légende castelnovienne, Henri Bonneau a produit quelques-uns des châteauneufs les plus étonnants des trois dernières décennies. Perchée en haut du village, sa cave aux minuscules mais

nombreux recoins regorge d'ancestraux fûts de tailles diverses mais tous quasi minéralisés à force d'avoir été utilisés. Ici, le jovial mais rusé Henri laisse dormir durant le temps qu'il faut (c'est-à-dire souvent plus d'une demi-douzaine d'années !) ses trésors venus du plateau de la Crau, mettant en bouteilles lorsque l'envie ou la nécessité se font sentir. Extrêmement profonds, mais d'une finesse de texture incroyable, ces nectars brillent par leur naturel et leur sève, en particulier l'illustre Réserve-des-Célestins. Les vins sont commercialisés en France par l'intermédiaire exclusif d'un caviste de Bagnols-sur-Cèze, le Ballon Rouge.

Châteauneuf-du-Pape Marie Beurrier 2003
Rouge | 2010 à 2020 | 95 € **16,5/20**
Beau vin ample, long, sans mollesse mais en finesse.

Châteauneuf-du-Pape Réserve des Célestins 2004
Rouge | 2014 à 2024 | 65 € **17/20**
Vin intense et profond, persistant et délicat en finale.

DOMAINE BOSQUET DES PAPES

18, route d'Orange - B.P. 50
84230 Châteauneuf-du-Pape Cedex
Tél. 04 90 83 72 33 • Fax : 04 90 83 50 52
bosquet.des.papes@orange.fr
www.le-bosquet-des-papes.com
Visite : Du lundi au vendredi de 9h à 12h et de 14h à 18h. Samedi de 9h à 12h sur rendez-vous. Fermé dimanche et jours fériés.

Ce domaine a acquis une belle réputation avec sa cuvée Chante-le-Merle, issue de vieilles vignes, pour trois quarts de grenache et pour le reste de l'ensemble des cépages noirs. Il a désormais créé également un vin à 98 % grenache, Gloire-de-mon-Grand-Père. Tous deux sont extrêmement séduisants et profonds.

Châteauneuf-du-Pape 2009
Blanc | 2010 à 2013 | 18 € **15/20**
Les notes de fruits blancs sont expressives, le vin apparaît ample, souple et de bonne longueur.

Châteauneuf-du-Pape 2008 ☺
Rouge | 2010 à 2016 | 17 € **14/20**
Comme souvent cette cuvée apparaît fruitée, souple, tendre et facile, assez svelte et équilibrée.

DOMAINE DES BOSQUETS

Route de Sablet • 84190 Gigondas
Tél. 04 90 83 70 31 • Fax : 04 90 83 51 97
contact@famillebrechet.fr
www.domainedesbosquets.com
Visite : Ouvert du lundi au vendredi de 10h à 12h et de 14h à 18h et le samedi sur rendez-vous et fermé le dimanche et jour feriés.

La famille Bréchet, également propriétaire du Château Vaudieu à Châteauneuf du Pape, possède ce magnifique domaine familial depuis 1963. Ce domaine de 26 hectares sur Gigondas possède des parcelles en coteaux et en plateaux jusqu'à 300 mètres d'altitude. Les vins sont structurés, d'une grande délicatesse et d'une belle finesse dues à de longs élevages en cuve ciment. Ils évoluent remarquablement bien et développent un merveilleux nez de pivoine et de rose ancienne. 2010 a vu l'inauguration du nouveau caveau de dégustation au domaine, en plein milieu des vignes, à Gigondas.

Gigondas 2008
Rouge | 2012 à 2016 | 15 € **15/20**
Beau nez profond, notes de laurier, thym et fruits noirs. La bouche est pleine, belle texture et beaucoup de fraîcheur.

Gigondas 2007
Rouge | 2012 à 2017 | 15 € **15,5/20**
Couleur noire, vin richement fruité, confituré, belle acidité, belle vinification, une touche de barrique fine et élégante, tanins jeunes et puissants en finale, à revoir l'année prochaine après la mise en bouteille.

Gigondas 2006
Rouge | 2010 à 2016 | 15 € **15/20**
Un vin étonnant pour son corps soutenu, voire costaud, mais en même temps soyeux en bouche, avec des tanins présents et parfaitement intégrés à l'ensemble. Il finit sur des notes de fruits sauvages, d'écorce d'orange et de cèdre.

Gigondas 2005
Rouge | 2010 à 2014 | 14,50 € **15/20**
Nez puissant, bien poivré. La bouche est riche, avec de beaux tanins soyeux. Complexe, bien structuré, avec un alcool bien assimilé.

Gigondas Préférence 2001
Rouge | 2010 à 2013 | 24 € **16/20**
80 % syrah et 20 % grenache, cette cuvée spéciale du domaine est maintenant à son apogée. Des notes de thé vert et de sous-bois au nez, du

cuir, et des tanins soyeux, fondus. Il y a toujours une superbe fraîcheur en bouche, minérale et saline. Un très beau 2001, vieilli au domaine, ce qui est assez rare de nos jours, profitez-en.

DOMAINE LA BOUÏSSIÈRE

Rue du Portail • 84190 Gigondas
Tél. 04 90 65 87 91 • Fax : 04 90 65 82 16
labouissiere@aol.com • www.bouissiere.com
Visite : De 10h à 12h et de 14h à 19h sur rendez-vous les week-ends.

La Bouïssière est une petite propriété de seulement 8,5 hectares à Gigondas. Gilles et Thierry Faravel dirigent le domaine familial avec passion et sagesse, créant des vins somptueux aux tanins racés. La majorité des vignes se trouve dans les dentelles de Montmirail entre 350 et 400 mètres d'altitude, ce qui permet aux deux frères de pousser la maturité des raisins au maximum, les vendanges se déroulant tous les ans jusqu'à la mi-octobre. Les vinifications sont soignées, avec très peu de manipulation, et des élevages en barrique assez longs, parfaitement maîtrisés. Il y a également 2,5 hectares en Vacqueyras, des vins tout aussi exceptionnels mais en quantités très limitées !

GIGONDAS CUVÉE TRADITIONNELLE 2008
Rouge | 2013 à 2017 | 13 € **15,5/20**
Notes de réglisse et de thé noir, la bouche est concentrée avec des parfums de raisin, d'écorce d'orange et d'épices douces. Le boisé n'est pas encore tout à fait fondu, mais ce vin mérite de vieillir plusieurs années.

LES AMIS DE LA BOUÏSSIÈRE 2009
Rouge | 2010 à 2015 | 6 € **14,5/20**
Les amis de la Bouïssière ont de la chance ! Cet assemblage de merlot, syrah et grenache est richement fruité, expressif et gourmand avec une très belle concentration de matière.

VACQUEYRAS 2008
Rouge | 2011 à 2017 | 12 € **15,5/20**
Un style de vin inimitable, le fruit est riche et presque sucré, la suite est ample et généreuse avec un tanin structuré, une belle matière pour le millésime.

MAS DES BRESSADES

Route de Bellegarde - Le Grand Plagnol
30129 Manduel
Tél. 04 66 01 66 00 • Fax : 04 66 01 80 20
masdesbressades@aol.com
www.masdesbressades.com
Visite : Tous les jours, de 8h à 12h et de 13h30 à 16h, en juillet et août sur rendez-vous le matin.

Des vins sur le fruit, accessibles et gourmands, c'est le style développé par Cyril Marès dans son domaine familial situé au nord-est de l'appellation à Manduel. Plusieurs cuvées y sont produites, mais la cuvée Tradition, son entrée de gamme, est souvent notre préférée ! Syrah et grenache sont les cépages rois ici, avec une cuvée moitié-moitié entre les deux, une cuvée presque entièrement grenache (Quintessence) et une presque entièrement syrah (Excellence). Tous les vins sont d'un très bon niveau qualitatif.

COSTIÈRES DE NÎMES CUVÉE EXCELLENCE 2009
Blanc | 2010 à 2013 | 9,50 € **14/20**
Roussanne, viognier et grenache blanc vinifiés en barrique font de cette cuvée un vin riche et plein mais avec une bonne fraîcheur, des arômes de fruits exotiques au nez et une touche d'amertume en finale.

COSTIÈRES DE NÎMES CUVÉE EXCELLENCE 2007
Rouge | 2010 à 2013 | 9,50 € **14,5/20**
On retrouve dans ce vin le style qui nous a tellement plu lors de nos dégustations précédentes, des fruits mûrs et concentrés soutenus par des notes de ronces et de sous-bois, le tout patiné par un boisé délicat et discret.

COSTIÈRES DE NÎMES QUINTESSENCE 2008
Rouge | 2012 à 2015 | 15 € **14,5/20**
Presque 100 % grenache, cette cuvée est étonnante pour sa concentration et sa richesse en bouche. Des fruits noirs très exubérants en bouche, flatteurs, mais le vin devient un peu écœurant, à cause de son élevage trop présent.

COSTIÈRES DE NÎMES TRADITION 2009
Rosé | 2010 à 2011 | 5,50 € **14/20**
Un bouquet expressif, avec des notes de fraises et framboises, style bonbon anglais, avec une agréable rondeur en finale. C'est un rosé de soif à boire jeune, sur son fruit.

Costières de Nîmes Tradition 2009
Rouge | 2010 à 2013 | 5,50 € **14/20**
Un vin très richement fruité, limite confituré. Le bouquet est floral et dense, la syrah domine. En bouche, le vin est fruité et ample avec un tanin souple.

DOMAINE BRESSY-MASSON

Route d'Orange • 84110 Rasteau
Tél. 04 90 46 10 45 • Fax : 04 90 46 17 78
marie-francemasson@club-internet.fr
Visite : De 9h à 12h30 et de 14h à 19h.

Avec une trentaine d'hectares sur la commune de Rasteau, la famille Bressy-Masson réalise des vins d'une profondeur et d'une finesse exemplaires. Grâce à un encépagement de très vieilles vignes de grenache, dont certaines sont centenaires, complété de syrah et de mourvèdre, le domaine élabore des vins charnus et expressifs, s'appuyant sur une texture tannique fine. Les cuvées Paul-Émile et À-la-Gloire-de-mon-Père peuvent se conserver plusieurs années en cave.

Côtes du Rhône-Villages Rasteau 2007
Rouge | 2011 à 2014 | 7 € **14/20**
Belle matière dense et fruitée, pleine et expressive en bouche avec un tanin rustique.

Côtes du Rhône-Villages Rasteau À la Gloire de mon Père 2007
Rouge | 2011 à 2016 | 16 € **14,5/20**
Les vieilles vignes ont donné un vin concentré et profond, au fruité mûr, épicé et chocolaté, avec une touche de bois raffinée, aux tanins puissants.

Côtes du Rhône-Villages Souco d'Or 2008
Rouge | 2011 à 2014 | 9 € **14/20**
Nez épicé, dense et riche, la bouche présente un joli caractère fruité, l'ensemble manque un peu de profondeur.

Côtes du Rhône-Villages Souco d'Or 2007
Rouge | 2011 à 2015 | 9 € **14,5/20**
Sur des fruits noirs intenses, le vin est savoureux avec une belle texture en bouche et un tanin rustique.

Rasteau Vin Doux Naturel 2007
Rouge Doux | 2011 à 2015 | 12,50 € **14,5/20**
Des arômes de chocolat et fruits mûrs, une belle concentration en bouche, encore très jeune, les tanins commencent à se fondre.

Rasteau Vin Doux Naturel Rancio
Ambré Doux | 2010 à 2016 | 11,70 € **15/20**
Superbe texture suave en bouche, des notes de raisins sultanines, écorce d'orange, caramel et épices douces, une belle harmonie en finale.

BROTTE

Route d'Avignon - B.P. 1 - Le Clos
84231 Châteauneuf-du-Pape
Tél. 04 90 83 70 07 ou 04 90 83 59 40
Fax : 04 90 83 74 34
brotte@brotte.com • www.brotte.com
Visite : l'hiver de 9h à 12h et de 14h à 18h
l'été de 9h à 13h et de 14h à 19h

Cette grande et traditionnelle maison de Châteauneuf-du-Pape produit une large gamme de vin dont le classique est la Fiole-du-Pape, curieuse bouteille contenant un assemblage de millésimes. La maison possède aussi un domaine de quinze hectares, Barville.

Châteauneuf-du-Pape 2008
Blanc | 2010 à 2014 | 19,51 € **16/20**
Vin floral et harmonieux, belle finesse tendre mais longue.

Châteauneuf-du-Pape 2008
Rouge | 2010 à 2015 | 17 € **15/20**
Agréables arômes de fraise et d'herbes aromatiques, beau grain de tanin, souple, élancé, assez onctueux. Flatteur mais réussi.

DOMAINE LA CABOTTE

Quartier Les Vinsacs • 84430 Mondragon
Tél. 04 90 40 60 29 • Fax : 04 90 40 60 62
domaine@cabotte.com • www.cabotte.com
Visite : Du lundi au vendredi de 9h à 12h et de 14h à 17h ; sur rendez-vous le week-end et jours fériés.

La propriété appartient à la famille bourguignonne qui possède le domaine d'Ardhuy. Marie-Pierre d'Ardhuy-Plumet et son mari Éric Plumet dirigent ce domaine de quarante-cinq hectares d'un seul tenant, dont les deux tiers sont plantés en vignes. Idéalement situés sur le massif d'Uchaux, entourés de garrigues, les sols argilo-sableux permettent un bon enracinement et une nutrition équilibrée des vignes. Cette situation autorise la réalisation de vins profondément fruités, avec de belles structures et une finesse rare dans la région. Toute la gamme (Côtes-du-Rhône, Massif-d'Uchaux et une petite parcelle de Châteauneuf-du-Pape) apparaît de

bonne qualité, nécessitant quelques années de vieillissement.

Châteauneuf-du-Pape 2008
Rouge | 2015 à 2020 | 25 € **15,5/20**
Très bel équilibre, savoureux, minéral, belle qualité de fruit avec de la profondeur. Serré avec un joli grain de tanin.

Côtes du Rhône-Villages 2008 ☺
Rouge | 2010 à 2014 | 7 € **14,5/20**
Beau nez, floral, poivré, aromatique, belle amplitude en bouche, fruits rouges frais, bonne fraîcheur et tension.

Côtes du Rhône-Villages Massif d'Uchaux 2009
Rouge | 2012 à 2017 | 10 € **15/20**
On change de registre avec ce 2009 concentré avec un fruit riche et confituré en bouche, des notes de réglisse et de ronce, beaux tanins.

Côtes du Rhône-Villages Massif d'Uchaux Gabriel 2008
Rouge | 2011 à 2016 | 12 € **14,5/20**
Tendu et frais en bouche, un fruit noir, épicé, un joli élevage en barrique qui a besoin de temps pour s'intégrer complètement.

CLOS DU CAILLOU

1600, chemin Saint-Dominique • 84350 Courthezon
Tél. 04 90 70 73 05 • Fax : 04 90 70 76 47
closducaillou@wanadoo.fr • www.closducaillou.com
Visite : Toute la semaine de 9h à 12h et de 13h30 à 17h30. Le samedi matin sans rendez-vous et l'après-midi sur rendez-vous.

Disposant d'installations performantes et adaptées, Sylvie Vacheron s'appuie sur un vignoble situé au nord-est de l'appellation dont une partie produit d'excellents côtes-du-rhône. En châteauneuf, elle réalise des vins concentrés et modernes, très fruités et savoureux, parfois un peu trop chaleureux. L'ensemble est hautement recommandable.

Châteauneuf-du-Pape Réserve 2008
Rouge | 2010 à 2018 | 24,50 € **16,5/20**
Robe grenat, fruit noir et épices, bouche harmonieuse, équilibrée, corps onctueux, longueur soyeuse, persistance chaleureuse.

LES CAILLOUX - ANDRÉ BRUNEL

6, chemin du Bois-de-la-Ville
84230 Châteauneuf-du-Pape
Tél. 04 90 83 72 62 • Fax : 04 90 83 51 07
brunel.andre@wanadoo.fr
Visite : Sur rendez-vous exclusivement

Les vins d'André Brunel associent toujours générosité, finesse de tanins et fraîcheur. Le blanc, très raffiné, possède une part assez importante de clairette. En rouge, le grenache domine avec une part de mourvèdre. Enfin, la cuvée La-Centenaire est composée de très vieilles vignes de grenache plantées sur le plateau de Mont-Redon.

Châteauneuf-du-Pape 2008
Rouge | 2010 à 2016 | 18 € **15,5/20**
C'est une réussite aux arômes d'olive noire, au corps souple et plein, à la bonne longueur onctueuse.

CALENDAL

Les Escaravailles • 84110 Rasteau
Tél. 04 90 46 14 20 • Fax : 04 90 46 11 45
philippe-cambie@orange.fr
Visite : De 9h à 12h et de 14h à 18h le lundi, mardi, jeudi et vendredi ; le mercredi et le week-end sur rendez-vous.

Appartenant à l'œnologue vedette de Châteauneuf du Pape, Philippe Cambie, et au propriétaire du domaine des Escaravailles, Gilles Ferran, cette petite vigne du Plan de Dieu a permis la naissance de Calendal. L'assemblage de grenache et mourvèdre, élevé en barrique, produit un vin charnu et ambitieux. Les quantités sont limitées en 2008, le vin sera très vite vendu.

Côtes du Rhône-Villages Plan de Dieu 2008
Rouge | 2011 à 2015 | 16 € **15/20**
Joli nez parfumé et floral, la bouche est tendue et fraîche avec un fruit noir mûr et épicé, l'élevage parfaitement adapté aux contraintes du millésime.

DOMAINE DE CAMPAGNOL

Quartier Grès • 30540 Milhaud
Tél. 04 66 74 20 44 • Fax : 04 66 74 18 29
domaine.campagnol@wanadoo.fr
Visite : De 9h à 12h et de 14h à 18h.

Costières de Nîmes Gourmandise 2008

Rouge | 2010 à 2012 | 5,60 € **14/20**

Un vin agréablement fruité, à boire jeune, sur ses notes de fruits rouges frais et son bel équilibre en bouche.

DOMAINE DE CASSAN

Lafare • 84190 Beaumes-de-Venise
Tél. 04 90 62 96 12 • Fax : 04 90 65 05 47
domainedecassan@wanadoo.fr
Visite : De 10h à 12h et de 14h à 18h.

Le Domaine de Cassan est l'un des bons porte-parole de la jeune appellation Beaumes-de-Venise. Marie-Odile Croset et Gérard Paillet cultivent 28 hectares au total, avec des terres en Gigondas, Beaumes-de-Venise, Côtes du Ventoux et Côtes du Rhône. Ici, c'est un terroir argilo-calcaire, typique pour la région, mais ce sont les vignes étagées en coteaux qui font toute la différence. Grâce à ces coteaux, il y a très peu de maladies et le domaine a pu diminuer les traitements et éviter les pesticides. Si la cuvée Tradition est toujours impeccable de droiture et de franchise, la cuvée Saint-Christophe, plus ambitieuse, offre des tanins riches et cacaotés et mérite de vieillir quelques années. En 2009, le domaine a été repris par les frères de Madame Croset : nous espérons que la viticulture soignée et la précision de vinification continueront au même niveau que celui qui avait été établi par Gérard Paillet.

Beaumes de Venise Saint-Christophe 2007

Rouge | 2011 à 2015 | 10 € **15/20**

Intensément fruité, dense et profond avec une bonne texture gourmande en bouche et un tanin bien construit.

Beaumes de Venise Tradition 2008

Rouge | 2010 à 2014 | 8 € **14,5/20**

Fruits rouges poivrés au nez, la bouche est suave et aérienne, fraîche et franche.

Côtes du Ventoux Les Eclausels 2009

Rouge | 2010 à 2014 | 5 € **14,5/20**

Un caractère très ventoux avec ses notes florales de grenache, plein et ample en bouche, richement fruité avec une bonne tension en finale.

Gigondas 2008

Rouge | 2011 à 2014 | 13 € **14,5/20**

Fruits cuits légèrement caramélisés, une bouche délicate et épicée avec une touche de vieux bois, fin de bouche agréable.

DOMAINE DE LA CAVALE

Route de Lourmarin - SNC Paul Dubrule
84160 Cucuron
Tél. 04 90 77 22 96 • Fax : 04 90 77 25 64
domaine-cavale@wanadoo.fr
www.domaine-la-cavale.com
Visite : été: tous les jours de 9h à 12h et de 15h à 19h
hiver: tous les jours de 9h à 12h et de 14h à 18h

La propriété a été acquise il y a plus d'un quart de siècle par Paul Dubrule mais ce dernier, entièrement pris par la formidable aventure du groupe hôtelier Accor, créé et développé avec son alter ego Gérard Pélisson, n'avait pu s'impliquer autant qu'il le souhaitait dans la gestion de ce domaine du Sud-Luberon. L'heure de la retraite active ayant sonné, il a mis en place ici une équipe motivée, avec laquelle il a fait rapidement progresser la production, aussi bien en rouge qu'en blanc et en rosé.

Côtes du Luberon L'Excellence de Cavale

Rouge | 2012 à 2016 | 39 € **15/20**

Cette cuvée, la plus ambitieuse de la gamme, est un assemblage de grenache et syrah avec une faible proportion de carignan. Structuré et tannique avec des notes de fruits cuits, de cèdre et sous-bois. Les tanins sont encore assez durs en fin de bouche.

Côtes du Luberon L'Origine 2009

Rosé | 2010 à 2012 | 8 € **13,5/20**

Rond et souple, notes florales assez élégantes, belle harmonie en bouche.

Côtes du Luberon L'Origine 2006

Rouge | 2011 à 2014 | 9,10 € **14,5/20**

Couleur rouge acajou un peu terne, bouquet de fruits rouges cuits, touche de barrique, des notes épicées, les tanins structurés du bois commencent à se fondre.

Côtes du Luberon L'Origine de Cavale 2009

Blanc | 2010 à 2012 | 8,50 € **13,5/20**

Notes d'acacia, de miel et d'amandes vertes, ample et généreux en bouche, belle fraîcheur.

Côtes du Luberon Le Blason de La Cavale 2005
Rouge | 2010 à 2014 | 14 € **14,5/20**
Un élevage assez long en barrique a arrondi les tanins fermes de ce 2005. Le vin est épicé et solide avec des notes de fruits rouges confits et réglisse, le tanin est encore un peu sec.

DOMAINE CHANTE CIGALE

Avenue Pasteur • 84230 Châteauneuf-du-Pape
Tél. 04 90 83 70 57 • Fax : 04 90 83 58 70
info@chante-cigalle.com • wwww.chante-cigalle.com
Visite : De 9h à 18h du lundi au samedi. Sur rendez-vous pour les groupes.

Ce grand (quarante hectares) domaine historique de Châteauneuf retrouve une partie de son lustre sous l'impulsion du jeune maître des lieux, Alexandre Favier. Le domaine produit deux cuvées de rouge, dominées par le grenache, et deux de blanc.

Châteauneuf-du-Pape 2008
Rouge | 2010 à 2016 | 20 € **17/20**
Une belle réussite que ce vin à la couleur brillante, aux arômes de mûre et fraise, au corps ample, généreux, charnu et onctueux, de belle profondeur.

DOMAINE DE LA CHARBONNIÈRE

26, route de Courthézon
84230 Châteauneuf-du-Pape
Tél. 04 90 83 74 59 • Fax : 04 90 83 53 46
maret-charbonniere@club-internet.fr
www.domainedelacharbonniere.com
Visite : Du lundi au vendredi de 9h à 12h et de 14h à 19h. sur rendez-vous le week-end.

Le domaine a beaucoup progressé grâce à une judicieuse sélection de terroirs pour réaliser différentes cuvées très typées. Hautes-Brusquières et le blanc proviennent du lieu-dit situé sur le plateau de Mont-Redon, les Vieilles-Vignes (à 100 % grenache) des pentes de la Crau, tout comme Mourre-des-Perdrix.

Châteauneuf-du-Pape 2009
Blanc | 2010 à 2013 | 20 € **14/20**
Gras et riche, de finesse moyenne mais ample et savoureux.

Châteauneuf-du-Pape 2008
Rouge | 2010 à 2015 | 20 € **14/20**
Fruité et épicé, un vin souple et équilibré, presque vif.

Châteauneuf-du-Pape Mourre des Perdrix 2008
Rouge | 2012 à 2020 | 24 € **16,5/20**
Expressifs arômes de fruits à noyau, vivacité, charme et intensité. Un vin avec du nerf, mais de bon volume.

DOMAINE CHARVIN

Chemin de Maucoil • 84100 Orange
Tél. 04 90 34 41 10 • Fax : 04 90 51 65 59
domaine.charvin@free.fr
www.domaine-charvin.com
Visite : De 8h à 12h et de 14h à 18h sur rendez-vous et le samedi de 9h à 12h

Le domaine est situé au nord de l'appellation, dans la direction d'Orange, sur des terroirs argilo-calcaires généreux. Une bonne partie de la propriété est en Côtes du Rhône, et ceux-ci sont d'ailleurs très intéressants. Les châteauneufs sont des vins francs, intenses et sincères, parfois non dénués d'une certaine rusticité.

Châteauneuf-du-Pape 2008
Rouge | 2010 à 2016 | 23 € **15/20**
Les arômes de fraise sont développés et très expressifs. Derrière cette allègre palette se développe un beau volume équilibré ne manquant pas de fraîcheur.

DOMAINE CHAUME-ARNAUD

Les Paluds • 26110 Vinsobres
Tél. 04 75 27 66 85 • Fax : 04 75 27 69 66
chaume-arnaud@wanadoo.fr
Visite : sur rendez-vous

Philippe Chaume et Valérie Chaume-Arnaud ont réussi à faire du domaine l'un des plus réguliers de l'appellation. Les vignes sont certifiées bio et le couple est également passionné par les bienfaits de la biodynamie. Avec trente-huit hectares sur les appellations Vinsobres, Saint-Maurice et en Côtes du Rhône, ils produisent plusieurs cuvées dans un style franc et structuré, avec de belles matières tanniques pour les rouges. Côté blancs, ce sont des vins frais et tendus, avec de belles expressions du terroir.

Côtes du Rhône Le Petit Coquet 2008
Rouge | 2010 à 2013 | 5 € **14/20**
Fruité et franc, agréable en bouche avec une pointe poivrée en finale.

Côtes du Rhône-Villages La Cadène 2009

Blanc | 2010 à 2012 | 11 € **14/20**

Nez comme un bouquet de fleurs, richement fruité et gras en bouche, pour les amateurs de vins blancs très aromatiques.

Vinsobres 2007

Rouge | 2010 à 2013 | 9 € **14,5/20**

Un bouquet de fruits macérés, chocolat et réglisse, avec une belle matière, tanins fondus mais présents. Un vin de caractère.

CHÊNE BLEU

Chemin de la Verrière • 84110 Crestet
Tél. 04 90 10 06 30 • Fax : 04 90 10 06 31
jlg@laverriere.com • www.chenebleu.com
Visite : sur rendez-vous

Nichée à 500 mètres d'altitude au-dessus du village de Crestet, au cœur des côtes de Ventoux, cette ancienne ferme a été minutieusement restaurée au cours des dix dernières années par Nicole et Xavier Rolet. Ce projet a été conçu avec l'idée de faire des vins parmi les plus grands du sud de la France, dans un style ambitieux. Un chai ultra moderne, enterré dans la colline, abrite une cuverie digne des plus grandes wineries de Californie. On remarque un net progrès entre les 2006 et 2007 en rouges, les derniers ayant déjà mieux intégré le bois.

Vin de pays du Vaucluse Abélard 2007

Rouge | 2011 à 2015 | 40 € **15/20**

Un vin luxueux et parfaitement vinifié, il est dense et sérieux, ample et très généreux : la personnalité du terroir et du cépage commence à prendre le pas sur l'élevage.

DOMAINE DE LA CITADELLE

Route de Cavaillon • 84560 Ménerbes
Tél. 04 90 72 41 58 • Fax : 04 90 72 41 59
contact@domaine-citadelle.com
www.domaine-citadelle.com
Visite : d'avril à octobre tous les jours, de 9h à 12h et de 14h à 19h
de novembre à mars, en semaine, de 9h à 12h et de 14h à 17h ; week-end sur rendez-vous

Producteur de cinéma à succès, Yves Rousset-Rouard a effectué un gros travail de restructuration du vignoble, acquérant une trentaine d'hectares supplémentaires sur les huit originaux et construisant une cave de vinification aujourd'hui dirigée par son fils Alexis. La propriété propose une large gamme de vins, tous de bon niveau, qui jouent plus sur l'élégance et la précision aromatique que la puissance. Les vins de la Citadelle sont toujours une valeur sûre avec une qualité de production exemplaire.

Côtes du Luberon Gouverneur Saint-Auban 2007

Rouge | 2012 à 2017 | 19,50 € **16,5/20**

L'intensité du fruit de 2007 avec une belle richesse en bouche sans aucune lourdeur. Des mûres sauvages, myrtilles et baies de cassis, s'associent parfaitement au corps riche et puissant, les tanins sont encore tendus mais savoureux.

Côtes du Luberon Le Châtaignier 2009

Rosé | 2010 à 2011 | 6,50 € **14/20**

Un rosé toujours élégant et expressif. Plein en bouche avec des notes florales très charmeuses.

Côtes du Luberon Le Châtaignier 2009

Rouge | 2010 à 2013 | 6,70 € **14,5/20**

Toujours un de nos vins préférés de la région, avec un bouquet expressif, épicé et agréable. Des fruits rouges frais en bouche, juteux, avec des notes de ronces et une finale vive.

Côtes du Luberon Les Artèmes 2009

Blanc | 2010 à 2012 | 11 € **14/20**

Plus de profondeur et de gras que la cuvée Châtaignier, un soupçon d'anis, de cire, un corps équilibré.

Côtes du Luberon Les Artèmes 2008

Rouge | 2010 à 2014 | 12 € **14,5/20**

Joliment construit, avec une touche de bois, doux et plaisant. La matière n'est pas très concentrée mais il y a une belle complexité en bouche.

Côtes du Luberon Les Ultimes 2007

Rouge | 2012 à 2017 | 39 € **16/20**

Une superbe cuvée de syrah tout en finesse et élégance. La concentration est étonnante sans être surfaite, vin floral avec des fruits noirs très mûrs et une fraîcheur exquise en finale.

Vin de pays du Vaucluse
Gouverneur Saint-Auban 2009

Blanc | 2010 à 2015 | 21 € **14,5/20**

Cuvée ambitieuse, viognier, roussanne et chardonnay vinifiés en barrique. Un nez racé de miel, cire d'abeille et une belle touche de barrique. Le vin est raffiné et ample en bouche avec une belle allonge.

BASTIDE DU CLAUX

Campagne le Claux • 84240 La Motte-d'Aigues
Tél. 04 90 77 70 26 • Fax : 04 90 77 73 27
bastideduclaux@wanadoo.fr
www.bastideduclaux.com
Visite : Sur rendez-vous.

Ludmila et Sylvain Morey ont mis sept ans à remettre en état les vignes du père de Ludmila, et ont pu vinifier en 2002 leurs premiers vins. Depuis, ils ont acquis une bonne connaissance de leur terroir. Les deux principales cuvées se définissent par rapport à deux vignobles. Le premier, en exposition sud-ouest avec des sols sableux, donne des vins fruités et suaves (Malacare). De l'autre côté de la colline, les sols sont très argileux, donnant des vins plus puissants et structurés (Le-Claux). Les blancs sont vinifiés et élevés à la bourguignonne, c'est à dire en barrique avec bâtonnage, les vins sont assez riches, mais avec de beaux équilibres et un boisé délicat et fin.

Côtes du Luberon Barraban 2009

Blanc | 2010 à 2013 | 8 € **14,5/20**

On revient dans le sud avec cette cuvée à base de grenache blanc, avec du vermentino, de la clairette et de très vieilles vignes d'ugni blanc. Le vin est aromatique et expressif avec une belle fraîcheur et une pointe d'amertume en finale.

Côtes du Luberon Le Claux 2007

Rouge | 2012 à 2017 | 11 € **15,5/20**

Notes de cacao et d'épices douces au nez, le vin est intense, minéral et très concentré, avec une texture ample et un tanin structuré.

Côtes du Luberon Poudrière 2009

Rosé | 2010 à 2011 | 7,50 € **14/20**

Délicatement parfumé, très élégant avec une belle harmonie en bouche.

Vin de pays du Vaucluse L'Odalisque 2008

Blanc | 2010 à 2013 | 11 € **15/20**

Un vin intense et profond, des arômes prononcés de cire et d'amandes fraîches, avec une très belle texture soyeuse et grasse en bouche, l'ensemble étant relevé par une belle fraîcheur.

DOMAINE DE LA CÔTE DE L'ANGE

9, quartier Font-du-Pape
84230 Châteauneuf-du-Pape
Tél. 04 90 83 72 24 • Fax : 04 90 83 54 88
cotedelange@libertysurf.fr
www.domaine-de-l-ange.com
Visite : Du lundi au samedi de 9h à 12h et de 14h à 18h.

Le domaine ne s'étend pas sur un seul coteau, fût-il angélique, mais sur plusieurs parcelles bien situées dans les parties sud et centre de l'appellation. Il possède également deux hectares et demi en Côtes du Rhône. L'ensemble a bien progressé.

Châteauneuf-du-Pape 2008

Rouge | 2010 à 2016 | 16 € **15/20**

Corps gras, bouquet de fruits noirs, corps souple et rond, bonne persistance tendre.

DAUVERGNE RANVIER

Château Saint-Maurice - RN 580 • 30290 Laudun
Tél. 04 66 82 96 59 • Fax : 04 66 82 96 58
contact@dauvergne-ranvier.com
www.dauvergne-ranvier.com

François Dauvergne et Jean-François Ranvier font partie d'une nouvelle génération de jeunes négociants dans la vallée du Rhône. Très impliqués dans la production de leurs vins, ils travaillent avec leurs amis vignerons tout au long de l'année et conservent les expressions des terroirs. Le style des vins met en avant un fruité très mûr avec des élevages soignés. Le duo ne cesse d'évoluer avec une nouvelle gamme de vins destinée à la restauration haut de gamme ainsi qu'un nouveau projet dans le Roussillon, en collaboration avec la famille Parcé.

Condrieu 2008

Blanc | 2010 à 2014 | 29 € **14/20**

Expressif et floral au nez, avec des notes de pêche. En bouche, il y a une belle matière avec des notes d'agrumes et une bonne fraîcheur, mais il manque un peu de vigueur.

Côte Rôtie 2009

Rouge | 2015 à 2020 | 30 € **15,5/20**

Un fruit beaucoup plus généreux que le saint-joseph, floral, réglissé, mais avec la colonne vertébrale d'une côte-rôtie. À oublier au fond de la cave.

Côtes du Rhône 2009
Rouge | 2010 à 2013 | 5,90 € **14,5/20**
Couleur noire, notes de réglisse, laurier et fruits noirs, belle qualité de fruit, sérieux, avec un tanin serré.

Côtes du Rhône Terre de fruits 2009 ☺
Rouge | 2010 à 2015 | 5,50 € **15/20**
Un raisin mûr, croquant, le vin est parfaitement équilibré entre la concentration de son fruit et la fraîcheur en bouche. Une pure gourmandise !

Côtes du Rhône Vade Retro 2009 ☺
Rouge | 2010 à 2014 | 7 € **14,5/20**
Une cuvée sans soufre jusqu'à la mise, il est gorgé de fruits rouges, croquant et frais, belle pureté d'arômes.

Côtes du Rhône-Villages 2009
Rouge | 2011 à 2017 | 6,90 € **15/20**
Superbe concentration, le vin est serré, avec beaucoup de personnalité, savoureux, fruit dense et épicé avec un joli grain tannique.

Crozes-Hermitage 2009
Rouge | 2011 à 2016 | 8 € **14,5/20**
Beau nez aromatique et floral, des notes de violette, d'anis et de poivre s'associent parfaitement au fruit mûr et ample. Vin précis et linéaire.

Gigondas 2009
Rouge | 2012 à 2018 | 14,90 € **15/20**
Fruits confits, note caramélisée au nez. En bouche, on sent un raisin très mûr, profond et concentré, mais aussi une note un peu alcooleuse.

Saint-Joseph 2009
Rouge | 2013 à 2018 | 12 € **15/20**
Encore très serré et jeune, ce vin est dense et sérieux avec une minéralité prononcée, mais il y a du fruit derrière. À revoir d'ici trois ans.

DOMAINE MATTHIEU DUMARCHER

Chemin des Chênes • 26790 La-Baume-de-Transit
Tél. 06 09 86 73 22
matthieudumarcher@yahoo.fr
Visite : sur rendez-vous

Matthieu Dumarcher réalise des vins charmeurs et généreux, possédant tous une superbe texture en bouche. Installé en 2006, il s'est vite démarqué comme une personne à suivre et ceux qui l'ont suivi n'ont pas été déçus ! Ses cinq hectares de vignes sont cultivés en bio, vinifiés d'une façon naturelle avec très peu de SO2, uniquement à la mise en bouteille. Les quantités sont minuscules, ne tardez pas trop !

Côtes du Rhône Grandh 2009
Rouge | 2011 à 2014 | NC **15/20**
La qualité de fruit est étonnante, le vin est savoureux avec des notes de ronces, de tabac et des petits fruits noirs sauvages.

Côtes du Rhône Vieilles Vignes 2009 ☺
Rouge | 2011 à 2015 | 13 € **15/20**
Seulement 1500 bouteilles produites de ce vin profond et richement fruité. Légèrement caramélisé au nez, la bouche est ample et fraîche avec une superbe texture.

Léon et Séraphin 2009 ☺
Rouge | 2010 à 2012 | 8,50 € **14,5/20**
Dégusté avant mise en bouteille, le vin était toujours plein de gaz et pas tout à fait en place. Mais on sentait la belle matière fruitée et ronde et agréable, certainement une cuvée à découvrir.

DOMAINE PAUL DURIEU

27, avenue Pasteur • 84850 Camaret
Tél. 04 90 37 28 14 • Fax : 04 90 37 76 05
domaine-durieu@hotmail.fr
www.domainedurieu.com
Visite : Ouvert tous les jours et toute l'année.

Vincent et François Durieu mettent en bouteille depuis 2004 la production de leur domaine de Châteauneuf, qui comprend aussi de belles parcelles de Côtes du Rhône au Plan de Dieu. Les vins sont depuis cette date très intéressants, tant la cuvée classique que la sélection Lucile-Avril.

Châteauneuf-du-Pape 2008
Rouge | 2010 à 2016 | 15 € **16/20**
Ce vin à la robe vive et pleine possède un nez de fraise et développe ce caractère très fruité dans une bouche suave et tendre, à l'allonge souple. L'ensemble allie fraîcheur et franchise fruitée.

DOMAINE DUSEIGNEUR

Rue Nostradamus • 30126 Saint-Laurent-des-Arbres
Tél. 04 66 50 02 57 • Fax : 04 66 50 43 57
info@domaineduseigneur.com
www.domaineduseigneur.com
Visite : De 8h à 12h et 14h à 19h.

Le domaine d'une trentaine d'hectares se divise en deux parties, sur les communes de Saint-Laurent-

des-Arbres et de Lirac. Sur la rive droite du Rhône, le terroir est constitué de galets roulés, sur des sols d'abord argilo-calcaires et ensuite sableux. Depuis la création du domaine, la famille Duseigneur a toujours cultivé ses terres naturellement, respectant au maximum la nature des sols, et elle pratique aujourd'hui la biodynamie. Les différentes cuvées ont toutes une trame sérieuse, elle sont souvent assez fermées dans leur jeunesse. Le domaine produit également une deuxième gamme sous la marque Domaine-de-Mayran.

Côtes du Rhône Mayran - Minha Terra 2009
Rouge | 2010 à 2012 | 8,50 € **13,5/20**
À base de cinsault, le vin est droit avec un parfum de fruits rouges frais, avec des notes d'herbes médicinales, le tanin reste encore ferme.

Côtes du Rhône-Villages Laudun par Philippe Faure-Brac 2007
Rouge | 2011 à 2015 | 21 € **14,5/20**
Vin ferme et structuré, fruits cuits au nez, notes de ronce, tabac, thym et laurier en bouche avec un tanin encore très jeune.

Lirac 2009
Blanc | 2010 à 2012 | 15 € **14/20**
Un blanc expressif et frais, à base de bourboulenc, plein en bouche avec des notes de fleurs blanches et d'amandes vertes.

Lirac Antarès 2007
Rouge | 2010 à 2013 | 13,50 € **14,5/20**
Nez de fruits cuits, épices, menthe et thym, bouche fraîche et souple avec un caractère légèrement rustique, bien équilibré.

Lirac Mayran - Odyssée 2007
Rouge | 2010 à 2012 | 9,50 € **14/20**
Notes de kirsch et de garrigue au nez, belle rondeur en bouche, un vin souple et agréable, sur le fruit.

DOMAINE DES ESCARAVAILLES

84110 Rasteau
Tél. 04 90 46 14 20 • Fax : 04 90 46 11 45
domaine.escaravailles@rasteau.fr
www.domaine-escaravailles.com
Visite : Du lundi au samedi de 9h à 12h et de 14h à 18h, le dimanche sur rendez-vous.

Ce domaine d'une soixantaine d'hectares se partage entre les communes de Rasteau, Cairanne et Roaix. Il joue plutôt la carte de la finesse, sur des appellations généralement connues pour la puissance de leurs vins. Depuis 1999, Gilles Ferran dirige ce domaine familial avec la collaboration de l'œnologue Philippe Cambie, et bénéficie d'une cave de vinification adaptée pour réaliser des vins à la mesure de la variété des terroirs du domaine.

Côtes du Rhône La Ponce 2009
Blanc | 2010 à 2013 | 6,50 € **14,5/20**
Arômes de fruits exotiques au nez, le vin est net, pur et expressif, ample et rond avec de la fraîcheur en finale.

Côtes du Rhône Les Antimagnes 2008
Rouge | 2011 à 2014 | 7 € **14,5/20**
Belle profondeur de matière en bouche, fruit dense et suave avec une trame tannique savoureuse en finale.

Côtes du Rhône-Villages Cairanne Ventabren 2007
Rouge | 2010 à 2013 | 9 € **15/20**
Richement constitué, gras et gourmand en bouche, tanins puissant et bien travaillés.

Côtes du Rhône-Villages Rasteau 2008
Rouge | 2010 à 2013 | 7 € **14,5/20**
Des fruits noirs concentrés au nez, la bouche est franche et agréable, avec une belle matière pour le millésime.

Côtes du Rhône-Villages Rasteau La Galopine 2009
Blanc | 2010 à 2013 | 12,50 € **15/20**
Fleurs blanches et cire au nez, la bouche est élégante avec une belle texture riche et longue.

Côtes du Rhône-Villages Rasteau La Ponce 2007
Rouge | 2010 à 2013 | 10 € **15/20**
Une belle qualité de fruit au nez et en bouche, un style plus moderne, plus sur le fruit. Tanins savoureux et suaves, épicés en finale.

Côtes du Rhône-Villages Roaix Les Hautes Granges 2008
Rouge | 2010 à 2014 | 11 € **15/20**
Beau nez de syrah avec des notes de réglisse et menthe, la bouche est droite avec une belle qualité de fruit et un tanin élégant.

Rasteau Vin Doux Naturel 2008

Blanc Liquoreux | 2010 à 2014 | 11 € 14,5/20

Des notes d'ananas et de sucre roux au nez, la bouche est nette et pure, ample avec un bon équilibre.

LES VIGNERONS D'ESTÉZARGUES

Route des Grès • 30390 Estézargues
Tél. 04 66 57 03 64 • Fax : 04 66 57 04 83
les.vignerons.estezargues@wanadoo.fr
www.vins-estezargues.com
Visite : du lundi au samedi de 8h à 12h et de 14h à 18h ; en saison ferme a 19h et le samedi matin ouvre à 9h.

Les Vignerons d'Estézargues est une cave coopérative d'un genre unique dans la région. Ultra dynamiques, les adhérents cultivent leurs vignes en lutte raisonnée, les vinifications se passent sans ajouter de levures, d'enzymes ni surtout de soufre. La gamme est variée et les prix doux !

Côtes du Rhône Domaine des Bacchantes 2009

Rouge | 2010 à 2013 | 5,70 € 14,5/20

Un nez épicé aux arômes de menthe et de thym frais, droit et franc en bouche, tendu avec une bonne persistance.

Côtes du Rhône Domaine du Pierredon 2009

Rouge | 2010 à 2013 | NC 14,5/20

Le bouquet de fruits noirs et de fleurs au nez se poursuit dans un corps généreux et agréable en bouche, avec une finale savoureuse.

Côtes du Rhône-Villages Signargues Domaine d'Andézon 2008

Rouge | 2010 à 2015 | 7,10 € 15,5/20

Très bel élevage pour cette cuvée à base de syrah, au boisé parfaitement intégré à un ensemble suave et velouté.

Côtes du Rhône-Villages Signargues Domaine de Perillère Vieilles Vignes 2009

Rouge | 2011 à 2015 | 5,70 € 15,5/20

Un nez dense et profond, majoritairement syrah, corps puissant et sérieux, séveux, avec une minéralité prononcée en finale.

Côtes du Rhône-Villages Signargues Domaine du Pierredon 2009

Rouge | 2010 à 2013 | 4,90 € 14,5/20

Bouquet de fruits noirs et de fleurs au nez, corps généreux et agréable en bouche, finale savoureuse.

Côtes du Rhône-Villages Signargues Domaine Les Genestas 2009

Rouge | 2011 à 2015 | 5,70 € 15/20

Nez très expressif de grenache bien mûr, concentré et sur le fruit, bouche pleine et gourmande avec une belle structure tannique.

Côtes du Rhône-Villages Signargues Grès Saint-Vincent 2009

Rouge | 2010 à 2014 | 5,70 € 15/20

Nez expressif qui met l'eau à la bouche avec une belle palette de saveurs, vin bien constitué avec des fruits noirs épicés, suave et long en bouche, belle fraîcheur.

Côtes du Rhône-Villages Signargues La Granacha 2009

Rouge | 2011 à 2015 | 7,10 € 15/20

Très grenache avec ses notes de cerises noires, du poivre et une touche florale. À base de vieilles vignes, cette cuvée est richement fruitée, intense, avec une belle longueur.

DOMAINE LA FERME SAINT-MARTIN

Ferme Saint-Martin • 84190 Suzette
Tél. 04 90 62 96 40
contact@fermesaintmartin.com
www.fermesaintmartin.com
Visite : du lundi au samedi, de 10h à 12h et de 14h à 18h.

Située dans un cadre naturel et magnifique, à 400 mètres d'altitude avec une exposition plein sud, la Ferme Saint-Martin produit des vins gorgés de soleil qui expriment parfaitement leurs origines. Guy, Michèle et Thomas Jullien travaillent leurs terres et conduisent les vignes en bio. Raisins vendangés à la main, sans soufre ajouté avant la mise en bouteille, les vins de la Ferme Saint-Martin sont francs et très sincèrement réalisés, leur caractère expressif et généreux s'appuie toutefois sur une finesse de texture apportée par la fraîcheur des vignes à cette élévation. Guy et Thomas Jullien ont brillamment réussi leurs 2009, avec des vins rouges pleins et gourmands, avec une trame savoureuse et un parfait équilibre en bouche.

Beaumes de Venise Costanci 2007

Rouge | 2012 à 2016 | NC 15/20

Dense et sérieux, avec un fruit noir épicé, serré et vif avec une belle minéralité en bouche. Une cuvée ambitieuse à vieillir quelques années.

Beaumes de Venise cuvée Saint-Martin 2008
Rouge | 2010 à 2014 | NC **14,5/20**
Nez délicatement parfumé, des notes florales mélangées avec du poivre et des fruits noirs, la bouche est ample, tendue avec une belle fraîcheur aromatique en finale.

Beaumes de Venise Rosé d'Entrevon 2009 ☺
Rosé | 2010 à 2012 | NC **14/20**
Un rosé certainement mis en bouteille avec pas ou peu de soufre. Avec un peu d'aération, le vin s'ouvre et devient expressif, floral, avec beaucoup de personnalité et un bel équilibre.

Beaumes de Venise Terres Jaunes 2009 ☺
Rouge | 2010 à 2015 | 9 € **15,5/20**
Un vin qui associe parfaitement son fruit mûr et généreux avec un corps épicé, savoureux et suave, une vraie réussite !

Côtes du Rhône 2009
Rouge | 2010 à 2013 | NC **13,5/20**
Épices douces et écorce d'orange au nez, belle couleur foncée, franc et agréable en bouche, souple en finale.

Côtes du Ventoux La Gérine 2009 ☺
Rouge | 2010 à 2015 | 6,50 € **14,5/20**
Gourmand avec un fruit succulent et frais, belle texture suave mais avec une bonne tension savoureuse en bouche.

CHÂTEAU DES FINES ROCHES

1, avenue du Baron-Leroy
84230 Châteauneuf-du-Pape
Tél. 04 90 83 51 73 • Fax : 04 90 83 52 77
chateaux@vmb.fr • www.vmb.fr
Visite : Du lundi au dimanche de 13h30 à 19h30

Cette propriété classique, bien connue pour son spectaculaire château qui domine le village de Châteauneuf, dispose d'un vignoble situé en majeure partie autour du château, sur des terrasses classiques de galets roulés. La cuvée Fines-Roches, pas nécessairement supérieure à la cuvée classique, est élevée en barriques.

Châteauneuf-du-Pape 2008
Rouge | 2010 à 2016 | 15 € **15/20**
Vin souple, aux arômes de fraise, au corps équilibré, doté d'une certaine tendresse non dénuée de longueur.

DOMAINE DE FONDRÈCHE

84380 Mazan
Tél. 04 90 69 61 42 • Fax : 04 90 69 61 18
contact@fondreche.com • www.fondreche.com
Visite : Sur rendez-vous du lundi au vendredi de 14h à 18h.

Ce domaine de grande qualité est régulier au plus haut niveau depuis une bonne dizaine d'années, et constitue certainement une des propriétés les plus exemplaires du Ventoux, dans une appellation qui ne cesse de nous étonner par la qualité de sa production. Les vins sont charnus et équilibrés, grâce à un vignoble essentiellement en plateau, sur des sols argilo-calcaires. Les vignes sont en conversion à l'agriculture biologique et les vins semblent prendre plus de finesse, avec une extraction moins ambitieuse qu'auparavant.

Côtes du Ventoux Fayard 2009
Rouge | 2010 à 2015 | 8,10 € **15/20**
Superbe concentration, raisins séveux sur des fruits noirs intenses. Une belle touche de ronce relève l'ensemble et finit sur une pointe d'amertume.

Côtes du Ventoux L'Éclat 2009
Blanc | 2010 à 2012 | 8,35 € **14/20**
Arômes de fleurs blanches et cire d'abeille, le vin est assez riche en bouche avec une note caramélisée.

Côtes du Ventoux L'Instant 2009
Rosé | 2010 à 2011 | 7 € **14/20**
D'une couleur très pâle sur des notes agrumes, un rosé élégant, agréable et parfumé.

Côtes du Ventoux Nadal 2007
Rouge | 2011 à 2016 | 12,50 € **14,5/20**
Avec une année supplémentaire en bouteille, le vin commence à s'assouplir, mais il est encore très jeune et tendu.

Côtes du Ventoux Nature 2009 ☺
Rouge | 2010 à 2012 | 8,10 € **14,5/20**
Une belle réussite pour la cuvée sans soufre cette année. Belle profondeur, un fruit mûr et généreux en bouche, très pur.

Côtes du Ventoux Persia 2009
Blanc | 2010 à 2013 | 16,50 € **14,5/20**
Avec une majorité de roussanne, c'est un vin élégant et plein en bouche, de belle longueur, boisé raffiné.

CHÂTEAU DE FONSALETTE

84290 Lagarde-Pareol
Tél. 04 90 83 73 09 • Fax : 04 90 83 51 17
www.chateaurayas.fr

Les vins de cette petite et célèbre propriété sont vinifiés et élevés par Emmanuel Reynaud, dans un style très comparable à Rayas. Même si le grenache n'y représente que la moitié du vignoble rouge, c'est comme à Rayas la clé de voûte des vins, la petite mais souvent excellente cuvée syrah mise à part. Comme pour tous les vins de Reynaud, il faut leur donner le temps de s'affirmer en bouteilles car, à l'encontre de la plupart des bons côtes-du-rhône modernes, ils ne jouent pas la carte de la rondeur gourmande et du fruit exubérant. Ce sont des vins profonds, d'une grande finesse de texture, assurément racés. Les blancs ont beaucoup progressé.

Côtes du Rhône 2009
Blanc | 2012 à 2017 | NC **15/20**
Gras, gourmand, long : beau vin profond et suave.

Côtes du Rhône 2007
Rouge | 2013 à 2020 | NC **16,5/20**
Dense, très long, soyeux comme toujours, avec un fruit croquant et une finale onctueuse, le vin commence à se révéler, et ce n'est qu'un début !

Côtes du Rhône syrah
Rouge | 2013 à 2020 | NC **16,5/20**
Délicieusement floral, ce vin nerveux et ferme s'impose avec race.

DOMAINE FONT DE MICHELLE

14, impasse des Vignerons • 84370 Bedarrides
Tél. 04 90 33 00 22 • Fax : 04 90 33 20 27
egonnet@terre-net.fr • www.font-de-michelle.com
Visite : Du lundi au vendredi de 9h à 12h et de 14h à 17h30, week-end et jours fériés sur rendez-vous.

Le vignoble se situe sur la pente qui mène au plateau de la Crau, à l'ouest du village de Bedarrides. S'appuyant sur un vignoble âgé, où le grenache domine largement, les Gonnet réalisent des vins très classiques, qui ces dernières années ont assoupli leur style, avec un caractère plus immédiatement prêt à boire.

Châteauneuf-du-Pape 2008
Rouge | 2010 à 2016 | 22 € **14/20**
Châteauneuf tendre et équilibré, au fruité franc, au corps fin et délicat.

CHÂTEAU DE LA FONT DU LOUP

Route de Châteauneuf-du-Pape • 84350 Courthézon
Tél. 04 90 33 06 34 • Fax : 04 90 33 05 47
f.loup@melia.fr • www.melia.fr
Visite : sur rendez-vous

Ce domaine se compose de vingt hectares de vignes. Parmi les cuvées produites, il faut relever Le-Puy-Rolland, issu de vignes centenaires de grenache, et Les-Fondateurs, assemblage de grenache, syrah et mourvèdre et élevé 24 mois.

Châteauneuf-du-Pape 2008
Blanc | 2010 à 2014 | 27 € **15,5/20**
Le vin s'exprime joliment : épicé, curry fin, bonne allonge droite et équilibre général même si la finale manque un peu de souplesse.

Châteauneuf-du-Pape Le Puy Rolland 2008
Rouge | 2010 à 2018 | 28 € **16/20**
La robe est souple avec des reflets dorés, le nez de fraise tendre est typique du grenache, l'allonge est souple mais tapissante, bonne suavité persistante. Beaucoup de fond.

CHÂTEAU FORTIA

Route de Bedarrides - B.P. 13
84231 Châteauneuf-du-Pape
Tél. 04 90 83 72 25 • Fax : 04 90 83 51 03
fortia@terre-net.fr • www.chateau-fortia.com
Visite : Du lundi au vendredi de 9h30 à 12h30 et 14h à 18h.

Propriété historique s'il en est, puisqu'elle a appartenu au baron Le Roy, et que c'est ici qu'est né le projet des appellations d'origine, Fortia est située à l'orée du village de Châteauneuf et est certainement l'un des plus anciens domaines viticoles reconnus de l'appellation. L'encépagement est classique, même si la roussanne domine largement en blanc, le grenache (70 %) prend sa revanche en rouge, avec l'appoint de la syrah (24 %), une pointe de mourvèdre et un soupçon de counoise. Les vins, en particulier la Cuvée-du-Baron, révèlent toute leur classe avec le vieillissement. La propriété n'a pas présenté ses vins lors de notre dégustation à l'aveugle du millésime 2008.

DOMAINE LA FOURMONE

Route de Bollène • 84190 Vacqueyras
Tél. 04 90 65 86 05 • Fax : 04 90 65 87 84
contact@fourmone.com • www.fourmone.com
Visite : Du lundi au vendredi 9h30 à 12h et de 14h à 18h.

Le domaine comprend quarante-cinq hectares, qui s'étendent sur les appellations Vacqueyras, Gigondas et Côtes du Rhône. La majeure partie se trouve sur la commune de Vacqueyras, sur des terroirs sablonneux et calcaires. Une large gamme de vins y est produite, du simple côtes-du-rhône au vacqueyras et au gigondas, en passant même par le beaumes-de-venise, et les prix pratiqués sont très raisonnables.

GIGONDAS CIGALOUN 2007
Rouge | 2012 à 2018 | 12,85 € **15/20**
Cacao et épices douces au nez, la bouche est suave et pleine avec un joli grain tannique, encore serré.

VACQUEYRAS SÉLECTION MAÎTRE DE CHAI 2007
Rouge | 2012 à 2016 | 9,50 € **14,5/20**
Belle texture de fruit, ample et généreux en bouche, avec des tanins serrés.

VACQUEYRAS TRÉSOR DU POÈTE 2007
Rouge | 2011 à 2017 | 9,50 € **14,5/20**
Avec une année de plus en bouteille, les fruits concentrés si présents l'année dernière se sont fondus dans le corps. Le vin est beaucoup plus équilibré, mais on sent l'alcool en finale.

MOULIN DE LA GARDETTE

Place de la Mairie • 84190 Gigondas
Tél. 04 90 65 81 51 • Fax : 04 90 65 81 51
info@moulindelagardette.com
www.moulindelagardette.com
Visite : Ouvert du lundi au samedi, de 10h à 13h et de 14h30 à 18h30.

Jean-Baptiste Meunier exploite depuis 1988 ce beau domaine familial de 9,5 hectares, entièrement situé sur Gigondas. Très impliqué dans le respect et la protection de son terroir, il n'utilise plus de désherbants depuis 1999. Actuellement les vignes sont en cours de certification biologique. Les levures sont indigènes, et les doses de soufre limitées au maximum. À l'arrivée, les trois cuvées du domaine affichent une pureté de fruit et un naturel remarquables, avec une texture soyeuse et un tanin présent mais toujours bien intégré.

GIGONDAS LA PETITE GARDETTE 2008
Rouge | 2010 à 2014 | 11,50 € **14,5/20**
Une jolie palette de fruits rouges au nez, la bouche est croquante et fraîche avec une finale épicée. Un vin franc et ouvert, à boire jeune sur le fruit.

GIGONDAS TRADITION 2008
Rouge | 2010 à 2014 | 15 € **15/20**
Nez aromatique sur la cerise noire, la bouche est suave, pleine de fruits, le tanin parfaitement intégré.

GIGONDAS TRADITION 2007
Rouge | 2012 à 2016 | 14 € **15/20**
Profond et élégant, avec son nez chaleureux de pruneaux et d'épices douces. De jolis fruits en bouche, une saveur d'orange et une amertume d'olive noire.

GIGONDAS ZOË 2001
Rouge | 2010 à 2012 | 43 € **16/20**
Un vin tout à fait atypique, qui provient de vieilles vignes cultivées d'une façon naturelle. Le vin a subi un élevage de sept ans en barrique, avec un résultat étonnant pour ses parfums concentrés de genévrier, laurier, thym et réglisse. On retrouve aussi les fruits secs, l'écorce d'orange et le pain d'épices. En bouche, il surprend, unique dans son style, très complexe avec des notes d'olive noire, un côté salin, et toujours cette fraîcheur en finale.

CHÂTEAU DE LA GARDINE

Route de Roquemaure - B.P. 35
84231 Châteauneuf-du-Pape Cedex
Tél. 04 90 83 73 20 • Fax : 04 90 83 77 24
chateau@gardine.com • www.gardine.com
Visite : Du lundi au vendredi de 9h à 12h et de 13h à 18h. Le samedi en saison de 10h à 17h30.

Grand classique de l'appellation, la Gardine est un vaste domaine d'un seul tenant. Dans sa bouteille à la forme originale, la cuvée classique du domaine est d'une régularité sans faille, tandis que les cuvées spéciales Générations constituent, en blanc comme en rouge, des vins très puissants qui demandent quelques années de garde pour s'affiner. Les Brunel ont créé une cuvée vinifiée sans soufre, Peur-Bleue.

CHÂTEAUNEUF-DU-PAPE 2008
Blanc | 2010 à 2015 | 28,30 € **17/20**
Le vin entre dans sa plénitude : gras, fruité, associant aussi le floral et le fin miel, très frais, ample et persistant.

Châteauneuf-du-Pape Immortelle 2007

Rouge | 2013 à 2023 | 98 € **17,5/20**

Grande allonge suave, vin long et crémeux, aux accents de mûre fraîche, au tanin soyeux, au potentiel de vieillissement sinon immortel, du moins assuré.

Châteauneuf-du-Pape Les Générations 2006

Rouge | 2013 à 2023 | 52 € **17/20**

Ce vin de grand volume avance en âge et en harmonie : son potentiel est remarquable.

Châteauneuf-du-Pape Peur Bleue 2007

Rouge | 2012 à 2017 | 29,80 € **16,5/20**

Le vin, riche, puissant et de grande maturité, trouve peu à peu son équilibre. Il ne manqua pas d'atouts...

DOMAINE LA GARRIGUE

84910 Vacqueyras

Tél. 04 90 65 84 60 • Fax : 04 90 64 80 79

www.domaine-la-garrigue.fr

Visite : de 8h à 12h et de 14h à 18h ; le dimanche sur rendez-vous.

Domaine la Garrigue appartient à la famille Bernard, vignerons depuis six générations. Le domaine est situé sur le plateau de Garrigues, pas loin du village de Vacqueyras. Il produit une large gamme de vins vinifiés traditionnellement, vendanges à la main, vinification et élevage en cuve sans égrappage, mise en bouteille sans collage ni filtration. Les vins ont souvent un caractère rustique et naturel mais avec un bon potentiel de vieillissement.

Côtes du Rhône 2008

Rouge | 2010 à 2014 | 6 € **14,5/20**

Arômes de fruits noirs et de garrigue (thym, laurier) une belle texture suave et généreuse, avec des accents épicés.

Côtes du Rhône cuvée Romaine 2008

Rouge | 2010 à 2015 | 7 € **14,5/20**

Rustique au nez avec des notes de cuir et de tabac, la bouche est savoureuse, presque saline, une belle matière dense et sérieuse.

Gigondas 2008

Rouge | 2012 à 2016 | 11,50 € **14,5/20**

Un vin doux et intense à la fois, le fruit est rond et ample, les tanins encore jeunes, un peu âpres pour le moment, il faut du temps.

Vacqueyras 2008

Rouge | 2010 à 2016 | 8,50 € **14,5/20**

Un fruit noir prononcé au nez, épices douces, laurier et une touche d'amertume en finale, tanins bien intégrés.

Vacqueyras 2007

Rouge | 2012 à 2017 | 9,50 € **15/20**

Fruits noirs concentrés avec des notes de liqueur de thym au nez, la bouche est savoureuse, longue et intense avec un tanin présent, encore jeune.

DOMAINE GIRAUD

19, le Bois de la Ville • 84230 Châteauneuf-du-Pape

Tél. 04 90 83 73 49 • Fax : 04 90 83 52 05

contact@domainegiraud.fr • www.domainegiraud.fr

Visite : Sur rendez-vous.

Ce domaine de vingt-et-un hectares possède des vignes dans le sud de l'appellation, notamment dans le secteur des Gallimardes qui donnent leur nom à l'une de ses cuvées. Le domaine produit aussi une remarquable cuvée issue de grenaches centenaires plantés sur un terroir de safres, ces sables anciens et compacts, Les-Grenaches-de-Pierre.

Châteauneuf-du-Pape Tradition 2008

Rouge | 2012 à 2018 | 21 € **15/20**

Vin gras et fruité, assez solide, franc, charnu et onctueux, à la finale généreuse.

DOMAINE LES GOUBERT

84190 Gigondas

Tél. 04 90 65 86 38 • Fax : 04 90 65 81 52

jpcartier@lesgoubert.fr • www.lesgoubert.fr

Visite : Du lundi au vendredi de 9h à 12h et de 14h à 18h

Ce beau domaine réputé est l'une des valeurs phares de l'appellation. Sur un total de vingt-trois hectares, il en exploite dix sur Gigondas, où il élabore deux cuvées (en rouge, évidement). Millésime après millésime, la cuvée Florence est une grande expression puissante mais équilibrée du terroir de Gigondas, mais il faut laisser le vin vieillir et intégrer son boisé.

Côtes du Rhône 2008

Rouge | 2010 à 2012 | 5,50 € **13,5/20**

Un vin léger, sur le fruit, avec des notes de cannelle et de poivre blanc, simple et franc mais agréable.

Côtes du Rhône Les Favoris 2007
Blanc | 2010 à 2012 | 12 € **15/20**
Riche et ample, un vin solaire avec beaucoup de caractère en bouche, des notes de vanille, de cire, très long en finale.

Côtes du Rhône-Villages Sablet 2008
Blanc | 2010 à 2013 | 6,20 € **14/20**
Un joli assemblage expressif et floral, la bouche est pleine avec des notes de miel et d'agrumes en finale.

Gigondas 2007
Rouge | 2012 à 2016 | 12 € **14,5/20**
Belle densité de fruits noirs au nez, ronces et sous-bois en bouche, belle matière aérienne, avec un joli grain de tanin.

Gigondas cuvée Florence 2005
Rouge | 2012 à 2017 | 24 € **15,5/20**
Ambitieux, belle texture en bouche, presque bourguignonne. Épicé, notes de cuir, un tanin du bois assez fin, un vin encore jeune.

DOMAINE GOURT DE MAUTENS

Route de Cairanne • 84110 Rasteau
Tél. 04 90 46 19 45 • Fax : 04 90 46 18 92
info@gourtdemautens.com
www.gourtdemautens.com

Enfant du cru, Jérôme Bressy a immédiatement compris que Rasteau constituait le grand terroir méconnu du Vaucluse, et a aussitôt mis en œuvre une viticulture d'une extrême exigence pour le démontrer. Ses rouges ont encore progressé, associant à leur intensité première un soyeux de texture qu'on ne retrouve que dans les plus grandes expressions de châteauneuf ; ses blancs sont très amples mais gardent beaucoup de fraîcheur. Ces vins sont assurément hors norme dans le contexte des Côtes du Rhône-Villages. Jérôme produit également un vin doux naturel de type Vintage, qui s'est placé aussitôt au plus haut niveau de sa catégorie.

Rasteau 2008
Blanc | 2010 à 2015 | NC **16/20**
Robe dorée, nez de miel et d'amande, agrumes confits en bouche : un style très ample et riche relevé par une finale de belle fraîcheur.

Rasteau 2007
Rouge | 2012 à 2020 | NC **18,5/20**
Merveilleux velouté, allonge tapissante et d'un grand soyeux de tanin, fruit précis sans surmaturité, impression de plénitude formidable : la sérénité faite vin.

Rasteau 2006
Blanc | 2010 à 2016 | NC **17/20**
Très ample mais également naturel et remarquablement équilibré, ce blanc de grande sève allie corpulence et agilité ; c'est un vin plein d'énergie, subtilement aromatique.

Rasteau Vin Doux Naturel 2006
Rouge | 2016 à 2030 | NC **19/20**
Somptueuse plénitude pour ce vintage vigoureux et intense, d'un velouté de texture rappelant évidemment celui d'un grand porto, mais aussi avec une fougue aromatique très méridionnale, sans équivalent à notre sens.

Rasteau Vin Doux Naturel 2004
Rouge | 2009 à 2024 | NC **18/20**
Très harmonieux, suave et tapissant, moins vigoureux que le 2006 mais d'un exceptionnel velouté.

DOMAINE DU GRAND JACQUET

2869, route de Carpentras • 84380 Mazan
Tél. 04 90 63 24 87
contact@domaine-grandjacquet.com
www.domaine-grandjacquet.com
Visite : De 10h à 18h du lundi au samedi.

Patricia et Joël Jacquet sont allés jusqu'au bout de leurs rêves en décidant de vinifier leurs propres raisins en 2000. Depuis, ils n'ont pas cessé de progresser, tant en vinification qu'en culture de la vigne. L'ensemble de l'exploitation est certifié en agriculture biologique depuis 2004. Grâce à leur nouvelle cave climatisée, les vins sont de plus en plus aboutis avec des blancs expressifs et raffinés, et des rouges d'une belle concentration sans aller vers la surextraction. Nous avouons une préférence pour les cuvées non boisées.

Côtes du Ventoux Grands Hommes 2008
Rouge | 2010 à 2011 | 6,70 € **14,5/20**
Nez de fruits rouges et de poivre blanc, très joli en bouche, léger mais plein avec une belle fraîcheur et des tanins gourmands. Un vrai plaisir, et à ce prix-là, on peut se régaler !

Côtes du Ventoux Juste avant les Sangliers 2007
Rouge | 2012 à 2016 | 14 € **15/20**
Nez patiné, légèrement boisé avec des fruits rouges épicés. Plein en bouche, une bonne fraîcheur avec un tanin accrochant, encore jeune.

Côtes du Ventoux Les Planètes 2008
Blanc | 2010 à 2013 | 22,50 € **15,5/20**
Un assemblage de roussanne et grenache, tout à fait étonnant pour sa finesse, sa profondeur, son équilibre et sa grande allure.

Côtes du Ventoux Rendez-Vous sous le Chêne 2009
Blanc | 2010 à 2012 | 8,10 € **14,5/20**
Bouquet parfumé et floral, très expressif et énergique en bouche, avec une belle richesse toute en restant sur la fraîcheur.

Côtes du Ventoux Rendez-Vous sous le Chêne 2008
Rouge | 2010 à 2013 | 8,10 € **14,5/20**
Poivre blanc et fruit rouges au nez, joli vin en bouche, parfumé, avec un tanin savoureux. Belle réussite pour le millésime.

DOMAINE GRAND VENEUR

1358, route de Châteauneuf-du-Pape • 84100 Orange
Tél. 04 90 34 68 70 • Fax : 04 90 34 43 71
jaume@domaine-grand-veneur.com
www.domaine-grand-veneur.com
Visite : Du lundi au samedi, de 8h à 12h et de 13h30 à 18h.

Alain Jaume a créé ce domaine qui s'étend désormais de part et d'autre du Rhône, sur cinquante-cinq hectares, à Châteauneuf bien sûr mais aussi en Vacqueyras et Lirac. Une activité de négoce est ajoutée à la palette du cru, sous le nom de Sélections-Alain-Jaume.

Châteauneuf-du-Pape 2008
Rouge | 2010 à 2016 | 23,50 € **15/20**
Charmeur aromatiquement, c'est un vin charnu, exprimant avec aisance ses arômes de fruits rouges et noirs, développant une allonge souple.

DOMAINE DE GRANGENEUVE

Grangeneuve • 26230 Roussas
Tél. 04 75 98 50 22 • Fax : 04 75 98 51 09
domaines.bour@wanadoo.fr
www.domainesbour.com
Visite : Du lundi au vendredi de 9h à 12h30 et de 14h à 19h. et le weekend de 10h à 12h30 et de 14h30 à 19h.

Les Coteaux du Tricastin constituent la plus septentrionale des appellations du sud de la vallée du Rhône, et c'est effectivement celle qui marque la limite de l'implantation du grenache. Depuis des décennies, la famille Bour, la représentante la plus performante de cette appellation, sait jouer avec la finesse du grenache pour l'associer à des syrahs dont la personnalité commence à se rapprocher de celles de leurs voisins plus réputés du nord. L'élevage, bien maîtrisé notamment dans les cuvées de prestige comme Vieilles-Vignes ou La-Truffière, développe la complexité de ces assemblages.

Coteaux du Tricastin Dames Blanches du Sud 2009
Blanc | 2010 à 2012 | 7 € **14/20**
Expressif et frais, avec une belle richesse de matière en bouche, très agréable.

Coteaux du Tricastin La Truffière 2007
Rouge | 2011 à 2015 | 12 € **15/20**
Une cuvée 90 % syrah et 10 % grenache donne un vin terrien avec des notes de sous-bois et de mûres sauvages. Bien fruité, assez rond en bouche, encore jeune, légèrement boisé en fin de bouche, mais le bois est bien intégré.

Coteaux du Tricastin SyrAttitude 2008
Rouge | 2010 à 2013 | 9 € **14/20**
Floral et expressif, des notes de réglisse et de fruits noirs, belle texture en bouche avec des notes de vieux bois en finale.

Coteaux du Tricastin Tradition 2008
Rouge | 2010 à 2013 | 5,50 € **13,5/20**
Joliment fruité, cerises et épices douces, avec une belle fraîcheur, manque un peu de corps.

Côtes du Rhône-Villages Esprit de Grenache 2009
Rouge | 2012 à 2016 | 8 € **14,5/20**
Belle expression de grenache, tendu en bouche avec une matière fruitée et fraîche. Encore trop jeune, à attendre.

DOMAINE DU GRAPILLON D'OR

84190 Gigondas
Tél. 04 90 65 86 37 • Fax : 04 90 65 82 99
c.chauvet@domainedugrapillondor.com
www.domainedugrapillondor.com
Visite : Ouvert de 9h à 12h et de 14h à 18h du lundi au samedi.

GIGONDAS EXCELLENCE 2007
Rouge | 2012 à 2017 | 19,90 € **14,5/20**
Très fruité, hédoniste, arômes de liqueur de thym, cassis et fruits noirs concentrés, chaleur en bouche, tanins savoureux, bien fait.

DOMAINE LA GRAVEIRETTE

Route des Vignes • 84260 Sarrians
Tél. 06 83 07 14 41 • Fax : 04 90 51 74 01
domainegraveirette@wanadoo.fr
Visite : sur rendez-vous

CHÂTEAUNEUF-DU-PAPE 2008
Rouge | 2010 à 2016 | env 19 € **16/20**
Ce domaine de Sarrians possède quatre hectares en Châteauneuf. Il a produit un 2008 coloré, gras, aux arômes de liqueur de mûre et de poivre, au corps charnu, intense.

DOMAINE DES GRIS DES BAURIES

Les Estras • 26770 Taulignan
Tél. 04 75 53 60 87 • Fax : 04 75 53 53 98
info@gris-des-bauries.com
www.gris-des-bauries.com
Visite : sur rendez-vous

Quelle belle aventure ! Deux couples s'associent pour faire du vin dans l'un des plus jolis coins du sud, la Drôme provençale. C'est précisément à Taulignan, entre Montélimar et Dieulefit, que ces deux couples, tous avec des activités autres que le vin, cultivent leurs vignes plantées en grenache et syrah. C'est la passion et le rêve de faire leur propre vin qui les a réunis autour de ces belles vignes. Après leur belle réussite en 2007, ils suivent parfaitement le rythme en 2008, une année nettement plus compliquée, avec des vins souples, digestes et agréables tout à fait adaptés au millésime. Bravo !

CÔTES DU RHÔNE LES CHAIX 2008
Rouge | 2010 à 2013 | 6,50 € **13,5/20**
Joliment construit, le vin est souple, fin et agréable, à boire jeune, sur le fruit.

CÔTES DU RHÔNE LES ESTRAS 2009
Rosé | 2010 à 2012 | 6,50 € **13,5/20**
Arômes de fruits noirs, belle présence en bouche, plaisant.

CÔTES DU RHÔNE SERRE DE LA DAME 2008
Rouge | 2010 à 2015 | 9,50 € **15/20**
La syrah domine avec des notes de violette et de réglisse, une très belle texture suave sans agressivité en bouche. Belle réussite.

CÔTES DU RHÔNE SOUS LES REMPARTS
Rosé | 2010 à 2012 | 6,50 € **13,5/20**
Parfumé et expressif, cette version à base de grenache est ronde et agréable.

CÔTES DU RHÔNE-VILLAGES SOUS LES CYPRÈS 2007
Rouge | 2012 à 2016 | 13 € **14,5/20**
La cuvée la plus ambitieuse de la gamme, le vin a passé presque 3 ans en barrique. La matière dense et fruitée du vin reste toujours marquée par le bois, il lui faudrait 2-3 ans avant de le digérer complètement.

DOMAINE GUILLAUME GROS

84660 Maubec
Tél. 09 52 69 63 30 ou 06 75 70 87 50
domaineguillaumegros@free.fr
www.domaineguillaumegros.com
Visite : sur rendez-vous

Ancien sommelier, Guillaume Gros s'est installé en 2001 dans la commune de Maubec, village de son arrière-grand-père, qui lui aussi était vigneron. Personnage très attachant et naturel, il est en constante évolution, toujours occupé à peaufiner ses vins et leurs élevages. Son travail dans la vigne n'est pas moins méticuleux. Sur son petit domaine de huit hectares, aux terroirs variés, Guillaume Gros vinifie ses différentes cuvées avec des levures indigènes, et pratique des élevages longs, vingt-quatre mois minimum sur la cuvée Côté-Terroir. Les deux cuvées Pourquoi-Pas et Côté-Terroir sont des vins denses et extraits, mais gardent toujours une fraîcheur essentielle à ce type de vin. La cuvée Nino-Loco, issu d'une petite structure de négoce, est gorgée de soleil et de fruits mûrs, un vrai vin de plaisir.

CÔTES DU LUBERON CÔTÉ TERROIR 2007
Rouge | 2012 à 2017 | 15 € **15,5/20**
Densément fruité avec des notes de réglisse et tabac, le vin est profond et sérieux en bouche avec une superbe qualité de fruit, une belle fraîcheur et un tanin serré, encore très jeune.

Côtes du Luberon El Niño Loco 2009
Rouge | 2010 à 2017 | 6 € **14,5/20**
Dense et savoureux, avec des notes de ronces et de fruits noirs. Un grain de tanin très serré encore, il lui faut du temps, mais il y a du potentiel.

Côtes du Luberon Pourquoi Pas 2007 ☺
Rouge | 2011 à 2015 | 9 € **16/20**
Un assemblage de grenache, carignan et syrah, il est expressif et tendu, des notes de raisins secs et d'épices douces au nez. L'élevage en cuve béton a donné un vin concentré et sérieux avec une superbe qualité de fruit et des tanins suaves, finissant sur la fraîcheur.

DOMAINE LES HAUTES CANCES

Quartier Les Travers • 84290 Cairanne
Tél. 04 90 30 76 14 • Fax : 04 90 30 76 14
contact@hautescances.com • www.hautescances.com
Visite : De 10h à 12h et de 15h à 18h.

L'histoire du domaine des Hautes-Cances traduit une reconversion professionnelle vers la viticulture : tous deux médecins, Jean-Marie et Anne-Marie Astart ont décidé en 1992 de reprendre les vignes familiales d'Anne-Marie. Partageant au début les tâches, jusqu'à débuter les vendanges pour l'un et les finir pour l'autre, ils sont désormais devenus de véritables professionnels de la vigne et du vin, bénéficiant d'une nouvelle cave construite en 2003. Permettant de travailler par gravité, avec le moins d'interventions possibles, et d'élever tous les vins en barriques bourguignonnes (non neuves) pendant douze à dix-huit mois, ce bel outil a amélioré grandement la finesse et l'élégance des vins, qui conservent leur vrai caractère méridional.

Côtes du Rhône Tradition 2008
Rouge | 2010 à 2013 | 6,50 € **13,5/20**
Arômes d'épices douces et fruité subtil, le vin est frais et souple en bouche avec une bonne énergie et un côté aérien.

Côtes du Rhône-Villages Cairanne Tradition 2009
Blanc | 2010 à 2013 | 7,75 € **14,5/20**
Frais et floral, avec une très belle matière en bouche, un vin blanc du sud, parfaitement équilibré.

Côtes du Rhône-Villages Cairanne Tradition 2008
Rouge | 2012 à 2016 | 8,60 € **14,5/20**
Beau nez concentré de fruits noirs avec des notes florales, la texture suave est soutenue par un tanin bien travaillé, encore assez jeune.

Côtes du Rhône-Villages Cairanne Vieilles Vignes 2008
Rouge | 2011 à 2016 | 10,50 € **15/20**
Une belle réussite, concentré, fruits mûrs au nez, avec une touche de poivre, harmonieux, ample et généreux en bouche avec une note de vieux bois vanillé en finale.

Vin de pays de la Principauté d'Orange Terre de Cheyenne 2007
Rouge | 2010 à 2013 | 4,20 € **13,5/20**
Agréable, sur le fruit, avec un tanin franc et épicé.

DOMAINE OLIVIER HILLAIRE

1, rue Maréchal-Foch - B.P. 26
84231 Châteauneuf-du-Pape
Tél. 04 90 48 03 87 • Fax : 04 90 83 56 82
domaine.olivier.hillaire@wanadoo.fr
Visite : Sur rendez-vous au 04 90 22 45 76. Lundi au dimanche de 10h à 19h de mars à octobre

Gendre de Henri Boiron, propriétaire du Domaine des Relagnes, Olivier Hillaire a récupéré en 2006 une partie de ce domaine qu'il vinifie sous son propre nom. Il est indiscutablement devenu aujourd'hui l'un des producteurs de Châteauneuf avec lesquels il faut compter, tant pour sa cuvée de base que pour l'excellent Petits-Pieds-d'Armand.

Châteauneuf-du-Pape 2008
Rouge | 2010 à 2016 | 26 € **15,5/20**
Notes franches de fraise, robe moyennement colorée, corps souple, fruité, bien équilibré, assez profond, de la tendresse et de la longueur.

DOMAINE DE LA JANASSE

27, chemin du Moulin • 84350 Courthézon
Tél. 04 90 70 86 29 • Fax : 04 90 70 75 93
lajanasse@free.fr • www.lajanasse.com
Visite : Du lundi au vendredi de 8h à 12h et de 14h à 18h, samedi et le dimanche sur rendez-vous.

C'est assurément l'un des plus réguliers et remarquables producteurs de l'appellation. La cuvée Chaupin provient de ce terroir de galets roulés très spectaculaire, au nord-ouest de Courthézon ; elle est issue à 100 % de grenache. La cuvée Vieilles-Vignes provient, outre du terroir de Chaupin, de trois autres zones aux sols différents.

Châteauneuf-du-Pape 2008
Rouge | 2010 à 2016 | 26 € **15/20**
Vin coloré, arômes de fruits noirs, gras, simple mais de bonne longueur, finale gourmande, du potentiel.

Châteauneuf-du-Pape Vieilles Vignes 2008
Rouge | 2012 à 2018 | 49 € **16/20**
Boisé présent, robe vive, bouche élancée, du corps, du fruit et des tanins présents qui s'assagiront. Un millésime svelte et nerveux.

CHÂTEAU JAS DE BRESSY

631, route de Sorgues • 84230 Châteauneuf-du-pape
Tél. 04 90 83 51 73 • Fax : 04 90 83 52 77
chateaux@vmb.fr • www.vmb.fr
Visite : en semaine de 13h30 à 19h30.

Châteauneuf-du-Pape 2008
Rouge | 2012 à 2018 | 24,80 € **15/20**
Les notes de chocolat sont assez lourdes, mais il y a du volume dans ce vin chaleureux. Donnons-lui quelques années pour affirmer pleinement son potentiel.

DOMAINE JAUME

24, rue Reynarde • 26110 Vinsobres
Tél. 04 75 27 61 01 • Fax : 04 75 27 68 40
cave.jaume@wanadoo.fr • www.domainejaume.com
Visite : De 8h à 12h et de 14h à 19h. Du lundi au samedi et ouvert le dimanche matin en été

En 2005, le domaine Jaume a fêté ses 100 ans. La culture raisonnée et le travail minutieux dans la vigne permettent l'élaboration de vins riches et puissants, mais non dénués de finesse, à l'image de la cuvée Altitude-420. Les vins évoluent généralement de façon favorable après trois à cinq ans de bouteille. Notre seul reproche serait une tendance à un élevage parfois trop ambitieux, les vins étant trop marqués par le bois.

Côtes du Rhône Génération 2007
Rouge | 2010 à 2013 | 5,80 € **14/20**
Plus sérieux, moins sur le fruit, le vin est dense avec des notes de cerises noires et une acidité un peu accrocheuse.

Côtes du Rhône La Friande 2009
Rouge | 2010 à 2013 | 5 € **14/20**
Gourmand et gouleyant, gorgé de fruits avec des notes florales, bonne fraîcheur en finale.

Vinsobres Altitude 420 2008
Rouge | 2010 à 2014 | 8 € **14,5/20**
Généreux et rond en bouche, le vin est expressif, frais et floral avec un soupçon de barrique en finale.

Vinsobres Clos des Échalas 2007
Rouge | 2012 à 2016 | 23 € **15/20**
Une matière dense et extraite, un vin sérieux qui demande à vieillir.

Vinsobres Référence 2008
Rouge | 2011 à 2014 | 10,50 € **14,5/20**
Un vin ambitieux, avec un boisé qui est, pour le moment, démonstratif. À revoir dans un an ou deux.

DOMAINE DU JONCIER

5, rue de la Combe • 30126 Tavel
Tél. 04 66 50 27 70 • Fax : 04 66 50 34 07
domainedujoncier@free.fr
www.domainedujoncier.com
Visite : 9h à 13h et de 14h à 17h Sur rendez-vous.

Les vins de Marine Roussel, gorgés de soleil, ne cherchent pas à masquer leur personnalité méridionale. Structurés et sérieusement construits, ils possèdent tous un potentiel de garde important, mais l'encépagement varié du domaine permet de réaliser des cuvées bien différenciées, développant chacune son propre style. Le terroir est ici typique de l'appellation, sur des galets roulés en surface avec un sous-sol argilo-calcaire. Les étés de plus en plus chauds et les rendements de plus en plus bas produisent des vins toujours concentrés et solaires. Depuis quelques années, Marine cultive ses vignes selon les principes de la biodynamie, ce qui apporte une harmonie et une fraîcheur supplémentaire à ses vins.

Lirac Le Classique 2008
Rouge | 2011 à 2015 | 11 € **14,5/20**
Un très bon 2008, frais et droit avec un tanin strict, mais il y a une belle texture suave en bouche.

Lirac Le Gourmand 2008
Rouge | 2011 à 2016 | 8,50 € **14,5/20**
Un vin dense avec au nez des notes de fruits noirs et en bouche des notes mentholées. Sérieusement construit.

Lirac Le Rosé 2009
Rosé | 2010 à 2012 | NC **14,5/20**
Très joli rosé charnu et structuré, belle longueur en bouche, un rosé pour la table.

DOMAINE LAFOND ROC-ÉPINE

Route des Vignobles • 30126 Tavel
Tél. 04 66 50 24 59 • Fax : 04 66 50 12 42
lafond@roc-epine.com • www.roc-epine.com
Visite : De 8h à 12h et de 13h30 à 17h30.

Ce grand domaine familial est situé à Tavel, mais ses quatre-vingts hectares de vignes s'étendent sur les communes de Lirac, Tavel et, depuis 2001, sur quelques petites parcelles à Châteauneuf-du-Pape. Très rigoureux dans leur démarche vers la qualité, Jean-Pierre et Pascal Lafond réalisent des vins de grand équilibre, au style riche, franc et direct.

Châteauneuf-du-Pape 2008
Rouge | 2012 à 2016 | NC **14,5/20**
Robe profonde, notes persistantes de liqueur de mûre, gros fruit, charnu et entêtant mais finale sans lourdeur. Il faut lui donner le temps de s'assouplir.

Châteauneuf-du-Pape 2007
Rouge | 2012 à 2018 | 23 € **16/20**
Arômes de fruits cuits, pruneaux et épices douces au nez, c'est un vin généreux, aromatique, d'une longueur charnue.

Côtes du Rhône 2009
Rouge | 2010 à 2014 | 6 € **14/20**
Belle concentration fruitée, fruits noirs, ronces, belle texture suave avec une bonne fraîcheur en finale.

Lirac 2008
Rouge | 2011 à 2016 | 8,50 € **14,5/20**
Joli nez poivré avec une touche de barrique, fruits rouges croquants avec un tanin encore tendu et jeune.

Lirac La Ferme Romaine 2007
Rouge | 2012 à 2018 | 15 € **15,5/20**
Un nez aromatique de fruits noirs associé à une boisée marquée. Le vin est structuré et large d'épaules, les tanins vont s'affiner d'ici 2-3 ans.

Tavel 2009
Rosé | 2010 à 2012 | 8,60 € **15/20**
Un vin riche avec une matière concentrée, une belle tenue en bouche avec des arômes de fruits rouges et une pointe d'amertume.

LAUDUN-CHUSCLAN VIGNERONS

Route d'Orsan • 30200 Chusclan
Tél. 04 66 90 11 03 • Fax : 04 66 90 16 52
contact@lc-v.com
www.laudunchusclanvignerons.com
Visite : Du lundi au samedi de 9h à 12h et de 14h à 18h et le dimanche de 9h à 13h.

Producteur ultra dominant de ce secteur du nord du Gard, la cave de Chusclan travaille très sérieusement, tant pour les vins de domaines que pour les vins génériques. Ils ont désormais fusionné avec Les Vignerons de Laudun, la gamme s'élargit encore et l'on constate aussi sur ce secteur une reprise en mains bienvenue.

Côtes du Rhône Château de Gicon 2009
Rouge | 2010 à 2013 | 4,70 € **14,5/20**
Notre vin préféré de la cave : il est gorgé de fruits frais et croquants. Souple et gourmand en bouche, le vin se boit tout seul !

Côtes du Rhône-Villages Agapa 2007
Rouge | 2012 à 2015 | 9 € **14,5/20**
Intense et épicé au nez, c'est un vin ambitieusement extrait qui a besoin de temps. Belle matière dense et tendue.

Côtes du Rhône-Villages Chusclan Les Genêts 2009
Rouge | 2010 à 2013 | 7,80 € **14/20**
Notes de mûres et de ronces, belle texture soyeuse et pleine en bouche, finissant sur un fruit frais et gouleyant.

Côtes du Rhône-Villages Excellence 2007
Rouge | 2012 à 2016 | 11,50 € **14,5/20**
Concentré au nez et en bouche, le vin est, pour le moment, massif. Notes de fruits noirs et de cèdre, texture serrée avec des tanins jeunes, on sent ses 15° d'alcool.

Côtes du Rhône-Villages Laudun Clos du Taman 2009
Rouge | 2011 à 2014 | 7,15 € **14/20**
Nez plus complexe et profond, notes de kirsch et d'épices. En bouche, le vin est vif mais encore jeune, il nécessite un an de plus en bouteille.

MAS DE LIBIAN

Libian • 07700 Saint-Marcel-d'Ardèche
Tél. 06 61 41 45 32 • Fax : 04 75 98 66 38
h.thibon@wanadoo.fr • www.masdelibian.com
Visite : Sur rendez-vous uniquement.

Le succès du domaine montre le potentiel de ce secteur du sud de l'Ardèche, longtemps trop méconnu, qui gagne désormais en réputation et en qualité. Sur les terroirs de galets roulés, à la confluence du Rhône et de l'Ardèche, les vignes du Mas de Libian, cultivées en biodynamie, produisent des vins surprenants par leur pureté de fruit, leur sincérité et leur concentration, tout en restant sur la fraîcheur.

Côtes du Rhône Bout d'Zan 2009
Rouge | 2011 à 2015 | 10,50 € **14,5/20**
Plus profond et sérieux que le Pétanque, un fruit mûr et concentré, avec une note de fumé et des tanins encore très serrés.

Côtes du Rhône cave Vinum MMIX 2009
Blanc | 2010 à 2013 | 12 € **15/20**
Superbe équilibre pour cet assemblage de roussanne et clairette dont 30 % sont vinifiés en demi-muids. Aromatique et expressif, fleurs blanches, miel, riche mais finissant sur la fraîcheur.

Côtes du Rhône Khayyâm 2009
Rouge | 2012 à 2016 | 13 € **15,5/20**
Aromatique et expressif au nez, richement fruité, texture soyeuse et épicée, des notes de réglisse finissant sur la fraîcheur.

Côtes du Rhône-Villages La Calade 2009
Rouge | 2012 à 2018 | 24,50 € **15,5/20**
Couleur intense, le mourvèdre finement tissé, tendu, un vin sérieusement construit qui a besoin de temps pour s'assouplir.

Vin de pays des Coteaux de l'Ardèche Vin de Pétanque 2009
Rouge | 2010 à 2014 | 7 € **14,5/20**
On dirait du jus de raisin au verre, un fruit mûr, naturel et pur, sans aucune prétention, avec une texture soyeuse et une finale épicée.

Vin de pays des Coteaux de l'Ardèche viognier 2009
Blanc | 2010 à 2012 | 12 € **15/20**
Une expression pure de viognier, florale au nez avec des notes de pêches, très exubérante en bouche, fraîche sans la moindre mollesse.

DOMAINE MABY

249, rue Saint-Vincent - B.P. 8 • 30126 Tavel
Tél. 04 66 50 03 40 • Fax : 04 66 50 43 12
domaine-maby@wanadoo.fr • www.domainemaby.fr
Visite : De 8h à 17h30

Dans ce domaine historique de Tavel, la famille Maby produit des vins d'une qualité uniforme, toujours honnêtes, agréables et charnus. Dirigé par le dynamique Richard Maby, le domaine ne cesse d'avancer, les vins gagnant en précision chaque année. Les vignobles se situent sur les communes de Tavel, le plateau de Lirac et dans les Côtes du Rhône limitrophes. Des prix très raisonnables et la qualité régulière des vins font de ce domaine une valeur sûre sur le marché actuel.

Lirac Casta Diva 2008
Blanc | 2010 à 2013 | 13,60 € **14,5/20**
Des arômes mentholés et floraux au nez, une bouche fine et élégante avec des notes de cire et d'agrumes, et une touche de boisé.

Lirac La Fermade 2009
Blanc | 2010 à 2013 | 8,20 € **14/20**
Vif et expressif, un très bon blanc, sans aucune lourdeur, délicieux !

Lirac La Fermade 2009
Rosé | 2010 à 2012 | 7,80 € **14/20**
Du bonheur au verre, fruité agréable sans artifice.

Lirac La Fermade 2008
Rouge | 2010 à 2013 | 9,50 € **14,5/20**
C'est une très belle réussite dans le cadre du millésime. Notes de poivre blanc et de réglisse, belle qualité de fruit, une texture souple, le tout avec une pointe d'amertume qui n'est pas désagréable.

Lirac Nessun Dorma 2007
Rouge | 2012 à 2017 | 15,60 € **15/20**
Un vin ambitieux, richement fruité, structuré et dense, avec un tanin de bois qui est encore marqué, mais pas excessif.

Tavel La Forcadière 2009
Rosé | 2010 à 2012 | 8,40 € **14/20**
Vin franc et agréable en bouche, épicé et frais.

Tavel Prima Donna 2009
Rosé | 2010 à 2012 | 9,20 € **14,5/20**
Plus riche et fruité que la Forcadière, il est généreux en bouche, avec une bonne longueur.

DOMAINE DE MARCOUX

198, chemin de la Gironde • 84100 Orange
Tél. 04 90 34 67 43 • Fax : 04 90 51 84 53
info@domaine-marcoux.com
www.domainedemarcoux.com
Visite : Sur rendez-vous.

Ce domaine, dirigé par deux sœurs, fut l'un des précurseurs de la culture biodynamique. Situé au nord de l'appellation, il possède cependant des parcelles dans de nombreux quartiers de Châteauneuf, tant au sud (Gallimardes) qu'à l'est (la Crau). La production est d'une régularité impressionnante depuis dix ans.

Châteauneuf-du-Pape 2008

Rouge | 2012 à 2018 | 38 € **15/20**

Ce vin à la robe profonde possède une réelle densité de constitution et un fruit intense. Il faut l'attendre deux à trois ans.

MARRENON VIGNOBLES

Rue Amédée Giniès • 84240 La Tour d'Aigues
Tél. 04 90 07 40 65 • Fax : 04 90 07 30 77
marrenon@marrenon.com • www.marrenon.com
Visite : Du lundi au vendredi de 8h30 à 12h30 et de 14h30 à 19h

La cave coopérative de La Tour d'Aigues se réinvente, avec une nouvelle campagne publicitaire, un nouvel habillage de bouteilles et un site internet ultra moderne. Les étiquettes sont très «design», destinées à plaire aux consommateurs anglo-saxons. Ce n'est pas sans succès. Les vins sont modernes et de qualité, d'un style fruité et facile d'accès. Les vins de cépages 2009, dans leurs habillages sympathiques, sont frais et très savoureux, à tout petit prix. La cave s'est même lancée dans la production d'un vin bio qu'elle appelle Organic-by-Marrenon.

Côtes du Luberon Doria 2009

Blanc | 2010 à 2012 | 8,90 € **14/20**

Vermentino (rolle), grenache blanc et roussanne vinifiés en barrique, un vin sudiste et solaire, richement constitué avec une belle matière.

Côtes du Luberon Orca VI 2007

Rouge | 2010 à 2013 | 8,50 € **14/20**

Beaux grenaches avec un peu de syrah, élevés en barrique. Le vin est souple et généreux, avec des notes de fruits noirs mûrs et expressifs, un tanin souple, et une touche de boisé grillé en finale.

Vermentino 2009

Blanc | 2010 à 2012 | 3,50 € **13/20**

Les vins de cépage se vendent bien à l'export donc voici le blanc de la gamme de Marrenon : vermentino frais, expressif et franc, un vin techno mais bien travaillé.

MARTINELLE

84190 Lafare
Tél. 04 90 65 05 56 • Fax : 04 90 65 05 56
corinna@martinelle.com • www.martinelle.com
Visite : Sur rendez-vous.

Corinna Kruse s'affirme parmi les jeunes talents de la région, avec des vins vinifiés dans un style gourmand et généreux. Les vignes, une partie en Beaumes de Venise et une partie en Ventoux, sont situées sur les communes du Barroux et de Suzette, dans un cadre naturel et magnifique. Les vendanges 2009 ont été les premières vinifications dans la nouvelle cave, un excellent outil de travail qui va lui permettre de travailler comme elle a toujours souhaité. Les vins du domaine sont très riches et denses, avec des bouquets extrêmement expressifs et une texture riche, intensément onctueuse.

Beaumes de Venise 2009

Rouge | 2011 à 2015 | 16 € **15,5/20**

Belle concentration, notes de chocolat au nez et un raisin très mûr, légèrement chaud en bouche, riche et gras.

Beaumes de Venise 2008

Rouge | 2011 à 2015 | 15 € **15/20**

Issu de nouvelles parcelles, il semble être plus sérieux que le ventoux, plus complexe, avec des notes de thym et de laurier, vin savoureux, encore jeune.

Côtes du Ventoux 2009

Rouge | 2011 à 2015 | 8 € **15/20**

Intensément fruité et parfumé, myrtille, mûre, avec une belle structure en bouche et un tanin serré, un bel avenir en vue.

Côtes du Ventoux 2008

Rouge | 2010 à 2013 | 8 € **15/20**

Un bouquet très grenache, avec la légère astringence du millésime. C'est un vin étonnamment concentré pour un 2008 avec beaucoup de caractère et d'élégance en bouche. Une belle texture signée Corrina Kruse avec des tanins encore très jeunes.

CHÂTEAU MAS NEUF

Mas Neuf des Costières • 30600 Gallician
Tél. 04 66 73 33 23 • Fax : 04 66 73 33 49
contact@chateaumasneuf.com
www.chateaumasneuf.com
Visite : De 9h à 12h et de 14h à 18h.

Situé à l'extrême sud des Costières, le domaine bénéficie des vents maritimes qui permettent d'avoir un climat plus frais que dans l'intérieur de l'appellation. Le terroir, couvert de galets roulés du Villafranchien, est un grand classique des Costières, et Luc Baudet, ingénieur agronome, a pu ainsi choisir de quitter le monde des multinationales pour s'installer ici, avec l'ambition de créer de grands vins. La gamme Rhône-Paradox est composée de vins vinifiés sur le fruit, agréables et accessible dès leur jeunesse. Les autres cuvées font un passage en barrique qui produit des vins d'un style plus international, mais avec un tanin parfois ferme dans leur jeunesse.

Costières de Nîmes Compostelle 2008
Blanc | 2010 à 2012 | NC **14/20**
Belle matière assez riche mais équilibrée, des traces discrètes d'un élevage en barrique. Il finit sur une pointe d'amertume.

Costières de Nîmes Compostelle 2007
Rouge | 2010 à 2013 | NC **14,5/20**
Un bouquet de cassis noir associé à des notes de bois, un corps richement fruité et épicé, avec des tanins encore rustiques en finale.

Costières de Nîmes La Mourvache 2008
Rouge | 2011 à 2013 | NC **14/20**
Le vin est pour le moment encore marqué par son élevage. Le fruité est subtil et tendre, finissant sur un tanin encore asséchant.

Costières de Nîmes Rhône Paradox 2009
Rosé | 2010 à 2012 | NC **14/20**
Un agréable bouquet de fruits frais (fraises, pamplemousse) annonce une bouche fraîche, vive et plaisante avec des notes florales. Il accompagnera parfaitement les grillades d'été.

Costières de Nîmes Rhône Paradox 2009
Blanc | 2010 à 2012 | NC **14,5/20**
Frais, expressif et gourmand, c'est un vin avec beaucoup de personnalité, ample et aromatique en bouche.

Costières de Nîmes Rhône Paradox 2008
Rouge | 2010 à 2013 | NC **14,5/20**
Belle réussite pour un millésime compliqué. La syrah s'exprime avec fraîcheur et finesse, un fruit mûr avec des notes poivrées, de laurier et de ronces. Tanins souples avec une pointe d'amertume agréable.

Vin de pays d'Oc Armoniò 2006
Rouge | 2012 à 2015 | NC **14,5/20**
Un bouquet de fruits cuits et d'épices douces, une bouche musclée avec des notes de pruneaux et un boisé doux, un tanin encore très jeune.

Vin de pays d'Oc Avec des Si 2007
Rouge | 2011 à 2015 | NC **15/20**
Une cuvée de syrah dense et complexe qui exprime des notes de petites baies noires, des arômes de garrigue et de laurier. Il est sérieux avec un grain de tanin serré, il vieillira bien.

CHÂTEAU MAUCOIL

Chemin de Maucoil • 84100 Orange
Tél. 04 90 34 14 86 • Fax : 04 90 34 71 88
contact@chateau-maucoil.com • www.maucoil.com
Visite : Du lundi au dimanche, de 9 h30 à 12h30 et de 14 h30 à 18h30.

Châteauneuf-du-Pape 2008
Rouge | 2010 à 2016 | 17 € **14,5/20**
Cette propriété appartient à la famille Arnaud qui possède aussi le classique Cabrières. Ce vin offre un profil suave : arômes de prune, souple et languide, pas très intense mais du fond.

DOMAINE DE LA MONARDIÈRE

La Monardière • 84190 Vacqueyras
Tél. 04 90 65 87 20 • Fax : 04 90 65 82 01
info@monardiere.com • www.monardiere.fr
Visite : Du lundi au samedi de 9h à 12h et de 14h à 18h.

Depuis plusieurs années, le domaine de Christian et Martine Vache, maintenant rejoints par leur fils Damien, s'est affirmé comme l'une des propriétés de pointe de l'appellation Vacqueyras, produisant des vins équilibrés avec une personnalité certaine. S'appuyant sur deux terroirs, l'un argilo-sableux, l'autre argilo-calcaire, les vins associent puissance et finesse des cépages méridionaux. Les cuvées Les-Deux-Monardes et Vieilles-Vignes se sont imposées régulièrement comme des maîtres étalons de leur appellation. Le domaine élabore également

un très bon blanc en petits quantités, à base de roussanne et grenache blanc, vinifié en demi-muid.

Vacqueyras Le Rosé 2009 ☺

Rosé | 2010 à 2012 | 7,50 € **14,5/20**

Un vrai rosé de plaisir, superbe texture ronde en bouche, très élégante et parfaitement équilibrée.

Vacqueyras Les Calades 2009

Rouge | 2011 à 2016 | 9 € **15/20**

Un vin harmonieux, sans surextraction, belle qualité de fruit, équilibré en fin en bouche. Une matière profonde et épicée avec beaucoup de personnalité.

Vacqueyras Les Deux Monardes 2008

Rouge | 2011 à 2016 | 11 € **14,5/20**

Réglisse, ronces, tabac, un vin parfumé, marqué par son élevage, avec des tanins encore jeunes.

CLOS DU MONT-OLIVET

15, avenue Saint-Joseph
84230 Châteauneuf-du-Pape
Tél. 04 90 83 72 46 • Fax : 04 90 83 51 75
clos.montolivet@wanadoo.fr
www.clos-montolivet.com
Visite : Du lundi au vendredi de 9h 12h et de 14h à 18h et le samedi sur rendez-vous

Ce domaine, mené par la famille Sabon depuis plus d'un siècle, dispose malgré son nom d'un vignoble extrêmement morcelé, s'appuyant sur des sols argilo-calcaires et argilo-sableux. Le style est ultra traditionnel, parfois austère ou curieusement évanescent dans la phase de jeunesse, mais les vins gagnent au vieillissement.

Châteauneuf-du-Pape 2009

Blanc | 2010 à 2014 | 15,50 € **15/20**

Joli vin gras, parfumé, harmonieux.

Châteauneuf-du-Pape 2008 ☺

Blanc | 2010 à 2015 | 15,50 € **15/20**

Vin vif et citronné, présentant une belle chair gourmande. Prêt à boire.

Châteauneuf-du-Pape Clos du Mont-Olivet 2008

Rouge | 2014 à 2024 | 14,50 € **14,5/20**

Robe aux reflets mordorés, nez de cerise à l'eau-de-vie, bouche souple, suave, classique et actuellement très tendre, mais assez longue.

CHÂTEAU MONT-REDON

B.P. 10 • 84231 Châteauneuf-du-Pape cedex
Tél. 04 90 83 72 75 • Fax : 04 90 83 77 20
contact@chateaumontredon.fr
www.chateaumontredon.fr
Visite : Sur rendez-vous. Caveau de dégustation ouvert toute l'année de 8h à 19h, le mercredi de 8h à 12h et de 14h à 18h. Fermé samedi et dimanche du 15 janvier au 20 février.

Mont-Redon est une très vaste propriété d'une centaine d'hectares de vignes en Châteauneuf (sur un total de cent-cinquante hectares plantés), occupant une bonne part du plateau de galets roulés qui porte le nom du domaine, mais ayant aussi une partie plantée face au domaine. En châteauneuf rouge, les Abeille-Fabre ont néanmoins toujours tenu à ne réaliser qu'un vin, représentatif de l'ensemble du domaine, et n'ont donc pas cédé à la mode des cuvées de prestige. Sans jamais apparaître comme l'un des vins les plus spectaculaires de l'appellation, le cru vieillit en fait fort bien et impose sa tranquille plénitude. La famille produit également des blancs de qualité, de nombreux côtes-du-rhône, et a aussi une propriété à Lirac.

Châteauneuf-du-Pape 2008

Rouge | 2010 à 2018 | 19 € **15,5/20**

Bonne couleur, volume sérieux, peu d'aspérité mais vin gras, complet, généreux. Un Mont-redon très classique.

DOMAINE DU MONT-THABOR

84370 Bedarrides
Tél. 04 90 33 16 21 • Fax : 04 90 33 16 21
stehelin.daniel@club-internet.fr
Visite : sur rendez-vous.

Châteauneuf-du-Pape 2008

Rouge | 2012 à 2018 | 17 € **17/20**

Ce petit domaine du nord de l'appellation a produit un magnifique 2008 : vin coloré, notes d'olive noire, volume épicé, tanins un rien durs mais assurément du potentiel, finale magnifique sur le laurier.

PRIEURÉ DE MONTÉZARGUES

Route de Rochefort du Gard • 30126 Tavel
Tél. 04 66 50 04 48 • Fax : 04 66 50 30 41
gdugas@prieuredemontezargues.fr
www.prieuredemontezargues.fr
Visite : Du lundi au vendredi de 8h à 12h et de 14h à 18h sur rendez-vous l'après-midi et le samedi sur rendez-vous uniquement.

Sans doute une des plus belles propriétés de la région, rachetée et restaurée avec soin par la maison Richard, dirigée depuis 2003 par Guillaume Dugas. A côté du tavel, une cuvée de jeunes vignes de rouge est également produite.

Vin de Table de France
Rouge | 2010 à 2014 | 9,50 € **14/20**
Avec une année de plus en bouteille, le fruit commence à se fondre dans le bois. Belle texture épicée avec des notes de cannelle et de cèdre.

Tavel 2009
Rosé | 2010 à 2015 | 10,50 € **15/20**
Aromatique, avec ses notes florales associées à des fruits rouges (fraise et framboise), c'est un vin ample, de belle harmonie et terminant par cette amertume agréable apportée par la clairette.

MONTIRIUS

Le Devès • 84260 Sarrians
Tél. 04 90 65 38 28 • Fax : 04 90 65 48 72
montirius@wanadoo.fr • www.montirius.com
Visite : De 9h à 12h et de 14h à 18h.

Biodynamistes passionnés, Éric et Christine Saurel ont converti en totalité leur vignoble selon les principes de Rudolf Steiner. Ils ont même conçu une station d'épuration utilisant différentes plantes, pour la dépollution des eaux de vinification ! L'ensemble des vins est très sérieusement construit, avec des tanins denses mais toujours sveltes. Il faut leur donner quelques années de cave pour qu'ils s'ouvrent et s'épanouissent parfaitement.

Côtes du Rhône Jardin Secret 2007
Rouge | 2010 à 2014 | 15 € **15/20**
Un 100 % grenache juteux et épicé, des arômes expressifs et sudistes de thym et de laurier, une bouche richement fruitée, grasse et longue, avec une bonne fraîcheur des tanins en finale.

Gigondas Confidentiel 2007
Rouge | 2012 à 2018 | 30 € **15,5/20**
Arômes expressifs et floraux au nez, en bouche des fruits frais, épicé, savoureux. Le corps est bien tissé, sérieux, de la profondeur, mais très jeune.

Gigondas Terre des Aînés 2007
Rouge | 2012 à 2017 | 19 € **15/20**
Dense et concentré, assez massif avec de beaux fruits mûrs en bouche, des notes de garrigue et de la chaleur en finale. Tanins encore serrés, bel avenir.

Vacqueyras Garrigues 2008
Rouge | 2012 à 2016 | 15,50 € **14,5/20**
Agréablement épicé, poivre blanc associé à des notes de fruits cuits, le vin est moins intense que d'habitude mais il a du corps.

Vacqueyras Le Clos 2007
Rouge | 2012 à 2018 | 30 € **15,5/20**
Élégant et raffiné, très belle concentration de matière sans aucune lourdeur. Floral avec des notes de fruits confits, une superbe texture en bouche et une fraîcheur encore tendue.

DOMAINE DE LA MORDORÉE

Chemin des Oliviers • 30126 Tavel
Tél. 04 66 50 00 75 • Fax : 04 66 50 47 39
info@domaine-mordoree.com
www.domaine-mordoree.com
Visite : Du lundi au vendredi de 8h à 12h et de 13h30 à 17h et le samedi toute l'année, les dimanches et jours fériés de 10h à 12h et de 15h à 18h du 1er avril au 1er octobre.

Bien que jeunes encore, les frères Delorme sont depuis près de deux décennies les porte-drapeaux incontestés de l'appellation gardoise de Lirac et depuis dix ans de Châteauneuf. Leurs vins possèdent un caractère affirmé, franc, fruité et velouté, où toute rusticité est absente.

Châteauneuf-du-Pape La Reine des Bois 2008
Rouge | 2010 à 2018 | 38 € **16/20**
Robe grenat de bonne intensité, nez de mûre, bouche fruitée, ample et franche, avec une chair juvénile et un tanin soyeux. La finale est vive, le vin a du potentiel.

CÔTES DU RHÔNE 2009
Rouge | 2011 à 2016 | 6,80 € **14,5/20**
Nez intense, richement fruité, la matière est dense et juteuse, avec des notes de fruits noirs, épices douces et réglisse, une belle texture fraîche en finale.

LIRAC LA DAME ROUSSE 2008
Rouge | 2010 à 2015 | 9,50 € **14,5/20**
Harmonieux, des fruits rouges croquants, épicé avec une bonne acidité, tanins fermes, avec une pointe d'amertume en finale.

LIRAC LA REINE DES BOIS 2009
Blanc | 2010 à 2013 | NC **15/20**
Raffiné et harmonieux, superbe texture et belle énergie en bouche, tout en élégance.

LIRAC LA REINE DES BOIS 2008
Rouge | 2012 à 2017 | 14,50 € **15/20**
Un boisé doux et grillé au nez, une bonne structure tannique, encore jeune, une acidité crochant en finale. Laissez-lui le temps de s'affiner.

TAVEL LA DAME ROUSSE 2009
Rosé | 2010 à 2014 | 10,40 € **15/20**
Délicat parfum floral, belle plénitude en bouche, avec des accents épicés, bel équilibre.

TAVEL LA REINE DES BOIS 2009
Rosé | 2010 à 2014 | NC **16/20**
Plus riche et gras en bouche que la Dame-Rousse, belle texture suave, vin sérieux, presque tannique, il finit sur l'élégance.

DOMAINE DU MOULIN

Montée du Moulin • 26110 Vinsobres
Tél. 04 75 27 65 59 • Fax : 04 75 27 63 92
denis.vinson@wanadoo.fr
Visite : 8h à 12h et 13h30 à 19h du lundi au samedi jours fériés compris

Denis et Frédérique Vinson ont décidé très jeunes de construire leur cave et de faire leur propre vin. C'était d'ailleurs la première cave souterraine de Vinsobres. De vieilles vignes en coteaux sur un terroir argilo-calcaire très caillouteux produisent des vins d'une grande finesse, aux arômes de fruits gourmands avec des tanins souples. Toutes les cuvées de vinsobres font un passage en barrique. Cet élevage donne une grande qualité de tanins, fondus et raffinés, pour des bouteilles souvent accessibles dès leur mise en vente. Cela ne s'oppose pas au bon potentiel de vieillissement de certaines cuvées.

CÔTES DU RHÔNE 2009
Blanc | 2010 à 2012 | 4,80 € **13,5/20**
Frais et franc avec des arômes d'agrumes, le vin est droit et pur en bouche, idéal pour l'apéritif.

CÔTES DU RHÔNE-VILLAGES 2009
Blanc | 2010 à 2012 | 7,80 € **14,5/20**
Une spécialité du domaine, cet assemblage de viognier et clairette est expressif et vif, avec des arômes floraux et une belle longueur en bouche.

VINSOBRES CUVÉE ++ 2007
Rouge | 2010 à 2015 | 8,20 € **15/20**
Nez épicé avec des notes florales, le vin a beaucoup de caractère en bouche, un fruit mûr avec des arômes de garrigue.

VINSOBRES CUVÉE CHARLES JOSEPH 2006
Rouge | 2011 à 2015 | 14,50 € **15/20**
Nez complexe aux arômes de fruits mûrs et de cèdre, belle matière profonde, vin savoureux et frais avec un tanin présent.

VINSOBRES LES VIEILLES VIGNES DE J. VINSON 2008
Rouge | 2010 à 2014 | 6,80 € **14,5/20**
Des arômes doux de cerises noires, en bouche le vin est rond et souple avec un tanin savoureux.

DOMAINE MOULIN TACUSSEL

10, avenue des Bosquets
84230 Châteauneuf-du-Pape
Tél. 04 90 83 70 09 • Fax : 04 90 83 50 92
moulin.tacussel@free.fr
Visite : Du mardi au samedi de 14h à 18h

CHÂTEAUNEUF-DU-PAPE
HOMMAGE À HENRY TACUSSEL 2008
Rouge | 2010 à 2020 | 31 € **17/20**
Très belle réussite : robe élégante, fruit fin et épices délicates, longueur subtile, grand vin persistant et tapissant.

CHÂTEAU MOURGUES DU GRÈS

Route de Saint-Gllies - D 38 • 30300 Beaucaire
Tél. 04 66 59 46 10 • Fax : 04 66 59 34 21
chateau@mourguesdugres.com
www.mourguesdugres.com
Visite : Du lundi au vendredi de 9h à 12h et 14h à 18h30. Samedi 10h-12h s ; l'après-midi et jours fériés sur rendez-vous.

Véritable pionnier du renouveau qualitatif de l'appellation, ce domaine dispose de terroirs variés, dont il joue pour faire des assemblages équilibrés entre finesse et structure. D'un très haut niveau qualitatif, les vins ne cessent de progresser, le domaine réussit dans les trois couleurs à produire des vins immédiatement savoureux, sans aucune lourdeur ni sensation de fluidité. Les vins sont vinifiés en cuve, la cuvée des Capitelles est la seule à faire un passage en barrique avant d'être assemblée. En été, François et Anne Collard proposent des circuits pédestres et VTT autour de la propriété avec une découverte de leur terroir, ainsi que la fleur et la faune de la région, ça mérite le détour !

Costières de Nîmes Capitelles de Mourgues 2009
Rosé | 2010 à 2011 | 6,20 € 14,5/20
Un rosé à base de mourvèdre vinifié en fût, c'est un vin sérieux et charpenté avec une belle texture en bouche.

Costières de Nîmes Capitelles des Mourgues 2008
Rouge | 2011 à 2015 | 13 € 15,5/20
Brillant, un assemblage de vieilles vignes de syrah, grenache et carignan, le vin est riche et profond. La complexité des tanins est impressionnante, le boisé bien maîtrisé, le vin mérite un vieillissement en cave de quelques années.

Costières de Nîmes Les Galets Dorés 2009
Blanc | 2010 à 2012 | 6,20 € 14,5/20
Arômes de fleurs blanches et de fruits à noyaux, belle acidité, droit et pur en bouche, belle longueur.

Costières de Nîmes Les Galets Rosés 2009
Rosé | 2010 à 2012 | 6,20 € 14,5/20
Un rosé charnu et riche en bouche, notes de fruits rouges frais, rond et agréable.

Costières de Nîmes Les Galets Rouges 2009
Rouge | 2010 à 2014 | 6,20 € 14,5/20
Intensément fruité et expressif, notes de réglisse et fruits noirs confiturés. Souple avec un joli grain de tanin.

Costières de Nîmes Terre d'Argence 2008
Rouge | 2011 à 2015 | 9,90 € 15/20
Une cuvée plus discrète et ferme en ce moment, mais avec une très belle matière et une pointe d'amertume en finale. Très belle réussite pour ce millésime.

Vin de pays du Gard Terre d'Argence 2008
Blanc | 2010 à 2012 | 9,90 € 15/20
Viognier, roussanne et grenache vinifiés en barrique. Un vin élégant, riche et long en bouche. Des notes de fruits blancs et un boisé raffiné, belle réussite.

CROS DE LA MÛRE

Derboux • 84430 Mondragon
Tél. 04 90 30 12 40 • Fax : 04 90 30 46 58
crosdelamure@wanadoo.fr
www.crosdelamure.sitew.com
Visite : Du lundi au samedi sur rendez-vous

Avec des vignes placées principalement (mais pas uniquement) dans le secteur de Mondragon, dans le Vaucluse, Éric Michel produit des vins éminemment savoureux et de grand caractère. Son vignoble, cultivé en bio, réalise des rendements très bas et le terroir argilo-calcaire apporte une minéralité prononcée aux vins. Les vinifications traditionnelles en cuve béton développent un caractère franc et naturel, avec un fruité très intense, mais aussi des tanins fermes. Éric Michel dispose également de petites parcelles dans le massif d'Uchaux, à Gigondas et à Châteauneuf-du-Pape. Il propose désormais une gamme très complète et de très bon niveau.

Châteauneuf-du-Pape 2008
Rouge | 2010 à 2016 | 45 € 17/20
Remarquable réussite : coloré, plein, mûre et chocolat, très équilibré et suave, c'est bon et onctueux!

Châteauneuf-du-Pape 2007
Rouge | 2015 à 2020 | 50 € 16,5/20
Épicé et moins intensément fruité que le massif-d'uchaux, tout en harmonie et équilibre. Puissant et épicé avec une belle complexité en bouche, le seul vin du domaine élevé en barrique est parfaitement réussi.

Côtes du Rhône 2009
Rouge | 2010 à 2017 | 9 € 15/20
Nez aromatique de petits fruits noirs sauvages (mûre, cassis), de ronces et laurier, magnifique texture en bouche, richement fruité, concentra-

tion impressionnante, tanins présents mais pas surpuissants.

Côtes du Rhône-Villages Massif d'Uchaux 2007
Rouge | 2013 à 2019 | NC **15,5/20**
Intensément fruité, dense et sérieux, le vin est très riche en matière, puissant avec des tanins parfaitement intégrés à l'ensemble. Pour amateurs de vins concentrés.

Gigondas 2007
Rouge | 2015 à 2020 | 25 € **16,5/20**
Épicé et moins intensément fruité que le Massif d'Uchaux, tout en harmonie et en équilibre. Puissant, avec une belle complexité en bouche, c'est le seul vin du domaine élevé en barrique, et il est parfaitement réussi.

CHÂTEAU DE NAGES

Chemin des Canaux • 30132 Caissargues
Tél. 04 66 38 44 30 • Fax : 04 66 38 44 39
info@michelgassier.com • www.michelgassier.com
Visite : sur rendez-vous

Le Château de Nages, qui fait partie des vignobles Michel Gassier, s'étend sur soixante-dix hectares, sur la commune de Caissargues au sud de Nîmes. Le terroir est composé de grès et des fameux cailloux de la vallée du Rhône appelés «galets roulés». Tous les vins sont modernes et techniquement sans faille mais, depuis le millésime 2006, l'arrivée de l'œnologue Philippe Cambie comme consultant a nettement affiné les vins. Sans perdre leur impeccable régularité, ils ont gagné en finesse, en nuances et surtout en plaisir immédiat.

Costières de Nîmes cuvée Joseph Torrès 2008
Blanc | 2010 à 2013 | 11,95 € **14,5/20**
Richement boisé au nez avec des notes d'anis étoilé, en bouche il est expansif et long, avec une pointe d'amertume en fin de bouche.

Costières de Nîmes cuvée Joseph Torrès 2007
Rouge | 2012 à 2016 | 11,95 € **14,5/20**
Presque 100 % syrah, avec un long élevage en barrique, le vin est svelte, avec beaucoup de matière mais actuellement le tanin du bois est dominant.

Costières de Nîmes Michel Gassier Lou Coucardié 2007
Rouge | 2012 à 2016 | NC **14,5/20**
Le «grand vin» du domaine est plein, dense et solide après son passage en fût. Encore très jeune, le boisé n'est pas encore intégré à l'ensemble.

Costières de Nîmes Michel Gassier Nostre Païs 2008
Rouge | 2011 à 2014 | 9,90 € **15/20**
Un assemblage de grenache, carignan, mourvèdre, cinsault et syrah, un vin équilibré et complexe avec un nez d'épices douces et de fruits rouges. Une belle réussite.

Costières de Nîmes Réserve 2009
Rouge | 2010 à 2012 | 6,10 € **14/20**
Sur le fruit, svelte et dense, une bonne maturité de raisin, un vin solide et accessible.

Costières de Nîmes Vieilles Vignes 2009
Blanc | 2010 à 2012 | 8,90 € **14/20**
Très aromatique avec des notes florales et de pêches blanches. Le vin est précis et expressif en bouche.

Costières de Nîmes Vieilles Vignes 2008
Rouge | 2010 à 2014 | 8,90 € **14,5/20**
Nez intense de fruits noirs, plein et épicé en bouche avec belle trame tannique.

DOMAINE DE NALYS

Route de Courthézon • 84230 Châteauneuf-du-Pape
Tél. 04 90 83 72 52 • Fax : 04 90 83 51 15
contact@domainedenalys.com
www.domainedenalys.com
Visite : pour les groupes sur rendez-vous
hiver: du lundi au vendredi 8h30 à 18h ; fermeture à 17h30 le lundi et le mercredi fermé de 12h30 à 14h
ouverture le samedi de 10h à 18h
été: du lundi au vendredi de 9h à 18h30 fermeture le lundi a 17h30 et le mercredi de 12h30 a 13h30 et ouverture le samedi 10h à 18h30.

Très bien situé au nord-ouest du village, avec une bonne moitié du vignoble sur le plateau de la Crau, ce domaine historique a longtemps produit des vins très souples. Une nette inflexion de style est heureusement perceptible aujourd'hui.

Châteauneuf-du-Pape 2009
Blanc | 2010 à 2015 | 13,50 € **15,5/20**
Joli blanc élancé et fin, parfumé et allongé. Le cru est encore plus convaincant pour l'instant en blanc qu'en rouge.

CHÂTEAU LA NERTHE

Route de Sorgues • 84232 Châteauneuf-du-Pape
Tél. 04 90 83 70 11 • Fax : 04 90 83 79 69
contact@chateaulanerthe.fr
www.chateaulanerthe.fr
Visite : Du lundi au samedi de 9h30 à 12h et de 14h 18h.

C'est l'un des grands domaines historiques de l'appellation. Les quatre-vingt-dix hectares du vignoble sont situés autour du château, dans la partie sud de l'appellation, avec une belle part (vingt-cinq hectares) sur le plateau de la Crau. Les vins, rouges et blancs, possèdent une vraie personnalité, loin des châteauneufs solaires et rustiques.

Châteauneuf-du-Pape 2008
Rouge | 2010 à 2018 | 29,50 € **15,5/20**
Vin coloré mais plein de nuances, nez associant boisé, épices et poivre blanc à des notes de fraise, une dimension svelte et profonde en bouche.

Châteauneuf-du-Pape Les Cadettes 2008
Rouge | 2013 à 2020 | 63,50 € **16/20**
Le boisé est très envahissant à ce stade,mais le vin possède incontestablement un gros corps et un potentiel impressionnant. Il faut impérativement l'attendre.

OGIER

10, avenue Louis-Pasteur
84230 Châteauneuf-du-Pape
Tél. 04 90 39 32 32 ou 0490393241
Fax : 04 90 83 72 51
caveau@ogier.fr • www.ogier.fr
Visite : ouvert du lundi au samedi de 9h30 à 12h et de 14h à 18h30

Appartenant au puissant groupe Advini (comme Laroche en Bourgogne ou Jeanjean en Languedoc), Ogier semble parti vers une incontestable montée en puissance, avec une gamme large de vins du Rhône bien maîtrisée et un cru de châteauneuf, le Clos de l'Oratoire, qui s'impose peu à peu comme un grand de son appellation.

Châteauneuf-du-Pape Clos de l'Oratoire 2009
Rouge | 2012 à 2019 | 24,80 € **17,5/20**
Avec l'addition d'une belle parcelle située sur le plateau de la Crau, le vin change de dimension : riche, onctueux, long, frais et intense. Il est entré dans la cour des grands.

Châteauneuf-du-Pape Clos de l'Oratoire 2008
Rouge | 2010 à 2016 | 20,90 € **15/20**
Vin corpulent, notes de fraise au sirop, du fond et des tanins encore abrupts, attendre un peu.

Châteauneuf-du-Pape Galets Roulés 2007
Rouge | 2010 à 2017 | 19,90 € **16/20**
Superbes notes intenses d'olive noire, bouche énergique, intense et profonde, belle allonge pleine de sève. Belle garde en perspective.

Châteauneuf-du-Pape Safres 2007
Rouge | 2010 à 2015 | 19,90 € **16/20**
La robe n'est pas d'une grande intensité, mais le nez révèle des notes bien mûres de fruits à noyau. Attaque suave, souple, développée par un corps onctueux et tendre. Belle persistance aromatique, finement épicée.

Côtes du Rhône Héritage 2009
Rouge | 2010 à 2012 | 5,90 € **14/20**
Un vin de très large diffusion souple, gras, long, incontestablement facile à boire et de bon niveau.

Côtes du Rhône Oratorio 2009
Rouge | 2010 à 2012 | 8,60 € **16/20**
Beau côtes-du-rhône riche, ample et très pur, offrant un parfait équilibre entre la richesse, le fruit et la fraîcheur. Remarquable !

Côtes du Rhône-Villages Plan de Dieu 2009
Rouge | 2010 à 2012 | 6,50 € **15/20**
Remarquable côtes-du-rhône issu d'un des meilleurs secteurs du Vaucluse : le vin est gras, fruité, long, persistant et très net.

Lirac Les Chênaies 2009
Rouge | 2010 à 2012 | 7,60 € **15/20**
Gras, intense, long, sérieux, voilà une belle expression de ce cru méconnu du Gard.

OLIVIER B

EARL Olivier B - Quartier Bel-Air • 84570 Methamis
Tél. 04 90 61 72 07 • Fax : 04 90 61 72 07
obvigneron@free.fr • www.vigneronajt.centerblog.net

Olivier Baguet, ancien partenaire du Domaine Cascavel, a créé son propre domaine en 2006, avec une surface de six hectares sur les communes de Blavac et Villes-sur-Auzon au cœur de l'appellation Ventoux. Sur des terroirs argilo-calcaires et sablonneux, les vignes sont cultivées sans produit de synthèse. Dans la cave, Olivier travaille le plus naturellement possible avec seulement l'emploi de la juste dose de SO2. L'objectif est de faire des vins authentiques en «accompagnant» ses raisins jusqu'à la bouteille. Les vins ont tous des matières denses et extraites, avec de beaux équilibres et des tanins structurés.

CÔTES DU VENTOUX LA PREMIÈRE 2007
Rouge | 2013 à 2018 | 30 € **15,5/20**
Une cuvée de 95 % syrah élevée en barrique. Le vin est dense et concentré, séveux, arômes de pruneaux, chocolat et réglisse. Il est encore très jeune, et marqué par son élevage, il faudrait attendre encore quelques années pour apprécier pleinement cette cuvée de seulement 1000 bouteilles.

CÔTES DU VENTOUX LES AMIDYVES 2009
Blanc | 2010 à 2013 | 14 € **14,5/20**
Un bouquet riche et expressif, des arômes floraux avec une légère note de cire mentholée. L'assemblage grenache-roussanne, en partie vinifié en fût, est frais en bouche, avec du caractère et une belle allonge.

CÔTES DU VENTOUX LES AMIDYVES 2008
Rouge | 2010 à 2013 | 12 € **14/20**
Arômes de réglisse poivrée, bouche savoureuse avec des notes de cerises confites et d'épices, un tanin serré, un rien rustique en finale.

CÔTES DU VENTOUX LES AMIDYVES 2007
Rouge | 2010 à 2014 | 12 € **15,5/20**
Un raisin en surmaturité au nez, pruneau, raisin sec, une chair riche et puissante en bouche, fraîcheur et équilibre, très belle réussite.

CHÂTEAU D'OR ET DE GUEULES

Route de Générac - Chemin des Cassagnes
30800 Saint-Gilles
Tél. 04 66 87 32 86 • Fax : 04 66 87 39 11
chateaudoretdegueules@wanadoo.fr
www.chateau-or-et-gueules.com
Visite : De 9h à 19h.

Un domaine relativement jeune. Diane de Puymorin s'est installée en 1998, sur un terroir de galets roulés et de grès, aux portes de la Camargue. Les vins du domaine ont une forte personnalité, jouant sur la puissance et l'extraction tout en gardant des tanins fins. Les vinifications se font en cuve béton, suivies par un élevage selon le cépage, en barrique ou en cuve. Les cuvées en blanc sont impressionnantes pour leur fraîcheur et leur équilibre peu communs dans la région. En rouge, les cuvées Cimels et la Syrah-de-Charlotte sont les plus accessibles, sur le fruit mais avec de belles concentration de matière. Le-Trassegum et Castel-Noù sont des vins puissants et extraits, avec des élevages sous bois plus ambitieux.

COSTIÈRES DE NÎMES CASTEL NOÙ 2008
Rouge | 2012 à 2016 | 17 € **15,5/20**
Nez profond et complexe de fruits noirs épicés. Large d'épaules, le vin est concentré avec une extraction dense de matière. Des arômes de confiture et de réglisse sont parfaitement associés à des tannins suaves. Pour amateurs de vins d'un style international, très bien vinifiés.

COSTIÈRES DE NÎMES LES CIMELS 2009
Blanc | 2010 à 2012 | 8 € **14,5/20**
Tout ce qu'on souhaite dans un vin blanc du sud, fraîcheur, franchise et élégance. Une pureté de fruits très plaisante et même désaltérante.

COSTIÈRES DE NÎMES LES CIMELS 2007
Rouge | 2010 à 2015 | 8 € **15/20**
Un bouquet expressif de thym, laurier, fleurs séchées, savoureux en bouche avec des fruits mûrs et épicés, longueur raffinée.

COSTIÈRES DE NÎMES TRASSEGUM 2009
Blanc | 2010 à 2014 | 10 € **15/20**
Élaboré avec une majorité de roussanne, ce blanc est plus riche et profond que la cuvée Cimels, ses arômes de cire d'abeille et de fleurs blanches sont parfaitement associés à un boisé élégant et parfaitement maîtrisé. Toujours une belle fraîcheur.

Vin de pays d'Oc syrah de Charlotte 2007

Rouge | 2010 à 2014 | 10 € **14,5/20**

Une sélection parcellaire 100 % syrah, cette cuvée est une explosion de fruits mûrs, souples et croquants en même temps. Les notes de cassis noir très savoureuses rendent le vin gourmand mais avec un côté sérieux.

DOMAINE DE L'ORATOIRE SAINT-MARTIN

Route de Saint-Romain • 84290 Cairanne
Tél. 04 90 30 82 07 • Fax : 04 90 30 74 27
falary@wanadoo.fr • www.oratoiresaintmartin.com
Visite : de 9h à 12h et de 14h à 18h30 du lundi au samedi et fermé le dimanche et jours fériés.

Frédéric et François Alary ont fait de leur propriété, depuis près de vingt ans, l'un des ambassadeurs les plus séduisants et réguliers des Côtes du Rhône. Toujours solidement charpentés mais sans aucune rudesse de tanin, exprimant avec précision un fruit mûr mais pas surmûri, harmonieux en alcool, moins immédiatement gourmands que ceux de Richaud mais impeccablement construits, leurs vins rouges ne sont jamais meilleurs qu'après un à trois ans de garde, selon les cuvées et les millésimes.

Côtes du Rhône 2009

Rouge | 2010 à 2013 | 7 € **14/20**

Fruité et agréable, généreux en bouche avec une belle amertume en finale.

Côtes du Rhône-Villages Cairanne cuvée Prestige 2007

Rouge | 2011 à 2015 | 13 € **16/20**

Un bouquet sur le fruit, cassis, mûre, c'est un vin sérieusement construit, intensément fruité, long et charpenté avec un élevage en barrique, et des tanins présents en finale.

Côtes du Rhône-Villages Cairanne Haut Coustias 2007

Rouge | 2011 à 2016 | 16 € **15/20**

Sur des fruits noirs concentrés (myrtille, cassis), vin suave et généreux en bouche avec un tanin bien enrobé et une touche de bois en finale.

Côtes du Rhône-Villages Cairanne Haut-Coustias 2008

Blanc | 2010 à 2014 | 14 € **15/20**

Des notes de pain grillé associées à des fruits blancs confits, la bouche est riche et vanillée, un vin ambitieux, bien réussi.

Côtes du Rhône-Villages Cairanne Réserve des Seigneurs 2009

Blanc | 2010 à 2013 | 10 € **14,5/20**

Riche et concentré, des notes de miel et d'amandes vertes, long et expressif avec de la fraîcheur en finale.

Côtes du Rhône-Villages Cairanne Réserve des Seigneurs 2008

Rouge | 2011 à 2014 | 9,30 € **14,5/20**

Joli nez floral avec des notes de réglisse et de poivre blanc, la bouche est tendue et vive, légèrement amère en finale.

DOMAINE LES PALLIÈRES

Route d'Encieu • 84190 Gigondas
Tél. 04 90 33 00 31 • Fax : 04 90 33 18 47
vignobles@brunier.fr • www.vignoblesbrunier.fr

Cet important domaine (130 hectares, dont 25 hectares de vignes) jouit d'une solide réputation depuis déjà fort longtemps. Il a été racheté en 1998 par la famille Brunier (Vieux Télégraphe, à Châteauneuf) associée à l'importateur américain Kermit Lynch, avec la ferme intention de respecter le terroir de Gigondas. En 2007, la décision a été prise de scinder la production en deux pour faire deux cuvées différentes. La cuvée Les-Terrasses-du-Diable est issue des parcelles en hauteur, des vignes les plus jeunes - 45 ans tout de même ! La cuvée Les-Racines est issue des vignes qui entourent l'ancienne ferme, là ou le terroir est plus argileux, avec les plus veilles vignes de la propriété.

Gigondas Les Racines

Rouge | 2012 à 2017 | 20 € **16/20**

Arômes de fruits cuits légèrement caramélisés, belle structure dense et savoureuse, tanins épicés, un grenache avec une belle transparence, qui vieillira bien.

Gigondas Les Terrasses du Diable 2008

Rouge | 2012 à 2018 | 20 € **16,5/20**

Belle densité, texture exquise. Le vin est fin et puissant en même temps, avec un superbe grain de tanin parfaitement intégré à l'ensemble.

CLOS DES PAPES

13, avenue Pierre-de-Luxembourg - B.P. 8
84231 Châteauneuf-du-Pape Cedex
Tél. 04 90 83 70 13 • Fax : 04 90 83 50 87
clos-des-papes@clos-des-papes.com
Visite : Du lundi au jeudi de 8h à 12h et de 14h à 18h. Fermeture à 17h le vendredi.

Le Clos des Papes, qui s'appuie malgré son nom sur vingt-quatre parcelles situées dans pratiquement tous les terroirs (mais avec tout de même sept hectares sur la Crau), est l'un des grands classiques de Châteauneuf : on ne trouve pratiquement pas un millésime faible, ici, depuis vingt ans. Les Avril n'ont pas succombé à la mode des cuvées spéciales, aussi leur vin brille-t-il par sa plénitude. Le blanc n'est pas négligeable, ni en quantité (un dixième des surfaces plantées) ni en qualité, elle aussi tout en équilibre et en fraîcheur.

CHÂTEAUNEUF-DU-PAPE 2008
Rouge | 2010 à 2018 | 46 € **17/20**
Très fin, long, racé, sans surpuissance, mais avec une droiture svelte et très élégante. Certainement l'un des plus beaux grains de tanins des vins de la vallée du Rhône.

DOMAINE DE LA PATIENCE

Départementale 6086 (Aix RN 86) • 30320 Bezouce
Tél. 04 66 75 95 94 • Fax : 04 66 37 40 99
domaine-patience@tele2.fr
www.domaine-patience.com
Visite : Du lundi au samedi, de 9h à 12h et de 14h à 18h.

Avec soixante hectares de vignes, Christophe Aguilar a de quoi s'occuper, mais ce n'était pas suffisant pour ce vigneron basé à Bézouce, à la limite nord de l'appellation Costières de Nîmes. En 2008, il a décidé d'opter pour la conversion progressive à l'agriculture biologique. Les vins du domaine sont tous charnus avec un vrai caractère méridional, sur le fruit mais aussi avec beaucoup de fond, et les prix pratiqués sont plus que raisonnables.

COSTIÈRES DE NÎMES CUVÉE PRESTIGE 2008
Rouge | 2010 à 2013 | 6,50 € **14/20**
Doux et épicé au nez, avec de légères notes de barrique. Le vin est savoureux avec un fruit mûr, des notes de poivre noir, mais les tanins sont asséchants en finale. Un élevage en barrique un peu trop long ?

COSTIÈRES DE NÎMES CUVÉE SÉBASTIEN 2007
Rouge | 2010 à 2013 | 11 € **14,5/20**
Un vin dense et sérieux, du caractère en bouche, ronces, fruits noir bien mûrs, épices douces et amertume d'olive noire.

VIN DE PAYS DES COTEAUX DU PONT DU GARD 2009 ☺
Rouge | 2010 à 2012 | 3,40 € **13,5/20**
Un vin tout à fait étonnant pour son caractère ouvert et agréable, beaux fruits noirs en bouche avec une pointe d'amertume en finale. Rapport qualité-prix exceptionnel.

PATRICK LESEC SÉLECTIONS

Chemin du Moulin-de-Bargeton - B.P. 62001
30702 Uzès
Tél. 04 66 37 67 20 • Fax : 04 66 37 67 23
patrick.lesec@plswines.com
www.chemindesvins.com

Longtemps importateur de vins, Patrick Lesec est un bon connaisseur de la Bourgogne et de la vallée du Rhône. Installé à Uzès, il a créé une petite maison qui se développe dans ces deux vignobles. Pour le Rhône, la gamme est orientée sur les vins du secteur méridional qui couvrent le cœur de la région, c'est-à-dire issus d'un triangle situé entre Nîmes, Avignon et Orange.

CHÂTEAUNEUF-DU-PAPE GALETS BLONDS 2007
Rouge | 2010 à 2017 | 25 € **17/20**
Solaire et épicé, un très beau châteauneuf onctueux et généreux, d'un remarquable équilibre.

CHÂTEAUNEUF-DU-PAPE PIERRES DORÉES 2007
Rouge | 2012 à 2020 | 19,50 € **17/20**
Beaux arômes expressifs de fruits à noyau, allonge gourmande et onctueuse, profondeur sans lourdeur alcoolisée.

COSTIÈRES DE NÎMES 2009 ☺
Rouge | 2010 à 2012 | 5,50 € **14/20**
Vin fruité et souple, d'un style languide et enveloppant.

COSTIÈRES DE NÎMES VIEILLES VIGNES 2007 ☺
Rouge | 2010 à 2013 | 6,90 € **14,5/20**
Savoureux arômes de fraise, vin charnu et gourmand, bonne allonge épicée.

GIGONDAS CUVÉE ROMAINE 2007
Rouge | 2010 à 2015 | 14,50 € **15,5/20**
Beaucoup de fond, corps épicé, suave et intense.

DOMAINE DU PEGAU

15, avenue Impériale • 84230 Châteauneuf-du-Pape
Tél. 04 90 83 72 70 • Fax : 04 90 83 53 02
pegau@pegau.com • www.pegau.com
Visite : Sur rendez-vous de 8h30 à 12h
et de 13h30 à 17h30.

Laurence Féraud et son père ont fait de cette propriété de Châteauneuf-du-Pape l'un des archétypes de l'appellation. La gamme se compose de trois cuvées : un généreux châteauneuf classique, une cuvée Laurence, qui bénéficie d'un élevage en barrique, et Da-Capo, sélection de vieilles vignes élevée en bois neuf et proposée dans les meilleurs millésimes. Longtemps puissants mais parfois rustiques, les vins ont bénéficié d'une inflexion vers plus de fraîcheur et d'équilibre. Da-Capo fait indiscutablement partie des vins les plus impressionnants de Châteauneuf.

Châteauneuf-du-Pape 2009
Blanc | 2010 à 2015 | 22 € **15/20**
Gourmand, souple et franc, un bon blanc équilibré et prêt à boire.

Châteauneuf-du-Pape Da Capo 2007
Rouge | 2015 à 2025 | 150 € **18,5/20**
Cette cuvée est beaucoup plus construite sur la profondeur et la finesse que sur la puissance, comme dans les millésimes antérieurs : grand vin fin, long, élancé, intense mais raffiné.

Châteauneuf-du-Pape Laurence 2006
Rouge | 2010 à | 65 € **16,5/20**
Gras, onctueux, ce beau vin longuement élevé développe des notes suaves de fruits à noyau. Persistant, il possède une grande longueur.

Châteauneuf-du-Pape Réservée 2008
Rouge | 2013 à 2022 | NC **15,5/20**
Beaux arômes de fruits noirs bien mûrs, vin croquant, long et dense, avec de la fraîcheur.

Châteauneuf-du-Pape Réservée 2007
Rouge | 2012 à 2020 | 34 € **16/20**
Belle robe profonde, palette de cuir et de fruits noirs, épices, allonge puissante et intense, tanins sans rudesse.

DOMAINE PÉLAQUIÉ

7, rue Vernet • 30290 Saint-Victor-la-Coste
Tél. 04 66 50 06 04 • Fax : 04 66 50 33 32
contact@domaine-pelaquie.com
www.domaine-pelaquie.com
Visite : lundi au vendredi 9h à 12h et de 14h à 18h

La famille Pélaquié cultive des vignes à Saint-Victor-la-Coste depuis le XVIe siècle. Les blancs du domaine sont parmi les plus frais et les plus élégants de la région, avec une belle texture et une pureté de fruits admirable. La cuvée Prestige-de-Lirac est ambitieuse et nécessite un vieillissement en cave de quelques années.

Lirac 2009
Rouge | 2010 à 2013 | 7,70 € **15/20**
Intensément fruité sans trop d'extraction, le vin est intense avec beaucoup de personnalité.

Lirac 2008
Rouge | 2010 à 2014 | NC **14,5/20**
Un vin étonnement concentré pour le millésime, un raisin mûr et fruité, avec un corps savoureux.

Tavel 2009
Rosé | 2010 à 2012 | NC **15,5/20**
Très bon tavel, aromatique avec des notes florales au nez, plein et ample en bouche avec un belle fraîcheur et de l'allonge.

PERRIN ET FILS

Route de Jonquières • 84100 Orange
Tél. 04 90 11 12 00 • Fax : 04 90 11 12 19
familleperrin@beaucastel.com
www.perrin-et-fils.com
Visite : De 9h à 18h.

Si la Vieille Ferme, savoureux et fruité côtes-du-ventoux, est un assemblage de vins achetés à différents producteurs et d'autres issus de leurs propres vignobles, toutes les autres cuvées de cette entreprise familiale créée par la famille propriétaire du Château de Beaucastel (Châteauneuf-du-Pape) correspondent à des vignobles directement administrés et cultivés par les Perrin. La gamme a ainsi beaucoup gagné, autant en homogénéité de style - avec des vins vigoureux, nets, sans lourdeur - qu'en capacité à exprimer fidèlement les terroirs qu'elles illustrent. Les cuvées de châteauneuf, gigondas et vinsobres sont parmi les meilleures expressions de leurs appellations respectives.

Châteauneuf-du-Pape Les Sinards 2007
Rouge | 2012 à 2020 | 26 € **16,5/20**
Épices douces avec un soupçon de minéralité au nez, bouche soyeuse et ample, fruits rouges confits, écorce d'orange et laurier s'associent parfaitement dans un ensemble velouté.

Côtes du Luberon La Vieille Ferme 2009
Blanc | 2010 à 2012 | 4,90 € **13,5/20**
Nez très expressif de chèvrefeuille et d'amandes vertes, bouche pure et vive avec une touche d'amertume en finale.

Côtes du Rhône Perrin Réserve 2009
Blanc | 2010 à 2014 | 6,50 € **14,5/20**
Le vin est harmonieux et équilibré, le nez finement parfumé et la bouche pleine, assez gourmande.

Côtes du Rhône Perrin Réserve 2009
Rouge | 2010 à 2015 | 6,50 € **14,5/20**
Arômes de fruits noirs et de ronces, corps savoureux, sur le fruit mais également avec une trame tannique sérieuse.

Côtes du Ventoux La Vieille Ferme 2009
Rosé | 2010 à 2012 | 4,90 € **14/20**
Belle rondeur fruitée et grasse, bonne présence en bouche, finale plus vive, avec beaucoup de personnalité.

Côtes du Ventoux La Vieille Ferme 2009
Rouge | 2010 à 2014 | 4,90 € **14/20**
Un fruit juteux et croquant, mûr et rond : voilà un vin gourmand et épicé.

Gigondas La Gille 2007
Rouge | 2012 à 2017 | NC **16/20**
Superbe matière dense et concentrée, toute la sève du grenache. Un vin épicé, riche et savoureux en bouche avec un tanin ferme, très gigondas.

Gigondas Vieilles Vignes 2007
Rouge | 2012 à 2018 | NC **16,5/20**
Un fruit concentré, riche et infiniment complexe, un corps un peu plus souple et moins strict que La-Gille, une personnalité succulente et légèrement caramélisée en bouche, tannique mais très racée.

Vinsobres Les Cornuds 2008
Rouge | 2011 à 2015 | 8 € **15,5/20**
Élégant avec un joli fruit au nez, légèrement marqué par son élevage. La bouche est délicatement parfumée avec des notes florales et de fruits rouges. Encore assez ferme, il gagnera avec quelques années de vieillissement.

Vinsobres Les Hauts de Julien 2007
Rouge | 2011 à 2017 | 25 € **15,5/20**
Sérieux, dense et encore jeune, les arômes de fruits noirs, de garrigue et de sous-bois s'associent parfaitement avec le corps de ce vin structuré et masculin. Peut vieillir encore quelques années.

CHATEAU PESQUIÉ

Route de Flassan - B.P. 6 • 84570 Mormoiron
Tél. 04 90 61 94 08 • Fax : 04 90 61 94 13
contact@chateaupesquie.com
www.chateaupesquie.com
Visite : du lundi au vendredi de 9h à 12h et de 14h à 18h

Affaire familiale depuis trois générations maintenant, Château Pesquié produit une large gamme de vins structurés, dans un style moderne et ambitieux. Le domaine, avec son traditionnel château provençal, exploite neuf cépages différents sur des coteaux de graves argilo-calcaires à 300 mètres d'altitude. Les vins sont vinifiés avec précision, avec souvent un passage en barrique ou en foudre.

Côtes du Ventoux Artemia 2006
Rouge | 2012 à 2016 | 25 € **15/20**
La cuvée la plus recherchée et ambitieuse de la gamme : de vieilles vignes de grenache et de syrah, un élevage de 18 mois en barriques. De la longueur en bouche et une belle concentration pour un vin qui vieillira encore plusieurs années.

Côtes du Ventoux Quintessence 2008
Rouge | 2010 à 2014 | 15 € **14,5/20**
Aromatique et fin, un boisé perceptible mais bien maîtrisé, avec une belle matière en bouche.

Côtes du Ventoux Quintessence 2007
Rouge | 2010 à 2016 | 15 € **15,5/20**
Le bouquet est marqué par son élevage, il est fin et légèrement brûlé, la bouche est riche avec une belle profondeur de fruits noirs, texture soyeuse en finale.

Côtes du Ventoux Terrasses 2009
Rouge | 2010 à 2014 | 7,50 € **15/20**
À base de grenache, le vin est frais et gourmand en bouche, des notes de fruits rouges et réglisse avec un tanin soyeux.

DOMAINE DE PIAUGIER

3, route de Gigondas • 84110 Sablet
Tél. 04 90 46 96 49 • Fax : 04 90 46 99 48
piaugier@wanadoo.fr • www.domainedepiaugier.com
Visite : De 8h à 12h et de 14h à 18h sur rendez-vous.

Ce domaine très sérieux de Sablet s'est agrandi peu à peu, et propose ainsi également un gigondas. Les vins, qui peuvent parfois paraître assez austères dans leur jeunesse, sont complets et bien constitués, avec une structure tannique toujours affirmée. Jean-Marc Autran a sélectionné dans son vignoble plusieurs terroirs spécifiques, donnant des vins au caractère affirmé : Bruguières, Montmartel, Ténébi. Il réalise aussi une ambitieuse cuvée d'assemblage, La-Réserve-de-Maude.

CÔTES DU RHÔNE-VILLAGES SABLET 2007
Rouge | 2011 à 2015 | 7,60 € **14,5/20**
Dense et épicé, une belle présence en bouche, suave et plein, avec de la fraîcheur.

CÔTES DU RHÔNE-VILLAGES SABLET
BRIGUIÈRES 2007
Rouge | 2010 à 2014 | 9,90 € **15/20**
Des notes de caramel et de fruits cuits au nez, la bouche est expressive et épicée, avec une touche de bois en finale.

CÔTES DU RHÔNE-VILLAGES SABLET
LE RÊVE DE MARINE 2006
Rouge | 2010 à 2013 | 11,50 € **14,5/20**
100 % syrah avec un élevage ambitieux en barrique. Des arômes d'épices douces, bois de santal et fruits cuits, le vin est dense en bouche avec un tanin épicé et sec.

CÔTES DU RHÔNE-VILLAGES SABLET
RÉSERVE DE MAUDE 2006
Rouge | 2011 à 2015 | NC **14,5/20**
Un boisé grillé associé à des notes de fruits noirs très mûrs, une belle présence en bouche, chocolat et épices, avec des tanins puissants.

GIGONDAS 2008
Rouge | 2011 à 2014 | 13 € **14/20**
Nez concentré de cerise à l'eau-de-vie, un peu trop extrait pour la matière du millésime, des notes poivrées, un tanin encore très serré.

PIERRE AMADIEU

La Paillouse • 84190 Gigondas
Tél. 04 90 65 84 08 • Fax : 04 90 65 82 14
pierre.amadieu@pierre-amadieu.com
www.pierre-amadieu.com
Visite : sur rendez-vous

Un des plus vieux domaines de l'appellation, le domaine Pierre Amadieu compte 137 hectares de vignes, ce qui représente plus de 10 % de la superficie en appellation ! L'âge des vignes (une cinquantaine d'années) ainsi que l'altitude (entre 260 et 400 mètres) apporte une grande fraîcheur aux vins. Les raisins sont vendangés à la main, les cuvaisons sont longues et les élevages se font en foudre et en barrique. Des vins charpentés, solides et bien construits, ils affichent une personnalité affirmée et un bon potentiel de vieillissement, surtout pour les cuvées de vieilles vignes (Grande-Romane et Pas-de-l'Aigle).

CÔTES DU RHÔNE DOMAINE GRANDE ROMANE
Blanc | 2010 à 2013 | 8 € **14,5/20**
100 % vieilles clairettes vinifiées en barrique, un vin expressif aux notes florales associées avec du miel, la bouche est pleine et grasse avec toutefois une belle fraîcheur.

GIGONDAS DOMAINE GRANDE ROMANE 2008
Rouge | 2013 à 2016 | 12,50 € **15/20**
Issu des plus vieilles vignes du domaine, ce vin dense et sérieusement construit, élevé en foudre et en barrique, a besoin de temps. Très belle matière charnue, une bonne tension tannique.

GIGONDAS LE PAS DE L'AIGLE 2007
Rouge | 2013 à 2017 | 15 € **15,5/20**
Très aromatique, notes de réglisse, de café et une touche de cacao au nez, une très belle qualité de fruit en bouche suivie par un tanin tendu et puissant.

GIGONDAS LE PAS DE L'AIGLE 2006
Rouge | 2011 à 2015 | 15 € **15/20**
Joli, beau grenache, parfumé et féminin dans le style, petite amertume du bois en finale, le vin commence à s'ouvrir mais il est encore jeune.

GIGONDAS ROMANE MACHOTTE 2008
Rouge | 2011 à 2015 | 11 € **14,5/20**
Intensément fruité au nez et en bouche, le vin est ample et généreux, avec une belle trame tannique qui soutient l'ensemble.

GIGONDAS ROMANE MACHOTTE 2007

Rouge | 2011 à 2016 | 11 € **15/20**

Ce millésime est plus dense, plus sérieux que le 2008. Notes florales, fruit savoureux, encore fermé, quelques années de vieillissement en bouteille s'imposent.

DOMAINE DE POULVAREL

110, chemin de la Soubeyranne • 30210 Sernhac
Tél. 04 66 01 67 46 • Fax : 04 66 01 67 46
domaine.poulvarel@wanadoo.fr
www.vins-costieres-de-nimes.com
Visite : du lundi au samedi de 10h à 12h
et de 15h à 19h.

COSTIÈRES DE NÎMES 2008

Rouge | 2010 à 2012 | 5,90 € **14/20**

En 2008, la cuvée Classique est bien réussie, joliment vinifiée avec un tanin soyeux. Notes de poivre blanc et de groseille au nez, corps rond et épicé, sur le fruit.

COSTIÈRES DE NÎMES LES PÉROTTES 2008

Rouge | 2010 à 2013 | 9,50 € **14,5/20**

Le vin est gourmand et souple, les notes de mûre et de cassis sont bien patinées par un boisé grillé et bien réussi.

DOMAINE DE LA PRÉSIDENTE

Route de Cairanne • 84290 Sainte Cecile lez vignes
Tél. 04 90 30 80 34 • Fax : 04 90 30 72 93
aubert@presidente.fr • www.presidente.fr
Visite : du lundi au samedi et le dimanche en été.

CHÂTEAUNEUF-DU-PAPE NONCIATURE 2008

Rouge | 2010 à 2016 | 29,50 € **15/20**

Ce vaste domaine présent dans plusieurs appellations a réussi une bonne cuvée de châteauneuf : vin charnu, assez dense, notes de noyau et d'olive noire, sérieux, intéressant.

DOMAINE RASPAIL-AY

La Filature • 84190 Gigondas
Tél. 04 90 65 83 01 • Fax : 04 90 65 89 55
raspail.ay@orange.fr
Visite : ouvert du lundi au vendredi de 8h à 12h
et de 13h à 17h. et le weekd end sur rendez-vous

Dominique Ay (prononcer [è]) est l'une des figures emblématiques de Gigondas. Son domaine est un bon exemple d'un des styles de vins qu'il est possible de faire sur l'appellation : des vins droits, aux tanins puissants, qui demandent un peu de temps à se faire, mais dont la tenue en bouteille est remarquable. Les vieux millésimes que nous avons pu goûter en sa compagnie démontraient la grande qualité du terroir de Gigondas.

GIGONDAS 2007

Rouge | 2013 à 2020 | 13 € **16/20**

Nez limité de laurier et de thym, superbe texture soyeuse et svelte en bouche. Fraîcheur, fruits noirs, rond et généreux, tanins très jeunes, un peu chaud en finale mais ça vieillira bien.

CHÂTEAU RAYAS

84230 Châteauneuf-du-Pape
Tél. 04 90 83 73 09 • Fax : 04 90 83 51 17
www.chateaurayas.fr

Situé sur un terroir de sables très compacts qu'on appelle safres, aéré et rafraîchi par de petites pinèdes, Rayas possède une situation véritablement à part à Châteauneuf. Ses principes, qui sont à contre-courant des vins modernes sur le plan de l'élevage (on utilise ici des foudres et des barriques en bois si vieux qu'il en paraît minéralisé), sont apparus en revanche très en avance sur l'essentiel : petits rendements sur les pieds, attente de la maturité parfaite pour récolter, vinification naturelle et sans recherche d'extraction maximale. Emmanuel Reynaud, en place depuis 1997, applique ces principes avec beaucoup de finesse mais sans esbroufe. Les derniers millésimes de Rayas n'ont jamais été aussi complets, dans un style qui privilégie toujours une souveraine finesse.

CHÂTEAUNEUF-DU-PAPE 2009

Blanc | 2014 à 2020 | NC **17/20**

Gras, riche, long et mûr, un prometteur blanc qui possède un potentiel brillant pour vieillir en harmonie.

CHÂTEAUNEUF-DU-PAPE 2008

Rouge | 2014 à 2024 | NC **18,5/20**

Très grande finesse de texture, longueur raffinée, grande allonge subtile. Grand avenir.

CHÂTEAUNEUF-DU-PAPE PIGNAN 2008

Rouge | 2012 à 2018 | NC **16,5/20**

Subtils et superbes arômes de cerise et de pignons, finesse soyeuse, profondeur suave, allonge.

DOMAINE LA RÉMÉJEANNE

Cadignac • 30200 Sabran
Tél. 04 66 89 44 51 • Fax : 04 66 89 64 22
remejeanne@wanadoo.fr • www.laremejeanne.com
Visite : lundi au vendredi 9h à 12h et de 14h à 18h et le samedi matin de 9h à 12h sur rendez-vous.

Avec un remarquable amour du travail bien fait, Rémi Klein démontre, depuis plusieurs années maintenant, le potentiel des terroirs de la rive droite du Rhône, côté gardois. À 200 mètres d'altitude, sur un sol de grès calcaires, il produit des vins complexes et structurés, offrant une belle fraîcheur en bouche et un fruit (mûre, cassis, fraise) toujours très expressif. Rémi et sa femme Ria vous offrent un accueil chaleureux au caveau avec, en été, des balades de découverte du terroir gardois dans la garrigue qui entoure leurs vignes cultivées en bio.

Côtes du Rhône Chèvrefeuille 2009
Rouge | 2010 à 2014 | 6,50 € **15/20**
Une très belle qualité de fruit, vin riche et plein avec des notes de mûre et de cassis, équilibré et frais.

Côtes du Rhône Les Arbousiers 2009
Rouge | 2011 à 2015 | 8 € **15/20**
Un vin dense et sérieux, un fruit savoureux avec des petits fruits noirs sauvages, notes de ronces. Belle longueur vive.

Côtes du Rhône Les Arbousiers 2009
Blanc | 2010 à 2012 | 9 € **14,5/20**
Riche et plein avec des notes de fruits exotiques, le vin reste harmonieux grâce à une bonne fraîcheur en finale.

Côtes du Rhône-Villages Genévriers 2007
Rouge | 2010 à 2014 | 12 € **15,5/20**
Intensément fruité, avec des notes de réglisse et de poivre noir, voilà un vin dense, aux tanins mûrs et bien intégrés, l'évolution en bouteille s'annonce excellente.

Côtes du Rhône-Villages Les Églantiers 2008
Rouge | 2010 à 2014 | 17 € **15/20**
Le millésime oblige que ce vin soit moins intense, mais le vin est profond et expressif, fruit épicé et long avec une touche de bois parfaitement intégrée à l'ensemble.

Côtes du Rhône-Villages Les Églantiers 2008
Blanc | 2010 à 2013 | 15 € **15/20**
Tout en élégance et finesse, ce vin est suave avec des notes d'agrumes et un boisé parfaitement réussi.

DOMAINE RICHAUD

Route de Rasteau • 84290 Cairanne
Tél. 04 90 30 85 25 • Fax : 04 90 30 71 12
marcel.richaud@wanadoo.fr
Visite : du lundi au samedi de 9h à 12h et de 14h à 18h.

Personnalité vive, perfectionniste et attachante, Marcel Richaud représente certainement mieux que quiconque le métier de vigneron, sa noblesse simple comme sa capacité à toujours se remettre en question. Peu ont comme lui porté autant d'attention à tous les vins de leur gamme, et on peut être sûr, ici, de se régaler avec un simple vin de table comme avec une cuvée aussi ambitieuse que peuvent l'être l'Ébrescade ou Les-Estrambords.

Côtes du Rhône 2009
Rouge | 2010 à 2012 | 3,80 € **14/20**
Du jus de raisin au verre, gorgé de soleil, franc et sans prétention.

Côtes du Rhône 2009
Rosé | 2010 à 2012 | 6 € **14/20**
Rond, fin et gouleyant, c'est un rosé à commander par cartons de six !

Côtes du Rhône Terre de Galets 2009
Rouge | 2010 à 2016 | 8 € **14,5/20**
Plus de profondeur et de complexité, ronces et mûres sauvages en bouche, avec un tanin plus sérieux.

Côtes du Rhône Terres d'Aigues 2009
Rouge | 2010 à 2015 | 6 € **14,5/20**
Fruit est le mot clef chez Richaud. Ses vins sont des expressions pures de ses raisins et cette cuvée est emblématique de son style : des arômes de mûre et myrtille, soyeux et doux en bouche avec une légère amertume en finale qui relève l'ensemble.

Côtes du Rhône-Villages Cairanne 2009
Rouge | 2012 à 2018 | 11 € **15,5/20**
Une qualité de fruit exceptionnelle, vin dense et noir, notes de réglisse, épices, une trame de tanins savoureuse, superbe équilibre entre le fruit et la matière.

Côtes du Rhône-Villages Cairanne
L'Ébrescade 2008
Rouge | 2011 à 2016 | 17,50 € **15,5/20**
Un fruit sucré et dense, belle texture en bouche, épices douces, réglisse, le vin n'a pas encore digéré son élevage en foudre mais il y a un beau potentiel pour ce millésime difficile.

DOMAINE ROCHE-AUDRAN

Route de Saint-Roman • 84110 Buisson
Tél. 04 90 28 90 96 • Fax : 04 90 28 90 96
roche-audran@orange.fr • www.roche-audran.com

Ancien coopérateur, Vincent Rochette s'est lancé dans la production de ses propres vins en 1998. Depuis il a converti la totalité de ses vignes en bio et depuis peu en bio-dynamie. Les vignes se trouvent à deux endroits: sur le plateau de Visan et sur le versant nord de la colline de Rasteau et Cairanne, sur la commune de Buisson. Les vins produits sont droits et francs avec une étonnante fraîcheur et de la minéralité en bouche.

Côtes du Rhône 2009
Rouge | 2011 à 2015 | NC **14/20**
Joliment fruité, le vin s'ouvre en bouche sur une palette de saveurs de garrigue, il est encore jeune et serré avec une bonne structure.

Côtes du Rhône 2008
Blanc | 2010 à 2012 | NC **14/20**
Nez floral, légèrement caramelisé, un passage en barrique laisse sa trace sur ce vin agréable prêt à boire.

Côtes du Rhône César 2007
Rouge | 2010 à 2015 | NC **14,5/20**
Notes de kirsch et des plantes de garrigue (thym, lavande, romarin), la bouche est généreuse et expressive, élevage en barrique présent, toujours avec cette fraîcheur typique des vins du domaine.

Côtes du Rhône-Villages 2007
Rouge | 2012 à 2016 | NC **14,5/20**
Cerises noires, réglisse et notes minérales, tendu et vif en bouche, il faudrait lui laisser quelques années encore en cave.

Côtes du Rhône-Villages
Visan Père Mayreux 2007
Rouge | 2010 à 2014 | NC **14,5/20**
Cerises noires, réglisse et notes minérales, tendu et vif en bouche. Il faudrait lui laisser quelques années encore en cave.

DOMAINE DE LA RONCIÈRE

B.P. 86 • 84232 Châteauneuf-du-Pape cedex
Tél. 04 90 83 78 08 • Fax : 04 90 83 74 52
domaine.de.la.ronciere@wanadoo.fr
www.domaine-de-la-ronciere84.com
Visite : lundi au dimanche 10h30 à 19h.

Châteauneuf-du-Pape Flor de Ronce 2008
Rouge | 2010 à 2018 | 30 € **16/20**
Coloré, dense, notes de fraise brillantes, généreux et tendre, belle saveur dans un registre fruité.

DOMAINE DE LA ROQUÈTE

2, avenue Louis-Pasteur - B.P. 22
84230 Châteauneuf-du-Pape
Tél. 04 90 33 00 31 • Fax : 04 90 33 18 47
vignobles@brunier.fr • www.vignoblesbrunier.fr
Visite : visites et dégustations au 04 90 83 71 25.

Le domaine appartient à la famille Brunier (Vieux Télégraphe) mais il dispose de ses propres installations dans le village de Châteauneuf, et son vignoble est indépendant. De fait, il se situe dans la zone de La Roquette (sables et sous-sol argilo-calcaire), sur le plateau de Pied-Long (galets) et les sables de Pignan.

Châteauneuf-du-Pape 2008
Rouge | 2010 à 2015 | 26 € **15/20**
Belles notes fruitées avec une dominante très fraise, corps juvénile et tendre, bonne longueur.

DOMAINE ROUGE GARANCE

Chemin de Massacan • 30120 Saint-Hilaire d'Ozilhan
Tél. 04 66 37 06 92 • Fax : 04 66 37 06 92
contact@rougegarance.com
www.rougegarance.com
Visite : De 9h à 12h et 14h à 17h30, De juillet à août de 14h30 à 18h.

Premiers du village à quitter la cave coopérative de Saint-Hilaire-d'Ozilhan, Bertrand et Claudie Cortellini se sont associés en 1996 avec le comédien Jean-Louis Trintignant pour créer leur propre domaine. Les vignes sont situées sur la rive droite du Rhône, sur les communes de Castillon-du-Gard et Saint-Hilaire-d'Ozilhan. Les vendanges sont manuelles, la vinification sans soufre, les vignes certifiées en bio, tout indique ici un travail précis et en perpétuelle quête de progression. Côté vins, c'est leur fraîcheur et leur buvabilité, avec des prix très raisonnables, qui nous ramènent chaque année.

Côtes du Rhône Blanc de Garance 2009
Blanc | 2010 à 2013 | 8 € **14,5/20**
Nez aromatique de fleurs blanches et de cire, le vin est riche et plein en bouche avec une belle concentration de matière.

Côtes du Rhône Feuilles de Garance 2009
Rouge | 2010 à 2013 | 6,50 € **14,5/20**
Avec son parfum floral et intensément fruité, ce vin est un vrai plaisir, bonne acidité qui harmonise parfaitement l'ensemble.

Côtes du Rhône Rosée de Garance 2009
Rosé | 2010 à 2012 | 5,70 € **14/20**
Nez frais de fraises écrasées, bouche expressive et pleine avec une belle rondeur en finale. Mis en bouteille sans soufre, le vin a gardé toute sa personnalité sans la moindre déviation.

Côtes du Rhône-Villages Garances 2009
Rouge | 2010 à 2015 | 8 € **15/20**
De vieilles vignes de carignan font la base de ce vin encore jeune et droit. Plus tendu et sérieux que la cuvée Feuilles, avec une belle longueur soyeuse, un fruit savoureux et des tanins bien défini.

DOMAINE RUFFINATTO

Chemin de Barielle • 84560 Ménerbes
Tél. 04 90 72 39 76 ou 06 30 80 95 20
Fax : 04 90 72 39 76
iruffinatto@orange.fr
Visite : sur rendez-vous du lundi au dimanche.

Christian Ruffinatto a démarré en 2001, avec quelques parcelles en location. Aujourd'hui, il gère près de six hectares, qu'il travaille et vinifie alors qu'il est aussi chef de culture et maître de chai au Domaine de la Citadelle ! Ses vins sont raffinés, avec de belles constructions, toujours axés sur la finesse. La cuvée Tradition est un vin riche et flatteur avec une belle constitution, tandis que la cuvée Infante, produite uniquement dans les années d'exception, est profonde et sérieuse, avec toujours des tanins très élégants et fins.

Côtes du Luberon 2009
Rosé | 2010 à 2012 | 6,50 € **14/20**
Un rosé vineux et sec, ample et suave en bouche avec une belle acidité. Très agréable.

Côtes du Luberon 2009
Blanc | 2010 à 2012 | 11 € **15/20**
Vin pur et net, belle ampleur en bouche, gras et expressif mais équilibré. Élevage en barrique parfaitement maîtrisé, longueur savoureuse.

Côtes du Luberon Tradition 2008
Rouge | 2010 à 2013 | 8 € **15/20**
Un nez de mûres sauvages, profond, le vin est harmonieux, avec une superbe texture, très fin. L'assemblage de grenache, syrah, counoise et carignan rend le vin équilibré avec beaucoup de personnalité.

DOMAINE SAINT-AMANT

Saint-Amant • 84190 Suzette
Tél. 04 90 62 99 25 • Fax : 04 90 65 03 56
contact@saint-amant.com
www.domainesaintamant.com
Visite : Du lundi au vendredi de 9h à 18h.

Le domaine a été créé par la famille Wallut en 1990, quand celle-ci a décidé de planter du viognier autour de sa maison de vacances. Les vignes sont situées entre 400 et 600 mètres d'altitude, ce qui apporte fraîcheur et élégance aux vins du domaine. La moitié de la production du domaine est en blanc, presque entièrement dédiée au cépage viognier qui, grâce à l'altitude, produit des vins délicats et floraux, sans la lourdeur qui empâte tant de viogniers du Sud. Les rouges possèdent aussi des bouquets pleins et floraux.

Beaumes de Venise Grangeneuve 2008
Rouge | 2010 à 2015 | 8 € **15/20**
Un vin élégant et parfumé, avec une belle texture, le style ressemble à celui du côtes-du-rhône mais avec plus de profondeur et d'équilibre.

Côtes du Rhône
Rosé | 2010 à 2013 | 13 € **15/20**
Une couleur délicate, un parfum finement floral, ce vin est élégant et charmeur.

Côtes du Rhône La Borry 2009
Blanc | 2010 à 2014 | 7 € **15/20**
Un vin profond avec beaucoup de personnalité, à base de viognier. Il est expressif et floral avec une belle longueur.

Côtes du Rhône Las Clapas 2008
Rouge | 2010 à 2014 | 6 € **14,5/20**
Des arômes de fruits rouges secs (cerises) et de poivre au nez, la bouche est suave et épicée, très agréable.

Côtes du Rhône-Villages La Tabardonne 2009
Blanc | 2010 à 2015 | 14 € **15/20**
Également à base de viognier, mais cette cuvée est vinifiée et élevée en barrique. Une richesse plus profonde et exubérante, un boisé présent, beau volume.

CHÂTEAU DE SAINT-COSME

84190 Gigondas
Tél. 04 90 65 80 80 • Fax : 04 90 65 81 05
barruol@chateau-st-cosme.com
www.saintscosme.com
Visite : De 8h30 à 12h et de 14h à 17h30.

Le domaine, acquis par la famille de Louis Barruol à la fin du xve siècle, est situé en plein milieu de l'appellation et comprend beaucoup de vieilles vignes, certaines replantées juste après le phylloxera. Depuis 2006, trois cuvées de vieilles vignes de grenache ont été créées, chacune provenant d'un lieu-dit de la propriété : Le-Poste, Hominis-Fides et Le-Claux. Issus de trois terroirs différents, ces vins offrent une véritable éducation au terroir de Gigondas. Bien construits, avec beaucoup de matière, élevés en barrique, il faut les laisser vieillir quelques années avant qu'ils expriment le meilleur de leurs terroirs respectifs. Louis Barruol a également créé une petite structure de négoce sous le nom de Saint-Cosme, où il produit des crus du Nord de la vallée du Rhône : Condrieu, Côte Rôtie et Saint Joseph.

Gigondas 2008
Rouge | 2011 à 2016 | 16 € **15/20**
Joli nez frais, floral et élégant, la bouche est suave avec une belle texture fruitée et un boisé épicé. Belle réussite pour un millésime difficile dans le Sud.

Gigondas Le Claux 2008
Rouge | 2012 à 2017 | 26 € **15,5/20**
Nez épicé, encore marqué par l 'élevage. Le vin est velouté en bouche, rond avec un fruit souple et fin, finissant sur des notes boisées qui ont besoin d'un an ou deux pour s'intégrer à l'ensemble.

SAINT-FRANÇOIS-XAVIER

Les Terres • 84190 Gigondas
Tél. 06 20 52 64 54 • Fax : 04 90 65 86 76
gigondasvin@wanadoo.fr • www.gigondas-vin.fr
Visite : Du lundi au vendredi de 8h à 12h et de 14h à 18h. Le week-end sur rendez-vous.

La famille Gras nous a interpellés l'année dernière avec des 2007 expressifs et complexes. En 2008, les vins sont tout aussi impressionnants car le millésime était très compliqué. Le domaine compte 28 hectares de vignes, avec de très vieilles parcelles de grenache, un cépage qui constitue la colonne vertébrale de leurs vins. De la sélection fruitée à la cuvée de vieilles vignes Tour-de-l'Isle, ce sont des vins richement fruités avec de belles matières denses et profondes.

Gigondas 2008
Rouge | 2010 à 2014 | 9,60 € **14/20**
Très fruité, franc et gourmand, le vin est ample à l'attaque avec de la matière, mais un peu court en finale.

Gigondas Prestige des Dentelles 2008
Rouge | 2012 à 2016 | 12 € **14,5/20**
Un nez fruité, épicé avec un soupçon de bois, la bouche est riche, vin frais et savoureux avec un joli grain de tanin en finale.

Gigondas Tour de l'Isle 2008
Rouge | 2011 à 2016 | 13 € **14,5/20**
Beau nez fin, arômes de raisins secs et de fruits rouges, les vieilles vignes du domaine font de cette cuvée un vin complexe et puissant avec un bel équilibre en bouche.

CLOS SAINT-MICHEL

Route de Châteauneuf-du-Pape • 84700 Sorgues
Tél. 04 90 83 56 05 • Fax : 04 90 83 56 06
mousset@clos-saint-michel.com
www.clos-saint-michel.com
Visite : Ouvert tous les jours.

Ce grand domaine d'une quinzaine d'hectares s'appuie sur un encépagement assez équilibré entre grenache, syrah et mourvèdre. On retrouve ces assemblages dans les deux cuvées principales (Clos-Saint-Michel et Cuvée-Réservée), le Grand-Clos étant lui composé uniquement de mourvèdre.

Châteauneuf-du-Pape 2008
Rouge | 2010 à 2016 | 21 € **15,5/20**
Vin à la robe rouge sombre, assez épices, corpulent sans lourdeur, bonne allonge.

Châteauneuf-du-Pape Réservée 2008

Rouge | 2012 à 2018 | 25 € **15,5/20**

Vin très coloré, intense, tanin puissant, acidité présente, un rien de dureté mais grand volume. Attendons-le.

DOMAINE SAINT-PAUL

Clos Saint-Paul - Route de Sorgues, B.P. 58
84232 Châteauneuf-du-Pape
Tél. 04 90 83 70 28 • Fax : 04 90 83 76 07
beatrice@domainesaintpaul.com
www.domainesaintpaul.com
Visite : sur rendez-vous

Châteauneuf-du-Pape 2008

Rouge | 2010 à 2016 | 16,50 € **15/20**

Robe classique, assez profonde. Nez discret, notes de fraise dans une bouche assez structurée, du volume sans lourdeur alcooleuse : cela reste frais. Finale tendre.

DOMAINE SAINT-PRÉFERT

Quartier des Serres • 84230 Châteauneuf-du-Pape
Tél. 04 90 83 75 03 • Fax : 04 90 33 26 23
contact@st-prefert.fr • www.st-prefert.fr

En quelques années, Isabel Ferrando a amené à un niveau remarquable ce domaine historique de l'appellation, situé au sud du secteur, dans le quartier des Serres. Deux cuvées de vieilles vignes existent, Charles-Giraud et Auguste-Favier, tandis qu'une autre parcelle produit un vin proposé sous le nom de Domaine-Isabel-Ferrando.

Châteauneuf-du-Pape 2008

Rouge | 2010 à 2016 | 19 € **14,5/20**

Robe souple, arômes séduisants de griotte, bonne allonge gourmande.

Châteauneuf-du-Pape Réserve Auguste Favier 2008

Rouge | 2012 à 2020 | 28 € **16,5/20**

Vin puissant, arômes de fruit à noyau, chaleureux et très intense avec des notes d'olives noires, allonge généreuse.

CHÂTEAU SAINT-ROCH

Chemin de Lirac • 30150 Roquemaure
Tél. 04 66 82 82 59 • Fax : 04 66 82 83 00
brunel@chateau-saint-roch.com
www.chateau-saint-roch.com
Visite : du lundi au vendredi de 8h à 12h et de 13h30 à 17h30 et le samedi sur rendez-vous.

Situé sur la commune de Roquemaure, sur la rive gardoise du Rhône, le Château Saint-Roch a été racheté en 1998 par la famille Brunel (Château de la Gardine). Les vins, qui ont gardé l'esprit de La Gardine, sont droits et structurés, avec des tanins nets, et possèdent tous un bon potentiel de vieillissement.

Châteauneuf-du-Pape 2007

Rouge | 2011 à 2017 | NC **15/20**

Un vin richement extrait, savoureux en bouche, il a besoin de temps, tanins puissants, mais il a un bel avenir.

Côtes du Rhône Palmes 2007

Rouge | 2010 à 2014 | 7,50 € **14,5/20**

Belle profondeur au nez et en bouche, le fruit est mûr et concentré, avec des notes de ronces et un tanin savoureux.

Lirac 2009

Blanc | 2010 à 2013 | NC **14,5/20**

Riche et exubérant, notes de fleurs blanches et fruits exotiques, la bouche est pleine et expressive avec une belle rondeur et de la vivacité.

Lirac 2007

Rouge | 2010 à 2013 | NC **14,5/20**

Généreux et fruité, le corps est plein et expansif avec une belle texture en bouche et surtout beaucoup de fraîcheur.

Lirac cuvée Confidentielle 2007

Rouge | 2010 à 2015 | NC **15/20**

Assemblage grenache, syrah et mourvèdre à parts égales, c'est une cuvée surprenante pour son élégance et sa finesse. Un nez expressif de torréfaction, cacao et cassis ; en bouche il est soyeux et plein, richement fruité avec une belle allonge.

DOMAINE SAINTE-ANNE

Les Celettes • 30200 Saint-Gervais
Tél. 04 66 82 77 41 • Fax : 04 66 82 74 57
domaine.ste.anne@orange.fr
Visite : Ouvert de 9h à 11h et de 14h à 18h du lundi au vendredi et le samedi sur rendez-vous.

Le Domaine Sainte-Anne, créé en 1965 par la famille Steinmaier, était un véritable pionnier de la restructuration qualitative des vignobles rhodaniens gardois. Nichés au cœur de la garrigue, dans un lieu magique et naturel, les trente-cinq hectares de vignes sont cultivés en viticulture raisonnée. Des vendanges manuelles à la vinification par cépage, tout est fait avec l'objectif de produire des vins de haute expression, avec des personnalités affirmées.

CÔTES DU RHÔNE-VILLAGES 2007 ☺
Rouge | 2010 à 2013 | 6,50 € **15/20**
Nez épicé, avec des notes de fruits cuits légèrement caramélisés, une matière riche et dense en bouche, vin savoureux et long.

CÔTES DU RHÔNE-VILLAGES NOTRE-DAME DES CELLETTES 2007
Rouge | 2010 à 2016 | 8,50 € **15,5/20**
Une sélection de vieilles vignes, le vin est dense et richement fruité avec une belle trame tannique, des notes de tabac et de sous-bois.

DOMAINE SALADIN

Les Pentes de Salaman
07700 Saint-Marcel-d'Ardèche
Tél. 04 75 04 63 20 • Fax : 04 75 04 63 20
domaine.saladin@wanadoo.fr
www.domaine_saladin.com
Visite : Sur rendez-vous.

Souriantes et très ouvertes, les sœurs Saladin parlent avec enthousiasme et passion de leurs vignes et de leurs vins. La fraîcheur de ces terroirs ardéchois leur permet de produire des côtes-du-rhône et côtes-du-rhône-villages élégants, soyeux et sans prétention. Depuis 2006, les cuvées Haut-Brisson et Chaveyron-1422 sont étiquetées en vins de table : le comité de dégustation ayant refusé l'agrément de l'une d'elles, les sœurs ont décidé que leurs meilleures cuvées resteront en vin de table.

CHAVEYRON 1422 2007
Rouge | 2010 à 2017 | 18 € **16/20**
Un nez aromatique de syrah du nord, violette, fumé et une touche mentholée, la bouche est savoureuse, profonde et équilibrée.

CÔTES DU RHÔNE LOÏ 2007
Rouge | 2010 à 2014 | 9 € **15/20**
Un bouquet épicé, très grenache, et floral. En bouche, le vin est vif et harmonieux, savoureux et frais en finale, avec une buvabilité certaine !

CÔTES DU RHÔNE PAUL 2009 ☺
Rouge | 2010 à 2015 | 12 € **15,5/20**
Très aromatique au nez, un grenache épicé et mûr, croquant et plein en bouche, superbe structure harmonieuse. Un régal.

CÔTES DU RHÔNE TRALALA ! 2009
Rosé | 2010 à 2012 | 9 € **14,5/20**
Rond et élégant, c'est un rosé délicat mais avec beaucoup de charme.

CÔTES DU RHÔNE-VILLAGES FAN DÉ LUNE 2007
Rouge | 2010 à 2015 | 15 € **15/20**
Un style féminin et aérien, joliment fruité avec une touche de tabac et de feuilles mortes. Les tanins commencent à s'arrondir.

CÔTES DU RHÔNE-VILLAGES PER ÈL 2009
Blanc | 2010 à 2012 | 16 € **15/20**
Frais et plein en bouche, très aromatique, aux accents de fruits exotiques et de fleurs blanches.

HAUT-BRISSAN 2007
Rouge | 2012 à 2017 | 18 € **16/20**
100% grenache, épicé, aromatique avec les senteurs de garrigue, thym, lavande, romarin. Belle texture pleine en bouche avec un très joli grain tannique.

DOMAINE LE SANG DES CAILLOUX

Route de Vacqueyras • 84260 Sarrians
Tél. 04 90 65 88 64 • Fax : 04 90 65 88 75
le-sang-des-cailloux@wanadoo.fr
www.lesangdescailloux.com
Visite : De 9h30 à 12h et de 14h à 18h.

Serge Férigoule, qui a commencé à travailler dans ce domaine comme simple ouvrier agricole, est désormais devenu l'un des meilleurs vignerons de l'appellation. Les vins du domaine apparaissent d'une densité et d'une concentration étonnantes, dues aux rendements minuscules que la nature détermine chaque année. Tous les ans, le nom de la cuvée classique porte le nom d'une de ses filles, Azalaïs, Floureto et Doucinello. La cuvée Lopy correspond à une parcelle de très vieilles vignes de grenache et de syrah, et possède une personnalité encore plus affirmée. Serge Férigoule a admirable-

ment réussi ses 2008, une année plutôt difficile, mais qui a produit de très belles cuvées chez pas mal de bons vignerons.

Vacqueyras Doucinello 2008
Rouge | 2010 à 2015 | 15 € **15/20**
Floral et épicé au nez, une superbe texture en bouche, fruité et frais avec une belle profondeur. Parfaitement réussi dans une année compliquée.

Vacqueyras Lopy 2008
Rouge | 2012 à 2018 | 20 € **15,5/20**
Encore sous l'influence de son élevage, cette cuvée de vieilles vignes est dense et sérieuse, avec des notes de cannelle et de fruits noirs. Savoureux et long en bouche, les tanins sont jeunes mais avec de la race.

DOMAINE SCAMANDRE-RENOUARD

Chemin des Coquillons - Gallician • 30600 Vauvert
Tél. 06 15 38 63 07 • Fax : 01 46 57 40 63
information@scamandre.com
www.scamandre.com
Visite : Sur rendez-vous.

Ce domaine, créé en 2000 sur un terroir de galets roulés en petite Camargue, a résolument choisi de jouer la carte de la modernité. Des vins ambitieux, avec de longs élevages en barrique : les créateurs ont une vision contemporaine et internationale de leur production. Les vignes sont travaillées dans le plus grand respect de la nature, même souvent avec l'aide d'un cheval. Le chai ultra moderne installé au milieu des vignes est un outil de travail efficace pour l'équipe dirigée par l'œnologue bordelais Stéphane Beuret. Les vins rouges sont puissants mais équilibrés, assez fermes dans leur jeunesse, car le passage en barrique reste très marqué. Ils produisent également un blanc qui gagne de plus en plus en finesse, un rosé vinifié en barrique, et une vendange tardive de muscat à petits grains très agréable. Les prix pratiqués sont aussi ambitieux que les vins !

Costières de Nîmes 2006
Rouge | 2010 à 2015 | 18 € **15/20**
Assemblage de grenache, carignan, syrah et mourvèdre, ce vin est digeste et agréable, avec une belle concentration de matière mais qui reste sur la fraîcheur et l'élégance. Le bois reste présent, mais il est moins marqué que la cuvée Grande Réserve.

Vin de pays des Coteaux Flaviens 2009
Blanc | 2010 à 2013 | 18 € **15/20**
Élégants arômes floraux au nez, en bouche le vin est plein mais avec de la fraîcheur. Un bel assemblage de chardonnay, de marsanne et de roussanne, raffiné.

Vin de pays des Coteaux Flaviens Scamandre Grande Réserve 2006
Rouge | 2012 à 2016 | 40 € **14,5/20**
Cette cuvée de 100 % carignan est profonde et pleine avec une belle fraîcheur, dans un style moderne avec une bonne dose de bois qui ne plaira pas à tout le monde, mais qui commence à se fondre petit à petit.

CHÂTEAU DE LA SELVE

07210 Grospierres
Tél. 04 75 93 02 55 • Fax : 04 75 93 09 37
florence@chateau-de-la-selve.fr
www.chateau-de-la-selve.fr

En plein cœur de l'Ardèche, Benoît Chazallon cultive avec sa femme Florence quarante hectares de vignes en agriculture biologique. Le domaine possède une large palette de cépages, tous vinifiés en levures indigènes, pour faire plusieurs cuvées mises en bouteille sans filtration. Nous avons particulièrement apprécié les vins de la gamme Confidentielles qui sont élaborés uniquement à partir de cépages méridionaux.

Vin de pays de l'Ardèche 2007
Rouge | 2010 à 2013 | 40,75 € **15,5/20**
La cuvée la plus ambitieuse da la gamme est intense et profonde avec une texture veloutée et suave. Un élevage en barrique parfaitement réussi donne à ce vin un caractère racé et fin.

Vin de pays de l'Ardèche Madame de 2008
Blanc | 2010 à 2013 | 20,95 € **15/20**
Une cuvée 100 % viognier qui a fait un passage de 12 mois en barrique. Le vin est fin et élégant, boisé imperceptible, style très bourguignon.

DOMAINE DES SÉNÉCHAUX

3, rue de la Nouvelle Poste
84230 Châteauneuf-du-Pape
Tél. 04 90 83 73 52 • Fax : 04 90 83 52 88
senechaux@domaine-des-senechaux.com
Visite : lundi au vendredi de 8h30 à 12h30
et de 13h30 à 18h30.

Ce domaine très ancien et très bien situé, avec des sols de galets, d'argiles et de safre, a été repris en 2006 par la famille Cazes, propriétaire entre autres du pauillac Lynch-Bages. Une seule cuvée est produite en blanc comme en rouge, et les derniers millésimes indiquent une tranquille montée en puissance.

CHÂTEAUNEUF-DU-PAPE 2009
Blanc | 2010 à 2014 | 33 € — 15/20
Avec sa robe or pâle, c'est un vin solide et équilibré, aux arômes de fleurs et d'agrumes.

CHÂTEAUNEUF-DU-PAPE 2008
Blanc | 2010 à 2018 | 33 € — 15,5/20
Blanc très complet, ample et savoureux, à la palette aromatique séduisante avec ses notes de fleurs et de fruits blancs.

CHÂTEAUNEUF-DU-PAPE 2008
Rouge | 2010 à 2018 | 33 € — 15,5/20
Souple, équilibré, harmonieux, immédiatement accessible, construit et franc. Bons arômes de fraise.

DOMAINE DE LA SOLITUDE

Route de Bedarrides - B.P. 21 • 84230 Châteauneuf-du-Pape cedex 1
Tél. 04 90 83 71 45 • Fax : 04 90 83 51 34
domaine.solitude@orange.fr
www.domaine-solitude.com
Visite : De 8h à 12h et de 14h à 18h sur rendez-vous.

Quarante hectares d'un seul tenant, sur la route de Châteauneuf à Bedarrides, une tradition familiale qui remonte aux Barberini, famille toscane du Moyen-Âge dont fut issu un des papes d'Avignon, des terroirs magnifiques dont une bonne partie sur la Crau, voilà des atouts qui donnent aux derniers millésimes une force nouvelle.

CHÂTEAUNEUF-DU-PAPE 2008 ☺
Rouge | 2010 à 2016 | 17,50 € — 14,5/20
Avec ses arômes de cerise noire, son corps très tendre, souple et agréable, c'est un vin de dimension limitée mais immédiatement agréable à boire.

DOMAINE LA SOUMADE

84110 Rasteau
Tél. 04 90 46 13 63 • Fax : 04 90 46 18 36
dom-lasoumade@hotmail.fr
domainelasoumade.over-blog.com
Visite : Du lundi au samedi de 8h à 11h30
et de 14h à 18h.

André Roméro, aidé désormais de son fils, est un producteur majeur de Rasteau. La gamme explore toutes les facettes des terroirs de Rasteau, y compris dans les secteurs hors appellation. En matière de rouge, le sommet d'intensité est atteint avec Fleur-de-Confiance, une cuvée de vieux grenaches issus d'un terroir de pures argiles bleues.

CÔTES DU RHÔNE-VILLAGES RASTEAU 2007 ☺
Rouge | 2010 à 2015 | 7,50 € — 15/20
Belle concentration de fruits noirs mûrs (figue, mûre), des épices et une touche de cèdre. Le vin est équilibré, avec un joli grain tannique.

CÔTES DU RHÔNE-VILLAGES RASTEAU
CONFIANCE 2007
Rouge | 2013 à 2018 | 16,50 € — 17/20
Un nez profond et racé, très complexe, le vin est parfaitement construit avec des arômes d'olive noire, d'écorce d'orange et des épices exotiques.

CÔTES DU RHÔNE-VILLAGES RASTEAU
FLEUR DE CONFIANCE 2007
Rouge | 2015 à 2018 | 34 € — 17,5/20
Le vin est intense, de la sève de grenache, avec des notes florales et des agrumes confits, avec des tanins puissants mais bien travaillés.

CÔTES DU RHÔNE-VILLAGES RASTEAU PRESTIGE 2007
Rouge | 2012 à 2017 | 11,30 € — 16,5/20
Ce vin est moins sur le fruit que la cuvée de jeunes vignes, plus sur les arômes épicés, avec un soupçon de bois parfaitement intégré à l'ensemble.

TARDIEU-LAURENT

Les Grandes Bastides - Route de Cucuron
84160 Lourmarin
Tél. 04 90 68 80 25 • Fax : 04 90 68 22 65
info@tardieu-laurent.com • www.tardieu-laurent.com
Visite : De 8h à 12h et de 13h30 à 17h.

Michel Tardieu a fait de la minuscule maison de négoce qu'il avait créée au milieu des années 1990 un modèle d'expression des vins de la vallée du Rhône. Les vins de Tardieu-Laurent sont tous élevés en barrique, avec des proportions de bois neuf qui ont plutôt tendance à baisser par rapport aux pre-

mières années. Cet élevage ambitieux, loin d'uniformiser les vins, affine au contraire leur structure et leur définition et leur permet, après un à trois ans de bouteille, et avec une capacité de garde impressionnante, d'illustrer avec une extrême fidélité la personnalité de leur terroir.

Châteauneuf-du-Pape 2008
Rouge | 2012 à 2022 | NC **17,5/20**
Beaux arômes de fruits rouges, bouche droite et persistante, très savoureuse, grande allonge fraîche même si l'alcool est présent.

Châteauneuf-du-Pape Spéciale 2008
Rouge | 2013 à 2023 | 35 € **18/20**
Fruit plus poivré que les autres châteauneufs, intensité et allonge tannique : un vrai caractère, formidablement intense.

Châteauneuf-du-Pape Vieilles Vignes 2008
Rouge | 2016 à 2026 | 37 € **17,5/20**
Le vin le plus riche, le plus puissant, le plus large d'épaules du millésime : il est impératif d'oublier en cave cette bouteille et de donner au vin le temps d'assagir sa fougue.

Côtes du Rhône 2008 ☺
Blanc | 2010 à 2014 | 13 € **17/20**
Délicieux blanc, ample, subtilement parfumé et d'un équilibre entre fraîcheur et plénitude remarquable.

Côtes du Rhône Guy-Louis 2008 ☺
Rouge | 2010 à 2016 | 13 € **17/20**
Belles notes fraîches de fruits rouges pour un vin qui séduit autant par sa générosité savoureuse que par son allant et sa fraîcheur.

Côtes du Rhône-Villages Rasteau 2008
Rouge | 2010 à 2018 | 8 € **16/20**
Suave et fruité, mais sans l'intensité solaire des grands millésimes de Rasteau. On l'apprécie pour sa plénitude.

Gigondas Vieilles Vignes 2008
Rouge | 2012 à 2020 | 21 € **18/20**
Notes minérales de pierre chaude, fines épices, fruit à noyau, intensité onctueuse, une certaine tension : grand vin racé.

Hermitage 2008
Rouge | 2012 à 2022 | 49 € **18/20**
Superbes notes de chocolat, onctuosité remarquable, tanins soyeux, équilibre brillant.

Hermitage 2008
Blanc | 2010 à 2020 | 33 € **18,5/20**
Grand blanc de l'Hermitage, aux notes de miel d'acacia et de fleurs ultra persistantes, à la longueur onctueuse et à la finesse très savoureuse.

Saint-Joseph Vieilles Vignes 2008
Rouge | 2012 à 2020 | 19 € **17/20**
Les notes de fruits rouges et noirs sont vives, le corps est svelte, profond, finement parfumé, avec une belle allonge.

MAS THÉO

Quartier Alligier • 26230 Roussas
Tél. 06 82 69 50 64 • Fax : 04 75 98 61 87
info.mastheo@neuf.fr

Avec des vignes en conversion biologique, sur des terroirs en galets roulés, Mas Théo produit des vins francs et naturels, dotés d'une étonnante pureté de fruit. Ce ne sont pas des vins hyperconcentrés, mais ils prennent de l'ampleur avec des tanins soyeux et longs. La cuvée T.O. est un vrai vin de plaisir, gouleyant et sudiste, tandis que Le-Griffon, une cuvée à 90 % syrah, nous rappelle que l'appellation Tricastin n'est pas bien loin des crus de syrah du nord.

Coteaux du Tricastin Cuvée T.O. 2008
Rouge | 2010 à 2013 | NC **14/20**
Fruits frais, jolie texture, structure souple, manque un peu de maturité de raisin.

Coteaux du Tricastin Griffon 2008
Rouge | 2012 à 2015 | NC **13,5/20**
90 % syrah vinifié en barrique : en 2008 la matière est pour le moment dominée par le bois, à revoir d'ici un an.

CHÂTEAU DES TOURS

Les Sablons • 84260 Sarrians
Tél. 04 90 65 41 75 • Fax : 04 90 65 38 46
www.chateaudestours.fr
Visite : Du lundi au samedi de 8h à 12h et de 14h à 18h, sur rendez-vous.

Ce beau domaine est situé à Sarrians et réalise des vins rouges et blancs hautement recommandables, tant en Vacqueyras qu'en Côtes du Rhône et en vin de pays. Créé et développé par Emmanuel Reynaud, qui depuis plus de dix ans ajoute à cette charge celles de Rayas et Fonsalette, le cru a un style qui tranche avec celui des autres vacqueyras : jamais très puissants en couleur, les rouges établissent un équilibre souvent magnifique entre structure, chair et fraî-

cheur, avec des palettes aromatiques sans aucune lourdeur confiturée.

Côtes du Rhône 2007
Rouge | 2010 à 2014 | 12 € **15/20**
Le style aérien de la maison brille dans ce vin velouté et profond, belle structure en bouche avec des notes de figues et un côté liquoreux en bouche.

Côtes du Rhône 2007
Blanc | 2010 à 2014 | 12 € **15/20**
Du volume, riche en bouche, de la fraîcheur, une cuvée 100 % grenache blanc avec une grande longueur.

Vacqueyras 2004
Rouge | 2010 à 2016 | 21 € **16,5/20**
Très grande profondeur, définition longue, harmonieuse, savoureuse et intense. Des notes de kirsch, menthe et épices.

Vacqueyras 2003
Rouge | 2010 à 2012 | 20 € **16/20**
Un 2003 étonnant et exceptionnel, aux notes de raisins secs et de liqueur. Un grenache solaire, aux notes de figues rôties. La chaleur du millésime est perceptible, mais le vin finit sur une fraîcheur tout à fait surprenante.

Vin de pays du Vaucluse Domaine des Tours 2007
Blanc | 2010 à 2014 | 7,50 € **15/20**
Un raisin confit et concentré, belle texture intense en bouche avec une acidité qui harmonise l'ensemble.

Vin de pays du Vaucluse Domaine des Tours 2007
Rouge | 2010 à 2015 | 7,50 € **14,5/20**
D'une profondeur étonnante, gras et riche avec un tanin savoureux et long.

Côtes du Rhône 2008
Rouge | 2010 à 2013 | 7 € **14/20**
Un vin frais, droit et agréable, un raisin mûr et équilibré, sans surextraction. Plus sur les aromatiques de garrigue (laurier, thym, lavande) que sur le fruit, très bonne buvabilité.

Côtes du Rhône-Villages Cairanne 2009
Rouge | 2012 à 2016 | 10 € **14,5/20**
Belle qualité de fruits noirs, arômes floraux, une texture lisse et pleine en bouche, avec une bonne persistance.

Côtes du Rhône-Villages Rasteau 2008
Rouge | 2010 à 2015 | 10 € **14,5/20**
Floral, notes de fruits cuits au nez, la bouche est vive, harmonieuse et savoureuse avec un tanin parfaitement intégré.

Côtes du Rhône-Villages Rasteau Les Adrès 2007
Rouge | 2011 à 2016 | 19 € **14,5/20**
Nez concentré de fruits à l'alcool et d'herbes médicinales, belle concentration en bouche, allonge épicée, un rien chaud.

Rasteau Les Ponchonnières - grenache Vendanges de Novembre 2006
Rouge Demi-sec | 2010 à 2016 | 60 € **14,5/20**
Un vin tout à fait original, vendangé début novembre, foulé au pied, fermenté durant six mois. Un nez étonnant d'herbes médicinales, de goudron et de réglisse, il est doux en bouche, tannique, un peu mentholé. Une curiosité.

Rasteau Vin Doux Naturel 2008
Rouge | 2010 à 2018 | 14 € **15/20**
Arômes de fruits cuits, caramélisés, belle texture riche et soyeuse en bouche, bon équilibre.

DOMAINE DU TRAPADIS

Route d'Orange • 84110 Rasteau
Tél. 04 90 46 11 20 • Fax : 04 90 46 15 96
hd@domainedutrapadis.com
www.domainedutrapadis.com
Visite : De 9h à 12h et de 14h à 18h, le week-end sur rendez-vous.

Hélène Durand exploite ses vingt-trois hectares de vignes sans engrais chimique ni produit de synthèse, les vinifications se font sans soufre jusqu'à la mise en bouteille. L'intervention en cave est minimale, ce qui permet au vigneron de produire des vins digestes et équilibrés, sans surextraction.

CLOS DE TRIAS

Route de la Roque Alric • 84330 Le Barroux
Tél. 04 90 28 16 53 • Fax : 04 90 65 14 88
info@closdetrias.com • www.closdetrias.com
Visite : sur rendez-vous.

Even et Marie-Caroline Bakke ont repris l'ancien Domaine Champaga à la veille des vendanges 2007. Mais avec treize ans d'expérience comme winemaker en Californie, Even Bakke possédait tous les outils nécessaires pour réussir ses vendanges en France. Quinze hectares de vignes nichées au cœur des Dentelles, dans une situation naturelle et magnifique. Les vinifications se passent sans levures

chimiques et avec le minimum de S02. Une certification en bio suivra certainement dans les années qui viennent.

Côtes du Ventoux Pied Porcher 2007
Rouge | 2012 à 2018 | 45 € **16/20**
Bouquet de fruits rouges confits, cannelle et épices douces, le vin est suave et raffiné en bouche, ample, tendu et profond avec une qualité de fruit exceptionnelle. Un élevage en barrique laisse sa trace en finale, tanins épicés et encore serrés.

Côtes du Ventoux Vieilles Vignes 2007
Rouge | 2011 à 2017 | 25 € **16/20**
Splendide vin gourmand et charnu, à la sève profonde, exprimant un bouquet de fruits noirs d'une fraîcheur remarquable, terminant sur le poivre.

CHÂTEAU DE TRINQUEVEDEL

Trinquevedel • 30126 Tavel
Tél. 04 66 50 04 04 • Fax : 04 66 50 31 66
demoulin@chateau-trinquevedel.fr
www.chateau-trinquevedel.fr
Visite : Du Lundi au Vendredi de 9h à 12h
et de 13h30 à 18h

Les trente hectares du domaine, en un seul tenant autour du château, sont en légers coteaux, sur un terroir sableux avec des galets roulés. Les vins du domaine sont de belles expressions du terroir de Tavel, sans artifice, ni de surextraction, qui peuvent, malgré les habitudes actuelles, très bien vieillir. Avec l'acquisition de quelques hectares de vignes en Côtes du Rhône, ils produisent désormais un vin rouge, agréable, sur le fruit.

Côtes du Rhône 2009
Rouge | 2010 à 2012 | 7,50 € **13,5/20**
Agréable et floral, fruité et rond, c'est un vin tout à fait honorable pour un premier essai de vinification en rouge, dans un pays ou le rosé règne.

Tavel 2009
Rosé | 2010 à 2013 | 8,50 € **15,5/20**
Un rosé sérieux et structuré, profond et expressif en bouche avec beaucoup de caractère. Belle longueur.

Tavel Les Vignes d'Eugène 2007
Rosé | 2010 à 2014 | 9,50 € **15/20**
Les plus vieilles vignes du domaine rentrent dans cette cuvée prestige. Grenache et syrah avec 20 % de clairette, il est vinifié dans un style plus poussé, avec plus du corps. Avec un caractère tout à fait différent, le vin est riche et ample en bouche avec des notes de fruits rouges et de l'allonge. C'est un bon vin à garder, si cette expérience de vieux tavels vous tente !

DOMAINE RAYMOND USSEGLIO

84230 Châteauneuf-du-Pape
Tél. 04 90 83 71 85 • Fax : 04 90 83 50 42
info@domaine-usseglio.fr • www.domaine-usseglio.fr
Visite : Sur rendez-vous.

Ce domaine créé après guerre dépasse aujourd'hui la vingtaine d'hectares de vignes dans l'appellation (auxquelles s'ajoutent cinq hectares en Côtes du Rhône). Largement dominée par le grenache, la production en rouge se traduit par deux cuvées, dont une de prestige, Impériale, issue des plus vieilles vignes du domaine. Le style est traditionnel mais de belle qualité, les vins vieillissant parfaitement.

Châteauneuf-du-Pape 2009
Blanc | 2010 à 2014 | 18 € **14/20**
Vin souple, onctueux, encore un peu strict sur le plan aromatique mais de la longueur.

DOMAINE PIERRE USSEGLIO ET FILS

Route d'Orange • 84230 Châteauneuf-du-Pape
Tél. 04 90 83 72 98 • Fax : 04 90 83 56 70
domaine-usseglio@wanadoo.fr
Visite : Du lundi au vendredi de 9h30 à 12h
et de 14h30 à 18h et sur rendez-vous.

Les deux fils de Pierre, Thierry et Jean-Pierre, mènent ce domaine classique depuis la fin des années 1990. Ils réalisent des vins intenses, solaires et de grande sève, particulièrement spectaculaires dans la cuvée faite pour la longue garde, Mon-Aïeul.

Châteauneuf-du-Pape 2009
Blanc | 2010 à 2013 | 17,50 € **15/20**
Une richesse bien maîtrisée, de la fraîcheur et du parfum même si le vin demeure très généreux.

Châteauneuf-du-Pape 2008
Rouge | 2010 à 2016 | 20 € **15/20**
Vin équilibré, harmonieux, savoureux avec ses notes de fraise et sa tendresse, souple et agréable.

CHÂTEAU VAL JOANIS

Château Val Joanis • 84120 Pertuis
Tél. 04 90 79 20 77 • Fax : 04 90 09 69 52
info@val-joanis.com • www.val-joanis.com

Dans une région dotée des plus belles propriétés de France, Château Val Joanis est parmi les plus magiques. Des 400 hectares d'un seul tenant, qui entourent le château et le chai de vinification, 186 sont plantés en vignes, mais seulement 60 hectares des meilleures parcelles entrent dans les vins du château. Avec une telle dimension, le terroir est naturellement diversifié, entre les marnes calcaires et les sables anciens, mêlés aux galets roulés par endroits. Vinifiés dans une cave ultra moderne, les vins du château sont structurés et sérieux, toujours bien construits, mais parfois avec des tanins aux arêtes sévères.

CÔTES DU LUBERON RÉSERVE LES GRIOTTES 2007
Rouge | 2011 à 2014 | 14,50 € **14,5/20**
Plus d'extraction, moins de finesse, mais c'est un vin sérieux, aux fruits épicés et concentré, les tanins sont encore serrés.

CÔTES DU LUBERON ROUSSANNE TRADITION 2009
Blanc | 2010 à 2012 | 8,50 € **14/20**
Richement fruitée, la roussanne est assemblée avec une touche de vermentino. Agréable, c'est un vin pour la table avec sa texture ample et aromatique.

CÔTES DU LUBERON TRADITION 2009
Rosé | 2010 à 2012 | 8,50 € **14/20**
Belle personnalité, de la rondeur en bouche avec des notes florales, très bien fait.

CÔTES DU LUBERON TRADITION SYRAH 2007
Rouge | 2010 à 2013 | 8,50 € **14,5/20**
Un vin sur l'élégance plus que la puissance. Belle syrah avec ses notes de violettes et de réglisse, un tanin bien travaillé et souple.

CUVÉE DU VATICAN

10, route de Courthézon - B.P. 33
84231 Châteauneuf-du-Pape
Tél. 04 90 83 70 51 • Fax : 04 90 83 50 36
carine.diffonty@cuveeduvatican.fr
www.cuveeduvatican.fr
Visite : Du lundi au vendredi de 10h à 12h et de 14h à 17h30, et le samedi sur rendez-vous.

Jean-Marc Diffonty travaille un peu plus de vingt hectares situés aux quatre coins de l'appellation. Il dispose d'installations modernes et fonctionnelles pour produire des châteauneufs classiques et veloutés, dont une cuvée de prestige les bonnes années, nommée assez logiquement Sixtine.

CHÂTEAUNEUF-DU-PAPE 2008
Rouge | 2010 à 2016 | 23 € **14,5/20**
Vin souple, rond et frais, d'intensité moyenne mais avec un bon retour aromatique sur le fruit noir en finale et une vraie persistance.

CHÂTEAUNEUF-DU-PAPE SIXTINE 2008
Rouge | 2012 à 2018 | 40 € **17/20**
Remarquable vin, très élégant, doté d'un beau tanin fin, exprimant un fruit net, une allonge soyeuse avec du nerf.

CHÂTEAU DE VAUDIEU

Route de Courthézon • 84230 Châteauneuf-du-Pape
Tél. 04 90 83 70 31 • Fax : 04 90 83 51 97
julien.brechet@famillebrechet.fr
www.famillebrechet.fr
Visite : Du lundi au vendredi de 8h30 à 12h et de 14h à 18h30 et le samedi sur rendez-vous.

Cette magnifique propriété, située à l'est de Châteauneuf-du-Pape, fut acquise et restructurée par le grand négociant de Gigondas, Gabriel Meffre. Aujourd'hui dirigée par son petit-fils, elle retrouve un très haut niveau, tant en blanc qu'en rouge, pour l'ensemble de ses cuvées.

CHÂTEAUNEUF-DU-PAPE 2008
Blanc | 2010 à 2014 | 25 € **16/20**
Joli blanc raffiné et prêt à boire : fin parfum, tendre et subtil, notes de fleurs blanche et de poire, allonge.

CHÂTEAUNEUF-DU-PAPE 2008
Rouge | 2010 à 2018 | 23,50 € **16/20**
Belle robe rouge élégante, notes de fruits rouges et noirs, bouche onctueuse, harmonieuse et fraîche, grande allonge suave.

CHÂTEAU LA VERRERIE

Chemin de Lauris • 84360 Puget-sur-Durance
Tél. 04 90 08 32 98 • Fax : 04 90 08 25 45
la-verrerie@wanadoo.fr • www.chateau-la-verrerie.fr
Visite : De 9h30 à 18h.

Cette magnifique propriété du Luberon, acquise par la famille Descours il y a maintenant plus d'une vingtaine d'années, produit des vins étonnants pour leur finesse et leur pureté de fruit. Les 58 hectares, en bordure de Durance, sont plantés principalement

en grenache et syrah, exposés plein sud sur des sols argilo-calcaires. Le climat, très chaud en été et marqué dès la fin août par des nuits fraîches, contribue à la réalisation de vins très modernes mais respectant le fruit. Les vinifications sont conduites par gravité, les vins vieillissent en foudres et se révèlent, depuis plusieurs années, parmi les meilleurs du Luberon.

Côtes du Luberon 2009
Rosé | 2010 à 2011 | 8,50 € **14/20**
Agréable, rond et fin, un rosé d'apéritif.

Côtes du Luberon 2008
Blanc | 2010 à 2012 | 10,50 € **14,5/20**
Un blanc de grande classe, profond et ample en bouche, avec beaucoup de personnalité. Grande finesse et fraîcheur.

Côtes du Luberon 2006
Rouge | 2010 à 2015 | 13 € **15/20**
Belle densité au nez et en bouche, notes de cannelle, épices douces, tanin raffiné et longueur racée.

Côtes du Luberon Grand Deffand 2006
Rouge | 2012 à 2017 | 26 € **16/20**
Un beau nez de syrah floral (violette) et mentholé, bouche riche, profonde et racée. C'est un vin élégant et fin avec des tanins soyeux, parfaitement intégrés à l'ensemble, un élevage soigné, de grande longueur.

Côtes du Luberon La Bastide 2007
Rouge | 2011 à 2015 | 9 € **14,5/20**
Un vin dense avec un fruité discret, subtil. Des arômes de cèdre, de tabac et de réglisse, très fin en bouche, tanin bien construit, encore jeune.

Vin de pays du Vaucluse 2009
Blanc | 2010 à 2011 | 7,50 € **13,5/20**
Arômes floraux et de pêches blanches, vin expressif et plein, sans lourdeur.

DOMAINE DE LA VIEILLE JULIENNE

CD 72 • 84100 Orange
Tél. 04 90 34 20 10 • Fax : 04 90 34 10 20
contact@vieillejulienne.com • www.viellejulienne.com
Visite : Sur rendez-vous du lundi au vendredi.

Ce domaine d'un seul tenant est situé au nord de l'appellation. Pour autant, il partage sa superficie sur diverses appellations : dix hectares sont en vin de pays, dix en Côtes du Rhône et dix en Châteauneuf. Cultivé en bio depuis 1990, il est en biodynamie depuis cinq ans maintenant. 100 % éraflées, deux cuvées existent en rouge, l'une classique, l'autre, appelée Réservée, s'appuyant sur des vieilles vignes de grenache et de tout petits rendements.

Châteauneuf-du-Pape 2008
Rouge | 2012 à 2022 | 40 € **16,5/20**
D'une dimension plus nerveuse que le 2007, ce vin n'en constitue pas moins un intense et svelte châteauneuf de grand équilibre.

Châteauneuf-du-Pape 2007
Rouge | 2013 à 2023 | 44 € **17,5/20**
Grand vin onctueux et concentré, d'une richesse suave mais sans relâchement, terminant sur une palette fruitée superbement mûre.

Côtes du Rhône Clavin 2008
Rouge | 2010 à 2014 | 12 € **15/20**
Beau côtes-du-rhône fruité et gourmand, doté d'un corps nerveux et profond.

Côtes du Rhône Clavin 2007
Rouge | 2010 à 2015 | 13,50 € **15,5/20**
De la sève, des épices et de l'intensité : un côtes-du-rhône haut de gamme qui peut vieillir.

LE VIEUX DONJON

9, avenue Saint-Joseph - B.P. 66
84232 Châteauneuf-du-Pape
Tél. 04 90 83 70 03 • Fax : 04 90 83 50 38
vieux-donjon@wanadoo.fr

Les caves sont installées dans le village de Châteauneuf-du-Pape, mais ce petit domaine de treize hectares possède des vignes plutôt dans le nord de l'appellation. Issus de vignes cultivées très méticuleusement et vinifiées sans esbroufe mais avec un sens très sûr de l'équilibre, les vins du Vieux Donjon sont parmi ceux qui vieillissent le mieux, dans un registre profond et très savoureux. La propriété ne nous a pas présenté ses vins lors de la dégustation à l'aveugle du millésime 2008.

DOMAINE DU VIEUX TÉLÉGRAPHE

3, route de Châteauneuf-du-Pape - B.P. 5
84370 Bédarrides
Tél. 04 90 33 00 31 • Fax : 04 90 33 18 47
vignobles@brunier.fr • www.vignoblesbrunier.fr
Visite : Ouvert du lundi au vendredi De 8h à 12h et de 13h30 à 17h30

Cette splendide propriété de Bédarrides est l'un des crus majeurs de l'appellation : elle dispose pour cela d'un vaste vignoble d'un seul tenant, entièrement situé sur le plateau de la Crau. Elle dispose désormais d'un nouveau chai qui lui permet d'affiner encore le style de vins fondés sur l'équilibre et la souplesse.

Châteauneuf-du-Pape 2008
Rouge | 2012 à 2018 | 45 € **16,5/20**
La robe est sombre, le bouquet associe fruits noirs, chocolat et olive noire, le vin est large d'épaule, assez chaleureux, profond et onctueux.

Châteauneuf-du-Pape Télégramme 2009
Rouge | 2010 à 2015 | env 22 € **14,5/20**
Cette cuvée de jeunes vignes séduit par ses charmeurs arômes de mûre, griotte, son corps tendre et gourmand.

Vin de pays du Vaucluse Pigeoulet 2009
Rouge | 2010 à 2013 | 6,50 € **14/20**
Issu de vignes du Ventoux et de terres de palus dans le fief des Brunier, à Bedarrides, ce vin gourmand et juteux brille par son fruit. Une parfaite illustration du «bonheur tout de suite !»

DOMAINE DE VILLENEUVE

Route de courthezon • 84100 Orange
Tél. 04 90 34 57 55 • Fax : 04 90 51 61 22
domainedevilleneuve@free.fr
www.domainedevilleneuve.com
Visite : Sur rendez-vous.

Cette propriété discrète s'est bien installée dans le paysage de Châteauneuf, avec une cuvée unique issue de vieilles vignes de grenache. C'est un vin à la fois solide, solaire et raffiné, vieillissant avec beaucoup de style si l'on en juge par des 1999 et 1998 issus de notre cave et se dégustant magnifiquement actuellement.

Châteauneuf-du-Pape Vieilles Vignes 2007
Rouge | 2014 à 2022 | 27 € **16/20**
Ample, intense et finement épicé, le vin possède une grande allonge et un potentiel de garde certain.

DOMAINE VINDEMIO

Avenue Jean-Jaurés • 84570 Villes-sur-Auzon
Tél. 04 90 70 20 45 • Fax : 09 70 62 46 01
vindemio@hotmail.fr • www.vindemio.com

Avec 15 hectares cultivés en bio, Jean Marot, rejoint par son fils Guillaume, vinifie trois cuvées en rouge et une en blanc. Depuis 2009, Jean s'est lancé dans la biodyanamie pour aller encore plus loin dans le travail - déjà minutieux - de ses vignes. Père et fils ont créé des vins fins et élégants, avec beaucoup de personnalité et de structure, les fruits sont purs, avec une fraîcheur bien préservée. En 2008, la décision a été prise de faire une seule cuvée en rouge, profitez-en car le rapport qualité-prix est imbattable !

Côtes du Ventoux Amadeus 2007
Rouge | 2011 à 2018 | 14,90 € **16,5/20**
De très vieilles vignes de grenache font de cette cuvée une merveille ! Une telle concentration et un tel équilibre sont rares. De la sève de grenache, tendue et bien tissée, une vinification parfaite, avec des tanins serrés. Ce vin mérite un vieillissement en cave de plusieurs années. Bravo !

Côtes du Ventoux Imagine 2007
Rouge | 2010 à 2017 | 11,40 € **16/20**
Un nez extrêmement plaisant de fruits parfaitement mûrs qui met l'eau à la bouche. Suave et velouté en bouche avec une texture pleine et expansive, le vin est opulent, notes de réglisse et de ronces. Les tanins sont savoureux et longs en finale.

Côtes du Ventoux Regain 2008
Blanc | 2010 à 2012 | 7,20 € **14,5/20**
Des arômes de miel et de fruits blancs confits avec une bouche qui reste sur la fraîcheur et une bonne concentration de matière.

Côtes du Ventoux Regain 2008
Rouge | 2010 à 2014 | 7,20 € **15/20**
Nez épicé et poivré, bouche généreuse et vive, fruit croquant, avec beaucoup de caractère. Très belle réussite pour ce millésime compliqué.

DOMAINE VIRET

Quartier Les Escoulenches
26110 Saint-Maurice-sur-Eygues
Tél. 04 75 27 62 77 • Fax : 04 75 27 62 31
domaineviret@domaine-viret.com
www.domaine-viret.com

Visite : Ouvert du lundi au samedi de 9h a 12h et de 14h a 18h. le dimanche sur rendez-vous.

«Vins issus de la cosmoculture» annonce fièrement la famille Viret en parlant de leur production. Association d'une agriculture biologique et d'une attention soutenue (comme d'autres grands producteurs de l'Hexagone) aux questions de magnétisme et d'échanges entre énergies cosmiques et telluriques, cette pratique se traduit entre autres choses par la création d'une cave à l'architecture étonnante. Les vins sont puissamment construits, avec une grande intensité et une forte assise tannique. Il faut savoir tranquillement les attendre, de préférence dans une cave bien fraîche car les dosages en soufre sont minimaux.

Amphore VIII

Rouge | 2010 à 2013 | 15 € **15/20**

Vinifié en amphore, le vin est frais et épicé avec un tanin fin et soyeux. C'est un vin original et très agréable. Disponible dans des bouteilles de 50 centilitres et en magnums.

Côtes du Rhône La Coudée d'Or 2009

Blanc | 2010 à 2013 | 15 € **16/20**

Notes de caramel, noix fraîches, vin puissant, un jeu sur l'oxydation ménagée, parfaitement sec, savoureux, net, très original.

Côtes du Rhône-Villages Saint-Maurice Les Colonnades 2007

Rouge | 2013 à 2017 | 15 € **15,5/20**

Figues fraîches, nez de porto, fruits au sirop, prunes, grain de tanin fin dans un corps très riche, aucun alcool perceptible, beaucoup de puissance en réserve.

Côtes du Rhône-Villages Saint-Maurice Maréotis 2007

Rouge | 2012 à 2016 | 15 € **15/20**

Très riche puissant, nez de figues rôties, caractéristique d'un long élevage en bois, tanin puissant mais enrobé, à faire vieillir.

Notes personnelles

Les index

RETROUVEZ LES DOMAINES MARQUÉS «WEB» SUR WWW.BETTANEDESSEAUVE.COM

DOMAINES MAISONS, ET CAVES

A

B

RETROUVEZ LES DOMAINES MARQUÉS «WEB» SUR WWW.BETTANEDESSEAUVE.COM

RETROUVEZ LES DOMAINES MARQUÉS «WEB» SUR WWW.BETTANEDESSEAUVE.COM

C

RETROUVEZ LES DOMAINES MARQUÉS «WEB» SUR WWW.BETTANEDESSEAUVE.COM

RETROUVEZ LES DOMAINES MARQUÉS «WEB» SUR WWW.BETTANEDESSEAUVE.COM

D

E

RETROUVEZ LES DOMAINES MARQUÉS «WEB» SUR WWW.BETTANEDESSEAUVE.COM

RETROUVEZ LES DOMAINES MARQUÉS «WEB» SUR WWW.BETTANEDESSEAUVE.COM

H

RETROUVEZ LES DOMAINES MARQUÉS «WEB» SUR WWW.BETTANEDESSEAUVE.COM

RETROUVEZ LES DOMAINES MARQUÉS «WEB» SUR WWW.BETTANEDESSEAUVE.COM

M

RETROUVEZ LES DOMAINES MARQUÉS «WEB» SUR WWW.BETTANEDESSEAUVE.COM

RETROUVEZ LES DOMAINES MARQUÉS «WEB» SUR WWW.BETTANEDESSEAUVE.COM

RETROUVEZ LES DOMAINES MARQUÉS «WEB» SUR WWW.BETTANEDESSEAUVE.COM

R

RETROUVEZ LES DOMAINES MARQUÉS «WEB» SUR WWW.BETTANEDESSEAUVE.COM

RETROUVEZ LES DOMAINES MARQUÉS «WEB» SUR WWW.BETTANEDESSEAUVE.COM

RETROUVEZ LES DOMAINES MARQUÉS «WEB» SUR WWW.BETTANEDESSEAUVE.COM

U

V

W

Y

Z

AOC

BORDEAUX CLAIRET

BORDEAUX ROSÉ

BORDEAUX SUPÉRIEUR

BOURGOGNE

BOURGOGNE ALIGOTÉ

BOURGOGNE CHITRY

BOURGOGNE CÔTE CHALONNAISE

BOURGOGNE CÔTES D'AUXERRE

BOURGOGNE ÉPINEUIL

CHABLIS PREMIER CRU

CHAMBERTIN GRAND CRU

CHAMBERTIN-CLOS DE BÈZE GRAND CRU

CHAMBOLLE-MUSIGNY

CHAMPAGNE

AOVDQS

VINS DE PAYS

VINS DE TABLE

IGP MÉDITERRANÉE

ILS NOUS ONT AIDÉS À RÉALISER CE GUIDE

Catherine Alby, Nathalie Archimbault, Jérémy Arnaud, Catherine Barbier-Lalève, Florence Barthes, Emma Baudry, Neil Bechetoile, Franck Berkules, Catherine Berté, Hervé Bianchi, David Bidegaray, Michel Blanc, Nelly Blau-Picard, Isabelle de Boisguilbert, François Boitard, Sylvain Boivert, Gontran Bosteaux, Audrey Bourolleau, Philippe Cabrit, Paula Campos, Amandine Carlier, Béatrice de Chabert, Cécile Claveirole, Mélina Condy, Hortense Courteaux, Stéphane Cros, Sophie Dabudyk, Emmanuelle Dantin, Clotilde Deleaz, Pascal Delbeck, Sonia Delgrange, Perrine Dequecker, Marlène Derc, Karine Devilder, Nathalie Diffi, Catherine Duperat, Patricia Ferrero, Cécile Fierdepied, Christelle Forestier, Thierry Fritsch, Jean Gabert, Nicolas Garcia, Jean-Marie Garde, Sandra Gay, Pascal Gianesini, Serge Giavitto, Céline Girod, Didier Gontier, Jean-Pierre Gouvazé, Jean Philippe Granier, Ludovic Gros, Hubert Groutel, Christian Guerin, Dominique Huet, Marie-Hélène Inquimbert, Frédérique Javanaud, Corinne Lacombe, Isabelle Lallemand, Sandra Lanne, Aurélie Lanquetin, Cédric Laprun, Graziella Léon, Anne-Sophie Lerouge, Jean Lissague, Marie Stéphane Malbec, Bruno Marchand, Cécile Mathiaud, Clément Mengus, Yannick Menguy, Virginie Monnier, Anny Morandy, Michel Morillon, Nathalie Pagès, Carole Perrier, Richard Planas, Nicolas Ponzo, Selma Régincos, Jean-Louis Rizet, Benoit Roumet, Denis Roumet, Elodie Roux, Stéphane Roux, Olivier Rufflet, Guillaume Sénéchal, Joseph Sergi, Gérard Sibourg Baudry, Philippe Simon, Bernard Sonnet, Nicolas Stromboni, Marie-Pierre Tamagnon, Jean Pierre Thène, Jean-François Touzet, Arnaud Valour, Carole Vidal, Marie Vigneron, Julien Vignault, Marie France Villeneuve, Christian Vital, Jean-Louis Vivière, Jean-Luc Zell, Yves Zier, Alexandre de Zordi.

Les syndicats d'appellation de Fixin et Marsannay, Gevrey Chambertin, Chambolle Musigny, Morey Saint Denis, Vosne Romanée et Nuits Saint Georges

Cet ouvrage a été achevé d'imprimer en juillet 2010
sur les presses de l'imprimerie Rotolito Lombarda
Dépôt légal : août 2010
Imprimé en Italie